Entrada

Sinónimos o referencias

libertad 1. Capacidad de alguien de decidir y actuar en la vida. ☞ **permisión.** ❖ DEPENDENCIA.

— *La libertad reside en comprender el mundo y situarse en él con inteligencia.*

— conjunto de ideas y prácticas que apoyan y desarrollan la libertad de acción y pensamiento del individuo, la no injerencia del Estado en la vida social y económica, y el origen parlamentario de las leyes: *liberalismo.*

— que es partidario del liberalismo: *liberal.*

— practicar el liberalismo: *liberalizar.*

— desenfreno o falta de respeto hacia los demás: *libertinaje.*

— desenfrenado o inmoral: *libertino.*

2. Situación de no sufrir ningún impedimento o sujeción. ❖ ESCLAVITUD, SUJECIÓN.

— *Dejaron en libertad a los sospechosos del crimen.*

— poner en libertad algo o a alguien que estaba bajo el dominio de una persona o institución: *liberar, libertar, librar.*

3. Soltura o naturalidad para desenvolverse en una situación; facilidad para hacer algo o para tratar a las personas.

— *Se reían con toda libertad del jefe.*

—permitirse un trato de mucha confianza o familiaridad con alguien: *tomarse la libertad de, tener libertad de.*

— tomarse familiaridades inadecuadas con alguien o propasarse: *tomarse libertades.*

Antónimos u opuestos afines

Ejemplos de uso

Voces derivadas

Otras acepciones

DICCIONARIO
INVERSO
ILUSTRADO

DICCIONARIO
INVERSO
ILUSTRADO

De la idea aproximada
a la palabra precisa

Reader's Digest
MÉXICO

México • Miami • Nueva York

DICCIONARIO INVERSO ILUSTRADO

Reader's Digest México, S.A. de C.V.
Departamento Editorial de Libros

Director:
Gonzalo Ang

Editores: Sara Alatorre, Sara Giambruno, José López Andrade, Martha Mendoza, Irene Paiz, Arturo Ramos Pluma, Myriam Rudoy, Iván Vázquez

Auxiliares editoriales:
Azucena Bautista, Silvia Estrada

Arte:
Rafael Arenzana

Auxiliar de Arte:
Adriana Rida

Esta versión en español es una adaptación de las obras *Reader's Digest Reverse Dictionary*, © 1989 The Reader's Digest Association Limited, Londres, Inglaterra, e *Illustrated Reverse Dictionary*, © 1990 The Reader's Digest Association Inc., Pleasantville, Nueva York, Estados Unidos de América.

Reader's Digest México agradece a las siguientes personas su colaboración en esta obra:

En el establecimiento de criterios para la revisión de definiciones: lingüista Luz Fernández.

En la redacción y revisión: Yolanda Argudín, Honorata Mazzotti, Alejandro Ortiz, Octavio Rivera.

En la redacción: Rosalba Carrillo, Leticia García Riello, Humberto Guerra, Josefina Jiménez, Lorena Maldonado, Lorena Murillo, María Soledad Simón, Gonzalo Vázquez.

Esta primera edición de 45,000 ejemplares, más sobrantes para reposición, se terminó de imprimir el 2 de marzo de 1992 en Litografía Senefelder, S.A., Bernal Díaz del Castillo 33, Col. Guerrero, México 3, D.F.

Esta edición estuvo al cuidado de Sara Alatorre y Myriam Rudoy.

ISBN 968-28-0144-3

Editado en México por Reader's Digest México, S.A. de C.V.

Impreso en México
Printed in Mexico

Cómo ir de la idea aproximada a la palabra precisa

Todos hemos sentido la frustración de haber olvidado una palabra conocida. Sabemos lo que queremos decir, sabemos que existe la palabra precisa que andamos buscando, y que además la conocemos, pero cuando la necesitamos simplemente no acude a la memoria. Entonces comenzamos a tronar los dedos, a parpadear, a gesticular, y decimos "lo tengo en la punta de la lengua" o "cómo te diré..." Pero la palabra continúa fuera de nuestro alcance, se nos escapa hasta la desesperación.

Los psicólogos estudiosos comparan este fenómeno con el momento en que se nos va un estornudo: la nariz cosquillea... nos preparamos para estornudar y... ¡nada! Lo que se necesita entonces es una mota de polvo que desencadene la acción. El *Diccionario inverso ilustrado* nos la provee; es una caja de polvos lingüísticos que ayudan a liberar ese estornudo suspendido.

¿Cómo funciona?

El *Diccionario inverso ilustrado* es sobre todo una herramienta para encontrar palabras. Su objetivo es ayudarle a localizar el término preciso a partir de una idea. Es decir, usted tiene la idea de lo que desea expresar y este libro pone la palabra. Esto se consigue gracias a que el texto lo lleva de una voz conocida (que hemos llamado palabra-clave) a la palabra que se escapa (y que aquí designamos como palabra-blanco): así se va *de la idea aproximada a la palabra precisa*.

La palabra-clave que le es familiar lo puede conducir a la palabra-blanco por tres diferentes caminos:

— por una definición que lo lleva directamente a la palabra-blanco

— por referencias a una serie de términos sobre un tema específico, donde se encuentra la palabra-blanco, y

— por referencias a un recuadro o una ilustración que contenga la palabra-blanco

Suponga que usted intenta recordar o conocer el término que designa lo oculto y misterioso de la vida. Entonces acuden a su mente palabras-clave como **recóndito** o **secreto**. Consulte cualquiera de ellas y lo remitirá a **arcano**, término que significa "misterio o cosa oculta". Además, esta palabra-blanco lo remitirá a la ilustración de **tarot**, que es un juego de baraja entre cuyas cartas algunas se denominan arcanos. Con esto, usted sabrá algo más de lo que necesitaba originalmente.

Note la diferencia entre éste y otros diccionarios: en vez de buscar la explicación de un término que usted ya conocía, llegará a éste a partir de una idea aproximada, de aquí el título de *Diccionario inverso*.

Dé en el blanco

La mayoría de las palabras-blanco pueden ser alcanzadas desde varias direcciones. Por principio, usted puede buscarlas en los sinónimos o ideas afines. Si busca la palabra **trayectoria**, por ejemplo, puede localizarla en **sendero** y en **curso**. O bien puede acercarse a ella por asociación, en lugar de recurrir a la sinonimia; o sea que si busca **lanzar** o **arrojar** (una pelota, por ejemplo) encontrará también la palabra-blanco **trayectoria**. Y como los misiles también implican una trayectoria, puede buscar esta palabra-blanco en **misil**.

La parte lingüística de la mente humana funciona tanto por medio de ideas paralelas como por pensamiento directo lógico, de ahí que muchas de las palabras-clave hayan sido seleccionadas bajo estos principios. A menudo encontrará palabras-blanco a partir de sus aplicaciones, es decir, en frases donde dicho término esté empleado, como por ejemplo *trabajo asalariado* o *manjar sabroso*. En estos casos usted puede buscar **trabajo** o **manjar** y encontrará **asalariado** o **sabroso**.

Una palabra-blanco también puede encontrarse por medio de su opuesta o antónima. A la palabra **auster**o se puede llegar a través de **excesivo, exuberante** o **abundante**, mientras que a **diminuto** se puede llegar por medio de **gigante** y **enorme**.

Resulta evidente que sería imposible incluir en esta obra todos los acercamientos posibles a una palabra-blanco, pero los más usuales y prácticos se encuentran aquí. Si no encuentra la palabra-blanco en el primer intento, busque de nuevo: "¿Cuál es el nombre de esos arbolitos japoneses que parecen plantas enanas?" La respuesta no la encontrará necesariamente al buscar **enano**, pero quizá si busca en **miniatura**, o simplemente en **árbol** o en **planta**, le dará al blanco: **bonsai**.

Enriquezca su vocabulario

El *Diccionario inverso ilustrado* es más que un instrumento para encontrar palabras: también es un constructor de vocabulario. Contribuye a ampliar su acervo de vocablos al colocar justo en el centro de su vocabulario usual aquellos términos que hasta hoy habían permanecido al margen. Y va aún más adelante al traspasar la línea de lo conocido para darle acceso a las profundidades del idioma español.

La mayoría de las palabras-blanco son relativamente difíciles, como **trayectoria, crustáceo, eutanasia, ecléctico, parsimonioso, metamorfosis, exuberante, panacea**... Pero otras se ubican en los extremos de este término medio y resultan ser o muy familiares o muy difíciles. Esto se debe a que más que la palabra misma, es su significado lo que está en juego. Tome por ejemplo los términos **estrella, reina** y **aguja**, sin duda muy sencillos, pero que resultan no tan simples cuando se les asocia con los significados específicos que usted tiene en mente. La palabra **estrella** puede significar la suerte que acompaña a una persona, así que usted encontrará **estrella** al buscar **suerte**. La palabra **reina** aparece asimismo en **baraja** o **naipe**, puesto que es el nombre de una de las cartas. De igual manera, **aguja** aparecerá también en **reloj** y en **tren**, ya que ambos están dotados de adminículos como agujas en sus respectivos mecanismos.

Palabras que usted no conocía

Desde otra perspectiva, aunque términos como **tonsura, barbecho** y **silogismo** pueden resultarle desconocidos, su significado sí lo conoce, ya que **tonsura** es la parte rapada de un monje y la podrá encontrar en **calva** y en **monje**; **barbecho** es la preparación de la tierra para la siembra, y la encontrará en **tierra** y en **labranza**; y **silogismo** es el razonamiento lógico que consta de dos premisas y una conclusión, por lo que aparecerá también en **lógica** y en **razonamiento**.

Algunas veces, no sólo la palabra le resultará desconocida, sino también su significado. Tal puede de ser el caso de **sinapsis**, que es el mecanismo de interconexión de las neuronas, vocablo que aparecerá en **sistema nervioso** y en **nervio**. Palabras de este tipo, que usted no sabía que ignoraba, aparecen a lo largo del libro. Y todo esto con la comodidad de contar con indicaciones al pie de las páginas nones: donde usted vea este signo ☞, la palabra que inicialmente buscó lo lleva a sus sinónimos o referencias, con los cuales el conocimiento de primera mano puede ser completado o ampliado. Lo mismo en el caso de las ideas que se oponen; si usted encuentra este signo ❖, se topará con el antónimo o la idea contraria de la palabra que originalmente buscó, y ello implica agregar otro conocimiento respecto del tema de referencia. Es como resolver un crucigrama; lo que el *Diccionario inverso ilustrado* proporciona es un verdadero acervo de palabras cruzadas, que resulta una herramienta muy útil para la solución de problemas léxicos.

Palabras derivadas y palabras curiosas

Algunos términos desconocidos sólo son sinónimos de otros perfectamente conocidos. **Antropófago** no es más que un **caníbal**; **licántropo** es, entre otras cosas, un **hombre lobo**; y hay términos técnicos, en apariencia desconocidos, que nos resultan a fin de cuentas familiares, como **hidrofobia**, que no es sino la enfermedad de la **rabia**, o bien el rimbombante **miocardio**, que es el **corazón**.

Palabras como éstas pueden sonar muy pomposas si las empleamos libremente en una conversación, y tienden a ser pretenciosas incluso en la escritura formal, pero no dejan de ser *conocimientos*. Y también pueden ser muy divertidas, lo que nos lleva a plantear otra de las funciones del *Diccionario inverso ilustrado*: proporcionar entretenimiento. A los valores que ya posee esta obra (ser un instrumento para encontrar palabras y un constructor de vocabulario) se agrega la cualidad de divertir.

El idioma español se caracteriza por derivar términos que resultan chistosos, curiosos o pintorescos, y que, además, a la larga nos llevan a significados que dejan de tener relación con su sentido original. En uno de los usos derivados del verbo **moler** nos encontramos con su mexicana aplicación de *moler gente* para referirse a fastidiar. Otro tanto ocurre con el verbo **sacar**, al que, además de sus usos y aplicaciones generales, se agregan otros más populares, como *sacarle al bulto* en el sentido de evadir una responsabilidad; o bien la derivación del término **chocolate**: *estar como agua para chocolate*, que aplicamos para referirnos a alguien muy enojado.

Creatividad lingüística

El libro lo ayudará a desarrollar su creatividad lingüística. Cientos de palabras incluidas son elementos, más que términos en sí mismos, que pueden resultar fórmulas combinatorias, como los prefijos y sufijos (tanto de las raíces griegas como de las latinas). Así, al conocer el significado de esas raíces gramaticales, usted sabrá cuál de ellas anteponer o posponer a la palabra que lo requiera. Por ejemplo, el prefijo **ultra**, que significa más allá de, o bien **seudo**, que connota falsedad, aplicados al término **religioso**, dan por resultado **ultrarreligioso** y **seudorreligioso**, dos palabras de significado opuesto. De igual manera, si usted desea saber la denominación de un animal que se alimenta de insectos, o de frutas o hierbas, sólo debe buscar en **insecto**, **fruta** o **hierba**, y añadir el sufijo **voro**, lo que nos da por resultado **insectívoro**, **frutívoro** y **herbívoro**.

Información integral

Otra importante herramienta que provee el *Diccionario inverso ilustrado* es información integral sobre temas de anatomía, ecología, física, cocina, religión, geografía, arquitectura, arqueología, y otros, mediante recuadros e ilustraciones que analizan o se refieren a un tema completo. Los nombres de los huesos del esqueleto humano vienen indicados en una ilustración a color, así como los sentidos del oído y del olfato; el aparato digestivo y el sistema nervioso.

¿Qué es un glaciar? ¿Cómo se forman los ríos, los mantos petrolíferos y los volcanes? ¿Cuántos tipos de papalotes hay? El maravilloso reino animal, desde la metamorfosis que sufre un pequeño insecto, hasta los imponentes y extintos dinosaurios, forman parte de un recorrido por las distintas razas de gatos y perros y de algunos animales en peligro de extinción. Usted podrá conocer las causas de la desaparición de estos bellos ejemplares.

El *Diccionario inverso ilustrado* puede servir como obra de referencia o bien como auxiliar de la inventiva. Empléelo para divertirse o para adquirir conocimientos. Considérelo como un tesoro lingüístico o como una caja de polvos lingüísticos. Incursione por sus páginas de vez en cuando: ¡no se imagina lo que aparecerá en la próxima!, y disfrute algunas de las deslumbrantes joyas del idioma español.

A

a 1. Prefijo que significa privación de algo.

— sin patria: *apátrida*.

2. (vea recuadro de prefijos). Preposición que indica dirección o aclara y complementa lo expresado por el verbo. ☞ **preposición, gramática.**

— *Estoy buscando a mi hermano*.

ábaco Instrumento que sirve para hacer cuentas. ☞ **contar.**

abadía (vea ilustración). Monasterio o convento regido por un abad. ☞ **iglesia, monje, prior, fraile.**

— superior de un monasterio: *abad*.

— superiora de un monasterio o convento: *abadesa*.

— cargo del abad o de la abadesa: *abadiato, abadiado*.

— que se relaciona con el cargo del abad o de la abadesa: *abadengo*.

abajo Indica un lugar que se encuentra en la parte inferior de algo o alguien.

— que procede de tierras bajas: *abajeño*.

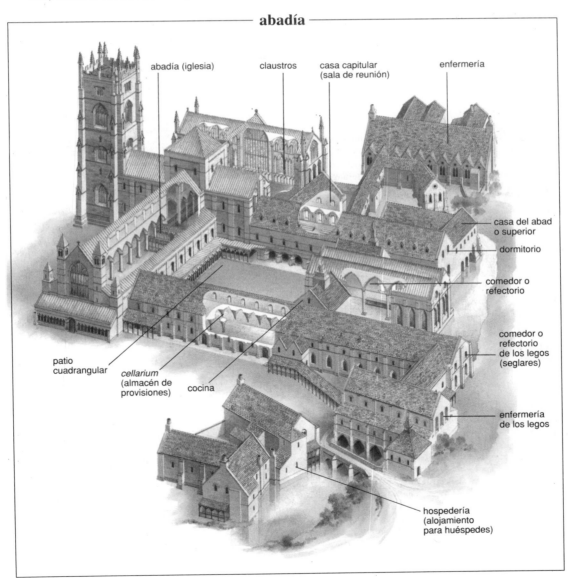

— **abadía** —

- abadía (iglesia)
- claustros
- casa capitular (sala de reunión)
- enfermería
- casa del abad o superior
- dormitorio
- comedor o refectorio
- comedor o refectorio de los legos (seglares)
- enfermería de los legos
- hospedería (alojamiento para huéspedes)
- cocina
- cellarium (almacén de provisiones)
- patio cuadrangular

— de la zona del Bajío mexicano: *abajeño*.

— ir hacia la parte inferior: *bajar*.

— que viene a continuación de un texto: *más abajo*.

— destruir: *echar abajo*.

— decúbito ventral: *boca abajo*.

— interjección que expresa desaprobación o protesta: *¡abajo!*

abalanzar Lanzarse sobre algo. ☞ **acometer, precipitarse.**

abalorio Conjunto de cuentas de vidrio, plástico u otros materiales que ensartadas sirven de adorno. ☞ **rosario, cuenta.**

abanderar 1. Dotar de bandera a algo o dársela a alguien.

— *El presidente abanderó a la delegación olímpica.*

— que lleva una bandera: *abanderado*.

2. Dirigir, ir a la cabeza de algo.

— *El cura Hidalgo abanderó la independencia de México.*

abandonar 1. Dejar algo o a alguien sin cuidados. ☞ **desamparar, descuidar.** ❖ AMPARAR, CUIDAR.

— *Abandonó a su mamá en el asilo.*

— descuidarse de uno mismo: *abandonarse*.

— desamparado, descuidado: *abandonado*.

— desaliño: *abandono*.

2. Irse con la intención de no regresar.

— *Abandonó el país por motivos políticos.*

— acción y resultado de abandonar: *abandono*.

abanico Objeto con el cual se da aire.

— mover el abanico: *abanicar, abanicarse*.

— movimiento del abanico: *abaniqueo*.

— golpe dado con un abanico: *abanicazo*.

— abanico grande: *flabelo*.

— en forma de abanico: *flabeliforme, flabelado*.

abaratar Bajar los precios. ☞ **barata, rebajar, subasta, liquidar.** ❖ ENCARECER.

abarcar 1. Contener o incluir. ☞ **contener, englobar.** ❖ EXCLUIR.

— *Este mapamundi abarca todos los países.*

— expresión que indica que alguien trata de hacer más de lo posible: *el que mucho abarca poco aprieta.*

2. Abrazar algo. ☞ **abrazar, ceñir.**

— *Con mano firme abarcó la cacha de su pistola.*

abarrotar Llenar o saturar algo. ☞ **aglutinar, atiborrar.** ❖ VACIAR.

— repleto de algo: *abarrotado*.

— conjunto de comestibles: *abarrote, abarrotes*.

— lugar donde se venden abarrotes: *tienda de abarrotes, abarrotería.*

— persona que vende víveres: *abarrotero*.

abastecer Suministrar o aprovisionar de algo. ☞ **proveer, almacén, suministrar, aprovisionar.** ❖ DESABASTECER.

— provisión de algo: *abasto*.

— lugar que concentra en una ciudad la llegada de comestibles: *central de abastos.*

— hacer que algo sea suficiente: *dar abasto.*

abatir 1. Hacer caer algo bruscamente o derribarlo. ☞ **derribar, bajar.** ❖ LEVANTAR.

— *Las subidas de precio abaten la capacidad adquisitiva de los compradores.*

— *El ejército abatió aviones enemigos.*

— rendirse: *abatirse*.

— canal del desagüe: *abatidero*.

2. Sentir tristeza o pesar. ☞ **achicopalar, tristeza, entristecerse.** ❖ ALEGRAR.

— decaído: *abatido*.

— depresión: *abatimiento*.

abdomen Parte del cuerpo humano donde se encuentra la sección principal del aparato digestivo. ☞ **vientre, estómago.**

abecedario Conjunto ordenado de las letras de un idioma. ☞ **letra, idioma.**

aberración Desviación de lo habitual o anomalía. ☞ **anomalía, absurdo, extravío, desviación.**

— anómalo: *aberrante*.

abertura Tipo de orificio. ☞ **grieta, abrir.** ❖ CIERRE.

abigarrado 1. De muchos elementos inconexos o disímbolos.

— *Hay textos filosóficos demasiado abigarrados.*

2. De muchos colores combinados con poco gusto. ☞ **color.**

— *Esa abigarrada pintura llama la atención del público.*

abismo Espacio o lugar profundo. ☞ **sima.** ❖ CUMBRE, CÚSPIDE, CIMA.

— que se parece al abismo, insondable: *abismal, abisal*.

— hundir en un abismo: *abismar*.

— sumirse o sumergirse en los pensamientos: *abismarse*.

— el infierno en las Sagradas Escrituras: *abismo*.

abjurar Dejar de creer en algo o renegar de una creencia o posición. ☞ **desdecir, renegar, retractar.** ❖ PERSEVERAR.

ablandar 1. ☞ **suavizar, reblandecer.** ❖ ENDURECER.

— *Ablande y estire la masa.*

— lo que sirve para suavizar la carne: *ablandador*.

2. ☞ **enternecer, conmover.** ❖ ENOJAR.

— *Con tantas lágrimas la ablandó y lo volvió a perdonar.*

ablución Acto de lavarse o purificarse con agua. ☞ **purificar.**

abnegación Sacrificio o renuncia hacia algo. ☞ **sacrificar, altruismo.** ❖ EGOÍSMO.

abocarse 1. Dedicarse alguien por completo a realizar algo.

— *La economía se ha abocado a la diversificación de mercados.*

2. Reunir a varias personas con un fin.

— *Se abocaron a discutir los estatutos.*

abochornar 1. Hacer que alguien sienta pena o vergüenza y se sonroje por esto. ☞ **avergonzar, apenar, sonrojar, enrojecer.**

— *Lo abochornó ante sus compañeros al comentar su noviazgo.*

— pena o vergüenza: *bochorno*.

2. Sentir mucho calor y sofoco. ☞ **sofocar, ahogar.**

— *Me abochorna este clima.*

— calor que sofoca: *bochorno*.

— que causa o da un calor sofocante: *bochornoso*.

abofetear Golpear con la mano en las mejillas o cachetes. ☞ **golpear, cachete, cachetear.**

— golpe en la mejilla: *bofetada, cachetada*.

abogar Defender a alguien. ☞ **interceder.** ❖ ATACAR, ACUSAR.

abolir Suprimir o quitar algo. ☞ **abrogar, anular.** ❖ IMPLANTAR, RESTABLECER, INSTAURAR.

— doctrina a favor de suprimir algo: *abolicionismo*.

abominar 1. Condenar algo. ☞ **reprobar.** ❖ GLORIFICAR.

— *Abomino de mis antiguas creencias.*

2. Aborrecer algo. ☞ **detestar, odiar.** ❖ AMAR, ADMIRAR, ADORAR.

— *Hay hombres que abominan a los humildes y a los privilegiados.*

— aborrecible: *abominable*.

abonar 1. Poner estiércol o fertilizante. ☞ **fértil.**

— *Abonó el terreno en enero.*

— fertilizante: *abono*.

2. Pagar algo en varias partes. ☞ **pago.**

— *Voy a abonar dos letras de la televisión.*

— pago parcial: *abono*.

— persona que vende y cobra a plazos: *abonero*.

abordar 1. Subir a cualquier medio de transporte. ☞ **entrar, ascender.** ❖ BAJAR, DESCENDER.
— *Abordó el autobús en el último minuto.*
2. Acercarse a alguien para tratar algún asunto. ☞ **aproximar.** ❖ ELUDIR.
— *En el restaurante fue abordada por un desconocido.*
— de difícil acceso, una persona o asunto: *inabordable.*

aborigen Natural de un lugar. ☞ **indígena, indio, autóctono.** ❖ EXTRANJERO, FORASTERO.

aborrecer Sufrir odio o aversión por algo o alguien. ☞ **abominar.** ❖ AMAR, ADMIRAR, ADORAR.
— abominación: *aborrecimiento.*

abortar 1. Interrumpirse el embarazo. ☞ **embarazo, anticonceptivo.**
— *La Iglesia Católica prohíbe abortar voluntariamente.*
— acción y producto de abortar: *aborto.*
— que hace abortar: *abortivo.*
— producto deforme del embarazo: *engendro.*
2. Fracasar, malograr. ❖ TRIUNFAR.
— *Abortó nuestro proyecto.*
— resultado o producto fallido de algo: *aborto.*

abotonar Cerrar con botones. ☞ **abrochar.** ❖ DESABOTONAR.

abracadabra Palabra que funcionaba a manera de conjuro y se escribía en once renglones en forma de triángulo. ☞ **conjuro, magia.**

abrasar 1. Reducir a brasas. ☞ **arder, quemar.** ❖ HELAR.
— *El fuego abrasó el bosque.*
— que quema mucho: *abrasante, abrasador.*
— ardientemente: *abrasadamente.*
2. Hacer que algo se consuma o destruya. ☞ **destruir, consumir.** ❖ CONSERVAR.
— *Algunas sustancias tóxicas corroen y abrasan.*
— consumido de pasión: *abrasado.*

abrazar 1. Rodear y sujetar con los brazos. ☞ **estrechar.**
— *Lo abrazó emocionada.*
— estrecharse los brazos mostrando cariño y emoción: *abrazarse.*
— acción y resultado de abrazar o abrazarse: *abrazo, abrazamiento.*
— objeto de metal que sirve para asegurar algo: *abrazadera.*
2. Ser miembro o parte de algo. ☞ **adherir, afiliar, afiliarse.**
— *Abrazó un nuevo credo.*
3. Incluir una totalidad de objetos. ☞ **abarcar.**
— *Este cuadro sinóptico abraza todos los temas importantes.*

abreviar 1. Hacer breve o sintético algo. ☞ **acortar, sintetizar, resumir.** ❖ AGRANDAR, AMPLIAR, EXTENDER.
— *En las juntas le gusta abreviar los informes.*
— contracción o representación de las palabras por siglas: *abreviatura.*
2. De poca duración. ☞ **apresurar, urgir.** ❖ DEMORAR, RETARDAR.
— *Abreviemos tiempo en esta discusión.*

abrigar 1. Cubrir algo o proteger a alguien del frío. ☞ **arropar.** ❖ DESABRIGAR, DESARROPAR.
— *Sólo abrigo al niño cuando hace frío.*
— prenda de vestir o gabán que se usa sobre las demás para proteger del frío: *abrigo.*
2. Proteger algo o a alguien. ☞ **resguardar.**
— *Esas ruinas abrigaron a los excursionistas durante la tormenta.*
— resguardo: *abrigo.*
3. Tener ideas, proyectos, intenciones, sospechas. ☞ **albergar.**
— *Abrigo la esperanza de sacarme la lotería.*

abrir 1. Separar, destapar, descubrir algo. ❖ CERRAR.
— *Te toca abrir la puerta.*
— aparato para abrir latería: *abrelatas, abridor.*
— instrumento para abrir cartas: *abrecartas.*
— sin tapa: *abierto.*
— espacio abierto: *abertura, apertura.*
— sin prevención, de mente amplia: *abierto.*
— sin reservas: *abiertamente.*
— descubrir uno su interior a otro: *abrirse.*
2. Extender sus pétalos una flor.
— *Al salir el sol se abrieron las rosas.*
3. Comenzar algo. ☞ **iniciar.** ❖ TERMINAR, CLAUSURAR.
— *La feria del libro abre el 15 de noviembre.*
— botana: *abreboca.*

abrochar Cerrar con broches, botones, cinturones o correas. ☞ **abotonar.** ❖ DESABROCHAR.
— objetos que sirven para unir: *broche de gancho, broche de presión, seguro, botón, cierre, cremallera, cinta adhesiva de ropa.*

abrogar Suprimir o abolir algo. ☞ **abolir, suprimir, anular.** ❖ RESTABLECER.

abrumar Agobiar con algo pesado, material o abstracto. ☞ **apabullar, agobiar.** ❖ DELEITAR, TRANQUILIZAR, CALMAR.

abrupto, -ta 1. Que es accidentado. ☞ **accidente, escarpado.** ❖ LLANO, PLANO, LISO, RASO.
— *La carretera sube por un terreno muy abrupto.*
2. Brusco, rudo. ☞ **brusquedad.** ❖ SUAVE, CORTÉS.
— *La trató de manera abrupta.*

absceso Acumulación de pus en los tejidos. ☞ **enfermar.**

absoluto, -ta 1. Completo, íntegro, total. ☞ **completar.** ❖ INCOMPLETO, RELATIVO, PARCIAL.
— *En términos absolutos tu sueldo es alto.*
— ser único e infinito: *el absoluto.*
— por completo: *absolutamente.*
— sistema de votación donde se gana por el mayor número de votos de los asistentes: *mayoría absoluta.*
2. Aquello que nace y se agota en sí mismo y no depende de la temporalidad. ☞ **tiempo, atemporal, incambiable, totalizador.** ❖ TEMPORAL, CONDICIONAL.
— *La belleza absoluta incluye todas sus manifestaciones concretas.*
— de ninguna manera: *en absoluto.*
— ejercer el poder de manera irrestricta e incondicionada: *absolutismo.*
— el que ejerce o comparte el absolutismo: *absolutista.*

absolver 1. Liberar a alguien de alguna acusación. ☞ **eximir, libertad.** ❖ INCULPAR, ACUSAR, CONDENAR.
— *El jurado absolvió al acusado.*
— declaración que libera de un cargo legal: *absolución.*
2. Perdonar los pecados a un penitente durante la confesión. ☞ **justificar, perdonar.** ❖ CONDENAR.
— *Absolvieron a los arrepentidos.*
— liberación de los pecados: *absolución.*

absorber 1. Sorber o recoger algo. ☞ **sorber.** ❖ ARROJAR, EXPULSAR.
— *La aspiradora absorbió las migas de pan de la alfombra.*
— atraer hacia sí: *absorber la atención.*
2. Abstraerse de algo o ensimismarse. ☞ **embeber, obsesionar.** ❖ DISTRAER.
— *El trabajo lo absorbe y no piensa en otra cosa.*
— ensimismado o abstraído: *absorto.*

abstemio, -a Que no ingiere bebidas alcohólicas. ☞ **alcohol.** ❖ ALCOHÓLICO, BORRACHO.

abstenerse Dejar de hacer o decir algo. ☞ **privarse de.** ❖ PARTICIPAR.
— persona que no ejerce su voto u otra actividad política: *abstencionista.*
— privación de comer ciertos ali-

mentos en ocasiones específicas: *abstinencia*.

— privación de realizar el deseo sexual: *abstinencia*.

abstraer Capacidad de tener pensamientos separados de los objetos o circunstancias de donde provienen, pero generados a partir de éstos. ☞ **separar**. ❖ CONCRETAR.

— intangible, teórico, irreal, genérico o no especificado: *abstracto*.

— acto y resultado de abstraer: *abstracción*.

abstruso, -sa Difícil de comprender o entender. ☞ **pensamiento**. ❖ COMPRENSIBLE, OBVIO.

absurdo, -a Descabellado, disparatado, que carece de razón. ☞ **aberración**, **disparate**. ❖ LÓGICO, SENSATO, CONGRUENTE.

abuchear Protestar de manera ruidosa contra algo. ☞ **desaprobar**. ❖ ACLAMAR, OVACIONAR.

abulia Actitud de falta de voluntad e interés. ☞ **apatía, desinterés, indiferencia**. ❖ PASIÓN.

abulón Variedad de molusco comestible mexicano cubierto por una concha ovalada de varios colores. ☞ **marisco**.

abundar Haber en demasía. ☞ **carecer**. ❖ ESCASEAR.

— gran cantidad de algo: *abundancia*.

— copioso: *abundante*.

— además, o como agregado: *a mayor abundamiento*.

abur Forma de despedida. ☞ **despedida, adiós**. ❖ HOLA, ¡QUÉ HUBO!

aburrir Hastiar. ☞ **hastío, desinteresar**. ❖ DIVERTIR, ENTRETENER, DISTRAER.

— estado de apatía: *aburrimiento*.

— hastiado: *aburrido*.

abusar 1. Sacar partido de algo o alguien. ☞ **aprovechar, excederse**.

— *En todas las votaciones abusan de su ingenuidad*.

— persona que está constantemente sacando partido de los demás: *abusivo, abusador, abusón*.

2. ☞ **ultrajar, violar**. ❖ RESPETAR.

— *Fue condenado por abusar de una menor*.

abusado, -da Que es listo y astuto. ☞ **sagaz**. ❖ TONTO, NECIO.

— atender o cuidar que no se escape detalle alguno: *estar abusado*.

abyección Envilecimiento de algo. ☞ **vileza, infamia**. ❖ SUBLIMIDAD, DIGNIDAD.

— ruin y despreciable: *abyecto*.

acá En este preciso lugar. ❖ ALLÁ.

— en todas partes: *acá, allá y acullá*.

— de un lado a otro: *de acá para allá*.

— en los dos sitios: *acá y allá*.

— hasta este momento: *de un tiempo acá*.

— ser sectario o elitista: *ser muy acá*.

acabar 1. Terminar o finalizar algo. ☞ **concluir**. ❖ INICIAR, PRINCIPIAR.

— *Pronto acabará la primaria*.

2. Aniquilar o terminar con algo o alguien. ☞ **destruir, exterminar**.

— *El exceso de deudas acabó con él*.

— que está destruido, viejo o en malas condiciones: *acabado*.

3. Realizar algo con perfección. ☞ **esmerar, pulir**.

— elemento que da refinamiento y perfección a algo: *acabado*.

academia 1. Lugar donde se imparten clases y cursos. ☞ **escuela, instituto**.

— *Existen academias de canto*.

2. Asociación donde se discuten diversos temas humanísticos y científicos.

— miembro de una academia: *académico*.

— que sigue dogmáticamente ciertas reglas: *académico*.

— asociación que legisla los usos y ortografía correctos de la lengua castellana: *Real Academia Española*.

acaecer Suceder o acontecer algo. ☞ **acontecer, suceder, ocurrir, transcurrir**.

acahual Variedad de girasol mexicano.

acantilado Terreno escarpado que se encuentra junto al mar.

acaparar Acumular cosas en demasía. ☞ **monopolizar**. ❖ DISTRIBUIR, COMPARTIR.

— que monopoliza: *acaparador*.

— acción de monopolizar: *acaparamiento*.

acariciar 1. Tocar levemente con los dedos. ❖ MALTRATAR, GOLPEAR.

— *La madre acaricia a su hijo*.

— resultado de acariciar: *caricia, cariño*.

— amoroso: *cariñoso*.

2. Pensar en algo con la intención de llevarlo a cabo.

— *Acaricio la idea de vacacionar en Cancún*.

acarrear 1. Transportar algo o a alguien de un lugar a otro. ☞ **llevar**. ❖ INMOVILIZAR, DETENER.

— *Los camiones acarrean las mercancías de la central de abasto a los mercados*.

— acción de acarrear: *acarreo*.

— que acarrea: *acarreador*.

— persona obligada a asistir a un evento: *acarreado*.

— persona que conduce a los acarreados: *acarreador*.

2. Generar que algo suceda. ☞ **provocar**.

— *Los imprudentes acarrean desgracias a los demás*.

acaso 1. Quizá, de modo accidental.

— *Acaso sería mejor cambiar la hora de la junta*.

— en previsión de algo: *por si acaso*.

2. Algo imprevisto. ☞ **imprevisible**.

— *No hay que dejar algunas decisiones vitales al acaso*.

acatar Realizar una acción con respeto y obediencia. ☞ **obedecer**. ❖ DESACATAR.

— transgresión: *desacato*.

acatechite Variedad de jilguero mexicano. ☞ **ave**.

acaudalado Que tiene mucho dinero o propiedades. ☞ **rico, millonario**. ❖ POBRE.

acazahuactli Variedad de pato silvestre de México. ☞ **ave**.

acazanate Variedad de tordo mexicano. ☞ **zanate, ave**.

acceder Decir que sí a algo. ☞ **aceptar, asentir, aprobar, consentir**. ❖ RECHAZAR, REHUSAR.

— entrada que conduce a un lugar: *acceso*.

— que es de trato fácil: *accesible*.

— segundo y tercer lugar en un certamen: *accésit*.

— circunstancial, secundario: *accesorio*.

— que se agrega a lo principal: *accesorio*.

— pequeño local comercial: *accesoria*.

accidente 1. Suceso inesperado. ☞ **contratiempo, percance**.

— *Ayer hubo un terrible accidente de aviación*.

— por casualidad: *por accidente*.

— de difícil acceso: *accidentado*.

— sufrir un percance: *accidentarse*.

— percance sufrido por un trabajador en su empleo: *accidente de trabajo*.

— que es secundario, incidental o fortuito: *accidental*.

2. Elemento que configura el terreno de un lugar, como las montañas, el cauce de los ríos, etc.

— *Construirán una autopista aprovechando los accidentes del terreno*.

acción 1. Hecho de realizar algo. ☞ **acto, actuar**. ❖ INACCIÓN.

— *Prefiero la acción a la pasividad*.

— poner en movimiento algo: *accionar, poner en acción*.

— persona que lleva a cabo sus decisiones: *hombre de acción, mujer de acción*.

— encontrarse donde pasan las cosas: *estar en la acción*.

— batalla o escaramuza militar: *ac-

ción de armas, *acción de guerra, acción militar.*
— acción positiva: *buena acción.*
—acción negativa: *mala acción, mala faena.*
2. Valor crediticio de una compañía.
— *Las acciones bursátiles tienen precios variables.*
— lugar donde se compran y venden acciones y títulos comerciales: *bolsa o mercado de valores.*
— persona o compañía que tiene y compra acciones: *accionista, inversionista.*
— tener acciones y valores en la bolsa: *cotizar.*
— forma de evaluar las ganancias o pérdidas de las acciones: *puntos.*

acechar Observar con cautela tratando de no ser notado. ☞ **atisbar, vigilar, espiar.**
— persecución recatada: *acechanza.*
— estar fijándose, con mucha cautela, hasta en el más mínimo detalle: *estar al acecho.*

acedo Que está a punto de agriarse un comestible. ☞ **descomponer.**

aceite Sustancia líquida de consistencia viscosa que se obtiene de algunos animales vivos, fósiles y plantas.
— untar con aceite: *aceitar.*
— recipiente en que se deposita el aceite: *aceitera.*
— grasiento, cubierto de aceite: *aceitoso, grasoso, sebáceo, seboso.*
— clases de aceite: *vegetal, animal, mineral.*
— clases de aceite vegetal: *de oliva, de maíz, de girasol, de soya, de algodón, de cártamo, de cacahuate, de coco o copra, de almendra, de sésamo, de nuez, de ricino, de palma, de avellana, de alcanfor, de linaza, de ajonjolí.*
— clases de aceite animal: *de ballena, de tiburón, de pescado, de hígado de bacalao, de arenque, de foca, de visón, de pezuña de buey, de pata de carnero, de tortuga.*
— clases de aceite mineral: *derivados del petróleo.*
— clases de aceite según sus usos: *medicinal, secante, comestible, lubricante.*
— aceite de trementina: *aguarrás.*

acelerar Incrementar el movimiento o velocidad de algo. ☞ **acuciar, celeridad.** ❖ FRENAR, RETARDAR.
— incrementación de la velocidad: *aceleramiento, aceleración.*
— parte del motor que sirve para arrancar: *acelerador.*
— persona desasosegada en la acción: *acelerado.*

acendrado, -da Depurado o purificado algo. ☞ **puro.** ❖ IMPURO, CONTAMINADO, TURBIO, ADULTERADO.
— pasta de ceniza de huesos con la que se limpian los metales: *cendra.*
— purificar metales en la cendra: *acendrar.*

acento (vea recuadro de gramática).
1. Aumento de intensidad en la pronunciación de una sílaba.
— pronunciación intensificada: *acentuación.*
— resaltar algo para que se note más: *acentuar.*
— que tiene rasgos muy definidos: *acentuado.*
— señaladamente: *acentuadamente.*
2. Signo ortográfico en forma de pequeña diagonal (´) con el que se marca la vocal tónica.
— que lleva acento (ortográfico o prosódico): *acentuado.*
— escribir el acento: *acentuar.*
3. Modo especial de hablar de una región.
— *Cuando canta se le nota el acento veracruzano.*

acepción Significado de una palabra. ☞ **significado, connotación, denotación.**

aceptar Admitir a alguien o asentir algo. ☞ **aprobar.** ❖ RECHAZAR, DISENTIR.
— que vale la pena aprobarlo: *aceptable.*
— aprobación: *aceptación.*
— que acepta: *aceptador, aceptante, aceptor.*

acera Sector asfaltado, lateral a las calles donde se transita. ☞ **banqueta.**

acerbo, -ba Amargo. ☞ **áspero, cruel.** ❖ DULCE, SUAVE, INDULGENTE.
— irritar: *exacerbar.*

acerca de En relación con. ☞ **sobre.**

acercar Poner algo en relación de cercanía con otra cosa o persona. ☞ **aproximar.** ❖ ALEJAR, DISTANCIAR, APARTAR.
— acción y resultado de aproximar algo: *acercamiento.*
— aproximarse: *acercarse.*

acero Hierro con aleaciones.
— espada: *acero.*
— que tiene las características del acero: *acerado.*
— incisivo, mordaz: *acerado.*

acertar Dar en el blanco. ☞ **atinar.** ❖ ERRAR, EQUIVOCARSE.
— adivinanza, enigma: *acertijo.*
— acción y resultado de acertar: *acierto.*

acervo Conjunto considerable de algo. ☞ **montón, libro, cultura.**

acet Radical que significa vinagre.
— avinagrar: *acetificar.*

acético, -ca Relativo a la oxidación del alcohol en vinagre.

aciago, -ga Que hace sentir desdichado o infeliz. ☞ **funesto, desdicha.** ❖ DICHOSO, AFORTUNADO.

acicalar Limpiar, arreglar o adornar algo. ☞ **arreglar, adornar.** ❖ DESARREGLAR, DESCUIDAR.

acicate Incentivo, estímulo.
— incitar: *acicatear.*

ácido 1. Con sabor a vinagre. ☞ **agrio.**
— *Esta leche está ácida.*
— volver algo ligeramente agrio: *acidular.*
— volver ácido: *acidificar.*
— calidad de ser algo ácido: *acidez.*
— trastorno digestivo: *acidez estomacal.*
2. Sustancia química.
— *Existen distintos tipos de ácidos.*

acinesia Falta o deterioro de los movimientos musculares. ☞ **músculo.**
— que inmoviliza un órgano o músculo: *acinético.*

acitrón Dulce mexicano confitado hecho con una cactácea llamada biznaga.

aclamar Dar vivas a alguien o algo. ☞ **vitorear, ovacionar.** ❖ ABUCHEAR, PROTESTAR.
— acción y resultado de dar vivas: *aclamación.*
— por las ovaciones obtenidas: *por aclamación.*

aclarar Hacer algo transparente o claro. ☞ **despejar.** ❖ OSCURECER, ENSOMBRECER.
— amanecer: *clarear, aclarar.*
— despejar, desenredar: *aclarar.*
— explicación: *aclaración.*
— que sirve para explicar: *aclaratorio, clarificador, aclarador.*
— purificar un líquido: *aclarar.*
— hacer una inflexión previa a cantar o hablar: *aclarar la voz.*

acocil Variedad de camarón pequeño mexicano. ☞ **chacalín.**

acoger 1. Admitir, recibir o aceptar a alguien. ☞ **admitir, recibir, aceptar**
— *México acoge a exiliados políticos.*
— recibimiento: *acogida.*
2. Dar techo y cobijo a una persona o animal. ☞ **amparar, albergar.**
— *En este asilo acogen a los ancianos con gusto.*

acólito Persona que ayuda junto al altar en el servicio religioso. ☞ **iglesia, misa, ayudante.**

acomedirse Realizar con buena voluntad un trabajo no pedido. ☞ **servicio, trabajo, servicial, oficioso.**
— persona que ayuda espontáneamente: *comedido, acomedido.*
— servil o lambiscón que ayuda es-

perando una recompensa: *acome-dido*.

acometer 1. Agredir. ☞ **atacar**, **arre-meter**. ❖ EVITAR.
— *El toro acometió al caballo con los cuernos*.
— ataque violento: *acometida*.
— agresivo: *acometedor*.
2. ☞ **emprender**, **empezar**. ❖ ABAN-DONAR, CESAR.
— emprendedor: *acometedor*.

acomodar 1. Poner una cosa o a una persona de manera ordenada. ☞ **arre-glar**. ❖ DESACOMODAR, DESORDENAR, DESORGANIZAR.
— *Acomodó todos los libros en el librero*.
— persona que se aprovecha de las circunstancias: *acomodaticio*.
— espacio para albergar algo o a alguien: *acomodo*.
— persona que ayuda a encontrar el asiento adecuado en una sala de espectáculos: *acomodador*.
— persona de buena posición económica: *acomodado*.
2. ☞ **adaptar**, **ajustar**.
— *Está tratando de acomodarse a sus nuevos lentes*.

acompañar Ir o estar junto a algo o a alguien, agregar o anexar algo a una cosa. ☞ **compañía**. ❖ ABANDONAR, DEJAR.
— persona, personas, instrumento o instrumentos que auxilian una acción o ejecución: *acompañamiento*.
— expresión con la que se indica que se valora sólo la buena compañía: *más vale solo que mal acompañado*.
— apoyar física o moralmente a alguien: *ir de música y acompañamiento*.

acompasar Seguir el compás. ❖ DES-ACOMPASAR.
— de ritmo lento y pausado: *acom-pasado*.

acondicionar Dar apropiada condición. ☞ **condición**, **preparar**, **adecuar**.
— acto y resultado de acondicionar: *acondicionamiento*.
— poner en buena forma física a alguien: *dar acondicionamiento*.
— que está bajo condiciones impuestas: *acondicionado*.
— aire climatizado: *aire acondicionado*.
— líquido que da cuerpo al cabello: *acondicionador*.

acongojar Sentir u ocasionar aflicción u opresión. ☞ **afligir**. ❖ ALIVIAR, CONFORTAR, ANIMAR.
— aflicción: *congoja*.

aconsejar Recomendar algo a alguien. ☞ **asesorar**.
— recomendación: *consejo*.

— pedir opinión sobre algo: *aconse-jarse*.
— conveniente: *aconsejable*.

acontecer Ocurrir algo. ☞ **acaecer**, **transcurrir**, **ocurrir**.
— hecho ocurrido o hecho notable: *acontecimiento*.

acopio Reunión de una cosa o conjunto de cosas. ☞ **almacén**, **provisión**. ❖ REPARTO, DISTRIBUCIÓN.

acoplar 1. Juntar una cosa con otra. ☞ **unir**. ❖ SEPARAR, DESUNIR.
— *El obrero acopló el tanque séptico a una unidad de sifón para la descarga*.
2. ☞ **adaptar**. ❖ DESADAPTAR.
— *Cuesta trabajo acoplarse al nuevo horario de trabajo*.
3. Unirse dos animales para procrear. ☞ **aparear**, **parear**, **procrear**. ❖ INFECUNDIDAD.
— *El burro y la yegua se acoplaron ayer*.

acorazado (vea ilustración de barcos). Barco de guerra grande cubierto de planchas de acero.
— proteger, defender: *acorazar*.

acordar 1. Ponerse de acuerdo. ☞ **pactar**, **coincidir**. ❖ DISCORDAR.
— *Acordamos pagar la cuenta en conjunto*.
— arreglo, convenio: *acuerdo*.
— en relación a: *de acuerdo con*.
— disconformidad o falta de acuerdo: *desacuerdo*.
— conforme al acuerdo: *acorde*.
— figura musical de tres o más notas armonizadas: *acorde*.
2. ☞ **recordar**. ❖ OLVIDAR.
— *Es interesante acordarse de la niñez*.
— frase popular que indica darse cuenta de algo repentinamente: *cuando acordé (acordaste, acordamos, acordó, acordaron…) ya…*

acorralar 1. Meter reses en un corral.
— *Para cada encierro hay que acorralar las reses*.
— zona grande para resguardo de animales o automóviles: *corralón*.
2. Tener atrapado o encerrado a alguien en determinado espacio.
— *Después de la persecución automovilística los acorralaron en un callejón*.
— atrapado, intimidado: *acorralado*.
3. Dejar a alguien desconcertado o perturbado con preguntas que no puede responder.
— *El profesor acorraló a sus alumnos con un examen oral*.

acortar Hacer más pequeño algo. ☞ **encoger**, **abreviar**, **sintetizar**, **resumir**. ❖ ALARGAR, AGRANDAR, EXTENDER.

— algo disminuido: *corto*.
— acción y resultado de hacer más corto algo: *acortamiento*.

acosar Perseguir algo o a alguien con insistencia. ☞ **molestar**.

acostar Tender a alguien o tenderse principalmente en la cama. ☞ **yacer**, **dormir**. ❖ ALZAR, LEVANTAR.
— sueño por un corto lapso después de comer: *siesta*.
— hacer el amor: *acostarse con alguien*.
— aventura, affaire (afér): *acostón*.
— lugares donde uno se acuesta: *cama, sofá cama, catre, litera, petate, hamaca, sleeping bag, chaise long, suelo, estera*.

acostumbrar Generar el hábito de hacer algo. ☞ **habituar**, **familiarizar**, **rutina**. ❖ DESACOSTUMBRAR, DESHABITUAR.
— hábito: *costumbre*.

acotar Limitar física o teóricamente un lugar. ☞ **señalar**, **marcar**, **circunscribir**.
— señal: *coto*.
— limitar: *poner coto a*.
— acción y resultado de acotar: *acotamiento*.
— zona de emergencia junto a la carretera principal: *acotamiento, libramiento*.
— nota, comentario al margen: *acotación*.

acrasia Falta de autocontrol o debilidad de la voluntad. ❖ VOLUNTAD.

acre 1. Unidad de medida que equivale a 4,840 yardas cuadradas.
— *El acre es una medida agraria inglesa*.
2. Que es fuerte y áspero de sabor o de olor. ☞ **áspero**, **acerbo**, **acérrimo**. ❖ SUAVE, DULCE.
— *Los rábanos suelen tener un sabor acre*.
— aspereza: *acrimonia, acritud*.
3. Que es de difícil trato y de carácter amargo.
— *Su enfermedad lo ha vuelto triste y de carácter acre*.

acrecentar Aumentar o hacer más grande algo. ☞ **aumentar**, **agrandar**, **crecer**. ❖ DISMINUIR, REDUCIR, MENGUAR.

acreditar 1. Hacer que algo o alguien sea digno de crédito. ☞ **crédito**. ❖ DESACREDITAR, INFAMAR.
— *Fue acreditado como el mejor físico del país*.
2. Conseguir fama o reputación.
— *Las tiendas de autoservicio se acreditan cada vez más en el favor del público*.
— fama, prestigio: *crédito*.

3. Ratificar a alguien en el puesto jerárquico, comercial oficial o diplomático que le corresponde.

— *Las credenciales lo acreditan como embajador de Francia.*

— reconocimiento en un libro, película, etc., a la contribución de alguien en su logro: *crédito.*

4. Validar los estudios.

— *Acreditó tres materias este semestre.*

— valor de una materia escolar: *crédito.*

acreedor, -ra 1. Con respecto a un deudor, persona o asociación a la que le debe. ❖ DEUDOR.

— *Debía a los acreedores mucho dinero.*

2. Quien merece obtener algo.

— *Se hizo acreedor a la medalla Belisario Domínguez.*

acribillar Realizar muchas heridas horadando el cuerpo o blanco. ☞ **agujero, agujerear.**

acrofobia Temor a las alturas.

acta 1. Texto escrito de carácter formal donde se indican disposiciones o acontecimientos precisos. ☞ **certificar, certificado.**

— *La secretaria tomaba notas en la asamblea para hacer el acta después y pedir la firma de los asistentes.*

2. Texto escrito de ciertos hechos que producen consecuencias jurídicas.

— *A mi hijo le piden el acta de nacimiento para ingresar a la escuela.*

— redactar un texto que produce consecuencias jurídicas: *levantar un acta.*

— algunos tipos de actas: *de nacimiento, de matrimonio, de defunción, de divorcio, notarial, judicial, administrativa.*

actitud 1. Estado de ánimo o disposición perceptibles.

— *Después del regaño a nadie le gustó la actitud que tomó.*

2. Posición corporal que alguien adopta y que denota algo. ☞ **ademán.**

— *En sus rutinas los bailarines asumen diversas actitudes.*

actividad 1. Celeridad y prontitud en la totalidad de las acciones de alguien. ☞ **acción, actuar.** ❖ PASIVIDAD.

— *A mayor actividad, mejores resultados productivos.*

— mover o acelerar una cosa: *activar.*

— volver radiactiva una sustancia: *activar.*

— persona que ejecuta acciones de manera rápida y eficiente: *activo.*

— cantidad total de bienes de una empresa: *activo.*

— cantidad total de deudas de una empresa o persona: *pasivo.*

2. Tarea, trabajo. ☞ **acción, actuar.** ❖ INACCIÓN.

— *Los médicos realizan muchas actividades en su práctica laboral.*

— estar en funciones un militar o funcionario: *estar en activo.*

— no trabajar: *estar inactivo.*

acto 1. Lo hecho por alguien, el resultado de su actividad o acción. ☞ **acción, actuar, actividad.**

— *A veces se necesita el acto apropiado en el momento preciso.*

— inmediatamente: *en el acto.*

— a continuación: *acto seguido.*

— lo que existe en realidad y no como posibilidad: *en acto.*

— acción inmotivada del sistema nervioso: *acto reflejo.*

— Dios: *acto puro.*

2. Hecho público o especial, acontecimiento. ☞ **ceremonia.**

— *Se entregaron las medallas en un acto solemne.*

— estar en una ceremonia: *hacer acto de presencia.*

3. Cada sección en que se divide una obra de teatro.

— *Me fui después del segundo acto.*

actual 1. Que señala el tiempo presente. ❖ INACTUAL.

— *Lo actual es discutir el fin del milenio.*

— momento o tiempo presente: *actualidad.*

— acontecimientos importantes o acciones presentes: *de actualidad.*

— volver real algo que es potencial: *actualizar.*

2. Que es novedoso o moderno. ☞ **moda, contemporáneo.** ❖ OBSOLETO, VIEJO, AÑOSO.

— *Los televisores de antena parabólica son actuales.*

— evitar la obsolescencia de un texto con cambios temporales: *actualizar.*

actuar 1. Dirigir nuestra acción hacia algo o ejecutar acciones. ☞ **proceder.**

— *Hay momentos para actuar y momentos para pensar.*

— matemático aplicado: *actuario.*

— persona que ejecuta la orden legal del desalojo: *actuario.*

— persona que tiene la parte demandante en un juicio: *actor, actora.*

— acción y resultado de realizar una actividad: *actuación.*

2. Representar, protagonizar, ejecutar representaciones. ☞ **representar.**

— *A veces me parece que no es sincero en lo que hace, siento que está actuando.*

— persona que se dedica a actuar en la radio, televisión, teatro, cine y otros espectáculos: *actor, actriz, histrión.*

— actividad de los actores: *actuación.*

— prueba que se les hace a los actores para tomar un papel: *audición.*

— actor o actriz de cine: *luminaria, estrella, astro.*

— actor o actriz que acompaña a los actores principales: *actor o actriz de reparto, secundario.*

— actor o actriz que representa papeles de edad madura: *característico o característica.*

— actor que representa papeles de seductor: *galán.*

— actriz de corta edad que representa papeles ligeros y positivos: *dama joven.*

— actor o actriz que representa papeles de malvado: *villano o villana.*

— actor o actriz que representa papeles en un conjunto: *extra.*

— actor o actriz afamados y reconocidos: *primer actor o primera actriz.*

— actor o actriz que representa papeles serios y protagónicos: *actor o actriz de carácter.*

— actor o actriz famoso que interviene en pequeños papeles en obras de teatro, cine o televisión: *actor invitado o actriz invitada. También se señalan anteponiendo a sus nombres: actuación especial de.*

— conjunto de actores y actrices en una obra de teatro: *elenco, reparto.*

— actor o actriz parecido a los actores protagónicos que realizan las partes peligrosas en una película: *doble.*

— grupo de actores o actrices reunidos bajo un criterio o modalidad de actuación: *compañía de teatro.*

— interpretación histriónica: *rol, papel.*

— mundo de la gente de los espectáculos: *farándula.*

— representar un papel principal: *rol protagónico.*

— representación previa a la función inaugural: *ensayo.*

3. Producir un efecto o consecuencia.

— *Esa medicina actúa rápidamente sobre el organismo.*

acuatizar Descender y posarse un hidroavión en el agua. ☞ **amarar.**

acuciar Apresurar a alguien a hacer algo o desear con vehemencia algo. ☞ **acelerar, apresurar, apremio, apremiar.** ❖ CALMAR, CONTENER.

— que se compromete responsablemente con su acción: *acucioso.*

— que es vehemente o apremiante: *acucioso.*

acudir Llegar y estar en un sitio. ☞ **concurrir.** ❖ PARTIR.

acueducto Conducto que transporta agua. ☞ **construcción, agua.**

acuerdo Decisión tomada por algunas personas. ☞ **convenio.** ❖ DESACUERDO.
— unánimemente: *de acuerdo.*
— que sostienen la misma opinión: *de común acuerdo.*
— escrito oficial del resultado de las discusiones razonadas: *acuerdo.*
acumular Juntar una gran cantidad de algo. ☞ **almacén, almacenar.** ❖ ESPARCIR, DESPARRAMAR.
— conjunto de algo: *cúmulo.*
— caja que produce energía eléctrica en los coches: *acumulador.*
acuñar 1. Troquelar monedas. ☞ **amonedar.**
— *Acuñaron monedas de cobre en 1940.*
2. Usar palabras, significados o expresiones recién creadas.
— *Los jóvenes han acuñado muchas expresiones como "ser fresa", "alivianarse", etc.*
acure Variedad de roedor americano.
acurrucarse Tomar una postura encogida. ☞ **arrebujar.** ❖ ESTIRARSE, DESENCOGERSE.
acusar 1. Culpar a alguien de un delito. ☞ **inculpar.** ❖ EXONERAR, DEFENDER.
— *Fue acusado de robo a mano armada.*
— persona culpada de delito: *acusado.*
2. ☞ **delatar, denunciar.** ❖ CALLAR, OCULTAR.
— *Si sigues molestándome te acuso con la directora.*
— persona culpada de algo: *acusado.*
— chismoso: *acusón, acusete.*
— algo determinado, limitado y destacado: *acusado.*
— notificar que se ha recibido algo: *acusar recibo.*
— copia oficial que certifica que algo se ha recibido: *acuse de recibo.*
achacar Atribuirle algo censurable a alguien. ☞ **atribuir, imputar, adjudicar.** ❖ EXIMIR, EXONERAR.
— enfermedad larga y molesta: *achaque.*
— que padece molestias y problemas de salud: *achacoso, achaquiento.*
achaparrarse Volverse más pequeño alguien o más corto algo. ☞ **acortar.** ❖ ALARGARSE, AGRANDARSE.
achicar 1. Disminuir o empequeñecer algo. ☞ **reducir, disminuir, encoger.** ❖ AGRANDAR, AUMENTAR.
— *Encogió el saco y se le achicaron las mangas.*
2. Considerar menor el valor de alguien. ☞ **menospreciar.** ❖ ALENTAR, ANIMAR.
— *No te achiques, muchacho; tú puedes meter un gol.*
achicopalarse Sentirse con tristeza, pe-

sar o depresión. ☞ **abatir, tristeza, entristecerse.** ❖ ALEGRARSE, ANIMARSE.
achicharrar Quemar algo más de la cuenta. ☞ **incinerar.**
— quemarse algo: *hacerse chicharrón.*
— hacer el ridículo: *quemarse, achicharrarse.*
— cuero de cerdo o fritanga de harina: *chicharrón.*
— matar o eliminar a alguien: *darle chicharrón.*
achichincle Individuo que realiza actividades menores o ejecuta las órdenes de otros. ☞ **ayudar, achichintle, ayudante, servidor.**
achiote Arbusto mexicano de cuyas semillas, frutos y flores se prepara una pasta comestible.
adagio 1. Sentencia breve. ☞ **proverbio, sentencia.**
— *Le gusta citar adagios.*
2. Movimiento musical lento.
— *Hay adagios para cuerdas.*
adalid Persona que encabeza o guía alguna causa o partido político. ☞ **jefe, paladín.** ❖ SUBORDINADO, SUBALTERNO.
adaptar 1. Acomodar algo a otra cosa o darle un uso diferente. ☞ **cuadrar.** ❖ DESACOMODAR.
— *Esos mecánicos adaptan estas refacciones a cualquier modelo de vehículo.*
2. Avenirse a las circunstancias. ☞ **ajustar.** ❖ DESAJUSTAR, DESADAPTAR.
— *Es una persona que se ha adaptado a tres jefes de distintas dependencias.*
adecuar Hacer que algo se ajuste o acomode a algo. ☞ **encajar, ceñir, amoldar.**
— pertinente, apropiado: *adecuado.*
adefesio Persona u objeto que se caracteriza por su fealdad y ridiculez. ☞ **feo, espantajo.**
adelantar 1. Aproximarse a la meta, moverse hacia adelante. ☞ **avanzar.** ❖ RETROCEDER.
— *Adelantó a sus compañeros y ganó la carrera.*
— anticiparse: *adelantarse.*
— en un lugar más avanzado: *adelante.*
— en el futuro: *más adelante.*
— ¡pase!: *¡adelante!*
— cantidad previa que se entrega al comprar algo en abonos: *adelanto.*
— cantidad de dinero entregada antes de lo debido: *adelanto.*
— precoz: *adelantado.*
2. Progresar, mejorar.
— *Si no adelantas en matemáticas, puedes reprobar.*

— progreso: *adelanto.*
ademán Movimiento que se realiza con las manos y el cuerpo expresando un mensaje. ☞ **actitud.**
— modales: *ademanes.*
además En adición a esto. ☞ **asimismo, también.**
adentro En el interior de algo o alguien. ❖ AFUERA.
— profundizar, penetrar: *adentrarse.*
— para sí mismo: *para sus adentros.*
adepto, -ta Que sigue alguna idea o doctrina. ☞ **partidario.** ❖ CONTRARIO.
aderezar 1. ☞ **aliñar, condimentar.**
— *La comida sin aderezar es insípida.*
— salsa para ensaladas: *aderezo.*
2. ☞ **adornar, embellecer.** ❖ DESCOMPONER, DESLUCIR, DETERIORAR.
— *Le gusta aderezar los espectáculos.*
— que está arreglado o adornado: *aderezado.*
— conjunto de joyas: *aderezo.*
adherir 1. Juntar, pegar algo. ☞ **pegar.**
— *Las calcomanías se adhieren a los vidrios de los coches.*
— pegamento: *adhesivo.*
— que se pega algo: *adherente.*
— tejido degenerativo que se manifiesta por lesiones junto a un órgano o dentro de él: *adherencia.*
2. ☞ **apoyar, solidarizarse.**
— *Sólo se adhiere a las causas nobles.*
— estimación, afecto: *adhesión.*
— ser miembro de un conjunto: *adherencia.*
adicción Afición incontrolable por algo.
— persona que tiene inclinación fuerte por algo: *adicto.*
— persona que abusa de las drogas: *drogadicto.*
adición Tipo de agregado o añadidura. ☞ **suma.** ❖ SUSTRACCIÓN, RESTA.
— complementario: *adicional.*
— complemento, accesorio: *aditamento.*
— complemento que se agrega para el mejor funcionamiento de algunos motores: *aditivo.*
adiestrar 1. Hacer que una persona adquiera manejo o dominio en alguna actividad. ☞ **enseñar, instruir.**
— *Necesitan adiestrar mejor a los maratonistas.*
— acción y resultado de adiestrar: *adiestramiento.*
2. Por extensión enseñar a los animales a obedecer. ☞ **amaestrar.**
— *Adiestran perros para que descubran narcóticos escondidos.*
— amaestrado: *adiestrado.*

adiós Fórmula de despedida. ☞ **abur, despedir.** ❖ HOLA.

— otras fórmulas de despedida: *chao, nos vemos, hasta la vista, hasta luego, hasta mañana, bye (bái), hasta el rato, hasta la tarde, ahí nos vemos, ahí nos vidrios, nos vemos luego, hasta pronto, hasta siempre, ve con Dios, abur, cuídate, buen viaje, buena suerte.*

adiposo, -sa Relativo a la grasa. ☞ **grasa, gordura.**

— obesidad: *adiposis, adiposidad.*

adivinación Actividad de predecir o conjeturar algo con anticipación. ☞ **predecir, quiromancia.**

— predicción: *presagio, vaticinio, pronóstico.*

— acertijo: *adivinanza.*

— predecir: *adivinar.*

— que presagia desgracias: *agorero.*

— persona que predice o anticipa acontecimientos: *adivino, adivinador, cohen, gitano, zahorí, quiromántico, nigromante, vaticinador, profeta, nabí, vidente.*

— persona que predice el futuro por medio de la revelación divina: *profeta.*

— adivinadoras de la antigua Grecia: *sibilas, pitonisas.*

— adivinadores de la antigua Roma: *augures, arúspices.*

— adivinación por medio de una varita mágica: *rabdomancia.*

— adivinación por medio de barajas: *cartomancia, sortiaria.*

— tipos de barajas: *tarot, tot, baraja española.*

— adivinación por medio de la lectura de la palma de la mano: *quiromancia.*

— adivinación por medio del humo: *capnomancia.*

— adivinación por medio de un espejo: *catoptromancia.*

— adivinación por medio del aire: *aeromancia.*

— adivinación por medio de los gallos: *alectomancia.*

— adivinación por medio de las tempestades: *ceraunomancia.*

— adivinación por medio de las velas: *ceromancia.*

— adivinación por medio de los huesos de los animales: *espatulomancia.*

— adivinación por medio del vuelo de las aves: *heteromancia.*

— adivinación por medio de las entrañas de los animales: *hieroscopia, exstispicina.*

— adivinación por medio de las entrañas humanas: *antropomancia.*

— adivinación por medio de los peces: *ictiomancia.*

— adivinación por medio del queso: *tiromancia.*

— adivinación por medio de los objetos que se queman en el fuego: *empiromancia.*

— adivinación por medio de los estornudos: *ptarmascopia.*

— adivinación por medio de las hojas: *filomancia.*

— adivinación por medio de los anillos: *dactiolomancia.*

— adivinación por medio de la harina: *alplutomancia, aleunomancia.*

— adivinación por medio de los dados: *cibomancia.*

— adivinación por medio de la lluvia: *brecomancia.*

— adivinación por medio de las nubes: *nefelomancia.*

— adivinación por medio del vino: *enomancia.*

— adivinación por medio de los huevos: *ooscopia.*

— adivinación por medio del viento: *anemoscopia.*

— adivinación por medio de monstruosidades: *terastocopia.*

— adivinación por medio del día de nacimiento: *genetliaca.*

— adivinación por medio de las piedras: *litobonia.*

— adivinación por medio de los objetos al caer en un estanque: *lecanomancia.*

— adivinación por medio del agua: *hidromancia.*

— adivinación por medio de las líneas del rostro: *metoscopia.*

— adivinación por medio de la evocación de los muertos: *necromancia.*

— adivinación por medio de la magia negra: *nigromancia.*

— adivinación por medio de las huellas que tienen las uñas: *onicomancia.*

— adivinación por medio de los sueños: *oniromancia.*

— adivinación por medio del nombre: *onomancia.*

— adivinación por medio de los números asociados al nombre: *numerología.*

— adivinación por medio de la llama: *piromancia.*

— adivinación por medio del demonio: *demonomancia.*

— adivinación por medio de la tierra o líneas y círculos que aparecen en ésta: *geomancia.*

— adivinación por medio del día de nacimiento asociado al estado que ocupan las estrellas: *astrología, horóscopo.*

— adivinación oracular china por medio de arrojar monedas y leer parábolas: *I Ching.*

— adivinación por medio de los res-

tos que el poso del café deja en una taza: *lectura de café, cafeomancia.*

— acertijo: *adivinanza.*

adjetivo Clase de palabra que especifica y amplía el significado del sustantivo. ☞ **sustantivo.**

— adjetivo que indica una cualidad no propia del sustantivo: *adjetivo calificativo.*

— adjetivo que indica una cualidad propia del sustantivo: *epíteto.*

— adjetivo que identifica algo de lo significado por el sustantivo: *adjetivo determinativo.*

— adjetivo que identifica a qué persona gramatical le pertenece lo expresado por el sustantivo: *adjetivo posesivo.*

— adjetivo que identifica la cercanía o lejanía, con respecto al que habla, de lo expresado por el sustantivo: *adjetivo demostrativo.*

— adjetivo que identifica la cantidad u orden de lo expresado por el sustantivo: *adjetivo numeral.*

— oración subordinada que cumple con la misma función que el adjetivo: *oración adjetiva u oración subordinada adjetiva.*

adjudicador, -ra ☞ **adjudicar.**

adjudicar Otorgar pertenencia de algo a alguien. ☞ **conferir, achacar, otorgar.** ❖ QUITAR, EXPROPIAR.

— apropiarse alguien de algo: *adjudicarse.*

— persona a la que se le da algo: *adjudicatario.*

— persona que otorga algo: *adjudicador.*

— acción y resultado de atribuir algo a alguien o de apropiárselo: *adjudicación.*

adjunto, -ta 1. Que se suma a algo. ☞ **agregar, agregado.**

— *Le envío adjunto a esta carta una invitación.*

2. Persona que auxilia a otra en alguna labor profesional. ☞ **ayudante.**

— *El maestro adjunto de laboratorio nos enseña cómo hacer experimentos.*

administrador, -ra ☞ **administrar.**

administrar Cuidar el buen funcionamiento de una entidad o conjunto de bienes públicos o privados. ☞ **dirigir, organizar.**

— *Ese señor, así como lo ves, administra obras de mejoramiento social.*

— persona que administra bienes ajenos: *administrador, apoderado.*

— lugar donde trabaja el administrador: *administración.*

— manejo de una institución, entidad o conjunto de bienes: *administración.*

— tipos de administración: *pública,*

privada, comercial, jurídica, militar, diocesana.

— conjunto de organismos gubernamentales responsables de los bienes de una región, entidad o nación: *administración pública.*

— verbos asociados a la administración: *custodiar, organizar, planear, vigilar, cuidar, regir, dirigir, tutelar.*

2. Suministrar a alguien algo benéfico (medicina, justicia, sacramento, etc.).

— *Debe administrar un analgésico fuerte para ese ataque.*

— acción de suministrar algo benéfico: *administración.*

admirador, -ra ☞ **admirar.**

admirar 1. Reconocer o ver alguien el valor, belleza o cualidad de algo o de alguien.

— *Se quedó admirando el crepúsculo.*

— reconocimiento del valor, belleza o cualidad de algo o alguien: *admiración.*

2. Causar algo extraordinario sorpresa y asombro a alguien. ☞ **maravillar, asombrar.** ❖ MENOSPRECIAR.

— *Nos admira su bondad.*

— sorpresa ante lo extraordinario de algo bueno o bello: *admiración.*

— persona que admira: *admirador, fanático.*

— admirarse: *quedarse con la boca abierta, maravillarse, pasmarse, anonadarse, asombrarse.*

— signo de puntuación que señala o indica una exclamación: *admiración (se representa así: ¡!).*

admitir 1. Aceptar el ingreso o la entrada de alguien o algo en algún lugar, en una agrupación o institución.

— *No admiten la entrada de menores en el cine cuando exhiben películas sólo para adultos.*

— entrada: *admisión.*

2. Aceptar algo. ☞ **asentir, aprobar.**

— *Después de una ardua discusión admitió estar equivocado.*

— susceptible de ser aceptado: *admisible.*

adobo Salsa que se agrega a la comida para sazonarla. ☞ **condimento, comer.**

— condimentar con adobo: *adobar.*

— aderezado con adobo: *adobado.*

adolecer 1. Sufrir alguna dolencia. ☞ **padecer.**

— *En el verano adolece de jaquecas.*

— sentirse enfermo, condolerse: *adolecerse.*

2. Tener alguna imperfección o deficiencia. ☞ **tener.**

— *Mi suegra adolece de muchos defectos.*

adolescente Persona que se encuentra en el periodo comprendido entre la pubertad y la edad adulta. ☞ **púber.**

— época en la vida humana comprendida entre la pubertad y la edad adulta: *adolescencia.*

— adolescencia: *edad del pavo, edad de la punzada, primeros abriles.*

— adolescente o joven de gran belleza: *adonis.*

adoptar 1. Tomar a alguien por hijo o por pupilo. ☞ **prohijar, hijo.**

— *Algunas mujeres estériles adoptan hijos.*

— acción de tomar a alguien por hijo: *adopción.*

— persona que adopta o es adoptada: *adoptivo.*

— persona que adopta: *adoptante.*

2. Hacer propio algo. ☞ **abrazar.**

— *Es difícil adoptar una nueva religión.*

— acción de apropiarse de algo: *adopción.*

— cosa o persona elegida como propia: *adoptivo.*

adorar 1. Reverenciar a Dios o a un ídolo o a un ser considerado divino. ☞ **venerar, idolatrar.**

— *El orgullo de ese pueblo es ese ídolo, a quien adoran y de quien son esclavos.*

— templo: *adoratorio.*

— altar portátil de madera que servía para realizar el culto: *adoratorio.*

2. Amar mucho a alguien. ☞ **amar.**

— *Hay hombres que adoran a sus madres.*

— encantador: *adorable.*

adornar Hermosear o arreglar algo valiéndose de ornamentos o elementos decorativos. ☞ **embellecer, decorar, aderezar.** ❖ AFEAR.

— cosa que se le pone a otra para hermosearla: *adorno.*

— que hermosea algo o adorna: *adornador.*

— acción y resultado de adornar: *adornación.*

— colocar adornos y objetos con buen gusto: *decorar.*

— acción y resultado de decorar: *decoración.*

— conjunto de adornos y objetos utilizados para decorar: *decoración.*

— presumir, hacer alarde de algo que puede no ser propio: *adornarse.*

adosar Colocar algo junto a otra cosa. ☞ **arrimar, pegar.** ❖ SEPARAR, DESPEGAR.

adquirir 1. Obtener algo. ☞ **conseguir.** ❖ PERDER.

— *Después de su último ejercicio adquirió excelente condición física.*

2. Comprar algo. ☞ **comprar.** ❖ VENDER.

— *En breve me propongo adquirir un nuevo comedor.*

— compra: *adquisición.*

— poder de compra: *poder adquisitivo.*

adrede Con intención o de manera deliberada. ☞ **premeditado.**

adscribir 1. Estar considerado alguien o algo dentro de lo que le corresponde o se le atribuye. ☞ **adjudicar, atribuir.**

— *Le adscribo todo tipo de virtudes y pocos defectos.*

2. Afiliarse, adherirse. ☞ **adherir, afiliar.**

— *Los choferes se adscribieron al sindicato.*

— acción y resultado de adscribir o adscribirse: *adscripción.*

aduana Oficina pública encargada de revisar las mercancías que entran y salen de un país, y de cobrar los impuestos correspondientes.

— persona que revisa las pertenencias de los viajeros en la aduana: *aduanero, guardia aduanal.*

— cantidad que se paga en la aduana por introducir objetos no nacionales: *arancel, impuesto, derecho.*

— introducir objetos no nacionales: *importar.*

— enviar objetos nacionales a otros países: *exportar.*

— introducir o sacar objetos de un país a otro sin autorización: *contrabandear.*

— objetos exportados o importados ilegalmente: *contrabando, fayuca.*

— persona que exporta o importa ilegalmente: *contrabandista, fayuquero.*

— quitar en la aduana la mercancía introducida ilegalmente: *confiscar, decomisar.*

aducir Presentar argumentos como prueba de algo. ☞ **alegar, argumentar.**

adulación Halago inmerecido. ☞ **lisonja, halagüeño.** ❖ INSULTO, INJURIA.

— halagar excesivamente a alguien: *adular, hacer la barba.*

— persona que halaga inmerecidamente a otra: *adulador, lambiscón, barbero, zalamero, lameculos.*

adulterio Acción de una persona casada al tener relaciones sexuales con otra distinta a su cónyuge. ☞ **engaño.** ❖ MATRIMONIO, FIDELIDAD.

— que comete adulterio: *adúltero.*

— mujer que comete adulterio: *mancornadora.*

— persona que sufre el adulterio de

su cónyuge: *burlado, engañado, cornudo.*

— persona que se encuentra relacionada con el adúltero: *querido, amante, mantenido, el otro, la otra, segundo frente.*

— cometer adulterio: *engañar, ser infiel, traicionar, poner los cuernos, poner el casco vikingo, verle la cara, verle la cara de buey o güey.*

— tener otra mujer aparte de la esposa: *tener casa chica, tener segundo frente.*

— falsificar algo: *adulterar.*

— que se falsifica: *adulterado.*

— acción y efecto de adulterar o falsificar: *adulteración.*

— falsificador: *adulterador.*

adulto, -ta Que ha logrado la madurez fisiológica o su completo desarrollo, tratándose de seres vivos o que algo ha alcanzado su máxima perfección. ☞ **madurez, edad.**

— persona adulta: *hombre hecho y derecho, mujer hecha y derecha, todo un hombre, toda una mujer.*

— condición de adulto: *adultez, edad adulta.*

adusto, -ta Que es rígido, duro, serio, seco y difícil. ☞ **áspero.** ❖ AFABLE, SIMPÁTICO.

advenedizo, -za Persona que se agrega a un conjunto al que no pertenecía originalmente. ☞ **intruso, entrometido.**

— llegada o venida solemne: *advenimiento.*

— ascenso al trono papal o monárquico de los soberanos: *advenimiento.*

— venir, llegar, ocurrir o suceder: *advenir.*

— temporada previa a la navidad: *adviento.*

— que ocurre accidentalmente o es extraño: *adventicio.*

adversidad Situación en que impera la mala suerte. ☞ **fatalidad, desgracia.** ❖ PROSPERIDAD.

— contrario, desafortunado: *adverso.*

— oponente, opositor, enemigo: *adversario.*

— con mala suerte o con adversidad: *adversamente.*

advertencia Indicación que se hace de manera preventiva. ☞ **aviso, consejo.**

— darse cuenta de algo una persona o prevenir a otra de algo: *advertir.*

— avispado, astuto o prevenido: *advertido.*

— con prevención: *advertidamente.*

— no darse cuenta de algo que debería notar: *inadvertir.*

— que no se da cuenta de las cosas que debería notar: *inadvertido.*

adyacente Que está cercano o junto a algo. ☞ **cercanía, proximidad.** ❖ LEJANO, DISTANTE, APARTADO.

aéreo, -a 1. Que está en contacto o relacionado con el aire o con la aviación. ☞ **aire, avión.**

— *Después de la batalla aérea, iniciaron la terrestre.*

— radical que significa aire: *aero.*

— todo tipo de vehículo apto para la navegación aérea: *aeronave, aeromóvil.*

— tipos de aeronaves: *avión o aeroplano, helicóptero, aerostato, globo, dirigible o zeppelin.*

— persona que pilotea una aeronave: *aeronauta.*

— compañía de transporte por avión: *aerolínea, compañía de aviación.*

— lugar provisto de lo necesario para que aterricen y despeguen los aviones: *aeropuerto, aeródromo.*

— lugar donde aterrizan y despegan los helicópteros: *helipuerto.*

— navegación aérea en aerostato: *aeróstero.*

— ciencia de la navegación aérea: *aeronáutica.*

— fragmento de un cuerpo cósmico que atraviesa la atmósfera y cae en la Tierra: *aerolito, meteorito.*

— recipiente donde una sustancia gaseosa se vuelve líquida por compresión y sale por una válvula en forma líquida o pulverizada: *aerosol.*

— sustancia gaseosa que se vuelve líquida o pulverizada: *aerosol.*

2. Que es ligero, sutil, vaporoso o está desvanecido.

— *De esa pintura, me gusta la silueta aérea de la bailarina.*

aerolito Cuerpo cósmico que cae sobre la Tierra. ☞ **meteorito, aéreo.**

afable Que es agradable y amable. ☞ **dulce, amable.** ❖ ADUSTO.

afán Empeño vehemente por obtener algo. ☞ **ahínco.** ❖ DESGANO, APATÍA.

— esforzarse: *afanarse.*

— que se esfuerza por algo: *afanoso.*

— persona que realiza la limpieza en diversas instalaciones: *afanador.*

afasia Incapacidad o pérdida del poder de usar y entender las palabras, en forma oral o escrita, como resultado de una lesión cerebral. ☞ **lenguaje, habla.**

— persona que sufre estos trastornos: *afásico.*

afección Enfermedad, dolencia. ☞ **dolencia.**

— dañar, perjudicar: *afectar.*

— extravagante, no espontáneo: *afectado.*

— extravagancia: *afectación.*

afecto Sentimiento amoroso o cariñoso hacia algo o alguien. ☞ **apego.** ❖ DESAFECTO.

— cariñoso o amoroso: *afectuoso.*

— sensible: *afectivo.*

— cualidad de ser cariñoso o afectuoso: *afectividad.*

— tener afición por: *ser afecto a.*

afeitar Rasurar o cortar al ras el pelo o vello de algunas partes del cuerpo. ☞ **rasurar.**

— persona cuyo oficio consiste en rasurar y cortar el pelo: *peluquero, barbero.*

afeminado Que toma actitudes de mujer, tratándose de un hombre. ☞ **amanerado.** ❖ VARONIL, VIRIL.

— tomar un hombre actitudes de mujer: *afeminarse.*

— hacer que un varón tome o adquiera actitudes femeninas: *afeminar.*

— acción y resultado de afeminar o afeminarse: *feminamiento, afeminación.*

aféresis Supresión de letras al principio de una de una palabra, como ocurre en el siguiente poema con la palabra *ora* (ahora):

Ora trocada en un planeta oscuro girando en los abismos del vacío, do fuerza oculta y ciega en su extravío (...)
Nicomedes Pastor Díaz.

aferrar Tomar o agarrar algo con fuerza. ☞ **sujetar.** ❖ SOLTAR.

— obstinarse: *aferrarse.*

afianzar 1. Poner algo o a alguien en una situación de más firmeza y seguridad. ☞ **reforzar, asegurar.**

— *Después de mucho esfuerzo afianzó su lugar en la compañía.*

— *El dinero afianza mi situación económica.*

— agarrarse, sujetarse: *afianzarse.*

2. Otorgar fianza.

— dinero que se toma como garantía en un trato comercial o jurídico: *fianza.*

— compañía que otorga fianzas: *afianzadora.*

— persona que presta dinero como garantía: *fiador, aval.*

afición Fuerte inclinación por algo. ☞ **apego.** ❖ INDIFERENCIA, DESAPEGO.

— inducir a alguien a que le guste algo: *aficionar.*

— inclinarse por algo: *aficionarse.*

— que se dedica por gusto e interés a algo sin ser experto: *aficionado, amateur.*

— personas que comparten una inclinación por algún deporte o espectáculo: *afición.*

— persona muy aficionada y apasionada por algo: *fanático.*

afilar Sacar filo a algo.
— persona que afila: *afilador.*
— algunos objetos a los que se saca filo: *navajas, cuchillos, tijeras, lápices.*
— anguloso y delgado, tratándose de partes de la cara o mano: *afilado.*

afiliar Hacer a alguien miembro de algún tipo de corporación o grupo. ☞ **adherir, ingresar.**
— volverse miembro de algún grupo o corporación: *afiliarse.*
— acción y resultado de afiliar o de afiliarse: *afiliación.*
— persona que se afilia a una corporación: *afiliado.*
— hoja de alta en una corporación con los datos del afiliado: *hoja de afiliación.*

afinar 1. Hacer que algo quede lo más perfecto posible.
— *Afinar detalles evita problemas posteriores.*
— con finura y delicadeza: *afinadamente.*
2. Poner a tono los instrumentos musicales o la música. ❖ DESAFINAR.
— *Es difícil afinar bien un piano.*
— persona que tiene por oficio afinar instrumentos musicales: *afinador.*

afinidad Semejanza o parecido con alguien o con algo. ☞ **similitud, parecido.** ❖ DISIMILITUD.
— semejante: *afín.*

afirmar 1. Decir que sí o declarar algo como cierto. ☞ **aseverar, asentir.** ❖ DISENTIR, NEGAR.
— *Afirmó con la cabeza que vendría a comer.*
— declaración de algo como cierto o verdadero: *afirmación.*
— que asienta o dice que sí: *afirmativo.*
— acción y resultado de asentir: *afirmación.*
2. Volver firme una cosa o reforzarla. ☞ **reforzar.** ❖ DEBILITAR.
— *El maestro dejó a sus alumnos de tarea hacer varios ejercicios para que afirmen sus conocimientos.*
— característica psicológica de aceptación y reforzamiento del yo: *afirmación.*

afligir Provocar tristeza o congoja. ☞ **apenar, atribular, tristeza.** ❖ ALEGRAR, CONTENTAR.
— entristecerse: *afligirse.*
— pena, tristeza: *aflicción.*
— que aflige: *aflictivo.*
— que está triste: *afligido, acongojado, triste, desconsolado, desolado, angustiado, pesaroso, consternado, apesadumbrado, mortificado, quebrantado, abrumado, compungido, melancólico, nostálgico.*

aflojar 1. Disminuir la presión o tensión. de algo. ☞ **soltar, distender.** ❖ APRETAR.
— *Aflójate el cinturón si te sientes mal.*
2. Perder algo o alguien su fuerza o energía.
— *El equipo contrario aflojó y pudimos meter gol.*
— laxo, flojo: *aflojado.*
3. Dar o soltar dinero.
— *No quiere aflojar un solo peso.*
— entre no ceder y ceder: *al estira y afloje.*

aflorar Asomar algo o surgir a la superficie o sobre ésta. ☞ **despuntar, brotar.**
— acción y resultado de aflorar: *afloramiento.*

afluente Río secundario que desemboca en uno principal. ☞ **río.**
— concurrencia de objetos o personas: *afluencia.*
— llegar, desembocar: *afluir.*
— llegada de líquido o de mayor cantidad de éste: *aflujo.*

afonía Pérdida del volumen de voz. ☞ **voz.** ❖ SONORIDAD.
— que está con la voz disminuida de volumen: *afónico.*

aforismo Oración o frase muy breve que se convierte en norma o regla. ☞ **sentencia.**
— conjunto de aforismos: *aforística.*
— que pertenece al aforismo: *aforístico.*
— ejemplo de aforismo: *"Entre los individuos como entre las naciones, el respeto al derecho ajeno es la paz".* Benito Juárez.

afrenta Ofensa o agravio sufrido a consecuencia de una acción deshonrosa o que causa vergüenza. ☞ **ofensa, daño, deshonra.** ❖ AGASAJO, ALABANZA, ELOGIO.

afrodisiaco Que estimula el deseo sexual y sustancia excitante empleada para estimular ese deseo. ☞ **estimular, excitar, estimulante, excitante.**
— sustancia afrodisiaca que se aplica a ciertos tipos de ganado: *cantaridina.*
— sustancia afrodisiaca que afecta el aparato endocrinológico y reproductor: *yohimbina.*
— elementos, productos, animales o partes de éstos que supuestamente son afrodisiacos: *ginseng, ostión, vitamina E, criadillas, sangre de toro, cuerno de rinoceronte, entuco, toloache.*

afrontar Hacer frente a algo o a alguien. ☞ **enfrentar.** ❖ REHUIR, ESQUIVAR.
— enfrentamiento: *afrontación.*
— que enfrenta algo o a alguien: *afrentador.*

afta Úlcera pequeña, generalmente en la boca. ☞ **úlcera.**

afuera En el exterior de algo. ❖ DENTRO, ADENTRO.
— alrededores de una población: *las afueras.*
— sin convicción: *de dientes afuera, para (pa') afuera, a regañadientes.*

agachar Inclinar o doblar el cuerpo hacia los pies o hacia el suelo. ☞ **agazapar.** ❖ ENDEREZAR.
— persona que permite que la autoridad lo sojuzgue: *agachado, agachón.*
— puestos de comida en los mercados públicos: *los agachados.*

agachona Variedad de ave acuática mexicana. ☞ **ave.**

agandallarse Apropiarse de mala manera de algo. ☞ **gandalla, oportunista.**
— oportunista o aprovechado: *gandalla.*

agarrar Tomar con fuerza algo con las manos. ☞ **sujetar.** ❖ SOLTAR.
— asa: *agarradera.*
— tacaño: *agarrado, codo.*
— pelea: *agarrada, agarrón.*

agasajar Halagar con regalos o manifestaciones de cariño y afecto. ☞ **festejar, obsequiar.** ❖ DESPRECIAR.
— festejado: *agasajado.*
— persona que halaga con muestras de aprecio: *agasajador.*
— regalo o caricias con que se muestra el aprecio por alguien: *agasajo.*
— lo que se disfruta: *agasajada.*
— disfrutar intensamente algo: *darse una agasajada.*

agave Planta de origen mexicano que se caracteriza por tener pencas u hojas gruesas y carnosas dispuestas sobre un tallo corto. ☞ **maguey, pulque, aguamiel, tequila.**

agazaparse Agacharse, encogerse. ☞ **agachar.** ❖ ENDEREZARSE.

agente 1. Persona que realiza acciones relacionadas con la seguridad y el orden público. ☞ **funcionario.**
— *Tuvo que responder a las preguntas del agente del ministerio público.*
2. Persona encargada de impulsar determinados negocios o servicios al público.
— *Es tan importante la compañía de seguros como sus agentes.*
— sucursal de una empresa o lugar donde se gestionan asuntos y se ofrecen servicios: *agencia.*
— servicial: *agencioso.*
— libreta donde se anotan citas o las cosas que hay que hacer en determinada fecha y hora: *agenda.*
3. Elemento o recurso que propicia o determina ciertas acciones.

— *En medicina, los agentes portadores de virus son muy peligrosos.*

ágil Que es ligero, flexible o veloz. ❖ PESADO, TORPE.
— ligereza o destreza: *agilidad.*
— facilitar o apresurar la realización de algo, especialmente un trámite: *agilizar.*
— acción y resultado de agilizar: *agilización.*

agitar 1. Mover objetos repetidamente y con fuerza. ☞ **sacudir, remover.**
— *Agítese antes de usarse.*
— movimiento repetitivo y violento: *agitación.*
— utensilio usado para remover bebidas y otros líquidos: *agitador.*
— mar que no está en calma sino con olas elevadas que rompen frecuentemente y con mucha fuerza: *mar agitado.*
2. Inquietar a una persona o provocar en ella ansiedad o inquietudes políticas y sociales. ❖ APACIGUAR.
— *La agitó muchísimo el divorcio de su hermano.*
— *Agita a la muchedumbre para que proteste.*
— inquietud, perturbación, intranquilidad: *agitación.*
— excitarse, sofocarse o perturbarse: *agitarse.*
— persona que provoca inquietudes sociales o políticas o que incita a la rebelión: *agitador.*

aglomerar Acumular o juntar sin orden. ☞ **amontonar.** ❖ DISPERSAR, DESPARRAMAR.
— amontonamiento de cosas o de gente: *aglomeración, aglomeramiento.*
— amontonarse personas: *aglomerarse.*
— que ha sido prensado y comprimido: *aglomerado.*

aglutinar 1. Pegar o unir con alguna sustancia. ☞ **encolar.** ❖ SEPARAR, DESPEGAR.
— *La sangre aglutina e inmoviliza a las bacterias.*
— unión o ligazón: *aglutinación.*
— que une: *aglutinante.*
2. Reunir o agrupar cosas o personas en un mismo lugar o grupo. ❖ DESUNIR.
— *Es un líder que logra aglutinar partidarios.*

agnóstico, -ca Persona que considera que los problemas metafísicos y religiosos (como el absoluto, Dios, etc.) son ajenos al conocimiento humano.
— doctrina o postura filosófica que profesan los agnósticos: *agnosticismo.*

agobiar Saturar o atosigar a alguien con preocupaciones, presiones o exigencias. ☞ **abrumar.**

— saturarse de problemas y preocupaciones: *agobiarse.*
— que produce una angustia o sofocación excesiva: *agobiante.*
— angustia o sofocación por preocupaciones excesivas: *agobio.*
— que agobia: *agobiador.*

agolpar Unirse personas, cosas e ideas de un golpe y en desorden. ☞ **aglomerar.**

agonía 1. Momento de sufrimiento previo a la muerte.
— *Agonizó en el hospital por más de un mes.*
— estar en el momento previo a la muerte: *agonizar.*
— que está en agonía: *agonizante, agónico.*
2. Decadencia de algo que está a punto de extinguirse o desaparecer.
— *La agonía del fuego le indicó que tenía que poner más leña.*
— extinguirse: *agonizar.*
— que está a punto de extinguirse: *agónico.*
3. Sentimiento de zozobra y angustia. ☞ **angustia, pena, afligir.** ❖ ALEGRÍA.
— *Fue una agonía pasar por tantas vicisitudes.*

ágora Plaza donde discutían los griegos sus asuntos públicos.

agorafobia Temor a los espacios abiertos.

agotar 1. Gastar, terminar o consumir algo. ☞ **terminar, consumir.**
— *Agotó todas las instancias y no pudo arreglar su asunto.*
— terminarse: *agotarse.*
— gasto o consumo total: *agotamiento.*
2. Cansar, debilitar.
— *El partido de futbol los agotó.*
— cansarse: *agotarse.*
— cansancio: *agotamiento.*
— extenuante: *agotador.*

agraciado, -da Premiado con algo, favorecido físicamente.
— otorgar cosas positivas a alguien: *agraciar.*
— atractivo, guapo: *agraciado.*

agradar Provocar satisfacción y contento en alguien o darle gusto. ❖ DESAGRADAR.
— que da gusto o produce deleite: *agradable.*
— gusto o sensación de contento: *agrado.*

agradecer Corresponder con gratitud a algo, dar las gracias. ☞ **retribuir, gratitud.**
— acción o sentimiento de gratitud hacia algo: *agradecimiento.*
— que actúa con gratitud: *agradecido.*

— que actúa sin gratitud: *desagradecido.*
— acto devoto de agradecimiento: *acción de gracias.*

agrandar Aumentar el tamaño de algo. ☞ **acrecentar, alargar.** ❖ ACHICAR.
— aumentar de tamaño: *agrandarse.*
— acción y resultado de hacer más grande algo: *agrandamiento.*
— que tiene modales, actitudes o carácter de una persona mayor, tratándose de niños: *agrandado.*

agrario, -ria Relativo al campo que se cultiva o a las tierras de cultivo. ☞ **campo, rural, campestre.**
— cultivo de la tierra: *agricultura.*
— sistema de leyes que protegen a quien trabaja el campo: *reforma agraria.*
— movimiento político contra los terratenientes y en favor de que las tierras sean de los que las trabajan: *agrarismo.*
— que pertenece al agrarismo o se relaciona con él: *agrarista.*
— posesión comunitaria de la tierra: *ejido.*
— persona a quien se ha concesionado un ejido: *ejidatario.*
— relativo al ejido: *ejidal.*

agravar Hacer más perjudicial, dañino o grave algo. ☞ **empeorar, grave.** ❖ MEJORAR, ALIVIAR.
— empeoramiento o recrudecimiento de algo grave: *agravamiento, agravación.*
— agente u objeto que agrava: *agravador.*
— que empeora o agrava algo: *agravante, agravatorio.*
— que ocasiona peligro o daño: *grave.*

agraviar Cometer un perjuicio a alguien u ofenderlo gravemente. ☞ **ofender, dañar.** ❖ DESAGRAVIAR.
— daño u ofensa: *agravio.*
— que ofende: *agraviante.*
— perjudicado, ofendido: *agraviado.*
— persona que ofende: *agraviador.*
— lograr que se satisfaga una ofensa: *deshacer agravios, desagraviar.*

agraz 1. Uva inmadura. ☞ **ácido.**
— *Estas uvas tienen sabor agraz.*
2. Algo amargo o que causa disgusto. ☞ **amargo.**
— *Sintió el agraz de las circunstancias.*
— antes de tiempo: *en agraz.*

agredir Atacar física o moralmente a alguien. ☞ **atacar, insultar.** ❖ ESQUIVAR.
— ataque: *agresión.*
— que es atacado: *agredido.*
— que ataca: *agresor.*

— persona o animal que es violento: *agresivo*.

— violencia: *agresividad*.

— dinamismo e iniciativa en los negocios o en el trabajo: *agresividad, empuje*.

agregar Añadir o incorporar algo. ☞ **adición, suma.** ❖ QUITAR, RESTAR, SUSTRAER.

— unirse: *agregarse*.

— conjunto de cosas o personas que forman un grupo o un todo: *agregado*.

— persona que forma parte de una misión diplomática y que se encarga de asuntos especiales: *agregado*.

— oficina del agregado: *agregaduría*.

agrícola Que tiene que ver con el campo y los cultivos. ☞ **campo, agrario.**

agricultura Cultivo de la tierra y sus actividades. ☞ **agrario, campo.**

— que se relaciona con las labores del campo: *agrícola*.

— persona que cultiva la tierra: *agricultor, campesino, ejidatario*.

— técnica usada para medir terrenos: *agrimensura*.

— persona que utiliza la agrimensura: *agrimensor*.

— profesional dedicado al estudio de la tierra y el campo: *agrónomo, ingeniero agrónomo*.

— conocimientos teóricos sobre el cultivo de la tierra: *agronomía*.

— parte de la agronomía que estudia el suelo y su relación con los cultivos: *agrología*.

— parte de la agronomía que estudia la fertilidad de las tierras: *agronometría*.

— que se relaciona con la agricultura y la ganadería a la vez: *agropecuario*.

agrietar Producir hendiduras o rajaduras en algo. ☞ **resquebrajar, cuartear.**

— rajarse o hendirse: *agrietarse*.

— rajadura: *grieta*.

— hendido, rajado: *agrietado*.

agrio 1. Que es de sabor acerbo, acre, avinagrado o ácido.

— *Esa naranja está agria.*

— que tiene o es de sabor ácido y dulce: *agridulce*.

— calidad del sabor ácido: *agrura*.

— ponerse amargo o amargar un alimento: *agriar*.

— acidez estomacal: *agruras*.

2. Que es de mal carácter o está amargada una persona.

— *Mi suegra es hosca, agria y agresiva conmigo.*

— irritar, amargar: *agriar*.

agro Conjunto de tierras productivas de un país o de una región. ☞ **campo, agrario.**

agrupar Reunir en un conjunto. ☞ **juntar, asociar.** ❖ DISGREGAR, DISOCIAR.

— asociación de personas o cosas: *agrupación, agrupamiento*.

— que se puede juntar: *agrupable*.

agua Sustancia vital compuesta de hidrógeno y oxígeno. ☞ **líquido, sólido, gas, vapor.**

— estados en que se halla el agua: **líquido** —*gota, borbotón, lluvia, rocío*—; **sólido** —*hielo, escarcha, granizo, nieve*—; **gaseoso** —*nube, niebla, vapor, humedad*.

— agua que corre y mana de manera natural: *agua viva*.

— agua estancada que no fluye: *agua muerta*.

— modalidades de concentración natural del agua: *charca, estanque, manantial, alfaguara, fuente, pantano, manglar, arroyo, río, torrente, cascada, catarata, poza, laguna, lago, mar, océano*.

— agua del mar y de algunos lagos, que contiene sal: *agua salada, agua salobre*.

— agua de ríos, lagos, manantiales, etc.: *agua dulce*.

— cursos de agua dulce que fluyen por cauces naturales o artificiales: *aguas corrientes*.

— masas de agua dulce que proceden de las lluvias, manantiales y deshielo que constituyen los ríos y lagos: *aguas continentales, aguas superficiales*.

— aguas que bañan las costas de un país teniendo éste derechos exclusivos de explotación de acuerdo con las leyes internacionales: *aguas jurisdiccionales*.

— agua que se puede beber: *agua potable*.

— agua que brota caliente de un manantial: *agua termal*.

— precipitación de lluvia congelada: *agua nieve*.

— agua producida por el deshielo: *agua de nieve*.

— aguas con desperdicios de desagües domésticos, drenaje, pozos negros, etc.: *aguas residuales, aguas negras*.

— proceso para aprovechar las aguas residuales: *tratamiento de aguas, reciclaje de aguas*.

— construcciones relacionadas con las aguas negras: *cloaca, alcantarilla, letrina, desagüe, colector*.

— medios artificiales para fluido del agua: *acueducto, acequia, canal, regadío, manguera*.

— construcciones en las que se almacena agua: *estanque, aljibe, jagüey, pozo, cisterna, tinaco, pila, pileta, presa, depósito, noria, piscina, alberca, chapoteadero*.

— construcciones para detener el agua: *dique, malecón, rompeolas*.

— que pertenece al agua o se relaciona con ella: *acuático, acuoso, hídrico*.

— que pertenece a la lluvia o se relaciona con ella: *pluvial*.

— que pertenece al mar o se relaciona con él: *marítimo, marino*.

— que pertenece a los ríos o se relaciona con ellos: *fluvial*.

— que pertenece a los lagos o se relaciona con ellos: *lacustre*.

— radical que significa agua: *hidro, hidra*.

— agregar agua a una sustancia: *hidratar*.

— combinación de algo material con agua: *hidrato*.

— cuerpo que no tiene agua o ha perdido la que tenía: *anhidro*.

— perder un cuerpo el agua que tiene: *deshidratar*.

— acción y resultado de deshidratar o deshidratarse: *deshidratación*.

— que deshidrata: *deshidratador, deshidratante*.

— que absorbe mejor el agua: *hidrófilo*.

— disciplina que estudia el aprovechamiento y conducción del agua: *hidráulica*.

— disciplina que estudia el movimiento de las aguas corrientes: *hidrodinámica*.

— especialidad de la hidrodinámica que estudia la forma de medir la velocidad, cantidad y fuerza de las aguas corrientes: *hidrometría*.

— conjunto de las aguas continentales y marinas de la superficie terrestre: *hidrosfera*.

— agua con amonio y sulfato de cobre: *agua celeste*.

— agua con ácido nítrico: *agua fuerte*.

— agua rica en yeso: *agua cruda*.

— agua con denterio: *agua pesada*.

— agua con compuestos perfluocarbonados, utilizada en extinguidores de incendios: *agua ligera*.

— agua con ácido nítrico y clorhídrico, usada para disolver oro y platino: *agua regia*.

— agua bendecida por el sacerdote: *agua bendita*.

— agua bendita con la que el sacerdote administra el bautismo: *agua bautismal*.

— perfumes compuestos de agua y diversas esencias: *agua de azahar, agua de heliotropo, agua de rosas, agua de colonia*.

— penetrar agua por algún agujero o grieta del fondo de una embarcación: *hacer agua.*

— romperse la bolsa que envuelve al feto y derramarse el líquido amniótico: *romper aguas.*

— persona que reparte o vende agua: *aguador.*

— vehículo que transporta agua para repartirla o venderla: *pipa.*

— que tiene agua o más de la necesaria: *aguado.*

— persona a la que no le gusta divertirse: *aguado.*

— persona que perturba una diversión: *aguafiestas.*

— estropear o perturbar una diversión: *aguar.*

— jugo de maguey: *aguamiel.*

— lavamanos: *aguamanil.*

— agua con chile: *aguachil.*

— bebidas de agua y frutas: *aguas frescas, aguas.*

— solicitar propina: *pedir para las aguas.*

— expresión para prevenir a alguien: *¡Aguas!*

— avisar de algo a alguien: *echar aguas.*

— sin aviso, sin previsión: *sin decir agua va.*

— en aprietos: *con el agua al cuello.*

— expresión que indica que alguien tiene problemas que cree graves pero no lo son: *ahogarse en un vaso de agua.*

— estar indeciso: *estar entre dos aguas.*

— antojarse algo: *hacérsele agua la boca.*

— obvio, evidente: *tan claro como el agua.*

— estar enojado: *estar como agua para chocolate.*

— expresión que indica que no se piensa como un caso de excepción: *no decir de esta agua no he de beber.*

— orinar: *hacer de las aguas.*

— expresión que denota abundancia: *como agua.*

— vertiente de un tejado: *agua.*

— verbos relacionados con el agua: *humedecer, mojar, diluir, fluir, inundar, anegar, regar, encharcar, estancar, hervir, filtrar, irrigar, sumergir, manar, verter, chapotear, granizar, llover, nevar, helar, salpicar.*

aguacate 1. Árbol frutal americano.

— *Los aguacates son lauráceas.*

— plantío de estos árboles: *aguacatal.*

2. Fruto del mismo árbol. ☞ **drupa.**

— *El fruto del aguacate tiene forma oval.*

— salsa compuesta por aguacate, ce-

bolla, jitomate y chiles verdes: *guacamole.*

aguacero Lluvia muy fuerte y de poca duración. ☞ **lluvia, chaparrón, chubasco.**

— pestañas o bigotes abundantes y hacia abajo: *de aguacero.*

aguamiel 1. Agua mezclada con miel o caña de azúcar.

— *El aguamiel es dulce.*

2. (vea recuadro de bebidas). Líquido que se extrae del maguey para hacer el pulque.

— *Con el aguamiel se preparan distintos curados de frutas.*

aguantar 1. Soportar y resistir actividades o situaciones molestas, difíciles o cansadas, o tolerar pacientemente a alguien. ☞ **tolerar.**

— *Los tarahumaras aguantan temperaturas bajísimas con ropa liviana.*

— reprimir un impulso: *aguantarse.*

— tolerancia y paciencia: *aguante.*

— soportar con tranquilidad: *aguantar mecha.*

— tener bastante tolerancia o resistencia: *tener mucho aguante, aguantar un piano.*

— tolerante: *aguantador.*

2. Soportar el peso de algo o alguien. ☞ **sostener.** ❖ SOLTAR.

— *Los elevadores aguantan hasta 560 kilos.*

aguardar Permanecer o esperar algo. ☞ **quedar.**

— persona que aguarda: *aguardador.*

— en espera, al acecho: *en o al aguardo de.*

aguardiente (vea recuadro de bebidas). Bebida alcohólica destilada.

agudo, -da 1. Que es delgado y afilado. ☞ **puntiagudo.** ❖ ROMO.

— *Los instrumentos punzocortantes son agudos.*

— afilar: *aguzar.*

— punzante: *aguzado.*

2. Inteligente. ☞ **perspicaz.** ❖ TONTO.

— *Las observaciones de Oscar Wilde eran muy agudas.*

— dicho ingenioso, sutileza o sagacidad: *agudeza.*

— de modo agudo: *agudamente.*

3. Que percibe con prontitud o es muy sensible, tratándose de los sentidos.

— *Tiene una vista muy aguda y por eso es buen observador.*

— capacidad perceptiva de los sentidos: *agudeza.*

— avivar los sentidos o la inteligencia: *aguzar.*

4. Que es muy grave o intenso. ☞ **problema, dolor, enfermedad.**

— *Le diagnosticaron apendicitis aguda y lo operaron.*

— empeorar, hacerse más grave algo: *agudizar.*

— proceso en el que algo se agrava: *agudización.*

— gravedad de una enfermedad: *agudeza.*

5. De tono alto. ☞ **sonido.** ❖ GRAVE.

— *Ese timbre tiene un sonido muy agudo.*

agüero Señal o presagio de una cosa futura. ☞ **augurio.**

aguijonear 1. Picar con un aguijón.

— *Durante el paseo los mosquitos lo aguijonearon fuertemente.*

— parte terminal en forma de púa que tienen algunos insectos: *aguijón.*

— que aguijonea: *aguijoneador.*

— sensación de dolor de la picada de un insecto: *aguijonazo.*

2. Inquietar, atormentar.

— *Los celos lo aguijoneaban.*

aguinaldo Cantidad extraordinaria de dinero que se otorga a fin de año, antes de Navidad. ☞ **gratificación.**

— dar o pedir una gratificación o un regalo por los servicios prestados antes de finalizar el año: *dar o pedir aguinaldo.*

agüitarse Sentirse triste, abatido, compungido. ☞ **entristecerse.**

— apesadumbrado, abatido: *agüitado.*

aguja 1. Pieza de metal alargada y afilada que se usa como herramienta o instrumento en diversos oficios y actividades.

— *La costurera usa agujas de diversos calibres.*

— varilla delgada y larga para trabajar el estambre: *aguja de tejer.*

— varillas que, según tamaño y calibre marcan las horas, los minutos y los segundos: *agujas del reloj.*

— varilla al extremo superior del campanario: *aguja del campanario.*

— varilla con punta afilada para hacer orificios o surcos: *aguja de grabador.*

— tubito hueco y puntiagudo de las jeringas: *aguja de inyectar.*

— púa diminuta y por lo común con punta de cristal: *aguja de tocadiscos.*

— pieza de riel móvil que en ferrocarriles se emplea para pasar trenes de una vía a otra: *aguja de riel.*

— encargado de cuidar el traspaso de trenes de una vía a otra: *guardagujas.*

— expresión que indica la imposibilidad de encontrar algo: *buscar una aguja en un pajar.*

2. Costillas del cuarto delantero de la res.

— *Vamos a comer agujas en salsa verde.*

agujero Orificio. ☞ **boquete, excavar, abertura.**

— hacer orificios: *agujerear*.

— perforado, traspasado: *agujereado*.

— instrumentos para agujerear: *taladro, perforadora, taladro, barreno, fresa, punzón, punta, pincho, buril, sacabocados, cincel*.

agujeta (vea ilustración de zapato). 1. Cada uno de los cordones que se usa para amarrarse algunos zapatos o tenis. ☞ **zapato**.

—*Amárrate esas agujetas; no te vayas a caer*.

2. Punzadas o dolores musculares que dan como consecuencia de un ejercicio violento.

— *Corrí para alcanzar el camión y ahora tengo unas agujetas espantosas*.

agutí Variedad de roedor de origen americano.

aguzar 1. Sacar punta o filo a algo. ☞ **afilar**.

—*Deberá aguzar toda la herramienta para repujar el cobre*.

— que tiene forma aguda: *aguzado*.

— afilamiento: *aguzamiento*.

— punzante: *aguzado*.

2. Percibir con prontitud algo mediante los sentidos o el intelecto. ☞ **agudo**.

— *Cuando se está en la oscuridad suelen aguzarse los sentidos*.

ahí En ese lugar.

— de un sitio no identificado: *de por ahí*.

— en ese preciso lugar: *ahí mero*.

— aproximadamente: *por ahí de*.

— en consecuencia: *de ahí que*.

ahijado, -da Persona respecto de su padrino o madrina.

— hacer aceptar a una hembra del ganado vacuno, equino, ovino o lanar un hijo ajeno, para criarlo: *ahijar*.

— echar las plantas retoños: *ahijar*.

ahínco Tesón, empeño y eficacia al realizar algo. ☞ **empeño**. ❖ DESIDIA, DEJADEZ, APATÍA.

ahogar 1. Matar a un animal o persona impidiéndole respirar o asfixiándolo. ☞ **sofocar, asfixiar**.

— *Ahogó en el río a los seis gatitos recién nacidos*.

— morirse asfixiado: *ahogarse*.

— respirar con dificultad: *ahogarse*.

— emborracharse: *ahogarse*.

2. Recubrir un alimento con agua u otro líquido.

— *Ahogar los huevos en salsa ranchera*.

— cubierto de algo aguado: *ahogado*.

3. Hacer desaparecer, reprimir o apagar algo. ☞ **sofocar**. ❖ DESAHOGAR.

— *Las fuerzas armadas ahogaron la rebelión*.

— revisar todas las pruebas de un juicio: *desahogar*.

4. Provocar agobio los problemas.

— *Lo ahoga el exceso de trabajo y la falta de dinero*.

— agobiado, abrumado: *ahogado*.

— que vive tranquilo, sin problemas que lo abrumen: *desahogado*.

— aliviar de problemas y fatiga a alguien: *desahogar*.

— confiar a otra persona sus problemas: *desahogarse*.

ahora En el momento presente.

— a partir de este momento: *de ahora en adelante*.

— hasta este momento: *hasta ahora*.

— por el momento: *por ahora*.

— ya decidido: *ahora sí*.

— considerando lo anterior, esto es: *ahora bien*.

— variantes que tienen el mismo sentido: *ahorita, ahoritita, orita, orititita*.

ahorcar 1. Matar a alguien apretándole el cuello con las manos, una cuerda o material semejante. ☞ **colgar, estrangular**.

— *La película termina cuando ahorcan al malo*.

—persona a quien se ahorca: *ahorcado*.

— juego infantil: *ahorcados*.

— tener problemas económicos: *estar ahorcado*.

2. No permitir a un contrario colocar una ficha doble en el juego de dominó.

— *Me ahorcaron la mula de seises*.

ahorrar Juntar parte del dinero que se gana o economizarlo al hacer un gasto. ☞ **guardar, economía, economizar**.

— *Está ahorrando para poder hacer un viaje a China*.

— persona que ahorra: *ahorrativo, ahorrador*.

— persona que ahorra con exceso y no gasta: *avaro, mezquino, tacaño, codo*.

— cantidad juntada o economizada: *ahorro, lo ahorrado*.

— forma de ahorro compartido: *tanda*.

— objeto en el que se introducen monedas y billetes ahorrados: *alcancía, hucha, cochinito*.

2. Evitar o economizar el consumo de algo.

— *Hay que ahorrar agua*.

ahuehuete Árbol cupresáceo americano. ☞ **sabino, ciprés americano**.

ahuizote 1. Variedad de nutria mexicana. ☞ **perro de agua**.

— *Sahagún, en sus textos, se refiere a la existencia de ahuizotes en el México antiguo*.

2. Variedad de palmípeda mexicana.

— *Los ahuizotes, llamados también saramagullones, son aves*.

ahuyentar Impedir la cercanía de alguien o algo. ☞ **alejar, apartar**. ❖ ATRAER.

aire (vea recuadro). 1. Mezcla de gases que forma la atmósfera. ☞ **atmósfera, aéreo**.

— *La contaminación del aire ha incrementado las enfermedades respiratorias*.

— que está relacionado con el aire o con la aviación: *aéreo*.

— a la intemperie: *al aire libre*.

— mudarse: *cambiar de aires*.

— en situación insegura: *en el aire*.

— subsistir con lo mínimo: *vivir del aire*.

— semejanza o parecido por ciertos rasgos físicos: *aire de familia, aire*.

— esbelto, garboso: *airoso*.

— presumir: *darse aires*.

— presunción de (suficiencia, grandeza, importancia, etc.): *aire de (suficiencia, grandeza, importancia, etc)*.

— divertirse: *echarse una cana al aire*.

— sosegarse: *tomar aire*.

— regulador de la temperatura del aire: *airestato*.

— portador o transportador de aire: *aerífero, aeróforo*.

— técnica de las aplicaciones industriales del aire: *aerotecnia*.

— tratamiento médico con aire: *aeroterapia*.

— ingestión espasmódica de aire: *aerofagia*.

2. ☞ **viento**.

— *No salgo porque está haciendo mucho aire*.

— viento o aire suave y húmedo: *brisa*.

— ventilar: *airear, orear*.

— ventilado: *aireado, oreado*.

— acción y resultado de airear: *aireación*.

AIRE	
Composición:	
Elementos	**Porcentaje del volumen**
Nitrógeno	78,084
Oxígeno	20,946
Argón	0,934
Gas carbónico	0,033
Neón	0,00182
Helio	0,000524
Metano	0,0002
Criptón	0,000114
Hidrógeno	0,00005
Óxido nitroso	0,00005
Xenón	0,0000087
Ozono	0,000001

— sistema de ventilación controlada: *aire acondicionado*.

— resfriarse: *coger aire*.

— padecer un dolor en el cuello o en alguna parte del cuerpo: *dar un aire, dar el aire*.

— expresión que se aplica a alguien muy delicado: *no soporta ni que le dé el aire*.

— parte de la física que estudia el movimiento del aire: *aerodinámica*.

— que disminuye la resistencia del aire tratándose de un vehículo: *aerodinámico*.

— pieza metálica que gira con el viento, señalando así la dirección que lleva: *veleta*.

3. Residuo gaseoso que queda en el estómago e intestinos después de la digestión de ciertos alimentos.

— *No como frijoles porque me producen muchos aires*.

— ventosidad: *aire*.

aislar Separar y dejar solo algo o a alguien. ☞ **apartar**. ❖ COMUNICAR.

— alejarse del trato con los demás: *aislarse*.

— incomunicación: *aislamiento*.

— que está solo y separado de otras cosas o de los demás: *aislado*.

— separadamente: *aisladamente*.

— que aísla: *aislante, aislador*.

— artefacto que separa conductores eléctricos para prevenir un paso de corriente a otros objetos: *aislador*.

— cinta de material plástico que no transmite la electricidad: *cinta de aislar*.

— materiales aislantes: *amianto, asbesto, baquelita, caseína, ebonita, esteatita, dieléctrico, flogopita, parafina, verniculita*.

ajacho (vea recuadro de bebidas). Bebida alcohólica boliviana compuesta de fermento de uva y picante.

ajar Estropear una cosa con el uso o maltrato. ☞ **maltratar, manosear**.

— arrugarse alguien: *ajarse*.

— arrugado: *ajado*.

— acción y resultado de deslucir: *ajadura, ajamiento*.

— que se marchita fácilmente: *ajadizo*.

ajedrez Juego de salón. ☞ **juego**.

— que juega ajedrez: *ajedrecista*.

— relativo al juego de ajedrez: *ajedrecístico*.

— plataforma cuadriculada donde se juega ajedrez: *tablero*.

— cuadros negros y blancos del tablero: *escaques*.

— que forma cuadros como los del tablero de ajedrez: *ajedrezado, escaqueado*.

— empate en el juego de ajedrez: *tablas*.

— empatar en el juego de ajedrez: *quedar tablas*.

— jugada con la que se gana en el ajedrez: *jaque mate*.

— piezas del ajedrez: *8 peones, 2 torres, 2 alfiles, 2 caballos, rey y dama de piezas negras y la misma cantidad de piezas blancas*.

— movimiento simultáneo de torre y rey: *enroque*.

— eliminar una pieza contraria en una jugada: *comer*.

— partida de ajedrez rápida: *blitz*.

— jugar con dos o más contrarios al mismo tiempo: *jugar a partidas simultáneas*.

— abandonar el juego sin haberlo terminado: *quedar descalificado*.

ajenjo 1. Planta medicinal muy amarga.

— *Es apropiado tomar ajenjo para los dolores estomacales*.

2. (vea recuadro de bebidas). Bebida alcohólica de la misma planta, anís y otras hierbas.

— *Beber ajenjo consuetudinariamente produce alucinaciones*.

ajeno, -na Que no es propio. ☞ **extraño**. ❖ PROPIO.

— no percatarse de: *estar ajeno a*.

— por razones que no dependen del individuo: *por causas ajenas a la voluntad*.

— expresión que indica la imposibilidad de tener experiencia de algo si no le sucede a uno: *nadie experimenta en cabeza ajena*.

— expresión que indica que uno se preocupa innecesariamente de lo que a otro le afecta y debiera preocuparle: *sentir o tener pena ajena*.

ajetreo Trabajo excesivo. ☞ **trajín**. ❖ DESCANSO.

— cansarse, agitarse: *ajetrearse*.

ají Forma usada en España y parte de Hispanoamérica para referirse a las diversas especies de chile. ☞ **chile, picante**.

ajolote Variedad de anfibio mexicano de cuerpo largo y miembros cortos. ☞ **axólotl**.

ajustar Poner una cosa de modo que cuadre o se adapte perfectamente a algo. ☞ **adecuar**. ❖ DESAJUSTAR.

— que se puede ajustar: *ajustable*.

— ceñirse: *ajustarse*.

— apretado: *ajustado*.

— agente de seguros que concurre en caso de siniestro: *ajustador*.

— arreglo mayor del motor de un coche: *ajuste*.

— ponerse de acuerdo dos personas en asuntos pendientes: *ajustar cuentas*.

ajusticiar Matar a alguien que se encuentra condenado a la pena máxima. ☞ **ejecutar, linchar**.

— reo ejecutado con la pena máxima: *ajusticiado*.

ala 1. Extremidad de las aves y los insectos, que les sirve para volar. ☞ **ave**.

— *Se le rompió el ala a esa mariposa*.

— con alas: *alado*.

— batir las alas: *aletear, alear*.

— movimiento rápido de subir y bajar las alas que realizan las aves: *alada*.

— permitir a alguien llevar a cabo algo: *dar alas*.

— impedir a alguien llevar a cabo algo: *cortarle las alas*.

— exigir mucho a alguien o interesar demasiado a alguien: *traer de un ala*.

— irse: *ahuecar el ala*.

— valerse por uno mismo: *volar con sus propias alas*.

2. Cada una de las partes que se extienden a los lados del fuselaje de un avión.

— *El nuevo modelo de avión tiene las alas muy cortas*.

— pieza que en las alas de un avión controla la inclinación del vuelo: *alerón*.

3. Sector o extremo lateral de algo.

— *Construyeron una ala especial anexa al edificio de correos*.

— extremidad con la cual nadan los peces: *aleta*.

— aditamento de hule adaptado al pie de los nadadores para lograr mayor velocidad: *aleta*.

— pequeña ventanilla de cristal de los automóviles: *aleta*.

alabar Realizar o hacer un elogio a alguien o algo. ☞ **celebrar, elogiar, enaltecer**. ❖ CENSURAR.

— elogio: *alabanza, alabancia*.

— vanagloriarse o jactarse: *alabarse*.

— laudable: *alabable*.

— jactancioso: *alabancioso*.

alacena Lugar donde se guardan los comestibles, utensilios de cocina, vajillas, vasos, cubiertos. ☞ **despensa**.

alambique Aparato que sirve para destilar. ☞ **alquitara**.

— destilar con alambique: *alambicar*.

— afectar el lenguaje: *alambicar*.

— rebuscado el lenguaje: *alambicado*.

alambre Hilo metálico delgado y flexible. ☞ **cable**.

— valla hecha de tela metálica: *alambrada*.

— sistema de alambres conductores de electricidad: *alambrado*.

— cercar algo con alambre: *alambrar*.

— quitar un cerco de alambre: *desalambrar*.

— tela metálica: *alambrera*.

— metal que se puede transformar en alambre: *dúctil*.

alarde Ostentación espectacular y presuntuosa de algo. ☞ **ostentación, jactancia**.

— presumir: *alardear*.

— ostentoso: *alardoso*.

alargar 1. Hacer más grande o largo algo. ☞ **agrandar**. ❖ ACORTAR.

— *Tendrá que alargar su vestido*.

— estirarse, extenderse: *alargarse*.

— que es largo: *alargado*.

2. Hacer que dure más tiempo algo o retardarlo. ☞ **demorar, aplazar**.

— *La burocracia cada vez alarga más los trámites*.

— hacer esperar: *dar largas*.

alarido Grito o chillido intenso.

— conjunto de gritos: *alarida*.

alarma 1. Señal que indica algún peligro inminente y dispositivo que emite esta señal.

— *Sonó la alarma durante el simulacro de incendio*.

2. Preocupación o inquietud por algo. ☞ **inquietar**. ❖ TRANQUILIDAD, SOSIEGO.

— *Causó alarma la llegada de los bomberos*.

— preocupar, asustar: *alarmar*.

— estar muy preocupado o asustado: *alarmado*.

— que causa mucha preocupación: *alarmante*.

— persona que difunde noticias alarmantes: *alarmista*.

alba Momento de claridad previo a la salida del sol. ☞ **amanecer**. ❖ CREPÚSCULO, OCASO.

— despuntar el día: *rayar el sol, romper el alba, alborear*.

— principio del día o claridad del alba: *albor, alborada, amanecer*.

— música que se toca al amanecer: *alborada*.

— estar muy atento: *estar al alba*.

albañil Obrero de la construcción. ☞ **construir**.

— oficio del albañil: *albañilería*.

— persona que dirige a los albañiles: *maestro de obras, capataz*.

— especie de puente movible que sirve para desplazarse en las zonas exteriores de los edificios: *andamio*.

— actividades que realiza el albañil: *resanar, cimbrar, encalar, picar, tender, enyesar, revocar, fraguar, bornear, entrevigar, entabicar, estucar*.

albedrío Facultad de decidir de manera libre y propia. ☞ **libertad, arbitrar, arbitrio**.

alberca Depósito artificial de agua destinado generalmente para ejercicios y deportes acuáticos. ☞ **piscina, chapoteadero**.

albergar Dar posada. ☞ **alojar**.

— resguardarse o protegerse: *albergarse*.

— lugar en el que alguien se refugia o resguarda: *albergue*.

albo Forma poética de referirse al color blanco. ☞ **blanco**. ❖ NEGRO.

— blanquear: *albear*.

— blancura: *albura*.

— laguna de agua salada: *albina*.

— enfermedad que ocasiona insuficiencia de pigmentación en la piel: *albinismo*.

— que padece insuficiencia en el color de la piel: *albino*.

albornoz Suéter o capa con capucha. ☞ **capa, ropa**.

alborotar Agitar o molestar con movimiento y ruido a alguien, animar a hacer algo a alguien. ☞ **agitar, escandalizar**. ❖ CALMAR, TRANQUILIZAR.

— algarabía o agitación: *alboroto*.

— animado, inquieto, enredado: *alborotado*.

— que es inquieto o excitable: *alborotadizo*.

— que inquieta o perturba: *alborotador*.

— expresión que indica que alguien fue engañado: *quedarse como novia de pueblo: vestida y alborotada*.

albricias 1. Agujeros que en los moldes de las fundiciones muestran la cantidad de metal depositado. ☞ **fundir**.

— *Tiene la cantidad justa de metal pues las albricias ya están llenas*.

2. Expresión de alegría o júbilo. ☞ **júbilo**.

— *¡Albricias! Te sacaste la lotería*.

álbum Libro que sirve para guardar o coleccionar fotografías, grabados, recortes o textos manuscritos.

albur 1. Azar, riesgo o contingencia. ☞ **riesgo, suerte**.

— *Si sale o no la operación, será un albur*.

— arriesgarse: *echarse el albur*.

2. Juego de palabras que supone un contrapunteo de frases de doble sentido.

— *La Sanmarqueña es una canción llena de albures*.

— decir albures o burlarse de alguien diciendo albures: *alburear*.

— persona que dice albures: *alburero, albureador*.

— acción de alburear: *albureo*.

alcabala Nombre antiguo de las contribuciones o impuestos. ☞ **impuesto**.

alcahuetear Promover las relaciones amorosas de un modo encubierto. ☞ **sexo**.

— persona que promueve la sexualidad de otros con o sin consentimiento de éstos: *alcahuete*.

— acción de alcahuetear: *alcahuetería*.

alcaide 1. Director de un reclusorio o prisión. ☞ **reclusorio, cárcel**.

— *El alcaide fue el responsable de la fuga de tres reos*.

— cargo o empleo del alcaide: *alcaidía*.

— personas que cuidan las cárceles: *custodios, celadores, guardas*.

— camión o camioneta donde se transporta a los detenidos: *vehículo celular, julia, perrera*.

— redada y detención de personas: *razzia*.

2. Personas que cuidaban las fortalezas o castillos medievales.

— mujer del alcaide: *alcaidesa*.

— derecho de paso de ganado: *alcaidía*.

alcalde Persona que se encarga de los asuntos civiles de una comunidad. ☞ **ciudad, municipio, regente, regidor, presidente municipal**.

alcalino, -na Que contrarresta o neutraliza la acción de los ácidos. ❖ ÁCIDO.

— elemento químico que actúa como base energética: *álcali*.

— calidad de ser alcalino: *alcalinidad*.

— aparato que mide la cantidad de álcali en ciertos compuestos: *alcalímetro*.

— transformación de un líquido al volverse alcalino: *alcalescencia*.

— metales alcalinos: *hidrógeno, litio, sodio, potasio, rubidio, cesio, francio*.

— sustancia alcalina que se obtiene de los vegetales y es estimulante del sistema nervioso: *alcaloide*.

— alcaloides: *anacahuita, atropina, ayahuasca, beleño, cafeína, carapucho, cetarina, cinconina, cocaína, codeína, curarina, daturina, digitalina, ditaína, ergotina, esparteína, estramonio, estricnina, guayacol, hachís, mescalina, morfina, mariguana, nicotina, narceína, narcotina, muscarina, peyotina, pilorcapina, tinina, teína, teobromina, tiroidina, yohimbina*.

alcancía Recipiente con una ranura para depositar en él monedas y billetes. ☞ **ahorrar, cochinito**.

alcantarilla Rejilla que señala la zona por donde se transportan las aguas negras y cauce que lleva esas aguas. ☞ **atarjea, cloaca**.

— sistema o red de alcantarillas: *alcantarillado*.

— poner alcantarillas: *alcantarillar*.

alcanzar 1. Llegar hasta donde se encuentra algo o una persona. ☞ **lograr, obtener.**
— *No alcanzamos al doctor en su consultorio.*
— llegada hasta donde se encuentra algo o alguien que se perseguía: *alcance.*
— radio de dominio de algo o alguien: *alcance.*
— consecuencia de la mayor importancia: *alcance.*
— obtenible: *alcanzable.*
— inobtenible: *inalcanzable.*
— en correspondencia inmediata y complementaria a una anterior: *en alcance.*
— fácil de obtener: *al alcance de la mano, a mi (tu, su,...) alcance.*
— no estar en posibilidad de obtener algo: *no estar al alcance de, no estar en mis (tus, sus, ...) manos.*
2. Ser suficiente.
— *Ya no alcanzan los sueldos.*

alcatraz 1. Variedad de pelícano de origen americano. ☞ **ave.**
— *Los alcatraces son aves migratorias.*
— fertilizante o abono que producen los alcatraces: *guano.*
2. Planta de origen africano con flor blanca y alargada.
— *Los alcatraces tienen forma de cucurucho.*

alcázar Construcción fortificada. ☞ **fortaleza, castillo.**

alcoba Pieza o cuarto donde se duerme. ☞ **recámara, dormir.**
— problemas relacionados con la vida marital: *problemas de alcoba.*

alcohol 1. Producto líquido que resulta de la fermentación de diversas sustancias vegetales.
— *El alcohol se produce por destilación.*
— alcohol exento de agua: *absoluto.*
— alcohol destilado de los azúcares: *etílico.*
— alcohol destilado de las maderas: *metílico.*
— alcohol no bebestible: *desnaturalizado.*
— convertir en alcohol una sustancia: *alcoholar.*
— alcohol combinado con sustancias aromáticas: *alcoholato.*
— aparato que mide el nivel de alcohol de un líquido: *alcoholímetro.*
— vasija que contiene alcohol: *alcoholero.*
— que produce alcohol: *alcoholígeno.*
— fermentación alcohólica: *alcoholificación.*

2. (vea recuadro de bebidas). Cualquier bebida que contenga alcohol.
— *¿Nos echamos unos alcoholes?*
— embriagar: *alcoholizar.*
— embriagado: *alcoholizado.*
— persona que bebe en demasía: *alcohólico, dipsómano, beodo, borracho, briago, embriagado.*
— abuso de las bebidas alcohólicas: *alcoholismo.*
— asociación civil que se encarga de auxiliar a los alcohólicos y convencerlos de que dejen la bebida alcohólica: *Alcohólicos Anónimos.*
— tratamiento anti-alcohólico: *desintoxicación.*
— consumir bebidas embriagantes: *tomar (unos alcoholes), tomar (unos tragos), tomar (unas copas), empinar el codo.*
— excederse al tomar bebidas alcohólicas: *embriagarse, emborracharse, estar hasta atrás, empedarse o estar pedo, estar hasta el cepillo.*
— dormir bajo los efectos del alcohol: *dormir la mona.*
— efecto de haber bebido o tomado en demasía: *cruda, resaca.*

alcurnia Ascendencia o procedencia noble y prestigiosa. ☞ **aristocracia, linaje, abolengo.**
— de ascendencia noble: *de alcurnia, de buena cuna.*

alcuza Recipiente donde se deposita el aceite y el vinagre. ☞ **vinagre, aceite, convoy, vinagrera, aceitera.**

aldaba 1. Pieza de metal con que se toca a una puerta.
— *Cuando llegues, golpea la puerta con el puño porque se rompió la aldaba.*
— golpe fuerte con aldaba: *aldabazo, aldabonazo.*
2. Modalidad de pestillo con que se atranca una puerta. ☞ **picaporte.**
— *Ponle la aldaba a la puerta.*

aldea Población pequeña. ☞ **pueblo, caserío.**
— que se relaciona con la aldea o pertenece a ella: *aldeano.*

aleación Mezcla de varias porciones de un mismo metal o de dos o más metales. ☞ **amalgama, fundir.**
— fundir metales: *alear, ametalar.*
— ejemplos de algunas aleaciones: *alpaca (cobre, níquel, cinc), amalgama (mercurio y habitualmente plata), bronce (cobre y estaño), electro (oro y plata o magnesio, aluminio y manganeso), ferrocerio (hierro y cerio), latón (cobre y cinc), peltre (cinc, plomo y estaño), tumbaga (oro y cobre), vellón (plata y cobre), acero (hierro y carbón).*

— tipos de aleación: *pesada (por bajo punto de fusión), ligera (a base de aluminio o magnesio), refractaria (con níquel, cobalto y cromo), dura (que contiene carburo de tungsteno), antifricción (con silicio), fusible (a base de bismuto, plomo, estaño y cadmio), encontrada (a base de oro).*
— técnicas para fundir metales: *cementación, fritaje, electrólisis, por fusión en un crisol (disolución y combinación).*

aleatorio, -ria Que sucede de manera fortuita, casual o no previsible. ☞ **azar.**
— calidad de aleatorio: *aleatoriedad.*

alebrestar Producir enojo o alteración. ☞ **enojar.** ❖ TRANQUILIZAR.
— molestarse: *alebrestarse.*
— que se exalta o altera: *alebrestado.*
— exaltadamente: *con los ánimos alebrestados.*

alebrije Objeto artesanal mexicano de cartón pintado con forma de animal fantástico o diablo. ☞ **artesanía.**

aledaño, -ña Que colinda o está en cercanía con un pueblo o un terreno. ☞ **vecino.** ❖ LEJANO, APARTADO.

alegar 1. Repeler alguien cuando se le ordena algo o discutir algún punto planteando diversos argumentos ☞ **aducir.**
— *No hay forma de callarlo; está constantemente alegando cosas.*
— estar repelando o discutiendo constantemente: *estar alegue y alegue.*
— discusión: *alegato.*
2. Defender con razones, leyes y autoridades una causa en un juicio. ☞ **abogar.**
— *La defensa alegó con excelentes argumentos.*
— defensa oral o escrita de razones legales: *alegato.*

alegoría 1. Representación de ideas o conceptos por medio de figuras, imágenes o símbolos; así, la paloma blanca con una rama de olivo en el pico es la alegoría de la paz.
— *En la alegoría de la caverna de Platón, las sombras de los que pasan representan nuestro conocimiento sensible.*
— que se relaciona con alegorías: *alegórico.*
— darle interpretación o sentido alegórico a algo: *alegorizar.*
— intérprete de alegorías, principalmente las bíblicas: *alegorista.*
2. Figura retórica que consiste en usar en un texto, generalmente escrito, varias metáforas e imágenes de manera que se entienda que ese sentido figu-

rado es símbolo de otra cosa. Así, el siguiente poema es una alegoría del paraíso terrenal:

¡Oh, campos verdaderos!
¡Oh, prados en verdad dulces y amenos!
¡Riquísimos mineros!
¡Oh, deleitosos senos!
¡Repuestos valles, de mil bienes llenos!

Fray Luis de León.

alegrar Dar contento, placer, gusto o satisfacción a alguien, una cosa o una persona o hacer que una cosa tenga un aspecto esplendoroso que anima y regocija. ☞ **regocijar, divertir, felicidad**. ❖ ENTRISTECER.
— sentir contento, placer y gusto: *alegrarse*.
— que está contento y feliz o que causa felicidad y contento a otro: *alegre*.
— que es vistoso y vivo algo: *alegre, gayo*.
— que está un poco bebido: *alegre, alegrón*.
— con regocijo: *alegremente*.
— coqueto: *de ojo alegre.*.
— prostituta: *mujer de la vida alegre*.
— movimiento musical moderadamente vivo: *allegreto*.
— movimiento musical vivo: *allegro*.
— expresiones que indican estar alegre: *estar a todo dar, estar a todo mecate, estar a toda madre*.
— júbilo: *alegría*.
— planta, semilla y dulce mexicano: *alegría*.

alegría 1. Estado de ánimo que manifiesta el júbilo, placer o gusto que siente alguien.
— *Me da alegría saber que te curaste*.
— lo bueno y placentero de la vida: *alegría de la vida*.
— estar muy contento: *estar loco de alegría*.
— alegría súbita e intensa: *alegrón*.
— satisfacción, alegría y animación al hacer las cosas: *alacridad*.
— algunas exteriorizaciones de la alegría: *sonrisa, risa, carcajada*.
— estados de alegría: *júbilo, euforia, agrado, dicha, animación, hilaridad, contento, gozo, regocijo, alborozo, jovialidad, jocosidad, diversión, felicidad, placer*.
2. Variedad de cereal mexicano con cuyos granos se preparan un atole, huauquiltamal y un dulce. ☞ **amaranto**.
— *Las alegrías o bledos se consumen desde la época precortesiana*.
3. Dulce mexicano compuesto por semillas de alegría.

— *Me gusta el sabor dulce de las alegrías*.

alejar Apartar o poner algo o a alguien en un lugar distante. ☞ **separar**. ❖ ACERCAR.
— distanciarse: *alejarse*.
— distante, lejano: *alejado*.
— separación entre dos personas o dos cosas: *alejamiento*.
— acción de apartar o apartarse: *alejamiento*.
— que no está cerca: *lejos*.

alelado, -da Asombrado o pasmado ante algo. ☞ **asombro, pasmado**.

aleluya 1. Salutación jubilosa eclesiástica.
— *El coro entonó el aleluya*.
2. Estampa religiosa con pequeñas explicaciones en verso.
— *Cómpreme aleluyas*.

alentar Animar o dar aliento. ☞ **animación**. ❖ DESALENTAR.
— que está animado o es animoso: *alentado*.
— que infunde aliento: *alentador*.

alergia 1. Reacción negativa del organismo a ciertas sustancias.
— *Padece alergia a la penicilina*.
— que padece alergia o se relaciona con ella: *alérgico*.
— elemento capaz de generar alergia: *alergeno, alergina, agente alérgico*.
2. Reacción negativa de una persona o animal a algo. ☞ **susceptible**.
— *Le da alergia levantarse temprano*.
— que es susceptible a algo: *alérgico*.

alero Saliente o borde las construcciones que sirve para desviar el agua de lluvia. ☞ **construir**.

alerta Con actitud vigilante y atenta ante una situación o persona. ☞ **prevenir, prevenido**.
— prevenir a alguien: *alertar*.
— exclamación que previene: *¡Alerta!, ¡Aguas!, ¡Cuidado!, ¡Ojo!, ¡Mucho ojo!*

aletargar Producir sopor, modorra o sueño en animales o personas. ☞ **modorra, amodorrar, adormecer**. ❖ ESPABILAR.
— padecer sopor, somnolencia o modorra: *aletargarse*.
— estado de somnolencia o sopor: *letargo*.
— adormilado, adormecido: *aletargado*.
— acción de aletargar o aletargarse: *aletargamiento*.

alevosía Acción desleal, traición o felonía premeditada. ☞ **perfidia**.
— que realiza o comete alevosía: *alevoso, aleve*.
— con alevosía: *alevosamente*.

— a traición premeditada y sobre seguro: *con alevosía y ventaja*.

alfabeto (vea recuadro de la p. 29). Conjunto ordenado de las letras o signos que forman un idioma. ☞ **abecedario**.
— que pertenece al alfabeto o se relaciona con él: *alfabético*.
— colocar algo en orden alfabético o enseñar a leer y escribir: *alfabetizar*.
— persona que no sabe leer ni escribir: *analfabeta*.
— tipos de alfabetos: *fonéticos, ideográficos o pictográficos*.

alfaguara Surtidor o manantial en el que el agua es abundante y surge con mucha fuerza. ☞ **manantial, agua**.

alfarería Técnica de fabricar objetos de barro y lugar donde se elaboran y venden. ☞ **cerámica, barro**.
— persona que elabora o vende objetos de barro cocido: *alfarero*.

alféizar Borde o saliente de la pared donde están las ventanas o puertas. ☞ **vano**.

alfeñique Persona delgada y delicada. ☞ **enclenque**.

alfiler 1. Instrumento de metal de forma similar a un clavo muy delgado, que se usa para sujetar telas. ☞ **broche, aguja**.
— *Pásame los alfileres para sujetar las pinzas de la blusa*.
— picar con un alfiler: *dar un alfilerazo o dar un alfileretazo*.
— molestar a alguien: *dar un alfilerazo*.
— pequeño cojín donde se clavan alfileres: *alfiletero*.
— hecho con superficialidad: *prendido con alfileres*.
2. Pieza de bisutería o joya, en forma de broche o de clavito delgado, que sujeta ciertas prendas de vestir o va sujeta a ellas y sirve de adorno.
— *Dame el alfiler de perlas*.

alfombra Estera o tapete de lana, tela o fibra sintética que se utiliza para cubrir pisos o escaleras. ☞ **tapete**.
— cubierto con alfombra: *alfombrado*.
— cubrir o recubrir con alfombras: *alfombrar*.
— tapete que en los cuentos árabes sirve para volar: *alfombra mágica*.

alforja Cuero o tela, cosida de modo que forma dos bolsas en sus extremos. ☞ **talega**.

alforza Pliegue que se cose en algunas telas o prendas de vestir y sirve de adorno. ☞ **jareta, dobladillo**.
— hacer dobleces o alforzas: *alforzar*.

alga Planta acuática con clorofila y

otros pigmentos de colores diversos. ☞ **tecuitate, cocolin o cocol de agua.**

— tipo de algas según su pigmento: *verdiazul, roja, doradoamarillenta o parda y verde.*

algarabía 1. Vocerío confuso provocado por personas que hablan fuerte y al mismo tiempo. ☞ **ruido, alborotar.** ❖ SILENCIO.

—*La algarabía de la fiesta me dio dolor de cabeza.*

2. Lenguaje, escrito o hablado, atropellado e ininteligible.

—*No entiendo tu algarabía.*

álgebra Parte de la matemática que resuelve problemas por medio de operaciones cuyos componentes son de carácter simbólico, generalmente letras que sustituyen números. ☞ **matemáticas, número, símbolo.**

— relativo al álgebra: *algebraico.*

— descripción sintética de los miembros de una operación: *fórmula algebraica.*

— cantidad cuyo valor ignoramos: *incógnita.*

— operación donde se debe despejar incógnitas: *ecuación algebraica.*

álgido, -da 1. Que es o está sumamente frío. ☞ **glacial.** ❖ CALIENTE.

— *En el Polo Sur las temperaturas son álgidas.*

2. Que es el momento culminante de algo o que está en ese momento. ☞ **culminar, culminación.**

— *En el punto álgido de la discusión cambió su argumento.*

algo Cualquier cosa, lo que sea, lo que haya o un poco. ❖ NADA.

— un poco de: *algo de.*

— aproximación cuantitativa: *algo así como.*

— ser o sentirse especial o distinto: *ser algo aparte.*

— expresión que indica que es mejor tener un poco que no tener: *algo es algo, mejor algo que nada.*

alguien Una persona, la que sea. ❖ NADIE.

— ser un individuo importante: *ser alguien.*

alguno, -na Uno cualquiera, alguien, poco o cierto. ❖ NINGUNO.

— apócope de alguno: *algún (precede a nombres masculinos: algún hombre, algún escritorio).*

— significa ninguno en las oraciones negativas, cuando va después de un sustantivo: *El paracaidista no cayó en ciudad alguna.*

alhaja 1. Objeto de adorno que tiene metales nobles y piedras preciosas. ☞ **joya, gema.**

— *Voy a asegurar mis alhajas contra robo.*

— caja donde se guardan joyas: *alhajero.*

— adornar con joyas: *alhajar.*

2. Persona, animal o cosa muy valiosa.

— *Mi hijo es una verdadera alhaja.*

alharaca Expresión ruidosa de júbilo, ira, asombro, etc. ☞ **aspaviento, algarabía.**

alhóndiga Lugar donde se guardaban, compraban o vendían las provisiones de una ciudad. ☞ **almacén.**

— almacén principal de víveres de Guanajuato en el siglo XIX, actualmente museo: *Alhóndiga de Granaditas.*

alianza 1. Unión de por lo menos dos personas, o coalición de dos o más gobiernos, entidades o poblaciones. ☞ **unir, coalición.** ❖ RIVALIDAD, DISCORDIA.

— *La alianza entre las naciones preserva la paz.*

— unir: *aliar.*

— miembro de una alianza: *aliado.*

2. Argolla de matrimonio.

— *Nos asaltaron y me quitaron mi alianza.*

— casamiento: *alianza matrimonial.*

alias 1. Con otro nombre, apodado.

— *Jesús Arriaga, alias Chucho El Roto, fue un ladrón famoso.*

2. Apodo, seudónimo o sobrenombre.

— *Ese muchacho tiene varios alias: El Bolillo, El Quemado, El Chamuscado, etc.*

alicaído, -da Deprimido, triste, desanimado o débil. ☞ **depresión.** ❖ EXALTADO, ENTUSIASMADO.

alicates Herramienta en forma de tenazas de cabeza cónica, cilíndrica o pla-

---

ALFABETOS Y SISTEMAS DE ESCRITURA

La capacidad de generar y adquirir lenguajes ha sido privativa, hasta donde se sabe, del género humano. Desde las primeras representaciones, de carácter rupestre donde el hombre describió su cotidianidad o utilizó ese medio para hacer propiciatorias la caza o la pesca, pasando por la mímica, hasta la creación de alfabetos que resultaron signos por los cuales los sonidos quedaron representados, la historia humana se ha caracterizado por una tendencia a la abstracción.

Se ignora con precisión cuál fue el primer sistema de escritura; sin embargo, lo más antiguo conocido se remonta a la modalidad ideográfico-jeroglífica utilizada por los egipcios, y a la escritura cuneiforme de los caldeo-asirios. De la primera existen abundantes testimonios en los papiros y de la segunda, grabada sobre tablillas de barro cocidas y escrita por medio de cuñas, se conserva una abundante biblioteca recién descubierta. En ambos casos se muestra el sentido global por medio de pictogramas.

Con el tiempo los pictogramas se convirtieron en ideogramas que pasaron a representar palabras. La necesidad de síntesis hizo que la escritura se fuera simplificando primero con elementos fonéticos y gráficos y finalmente con puros elementos fonéticos. Los últimos pasaron a formar con sus 22 caracteres el primer alfabeto, mismo que la historia atribuye a los fenicios. De esta fuente provienen todos los demás alfabetos occidentales conocidos y la escritura bralimi hindú.

En las culturas mesoamericanas también aparecen elementos escriturales. Los mayas, por ejemplo, en sus estelas y monumentos consignan por medio de representaciones gráficas datos como fechas de composición y otras informaciones. Se ignora si estos signos poseen también elementos meramente fónicos. En cuanto a los nahuas, su escritura parece haber sido sólo jeroglífica. Sin embargo, los códices que se conservan datan de la época de la Conquista y por tanto están contaminados por la lengua castellana e incluyen transcripciones fonológicas del náhuatl por medio de las grafías del abecedario español.

El caso de la escritura china es totalmente peculiar por prescindir de un alfabeto y presentar un sistema escritural que representa ideas, símbolos y fonemas, en una compleja e infinita gama de combinaciones.

CONJUNTOS DE ALFABETOS QUE DEPENDEN DEL FENICIO
Arameo, árabe, hebreo, sirio.
Griego—»cirílico—»búlgaro y ruso, etrusco, latino—» Lenguas romances: francés, italiano, flamenco, catalán, portugués, español y rumano.
Lenguas eslavas: polaco, checo, eslovaco.
Lenguas germánicas: inglés, alemán, sueco, holandés, finés, noruego, bralimi (probable).

SISTEMAS ESCRITURALES QUE DEPENDEN DEL CHINO:
japonés, coreano.

---

na y un sector cortante, usada para cortar o doblar alambre delgado y cosas similares. ☞ **pinzas, tenazas.**

aliciente Estímulo o factor que produce un deseo de continuar con la acción emprendida. ☞ **estímulo.** ❖ FRENO.

alienación 1. Sensación de extrañamiento o no reconocimiento de lo auténtico de algo. ☞ **enajenación.**
— Los obreros no perciben su alienación en el trabajo.
— producir enajenación: *alienar, enajenar.*
— que padece de alienación: *alienado, enajenado.*
— que produce alienación: *alienante, enajenante.*
— valores de los cuales los seres humanos no pueden ser despojados: *derechos inalienables.*
2. Acción y resultado de ceder una propiedad o de transferir la libertad individual a la sociedad ☞ **ceder.**
— Es cada vez más notoria la alienación de la humanidad.

aliento 1. Aire que se respira o aire que se aspira por la boca. ☞ **soplar, hálito, soplo.** ❖ DESALIENTO.
— Corrí tanto que me faltó el aliento.
— aire que se necesita para vivir: *aliento vital.*
2. Ánimo o estímulo para hacer algo. ☞ **estímulo.**
— Era incansable; tenía aliento para todo.
— infundir ánimos: *dar aliento, alentar.*
— reanimarse: *tomar aliento, alentarse.*
— impresionar: *quitar el aliento.*
— descorazonar, desanimar: *desalentar.*

aligerar Hacer más leve, corto, rápido o liviano algo. ☞ **atenuar.** ❖ SOBRECARGAR.
— acción y resultado de disminuir el peso o hacer algo rápido: *aligeramiento.*
— aumentar la velocidad: *aligerar el paso.*

alijar Desembarcar o descargar lo transportado en un barco. ☞ **carga, barco, descargar.**

alimaña Animal dañino y, por extensión, persona malvada.
— tipos de alimaña: *mayor (zorra, gato montés, milano); menor (araña, roedores y reptiles).*

alimentar 1. Dar de comer o suministrar a alguien lo que necesita para subsistir y dar los elementos que necesita algo para funcionar. ☞ **nutrir, comer.** ❖ HAMBRE.

— Alimente a su bebé con leche materna.
— conjunto de víveres que comemos: *comida, alimento.*
— acción y resultado de alimentar: *alimentación.*
— nutritivo: *alimenticio.*
— que se relaciona con la alimentación o los alimentos: *alimentario.*
— que suministra lo necesario para funcionar o subsistir: *alimentador.*
— cantidad de dinero que se entrega para la manutención de los hijos de divorciados: *pensión alimenticia.*
— ciencia que estudia el valor alimenticio: *nutriología, bromatología.*
— conjunto de alimentos balanceados para cumplir un determinado fin: *dieta.*
— alimentos poco nutritivos: *comida chatarra.*
— sustancias alimenticias: *proteínas, minerales, vitaminas, carbohidratos.*
— alimento delicioso: *alimento rico o riquísimo, ambrosía, bocado de cardenal.*
— alimento que sabe mal: *bazofia, bodrio, potingue, birria.*
— dejar de dar alimento: *matar de hambre, hambrear.*
2. Avivar o fomentar sentimientos o estados de ánimo.
— Esa traición alimentó su desconfianza en la gente.

alimón Al alimón. De manera común, en cooperación.

aliñar 1. Poner especias o salsas en la comida. ☞ **aderezar.**
— Ese cocinero tiene buena mano para aliñar la comida.
— condimento de la comida: *aliño, aderezo.*
2. Arreglar o acicalar a alguien o a algo.
— Aliña tu ropa.
— mal arreglado: *desaliñado.*
— en desorden: *con desaliño.*

alisar Quitar las arrugas o imperfecciones de algo dejándolo parejo. ☞ **allanar.** ❖ ARRUGAR.
— terso: *liso.*
— que pone liso algo: *alisador.*
— acción y resultado de quitar las arrugas e imperfecciones: *alisadura.*

aliteración Figura retórica que consiste en la repetición de uno o más sonidos semejantes en una palabra, enunciado o verso, como ocurre en el siguiente poema:
Mar con olas trajineras
—mientras haya—
trajinantes de alegrías,
llevándolas y trayéndolas.
Pedro Salinas.

alivianarse 1. Relajarse, aflojarse, tener esparcimiento.
— Si no te alivianas, no vas a disfrutar del reventón.
— ayuda no pedida o esparcimiento: *aliviane.*
— que es relajado y fácil de tratar: *alivianado.*
2. Drogarse.
— Usa ácidos para alivianarse.

aliviar 1. Mejorar de salud. ☞ **salud.** ❖ AGRAVAR.
— Con este medicamento estoy seguro de que se va usted a aliviar.
— curarse: *aliviarse.*
— mejora: *alivio.*
2. Aligerar un problema o una carga. ❖ SOBRECARGAR.
— Para transportar más cuidadosamente estas cosas, sería preferible aliviar la carga.
— desagüe de agua sobrante en los canales: *aliviadero.*
3. Alumbrar.
— Mi mujer se fue a aliviar al sanatorio.

aljaba Objeto alargado donde se guardan las flechas. ☞ **carcaj.**

aljibe Especie de cisterna o depósito de agua. ☞ **cisterna, pozo, agua.**

aljofaina Vasija circular, ancha y poco profunda que se llena de agua y se usa para lavarse. ☞ **palangana.**

alma Parte inmaterial de los seres vivos. ☞ **esencia.** ❖ CUERPO.
— intensa y profundamente: *en el alma.*
— bondadoso: *alma de Dios.*
— cruel: *desalmado, sin alma.*
— nadie, ninguno: *ni un alma.*
— espectro: *alma en pena.*
— totalmente solo: *como alma en pena, como perro sin dueño.*
— a gran velocidad: *como alma que lleva el diablo.*
— angustiado: *con el alma en un hilo.*
— hacer algo con ahínco: *poner el alma, partirse el alma.*
— el que anima en una reunión: *el alma de la fiesta.*
— conmoverle a alguien una persona, animal o cosa: *partirle el alma.*
— compadecerse: *arrancársele el alma.*
— sincerarse con alguien: *abrirse el alma.*
— lastimar a alguien o matarlo: *arrancarle el alma.*
— morir: *dar el alma.*

almacén 1. Lugar donde se guardan cosas. ☞ **depósito.**
— Los especuladores almacenan mercancías para hacerlas subir de precio.
— guardar en un almacén: *almacenar.*

— guardado: *almacenado*.

— acción de almacenar y cantidad de dinero que se paga por almacenar algo: *almacenaje*.

— persona que se encarga de guardar cosas en un almacén: *almacenista*.

2. Tienda que vende todo tipo de productos.

— *Los grandes almacenes tienen muy buenas ofertas*.

almanaque Registro de los días del año que incluye datos astronómicos, meteorológicos, literarios, estadísticos, de celebraciones religiosas y civiles, pasatiempos y efemérides. ☞ **calendario**.

almenar Poner construcciones protectoras en las murallas de las fortalezas y castillos. ☞ **castillo**.

— cada uno de los prismas construidos sobre las murallas de los castillos y que servía de escudo a sus defensores: *almena*.

almiar Pajar o montón de paja en depósito.

— amontonar paja: *almiarar*.

almibarado, -da Que tiene algo el sabor y la consistencia de la miel o de un dulce líquido o, tratándose de alguien, que es excesivamente amable y meloso. ☞ **azúcar, dulce, endulzado, empalagoso**.

— azúcar cocida con agua: *almíbar*.

— recubrir o bañar algo con almíbar: *almibarar*.

almidón Material harinoso que se extrae de los cereales. ☞ **fécula, harina**.

— proceso de entiesar la ropa: *almidonar, poner almidón*.

— acción y resultado de almidonar: *almidonado*.

— atildado: *almidonado*.

almizcle Sustancia olorosa amarga y grasosa que producen algunos mamíferos y ciertas aves y que se usa para fijar perfumes. ☞ **perfume**.

— aromatizar con almizcle: *almizclar*.

— que huele a almizcle: *almizcleño*.

almohada Cojín alargado que se utiliza para descansar la cabeza. ☞ **cojín**.

— cojín grande: *almohadón*.

— almohada pequeña: *almohadilla*.

— acolchonado: *almohadillado*.

— acolchar: *almohadillar*.

— golpes con la almohada: *almohadazos, almohadonazos*.

— pensar con calma algo o diferir una decisión: *consultar con la almohada*.

— ser de buena cuna: *nacer entre almohadones*.

almorzar Ingerir alimentos entre la media mañana y el mediodía. ☞ **alimentar, comer**.

— comida que se toma entre media mañana y mediodía: *almuerzo*.

— que almorzó: *almorzado*.

— sacar ventaja a alguien: *almorzárselo, darle el madrugón*.

alocución Plática o discurso breve de una autoridad. ☞ **discurso**.

áloe Planta liliácea y jugo que se extrae de ella. ☞ **sábila, zábila**.

alojar Hospedar o dar posada a alguien. ☞ **hospedar, albergar**.

— hospedarse: *alojarse*.

— lugar donde uno se hospeda: *alojamiento*.

— huésped: *alojado*.

— lugar para hospedar o alojarse: *albergue, hotel, motel, hospedería, posada, hostal, pensión, refugio, campamento, mesón*.

alopatía Terapia que consiste en combatir una enfermedad por medio de fármacos o remedios que producen efectos contrarios a la enfermedad. ☞ **enfermedad, homeopatía, medicina**. ❖ HOMEOPATÍA.

— que utiliza la alopatía: *alópata*.

— que se relaciona con la alopatía: *alopático*.

alopecia Pérdida total o parcial del pelo. ☞ **calvicie, pelón**.

alotropía Fenómeno químico que consiste en que un elemento tenga distintas formas y propiedades, así el carbono puede tener la forma de diamante, grafito o carbón.

— cada una de las formas cristalinas posibles de un elemento: *alótropo*.

— que se relaciona con la alotropía: *alotrópico*.

alpaca 1. Variedad de mamífero rumiante americano y pelo de este animal.

— *Las alpacas tienen un pelo largo, sedoso y castaño*.

— tejido del pelo de la alpaca: *lana de alpaca*.

2. Aleación de cobre, cinc y níquel.

— *Compró un juego de cubiertos de alpaca*.

alpargata Calzado de lana o tela que se ajusta al pie por medio de cuerdas o cintas. ☞ **zapato, sandalia**.

— lugar donde hacen o venden alpargatas: *alpargatería*.

alpinismo Deporte que consiste en escalar montañas. ☞ **deporte, montaña, escalar**.

— escalador: *alpinista*.

— que se relaciona con el alpinismo o con las montañas altas: *alpino*.

alquilar Poner a disposición de otro algún bien por medio de una suma convenida u obtener mediante pago el derecho a usar algo que no es de uno. ☞ **arrendar**.

— precio que se paga por alquilar algo: *alquiler*.

— acción de alquilar algo: *alquiler*.

alquimia (vea recuadro de la p. 32). Técnica antigua y previa a la química moderna que efectuaba experimentos buscando purificar lo impuro, transmutar metales y hallar el elíxir de la vida. ☞ **química**.

— persona que realizaba prácticas de alquimia: *alquimista*.

— relativo a la alquimia: *alquímico*.

alrededor Rodeando o circundando algo o a alguien. ☞ **en torno a**.

— en torno a: *alrededor de*.

— cercanías que circundan un punto geográfico: *alrededores*.

alta 1. Ingreso en una asociación, empleo o corporación militar y documento que lo constata. ☞ **ingresar**. ❖ BAJA.

— *Finalmente, gestionó su alta en el sindicato*.

— ingresar en una asociación o corporación: *dar de alta*.

— inscribirse en una institución o agrupación: *darse de alta*.

2. Notificación que se entrega al paciente, a quien se considera curado, para que deje el hospital. ☞ **curar, aliviar, curarse**.

— *Después de recibir el alta, pagó la cuenta del sanatorio*.

— declarar sana a una persona: *dar de alta*.

altanero, -ra Altivo, orgulloso o soberbio. ☞ **soberbio, altivo**. ❖ MODESTO.

— actitud de desplante: *altanería*.

— con soberbia: *altaneramente*.

altar Lugar donde se encuentra el ara o piedra consagrada para realizar el culto religioso. ☞ **religión, iglesia, mitología**.

— altar principal: *altar mayor*.

— admirar a alguien: *tener a alguien en un altar*.

— casarse: *ir al altar*.

— recibir apoyo moral o material: *tener un altarcito*.

altavoz Aparato eléctrico que sirve para aumentar el sonido de la voz. ☞ **micrófono**.

alteración 1. Transformación o cambio de las características o el orden de algo. ☞ **modificar, cambio**. ❖ PERMANENCIA.

— *La alteración de los precios es el problema principal*.

— cambiar el estado en que se encuentra algo: *alterar*.

— modificado o falsificado: *alterado, adulterado*.

2. Inquietud, enojo o indignación. ☞ **enojo**. ❖ CALMA, SOSIEGO.

LA ALQUIMIA, EL SABER PRIMERO DE LA EDAD MEDIA

Son muchos los pueblos antiguos que parecen haberse inclinado hacia la alquimia: egipcios, árabes, chinos, sumerios, griegos. Se ignora ahora qué cultura dependió de cuál para plantear su búsqueda. Lo cierto es que durante los albores de la Edad Media hubo sabios que se dieron a la tarea de buscar el origen común de todos los elementos que, en distintas concentraciones, aparecerían en todo lo existente. Se aislaron cuatro elementos fundamentales: agua, aire, fuego y tierra. De la creencia en éstos se supuso la existencia de un poderoso agente transmutador al que se bautizó como **elíxir de la vida, panacea universal o piedra filosofal**. La acción principal del elíxir era retardar la muerte de manera indefinida y, en su carácter de piedra filosofal, convertir los metales bastos en oro y plata.

En la base de esta búsqueda hay dos elementos importantes, por un lado el carácter científico y por otro el religioso.

Lo científico fue retomado y reelaborado por la química moderna que trabaja las sustancias de modo parecido. Y lo religioso, aislado en la búsqueda de la pureza, la inmortalidad y el saber, elementos todos que acercan al hombre a la divinidad, está siendo repensado actualmente en la cultura occidental por el resurgimiento de la mística.

TÉRMINOS QUE USARON LOS ALQUIMISTAS:

Alcahest Bebida medicinal recomendada por Paracelso para curar todo tipo de enfermedades.

Almagesto Compendio de la astronomía griega escrito por Claudio Ptolomeo, donde se sostiene el geocentrismo.

Arcano Acto hermético conocido sólo por los iniciados en el tarot, cartas que se usan para la adivinación.

Azogue Mineral líquido al que ahora conocemos como mercurio. Paracelso lo consideró erróneamente como sustancia curativa.

— *La alteración del público por la falta de asientos se justificaba.*
— causar enojo: *alterar.*
— sentir enojo: *alterarse.*
— enojado, molesto: *alterado.*
altercado Enfrentamiento de diversas opiniones. ☞ **disputa**, **discutir**.
— contrincante: *altercante.*
— porfiar: *altercar.*
— que discute o genera altercados: *altercador.*
alteridad Estado o cualidad de lo que es otro o es distinto. ☞ **otredad**. ❖ IDENTIDAD.
alternar 1. Hacer que ciertas cosas aparezcan por sucesión regular.
— *Debe alternar el descanso y el ejercicio.*
— acumulador: *alternador.*
— electricidad cuyo sentido se invierte y sus polos varían: *corriente alterna.*
— opción, elección: *alternativa.*
— que ocurre sucesivamente: *alternativamente.*
2. Hacer relación o tener trato variado con otros.
— *Le encanta alternar en sociedad.*
— apadrinar el ingreso a la fiesta brava: *dar la alternativa.*
altibajos Cambios impredecibles de distintos tipos. ☞ **desigualdad**. ❖ IGUALDAD.

altillo Departamento o habitación más alto de una casa, penthouse (penjáus).
altiplano Meseta alta y extensa. ☞ **altiplanicie**.
altisonante 1. Que es rebuscado o afectado el lenguaje. ❖ NATURAL, SENCILLO.
— *Sus discursos son rebuscados y altisonantes.*
2. Que es grosero u obsceno el lenguaje.
— *Algunos hombres sólo usan palabras altisonantes con otros hombres.*
altivo, -va Altanero, soberbio. ☞ **altanero, soberbio, orgulloso**. ❖ MODESTO.
— orgullo, soberbia: *altivez, altivedad.*
— de modo orgulloso: *altivamente, altaneramente.*
altoparlante Aparato que sirve para amplificar el sonido de la voz. ☞ **altavoz**.
altruismo Actitud vital que consiste en procurar el desarrollo y florecimiento del bienestar ajeno aun en demérito del propio. ☞ **filantropía**.
— que mantiene el altruismo: *altruista.*
altura Elevación, lugar o parte alta, distancia de lo más bajo a lo más elevado. ☞ **elevar**.
— en el cielo: *en las alturas.*
— en este momento: *a estas alturas, a estas alturas del partido.*
— dar muestras de capacidad y ma-

nejo de situaciones: *estar a la altura, o a la altura de las circunstancias.*
— que se encuentra elevado respecto de otro: *alto.*
— cantidad de objetos apilados: *altero.*
— semáforo con luz roja: *alto.*
— detenerse: *hacer un alto, estar en alto.*
— enceguecer con las luces del auto al conductor del carril opuesto: *echar las altas.*
— entre la medianoche y la madrugada: *a altas horas de la noche.*
— no tomar en cuenta: *pasar por alto.*
— de modo espléndido: *por todo lo alto.*
— tener grandes aspiraciones: *picar alto.*
— la parte superior de una casa o de una región: *los altos.*
— en la parte más elevada de algo: *en lo alto.*
— mar adentro: *alta mar.*
— cámara de senadores: *cámara alta.*
— parte de la topografía que mide las alturas: *altimetría.*
— aparato para medir alturas: *altímetro.*
— altura de un punto terrestre en relación con el nivel del mar: *altitud.*
— Dios: *Altísimo, o El Altísimo.*
— horno donde se funde el hierro: *alto horno.*
— muy tarde: *a altas horas de la noche.*
alucinar Recibir por vía perceptual una imagen diferente a la que debería ser o confundir cosas reales con otras imaginarias. ☞ **espejismo**.
— percepción imaginaria o errónea de lo real: *alucinación.*
— tipos de alucinación: *alucinación auditiva (de ruidos), alucinación olfativa (de olores), alucinación gustativa (de sabores), alucinación visual (de visiones), alucinación táctil (de contactos en el cuerpo), alucinación hipnagoga (la generada en la duermevela), alucinosis (la debida a problemas fisiológicos).*
— sustancia que produce alucinaciones: *alucinógeno.*
— algunos alucinógenos: *ácido lisérgico, hongos, mescalina, hachís, opio, láudano.*
— objeto, situación o persona especial: *alucine.*
— estar drogado: *estar en el alucine.*
— divertirse mucho: *estar en el alucine.*
— juzgar que hemos visto demasiado seguido a una persona: *alucinarla.*

— no te equivoques o confundas: *no alucines.*

alud 1. Gran cantidad de nieve que cae con violencia de los montes. ☞ **avalancha.**

— *Un alud sepultó la ciudad de Yungay en Perú.*

2. Cualquier cosa que se desborde o precipite sobre algo.

— *La estrella de cine recibió un alud de cartas de sus admiradores.*

aludido, -da De quien se hace referencia. ☞ **mencionar.**

— identificarse en una referencia: *darse por aludido.*

— referirse a algo o a alguien: *aludir.*

— referencia: *alusión.*

— referencia directa de alguien: *alusión personal.*

— que hace referencia a alguien o a algo: *alusivo.*

alumbrar 1. Proyectar luz sobre algo. ☞ **iluminar.** ❖ OSCURECER.

— *La vela alumbraba poco el recinto.*

— conjunto de luces que iluminan una población: *alumbrado.*

— acción y resultado de alumbrar: *alumbramiento.*

— emborracharse: *alumbrarse.*

2. Aclarar errores o enseñar y dar a conocer cosas con claridad a alguien.

— *La lectura de los clásicos alumbra nuestras mentes.*

— hereje español del siglo XVI: *alumbrado.*

3. Dar a luz. ☞ **parir, engendrar.**

— *Alumbró un bebé que pesó tres kilos y medio.*

— parto: *alumbramiento.*

4. Mojar hilos, tejidos, estambres, etc. en una solución con alumbre para que al teñirlos mantengan fijos los colores.

— *Debes alumbrar esa madeja si quieres que no se despinte después de teñirla.*

— sulfato de aluminio y potasio: *alumbre.*

— mina de alumbre: *alumbrera.*

alumno, -na Persona que estudia bajo la orientación de uno o varios maestros, generalmente en una institución educativa. ☞ **escuela, discípulo, estudiante.**

— conjunto de alumnos: *alumnado.*

— nombre del alumno en las diversas etapas de estudio: *párvulo, escolar, escolapio, educando, de secundaria, preparatoriano, ceceachero, bachiller, normalista, politécnico, universitario, posgraduado.*

— persona que con respecto a un maestro, doctrina o escuela, recibe

sus enseñanzas o comparte sus ideas: *discípulo.*

alusión 1. Referencia o mención de algo o de alguien. ☞ **aludido.**

— *Hago alusión a lo dicho ayer por usted.*

2. Figura retórica por medio de la cual se hace referencia a personajes y sucesos míticos, históricos o poéticos.

Pues Amor es tan cruel
*que de **Píramo** y su amada*
hace tálamo una espada,
do se junten ella y él,
*sea mi **Tisbe** un pastel*
y la espada sea mi diente,
y ríase la gente.
Luis de Góngora.

aluvión 1. Fuerte venida de aguas o lluvia. ☞ **inundación.**

— *Las frecuentes lluvias provocaron un aluvión.*

2. Gran afluencia de cosas o personas.

— *En el metro hay aluviones de personas.*

alzar 1. Realizar la acción de mover un objeto, animal o persona hacia arriba. ☞ **levantar.** ❖ BAJAR.

— altura de los equinos: *alzada.*

— persona que se enfrenta a otros o transgrede su estatus social: *alzado.*

— rebelión: *alzamiento.*

— sublevarse o levantarse en armas: *alzarse.*

— comenzar a volar, iniciar su propia vida o independizarse: *alzar el vuelo.*

— presumir: *alzarse el cuello.*

— desentenderse de algo, quitarle importancia: *alzarse de hombros.*

2. Recoger cosas desordenadas o esparcidas, limpiar. ☞ **ordenar.** ❖ DESORDENAR, DESARREGLAR, TIRAR.

— *Alza tu cuarto.*

3. Aumentar o subir el precio de algo. ☞ **aumentar.** ❖ BAJAR.

— subida de precio: *alza.*

— hacia la subida de precio: *al alza.*

— especular con la compra de acciones: *jugar al alza.*

— puja en una subasta: *alzamiento.*

allá En aquel sitio, en un lugar lejano de aquél en donde se habla. ☞ ACÁ.

— lugar situado fuera del espacio temporal: *el más allá.*

— lejos: *muy allá, tan allá, más allá, hasta allá.*

— cerca de: *allá por.*

— es asunto tuyo (suyo,...): *allá tú, (él, usted,...).*

— en todas partes: *aquí, allá y acullá.*

allanar 1. Poner plano o llano un terreno. ☞ **aplanar.** ❖ DESNIVELAR.

— *Después de desbrozarlo allanó su terreno para poderlo sembrar.*

2. Superar o zanjar dificultades.

— *El acuerdo limó asperezas y allanó contradicciones.*

3. Entrar violentamente en algún lugar. ☞ **irrumpir.**

— *El detective allanó el departamento.*

— búsqueda ilegal de algo en una propiedad privada: *allanamiento de morada.*

— buscar legalmente algo en una persona o propiedad privada: *catear, hacer un cateo.*

allegado, -da Familiar o amigo cercano. ☞ **familia.** ❖ EXTRAÑO.

— acercar una cosa a otra: *allegar.*

— tener cercanía con alguien: *allegarse.*

allende De la parte de allá, al otro lado de, más allá de.

allí En ese preciso lugar, en ese momento. ☞ **ahí.**

ama Mujer que está a cargo de una casa o propiedad. ☞ **dueño.**

— mujer del propietario: *ama.*

— mujer que administra una casa: *ama de llaves.*

— mujer cuyo trabajo es la administración del hogar: *ama de casa.*

— mujer que cría con sus pechos a bebés ajenos: *ama, ama de cría, nodriza, pilmama, chichihua.*

amable Que es afable, afectuoso y condescendiente. ☞ **afable, cortesía, cortés.** ❖ DESCORTÉS.

— cortesía: *amabilidad.*

— expresión cortés de agradecimiento: *¡Qué amable!, ¡Muy amable!*

— expresión cortés para pedir algo: *¿Sería usted tan amable de…?*

— excesivamente condescendiente: *amabilísimo.*

amaestrar Enseñar a un animal ciertas actividades. ☞ **adiestrar.**

— acción y resultado de enseñar a los animales: *amaestramiento.*

— persona que enseña a los animales: *amaestrador.*

— adiestrado: *amaestrado.*

amagar Amenazar a alguien. ☞ **amenazar.**

— ocultarse, esconderse: *amagarse.*

— amenaza, indicio de algo: *amago.*

amainar Disminuir de intensidad algún fenómeno, situación o sentimiento. ☞ **decrecer, disminuir.** ❖ ARRECIAR.

amalgama 1. Aleación de mercurio con otro metal. ☞ **aleación.**

— *Me pusieron una amalgama de oro.*

2. Tipo de unión estrecha entre cosas o personas contrarias o distintas.

— *El estadio era una amalgama de nacionalidades.*

— mezclar cosas de distinta condición o naturaleza: *amalgamar.*

amamantar Dar de mamar. ☞ **mamar.** ❖ DESTETAR, DESMAMAR.

— succionar con los labios y lengua la leche del pezón o del biberón: *mamar.*

— órgano glandular que segrega leche y que es característico de las mujeres y de algunas hembras animales: *mama, teta, pecho, chiche o chichi, seno, ubre, glándula mamaria.*

— relativo a las mamas: *mamario.*

— animales vertebrados que se alimentan por medio de las mamas: *mamíferos.*

— bebé en edad de ser amamantado: *lactante.*

— mujer que amamanta a hijos ajenos: *ama, ama de cría, pilmama, chichihua, nodriza.*

— dejar de amamantar a sus hijos: *despechar, destetar, desmamar.*

— objeto con el que se suministra leche a los bebés: *botella, biberón, mamila, mamadera.*

— parte en que termina el biberón y que imita a la mama: *chupón.*

amanecer 1. Momento en el que aparece en el horizonte la luz del sol y comienza el día. ☞ **alba, aurora.** ❖ ATARDECER, ANOCHECER.

— *Jugamos cartas hasta el amanecer.*

2. Aparecer en el horizonte la luz del sol. ❖ ANOCHECER.

— *¡Qué bonito amaneció hoy!*

— pasar la noche haciendo algo: *amanecerse, darse una amanecida.*

amanerado, -da 1. Rebuscado, artificioso, afectado.

— *El escritor usó un estilo amanerado.*

— artificialidad: *amaneramiento.*

2. Que usa maneras femeninas. ☞ **afeminado.** ❖ VIRIL.

— *Su voz aguda lo hace lucir amanerado.*

amar Sentir amor por alguien o algo. ☞ **amor, querer.** ❖ ODIAR, ABORRECER.

amaranto Planta de la familia de las amarantas, de la que se producen las alegrías. ☞ **alegría.**

amargo De sabor agrio o de carácter desabrido, desagradable y seco. ☞ **agrio, sabor.** ❖ DULCE.

— sensación física de acritud: *amargor.*

— tener sabor amargo o causar disgustos o penas: *amargar.*

— resentido o afligido: *amargado.*

— resentirse o afligirse: *amargarse.*

— resentimiento y aflicción: *amargura.*

amarillo Que es el tercer color del arco iris y es del color de la yema de huevo o la cáscara de plátano. ☞ **color.**

— que se acerca al color amarillo: *amarillento.*

— color amarillo que toma la tez de una persona: *amarillez.*

— raza humana oriental: *raza amarilla.*

— tendencia a escandalizar: *amarillismo.*

— sensacionalista: *amarillista.*

amarrar 1. Atar o sujetar algo con cuerdas, cadenas, mecates o cosas similares. ☞ **sujetar.** ❖ DESAMARRAR, DESATAR.

— *Amarra ese paquete.*

— anudar: *hacer un amarre.*

2. Impedir que alguien se mueva sujetándolo con cuerdas o hacer que alguien permanezca junto a uno. ☞ **atrapar.**

— *Los asaltantes amarraron a sus víctimas.*

— que es muy dependiente de alguien: *amarrado.*

— atadura o dependencia de una persona con otra: *amarre.*

— frenada brusca: *amarrón.*

amartelar Demostrar enamoramiento, enamorar o atormentar con celos a alguien. ☞ **amor.**

— que es muy cariñoso: *amartelado.*

— actitud galante y amorosa: *amartelamiento.*

amasar 1. Mezclar un líquido con alguna sustancia sólida hasta que se forme una masa.

— *La consistencia del pastel era buena porque se amasó adecuadamente.*

— conjunto espeso, blando y consistente que resulta de la mezcla de sustancias sólidas y líquidas: *masa.*

— porción de harina o algo similar amasada: *amasijo.*

— mezcla de cosas o ideas inconexas: *amasijo.*

— artesa para amasar: *amasadera.*

— instrumento que sirve para amasar: *palo, rodillo, huslero.*

2. Atesorar o reunir alguna cantidad de bienes. ☞ **acumular.**

— *Con buenos negocios amasó una inmensa fortuna.*

amate 1. Variedad de árbol mexicano del género ficus.

— *Existen muchas especies de amates: macahuite, camichín, zalate, matapalo, higo, copó, cushamate, chilamate, salamate, capulamate.*

2. Tipo de papel que se hace de la corteza de este árbol.

— *Los antiguos mexicanos escribían en amates.*

3. Pintura que se hace sobre este papel.

— *En la artesanía mexicana los amates pintados a mano tienen colores vivos y motivos infantiles.*

amateur Persona que ejerce por afición un oficio, deporte o pasatiempo sin ser experta en ello. ☞ **afición, aficionado.** ❖ EXPERTO, VETERANO.

ambages Rodeos que se dan en la comunicación, principalmente la hablada. ☞ **sutil, sutilezas.**

ambición Deseo desmedido por riquezas o poder, o aspiración por lograr algo que es o se considera valioso. ☞ **afán, apetecer, apetencia.** ❖ MODESTIA.

— desear fervientemente algo: *ambicionar.*

— que tiene deseos desmedidos por algo: *ambicioso.*

ambidiestro, -tra Que utiliza ambas manos con la misma eficiencia. ☞ **mano.**

ambiente 1. Medio natural formado por el clima, temperatura, vegetación, suelo, etc., que rodea a alguien o algo. ☞ **ámbito.**

— *Esta planta se da en los ambientes tropicales.*

— que tiene que ver con el ambiente: *ambiental.*

— proporcionar a un lugar un ambiente adecuado o acostumbrar a alguien a un nuevo ambiente: *ambientar.*

— acción y resultado de generar buen clima físico y psicológico: *ambientación.*

— conjunto de condiciones climáticas, geográficas y demográficas que afectan al ser humano: *medio ambiente.*

— persona que propone la preservación, mejora y reutilización del medio ambiente natural: *ambientalista, ecologista, miembro del Partido Verde.*

— ciencia que estudia las relaciones entre los organismos y su medio ambiente: *ecología.*

2. Conjunto de circunstancias en que se desarrolla alguien o algo.

— *El ambiente del cine no me gusta.*

ambiguo, -gua Que puede entenderse en más de un sentido por ser confuso. ☞ **equívoco.** ❖ PRECISO.

— calidad de ser ambiguo o de que algo adopte una múltiple significación equívoca: *ambigüedad.*

ámbito Espacio que circunda algo. ☞ **espacio, contorno.**

ambivalencia Coexistencia de emociones, actitudes o características opuestas o condición de lo que puede interpretarse de dos maneras opuestas.

— que posee ambivalencia o se relaciona con ella: *ambivalente.*

ambos, -bas Los dos, el uno y el otro.

ambrosía Alimento exquisito y delicioso o manjar de los dioses. ☞ **manjar, néctar.**

ambular Ir de un lugar a otro. ☞ **andar, ir.**

— que va de un lugar a otro: *ambulante.*

— que no obliga a permanecer en la cama, una enfermedad o tratamiento: *ambulatorio.*

— vehículo destinado a trasladar enfermos o heridos: *ambulancia.*

— persona que maneja una ambulancia o se relaciona con ella: *ambulante.*

amedrentar Generar miedo o atemorizar. ☞ **intimidar, asustar.** ❖ ALENTAR.

— asustarse: *amedrentarse.*

— que atemoriza o asusta: *amedrentador, amedrentante.*

amén Palabra que marca el fin de los rezos.

— rápidamente: *en un amén, en un santiamén.*

— además de: *amén de.*

amenazar Indicar a alguien que se le va a infligir un daño o presagiar algo malo. ☞ **amagar.**

— indicación de que se realizará un daño o que algo desagradable va a ocurrir: *amenaza.*

— que amenaza: *amenazador, amenazante.*

ameno, -na Agradable, divertido, grato. ☞ **agradar.** ❖ ABURRIDO.

— hacer agradable y divertido algo: *amenizar.*

— cualidad de ser ameno o divertido: *amenidad.*

ametralladora Arma de fuego que dispara balas en sucesión rápida y automática. ☞ **arma.**

— disparar con ametralladora o metralla: *ametrallar.*

— munición hecha con los restos de balas y hierro y que se usaba para cargar armas de fuego: *metralla.*

— arma de fuego portátil que detona en repetición: *metralleta.*

amianto Mineral que se presenta en fibras flexibles, refractarias al calor. ☞ **asbesto.**

— que tiene la apariencia del amianto: *amiantoide.*

amiba Animal protozoario unicelular y microscópico que cambia de forma y tiene seudópodos para desplazarse y comer.

— relativo a las amibas: *amíbico, amibiano.*

— infección causada por amibas: *amibiasis, amibosis.*

— destructor de amibas: *amibicida.*

— con forma de amiba: *amibiforme, amiboide.*

amígdala Cada uno de los dos órganos con forma de almendra, que se encuentran situados en las dos paredes laterales de la faringe. ☞ **angina.**

— extirpación de las amígdalas: *amigdalectomía, tonsilectomía o amigdalotomía.*

— inflamación de las amígdalas: *amigdalitis.*

amiláceo Que contiene almidón o es como él.

amilanar Causar miedo o hacer decaer a alguien. ☞ **intimidar, abatir.** ❖ ENVALENTONAR.

— acobardarse, abatirse: *amilanarse.*

— acción y resultado de amilanar o amilanarse: *amilanamiento.*

aminorar Hacer menos, disminuir, acortar o reducir. ☞ **reducir, disminuir.** ❖ AGRANDAR.

amistad Relación habitualmente recíproca entre dos o más personas basada en lazos de afecto, respeto, comprensión y afinidad. ☞ **cuate.** ❖ ENEMISTAD.

— personas con las que se lleva relación de amistad: *amistades.*

— individuo que se relaciona por afinidad y afecto con otro: *amigo.*

— relativo a la amistad: *amistoso, amigable.*

— romper la relación de amistad: *enemistar.*

— que le gusta hacer amigos o tiene muchos amigos: *amiguero.*

— conducta por la cual justificamos cualquier actitud de nuestros amigos aún en demérito de las cualidades de otros: *amiguismo, cuatismo.*

— amigo muy apreciado: *amiguísimo, íntimo amigo, amigocho, cuatacho, cuate.*

amnesia Pérdida parcial o total de la memoria. ☞ **mente, memoria, anamnesis.**

— que padece amnesia: *amnésico.*

— que se relaciona con la amnesia: *amnésico.*

— olvido de ciertas experiencias o períodos de la vida: *amnesia catatímica.*

— olvido de las circunstancias que rodean un trauma físico o psíquico: *amnesia anterógrada.*

— olvido de incidentes de carácter especial: *amnesia episódica.*

— olvido de lo ocurrido con anterioridad a una amnesia: *amnesia retrógrada.*

— olvido de lo acontecido durante la hipnosis: *amnesia posthipnótica.*

— olvido del pasado a consecuencia de un trauma súbito: *amnesia de épocas.*

— olvido de los recuerdos que van

del nacimiento a los cinco años de edad: *amnesia infantil.*

— creencia en recuerdos ideales o imaginarios: *paramnesia.*

amnistía Perdón que otorga una autoridad a los procesados o reos, generalmente cuando sus delitos son de índole política. ☞ **perdón, indultar, indulto.** ❖ CONDENA.

— conceder amnistía: *amnistiar.*

amo, -a Poseedor de alguna propiedad o capataz, con respecto a sus subordinados. ☞ **patrón, propiedad.** ❖ CRIADO, SIRVIENTE.

amodorrarse Adormecerse, estar soñoliento. ☞ **modorra, sueño.**

— adormecido, soñoliento: *amodorrado.*

— que causa modorra o sueño: *amodorrante.*

— acción y resultado de amodorrarse: *amodorramiento.*

amolar Perjudicar, fastidiar o causar molestia a alguien. ☞ **molestar, perturbar.** ❖ BENEFICIAR.

— que está sin dinero o sin salud una persona: *amolado.*

— ya no molestes: *ya ni la amuelas, ya ni la friegas, ya ni la jodes, ya ni la chingas.*

amole Planta de origen mexicano, cuyos bulbos y rizomas se usan como jabón. ☞ **jabón.**

amonestar 1. Reprender o advertir a alguien para obtener como resultado una mejora en su conducta. ☞ **reprender, llamada de atención.**

— *Su padre lo amonestó por hacer tantos disparates.*

— llamada de atención: *amonestación.*

— que amonesta: *amonestador, amonestante.*

2. Anunciar los nombres de los contrayentes o a los que van a ordenarse durante la misa mayor.

— *El sacerdote amonestó a los seminaristas que se iban a ordenar.*

— hacer circular las invitaciones con los nombres de los novios o de los sacerdotes que van a ordenarse: *correr las amonestaciones.*

amontillado (vea recuadro de bebidas). Variedad de jerez semejante al vino de Montilla.

amor 1. Ternura y afecto por alguien. ☞ **querer.** ❖ ODIO.

— *El amor maternal es insustituible.*

— sentir amor por alguien: *amar, enamorarse.*

— ser a quien se ama: *amado.*

— que manifiesta o siente amor: *amoroso.*

— orgullo de uno mismo: *amor propio.*

— amor idealizado: *amor platónico*.

— amor al prójimo: *filantropía, altruismo*.

— con gusto o con mucho gusto: *de mil amores*.

— expresiones amorosas: *mi amor, mi alma, cariño, querido, amorcito, mi cielo, mi vida, amor mío, alma mía*.

2. Inclinación de carácter pasional o sexual de una persona por otra. ☞ **pasión**.

— *Sentía un amor intenso y tierno*.

— cariñoso, tierno: *amoroso*.

— relación amorosa temporal: *amorío, aventura, affaire (afér)*.

— tener relaciones sexuales: *hacer el amor*.

— que ama: *amante*.

— persona relacionada sexualmente con otra: *amante*.

— que hace vida marital con una persona que no es su cónyuge: *amasia, amante, concubina, querida*.

— relacionado con el amor o que induce a amar: *amatorio*.

— relacionado con el amor sexual: *erótico*.

— estar enamorado: *flecharlo Cupido*.

— enamorarse: *flecharse*.

— hombre enamorado: *pretendiente, pretenso, novio, prometido, galán, peor es nada, galafate*.

— mujer enamorada: *pretensa, novia, prometida, galana, peor es nada, Dulcinea*.

— ser un enamorado de muchas mujeres: *ser un don Juan o ser un don Juan Tenorio*.

— mujer seductora: *mujer fatal, vampiresa*.

— pretender a alguien: *hacer la corte, cortejar*.

— enamorar: *coquetear, flirtear, liarse, relacionarse*.

3. Devoción por una divinidad o doctrina. ☞ **idolatrar, pulsión**.

— *Se regía por un intenso amor a Dios*.

4. Vivo interés por cosas o actividades que proporcionan placer. ☞ **afición**.

— *Hacía todo por amor al arte*.

amoralismo Doctrina que sólo admite juicios de hecho y no de valor, por lo cual considera la moral como creencia, carente de fundamento. ❖ MORAL, ÉTICA.

— *El amoralismo supone que los valores son relativos, de modo que ninguna sociedad o tiempo histórico puede obligar a la humanidad a respetarlos*.

— que no tiene sentido moral: *amoral*.

— condición de amoral: *amoralidad*.

— que se opone a las buenas costumbres o a la moral: *inmoral*.

amordazar Cubrir la boca con algo, impedir que alguien hable o se exprese libremente.

— objeto que se aplica en la boca para evitar que se hable: *mordaza*.

amortajar Cubrir con ropa o una sábana un cadáver y, por extensión, cubrir o esconder algo. ☞ **llorar, muerte**.

— sudario o prenda con que se envuelve a un muerto: *mortaja*.

amortiguar Disminuir la presión o intensidad de algo. ☞ **aminorar, disminuir**. ❖ AVIVAR, RECRUDECER.

— mecanismo que disminuye el golpeteo y equilibra las llantas de los autos sobre el pavimento: *amortiguador*.

— acción y efecto de amortiguar: *amortiguación, amortiguamiento*.

amortizar 1. Disminuir una deuda en uno o varios pagos.

— *El banco presta con intereses pero obliga a amortizar las cantidades en fechas precisas*.

— deuda que puede amortizarse: *deuda amortizable*.

2. Recuperar o compensar los fondos invertidos una empresa.

— *Las compras que hizo la empresa han sido amortizadas rápidamente por el alto nivel de ganancia que han tenido las últimas ventas*.

— acción y resultado de amortizar: *amortización*.

amoscarse 1. Retraerse, cohibirse. ☞ **timidez**.

— *La fuerte discusión entre sus compañeros lo hizo amoscarse*.

2. Enojarse, ofenderse. ☞ **enojo, ira**.

— *Se amoscó a consecuencia de lo que le dijeron*.

amotinar Incitar a alguien a rebelarse. ☞ **rebelar, rebelión**.

— alzarse, rebelarse: *amotinarse*.

— persona sublevada: *amotinado, rebelde, sublevado*.

— disturbio por rebeldía: *motín, amotinamiento*.

amparar Proteger. ☞ **ayudar**. ❖ DESAMPARAR.

— acogerse u obtener protección de un juez: *ampararse*.

— protegido: *amparado*.

— protección que recibe alguien: *amparo*.

— bajo la protección de: *al amparo de*.

— modalidad jurídica por la cual el ciudadano común se protege frente a un acto lesivo de autoridad: *juicio de amparo*.

ampelografía Descripción de la vid y su cultivo.

— radical que significa vid: *ampel*.

— experto en vides: *ampelógrafo*.

amperio Unidad que mide la intensidad de las corrientes eléctricas.

— aparato que sirve para medir las corrientes eléctricas: *amperímetro*.

— intensidad de la corriente eléctrica: *amperaje*.

amplio, -plia Que es extenso, espacioso, abierto o grande. ☞ **vasto, espacio, lato**. ❖ REDUCIDO, ESTRECHO, ANGOSTO.

— hacer algo más extenso, profundo o grande: *ampliar, amplificar*.

— susceptible de agrandarse: *ampliable*.

— acción y resultado de ampliar algo: *ampliación*.

— totalmente: *ampliamente*.

— extensión de una superficie o capacidad total de algo: *amplitud*.

— con capacidad para escuchar distintas opiniones o argumentos: *con amplitud de criterio*.

— acción y resultado de amplificar algo: *ampliación*.

— bocina: *amplificador*.

ampolla Levantamiento o bulto de la piel dentro del cual suele existir algún líquido. ☞ **ámpula**.

— hacerse ampollas en alguna parte del cuerpo: *ampollarse*.

— pequeño recipiente de cristal o plástico herméticamente cerrado y, generalmente, con líquido inyectable: *ampolleta*.

ampuloso, -sa Que es un estilo o lenguaje rebuscado y exagerado. ☞ **grandilocuente**. ❖ SENCILLO, FLUIDO.

amputación Resultado de cercenar algún miembro del cuerpo o de suprimir una parte de algo entero o completo. ☞ **mutilar**.

— cortar un miembro del cuerpo o quitar una parte de un todo: *amputar*.

amuleto Objeto esotérico que se utiliza para atraer la buena suerte. ☞ **fetiche, talismán**.

— cosas empleadas como amuletos: *abraxas, alectoria, caloto, candorga, cayajabo, estelión, filacteria, grisgrís, higa, morión, sanguinaria, ojitos, escarabajo, pirámides, ámbar, manitas, budas, ojo de venado, ajo macho, corona o ristra de ajos, colibrí disecado, pata de conejo, herradura, talismán*.

an (vea recuadro de prefijos). Prefijo que significa privación de algo.

— ser vivo que no necesita oxígeno para vivir: *anaerobio*.

anacahuite Árbol borragináceo y fruto del mismo.

— alcaloide del anacahuite: *anacahuitina*.

anacoluto Mala construcción gramatical por falta de concordancia o régimen en la oración.

anaconda Variedad de serpiente americana que llega a medir hasta diez metros de largo.

anacoreta Individuo que elige la vida aislada y contemplativa. ☞ **ermitaño, asceta.**

— maneras de denominar a quien prefiere la vida separada de la sociedad: *asceta, ermitaño, eremita, estilita, cenobita.*

— anacoreta no cristiano: *santón.*

— monje que convive con dos o más compañeros sin superior: *sarabaíta.*

— agrupación de anacoretas entre los monjes orientales: *asceterio.*

— doctrina de los ascetas: *ascetismo.*

anacrónico, -ca Que está fuera de la época que le corresponde. ☞ **tiempo.**

anadino, -na Pato pequeño. ☞ **patito.**

— ave palmípeda de pico de punta ancha: *ánade, pato.*

— desplazarse con movimientos semejantes a los del pato: *anadear.*

anafilaxis Reacción alérgica fuerte a ciertos medicamentos o alimentos. ☞ **alergia, enfermedad.**

anáfora Figura retórica que aparece cuando repetimos una idea o palabra, como ocurre en el siguiente poema con la palabra *verde.*

*Verde que te quiero **verde**,*
*verde viento, **verdes** ramas,*
el barco sobre la mar
y el caballo en la montaña.
Con la sombra en la cintura
ella sueña en su baranda
*verde carne, pelo **verde**,*
con ojos de fría plata.
*Verde que te quiero **verde**.*
Federico García Lorca.

anafre Pequeña hornilla portátil en la que se quema leña o carbón y se usa para calentar el ambiente o para calentar o guisar alimentos. ☞ **brasero.**

anafrodita Persona que se abstiene por alguna razón de tener relaciones sexuales. ☞ **castidad, sexo.**

— medicamento o sustancia que anula o modera el apetito sexual: *anafrodisiaco.*

anaglífico Que tiene relieves burdos o bastos. ☞ **arquitectura.**

anagnórisis Reconocimiento, en una obra dramática, de la identidad de una persona. ☞ **reconocer.**

anagrama Palabra u oración nueva que resulta de invertir las letras o sílabas de otra palabra u oración, de atrás hacia adelante o en otro orden, e inversión de esas letras. Así, el anagrama de *azula* (de *azular,* teñir de azul) es *aluza* (de

aluzar, llenar de luz) o el de *amor,* que es *Roma.*

anal Relativo al ano. ☞ **ano.**

anales Descripción breve de acontecimientos históricos dividida por años.

— autor de anales: *analista.*

— que se relaciona con los anales: *analístico.*

analfabeto, -ta Que no sabe leer ni escribir. ☞ **iletrado.** ❖ ALFABETIZADO, ILUSTRADO.

— situación en un país, región o grupo de individuos, de tener población que no lee ni escribe: *analfabetismo.*

— porcentaje de analfabetas de un país: *índice de analfabetismo.*

— persona que lee y escribe pero carece de la instrucción elemental: *analfabeta funcional.*

analgésico Medicina que suprime o alivia el dolor físico.

— falta de percepción del dolor: *analgesia.*

análisis Proceso cognoscitivo por medio del cual una realidad es descompuesta en partes para su mejor comprensión. ☞ **examen.**

— que procede del todo a las partes: *analítico.*

— estudiar un todo por medio de sus partes: *analizar.*

— que se puede analizar: *analizable.*

— que analiza: *analizador.*

— que se relaciona con el análisis o que pertenece a él: *analítico.*

— tipos de análisis: *clínico (medicina), cualitativo (química, filosofía), cuantitativo (química, matemáticas, economía), espectroscópico (dactiloscopía), espectral (química), gramatical (lingüística), matemático (matemáticas), térmico (física), sinóptico (meteorología), gravimétrico (química), volumétrico (química), electrónico (física).*

— tipos de analistas: *analista clínico, analista matemático, analista de sistemas, analista, psicoterapeuta, psicoanalista.*

analogía Relación que establece la semejanza o parecido entre las partes. ☞ **semejanza.** ❖ DIFERENCIA.

— semejante a algo: *análogo, analógico.*

— por semejanza: *analógicamente, análogamente, por analogía.*

anamnesis 1. Capacidad de recordar. ☞ **memoria.**

— *La anamnesis de esta anciana es sumamente extraña.*

— creencia según la cual las almas transmigran en varios cuerpos: *teoría de la anamnesis.*

2. Parte del examen clínico que reúne

el conjunto de datos relacionados con los antecedentes del enfermo y los sucesos anteriores al principio de su trastorno. ☞ **anamnesia.**

— *El doctor del Seguro sólo le hizo un reconocimiento superficial y la anamnesis.*

anaquel Cada una de las tablas que se empotran en las paredes o que se encuentran en alacenas, despensas y armarios. ☞ **estante, mueble, librero.**

— conjunto de estantes: *anaquelería.*

anaranjado Que es el segundo color del arco iris, y es del color de las naranjas. ☞ **color.**

anarquía Situación de falta de gobierno u orden. ☞ **gobierno, acracia.** ❖ TOTALITARISMO, ORDEN.

— desorganizado, desordenado o sin gobierno: *anárquico.*

— doctrina que propugna un Estado sin gobierno: *anarquismo.*

— persona que promueve el anarquismo: *anarquista.*

— propagar el anarquismo o la anarquía: *anarquizar.*

anatema Excomunión que aplica el clero católico a quienes transgreden las reglas de la fe. ☞ **excomunión.**

anatomía Disciplina que estudia la forma y estructura de las diferentes partes del cuerpo de los seres vivos. ☞ **medicina.**

— tener buen cuerpo: *poseer una bella anatomía.*

— hacer la disección de un cuerpo: *anatomizar.*

— mostrar en relieve o en figuras pintadas los músculos y huesos del cuerpo: *anatomizar.*

— desde el punto de vista de la anatomía: *anatómicamente.*

— abrir y cortar un animal u órgano para estudiarlo: *disección.*

anca Cada una de las dos mitades laterales posteriores del cuerpo de algunos animales. ☞ **grupa.**

— montar detrás del jinete: *ir en ancas.*

ancestro, -tra Antepasado o ascendiente de una persona. ☞ **atávico.**

— que procede de los puntos más lejanos de una estirpe: *ancestral.*

— muy lejano en la línea de tiempo: *ancestral.*

ancianidad Último periodo de la vida humana. ☞ **senectud, vejez.** ❖ JUVENTUD.

— persona de edad avanzada: *anciano, viejo, de la tercera edad, persona mayor, persona grande, entrado en años, agerásico, sexagenario, sesentón, septuagenario, setentón, octoge-*

nario, ochentón, nonagenario, noventón, centenario, abuelo, tata.

— modo despectivo de referirse al anciano: *viejo, carcamán, vejestorio, vejete, momia, vetarro, betabel, fósil, ruco, matusalén, chocho.*

— persona mayor que ya no trabaja: *jubilado, pensionado, retirado.*

— relacionado con la ancianidad: *senil, añoso, venerable, longevo, decrépito, envejecido, vetusto, achacoso, arrugado, ajado.*

— vida larga: *longevidad.*

— de vida larga: *longevo.*

— ancianidad sin achaques: *agerasia.*

— parte de la medicina que trata los problemas de los ancianos: *geriatría.*

— médico que atiende a los ancianos: *geriatra.*

— casa o retiro para ancianos: *asilo, beneficencia.*

— el varón de mayor edad en una comunidad: *patriarca.*

— padre del padre: *abuelo.*

— padre del abuelo: *bisabuelo.*

— padre del bisabuelo: *tatarabuelo.*

— madre de la madre: *abuela.*

— madre de la abuela: *bisabuela.*

— madre de la bisabuela: *tatarabuela.*

— padres de los padres: *abuelos.*

ancla Objeto muy resistente que llevan las embarcaciones, formado por una barra con uñas que le permite aferrarse al fondo del mar y sujetar la embarcación. ☞ **áncora, barco.**

— zarpar, abandonar puerto: *levar anclas.*

— fondear, llegar a puerto: *echar anclas, anclar.*

— fondeadero: *ancladero.*

— acción y resultado de anclar: *anclaje.*

ancho, -cha Que tiene anchura o que es más amplio de lo adecuado. ❖ ESTRECHO, ANGOSTO.

— dimensión frontal y horizontal de un objeto, latitud: *anchura.*

— espacioso, amplio: *anchuroso.*

— ampliar algo: *ensanchar.*

— en situación cómoda o privilegiada: *a sus anchas.*

— permisivo: *ser manga ancha.*

— estar o sentirse orgulloso: *estar o sentirse ancho, ensancharse.*

andamio Armazón construida con tablones, tablas y cuerdas que sirve para sostener a quienes laboran en las partes altas de los edificios, puentes o construcciones.

— conjunto de andamios: *andamiaje.*

andar 1. Trasladarse de un lugar a otro dando pasos o por medio de algo, hallarse alguien o algo en alguna parte. ☞ **caminar.** ❖ DETENERSE.

— *Andaban en coche a las tres de la mañana.*

— ir de un lugar a otro apoyándose en piernas y manos: *andar a gatas.*

— artefacto que permite a los bebés aprender a caminar: *andadera.*

— que camina mucho: *andariego, andarín, andador.*

— corredor o pasillo: *andador.*

— modo o manera de andar: *andadura, el andar.*

— evitar decir lo principal: *andarse por las ramas.*

— reincidir en una conducta impropia: *volver a las andadas.*

— comportarse bien por obligación: *andarse derechito o girito.*

— perseguir algo: *andar tras...*

— sostener una relación amorosa: *andar con alguien.*

— expresión que indica que uno se relaciona con sus afines: *dime con quién andas y te diré quién eres.*

— hablar muy en serio: *no andarse con bromas.*

— frisar, estar en cierta edad: *andar por los...*

— protagonista principal de las novelas de caballerías: *caballero andante.*

— movimiento musical lento: *andante.*

— movimiento musical más rápido: *andantino.*

2. Moverse un motor o funcionar una máquina.

— *Ya no quiere andar mi máquina de coser.*

andén Corredor lateral a las vías del ferrocarril o del metro en las estaciones. ☞ **plataforma.**

andrajo Trozo o pedazo de tela hecho jirones y, por extensión, persona o cosa despreciable. ☞ **harapo.**

— desastrado, harapiento: *andrajoso.*

andrógino, -na Que tiene unidos o reunidos los dos sexos. ☞ **hermafrodita.**

— radical que significa varón: *andro.*

— condición de ser andrógino: *androginia.*

androide Autómata que reproduce los aspectos físicos de un ser humano.

anécdota Relato breve y en ocasiones divertido de un acontecimiento interesante, notable, curioso o extraño.

— colección de anécdotas: *anecdotario.*

— que contiene anécdotas: *anecdótico.*

anegar Llenar de agua, sumergir en el agua. ☞ **inundar, empapar.** ❖ SECAR.

— inundarse: *anegarse.*

— terreno con charcos: *anegadizo.*

— llorar copiosamente: *anegarse en llanto.*

anemia Disminución de glóbulos rojos en la sangre que produce debilidad y otros trastornos. ☞ **enfermedad, sangre.**

— afectado de anemia: *anémico.*

— tipos de anemia: *aguda* (de breve duración), *febril* (progresiva), *alimentaria* (insuficiencia alimenticia), *aplástica* (falta de regeneración de los componentes sanguíneos en la médula ósea), *cerebral* (circulación deficiente de sangre en el cerebro), *perniciosa* (grave, crónica y progresiva por falta de hematíes), *espástica* (anemia local).

anemo Radical que significa viento.

— estudio de los vientos: *anemografía.*

— aparato que mide la presión del viento: *barosanemo.*

anestesia Insensibilidad del organismo o de una de sus partes producida, generalmente, por medios artificiales; sustancia que produce insensibilidad. ☞ **letargo.**

— quitar sensibilidad al organismo por medios artificiales: *anestesiar.*

— médico que aplica la anestesia: *anestesista, anestesiólogo.*

— estudio de la anestesia: *anestesiología.*

— medicamento que anestesia: *anestésico.*

aneurisma Tumor o bolsa de sangre en una arteria o vena. ☞ **arteria, vena.**

— con síntomas de aneurisma o algo relativo al aneurisma: *aneurismático, aneurismal.*

anexar Juntar o agregar una cosa a otra. ☞ **unir, añadir.** ❖ SEPARAR.

— adjunto: *anexo.*

— incorporación de una cosa a otra: *anexión.*

— incorporar un estado o país a otro: *anexionar.*

— doctrina que mantiene una opinión positiva sobre la incorporación de un país o estado a otro: *anexionismo.*

anfibio, -bia 1. Que es capaz de vivir en tierra y en agua, tratándose de seres vivos.

— *El cocodrilo es un animal anfibio.*

— prefijo que significa ambos: *anf, anfi, anfo.*

2. Que puede desplazarse sobre la tierra y sobre el agua.

— *Vimos un tanque anfibio en acción.*

anfibología 1. Error en el texto o en el discurso que conlleva más de una interpretación, como ocurre en la siguiente oración:

— *Lo espero mañana en su casa. Donde no se sabe si la casa es de quien habla o de quien escucha.*

2. Figura retórica que consiste en emplear oraciones con doble sentido, como en:
Pues si él es de reyes **primo**,
primo *de reyes soy yo.*
Duque de Rivas.
Aquí, el autor juega con dos significados de primo:
— primo: *pariente*.
— primo: *primero*.

anfiteatro 1. Lugar donde se diseccionan cadáveres, y que generalmente es circular con zona de asientos.
— *Nos vemos en el anfiteatro de la facultad de medicina.*
2. Auditorio o teatro circular de algunas escuelas.
— *Van a representar la obra en el anfiteatro de mi escuela.*

anfitrión, -na Persona que recibe huéspedes o comensales. ☞ **invitar.** ❖ INVITADO.

ánfora Recipiente con doble asa. ☞ **jarro, recipiente.**

ángel 1. Cada uno de los espíritus puros que sirve de intermediario entre Dios y los hombres, según la doctrina católica. ❖ DEMONIO, DIABLO.
— *Me gusta la imagen del ángel de la Anunciación.*
— ángel protector según la religión católica: *ángel de la guarda o ángel custodio.*
— ángel caído: *demonio, Lucifer.*
— el diablo: *ángel de las tinieblas, Luzbel, Lucifer.*
— culto supersticioso a los ángeles: *angelolatría.*
— hora de rezo vespertino y oración que empieza con ángelus: *ángelus.*
2. Persona muy bondadosa o de gran belleza.
— *Él es un ángel, siempre me ayuda.*
— tener simpatía o encanto: *tener ángel.*
— cara bondadosa: *cara de ángel.*
— semejante a un ángel: *angelical, angélico.*
— persona que se aprovecha de algo, aparentando inocencia: *angelito.*
— expresión usada para desearle a alguien un sueño tranquilo y reparador: *¡Que sueñes con los angelitos!*

angina Cada uno de los dos órganos situados en las paredes laterales de la faringe, que tienen forma de almendra. ☞ **amígdala.**
— inflamación de las amígdalas: *anginas, amigdalitis.*
— enfermedad caracterizada por dolor agudo en el pecho, opresión y ahogo: *angina de pecho.*

anglicano, -na Que profesa la doctrina del anglicanismo de Inglaterra.

— sistema eclesiástico, organización y doctrina de la Iglesia de Inglaterra y las afines a ella: *anglicanismo.*

angosto, -ta Que tiene una anchura pequeña en relación con su longitud o de poca extensión. ☞ **estrecho, longitud.** ❖ ANCHO.
— estrechar: *angostar.*
— condición de lo estrecho: *angostura.*
— paso geográfico estrecho: *angostura.*

ángulo Figura que forman dos líneas rectas que se unen en un punto o dos superficies planas que se cortan en una línea. ☞ **geometría, matemáticas.**
— unidades en que se miden los ángulos: *grados, minutos, segundos.*
— tipos de ángulos: *agudo (menos de 90°), recto (90°), obtuso (más de 90°), curvilíneo (compuesto de dos líneas curvas), mixtilíneo (el que forman una recta y una curva), oblicuo (el que no es recto), suplementarios (los que sumados valen dos rectos).*
— con forma de ángulo: *angular.*
— con ángulos, aristas y esquinas: *anguloso.*

angustia Inquietud, incertidumbre o ansiedad profunda frente a un peligro no determinado o una situación amenazante. ☞ **ansia, tristeza, ansiedad.** ❖ SERENIDAD.
— alterado: *angustiado.*
— acongojarse y preocuparse: *angustiarse.*
— que tiene, siente o padece angustia: *angustioso.*
— con angustia: *angustiosamente.*

anhelar Desear fervientemente algo. ☞ **ansia.** ❖ DESPRECIAR.
— que desea con vehemencia algo: *anhelante.*
— deseo vehemente: *anhelo.*
— que tiene o siente anhelo: *anheloso.*
— con anhelo: *anhelosamente.*

anhídrido Cuerpo que deriva de un ácido oxigenado por eliminación de agua.
— sustancia que no contiene agua: *anhidro.*
— disminución o supresión del sudor: *anhidrosis.*

anillo Aro que se usa en los dedos de la mano como adorno u objeto de forma circular, hueco en el centro, que sirve para unir, sostener o fijar. ☞ **sortija, alianza.**
— ensortijado: *anillado.*
— dar forma de anillo o sujetar con anillos: *anillar.*
— alianza matrimonial: *anillo de bodas.*

— bien colocado: *como anillo al dedo.*
— alianza símbolo del poder papal: *anillo del Pescador.*
— alianza de los prelados: *anillo pastoral.*
— zona concéntrica que rodea a Saturno: *anillos de Saturno.*
— aro de metal que se usa en gimnasia o en las cortinas y visillos: *anilla.*

ánima 1. Parte inmaterial del hombre o alma. ☞ **alma.**
— *Los hombres tienen ánima.*
— alma en pena: *ánima del purgatorio, ánima bendita.*
— doctrina que supone la presencia de un espíritu interno a todos los objetos y sujetos: *animismo.*
2. La parte interna femenina de la personalidad masculina, según Carl Jung.
— *El ánima muestra una parte del verdadero yo interno de nuestra personalidad.*

animación 1. Estado de alegría y gozo en que se encuentra algo o alguien. ❖ DEPRESIÓN.
— *La animación de los niños en el recreo aviva el patio.*
— feliz: *animado.*
— decidido, emprendedor: *animoso.*
— dar vida a algo: *animar.*
— brío, empuje: *ánimo.*
— ojeriza, aversión: *animosidad.*
— relacionado con el ánimo: *anímico.*
— alentar: *dar ánimo, alentar.*
— tener el propósito de: *hacerse el ánimo de.*
2. Fuerza, expresividad y colorido que tiene un espectáculo o una obra de arte.
— *La animación de esa pintura atrae a quienes visitan esa sala del museo.*
— presentador y conductor de programas radiofónicos o televisivos: *animador.*
— caricaturas: *dibujos animados.*

animadversión Odio o rechazo a alguien o algo. ☞ **odio, aversión.** ❖ AFECTO, SIMPATÍA.

animal Ser vivo capaz de moverse a voluntad.
— el ser humano: *animal racional.*
— animal amaestrado que convive con los hombres: *animal doméstico.*
— que se refiere a actitudes o a acciones de animales irracionales: *animalada.*
— animal microscópico: *animálculo.*
— formas despectivas de referirse al animal: *animalucho, animalejo.*
— calidad de animal y acción respectiva: *animalidad, animalización.*

— amante de los animales: *animalero*.

— espíritu animal de naturaleza protectora entre los pueblos mesoamericanos: *nahual*.

— hechicero que puede tomar forma de animal: *nahual*.

— parte de la biología que estudia los animales: *zoología*.

— estudioso de los animales: *zoólogo*.

— estudio del comportamiento animal: *etología*.

— ciencia que estudia las enfermedades de los animales y la manera de prevenirlas y curarlas: *veterinaria*.

— lugar donde se encuentran cautivos y en exhibición los animales vivos: *zoológico*.

— parte descriptiva de la zoología: *zoografía*.

— adoración de los animales: *zoolatría*.

— de forma animal: *zoomorfo*.

— anatomía de los animales: *zootomía*.

— estudio de la cría de animales domésticos: *zootecnia*.

— animal con aspecto de planta: *zoofito*.

— organismo que se alimenta de sustancias animales: *zoófago*.

— enfermedades que contagian los animales: *zoónosis*.

— proceso por el cual algunos animales salvajes se volvieron dóciles al hombre: *domesticación*.

— hacer que un animal se adapte a vivir con el hombre o aprenda a ejecutar alguna habilidad: *domesticar*.

— organismo de protección animal: *Sociedad Protectora de Animales*.

— animal cuadrúpedo: *bestia*.

— hombre que luchaba contra las fieras en los circos romanos: *bestiario*.

— colección de fábulas medievales sobre animales fantásticos: *bestiario*.

— animales prehistóricos: *Dinosaurios: diplodoco, iguanodonte, tiranosaurio, tricératops, plesiosaurio, estegosaurio, megalosaurio, braquisaurio, tracodonte, brontosaurio. Marinos y anfibios: trilobites, ammonites, belemnites, ostracodermos, placodermos. Aves: arcaheopterix. Mamíferos: megapherium, paraceraferium, synthetoceras, eohippus, mamut, uro o toro primitivo, rinoceronte lanudo, oso de las cavernas, smilodón*.

— animales fantásticos: *arpía, basilisco, cancerbero, centauro, dragón, esfinge, fénix, hidra, lamia, minotauro, quimera, salamandra, sirena, tritón, unicornio, vampiro, medusa, anfisbena, kraken, grifo, hipogrifo*.

animosidad Sensación negativa o de rechazo y aversión hacia algo o alguien. ☞ **encono, animadversión, aversión.** ❖ SIMPATÍA, APEGO.

aniquilar Destruir o arruinar a alguien, reducir algo a la nada. ☞ **destruir, eliminar, anonadar.** ❖ CREAR.

— destruirse, arruinarse totalmente o desmejorarse: *aniquilarse*.

— desaparición, destrucción, extinción: *aniquilación, aniquilamiento, exterminio*.

— destructor: *aniquilador*.

anisado (vea recuadro de bebidas). Licor de anís.

— planta de poca altura, de semillas aromáticas con sabor agradable: *anís*.

— licor de anís con aguardiente y azúcar: *anisete*.

aniso Prefijo que significa desigual en palabras del lenguaje técnico o científico.

— de dientes desiguales: *anisodonte*.

aniversario Fecha en que se cumplen años de haber sucedido algo y celebración de ello. ☞ **año, tiempo.**

— celebración de aniversario según los años cumplidos: *2 años, bienio; 3 años, trienio; 4 años, cuatrienio; 5 años, quinquenio o lustro; 6 años, sexenio; 7 años, septenio; 10 años, decenio; 20 años, veintenario; 30 años, treintenario; 40 años, cuadragenario; 50 años, quincuagenario; 60 años, sexagenario; 70 años, septuagenario; 80 años, octogenario; 90 años, nonagenario; 100 años, centenario; 150 años, sesquicentenario; 200 años, dicentenario o bicentenario; 300 años, tricentenario; 400 años, cuadricentenario; 500 años, quincentenario o quintocentenario; 1000 años, milenio.*

— aniversario matrimonial según los años cumplidos: *1 año, algodón; 2 años, papel; 3 años, cuero; 4 años, flor; 5 años, madera; 6 años, caramelo; 7 años, lana; 8 años, bronce; 9 años, cobre; 10 años, estaño; 11 años, acero; 12 años, seda; 13 años, encaje; 14 años, marfil; 15 años, cristal; 20 años, porcelana; 25 años, plata; 30 años, perla; 35 años, coral; 40 años, rubí; 45 años, zafiro; 50 años, oro; 55 años, esmeralda; 60 en adelante, diamante.*

anna Unidad monetaria de Birmania, India y Paquistán.

ano Orificio terminal del intestino. ☞ **digestión, recto.**

— relacionado con el ano: *anal*.

— pequeño tumor sanguíneo que se forma en el ano: *hemorroide, almorrana*.

anochecer 1. Paso del día a la noche, cuando se oculta el sol y oscurece. ☞ **noche.** ❖ AMANECER, ALBA.

— *Llegamos a Cuernavaca al anochecer*.

— en la noche de ayer: *anoche*.

— en la noche de anteayer: *antenoche*.

2. Llegar la noche o encontrarse alguien en determinadas circunstancias cuando comienza la noche. ☞ **oscurecer.** ❖ AMANECER.

— *Anocheció lloviendo*.

— quedarse alguien haciendo algo o en cierto lugar hasta que se hace de noche o durante la noche: *anochecerse*.

anodino, -na 1. Que calma el dolor. ☞ **calmar, sedar, calmante, sedante.**

— *La aspirina es un anodino para la jaqueca*.

— falta de dolor: *anodinia*.

2. Que carece de importancia. ☞ **insulso, soso.** ❖ IMPORTANTE, SUSTANCIAL.

— *Se trata de una persona totalmente anodina*.

ánodo Terminal positiva de una pila electrolítica. ❖ CÁTODO.

— que se refiere a un polo positivo o a sus rayos: *anódico*.

anomalía Circunstancia fuera de lo normal o desacostumbrada. ☞ **raro, rareza.**

— que es raro, irregular o anormal: *anómalo*.

anonadar 1. Volver nada algo o apocarlo. ☞ **aniquilar.**

— *Los fakires anonadan su percepción sensible para no registrar dolor*.

2. Hacer perder el ánimo, las fuerzas y el vigor de alguien, humillarlo. ❖ EXALTAR.

— *Esa noticia lo anonadó*.

— abatirse, desanimarse: *anonadarse*.

— que está sorprendido o impresionado de tal forma que no puede reaccionar: *anonadado*.

anónimo 1. Que no se conoce su autor. ☞ **desconocer, incógnito, desconocido.** ❖ CONOCIDO.

— *El **Cantar del Mío Cid** es un libro anónimo*.

2. Que no quiere revelar su identidad, tratándose de alguien.

— *Tiene un pretendiente anónimo*.

— mantener en secreto el nombre de alguien: *conservar el anonimato*.

3. Mensaje que amenaza, insulta o advierte de algo a alguien y que no lleva firma.

— *Recibí un anónimo*.

anorexia Falta patológica de apetito. ☞ **hambre, comida.** ❖ GULA.

— afectado por la falta de apetito: *anoréxico.*

anormal Fuera de las circunstancias habituales o frecuentes. ☞ **raro.** ❖ NORMAL.

— desviación de lo habitual, usual o normal: *anormalidad.*

anotar 1. Escribir algo de poca extensión. ☞ **apuntar, escribir.**

— *La secretaria anota los recados.*

— texto o comentario pequeño: *anotación.*

— persona que dicta parlamentos en teatro o televisión: *anotador o apuntador electrónico.*

2. Hacer indicaciones por escrito en algún texto.

— *Anotó sus comentarios en el libro de filosofía.*

anquilosado, -da Que se detiene en su progreso o desarrollo. ☞ **atrofia.**

— inexistencia o disminución de movimiento en una articulación: *anquilosis.*

— inmovilizarse algo en su desarrollo: *anquilosarse.*

ansia 1. Deseo vehemente. ☞ **anhelar, anhelo.** ❖ DESDEÑO.

— *Tiene una enorme ansia de aprender.*

— anhelar: *ansiar.*

2. Angustia, inquietud, desesperación. ❖ TRANQUILIDAD.

— *Después del terremoto pasé la noche con ansia.*

— impacientarse, desesperarse: *comer ansias.*

— desesperación o precipitación con que actúa alguien: *ansiedad.*

— intranquilo, desesperado: *ansioso.*

— tener o sentir malestar acompañado de ganas de vomitar: *dar ansias.*

antagónico, -ca Contrario u opuesto a algo. ☞ **distinto.** ❖ IGUAL, FAVORABLE.

— prefijo que significa oposición: *ant, anti.*

— incompatibilidad, oposición, rivalidad: *antagonismo.*

— persona o cosa contraria a otra: *antagonista.*

— oponente principal del protagonista en la trama esencial de una obra: *antagonista.*

ante 1. Frente a, en presencia de.

— *Compareció ante el Tribunal de Menores.*

— antes que nada: *ante todo.*

2. Prefijo que significa previo o anterior.

— día que precede a ayer: *anteayer.*

— previamente citado: *antedicho.*

— preferir: *anteponer.*

3. Animal perteneciente a la familia de los cérvidos o alce, y piel adobada o curtida de este animal y de otros semejantes.

— *Tiene unos zapatos cafés de ante.*

4. Dos modalidades de dulces antiguos mexicanos.

— *Los antes mexicanos fueron excelentes postres.*

antecedente Hecho o circunstancia anterior a otra y que tiene influencia sobre ella. ☞ **precedente.** ❖ CONSECUENTE, SIGUIENTE.

— preceder: *anteceder.*

— predecesor, antepasado o ascendiente: *antecesor.*

— conocer los datos importantes sobre algo: *estar en antecedentes.*

— informar: *poner en antecedentes.*

— haber sido fichado por cometer algún delito: *tener antecedentes penales.*

antelación Anticipación de tiempo o adelanto. ☞ **anticipar.** ❖ DEMORA, DILACIÓN.

antena 1. Cada una de las partes terminales, delgadas y alargadas de la cabeza de algunos insectos o crustáceos, que constituyen sus órganos táctiles.

— *Las antenas son órganos táctiles y olfativos.*

2. Aparato por el que se reciben o emiten ondas diversas.

— *La antena amplifica considerablemente las ondas hertzianas.*

— antena que capta microondas vía satélite: *antena parabólica.*

anteojo Instrumento óptico que sirve para amplificar y ver bien imágenes lejanas. ☞ **lente.**

— telescopio: *anteojo astronómico.*

— lentes: *anteojos.*

— nombre de los anteojos: *lentes, antiparras, gafas, espejuelos, impertinentes.*

— anteojos de alta potencia: *binóculos, binoculares, gemelos, prismáticos, catalejos.*

— lente con un solo cristal: *monóculo.*

— lentes para el sol: *anteojos oscuros.*

— lentes que protegen los ojos cuando uno nada o se sumerge en agua: *gogles.*

anterior Que precede a algo. ❖ POSTERIOR.

— precedencia en el tiempo de algo respecto de otra cosa: *anterioridad.*

— previamente: *con anterioridad, anteriormente.*

antes Previo en tiempo o lugar. ❖ DESPUÉS.

— esto es: *antes bien.*

— lo más pronto posible: *cuanto antes.*

— primero que todo: *antes que nada.*

— por fortuna, por buena suerte: *antes no...*

— de otra época: *de antes.*

— desde siempre: *desde antes, desde endenantes.*

— agradece que: *antes di que.*

anti (vea recuadro de prefijos). Prefijo que significa oposición.

— que se opone a la contaminación: *anticontaminante.*

antibiótico Sustancia química medicinal que paraliza o destruye algunos gérmenes.

— características del antibiótico: *bactericida, bacteriostático, de amplio espectro.*

— clasificación de los antibióticos por su origen: *bacteria, tirotricina; actinomice, actinomicina, estreptomicina; moho y hongo, penicilina.*

anticipar Adelantar algo. ☞ **antelación, prever.** ❖ RETRASAR, DIFERIR.

— adelantarse a un suceso: *anticiparse.*

— adelantado: *anticipado.*

— adelanto, antelación: *anticipación.*

— con sobrado tiempo: *con anticipación.*

— adelanto de dinero: *anticipo.*

anticonceptivo Método, prácticas, dispositivos o medicamentos que impiden que la mujer quede embarazada.

— métodos anticonceptivos: 1. *Los que impiden a los espermatozoides fecundar al óvulo: coito interrumpido, preservativo o condón, el método de Ogino-Knaus, las cremas espermicidas, óvulos, duchas vaginales y diafragma.* 2. *Los que impiden la ovulación por vía hormonal: píldora.* 3. *Los que impiden la implantación del óvulo en el útero: dispositivo intrauterino, píldora abortiva o micropíldora.*

— campaña para fomentar los métodos anticonceptivos con objeto de controlar el crecimiento de la población: *planificación familiar.*

— conjunto de métodos que se proponen evitar la fecundación de manera reversible o temporal: *contracepción.*

— conjunto de métodos que se proponen evitar la fecundación de manera irreversible o definitiva: *vasectomía (hombres); ligadura de trompas, histerectomía (mujeres).*

anticuerpo Proteína de la sangre que secretan ciertos linfocitos como defensa del cuerpo contra una sustancia extraña a él, haciéndolo inmune.

— sustancia, generalmente una proteína de un microorganismo infeccioso, que al introducirse en un organismo provoca la producción de anticuerpos: *antígeno.*

— virus de cierta enfermedad que, reducido en su poder infeccioso, es introducido en el cuerpo para que éste desarrolle los anticuerpos necesarios para defenderse de esa enfermedad: *vacuna*.

antídoto Sustancia que neutraliza la acción de un veneno o medicamento que preserva de cierto mal. ❖ ENVENENAMIENTO, INTOXICACIÓN, VENENO.

antifaz Máscara, tela o cosa que se utiliza para tapar la cara. ☞ **máscara, careta, carnaval.**

antiguo, -a Que existió o sucedió en un tiempo anterior, que viene de hace mucho tiempo o que es viejo y no actual. ☞ **viejo.** ❖ MODERNO.
— según costumbres pasadas: *a la antigua*.
— que se rige por costumbres pasadas: *anticuado*.
— apegado a los usos y costumbres pasados: *chapado a la antigua*.
— los pueblos y pobladores de tiempos remotos o las civilizaciones y culturas de la época clásica: *los antiguos*.
— periodo histórico anterior a la Edad Media: *Antigüedad*.
— objeto de adorno que no está de moda: *antigualla*.
— cosa u objeto antiguo: *antigüedad*.
— persona que estudia las antigüedades o la que colecciona y vende cosas antiguas: *anticuario*.
— lapso durante el cual una persona permanece adscrita a un trabajo o empleo: *antigüedad*.
— libros de la Biblia de índole histórica que corresponden al Antiguo Testamento: *Libros Históricos: Pentateuco Génesis, Éxodo, Levítico, Números, Deuteronomio. Josué, Jueces, Rut, Primero y Segundo Samuel, Primero y Segundo Reyes, Primero y Segundo Crónicas, Esdras, Nehemías, Tobías, Judit, Ester, Primero y Segundo Macabeos. Libros Proféticos: Isaías, Jeremías, Lamentaciones, Baruc, Ezequiel, Daniel, Oseas, Joel, Amós, Abdías, Jonás, Miqueas, Nahúm, Habacuc, Sofonías, Ageo, Zacarías, Malaquías. Libros Didácticos: Job, Salmos, Proverbios, Eclesiastés, Cantar de los Cantares, Sabiduría, Eclesiástico*.

antinomia Contradicción entre dos principios racionales, o entre dos preceptos o leyes. ☞ **paradoja, contradecir, contradicción.** ❖ CONFORMIDAD, CONCORDANCIA.

antinovela Novela que carece de las características principales que identificaban a la novela. ☞ **novela, ficción, escritura.**

antiparras Anteojos que se usan principalmente para corregir defectos de visión. ☞ **anteojo, lente, gafa.**

antipatía Desagrado que alguien siente hacia una persona, animal, cosa o circunstancia, ausencia de empatía o falta de simpatía por alguien. ☞ **animadversión.** ❖ SIMPATÍA, AFECTO.
— que provoca antipatía: *antipático*.

antípoda 1. Persona que habita en un lugar diametralmente opuesto al de uno.
— *Los orientales son nuestros antípodas*.
2. Alguien que tiene un carácter opuesto al de otra persona, o cosas opuestas entre sí.
— *Los tímidos son los antípodas de los osados*.

antiséptico, -ca Sustancia que combate los agentes infecciosos. ☞ **aséptico, medicina.**
— conjunto de prácticas para combatir infecciones: *antisepsia*.
— tipos de antisépticos: *ácido bórico, agua oxigenada, alcohol, carbol, fenol, salol, sublimado, timol, yodo, yodoformo*.

antítesis 1. Proposición o argumento contrario o inverso a otro denominado tesis.
— *Frente a la afirmación del ser, su antítesis sería la afirmación de la nada o el no ser*.
— que implica antítesis u oposición: *antitético*.
2. Persona opuesta o distinta a otra en su forma de ser y de vivir.
— *Mario es la antítesis de su papá*.
3. Figura retórica que consiste en oponer una palabra o idea a otra de significación contraria, como en el siguiente poema:
*¡Vivo sin vivir en mí
y tan alta vida espero
que muero porque no muero!*
Santa Teresa.

antojo Deseo vehemente y pasajero por algo, especialmente comestible. ☞ **capricho.**
— *Desde su tercer mes de embarazo tuvo antojo de mango*.
— apetecérsele algo a alguien: *antojarse*.
— que es propenso a sentir antojo: *antojadizo*.
— realizar lo deseado: *hacer algo al antojo de uno*.
— bocadillos típicos mexicanos, habitualmente elaborados con tortilla y otras preparaciones de maíz, y condimentados con salsa picante: *antojitos*.
— lugar donde se venden antojitos: *antojería*.
— antojitos mexicanos: *burritas, sopes, tlacoyos, huaraches, tostadas, pambazos, quesadillas, tamales, nopalitos, flautas, esquites, elotes,* *camotes, plátanos, tortas, panuchos, sincronizadas, chalupas, molletes, corundas, birria, pozole, pancita o menudo. Tacos: de canasta, carnitas, barbacoa, cabeza, cecina, guisado, chicharrón, al pastor, al carbón, de suadero, de longaniza, de moronga, de hígado, de machitos*.

antología Compendio de textos breves, seleccionados o condensados sobre un tema o autor, consignados en un volumen. ☞ **libro, leer.**
— que se relaciona con la antología o es propio de ella: *antológico*.
— persona que hace antologías: *antólogo*.

antónimo Que expresa una idea contraria a otra, tratándose de palabras; así, *blanco* es antónimo de *negro*, *antes* de *después*, etc. ❖ SINÓNIMO.

antonomasia Figura retórica que consiste en sustituir el nombre propio de alguien por algún apelativo genérico con el que puede ser identificado, o a la inversa, el apelativo por el nombre; así, el fundador de la Iglesia católica, por San Pedro.
— que se relaciona a la antonomasia: *antonomástico*.
— por excelencia, con preferencia: *por antonomasia*.

antorcha Pedazo de madera resinosa, mecha resistente al viento o dispositivo que se utilizan para iluminar. ☞ **tea.**

antro Lugar de mala nota. ☞ **tugurio.**

antropo Radical que significa hombre.
— ciencia que estudia al hombre: *antropología*.
— altruista o que hace el bien a los hombres: *filántropo*.

antropófago Que ingiere carne humana, tratándose de hombres salvajes. ☞ **caníbal.** ❖ VEGETARIANO.

anuencia Permiso, consentimiento o aprobación de algo. ☞ **aquiescencia.** ❖ DENEGACIÓN.
— que consiente: *anuente*.

anular 1. Cancelar el valor de algo. ☞ **desautorizar.** ❖ VALIDAR.
— *Le anularon el contrato de arrendamiento*.
— retraerse, postergarse o humillarse: *anularse*.
— cancelación o retraimiento: *anulación*.
— invalidación del matrimonio religioso por razones de carácter religioso: *anulación eclesiástica*.
— cancelación o desautorización del matrimonio civil: *anulación matrimonial*.
2. Que se relaciona con el anillo o pertenece a él, o que tiene figura de anillo.

— *Tiene una herida anular en la frente.*

— dedo de la mano en el que habitualmente se coloca la sortija matrimonial: *dedo anular.*

anunciar 1. Dar a conocer algo o dar algo señal o indicio de lo que va a ocurrir. ☞ **informar.** ❖ CALLAR, OCULTAR.

— *La reina anunció oficialmente su compromiso matrimonial.*

— aviso o noticia de algo: *anuncio.*

— hecho que hace presagiar algo que se supone ocurrirá: *anuncio.*

— que da a conocer algo: *anunciante.*

— mensaje que Dios envió a María sobre su inmaculada concepción: *anunciación.*

2. Hacer propaganda de un producto o servicio con fines comerciales. ☞ **publicidad, propaganda.**

— *Le gusta anunciar sus productos.*

— cualquier texto, imagen o transmisión radiofónica por el que se da a conocer algo con finalidad comercial: *anuncio.*

— parte de la prensa donde las compañías o los particulares anuncian productos o servicios: *avisos o anuncios clasificados.*

— que hace propaganda: *anunciador.*

anverso, -sa Cara inversa de algo. ❖ REVERSO.

anzuelo 1. Pequeño utensilio de metal en forma de gancho con una punta muy afilada, que con una carnada se usa para pescar. ☞ **pescar.**

— *Ten listo el anzuelo, parece que ya pican los peces.*

2. Señuelo o engaño para atraer a alguien o hacer que haga algo.

— *El policía preparó el anzuelo para detener al ladrón.*

— usar artificios para atraer a alguien: *echar el anzuelo.*

— ser engañado: *picar, morder o tragar el anzuelo.*

añadir Agregar algo a otra cosa. ☞ **agregar.** ❖ QUITAR, SACAR.

— adición, agregado: *añadido, añadidura.*

— además de: *por añadidura.*

añás Variedad de zorro sudamericano.

añejarse Envejecerse o acumular años.

— tiempo que acumulan ciertas cosas, principalmente el vino: *añejamiento.*

— que tiene mucho tiempo, que es añoso o que no es fresco ni reciente: *añejo (vino añejo, queso añejo, noticia añeja).*

añicos Fragmentos pequeños en que se divide una cosa al romperse. ☞ **fragmentar.**

— destruido: *hecho añicos.*

añil Color azul. ☞ **azul, color.**

año 1. Tiempo que invierte la Tierra en dar una vuelta alrededor del Sol. ☞ **tiempo.**

— duración de una revolución terrestre (365 días, 6 horas, 9 minutos y 24 segundos): *año sideral, año astronómico.*

— tiempo transcurrido entre dos pasos consecutivos del sol por el equinoccio o solsticio (365 días, 5 horas, 48 minutos y 48 segundos): *año trópico.*

— año astronómico adaptado a la hora legal de cada país: *año civil.*

— distancia recorrida por un rayo de luz en un año (9,461 billones de kilómetros): *año de luz, año luz.*

2. Los doce meses del año contados del 1º de enero al 31 de diciembre.

— *El próximo año me compraré un coche.*

— año del Señor: *Anno Domini, A.D.*

— año que incluye un día más en el mes de febrero: *bisiesto.*

— cada año de manera sucesiva: *año con año.*

— año que va a iniciarse o que acaba de iniciarse: *año nuevo.*

— día de año nuevo: *1º de enero.*

— año lunosolar que da inicio a partir de la legendaria creación del mundo (3,761 a.C.): *Anno Mundi, era judía, año judío, año hebreo.*

— año lunar que da inicio el jueves 16 de julio de 622 d.C. (huida de Mahoma de La Meca): *año 1 de la era musulmana, año musulmán.*

— año que da inicio el 3,113 a.C.: *era maya.*

3. Cualquier periodo de doce meses, sin importar la fecha en que se inicia.

— *El 20 de marzo cumplo un año de casada.*

— periodo durante el cual se desarrollan las clases en las instituciones educativas: *año escolar o lectivo.*

— año durante el cual un profesor universitario o un investigador de instituciones educativas recibe su salario sin asistir al lugar de trabajo, después de seis años de trabajo continuo: *año sabático.*

— tiempo remoto e incierto: *año de la canica, año del caldo.*

— antigüedad en un empleo: *años de servicio.*

— aprobar un año de estudios: *pasar de año.*

— reprobar un año de estudios: *perder el año, no pasar de año.*

— declarar menos edad de la real: *quitarse los años.*

— que dura un año o que ocurre cada año: *anual.*

— pago que se hace por año: *anualidad.*

— publicación anual, generalmente la presentada al principio del año: *anuario.*

— viejo, tratándose de personas: *entrado en años.*

— no envejecer alguien: *no pasar los años por alguien.*

— que tiene muchos años: *añoso.*

— expresión que indica que ninguna situación negativa dura eternamente: *no hay mal que dure cien años...*

añorar Recordar nostálgicamente algo querido que se tenía o a alguien ausente o muerto. ☞ **nostalgia, extrañar.**

— pesar o nostalgia por la ausencia de algo o alguien: *añoranza.*

apabullar Anonadar a alguien. ☞ **abrumar.** ❖ HALAGAR.

— abatimiento, intimidación o apocamiento: *apabullamiento, apabullo.*

— disminuido: *apabullado, apabullarse.*

apacentar Dar alimento al ganado. ☞ **pacer.**

— alimentarse el ganado: *apacentarse.*

apacible Tranquilo, sosegado. ☞ **paz, pacífico.** ❖ DESAPACIBLE, IRACUNDO.

— con sosiego y paciencia: *apaciblemente.*

apaciguar Volver pacífico o tranquilo a alguien, serenarlo. ☞ **calmar, sosegar.** ❖ ALTERAR, EXASPERAR.

— calmarse: *apaciguarse.*

apachurrar Aplastar algo. ☞ **aplastar.**

— triste y decaído: *apachurrado.*

apadrinar Ser el padrino de alguien, ser el patrocinador o el protector de algo o de alguien. ☞ **padre.**

— hombre que patrocina algo o protege y ayuda a alguien: *padrino.*

— hombre y mujer que presentan a una persona en las ceremonias religiosas (bautizo, matrimonio, confirmación, etc.) y cumplen con ciertas obligaciones morales y religiosas con ella: *padrino y madrina.*

— ampararse: *apadrinarse.*

— estar protegido por personas influyentes: *tener buenos padrinos.*

apagar 1. Hacer que algo deje de alumbrar, de quemarse o de funcionar. ☞ **sofocar.** ❖ PRENDER, ENCENDER.

— *Apagó las luces y el motor del coche.*

— interruptor de luz: *apagador.*

— susceptible de ser extinguido: *apagable.*

— suspensión imprevista de una fuente de luz: *apagón.*

2. Extinguir algo haciendo que se aca-

be, desaparezca o se satisfaga. ☞ **so-focar.** ❖ BRILLAR, AVIVAR.

— *Apagaron su sed bebiendo agua del pozo.*

— extinguirse: *apagarse.*

— que está débil o descolorido, que es tímido o apocado: *apagado.*

apalabrar Ponerse de acuerdo verbalmente dos o más personas. ☞ **acordar, palabra.**

apalear Golpear con un palo o algo similar, trabajar con una pala. ☞ **golpear, palo, pala.**

— persona que golpea con un palo: *apaleador.*

— golpear fuertemente: *moler a palos.*

apantallar Impresionar vivamente con algo supuestamente valioso o de gran apariencia a alguien. ☞ **presumir, deslumbrar.**

— sorprenderse por lo que se muestra: *apantallarse.*

— vivamente impresionado: *apantallado.*

— que impresiona: *apantallador, apantallante.*

— ser aparentemente valioso: *ser pura pantalla.*

apañar 1. Apoderarse mañosamente de algo. ☞ **engañar, robar.**

— *Ten cuidado con él, apaña lo que puede.*

2. Detener la autoridad a alguien. ☞ **arrestar, detener.**

— *Lo apañaron en una razzia.*

— acción y resultado de apoderarse de algo o de ser detenido o sorprendido por alguien: *apañe, apañón.*

— arreglárselas: *apañárselas.*

apapachar Mimar o acariciar con exceso a alguien, especialmente a los niños. ☞ **chiquear, papachar.**

— mimo, caricia: *apapacho, papacho.*

— persona a la que le gusta mimar a otro: *apapachador, apapachento.*

— mimar: *hacer apapachos o papachos.*

— consentido: *apapachado, papachado.*

— susceptible de recibir cariño: *apapachable, papachable.*

— persona atractiva: *apapachable, papachable.*

aparador 1. Mueble de comedor donde se guarda el servicio.

— *El comedor de cedro tiene un aparador labrado.*

2. Escaparate, vitrina. ☞ **exhibir, exhibidor.**

— *Los aparadores de las tiendas grandes son atractivos.*

— ir de compras: *irse de aparadores, ir de tiendas.*

— estar muy arreglada y bien vestida una mujer: *estar de aparador.*

— muñeco con figura humana que se usa para exhibir ropa: *maniquí.*

— tienda grande con diversos departamentos: *almacén.*

— abandonar un lugar: *cambiar de aparador.*

aparato 1. Conjunto de elementos que funcionan en combinación para la realización de un fin determinado.

— *Ese libro presenta un complejo aparato conceptual.*

— que es muy ostentoso: *aparatoso.*

— terriblemente ostentoso y exagerado: *aparatosidad.*

2. Objeto cuyo mecanismo está diseñado para realizar un fin específico.

— *La tienda vendía aparatos electrodomésticos.*

3. Conjunto de órganos y partes de los seres vivos relacionados entre sí para realizar una función determinada.

— aparatos principales del cuerpo humano: *circulatorio, respiratorio, digestivo, reproductor o genital, urinario, biliar.*

— conjunto de órganos que permiten la audición y el equilibrio: *aparato acústico.*

— órganos principales del aparato acústico: *oído externo, oído medio y oído interno o laberinto.*

— conjunto de órganos y partes del cuerpo que distribuyen oxígeno y sustancias nutritivas en el organismo: *aparato circulatorio.*

— órganos principales del aparato circulatorio y sustancia que transportan: *corazón, venas, arterias y sangre.*

— conjunto de órganos que permiten que se inspire el oxígeno necesario para el funcionamiento celular y se elimine el anhídrido carbónico: *aparato respiratorio.*

— órganos del aparato respiratorio: *nariz, boca, faringe, laringe, tráquea, bronquios y pulmones.*

— conjunto de órganos que intervienen en la absorción de alimentos, su transformación química en sustancias nutritivas y desechos, y la expulsión de estos últimos: *aparato digestivo.*

— órganos principales del aparato digestivo: *boca, faringe, esófago, estómago, intestino delgado, intestino grueso.*

— conjunto de órganos que permiten la reproducción: *aparato reproductor o genital.*

— órganos del aparato reproductor masculino: *testículos, epídimo, conductos deferentes, cordón espermá-*

tico, vesículas seminales, conductos eyaculadores, pene, uretra.

— órganos del aparato reproductor femenino: *ovarios, útero, vagina, trompas.*

— conjunto de órganos que asegura la formación y la expulsión de la orina al exterior: *aparato urinario.*

— órganos del aparato urinario: *riñones, uretra y vejiga.*

— conjunto de órganos que elaboran la bilis y la conducen al intestino: *aparato biliar.*

— órganos del aparato biliar: *hígado, vesícula biliar y conductos biliares.*

aparear 1. Cruzar macho y hembra. ☞ **cruzar, reproducción.**

— *Compró un caballo rejón para aparearlo con las yeguas.*

— juntarse sexualmente un macho y una hembra: *aparearse.*

— cruza: *apareamiento.*

2. Igualar dos cosas o formar un par con ellas al ponerlas juntas. ☞ **emparejar.** ❖ DESEMPAREJAR.

— *Hay que aparear esas dos piezas de cerámica.*

aparecer Surgir alguien o algo a la vista o estar presente en algún registro. ☞ **surgir.** ❖ DESAPARECER.

— mostrarse algo: *aparecerse.*

— espectro, fantasma: *aparecido.*

— presencia inesperada de un ser fantasmal: *aparición.*

— presentarse algo o alguien: *hacer su aparición.*

— concurrir intencionalmente a un lugar donde no se le espera: *hacerse el aparecido.*

aparejar 1. Preparar algo adecuadamente. ☞ **arreglar, organizar.**

— *Aparejamos lo necesario para el viaje.*

— preparación adecuada: *aparejamiento.*

— conjunto de utensilios e instrumentos que se usan en una labor determinada: *aparejo.*

2. Colocar los arreos necesarios al ganado equino o poner los aparejos a las embarcaciones.

— *Los aparejos de los barcos se encuentran en la parte exterior.*

— aparejos del caballo de montar: *cabezada, bocado, freno, brida, riendas, cincha, sobarba, anteojera, ahogadera, quijera, frontalera, testera, carrillera, grupera, ación. Silla de montar: arzones trasero y delantero, perilla, asiento, almohadilla, faldón, hoja falsa, estribos, correa del estribo.*

— aparejos del caballo de tiro: *brida, bocado, sobarba, anteojera, frontalera, testera, musserola, collera, ahoga-*

dero, cabezada, roseta, sillín, rienda, barriguera, grupera, retranca, tiro.

— aparejos o arreos náuticos: *Arboladura: a) palos, masteleros, mastelerillos, bauprés y botalón. b) vergas, entenas, juanetes, sobrejuanetes, picos. Velamen: gavias, trinquetes, juanetes, sobrejuanetes, cangrejas, contrafoque, foque, petifoque. Jarcias: obenque, burda, estay, nervio, barbiquejo, escota, osta, amura, braza, amantillo.*

— jarcia que lleva el ancla de la superficie a la serviola, cuando se leva: *aparejo de gata.*

aparentar 1. Mostrar alguien o algo un aspecto distinto al que es en realidad. ☞ **fingir.**

— *Le gusta aparentar nerviosismo cuando llega tarde.*

— aspecto exterior: *apariencia.*

— al parecer: *en apariencia.*

— fingir ser bueno, valioso, etc. una cosa o persona: *ser pura apariencia.*

— fingir, simular: *guardar, salvar o cubrir las apariencias.*

— tal como se presenta a la vista: *aparente.*

— supuesto, simulado: *aparente.*

— que únicamente tiene existencia exterior: *aparencial.*

2. Representar una edad distinta a la que se tiene. ☞ **representar.**

— *Tiene treinta años pero aparenta cincuenta.*

apartar 1. Separar, alejar algo o a alguien del lugar donde estaba. ☞ **desunir.** ❖ ARRIMAR, ACERCAR.

— *Algunas familias por distintas razones se apartan unas de otras.*

— desviarse o quitarse: *apartarse.*

— retirado, separado: *apartado.*

— casilla numerada que se renta para recibir correspondencia en la oficina de correos: *apartado postal.*

— haber sido elegido: *estar apartado.*

2. Reservar algo o guardar una mercancía en un lugar diferente a donde estaba, para uso exclusivo de alguien. ☞ **reservar.**

— *En esa tienda puedes apartar ropa y pagarla en un mes.*

— que está reservado para el uso exclusivo de alguien: *apartado.*

apartamento Vivienda situada en algún edificio o sector habitacional, que comparte áreas comunes con otras. ☞ **departamento, vivienda, casa.**

aparte Separadamente, a distancia. ☞ **fuera de.** ❖ JUNTO.

— prescindiendo de: *aparte de.*

— además de: *aparte de.*

— ser especial: *ser un caso aparte.*

— signo ortográfico usado para separar párrafos: *punto y aparte.*

— expresión que indica que se trata de otro tema o asunto: *ser punto y aparte.*

apasionar Provocar un deseo amoroso por algo o alguien. ☞ **enamorar, gustar, afición.** ❖ DESENGAÑAR.

— entusiasmarse con vehemencia por algo o alguien: *apasionarse.*

— que manifiesta deseos intensos, que tiene pasión o que se deja llevar por sus emociones: *apasionado.*

— sentir una fuerte afición por: *ser un apasionado por.*

— estimulante, interesante: *apasionante.*

— excitación o exaltación por algo: *apasionamiento.*

— sentimiento o deseo muy intenso: *pasión.*

apatía Actitud de indolencia o desgano. ☞ **abulia, desidia.** ❖ INTERÉS, PASIÓN.

— indolente: *apático.*

apátrida Persona que por algún motivo carece de nacionalidad. ☞ **patria.**

apear Desmontar de un caballo o carruaje, bajar de un vehículo. ☞ **desmontar, bajar.** ❖ SUBIR, MONTAR.

— bajarse de un vehículo o de una cabalgadura o lugar alto: *apearse.*

apechugar Aguantar algo que molesta o desagrada. ☞ **soportar, tolerar.**

apedrear 1. Tirar o lanzar piedras. ☞ **arrojar piedras.**

— *Mientras corría lo apedrearon.*

— que tira piedras: *apedreador.*

— acción y resultado de lanzarle piedras a alguien: *apedreamiento, apedreo.*

2. Matar a pedradas. ☞ **lapidar.**

— *San Esteban murió apedreado.*

apego Cercanía afectuosa con alguien o hacia algo. ☞ **afección, inclinación, afecto.** ❖ DESAPEGO.

— ser dependiente de: *estar apegado a.*

apelar 1. Recurrir al sistema jurídico para considerar la revocación de una sentencia. ☞ **sentencia.**

— *El abogado apeló en favor de su defendido frente al juez.*

— reclamación de una sentencia: *apelación.*

— que admite apelación: *apelable.*

— que es irrecusable o que no admite apelación: *inapelable.*

2. Pedir ayuda o valerse de una cosa. ☞ **recurrir, solicitar.**

— *Apeló a su cuñado para conseguir el dinero necesario.*

apelmazar Compactar una cosa o hacerla más consistente y apretada. ☞ **mazacote.**

— amazacotado o muy rígido: *apelmazado.*

apellido Nombre con que se distingue la ascendencia familiar de los individuos. ☞ **apodo, sobrenombre, apelativo, patronímico.**

— tener determinado apellido: *apellidarse.*

apenar 1. Sentir vergüenza, avergonzarse ante alguien o por algo. ☞ **vergüenza.** ❖ DESVERGÜENZA, CINISMO.

— *Se apenó mucho por haber llegado tan tarde.*

— avergonzado: *apenado.*

— vergüenza, timidez: *pena.*

— avergonzarse por la acción de otros: *tener pena ajena.*

2. Sentir pesadumbre o tristeza. ☞ **acongojar, afligir.** ❖ ALEGRAR, CONFORTAR.

— *Le apenó la noticia del accidente.*

— entristecido: *apenado.*

— tristeza por algo o alguien, dificultad para lograr algo: *pena.*

apenas 1. Con gran trabajo.

— *Apenas si me alcanza el dinero.*

— con mucha dificultad: *a duras penas.*

2. Hace poco tiempo, recientemente.

— *Apenas le salieron los dientes.*

3. Luego que, en cuanto, inmediatamente que.

— *Apenas me enteré de la noticia, se la hice saber.*

4. Escasamente, casi no.

— *Apenas te alcancé.*

apendejarse Volverse tonto o torpe. ☞ **pendejo.** ❖ AVIVARSE, ESPABILARSE.

— hacer que alguien se aturda, se atonte y se confunda: *apendejar.*

apéndice 1. Prolongación o suplemento de algo importante, lo agregado a lo principal. ☞ **anexar, anexo.**

— *Su libro tiene tres apéndices.*

2. Prolongación pequeña y atrofiada del intestino del hombre y otros mamíferos.

— *Le quitaron el apéndice en una intervención quirúrgica.*

— inflamación del apéndice: *apendicitis.*

— extirpación del apéndice: *apendicectomía.*

— relativo al apéndice: *apendicular.*

apepsia Desaparición más o menos completa del poder digestivo, principalmente del estómago. ☞ **indigestión.**

— ausencia de secreción digestiva del estómago: *apepsia aclorhídrica.*

— ausencia del deseo de comer o anorexia: *apepsia histérica o nerviosa.*

apercibir 1. Organizar o preparar lo necesario para algo. ☞ **organizar, aparejar.**

— *Se está apercibiendo para su próximo viaje.*

2. Darse cuenta de algo. ☞ **percibir.**
❖ IGNORAR.
— *Finalmente se apercibió del cambio de color del cuarto.*
— acción de percatarse de algo: *apercibimiento.*
3. Notificar legalmente de los efectos negativos que conllevan ciertas acciones u omisiones. ☞ **notificación.**
— *Dígale al detenido que pague la multa, apercibiéndolo que de no hacerlo pasará diez días en el reclusorio.*
— corrección disciplinaria legal: *notificación de apercibimiento.*

aperitivo (vea recuadro de bebidas). Bebida, principalmente la alcohólica, que se toma antes de las comidas, por lo común va acompañada de botanas. ☞ **bebida, alcohol.** ❖ BAJATIVO.
— aperitivos: *campari, sherry, vermouth, daiquirí, coctel margarita, desarmador, vodka quina, vodka tonic, piña colada, jerez seco, blanc cassis, martini, manhattan, tequila sour.*
— algunos ejemplos de botanas: *canapés con todo tipo de rellenos, patés, carnes frías, quesos, galletitas de queso, mariscos, mantequillas compuestas de anchoas, cebollines, ajo o pimientos, papas fritas, cacahuates, charales, pequeños sandwiches, antojitos.*

aperos Conjunto de instrumentos de labranza y de los animales destinados a los trabajos agrícolas. ☞ **labrar, agricultura.**

apersonarse Presentarse en algún lugar una persona, comparecer en un juicio o reunirse con otra persona para tratar algún asunto.

apertura Inicio o principio de algún espectáculo, curso o acontecimiento. ☞ **abrir.** ❖ CLAUSURAR.

apesadumbrar Causar aflicción o pesar. ☞ **tristeza, pesar.** ❖ CONFORTAR.
— sentir aflicción o pesar: *apesadumbrarse.*
— persona que está afligida: *apesadumbrada.*

apestar Despedir un olor desagradable algo o alguien. ☞ **hedor, heder.** ❖ OLER BIEN.
— que tiene mal olor: *apestoso.*
— persona rechazada o marginada: *apestado.*

apetecer Desear alguien una cosa. ☞ **antojo.**
— deseable una cosa: *apetecible, apetecedor.*
— deseo de una cosa, apetito: *apetencia.*
— que debe ser o es sabroso: *apetitivo.*

apetito 1. Deseo por comer. ☞ **comer, hambre.** ❖ INAPETENCIA.

— *Se le había despertado el apetito al mirar tantos entremeses.*
— que excita el apetito: *apetitoso.*
— fórmulas para desear una comida placentera: *¡Buen provecho! ¡Provecho!*
2. Deseo físico por satisfacer una pasión o ansia por algo. ☞ **ansia.**
— *Freud escribió sobre el apetito sexual.*

apiadarse Sentir compasión por alguien o por un animal, condolerse. ☞ **piedad, compasión.**

ápice Extremo superior de algo. ☞ **punta.**
— no importarle o no interesarle: *importarle un ápice o un bledo.*

apilar Poner objetos, uno encima del otro. ☞ **acumular, amontonar.** ❖ ESPARCIR.

apiñar Juntar a muchas personas o cosas en lugares muy reducidos. ☞ **aglomerar.** ❖ DISGREGAR, DISPERSAR.

apipizca Variedad de ave acuática migratoria americana. ☞ **apipitzcatótotl.**
— ojos pequeños: *ojos de apipizca.*

apisonar Alisar o aplanar la tierra. ☞ **allanar.**
— preparación de un terreno para después encementarlo: *apisonamiento.*

apitonar Romper alguna cosa con el pitón los animales que tienen cuernos, romper con el pico el cascarón del huevo las aves.
— punta del cuerno de ciertos animales: *pitón.*

aplacar Calmar, disminuir o hacer desaparecer la actitud negativa de alguien. ☞ **mitigar, calmar, moderar.** ❖ ALEBRESTAR.
— calmarse, tranquilizarse: *aplacarse.*

aplanar 1. Nivelar o poner plano algo. ☞ **apisonar, allanar.**
— *Se tuvo que aplanar el terreno antes de iniciar la construcción.*
— máquina usada para aplanar carreteras y pavimentos: *aplanadora.*
2. Desalentar o dejar a alguien pasmado o abrumado. ☞ **avasallar.**
— *La noticia lo aplanó.*

aplastar 1. Comprimir o dejar plano un objeto debido a un golpe o a una fuerte presión. ☞ **apachurrar.**
— *Ese coche aplastó tu patín.*
— sentarse o recostarse: *aplastarse.*
2. Hacer que alguien se sienta apabullado y desalentado.
— *El alcoholismo lo aplastó.*
— que apabulla o desalienta: *aplastante.*
— apabullado: *aplastado.*

aplatanarse Abandonarse al desgano o flojera física y mental.
— sentirse desganado: *estar aplatanado.*

— estado de desgano, dejadez: *aplatanamiento.*

aplaudir 1. Chocar las palmas y dedos de una mano con los de la otra mano en señal de agrado o entusiasmo. ☞ **palmotear.** ❖ ABUCHEAR.
— *El artista fue reiteradamente aplaudido.*
— ovación: *aplauso.*
— aplauso unánime: *aplauso cerrado.*
— aumento del recital habitual de un artista como resultado de efusivos y duraderos aplausos a su actuación: *encore (ancor).*
2. Expresar con palabras admiración y reconocimiento de lo hecho por alguien. ☞ **alabar.** ❖ CENSURAR.
— *Hay que aplaudir todas sus decisiones.*
— merecedor de elogio: *digno de aplauso.*
— deteriorado por el uso: *muy aplaudido.*
— que produce tedio, que aburre de tan repetido: *muy aplaudido.*

aplazar Dejar una acción para otra fecha posterior a la que se había fijado, retrasar un plazo. ☞ **posponer, diferir.** ❖ ADELANTAR, ANTICIPAR.
— hecho de retrasar un plazo: *aplazamiento.*

aplicar 1. Hacer que una cosa ejerza sobre otra, a la que se junta, una acción determinada.
— *Cuando estaba adolorido le aplicaron una cataplasma.*
— bordado en tela que se puede agregar al vestido: *aplicación.*
— tipos de aplicación: *guipure, encaje.*
— que se puede aplicar: *aplicable.*
2. Poner en práctica un procedimiento, un plan o algo similar. ☞ **esfuerzo.**
— *Aplicó sus conocimientos al arreglo de la televisión.*
— dedicarse con esfuerzo al trabajo, al estudio o a algo similar: *aplicarse.*
— utilización que puede darse a una cosa: *aplicación.*
— estudioso: *aplicado.*

aplomo Serenidad y seguridad con que se realiza algo. ❖ TURBACIÓN.
— pesa de plomo que muestra la vertical de un edificio: *plomada.*

apo (vea recuadro de prefijos). Prefijo que significa fuera de, lejos de.
— supresión de una o más letras al final de una palabra: *apócope.*

apocalíptico, -ca Terrible y devastador. ☞ **apóstol, espantoso, revelación, apocalipsis.**
— último libro del Nuevo Testamento: *Apocalipsis.*

apocar Hacer menos a alguien, reducir o achicar algo. ☞ **reducir, humillar.**

— disminuirse: *apocarse.*

— que no tiene desenvoltura ni osadía: *apocado.*

— disminución del ánimo: *apocamiento.*

apócope 1. Pérdida de una o más letras al final de una palabra, como *compa* en lugar de *compadre* o *Mati* en vez de *Matilde.*

— *Tienes que usar el apócope de mío cuando esa palabra va antes de un sustantivo como: mi perro.*

2. Figura retórica muy antigua que consistió en suprimir la parte final de las palabras con que terminaban los versos.

apócrifo, -fa Que se atribuye falsamente a alguien, tratándose de libros. ☞ **falsificar.** ❖ AUTÉNTICO, ORIGINAL.

— *No debe uno fiarse de los evangelios apócrifos.*

— con fundamento supuesto: *apócrifamente.*

apoderar Permitir una persona que otra lo represente legalmente o mediante un poder.

— representante legal de una persona o empresa: *apoderado.*

— adueñarse de algo ilegalmente: *apoderarse.*

— arraigarse intensamente en alguien una emoción o sensación: *apoderarse.*

ápodo, -da Que no tiene patas o pies.

apodo Sobrenombre. ☞ **alias, mote.**

— conocido por o llamado: *apodado, alias.*

— poner apodo a alguien: *apodar.*

apogeo 1. El punto más alto en perfección o grandeza. ☞ **cúspide.** ❖ DECLINACIÓN, DECADENCIA.

— *Está en el apogeo de su carrera.*

2. Punto de mayor distancia entre la Luna y la Tierra.

— *La luna se encuentra en su apogeo.*

apolillar Roer la polilla alguna cosa, habitualmente de madera. ☞ **carcomer.**

— mariposa que carcome madera, telas, papel, tejidos: *polilla.*

— agujero que hace la polilla: *apolilladura.*

— comido por la polilla: *apolillado.*

— medios para combatir la polilla: *bolas de naftalina, alcanfor.*

— anticuado: *apolillado.*

— mobiliario que se vende con acabado carcomido: *muebles apolillados.*

apología Defensa o alabanza oral o escrita de alguien o algo. ☞ **panegírico, alabar.** ❖ DIATRIBA, CRÍTICA.

— persona que defiende y ensalza a alguien o algo: *apologista.*

— relativo a la defensa y ensalzamiento de alguien: *apologético.*

— parte de la teología que demuestra y defiende la credibilidad racional del dogma: *apologética.*

— texto del que se deduce una enseñanza moral: *apólogo.*

apoltronarse Llevar una vida sedentaria, sin agitación o desenfadada, sentarse de modo cómodo. ☞ **sedentario.** ❖ NÓMADA.

apoplético, -ca Que padece apoplejía. ☞ **cerebro.**

— paralización del funcionamiento cerebral: *apoplejía.*

apoquinar Entregar lo que le corresponde pagar o dar dinero, generalmente de modo obligado.

aporía Presencia de dos razonamientos contrarios como respuesta de un solo problema. ☞ **contradicción, paradoja.**

— escéptico o que considera la duda como la solución inseparable del saber: *aporético.*

aporrear Golpear fuertemente con algo o machacar. ☞ **golpear.**

aportar Proporcionar, dar o cooperar con algo. ☞ **contribuir.** ❖ SACAR.

— lo que se da: *aportación, aporte.*

— conjunto de los bienes proporcionados: *aportación, aporte.*

aposento Pieza, cuarto o habitación. ☞ **alcoba, cuarto, hospedaje.**

— dar posada a alguien: *aposentar.*

— alojarse en un lugar: *aposentarse.*

— persona que alojaba tropas o a la realeza: *aposentador.*

aposición Unión de dos frases o palabras que se refieren a una misma cosa o persona, y en la cual la segunda, que va entre comas, explica o aclara la primera, como ocurre en el siguiente ejemplo:

— *Josefa Ortiz de Domínguez, corregidora de Querétaro, fue miembro importante del movimiento insurgente.*

aposiopesis Figura retórica que consiste en omitir una palabra altisonante o idea penosa por medio de puntos suspensivos. ☞ **reticencia.**

*¡Ay chico! ya en picardía
bien puedes echar el resto.
Así me dijo, y... en esto
la empezó a llamar su tía.*
José Iglesias de la Casa.

apósito Material de curación que se aplica sobre una lesión. ☞ **curita.**

apostar 1. Pactar dos o más personas sobre la afirmación de algo que se disputa y cuya comprobación o resultado permitirá ganar cierta cantidad de dinero u otra cosa al que haya acertado. ☞ **juego, albur.**

— *Le gusta apostar cuando juega a las cartas.*

— que apuesta: *apostador.*

— cosa o cantidad que se arriesga al apostar: *apuesta.*

— pacto o acuerdo entre dos o más personas sobre la afirmación de algo: *apuesta.*

— lugar donde se puede apostar: *casino, palenque, hipódromo, garito.*

2. Situar en un punto determinado a alguien para cierto fin, a veces, para vigilar o cuidar un lugar.

— *Los apostaron en la puerta del banco.*

— situarse en un lugar: *apostarse.*

apóstata Persona que reniega de una creencia religiosa, doctrina, opinión o partido. ☞ **abjurar.**

— renuncia o abjuración de la fe cristiana o abandono de su investidura un clérigo: *apostasía.*

— abandonar ciertas creencias, cambiar de partido, doctrina u opinión: *apostatar.*

apostilla Agregado que se hace a un texto para aclarar o explicar algo. ☞ **glosa, nota.**

apóstol 1. Cada uno de los doce discípulos de Jesús. ☞ **antiguo.**

— los doce apóstoles por orden de importancia y trabajo común: *San Pedro, San Andrés, Santiago el mayor, San Juan, Santo Tomás, San Mateo, San Felipe, San Bartolomé, Santiago el menor, San Judas Tadeo, San Simón, Judas Iscariote.*

— apóstol elegido para sustituir a Judas Iscariote: *San Matías.*

— apóstoles elegidos por Jesús después de su muerte: *San Pablo y San Bernabé.*

— oficio de apóstol o congregación de los apóstoles: *apostolado.*

— que procede de la autoridad del Papa: *apostólico.*

— que se relaciona con los apóstoles o que les pertenece: *apostólico.*

— documento que emana de la autoridad de los papas: *carta apostólica.*

— tipos de cartas apostólicas: *bula, encíclica, resumen, motu propio y las firmadas por la curia romana.*

— representante diplomático de la Santa Sede: *delegado o nuncio apostólico.*

2. Persona que extiende un credo, doctrina o modo de acción.

— *Se considera a Gandhi un apóstol del pacifismo.*

— propaganda de alguna doctrina o modo de acción: *apostolado.*

apóstrofe 1. Figura retórica que consiste en detener el hilo del discurso para referir enfáticamente a sí mismo o a algo o alguien diferente.

— *¡Oh, libertad! ¡Cuántos crímenes se cometen en tu nombre!* Thomas Carlyle.

2. Vituperio. ☞ **insulto, dicterio.** ❖ ELOGIO.

— *Estaba tan molesto que le dirigió unos cuantos apóstrofes.*

— dirigir a alguien un apóstrofe: *apostrofar.*

apóstrofo Signo ortográfico que indica que falta una vocal. ☞ **signo, tilde.**

apostura Aspecto de alguien o actitud de gentileza y buena disposición. ☞ **gallardía, donaire.**

— atractivo, arrogante y galán: *apuesto.*

apotegma Dicho breve de algún personaje famoso sobre temas variados. ☞ **aforismo, sentencia, máxima.**

apoteosis 1. Deificación, glorificación o exaltación de alguien. ☞ **dios, héroe.** ❖ CONDENACIÓN.

— *Pedro Infante murió en la apoteosis.*

— que glorifica, deifica o ensalza: *apoteósico, apoteótico.*

2. Cuadro final o clímax de un gran espectáculo teatral.

— *En el segundo acto de la ópera se marca la apoteosis de la trama.*

apoyar 1. Hacer descansar un miembro u un objeto sobre algo. ☞ **sostener.**

— *Me gusta apoyar mi brazo en tu hombro.*

— lo que sostiene o sirve para sostener: *apoyo.*

2. Fundamentar una idea o afirmación en otra que se considera válida. ☞ **basar.**

— *La dialéctica se apoya en la afirmación de la contradicción universal.*

— aparato teórico que funda algo o fundamento de algo: *apoyo, apoyatura.*

— nota de adorno en las partituras musicales: *apoyatura.*

3. Ayudar a una organización o persona a alcanzar un logro o secundar sus ideas. ☞ **socorrer.** ❖ ABANDONAR, DESPROTEGER.

— *Al donar dinero, apoyo a la Cruz Roja.*

— ayuda en los propósitos de un grupo o de alguien, adhesión con sus sentimientos o ideas: *apoyo.*

apreciar 1. Sentir afecto por alguien o algo. ☞ **estimar.** ❖ DESPRECIAR.

— *Ellos aprecian a su maestro.*

— afecto, estimación: *aprecio.*

— que es digno de estima y afecto: *apreciable.*

— estimado o querido: *apreciado.*

2. Valorar las cualidades de las cosas o personas. ☞ **valorar.** ❖ DEVALUAR.

— *Los jefes apreciaron su esfuerzo en el trabajo y le dieron un sobresueldo.*

— valoración o estimación del valor de algo: *apreciación.*

— gradación con que se valora algo: *apreciabilidad.*

— juicio de valor sobre algo: *apreciación.*

3. Percibir o distinguir algo.

— *Desde aquí podemos apreciar las montañas.*

— perceptible: *apreciable.*

aprehender 1. Coger o tomar algo. ☞ **agarrar.** ❖ SOLTAR.

— *El águila aprehende a sus presas.*

— que agarra o coge: *aprehensor.*

2. Captar algo con el pensamiento, comprender.

— *¡Por fin aprehendió ese teorema!*

— percepción o comprensión de algo: *aprehensión.*

— susceptible de captarse: *aprehensible.*

3. Aprisionar a alguien. ☞ **encarcelar.** ❖ LIBERAR.

— *Al culpable lo aprehendieron en su casa.*

— que captura: *aprehensor.*

— captura: *aprehensión.*

apremio Urgencia o premura de llevar a cabo algo. ☞ **premura, prisa.**

— apurar o insistir que una acción se haga rápido: *apremiar.*

— urgente: *apremiante.*

aprender Adquirir y retener en la memoria los conocimientos. ❖ IGNORAR, OLVIDAR.

— memorizar: *aprender algo de memoria.*

— persona que aprende un oficio: *aprendiz.*

— proceso de adquirir conocimientos o dominio de algo mediante el estudio y la experiencia: *aprendizaje.*

aprensión Preocupación por las consecuencias de determinada acción o figuración de algo. ☞ **preocupación.** ❖ DESPREOCUPACIÓN.

— que se preocupa en demasía: *aprensivo.*

apresar Asegurar que alguien o algo quede fuertemente sujeto y no tenga salida ni escape, detener o encarcelar a una persona. ☞ **aprehender.** ❖ SOLTAR, LIBERAR.

aprestar Disponer lo indispensable para realizar algo.

— preparativo o preparación: *apresto.*

apresurar Hacer que alguien realice algo con rapidez. ☞ **acelerar, prisa.** ❖ RETARDAR, DIFERIR.

— realizar algo con rapidez: *apresurarse.*

— prisa, aceleramiento: *apresuramiento.*

apretar Estrechar alguna parte del cuerpo de alguien o comprimir algo haciendo fuerza, o aumentar la intensidad, el esfuerzo o la velocidad de algo. ☞ **estrujar, prensar.** ❖ AFLOJAR.

— que es difícil de aflojar o que está apelmazado: *apretado.*

— que no tiene dinero, o que es pedante alguien: *apretado.*

— presión fuerte realizada con el cuerpo o manos: *apretón.*

— oprimido: *apretujado.*

— oprimir algo estrujándolo: *apretujar.*

— opresión: *apretujón.*

— enfrentar una situación difícil: *estar en un aprieto.*

apriorismo Método fundado en conocimientos, ideas, investigaciones *a priori*, o tendencia a aplicar sistemáticamente argumentos *a priori*.

— lo que es anterior a la experiencia y no se funda en ella, desde el punto de vista lógico y no cronológico: *a priori.*

— antes de examinar el asunto de que se trata en su totalidad: *a priori.*

aprisco Lugar donde se guarda cualquier ganado. ☞ **establo.**

aprisionar Meter en prisión o asegurar que alguien o algo quede fuertemente sujeto o detenido. ☞ **encarcelar, apresar.** ❖ LIBERAR, SOLTAR.

aprobar Decir que sí a algo y aceptarlo por correcto o bueno, autorizar algo o lograr alguien cumplir con los requisitos de algo. ☞ **asentir, aceptar.** ❖ DESAPROBAR, REPROBAR.

— consentimiento o conformidad: *aprobación.*

— que logró pasar las pruebas o los requisitos de algo: *aprobado.*

— que está autorizado o parece adecuado para algo: *aprobado.*

apropiarse Hacerse dueño de una cosa que no es de uno. ☞ **adjudicar, adueñar.** ❖ DESPROVEERSE.

— acción de adueñarse de algo: *expropiación, obtención, desposeimiento, despojo, usurpación, ocupación, adquisición, anexión, incorporación, conquista, captura, asimilación, sustracción, robo.*

— persona que se adueña de algo: *ladrón, usurpador, anexionista, pirata.*

aprovechar Utilizar adecuadamente algo o sacarle beneficio. ☞ **utilizar, explotar.** ❖ DESAPROVECHAR.

— abusar de alguien o de algo para sacar ventaja: *aprovecharse.*

— servible: *aprovechable.*

— oportunista, ventajista o que abusa de otros: *aprovechado.*

— beneficio o ventaja de algo: *aprovechamiento.*

aprovisionar Proporcionar las cosas que se requieren. ☞ **abastecer.**

aproximar Poner en cercanía algo o a alguien con respecto a otra cosa o persona, o hacer un cálculo cercano al resultado exacto. ☞ **juntar, acercar.** ❖ ALEJAR, APARTAR.

— acción y resultado de acercar algo o acercarse alguien: *aproximación.*

— que se acerca a la exactitud: *aproximado, aproximativo.*

aptar Ajustar algo a alguna necesidad. ☞ **adaptar, acomodar.**

aptitud Cualidad por la cual algo o alguien son idóneos para realizar alguna actividad o producir cierto efecto. ☞ **capacidad.** ❖ INAPTITUD.

— hábil, adecuado o útil para hacer alguna cosa: *apto.*

apuntalar Sostener o consolidar algo. ☞ **fundamentar.**

— reforzamiento: *apuntalamiento.*

apuntar 1. Señalar algo o estar dirigido hacia determinado punto. ☞ **señalar, indicar.**

— *A veces me gusta apuntar al horizonte.*

— acción de señalar algo: *apuntamiento.*

2. Dirigir un arma hacia un blanco.

— *Apuntó su pistola directo al blanco.*

3. Escribir algo de poca extensión, poner o hacer poner algo en una lista sobre un papel. ☞ **escribir.**

— *Apuntó en una lista todo lo que había que comprar.*

— notas que uno toma en los cursos o clases: *apuntes.*

4. Hacer un dibujo o boceto rápido o en forma de croquis. ☞ **bosquejar.**

— *Le gusta hacer apuntes de los paisajes crepusculares.*

— dibujo, nota: *apunte.*

5. Dictar textos por medio de micrófonos disimulados o en voz baja.

— *Ana no apuntará; está afónica.*

— persona que dicta a los actores sus parlamentos: *apuntador.*

6. Sugerir algo o mencionar o referirse ligeramente a una cosa o a alguien.

— *Apuntó algunas cualidades de la nueva computadora.*

— ponerse en una lista: *apuntarse.*

7. Principiar algo o empezar a destacar.

— *A las 5 a.m. apenas apunta la aurora.*

apuntillar Apresurar la muerte del toro en una corrida con una puntilla y, por extensión, dar por terminado algo. ☞ **toreo, fiesta brava.**

— puñal corto usado para rematar reses: *puntilla.*

— dar por terminado algo: *dar la puntilla.*

apuñalar Herir o matar con un puñal a alguien. ☞ **matar, herir.**

— arma de acero afilada y con punta: *puñal.*

— golpe o herida con puñal: *puñalada.*

— traicionar a alguien: *apuñalar por la espalda.*

apurar 1. Apresurar algo o urgir a alguien. ☞ **prisa, apresurar.** ❖ RETARDAR, DEMORAR.

— *Para llegar a tiempo, sería mejor apurarnos.*

— rápidamente: *apuradamente.*

— estar con prisa: *estar apurado.*

2. Agotar o terminar algo. ☞ **finalizar.** ❖ PRINCIPIAR.

— *Es mejor apurar el trago.*

3. Afligir, preocupar.

— *Me apura lo que piensen los demás.*

— preocuparse demasiado: *apurarse, estar apurado.*

— aflicción, preocupación: *apuración.*

— situación difícil o preocupante: *apuro.*

— en situación difícil: *en un apuro, en apuros.*

— que se preocupa demasiado: *apurón, preocupón.*

aquejar Padecer alguna enfermedad o causar daño a alguien una enfermedad, vicio o defecto. ☞ **enfermedad, padecer.**

— que sufre una enfermedad: *aquejado.*

aquel, lla, llas, llos 1. Que está lejos en el espacio o en el tiempo con respecto al que habla o al que escucha. ❖ ESTE, ESTA, ESTOS, ESTAS.

— *Fue difícil la vida en aquel tiempo.*

2. Apunta a uno o a varios elementos de un conjunto.

— *Aquel hombre es más alto que los otros.*

aquél, lla, llo, llas, llos 1. Lo que está lejos o fuera del alcance del que habla y del que escucha. ❖ ÉSTE, ÉSTA, ESTO, ÉSTAS, ÉSTOS.

— *Aquélla era de una pureza excepcional.*

2. Lo que se menciona primero, tratándose de dos cosas ya nombradas.

— *Entre el día y la noche, aquél me parece más productivo.*

3. Lo sobreentendido o lo que no se quiere nombrar.

— *¿Dónde estará aquél y cómo vivirá?*

4. Uno o varios elementos de un conjunto.

— *Entre sus recuerdos, estaban aquéllos que la trastornaban.*

aquelarre Reunión, habitualmente nocturna, en que se dan cita las brujas.

— *Goya tiene grabados de aquelarres.*

aquerenciado, -da Que siente afecto por un lugar, tratándose de un animal y, por extensión, que siente afecto por alguien una persona.

aquí En este preciso lugar, ahora o en este momento. ❖ ALLÍ.

— muy cerca de este lugar: *aquí mismo.*

— desde este punto: *de aquí a...*

— en muchos lados: *aquí y allí.*

— final: *hasta aquí.*

aquiescencia Autorización, permiso, aprobación o consentimiento. ☞ **anuencia.**

— que permite o aprueba algo: *aquiescente.*

aquietar Tranquilizar o serenar. ☞ **sosegar, apaciguar.** ❖ INQUIETAR.

— apaciguarse: *aquietarse.*

— acción y resultado de tranquilizar o tranquilizarse: *aquietamiento.*

aquilatar 1. Reconocer y apreciar el valor o mérito de algo o de alguien. ☞ **valor, valorar.**

— *Hay que aquilatar tanto su bondad como su belleza.*

2. Determinar los quilates del oro, de las perlas o piedras preciosas.

— *El joyero aquilató el brillante de la actriz.*

— unidad de medida de la proporción de oro en una aleación o unidad de medida del peso de las piedras preciosas: *quilate, kilate.*

aquilino De perfil aguileño o nariz aguileña.

ara Altar donde se ofrecían sacrificios o piedra consagrada sobre la cual extiende el sacerdote católico los corporales para celebrar la misa.

arabesco, -ca 1. Que pertenece a la cultura árabe. ☞ **árabe.**

— *Las alfombras mágicas no pueden negar su origen arabesco.*

2. Ornamento o motivo decorativo basado en el uso casi exclusivo de formas geométricas, que fue el estilo característico del arte árabe. ☞ **pintura, escultura.**

— *Los edificios de la Alhambra tienen bellos arabescos en las paredes.*

3. Línea utilizada de manera voluble como complemento o base de obras artísticas, principalmente de pintura. ☞ **pintura, escultura.**

— *Los arabescos le dieron un carácter móvil a esa pintura.*

arancel Cantidad, tarifa o catálogo oficial de los derechos o impuestos que se deben pagar por la adquisición o uso de ciertas cosas. ☞ **impuesto.**

— relativo a tarifas de impuestos o aranceles: *arancelario.*

araña (vea ilustración). Insecto de cuatro pares de patas y abdomen abultado que segrega un hilo con que teje su nido.

— *Los rincones de esa casa abandonada están llenos de telas de araña.*

— lámpara colgante de varios brazos: *araña.*

arañar Rasgar o raspar con las uñas. ☞ **rasguñar.**

— herida leve hecha con las uñas: *arañazo, arañada, araño, arañón.*

— hacer grandes esfuerzos por obtener dinero: *arañar el petate.*

arar Hacer surcos en la tierra con arado. ☞ **labrar, hacer surcos.**

— instrumento de labranza que hace surcos en la tierra y que puede ser jalado por personas, animales o tractores: *arado.*

— que hace surcos en la tierra: *arador.*

— resultado de haber hecho surcos en la tierra: *aradura.*

— partes del arado: *reja, hierro, palo, timón, mancera, esteva, telera, cama, dental, clavijero, cuchilla, talón, vertedera, orejera, calce, apuntadura, enrejada, yugo, cincha, vara de tiro, gancho, bastidor, grada, puente, antetrén, cadenas de tiro, rueda de surco, rueda del macizo.*

arbitrar Mediar en una contienda teóri-

ca o deportiva siguiendo preceptos o leyes. ☞ **dirimir, dictaminar.**

— facultad de alguien para elegir con libertad soluciones a su vida: *arbitrio.*

— a merced de: *al arbitrio de.*

— dictamen o decisión: *arbitraje.*

— intermediario objetivo respecto a la discusión de por lo menos dos partes: *árbitro, juez.*

— persona que cuida de la aplicación del reglamento en diferentes deportes: *árbitro, juez, réferi, ampáyer.*

arbitrario, -ria Que depende de la voluntad, gusto o conveniencia de alguien. ☞ **injusticia, ilegal.**

— atropello, injusticia, abuso de confianza: *arbitrariedad.*

— acción y resultado de ser convencional: *arbitrariedad.*

árbol (vea ilustración de la p. 51). 1. Planta de tronco leñoso que se ramifica a cierta altura del suelo.

— partes del árbol: *raíz, tronco o fuste, ramas, hojas, copa o cima.*

— clasificación de los árboles por sus hojas: *gimnospermo o de hojas perennes,* y *angiospermo o de hojas caducas.*

— clasificación de los árboles por su aprovechamiento: *forestal, maderable, frutal, ornamental, medicinal.*

— planta de tallos leñosos que se ramifica desde el suelo: *arbusto.*

— conjunto de árboles: *arbolado.*

— que tiene árboles un lugar: *arbolado.*

— lugar con árboles: *arboleda.*

— plantar árboles: *arbolar.*

— que tiene forma de árbol o parece árbol: *arbóreo, arborescente.*

— cultivo de los árboles o estudio de la forma de cultivarlos: *arboricultura.*

— persona que se dedica a la arboricultura: *arboricultor.*

— palo, mástil y otros elementos exteriores de una embarcación: *arboladura.*

— cuadro de las relaciones de parentesco entre las distintas generaciones de una misma familia: *árbol genealógico.*

— pieza artesanal mexicana que representa una versión muy original del paraíso terrenal, situando a Adán y Eva, al Creador y a la serpiente en medio de una profusa decoración: *árbol de la vida.*

— árbol que, según la tradición cristiana, Dios puso en el paraíso con la virtud de prolongar la existencia: *árbol de la vida.*

— árbol que, según la tradición cristiana, Dios puso a los hombres para probar su obediencia: *árbol de la ciencia del bien y del mal.*

— expresión que indica que en buena situación se obtienen beneficios: *el que a buen árbol se arrima, buena sombra le cobija.*

— expresión que indica que de la desgracia de alguien otros se aprovechan para su propio beneficio: *del árbol caído todos hacen leña.*

2. Eje o barra que recibe o transmite un movimiento de rotación.

— *Tiene un árbol de levas.*

arbotante 1. Arco cuyos arranques están a distinta altura uno del otro, el inferior se apoya en un botarel y el superior contrarresta el empuje de otro arco o de alguna bóveda.

— *Los arbotantes contrarrestan el peso de la bóveda.*

2. Poste de alumbrado público.

— *Las avenidas grandes tienen arbotantes de alta capacidad lumínica.*

arca Objeto con forma de caja rectangular, generalmente de madera, que sirve para guardar cosas. ☞ **baúl, cofre.**

— embarcación en la que se salvaron del diluvio Noé, su familia y una pareja de cada especie animal, según la tradición cristiana: *arca de Noé.*

— con opulencia: *en arca llena.*

— con escasez: *en arca vacía.*

arcaico, -ca Que es antiguo, viejo o anticuado. ☞ **antiguo, remoto.** ❖ RECIENTE, MODERNO.

— palabra o frase anticuada: *arcaísmo.*

arcángel Ángel que ocupa el octavo lu-

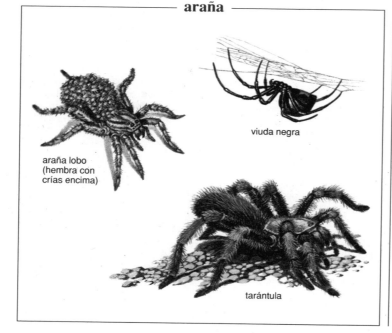

araña

araña lobo
(hembra con
crías encima)

viuda negra

tarántula

gar en la jerarquía de coros celestiales.
— arcángeles reconocidos por cristianos y judíos: *Gabriel, Miguel y Rafael*.
— arcángeles del Islam: *Gabriel, Miguel, Asrael e Israfil*.

arcano, -na Que es misteriosa, secreta una cosa. ☞ **recóndito, secreto.** ❖ PATENTE.
— secreto muy reservado o misterio oculto: *el arcano*.
— práctica de los primeros cristianos

de ocultar algunas enseñanzas y ritos de su religión: *disciplina del arcano*.

arcilla Sustancia mineral que mezclada con agua forma una pasta que se usa en cerámica y en la industria de la construcción. ☞ **greda, cerámica.**

árboles

Los humanos siempre han visto a los árboles como símbolos que reafirman su permanencia en un mundo de cambios apresurados. Los primeros árboles aparecieron hace más de trescientos millones de años.

castaño

acacia

manzano silvestre

haya europea

abedul blanco

— parecido a la arcilla o que tiene arcilla: *arcilloso.*

arcipreste Sacerdote o presbítero de una iglesia catedral. ☞ **monasterio, monje.**

arco 1. (vea ilustración). Parte de una curva.

— *Hay que medir el arco de la elipse.*

— monumento construido en forma de arco, que conmemoraba una victoria o a algún personaje famoso: *arco de triunfo, arco triunfal.*

— descarga luminosa de una corriente eléctrica de gran intensidad y poco voltaje entre dos electrodos: *arco voltaico.*

— mecanismo por el cual un músculo reacciona por influjo nervioso a un estímulo sensorial exterior: *arco reflejo.*

— conjunto de arcos, especialmente el de fábricas y puentes: *arcada.*

— levantar el cuerpo poniéndolo en forma de arco: *arquearse.*

— movimiento estomacal previo al vómito: *arcada.*

2. Arma de acero, madera o plástico que sirve para arrojar flechas.

— *En la Edad Media las armas más usadas eran la espada, el arco y la ballesta.*

— persona que utiliza arco y flechas: *arquero.*

3. Utensilio que sirve para tocar el violín y otros instrumentos de cuerdas.

— *El violín se toca con arco.*

arco iris (vea ilustración de la p. 53). Banda de colores en forma de arco, que aparece en la atmósfera como resultado de la descomposición de la luz solar en las gotas de lluvia y que presenta los colores del espectro lumínico.

arconte Título de algunos magistrados que gobernaron Atenas.

— forma de gobierno que sustituyó a la monarquía en Atenas: *arcontado.*

archi Radical que se antepone a sustantivos, significando más que, o a adjetivos, con los que significa muy.

— multimillonario: *archimillonario.*

— título de nobleza superior al de duque: *archiduque.*

archimandrita Dignidad eclesiástica subordinada al obispo en la iglesia ortodoxa griega.

archipiélago Conjunto o grupo de islas. ☞ **isla.**

archivo 1. Reunión de documentos de materia diversa. ☞ **registro.**

— *Los presidentes suelen tener archivos personales.*

— guardar documentos o dar por concluido un asunto: *archivar.*

— mueble donde se guardan documentos: *archivero, archivador.*

— persona que se hace cargo de los archivos: *archivista.*

— disciplina que estudia la organización y preservación de los archivos:

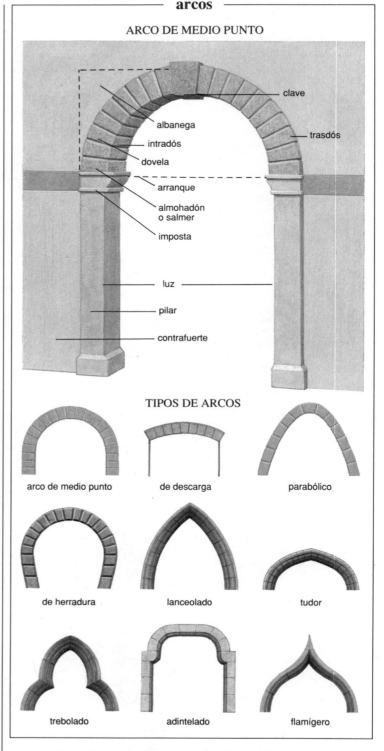

arcos

ARCO DE MEDIO PUNTO

clave
albanega
intradós
dovela
trasdós
arranque
almohadón o salmer
imposta
luz
pilar
contrafuerte

TIPOS DE ARCOS

arco de medio punto

de descarga

parabólico

de herradura

lanceolado

tudor

trebolado

adintelado

flamígero

arco iris

El arco iris se presenta en los días en que las gotas de la lluvia alternan con los rayos solares. En ocasiones se produce una doble banda, como en este ejemplo. Cuando se trata de una sola franja, el rojo está siempre en la parte superior. En el segundo caso, el orden de los colores se invierte.

archivología.

— fotografías antiguas y películas de registro documental que pueden insertarse en otros filmes: *material de archivo.*

2. Lugar público o privado donde se guardan documentos.

— *El Palacio de Lecumberri aloja al Archivo General de la Nación.*

3. Serie de documentos que, formando una unidad, se encuentran en la memoria de una computadora o en un *diskette.*

— *En mi computadora tengo más de nueve archivos.*

arder 1. Estar alguna cosa encendida con fuego y consumiéndose, o estar consumiéndose algún material como la cera, la resina, el alcohol, la madera, etc. ☞ **quemar, fuego.** ❖ APAGAR.

— *Los leños arden en la chimenea.*

— que quema o abrasa: *ardiente.*

— calor intenso: *ardor.*

2. Producir alguna parte del cuerpo una sensación molesta, irritante y de calor intenso.

— *Me arden los ojos por la contaminación.*

— sensación molesta, irritante y de calor intenso en una parte del cuerpo: *ardor.*

3. Experimentar una emoción profunda por algo o alguien. ☞ **pasión.**

— *Ardo en deseos de conocerlo.*

— que siente intensamente una pasión: *ardiente, ardoroso.*

— afán, ánimo, empeño: *ardor.*

— estar en gran agitación, tensión, furor o en un punto álgido: *estar que arde, arder Troya.*

— enojado, molesto: *ardido.*

— expresión que indica que debe uno

ajustarse a lo que hay: *no hay más cera que la que arde.*

ardid Treta o artimaña para lograr determinado fin o sacar partido de algo. ☞ **estratagema, maña.**

ardilla voladora Variedad de roedor de origen americano. ☞ **asapán, chimpatlán.**

ardite Cosa sin valor o de poco valor, insignificancia, bledo. ☞ **ápice.**

arduo, -a Que se realiza con mucha dificultad. ☞ **difícil.**

— con mucho esfuerzo, con gran dificultad: *arduamente.*

área 1. Superficie limitada de algún terreno o disciplina.

— *El área de mercadotecnia es muy importante para la compañía.*

— zona con vegetación ubicada en una ciudad o en sus alrededores: *áreas verdes.*

2. Unidad de superficie que equivale a 100 m^2.

— *Tiene un terreno de 10 áreas.*

3. Superficie comprendida dentro de un perímetro.

— *La fórmula del área de un rectángulo es igual a base por altura.*

arena 1. Conjunto de partículas de naturaleza harinosa que provienen de la descomposición de diversos minerales.

— *Los mares tienen playas llenas de arena.*

— terreno extenso cubierto de arena: *arenal.*

— cubrir o llenar de arena una cosa o persona: *enarenar.*

— tratamiento de enfermedades con baños de arena: *arenación.*

— arena fina y suave de hierro magnético: *arenilla.*

— lo que contiene algo de arena: *arenisco.*

— que tiene mucha arena: *arenoso.*

— zonas de arena cuya falta de consistencia les permite desplazarse con ayuda del viento en el desierto o a la orilla del mar: *arenas movedizas.*

— terrenos de arena húmeda inseguros y difíciles en los que se hunden y desaparecen personas, animales y cosas: *arenas movedizas.*

— montículos de arena que se acumulan en los desiertos o en las costas: *dunas.*

— promontorios de arena que se encuentran en el mar: *médanos.*

— islotes de arena: *secanos.*

— acumulación de arena y otros elementos en mares, ríos y lagos, que dificultan la navegación: *bancos de arena.*

— banco de arena en el fondo del mar: *sirte.*

— aparato que mide el tiempo por el desplazamiento de granos de arena en un recipiente de cristal: *reloj de arena.*

— recipiente donde se puede guardar arena: *cubo, cubeta, balde.*

— instrumento con el que se puede recoger arena: *pala.*

— ayudar, auxiliar: *poner su granito de arena.*

— expresión que indica que alguien realiza una acción negativa equivalente a algunas semejantes efectuadas por otra persona: *una de cal por las que van de arena.*

2. Lugar donde se realizaban los combates de los gladiadores y lugar donde actualmente se lleva a cabo la lucha libre o las corridas de toros.

— *En las arenas, la asistencia suele ser masiva.*

arenga Discurso generalmente solemne y de tono elevado, con el que se suelen encender los ánimos para realizar una acción o celebrarla. ☞ **discurso, alocución.**

— dirigir al público un discurso celebratorio: *arengar.*

areola 1. Área rojiza que se ubica alrededor de una herida o pústula. ☞ **herida.**

— *La vacuna le dejó una areola aparatosa.*

2. Círculo que rodea al pezón. ☞ **seno.**

— *Los pechos de algunos mamíferos tienen areolas.*

areópago Tribunal supremo antiguo de Atenas.

— miembro del areópago: *areopagita.*

arete Adorno que se usa en la oreja. ☞ **aro, pendiente, zarcillo.**

argamasa Mezcla de cal, arena y agua que se usa en la albañilería. ☞ **construcción.**

argentado, -da Que es semejante a la plata, que está bañado en plata. ☞ **plata, plateado.**

— bañar en plata: *argentar.*

— orfebre de la plata: *platero, argentario, argentero.*

— que contiene plata o una mezcla de plata: *argentífero, argentoso.*

— que es brillante y nítido como la plata: *argentino.*

— que es claro, sonoro y bien timbrado, tratándose de un instrumento musical o la voz: *argentino.*

argolla Tipo de aro grueso, que sirve para fijar objetos. ☞ **aro.**

— anillo de casamiento: *argolla.*

argonauta Cada uno de los héroes griegos que rescataron el vellocino de oro.

argot Modo peculiar de hablar de un sector social o de una profesión u oficio. ☞ **jerga, slang, caló.**

argucia Sutileza del lenguaje mediante la cual podemos hacer pasar un argumento falso por verdadero, tergiversación o treta. ☞ **sutil, sutileza.**

argüende Situación en que priva el chismorreo, la algarabía y la fiesta. ☞ **relajo, escándalo.**

— chismear, chismorrear: *argüendear, hacer argüende.*

— divertirse, echar relajo: *argüendear.*

— no exageres: *no hagas tanto argüende.*

— chismoso, mitómano: *argüendero.*

— que le gusta disfrutar de las fiestas y divertirse: *argüendero.*

argüir 1. Sacar una conclusión a partir de otra en una argumentación, revelar o sacar en claro. ☞ **argumentar.**

— *Arguyó auxiliado por el principio de no contradicción.*

2. Alegar en contra de la opinión de otro. ☞ **alegar, disputar, discrepar.** ❖ COINCIDIR.

— *Le gusta argüir con sus compañeros sobre partidos de futbol.*

argumentar Probar por medio de una serie de razonamientos alguna afirmación. ☞ **argüir, aducir, fundamentar.**

— conjunto de razonamientos por los cuales puede convencerse a alguien de determinada idea o tesis: *argumentación.*

— razonamiento que se da en defensa de una idea, opinión o propuesta: *argumento.*

— propio del argumento o de la argumentación: *argumentativo.*

— conjunto de los hechos de una novela, historia, película, obra de teatro, etc. o trama: *argumento.*

— autor de argumentos cinematográficos: *argumentista.*

— aficionado a discutir: *argumentador, argumentista.*

aria Partitura musical que ejecuta una sola voz. ☞ **música, solista.**

árido, -da 1. Sin vida, estéril. ☞ **yermo.** ❖ FÉRTIL.

— *En los parajes áridos los cultivos son inútiles.*

2. Aburrido, pesado. ☞ **tedio.** ❖ AMENO, INTERESANTE.

— *Es una materia muy árida.*

arisco, -ca Que tiene una conducta de difícil trato con los demás, que es intratable. ☞ **huraño, brusco.** ❖ CORDIAL, DÓCIL, SOCIABLE.

arista Intersección de dos planos o filo de dos superficies encontradas. ☞ **ángulo, borde.**

aristocracia 1. Clase social formada por las personas que pertenecen a la nobleza y forma de gobierno en que el poder lo tiene esta clase. ☞ **oligarquía.** ❖ PLEBE.

— *La aristocracia griega fue un régimen de transición entre la monarquía y la tiranía.*

— que pertenece a la nobleza: *aristócrata, noble.*

2. Cualquier grupo pequeño que sobresale por alguna circunstancia. ☞ **élite.**

— *Existe una aristocracia del poder.*

— fino, distinguido: *aristocrático.*

aritmética Parte fundamental de las matemáticas que estudia las propiedades y relaciones de los números reales y

las operaciones que con ellos se hacen. ☞ **matemáticas, número.**

— operaciones de la aritmética: *suma, resta, multiplicación, división, elevación a potencias y extracción de raíces.*

— parte de la unidad central de tratamiento de un ordenador en la cual se efectúan las operaciones aritméticas: *unidad aritmética.*

— conjunto de números cuya progresión se forma de la suma de la misma cifra: *progresión aritmética.*

— resultado de dividir la suma de varias cantidades entre el número de ellas: *media aritmética.*

— persona que se dedica a la aritmética: *aritmético.*

— por progresión aritmética: *aritméticamente.*

— instrumento por el cual se pueden ejecutar mecánicamente las principales operaciones de la aritmética: *calculadora.*

arlequín 1. Personaje de la comedia y la pantomima que lleva gorro de tela blanca, máscara o antifaz negro en el rostro, ropa con dibujos de rombos de muchos colores y una especie de espada de madera. ☞ **payaso, cómico, bufón.**

— *En España a los arlequines se les conoce como polichinelas.*

— personajes de la Comedia del Arte italiana de donde proviene el arlequín: *pierrot, polichinela, colombina o arlequina, coralina, esmeraldina.*

— aspaviento o gesto ridículo, como el del arlequín: *arlequinada.*

— que se viste con rombos de colores: *arlequinado.*

2. Persona un poco farsante y ridícula.

— *Es un arlequín.*

arma Instrumento que se usa para atacar o defender algo o a alguien, o para herir y matar. ☞ **defender, ataque, artillería.**

— la que tiene filo y es de metal: *arma blanca.*

— la que dispara un proyectil mediante una explosión: *arma de fuego.*

— la que utiliza energía nuclear: *arma nuclear.*

— la que ha servido para matar a alguien: *arma homicida.*

— clasificación de las armas blancas por su modo de utilización: *contundentes, arrojadizas, arrojadoras, de corte, de asta.*

— arma contundente: *hacha, palo, macana, cachiporra, martillo, maza, mazo.*

— arma arrojadiza: *piedra, bumerang,*

boleadora, cerbatana, flecha, saeta, dardo, venablo, arpón.

— arma arrojadora: *honda, arco, ballesta, catapulta, cerbatana.*

— arma blanca de corte: *espada, puñal, sable, mandoble, espadón, florete, machete, cimitarra, daga, cuchillo, estilete, puntilla, navaja.*

— arma de asta: *lanza, alabarda, pica, jabalina, guadaña, tridente, bidente, horquilla, espetón.*

— clasificación de las armas de fuego: *cortas, largas, de artillería, de proyectil.*

— arma corta: *pistola, revólver, pistolete, metralleta.*

— arma larga: *rifle, carabina, fusil, mosquetón, escopeta, máuser, mosquete, arcabuz, ametralladora ligera o transportable, ametralladora pesada o de trípode.*

— arma de artillería: *cañón, mortero, obús, bombarda, basilisco, falconete, culebrina.*

— arma de proyectil: *torpedo, cohete, proyectil teledirigido, proyectil atómico, misil.*

— proyectil: *bala, munición, granada, perdigón, cartucho, bomba, bomba atómica.*

— armas prehispánicas de América: *macuáhuitl (macana), mitl (varas endurecidas al fuego), atlátl (lanzadardos), cerbatana, honda.*

— persona que utiliza armas: *arquero, saetero, ballestero, espadachín, esgrimista o esgrimidor, lancero, piquero, alabardero, pistolero, riflero, carabinero, fusilero, mosquetero, escopetero, arcabucero, bombardero, granadero, torpedista.*

— conjunto de armas y estrategia militar de un país: *armamento.*

— persona que fabrica, vende o compone armas: *armero.*

— tienda donde se venden armas: *armería.*

— inducir a la acción violenta: *poner en armas.*

— generar una rebelión: *alzarse en armas.*

— declararse derrotado: *rendir las armas.*

— fusilar a alguien: *pasar por las armas.*

— relacionarse un hombre sexualmente con una mujer: *pasarla por las armas.*

— crear problemas: *armar un lío.*

— ser capaz de hacer cualquier cosa: *ser de armas tomar.*

— recurso o argumento que alguien tiene o da para atacar o defender algo o a alguien: *arma psicológica.*

— prepararse psicológicamente para algo: *armarse de valor, paciencia, coraje.*

armada Conjunto de naves marítimas militares de un país. ☞ **flota, escuadra, naval, marina.**

— persona que equipa embarcaciones: *armador.*

armadillo Variedad de mamífero desdentado, de origen americano, cubierto de un caparazón de laminillas óseas usado para hacer instrumentos musicales de cuerda.

armadura (vea ilustración de la p. 56). Conjunto de piezas de hierro con las que se cubrían los guerreros europeos y asiáticos antiguos y los caballos y caballeros andantes para proteger el cuerpo en las batallas.

armario Mueble que sirve para guardar objetos diversos, principalmente ropa. ☞ **ropero, closet.**

armatoste Objeto grande incómodo y aparatoso que estorba. ☞ **mueble.**

armazón Estructura sobre la que se arma algo o se sostiene. ☞ **esqueleto, armadura.**

armella Especie de aro que puede fijarse a algo rígido o sólido. ☞ **aro.**

armonía 1. Estado de equilibrio y proporción entre las partes de un todo. ☞ **simetría.** ❖ DESARMONÍA, DESPROPORCIÓN.

— *La armonía de las casas de esta colonia llama la atención de los transeúntes.*

— hacer un conjunto bello: *armonizar.*

— que es proporcionado y equilibrado: *armonioso, armónico.*

2. Relación cordial y equilibrada entre los integrantes de un grupo o entre dos cosas o personas. ☞ **paz, cordialidad, avenencia.** ❖ DESARMONÍA, DISCORDIA.

— *Prefiere la armonía a los pleitos.*

— estado de tranquilidad y calma de los sujetos: *armonía interna o armonía interior.*

— relacionar cordialmente personas entre sí: *armonizar.*

— susceptible de equilibrarse: *armonizable.*

3. Sonido simultáneo de tres o más tonos musicales combinados en un acorde. ☞ **concordancia** ❖ DISONANCIA.

— figura musical de tres o más notas armoniosas y rítmicas: *acorde.*

— que suena agradablemente: *armónico.*

— instrumento musical de viento: *armónica.*

— órgano pequeño: *armonio.*

4. Parte de la teoría y del arte musical que estudia el encadenamiento o estructura de los acordes en una composición.

— *Llevamos armonía como materia de estudio en el Conservatorio.*

arnés 1. Conjunto de armas de acero de carácter defensivo que se vestían, aseguradas con hebillas y correas.

— *Los caballeros del siglo XVII usaban arnés.*

2. Conjunto de arreos de cuero y metal que se les pone a las bestias para jalar el arado o el carro. ☞ **aparejar, arrear.**

— *Mi caballo tenía el arnés roto.*

aro Objeto, generalmente delgado, que forma una circunferencia. ☞ **anillo.**

— disciplinarse, alinearse: *entrar en el aro, entrar al aro.*

aroma Olor agradable. ☞ **perfume.** ❖ HEDOR, PESTE.

— que tiene olor agradable: *aromático.*

— perfumar una cosa o echarle fragancia: *aromatizar.*

— que perfuma algo: *aromatizante.*

— objeto perfumado que se pone para que despida olor agradable en cualquier lugar cerrado: *aromatizador.*

arpar Arañar algo, rasguñar o hacer tiras o pedazos algo. ☞ **arañar.**

arpegio Ejecución sucesiva de las notas de un acorde con fines expresivos u ornamentales. ☞ **música.**

arpía 1. Animal fantástico de la mitología griega con cuerpo de ave de rapiña y rostro de mujer.

— *Las arpías aparecen en los bestiarios medievales.*

2. Persona codiciosa y mezquina o mujer malvada.

— *Ésa es una arpía, por eso no tiene amigos.*

arpón Instrumento en forma de varilla con garfios en la punta que sirve para atrapar peces de gran tamaño. ☞ **pesca.**

— herir o pescar con arpón: *arponear, arponar.*

— persona que pesca con arpón o persona que los fabrica: *arponero.*

arquear Dar a algo figura de arco.

— hacer que el cuerpo de uno parezca arco: *arquearse.*

— que tiene forma de arco: *arqueado.*

— movimiento estomacal previo al vómito: *arqueada.*

— cada golpe o movimiento del arco sobre las cuerdas de los instrumentos musicales: *arqueada.*

arqueología (vea recuadro de la p. 57). Ciencia histórica que estudia las civilizaciones antiguas a través de sus monumentos, esqueletos, cerámica y de los demás restos que de ellas se conserven.

— que pertenece al estudio de las civilizaciones del pasado: *arqueológico*.

— persona que tiene como profesión la arqueología: *arqueólogo*.

— grandes zonas arqueológicas del pasado prehispánico: *Chichén Itzá, Uxmal, Cobá, Tulúm, Edzna, Sayil, Labná, Kohunlich, Xpuhil, Becan, Chicabná, Yaxchilán, Toniná, Izapa, Tajín, Monte Albán, Mitla, La Venta, Palenque, Bonampak, Cacaxtla, Cholula, Cuicuilco, Teotihuacan, Tula, Tenayuca, Xochicalco, Tenochtitlan, Malinalco, Teotenango, Tzintzuntzan, La Quemada, Casas Grandes.*

arquetipo 1. Modelo original o ideal. ☞ **modelo, ejemplo.**

— *Es difícil competir con cualquier arquetipo.*

2. Tipos supremo o modelo ideal de las cosas. ☞ **filosofía, platonismo, inconsciente, patrón conductual, imagen primordial dominante o mitológica.**

— para Platón, forma abstracta, pura e incambiable que sirve de fundamento a la existencia de la realidad sensible.

— *Existe en el mundo de las formas el arquetipo de la belleza del cual nos servimos para juzgar las bellezas mundanas.*

— para Carl Jung elemento que forma el inconsciente colectivo heredado —presente en los mitos, cuentos y todas las producciones imaginarias del sujeto— y que ha pertenecido por mucho tiempo al género humano.

— *El arquetipo junguiano forma el núcleo de los sistemas parciales autónomos independientes de la conciencia.*

— principales arquetipos: *ánima, animus, sombra.*

— parte masculina de la personalidad femenina: *animus.*

— parte femenina de la personalidad masculina: *ánima.*

armadura

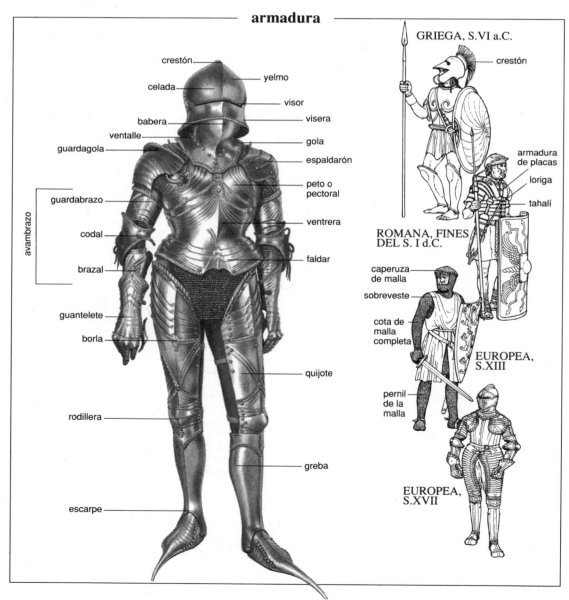

crestón, celada, babera, ventalle, guardagola, guardabrazo, codal, brazal, avambrazo, guantelete, borla, rodillera, escarpe, yelmo, visor, visera, gola, espaldarón, peto o pectoral, ventrera, faldar, quijote, greba

GRIEGA, S.VI a.C. — crestón

armadura de placas, loriga, tahalí

ROMANA, FINES DEL S. I d.C.

caperuza de malla, sobreveste, cota de malla completa, pernil de la malla

EUROPEA, S.XIII

EUROPEA, S.XVII

ARQUEOLOGÍA

PERIODOS (en orden cronológico)

1. eolítico Relativo al conjunto de **eolitos,** que eran piedras anteriores a la época cuaternaria, alteradas por las fuerzas naturales, que podrían hacer suponer un trabajo humano.

paleolítico Primer periodo de la Edad de Piedra, se caracteriza por el tallado. Empezó hace tres millones de años y terminó hace diez mil años. En su última fase aparece el *homo sapiens*.

mesolítico Periodo caracterizado por el inicio de la economía productiva que empezó diez mil años a. C. y terminó seis mil años a. C.

neolítico Periodo de la era cuaternaria, que va de seis mil a dos mil quinientos años a. C. donde el hombre pule la piedra y empieza a construir ciudades lacustres.

2. preclásico Periodo de surgimiento y primer desarrollo de las culturas mesoamericanas.

clásico Época de esplendor y apogeo de las culturas mesoamericanas.

posclásico Fase de decadencia y desaparición de las culturas mesoamericanas.

MÉTODOS DE ANÁLISIS ARQUEOLÓGICOS

carbono 14 Método para determinar la antigüedad de restos orgánicos por medio de la cantidad de carbono 14 presente en ellos.

dendrocronología Método para ubicar la antigüedad de los bosques y los climas por el estudio de las variaciones concéntricas anuales que aparecen en las secciones transversales de los troncos de los árboles.

epigrafía Ciencia que estudia las inscripciones que aparecen en la materia no perecedera como la piedra o el metal.

estatigrafía Determinación de la edad relativa de los objetos al establecer los estratos donde yacen, suponiendo que el estrato más profundo es el más antiguo.

paleontología Estudio de los fósiles y de las formas de vida antigua, que se divide en las siguientes eras geológicas:

silúrico (trilobites y nautilus).

devónico (pterigotos y pólipos).

carbonífero (pcopteris).

jurásico (plesiosaurios, iguanodontes, estegosauros).

cretáceo (belemitas e ictiomis).

eoceno (ceritos gigantes).

oligoceno (cráneos de pterodonte).

mioceno (cráneos de dinoterio y miembros de hiparión).

pleistoceno (oso de las cavernas, megaterios y cráneos de hombre).

TIPOS DE CONSTRUCCIÓN

centro ceremonial Conjunto de edificios construidos para el culto a partir de ciertas determinaciones astronómicas en el mundo prehispánico.

estela Pilar o bloque erecto que se encuentra labrado o posee alguna inscripción.

pirámide Gran construcción de base cuadrangular con cuatro caras triangulares que terminan en punta y que servía como templo en el México prehispánico.

tumba Fosa, sepulcro o enterramiento. Los modos de sepultura reflejan a la sociedad que los utiliza.

TIPOS DE OBJETOS HALLADOS EN LAS ZONAS ARQUEOLÓGICAS

armas Generalmente cuchillos de obsidiana, piedras punzocortantes, flechas, lanzas, hachas.

cerámica Vasijas monocromáticas y policromas de barro y arcilla con distintas formas de organismos animales y vegetales.

figurillas Estatuillas de barro o piedra de distintas proporciones y que representan objetos, personas y animales.

fósiles Fragmentos de animales o plantas petrificados.

instrumentos musicales Chirimías, sonajas, teponaztles, tambores, caracoles, ocarinas, cascabeles, raspadores de hueso, discos metálicos, timbales, arcos.

joyas Collares, pectorales, orejeras, narigueras, anillos, pulseras, prendedores de jadeita, piedra, concha, nácar, oro, plata, coral, obsidiana, granate.

máscara Forma estilizada de rostro, cuerpo humano o animal que cumple con una función ritual o ceremonial, habitualmente de oro, plata y piedras preciosas, perto también de barro y piedra.

urnas Recipientes de distintos tamaños que servían para enterrar muertos o cenizas.

— instintos animales del hombre: *sombra*.

arquitectura (vea recuadro de la p. 58). Arte y técnica de proyectar, construir y adornar edificios, monumentos, etc., siguiendo reglas determinadas. ☞ **albañil, ingeniería, construir.**

— persona que tiene como profesión la arquitectura: *arquitecto*.

— relativo a la arquitectura: *arquitectónico*.

— mesa de trabajo del arquitecto: *restirador*.

— representación gráfica de una superficie: *plano*.

— tamaño o proporción en que se desarrolla un plano o idea: *escala*.

— bosquejo o dibujo que representa algo con poco detalle: *diseño*.

— representación a escala, sobre un plano, de cualquier edificio: *plano de construcción*.

— reproducción de un edificio, monumento o área en miniatura: *maqueta*.

— modalidad arquitectónica según la cual no hay que violentar el paisaje urbano o natural del lugar en que se va a construir algo: *arquitectura del paisaje*.

— arreglar una casa o edificio dándole aspecto de nuevo: *restaurar, renovar*.

— conjunto de elementos físicos que se utilizan para la construcción: *materiales de construcción*.

— esfuerzo producido por un elemento de construcción sobre otro: *empuje*.

— algunas acciones verbales relacionadas con la construcción: *edificar, erigir, levantar, proyectar, dibujar, bocetar, calcular, urbanizar, abovedar, techar, cimentar, tabicar, labrar, apuntalar, cimbrar, alzar, asentar, apear, triangular, zanjar*.

— algunos tipos de construcción: *casa, edificio, cabaña, chalet, palacio, iglesia, basílica, catedral, capilla, torre*.

— tipos de vivienda: *independiente, gemela, dúplex, tríplex, cuádruplex, tríplex gemelas, casa en hilera, casa de campo, edificio de departamentos, condominio, unidad habitacional, multifamiliar, condominio horizontal, vecindad, privada*.

— tipos de techo: *de vertiente simple, en pendiente, de cuatro aguas, de pabellón, de dos aguas, plano, de linternilla, de cuatro aguas con canalera, de arco conopial, abuhardillado, serrado, de rotonda, de cúpula, cónico, de torrecilla con faldones, de aguja, domo*.

ARQUITECTURA

PARTES DE UNA CONSTRUCCIÓN

ala Cuerpo que se extiende lateralmente a un edificio principal.

alero Parte de un edificio que sobresale de la pared.

arbotante Arco que contrarresta el empuje de otro arco o bóveda.

arcada Conjunto de arcos.

arco Superficie curva que cubre un vano entre dos pilares o puntos fijos.

atrio Espacio descubierto cercado de pórticos en la entrada de una casa o edificio.

balaustrada Conjunto de pequeñas columnas que forman los antepechos de balcones, escaleras, etc.

bóveda Obra arqueada que cubre a modo de techo el espacio comprendido entre dos muros o varios pilares.

caballete Cualquiera de los dos maderos unidos para formar el armazón de una construcción.

campanil Torre de un campanario.

cariátide Columna en forma de estatua de mujer con traje talar.

clave Piedra con que se cierra la bóveda o el arco de una construcción.

contrafuerte Estructura de ladrillo o piedra que refuerza a un muro.

crucero Travesaño en forma de cruz de piedra o de madera en el vano de una ventana.

cúpula Techo en forma esférica.

domo Tipo de cúpula.

embebido Hundido parcial en una pared.

espira Parte de la base de la columna que descansa sobre el plinto.

estilobato Plataforma que sustenta una columnata clásica.

exedra Banco de piedra.

fachada Frente principal de una construcción.

gablete Remate triangular de algunos edificios.

hornacina Hueco arqueado en una pared.

linterna Estructura en la parte más alta de un edificio que permite el paso de la luz a través de las aberturas laterales.

metopa Intervalo cuadrangular que se encuentra entre los triglifos de un friso.

ojiva Arcos cruzados angularmente.

pedestal Soporte aislado con base y cornisa

peristilo Galería de columnas aisladas que rodea un patio o un edificio.

pilar Columna aislada que sostiene un edificio.

pilastra Columna cuadrada incorporada a la estructura de un edificio.

plinto Base cuadrada de una columna que descansa directamente sobre el suelo.

porche Portal, cobertizo.

pórtico Galería con columnas situada delante de la puerta de una iglesia o edificio monumental.

propileo Vestíbulo de algún templo o palacio.

rodapié Parte inferior de una pared inferior.

sillería Mampostería de piedras alisadas y cuadradas.

terraza Elevación de terreno sustentada por un muro.

tímpano Espacio liso o bajo relieve que se encuentra rodeado de varios arcos o líneas.

vano Espacio entre ventanas o pilares.

viga Barra de cemento, hierro o madera, que se emplea en los edificios para sostener estructuras.

zócalo Base de un edificio o monumento.

ORNAMENTOS DE CONSTRUCCIÓN

estucado Yeso especial que se aplica en el exterior o en el interior de los muros de un edificio.

festón Adorno a manera de guirnalda de flores y frutas .

friso Línea pintada en la parte superior o inferior de algunas paredes.

gárgola Conducto elaborado en forma caprichosa para recoger el agua de la lluvia.

mascarón Escultura que representa una cara grotesca.

meandro Adorno sinuoso y complicado.

moldura Marco saliente en las construcciones.

ovo Adorno en forma de huevo.

remate Ornamento en la esquina de un gablete.

tracería Labrado ornamental en piedra.

triglifo Rectángulo saliente surcado por tres canales verticales que va de la parte inferior a la superior de una columna.

---

arrabal Colonia popular situada en las afueras de una ciudad, donde vive gente pobre.

— habitante de un suburbio o arrabal: *arrabalero*.

— mujer con modales y forma de hablar grosera: *arrabalera*.

arracada Tipo de arete en forma de aro. ☞ **zarcillo, aro, arete.**

arraigar 1. Echar raíces en algún lugar algo o alguien. ❖ DESARRAIGAR, ARRANCAR.

— *No todos los árboles arraigan en el mismo suelo.*

— tener bienes raíces: *tener arraigo*.

— persona bien relacionada y con dinero: *persona de arraigo*.

2. Hacerse algo firme y difícil de eliminar. ❖ DESARRAIGAR.

— *El amor se arraigó en ellos.*

arramblar Arrastrar con violencia todo lo que encuentra un río, arroyo o torrente desbordado y, por extensión, recoger y llevarse todo lo que hay en un lugar alguien. ☞ **río, desbordar.**

arrancar 1. Sacar o quitar de raíz algo, desprenderlo con violencia. ☞ **separar.** ❖ PLANTAR.

— *Arrancó de cuajo las raíces del árbol.*

— avulsión, extirpación: *arrancadura*.

2. Comenzar o iniciar algo, poner a funcionar algo o echarse a andar alguien. ☞ **principiar.** ❖ TERMINAR, FINALIZAR.

— *El martes arrancó el curso.*

— salida o partida violenta de un animal, persona o vehículo: *arrancada, arranque*.

— salida rápida, sonora y violenta de un vehículo, generalmente de un coche: *arrancón*.

— ocurrencia de alguien: *arranque*.

— frenesí o arrebato de alguien: *arranque*.

— de genio difícil y explosivo: *de arranque*.

— generar atracción física: *arrancar suspiros*.

arras Lo que se entrega como garantía de un acuerdo o contrato, y en especial las trece monedas que simbólicamente entrega el prometido a la desposada. ☞ **boda.**

arrasar 1. Destruir violentamente algo o devastarlo. ☞ **destruir.**

— *El ciclón arrasó la población del litoral.*

— devastación o destrucción: *arrasamiento*.

2. Aplanar, nivelar o volver llana una superficie.

— *Los peones arrasaron el camino para construir la carretera.*

arrastrar 1. Jalar algo o a alguien desplazándolo por el suelo. ☞ **remolcar.**
— *Arrastró la bolsa del mandado.*
2. Llevarse una cosa que está en movimiento a otra cosa o a alguien.
— *La corriente arrastró al buceador hasta la isla.*
— acción y resultado de jalar algo: *arrastre.*
— acción de retirar a un toro muerto en lidia de la arena: *arrastre.*
3. Impulsar a alguien a actuar de determinada forma u obligarlo a hacer cosas en contra de su voluntad.
— *Sus amigos lo arrastraron a la bebida.*
— que se humilla: *arrastrado.*
— tener carisma: *tener arrastre.*
4. Rozar algo el suelo por ser largo.
— *Te arrastra mucho el vestido de novia.*
— casi inservible: *para el arrastre.*
— estar excesivamente cansado: *estar para el arrastre.*

arrayán 1. Arbusto de la familia de las mirtáceas, aromático y de fruto comestible. ☞ **pinoché.**
— *Existen muchas variedades de arrayanes en América.*
2. Fruto del mismo arbusto y postre hecho con este fruto. ☞ **dulce.**
— *Estaban deliciosos los arrayanes que comimos.*

arrear Conducir a las bestias por medio de la voz de ¡arre! o espolearlas. ☞ **fustigar.**
— acción y resultado de arrear animales: *arreo.*
— animal manso al que se arrea constantemente: *animal de arreo.*
— utensilios con los que se realiza una actividad recreativa: *arreos.*
— conjunto de piezas que se pone a los caballos para montarlos o para que realicen el trabajo del campo y adornos que llevan: *arreos.*

arrebañar Recoger algo sin dejar nada o comer todo lo de un plato o vasija sin dejar ningún residuo. ☞ **rebañar.**

arrebatar 1. Quitar violentamente algo. ☞ **quitar.** ❖ DEVOLVER.
— *Le arrebataron la bolsa.*
— disputar varias personas un objeto para apropiárselo: *estar en arrebatiña, estar a la rebatiña, estar a la rebatinga.*
2. Atraer con una fuerza irresistible, cautivar o causar furor. ☞ **atraer, cautivar.** ❖ REPUGNAR.
— *Arrebató el corazón de esa mujer con su encanto.*
— que cautiva: *arrebatador.*
— éxtasis: *arrebato.*
— furor: *arrebatamiento, arrebato.*

— dejarse llevar por el furor o enfurecerse: *tener un arrebato, arrebatarse.*
— que es violento o impulsivo: *arrebatado.*

arrebol Color rojizo de las nubes durante la aurora o el crepúsculo y el de las mejillas de algunas personas. ☞ **rubor.**
— conjunto de nubes enrojecidas: *arrebolado.*
— enrojecer: *arrebolar.*

arrebujar Cubrir a alguien abrigándolo. ☞ **abrigar, tapar, acurrucar.** ❖ DESTAPAR, DESARREBUJAR.
— arroparse: *arrebujarse.*

arreciar Aumentar la intensidad de algo. ☞ **aumentar.** ❖ AMAINAR, DISMINUIR.

arrecife Banco compuesto por rocas, puntas de rocas y celentéreos que se forma en el mar. ☞ **escollo, atolón.**

arrecirse Sentirse entumecido por el frío. ☞ **aterir, entumecer.**

arrechucho Arrebato de amor o de cólera. ☞ **arrumaco.**

arredrar Asustar o causar miedo. ☞ **atemorizar.** ❖ ENVALENTONAR.
— sentirse intimidado o asustado: *arredrarse.*

arreglar 1. Poner en orden algo o hacer que alguien o algo se vea limpio y luzca bien. ☞ **ordenar, organizar, asear.** ❖ DESARREGLAR, DESORDENAR, DESACOMODAR.
— *Arregló la casa y al niño antes de que llegara su suegra.*
— acicalarse: *arreglarse.*
— ordenado y limpio: *arreglado.*
— manifestación del esmero en el aspecto físico de alguien: *arreglo personal.*
— ramo de flores lucidor: *arreglo floral.*
2. Poner en condiciones de servir o funcionar algo que estaba mal. ☞ **funcionar, componer.** ❖ DESCOMPONER.
— *Le arreglaron el refrigerador.*
— reparación: *arreglo.*
3. Resolver un asunto, pactar o acordar algo. ☞ **solucionar, ajustar.** ❖ DESAJUSTAR.
— *Ya arreglaron el asunto del fraude en la compañía.*
— llegar a un acuerdo dos o más personas: *arreglarse.*
— bastarse a sí mismo para lograr algo: *arreglárselas.*
— ponerse de acuerdo sobre asuntos pendientes dos o más personas: *arreglar cuentas, ajustar cuentas.*
— acuerdo o pacto: *arreglo.*
— adaptación de una composición musical para que sea interpretada de

modo diferente al original: *arreglo musical.*

arrejuntarse Vivir una pareja como matrimonio sin haberse casado. ☞ **amasiato, concubinato.**

arrellanarse Extenderse en un asiento lo más cómodamente posible. ☞ **apoltronarse.**

arremangar Subir o recoger hacia arriba la ropa, principalmente las mangas o los pantalones.

arremedar Imitar los ademanes, la forma de hablar y otras cosas de alguien o de un animal. ☞ **imitar, copiar.**

arremeter Atacar con mucho brío. ☞ **acometer.** ❖ HUIR, EVITAR.
— embestida: *acometida, arremetida, arremetimiento.*

arremolinarse Amontonarse en desorden las personas. ☞ **apiñar, aglomerar.**

arrempujar Presionar o empujar una cosa o persona para moverla o darles empujones. ☞ **rempujar, empujar.** ❖ SUJETAR, CONTENER.

arrendar Disfrutar del uso de un servicio o una cosa por medio de algún tipo de pago. ☞ **rentar, alquilar.**
— acción de arrendar: *arrendamiento, renta o alquiler.*
— que tiene en alquiler o que toma en renta: *arrendatario.*
— cantidad que se paga una vez o periódicamente por arrendar: *renta, alquiler.*

arreos Conjunto de piezas y adornos que se les pone a los caballos para montarlos o para que jalen carros o instrumentos de labranza. ☞ **arrear, jaez, guarnición.**

arrepentirse Afligirle a alguien haber pensado, hecho o dejado de hacer algo; sentir remordimiento. ☞ **pesar, deplorar, sentir.** ❖ COMPLACERSE.
— *Al morir se arrepintió de sus pecados.*
— remordimiento o pesar: *arrepentimiento.*
— compungido, pesaroso: *arrepentido.*

arrestar Detener a alguien o retenerlo en una celda bajo custodia. ☞ **detener.** ❖ SOLTAR.
— detención provisional o reclusión por un tiempo breve del inculpado: *arresto.*
— reclusión del inculpado en su propia casa: *arresto domiciliario.*
— documento con el que se puede arrestar a alguien: *orden de arresto.*
— cuerpo policiaco que lleva a cabo el arresto: *policía judicial.*
— persona detenida: *arrestado, presunto reo.*

— celdas provisionales que existen en las delegaciones: *separos*.

— persona que lleva a cabo el interrogatorio de un presunto delito: *agente del ministerio público*.

— instancia a la que se da conocimiento de los delitos: *ministerio público*.

arrevesado, -da Que es tan complicado o intrincado que con dificultad se puede entender. ☞ **intrincado.** ❖ INTELIGIBLE.

arriar Hacer descender una bandera del asta o una vela de lo alto de una embarcación. ☞ **asta, bandera.** ❖ IZAR.

arriate Porción de terreno junto a la pared de un jardín, donde se plantan flores. ☞ **macizo, flor.**

arriba En la parte superior, encima de, hacia la parte más alta de un lugar o más de algo. ☞ **encima.** ❖ ABAJO, DEBAJO.

— venir de las jerarquías más altas o de Dios: *venir de arriba*.

— de un extremo a otro, de principio a fin: *de arriba a abajo*.

— por todos lados o en actividad constante: *para arriba y para abajo*.

— mirar con desdén: *mirar de arriba a abajo*.

— de difícil acceso: *cuesta arriba*.

— con la cara hacia lo alto: *boca arriba*.

— interjección que expresa aprobación o estímulo: ¡*Arriba!*

arribar Llegar a algún lugar. ❖ PARTIR.

— llegada: *arribo*.

arribista Persona que asciende en una jerarquía abusando de otros o sacando partido de las circunstancias. ☞ **oportunista, convenenciero.**

arriero Persona que transporta mercancías en bestias de carga de un pueblo a otro.

— expresión que indica que vivimos las mismas cosas y podemos encontrarnos en una situación difícil como cualquiera: *arrieros somos y en el camino andamos*.

arriesgar Poner en peligro algo. ☞ **riesgo, exponer, audacia.** ❖ ASEGURAR.

— atrevido, aventurado: *arriesgado*.

— peligro: *riesgo*.

arrimar 1. Poner cerca algo o a alguien de una cosa o de una persona, apoyarse en algo para descansar. ☞ **acercar.** ❖ APARTAR, ALEJAR.

— *Arrímate al fogón*.

— cosa en la que se puede recargar algo o alguien o un animal: *arrimadero*.

2. Acogerse a la protección de una persona o aceptarla. ☞ **acoger, protección.**

— *Se arrimó a su tía cuando quedó huérfano*.

— persona que vive en casa ajena, a expensas de otros: *arrimado*.

— apoyo; *arrimo*.

— cooperar con alguien: *arrimarse, echarle el hombro*.

— expresión que indica que el que vive en casa ajena acaba estorbando: *el muerto y el arrimado a los tres días apestan*.

arrinconar 1. Poner algo o a alguien en un rincón o sitio alejado.

— *Arrinconó la silla desvencijada*.

— abandonado en un lugar: *arrinconado*.

2. Acorralar a una persona. ☞ **acorralar.**

— *La arrinconó con amenazas y ademanes y le robó el collar*.

arriscado, -da 1. Atrevido. ☞ **osar, osado, valiente.** ❖ CAUTELOSO, TEMEROSO.

— *Es una persona muy arriscada*.

2. Que es ágil o garboso un animal o persona.

— *Esa perra es arriscada al correr*.

— doblar hacia arriba algo como las alas del sombrero: *arriscar*.

arritmia Cualquier ritmo irregular o irregularidad cardiaca. ☞ **corazón, ritmo.**

arroba Medida de peso que equivale aproximadamente a 11.5 y 12.5 kilogramos. ☞ **peso, kilogramo.**

— pesar en arrobas: *arrobar*.

arrobar Cautivar a alguien. ☞ **embelesar, encantar, extasiar.**

— embelesarse: *arrobarse*.

— embeleso: *arrobo, arrobamiento*.

— que cautiva: *arrobador*.

arrodillar Hacer que alguien se ponga de hinojos. ☞ **hincar, rodilla, hinojos.**

— ponerse de hinojos: *arrodillarse*.

— genuflexión: *arrodillada*.

arrogante 1. Orgulloso, altanero. ☞ **soberbia, soberbio.** ❖ HUMILDE, MODESTO.

— *Hay gobernantes que tienen fama de arrogantes*.

— orgullo, altanería: *arrogancia*.

2. Apuesto, gallardo o garboso. ☞ **guapo.**

— *Se ve arrogante cuando viste de traje*.

arrogarse Adjudicarse poderes o facultades. ☞ **atribuir, atribuirse.** ❖ RENUNCIAR.

arrojar 1. Lanzar algo violentamente o con fuerza. ☞ **recoger.**

— *Arrojó el dardo al blanco*.

— lanzarse de un lugar alto a uno bajo: *arrojarse*.

— intrépido: *arrojado, valiente*.

— intrepidez: *arrojo*.

2. Despedir violentamente a alguien de algún lugar o del trabajo. ☞ **echar, correr.**

— *Lo arrojaron del inmueble por incumplimiento de pago*.

arrollar 1. Pasar un vehículo por encima de una persona, animal o cosa. ☞ **accidente, atropellar.**

— *El camión arrolló al perro*.

— que sobrepasa lo esperado: *arrollador*.

2. Arrullar.

— *Arrolla al niño que está muy chillón*.

arropar Cubrir o abrigar a alguien para protegerlo del mal tiempo. ☞ **abrigar.** ❖ DESARROPAR.

— cualquier prenda de vestir: *ropa*.

arrostrar Enfrentar con valentía peligros o penalidades o aguantar a una persona o cosa desagradable. ☞ **afrontar.** ❖ ESQUIVAR, REHUIR.

arroyo 1. Río pequeño o corriente de un líquido. ☞ **riachuelo.**

— *Se baña en el arroyo*.

2. Lugar por donde circulan los vehículos o los animales de carga, lugar de la calle por donde corre el agua de lluvia.

— *No atravieses todavía el arroyo, te van a atropellar*.

— prostituta: *mujer del arroyo, mujer de la calle*.

— en el desamparo, sin protección, expuesto al peligro: *en el arroyo*.

arruar (vea recuadro de voces animales). Gruñir del jabalí cuando se siente acosado.

arruga Pliegue que se hace en la piel, tela, papel o cualquier otra superficie suave. ☞ **plegar, envejecer.**

— hacerse arrugas: *arrugar*.

— envejecer: *arrugarse*.

— envejecido: *arrugado*.

— mantenerse joven: *no tener una sola arruga*.

— que forma arrugas con el uso: *arrugable*.

— arruga del ángulo externo del ojo: *pata de gallo*.

arruinar Echar a perder algo o causar la ruina de alguien. ☞ **malograr, destruir, dañar.** ❖ CONSTRUIR, ENRIQUECER.

— perdición, destrucción: *ruina*.

— perder la fortuna: *arruinarse, estar en la ruina, estar en la chilla, estar quebrado*.

— perderse física o moralmente: *arruinarse*.

— persona que ha perdido su fortuna: *arruinada*.

arrullar 1. (vea recuadro de voces animales). Hacer sonidos para atraerse las palomas y tórtolas cuando están en celo.

— *Ese palomo arrulla a todas las palomas.*

— gorgojeo característico de palomas y tórtolas: *arrullo.*

2. Adormecer a alguien cantándole.

— *Arrullar a los bebés es tranquilizador.*

— sonido o canto suave: *arrullo.*

arrumaco Caricia o ademán con el que se demuestra cariño. ☞ **mimo, arrechucho.**

arrumbar Poner algo inservible en algún lugar alejado o desechar algo. ☞ **arrinconar.**

arsenal Almacén donde se guardan armas y pertrechos o conjunto y depósito de noticias o datos, etc. ☞ **almacén, arma, militar.**

arte 1. Actividad creativa humana que, con ciertas técnicas, maneja y transforma materiales en obras, las que despiertan sentimientos, emociones o sensaciones de belleza en quienes las contemplan, y conjunto de estas obras.

— *La emoción que produce la obra de arte muestra la relación empática que se establece entre el artista y el espectador.*

— producto material que realiza el creador: *obra artística.*

— persona que a partir de su imaginación creativa produce obras estéticas: *artista.*

— que se relaciona con el arte o con los artistas: *artístico.*

— tipo de artesanía de México que utiliza las plumas para la decoración y vestimenta: *arte plumaria.*

— conjunto de reglas y usos para cortar o trinchar carnes: *arte cisoria.*

— conjunto de prácticas orientales de defensa personal: *artes marciales.*

— todo tipo de artesanías: *artes populares.*

— conjunto de las artes cuya finalidad principal es servir de adorno: *artes decorativas.*

— conjunto de las artes que manejan el espacio, la forma, el color y los cuerpos (pintura, escultura y arquitectura): *artes plásticas o figurativas.*

— conjunto de las artes que se expresan sobre el papel o en cualquier superficie plana (imprenta, fotografía, dibujo y pintura): *artes gráficas.*

— conjunto de las artes que necesitan principalmente de las manos: *artes manuales.*

— conjunto de las artes que utilizan las máquinas y obtienen ejemplares en serie: *artes industriales.*

— conjunto de las artes que requieren el ejercicio del entendimiento: *artes liberales.*

— las artes liberales antiguas: *Trivium (gramática, retórica y dialéctica). Cuadrivium (aritmética, geometría, astronomía y música).*

— conjunto de las seis artes tradicionales de mayor valor estético: *bellas artes o artes nobles.*

— las bellas artes: *arquitectura, escultura, pintura, música, danza y literatura.*

— séptimo arte: *cine.*

— variados conjuntos de las artes no nobles: *artes menores.*

— parte de la filosofía que estudia la belleza y el arte, sus características y su relación con la sensibilidad y el conocimiento humano: *estética.*

— conjunto de maneras de percibir y juzgar las obras de arte: *gusto estético.*

— forma en que un sujeto percibe de manera personal e individualizada su realidad: *subjetividad.*

— forma en que a partir de la subjetividad se construyen objetos artísticos: *subjetividad estética o artística.*

— conjunto de obras de arte cuyos temas y motivaciones se caracterizan por copiar la realidad material o interpretarla: *arte figurativo.*

— conjunto de obras de arte cuyos temas y motivaciones son de carácter geométrico, dinámico, formal, y no material: *arte abstracto.*

— clasificación del arte según el periodo histórico: *prehistórico, antiguo, medieval, renacentista, moderno y contemporáneo.*

— clasificación por el objeto artístico: *Arquitectura antigua: clásica, bizantina, gótica, románica, renacentista, manierista, barroca, churrigueresca, rococó, neoclásica, romántica; moderna: expresionista, estilo internacional, orgánica, neobarroca, brutalista, postmoderna. Pintura: prehistórica o rupestre, minoica, egipcia, etrusca, china, japonesa, griega, latina, bizantina, románica, gótica, renacentista, manierista, barroca, neoclásica, romántica, realista, impresionista, postimpresionista, art nouveau, neoimpresionismo, simbolismo, nabis, fauvismo, cubismo, expresionismo, futurismo, escuela de Ashcan, suprematismo, constructivismo, orfismo, arte metafísico, de Stijl, purismo, dadaísmo, surrealismo, muralismo mexicano, realismo social, expresionismo abstracto, pop art, op art, minimalismo, neoexpresionismo. Literatura: clásica, medieval, renacentista, barroca, romántica,* *modernista, postromántica, realista, naturalista, surrealista, ultraísta, futurista, instrumentalista, dadaísta, expresionista, neorrealista, contemporánea, nouveau roman, realismo mágico, postmoderna. Música antigua: griega y romana; medieval: canto litúrgico monofónico, polifonía, ars nova, canto secular monofónico; renacentista: música coral instrumental; era tonal: barroca, ópera, cantata y oratorio; clásica: vocal e instrumental; romántica: ópera, música orquestal, piano, canto, música de cámara y música coral; moderna: expresionista, neoclásica, música concreta.*

— de manera insólita: *como por arte de magia.*

— por medio de engaños, mediante el ocultismo: *por malas artes.*

— con destreza y habilidad: *con arte.*

— por el gusto de hacerlo: *por amor al arte.*

— no estar involucrado en el asunto: *no tener arte ni parte.*

— ser un objeto o persona casi perfectas: *ser una obra de arte.*

2. Cualquier destreza o habilidad para hacer algo. ❖ INHABILIDAD.

— *Con muchas artes, logró introducirse en su casa por la ventana.*

artefacto 1. Máquina, aparato o instrumento hecho por el hombre y que le sirve para ejecutar una función o trabajo.

— *Vivimos en un mundo lleno de artefactos.*

2. En histología, cualquier tejido cuya naturaleza ha sido alterada mecánica o químicamente.

— *Ciertas formas microscópicas son artefactos ajenos a la realidad viva.*

arteria 1. Vaso tubular musculoso, de paredes elásticas, que transporta sangre del corazón al resto del cuerpo. ☞ **aneurisma, corazón, sangre.**

— *Las paredes de las arterias tienen tejidos elásticos.*

— que pertenece a las arterias o se relaciona con ellas: *arterial.*

— fuerza o tensión que ejerce la sangre sobre la pared de las arterias: *presión arterial.*

— sangre que contiene mayor proporción de oxígeno: *sangre arterial.*

— cambio de sangre venosa en arterial en los pulmones: *arterialización.*

— degeneración de las paredes arteriales: *arteriasis.*

— dilatación anormal de las arterias: *arteriectasia.*

— dilatación rítmica de una arteria que coincide con los ritmos cardiacos: *pulso.*

— instrumento para registrar el pulso arterial: *arteriógrafo.*

— descripción de las arterias y registro gráfico del pulso arterial: *arteriografía.*

— radiografía de las arterias: *vasografía arterial.*

— rama de la anatomía que estudia las arterias: *arteriología.*

— engrosamiento y esclerosis en las arterias: *arterioesclerosis.*

— instrumento para medir el calibre de las arterias: *arteriómetro.*

— rotura de una arteria: *arteriorrexis.*

— pequeña rama arterial: *arteriola.*

— arterias longitudinales dispuestas dorsal o ventralmente (o ambas), propias de los invertebrados: *arterias motrices.*

— arterias que dependen del corazón: *arterias no motrices.*

— los dos troncos ramificados del sistema arterial humano: *arteria pulmonar y aorta.*

2. Vía de comunicación urbana, a la que afluyen muchas otras.

— *Las metrópolis suelen tener muchas arterias comunicativas.*

artero, -ra Malintencionado o que engaña y abusa de la buena fe de alguien. ☞ **astuto, mañoso.** ❖ LEAL, BIENINTENCIONADO.

— taimadamente: *arteramente.*

— engaño, amaño: *artería.*

artesa Recipiente cuadrilongo que sirve para amasar pan. ☞ **pan.**

artesanía Conjunto de las artes populares y oficios manuales, así como de las obras que de ellos resultan.

— persona que se dedica a un oficio manual trabajando cada producto con una intención estética, valiéndose de herramientas generalmente rudimentarias: *artesano.*

— que pertenece a la artesanía o se relaciona con ella: *artesanal.*

— conjunto de artesanos: *artesanado.*

— algunos tipos de artesanía: *laminado en oro, vidrio soplado, esmalte, utensilios de cobre y latón, plumería, joyería, pintura sobre amate, fabricación de muebles de madera, alfarería, cerámica, orfebrería, cestería, labrado en piedra, curtiembre, mantelería, bordado, tallado en madera, laqueado, fabricación de sombreros, elaboración de instrumentos musicales, trabajo en carey, hueso, conchas marinas, cuernos, pirotecnia, herrería, fabricación de piñatas y juguetes, elaboración de figuras en papel maché, elaboración de ropa.*

articulación 1. Unión de los elementos, las partes o las piezas de un todo, que

hace posible su funcionamiento coordinado.

— *La articulación de las escenas de esa obra es extraña.*

— dar coherencia a algo entrelazando las partes o elementos que lo componen: *articular.*

— que pertenece a la articulación o se relaciona con ella: *articulatorio, articular.*

— que tiene articulaciones: *articulado.*

2. Coyuntura o unión de dos o más huesos.

— *Usa sedantes para evitar el dolor en las articulaciones.*

— rama de la medicina que estudia las articulaciones: *artrología o sindesmología.*

— dolor en una articulación: *artralgia.*

— inflamación de una articulación: *artritis.*

— inflamación crónica de las articulaciones: *artrosis.*

— tumor de una articulación: *artronco.*

— amputación de una articulación: *artrectomía.*

— radiografía de una articulación: *artrografía, artrograma.*

— aparato para medir el grado de extensión de movimiento de las articulaciones: *artrómetro.*

— abolición o limitación de los movimientos de una articulación movible: *anquilosis.*

— que produce anquilosis: *anquilopoyético.*

— temor patológico a la anquilosis en los casos de fractura: *anquilofobia.*

— tipos de articulación: *diartrosis o articulación móvil, anfiartrosis o articulación semimóvil, sinartrosis o articulación inmóvil.*

3. Conjunto de movimientos de los órganos que intervienen en la pronunciación de palabras en el momento de pronunciarlas.

— *Tengo problemas de articulación al pronunciar la erre.*

— modo en que los órganos de la boca dejan pasar el aire para producir un sonido: *modo de articulación.*

— punto o región de los órganos de la boca en que se tocan unos a otros para producir un sonido: *punto de articulación.*

— propiedad universal de las lenguas naturales de dividirse en dos niveles distintos: *doble articulación.*

— capacidad de relacionar los elementos lingüísticos por sus sonidos puros o fonemas: *segunda articulación.*

— capacidad de relacionar los signos lingüísticos por unidades significativas o signos: *primera articulación.*

artículo 1. Cada una de las partes o apartados en que se dividen los escritos, en particular los escritos jurídicos. ☞ **constitución.**

— *La Constitución política de los Estados Unidos Mexicanos contiene 136 artículos.*

— ley fundamental de un estado conformada por un conjunto de artículos que determinan la organización política y los derechos y obligaciones de gobernantes y gobernados: *constitución.*

— verdad fundamental que un creyente está obligado a sostener si se encuentra dentro de la religión católica: *artículo de fe.*

2. Escrito o texto de cierta extensión y que forma un todo inserto en un periódico o revista. ☞ **periódico, revista.**

— *Los periódicos están habitualmente compuestos de artículos.*

— texto que analiza un asunto importante y de actualidad para la sociedad: *artículo de fondo.*

— escritor de artículos: *articulista.*

3. Cada uno de los textos de un diccionario o enciclopedia constituido por una palabra y las explicaciones sobre ella.

— *Ese diccionario incluye en sus artículos muchos ejemplos.*

4. Palabra que precede al nombre e indica su género y número.

— *La imprecisión idiomática puede proceder de omitir los artículos en las oraciones.*

— artículo que designa algo conocido por el hablante: *determinado o definido.*

— artículo que se usa para designar cualquier miembro de un conjunto: *indeterminado o indefinido.*

— artículos determinados: *el, la, lo, las, los.*

— artículos indeterminados: *un, una, unas, unos.*

5. Objeto que se comercia. ☞ **objeto, mercancía.**

— *El GATT ofrece vender una gran cantidad de artículos.*

— objeto de consumo indispensable para la subsistencia: *artículo de primera necesidad.*

artífice Persona que ejecuta un trabajo con un alto grado de destreza. ☞ **arte.**

— destreza con que está hecho algo: *artificio.*

— elaborado con calidad: *artificioso.*

artificial 1. Que está hecho por el hombre, imitando o copiando lo natural. ❖ NATURAL.

— *Algunas chimeneas tienen leños y fuego artificiales.*

— de manera no natural: *artificialmente.*

— dispositivos de pólvora con los que se producen luces de colores y tronidos: *fuegos artificiales.*

— sistema lingüístico creado por el hombre: *lengua artificial.*

2. Que aparenta algo diferente de lo natural o real. ☞ **falso, fingido.** ❖ AUTÉNTICO.

— *En las reuniones se comporta de manera artificial.*

— engaño, disimulo: *artificio.*

— disimulado, fingido, engañoso: *artificioso.*

artilugio 1. Enredo o engaño utilizado para lograr u obtener algo. ☞ **artimaña, trampa, triquiñuela.**

— *Utilizó todo tipo de artilugios para conseguir lo que se proponía.*

2. Artefacto de poca importancia.

— *En lugar del chicote del acelerador le puso un artilugio cualquiera y el coche caminó.*

artillería Conjunto de armas y materiales de guerra y cuerpo militar que los maneja. ☞ **arma, militar, defender, atacar.**

— militar que utiliza la artillería: *artillero.*

— armar de artillería un determinado lugar o colocarla en posición de combate: *artillar.*

— artillería que acompaña a la infantería: *artillería ligera.*

— artillería con cañones de gran calibre: *artillería pesada.*

— artillería dotada de proyectiles especiales tierra-tierra o tierra-aire: *artillería teledirigida.*

— algunas piezas de artillería: *cañón, mortero, basilisco, falconete, culebrina, bombarda, obús.*

— tipos de proyectiles: *antitanques, aire-aire, antisubmarinos, aire-tierra, tierra-aire, tierra-tierra.*

artimaña Astucia o engaño con el que se consigue algo. ☞ **artilugio, maña.**

arzobispo Dignatario de la Iglesia católica, que dirige una iglesia metropolitana y de quien dependen varios obispos. ☞ **iglesia.**

— dignidad del arzobispo y territorio que regula: *arzobispado.*

— que se relaciona con el arzobispo: *arzobispal.*

as 1. Persona que sobresale en alguna categoría o actividad.

— *Es un as del volante.*

2. La unidad en los dados o la baraja.

— *Le salió un as de espadas.*

asa Parte de un objeto que sirve para asirlo o agarrarlo. ☞ **agarrar, agarradera.**

asalariado, -da Que recibe un dinero fijo como pago por su trabajo. ☞ **jornada, jornalero.**

— estipendio que se paga por un trabajo o servicio: *salario.*

— pagar dinero a alguien por un trabajo: *asalariar.*

asaltar 1. Robar o acometer sorpresivamente y con violencia. ☞ **robar, atracar.**

— *Ayer asaltaron el banco.*

— acometida o combate, principalmente en algunos deportes: *asalto.*

— robo: *asalto.*

— que roba violentamente: *asaltante*

— persona que roba bancos: *asaltabancos.*

2. Ocurrir algo o presentarse de pronto e inesperadamente. ☞ **sobrevenir.**

— *Las dudas lo asaltaron.*

asamblea Reunión de personas pertenecientes a un grupo, convocadas para informar o tomar decisiones. ☞ **reunir, reunión.**

— persona que asiste a una asamblea: *asambleísta.*

asapán Variedad de roedor de origen americano. ☞ **ardilla voladora, chimpatlán.**

asar Quitar lo crudo a ciertos alimentos por medio del calor de las brasas o del de la parrilla del asador, horno o estufa. ☞ **tostar, rostizar, freír, a las brasas.**

— sentir mucho calor: *asarse.*

— carne que ya ha sido asada: *asado.*

— aparato que sirve para asar: *asador.*

— rejilla que se encuentra en la parte superior del asador, la estufa o el horno: *parrilla.*

— queso que se derrite por acción del calor y el fuego: *queso asadero.*

— vísceras de un animal: *asaduras.*

— del mismo modo o de otro: *así que asado.*

asbesto Sustancia mineral incombustible compuesta principalmente por silicato de magnesio. ☞ **amianto.**

ascender Dirigirse algo o alguien hacia arriba, aumentar una cantidad o subir alguien de categoría o de lugar dentro de una jerarquía. ☞ **subir, escalar.** ❖ BAJAR, DESCENDER.

— que progresa, se eleva o sube: *ascendente.*

— para la astrología, signo asociado a la hora del nacimiento: *ascendente.*

— cada uno de los miembros de una familia, una especie, una raza, etc., con

respecto a sus descendientes: *ascendiente.*

— influencia indirecta de algo sobre alguien: *ascendiente.*

— subida a un lugar más alto: *ascensión.*

— subida de Cristo a los cielos: *Ascensión.*

— que impulsa hacia arriba: *ascensional.*

— aparato que sirve para transportar o transportarse de un piso a otro en un edificio: *ascensor, elevador.*

— persona que maneja, arregla o instala ascensores: *ascensorista.*

asceta Persona que se impone una vida austera y de perfección espiritual. ☞ **anacoreta.**

— que vive de modo austero y contemplativo: *ascético.*

— doctrina moral que sostiene el abandono del placer y el predominio de la oración, mortificación de las tendencias naturales y la frugalidad: *ascetismo.*

— práctica de la perfección espiritual que dignifica al hombre y que lo acerca al alcance de diversos ideales: *áscesis.*

asco Sensación física de repugnancia a algo, que a veces propicia el vómito, impresión desagradable ante algo o cosa que repugna. ☞ **náusea, vómito, repugnancia, repulsión.** ❖ ATRACCIÓN.

— estar sucio y desaliñado: *estar hecho un asco.*

— producir uno mismo rechazo: *darse asco uno mismo.*

— sucio o grosero, que causa asco o que tiene asco: *asqueroso.*

— objeto o situación que produce repulsión: *asquerosidad.*

— sentirse descompuesto moral o físicamente: *estar asqueado.*

ascua Brasa o trozo de cualquier material incandescente. ☞ **brasa.**

— estar intranquilo o ansioso: *estar en ascuas.*

asear Limpiar cuidadosamente. ☞ **limpiar, arreglar.** ❖ ENSUCIAR.

— lavarse: *asearse.*

— pulcritud: *aseo.*

— pulcro, limpio, inmaculado: *aseado.*

asechar Engañar o hacerle trampas a alguien. ☞ **engañar.** ❖ DESENGAÑAR.

— falsedad, embuste, treta: *asechanza.*

— poner trampas: *armar asechanzas.*

— tramposo, que engaña: *asechador.*

asediar Perseguir sin descanso a alguien o importunarlo, sitiar un lugar. ☞ **cercar.**

— persona que persigue o pone sitio a un lugar: *asediador.*

— persecución de alguien o sitio de un lugar: *asedio.*

asegurar 1. Hacer que una cosa quede fija o segura, o garantizar la certeza de algo. ☞ **afianzar, afirmar.** ❖ NEGAR.
— *Ya aseguraron la puerta y me aseguraron que no se volvería a caer.*
2. Comprar un seguro que certifique la indemnización por la pérdida de algo. ☞ **seguro.**
— *Ya aseguré la casa y el coche.*
— contratación por medio de la cual se protegen bienes y personas: *seguro.*
— contrato que se suscribe para protección personal o de objetos: *póliza de seguros.*
— persona u objeto que se encuentra protegido: *asegurado.*
— compañía que vende seguros: *aseguradora.*
— técnico que evalúa la pérdida o el daño que cubre la póliza de seguros: *ajustador.*

asemejar Hacer una cosa parecida a otra. ☞ **parecer.** ❖ DESEMEJAR.
— parecerse: *asemejarse.*
— parecido: *semejanza.*
— similar, afín: *semejante.*

asentar 1. Colocar algo de manera firme en algún lugar. ☞ **colocar, establecer.** ❖ SOCAVAR.
— *Asentaron cuidadosamente la viga en el edificio.*
— establecerse en una población: *asentarse.*
— depositarse los residuos de un líquido en el fondo: *asentarse.*
— conjunto de personas que se establecen en algún lugar: *asentamiento.*
— establecimiento de algo o de alguien en algún lugar: *asentamiento.*
— cosa firme e inamovible: *asiento.*
— mueble que sirve para que se siente alguien y parte de él donde uno se sienta: *asiento.*
— sentarse: *tomar asiento.*
— nalgas: *asentaderas.*
— base de un objeto que se apoya en algo o materia sólida que se sedimenta de un líquido: *asiento.*
2. Dar algo por verdadero o afirmar algo con certeza y consignarlo por escrito. ☞ **verdad.**
— *Se asentó en actas su testimonio.*
— adquirir alguien estabilidad económica y social: *asentarse.*

asentir Decir que sí o aprobar algo que otro da por verdadero. ☞ **afirmar, estar de acuerdo.** ❖ DISENTIR.
— aprobación, anuencia o consentimiento: *asentimiento, asenso.*

aseñorado, -da Que imita el trato, la forma de hablar y la vestimenta de la gente distinguida.

asepsia Proceso preventivo de la medicina cuya finalidad consiste en lograr la ausencia de gérmenes patógenos. ☞ **esterilizar, bacteria, esterilización.**
— microorganismo, bacteria: *germen patógeno.*
— esterilizado, libre de gérmenes patógenos: *aséptico.*

asequible Susceptible de obtenerse o conseguirse. ☞ **acceder, alcanzar, alcanzable, accesible.** ❖ INASEQUIBLE, INALCANZABLE.

aserción Aseveración, afirmación y resultado de afirmar algo. ☞ **afirmar, afirmación, aserto.** ❖ NEGACIÓN.
— afirmativo: *asertivo.*

aserrar Cortar madera o metal con una sierra. ☞ **serruchar.**
— lugar donde se serrucha madera: *aserradero.*
— que sierra: *aserrador.*
— sobrantes de madera en un aserradero: *aserrín.*
— herramienta constituida por un mango y una hoja de acero con dientes filosos, empleada para cortar cosas duras: *sierra.*

asesinar Matar alevosa y premeditadamente a alguien. ☞ **matar, homicidio.**
— que mata con premeditación o alevosía: *asesino.*
— crimen u homicidio: *asesinato.*
— mujer que mata a su marido: *autoviuda.*
— hombre que mata a su mujer: *autoviudo.*
— verbos que designan diferentes maneras de asesinar: *envenenar, degollar, destripar, estrangular, lapidar, ahorcar, acuchillar, disparar.*

asesorar Orientar a alguien en relación con determinado asunto. ☞ **aconsejar, orientar.** ❖ DESACONSEJAR.
— persona que aconseja u orienta a alguien: *asesor.*
— tomar consejo o seguir la orientación de alguien: *asesorarse.*
— orientación o consejo: *asesoría.*

asestar Descargar contra un objetivo el proyectil o el golpe de un arma o cosa semejante, o de un puño o pie. ☞ **descargar.**

aseverar Afirmar o confirmar lo que se dice. ☞ **afirmar, asegurar.** ❖ NEGAR.
— afirmación o ratificación de algo: *aseveración.*

asexual Que carece de sexo. ☞ **sexo, reproducir, reproducción.** ❖ SEXUADO, SEXUAL.
— *La reproducción por gemación es asexual.*

— organismo que no posee sexo: *asexuado.*

asfalto Sustancia bituminosa de color negro que se utiliza para la pavimentación de calles y carreteras. ☞ **pavimentar, terracería, empedrado.**
— de aspecto parecido al betún: *bituminoso.*
— pavimentar una calle o carretera: *asfaltar.*
— pavimentado con asfalto: *asfaltado.*

asfixia Imposibilidad de respirar o sensación de agobio. ☞ **ahogar, estrangular.** ❖ RESPIRO.
— hacer que alguien deje de respirar: *asfixiar.*
— que dificulta la respiración o agobia: *asfixiante.*

así De esta manera o aunque.
— también: *así como.*
— sin fijarse demasiado, sin causa clara: *así como así, así nomás.*
— además, también: *así mismo.*
— sí: *así es.*
— de tal manera: *así de.*
— por lo tanto, en consecuencia: *así es que, así que.*
— regular, más o menos: *así, así.*
— de ninguna manera: *ni aún así.*
— de un modo u otro: *así o asá, así o asado, así como asá.*

asiduo, -a Que es constante, continuo o perseverante. ☞ **constar, regular, hábito, habitual, regularidad, constancia.** ❖ INTERMITENTE, INCONSTANTE.
— continuidad, perseverancia: *asiduidad.*

asignar Darle a alguien algo que le corresponde o que lo identifica. ☞ **dar, nombrar, designar.** ❖ QUITAR, TOMAR.
— sueldo o cantidad que se recibe de manera regular: *asignación.*
— persona a quien se le asigna una herencia: *asignatario.*
— materia de un plan de estudios: *asignatura.*

asilar 1. Proteger un país a un extranjero perseguido que se refugia en su territorio o en una de sus embajadas. ☞ **amparar, proteger.** ❖ ARROJAR.
— *México ha asilado a los que escapan de las dictaduras fascistas.*
— persona que por sus convicciones políticas tiene que abandonar su país de origen y someterse a la protección extranjera: *asilado político.*
— inmunidad que concede un país a los extranjeros no delincuentes que se refugian en él: *asilo político.*
— facultad de un gobierno de recibir a personas de distintos credos políticos y nacionalidades en su país: *derecho de asilo.*

2. Internar a una persona anciana, desvalida o enferma en un asilo.

— *Asiló a su abuelita porque no podía cuidarla.*

— lugar que da asistencia a los desvalidos: *asilo, casa de beneficencia, casa de asistencia, casa de reposo.*

asimetría Falta de proporción, correspondencia o igualdad en la forma, tamaño, distribución, etc., entre dos cosas o partes de la misma cosa. ❖ SIMETRÍA.

— que carece de simetría: *asimétrico.*

asimilar 1. Volver algo parte de otra cosa.

—*Se asimiló a su familia política.*

— que puede hacer semejante una cosa a otra: *asimilativo.*

2. Digerir adecuadamente y aprovechar un organismo la alimentación. ❖ ELIMINAR, DEFECAR.

— *Asimila bien las proteínas cuando come.*

— incorporación de sustancias a un organismo: *asimilación.*

3. Aprovechar los conocimientos, experiencias o razonamientos alguien o incorporarlos a su pensamiento o a su vida. ❖ IGNORAR.

—*No asimiló nada de la conferencia.*

— aprovechamiento de conocimientos y experiencias: *asimilación.*

4. Modificar un sonido a otro cercano y muy similar.

— *Los sonidos mb del latín vulgar se asimilaron y dieron m en español: plumbum > plomo.*

asimismo Así mismo. ☞ así. ❖ TAMPOCO.

asinergia Incapacidad para mover los músculos. ❖ SINERGIA.

asir Sujetar con la mano alguna cosa, sosteniéndola o sosteniéndose en ella. ☞ **tomar, agarrar.** ❖ SOLTAR, DESPRENDER, DESASIR.

— parte por donde se coge una cosa: *asidero, agarradera.*

— que se puede sujetar: *asible.*

asistir 1. Concurrir a un lugar. ☞ **acudir.** ❖ FALTAR, HALLARSE AUSENTE.

— *Asistimos puntuales a la ceremonia.*

— persona que acude a un lugar: *asistente.*

— el conjunto de los que concurren a algo: *asistencia.*

2. Auxiliar a alguien, darle cuidado y protección. ☞ **ayudar.** ❖ DESPROTEGER, ABANDONAR, DESAMPARAR, DESASISTIR.

— *Le gusta asistir a los enfermos.*

— persona que colabora con alguien en algo: *asistente.*

— ayuda, cuidado o colaboración: *asistencia.*

— lugar donde se atiende a los desvalidos: *casa de asistencia.*

asma Enfermedad que se caracteriza por producir ahogo y tos, y que se debe a una disminución del calibre bronquial. ☞ **bronquio.**

— persona que padece de tos, sibilancia y expectoración: *asmático.*

asociar Reunir a varias personas o ingresar un individuo a un grupo ya formado, juntar cosas o ideas que tienen o se les atribuye algo en común. ☞ **reunir, juntar.** ❖ DESLIGAR, SEPARAR, DISOCIAR.

— conjunto o institución que forman las personas que persiguen fines comunes: *asociación.*

— agrupación de ideas o cosas: *asociación.*

— persona que forma parte de una asociación: *asociado.*

— persona que invierte dinero, comparte la dirección de un negocio, ganancia o trabajo: *socio.*

— persona que invierte dinero en un negocio obteniendo ganancias: *socio capitalista.*

— persona que aporta su trabajo en un negocio obteniendo ganancias: *socio industrial.*

asolar Dañar o devastar algún territorio. ☞ **aniquilar, saquear, destruir.** ❖ RECONSTRUIR.

— devastación: *asolamiento.*

asolear Poner al sol.

— exponerse a los rayos del sol: *asolearse.*

— agobiar a: *traer asoleado a.*

— excederse en la exposición a los rayos solares: *insolarse.*

asomar Empezar a salir algo o aparecer algo o alguien por una abertura. ☞ **aparecer.** ❖ ESCONDER.

— indicio de algo: *asomo.*

— mirada rápida a algo o a alguien o acción y resultado de dejarse ver por corto tiempo: *asomada.*

— de ninguna manera: *ni por asomo.*

asombrar Causar sorpresa o extrañeza a alguien. ☞ **admirar.**

— admiración o extrañeza: *asombro.*

— maravillarse, sorprenderse: *asombrarse.*

— sorprendente, increíble: *asombroso.*

asonada Reunión de un conjunto de personas que, a partir del tumulto o la violencia, persiguen lograr algo. ☞ **disturbio, tumulto.**

asonancia 1. Igualdad de vocales de dos palabras a partir de la vocal acentuada. ☞ **rima, verso.**

— *Hubo poetas que prefirieron la asonancia a la consonancia de versos.*

— igualdad de vocales a partir de la vocal acentuada en dos o más palabras finales de versos: *rima asonante.*

— utilizar asonancias: *asonantar.*

— hacer asonancia una palabra con otra: *asonar, asonantar.*

2. Figura retórica que consiste en utilizar en una estrofa o periodo varias palabras que, a partir de la vocal acentuada, tienen la misma terminación o por lo menos las mismas vocales como en la siguiente estrofa:

Jueves será, porque hoy, jueves, que proso
estos versos, los húmeros me he puesto
a la mala y, jamás como hoy, me he vuelto,
con todo mi camino, a verme solo.
César Vallejo.

asosegar Aplacar o aquietar las turbaciones del ánimo de alguien, serenarlo. ☞ **sosegar, tranquilizar.** ❖ DESASOSEGAR, IRRITAR.

— serenarse: *asosegarse, sosegarse.*

aspa Figura o conjunto de cosas que forma una equis.

— que semeja un aspa o que tiene esa forma: *aspado.*

— penitente que en semana santa carga un madero con los brazos en cruz: *aspado.*

aspaviento Demostración excesiva de emociones mediante ademanes exagerados. ☞ **alharaca, afección, afectado.**

aspecto Modo de manifestarse algo o alguien a la vista o forma de considerar algo. ☞ **aparentar, apariencia.**

— posición relativa de dos planetas con respecto a las cosas celestiales, en astrología: *aspecto, aspectación.*

— carta astral que tiene trígono o sextil: *carta bien aspectada.*

— carta astral que tiene cuadrado: *carta mal aspectada.*

asperjar Esparcir pequeñas gotas de un líquido o rociarlo a gotitas. ☞ **rociar, hisopear.**

— acción de rociar: *aspersión.*

— sistema de riego en que el agua cae como llovizna sobre las plantas: *riego por aspersión.*

áspero, -ra 1. Que es duro, rígido, rugoso o rasposo al tacto, que es desagradable al oído y al gusto; que es escabroso un terreno. ❖ SUAVE, LISO.

— *La superficie del tirol planchado es áspera.*

— rugosidad, escabrosidad, desabrimiento: *aspereza.*

2. Que es brusco, adusto, grosero y rudo alguien. ☞ **adusto.** ❖ AFABLE.

— *Tiene un jefe áspero.*

— rudeza, desacuerdo: *aspereza.*

— vencer dificultades y conciliar divergencias: *limar asperezas*.

aspirar 1. Hacer que penetre aire, aroma, humo, etc., a los pulmones. ☞ **absorber, inspirar, introducir.** ❖ EXHALAR, ESPIRAR.
— *Aspiró el humo del cigarro*.
— entrada de aire, polvo, etc., a los pulmones: *aspiración*.
2. Atraer polvo, gas, líquido u otros elementos al interior de un aparato.
— *Sacude y aspira esa recámara*.
— aparato electromecánico que sirve para aspirar el polvo: *aspiradora*.
— aparato usado para el drenaje de secreciones de personas enfermas: *aspirador*.
3. Desear algo que se considera valioso. ❖ RENUNCIAR, DESISTIR, REHUSAR.
— *Aspiraba a estudiar una carrera universitaria*.
— anhelo intenso: *aspiración*.
— solicitante, candidato, pretendiente: *aspirante*.
— espacio menor de una pausa en música: *aspiración*.

aspirina Marca registrada de un medicamento compuesto por ácido acetilsalicílico que es analgésico, antirreumático y antipirético.

asta 1. Palo o tubo largo en cuyo extremo se coloca una bandera; lanza o pico. ☞ **palo, lanzar.**
— *La bandera tenía un asta demasiado larga*.
— bandera a medio izar, en señal de duelo: *bandera a media asta*.
2. ☞ **cuerno.**
— *Las astas del toro se veían agudas y peligrosas*.

astenia Disminución o ausencia de vigor.
— decaído, que padece astenia: *asténico*.

asterisco Signo de puntuación en forma de estrella que se usa para anotar o aclarar algún dato en un texto. ☞ **signo, puntuación.**

asteroide Cada uno de los planetas que se encuentran entre Júpiter y Marte y que suman más de 3 mil. ☞ **sol, universo.**
— con figura de estrella o semejante a ella: *asteroide*.

astigmatismo Trastorno de la visión que se manifiesta por la falta de nitidez entre las líneas verticales y horizontales de la imagen. ☞ **ojo, óptica.**

astil Asa o mango de las hachas, azadas o picos; varilla metálica horizontal de una balanza. ☞ **mango.**

astilla Fragmento irregular que se desprende de la madera o de ciertos minerales. ☞ **esquirla.**

— hacer astillas algo: *astillar*.
— lugar del monte donde se corta leña: *astillero*.
— lugar donde se fabrican y reparan barcos: *astillero*.

astringente Que estrecha, contrae, estriñe o astriñe, tratándose de alimentos o medicinas. ❖ LAXANTE, DILATADOR.
— contraer, comprimir: *astreñir, astringir*.

astro Cuerpo celeste como los planetas, las estrellas, los satélites, etc. ☞ **sol.**
— *Las estrellas y el sol son astros luminosos*.
— que se relaciona con los cuerpos celestes: *astral*.

astrolabio Aparato con el que antiguamente se observaba la posición de los astros y se calculaba su altura.

astrología Arte adivinatoria según la cual los movimientos de los planetas o astros influyen y determinan la vida de los hombres y por ello se puede predecir el futuro. ☞ **zodiaco, horóscopo.**
— persona que predice, a partir de los movimientos celestes, la vida humana: *astrólogo*.
— predecir por medio de la astrología: *astrologar*.
— que está relacionado con las predicciones basadas en la situación de los planetas: *astrológico*.
— parte de la astrología que se encarga de determinar el momento adecuado para principiar algo: *astrología catártica*.
— parte de la astrología que explica determinadas situaciones a partir de la observación de los astros: *astrología interrogatoria*.
— tabla sinóptica que, de acuerdo con las observaciones de los astros, reúne las predicciones del porvenir: *horóscopo*.
— zona de la esfera celeste en la cual se mueve el sol (en su movimiento aparente) y los demás astros: *zodiaco*.
— cada una de las doce partes en que se divide el zodiaco: *signo del zodiaco, casa celeste, casa*.
— signos zodiacales: *aries (21 de marzo al 19 de abril), tauro (20 de abril al 20 de mayo), géminis (21 de mayo al 21 de junio), cáncer (22 de junio al 22 de julio), leo (23 de julio al 22 de agosto), virgo (23 de agosto al 22 de septiembre), libra (23 de septiembre al 22 de octubre), escorpión (23 de octubre al 21 de noviembre), sagitario (22 de noviembre al 20 de diciembre), capricornio (21 de diciembre al 19 de enero), acuario (20 de enero*

al 18 de febrero), piscis (19 de febrero al 20 de marzo).
— descripción de la situación de astros y planetas en un momento determinado de tiempo: *carta astral*.
— signos que en la carta astral tienen que ver con la vida física: *aries, tauro, géminis y cáncer*.
— signos que en la carta astral tienen que ver con la formación de la personalidad y la voluntad: *leo, virgo, libra y escorpión*.
— signos que en la carta astral tienen que ver con la intuición e identificación con la realidad: *sagitario, capricornio, acuario y piscis*.
— signo zodiacal que rige el destino humano por el día de nacimiento: *signo solar*.
— signo zodiacal que rige el destino humano por la hora de nacimiento: *ascendente*.
— predicción al momento del nacimiento del curso de la vida de un individuo: *genetlialogía*.
— aplicación de las matemáticas a la astrología: *iatromatemática*.
— base astronómica que fundamenta al zodiaco chino: *calendario lunar*.

astronáutica Ciencia de la navegación espacial, estudia los viajes fuera de la atmósfera terrestre. ☞ **cohete, espacio.**
— persona que pilotea o es tripulante de una nave espacial: *astronauta, cosmonauta*.
— artefacto que se mueve por reacción mediante eyección de un abundante flujo de gases originados por alguna reacción química: *cohete*.
— vestimenta diseñada para realizar viajes interplanetarios: *traje espacial*.
— organización científica fundada en 1950 para impulsar el desarrollo de la astronáutica con fines pacíficos: *Federación Internacional de Astronáutica*.
— primer satélite artificial enviado al espacio: *sputnik 1, 4 de octubre de 1957*.
— primer viaje espacial tripulado: *Yuri Gagarin, 12 de abril de 1961*.
— primera mujer en viaje espacial: *Valentina Tereshkova, 16 de julio de 1963*.
— primer alunizaje tripulado: *Armstrong, Aldrin y Collins, 20 de julio de 1969*.
— primer encuentro espacial: *Apolo-Soyuz, 17 de julio de 1975*.
— primera llegada a Marte: *Vikingo 1, 20 de marzo de 1976*.
— primer lanzamiento de una sonda

con dirección a Júpiter y Saturno: *Voyager 2, 20 de agosto de 1977.*

— rama de la literatura y el cine entre cuyos temas principales está la navegación espacial: *ciencia ficción.*

astronomía Ciencia que estudia el universo que rodea a la Tierra, los cuerpos que lo constituyen y su formación, dimensiones, constitución física, su localización, movimientos, etc. ☞ **universo, cosmos, estrella, astronáutica.**

— integrantes del universo: *planetas, cometas, estrellas, meteoritos, materia interestelar, galaxias, materia intergaláctica.*

— que pertenece a los cuerpos celestes: *astronómico.*

— persona que se dedica a estudiar las estrellas y el universo: *astrónomo.*

— ramas principales de la astronomía: *astronomía descriptiva, astrometría, astrofísica, cosmogonía.*

— descripción de los astros y descripción de fenómenos astronómicos observados: *astronomía descriptiva o cosmografía.*

— estudio de las posiciones de los astros y sus movimientos: *astrometría.*

— parte de la astronomía que aplica las teorías y técnicas emergidas de la física al estudio de los cuerpos celestes: *astrofísica.*

— estudio del origen y la evolución de los astros: *cosmogonía.*

— lugar del cual se ven y estudian las estrellas: *observatorio.*

— instrumentos ópticos utilizados para ver los astros: *telescopio, anteojos astronómicos.*

— tipo de lente que registra la situación y lugar de las estrellas por un proceso fotográfico: *telescopio electrónico.*

— aparato astronómico visual y fotográfico: *astrógrafo.*

astuto, -ta Que es ingenioso o hábil para engañar o sacar ventaja de cualquier situación. ☞ **manipular, engañar, manipulador.** ❖ INGENUO.

— artimaña: *astucia.*

— con engaño o manipulación: *astutamente.*

asueto Descanso muy breve. ☞ **descanso, vacación.** ❖ TRABAJO, LABOR.

asumir Aceptar algo una persona o incrementarse algo material. ☞ **aceptar.** ❖ REHUSAR.

— acción y resultado de hacerse cargo o tomar algo para uno: *asunción.*

— elevación de la virgen María a los cielos: *asunción.*

asunto Circunstancia, hecho, tema o

cuestión de que trata algo; ocupación o negocio. ☞ **cuestión, tema.**

asustar Producir temor, preocupación o espanto respecto de algo. ☞ **atemorizar, espantar, intimidar.** ❖ TRANQUILIZAR, ENVALENTONAR.

— sentir miedo, preocupación o temor: *asustarse, estar asustado.*

— miedoso: *asustadizo.*

atacar 1. Proceder violentamente contra alguien o algo. ☞ **acometer, embestir.** ❖ DEFENDER, AMPARAR, PROTEGER.

— *Durante la guerra el enemigo atacó a la población civil.*

— arremetida: *ataque.*

— persona que ejerce violencia sobre otra: *atacante.*

2. Perturbar una enfermedad, una plaga o una sustancia, etc., el estado normal de algo o de alguien.

— *El cólera atacó a los peruanos.*

— alteración repentina del funcionamiento de un organismo o de un órgano: *ataque.*

— alterarse una persona por algo: *atacarse, darle un ataque.*

3. Enfrentar directamente algo o combatir las ideas de alguien.

— *Atacó el problema desde su raíz.*

atajar 1. Acortar la distancia entre un punto y otro. ☞ **acortar.** ❖ ALARGAR.

— *Le gusta atajar cuando viaja.*

— camino más corto: *atajo.*

2. Detener a alguien o a un animal cuando camina o interrumpir el curso de algo. ☞ **impedir, detener.** ❖ ESTIMULAR.

— *Lo atajó cuando iba presuroso a su cita.*

3. ☞

4. Interrumpir a alguien cuando habla. ☞ **callar.**

— *Atajó de manera violenta su discurso.*

atalaya Lugar elevado de observación de mucho espacio de Tierra o mar. ☞ **vigilar, torre, vigía.**

— vigilar el campo o el mar desde un punto estratégico: *atalayar.*

atañer Tener que ver con algo. ☞ **concernir, incumbir.**

atar Anudar o unir algo por medio de cuerdas o algo similar. ☞ **amarrar, anudar.** ❖ DESAMARRAR, DESATAR.

— aceptar represión o dependencia de alguien o algo: *atarse.*

— objetos unidos por cuerdas: *atado.*

— ligadura: *atadura.*

— analizar hechos para dilucidar un enigma: *atar cabos.*

— expresión que indica que no se resuelve algo: *no atar ni desatar.*

atarantar Aturdir o volver torpe a alguien. ☞ **aturdir.**

— inquieto, aturdido, torpe: *atarantado.*

ataraxia Estado de sosiego, tranquilidad e imperturbabilidad. ☞ **imperturbable, imperturbabilidad.**

atardecer Último lapso de luz del día. ☞ **crepúsculo, ocaso.** ❖ AMANECER, ALBA.

atareado, -da Que tiene mucho que hacer o mucho trabajo. ☞ **ocupar, ocupado** ❖ OCIOSO.

— hacer mucho trabajo o entregarse totalmente al trabajo: *atarearse.*

atarjea Cañería o conducto de aguas negras. ☞ **cloaca, desagüe.**

atarugar Confundir o hacer tonto a alguien.

— atontarse: *atarugarse.*

— tonto: *tarugo.*

— no darse por aludido, hacerse el tonto o despistado: *hacerse tarugo.*

— tontería, error incorregible: *tarugada.*

atascar Tapar, obstruir o poner trabas a algo. ☞ **obstruir, impedir.** ❖ DESTAPAR.

— obstruirse algo o quedarse detenido en algún lugar: *atascarse.*

— comer algo en exceso: *atascarse.*

— hartazgo: *atasque.*

— repleto, lleno: *atascado.*

— atolladero: *atascadero.*

ataúd Caja donde se pone un cadáver para llevarlo a enterrar. ☞ **féretro, morir, sepultar.**

— lugar donde se vela a los muertos: *velatorio.*

— compañía que se encarga de todo lo relacionado con velorios y funerales: *funeraria, agencia de inhumaciones, agencia de pompas fúnebres.*

— vehículo que se utiliza para transportar el ataúd: *carroza fúnebre.*

— lugar extenso reservado para enterrar a los muertos o depositar sus restos: *cementerio.*

ataviar Poner presentable, arreglar, adornar. ☞ **vestir, atuendo.** ❖ DESATAVIAR, DESARREGLAR.

— vestirse de manera acicalada: *estar bien ataviado.*

— vestido, adorno: *atavío.*

atávico, -ca Que presenta uno o varios caracteres de un antepasado. ☞ **ancestro, ascendiente.**

— tendencia a que reaparezcan en los seres vivos características de formas ancestrales: *atavismo.*

— tendencia a mantener costumbres muy antiguas o a imitarlas: *atavismo.*

ate Dulce de frutas en pasta. ☞ **dulce.**

— dulce de guayaba: *guayabate.*

— laminillas de dulce: *cueritos de ate.*

atemorizar Asustar a alguien, causarle miedo. ☞ **amedrentar, intimidar, asustar.** ❖ ENVALENTONAR.
— sentir miedo, espantarse: *atemorizarse*.
— amedrentado: *atemorizado*.
— que inquieta: *atemorizante*.

atemperar Mitigar, suavizar, templar o ablandar algo o a alguien; ajustar una cosa con otra. ☞ **atenuar, templar, moderar.** ❖ EXCITAR, EXASPERAR.
— moderación: *atemperación*.

atenazar 1. Castigar, mortificar o afligir cruelmente a alguien. ☞ **torturar, afligir.** ❖ RESPETAR.
— *Lo atenazaban encerrándolo en un cuartito oscuro.*
2. Sujetar con tenazas o apretar algo con fuerza.
— *Los cangrejos atenazan a sus víctimas.*
— apretar fuertemente los dientes por sentir mucho dolor o mucho coraje: *atenazar los dientes*.

atender 1. Tener consideración, cortesía o cuidado hacia alguien. ☞ **acoger satisfactoriamente algo.** ❖ DESATENDER, ABANDONAR.
— *La dependienta lo atendió muy bien.*
— cortesía, consideración o cuidado: *atención*.
— cortés, amable: *atento*.
— regaño: *llamada de atención*.
2. Fijar sus sentidos o concentrarse una persona en algo o en alguien. ❖ DESATENDER.
— *Atendía a lo que sucedía afuera.*
— concentración de la mente en algo: *atención*.
— por tratarse de, en relación con: *en atención a*.
— atraer las miradas de otras personas: *llamar la atención*.

ateneo Asociación y lugar donde se realizan tertulias literarias o científicas.
— socio del ateneo: *ateneísta*.
— sociedad de escritores mexicanos y latinoamericanos fundada en 1907: *Ateneo de la Juventud, Ateneo de México*.
— miembros del Ateneo de la Juventud: *Alfonso Cravioto, Pedro Henríquez Ureña, Jesús T. Acevedo, Ricardo Gómez Robledo, Antonio Caso, Alfonso Reyes, Isidro Fabela y José Vasconcelos*.

atenerse Amoldarse alguien a algo, ajustar sus acciones a una cosa o acogerse a alguien. ☞ **ajustar, ajustarse.** ❖ DESATENERSE.

atentar Provocar un daño a algo o a alguien, atacar, delinquir. ☞ **dañar, cometer un delito.** ❖ RESPETAR, OBEDECER.
— delito contra la autoridad: *atentado*.
— ataque o intento criminal contra alguien, principalmente por motivos políticos o religiosos: *atentado*.
— que va en contra de la autoridad o lo establecido: *atentatorio*.

atenuación Figura retórica que consiste en no expresar todo lo que quiere que capte el destinatario, usando eufemismos, la ironía, etc. ☞ **litote.**
"Los hermanos/ Pinzón/ eran unos marineros/ que se fueron/ a Calcuta/ en busca/ de unas playas".

atenuar Hacer más leve o menor algo. ☞ **aminorar, disminuir.** ❖ ACENTUAR, AUMENTAR.
— lo que en el Derecho disminuye la gravedad del delito: *circunstancia atenuante*.

ateo, -a Persona que no admite la existencia de Dios. ☞ **religión, dioses.** ❖ CREYENTE.
— toda doctrina que niega la existencia de Dios: *ateísmo*.

atepocate Variedad de batracio mexicano o renacuajo.

aterirse Sufrir intenso frío, sobrecogerse de frío. ☞ **frío.**
— acción y resultado de sobrecogerse de frío: *aterimiento*.

aterrar Causar pavor u horror algo o alguien. ☞ **atemorizar, asustar.** ❖ ANIMAR, ENVALENTONAR.
— que asusta mucho, que horroriza: *aterrador, terrorífico*.

aterrizar Tomar tierra o hacer contacto con el suelo una nave aérea. ☞ **aéreo, avión.**
— descenso en tierra: *aterrizaje*.
— dispositivo que tienen los aviones para descender y despegar: *tren de aterrizaje*.

aterrorizar Producir miedo, terror o espanto algo o alguien, aterrar. ☞ **aterrar, atemorizar, asustar.** ❖ ENVALENTONAR, ANIMAR.

atesorar Juntar y guardar dinero o cosas que son o se consideran valiosas; tener virtudes o cualidades. ☞ **ahorrar.** ❖ DERROCHAR, DILAPIDAR.
— hecho de no invertir ni hacer circular el dinero: *atesoramiento*.

atestación Acción de testimoniar o indicación de haber presenciado algo. ☞ **testificar, atestiguar, testificación.**
— testificar: *atestar, atestiguar*.
— documento en que se hace constar alguna cosa como cierta: *atestado*.
— testimoniales: *atestados*.

atestar Llenar hasta la saturación o atiborrar algo. ☞ **abarrotar.** ❖ VACIAR.
— repleto: *atestado*.

atestiguar Declarar haber sido testigo de algo o afirmar como testigo algo. ☞ **atestación, testimoniar.**
— persona que presencia u observa algo: *testigo*.
— declaración de un testigo: *atestiguamiento, atestiguación*.

atezar Poner liso o lustroso algo.
— ennegrecerse, ponerse moreno al sol: *atezarse*.
— quemado o tostado: *atezado*.

atiborrar Llenar algo hasta que quede repleto. ☞ **atestar, abarrotar, repletar.** ❖ VACIAR.
— comer o beber exageradamente, atracarse: *atiborrarse de comida o de bebida*.

aticismo Estilo literario característico de los escritores y oradores de la antigua Grecia. ☞ **estilo.**
— persona que emula el estilo clásico: *aticista*.

ático Último piso de una casa o edificio, habitualmente con terraza. ☞ **casa, edificio.**

atildar 1. Poner tilde a las letras. ☞ **tilde.**
— *Atilda las enes que son eñes porque mi máquina de escribir no tiene ñ.*
2. ☞ **acicalar, componer.** ❖ DESARREGLAR, DESASEAR.
— *A ella le gusta atildarse.*
— aseado con esmero: *atildado*.
— acción y resultado de arreglarse mucho: *atildamiento, atildadura*.

atinar Dar en el blanco, hallar, conseguir o acertar por casualidad o por ingenio lo que se busca. ☞ **acertar, atingencia.** ❖ ERRAR, EQUIVOCAR.
— con acierto: *atinadamente*.
— que tiene buena intuición o suerte para acertar algo: *atinado*.

atingencia Tino o acierto, relación, conexión. ☞ **tino, acertar, acierto.** ❖ DESACIERTO, DESATINO.
— atinado: *atingente*.
— acertar: *atingir*.

atiplado, -da Que tiene sonido o voz aguda. ☞ **tiple.**
— subir el tono de voz o el sonido de los instrumentos hasta el tiple: *atiplar*.

atisbar Mirar algo disimuladamente o aparentando no ver. ☞ **espiar.**
— vislumbre o indicio de algo: *atisbo, atisbadura*.

atizar 1. Hacer que un fuego se avive y, por extensión, avivar pasiones. ☞ **avivar.** ❖ APAGAR.
— *Al atizar se encendió el rescoldo.*
2. Dar golpes o decir regaños. ☞ **dar, propinar.**
— *No le quise atizar duro.*
— regañada, paliza: *atizada*.

atlante Estatua o especie de columna

de figura humana; persona fuerte y protectora. ☞ **arquitectura, columna.**

atlas Conjunto de mapas o cartas geográficas; primera vértebra cervical que se articula con el cráneo y sostiene la cabeza. ☞ **mapa, planisferio.**

atleta Deportista que se ejercita constantemente y desarrolla una buena condición física. ☞ **deporte.**

— conjunto de prácticas deportivas que comprenden los distintos tipos de carreras a pie, saltos y lanzamiento de objetos como la jabalina o la bala: *atletismo.*

— tipos de pruebas atléticas: *carreras o pruebas de pista y pruebas de campo.*

— pruebas combinadas (de pista y de campo): *pentatlón y decatlón.*

— tipos de carreras: *de velocidad (100, 200, 400 metros planos, 110, 200 y 400 metros vallas), medio fondo (800 y 1,500 metros planos y 3,000 con obstáculos), carreras de fondo (5,000 y 10,000 metros planos y 42,195 metros o maratón).*

— prueba donde el atleta debe tener todo el tiempo un pie sobre el suelo: *marcha o caminata.*

— tipos de pruebas de campo: *saltos de altura, longitud, pértiga y triple. Lanzamientos de bala, disco, martillo y jabalina.*

— organismos que rigen el atletismo mundial: *Comité Olímpico Internacional y Federación Internacional del Atletismo Amateur.*

atmósfera 1. Cubierta gaseosa que rodea cualquier planeta. ☞ **planeta.**

— *Venus tiene una atmósfera compuesta básicamente por gas carbónico.*

2. (vea ilustración de la p. 70). Capa de aire que circunda a la Tierra. ☞ **aire.**

— *La atmósfera terrestre tiene 78% de nitrógeno.*

— modelo normativo de atmósfera que rige la circulación aérea: *atmósfera estándar.*

— valor de presión de una columna de mercurio equivalente a 76 cm de altura y cuya aceleración normal es de $980.665 \ cm/s^2$: *atmósfera normal.*

— presión que ejerce el aire sobre los objetos: *presión atmosférica.*

— fenómeno atmosférico que consiste en que el gas carbónico y el vapor de agua impiden a los rayos infrarrojos salir hacia el exterior, haciendo que no pueda enfriarse la superficie de la capa terrestre: *efecto de invernadero.*

— fenómeno que impide que los rayos ultravioletas lleguen al suelo tal

como penetran en la atmósfera: *efecto del ozono.*

3. Ambiente psicológico o físico.

— *Vive en una atmósfera de terror.*

atole Bebida espesa que se hace con maíz molido, harina de arroz, etc., disuelta en agua o leche y colada con un cedazo, y luego hervida puede llevar otros ingredientes para darle más sabor, como azúcar, canela, miel, etc. ☞ **bebida.**

— lugar donde se hace y se vende atole: *atolería.*

— atole simple sin endulzar: *atole blanco.*

— reunión en la que se toma atole: *atoleada.*

— ser una persona apática: *tener sangre de atole, correrle o tener atole en las venas.*

— engañar: *dar atole con el dedo.*

atolón Arrecife de corales de los mares tropicales en forma de anillo. ☞ **arrecife.**

atolondrar Confundir a alguien, causarle aturdimiento o aturdirlo. ☞ **aturdir, perturbar.** ❖ TRANQUILIZAR, SERENAR.

— aturdirse: *atolondrarse.*

— torpe, aturdido, confundido: *atolondrado.*

— turbación, aturdimiento: *atolondramiento.*

atolladero Situación en que alguien o algo queda detenido o atascado. ☞ **atascar.**

— en apuros, sin salida: *en un atolladero.*

atomismo Teoría según la cual el universo o el mundo está formado de partículas elementales llamadas átomos, combinadas al azar.

— que sostiene una teoría atómica: *atomista.*

átomo (vea ilustración de la p. 71). 1. Partícula formada de un núcleo y un conjunto de electrones que constituye la estructura combinable más pequeña de la materia. ☞ **materia, partícula.**

— *El átomo de hidrógeno no contiene ningún neutrón.*

— componentes del núcleo del átomo: *protón (partícula de carga positiva) y neutrón (partícula sin carga).*

— número de protones que caracterizan a cada elemento químico de la naturaleza y que va del 1 (hidrógeno) al 92 (uranio): *número atómico.*

— suma de protones y neutrones de un átomo: *masa atómica.*

— clasificación de todos los elementos conocidos por masa y número atómicos: *tabla periódica de los elementos o tabla de Mendeleiev.*

— átomo cuya carga puede ser positiva o negativa: *ión.*

— átomo que posee electrones en exceso y su carga es negativa: *anión.*

— átomo que posee un insuficiente número de electrones y su carga es positiva: *catión.*

— átomo de un elemento con diferente cantidad de neutrones y el mismo número de protones: *isótopo.*

— bomba cuyo poder explosivo proviene de la energía nuclear: *bomba atómica.*

— arma que utiliza las reacciones de fisión del plutonio o del uranio: *arma atómica.*

— parte de la ciencia física que tiene como objeto de estudio los átomos y sus propiedades: *atomística.*

— especialista en física atómica o en energía nuclear: *atomista.*

2. Cosa muy pequeña.

— *Apenas refleja un átomo de placer.*

— ni un poco, nada: *ni un átomo.*

— pulverizar o dejar algo en sus partículas más simples: *atomizar.*

— artefacto que permite rociar algo: *atomizador, spray.*

atonal Que carece de tono bien definido una composición musical. ☞ **tono.** ❖ TONAL.

— que se pronuncia sin acento una vocal, palabra, sílaba o sonido: *átono.*

atonía Carencia de vigor y energía o disminución o pérdida del tono normal de los músculos. ☞ **músculo, tono.** ❖ TONIFICACIÓN.

atónito, -ta Sorprendido o pasmado ante algo extraño. ☞ **pasmar, asombrar.** ❖ IMPERTURBABLE.

atontar Hacer que se atonte o aturda alguien. ☞ **aturdir, atolondrar, menso.** ❖ AVISPAR, AVIVAR, ESPABILAR.

— quedarse aturdido o alelado: *atontarse.*

— aturdimiento o falta de reflexión: *atontamiento.*

atorar Dejar algo atascado u obstruido. ☞ **atascar, obstruir.** ❖ DESATORAR.

atormentar Causar aflicción, dolor o mortificación a alguien. ☞ **mortificar, torturar.** ❖ CONFORTAR, CONSOLAR, TRANQUILIZAR.

— algunos verbos que se refieren a producir aflicción: *atosigar, hostigar, torturar, mortificar, intranquilizar, inquietar, asediar, desasosegar, acosar, martirizar, angustiar.*

— martirio, sufrimiento: *tormento.*

atornillar Enroscar un tornillo o sujetar algo con tornillos. ☞ **tornillo, enroscar.** ❖ DESATORNILLAR.

atmósfera

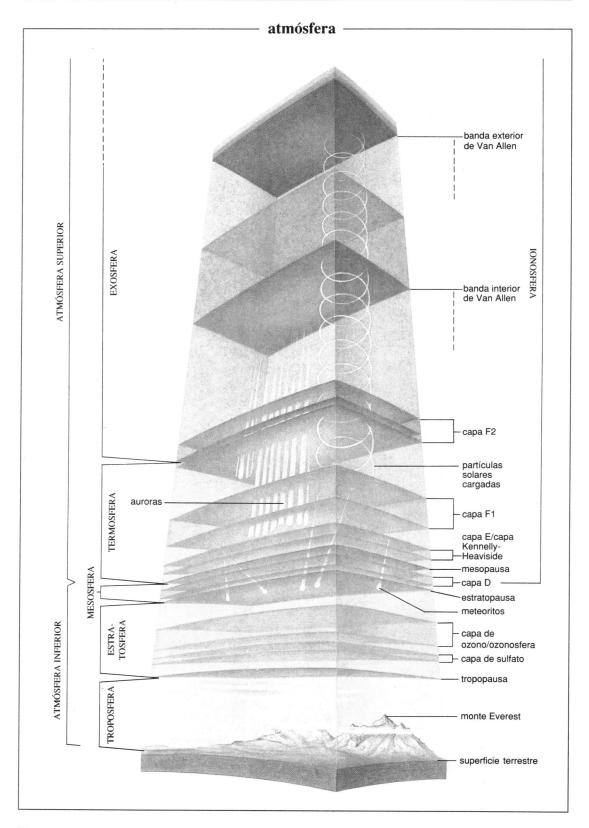

ATMÓSFERA SUPERIOR

ATMÓSFERA INFERIOR

EXOSFERA

TERMOSFERA

MESOSFERA

ESTRA-TOSFERA

TROPOSFERA

IONOSFERA

banda exterior de Van Allen

banda interior de Van Allen

capa F2

partículas solares cargadas

auroras

capa F1

capa E/capa Kennelly-Heaviside

mesopausa

capa D

estratopausa

meteoritos

capa de ozono/ozonosfera

capa de sulfato

tropopausa

monte Everest

superficie terrestre

atosigar 1. Obligar a alguien a realizar algo con rapidez, apresurarlo o molestarlo con precauciones y exigencias. ☞ **abrumar.** ❖ ALIVIAR.
— *Lo han atosigado con tantas órdenes.*
— apresuramiento, agobio: *atosigamiento.*
2. Intoxicar, envenenar. ☞ **envenenar, emponzoñar.**
— *Atosigaron al perro con cianuro.*
— veneno: *tósigo.*

atotola Variedad de ave acuática mexicana. ☞ **aves, pelícano.**

atrabancado, -da Que es irreflexivo, atolondrado o impulsivo, que hace las cosas con precipitación y temerariamente. ☞ **torpe.** ❖ REFLEXIVO.

atrabiliario, -ria De mal genio, violento. ☞ **gruñón.** ❖ SIMPÁTICO, AFABLE.

atracar 1. Asaltar a alguien, golpearlo, agredirlo o herirlo. ☞ **asaltar.**
— *Cada vez es más común que en la ciudad lo atraquen a uno.*
— asalto: *atraco.*
2. Saturarse de comida o bebida. ☞ **comer, hartazgo, hartura.** ❖ AYUNAR.
— *Lo atracaron de mole y pulque.*
— acción y resultado de atracarse: *atracón, atracada.*
3. Llegar a puerto alguna embarcación, arrimarse a otra embarcación o a tierra. ☞ **barco, embarcar, muelle.** ❖ ZARPAR.
— parte del puerto o lugar de un lago, río, etc., donde están las embarcaciones: *atracadero.*
— llegada a puerto: *atracada.*

atraer 1. Hacer una cosa que otra se acerque o ejercer una fuerza para mantenerla cerca. ☞ **traer, acercar.** ❖ REPELER, ALEJAR.
— *El imán atrae los metales.*
— acción y resultado de acercar algo: *atracción.*
— acción de acercamiento recíproco de las moléculas de un cuerpo: *atracción molecular.*
— acercamiento que ejercen todos los cuerpos del universo unos sobre otros: *atracción universal.*
2. Provocar el interés, la atención o el deseo de alguien. ❖ DESAGRADAR, RECHAZAR, REPELER.
— cualidad de provocar la atención o el deseo de alguien e interés que así se produce: *atracción.*
— conjunto de diversiones en un lugar: *atracciones.*
— que cautiva o atrae: *atractivo, atrayente.*

atragantarse Quedarse atorada comida, bebida o saliva en la garganta; tur-

barse al hablar o atorarse las palabras al pronunciarlas. ☞ **tragar, asfixia, ahogar.** ❖ DESATRAGANTARSE.
— ahogamiento: *atragantamiento.*

atrancar Poner una barra o tranca en una puerta o ventana, obstruir. ☞ **cerrar, encerrar.** ❖ DESATRANCAR.
— encerrado, atorado: *atrancado.*

atrapar Detener a alguien que se mueve o escapa, cachar algo en movimiento. ☞ **detener.** ❖ SOLTAR.

atrás A espaldas de algo o alguien, en la parte posterior, en el pasado. ☞ **detrás.** ❖ ADELANTE, ENFRENTE.
— arrepentirse de algo, no cumplir algo: *echarse para atrás, dar marcha atrás.*
— en el pasado: *de tiempo atrás.*
— estar muy bebido: *estar hasta atrás.*

atrasar Retardar, indicar que algo sucedió en época posterior a la verdadera, señalar el reloj un tiempo que ya pasó o ir muy lento o despacio algo ☞ **retrasar, aplazar.** ❖ ADELANTAR.
— demora: *atraso, atrasamiento.*
— no estar actualizado: *quedarse atrás.*

atravesar 1. Hacer pasar algo o a alguien de un lado a otro de un objeto o un lugar, cruzar o traspasar. ☞ **cruzar.**
— *Atravesamos la calle.*
2. Colocar o colocarse algo en algún lugar para impedir el paso; pasar por una situación particular.
— *Atravesaron vigas y no dejaban pasar a nadie.*
— interponerse una cosa o situación: *atravesarse.*

— sentir antipatía por alguien: *tenerlo atravesado.*

atreverse 1. Animarse de manera osada a realizar algo que implica riesgo o peligro. ☞ **arriesgar, osar.** ❖ ACOBARDARSE.
— *¿Te atreves a saltar desde el tercer piso?*
— osadía, temeridad: *atrevimiento.*
— arriesgado, osado: *atrevido.*
— sin considerar el riesgo: *atrevidamente.*
2. Tener la desvergüenza de hacer algo, faltarle el respeto a alguien.
— *¿Cómo te atreviste a decirme eso?*
— descaro, desfachatez: *atrevimiento.*
— insolente, descarado: *atrevido.*
— con descaro o insolencia: *atrevidamente.*

atribuir Adjudicar cualidades, resultados, hechos o funciones a alguien o a algo sin tener seguridad de ello. ☞ **asignar, predicar.**
— hacer pasar como propio algo que no lo es o tomarse facultades alguien que no le corresponden: *atribuirse.*
— hecho adjudicado, señalamiento, asignación: *atribución, atributo.*
— facultades, prerrogativas: *atribuciones.*

atribular Causar aflicción o padecerla. ☞ **afligir, apesadumbrar.** ❖ CONSOLAR, CONFORTAR.
— pesadumbre: *atribulación.*

atrición Arrepentimiento o pesar por el castigo divino cuando se realiza una mala acción. ☞ **contrición, remorder, remordimiento.**

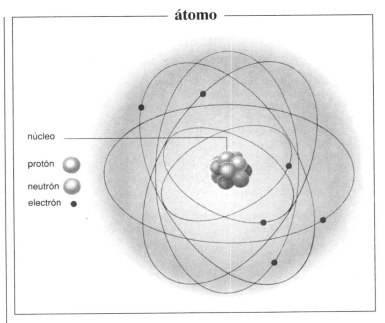
átomo
- núcleo
- protón
- neutrón
- electrón

— arrepentido: *atrito.*

atril Objeto que sirve para poner libros o partituras abiertas.

atrincherar Parapetar o fortificar alguna zona para defenderse del enemigo. ☞ **guerra, parapeto.**

— zanja o defensa que sirve para que se protejan principalmente los soldados: *trinchera.*

— ponerse en trincheras o a cubierto del enemigo: *atrincherarse.*

atrio Lugar descubierto que se encuentra en la entrada de templos y edificios.

atrofia Pérdida o disminución de los elementos de un ser vivo, de un órgano o de un tejido debido a la suspensión de nutrición o a un trastorno. ☞ **anquilosado.**

— no desarrollarse adecuadamente algo o inutilizarse: *atrofiarse.*

— la que va unida a un proceso degenerador de las células de un tejido: *atrofia degenerativa.*

— la de ciertos órganos y tejidos que no se usan debido a la evolución natural del organismo: *atrofia fisiológica.*

— consunción de los músculos que rodean a una articulación debida a un traumatismo: *atrofia artrítica.*

— la que por cercanía con un miembro amputado impide un adecuado funcionamiento: *atrofia correlativa.*

atronador, -ra Que produce mucho ruido. ☞ **ensordecer.** ❖ SILENCIO.

atropellar Derribar o agraviar a alguien abusando de la fuerza, poder o superioridad, o pasar por encima de algo o de alguien. ☞ **arrollar.**

— precipitarse, apurarse: *atropellarse.*

— arrollado: *atropellado.*

— abuso: *atropello.*

— con descuido o precipitación: *atropelladamente.*

atroz Enorme, desmesurado, grave o inhumano, intenso. ☞ **terrible, aterrar, aterrador.**

— crueldad extrema: *atrocidad.*

— de modo inhumano: *atrozmente.*

atuendo Conjunto de prendas que se usan para cubrir el cuerpo. ☞ **vestido, ataviar, atavío.**

aturdir Desconcertar, confundir o perturbar a alguien. ☞ **azorar, trastornar.** ❖ TRANQUILIZAR, CALMAR, SERENAR, ESPABILAR.

— desconcertarse, perturbarse: *aturdirse.*

— perturbación: *aturdimiento.*

— azorado, irreflexivo, atolondrado: *aturdido.*

atusar Recortar el pelo o alisarlo con el peine o la mano mojados. ☞ **tusar, cortar.**

audaz Que es muy atrevido u osado; que es desvergonzado o descarado. ☞ **atrever, osar, osado.** ❖ PUSILÁNIME, PRUDENTE, COMEDIDO.

— osadía: *audacia.*

— expresión que indica que los atrevidos logran lo que desean: *de los audaces es la suerte.*

audición 1. Capacidad de oír o escuchar. ☞ **oír.**

— *Me hicieron unas pruebas para medir la audición del oído derecho.*

— que puede escucharse: *audible*

— que está relacionado con el oído: *auditivo.*

— aparato que mejora la capacidad de oír: *audífono.*

2. Sesión de música o programa musical; sesión en que se prueba a alguien para saber cómo canta, toca un instrumento o actúa.

— *Hay una audición de rock.*

— personas que asisten a una conferencia: *auditorio.*

— lugar donde pueden congregarse personas a escuchar un espectáculo o conferencia: *auditorio, teatro.*

audiencia 1. Entrevista de una autoridad con alguien. ☞ **antesala.**

— *Estaba esperando audiencia con su jefe.*

— conceder una autoridad la entrevista con alguien: *dar audiencia.*

2. Sesión de los tribunales donde las partes en litigio exponen sus argumentos.

— *El juez atrasó la audiencia.*

auditor Persona que revisa la situación financiera de las empresas y funcionario que la comprueba para efectos fiscales.

— revisión de la economía de una empresa: *auditoría.*

auge Punto más alto de algo o etapa de plenitud y esplendor. ☞ **apogeo.** ❖ DECADENCIA, OCASO.

— tener éxito: *tener auge.*

augurio Presagio de algo futuro. ☞ **adivinación.**

— sacerdote latino que hacía adivinaciones: *augur.*

— adivinar, anticipar: *augurar.*

augusto, -ta Que es majestuoso y venerable, que infunde respeto por su excelencia. ☞ **noble.** ❖ VIL.

aullar (vea recuadro de voces animales). Emitir una voz quejumbrosa los caninos y lupinos; emitir algo o alguien una voz similar al aullido de esos animales.

— voz triste y duradera del perro, lobo y otros animales: *aullido, aúllo.*

aumentar Hacer más grande la cantidad, el tamaño o la cualidad de algo. ☞ **acrecentar, añadir.** ❖ DISMINUIR, DECRECER, REDUCIR.

— acrecentamiento o incremento: *aumento.*

— lupa: *lente de aumento.*

— terminación que adoptan ciertas palabras para acrecentar el tamaño o la intensidad de lo significado por la raíz o la palabra simple: *aumentativo.*

aún Hasta este momento, todavía, además. ☞ **todavía.**

— *Aún es joven.*

— *¿Cómo es que aún no te has ido?*

aun 1. Incluso, hasta. ☞ **hasta.**

— *Me escucharán todos, aun los sordos.*

2. Aunque, a pesar de que.

— *Aun usando lentes oscuros la luz de un eclipse puede dañar la vista.*

— ni siquiera: *ni aun.*

— aunque: *aun cuando.*

aunar Juntar o unir cosas o personas, unificar o asociar. ☞ **unir, reunir.** ❖ DESUNIR, DIVIDIR.

aunque Aun cuando, a pesar de lo que ocurra o se espere.

— por lo menos: *aunque sólo sea, aunque sea.*

aupar Levantar o subir a alguien; ensalzar o glorificar. ☞ **subir, levantar.** ❖ BAJAR.

— exclamación usada al subir o levantar a alguien: *¡Upa!, ¡Aúpa!*

aura 1. Viento suave. ☞ **brisa.**

— *Las ramas se mecían por la suave aura.*

2. Aureola que se cree rodea a personas y cosas. ☞ **aureola.**

— *Tiene un aura clara.*

3. Aceptación general, popularidad, renombre o éxito de alguien.

— *Tiene aura este cantante.*

aureola Círculo de luz que rodea algunas cosas; fama, popularidad, éxito o aura.

— poner un círculo alrededor de la cabeza en algunas imágenes sagradas: *aureolar.*

auriga Conductor de carruajes tirados por caballos en Roma y Grecia antiguas. ☞ **coche, conducir, cochero, conductor.**

aurora Claridad que precede a la salida del sol. ☞ **amanecer, iniciar, inicio** ❖ ATARDECER.

— fenómeno meteorológico que consiste en la presencia de arcos y rayos de color rojo, verde, blanco y amarillo en el horizonte: *aurora boreal.*

— amanecer: *despuntar o romper la aurora.*

auscultar Escuchar los sonidos internos

del cuerpo con el estetoscopio, el fonendoscopio o mediante la oreja.

— aparato que sirve para registrar los sonidos de la cavidad torácica: *estetoscopio, fonendoscopio.*

— acción y resultado de auscultar: *auscultación.*

— registro de la opinión de un conjunto de personas: *auscultación.*

ausente Que está alejado o distante de una persona o lugar, que no está presente; que está desatento a lo que sucede. ❖ PRESENTE.

— falta de alguien: *ausencia.*

— hacer que alguien se aleje de un lugar: *ausentar.*

— alejarse, distanciarse: *ausentarse.*

— no asistir: *brillar por su ausencia.*

auspiciar Promover algo, patrocinar a alguien o favorecerlo.

— agüero, presagio: *auspicio.*

— protección, favor, ayuda: *auspicio.*

— que augura éxito: *con buenos auspicios.*

austeridad Situación severa que determina ajustarse exclusivamente a lo imprescindible, sacrificio o rigidez en la forma de vivir y comportarse. ☞ **sobrio, rígido, frugal.** ❖ ABUNDANCIA.

— sobrio, sin ornamentos: *austero.*

— que vive con rigidez: *austero.*

austral Cercano o en las inmediaciones del Polo Sur, que pertenece al hemisferio sur o que se relaciona con él. ❖ BOREAL.

autarquía Gobierno que se legisla y se basta a sí mismo económicamente. ☞ **autarcia.**

— que pertenece a la autarquía o se relaciona con ella: *autárquico.*

auténtico, -ca Que es lícito, legítimo y verdadero, que es original o genuino. ☞ **genuino.** ❖ FALSO, FALSIFICADO.

— legitimidad: *autenticidad.*

— dar reconocimiento de firmas, autorizar o legalizar algo: *autenticar, autentificar.*

autismo Propensión mental a separarse del mundo exterior y ensimismarse; trastorno mental con estas características.

— que se desinteresa del mundo que lo rodea y se encierra en sí mismo: *autista.*

auto 1. Apócope de automóvil. ☞ **vehículo, carro, coche.**

— *Le gusta salir de vacaciones en auto.*

— radical que significa el mismo, por sí mismo, y que se usa como primer elemento de ciertas palabras: *auto.*

— camión de turistas: *autocar.*

— camión de autotransporte colectivo: *autobús.*

2. Forma de resolución judicial de tribunales y jueces, que decide incidentes que no requieren sentencia.

— *El auto de este juicio es inapelable.*

— conjunto de actuaciones y documentos de un procedimiento judicial: *autos.*

— castigo ante una audiencia que efectuaba la Inquisición con los acusados de herejía: *auto de fe.*

— texto dramático cuyo tema principal es la eucaristía: *auto sacramental.*

autoanálisis Análisis e interpretación que hace un sujeto de sí mismo, por medio del psicoanálisis, la interpretación de los sueños y las técnicas de la libre asociación. ☞ **psicoanálisis, análisis.**

autocensura Crítica negativa que practica una persona sobre sus propias ideas o textos impidiendo que se conozcan. ☞ **criticar, reparar, crítica, reparo.**

autoclave Recipiente cilíndrico, en forma de vasija, con una cubierta cerrada y atornillada herméticamente. Funciona como olla de presión y se emplea para esterilizar material quirúrgico necesario en operaciones y ciertas curaciones.

autocontrol Control de uno mismo, en particular de un cierto número de funciones fisiológicas o de acciones involuntarias.

autocracia Sistema político en que un solo hombre legisla y ejerce el poder de manera absoluta. ❖ DEMOCRACIA.

— persona que ejerce la autoridad de manera ilimitada e irrestricta: *autócrata.*

autocrítica Análisis y valoración de los aciertos y errores propios, crítica de una obra por su autor.

autóctono, -na Que pertenece al país en que nace o de donde es oriundo u originario. ☞ **aborigen, nacer, nativo.** ❖ EXTRANJERO, FORASTERO.

autodestrucción Destrucción producida por uno mismo.

— dispositivo que provoca la autodestrucción de armas, proyectiles y material militar: *autodestructor.*

autodeterminación Libre decisión de los pobladores de una unidad territorial sobre su futuro estatuto político o sobre la forma de legislarse. ☞ **soberanía.**

autodidacto, -ta Que se instruye a sí mismo sin concurso del sistema escolarizado.

autódromo Pista donde se prueban y se corren automóviles.

autógeno, -na Que se origina por sí solo o dentro del propio organismo.

— soldadura de dos piezas del mismo metal por fundición parcial con soplete: *soldadura autógena.*

autogestión Administración de una empresa agrícola o industrial ejercida por un comité elegido por los trabajadores de dicha empresa.

autógrafo Que es escrito y firmado por el propio autor. ☞ **firmar.**

autómata 1. Máquina o aparato cuyo movimiento responde a su propio mecanismo interno, máquina que imita la forma y movimientos de un ser animado.

— *Los japoneses fabrican autómatas.*

— involuntario: *automático.*

— automóvil que ejecuta los cambios de velocidad por sí mismo: *automático.*

— hacer que una máquina siga su propio mecanismo: *automatizar.*

2. Persona que se deja manejar por otra.

— *Es tan débil, que es una autómata de su suegra.*

automóvil (vea ilustración de la p. 74). Vehículo que se desplaza movido por un motor de combustión interna, sobre ruedas o llantas de hule y que generalmente usa gasolina como combustible. ☞ **auto, coche, carro.**

— conjunto de conocimientos relacionados con la fabricación, funcionamiento y manejo de autos y deporte que se practica con el automóvil: *automovilismo.*

— que pertenece a la mecánica y a la industria de los automóviles: *automotriz.*

— conductor de autos: *automovilista, chofer, piloto.*

— manera de acreditar que se sabe manejar un auto: *examen de manejo.*

— permiso especial para conducir: *licencia (de manejo).*

— autorización para conducir para personas entre 16 y 18 años: *permiso de conducir.*

— documentos que acreditan la pertenencia del auto: *tarjetón, tarjeta de circulación, factura.*

— documentos e impuestos que se pagan por el coche: *tenencia (calcomanía), placas.*

— examen del nivel de contaminación del coche: *verificación.*

— dispositivo que permite a los automóviles aceptar una gasolina menos contaminante: *convertidor catalítico.*

— algunas partes del automóvil: *carrocería, chasís, motor, carburador, instalación eléctrica, refrigeración, transmisión, suspensión, clutch (closh), frenos, acelerador, llantas, dirección.*

automóvil

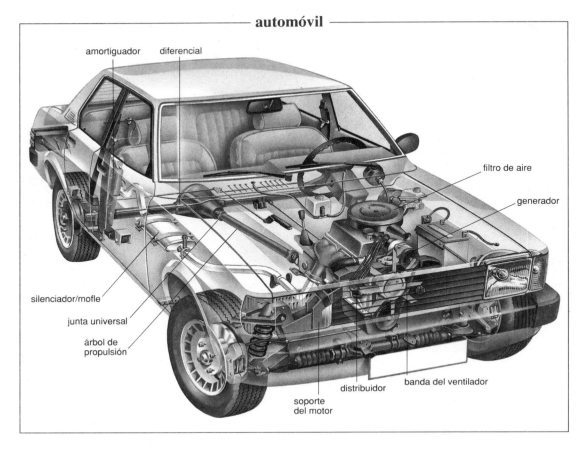

amortiguador · diferencial · filtro de aire · generador · silenciador/mofle · junta universal · árbol de propulsión · soporte del motor · distribuidor · banda del ventilador

— especie de cajón situado en la parte trasera del coche y utilizado para llevar el equipaje: *cajuela.*

— especie de ventana ubicada en el techo de ciertos automóviles: *quemacocos.*

— aparato de radio y cassette que se instala en los autos: *autoestéreo.*

— tipos de vehículos: *sedán, camioneta, pick-up (picóp), furgoneta, limusina, deportivo, convertible, berlina, coche de carreras, caravana, remolque, furgón, jeep (yip), microbús, autobús, combi, camión de pasajeros, camión de redilas, camión de volteo, tráiler, excavadora, buldózer, montacargas, tanque, camión revolvedor, anfibio, van, grúa, grúa mecánica.*

— tipos de funcionamiento interno de los vehículos: *estándar o de velocidades, automático, de doble tracción.*

— auto que da servicio a particulares: *taxi, libre, de ruleteo, ruletero.*

— taxis que pueden ser llamados por teléfono o radio: *radiotaxis.*

— transportes colectivos: *peseros, combis, colectivos, camiones.*

autonomía Capacidad de una persona, institución o nación de actuar, gober-

narse o bastarse por sí misma. ☞ **libertad, gobernar.** ❖ DEPENDENCIA.

— que goza de libertad de gobierno, que es independiente: *autónomo.*

— derecho de la universidad de autolegislarse dentro de su territorio: *autonomía universitaria.*

autopista Carretera de por lo menos cuatro carriles por la que circulan rápidamente los vehículos. ☞ **carretera.**

autoplastia Restauración orgánica de una parte del organismo por injerto de otra parte sana, procedente del mismo individuo. ☞ **cirugía.**

autopsia Análisis anatómico y patológico de un cadáver. ☞ **morgue, morir, necropsia.**

autor, -ra Persona que inventa o crea algo, especialmente la que escribe una obra. ☞ **escribir, escritor.**

— reconocimiento de ser el creador de algo: *autoría.*

— autor desconocido: *autor anónimo.*

— facultad legal del creador de una obra para explotarla en beneficio propio y para autorizar a una persona a que la publique o reproduzca: *derecho de autor.*

— persona que planea un crimen pero

no lo realiza: *autor intelectual.*

— persona que ejecuta un crimen: *autor material.*

— distintos tipos de autor: *escritor, novelista, poeta, prosista, ensayista, hombre de letras, articulista, periodista, reportero, cronista, literato, dramaturgo, cineasta, pintor, compositor, músico, escultor, letrista, arreglista, caricaturista, fotógrafo, coreógrafo, bailarín, guionista, argumentista.*

autorizar Permitir o conceder algo una autoridad, dar validez o aprobar una cosa. ☞ **facultar, conceder.** ❖ DESAUTORIZAR.

— poder o dominio de una persona sobre otra: *autoridad.*

— poder o carácter que se le atribuye a una persona, grupo o institución para dar normas y para hacerlas cumplir: *autoridad.*

— persona, grupo o institución que ejerce el poder político, administrativo, judicial, etc.: *autoridad.*

— que ejerce el poder de manera despótica y tirana: *autoritario.*

— despotismo o sistema político fundado en el poder sin control de una autoridad absoluta y arbitraria: *autoritarismo.*

— negación a subordinarse a la autoridad: *desacato o faltas a la autoridad.*

— insulto a la autoridad: *desacato o faltas a la autoridad.*

— injusticia de alguna autoridad, que se aprovecha de su rango: *abuso de autoridad.*

— permiso, anuencia: *autorización.*

— con conocimiento de causa: *autorizadamente.*

autorreferencia Propiedad de algunos enunciados de engendrar una paradoja o antinomia.

— *Yo siempre miento.*

autorretrato Pintura o fotografía de una persona hecha por ella misma.

autosacrificio Práctica ceremonial sagrada del México prehispánico en la cual los individuos se sangraban con instrumentos punzocortantes.

autoservicio Sistema que tienen algunos almacenes o restaurantes en que el cliente se sirve a sí mismo, sin intervención de dependientes.

autosuficiente Que se basta a sí mismo.

— capacidad de bastarse a sí mismo: *autosuficiencia.*

autosugestión Sugestión que se origina en una persona, independientemente de los estímulos externos. ☞ **sugestión** ❖ HETEROSUGESTIÓN.

— convencerse uno mismo de algo: *autosugestionarse.*

autotomía Mutilación que realiza el propio animal de apéndices y de miembros con objeto de escapar de sus enemigos Este reflejo espontáneo lo tienen ciertos reptiles, roedores, artrópodos y las estrellas de mar. ☞ **autoamputación.**

autotrofia Nutrición a base de compuestos inorgánicos (del aire, agua y suelo) de algunas plantas y bacterias. ❖ HETEROTROFIA.

— que se nutre sólo con compuestos inorgánicos: *autótrofo.*

autovacuna Tratamiento que consiste en la administración de los gérmenes, atenuados o muertos, del mismo paciente al que se vacuna.

autumnal Que se refiere al otoño, otoñal. ☞ **estación.**

auxiliar 1. Ayudar a alguien. ☞ **ayudar, socorrer, asistir.** ❖ PERJUDICAR, DAÑAR.

— *Me auxiliaron varias personas cuando me accidenté.*

— exclamación usada para pedir ayuda: *¡auxilio!*

— ayuda o apoyo prestado a alguien: *auxilio.*

— conjunto de técnicas para ayudar a heridos en situaciones de emergencia: *primeros auxilios.*

— grupo de medicamentos mínimos para tratar emergencias: *botiquín de primeros auxilios.*

— asistencia eclesiástica a un moribundo: *auxilios espirituales.*

2. Que ayuda, complementa o suple a alguien.

— *Ese policía auxiliar es muy amable.*

— verbo que pierde su significado y forma parte de perífrasis y tiempos compuestos junto con otro verbo: *verbo auxiliar.*

aval Firma de la persona que responde de la conducta moral o política y de la solvencia económica de otra, en un escrito, letra u otro documento de crédito; documento o garantía. ☞ **garantizar, garantía.**

— garantizar algo por medio de aval: *avalar.*

— valuación, evaluación: *avalúo.*

avalancha 1. Considerable cantidad de nieve u otros elementos naturales que se precipita, de los montes a los valles, de manera violenta. ☞ **alud, nieve.**

— *Tres alpinistas murieron víctimas de una avalancha.*

2. Lo que se desborda impetuosamente, ya sean pasiones o sentimientos, ya personas o cosas.

— *Una avalancha de gente bajaba las escaleras al oír la explosión.*

3. Plancha rectangular con volante, asiento y cuatro ruedas que sirve para deslizarse a modo de patineta.

— *No me gusta que juegues con la avalancha en la calle.*

avalorar 1. Poner precio a algo o estimar el valor de algo. ☞ **valuar, valorar.** ❖ DEVALUAR.

— *Ese joyero avalora piezas de oro.*

2. Infundir valor o valentía.

— *Se avaloró ante la gravedad del momento.*

avante Adelante. ☞ **adelantar.**

— triunfar en algo: *salir avante.*

avanzar Dirigirse hacia adelante en el tiempo o en el espacio, mover algo hacia adelante o adelantarlo; progresar o desarrollarse algo. ☞ **superar, adelantar, progresar.** ❖ RETROCEDER.

— progreso: *avance.*

— fragmentos de una película que se exhiben con fines publicitarios: *avances.*

— saqueo durante una guerra: *avance.*

— sección de un ejército que se adelanta para observar de cerca al enemigo e informar de sus movimientos: *avanzada.*

— que es de ideas progresistas o muy nuevas: *avanzado.*

— ser de ideas progresistas y novedosas: *ser de avanzada.*

— que tiene muchos años, tratándose de edad: *de edad avanzada.*

avaricia Avidez o afán desmedido por atesorar y obtener bienes y riquezas. ☞ **tacañería, codicia, mezquindad.** ❖ DERROCHE, GENEROSIDAD.

— mezquino, tacaño: *avaro, avaricioso, avariento.*

avasallar Someter a alguien a la obediencia de otro, generalmente con poder o autoridad. ☞ **subyugar, oprimir, dominar.** ❖ LIBERAR, EMANCIPAR.

— someterse al que tiene poder una persona impotente ante él: *avasallarse.*

— que subyuga y domina por su personalidad: *avasallador.*

— siervo: *vasallo.*

— sojuzgamiento, subyugación: *avasallamiento.*

avatar Nombre dado a las encarnaciones de Visnú. ☞ **vicisitud, cambiar, transformar.**

— vicisitudes, cambios en la fortuna: *avatares.*

ave Animal vertebrado ovíparo de respiración pulmonar, homeotermo o de sangre caliente, pico córneo, cuerpo cubierto de plumas y cuatro extremidades, dos anteriores (alas) y dos posteriores (patas). ☞ **pájaro, guajolote, pato.**

— ave doméstica que no vuela, como la gallina o el guajolote: *ave de corral.*

— ave carnívora, de pico y uñas encorvadas, puntiagudas y fuertes: *ave de rapiña, ave rapaz.*

— ave que cambia de residencia en otoño y primavera: *ave migratoria.*

— ave migratoria que se detiene en un lugar para descansar, comer y continuar su viaje: *ave de paso.*

— parte de la zoología que estudia las aves: *ornitología.*

— especialista en aves: *ornitólogo.*

— miedo a las aves: *ornitofobia.*

— cría de aves y aprovechamiento de sus recursos: *avicultura.*

— persona que se dedica a la avicultura: *avicultor.*

— lugar donde las aves depositan sus huevos: *nido.*

— hacer nido las aves y vivir en él: *anidar.*

— criar aves de caza y halcones: *cetrería.*

— conjunto numeroso de aves que van juntas: *bandada, parvada.*

— conjunto de diversas aves: *volatería.*

— conjunto de pollos: *pollada.*

— que pertenece a las aves: *aviario.*

— lugar en donde se mantienen aves en cautiverio, para su exhibición o estudio: *aviario.*

— lugar donde se crían aves: *avería, averío.*

— conjunto de aves de corral: *averío.*

— aves marinas, zambullidoras, de pies palmeados: *alciformes.*

— pájaros de pico corto y cónico, alas cortas y cola larga: *coliformes.*

— aves de plumas remeras: *colimbiformes, gaviformes.*

— aves rapaces nocturnas de pico corto y curvo: *estrigiformes.*

— aves marinas buceadoras, con alas cortas: *esfenisciformes.*

— aves depredadoras carnívoras, de pico robusto uncinado: *falconiformes.*

— aves acuáticas, de pico largo y patas desnudas: *ralliformes o gruiformes.*

— aves palmípedas: *pelecaniformes.*

— aves míticas o alegóricas: *ave fénix, paloma de la paz, ave roc, ave grifo, mnemónida, águila bicéfala.*

— persona que se detiene poco en algún lugar: *ave de paso.*

— persona que asociamos con malas noticias: *ave de mal agüero.*

— persona que se apodera de lo que no es suyo, generalmente con astucia: *ave de rapiña.*

avecinarse 1. Acercarse o aproximarse. ☞ **avecindar.** ❖ ALEJARSE.

— *Se avecina una tormenta.*

2. Avecindarse o establecerse como vecina en un lugar. ☞ **vecindad.** ❖ AUSENTARSE, EMIGRAR.

— *Quisieron avecinarse en Chalco, pero luego se fueron a Toluca.*

— habitante de un lugar, persona que habita cerca de otra: *vecino.*

avejentar Hacer que uno parezca más viejo de lo que realmente es. ☞ **envejecer.** ❖ REJUVENECER.

— que se ve mayor de lo que es: *avejentado.*

avenida 1. Calle amplia, generalmente de doble circulación, a la que desembocan calles más pequeñas. ☞ **calle.**

— *Los transeúntes casi no pueden atravesar esa avenida.*

2. Creciente que aumenta la fuerza y el caudal de un río. ☞ **río.**

— *La unión de torrentes y ríos incrementa la avenida.*

avenir Acercar a dos personas o más en discordia. ☞ **reconciliar, conciliar.** ❖ SEPARAR.

— llevarse bien una persona con otra, ponerse de acuerdo en opiniones y expectativas, conformarse o resignarse con algo: *avenirse.*

— ajuste, acuerdo: *avenencia.*

— en armonía, en desarmonía: *bien avenido, mal avenido.*

aventajar Ganar o superar a alguien. ☞ **sobresalir, adelantar.**

— que es conveniente o provechoso: *aventajado.*

— ventaja: *aventajamiento.*

aventar 1. Arrojar algo lejos de uno, con precipitación. ☞ **lanzar.**

— *Le aventó una piedra.*

— que no mide las consecuencias de la acción: *aventado.*

2. Empujar a alguien o algo con violencia. ☞ **tirar, embestir.**

— *¡No me avientes!*

— echarse o lanzarse alguien repentinamente: *aventarse.*

— empujón: *aventón.*

— viaje gratis de una persona en un vehículo que maneja otra: *aventón, raid (ráit).*

aventura 1. Empresa arriesgada que atrae a los que aman el peligro. ☞ **explorar.**

— *Me gustan las películas de aventuras.*

— atrevido, arriesgado: *aventurado.*

— que ama el peligro y busca riesgos: *aventurero.*

— arriesgar, poner en peligro: *aventurar.*

— texto que describe y narra situaciones peligrosas: *novela de aventuras.*

— novelas de aventuras: *Daniel Defoe: Robinson Crusoe. Jonathan Swift: Los Viajes de Gulliver. R.L. Stevenson: La Isla del Tesoro. Emilio Salgari: Sandokan, El Tigre de la Malasia. Julio Verne: La Vuelta al Mundo en Ochenta Días. Mark Twain: Las Aventuras de Huckleberry Finn.*

2. Hecho casual y de poca importancia en la vida de alguien, incidente.

— *De joven tuve muchas aventuras.*

— oportunista que trata de ocupar un puesto social que no le corresponde: *aventurero.*

— que no está suficientemente fundamentado: *aventurado.*

avergonzar Causar vergüenza, pena o deshonor a alguien. ☞ **abochornar, apenar.** ❖ ENORGULLECER.

— sentirse humillado o deshonrado: *avergonzarse.*

— sentimiento de perder la dignidad, de humillación o deshonor: *vergüenza, pena.*

avería Desperfecto que sufre algún objeto o mecanismo. ☞ **daño, desperfecto.**

— dañado: *averiado.*

— estropear algo: *averiar.*

— dañarse algo: *averiarse.*

averiguar Llegar a saber o conocer algo. ☞ **inquirir, indagar, investigar.**

— tener que entenderse una persona con otra de trato difícil: *averiguárselas con...*

— pesquisa, investigación: *averiguación.*

— primera investigación que hace el agente del ministerio público comisionado para establecer la culpabilidad en un delito: *averiguación previa.*

averno Infierno o lugar donde moran las almas de los condenados, relativo a este lugar. ☞ **infierno, báratro.**

— otros nombres del infierno: *báratro, tártaro, erebo, orco, mictlán.*

aversión Sensación de repugnancia y rechazo hacia alguien o algo. ☞ **repulsión, hostil, animadversión.** ❖ SIMPATÍA.

avezar Acostumbrar o habituar. ☞ **acostumbrar.** ❖ DESACOSTUMBRAR.

— acostumbrarse o habituarse: *avezarse.*

— ser ducho en: *ser avezado en.*

avidez Ansia intensa por algo. ☞ **codicia.** ❖ INDIFERENCIA, DESPRENDIMIENTO, SACIEDAD.

— ansioso, codicioso: *ávido.*

avieso, -sa Inclinado a realizar el mal. ☞ **mal, maligno, malvado.** ❖ RECTO.

avinagrar Poner agria una cosa, en particular el vino. ☞ **vinagre, agrio.**

— volverse amargo el carácter de alguien: *avinagrarse.*

— que tiene carácter agrio o amargo: *avinagrado.*

avío Cualquier provisión o víveres. ☞ **proveer, provisión.**

— utensilios necesarios para efectuar una cosa: *avíos.*

avión Vehículo de navegación aérea que tiene alas y posee uno o varios motores. ☞ **aéreo, aeronave.**

— técnica cuyo objeto es el estudio y construcción de aviones: *aviación.*

— transportación aérea por medio de aviones: *aviación.*

— avión pequeño y poco potente: *avioneta.*

— accidente aéreo: *avionazo.*

— persona que dirige o maneja un avión: *aviador, piloto.*

— persona que acompaña al piloto en el control de mando: *copiloto.*

— persona que atiende a los pasajeros en el avión: *aeromozo, aeromoza, azafata.*

— personal dedicado a las maniobras y servicios del avión: *tripulación.*

— persona que tiene un nombramiento, recibe un sueldo y no lo devenga: *aviador.*

— puesto o empleo fantasma: *aviaduría.*

— distraerse uno: *írsele el avión.*

— aceptar aparentemente algo que se dice: *dar el avión.*

— algunas partes del avión: *mando de dirección, timón de profundidad, borde de ataque anticongelante con circulación de aire caliente, turborreactor, bodegas de equipaje y carga, alerones, aletas, depósito de carburante, alas, cabina de pilotaje, cabina de pasajeros, luces de navegación, obturadores de aire, freno, guardafuego, larguero, palanca de control y pedales del timón, tablero de instrumentos, ruedas plegadizas, tren de aterrizaje, disparador del paracaídas, timones, estabilizador.*

avisar Dar noticia de algo a alguien, hacer saber, advertir o anunciar algo. ☞ **anunciar, advertencia.**

— sagaz, perspicaz, astuto: *avisado.*

— noticia, información, anuncio: *aviso.*

— precaución, cuidado: *aviso.*

— estar prevenido: *estar sobre aviso, andar sobre aviso.*

— advertir a alguien de algo: *poner sobre aviso.*

— sin que medie información alguna: *sin previo aviso.*

avispar Volver más listo a alguien. ☞ **despertar, avivar.** ❖ ATURDIR, EMBRUTECER, ATARUGAR.

— hacerse más listo y agudo alguien: *avisparse.*

— despierto, agudo, listo: *avispado.*

avistar Alcanzar con la vista algo. ☞ **divisar.**

avitaminosis Cualquier enfermedad causada por insuficiente ingestión o asimilación de vitaminas. ☞ **vitamina.**

avituallar Proveer de alimentos o suministrarlos. ☞ **vitualla, abastecer, proveer.**

avivar Hacer más intenso, más vivo, más fuerte o activo algo. ☞ **intensificar, animar.** ❖ APAGAR, DETENER, DESANIMAR.

avizor, -ra Que acecha, vigila, atisba o espía con sumo cuidado. ☞ **escudriñar.**

— mirar de modo acechante: *avizorar.*

— expresión que alerta a alguien, indicándole que tenga cuidado ante un riesgo o peligro: *ojo avizor.*

avocar Atraer un juez o tribunal superior la causa que se está litigando o debiera litigarse ante otro inferior. ☞ **invocar.**

avorazado, -da Que es ambicioso o codicioso, que todo lo quiere para sí mismo. ☞ **ambicionar, ambicioso.** ❖ DESPRENDIDO, ESPLÉNDIDO.

avulsión Extracción de algo, principal-

mente de piezas dentarias. ☞ **arrancar, arrancadura.**

axial Que pertenece a un eje o se relaciona con él. ☞ **eje, axil.**

axila Zona del cuerpo de un hombre o animal, situada bajo el brazo, donde éste se une con el tronco. ☞ **sobaco.**

— que se relaciona con la axila: *axilar.*

axiología Teoría filosófica del valor que considera que los valores son objetos (no cosas), que están en la esfera del valer y no del ser, son independientes del sujeto y determinan al hombre, a la sociedad y a la cultura. ☞ **valor, ética.**

— que pertenece a la axiología o se relaciona con ella: *axiológico.*

axioma Proposición o afirmación que se considera evidente sin necesidad de demostración.

— evidente: *axiomático.*

— vía de presentar una teoría matemática con base en axiomas que no pueden discutirse: *método axiomático.*

— teoría matemática que supone que los términos no definidos y los postulados son explícitos: *teoría axiomática.*

— elaboración de un sistema de axiomas: *axiomatización.*

axón Prolongación de una neurona, que transmite los impulsos desde el cuerpo celular. ☞ **neurita, neurona.**

axoquen Variedad de ave palmípeda lacustre mexicana. ☞ **achoque.**

ay Interjección que se usa para expresar variados estados de ánimo, particularmente dolor o pesar.

— sentirse muy afligido: *estar en un ay.*

aya Mujer que se encarga de cuidar a bebés y niños. ☞ **ama, nodriza.**

ayacahuite Variedad de conífera mexicana. ☞ **pino.**

ayacaste Instrumento musical prehispánico de percusión parecido a una sonaja, que se fabrica con el fruto de una planta cucurbitácea del mismo nombre. ☞ **sonaja, música.**

ayate Tela basta y rala que los indígenas hacen con fibra de maguey. ☞ **ropa, vestido.**

ayatollah Nombre honorífico de los patriarcas chiítas del Islam. ☞ **Islamismo.**

ayer En el día anterior al de hoy, en el pasado, hace poco tiempo.

ayote Variedad de calabaza gigante. ☞ **calabaza.**

ayudar Contribuir con alguien en algo. ☞ **auxiliar, asistir, socorrer.** ❖ ESTORBAR, PERJUDICAR.

— valerse de algo o apoyarse para lograr algo: *ayudarse.*

— cooperación o apoyo: *ayuda.*

— persona que coopera con alguien: *ayudante.*

— que coopera, que ampara o que protege: *ayudador.*

— cargo de ayudante: *ayudantía.*

— criado que vestía al amo: *ayuda de cámara.*

ayunar Abstenerse de comer y beber parcial o totalmente. ☞ **abstinencia, privar, privación.** ❖ HARTARSE.

— abstinencia de alimentos: *ayuno.*

— sin desayunar: *en ayunas.*

— persona que se abstiene de comer: *ayunador.*

— época de ayuno entre los católicos: *cuaresma.*

— época de ayuno entre los musulmanes: *ramadán.*

— época de ayuno entre los judíos: *rosh hashanná.*

— dejar boquiabierto a alguien o no enterarlo de algo: *dejar en ayunas.*

ayuntamiento Gobierno de un municipio y local de este gobierno. ☞ **municipio.**

azabachado, -da De color negro brillante. ☞ **color, negro.**

— lignito duro y compacto, susceptible de ser pulido, que proviene de coníferas fosilizadas negras: *azabache.*

azada Instrumento parecido a la pala que se usa para cavar tierras roturadas o blandas, remover el estiércol o la cal. ☞ **azadón.**

— golpe dado con la azada: *azadada, azadazo.*

azadón Instrumento de labranza similar a la azada, aunque su pala es más curva, que se usa generalmente para romper tierras duras.

azafranado, -da Que es del color del azafrán, amarillo anaranjado. ☞ **color, amarillo.**

— planta cuyos filamentos se emplean como condimento: *azafrán.*

— mezclar azafrán con algo, ponerlo en el agua o teñir de azafranado: *azafranar.*

azahar Flor blanca de algunos cítricos.

— infusión para calmar los nervios: *té de azahar.*

— líquido que se utiliza principalmente en perfumería y medicina: *agua de azahar.*

azar Eventualidad o acontecimiento casual. ☞ **casual, suerte, casualidad.**

— aventurado, peligroso: *azaroso.*

— por casualidad: *por azar.*

— sin planeación: *al azar.*

— juegos que dependen de la suerte y no de la habilidad o astucia de los jugadores: *juegos de azar.*

— sobresaltarse o turbarse por algo imprevisto: *azararse.*

ázimo Pan sin levadura que comen los judíos en la Pascua o pan que utiliza la Iglesia católica en el sacrificio eucarístico. ☞ **pan.**

azogar Apagar la cal rociándola con agua. ☞ **agua.**

azolve Lodo que obstruye los conductos de agua. ☞ **obstruir, obstrucción.**

— destapar algo quitándole el lodo: *desazolvar.*

azorar Turbar a alguien, espantarlo. ☞ **azarar, sobresaltar.** ❖ TRANQUILIZAR.

— sorpresa, sobresalto: *azoro, azoramiento.*

azorrillar Someter o humillar a una persona. ☞ **atarugar.**

— esconderse: *azorrillarse.*

— acción y resultado de azorrillar: *azorrillada.*

azotar 1. Pegar a alguien. ☞ **golpear.**

— *Su papá lo azota muy seguido.*

— golpeado: *azotado.*

— látigo o vara: *azote.*

— golpe: *azote.*

— zurra, paliza: *azotaina.*

2. Caerse alguien y golpearse con el suelo.

— *Pisó la cáscara de plátano y azotó muy feo.*

— pagar lo que debía o algo que le corresponde: *azotarse, azotarse con el dinero.*

— expresión que indica que no debe exagerar ni tomar las cosas tan en serio: *¡No te azotes!*

— expresión que indica sorpresa ante alguien que paga una deuda o que se cae: *¡Azotó la res!*

3. Golpear el mar, el viento o algo a alguien o a otra cosa.

— *El granizo azotó los techos.*

— que produce daños graves: *azote.*

azotea Parte superior, generalmente plana, de una casa o edificio donde se puede andar.

azúcar Sustancia blanca u oscura, sólida, dulce, soluble en agua, que se extrae principalmente de la caña y el betabel. ☞ **dulce.**

— que contiene azúcar o que es dulce: *azucarado.*

— poner azúcar a algo: *azucarar.*

— cristalizarse el azúcar o almíbar de las latas de conservas: *azucararse.*

— recipiente donde se deposita el azúcar: *azucarera.*

— que es empalagoso y afable alguien: *azucarado.*

— azúcar refinada: *blanca.*

— azúcar con impurezas de melaza que pasa por un primer proceso de centrifugado: *azúcar morena.*

— azúcar con impurezas que pasa por dos procesos de centrifugado: *azúcar mascabado.*

— azúcar en polvo, muy usada en repostería: *azúcar glass.*

— azúcar oscura en forma de conos: *piloncillo.*

— azúcar mascabado o melcocha oscura: *panocha, panela.*

— azúcar común, de caña o betabel: *sacarosa.*

— sustancia que también sirve para endulzar que se extrae del alquitrán de hulla: *sacarina.*

— líquido pardo, espeso, que queda como residuo en la fabricación de azúcar: *melaza.*

— jarabe de la caña de azúcar antes de la cristalización: *melado.*

— miel calentada a la que se agrega agua fría hasta que queda correosa: *melcocha.*

— cubrir con azúcar y agua algo: *almibarar.*

— mezclar un líquido con azúcar para formar grumos: *garapiñar.*

— formar con almíbar una costra granulosa: *escarchar.*

— azúcar fundida y enfriada después: *caramelo.*

— cubrir con caramelo: *acaramelar.*

— fábrica de azúcar de caña: *ingenio.*

— molino de caña de azúcar: *trapiche.*

— cosecha de caña de azúcar: *zafra.*

— cuadros de azúcar: *estuchados.*

— glúcidos o hidratos de carbono: *azúcares.*

— compuestos de carbono, hidrógeno y oxígeno que se presentan en la materia viviente: *glúcidos.*

— azúcar de leche: *lactosa.*

— azúcar de frutas: *fructosa o levulosa.*

— azúcar de malta: *maltosa.*

— azúcar de uva: *glucosa.*

— azúcar de fécula: *glucosa del almidón o dextrosa.*

— azúcar de gelatina: *glicocola.*

— hidrato de carbono que se transforma en glucosa: *glucógeno.*

— cantidad anormal de azúcar en la orina: *glucosuria.*

— enfermedad caracterizada por una abundante secreción de orina cargada de glucosa: *diabetes.*

azufrar Impregnar con azufre o echar azufre.

— metaloide sólido de color amarillo, insípido e inodoro: *azufre.*

— mina de azufre: *azufrera.*

— que contiene azufre: *azufroso.*

azul El quinto color del arco iris; del color del cielo sin nubes o del mar en un día soleado. ☞ **color, añil, cerúleo.**

— de color azul: *azulado, azuloso.*

— tirar a color azul: *azulear.*

— teñir de azul: *azular.*

— azul intenso: *azulino, azul de Prusia.*

— materia colorante que resulta de calcinar alúmina con fosfato de cobalto: *azul de cobalto.*

— compuesto utilizado como colorante en textiles: *azul de metileno.*

— azul claro: *azul celeste.*

— azul oscuro: *azul marino.*

— lapislázuli en polvo: *azul de ultramar.*

— ser o creerse de la nobleza o de la aristocracia: *ser de sangre azul.*

— que es del color heráldico, en pintura expresado con el azul oscuro: *azur.*

— expresión que indica que hay que hacer algún esfuerzo para obtener algo: *el que quiera azul celeste, que le cueste.*

azulejo Especie de baldosa vidriada que puede tener varios colores. ☞ **baldosa.**

— que hace azulejos: *azulejero.*

— oficio del azulejero u obra hecha o revestida de azulejos: *azulejería.*

— cubrir con azulejos: *azulejar.*

azulona Variedad de colómbida americana. ☞ **ave.**

azuzar Hacer que un animal embista o ataque a otro; irritar o exacerbar una persona a otra. ☞ **incitar, hostigar.** ❖ FRENAR, CALMAR.

— que incita a los animales o a las personas: *azuzador.*

— persona chismosa y azuzadora: *azuzón.*

B

baba 1. Secreción excesiva de las glándulas salivales. ☞ **saliva, babosear.**
—*Ese tipo tiene baba.*
2. Jugo espeso que mana de algunas plantas o animales como el caracol.
—*La baba del maguey se llama agua-miel.*
— producir baba: *babear.*
— acción y resultado de babear: *babeo.*
— expresión que se usa para significar estar embelesado o atónito: *caérsele a uno la baba.*
— expresión que se utiliza cuando una persona comete algún error: *¡la baba!*
— paño que llevan los niños bajo el cuello: *babero.*
— exceso de saliva: *babaza.*
— a quien le fluye saliva: *babeante.*
— tonto, menso: *baboso.*
— mojar algo con saliva: *babosear.*
— tontería, necedad: *babosada.*

babel Sitio en el que reina el desorden, confusión.
—*En días de quincena mi oficina es una babel.*
— ininteligible: *babélico.*

babia (en) Estar abstraído o ajeno.

babor Costado izquierdo de una nave mirando hacia proa.

babucha Zapato de cinta o correa que se cierra por medio de un cordón.

baca Parte superior de los carruajes y automóviles donde se coloca el equipaje.

bacanal Fiesta tumultuosa y desordenada en la que se cometen excesos. ☞ **orgía.**

bacará Juego en el que se utiliza la baraja francesa, en el que quien lleva la banca compite contra cada uno de los jugadores. ☞ **bacarrá.**

bacía Recipiente cóncavo de borde ancho destinado a la contención de los líquidos. ☞ **vasija, bacina.**

báciga Juego de baraja en el que participan dos o más jugadores.

bacilo Nombre dado a toda bacteria de forma fusiforme, cilíndrica o de bastoncillo, de carácter microscópico. ☞ **microbio.**

bacín Hombre indigno y despreciable.
— acción ruin: *bacinada.*

bacinica Vasija que se utiliza para arrojar en ella los excrementos humanos. ☞ **orinal.**

— vocablo popular usado para referirse a la bacinica: *nica.*

bacteria Nombre dado a los seres unicelulares que se reproducen por bipartición. ☞ **microbio, bacilo.**
— que pertenece o se relaciona con las bacterias: *bacteriano.*
— persona que estudia el comportamiento de las bacterias: *bacteriólogo.*
— rama de la microbiología que estudia las bacterias: *bacteriología.*
— sustancia capaz de combatir las bacterias: *bactericida.*

báculo 1. Cayado que sirve como apoyo al caminar.
—*Un anciano sin báculo es un viejo sano.*
— báculo utilizado por los obispos en las ceremonias litúrgicas: *báculo pastoral.*
2. Alivio o consuelo.
—*El báculo de los desheredados es la esperanza.*

bache 1. Hoyo que se hace en el camino.
—*Las calles de la ciudad están llenas de baches.*
2. Zona con distinta densidad atmosférica que produce una ligera sacudida en el vuelo de los aviones.
—*El avión pasó por un bache y me mareé.*
3. Racha de mala suerte.
—*Me metí en un bache y no gané en la lotería.*
— cubrir los hoyos del camino: *bachear.*
— acción y resultado de bachear: *bacheo.*

bacha Colilla del cigarro. ☞ **bachicha.**
— pequeño cigarro de mariguana: *bacha.*
— horqueta de metal que sirve para fumarse completamente un cigarro sin filtro: *matabachas.*

bachicha Parte sobrante de un todo. ☞ **bacha.**

bachiller 1. Que ha obtenido el grado de enseñanza media.
—*Mi hijo se graduó de bachiller.*
— grado de bachiller: *bachillerato.*
2. Que habla mucho e impertinentemente.
—*Este joven parlanchín es un auténtico bachiller.*

— decir o cometer imprudencias: *bachillerear.*

badajo Pieza de metal que pende del interior de una campana.
— choque del badajo con la campana: *badajada, badajazo.*

badana 1. Persona que es apática u ociosa.
—*En tales situaciones solamente una badana se queda pasmada.*
2. Piel curtida de carnero u oveja. ☞ **zalea.**
—*Los budistas meditan sobre una badana blanca.*
3. Tira de piel que se encuentra alrededor del sombrero y evita que se manche de sudor: *badana.*
—*El sombrero elegante lleva una badana oscura.*
— tipo de encuadernación hecha con el lomo de cuero y los planos de papel: *media badana.*

badén Zanja que se forma en el suelo por la acción de las aguas de lluvia. ☞ **bache.**

badil Pala que se utiliza para atizar o apagar el fuego de los braseros o las chimeneas.

badulaque Que es ruin, sinvergüenza o tonto.
— actuar como tonto: *badulaquear.*
— acción realizada por una persona despistada: *badulacada.*
— comportamiento cínico: *badulaquería.*

baffle Mecanismo que acopla la bocina de un aparato reproductor de sonido al medio ambiente para evitar las interferencias; pantalla acústica de un altavoz.

bagaje 1. Equipaje y pertrecho de un ejército.
—*Las municiones y las armas forman parte del bagaje.*
2. Cúmulo de conocimientos, riqueza intelectual.
—*Para trabajar en una universidad se necesita tener un amplio bagaje cultural.*

bagatela 1. Cosa vana, insustancial, de poco valor.
—*Lo que me debes es una bagatela.*
2. Pieza musical breve.
—*Beethoven llegó a componer bagatelas.*

bagazo Residuo de los frutos después de

haberlos exprimido para obtener zumo o aceite.

¡bah! Exclamación que indica desdén, incredulidad.

bahía Entrada de mar en la costa, menos extensa que el golfo, que puede servir de abrigo a las embarcaciones. ☞ **regolfo, rada**.

bailar 1. Mover el cuerpo cadenciosamente al ritmo de la música.

— *Cuando ella baila, se anima la fiesta.*

2. Moverse o agitarse un cuerpo u objeto sin salir de su espacio determinado.

— *Antes de caer, la taza bailó unos segundos.*

— expresiones que indican exacerbamiento de las pasiones: *bailar de felicidad, bailar de deseo, bailar de gusto.*

— engañar o timar a alguien: *bailarlo.*

— expresión que alude a acoplarse a las circunstancias, obedecer cualquier orden dada: *bailar al son que le toquen.*

3. Girar rápidamente una cosa en torno de su eje manteniéndose en equilibrio.

— *Mi primo baila el trompo con destreza.*

4. Sacudir involuntariamente el cuerpo.

— *La enfermedad de Parkinson hace bailar el cuerpo.*

baile 1. Sucesión de movimientos cadenciosos del cuerpo adaptados a cierto tipo de música.

— *En Veracruz el baile típico es el jarocho.*

— baile que se conserva tradicionalmente en algunos lugares: *baile regional.*

— música compuesta para que se baile: *música bailable.*

— menearse en forma espontánea: *bailotear.*

2. Reunión o festejo donde la diversión principal es bailar.

— *La fiesta principal de mi pueblo es el baile de las flores.*

— baile público y popular: *bailongo.*

— fiesta a la que se asiste con disfraz: *baile de máscaras.*

— expresión que alude a engañar o timar a alguien: *llevárselo al baile.*

— expresión que se utiliza cuando lo disfrutado o conseguido no se desvanece pese a calamidades posteriores: *lo bailado ni quien me lo quite.*

— que baila con destreza o profesionalmente: *bailarín.*

— lugar público en el que se baila: *sala de baile, cabaret, discoteca, night club, nait club, sala de fiestas, salón.*

— bailes modernos: *charleston, swing, slow, tango, milonga, rumba, mambo, lambada, danzón, cha-cha-chá, etc.*

baja 1. Pérdida o disminución en el precio de una mercancía.

— *Cuando la cosecha del arroz es abundante, el precio baja.*

— pérdida sucesiva del valor de las cosas: *ir a la baja.*

— especular en el mercado de valores con acciones que pierden valor: *jugar a la baja.*

2. Cese de una corporación, profesión o actividad.

— *Me dieron de baja en la empresa.*

3. Cese o fallecimiento de alguien.

— *Las bajas enemigas son cuantiosas.*

bajada 1. Acción y resultado de bajar.

— *La bajada del cerro es más rápida que la subida.*

— disminución progresiva de algo: *ir de bajada.*

— burlarse continuamente de una persona: *traerlo de bajada.*

2. Camino por el que se desciende una cuesta.

— *Por la bajada llegaremos más pronto.*

bajamar Momento en que el nivel de las aguas del mar llega al punto más bajo. ☞ **marea baja**.

bajar 1. Ir de un lugar dado a otro de menor altitud. ☞ **descender**.

— *Del volcán, los alpinistas bajaron al pueblo.*

— caerse estrepitosamente: *bajarse a escupir.*

— acoplar una melodía en tonos más graves: *bajar el tono.*

— hacerse novia de alguien que era pareja de otro: *bajarle el novio.*

2. Disminuir en fuerza, valor o energía una cosa.

— *Bajará de precio la carne, pues ya nadie la compra.*

— expresión que significa disminuir las pretensiones a alguien: *bajarle los humos.*

— atenuarse los sentimientos o las emociones: *bajarse los ánimos.*

— disminuir la vehemencia en una discusión: *bajar el tono.*

— hablar en voz apenas audible: *bajar la voz.*

3. Apearse.

— *El hombre bajó del caballo y pidió agua.*

bajear Tocar el contrabajo.

— que toca el contrabajo: *bajista.*

bajel Barco o nave apta para travesías importantes. ☞ **nave**.

bajero, -ra 1. Manta que sirve de sudadera al caballo.

— *Le pusieron su bajera al caballo de carreras.*

2. Tabaco elaborado con las hojas inferiores de la planta.

— *Estos cigarros son de tabaco bajero.*

bajete Melodía escrita en clave de fa que se utiliza para las prácticas de armonía.

bajeza Acción ruin y despreciable.

bajío 1. Terreno bajo, de gran extensión y a veces inundable.

— *El bajío es bueno para la agricultura.*

2. Banco de arena que impide la navegación de los barcos en mares y ríos.

— *Es peligroso navegar en los mares del Norte porque hay muchos bajíos.*

bajista 1. Que se relaciona con el descenso de valor de las acciones en el mercado bursátil, o que juega a la baja en la bolsa de valores.

— *La temporada bajista provocó muchas quiebras.*

2. Que toca el contrabajo.

— *En los grupos de jazz es muy importante la maestría del bajista.*

bajo 1. Situado a poca altura o elevación. ☞ **baja**.

— *Los objetos frágiles se colocan en un sitio bajo.*

2. Parte profunda de una superficie, hondonada.

— *En lo bajo del terreno la vegetación cambia.*

3. Elevación de arena en el mar.

— *El buque encalló en un bajo.*

4. Despreciable, de sentimientos mezquinos.

— *El asesino era un ruin y un bajo.*

5. Instrumento musical de cuerdas o cantante que alcanza los tonos más graves, o que se relaciona o pertenece a éstos.

— *En toda pieza musical, el bajo lleva el acompañamiento.*

bajón 1. Instrumento musical de viento del que emanan notas graves.

— *El fagot es una especie de bajón moderno.*

2. Repentino y notable descenso en las facultades mentales o en la salud de una persona.

— *Cuando María perdió a su madre le vino un bajón terrible.*

bajorrelieve Figura tallada en piedra que sobresale del material que le sirve de fondo. ☞ **bajo relieve, labrado**.

bakelita Resina sintética utilizada para la fabricación de pinturas, barnices y como aislante. ☞ **baquelita**.

bala 1. Proyectil de las armas de fuego. ☞ **munición**.

— *Las balas de los cañones son las más grandes que se han utilizado.*

— tipos de bala: *bala expansiva, bala rasa, bala fría, bala explosiva, etc.*

— golpe o herida causada por el disparo de una bala: *balazo.*

— bala que llega a un punto distante de donde fue dirigida: *bala perdida*.

— expresión coloquial que indica que algo lleva velocidad o presteza: *como una bala*.

2. Bulto o fardo apretado de una mercancía. ☞ **paquete.**

—*El precio de la bala de algodón ha subido mucho.*

— cargar o guardar los bultos para su transporte: *embalar*.

— descargar los bultos de su transporte: *desembalar*.

3. Almohadilla circular que se utiliza en la imprenta para entintar los tipos.

—*Los tipos de la imprenta se entintan con la bala.*

balacear Disparar balas repetidamente. ☞ **tirotear.**

— riña a balazos: *balacera*.

— tirotear, disparar balas sobre alguien o algo: *balear*.

balada Composición musical o poética de corte sentimental.

baladí Asunto o cosa superficial o de poca importancia. ☞ **banalidad.**

baladrón, -na Persona que hace alarde de atributos de los que carece. ☞ **fanfarrón.**

— hecho o dicho propio de un baladrón: *baladronada*.

— palabrería, bravuconada: *baladronada*.

— decir o hacer fanfarronadas: *baladronear*.

bálago Paja sin grano de los cereales. ☞ **balago.**

balaje Rubí de color morado.

balance 1. Oscilación que hace un cuerpo inclinándose hacia un lado y hacia el otro.

—*El bebé se duerme cuando su cuna se balancea.*

2. Inventario que se hace en las empresas para conocer su situación económica.

—*No podemos saber si la transacción fue favorable o no hasta hacer un balance.*

balancear Lograr o hacer balances. ☞ **equilibrar.**

— acción y resultado de balancear: *balanceo*.

balancín 1. Balanza pequeña.

—*El abarrotero pesa el azúcar en un viejo balancín.*

2. Barra ligera utilizada por los acróbatas del circo para mantener el equilibrio.

—*El equilibrista no puede trabajar sin balancín.*

3. Asiento colgante, provisto de toldo.

—*Los novios se besaban en un balancín.*

4. Madero o juego en el que se columpian dos personas.

—*Los niños se cayeron del balancín.*

5. Madero a cuyas extremidades se enganchan los tirantes de las caballerías.

—*El balancín es indispensable en un carruaje para dirigir a los caballos.*

balandra Pequeño navío con cubierta y un solo palo.

bálano Cabeza del pene. ☞ **glande.**

balanza 1. Instrumento que sirve para pesar. ☞ **báscula.**

—*La balanza tenía capacidad para solamente cinco kilogramos de peso.*

— platillo de la balanza: *balanzón*.

— recogedor de lata o cobre para poner dinero, grano o basura: *balanzón*.

— oficio de pesar metales en la casa de moneda: *balancero*.

2. Comparación o juicio que se hace de las cosas.

—*El juez pone en la balanza la ley y las acciones del acusado.*

— inclinarse en favor de algo: *dejar caer la balanza*.

balar Emitir el sonido propio de la oveja, el ciervo, el cordero y animales similares, dar balidos

balasto Piedra triturada que se coloca bajo de las vías del ferrocarril para asentarlas.

— tender y aplanar la grava: *balastar*.

balata 1. Árbol de la familia de las sapotáceas, propio de las zonas tropicales de América, cuyo fruto es comestible y su madera muy preciada.

—*Los ingenieros están derribando el árbol de balata sin consideración.*

— tipos de madera de balata: *balata roja, balata blanca, etc.*

2. Goma extraída de dicho árbol que se emplea en la fabricación de pelotas y aislantes.

—*La balata es una goma o resina parecida a la gutapercha.*

balaustrada Muro calado de poca altura o barandal que se halla en algunas construcciones, serie de balaustres.

— columna de las barandillas: *balaustre*.

balboa Unidad monetaria de la República de Panamá.

balbucear Hablar dificultosamente, invertir o cambiar las letras de una palabra. ☞ **balbucir.**

— acción y resultado de balbucear: *balbuceo*.

balcón Hueco abierto desde el suelo en la pared exterior de una habitación que tiene una pequeña plataforma saliente rodeada de un barandal.

— atisbar desde un balcón: *balconear*.

— expresar las intenciones de otro o

de uno mismo: *balconearlo, balconearse*.

— en los teatros, la galería más baja y delante de la primera fila de palcos: *balconcillo*.

baldar Impedir una lesión o enfermedad el movimiento de uno o más miembros del cuerpo. ☞ **tullir, lisiar.**

— tullido, impedido: *baldado*.

balde 1. Cubo o recipiente que se utiliza para sacar y transportar agua, principalmente en los barcos.

—*Cada quien trae su balde con agua.*

— frase que expresa lo asombroso que le resulta a uno que suceda una cosa y no otra: *cae como balde de agua fría*.

— echar agua a una superficie con baldes: *baldear*.

2. Cosa vana o sin sentido; gratis, sin precio alguno.

—*Lo esperamos en balde toda la tarde porque usted nunca llegó.*

— asistir sin pagar a algún acto: *ir de balde*.

— ir a un sitio sin obtener ningún provecho de ello: *ir en balde*.

baldío 1. Terreno cultivable abandonado.

—*Ese terreno baldío deberá producir el año próximo.*

2. Terreno que carece de propietario.

—*Como estaba baldío, me adueñé del terreno.*

— terreno sin construir en la ciudad: *terreno baldío*.

3. Vano, inútil.

—*Tu intención es baldía, no lograrás tus propósitos.*

baldosa Ladrillo o bloque cuadrado de colores diversos obtenido por la compresión de cemento, yeso y arena. ☞ **mosaico.**

— piso o camino cubierto con baldosas: *embaldosado*.

— acción de colocar baldosas: *embaldosar*.

balero 1. Molde que se utiliza para la fundición de las balas de plomo.

—*Al romperse el balero, nos quedamos sin balas.*

2. Juguete que consiste en un cilindro hueco con un palo unido por un cordón, con el fin de hacer girar el cilindro y ensartar el palo en el hueco.

—*Mi primo era un campeón jugando con el balero.*

balín 1. Bala de bajo calibre, utilizada en armas de corto alcance.

—*Mi amiguito caza ratas con un rifle de balín.*

2. Que es falso, postizo, que simula gran valor.

—*Tu hermosura es balín.*

— dinero sin valor: *dinero balín*.

balística Ciencia que estudia el movimiento, la trayectoria y la velocidad de cuerpos lanzados al espacio, especialmente proyectiles.

baliza Señal muy visible que indica la ruta o advierte de los peligros a barcos y aviones.

balneario 1. Lugar público donde se toman baños medicinales, que suele ser, asimismo, centro turístico.

— *El médico prescribió un descanso en un balneario.*

2. Que pertenece o se relaciona con los baños públicos.

— *En este manantial harán un balneario.*

balón 1. Pelota hinchada que se usa en varios juegos o deportes.

— *Para jugar futbol se necesita un balón bien inflado.*

— golpe dado por una pelota: *balonazo.*

— término informal que se usa para nombrar al balón: *bola.*

2. Recipiente esférico de vidrio que sirve para calentar gases y líquidos sin que se pierdan los vapores que emanan.

— *En el laboratorio de química se usó un balón para hacer el experimento.*

baloncesto Juego en el que participan dos equipos formados por cinco jugadores cada uno y que consiste en hacer que el balón pase por un cesto sin fondo situado a cierta altura del suelo, en el campo del equipo contrario, y de evitar que el adversario haga lo mismo en el propio.☞ **basquetbol.**

— jugador del baloncesto: *basquetbolista.*

— cuando la pelota pasa a través del aro: *canasta, enceste.*

— acción de hacer que la bola traspase el cesto: *meter canasta.*

balompié Juego de pelota en el que participan veintidós jugadores divididos en dos equipos. El objetivo consiste en patear un balón y lograr que la pelota atraviese la meta del equipo contrario y de evitar que el adversario haga lo mismo en la propia. ☞ **futbol.**

— jugador de futbol o balompié: *futbolista.*

— cuando el balón se inserta en la portería del contrario: *gol.*

— pena máxima del balompié que se aplica cuando el equipo defensor comete una falta en su propia área de meta: *penalty.*

— nombre dado al balón en este juego: *esférico.*

— juego de futbol que se organiza de manera improvisada: *cascarita.*

— participar en este juego: *echarse una cascarita.*

— partido de balompié que se juega en campo abierto por aficionados: *futbol llanero.*

balsa 1. Embarcación hecha con maderos o tablas unidas unas con otras. ☞ **barcaza.**

— *Muchos náufragos se salvan de morir ahogados cuando tienen una balsa a la mano.*

— paraje a la orilla de un río, donde hay una balsa para cruzarlo: *balsadera.*

2. Árbol de la familia de las bombáceas, propio del trópico americano, cuya madera es la más ligera de las explotables comercialmente; se usa como aislante y en la fabricación de balsas, salvavidas, aviones, etc.

— *Con esta madera de balsa, le haré un avión de juguete a mi hijo.*

3. Hueco de terreno que se llena natural o artificialmente de agua. ☞ **charco.**

— *Después de llover, el camino se hizo una balsa.*

bálsamo 1. Sustancia resinosa, aromática y fluida que se obtiene por incisión de ciertos árboles. ☞ **resina.**

— *El aroma del bálsamo enloquece a las damas.*

— árbol resinoso: *bálsamo.*

2. Ungüento medicinal compuesto de sustancias balsámicas, cuyos aceites son ligeramente antisépticos y cuyas resinas proporcionan protección local y alivian la inflamación.

— *Me unté bálsamo en el pie lastimado.*

— que proporciona alivio y consuelo: *que es un bálsamo.*

baluarte 1. Construcción pentagonal que sobresale de las fortificaciones. ☞ **bastión.**

— *Desde el baluarte defenderemos la ciudad.*

2. Amparo, apoyo, defensa.

— *Mi mujer es mi baluarte contra la adversidad.*

ballena (vea ilustración p. 83). 1. Mamífero gigantesco del orden de los cetáceos. Actualmente es el animal más grande que existe y su caza inmoderada para obtener aceite y otros productos la han puesto en peligro de extinción. ☞ **mamífero, cetáceo.**

— *La ballena es dulce y tierna a pesar de su tamaño.*

— cría de la ballena: *ballenato.*

— barco cazador de ballenas: *barco ballenero.*

2. Láminas elásticas que tiene la ballena en la mandíbula superior y que cortadas en trozos son útiles a la industria o lámina de metal u otro material que tiene los mismos usos.

— *La ballena se emplea para hacer corsés.*

3. Constelación austral próxima al Ecuador y situada debajo de Piscis.

— *La Ballena es la más grande constelación del firmamento.*

ballesta 1. Arma con la que se lanzan proyectiles como piedras o saetas por medio de un resorte, o un mecanismo de arco.

— *Actualmente, el uso de la ballesta es puramente deportivo.*

— soldado armado con ballesta: *ballestero.*

— conjunto de armas de este tipo: *ballestería.*

— disparar proyectiles con estas armas: *ballesterear.*

— golpe de flecha disparada por el arco: *ballestazo.*

— tiro de esta arma: *ballestada.*

2. Cepo para atrapar pájaros. ☞ **trampa.**

— *Si colocamos las ballestas en lugares estratégicos es probable que atrapemos aves exóticas.*

3. Muelle de carruaje o automóvil.

— *En los caminos accidentados casi ninguna ballesta resiste suficientemente.*

ballet balé Danza artística con acompañamiento de música ejecutada por un grupo de bailarines, que ilustra un argumento.

— música que acompaña dicho baile: *música de ballet.*

— pasos básicos del ballet clásico: *primera, segunda, tercera, cuarta y quinta posición, posición preparatoria, de brazos, arabesco, plié, balancé.*

— grupos de bailarines que ejecutan danzas o bailes regionales: *ballet folklórico, ballet ruso, ballet español, ballet chino.*

bamba 1. Son popular veracruzano representativo de la música en esta región de México.

— *Para bailar la bamba se necesita una poca de gracia.*

2. Moneda de baja denominación venezolana y hondureña.

— *Una bamba no alcanza ni para un tomate.*

bambalina Lienzo pintado que se coloca en la parte superior del escenario teatral y se utiliza para ambientar una obra.

— paño que cuelga sobre el escenario y que se usa para reducir o modificar el espacio escénico: *bambalinón.*

— expresión que se utiliza para referir todo aquello que sucede entre los actores y que no aparece ante el espectador: *tras bambalinas.*

— decidir sobre el rumbo de las acciones sin aparecer como responsable: *actuar tras bambalinas.*

ballena

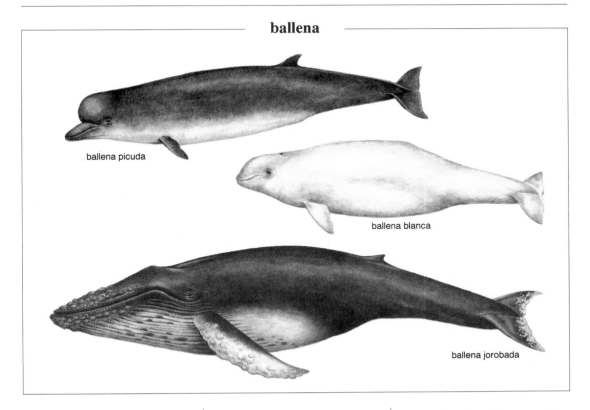

ballena picuda

ballena blanca

ballena jorobada

bamboleo Acción y resultado de moverse de un lado al otro o bambolearse. ☞ **balanceo.**
— balancearse, moverse de un lado a otro sin perder el equilibrio: *bambolear.*

bambuco Baile y danza de origen africano muy común en Colombia y Venezuela, de corte sentimental y melancólico.

bananero, -ra Sembradío de plátanos. ☞ **platanar.**
— que pertenece al banano o plátano o se relaciona con él: *bananero.*
— comercializadora del plátano: *compañía bananera.*
— que trabaja en dichos sembradíos: *bananero.*
— planta tropical cuyo fruto es el plátano: *banano.*
— fruto de esta planta: *banana.*

banca 1. Asiento común para varias personas.
— *Las bancas de los parques nos permiten sentarnos a admirar los atardeceres.*
2. Comercio en el que se realizan todo tipo de transacciones con papel moneda, cheques, giros, títulos de propiedad, letras de cambio, pagarés: *banca.*
— *Gracias a los tratados de comercio internacional, la banca de algunos países ha repuntado.*

3. Conjunto de instituciones crediticias y/o financieras, de bancos o banqueros. ☞ **banco.**
— *La banca del país debe impulsar el desarrollo.*
4. Juego de barajas en el que el responsable apuesta una cantidad determinada y los demás jugadores tienen libre la cantidad.
— *Toda la noche jugamos a la banca y perdí mi dinero.*

bancal 1. Parcela de tierra lista para la siembra.
— *Para mejor aprovecharlos, los grandes terrenos se dividen en bancales.*
2. Paño que sirve como protección o adorno de las bancas o bancos.
— *Mi abuela confecciona unos bancales primorosos.*

bancarrota Ruina de un negocio. ☞ **quiebra.**
— *La zapatería de mi tío está en bancarrota.*
— Expresión que indica no tener dinero: *estar en bancarrota.*

banco 1. Asiento alto de madera o piedra para una sola persona.
— *En los restaurantes donde no hay mesas la gente se sienta en bancos.*
2. Institución pública de crédito. ☞ **banca.**
— *El mejor banco es en el que el dinero está más seguro.*

— distintos tipos de bancos según su ejercicio mercantil: *banco comercial, banco de crédito, banco agrícola, banco hipotecario, banco del Estado, etc.*
— empleado de un banco: *empleado bancario.*
— dueño o director de un banco: *banquero.*
— centro de información referente a un tema: *banco de datos.*
— otros tipos de banca: *banco de sangre, banco de ojos, banco de órganos, etc.*
3. Grupo numeroso de peces que viajan juntos: ☞ **cardumen.**
— *Los pescadores encontraron un banco de atún y tuvieron una gran pesca.*
4. Elevación extensa de arena o tierra en mares y ríos:
— *El buque encalló en un banco de arena.*

banda 1. Cinta, tira o faja.
— *La banda presidencial lleva los colores patrios.*
2. Grupo de gente que sigue una causa o que se une para cometer desmanes.
— *Una banda de forajidos me salvó la vida en vez de atracarme.*
3. Conjunto musical.
— *La banda de mi pueblo es muy desafinada.*
— otros tipos de bandas: *banda cine-*

matográfica, banda sonora, banda de ondas hertzianas, etc.

bandada Conjunto de aves que vuelan reunidas.

bandeja 1. Pieza de metal u otro material, plana o cóncava, que se usa para servir, presentar o depositar cosas o viandas.

— *Puesto que hoy tenemos invitados en casa usaremos las bandejas de plata.*

— expresión usada en las iglesias para recoger las limosnas: *pasar la bandeja.*

— expresión que indica darle a alguien amplias facilidades para que adquiera o realice algo: *servir en bandeja de plata.*

2. Pieza de cartón o madera que divide en lo horizontal las maletas.

— *Una petaca demasiado grande y sin bandeja no sirve para nada.*

3. Cajón que carece de parte delantera.

— *En esta bandeja guardaré mis calcetines.*

bandera Lienzo colocado en un asta que tiene impresos los colores o las imágenes que representan a una nación, o que se emplea como insignia o señal. ☞ **pabellón, estandarte.**

— banderas con significado universal: *bandera blanca, de paz; amarilla, epidemia, enfermedad altamente contagiosa; roja, peligro, zona minada; negra, anuncia muerte y destrucción; la bandera roja y negra, huelga; negra con una calavera blanca, de piratería; bandera a media asta es señal de duelo.*

— estandarte marítimo con el que se indica que han sido recibidas las señales: *bandera de inteligencia.*

— ceremonia en la que se arria el pabellón: *rendir honores a la bandera.*

— ceremonia que se hace en los buques donde se hace gala de la legitimidad del estandarte que se iza: *asegurar la bandera.*

— reconocimiento militar que se le rinde a un superior en grado: *batir banderas.*

— defender una ideología: *tener por bandera la democracia.*

— despojar a una organización de sus demandas o reivindicaciones: *quitarle su bandera.*

— que porta el estandarte en procesiones o desfiles: *abanderado.*

— estandarte pequeño en forma triangular: *banderín.*

banderilla Dardo adornado con papel de colores que los toreros clavan en la cerviz del toro.

— que coloca banderillas en el toro: *banderillero.*

— acción y resultado de colocarlas: *banderilleo.*

bandido 1. Prófugo de la justicia. ☞ **delincuente.**

— *Por más que lo buscaron, el bandido escapó a la justicia.*

2. que es corrupto y sin escrúpulos.

— *El que era mi vecino, resultó ser un bandido.*

— salteador de caminos: *bandolero.*

bandín Cinta corta que atraviesa diagonalmente el pecho de los condecorados.

bando 1. Decreto o mandato solemnemente proclamado.

— *El bando de destierro a los traidores ha sido dictado.*

2. Grupo de personas unidas en torno de una idea. ☞ **partido, facción.**

— *Cuando se milita en bandos contrarios es difícil mantener una amistad.*

bandoneón Instrumento musical de viento con forma hexagonal que pertenece a la familia de los acordeones. ☞ **concertina.**

bandurria Instrumento musical de cuerdas similar a la guitarra pero más pequeño, con doce cuerdas que se tocan con una púa. ☞ **mandolina.**

banjo (banyo) Instrumento de cuerdas parecido a la guitarra cuya caja de resonancia es redonda y cubierta por un pellejo. ☞ **vihuela.**

banqueta 1. Asiento para una persona sin respaldo y con tres o cuatro patas.

— *Sobre una banqueta la espera es más cómoda.*

2. Espacio por el que transitan los peatones en la vía pública.

— *Los niños deben caminar sobre la banqueta para evitar que los atropellen.*

banquete 1. Comida a la que asisten muchos invitados. ☞ **festín, convite.**

— *Ofrecí un banquete al maestro de mi hijo y nunca llegó.*

2. Comida que se sirve en dichas ocasiones.

— *Los platillos que componen un banquete son: aperitivos, entradas, sopa, primero, segundo y tercer platos, plato fuerte, postres, quesos, fruta, café, vinos y licores.*

— expresión usada para decir que un platillo es delicioso: *es un banquete al paladar.*

— gran festín: *banquetazo.*

bañar 1. Introducir, sumergir o pasar una cosa por un líquido.

— *La carne se baña en vino y queda muy sabrosa.*

2. Sumergir el cuerpo o una parte de éste en agua u otro líquido por limpieza, para refrescarlo o como medicina.

— *Bañó sus muslos en agua de rosas y vino a mi lado.*

— expresión usada para indicar que la

luz ilumina de lleno una habitación, o una cosa: *bañada de luz.*

— expresión popular que indica estar alguien pleno, colmado: *bañado de felicidad.*

— expresión que indica correr a alguien, alejarlo: *mandarlo a bañar.*

baño 1. Acción y efecto de bañar o bañarse.

— *El baño diario es higiénico.*

2. Habitación habilitada para bañarse.

— *El baño debe tener regadera, lavabo y tina.*

— lugar donde se ofrece el servicio de baño o hay agua para bañarse: *baño público.*

— exponer el cuerpo a la acción de un elemento con fines curativos: *baño medicinal.*

— tipos de terapéutica de la medicina natural: *baño de sol, de aire, de vapor, de agua fría o caliente.*

— cuarto cerrado del que emana vapor de agua: *baño de vapor.*

baptisterio Sitio donde se encuentra la pila bautismal, o donde se bautiza. ☞ **capilla, bautisterio.**

baqueta 1. Varilla de hierro que se utiliza para limpiar las armas de fuego.

— *El soldado limpia su fusil con la baqueta.*

2. Vara de membrillo con la que se espolea al caballo. ☞ **cuarta.**

— *La baqueta suele lastimar al equino.*

3. Moldura redondeada que sobresale de algunas obras arquitectónicas.

— *Ese edificio muestra una hermosa baqueta.*

4. Palo pulido con el que se toca el tambor o la batería.

— *El baterista ha perdido su baqueta y no puede practicar.*

— golpes dados con varas o varillas: *baquetazos.*

baquetear 1. Golpear con baquetas.

— *El baterista baqueteó tanto que rompió sus tambores.*

2. Incomodar demasiado.

— *Mi abuela suele baquetear a sus nietos.*

— acción y resultado de baquetear: *baqueteo.*

bar 1. Establecimiento en el que se sirven bebidas alcohólicas.

— *La entrada a menores de edad está prohibida en los bares.*

— hombre que trabaja en dicho establecimiento preparando las bebidas: *barman.*

2. Unidad que se utiliza para medir la presión atmosférica.

— *Un bar equivale a un millón de barios.*

baraja 1. Conjunto de naipes que sirve

para jugar. ☞ **naipe, cartas.**

—*Jugamos a la baraja día y noche.*

— tipos de baraja más comunes: *la española con cuarenta y ocho cartas y la francesa con cincuenta y dos.*

— juegos de baraja más comunes: *pókar, bridge, canasta, bacará, siete y medio, veintiuno, solitarios, albures, brisca, tresillo, etc.*

2. Cada uno de los naipes que la componen.

—*Pidió una baraja y perdió el juego.*

— expresión que indica actuar con falsedad, tener doble intención: *jugar con dos barajas.*

barajar Revolver y mezclar los naipes antes de iniciar el juego.

— expresión popular que se usa para pedir a alguien que explique con claridad un asunto: *barájala más despacio.*

baranda 1. Pretil compuesto por pilares unidos por un pasamanos que se utiliza como protección en escaleras, balcones y miradores. ☞ **balaustrada, barandilla.**

—*Tomados de la baranda nos besamos apasionadamente.*

2. Banda que rodea la mesa de billar: *baranda.*

—*La bola pegó en la baranda y cayó en la buchaca.*

— barra que une los pilares o balaustres de una baranda por arriba y por abajo: *barandal.*

barato, -ta 1. Mercancía que se compra o se vende a bajo precio. ❖ CARO.

— *Las cosas baratas no son siempre las mejores.*

2. Que se obtiene con poco esfuerzo.

— Me salió barato alcanzar el puesto que tengo en el mercado.

— cosa menuda, de poco valor: *baratija.*

— tienda o puesto en el que se venden cosas de poco precio: *baratillo.*

— calidad de barato: *baratura.*

— bajar el precio de las mercancías: *abaratarlas.*

— rebajarse, perder dignidad: *abaratarse.*

barba 1. Parte de la cara debajo de la boca. ☞ **mentón.**

—*Ese hombre tiene barba partida.*

2. Pelo que cubre el mentón y los carrillos.

—*A los quince años me salió la barba.*

— que tiene o usa barba: *barbón, barbudo, barbado.*

— que no la tiene: *barbilampiño.*

3. Que hace el papel de viejo o anciano en el teatro.

—*Ese actor se especializa en papeles de primer barba en la compañía.*

— tipos de barba: *barba cerrada, bar-*

ba crespa, barba corrida, barba de candado, etc.

— nombre dado a los hombres por el color de su barba: *barbirrubio, barbinegro, barbirrojo, barbiblanco, barbicastaño, barbicano.*

— lugar donde se corta o se arregla la barba: *barbería.*

— persona que la arregla y rasura: *barbero.*

— refrán que se refiere a la venerabilidad de un hombre maduro: *"Bajo.la barba cana, crece la mujer honrada".*

— refrán que se refiere al hecho de escarmentar o prever alguna situación adversa: *"Cuando las barbas de tu vecino veas cortar, pon las tuyas a remojar".*

— expresión popular que indica hacer algo frente a otro sin que lo note: *en las barbas de.*

— expresión popular que indica alabar, adular a alguien con fines interesados: *hacerle la barba.*

— que halaga a otros por interés: *barbero.*

barbacoa 1. Conjunto de palos de madera verde que se colocan a manera de parrilla para asar la carne. ☞ **barbacúa.**

— *La barbacoa es una forma prehispánica de cocinar la carne.*

2. Carne asada en dicha parrilla.

— *Comimos barbacoa en mi cumpleaños.*

3. Tejido plano hecho con caña, mimbre o paja que sirve como camilla.

— *Transportar al herido en una barbacoa es muy seguro.*

4. Tablado en lo alto de las casas donde se guarda el maíz u otros granos.

— *El maíz se resguarda en la barbacoa.*

bárbaro, -ra Que es cruel, bruto, salvaje, tosco. ☞ **fiero.**

— expresión que indica asombro ante un hecho extraordinario: *¡qué bárbaro!*

— calidad de bárbaro: *barbaridad.*

— expresión que indica gran cantidad de alguna cosa: *una barbaridad.*

— hacer necedades, decir absurdos: *barbaridades.*

— atraso cultural, rusticidad en pueblos o personas: *barbarie.*

— modo brutal y salvaje de hacer alguna cosa: *barbarie.*

— vicio del lenguaje que consiste en pronunciar o escribir mal las palabras, o emplear vocablos impropios: *barbarismo.*

— adulterar una lengua con barbarismos: *barbarizar.*

— tipo vulgar o maleante: *barbaján.*

barbecho 1. Parcela o tierra que se deja de cultivar durante un periodo deter-

minado para que descanse. ☞ **tierra, siembra, cultivo.**

—*El barbecho espera el tiempo de las nuevas siembras.*

2. Acción y resultado de barbechar.

—*Sin el barbecho las tierras se empobrecen.*

3. Labor agrícola que consiste en preparar la tierra para la siembra.

—*Antes de sembrar, se hace el barbecho en cualquier ejido.*

barbitúrico Sustancia derivada de cierto ácido orgánico cristalino con efecto hipnótico y sedante.

barbotar Mascullar, hablar entre dientes en un estado de enojo o de ira. ☞ **mascullar, barbotear.**

— acción y resultado de barbotar o barbotear: *barboteo.*

barcarola Melodía en compás de tres por ocho que imita, por su ritmo, el movimiento de los remos.

barco, -ca (vea ilustración de la p. 86). 1. Cualquier construcción cóncava, de cualquier tamaño, movida por cualquier procedimiento, destinada a la navegación. ☞ **buque, navío.**

—*Viaja en barco y te divertirás.*

— embarcación pequeña para pasear o navegar cerca de la costa o en los ríos: *barca.*

— que maneja o es dueño de una barca: *barquero.*

— tipos de barco o buque: *barco cisterna, barco de cabotaje, barco escuela, barco transatlántico, barco de pesca, barco de pasajeros, barco de carga, barco de guerra, barco mercante, etc.*

2. Barranco poco profundo.

—*Cayó en un barco y se rompió un pie.*

barda 1. Cerca, muro o tapia de arbustos, ladrillo o hierro que divide un terreno. ☞ **verja.**

—*Una barda se construye para impedir el paso a los maleantes o a los animales.*

— construir una barda: *bardar.*

2. Arnés o armadura que protege a los caballos en la guerra o en los torneos.

— *El uso de bardas evitó la pérdida de muchos caballos en la guerra.*

bardo Poeta lírico o heroico.

baremo 1. Libro o cuaderno en el que se anotan las cuentas ya revisadas o ajustadas.

—*Los viejos comerciantes guardan un baremo por año.*

2. Lista de impuestos, costos o tarifas en las operaciones comerciales.

— *En el baremo está la tarifa oficial de este servicio.*

3. Calificación o descripción cuya lectura es difícil o ardua.

—*Tus cuentos son un auténtico baremo.*

☞ **sinónimos o referencias**   ❖ **antónimos u opuestos afines**

barcos

barca egipcia 2500 a. C.

trirreme griego 500 a.C.

mercante romano
100 d.C.

dragón vikingo 900 d.C.

galeón S. XVI

mercante S. XIV

carabela S. XV

pinaza S. XVII

mercante
de la India
S. XVIII

HMS
Victoria
1765

goleta veneciana S. XVII

Aunque el diseño de los barcos ha cambiado
significativamente, los aspectos básicos siguen
siendo los mismos.

Clermont
1862

Constitution
1797

Monitor
1862

ballenero S. XIX

junco chino
S. XIX

clíper 1850

Great Eastern 1858

vapor de río 1870

barco carguero
y remolcador 1910

Queen Mary 1934

buquetanque 1969

USS Long Beach
(crucero atómico)
1961

USS Enterprise
1961

hidroala atómico
del futuro

barítono 1. Voz humana intermedia que se sitúa entre la del tenor y la del bajo. ☞ **lingote.**
—*Él canta de barítono en el coro.*
2. Instrumento musical de viento, de tamaño mayor, formado por un tubo metálico enrollado con pistones y boquilla, que se usa generalmente en las bandas militares.
— *Mi hermana toca el barítono en la orquesta.*

barlovento 1. Sitio de donde proviene el viento.
— navegar en contra del viento: *barloventear.*
— andar de un lado a otro sin quedarse en ninguno, vagabundear: *barloventear.*
2. Ventaja de uno sobre otro u otros.
—*Él es quien tiene el barlovento en la clase de astronomía.*

barniz Sustancia hecha con resinas diluidas en líquidos o aceite que se volatiliza o deseca. ☞ **esmalte.**
—*El barniz debe usarse con precaución pues es tóxico e inflamable.*
2. Conocimiento superficial sobre algún asunto o materia.
—*Tenía sólo un barniz de teología y se hacía pasar por cura.*

barnizar Bañar o cubrir un objeto o superficie con barniz. ☞ **esmaltar.**
— calidad de una superficie cubierta con dicha resina: *barnizado.*
— acto inaugural de una exposición pictórica, previo a la apertura al público: *barnizaje, barnizado.*
— cuyo oficio es esmaltar o lustrar los objetos: *barnizador.*
— instrumento que se utiliza en la aplicación de barniz: *barnizador.*

barómetro Instrumento que mide la presión del aire y se utiliza para indicar la altura de un lugar y prever el estado del tiempo.
— tipos de barómetros: *barómetro de mercurio, barómetro de sifón, etc.*
— que pertenece al barómetro o se relaciona con él: *barométrico.*
— técnica para medir la presión del aire: *barotermografía.*

barón Título de nobleza que otorgan los reyes y que confiere dignidad y poder a quienes lo reciben. ☞ **noble.**
— que posee dicho título: *barón, baronesa.*
— dignidad del barón: *baronía.*

barquillo Galleta sin levadura en forma de cono que se come con helado. ☞ **oblea.**

barra 1. Pieza de cualquier material, más larga que ancha, de forma generalmente cilíndrica o prismática.
— *Con una barra de metal atranqué la puerta de entrada.*

2. Bloque rectangular de oro o plata. ☞ **lingote.**
— *Se encontró unas barras de oro enterradas y se hizo rico.*
3. Palo que se fija en las paredes de los estudios de danza que sirve como apoyo a los bailarines.
—*Los ejercicios en la barra son imprescindibles en un entrenamiento dancístico.*
— barras para la gimnasia: *barra fija, barras paralelas, etc.*
4. Mostrador de una cantina, bar o cafetería.
—*Pasaba la noche sentado en la barra y nunca lo atendían.*
5. Barandilla que separa a los jueces del público de un tribunal.
—*¡Atrás de la barra!, gritaba el juez, inútilmente, a los asistentes.*
6. Asamblea o agrupación de profesionales.
—*La barra de abogados debe tener un sólido prestigio.*
7. Franjas de tela o metal que se colocan bajo los emblemas de los uniformes militares e indican el rango o el tiempo que han permanecido en el ejército.
—*El oficial me presumía las barras de su uniforme sin que yo me percatara.*
8. Banco o bajo de arena que emerge del agua y que se forma en las costas, o en la desembocadura de algún río.
—*En la barra de aquella costa suele haber peces interesantes.*
— sistemas de barras en vehículos automotores: *barras de torsión, barras de acoplamiento, barras de tracción, etc.*

barrabasada Tontería, jugarreta o travesura grave. ☞ **barbaridad.**

bargueño Mueble de madera con muchos cajones y gavetas decoradas con incrustaciones de otras maderas.

barraca Construcción tosca o improvisada.

barragana Mujer que habita en casa de su amante. ☞ **concubina.**
— concubinato: *barraganería.*

barranco, -ca 1. Precipicio, despeñadero. ☞ **abismo.**
—*En la mitad del barranco, los gitanos se apuñalaron.*
2. Zanja profunda producto de la acción del agua sobre la tierra.
—*Ese río tiene barrancos muy bellos y sinuosos.*
3. Dificultad, embarazo, atolladero.
—*Quien no tiene dinero, está en un barranco.*
— camino sinuoso rodeado por precipicios: *barrancoso.*
— terreno con cauces secos: *barrancoso.*
— pequeño despeñadero: *barranquilla.*

barrenar Hacer agujeros con barrena en una superficie. ☞ **taladrar.**
— instrumento que se utiliza para agujerear una superficie: *barrena, broca.*
— agujero hecho con un taladro: *barreno.*
— que hace agujeros con barrena: *barrenador.*
— tipos de barrena: *barrena de cuchara, barrena de mano, barrena de tres puntas, etc.*
— hacer espirales en el aire un avión al iniciar su descenso: *entrar en la barrena.*
— hacer agujeros en el fondo de un barco: *dar barreno.*

barrer 1. Quitar la basura del suelo con una escoba, o con otro utensilio apropiado.
— *Quien barre su casa es buena ama de casa.*
— acción y efecto de limpiar el suelo: *barrido.*
— que se dedica a barrer y recoger la basura: *barrendero.*
2. Llevarse todo lo que había en alguna parte.
—*Los invitados barrieron con las bebidas.*
— expresión popular que indica no hacer distingos entre personas o cosas: *barrer parejo.*
— expresión popular que indica mirar despectivamente de arriba a abajo a alguien: *barrer con la mirada.*
— expresión popular que se utiliza para invitar a pasar al interior de una casa a las personas: *pásele a lo barrido.*

barrera Valla o fortificación que se usa para atajar un camino, obstaculizar el paso, etc.

barrica Tonel mediano. ☞ **barril.**

barricada Parapeto improvisado.

barriga 1. Vientre, parte del cuerpo correspondiente al abdomen. ☞ **panza.**
—*Los hombres tienen barriga grande y no sufren por ello.*
— persona con el vientre o abdomen hinchado: *barrigón, barrigudo.*
2. Parte abultada de un recipiente:
—*La garrafa se rompió por la barriga.*

barril Recipiente de madera o de otro material de forma generalmente cilíndrica en el cual se guardan las bebidas o líquidos para transportarlos. ☞ **barrica.**
— lugar donde se fabrican dichos toneles: *barrilería.*
— conjunto de toneles en un lugar determinado: *barrilería.*
— persona que los fabrica o los vende: *barrilero.*

barrilete 1. Cámara en donde se colocan las balas del revólver.

—*Revisó el barrilete de su revólver y lo guardó.*

2. Instrumento que sirve para asegurar en la mesa de carpintería la pieza que va a ser trabajada.

— *El carpintero debe contar con un buen barrilete.*

3. Pasante o aprendiz de abogado.

— *Mi primo fue barrilete durante años, hasta que se tituló.*

barrio Cada uno de los sectores que conforman una ciudad o pueblo.

— sectores o zonas comunes de una ciudad con características peculiares, étnicas o sociales: *barrio comercial, barrio residencial, barrio judío, barrio chino, barrio latino, etc.*

— expresión figurada que indica morirse: *irse al otro barrio.*

barro 1. Mezcla de agua y tierra. ☞ **arcilla, lodo.**

— *Al pasar por un charco nos llenamos los pies de barro.*

— color del barro: *barroso.*

— expresión popular que indica deshonrarse, perder dignidad: *arrastrarse por el barro.*

2. Mezcla moldeable de arcilla y agua que se utiliza en cerámica para hacer objetos. ☞ **argamasa.**

— *El alfarero hace su propio barro.*

3. Grano de grasa rojizo que sale en la piel. ☞ **acné.**

— *Mi primo adolescente tiene la cara llena de barros.*

— que tiene acné o barros en el rostro: *barroso.*

4. Grano o tumor pequeño que tienen las vacas o borregos.

— *El veterinario le quitó el barro a mi vaquita.*

barroco 1. Estilo o corriente artística que se caracteriza por la profusa ornamentación o el uso de formas rebuscadas.

— *El barroco predominó como corriente artística en los siglos XVII y XVIII.*

— calidad de lo barroco, tendencia hacia lo barroco: *barroquismo.*

— arte de este estilo: *arte barroco.*

2. Extravagante o complicado.

— *Un político se torna barroco cuando da un discurso.*

barrote 1. Barra gruesa que se utiliza para asegurar algo.

— *Puse el barrote en la puerta para que no entren a robar.*

2. Cada uno de los hierros que componen una reja o verja.

— *El fugitivo rompió los barrotes de su celda.*

barruntar Prever, conjeturar algún indicio. ☞ **intuir.**

— conjetura o previsión de un hecho: *barrunto.*

— viento seco del norte, precursor de las lluvias: *barrunto.*

— que conjetura: *barruntador.*

bartola (a la) Sin ningún cuidado.

— expresión que indica hacer las cosas con pereza: *tirarse a la bartola.*

— que es tonto o perezoso: *bartolo.*

bartolina Calabozo o celda estrecha.

bártulo (s) Instrumentos que sirven para realizar una actividad cualquiera. ☞ **trebejos, trastos.**

— expresión que indica recoger pertenencias para marcharse a otro sitio: *liar sus bártulos.*

barullo Confusión, desorden. ☞ **alboroto.**

basalto Piedra volcánica negroverdosa, muy dura, que se encuentra en la naturaleza en capas superpuestas y a veces de estructura prismática.

— que pertenece al basalto o se relaciona con él: *basáltico.*

— formaciones naturales o construcciones hechas con esta piedra: *formaciones basálticas, construcciones basálticas.*

basamento 1. Parte inferior de una construcción sobre la cual descansa el edificio.

— *Se cayó la construcción por falta de un buen basamento.*

2. Pedestal de las columnas.

— *El basamento de esa columna dórica es muy sencillo.*

basar 1. Asentar un objeto sobre una base.

— *Basaron la estatua de Venus en oro puro.*

2. Fundar, apoyar.

— *Basaremos nuestra apelación con argumentos contundentes, dijo el abogado.*

báscula 1. Aparato que sirve para conocer pesos grandes de objetos diversos. ☞ **balanza.**

— *Pasaron a la báscula al camión para certificar su tonelaje.*

2. Máquina que se emplea para levantar puentes levadizos.

— *Se averió la báscula y el puente no funciona.*

— tener movimientos oscilatorios: *bascular.*

— persona que vigila el peso de las mercancías: *basculero.*

base 1. Fundamento principal en el cual descansa, estriba o da comienzo una cosa. ☞ **fundamento.**

— *La base de todo razonamiento lógico está en el pensamiento.*

2. Elemento principal de algo o que entra de manera decisiva en la composición o en el funcionamiento de algo.

— *La base de todo automóvil es la máquina o motor.*

3. Zona en donde se concentran los servicios necesarios de aprovisionamiento y preparación destinados a determinada operación.

— *La base de operaciones será ubicada en un lugar secreto.*

— tipos de bases: *base aérea, base naval, base de lanzamiento, base militar, etc.*

básico Que pertenece o se relaciona con la base. ☞ **fundamental, primordial.**

basílica Iglesia de gran importancia en la religión católica por su capacidad o su historia. ☞ **templo.**

— que pertenece a la basílica o se relaciona con ella: *basilical.*

basilisco Especie de iguana pequeña originaria de América.

— expresión popular que indica estar iracundo, fuera de control: *estar hecho un basilisco.*

basta 1. Puntadas grandes hechas en los colchones rellenos de lana para mantenerla en su sitio, o en una tela para determinar el sitio de costura.

— *El sastre y el colchonero saben hacer basta.*

— dobladillo del pantalón o falda: *bastilla.*

2. Expresión o interjección que se utiliza para poner fin o término a una conversación o hecho indeseable.

— *¡Basta! Te exijo el divorcio cuanto antes.*

bastar Ser una cosa suficiente, haber algo en cantidad necesaria. ☞ **alcanzar.**

— que basta, que no es demasiado ni es poco: *bastante.*

bastardo 1. Que degenera de su origen o naturaleza. ☞ **ilegítimo.**

— *Las sectas religiosas son bastardas de un sólido pensamiento teológico.*

2. Que es nacido de padres no casados.

— *La reina tuvo un hijo bastardo con su esclavo.*

— condición de bastardo: *bastardía.*

— lima de grano fino que utilizan los cerrajeros: *bastarda.*

bastidor Armazón de madera o metal que sirve para usos diversos. ☞ **marco.**

— expresión que indica que algo ocurre fuera de un escenario, refiriéndose a aspectos de producción teatral, relaciones entre los actores, o actividades que no salen a la vista del espectador: *entre bastidores.*

bastión Fortificación. ☞ **baluarte.**

basto 1. Cosa o hecho rústico, vulgar. ☞ **tosco.**

— *La obra de teatro es buena pero el público es basto.*

— calidad de tosco: *bastedad*.

— ordinaria, vulgarmente: *bastamente*.

2. Uno de los cuatro palos que componen la baraja española.

— *Ganó la partida porque tenía el as de bastos bajo la manga*.

3. Aparejo o albarda que usan las bestias de carga.

— *El mulo trae puesto el basto*.

bastón Palo o vara con puño y contera que sirve como apoyo al caminar. ☞ **báculo, cayado**.

— emblema de autoridad y mando: *bastón de mando*.

— golpe dado con bastón: *bastonazo*.

— cesto donde se guardan los paraguas y los bastones: *bastonero*.

— grupo de mujeres uniformadas que forman parte de algunas escoltas y que marchan haciendo suertes con una baqueta en la mano: *bastoneras*.

— que fabrica o comercia con bastones: *bastonero*.

basura Desperdicios, residuos, inmundicias. ☞ **barreduras**.

— que se dedica a barrer o recoger basura: *basurero, pepenador, barrendero*.

— sitio alejado de la ciudad donde se arrojan los desechos de la comunidad: *basurero*.

— cesto para basura: *basurero*.

— lugar descuidado y sucio: *basurero*.

bata Prenda de vestir ligera, larga y cómoda que se usa para descansar, o para algunos trabajos, sobre la ropa.

batacazo Golpe fuerte de alguien o algo cuando cae. ☞ **porrazo**.

batahola Estrépito, bulla, ruido grande. ☞ **alboroto, barullo**.

batalla 1. Enfrentamiento, pelea, lucha entre dos ejércitos o entre enemigos o contrincantes. ☞ **combate**.

— *La batalla final la dieron con pundonor los aliados en la Segunda Guerra Mundial*.

2. Parte de la silla de montar.

— *Iba con la batalla rota el jinete*.

batallar 1. Combatir, luchar, enfrentar al enemigo, al contrincante.

— *Batallamos hasta vencer al enemigo*.

— que batalla, que lucha: *batallador*.

— unidad táctica de un cuerpo de infantería compuesta por compañías y brigadas: *batallón*.

2. Esforzarse mucho, trabajar incansablemente.

— *Batallo para ganar dinero y mi mujer no me lo agradece*.

batán Máquina con mazos de madera que se utiliza para golpear los lienzos y paños, para eliminar así los nudos y otras imperfecciones.

— cada uno de los movimientos del peine del telar: *golpe de batán*.

bate (bat) Bastón o palo para jugar beisbol.

batea Vasija, bandeja, artesa hecha generalmente de madera pintada.

— *Para lavar las verduras es bueno tener una batea*.

2. Vagoneta o embarcación descubierta y de bordes bajos, que se usa para labores de carga y descarga.

— *Una batea es un buen auxilio para la descarga de los barcos en el puerto*.

batel Barca pequeña, chalupa. ☞ **lancha**.

— quien la dirige: *batelero*.

batería 1. Unidad de artillería compuesta por un número determinado de piezas y artilleros.

— *La batería enemiga tiene poca puntería*.

2. Acción y resultado de batir.

— *Para la batería hace falta valor y entusiasmo*.

3. Conjunto de dos o más elementos eléctricos, pilas o acumuladores, acoplados con el fin de multiplicar sus efectos.

— *La batería resuelve problemas de suministro eléctrico*.

4. Conjunto de utensilios de metal que se usan en la cocina.

— *Mi batería de cocina es de aluminio*.

5. Conjunto de instrumentos de percusión.

— *La batería es indispensable en un grupo de rock*.

6. Conjunto de aparatos o instrumentos análogos, instalados en un mismo local, que realizan una misma función o trabajo.

— *La batería de tornos nos ahorrará recursos en la fábrica*.

— estacionarse los coches paralelamente: *estacionarse en batería*.

batida Seguimiento que se efectúa para dar alcance a personas o animales escondidos en un terreno determinado, incursión, reconocimiento. ☞ **persecución**.

batido 1. Bebida preparada con leche, azúcar y alguna fruta o saborizante. ☞ **malteada**.

— *El batido es un alimento reconstituyente*.

2. Ciertos tejidos de la seda que presentan reflejos de distintos colores.

— *La seda es más hermosa mientras más batidos tenga*.

3. Acción y resultado de batir.

— *El batido de la masa de pastel debe ser uniforme*.

batidor, -ra 1. Que bate.

— *Un batidor eléctrico es mejor que uno mecánico*.

2. Explorador que reconoce un terreno para ver si está libre.

— *El batidor trajo malas noticias*.

3. Nombre del soldado de caballería que va adelante del regimiento o autoridad en ceremonias solemnes.

— *Todo batidor ha de ser gallardo*.

batir 1. Golpear una cosa en otra.

— *El felino batió a su presa hasta matarla*.

2. Revolver o mezclar una sustancia para que espese, se condense, o se haga más fluida. ☞ **mezclar**.

— *El secreto para preparar un buen chocolate es batirlo muy bien*.

3. Derribar, arruinar, echar abajo.

— *El sismo batió media ciudad*.

4. Moverse fuerte y constantemente un miembro del cuerpo.

— *El gimnasta batía sus brazos con fuerza y elegancia*.

5. Tratándose de sol, agua o aire, dar en una parte sin estorbo alguno.

— *El sol se bate inclemente sobre nuestras calvas*.

6. Entablar una lucha, pelear con el adversario.

— *Los enemigos se batieron en un duelo a muerte*.

7. Vencer, superar.

— *Batí el récord de los incumplidos. No entregué a tiempo el trabajo*.

8. Recoger o levantar un toldo o tienda.

— *El tendero, tarde con tarde, bate el toldo de su establecimiento*.

9. Acuñar monedas.

— *Batieron monedas con la efigie de un cuatrero*.

10. Reconocer, inspeccionar un sitio o un terreno.

— *El galgo bate el terreno y encuentra a la liebre*.

batiscafo Especie de submarino autónomo capaz de descender a grandes profundidades en el mar.

— *El uso del batiscafo ha sido muy eficaz en el avance de la oceanografía*.

— esfera de hierro que se halla unida a la superficie con un cable y que sirve para el estudio de la vida en el fondo del mar: *batisfera*.

batista Lienzo muy fino de lino o algodón que se utiliza para lencería.

— *Mis camisas de batista las luzco en las fiestas*.

bato Rústico, bobo, de poco criterio. ☞ **cerril**.

batracio Animal vertebrado, anfibio.

baturro, -rra Rústico, tonto. ☞ **bato**.

— tontería, bobada: *baturrada*.

— impertinencia, tontería: *baturrada*.

— ideas inconexas en un discurso: *baturrillo*.

batuta Bastón corto con el que los directores dirigen la orquesta.

— expresión que indica mandar o dirigir una persona a otras en una empresa cualquiera: *llevar uno la batuta*.

baúl 1. Cofre o arca con tapa que sirve para guardar cosas. ☞ **arca, arcón**.

— *Un baúl de madera puede ser muy elegante*.

— sitio donde se comercian o fabrican arcones: *baulería*.

— persona que los manufactura o vende: *baulero*.

2. Estómago, vientre, cavidad del cuerpo que contiene al estómago y los intestinos.

— *Mi baúl está chico pero le caben muchas tripas*.

— comer hasta saciarse: *llenar uno el baúl*.

bautismo Primer sacramento cristiano que se practica en casi todas las iglesias, y convierte a quien lo toma en miembro de la comunidad eclesial.

— administrar el sacramento del bautismo: *bautizar*.

— dar nombre a algo o a alguien: *bautizar*.

— adulterar con agua la leche o el vino para rebajarlo: *bautizar*.

— fiesta en torno del sacramento del bautismo o del acto de dar nombre a algo o alguien: *bautizo*.

baya Fruto carnoso comestible de semilla pequeña.

— lo que tiene forma de dicho fruto: *bayal*.

bayeta 1. Lienzo de lana poco tupida, o de tela tosca.

— *La bayeta es la herramienta de los criados*.

— trozo de bayeta que sirve para limpiar el piso: *jerga*.

2. Vestido tosco, humilde.

— *Salía a las calles, enfundado en una bayeta, a pedir limosna*.

bayo, -ya 1. Color blanco amarillento.

— *El caballo bayo es un hermoso ejemplar*.

— frijol de dicho color: *frijol bayo*.

2. Mariposa del gusano de seda que se usa como cepo en la pesca.

— *Las bayas son una buena carnada*.

bayoneta Arma blanca complementaria del fusil que se coloca en la boca del cañón.

— herida producida por dicha arma: *bayonetazo*.

baza Montón de naipes que se lleva el que gana la mano en algunos juegos de barajas.

— expresión que indica prosperar un negocio o empresa: *hacer baza*.

— expresión que indica interrumpir una conversación: *meter baza*.

— expresión que indica impedir la participación de otros en una plática: *no dejar meter baza*.

bazar Mercado con locales diversos, establecimiento destinado al comercio. ☞ **tianguis**.

bazo 1. De color café amarillento.

— *Ese casimir color bazo me gusta*.

2. Víscera del cuerpo humano que se encuentra sobre el riñón izquierdo.

— *Me duele el bazo cuando corro*.

— dolor de bazo: *dolor de caballo*.

bazofia 1. Mezcla de residuos, desperdicios o sobras de la comida. ☞ **escamocha**.

— *Tiren esa bazofia a la basura*.

2. Comida o alimento de pésima calidad.

— *En los restaurantes de lujo suelen dar bazofia a precios muy altos*.

beata, -to 1. Bienaventurado, feliz. Que ha sido beatificado canónicamente por el Sumo Pontífice.

— *El Papa me hará beato cuando muera*.

— bienaventuranza eterna: *beatitud*.

— felicidad, placidez: *beatitud*.

2. Que viste con hábito religioso sin pertenecer a una orden.

— *Ese beato es un farsante*.

3. Que frecuenta templos y se dedica a toda clase de devociones religiosas. ☞ **mocho**.

— *Esa vieja beata carga con los peores pecados*.

— conjunto de beatos: *beatería*.

— acción de afectada virtud: *beatería*.

beatificar 1. Hacer feliz a alguien.

— *Tus bajezas me beatifican, antes que humillarme*.

2. Declarar el Sumo Pontífice que algún siervo de Dios goza de la eterna bienaventuranza.

— *A Juan Diego lo beatificó el Papa, pero aún no se le declara como santo*.

— paso anterior a la canonización de un personaje, que se obtiene con la comprobación de por lo menos dos milagros realizados por el beatificado: *beatificación*.

bebé Niño pequeño, que aún no anda. ☞ **lactante, nene**.

bebedero 1. Pila o fuente donde se acude a beber.

— *En la escuela hay un solo bebedero y muchos niños tienen sed*.

2. Líquido en condiciones de beberse.

— *Este vino es bebedero*.

3. Pico de alguna vasija que sirve para beber.

— *Un porrón tiene largo bebedero*.

bebedizo 1. Brebaje al que se le atribuyen poderes mágicos. ☞ **filtro, elixir**.

— *El brujo dio un bebedizo a la princesa y la convirtió en rana*.

2. Sustancia ingerible con propiedades medicinales.

— *El curandero preparó un bebedizo con heno y juncia*.

bebedor, -ra 1. Que bebe.

— *Los bebedores se reúnen en la fuente de agua cristalina*.

2. Que abusa de las bebidas alcohólicas. ☞ **borracho**.

— *Un bebedor requiere tratamiento médico*.

beber 1. Ingerir o tomar líquidos. ☞ **tragar**.

— *Bebía cinco litros de agua por prescripción médica*.

2. Consumir bebidas embriagantes.

— *Bebimos por la salud de esas guapas chicas*.

— expresión que indica adquirir conocimientos: *beber de la fuente del saber*.

bebida (vea ilustración de la p. 91). 1. Acción y resultado de beber.

— *La bebida debe ser moderada*.

2. Refresco preparado.

— *Tomé una bebida de cola y vomité*.

— tipos de bebidas: *bebidas refrescantes, bebidas medicinales, bebidas alcohólicas, bebidas excitantes, etc.*

— emborracharse para buscar alivio a las penas o preocupaciones: *darse a la bebida*.

— sitio donde se sirven bebidas alcohólicas: *bar, taberna, pulquería, cervecería, antro, cantina, etc.*

beca Pensión que se concede para hacer estudios, libros, investigaciones, etc.

— *La beca denota quién es instruido y quién no*.

becerro, -rra Toro pequeño menor de dos años. ☞ **ternera**.

— libro en el que se anotaban las pertenencias de los monasterios e iglesias: *becerro*.

bechamel Salsa blanca hecha con harina, leche y mantequilla con la que se acompañan diversos guisos.

bedel Empleado en las escuelas que se dedica a cuidar el orden fuera de las aulas. ☞ **prefecto, ujier**.

beduino, -na Árabe nómada del desierto del Sahara.

befa Injuria, expresión insultante de desprecio.

begonia Planta originaria de América, perenne y de flores rosadas y pequeñas.

beige Del color de la lana natural, compuesto de ocre, blanco y siena.

beisbol Juego de pelota en el que participan nueve jugadores en cada equipo,

BEBIDAS ALCOHÓLICAS

El consumo de bebidas alcohólicas es una actividad presente en la totalidad de la cultura humana. El estado eufórico y de sobreexcitación que pueden generar estos líquidos los han ubicado como un componente importante en los ritos y ceremonias religiosas, aunque también aparecen despojados de estos valores como parte de la vida común. El vino mediterráneo, el kumis mongol o el sake japonés, el pulque y la chicha americanos y la kava polinésica no son más que algunas modalidades específicas con que cada civilización ha dado su propio aporte. Se habla del vino incluso en la Biblia y en la liturgia de la iglesia católica, donde aparece simbolizando la sangre de Cristo.

Las bebidas alcohólicas se pueden obtener por lo menos por dos procesos: fermentación y destilación. El proceso de transformación de los azúcares de los vegetales por medio de levaduras en alcohol etílico y dióxido de carbono se llama **fermentación.** En tanto que cuando un líquido se calienta en recipientes para evaporar el alcohol y luego condensarlo en algún serpentín se trata de una **destilación.**

Entre las principales bebidas que se dan por un proceso de destilación tenemos: whisky, ron, tequila, ginebra, vodka, brandy; las principales bebidas fermentadas son la cerveza, el vino y la sidra.

Se llama **enología** a la disciplina encargada de las cuestiones relacionadas con el vino. El vino se obtiene de la fermentación del zumo o mosto de la uva, y se produce por tres pasos: **recolección** en la vendimia, que incluye el pisado o estrujado —que actualmente se realiza por medios mecánicos— el descobajado o despalillado y el prensado; la **fermentación,** y el **envejecimiento** o **añejamiento,** que es el proceso temporal por el cual se sedimentan las impurezas, el líquido madura y mejoran el aroma y la calidad.

Los principales componentes del vino son los siguientes: agua, alcohol etílico; ácidos: málico, tartárico, acético, cítrico; glucosa, fructosa, glicerina, ésteres, compuestos fenólicos, potasio, calcio, sulfatos, sustancias nitrogenadas: proteínas y péptidos, y vitaminas. La fórmula del alcohol etílico, el componente más importante de las bebidas alcohólicas es, CH_3CH_2OH, que supone dos átomos de carbono. Su punto de fusión es a los 117.3 grados centígrados y el de ebullición a 78.5.

Los vinos se distinguen por su color en: **tintos** cuando la uva es oscura; **blancos,** cuando es verde, y **claretes** o **rosados** cuando existen combinaciones de ambas. Existen dos grandes sectores de vinos, los **de pasto** que son los comunes, los finos de mesa, los blancos, los claretes, los rosados y los tintos; y los **de lujo,** que pueden a su vez ser: licorosos, espumosos, generosos, aromatizados y medicinales. También se llama genéricamente **aguardiente** a todo tipo de bebida alcohólica destilada, y **licores** a aquellos líquidos con alcohol etílico en que se destilan, maceran o mezclan frutas, hierbas o esencias.

Algunas bebidas alcohólicas destiladas y fermentadas:

cerveza	Bebida fermentada de los granos de cebada y otros cereales.
champaña	Bebida donde el mosto original se somete a doble fermentación, primero en cubas y luego en botellas y se añaden al final fermentos y azúcares.
sidra	Bebida fermentada a base del zumo de la manzana
brandy	Bebida destilada del vino blanco que se empezó a hacer en la región de Cognac, Francia.
whisky	Bebida destilada de los granos de cebada, trigo, avena o centeno.
ginebra	Bebida destilada de maíz, cebada o centeno y aromatizada con hojas de enebro.
ron	Bebida fermentada y destilada del jugo o melaza de la caña de azúcar.
vodka	Bebida destilada del centeno, maíz, o cebada.
chicha	Bebida fermentada del maíz o mandioca.
pulque	Bebida fermentada del aguamiel del maguey.
sake	Bebida destilada del arroz.
kumis	Bebida fermentada de leche de camella, cabra o yegua.
mezcal	Bebida destilada de la cabeza del agave.
kava	Bebida fermentada de la raíz de la pimienta.
ouzo	Bebida destilada con sabor a anís.
tequila	Bebida fermentada y destilada del aguamiel del agave.

TEMPERATURA A QUE DEBEN SERVIRSE LOS VINOS DE MESA:

Tipo	Temperatura
tinto de gran cuerpo	17 a 21°C (60 a 70°F)
clarete	14 a 16°C (60 a 65°F)
rosado	4 a 12°C (40 a 53°F)
blanco seco	6 a 10°C (42 a 50°F)
blanco semidulce	4 a 6°C (40 a 42°F)
espumoso	3 a 5°C (38 a 41°F)
generoso	18°C (65°F)
champaña dulce	0 a 3°C (32 a 38°F)
champaña semiseco	5 a 7°C (41 a 44°F)
champaña seco y extraseco	7 a 8°C (44 a 47°F)

cuya finalidad consiste en que uno de los equipos ha de golpear con un bate una bola lanzada por el adversario para poder así recorrer ciertos puntos o bases, las cuales al ser recorridas por un jugador constituyen una carrera o tanto. Gana el equipo que anote más carreras.

bejuco 1. Plantas trepadoras con tallos flexibles y muy resistentes que crecen en el trópico.
— *La lujuriante selva de bejuco me atrae inmensamente.*

2. Tallo de dichas plantas que se teje húmedo para hacer diversos objetos y muebles.
—*Esta silla es de bejuco.*
— sitio en el que abundan dichas plantas: *bejucal.*
— cadena fina de oro con la que se adornan el cuello las mujeres: *bejuquillo.*

beldad Belleza, perfección estética en alguien. ☞ **hermosura**.

belfo Labio inferior grueso y colgante.

bélico, -ca Que se relaciona o pertenece a la guerra.
— agresivo, inclinado a la guerra: *belicoso.*
— tendencia a participar en , o a provocar guerras: *belicismo.*

beligerancia Derecho de iniciar un conflicto armado con las garantías que otorga el derecho internacional.
— nación o ejército que se encuentra en guerra: *beligerante.*

bellaco Pícaro, ruin. ☞ **granuja**.

— acción propia del bellaco: *bella-quería.*

belleza Cualidad de las cosas cuya manifestación nos produce un deleite espiritual o un determinado goce estético.
— que tiene belleza: *bello, bella.*

bellota 1. Fruto de la encina o del roble que en algunos casos es comestible y con el que se alimenta a los cerdos.
— *El hijo pródigo se alimentó de bellotas como los cerdos.*
2. Ciertas vasijas en forma de bellota que se utilizan para guardar bálsamos y otras especies aromáticas.
— *El ujier puso bálsamo de alhucema en la bellota de su amo.*
3. Glande o bálano.
— *Suele llamársele comúnmente bellota a la cabeza del pene.*

bemol Nota musical cuya entonación es un semitono más bajo que la de su sonido natural.

bendecir 1. Alabar, ensalzar.
— *Te bendigo, padre, por tu bondad.*
2. Prodigar a una persona bienes o dones la Providencia. ☞ **consagrar.**
— *Dios lo bendijo con una suegra dadivosa.*
3. Invocar el favor divino para algo o alguien.
— *Bendijo sus alimentos pidiéndole más al Señor.*
4. Consagrar al culto o purificar un objeto o construcción mediante una ceremonia religiosa.
— *El cura bendecirá nuestra casa nueva.*

bendición 1. Acción y resultado de bendecir, de alabar o colmar de bienes. ☞ **bendecir.**
2. Señal o acto mediante el cual se bendice.
— *Alzó sus manos el brujo tribal en señal de bendición a su pueblo.*

bendito, -ta 1. Santo, bienaventurado, feliz, dichoso.
— *Bendita sea el alma de mi tatarabuela.*
2. Cualidad de un objeto consagrado a un culto o a la Providencia.
— *El hisopo del párroco debe estar bendito.*

benedictino 1. Que pertenece a la orden religiosa de San Benito o se relaciona con ella.
— *Los benedictinos son monjes muy pacientes.*
2. Licor fabricado en un principio por los monjes de dicha orden.
— *El benedictino es un licor grato al paladar.*

beneficencia 1. Virtud de hacer buenas obras para los demás, de hacer el bien. ☞ **caridad.**

— *La beneficencia es una virtud de mujeres pías.*
2. Grupo de instituciones dedicadas a otorgar y distribuir bienes a los menesterosos y necesitados.
— *La beneficencia pública organiza loterías para recabar fondos.*
— que ayuda a otros: *bienhechor, benefactor.*

beneficiar 1. Hacer el bien a algo o a alguien. ☞ **favorecer.**
— *Tus buenos oficios me benefician.*
2. Cultivar, mejorar una cosa, procurando que fructifique.
— *Los metales se benefician mediante diversos procedimientos.*
— quien recibe o se le asigna un bien: *beneficiario.*
— bien o asignación que se da o recibe: *beneficio.*
— expresión popular que indica estar sin ocupación ni preocupación: *estar sin oficio ni beneficio.*

benemérito Digno de honor y gran estimación. ☞ **loable.**

beneplácito Aprobación, permiso para un hecho o circunstancia determinada. ☞ **consentimiento.**

benevolencia Buena disposición hacia los demás.

bengala Fuego artificial que expide luces de colores al arder, que se usa para hacer señales.

benigno Afable, benévolo.
— que no es peligroso o grave: *benigno.*

benjamín Hijo menor en una familia.

benjuí Resina aromática obtenida del árbol del mismo nombre.

beodo Que está bebido, embriagado. ☞ **borracho.**
— borrachera, embriaguez: *beodez.*

berbiquí Herramienta con broca que sirve para taladrar. ☞ **taladro.**

berrendo

bergante Sinvergüenza, pícaro. ☞ **bellaco.**

bergantín Navío con dos palos con vela redonda o cuadrada.

beriberi Enfermedad provocada por la carencia de vitamina B y proteínas en el cuerpo humano.

berilo Mineral unas veces incoloro y otras de color verde, azul o amarillo que se encuentra en los cristales.
— variedades del berilo: *aguamarina y esmeralda.*

bermejo 1. De color rubio rojizo.
—*El pájaro bermejo imita al sol naciente.*
2. Especie de topo que habita en México.
—*El bermejo habita en algunos bosques templados.*
— de color rojizo: *bermejón.*

bermellón 1. Polvo de sulfuro de mercurio natural, que tiene un color encarnado. ☞ **polvo de cinabrio.**
— *El bermellón es útil en la fabricación de tintes y pinturas.*
2. De color rojo intenso.
—*Era de bermellón la sangre que manaba de las venas de la bella suicida.*

berrear 1. Dar berridos el becerro u otros animales con voz similar.
—*Los becerros berrean cuando tienen hambre.*
2. Llorar a gritos.
— *Mi vecina berrea cuando le duele la cabeza.*

berrendo, -da (vea ilustración de p. 92).
1. Rumiante similar al ciervo, de pelaje castaño y vientre blanco, originario de México. La destrucción de su hábitat lo ha puesto en peligro de extinción.
— *En el zoológico hay una pareja de berrendos.*
2. Manchado de dos colores. ☞ **bicolor.**
—*El toro berrendo tiene trapío.*

berrinche Enojo, coraje grande común en los niños. ☞ **pataleta.**
— que se enoja frecuentemente o hace berrinches: *berrinchudo.*

besamanos Ceremonia en la que se besa la mano a jerarcas o a altos dignatarios.

besar Tocar con los labios algo o a alguien en señal de amor o amistad.

beso Acción y resultado de besar. ☞ **ósculo.**
— que besa mucho: *besucón.*

bestia 1. Cuadrúpedo que se utiliza para cargar o para hacer cualquier otro trabajo pesado, como la mula, el burro, el buey, el caballo, etc.
—*A la bestia hay que tratarla como si fuera de la familia.*
2. Que es ruda, torpe, ignorante.
— *¡Eres una bestia peluda! No sabes ni los fundamentos de la mecánica cuántica.*
— conjunto de dichos animales: *bestiaje, remuda.*

bestial 1. Propio de las bestias, irracional. ☞ **inhumano, salvaje.**
— *Tu conducta bestial tiene cansada a tu madre.*
2. De dimensiones extraordinarias, desmesurado.
—*La contaminación del ambiente es bestial.*
— salvajemente, violentamente: *bestialmente.*
— gran error, gran tontería: *bestialidad.*
— sexualidad entre humanos y animales: *bestialidad.*

betún 1. Nombre dado a algunos hidrocarburos combustibles o al asfalto derivado de éstos. ☞ **brea.**
—*A esa calle debemos recubrirla con betún de buena calidad.*
2. Mezcla de ciertas sustancias, pez, sebo o alquitrán con la que se impermeabilizan los barcos.
— *El betún del barco lo aplicó un marinero en altamar.*
3. Crema o grasa con la que se lustra el calzado.
— *El limpiabotas puso betún a mis botas negras.*
4. Cubierta de un pastel, usualmente de chocolate.
— *El pastel tiene un betún exquisito.*

bibelot Pequeño objeto decorativo.

biberón Botella de cristal o de plástico con chupón de látex que se utiliza para la lactancia artificial. ☞ **mamila.**

biblia Conjunto de libros sagrados de los judíos y cristianos.

biblia

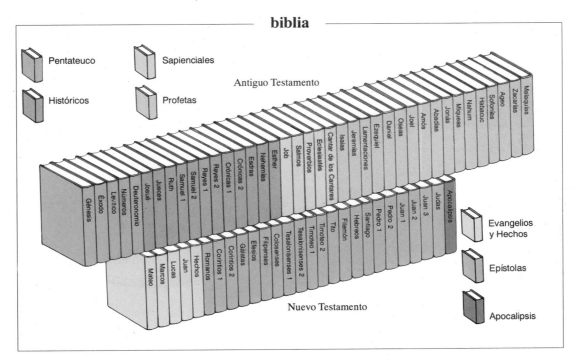

— divisiones de la Biblia: *Antiguo y Nuevo Testamentos.*

— que pertenece a la Biblia o se relaciona con ella: *bíblico.*

biblioteca 1. Colección o conjunto de libros dispuestos en un lugar determinado para su consulta.

—*Esa biblioteca tiene mal clasificados sus libros.*

2. Local donde se tienen libros ordenados para su consulta.

—*En la biblioteca conocí a ese joven.*

3. Colección de libros, documentos, manuscritos, etc., análogos o que se refieren a un mismo tema.

—*La biblioteca de jurisprudencia es muy densa.*

— que trabaja en una biblioteca: *bibliotecario.*

— oficio en el que se organiza, administra y conserva una biblioteca: *biblioteconomía.*

— conjunto sistematizado de conocimientos referentes al libro y a las bibliotecas: *bibliotecología.*

bicarbonato Conjunto de sales ácidas del ácido carbónico, como el bicarbonato de sodio, usados en medicina y como sustituto de levaduras.

bicéfalo Que tiene dos cabezas.

bíceps Músculos pares que tienen por arriba dos cabezas, localizados en las extremidades del cuerpo.

bicicleta Velocípedo de dos ruedas que por el efecto giroscópico de las mismas se mantiene en equilibrio durante la marcha.

— modo informal y común de llamar dicho velocípedo: *bici.*

— dar un paseo en bicicleta: *andar en bici.*

bicoca 1. Pequeña muralla o baluarte.

—*Perdimos la guerra por esa simple bicoca.*

2. Cosa de poca importancia, de poca estima o aprecio.

— *Me pagan una bicoca por lo que trabajo.*

bicolor De dos colores. ☞ **berrendo.**

bicorne De dos puntas o cuernos.

— sombrero con dos puntas: *bicornio.*

bicho 1. Animal pequeño, insecto.

☞ **alimaña, sabandija.**

— *La casa de campo está llena de bichos.*

2. Animal doméstico, gato.

— *Con esta crisis, habremos de comernos al bicho.*

3. Toro de lidia.

—*El bicho bien templado y con trapío es la ilusión del torero.*

— forma despectiva de referirse a dichos animales: *bicharraco.*

— que tiene malas intenciones o de figura ridícula: *mal bicho.*

bidé Recipiente sanitario de forma ovalada que se utiliza para la higiene íntima.

bidón Recipiente de lámina u hojalata donde se guardan líquidos.

biela Pieza que sirve en una máquina para transmitir o transformar el movimiento alternativo en circular continuo o viceversa.

bien 1. Valor supremo de la moral.

— *Toda religión busca el triunfo del bien.*

2. Felicidad, armonía.

—*Viví con bien mientras tuve trabajo.*

3. De manera propia y adecuada para algún fin, felizmente.

—*Mi convalescencia va bien, dijo el médico.*

4. Con gusto, de buena gana, condescendencia o asentimiento.

— *¡Muy bien, sigue por ese camino!, me felicitó mi padre.*

— se usa antes de un adjetivo para engrandecer su significado: *bien grande, bien malo, bien bonito.*

— expresión de consuelo frente a las adversidades: *no hay mal que por bien no venga.*

5. Beneficio, utilidad, hacienda.

—*El Estado otorga un bien a ciertos indigentes para que vivan dignamente.*

bicicleta

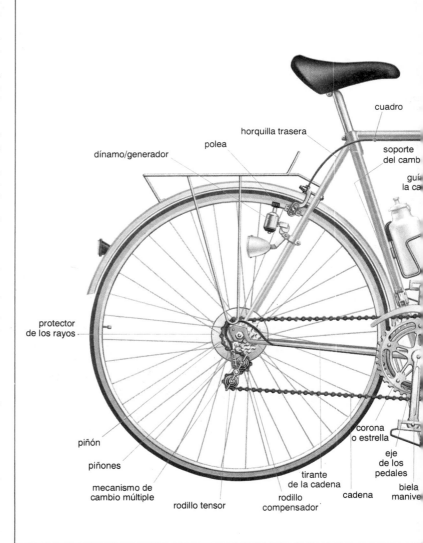

bienal Hecho que se repite cada dos años. ☞ **bienio**.

— dos años: *bienio*.

bienaventuranza 1. Vida eterna al lado de Dios en el cielo. ☞ **gloria, beatitud.** 2. Cada una de las ocho felicidades que Cristo prometió a sus discípulos en el "sermón de la montaña".

—*El lego en asuntos bíblicos ignora cada bienaventuranza prometida por Jesús a sus discípulos.*

3. Prosperidad o felicidad.

— *La bienaventuranza me llegará cuando me halle viejo y no tenga de qué preocuparme.*

— que goza de la vida eterna: *bienaventurado*.

— próspero, feliz: *bienaventurado*.

bienes Riqueza, propiedades, hacienda. ☞ **bien.**

— que pertenecen a la comunidad: *bienes comunales*.

— que no se pueden transportar: *bienes inmuebles, bienes raíces*.

— que no tienen dueño conocido: *bienes mostrencos, bienes vacantes*.

— virtudes o cualidades del espíritu: *bienes del alma*.

— posesiones materiales: *bienes terrenales*.

— bienaventuranza: *bienes eternos*.

bienestar Comodidad, vida holgada, tranquilidad de ánimo.

bienhablado Que se expresa correctamente.

bienhechor Que hace el bien a otros.

bienintencionado, -da Que realiza acciones con buena intención.

bienvenida 1. Saludo que se le da al que arriba a un lugar.

—*Le dimos la bienvenida con mariachis al campeón de box.*

2. Feliz llegada.

—*El héroe esperaba una catástrofe y se encontró una bienvenida.*

bies 1. Sesgo en diagonal.

—*Un político hace bies con su ideología.*

2. Paño que se corta oblicuamente, en diagonal, para hacer el cuello o las mangas en algunos vestidos.

—*El sastre hace bies en los vestidos que le encargaron.*

bífido Que se bifurca, hendido en dos partes.

bifocal Con dos focos, para ver de cerca y de lejos, en el caso de los anteojos.

bifurcación 1. Acción y resultado de bifurcarse.

— *Una bifurcación puede ocasionar cismas en la iglesia.*

2. Sitio donde un camino se divide en dos.

—*En la bifurcación me perdí por falta de instrucciones.*

— cosa o camino que acaba en dos puntas: *bifurcado*.

bigamia Estado civil en el que un hombre ha contraído nupcias con dos mujeres o una mujer con dos hombres.

bigote 1. Pelo que crece sobre el labio superior. ☞ **mostacho.**

—*Tenía el bigote más bello del mundo y me lo corté en señal de penitencia.*

2. En impresión, línea horizontal gruesa en la parte central y con los extremos delgados que se utiliza como adorno.

—*El impresor usa el bigote a discreción.*

— expresión popular que indica comer: *mover el bigote*.

3. Pieza de pan dulce cubierta de azúcar.

—*Me comí una dona, una concha, un conde, una oreja y un bigote.*

— que tiene bigote abundante: *bigotudo, bigotón*.

— tira de tela con la que se cubren los bigotes para protegerlos: *bigotera*.

bikini Bañador, traje de baño femenino de dos piezas que se utiliza para nadar y asolearse.

bilateral Que pertenece a dos partes o lados o se relaciona con ellos. ☞ **recíproco.**

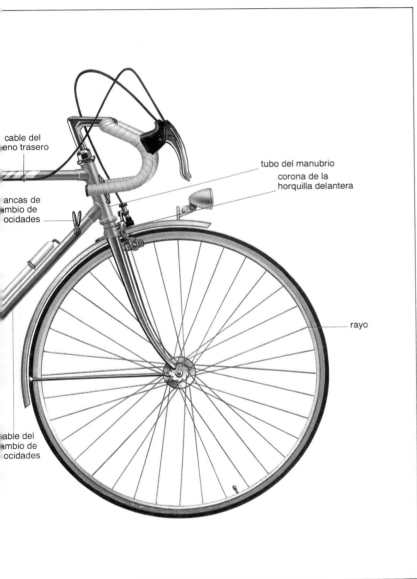

cable del
freno trasero

tubo del manubrio

corona de la
horquilla delantera

palancas de
cambio de
velocidades

rayo

cable del
cambio de
velocidades

— acuerdo o convenio que se celebra entre dos partes implicadas: *acuerdo o convenio bilateral.*

bilingüe 1. Que habla dos lenguas, dos idiomas.

— *Como su madre es alemana y su padre español, siempre fue bilingüe.*

2. Texto escrito en dos lenguas.

— *Tengo una edición bilingüe del teatro de Shakespeare.*

bilis Secreción del hígado de color amarillo verdoso y amarga.

— expresión que significa enojarse, hacer un fuerte coraje: *derrámársele a uno la bilis.*

— irritarse una persona: *hacer bilis.*

— que se irrita con frecuencia: *bilioso.*

billar 1. Juego de destreza que se ejecuta sobre una mesa rectangular cubierta con un paño verde y rodeada por bandas fijas en un marco de madera; en ella se colocan las bolas de marfil que son impulsadas con un taco de madera y, dependiendo del tipo de juego, las bolas se impulsan hacia ciertas bolsas o buchacas que se encuentran en los extremos de la mesa o para que choquen entre sí.

— *El billar es un juego de caballeros.*

2. Sitio o local donde se juega este deporte.

— *En el billar se encuentran los vagos y malvivientes consuetudinariamente.*

— mesa sobre la cual se juega billar: *paño.*

— distintas modalidades del billar: *carambola, carambola de tres bandas, pull, billar de fantasía, etc.*

— jugador de billar: *billarista.*

billete 1. Tarjeta o carta breve.

— *Te envié un billete enumerando tus desdenes y ni lo leíste.*

2. Boleto que da derecho a algún servicio o sorteo. ☞ **tíquet.**

3. Papel moneda, dinero.

— *El dinero emitido en billete debe tener respaldo del banco central.*

— cartera en la que se guarda el dinero: *billetera.*

bimestral Que sucede cada dos meses. ☞ **bimensual.**

— que dura ese lapso: *bimestre.*

— que se hace, ocurre o aparece en un bimestre: *bimestral.*

bimotor Aparato o máquina con dos motores.

binario Lo que está compuesto de dos elementos o unidades.

binoculares Aparato portátil que se utiliza para ver a grandes distancias, dado que consta de lentes de gran alcance. ☞ **gemelos, binóculos.**

— que pertenece a los dos ojos o se relaciona con ellos: *binocular.*

binomio 1. Expresión algebraica compuesta por la suma o resta de dos términos.

— *El binomio de Newton apareció en 1663.*

2. Unión de dos personalidades en busca de un objetivo común.

— *El binomio de luchadores es espectacular.*

biografía Narración o historia de la vida de alguien.

— que hace biografías: *biógrafo.*

— relato que hace una persona sobre su vida: *autobiografía.*

— escribir la vida de una persona o personaje: *biografiar.*

biología Ciencia que estudia las leyes de la vida en todas sus manifestaciones.

— que se dedica a la biología: *biólogo.*

— ramas de la biología: *zoología, botánica, fisiología, embriología, citología, ecología, histología, genética, etc.*

— que pertenece a la biología o se relaciona con ella: *biológico.*

biombo Cancel o mampara compuesta por varios bastidores articulados y unidos entre sí por medio de goznes, que pueden abrirse o cerrarse a voluntad.

biopsia Estudio microscópico de un tejido tomado de un organismo vivo, con fines de diagnóstico.

bioquímica Ciencia que estudia los procesos de transformación y aprovechamiento de las materias orgánicas e inorgánicas por los seres vivos.

bipartición 1. División en dos partes.

— *Comeremos este bizcocho entre tú y yo por bipartición.*

2. División celular que da lugar a la aparición de dos células hijas iguales.

— *El misterio de la vida se observa en la bipartición de la célula.*

bípedo Que tiene dos pies.

— el ser humano: *animal bípedo.*

biplano Avión con cuatro alas que por pares forman planos paralelos.

bipolar De dos polos.

birlar 1. En el juego de bolos, tirar por segunda vez la bola desde donde se detuvo en la primera jugada.

— *El jugador birlará después de la primera jugada.*

2. Derribar a algo o alguien con un golpe violento.

— *Birló al enemigo con un mazo gigante.*

3. Despojar de algo a una persona mediante engaños.

— *Me birlaron mi quincena unos embaucadores.*

birrete Gorro prismático con una borla negra encima que usan en ciertas ceremonias solemnes los magistrados, los graduados, los jueces, etc.

birria 1. Cosa hecha sin cuidado, deforme.

— *Este trabajo es una verdadera birria, dijo enojado el albañil cuando se cayó el techo.*

2. Guiso mexicano hecho con carne de carnero.

— *La birria de Jalisco es la mejor del mundo.*

bisabuelo, -la Progenitor del abuelo.

bisagra 1. Herraje compuesto de dos planchas de metal unidas por cilindros huecos atravesados por un pasador, que se utiliza para facilitar el movimiento giratorio de puertas y otras cosas que se abren o cierran.

— *Se atoraron las bisagras de la puerta y me quedé encerrado.*

2. Palo en el que se alisa y lustra el canto de la suela de los zapatos.

— *El zapatero aprende desde joven a ser diestro con la bisagra.*

bisbisear Hablar en voz apenas audible, o entre dientes. ☞ **murmurar, susurrar.**

bisección División en dos partes en geometría, tratándose de ángulos.

— que divide en dos partes iguales una porción de plano o de espacio: *bisector, bisectriz.*

bisel Borde cortado oblicuamente.

— superficie que tiene dicho borde: *biselada.*

bisemanal Que suceda cada dos semanas. ☞ **catorcenal.**

bisexual 1. Organismo que tiene órganos reproductores de ambos sexos. ☞ **hermafrodita.**

— *La flor que tiene a la vez estambres y pistilos se llama bisexual.*

2. Que tiene relaciones sexuales con hombres o mujeres indistintamente.

— *El psicoanalista puede interpretar lo bisexual como patología.*

bisiesto Año con 366 días.

bisílabo, -ba De dos sílabas.

bisnieto, -ta Hijo del nieto de una persona.

bisonte Rumiante bovino parecido al toro, cubierto de pelo áspero.

bisoñé Peluca que cubre la parte anterior a la cabeza. ☞ **peluquín.**

bisoño Novato o inexperto en un oficio cualquiera. ☞ **aprendiz.**

— dicho o hecho de quien no tiene conocimiento o experiencia: *bisoñería.*

bistec Lonja de carne que se fríe o asa.

bisturí Instrumento quirúrgico en forma de cuchillo muy afilado que se utiliza para la incisión de los tejidos. ☞ **escalpelo.**

bisutería Joyería de imitación o fantasía.

bitácora 1. Aparato sobre el cual se coloca la brújula y la mantiene en posición horizontal, aun cuando el buque se mueva.

—*La bitácora de los barcos modernos es en realidad una computadora.*

2. Cuaderno donde se anota el rumbo y los accidentes de una travesía.

— *Mi bitácora de viaje está llena de anécdotas chispeantes.*

bivalvo, -va Que tiene dos valvas o conchas.

bizantino 1. Que pertenece a Bizancio o se relaciona con esa ciudad o imperio.

— *El arte bizantino tiene elementos griegos, latinos y cristianos.*

2. Discusión inútil e intempestiva.

— *Nos enfrascamos en una discusión bizantina en torno de la política mundial.*

3. Decadente, degenerado.

— *La moda romántica resulta francamente bizantina.*

bizarro, -rra 1. Valiente, animoso.

— *El bizarro caballero defendió a su princesa.*

2. Generoso, espléndido.

— *San Martín Caballero le dio su capa al desposeído, en un acto bizarro.*

bizco, -ca Que mira torcido.

bizcocho Todo tipo de pan hecho con masa de harina, huevos y azúcar cocidos en el horno. ☞ **pan, pastel.**

— establecimiento donde venden todo tipo de panes, pasteles o dulces: *bizcochería.*

— cuyo oficio es hacer bizcochos: *bizcochero.*

biznaga 1. Cactácea originaria de México que se caracteriza por tener tallo corto y carecer de hojas.

— *Las variedades de la biznaga mexicana son muy hermosas.*

2. Dulce típico del centro de México que se hace hirviendo las rodajas de la cactácea con piloncillo y una pizca de cal.

— *La biznaga y el acitrón son dulces típicos mexicanos.*

— terreno sembrado con dichas cactáceas: *biznagal.*

blanco, -ca 1. De color nieve o leche.

— *El color blanco es la luminosidad y la pureza por excelencia.*

— tipos de blanco: *blanco de España, blanco de zinc, blanco de plata, blanco de plomo, etc.*

2. Que sin ser blanco tiene un color más claro que los de su misma especie.

— *La madera blanca es muy decorativa.*

3. Color de la raza europea o caucásica en oposición al de las otras razas.

— *El hombre blanco llegó a América con Cristóbal Colón.*

4. Aparato o adminículo generalmente blanco con círculos concéntricos negros que se fija a cierta distancia para

ejercitarse en el tiro y puntería como objetivo al que se disparan balas o proyectiles.

— *El blanco se encontraba a cincuenta metros del tirador en el momento de disparar.*

— acertar en el blanco al que se dispara: *dar en el blanco, hacer blanco.*

— ser objeto de burlas o punto de atención de otros: *ser el blanco, servir de blanco.*

5. Hueco intermedio entre dos cosas.

— *En el blanco de esas paredes guardo mis tesoros.*

6. Fin u objeto al que se dirigen acciones o deseos.

— *El blanco de mi vida es alcanzar la sabiduría.*

— libro, cuaderno u hoja que no están escritos o impresos: *libro en blanco, cuaderno en blanco, hoja en blanco.*

— espada desenvainada: *espada en blanco.*

— expresión que indica no entender los elementos básicos de alguna cosa: *no distinguir lo negro de lo blanco.*

— sábanas, toallas, manteles, servilletas o cosas de tela de uso cotidiano: *blancos.*

— calidad de blanco: *blancura, blancor, blancuzco, blanquecino.*

— poner blanca una cosa: *blanquear.*

— compuesto químico que sirve para desmanchar o volver blanca una tela: *blanqueador.*

blandir 1. Mover una arma con movimiento trémulo.

—*Don Juan blandió su espada para arremeter contra el convidado de piedra.*

2. Moverse una cosa de un lado a otro.

— *Las palmas se blandían al paso del viento.*

blando, -da 1. Que no resiste presión. ☞ **fláccido.** ❖ FIRME, DURO

— *Tengo los músculos blandos por falta de ejercicio.*

2. Que es suave y tierno.

— *Tenía un corazón blando ese hombre, dijo el antropófago.*

3. De poco carácter, cobarde.

— *¡Ese tipo es un blando! Debemos despedirlo.*

blasfemar Proferir insultos contra Dios y los santos, decir blasfemias.

— que blasfema: *blasfemo, blasfemador.*

— texto o discurso que contiene injurias contra la deidad: *texto blasfemo.*

— insulto proferido contra Dios o los santos: *blasfemia.*

blasón 1. Arte heráldico. ☞ **escudo.**

—*Mi tío, el aristócrata, es experto en el arte del blasón.*

2. Escudo de armas o cada una de las partes que lo componen.

—*Su blasón familiar se componía de cráneos y huesos en vez de escudo de armas.*

3. Honor y gloria.

—*Su blasón lo alcanzó con pundonor ese caballero andante.*

— establecer un escudo de armas según las reglas: *blasonar.*

— ostentar alguna cosa: *blasonar.*

bledo 1. Planta comestible de tallos rastreros y hojas triangulares, de la familia de las quenopodiáceas.

—*El patio está cubierto de bledos.*

2. Cosa baladí, de poca importancia.

—*La política me importa un bledo.*

blenorragia Enfermedad venérea que consiste en la inflamación de la mucosa de los órganos genitales, debido al gonococo. ☞ **gonorrea.**

— dicha enfermedad en estado crónico: *blenorrea.*

blindado, -da Que está recubierto con planchas de acero o hierro para su protección.

— revestir una cosa con diversos materiales para protegerla de las balas, el fuego, etc.: *blindar.*

— serie de planchas que sirven para blindar: *blindaje.*

bloc Conjunto de hojas de papel, fácilmente separables, unidas en la parte superior con pegamento.

blonda Encaje fino de seda que rodea ciertas prendas femeninas o mantellos de adornos. ☞ **bolillo, encaje, holán, orla.**

— De cabello rubio: *blondo.*

bloque 1. Pedazo o trozo de materia sin labrar, generalmente de piedra.

— *El escultor encontró el bloque de mármol ideal para su trabajo.*

2. Unión de personas, instituciones o países en defensa de una causa.

— *El bloque conservador ganó presencia en la cámara de diputados.*

3. Grupo de casas no separadas por calle alguna.

— *Mi casa queda en el bloque de enfrente.*

4. Pieza que contiene todos los cilindros de un motor de explosión.

— *El auto chocó tan fuerte que se averió el bloque del motor.*

— actuar en conjunto: *actuar en bloque.*

bloquear 1. Impedir el tránsito de las cosas o el funcionamiento de un mecanismo.

—*Bloquearon la carretera para hacer reparaciones.*

2. Sitiar o asediar un lugar, un suministro, etc.

— *Los niños grandes bloquearon el avance de los pequeños.*

— acción y resultado de bloquear: *bloqueo.*

bluff Acción o palabrería en la que se aparenta fuerza o sabiduría destinadas a amedrentar o a asombrar a los demás.

blusa Prenda femenina externa que se ciñe al talle, o que se usa como camisa.

— prenda más larga y holgada que la blusa: *blusón.*

boa Género de ofidios de gran tamaño.

— Especies más importantes de boas: *boa constrictor, boa arcoiris, anaconda.*

boato Ostentación, lujo. ❖ MODESTIA, SOBRIEDAD.

bobear Hacer o decir boberías, bobadas.

— dicho o hecho necio o tonto: *bobería, bobada.*

— torpe, de poco criterio o entendimiento: *bobo.*

bobina Cilindro o carrete en el que se enrolla un alambre o hilo.

boca (vea ilustración). 1. Cavidad que en los vertebrados sirve para ingerir los alimentos y emitir la voz. ☞ **hocico.**

—*Los niños bien educados comen con la boca cerrada.*

2. Entrada o salida.

—*La boca de los ríos suele ser rica en minerales y peces.*

3. A quien se mantiene o se da de comer.

—*Llegó a la casa una boca más.*

4. Sabor o gusto del vino.

—*Este vino de California tiene excelente boca.*

5. Abertura, orificio de una cosa, herramienta o arma de fuego.

—*El soldado limpia la boca de su rifle todos los días.*

— expresión popular que se usa para decir que vale más callar ante situaciones comprometedoras: *en boca cerrada no entran moscas.*

— expresión usada cuando algo sale bien o queda bien: *a pedir de boca.*

— expresión usada cuando alguien se asombra o queda estupefacto: *quedarse con la boca abierta.*

— expresión popular que indica meterse en dificultades: *meterse en la boca del lobo o del león.*

— expresión que indica ser objeto de noticia o de que ésta es conocida: *andar de boca en boca.*

— expresión que indica tomar un alimento ligero o un aperitivo: *hacer boca.*

— expresión que indica disparar a quemarropa o decir algo de improviso: *a bocajarro.*

— que es hablador o tiene la boca grande: *bocón.*

bocacalle Entrada o embocadura de una calle.

bocado 1. Porción de comida que se toma de una vez.

— *Comer bocados pequeños es signo de buena educación.*

— alimento ligero que se toma antes de las comidas o como botana: *bocadillo.*

2. Pedazo de una cosa que se arranca con la boca.

—*El perro se quedó con un bocado de mi pantalón al morderme.*

3. Parte del freno que se coloca en el hocico de los animales, o el freno entero, en algunas ocasiones.

—*El caballo cabeceaba porque le pusieron mal el bocado.*

bocamanga 1. Parte de la manga que está más cerca de la mano.

—*La bocamanga de mi camisa está roída.*

2. Abertura para sacar la cabeza o las extremidades en sarapes, mangas, ponches, etc.

—*El sarape del ranchero tiene bocamanga bordada.*

bocamina Boca de la galería o pozo que sirve de entrada a la mina.

bocana 1. Paso estrecho del mar que sirve de entrada a una bahía o fondeadero.

—*La bocana tiene muy poco fondo y bancos de arena.*

2. Lugar donde desemboca un río.

—*La bocana del río tiene manglares.*

bocanada 1. Cantidad de líquido que se tiene en la boca. ☞ **trago.**

—*Se bebió el borracho su copa de una bocanada.*

2. Porción de humo que se exhala al fumar.

—*De bocanada en bocanada el fumador acaba con su vida.*

3. Ráfaga de viento.

— *La bocanada del viento tiró los techos de las casas.*

boca, nariz y garganta

caballete
membrana olfativa
ala de la nariz
ventana
tabique de las fosas nasales
paladar
trompa de Eustaquio
surco nasolabial
adenoides
velo del paladar
vestíbulo
nasofaringe
incisivo
úvula
canino
premolar/ bicúspide
molar
epiglotis
frenillo
faringe
hueso hioide
laringe
cuerdas vocales
esófago
cartílago de la tiroides o manzana de Adán
tráquea

bocel Adorno saliente liso de forma cilíndrica que rodea una columna.
— moldura convexa que forma un cuarto de círculo: *cuarto bocel.*
— la que su corte forma un semicírculo: *medio bocel o bocel.*

boceto Apunte o borrador de un proyecto o de una obra de arte.

bocina Especie de trompeta de metal o de otro material que se usa como refuerzo o resonador acústico.

bocio Enfermedad provocada por la falta de yodo en el cuerpo y que se manifiesta con una protuberancia en el cuello debida al atrofiamiento de la glándula tiroides.

bocón, -na 1. Que tiene la boca grande.
— *Un bocón traga y besa mucho.*
2. Que habla demasiado y comete indiscreciones.
— *¡Nunca confíes un secreto a un bocón!*

bochinche 1. Fiesta casera improvisada. ☞ **reventón.**
— *Hicimos un bochinche por el premio que gané.*
2. Tumulto, barullo, alboroto.
— *La exposición pictórica fue un verdadero bochinche.*
— provocar confusión, iniciar un lío: *armar un bochinche.*

bochorno 1. Aire caliente y húmedo en el verano.
— *El bochorno del puerto es insoportable.*
2. Sofocación, especie de mareo.
— *Esa mujer sufre de bochorno.*
3. Vergüenza pasajera.
— *Me dio bochorno todo lo que dije públicamente.*
— que causa bochorno: *bochornoso.*

boda 1. Matrimonio, casamiento. ☞ **himeneo.**
— *Pienso en mi boda y tiemblo.*
2. Fiesta en la que se celebra el casamiento.
— *Anoche fui a una boda que parecía velorio.*
— forma popular de llamar a una fiesta de bodas: *bodorrio.*
— fiesta en la que hay mucha bulla y alboroto: *boda de negros.*
— fiesta en la que se celebran los 25 años de matrimonio: *bodas de plata.*
— la que se hace cuando se cumplen 50 años: *bodas de oro.*
— cuando se cumplen 60 años: *bodas de diamante.*

bodega Sitio donde se guardan diversas mercancías. ☞ **almacén.**
— dueño o encargado de cuidar y administrar dicho almacén: *bodeguero.*

bodegón Pintura al óleo de alimentos y objetos cotidianos.

bodoque 1. Proyectil de barro endurecido que se dispara con la ballesta.
— *Me golpearon con un bodoque de ballesta en la pierna.*
2. Borde duro o relieve de adorno en algunos bordados.
— *Mi mantel tiene un bodoque en cada extremo como adorno.*
3. Bulto o hinchazón que se forma en el cuerpo.
— *Tengo un bodoque en la cabeza.*
4. Forma cariñosa de llamarle a alguien, especialmente a los niños.
— *A mi bodoque lo quiero con toda mi alma.*

bodrio 1. Sopa hecha con desperdicios o sobrantes. ☞ **bazofia.**
— *A los menesterosos se les ofrecía una ración de bodrio a la puerta de los conventos.*
2. Guiso mal sazonado, de mal sabor.
— *Este caldo es un bodrio.*
3. Cosa mal hecha.
— *La película que vi anoche es un verdadero bodrio.*

bofe Pulmón, órgano respiratorio.
— trabajar demasiado, estar excesivamente cansado: *echar el bofe.*

bofetada Golpe que se da con la mano abierta en el cachete o mejilla de alguien. ☞ **cachetada, sopapo.**
— bofetada dada con fuerza: *bofetón.*

boga 1. Acción de remar.
— *Boga, boga, marinero, boga sin cesar.*
2. Buena aceptación, popularidad.
— *El pelo largo está muy en boga.*

bohemio, -mia 1. Que lleva una vida irregular o de costumbres libres.
— *Un verdadero bohemio no vive del dinero de su familia.*
2. Ese género de vida.
— *La bohemia puede ser causa de una muerte prematura.*

bohío Casa rústica hecha con palos, paja o caña.

boicot Sanción colectiva que se aplica a una persona, entidad o nación que consiste en privarla de toda relación social o comercial, como medio de presión. ☞ **bloqueo.**

boicotear Privar a alguien o a una nación o empresa de los medios o relaciones para obligarle a ceder en lo que se le exige. ☞ **bloquear.**

boina Gorro sin visera, redondo y chato y de una sola pieza.

bol 1. Tazón semiesférico sin asas que tiene distintos usos.
— *En casa se lavan las verduras en el bol de plástico, pero bebemos leche en el de porcelana fina.*
2. Red para pescar que se arrastra desde la playa.

— *En las playas donde hay muchos peces se pesca con bol.*

bola 1. Cuerpo esférico de cualquier material.
— *Con bolas de arcilla juegan los niños a las canicas.*
— expresión en la que se manifiesta el desinterés que se tiene en lo que suceda: *dejar que ruede la bola.*
— la que se dice cuando se ignora y desdeña la respuesta a una pregunta cualquiera: *sepa la bola.*
2. Betún para lustrar zapatos.
— *Los zapatos parecen nuevos cuando se les da bola.*
3. Movimiento social, revolución.
— *Quienes participaron en la bola de 1910 ahora son héroes.*
4. Riña, tumulto.
— *Se armó la bola cuando ese viejo se cayó en el metro.*

boldo Arbusto de hojas verdes y flores blancas con frutos comestibles, cuyas hojas se utilizan para hacer una infusión medicinal.

bolear 1. Arrojar, lanzar, impeler.
— *Bolear es un excelente ejercicio de calentamiento.*
2. Dar grasa a los zapatos, lustrarlos.
— *Siempre me boleo los zapatos en el parque.*

bolero 1. Ritmo popular de tres tiempos y movimiento reposado cuyas letras giran en torno a asuntos amorosos.
— *Cantar un bolero es tradicional en las serenatas.*
2. Que se dedica a limpiar o bolear zapatos. ☞ **limpiabotas.**
— *Los boleros generalmente son muy jóvenes.*

boleta Tarjeta que permite a quien la tiene obtener un servicio o hacer uso de las instalaciones de un lugar determinado.

boletero, -ra El que vende, reparte o hace las boletas.

boletín 1. Publicación periódica especializada en alguna disciplina. ☞ **folleto, panfleto, gaceta.**
— *El boletín del centro de investigación es muy pobre.*
2. Periódico o nota periodística con anuncios o disposiciones oficiales.
— *El boletín que llegó del extranjero es muy ambiguo.*

boleto Billete que da derecho a quien lo porta a entrar a un espectáculo, subirse a un medio de transporte o recibir algún servicio. ☞ **billete.**
— expresión que se utiliza cuando alguna cosa no forma parte de lo mismo: *es otro boleto.*

boliche 1. Juego de bolos.

— *Jugar al boliche es una diversión sana.*

2. Sitio donde se juega a los bolos.

— *La vi besándose con otro en pleno boliche.*

bólido 1. Meteorito de tamaño mayor que al entrar en contacto con la atmósfera terrestre estalla y se torna luminoso.

— *Es asombroso ver un bólido entrar a la Tierra.*

2. Objeto que se mueve a gran velocidad.

— *Un bólido de carreras requiere de mucho dinero para mantenerlo.*

— marcharse rápidamente de un sitio: *irse como bólido.*

bolígrafo Lápiz con depósito interior de tinta cuya punta tiene una bolita movible que regula la salida de la tinta al escribir. ☞ **pluma.**

bolillo 1. Pieza pequeña de pan blanco. ☞ **pan.**

— *Los bolillos acompañan siempre la merienda.*

2. Horma de madera con la que se hacen los vuelos de las bocamangas de gasa o encaje.

— *Sin un bolillo, las bocamangas de la toga quedan arrugadas.*

bolo 1. Palo torneado, también llamado pino, que se coloca en grupos de diez y a cierta distancia del competidor en cada jugada de boliche.

— *Cuando una persona tira los diez bolos de una sola vez se llama chuza.*

— juego en el que se intenta derribar los diez bolos de una sola tirada: *juego de bolos.*

2. Alimento ya masticado y ensalivado.

— *El bolo alimenticio pasa al estómago para ser digerido.*

3. Dinero que reparte el padrino de bautizo a los que asisten a la ceremonia.

— *El padrino aventó al aire el bolo y los niños se lanzaron ávidos por las monedas.*

bolsa 1. Saco o talega de cualquier material flexible en el que se guardan las cosas. ☞ **bolso, saco, talega.**

— *La bolsa siempre resulta demasiado pequeña cuando hay mucho que guardar en ella.*

— bolsa de mano que usualmente tienen las mujeres para guardar sus enseres: *bolso.*

2. Caudal de dinero.

— *La bolsa que se acumuló en la lotería es enorme.*

3. Arruga colgada que se forma en telas o en la piel.

— *El vejete tenía bolsas en los ojos.*

4. Mercado organizado y legalmente instituido en donde se reúnen los industriales y los agentes para comprar o vender acciones, valores o mercancías. ☞ **acción, mercado bursátil.**

— *Nunca antes había sido tan importante para la economía nacional la bolsa de valores.*

5. Edificio donde se halla dicho mercado.

— *El edificio de la bolsa tiene restaurante y gimnasio.*

— descender el valor de las acciones que se cotizan en la bolsa: *bajar la bolsa.*

— aumentar el valor de las acciones: *subir la bolsa.*

— especular con la compraventa de dichos valores: *jugar a la bolsa.*

— persona que se dedica a la especulación de valores y acciones en el mercado bursátil: *bolsista.*

— no conviene andar sin dinero: *más vale bolsa saca que bolsa seca.*

— organismo donde se centralizan las ofertas y peticiones de trabajo: *bolsa de trabajo.*

bolsillo Pedazo de tela adherido al pantalón o al saco en donde se guarda el dinero, la cartera o enseres personales.

— *Los bolsillos del pantalón están rotos y se me cayó el dinero que traía.*

— expresión que indica tener uno el dominio sobre alguien o algo: *tenerlo en el bolsillo.*

— expresión que indica ganarse la estimación de alguien: *echárselo al bolsillo.*

— cosas pequeñas, fácilmente transportables: *de bolsillo.*

bollo 1. Panecillo horneado hecho con masa de maíz o trigo, huevos y leche. ☞ **bizcocho.**

2. Botón hecho de tela que se usa como adorno en trajes y tapicería.

— *Mis muebles nuevos tienen un bollo en cada cojín.*

— expresión que se usa cuando una situación es delicada o de difícil solución: *no está el horno para bollos.*

3. Abolladura que se forma en una superficie cuando es golpeada por un objeto.

— *Mi sartén tiene un bollo enorme.*

bomba 1. Máquina que aspira agua o cualquier líquido y lo impulsa o comprime hacia un sitio determinado.

— *Cuando se descompone la bomba del edificio no llega el agua a mi departamento.*

— tipos de bombas: *bomba aspirante, bomba impelente, bomba centrífuga, bomba neumática, etc.*

2. Proyectil relleno con explosivos.

— *Al pasar los años las bombas se han ido haciendo cada vez más potentes y destructivas.*

— expresión que se aplica a los ali-

mentos muy condimentados: *es una bomba.*

— expresión que se usa cuando alguien es insoportable para otros: *caer como bomba.*

3. Noticia inesperada que causa sorpresa.

— *La muerte del presidente fue una bomba.*

4. Versos que se improvisan en las jaranas o coplas populares.

— *¡Bomba! Antenoche fui a tu casa y me ladraron los perros; quise levantar una piedra y me ensucié los dedos.*

bombacho, -cha Pantalón o cualquier otra prenda de vestir ancha que se ajusta en uno o en los dos extremos.

bombardear Tirar bombas explosivas sobre un sitio determinado.

bombear 1. Dar a un cuerpo una forma convexa.

— *Para bombear el cristal se requiere de fuego y habilidad.*

2. Acción y resultado de impulsar los líquidos hacia un sitio determinado.

— *En las inundaciones se bombea primero el agua para después secar el lugar.*

bombero Que pertenece a la organización que se dedica a extinguir incendios.

— *Para ser un bombero se necesita ser valiente y amar al prójimo.*

— nombre de dicha organización: *cuerpo de bomberos.*

— los camiones en los que se transportan las personas y los enseres para apagar los incendios: *carro de bomberos.*

bombilla Globo de cristal cerrado al vacío con un filamento en el interior que al encenderse se pone incandescente y convierte en luz la energía eléctrica. ☞ **foco.**

bombín Sombrero con forma de hongo.

bombo, -ba 1. Especie de tambor de tamaño mayor que se toca con una maza.

— *En las bandas militares siempre hay un bombo.*

— expresión que indica recibir a una persona con mucha ceremonia o grandes festejos: *con bombo y platillos.*

— expresión que indica elogiar en exceso a una persona: *con mucho bombo.*

2. Esfera giratoria que se utiliza para revolver las fichas con los números de una rifa o sorteo.

— *Se usa un bombo para sacar el número premiado al azar.*

bombón 1. Golosina o confite de chocolate o azúcar rellena de licor, crema o alguna otra cosa.

— *Una caja de bombones pone feliz a cualquiera.*

— recipiente de vidrio o cualquier otro material donde se guardan dichas golosinas: *bombonera.*

2. Mujer atractiva.

— *Esa morena de ébano es todo un bombón.*

bonachón, -na Apacible, crédulo, de carácter sencillo y amable.

bonanza 1. Tiempo tranquilo en altamar.

— *El mar está en bonanza.*

2. Prosperidad.

— *Hubo hace muchísimos años una época de bonanza en la Tierra.*

3. En una mina, una veta muy rica.

— *Los ingenieros detectaron una bonanza en el mineral.*

bondad Cualidad de bueno. ❖ MALDAD.

— *La bondad es una virtud que me caracteriza.*

— lleno de bondad o de genio apacible: *bondadoso.*

bonete Gorro de cuatro picos usado por eclesiásticos y graduados.

bongó Instrumento musical de percusión formado por dos tambores gemelos recubiertos de piel en una sola cara y que se percute con los dedos y la palma de la mano.

boniato Planta que tiene como raíces unos tubérculos dulces, comestibles, también llamada batata.

bonificar 1. Hacer buena una cosa o mejorarla.

— *Los nuevos programas educativos bonificaron a la escuela pública.*

2. Tomar en cuenta y asentar una partida en el haber. ☞ **abonar.**

— *Bonificaron a mi cuenta de crédito lo que ya había pagado.*

bonito, -ta 1. Lindo, bello, de cierta proporción y belleza.

— *Mi vestido más bonito se llenó de tinta.*

2. Pez de la familia de los tuniformes, muy parecido al atún.

— *El bonito es un pescado delicioso.*

bono 1. Vale, tarjeta canjeable por artículos de primera necesidad o dinero. ☞ **vale.**

— *En la fábrica me dieron un bono en vez de salario.*

2. Título de deuda emitido por el Estado, empresas o bancos.

— *Los bonos del banco suelen ofrecer intereses atractivos.*

bonzo Sacerdote o monje budista.

— inmolarse prendiéndose fuego a sí mismo en señal de protesta o defensa de alguna causa: *quemarse como bonzo.*

boñiga Excremento de las bestias, especialmente del ganado vacuno o caballar. ☞ **caca, excremento.**

boom Voz que expresa el impacto que

produce el ascenso inesperado de las mercancías o los valores de la bolsa, el lanzamiento de un producto cualquiera al mercado, o una rápida prosperidad de un personaje, negocio o nación. ☞ **apogeo, auge.**

boquear 1. Abrir la boca.

— *Los niños tontos boquean con cualquier sorpresa.*

2. Estar expirando.

— *Los peces boquearon en la red del pescador.*

3. Estar una cosa a punto de acabarse.

— *Los comestibles comenzaron a boquear.*

boquera 1. Llaga o escoriación que se produce en las comisuras de la boca.

— *El limosnero aquel tiene boquera.*

2. Abertura que se hace en los corrales para que entre el ganado.

— *La boquera está obstruida y no entran las reses.*

3. Ventana del pajar.

— *Echaron todo el heno en la boquera los labriegos.*

boquerón 1. Gran abertura.

— *Entre aquellos cerros se divisa un boquerón.*

2. Pez pequeño similar a la sardina.

— *El boquerón frito es buena botana.*

boquete Entrada estrecha que se abre en una pared, vidrio o cualquier otra superficie. ☞ **agujero, hoyo.**

boquiabierto 1. Que tiene la boca abierta.

— *Un hombre boquiabierto parece bobo.*

2. Que tiene asombro o que está estupefacto.

— *Nos dejó boquiabiertos el relato del náufrago.*

boquilla 1. Canuto de algunos instrumentos musicales de viento que se introduce a la boca para tocarlos.

— *La boquilla del clarinete es delicada.*

2. Tubo angosto y corto en que en uno de sus extremos se pone un cigarrillo para fumarlo.

— *Un cigarro con boquilla puede ser menos dañino.*

3. Embocadura de la pipa.

— *Muerdo la boquilla de mi pipa para dejar de fumar.*

4. Parte de un madero en donde se ensambla otro.

— *La boquilla de ese palo no embona bien.*

5. Parte que sirve para proteger la boca de la vaina de los puñales y las navajas.

— *La boquilla de mi navaja es de plata.*

6. Orificio por el que se introduce la pólvora en las bombas.

— *El artillero limpió la boquilla del cañón antes del combate.*

7. Pieza en la que se produce la llama en los aparatos de alumbrado o en los mecheros de gas.

— *La boquilla sucia da una mala luz en los quinqués.*

8. Abertura del calzón o pantalón por donde sale la pierna.

— *Se me atoró un pie en la boquilla y me rompí el pantalón.*

9. Abertura que se hace en las acequias para el riego.

— *La boquilla se agrandó y se inundaron los campos.*

borborigmo Ruidos que producen los gases en los intestinos. ☞ **gruñido o rechinido de tripas.**

borbotear Manar o hervir el agua o cualquier otro líquido ruidosa e impetuosamente.

— acción y resultado de borbotear: *borboteo.*

— formar grandes burbujas un líquido al salir de un sitio o hervir: *borbollar, borbollear.*

borbotón Burbujas producidas en un líquido al hervir o manar de un sitio debido a la acción del vapor o el aire.

— salir un líquido en forma estrepitosa: *salir a borbotones, salir a borbollones.*

borceguí Zapato que cubre hasta el tobillo y se amarra con agujetas.

borda 1. Barandal o balaustrada en el costado de un barco.

— *Cuando la tormenta arrecia todos los pasajeros se alejan de la borda.*

2. Vela mayor en las galeras.

— *El capitán de la galera se asomó desde la borda.*

— deshacerse de algo o de alguien: *tirarlo por la borda.*

— perder algo sin posibilidades de recuperarlo: *tirarlo por la borda.*

— exclamación usada para asaltar a una nave u otro sitio: *¡al abordaje!*

3. Casucha, choza.

— *Para vivir decentemente sólo se necesita una borda.*

bordar Adornar una tela cosiéndola con aguja e hilos de colores.

— tela adornada con diversas puntadas y colores: *tela bordada.*

— labor de costura artística: *bordado.*

— puntadas más usuales en el bordado: *punto de cruz, ojalillo, de realce, de trencilla, de canutillo.*

— máquina que se utiliza para hacer dichos adornos: *bordadora.*

— que tiene por oficio bordar: *bordador.*

borde Orilla o extremo de una cosa. ☞ **límite, orilla, frontera.**

— estar algo a punto de suceder: *al borde de.*

— estar alguien a punto de ser presa de una emoción: *al borde del llanto, al borde del colapso, al borde de la locura.*

bordear 1. Ir por el borde o por la orilla de una superficie cualquiera.

— *Bordeamos la carretera en busca de flores silvestres.*

2. Esquivar peligros, evitar caer en ellos.

— *Bordeé la muerte cuando me asaltaron.*

3. Estar cerca de algo, acercarse mucho a una cosa.

— *Bordeábamos el triunfo cuando el ganador nos rebasó en su auto.*

bordillo Borde de la banqueta, o camino cualquiera formado con piedras largas y estrechas.

bordo 1. Costado exterior de los barcos.

— *El bordo de un barco debe ser muy resistente.*

— estar en un barco: *ir a bordo.*

— barco de tamaño mayor: *de alto bordo.*

2. Barda formada con arbustos o estacas para evitar que el agua inunde el terreno.

—*Encontramos un costal en el bordo.*

bordón 1. Especie de bastón largo que sobrepasa la altura de un hombre. ☞ **báculo.**

—*Anteriormente, los peregrinos usaban un bordón al caminar.*

2. Alguien que guía o sostiene a otro.

—*Los lazarillos son el bordón del ciego.*

3. Cuerda gruesa de los instrumentos musicales.

— *Los bordones de la guitarra están desafinados.*

4. Cuerda que atraviesa el parche inferior del tambor.

—*El bordón del tambor se rompió.*

5. Palabra o frase que se repite constantemente en un discurso.

—*Pedro no es mal orador, lo que pasa es que usa demasiados bordones.*

6. Verso quebrado que se repite al final de cada copla.

— *Porque la luna (cumple quince años a pena)*
Se alegra el mar
se pone blanca, azul, roja, morena.
Se alegra el mar.
Porque la luna aprende consejo del mar,
en perfume de nardo se quiere mudar.
Se alegra el mar.
José Gorostiza.

bordonear 1. Tentar con un bastón el terreno por el que se anda.

— *Muchos ciegos bordonean las calles para no caer.*

2. Andar de un lado a otro pidiendo limosna.

—*Más vale bordonear que trabajar en una oficina, dijo feliz el bohemio.*

3. Pulsar el bordón de la guitarra.

—*Juan bordonea la guitarra pero no la toca.*

boreal Que pertenece al polo norte, o al norte de la Tierra, o que se relaciona con él.

borla 1. Conjunto de hilos o cordoncillos sujetos entre sí en uno de sus extremos, que suele pender de gorros, bonetes o birretes.

2. Instrumento con que se aplica el maquillaje.

—*Con una borla se aplicó el maquillaje el actor.*

borra 1. Parte tosca o en bruto de la lana, seda o algodón, que suele usarse como relleno de cojines o colchones.

—*La borra de pelo de cabra mantiene el calor del colchón.*

2. Cosas o palabras inútiles e insignificantes.

—*Hay profesores que son pura borra.*

borrachera 1. Embriaguez, acción y resultado de ingerir bebidas alcohólicas en exceso.

— *La borrachera de anoche me cayó muy mal.*

2. Exaltación del ánimo.

—*La borrachera sentimental me empalaga.*

borracho, -cha 1. Que está embriagado. ☞ **borrachín.**

—*Estás borracha de tanto mezcal.*

2. Que se embriaga de manera habitual.

— *Llegó borracho el borracho, pidiendo cinco tequilas.*

3. Dulce o pastel bañado con licor.

— *El borracho es un dulce típico mexicano.*

borrar 1. Hacer desaparecer lo escrito tachándolo o frotando sobre él.

— *Borré las palabras soeces de mi poema.*

borrego cimarrón

2. Desvanecer o quitar algo o a alguien.

— *¡Mi furia te borrará de mi corazón!*

— goma o trozo de algodón o tela con el que se talla lo escrito para que desaparezca: *borrador*.

— escrito primero al que se le hacen las correcciones pertinentes: *borrador*.

— que no se distingue claramente, con trazos desvanecidos o confusos: *borroso*.

borrasca 1. Tormenta, tempestad.

—*La borrasca amainó y proseguimos el viaje.*

2. Contratiempo fuerte.

—*Ante la borrasca social, cerraron el club.*

3. Carencia de mineral en una mina.

—*La borrasca de esa mina provocará miseria en el pueblo.*

borrascoso Tormentoso, que sucede de manera accidentada, con tropiezos y líos.

—*El discurso borrascoso del orador fue lamentable.*

borrego (vea ilustración de la p. 102)
1. Cordero joven, de uno o dos años.

—*El borrego asado o en barbacoa es muy bueno.*

2. Que hace sin convicción propia lo que los demás le ordenan.

—*Los borregos se visten todos igual.*

— rebaño de carneros: *borregada*.

— masa, grupo de personas aglomeradas en torno de algo o alguien: *borregada*.

borrico, -ca 1. Asno o burro.

— *El borrico pinto es mío.*

2. Persona ignorante y necia.

— *¡No seas borrico! El burro pinto ya murió.*

— grupo de burros y las cabalgatas que éstos emprenden: *borricada*.

— necedad o tontería: *borricada*.

borrón 1. Manchón de tinta o tachadura en un escrito.

—*Es inaceptable entregar un examen con tanto borrón.*

— expresión que indica que lo pasado se olvida y se vuelve a empezar: *borrón y cuenta nueva*.

2. Apunte en colores de un cuadro.

—*El borrón nunca es definitivo.*

boruca Bulla, alboroto.

bosque 1. Terreno poblado de árboles y otras plantas.

— *En el bosque de pinos viven las hadas.*

2. Abundancia desordenada de algo.

— *Era un bosque de trapos sucios el almacén.*

— abundante en bosques: *boscoso*.

bosquejo 1. Trazo primero y no defini-

tivo de una obra de arte. ☞ **boceto, esbozo**.

— *El bosquejo de mi cuadro está listo.*

2. Exposición general e inicial de un proyecto cualquiera.

— *Leímos un bosquejo del plan de trabajo.*

— elaborar dicho avance de una obra cualquiera: *bosquejar*.

— iniciar sin concluir una obra: *bosquejar*.

bosta Excremento de las bestias, especialmente del ganado vacuno y caballar. ☞ **boñiga**.

bostezar Abrir involuntariamente la boca y aspirar lentamente el aire que será espirado de manera igualmente lenta pero ruidosa como signo de cansancio, aburrimiento o debilidad.

— acción de bostezar: *bostezo*.

bota 1. Calzado de piel que sube más allá del tobillo.

— *Mi bota derecha tiene un agujero por el que se me moja el pie.*

2. Odre pequeño con cuello angosto en el que se guarda y de donde se bebe el vino.

—*Bebamos de ese vinillo en tu bota vieja.*

— persona que fabrica o vende odres: *botero*.

botadura Hacer entrar un barco al agua para que quede a flote.

botana 1. Parche que se coloca en un odre.

— *La botana no cubrió el hoyo totalmente y ahora se derrama el vino.*

2. Alimento ligero con el que se acompañan las bebidas.

— *La botana que sirven en el bar de la esquina es muy buena.*

— expresión usada cuando alguien se convierte en el blanco de las burlas de los demás: *agarrarlo de botana*.

botánica Rama de la biología que estudia los vegetales y las plantas.

botánico, -ca 1. Que se relaciona con los organismos vegetales o que pertenece a ellos.

—*La micosis es un asunto botánico.*

2. Que se dedica al estudio de dichos organismos.

— *El científico botánico debe ser un biólogo en todo sentido.*

— jardín que contiene diversas especies vegetales en exposición: *jardín botánico*.

botar 1. Echar o arrojar fuera a alguien o alguna cosa.

— *A Manolo lo botaron de su empleo por incumplido.*

2. Echar un barco al agua.

—*Botaron el yate en la bahía con gran fiesta.*

3. Despilfarrar o desperdiciar algo.

— *Botar el dinero es un placer de mal gusto y pésimo futuro.*

4. Saltar o levantarse al chocar contra una superficie rígida una pelota o cualquier otra cosa elástica.

— *La pelota bota demasiado porque está muy inflada.*

5. Dirigir el timón de un buque hacia un lado: *botar a estribor, a babor*.

— *La tormenta obligó al capitán a botar a estribor todo el tiempo.*

botarate De poco juicio y formalidad, despilfarrador.

bote 1. Barco de remos de tamaño menor y sin cubierta.

— *Todos los barcos deben tener suficiente cantidad de botes de salvamento.*

2. Vasija pequeña de forma cilíndrica que se emplea para guardar alguna sustancia.

—*El bote de la medicina está sobre la mesa.*

3. Salto de una pelota o cualquier objeto elástico al chocar en una superficie.

— *En el juego de las matatenas la pelota debe dar un solo bote.*

4. Cárcel, prisión.

— *Caí en el bote por equivocación. Soy inocente.*

botella Vasija de vidrio o de otro material con cuello angosto que sirve para contener líquidos.

botica Local donde se hacen y venden remedios y medicinas. ☞ **farmacia**.

— persona que prepara y vende dichos medicamentos: *boticario*.

botijo, -ja Vasija de barro o cerámica redonda de cuello corto y angosto.

— término empleado para llamar a alguien gordo, con el vientre abultado: *botijón*.

botín 1. Calzado de piel que cubre el tobillo y tiene un tacón pequeño.

— *En algunos pueblos hacen botines de piel muy fina.*

2. Despojo que los soldados tomaban de los vencidos como premio o recompensa por la victoria obtenida.

—*El botín es una forma de recompensa que promueve el vandalismo.*

botiquín Mueble o caja en la que se guardan los medicamentos necesarios para administrar primeros auxilios.

botón 1. Brote de las plantas del que no se han separado las hojas y tiene forma de bulto, o capullo de sus flores.

— *Una planta con botones es una planta viva.*

2. Disco pequeño de cualquier material que se utiliza para abrochar las prendas de vestir haciéndolo pasar por un ojal.

— *Cuando se cae un botón del panta-*

lón es necesario coserlo inmediatamente para no perderlo.

— juego de botones de una prenda de vestir: *botonadura.*

3. Pieza exterior de un mecanismo que al oprimirlo se acciona.

— *Apretar el botón es lo que se necesita para que el aparato funcione.*

botones Quien hace pequeños servicios en los hoteles, oficinas o clubs.

bouquet (buqué) 1. Aroma del vino u otro licor cualquiera.

— *El vino californiano tiene un suave bouquet.*

2. Ramillete de flores.

— *El bouquet de las damas era de exquisitas gardenias.*

boutique (butic) Tienda elegante donde se vende ropa, adornos y ciertos objetos.

bóveda 1. Techo cuya forma, tanto vertical como horizontal, es curvada.

— *La bóveda de cañón es común en los edificios coloniales.*

— tipos de bóvedas según su curvatura: *ojival, de medio punto, rebajada, cilíndrica, claustral, craneal, de aljibe, de cañón o de espejo.*

2. Construcción protegida contra robos e incendios donde se guardan objetos de valor y dinero.

— *Me quedé dormido en la bóveda de un banco y me confundieron con un ladrón.*

3. Nicho o cripta de un cementerio.

— *Bajaron a la novia muerta a la bóveda lentamente.*

— forma poética de llamar al firmamento: *bóveda celeste.*

bovino, -na Relativo a la familia del toro. ☞ **vacuno.**

— ganado compuesto por vacas, toros y bueyes: *ganado bovino.*

boxeo Deporte que consiste en luchar dos hombres con los puños sobre un ring o cuadrilátero, siguiendo ciertas reglas y usando guantes especiales.

— que practica o vive de este deporte: *boxeador.*

— pelear con los puños siguiendo las reglas del deporte: *boxear.*

boya 1. Señal flotante que se sujeta al fondo del mar o río para indicar a los navíos los sitios peligrosos o los canales navegables.

— *La boya azul de esa playa indica la profundidad del mar.*

2. Corcho que se pone en las redes de pescar para evitar que se hundan.

— *Pescar sin boya acarrea la pérdida de la red.*

boyante 1. Afortunado, feliz.

— *La vida de mi primo es boyante.*

2. Barco que por falta de peso navega con facilidad.

— *El buque boyante no cala lo que debe.*

3. Toro que acomete de manera fácil.

— *La corrida fue buena porque el toro era boyante, y el torero también.*

boyero 1. Establo o cuadra donde se guardan los bueyes. ☞ **boyeriza.**

— *El boyero estaba tan sucio que ni un buey quería dormir en él.*

2. Que conduce y guarda a los bueyes.

— *El boyero rumia sus pensamientos como los animales su pienso.*

3. Pájaro negro con manchas de distinto color según su especie, cuyo nido tiene la forma de una bolsa alargada.

— *Los boyeros son muy bonitos cuando acompañan al ganado.*

boy scout Miembro de un club en el que se practican ejercicios y exploraciones con el objetivo de relacionarse con la naturaleza. ☞ **girl scout.**

bozal Objeto hecho de correas que se coloca en el hocico de los animales para evitar que muerdan, mermen o dañen los cultivos.

— *Ponle bozal al perro bravo.*

2. Caballo indómito, cerril.

— *El potro bozal se perdió en el carrizal.*

bozo 1. Vello naciente en la parte superior de la boca.

— *El adolescente está tan ansioso de convertirse en adulto, que a su bozo le llama bigote.*

2. Parte exterior de la boca.

— *El bozo puede ser hermoso o feo, según la persona.*

3. Cuerda que se les pone a los caballos que rodea la cabeza y el hocico para evitar que se paren a comer o dañen los cultivos. ☞ **bozal.**

— *El bozo de mi caballo estaba tan mal colocado que se le cayó.*

bracear Mover los brazos repetida y rítmicamente.

bracero, -ra 1. Nombre dado antiguamente a las armas que se tiraban con la mano.

— *Se necesitaba ser muy fuerte para tirar bracero.*

2. Quien tiene fuerza y puntería para lanzar con el brazo.

— *Un buen bracero practica a menudo.*

3. Quien le daba oficialmente el brazo a alguna personalidad.

— *El bracero de la reina era miembro de la corte.*

4. Que se emplea para realizar trabajos no calificados en el campo. ☞ **peón.**

— *Me fui de bracero y gané mucho dinero.*

braga 1. Cuerda con la que se ata un fardo para suspenderlo en el aire.

— *La braga era demasiado frágil para un peso tan grande.*

2. Calzón femenino que cubre de la cintura al arranque de los muslos.

— *En el centro venden bragas de todas las tallas.*

bragado, -da 1. Bestia con la piel de la entrepierna de color diferente al que tiene en el resto del cuerpo.

— *Ese toro bragado tiene temple y trapío.*

2. Que es enérgico, firme.

— *El líder sindical debe ser un hombre bragado.*

braguero 1. Cuerda que se coloca alrededor del cuerpo del toro para que pueda asirse quien lo monta a pelo.

— *Sólo los valientes montan sin braguero a los toros.*

2. Vendaje para contener las hernias.

— *Mi abuelo usó braguero hasta que lo operaron de la hernia.*

bragueta Abertura delantera que tienen los calzones, pantalones, etc.

— matrimonio interesado: *braguetazo.*

— hombre lascivo: *braguetero.*

brama 1. Celo de los ciervos y otros animales salvajes.

— *Las hembras en brama cambian su comportamiento.*

— expresión usada cuando alguien busca desesperadamente tener una relación sexual: *estar como animal en brama.*

2. Acción y resultado de bramar.

— *La brama del rumiante es conocida por todos.*

bramante Que brama.

bramar 1. Mugir, emitir sonidos propios de la vaca, toro o animales similares.

— *Los rumiantes braman en tono grave.*

2. Producir un ruido semejante el viento o el mar.

— *El mar bramaba y el barco se hundía.*

bramido (vea recuadro de voces animales). Voz del toro, el ciervo o animal similar.

brandy (vea cuadro de bebidas) Licor obtenido de jugo de uva destilado y añejado en barriles de roble. ☞ **cognac (coñac).**

branquia Órgano externo que sirve a casi todos los animales acuáticos para respirar, y que consiste en una serie de laminillas o filamentos.

brasa Carbón o leña al rojo vivo.

— cocinar los alimentos directamente en los carbones: *cocinar a las brasas.*

brasero Recipiente donde se coloca la leña o carbón para que se consuman lentamente y que se utiliza como calefactor o estufa.

bravata Amenaza que se profiere arrogantemente.

bravo, -va 1. Valiente y arrojado. ☞ **feroz**.

—*Un toro bravo embiste bellamente.*

— indómito, apasionado: *bravío*.

2. Genio áspero, enojado.

—*Está bravo el hijo del vecino.*

3. Exclamación de entusiasmo o aprobación.

— *¡Bravo!, exclamó el público exigiendo ver al autor de la obra.*

bravucón, -na Que aparenta valentía o arrojo que no tiene, que hecha bravatas.

— dicho o acción propios de un fanfarrón: *bravuconería, bravuconada.*

bravura Valiente, calidad de bravo.

braza 1. Medida marítima que equivale a 1.6718 m.

— *Una braza equivale también a dos varas.*

2. Modo de nadar boca abajo, obteniéndose el impulso del movimiento alternado de brazos y piernas.

— *La braza es muy difícil de hacer si no se sabe nadar.*

brazada Movimiento amplio y pausado que se hace con los brazos al remar o nadar.

brazalete Adorno de metal que se coloca en la muñeca o en el brazo.

brazo 1. Extremidad superior del cuerpo humano que se extiende del hombro a la muñeca, o que va del hombro al codo.

— *El brazo fuerte requiere levantar pesas a menudo.*

2. Soporte lateral de un asiento o mueble que sirve para colocar los brazos.

— *Coloqué mi mano en el brazo del sillón y se rompió.*

3. Pieza de un objeto con dicha forma que sobresale de otro.

— canal marítimo que penetra en la tierra: *brazo de mar.*

— quedarse impasible, no intervenir en un asunto que le compete a uno: *quedarse con los brazos cruzados.*

— recibir a alguien afectuosamente: *con los brazos abiertos.*

— hacer algo concienzudamente, con entrega: *a brazo partido.*

— no ceder, mantenerse firme en una posición: *no dar el brazo a torcer.*

brea Sustancia viscosa de color rojo oscuro que se obtiene al destilar ciertas maderas. ☞ **alquitrán, betún.**

— alquitrán que se obtiene de la hulla: *brea mineral.*

brebaje Bebida de aspecto o sabor desagradable.

brecha 1. Abertura irregular hecha en una muralla con artillería.

—*Por la brecha entraron los enemigos a la ciudad.*

2. Cualquier abertura hecha en una pared o muro.

—*La brecha de esa muralla debe eliminarse.*

— abrir camino: *abrir brecha.*

bregar 1. Luchar, forcejear.

—*Los gladiadores bregaron en la arena hasta el desmayo.*

2. Trabajar mucho, enfrentar penalidades.

—*Bregué mucho y conseguí poco.*

— acción y resultado de bregar: *brega.*

breña Tierra entre peñascos llena de maleza.

brete 1. Cepo de hierro que se les pone en los pies a los prisioneros.

—*El reo estaba en el brete para que no escapara.*

2. Aprieto, apuro, situación difícil.

— *Estoy metido en un brete por no pagar a mis acreedores.*

breva 1. Fruto que da la higuera en la primera cosecha del año, higo grande.

—*Con la breva haremos mucha mermelada este año.*

2. Situación ventajosa lograda con poco esfuerzo.

—*Hay quien está en gran breva sin merecerlo.*

3. Cigarro aplastado y poco apretado.

—*Ese campesino fumaba breva a sus anchas.*

breve 1. De corta duración o extensión.

—*El discurso del funcionario fue breve.*

— cualidad de lo que tiene corta duración: *brevedad.*

— dentro de poco tiempo: *en breve.*

2. Documento elaborado por los papas de menor solemnidad que la bula.

— *Con un breve se dictan las resoluciones eclesiásticas.*

breviario 1. En la Iglesia Católica, libro que contiene las preces litúrgicas y normas de la misa.

—*El cura tomó el breviario y leyó sus oraciones.*

2. Compendio, tratado breve sobre una materia.

—*El breviario sobre impuestos es incomprensible.*

briago Ebrio, borracho.

bribón, -na Haragán dado a la briba, bellaco, sinvergüenza.

— holgazanería, picaresca: *briba.*

bribonada Acción propia de un bellaco, picardía.

brida 1. Las riendas, las correas y el freno de la caballería.

—*La brida del caballo puede estar ornamentada.*

— caballo ensillado o brioso: *bridón.*

2. Toda pieza que sirve de sujeción o rienda.

—*La brida de los buenos pinceles es de alambre.*

bridge (brich) Juego de barajas en el que participan dos parejas.

brigada 1. Unidad del ejército de infantería formada por dos regimientos.

—*La brigada de asalto está mal entrenada.*

2. Conjunto de trabajadores que realizan una parte del trabajo.

— *Una brigada vino a destapar las cañerías del edificio.*

brigadier General de brigada.

brillante 1. Que brilla.

—*La luz brillante
de tus senos marinos
ilumina la noche*
Efraín Paz.

2. Admirable, sobresaliente, excelente.

—*El alumno más brillante no siempre es el que tiene mejores calificaciones.*

3. Diamante pulido, con una cara larga rodeado por treinta y tres facetas.

—*Un anillo de brillantes es siempre muy valioso.*

brillantez Brillo.

brillantina 1. Polvo con el que se da lustre a los metales.

—*Limpié con brillantina la lámpara persa que me obsequiaste.*

2. Cosmético que se aplica en el cabello para darle brillo.

—*Me puse brillantina en el pelo como galán de cine.*

brillar 1. Emitir una luz fuerte y viva. ☞ **resplandecer.**

—*Para brillar basta con ser un astro.*

2. Sobresalir, diferenciarse positivamente de los demás.

—*Tus cualidades, nena, brillarán sin que te lo propongas.*

— expresión usada cuando alguien sobresale por méritos propios: *brilla con luz propia.*

— expresión irónica usada cuando alguien está ausente: *brilla por su ausencia.*

brincar Dar saltos, brincos. ☞ **saltar.**

brinco 1. Movimiento que se hace levantando del suelo ambos pies al mismo tiempo.

—*La cuerda es un juego en el que hay que pegar de brincos.*

— expresión usada cuando alguien asume una posición agresiva o altanera: *ponerse al brinco.*

2. Joya colgante que llevan en las tocas las mujeres.

— *Ese brinco era falso.*

brindar 1. Beber vino u otro licor en honor o a la salud de alguien o algo.

— *Brindo por la felicidad de todos.*

2. Ofrecer, convidar a algo o a alguien una empresa.

—*Me brindó su amistad y le entregué mi corazón.*

— acción de brindar, acompañada a menudo con el gusto de levantar las copas y chocarlas: *brindis.*

brío Ánimo o resolución para trabajar o realizar cualquier otra cosa. ☞ **pujanza.**

brioso, -sa Que tiene brío.

brisa 1. Viento proveniente del noreste, contrapuesto al vendaval.

— *No siempre la brisa es benévola.*

2. Viento suave, fresco y agradable que sopla en la costa.

— *Tu cuerpo exánime recogía la brisa como una esponja.*

brisca Juego de barajas en el que participan dos o más jugadores.

brizna Partícula o filamento largo y delgado de alguna cosa.

broca Barrena giratoria que se coloca en los taladros, herramienta que sirve para taladrar.

brocado Tela de seda bordada o entretejida con oro y plata.

brocal 1. Pretil o baranda pequeña que rodea un pozo.

— *Olvidé mi reloj en el brocal del pozo.*

2. Moldura que guarnece el escudo y la boca de la vaina de un arma blanca.

—*El brocal de mi puñal tiene arabescos de oro.*

3. Cuenco o refuerzo en la boca de la bota de vino.

—*Bebí del brocal hasta hartarme.*

brócoli Variedad de la col de color verde oscuro.

brocha Escobilla con cerdas que sirve para pintar o para diversos usos.

— la que se utiliza para pintar grandes superficies: *brocha gorda.*

— pintor de muros, casas, puertas, etc.: *pintor de brocha gorda.*

— cada uno de los recubrimientos con pintura que se hacen en la superficie con una brocha o pincel: *brochazo.*

broche 1. Conjunto de dos piezas de metal que se enganchan o se cierran a presión.

—*Se me rompió el broche del pelo.*

2. Alfiler adornado con piezas de joyería o bisutería.

—*La niña del broche de plata es novia de mi peor enemigo.*

— hacer o lograr algo perfectamente

al final de una aventura: *cerrar con broche de oro.*

brocheta Varilla de metal en la que se ensartan las carnes para asarlas.

bromear Hacer bromas o burlas.

— chanza o jugarreta que se hace para divertir, sin intención de herir o hacer daño: *broma.*

— diversión, algaraza: *broma.*

— ocurrencia que se dice en medio de una conversación: *broma.*

— broma que provoca molestia o perjuicio en alguien: *broma pesada.*

— expresión que se usa cuando algo debe tomarse en serio: *fuera de broma.*

— que gusta de hacer chanzas a otros: *bromista.*

bromo 1. Elemento químico no metálico, de líquido rojo oscuro y muy volátil.

— *Los vapores del bromo destruyen los tejidos orgánicos.*

2. Planta graminácea que sirve para forraje.

— *El ganado alimentado con bromo está bien nutrido.*

bronca Disputa, discusión violenta, riña.

bronce Aleación hecha de cobre y estaño u otras aleaciones similares.

— parecido al bronce o de ese color: *broncíneo.*

— forma de llamar a los mexicanos: *raza de bronce.*

broncear Darle a alguna cosa el color del bronce, o recubrirla con éste.

— que tiene la piel dorada por el efecto del sol: *bronceado.*

— acción y efecto de broncear: *bronceado.*

bronco, -ca Áspero, tosco, sin pulir o labrar.

bronquio Cada uno de los dos conductos en los que se bifurca la tráquea y que entran en los pulmones.

— que pertenece o se relaciona con dichos conductos: *bronquial.*

bronquitis Enfermedad que se caracteriza por la inflamación de los bronquios.

brotar 1. Salir o nacer una planta de la tierra.

—*Brotó de la tierra el trigo sembrado.*

2. Crecer renuevos de la planta.

—*Le brotaron al rosal capullos nuevos.*

3. Salir o manar.

—*Donde brota el agua te espero.*

4. Manifestarse una cosa.

—*Brotó el descontento por la falta de agua.*

— primera manifestación de alguna cosa: *brote.*

— pimpollo o renuevo: *brote.*

broza 1. Despojo, desecho de las plantas o cualquier otra cosa.

—*Quiten la broza del jardín real.*

2. Vulgo, escoria social.

—*Quien se junta con la broza se corrompe.*

bruces (de) Boca abajo.

— caerse estrepitosamente: *caerse de bruces.*

brujo, -ja 1. Persona cuyo oficio es hacer hechicerías o brujerías.

—*El brujo encantó a la princesa y la hizo bella.*

2. Curandero.

—*El brujo le dio masajes en la espalda y un brebaje al enfermo.*

— cosa realizada con la ayuda de poderes sobrenaturales: *brujería.*

— estar sin dinero, empobrecido: *andar bruja.*

— mujer vieja y fea: *bruja.*

— mujer mala: *bruja.*

brújula Instrumento de orientación que consta de una esfera que indica los rumbos y una aguja imantada que apunta siempre hacia el norte magnético.

bruma Niebla espesa que se forma especialmente en altamar.

bruno, -na 1. De color negro u oscuro. ☞ **bruño.**

Umbrío por la pena, casi bruno porque la pena tizna cuando estalla.

        Miguel Hernández

2. Árbol de ciruela negra y su fruto.

—*El ciruelo bruno echó brotes.*

bruñir Dar brillo a una superficie dura como el metal o la piedra. ☞ **lustrar, pulir.**

— brillo que tienen los objetos pulidos: *bruñido.*

— acción y resultado de lustrar: *bruñido.*

brusco, -ca 1. Repentino, inesperado, sin mediaciones.

—*Un brusco cambio de clima provocó la lluvia.*

2. Falto de suavidad o delicadeza, tosco, áspero. ☞ **bronco.**

—*Se inconformó la chica con la brusca solución tomada.*

brusquedad Calidad de brusco.

— acción o suceso realizado sin delicadeza: *con brusquedad, bruscamente.*

brutalidad 1. Cualidad de bruto.

— *La brutalidad no es sinónimo de capacidad.*

2. Acción brutal.

—*Golpeó a su víctima con brutalidad.*

3. Ignorancia, falta de inteligencia.

—*La brutalidad está en todas partes.*

4. Enormidad, gran cantidad.

—*Perdimos una brutalidad en la bolsa.*

bruto, -ta Torpe, incapaz.

—*Ese bruto me cayó encima.*

2. Tosco, sin pulimentar.

—*Los diamantes en bruto deben ser cortados y pulimentados.*

3. Animal irracional.

—*Un bruto puede ser un primate o una acémila.*

buba Postilla o pequeño tumor.

— que padece de bubas: *buboso.*

— bubas o tumores venéreos: *bubón.*

— enfermedad infecciosa, epidémica, que se transmite al hombre por medio de las ratas enfermas: *peste bubónica.*

bucal Que pertenece a la boca o se relaciona con ella. ☞ **oral.**

bucanero Nombre dado a los piratas que asaltaban los buques y las posesiones de ultramar.

bucear 1. Nadar dentro del agua.

—*Los expertos bucearon infructuosamente en el mar en busca del tesoro.*

2. Investigar acerca de un tema o asunto.

— *Yo buceé en las ciencias ocultas y me encontré con pura charlatanería.*

— acción de bucear: *buceo.*

bucle Rizo que se forma en el cabello mediante un tirabuzón o sortija, en forma helicoidal.

bucólico, -ca 1. Que pertenece o se relaciona con la vida o escenas que ocurren en el campo, entre pastores.

—*La vida bucólica es idílica e imposible.*

2. Obra poética que trata de la vida campestre y pastoril.

— *Flérida, para mí dulce y sabrosa más que la fruta del cercado ayuno, más blanca que la leche, y más hermosa que el prado por abril, de flores lleno.*
　　　　　　　Garcilaso de la Vega.

3. El poeta que cultiva dicha poesía.

— *Garcilaso de la Vega fue uno de los más grandes poetas bucólicos.*

buche 1. Bolsa en el esófago de las aves donde almacenan los alimentos antes de que pasen al estómago.

— *El buche del perico tiene gran capacidad.*

2. Estómago que tienen algunos animales cuadrúpedos.

— *El buche de los rumiantes es grande.*

3. Porción de líquido que se guarda en la boca.

— *Probamos un buche de ese licor y nos mareamos.*

— expresión que indica acabar con la paciencia de alguna persona: *llenarle el buche de piedritas.*

4. Borrico pequeño, que aún mama.

— *Los buches son muy bonitos y tienen un bello pelaje.*

budín Pastel que se prepara con panes duros, leche, azúcar y frutas secas en el horno o en baño María.

— cazuela en la que se cocina: *budinera.*

budismo Religión y doctrina filosófica derivada de las enseñanzas de Buda. ☞ **religión, doctrina.**

buenaventura 1. Buena suerte, felicidad.

—*La buenaventura está en el corazón de los puros de espíritu.*

2. Predicción supersticiosa que hacen los gitanos sobre la suerte a las personas al leerles la mano o las cartas.

—*Esa gitana me imbuyó de buenaventura.*

bueno, -na 1. Que posee bondad o bien moral.

—*Era tan bueno que se hará santo un día ese hombre.*

2. Que es útil, conveniente, positivo.

—*La leche es buena para los niños.*

3. Que resulta agradable o divertido.

—*Este juego está bueno.*

4. Tratándose de exámenes, calificación superior a la de suficiente o aprobado.

—*Saqué bien en mi examen de literatura.*

5. Exclamación que denota aprobación.

—*¡Bueno, buenísimo!, gritó el entrenador al deportista.*

6. Forma común de contestar una llamada telefónica.

—*¿Bueno? Soy yo, tu madre.*

— expresión que indica lo que sucede sin previo aviso, repentinamente: *de buenas a primeras.*

— expresión usada cuando se desea que se haga realidad lo que alguien dice: *¡házmela buena!*

— expresión que indica que ya es suficiente, que ya basta: *ya estuvo bueno.*

— expresión que indica de manera correcta, sin violencia alguna: *por las buenas.*

— apócope de bueno: *buen.*

buey 1. Toro castrado que se utiliza para tirar el ganado y jalar las carretas.

—*En el campo hay muchos bueyes.*

2. Que es lento, torpe e ignorante.

— *¡Ese buey estorba el paso de vehículos!, gritó el automovilista.*

2. Masa de agua que, en un golpe, entra al mar por una porta o que sale de un canal.

—*El buey provoca una fuerte corriente de agua.*

búfalo Bovino semejante al toro común, con los cuernos muy largos y echados hacia atrás. ☞ **bisonte.**

bufanda Prenda que consiste en una tira tejida que se enreda en el cuello para abrigarlo.

bufar Resoplar un animal.

—*Los leones bufaban en el circo.*

— manifestar su enojo alguien resoplando.

—*El jefe bufaba si no le obedecían.*

bufete 1. Escritorio con cajones.

—*Mi bufete es de madera fina.*

2. Despacho de un abogado o profesional.

— *Un bufete puede ser una cueva de ladrones.*

buffet (bufé) Comida en la que se sirven todos los platillos en una mesa para que los convidados se sirvan.

bufido 1. Voz del animal cuando bufa.

—*En la estampida, el bufido de los bisontes se escuchó a lo lejos.*

2. Expresión o demostración de ira.

—*El jefe dio un bufido cuando me despidió.*

bufo, -fa 1. Cómico o grotesco.

—*El proceder de cierto senador raya en lo bufo.*

2. Que hace el papel cómico en la ópera italiana.

—*Un barítono no hace un mal bufo.*

bufón Actor cómico que se vale de sus defectos físicos para hacer reír.

buhardilla 1. Ventana techada que sobresale en el tejado de una casa o edificio. ☞ **buharda.**

—*La buhardilla está opaca y no deja pasar la luz.*

2. Habitación en el desván de una casa.

— *En la buhardilla hay ratones.*

búho Ave nocturna de rapiña con cabeza grande y aplanada, ojos grandes y pico corvo.

buhonero, -ra Vendedor ambulante de todo tipo de mercancías.

— baratijas que lleva el buhonero: *buhonerías.*

buitre Ave rapaz de tamaño mayor, de la familia de los falcónidos, con la cabeza desnuda y que se alimenta de carroña.

bujía 1. Vela de cera, de estearina o de esperma.

—*Las antiguas bujías eran de esperma de ballena.*

2. Unidad de intensidad de la luz artificial.

—*La unidad de la bujía se reemplazó por la candela.*

3. Dispositivo en el que cae la chispa eléctrica de los motores de combustión interna, que inflama la mezcla de gasolina y aire.

—*Las bujías se atornillan en la parte superior del cilindro.*

bulbo 1. Tallo subterráneo de algunas plantas herbáceas.

—*El bulbo de la cebolla es comestible.*

2. Tubérculo que tiene forma redondeada.

—*La papa es un bulbo alimenticio.*

— parte primera de la médula espinal: *bulbo raquídeo.*

bulldog Raza de perros de presa.

bulto 1. Volumen o tamaño de cualquier cosa.

—*Ese bulto pesa mucho.*

2. Cuerpo del que no se distinguen sus trazos.

—*La falta de luz sólo permite ver los bultos.*

3. Maleta, petaca o caja.

— *Cada viajero lleva su bulto para cuidarlo.*

— eludir un compromiso: *escurrir el bulto.*

bulla Ruido o gritería.

— poner objeciones, impedir que se prosiga con un asunto: *meter bulla.*

— ruido que provoca la gente: *bullicio.*

— tumulto, alboroto: *bullicio.*

— que alborota: *bullanguero.*

bullir 1. Hervir el agua o cualquier otro líquido.

—*Bullía el agua y no había café.*

2. Tener o aparecer muchas ideas en la cabeza.

—*Me bullen las ideas pero no salen.*

3. Moverse o concentrarse una multitud.

—*La plaza bulle de espectadores antes de la corrida.*

buñuelo Masa de harina y agua que al freírse se esponja y se sirve como postre acompañado con miel o azúcar.

buque Barco cubierto construido para hacer grandes travesías. ☞ **barco.**

— tipos de buques: *buque mercante, buque cisterna, buque de guerra, etc.*

burbuja Glóbulo de aire o de un gas cualquiera que se forma en un líquido y sale a la superficie. ☞ **borbollón. borbotón.**

burbujear Formar un líquido dichos glóbulos.

burdel Casa donde se reúnen las prostitutas. ☞ **prostíbulo.**

burdo, -da Tosco, grosero, falto de delicadeza o sutileza. ☞ **basto.**

burgo Aldea, población dependiente de otra.

burgués, -sa 1. Que habita en un burgo.

—*El burgués se dedicaba al comercio.*

2. Que pertenece o se relaciona con la burguesía, con la clase acomodada o con la que ocupa una posición privilegiada.

—*Los burgueses tienen dinero y los proletarios no tanto.*

— que se identifica con los valores y la moral de la burguesía: *burgués.*

buril Instrumento puntiagudo de acero que utilizan los grabadores y escultores. ☞ **punzón.**

burla Dicho o acción con la que se ridiculiza algo o a alguien.

— expresión que se usa cuando alguien hace mofa de una situación penosa: *ni la burla perdona.*

burladero Trozo de valla que se pone en las plazas de toros para que se proteja el torero de las embestidas.

burlador, -ra 1. Que burla.

—*Era un burlador ese mozalbete.*

2. Que seduce mediante engaños y después abandona.

— *Qué mal conocéis al burlador de Sevilla.*

                    Tirso de Molina.

burlar 1. Hacer burla.

—*El bufón se burla de sí mismo.*

2. Engañar.

—*Burlaron las mujeres mis mejores propósitos.*

3. Esquivar los obstáculos o eludir las consecuencias o resultados de algo.

—*Burlé a la policía disfrazándome de soldado.*

burlesco, -ca Hecho o dicho en tono festivo. ☞ **jocoso.**

burlón, -na Que hace burlas o chanzas a costa de otros.

buró 1. Escritorio con tablero o mesa de noche.

— *Mi reloj está sobre el buró.*

2. Conjunto de personas que integran el mando de un partido, organización, etc.

—*El buró político del partido se constituye por hombres y mujeres.*

burocracia 1. Categoría o estrato social formada por los funcionarios o empleados públicos.

— *La burocracia nunca muere, porque jamás ha vivido.*

                    J.P. Sartre.

2. Influencia o poder de empleados públicos en el gobierno.

— *El gobierno está hecho de pura burocracia.*

burro, -rra 1. Asno, borrico.

—*El burro es bonito cuando es pequeño.*

2. Necio, de poco criterio, ignorante.

—*Ningún burro debería acudir a la Universidad.*

— acción propia de un burro: *burrada.*

3. Armazón en la que se apoya algo o escalera de tijera.

—*Me subí al burro para apoyarme y no caer.*

busca Acción de buscar.

— expresión que indica ingeniárselas para ganarse la vida: *andar a la busca.*

buscador 1. Que busca.

—*Era un viejo buscador de oro.*

2. Lente pequeño de un telescopio.

—*Perdí el buscador de mi telescopio y no veo ni estrellas ni astros.*

buscapiés 1. Cohete sin varilla que al encenderse se arrastra por entre los pies de la gente.

—*Me cayó un buscapiés en las piernas.*

2. Frase que se dice disimuladamente para obtener información o advertir a alguien.

—*El ministro dijo un buscapiés y el presidente se sonrojó.*

buscapleitos Pendenciero.

buscar 1. Hacer lo necesario para encontrar algo o a alguien. ☞ **inquirir.**

— *Buscaron petróleo debajo de mi casa sin hallarlo.*

2. Provocar, irritar a alguien.

—*No me busques porque te pego.*

3. Llamar a alguien.

— *¿A quién buscan?, dijo San Pedro a los penitentes extraviados.*

buscón, -na 1. Que busca.

—*El buscón halló un libro incunable.*

2. Que roba o estafa ocasionalmente.

—*Un buscón anda a la busca por falta de oficio.*

3. Prostituta, ramera.

— *Me casé con una buscona para hacer rabiar a mi madre.*

búsqueda Hacer gestiones, inquirir y hacer todo lo que es necesario para encontrar algo o a alguien.

busto 1. Parte del cuerpo que va de la cabeza hasta la parte superior del tórax.

—*Un busto amplio hace atractivos a los hombres.*

2. Pecho femenino.

—*Una mujer de poco busto tiene sus encantos.*

3. Escultura en que se reproduce dicha parte de algún personaje.

— *Me hicieron un busto y parezco emperador romano.*

butaca 1. Silla con brazos y respaldo que se inclina hacia atrás.

—*Salía la viejecilla todas las tardes a sentarse en su butaca.*

2. Asiento individual en el teatro o en el cine.

— *Se sienta en su butaca y goza del espectáculo.*

buzo Que tiene por oficio o que practica como deporte el sumergirse por tiempo prolongado bajo el agua, ya sea conteniendo la respiración o utilizando equipo especial.

— expresión que indica poner atención a algo: *ponerse buzo.*

buzón 1. Caja o abertura donde se echan las cartas.

— *El buzón permanece vacío y yo entristezco.*

2. Canal de desagüe en los estanques.

—*El buzón huele siempre mal.*

C

cabal 1. Que es completo, justo y exacto algo. ☞ **justo, íntegro.** ❖ PARCIAL, INEXACTO.
— *Ese maestro da contestaciones cabales a todas las preguntas que le hacen.*
— plenamente: *a carta cabal.*
2. Que es sensato o juicioso alguien.
❖ IRREFLEXIVO, ATOLONDRADO.
— *Es una mujer muy cabal y serena.*
— estar muy cuerdo: *estar en sus cabales.*

cábala Conjetura, suposición o cálculo secreto para adivinar algo; conjunto de prácticas de ocultismo. ☞ **arcano.**
— misterioso, secreto u oculto: *cabalístico.*
— que pertenece a la cábala o se relaciona con ella: *cabalístico.*
— estudioso, intérprete o creyente de la cábala: *cabalista.*

caballería 1. Cualquier animal equino que sirve para montar. ☞ **solípedo.**
— *La caballería incluye mulas, burros y caballos.*
2. Cuerpo militar que monta a caballo o se mueve en carros de combate.
☞ **ejército.**
— *La caballería luce mucho en los desfiles militares.*
— hembra del caballo: *yegua.*
— que pertenece al caballo o se relaciona con él: *caballar, ecuestre, hípico, equino.*
— sitio donde se guarda la caballería: *caballeriza.*
— persona que cuida de la caballería: *caballerango, caballerizo.*
— animal que se monta o en el que se transporta carga: *cabalgadura.*
— montar en un animal equino: *cabalgar.*
— manada de ganado caballar: *caballada.*
— hombre que conoce y es experto en montar caballos: *caballista.*
— que es parecido al caballo: *caballuno.*
— profesional en montar caballos de carreras: *jockey.*
— conocimientos relativos a la educación y crianza del caballo: *hipismo, hipotecnia.*
— veterinario de caballos: *hipólogo.*
— lugar donde se realizan carreras de caballos: *hipódromo.*
— obra narrativa en prosa que cuenta la vida y hazañas ficticias de caballeros andantes: *libro de caballería.*
— orden militar o religiosa que se encargaba de defender y proteger a los cristianos o los principios morales del cristianismo o de los hombres: *orden de caballería.*
— arte y deporte de montar a caballo: *equitación.*
— expresión que indica que no hay que criticar o rechazar los obsequios: *a caballo regalado no se le ve colmillo.*

caballero 1. Hombre que cabalga o monta a caballo, noble o hidalgo de la Edad Media que combatía a caballo.
☞ **cruzado.** ❖ VILLANO
— *Los caballeros andantes tenían una dama a la que amaban platónicamente.*
— héroe de las novelas de caballerías: *caballero andante.*
— hacer que un varón realice ciertos actos ceremoniales para que se convierta en caballero: *armar caballero.*
— cuidar las armas toda una noche como parte del ceremonial para ser armado caballero: *velar las armas.*
— vestimenta compuesta de piezas de hierro que cubría el cuerpo de los caballeros: *armadura.*
2. Hombre que es cortés, galante y distinguido. ☞ **galantería.** ❖ GROSERO, TORPE, BRUTO.
— *Es todo un caballero con los ancianos.*
— cortés y galante: *caballeroso.*
— gentileza en el actuar, condición de caballeroso: *caballerosidad.*
3. Forma cortés de referirse a un hombre.
— *En esa tienda sólo venden ropa para caballero.*

caballete 1. Soporte para sostener cuadros.
— *La pintura de caballete, contrariamente a la mural, es de proporciones reducidas.*
2. Prominencia de la parte media de la nariz. ☞ **tabique.**
— *El caballete de la nariz de tu amigo le da personalidad.*
3. Cualquier cosa formada por dos vertientes.
— *El lomo de tierra formado entre dos surcos se llama caballete o caballón.*

caballo (vea ilustración). mamífero doméstico del género de los equinos que se utiliza en el campo como medio de transporte y de carga o en algunos deportes.

cabaña 1. Vivienda campestre. ☞ **choza.**

caballo

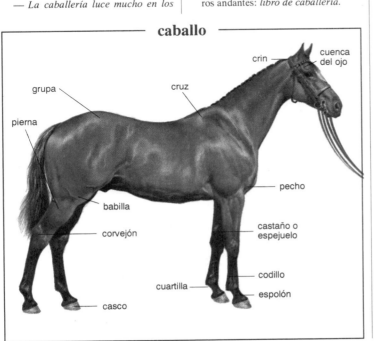

crin — cuenca del ojo

cruz

grupa

pierna

babilla

corvejón

castaño o espejuelo

pecho

codillo

cuartilla

espolón

casco

— *Las cabañas habitualmente sólo cuentan con los servicios más indispensables.*

— que pertenece a la cabaña o se relaciona con ella: *cabañero*.

2. Conjunto de animales equinos de carga necesarios para transportar algo.

— *Las cabañas se utilizan para transportar granos.*

— camino por donde pasa ganado que transporta granos: *cabañal*.

cabañuelas Pronóstico popular del clima anual que se hace a partir del estado del tiempo de todo el mes de enero. ☞ **clima.**

cabaret Lugar donde se sirven bebidas, se baila y se presentan espectáculos. ☞ **show, dancing club, night club.**

cabe Junto a, cerca de. ☞ **preposición.**

cabecera 1. Lugar principal. ☞ **matriz.**

— *La cabecera de municipio se encuentra en la ciudad o pueblo más grande.*

2. Parte o sección de la cama por el lado donde se colocan las almohadas o tabla que se coloca ahí. ☞ **cama.** ❖ PIECERA.

— *La cabecera puede ser parte integral de la cama o una parte anexada.*

— médico familiar: *médico de cabecera*.

3. Cada uno de los extremos de una mesa rectangular. ☞ **mesa.** ❖ LADO.

— *Habitualmente la persona que preside la mesa se sienta a la cabecera de ella.*

cabello Conjunto de pelos que cubren la cabeza y cada uno de ellos. ☞ **pelo.**

— cabello suelto y largo o peluca: *cabellera*.

— que tiene mucho cabello: *cabelludo*.

— piel de la cabeza donde se origina el pelo: *cuero cabelludo*.

— erizarse el pelo: *ponérsele los cabellos de punta*.

— increíble por exagerado: *jalado de los cabellos*.

— absurdo, ilógico: *descabellado*.

— nebulosidad que rodea el centro de un cometa: *cabellera*.

caber 1. Poder pasar o contenerse algo dentro de otra cosa. ☞ **abarcar, contener.**

— *No cabe tanta comida en esta olla.*

— capacidad de un recipiente: *cabida*.

— estar contento: *no caber en sí*.

— expresión que indica que las cosas ordenadas ocupan poco lugar: *todo cabe en un jarrito sabiéndolo acomodar*.

2. Ser algo posible o natural.

— *Cabe la mentira en este tipo de sociedades.*

— corresponderle a alguien una cosa: *caberle a uno*.

cabestro 1. Cuerda o rienda con que se sujeta o se conduce a un equino. ☞ **encabestrar.**

— *Ya no me alcanzó para comprar dos cabestros.*

— tienda de cabestros: *cabestrería*.

2. Buey que guía a los toros.

— *Habrá que conseguir un cabestro para el ganado que se va a comprar.*

— pastor que conduce un ganado vacuno con ayuda de un cabestro: *cabestrero*.

cabestrillo Armazón o vendaje que sostiene un brazo lastimado para mantenerlo inmóvil. ☞ **charpa.**

cabete Remate metálico de las agujetas. ☞ **herrete, agujeta, zapato.**

cabeza 1. Parte superior del cuerpo humano y anterior de los animales que contiene el encéfalo y los principales órganos de los sentidos; parte donde crece el cabello en los humanos. ☞ **cráneo, cara, testa.**

— movimiento involuntario de la cabeza de alguien dormido cuando no está acostado o inclinación de cabeza de un animal o persona: *cabeceada, cabezada*.

— que lleva o tiene la cabeza inclinada hacia abajo por abatimiento: *cabizbajo*.

— dar cabeceadas un adormilado o mover la cabeza en cualquier dirección: *cabecear*.

— acción y resultado de cabecear: *cabeceo*.

— que cabecea: *cabeceador*.

— que pertenece a la cabeza o se relaciona con ella: *cefálico*.

— golpe dado de frente con la cabeza: *cabezada*.

— golpe dado con la cabeza y recibido en ella: *cabezazo*.

— que tiene la cabeza muy grande: *cabezón, cabezudo*.

— que es muy terco y obstinado: *cabezón, cabezota, cabezudo, cabeza dura*.

— persona torpe y distraída: *cabeza de chorlito*.

— estar distraído: *tener la cabeza en los pies*.

— totalmente: *de la cabeza a los pies, de pies a cabeza*.

— acusar a alguien: *echarlo de cabeza*.

— caerse: *irse de cabeza*.

— empezar a llevar una vida tranquila: *sentar cabeza*.

— presumir de algo: *subírsele a la cabeza*.

— provocar una herida profunda en la cabeza: *descalabrar*.

— cortarle la cabeza a un animal o persona: *decapitar*.

2. Inteligencia, talento o sentido común.

— *Tiene mucha cabeza para los negocios.*

— acordarse súbitamente de cierta cosa: *venírsele a la cabeza*.

— concentrarse en una actividad o asunto: *meterse de cabeza en*.

— pensar en algo obsesivamente, hacer algo con obstinación: *metérsele en la cabeza*.

— convencer a alguien de una cosa, generalmente con mala intención: *calentarle la cabeza*.

3. Parte superior o extremo anterior, inicial o abultado de algo.

— *En la cabeza de la fila está tu hermano.*

4. Parte más importante de una institución, agrupación o de algo similar.

— *Al morir mi abuelo, mi padre quedó como cabeza de la familia.*

— falto de cabeza o alguien: *acéfalo*.

— quitar la cabeza de algo o de alguien: *descabezar*.

5. Elemento o miembro de un conjunto.

— *Nos toca a veinte pesos por cabeza.*

cabildo Concejo que rige un municipio o un cuerpo eclesiástico.

— procurar ganarse a la gente en una agrupación, corporación o cabildo: *cabildear*.

— acción y resultado de cabildear: *cabildeo*.

— el que cabildea: *cabildero*.

cabina Espacio pequeño y cerrado donde se puede hablar por teléfono o, en los cines y algunas salas, donde se proyectan las películas; en algunos camiones, lugar reservado para el chofer; en los aviones, donde van el piloto y copiloto.

cable 1. Cuerda de alambres o de hilos de materias sintéticas resistentes, entretejidos. ☞ **alambre.**

— *Los cables les sirvieron para subir el nuevo tanque estacionario de gas a ese edificio.*

2. Conductor de electricidad o de ondas eléctricas.

— *No te vayan a dar un toque esos cables.*

— red de cables: *cableado*.

3. Sistema de comunicación que emplea conductores eléctricos o de ondas eléctricas.

— *Ya llegó a mi pueblo la televisión por cable.*

4. Información que llega por este sistema de comunicación.

— *Por el último cable recibido sabemos que no hubo supervivientes en el accidente aéreo ocurrido el día de ayer.*

cabo 1. Cada uno de los extremos de algo alargado. ☞ **remate.**

— *A dos metros del cabo de estambre empiezas a meter los puntos en las agujas.*

2. Extremo alargado y estrecho de tierra que se adentra en el mar. ☞ **península.**

— Va a pasar sus vacaciones en Puerto Vallarta y de ahí se va a Cabo Corrientes.

— cabo elevado: promontorio.

— cabo que se estrecha en los bordes: punta.

— cabo bajo y llano: lengua de tierra.

3. Parte pequeña que queda de ciertos objetos.

— El cabo de la vela finalmente se consumió.

4. Cuerda de diversos usos en las embarcaciones. ☞ **jarcia, aparejos.**

— El cabo blanco es una cuerda sin alquitranar.

— cordón: cabillo.

5. Grado militar superior al de soldado. ☞ **jerarquía.**

— El cabo Furriel era el encargado de distribuir los alimentos a los soldados.

cabotaje Navegación costera. ☞ **navegar.**

cabriola Pirueta o voltereta que hace con todo el cuerpo una persona o salto de un caballo durante el cual da dos coces en el aire. ☞ **pirueta, maroma.**

— hacer piruetas: cabriolar, cabriolear.

cabrón 1. Macho de la cabra. ☞ **macho cabrío.**

— Al cabrón se le llama más comúnmente macho cabrío o chivo.

— mamífero rumiante de la familia de los bóvidos, cuya leche, carne y la piel de algunas de sus razas son muy apreciados: cabra.

— que pertenece a la cabra o al cabrón o se relaciona con ellos: cabrío, cabruno, caprino, cabrerizo.

— cría de la cabra desde su nacimiento hasta que deja de mamar: cabrito.

— piel curtida del cabrito: cabritilla.

— lugar donde se guardan las cabras y chivos: cabreriza.

— pastor de cabras: cabrero.

— pequeña ola espumosa: cabrilla.

— formar pequeñas olas de espuma el mar: cabrillear.

2. Persona maldita o que hace malas acciones; el uso de esta palabra es grosero y vulgar. ☞ **canalla.**

— No sea cabrón y ceda el paso a los peatones.

cabujón Piedra preciosa labrada en forma de cabeza redondeada. ☞ **piedra.**

caca 1. Materia fecal o excremento en el habla infantil; suciedad, inmundicia. ☞ **mierda.**

— No toques eso, es caca.

— defecar: hacer caca.

2. Buena suerte.

— ¡Qué caca! A pesar del gentío conseguimos boletos.

cacahuate Planta leguminosa de origen americano de la familia de las papilionáceas y fruto de esta planta, formado de una cáscara alargada dura y quebradiza con dos o tres semillas oleaginosas comestibles. ☞ **maní.**

— sembradío de cacahuates: cacahuatal.

— que pertenece al cacahuate o se relaciona con él: cacahuatero.

— vendedor de cacahuates: cacahuatero.

— carecer algo de valor: valer un cacahuate.

— demostrar indiferencia hacia algo o alguien: importarle un cacahuate.

cacao Árbol de origen americano de la familia de las esterculiáceas y semilla de este árbol, de la cual se elabora el chocolate. ☞ **chocolate.**

— plantío de cacaoteros: cacaotal.

— cosechador de cacao: cacaotero.

— que pertenece al cacao o se relaciona con él: cacaotero.

— grasa que se saca de esta semilla y se emplea especialmente como lubricante de la piel de los labios: manteca de cacao.

— alcaloide que contiene el cacao: teobromina.

— piedra usada para moler maíz y cacao: metate.

cacaraña Cada una de las marcas de la cara como consecuencia del acné, la viruela o algo similar. ☞ **cicatriz.**

— que tiene muchas cacarañas: cacarizo, cacarañado.

cacarear 1. (vea recuadro de voces animales). Cantar el gallo o la gallina.

— Tradicionalmente se considera que el gallo cacarea anunciando el amanecer.

— que emite repetidamente voces, tratándose del gallo o de la gallina: cacareador.

— voz reiterada que emite el gallo o la gallina: cacareo.

2. Presumir de algo, anunciándolo ostensiblemente. ☞ **alardear.**

— Cacarea tanto su dinero que cualquiera pensaría que es millonario.

— que presume de sus cosas, diciéndolas a todos: cacareador.

— acción de cacarear: cacareo.

cacaxtle Especie de canasta o estructura de tablas de madera en que se transportan frutas, verduras o animales. ☞ **huacal.**

cacerola Recipiente de metal hondo usado para cocinar. ☞ **sartén, cazuela.**

— recipiente de metal hondo con dos asas usado para cocinar: cazo.

cacidrosis Sudoración anormal o maloliente. ☞ **sudar.**

cacique 1. Persona que ejerce abusivamente el poder económico y político en una comunidad. ☞ **tirano, cabecilla.**

— poder despótico del cacique o territorio que posee: cacicazgo, cacicato.

— que pertenece al cacique o se relaciona con él: caciquil.

— poder político de los caciques que controlan muchas decisiones gubernamentales, aun al margen de las leyes: caciquismo.

2. Jefe de algunas tribus de indios. ☞ **jefe.**

— Los caciques, junto con las tribus que comandan, están extinguiéndose debido a la destrucción de su hábitat.

cacle Especie de sandalia burda de origen prehispánico, usada por campesinos; por extensión, zapato. ☞ **huarache.**

caco Persona que roba con habilidad. ☞ **ladrón, asaltante.**

cacofonía Repetición frecuente de sonidos, generalmente desagradable a los oídos. ☞ **disonancia.**

— que pertenece a la cacofonía o se relaciona con ella: cacofónico.

cacografía Mala ortografía o escritura con mala caligrafía. ☞ **ortografía.**

cacomite Planta de origen mexicano de la familia de las iridáceas, con grandes flores rojas y amarillas en forma de copa.

cacomixtle Mamífero carnicero nocturno de la familia de los prociónidos, de color gris oscuro, originario de México.

cacumen Agudeza, ingenio o capacidad para discernir. ☞ **inteligencia.**

cacha Culata de una pistola o mango de un puñal, navaja o cuchillo. ☞ **placa.**

— hasta más no poder: hasta las cachas.

cachar Coger un objeto que ha sido lanzado, recibir algo que uno no esperaba o sorprender a alguien en una acción indebida. ☞ **atrapar.** ❖ SOLTAR.

cachaza 1. Primera espuma que sale del jugo de la caña cuando se cuece para la obtención de azúcar o impureza del guarapo por la acción de otras sustancias.

— Actualmente se aprovecha hasta la cachaza en la elaboración del azúcar.

2. Actitud de abulia, desinterés o lentitud para hacer algo. ☞ **flema.** ❖ ÍMPETU, VEHEMENCIA.

— Tiene una cachaza ante la vida que yo creo que está deprimido.

cachear Registrar a alguien para averiguar si trae armas ocultas. ☞ **esculcar.**

— acción de cachear: cacheo.

cachet (caché) Sello distintivo de algo o de alguien. ☞ **sello, marca.**

cachete Mejilla o carrillo. ☞ **mejilla.**

— que tiene los cachetes abultados: cachetón, cachetudo.

— golpe dado con la palma de la mano en los cachetes: cachetada, bofetada.

— dar golpes con la palma de la mano en los cachetes: *cachetear, dar de cachetadas.*

— tanda de bofetadas: *cacheteada, cachetiza, cacheteo, cachetina.*

— tratar con desdén a alguien: *dar cachetada con guante blanco.*

— andar muy enamorado: *andar cacheteando el pavimento.*

cachiporra Palo con el extremo abultado que se utiliza para golpear. ☞ **macana.**

— golpe dado con la cachiporra o algo similar: *cachiporrazo.*

cachirulo Refuerzo que se pone en los pantalones, parche o remiendo en esta prenda de vestir o trampa que se hace engañando a otros acerca de que una cosa o persona cumple con los requisitos prescritos.

— situación falsa o acción deshonesta con la que se busca engañar a alguien: *cachirul.*

cachivache Objeto inútil, baratija. ☞ **trebejo, trasto.**

— conjunto de cachivaches: *cachivachería.*

cacho l. Pedazo de algo. ☞ **trozo.**

— *Pásame un cachito de pastel para probarlo.*

— fracción de lotería: *cachito.*

2. Cuerno.

— *Tiene despuntados los cachos ese toro.*

— que tiene cuernos, tratándose de un animal: *cachudo.*

cachondear Acariciar y besar a alguien sin llegar al coito. ☞ **fajar.**

— lujurioso: *cachondo.*

— acción y resultado de cachondear: *cachondeo.*

— estado de intenso deseo sexual: *cachondez.*

cachorro Cría de cualquier mamífero. ☞ **animal.**

— conjunto de perros de la casa, designación rural: *cachorrada.*

cachucha Gorra con visera. ☞ **visera.**

cada 1. De uno en uno, individualmente o, en una repartición, el mismo número de los elementos de un grupo o de un todo. ❖ **TODOS.**

— *Hay que poner etiquetas a cada producto, cada tres días.*

— uno de un grupo: *cada quien, cada uno, cada cual.*

2. Indica correspondencia, equivale a tanto o tan grande.

— *Tiene cada idea que nos pone a temblar.*

— siempre que: *cada que, cada vez que.*

— constantemente: *a cada instante, a cada momento.*

cadalso Tablado que se utiliza como patíbulo para ejecutar la pena de muerte. ☞ **horca, patíbulo.**

cadáver Cuerpo muerto. ☞ **restos.**

— que pertenece a los cadáveres o se relaciona con ellos: *cadavérico.*

— pálido y demacrado: *cadavérico.*

— registro de defunciones o reseña biográfica de una persona muerta: *necrología.*

— que se alimenta de cuerpos muertos: *necrófago.*

— examen de un cadáver: *autopsia, necropsia, necroscopia.*

— disección de un cadáver: *necrotomía.*

— caja donde se coloca el cadáver para enterrarlo: *ataúd, féretro.*

— quemar algo, particularmente cadáveres: *incinerar.*

— quemar un cadáver: *cremar.*

— lugar donde se queman los cadáveres: *crematorio.*

— hoyo donde se entierra un cadáver: *sepultura, fosa.*

cadena 1. Objeto constituido por eslabones o anillos enlazados entre sí. ☞ **eslabón.**

— *Las cadenas de oro se utilizan como adorno.*

— pieza de metal y otro material en forma de anillo o curva cerrada que enlazada con otras piezas iguales forma una cadena: *eslabón.*

— amarrar a alguien o algo con cadenas: *encadenar.*

— sujeto por cadenas: *encadenado.*

— unir unos eslabones con otros formando cadenas: *encadenar, eslabonar.*

— medir con cadena: *cadenear.*

— cadena unida sin extremos: *cadena sin fin.*

2. Serie de acontecimientos o de elementos relacionados entre sí. ☞ **sucesión.**

— *La Sierra Madre Occidental es una de las cadenas montañosas más grandes del país.*

cadencia Sucesión o repetición regular de sonidos o movimientos. ☞ **ritmo.**

— que tiene cadencia: *cadencioso.*

cadera Cada una de las partes salientes a los lados del cuerpo bajo la cintura. ☞ **grupa, anca, flanco.**

— que tiene la cadera muy ancha: *caderón.*

— provocar daño en las caderas: *descaderar.*

cadete Alumno de una academia militar. ☞ **militar, novato.**

— enamorarse profundamente: *enamorarse como un cadete.*

caducar 1. Deteriorarse algo por el uso o por ser antiguo; chochear una persona. ☞ **descomponer.**

— *Los productos lácteos tienen marcada en el envase la fecha en que caducan.*

2. Extinguirse un derecho o un plazo, perder su vigencia un contrato, una ley o algo. ☞ **prescribir.** ❖ ENTRAR EN VIGOR.

— *Cuando se aprueba un nuevo reglamento, el anterior caduca.*

— extinción de la vigencia de un contrato, una ley o algo similar por haberse vencido un plazo: *caducidad.*

— sin vigencia: *caduco.*

caer 1. Desplazarse algo o alguien de arriba hacia abajo por la acción de su propio peso o desprenderse algo que estaba sujeto y desplazarse hacia abajo. ☞ **precipitar.** ❖ LEVANTAR, SUBIR, BROTAR.

— *Al dar un traspié, se cayó por las escaleras y se le cayeron dos dientes.*

2. Pender algo. ☞ **colgar.** ❖ DESCOLGAR.

— *Los cristales del candil caen formando diversas figuras.*

— forma que adopta la ropa debido al peso de la tela: *caída.*

— pendiente del tejado: *caída libre.*

3. Perder la vida de modo violento y súbito. ☞ **sucumbir.**

— *Cayó como un héroe en la batalla.*

4. Derrumbarse una institución o forma de gobierno, sufrir una derrota, ser apresado, vencido o eliminado alguien. ☞ **derrocar.** ❖ LEVANTAR.

— *La dictadura cayó al levantarse el pueblo en armas.*

— ser capturado o vencido por: *caer en manos de.*

5. Reducir algo su intensidad. ❖ INCREMENTAR.

— *La producción cayó un dos por ciento este mes.*

— dejar de usarse: *caer en desuso.*

— llegar a su término el día: *caer la tarde, caer la noche, caer el sol.*

6. Llegar de improviso a determinado lugar. ☞ **visitar, aparecer.** ❖ IRSE.

— *Después de años sin verla, mi suegra nos cayó ayer en la tarde.*

7. Acaecer un suceso afortunado o desafortunado a alguien. ☞ **sobrevenir.**

— *Le cayó la fortuna de ser el elegido para el viaje.*

8. Concordar un día señalado con determinada fecha. ☞ **coincidir.**

— *El día de mi cumpleaños cayó en sábado.*

cafetería Establecimiento público donde se sirven y se consumen alimentos y bebidas. ☞ **restaurante, bar.**

cáfila Conjunto numeroso de objetos, animales o personas. ☞ **muchedumbre, conjunto.**

cafre Que actúa de manera incivilizada, que es cruel y salvaje. ☞ **bárbaro, salvaje.** ❖ COMPASIVO.

caftán Túnica holgada y larga, forrada con pieles, usada por los turcos y los moros. ☞ **túnica.**

cagar Evacuar el vientre. ☞ **defecar, deponer.**
— defecar: *hacer caca, hacer del dos.*
— que defeca mucho: *cagón.*
— que es muy cobarde, tratándose de personas: *cagón, cagado.*
— acobardarse: *cagarse.*
— evacuación: *caca, cagada, mierda, popó, excremento, deposición de vientre.*
— lugar donde se defeca: *baño, letrina, cagadero.*
— evacuación continua de excrementos líquidos: *diarrea, cagadera.*
— dificultad para evacuar: *estreñimiento.*
— estropear algo, ser desacertado o inoportuno: *cagarla.*
— desacierto, equivocación: *cagada.*
— que tiene buena suerte: *cagón.*

caguama Tortuga marina muy grande, de diversas especies, del género chelonia, y concha de este animal.

caimán Reptil aligatórido originario de América que vive en ríos, lagos y lagunas y es muy parecido al cocodrilo.
— hembra del caimán: *caimana.*
— conjunto de caimanes y lugar donde se hallan: *caimanera, caimanero.*

cairel Mechón de pelo rizado y largo. ☞ **pelo.**

caja 1. Objeto hueco hecho de diversos materiales, de forma y tamaño muy diversos, que generalmente lleva tapa y se usa para guardar o transportar cosas.
— *Tengo que conseguir cajas de cartón para empaquetar la cristalería y los libros ahora que nos vamos a cambiar de casa.*
2. Ataúd u objeto hueco de madera o metálico donde se deposita el cadáver de una persona.
— *Tuvieron que comprar una caja cuando murió su suegra y se les hizo que todas estaban carísimas.*
— ataúd, caja de muerto: *cajón.*
3. Parte hueca de los instrumentos musicales de percusión y de cuerda.
— *Tengo que mandar arreglar mi guitarra, se le rompió la caja.*
— caja pequeña con un mecanismo especial que hace que se oiga una pieza musical al abrirse: *caja de música.*
4. Parte de los establecimientos públicos donde se paga, se cobra o se cambia dinero.
— *Disculpe, señorita, ¿en qué caja puedo cambiar este cheque?*
— persona que se encarga de cobrar y pagar en los establecimientos públicos: *cajero.*
5. Especie de cajón con varios compartimentos donde se colocan y guardan las letras, números y demás signos usados en las imprentas.
— *Fuimos a visitar una imprenta y conocimos varias clases de cajas.*

cajeta Dulce mexicano hecho con leche, generalmente de cabra, cocida con azúcar. ☞ **dulce.**

cajón Caja deslizable de metal o madera que va incluida en un mueble. ☞ **gaveta, naveta.**
— mueble compuesto por múltiples cajones: *cajonera.*
— tienda en la que se vende principalmente ropa: *cajón de tienda.*
— dueño de una tienda o cajón: *cajonero.*
— andar de tienda en tienda sin comprar: *cajonear.*
— lo que contiene asuntos varios: *cajón de sastre.*
— ser algo obligatorio: *ser de cajón.*

cajuela Compartimento de los automóviles donde se guardan objetos, principalmente maletas. ☞ **automóvil.**

cal Óxido cálcico en polvo que se encuentra en las piedras calizas. ☞ **caliza.**
— que pertenece a la cal o se relaciona con ella: *calero.*

cala Entrada de mar muy angosta en la tierra abrupta y escarpada. ☞ **ensenada.**
— cala pequeña: *caleta.*

calabacear Rechazar las pretensiones amorosas de alguien o darle calabazas.
— planta cucurbitácea de tallos rastreros, hojas grandes y flores amarillas: *calabaza.*
— fruto esférico y grande de esa planta, con cáscara dura verdosa o café claro y pulpa anaranjada comestible: *calabaza.*

calabozo Cárcel subterránea o celda lóbrega para presos que se mantienen incomunicados. ☞ **mazmorra.**

calafatear Tapar cualquier juntura, taponear, obstruir. ☞ **rellenar.**
— acción y resultado de calafatear: *calafateo, calafateadura, calafatería, calafateado.*
— persona que tiene como oficio calafatear embarcaciones: *calafate, calafateador.*
— punzón con la punta aplanada que sirve para rellenar: *hierro de calafate o aviador.*

calaíta Piedra preciosa de color azul verdoso, turquesa. ☞ **turquesa.**

calambre Contracción involuntaria de corta duración, dolorosa y espasmódica, de un músculo. ☞ **acalambrarse.**
— tener calambres: *acalambrarse.*

calambur Figura retórica que mediante la repetición de ciertas sílabas de una o más palabras producen un sentido distinto, como:
— *¿Qué es de Pilar? Depilar es arrancarse los vellos.*

calamidad Desgracia o acontecimiento que trae consecuencias desastrosas consigo. ☞ **desastre.** ❖ DICHA, FORTUNA.
— desgraciado, desdichado, funesto o que es propio de las calamidades: *calamitoso.*

cálamo 1. Forma poética de referirse a la pluma con que se escribe. ☞ **pluma.**
— *Empuñar el cálamo y decidirse a escribir no es empresa fácil.*
2. Parte más gruesa y hueca de las plumas de cualquier ave. ☞ **pluma.**
— *El cálamo es hueco y va unido al cuerpo del ave.*

calandra Bastidor que protege el radiador de los automóviles. ☞ **automóvil.**

calandrar Prensar telas o papel. ☞ **prensa.**
— máquina utilizada para prensar o satinar diversos materiales: *calandria.*

calar 1. Infiltrarse un líquido o fluido en un cuerpo. ☞ **penetrar, empapar.** ❖ SECAR.
— *El tinte deberá calar toda la piel de la bolsa para que quede bien teñida.*
— acción y resultado de calar: *calada.*
— mojarse por la lluvia o helarse por el frío y sentir lo helado y mojado dentro del cuerpo: *calarse.*
2. Adentrarse en algo. ☞ **penetrar.**
— *Esa persona ha calado hondo en tu vida.*
— ponerse un sombrero, una cachucha o algo similar de modo que ajuste bien en la cabeza: *calarse.*
3. Comprender el secreto de algo, conocer las intenciones de una persona.
— *Parece muy buena, pero habrá que calarla.*
4. Probar una fruta, probar a una persona o animal en una actividad. ☞ **probar.**
— *A mí me gusta calar la fruta en los mercados antes de comprarla.*
— pedazo de una fruta cortada para probarla: *cala, caladura.*
5. Tener una embarcación en el agua cierta profundidad por la parte más baja de su casco.
— *Cala la lancha porque llevamos mucho peso.*
— parte más baja del interior de una embarcación: *cala.*
— medida vertical de la parte sumergida de una embarcación: *calado.*
6. Sacar los hilos de una tela y lograr un efecto semejante al encaje. ☞ **deshilar.**

— *Hay que calar el cuello para que adorne al vestido.*

— puntada de costura en una tela sacando y agrupando hilos: *calado.*

7. Hacer agujeros formando figuras en una superficie de papel, metal, tela o algo similar. ☞ **horadar.**

— *Hay que calar el corcho para que se puedan afianzar los alambres.*

— figura agujereada en papel, metal, tela: *calado.*

— acción de calar: *caladura.*

8. Preparar un arma para usarla. ☞ **arma.**

— *Hay que calar la pica para poder dar el golpe.*

calavera 1. Conjunto de huesos de la cabeza. ☞ **cráneo.**

— *El cráneo, que es la parte de la calavera que protege al cerebro, tiene 28 huesos.*

2. Verso festivo que se hace con motivo del día de muertos. ☞ **copla.**

— *Las calaveras se burlan descaradamente de la muerte.*

3. Persona insensata e irresponsable.

— *Sus hijos sólo le han dado problemas, son unos calaveras.*

— hecho propio de un calavera: *calaverada.*

calcáneo Hueso voluminoso, corto e irregular de la parte posterior del pie o talón. ☞ **tarso, talón.**

calcar 1. Copiar una imagen o signo de manera exactamente igual al original mediante un papel, tela, etc., que se une al modelo. ☞ **reproducir, duplicar.**

— *Tienes que calcar un mapa de México.*

— papel transparente con el que se puede calcar: *papel calca.*

— instrumento para calcar o persona que calca: *calcador.*

— acción y resultado de calcar: *calcado.*

— copia: *calco.*

2. Reproducir actitudes o comportamientos de otro. ☞ **imitar.**

— *Ha calcado la manera de hablar de su padre.*

— reproducción de actitudes, imitación: *calco.*

calce Parte inferior de un documento.

calcetín Prenda de algodón, hilo, lana y otras fibras que cubre el pie y llega hasta la parte superior del tobillo. ☞ **media.**

— calcetín que cubre el pie y parte de la pierna o hasta la rodilla: *calceta.*

calcinar Calentar un cuerpo hasta que pierda los materiales volátiles que contiene. ☞ **incinerar.**

— acción y resultado de calcinar: *calcinación, calcinamiento.*

— que calcina: *calcinador.*

— recipiente en que se calcina: *calcinatorio.*

calcografía Técnica de grabar en cobre. ☞ **heliograbado.**

— grabar en cobre: *calcografiar.*

— que pertenece a la calcografía o se relaciona con ella: *calcográfico.*

calcomanía Procedimiento de elaborar estampas de colores que se adhieren a ciertas superficies y estampa con estas características.

calcular 1. Efectuar operaciones matemáticas. ☞ **aritmética.**

— *Para calcular hay que sumar, restar, dividir o multiplicar.*

— cada operación o cuenta para calcular algo: *cálculo.*

2. Estimar algo que no se sabe con precisión. ☞ **suponer.** ❖ ASEGURAR.

— *Por las arrugas que tiene, yo le calculo cincuenta años de edad.*

— suposición o estimación aproximada de algo: *cálculo.*

— persona que prevé las ventajas de una situación futura: *calculador.*

cálculo Acumulación mineral que se forma en el interior de ciertos órganos. ☞ **piedra.**

— que pertenece a los cálculos o se relaciona con ellos, que padece de cálculos: *calculoso.*

caldear Calentar mucho algo. ☞ **templar.** ❖ CONGELAR.

— enojarse: *caldearse.*

— acción y resultado de caldear: *caldeamiento, calda.*

— recipiente donde se calienta mucho algo: *caldera.*

— depósito en que se hierve el agua de las máquinas de vapor: *caldera.*

— caldera con una sola asa: *caldero.*

calderón Signo musical que marca una detención y un floreo. ☞ **música.**

— movimiento musical que demuestra habilidad al tocar un instrumento: *floreo.*

caldo Parte líquida en la que se han cocido diversos ingredientes; jugo de la caña de azúcar. ☞ **consomé.**

— que tiene mucho caldo: *caldoso.*

— salsa espesa: *caldillo.*

— platillo típico de México que contiene picadillo de carne caldoso, chile, orégano y otras especias: *caldillo.*

— hacer que sea muy interesante algo: *darle sabor al caldo.*

calefacción Instalación por medio de la cual se calienta un edificio, un gran local o un vehículo. ☞ **calentar.** ❖ VENTILACIÓN.

— calefacción que procede de un solo punto para calentar todo un edificio: *calefacción central.*

calendario 1. Sistema de medición del tiempo de acuerdo con criterios astronómicos. ☞ **tiempo, año, efemérides.**

— *El calendario maya era dualístico*

pues comprendía el año sagrado y el año civil.

— calendario basado en el tiempo que tarda aparentemente el Sol en dar una revolución alrededor de la tierra: *calendario solar.*

— calendario basado en las fases de la Luna: *calendario lunar.*

2. Registro impreso de los días del año, estructurado en orden numérico por día de la semana y mes al que corresponden.

— *Arranca la hoja del calendario porque ya estamos en agosto.*

calentar 1. Provocar que ascienda la temperatura de algo. ☞ **caldear, calor.** ❖ ENFRIAR.

— *Para que un caldo sea sabroso hay que calentarlo muy bien.*

2. Provocar que alguien se enoje o se exalte. ☞ **caldear, enfurecer, enardecer.** ❖ TRANQUILIZAR, APLACAR.

— *Le calentaron los ánimos y ahora intentan que se aplaque.*

— enojarse o exaltarse: *calentarse.*

— que manifiesta violencia o exaltación: *caliente.*

— entusiasmo, viveza, exaltación: *calor.*

— inmediatamente: *en caliente.*

3. Excitar o excitarse sexualmente. ☞ **excitar.** ❖ APLACARSE, CALMARSE.

— *Al ver la película pornográfica, se calentó.*

4. Hacer ciertos ejercicios suaves para preparar al cuerpo a actividades físicas más fuertes y duraderas.

— *Empezó a correr lentamente para irse calentando antes de las competencias de atletismo.*

calera Lugar en que se guarda la cal o terreno de donde se extrae la piedra caliza. ☞ **cantera, cal.**

— que pertenece a la cal o se relaciona con ella: *calero.*

— hombre que prepara cal: *calero.*

— horno en que se quema la piedra caliza para hacer cal: *calero.*

calibre Diámetro interior de un cilindro hueco, en particular el de las armas de fuego y proyectiles.

— medir o dar a una pieza el calibre deseado: *calibrar.*

— acción y resultado de calibrar: *calibración.*

— instrumento para calibrar: *calibrador.*

— verificación del calibre de proyectiles para ver si cumplen con los requisitos reglamentarios: *calibrado.*

calicata Sondeo subterráneo de un terreno para determinar la presencia de agua y minerales. ☞ **prospección.**

calicó Tela de algodón muy delgada. ☞ **percal.**

caliche Pedazo de cal que se desprende

de un muro o pared, o costra calcárea que se forma en un terreno.

— abundancia de caliche en la pared: *calichal.*

calidad 1. Cualidad o conjunto de cualidades de algo o alguien que lo determinan y permiten valorizarlo. ☞ **bondad, perfeccionar, perfección.**

— *La buena calidad del producto es importante para el éxito del mismo.*

— en representación de, con carácter de: *en calidad de.*

— de la mejor clase: *de primera calidad.*

2. Importancia o superioridad de algo o alguien. ☞ **categoría.**

— *El voto del presidente de la compañía es de calidad.*

calidoscopio Tubo en cuyo interior hay una serie de espejos superpuestos y piedritas de colores que logran que se vean infinitas combinaciones de figuras.

— que pertenece al calidoscopio o se relaciona con él: *calidoscópico.*

califa Título que se les concedía a los jefes del mundo islámico, sucesores espirituales de Mahoma.

calificar Asignar a alguien o algo determinada cualidad o juzgar los conocimientos de alguien de acuerdo con una escala establecida. ☞ **evaluar.**

calígine Niebla, neblina, bruma, oscuridad o bochorno. ☞ **tenebroso, tenebrosidad.** ❖ CLARIDAD.

— nebuloso, denso, oscuro: *caliginoso.*

caligrafía Técnica o arte de escribir con buena letra. ☞ **escribir.**

— persona experta en escribir con buena letra: *calígrafo.*

— que pertenece a la caligrafía o se relaciona con ella: *caligráfico.*

— escribir con buena letra: *caligrafiar.*

calina Nubosidad blanquecina. ☞ **bruma, neblina.**

— nebuloso, brumoso: *calinoso.*

calistenia Parte de la gimnasia encaminada a desarrollar la fuerza muscular. ☞ **gimnasia.**

— que pertenece a la calistenia o se relaciona con ella: *calisténico.*

cáliz 1. Copa de oro o de plata en que se consagra el vino en la misa, ceremonia de la religión católica. ☞ **eucaristía.**

— *El sacerdote al alzar el cáliz pronuncia unas palabras rituales para conmemorar la muerte de Cristo.*

2. Verticilo en forma de copa que envuelve la base de las flores. ☞ **verticilo, pétalo.**

— cada una de las hojitas en que se divide el cáliz de las flores: *sépalo.*

— que tiene un sépalo: *monosépalo.*

— con muchos sépalos: *polisépalo.*

— flor que no tiene sépalos: *flor asépala.*

calma 1. Ausencia de agitación; serenidad, paz, sosiego o mitigación de algo. ☞ **tranquilidad.** ❖ INQUIETUD, AGITACIÓN.

— *En los pueblitos reina la calma.*

2. Lentitud, apatía o ausencia de movimiento. ❖ ÍMPETU.

— *Caminas con tanta calma que me desesperas.*

— que es indolente, apático o lento: *calmoso.*

— apatía, cachaza: *calma chicha.*

3. Estado climático o atmosférico en que no hay viento y, en el mar, no hay o apenas hay olas.

— *Hay una calma sofocante en este desierto.*

— sosegarse el mar, dejar de estar agitado: *calmar.*

— calma del mar cuando no hay nada de viento: *calma chicha.*

caló Forma particular de hablar de un grupo social. ☞ **jerga.**

calor 1. Temperatura elevada de un cuerpo o de la atmósfera. ☞ **calentar.** ❖ FRÍO.

— *Hoy hace mucho calor.*

— provocar que se eleve la temperatura: *calentar.*

2. Propiedad de la materia que hace que la energía cinética de las moléculas sea mayor y la temperatura se eleve. ☞ **calentar.** ❖ FRIALDAD.

— *Se producen intercambios de calor al unir cuerpos de temperaturas distintas.*

— que conduce y genera calor: *calorífero.*

— que es incombustible, que no conduce calor: *calorífugo.*

— que propaga calor: *calorífico.*

— unidad para medir las cantidades de calor: *caloría.*

calostro Primera leche secretada por las mamas después de nacer la cría. ☞ **leche.**

calumnia Acusación falsa hecha con objeto de hacer daño a alguien. ☞ **difamar, difamación.** ❖ ALABANZA, ELOGIO, ENCOMIO.

— acusar a alguien falsamente o difamarlo: *calumniar.*

— difamador: *calumniador, calumniante.*

— que contiene una imputación falsa: *calumnioso.*

calvario 1. Sufrimiento físico o moral intenso de alguien. ☞ **martirio.**

— *El calvario que le has hecho padecer es injusto.*

2. Lugar donde Jesucristo fue torturado y crucificado. ❖ VIACRUCIS.

— *En Semana Santa se representa el calvario en diversas poblaciones.*

calvinismo Sistema teológico fundado por Calvino, que enfatiza la soberanía de Dios y la doctrina de la predestinación, y conjunto de iglesias que profesan este sistema o doctrina. ☞ **protestantismo.**

— que pertenece al calvinismo o se relaciona con él; que es partidario o seguidor del calvinismo: *calvinista.*

calvo, -va Que no tiene pelo o tiene muy poco pelo en la cabeza. ☞ **alopecia.**

— falta de pelo o caída del pelo de la cabeza: *calvicie.*

calzada Avenida por donde circulan los automóviles. ☞ **calle, avenida.**

calzado Cualquier zapato o prenda que cubra el pie. ☞ **zapato.**

calzón 1. Ropa interior femenina que cubre desde la cintura a las ingles. ☞ **calzones.**

— *Tienes que comprarte calzones y fondos.*

— ropa interior masculina: *calzoncillos, calzoncillo, trusa.*

— calzoncillo corto: *slip.*

— ropa interior que cubre desde la cadera hasta las ingles: *bikini.*

2. Pantalón de algodón.

— pantalón abotonado en ambos costados que se usa para montar caballo: *calzoneras.*

— valiente o decidido, terco o empecinado: *calzonudo.*

— flojo o condescendiente: *calzonudo, calzonazos.*

— defecar: *calzonear.*

callar 1. Dejar de hablar alguien o dejar de sonar algo. ☞ **enmudecer.** ❖ HABLAR.

— *Todos callaron al entrar ella a la habitación.*

2. Hacer que alguien deje de hablar.

— *El moderador calló al auditorio y cedió la palabra al ponente.*

— resultado de callar: *callada.*

— acción de callar: *callamiento.*

— hacer que el ruido cese o disminuya: *acallar.*

3. Guardar un secreto. ☞ **omitir.**

— *Calló la verdad en aras de su conveniencia.*

— que es tímido o discreto: *callado.*

calle Camino entre dos filas de casas o edificios o tramo de una vía pública entre dos esquinas. ☞ **avenida, boulevard.**

— que pertenece a la calle o se relaciona con ella: *callejero.*

callo Endurecimiento y engrosamiento de la piel, que aparece por fricción o presión, generalmente en los dedos del pie. ☞ **encallecer.**

— que pertenece al callo o se relaciona con él: *calloso*

— que tiene callos: *calloso.*

cama 1. Mueble usado para acostarse a descansar o dormir. ☞ **lecho, yacija.**
— *Hay que comprarle una cama al niño, ya no cabe en su cuna.*
— cama portátil y angosta que se usa para transportar enfermos: *camilla.*
— persona que transporta enfermos en camillas: *camillero.*
— cama ligera compuesta por un armazón de hierro que se dobla: *catre.*
— conjunto de dos camas, una superpuesta a la otra: *litera.*
— cama para niños pequeños: *cuna.*
— cuna tejida con fibra natural: *moisés.*
2. Porción de alguna cosa que se extiende para formar una capa sobre la que se coloca otra cosa, especialmente verduras y plantas rastreras o enredaderas.
— *Hazle una cama de lechuga a ese pescado, se verá mejor.*

camada 1. Conjunto de hijuelos que un mamífero pare al mismo tiempo. ☞ **lechigada, ventregada.**
— *Mi gata tuvo una camada de cuatro gatitos hace un año y ahora una camada de siete.*
— conjunto de los huevos con las crías en un nido: *nidada.*
— conjunto de pollos que sacan las aves de una sola vez: *pollada.*
2. Conjunto de objetos que se extienden horizontalmente en orden y sobre los cuales se pueden colocar otros.
— *Forma tres camadas de veinte ladrillos cada una para ver si es suficiente para tapar ese hoyo.*

camafeo Piedra preciosa con un relieve tallado y superpuesto al resto de las capas que la integran. ☞ **medallón.**

camaleón (vea ilustración). Pequeño reptil capaz de adaptar su color al de la superficie en que se posa. ☞ **mimetismo.**

camándula Rosario de uno hasta tres dieces. ☞ **rosario.**

cámara 1. Recipiente cerrado, bóveda o recinto donde se producen ciertos fenómenos al abrigo de influencias exteriores.
— *La cámara anecoica sirve para efectuar mediciones acústicas.*
— máquina para retratar: *cámara fotográfica.*
— tipos de cámaras fotográficas: *de fuelle, de prensa, de taller y estudio, estereofotogramétrica, reflex, de telémetro, de bolsillo, miniatura, de disco.*
— persona encargada del manejo de las cámaras en la realización de una película: *camarógrafo, cámara, cameraman.*
2. Aposento o cuarto especial de una casa o edificio, destinado a algo importante. ☞ **aposento.**
— *La cámara real es la habitación de los reyes.*
3. Institución política de un Estado democrático, en la que se reúnen representantes del pueblo a discutir asuntos legislativos o a elaborar leyes, y lugar donde se reúnen.
— *En México hay Cámara de senadores y Cámara de diputados.*
4. Institución civil en la que se reúnen representantes de un gremio para tratar sus asuntos y organizar sus actividades.
— *La cámara de la industria textil se reunirá próximamente.*
5. Tubo de hule lleno de aire que se pone en el interior de una llanta o rueda de un vehículo. ☞ **neumático.**
— *Se le ponchó una llanta y se la arreglaron parchándosela y poniéndole una cámara.*

camarada Compañero de actividades o correligionario de determinados partidos políticos de izquierda. ☞ **colega.** ❖ ENEMIGO.
— sentimiento fraternal y afectuoso entre compañeros: *camaradería.*

camarilla Conjunto de personas que influyen en determinados asuntos, generalmente en decisiones, actos o negocios del Estado o de alguna autoridad.

camauro Gorro papal en forma de casquete. ☞ **papa.**

cambalache Intercambio de objetos o cosas de poco valor. ☞ **trueque.**
— que cambia cosas de poco valor: *cambalachero.*
— intercambiar algo de poco valor: *cambalachear.*

cambiar 1. Dar algo por otra cosa. ☞ **intercambiar, permutar.**
— *He cambiado el producto defectuoso por otro en buenas condiciones.*
— acción y resultado de cambiar una cosa por otra: *cambio.*
— susceptible de ser cambiado: *cambiable.*
— quitarse la ropa puesta y ponerse otra: *cambiarse.*
— dar y recibir golpes dos o más personas que pelean: *cambiar golpes.*
2. Dar una moneda y recibir otra de distinta denominación o nacionalidad.
— *Va a cambiar ese billete de cincuenta mil por cinco de diez mil.*
— moneda fraccionaria: *cambio.*
3. Mover algo de un lugar a otro.
— *El martes que viene cambiamos el librero de la sala a tu despacho.*
— en lugar de: *a cambio de.*
4. Variar, alterar o modificar algo o a alguien de como era antes. ☞ **modificar, transformar.** ❖ PERMANECER.
— *Ha cambiado con los años: se ha vuelto más paciente.*
— que se transforma sucesivamente: *cambiante.*
— propenso a modificaciones constantes: *cambiadizo.*
— sin preámbulos: *a las primeras de cambio.*

cambija Depósito de agua situado en un lugar elevado de las cañerías. ☞ **encambijar, depósito.**
— recoger agua en depósitos para distribuirla: *encambijar.*

cambray Tela blanca y fina parecida al algodón que se usa en lencería. ☞ **algodón, tela.**

camello (vea ilustración de la p. 117). Animal originario de Asia Central que se emplea como medio de transporte en el desierto, debido a su gran resis-

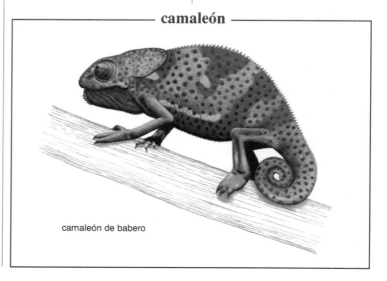

camaleón

camaleón de babero

camello

camello arábigo (dromedario)　　camello bactriano

tencia. En sus jorobas almacena grasa que le permite subsistir sin ingerir alimento.

caminar 1. Ir alguien de un sitio a otro a pie o moverse un animal de un sitio a otro con sus patas. ☞ **andar, marchar.** ❖ QUEDARSE.
— *Como no pasó el camión tuve que caminar desde el metro hasta acá.*
— vía de comunicación: *camino.*
— caminos: *senda, sendero, vía, calle, trecho, vereda, carretera, paseo, calzada, boulevard, subida, bajada, surco, vado.*
— que pertenece al camino o se relaciona con él: *caminero.*
2. Funcionar un mecanismo, un aparato, un vehículo o algo.
— *El negocio camina a duras penas.*

camión Vehículo grande utilizado para transportar pasajeros o mercancías. ☞ **autobús.**

camisa Prenda de vestir masculina con cuello, mangas largas o cortas y una hilera de botones al frente, que se pone directamente sobre el cuerpo o sobre una camiseta. ☞ **blusa.**
— perder bienes y fortuna: *quedarse en camisa, quedarse sin camisa.*

camote Tubérculo comestible y nombre que se emplea para referirse a todo tipo de raíz tuberosa. ☞ **bulbo, batata, boniato.**
— estar en problemas: *tragar camote.*
— estar hecho bolas: *hecho un camote.*

campana 1. Instrumento metálico y hueco en forma de cono que tiene en su interior un badajo que suena al chocar contra las paredes. ☞ **esquila.**
— *Me gusta oír las campanas de la iglesia en este pueblito.*
— cada toque de una campana: *campanada, campanazo.*
2. Instrumento metálico y sonoro, uti-

lizado para llamar la atención de una o más personas.
— *La campana de ese reloj suena muy fuerte.*
3. Objeto cónico y hueco, de diversos materiales, que se emplea para fines diversos, como cubrir alimentos o, especialmente, para permitir la salida del humo de chimeneas o estufas.
— *Acaban de instalar la campana de la estufa de la casa nueva.*

campaña 1. Conjunto de actividades encaminadas a la consecución de un logro en determinado plazo. ☞ **misión.**
— *Hay una campaña de vacunación infantil en mi ciudad.*
2. Duración de las operaciones militares lejos del cuartel.
— *Su hijo murió estando en campaña debido a un accidente.*

campeón 1. El que gana una contienda. ☞ **vencer, ganar, vencedor, ganador.** ❖ PERDEDOR.
— *El campeón en las luchas se llevaba un premio nada despreciable.*
— certamen o competencia deportiva para conseguir el título de campeón: *campeonato.*
— primacía obtenida en una competencia: *campeonato.*
2. Defensor de una causa o persona. ☞ **paladín, adalid.**
— *El campeón de Ximena era el Cid.*

campo 1. Superficie plana de tierra donde se desarrolla la agricultura o hay vida silvestre; terreno que está fuera de las ciudades. ☞ **terreno, labrar, labrantío.** ❖ CIUDAD, URBE.
— *Salir al campo es divertido y saludable.*
— que pertenece al campo o se relaciona con él: *campestre, campal, campero.*
— propio del campo: *campesino.*
2. Extensión de tierra plana donde se practica algún deporte. ☞ **cancha.**

— *El campo de futbol debe tener pasto sobre toda su superficie.*
— árbitro que se encuentra en el lugar donde se efectúa una competencia: *juez de campo.*
3. Todo lo que se encuentra comprendido en cierta actividad o disciplina. ☞ **materia, universo.**
— *El campo de la medicina abarca varias especializaciones.*

camposanto Lugar donde se entierra a los muertos. ☞ **cementerio.**

camuflaje Acción y resultado de encubrir algo. ☞ **ocultar, disimular, esconder.** ❖ MOSTRAR.
— encubrir algo: *camuflar.*

can 1. Extremo de una viga que sobresalga de un muro. ☞ **viga.**
— *Los canes de madera son un adorno en los techos.*
2. Mamífero doméstico. ❖ PERRO.
— *El can es el mejor amigo del hombre.*
— que pertenece a los perros o se relaciona con ellos: *canino.*
— pista para carreras de perros: *canódromo.*
— excremento de perro: *canina.*
— ansia extremada de comer: *caninez.*
— estudio del perro y sus razas: *cinografía.*
— gusto por los perros: *cinomanía.*
— horror a los perros: *cinofobia.*

cana Cabello que se ha tornado blanco. ☞ **pelo.**
— tornarse blanco el cabello: *encanecer.*
— que tiene muchas canas: *canoso, cano.*
— pérdida del color del sistema piloso: *canicie.*
— ser ya una persona anciana o madura: *peinar canas.*
— divertirse alguien que no acostumbra hacerlo: *echar una cana al aire.*

canacuate Serpiente de la familia de los colúbridos, acuática y de gran tamaño.

canal 1. Conducto abierto de agua u otro elemento. ☞ **cauce, acequia.**
— *Esa colonia no tiene canales de desagüe.*
— construir una red de canales: *canalizar.*
— acción de canalizar: *canalización.*
2. Cauce angosto que comunica mares u océanos, o da paso a un puerto.
— *El canal de Panamá y el de Suez son famosos.*
— regularizar el curso de las aguas de un río o cauce: *canalizar.*
3. Banda de frecuencias de una emisora de radio, televisión o teléfonos. ☞ **banda.**
— *La anchura de un canal depende de la frecuencia máxima de la señal con que se va a transmitir.*
— número de ondas emitidas cada se-

gundo por una fuente de radiaciones electromagnéticas: *frecuencia*.

— límite de frecuencias formada entre dos extremos: *banda*.

canalla Hombre que comete una acción vil e indigna. ☞ **villano, malandrín.**

— acción ruin: *canallada*.

— indigno: *canallesco*.

canana Cinturón ancho donde se guardan cartuchos. ☞ **cartucho, cartuchera.**

canapé 1. Panecillo relleno que se acostumbra servir en un brindis. ☞ **boca, bocadillo.**

— *Los canapés que se sirvieron en la boda estaban deliciosos.*

2. Mueble que sirve para recostarse o sentarse. ☞ **diván.**

— *El canapé a veces lleva respaldo.*

canasta 1. Recipiente de mimbre o de palma entretejida, con asas. ☞ **cesto.**

— *El arte de hacer canastas se llama cestería.*

2. Cierto juego de mesa en el que se utilizan naipes o barajas. ☞ **baraja, juego.**

— *En la canasta gana el bando que consiga formar más series de siete cartas del mismo valor.*

cancel 1. Bastidor móvil que se coloca para delimitar espacios dentro de una habitación. ☞ **mampara, biombo.**

— *Los canceles separan las oficinas en cubículos.*

2. Armazón que protege la entrada de los edificios. ☞ **puerta.**

— *Habitualmente se coloca un cancel en las puertas giratorias.*

cancelar Dar por terminado algo. ☞ **anular.** ❖ INICIAR.

— acto y resultado de cancelar: *cancelación*.

canciller 1. Encargado del gobierno en algunos países. ☞ **presidente, gobernar, gobernante, primer ministro, funcionario, dignatario.**

— *Al que detenta el poder ejecutivo se le llama canciller en Alemania.*

2. Funcionario diplomático. ☞ **embajada, diplomacia.**

— *En la carrera de Relaciones Internacionales se estudia todo lo relacionado con los asuntos cancillerescos.*

— organismo donde se dirige todo lo relacionado con la diplomacia: *cancillería*.

— que es de la diplomacia: *cancilleresco*.

cáncer 1. Tumor maligno. ☞ **oncología.**

— transformación de tejido celular sano en células con una estructura y función distintas al tejido anterior: *cancerización*.

— examen microscópico de diagnóstico de una porción de tejido de un cuerpo vivo para determinar anomalías: *biopsia*.

— procedimiento terapéutico consistente en la extirpación de un tumor: *cirugía*.

— reducción de la capacidad de división y proliferación de las células cancerosas mediante radiaciones de isótopos radiactivos o rayos x: *radioterapia*.

2. Cuarto signo del zodiaco que abarca los días entre el 22 de junio y el 22 de julio. ☞ **horóscopo.**

cancerbero Animal fantástico en forma de perro con tres cabezas que cuidaba las puertas del infierno. ☞ **guardián.**

— portero intransigente: *cancerbero*.

cancha Explanada destinada a la realización de ciertos deportes. ☞ **campo, pista.**

— aumentativo de cancha: *canchón*.

— adelantarse a los demás: *abrir cancha*.

— acomodarse de modo que quepan más personas en determinado lugar: *hacer cancha*.

candado Cerradura a manera de una caja metálica con un asa que se sujeta herméticamente al cerrarse. ☞ **cerrar, cerrojo, cierre.**

candela Cilindro de cera u otro material con un mechón de tela torcido en el interior que sirve para alumbrar. ☞ **bujía, vela.**

— utensilio para sostener una candela: *candelero*.

— candelero con varios brazos para sostener varias velas: *candelabro*.

candente Lo que, gracias a las altas temperaturas a las que está sometido, despide luz roja o blanca. ☞ **rusiente, incandescente.**

— estado de candente: *candencia*.

— que es actual y provoca mucho interés: *candente*.

candiota Recipiente grande de barro para almacenar vino. ☞ **tinaja, tonel.**

— conjunto de candiotes: *candiotera*.

— local donde se almacena el vino: *candiotera*.

candor Actitud de sinceridad, pureza y confianza ante los demás. ☞ **inocencia, ingenuo, naïve.** ❖ RECELO, DESCONFIANZA.

— que es ingenuo y sin malicia: *cándido*.

— ingenuidad exagerada: *candidez*.

— que tiene candor: *candoroso*.

— que es blanco: *cande*.

caneca Frasco para almacenar licores. ☞ **licor.**

canéfora Muchacha que en las fiestas griegas y romanas llevaba una ofrenda de flores o frutas. ☞ **doncella.**

canela Corteza de las ramas del canelo, rojiza y de olor aromático, que es utilizada como especia. ☞ **especia.**

— árbol originario de Ceilán de tronco liso: *canelo, canelero*.

— canela molida: *en polvo*.

— canela no molida: *en rama*.

— algo muy bueno: *canela fina*.

— color rojizo: *canelo*.

— prefijo que significa canela: *cinam*.

— que es de la canela: *cinámico*.

canelón Objeto cualquiera alargado y

canguro

canguro rojo

hueco. ☞ **cilindro.**

canesú Pieza superior de algunas prendas de vestir que une la parte delantera y la trasera. ☞ **coser, bata, batita, camisola.**

cangilón Vasija de barro. ☞ **recipiente.**

canguro (vea ilustración de la p. 118). Mamífero marsupial propio de Australia.

caníbal Que come carne de los de su misma especie. ☞ **antropófago.**
— situación de existir caníbales: *canibalismo.*

canica Pequeña esfera de vidrio coloreada con la que juegan los niños.

canícula Época más calurosa del año.
— que es de la canícula: *canicular.*

canijo, -ja 1. Que es débil, enteque, enclenque.
— que por desnutrición o enfermedad es delgado, de corta estatura: *encanijado.*
2. Que actúa de modo alevoso y egoísta. ☞ **canalla, maldito, cabrón.** ❖ BUENO.
— canallada: *canijada.*

canilla Cualquier hueso delgado y largo. ☞ **hueso.**
— carrete en que se devana el hilo en las máquinas de coser: *canilla.*
— devanar el hilo en la canilla: *encanillar.*

canjear Sustituir algo por otro objeto. ☞ **trueque, intercambiar.**
— intercambio: *canje.*
— que puede ser cambiado por otra cosa: *canjeable.*

canoa Embarcación ligera y alargada. ☞ **barco.**
— persona que gobierna la canoa: *canoero.*

canon 1. Norma a seguir. ☞ **precepto.**
— *El canon del buen vestir establece que uno no se ponga pañoletas y corbatas al mismo tiempo.*
2. Todo lo que es aprobado por la Iglesia Católica. ☞ **conciliar, concilio.**
— *Los libros sagrados aprobados por la Iglesia constituyen un canon a seguir.*
— que está ajustado a los cánones: *canónico.*
— de manera canónica: *canonicalmente.*
— siesta antes de comer: *canónica.*
3. Prototipo considerado como el ideal. ☞ **modelo.**
— *La Venus de Milo es el canon de la belleza femenina clásica.*
— composición musical en la que varias voces cantan sucesivamente lo que cantaron las anteriores: *canon.*

canonjía Pago a un eclesiástico. ☞ **prebenda.**
— eclesiástico que trabaja en una catedral: *canónigo.*
— mujer que hace vida conventual sin

haber hecho votos: *canonesa.*
— que está dedicado al derecho canónico: *canonista.*
— favor otorgado: *canonjía.*

canope Vasija que contiene las vísceras de los cadáveres momificados. ☞ **momia, vasija.**

cansar 1. Ocasionar fatiga. ☞ **extenuar.** ❖ DESCANSAR.
— *El viaje fue tan corto e intenso que llegué muy cansado.*
— acto y resultado de cansar: *cansancio.*
— que se da o se hace insistentemente: *sin cansancio.*
— que muestra pocas fuerzas por estar muy cansado: *cansino.*
2. Provocar que algo o alguien cause disgusto y rechazo. ☞ **hastiar, exasperar.** ❖ INTERESAR.
— *Estoy cansada de tanta insistencia.*
— hartarse: *cansarse.*
— que es aburrido: *cansado.*

cantar Emitir con la voz sonidos musicales y armónicos. ☞ **música.**
— que es susceptible de ser cantado: *cantable.*
— que se dedica a cantar: *cantor, cantante, cantador.*
— cantor de profesión: *cantante.*

cántaro Recipiente, habitualmente hecho de barro, ancho de barriga y estrecho de fondo y boca. ☞ **ánfora, jarro.**
— vasija de metal para transportar leche: *cántara.*
— armazón de madera o cemento donde se colocan vasijas y cántaros: *cantarera.*
— jarra de barro sin barnizar: *cantarilla.*

cantera Sitio de donde se extrae piedra. ☞ **piedra.**
— arte de labrar piedras para la construcción: *cantería.*
— obra de piedra labrada: *cantería.*
— labrador de piedra: *cantero.*
— arte de cortar piedras y madera: *estereotomía.*

cantidad Todo lo que puede aumentarse o disminuirse. ☞ **porción, dosis, medir, medida.**
— mucho: *abundante en cantidad, excesivo en cantidad.*

cantil Borde en forma de escalón en la costa o en el fondo del mar. ☞ **acantilado.**

cantimplora Frasco de diversos materiales con cuello estrecho y tapa para llevar una bebida.

cantina Establecimiento donde se venden bebidas alcohólicas y botanas. ☞ **pub, bar, taberna, tasca.**
— lugar en una casa donde se guardan y se sirven las bebidas alcohólicas: *cantina.*
— dueño o persona que atiende una

cantina: *cantinero.*

canto Filo de cualquier objeto. ☞ **borde, extremo.**
— golpe dado con el canto: *cantazo.*
— mueble que ocupa el rincón en una habitación: *cantonera.*
— protección en las puntas de las tapas de los libros: *cantonera.*

cantón División territorial de Suiza. ☞ **distrito, municipio.**
— que es del cantón: *cantonal.*
— sistema político que apoya la división del Estado en cantones autónomos: *cantonalismo.*
— partidario del cantonalismo: *cantonalista.*

cánula Tubo de goma aplicado a diversos usos de carácter médico. ☞ **bitoque.**
— que tiene forma de cánula: *canular.*

canutillo Tubito de vidrio que se cose a la ropa formando figuras como adorno.

cañada Camino entre dos alturas de poca importancia. ☞ **vaguada, quebrada.**

cañaveral Plantío de cañas. ☞ **cañar, cañal, cañedo, cañizal, cañizar.**
— tallo, por lo general hueco y nudoso propio de las plantas gramíneas: *caña, cálamo.*
— diferentes tipos de caña: *caña de bambú, caña de azúcar.*
— parte del calcetín, media o bota que cubre el tobillo o la pierna: *caña.*
— cerco de cañas para pescar en un río: *cañaliega, cañar.*
— trozo de caña: *canuto.*
— golpe dado con una caña: *cañazo.*
— que es de la caña: *cañero.*
— tejido hecho con cañas partidas: *cañizo.*

caño Tubo por donde corren las aguas sucias. ☞ **tubería.**
— serie de tubos utilizada para la conducción de agua: *cañería, tubería.*
— cañería por donde sale el humo de una estufa o una chimenea: *cañón.*

cañón 1. Objeto en forma de tubo.
— *El órgano tiene una serie de cañones.*
2. Parte hueca y flexible de las plumas de aves. ☞ **pluma.**
— *Se le llama cañón a la pluma de ave que no tiene barbas.*
— pelo corto y grueso: *cañón.*
3. Pieza de artillería.
— *El cañón es una pieza de artillería pesada que dispara grandes balas.*
— disparo de cañón: *cañonazo.*
4. Tubo de un arma de fuego por donde sale el proyectil. ☞ **arma.**
— *El cañón de las pistolas, las escopetas y los fusiles es diferente.*
5. Paso estrecho y profundo entre montañas. ☞ **desfiladero.**
— *El Cañón del Sumidero se encuentra en Chiapas.*

caos Confusión y desorden en algo. ☞ **desbarajuste.** ❖ ORDEN.

— anárquico y desorganizado: *caótico.*

capa 1. Prenda de vestir sin mangas que cubre desde la nuca y se va ensanchando hacia abajo. ☞ **manto, capote.**

— *Las capas son prendas que estuvieron especialmente en boga durante el s. XIX.*

2. Lo que recubre algo. ☞ **forro, bañar, baño.**

— *Una capa de azúcar glaseada cubre el pastel.*

— recubrir y freír un alimento con huevo batido: *capear.*

— alimento cubierto de huevo batido y frito: *capeado.*

capacidad 1. Espacio disponible. ☞ **caber, cabida.** ❖ INCAPACIDAD.

— *El avión tiene una capacidad de 500 pasajeros.*

— suficiente para contener lo que se pretende: *capaz.*

2. Aptitud para hacer algo. ☞ **inteligencia, hábil, habilidad.** ❖ INCAPACIDAD.

— *Ha mostrado gran capacidad para la computación.*

— hacer que alguien sea apto para el desempeño de sus funciones mediante cursos de entrenamiento: *capacitar.*

— acción y resultado de capacitar: *capacitación.*

— que está en condiciones de realizar algo: *capaz.*

— que no es apto para hacer algo: *incapaz.*

capar Quitarle a un hombre o a un animal sus órganos genitales. ☞ **castrar.**

— que está castrado: *capado.*

— acto y resultado de capar: *capadura.*

— cicatriz que queda de una castración: *capadura.*

— pollo cebado y castrado: *capón.*

— capadura de gallo: *caponación.*

— hombre castrado que cuida de los harenes: *eunuco.*

caparazón Cubierta dura que protege el cuerpo de algunos crustáceos, insectos y quelonios. ☞ **concha.**

— artrópodo de respiración branquial como la langosta: *crustáceo.*

— animal invertebrado con esqueleto exterior y patas articuladas, como la araña: *artrópodo.*

capataz Persona responsable de la dirección de un grupo de trabajadores o de la administración de una finca. ☞ **encargar, encargado, caporal, mayoral.**

capcioso, -sa Argumento elaborado de modo hábil para que el interlocutor caiga en una trampa. ☞ **artificial, artificioso.**

— que sin ser una mentira induce al engaño: *capciosidad.*

— de manera capciosa: *capciosamente.*

capazo Recipiente tejido de palma para transportar cosas. ☞ **sera, canasta, capacho.**

capelo Sombrero de ala ancha y rojo que usan los cardenales. ☞ **sombrero.**

capialzar Ensanchar un arco, puerta o ventana. ☞ **arco, puerta, ventana.**

— puerta, arco o ventana con un frente alzado: *capialzado.*

— declive de una bóveda: *capialzo.*

capicúa Palabra, frase, cifra que se puede leer al derecho o al revés sin que varíe su contenido.

capilar 1. Que está relacionado con el pelo. ☞ **pelo.**

— *La caspa es un problema capilar.*

— propiedad de los líquidos que hace que se desplacen contra la gravedad cuando se encuentran en un tubo con diámetro muy estrecho: *capilaridad.*

2. Diminutos vasos sanguíneos que unen las arteriolas con las vénulas. ☞ **vena, arteria.**

— inflamación de las capilares: *capilaritis.*

— enfermedad de las capilares: *capilaropatía.*

— examen microscópico de las capilares: *capilaroscopia.*

capilla Iglesia pequeña. ☞ **ermita.**

— habitación donde se vela a un difunto: *capilla ardiente.*

— sacerdote cristiano que da servicio religioso a una institución religiosa o seglar: *capellán.*

— bienes otorgados para el pago de un capellán: *capellanía.*

— recinto en una iglesia católica, con altar e imagen particular: *capilla.*

capirotada 1. Comida típica de México, que se prepara en Semana Santa, hecha de pan frito, miel, pasas y queso.

— *Hay capirotada suficiente para la semana.*

2. Entierro de gente pobre. ☞ **fosa, tumba.**

— *Fue una capirotada muy triste.*

capirote Cucurucho que cubre toda la cabeza. ☞ **capucha.**

— golpe suave dado en la cabeza: *capirotazo.*

capital 1. Ciudad donde residen los poderes que gobiernan un Estado. ☞ **urbe, metrópoli.**

— *Brasilia, la capital de Brasil, fue creada exprofeso para que ahí residieran los poderes gubernamentales.*

2. Que no se puede omitir o desdeñar. ☞ **fundamento, fundamental.** ❖ NIMIO.

— *Es de capital importancia que le*

hagas saber tu decisión.

3. Parte de la riqueza producida que se aplica a la producción de nueva riqueza. ☞ **dinero, bien.**

— *El "capital fijo" son bienes que son útiles a largo plazo y el "capital circulante" son bienes que se transforman para dar lugar a nuevos bienes.*

— conjunto de bienes necesarios para la producción: *capital constante.*

— cantidad de trabajo necesario para la producción de bienes: *capital variable.*

capitán Jefe de un grupo, escuadrón, compañía o banda. ☞ **caudillo, jerarquía, militar.**

— mandar o dirigir un grupo: *capitanear.*

— empleo de capitán: *capitanía.*

capitel Parte superior de una columna. ☞ **columna.**

— partes de un capitel: *ábaco, hélice, cáliz foliado, astrágalo.*

— tablero que corona el capitel de una columna: *ábaco.*

— voluta que adorna un capitel: *hélice.*

— moldura convexa que sostiene un capitel: *astrágalo.*

— adornado con capiteles: *capitelado.*

— edificio majestuoso: *capitolio.*

capítulo Cada una de las divisiones de una obra. ☞ **sección.**

— ordenado en capítulos: *capitulado.*

capitular Rendirse alguien estipulando condiciones. ☞ **entregar, entregarse.**

— acción y resultado de capitular: *capitulación.*

— contrato que incluye las condiciones de un acuerdo determinado: *capitulación.*

— pasaje de la Biblia que se reza después de los salmos: *capítula.*

capó Cubierta del motor del automóvil. ☞ **cofre.**

caporal El que tiene a su cargo el mando de los trabajadores de una hacienda. ☞ **capataz, mayoral.**

capota Techo plegadizo que algunos coches tienen. ☞ **toldo, automóvil.**

capricho Deseo vehemente no fundado en causa razonable. ☞ **antojo.**

— que es voluble e inconstante: *caprichosa, caprichuda.*

— obra breve donde se pone de manifiesto la fantasía del autor: *capricho.*

cápsula 1. Recipiente o envoltura que contiene a un objeto o un órgano.

— *La cápsula adiposa es una envoltura grasosa que rodea y sostiene al riñón.*

2. Envoltura soluble que contiene un medicamento. ☞ **gragea, pastilla.**

— *Por medio de una cápsula, el paciente toma la dosis necesaria de medicamento.*

captar 1. Comprender algo. ☞ **percibir.**
— *No capté el sentido de su discurso.*
— acto y resultado de captar: *captación.*
— que capta: *captor.*
2. Atraer para sí. ☞ **centro, centrar.**
❖ DISGREGAR.
— *Ella capta las miradas de los que la rodean.*
3. Concentrar las aguas en un solo lugar. ☞ **incorporar.**
— *Las aguas del río son captadas por la presa.*
— susceptible de ser captado: *captable.*

capturar 1. Atrapar al o lo que huye. ☞ **aprehender, apresar.** ❖ LIBERAR.
— *Después de una ardua búsqueda, se capturó al ladrón.*
— acto y resultado de capturar: *captura.*
2. Pasar determinada información a la memoria de la computadora. ☞ **teclear, computación.**
— *Los capturistas se encargan de teclear la información de manera que quede almacenada en la memoria de la computadora.*
— proceso mediante el cual determinados datos son almacenados en la computadora: *captura.*

capucha Franja de tela adherida a una prenda de ropa a manera de gorro. ☞ **cachucha, capuchón, gorra, sombrero.**
— conjunto de plumas de la cabeza de un ave: *capucha.*
— capucha que cubre toda la cabeza: *capuchón.*

capulín Árbol americano de la familia de las rosáceas que da una fruta semejante a la cereza.
— fruto de este árbol: *capulín.*
— tamal de capulín: *capultamal.*
— vida regalada: *capulina.*

capullo 1. Botón de flor. ☞ **brote, pimpollo.**
— *Si las flores se compran en capullo duran más tiempo en el florero.*
— algo que aún no está completamente formado: *en capullo.*
2. Cápsula de hilo segregado por las larvas de algunos animales. ☞ **ocal.**
— *Las mariposas se forman en su capullo.*

caquexia Estado de trastorno general y profundo caracterizado por adelgazamiento extremo. ☞ **desnutrición.**
— que sufre de caquexia: *caquéctico.*

caqui Color ocre amarillento verdoso semejante al de los uniformes militares. ☞ **color.**

cara Parte delantera de la cabeza donde se encuentran los ojos, la nariz y la boca. ☞ **rostro, faz.**
— aspecto que presenta una cara de acuerdo a los distintos estados de ánimo: *semblante.*
— cara con gesto de enfado: *jeta.*
— movimiento de las facciones de la cara que expresa estados de ánimo: *gesto.*
— gesto violento: *mueca.*
— gesto hecho con la boca que expresa disgusto o impaciencia: *mohín.*
— gesto exagerado y cómico: *visaje.*
— gesto de enfado en el que se frunce el entrecejo: *ceño.*

carabela Tipo de embarcación antigua de vela con tres palos. ☞ **barco.**

carabina Arma de fuego con un solo cañón más corto que el del fusil. ☞ **mosquete, escopeta, fusil.**
— que es inútil: *eso y la carabina de Ambrosio es lo mismo.*
— soldado que perseguía el contrabando: *carabinero.*

caracola Parte dura que cubre el cuerpo de ciertos moluscos marinos. ☞ **caparazón, concha.**
— animal molusco gasterópodo marino o terrestre que tiene una cubierta en espiral: *caracol.*
— una de las tres partes del oído medio: *caracol.*
— vuelta dada por el caballo: *caracol.*
— hacer giros el caballo: *caracolear.*
— acto de caracolear: *caracoleo.*
— que tiene forma de caracol: *acaracolado.*

carácter 1. Signo escrito. ☞ **letra.**
— *Una computadora puede registrar el número de caracteres de un texto.*
2. Rasgo distintivo transmitido. ☞ **genética.**
— *Heredó el carácter firme de su padre.*
3. Condición o aspecto de algo o alguien. ☞ **tipo, clase.**
— *El acoso de carácter sexual está tipificado como delito.*
— que es típico de un individuo o comunidad: *característico.*
— constituir un rasgo determinado de alguien o algo: *caracterizar.*
4. Aspecto consistente y verdadero de la personalidad de un individuo. ☞ **genio, humor.**
— *El carácter de mi abuela es irascible.*

carámbano Pedazo de hielo que pende de una gotera. ☞ **hielo.**

caramelo Sustancia hecha a base de azúcar fundida y dejada enfriar. ☞ **azúcar, golosina.**
— que está cubierto de caramelo: *acaramelado.*
— revestir un molde con caramelo: *caramelizar.*
— demostrar con mimos y gestos el afecto que se le tiene a la pareja: *estar acaramelado.*

carantoña Muestra de cariño por medio de palabras y gestos afectuosos. ☞ **zalamería.**

carapacho Cubierta dura del cuerpo de las tortugas. ☞ **caparazón, concha.**

carátula 1. Parte anterior y externa de un reloj sobre la que giran las manecillas y donde están impresos los números o señales que indican la hora. ☞ **cara, reloj.**
— *A la carátula de mi cronómetro se le borraron los números.*
2. Maquillaje con que los payasos se pintan la cara. ☞ **careta, cara.**
— *La carátula de los payasos consiste en una boca ancha y roja y una bola en la nariz.*
3. Portada de un libro. ☞ **portada, libro, forro.**
— *En la carátula del libro se encuentra impreso el título.*

caravana 1. Grupo numeroso de personas, vehículos o animales que viajan conjuntamente. ☞ **cáfila, safari.**
— *La caravana partió rumbo al monte.*
— guía de una caravana: *caravanero.*
2. Inclinación de la cabeza como muestra de cortesía.
— *Al invitado se le hicieron muchas caravanas debido a su importancia.*
— hacer caravanas de manera servil: *caravanear.*

caray Palabra que expresa sorpresa o disgusto. ☞ **interjección.**

carbonería Establecimiento donde se vende carbón. ☞ **mineral.**
— combustible sólido y negro formado por la descomposición parcial de sustancias vegetales: *carbón.*

carbunco Enfermedad infecciosa que se presenta en el ganado, transmisible al hombre. ☞ **ántrax.**
— infección carbuncosa: *carbuncosis.*
— que es del carbunco: *carbuncoso.*
— rubí: *carbúnculo.*

carburador Parte del motor de los automóviles donde se mezclan el aire y el combustible que al explotar producen la fuerza impulsiva de un vehículo. ☞ **automóvil.**
— partes del carburador: *filtro de aire, papalote, varilla, pistón, flotador, purverizador, juntas, esprea, leva, válvula, aislador, resorte.*
— mezclar el aire con carburantes gaseosos para hacerlos detonantes: *carburar.*
— acción de carburar: *carburación.*
— combinación del carbono con un metal: *carburo.*
— carburo de hidrógeno: *hidrocarburo.*
— que contiene hidrocarburo: *carburante.*

— quitar total o parcialmente el carburo de un cuerpo: *descarburar*.

carcaj Estuche donde se llevan flechas. ☞ **aljaba.**

carcajada Risa estruendosa. ☞ **reír, risotada.**

— reírse de manera abierta y estruendosa: *reírse a carcajadas, carcajearse*.

— burlarse de alguien o algo: *carcajearse*.

carcamal Persona vieja y decrépita. ☞ **viejo, vejestorio.** ❖ JOVEN.

cárcavo Zanja excavada para diversos usos. ☞ **foso.**

— hacer una fosa: *carcavear*.

— zanja profunda: *carcavuezo*.

— vientre hundido de los animales: *cárcavo*.

— hueco donde se asienta la rueda de los molinos: *cárcavo*.

cárcel Lugar destinado a recluir a las personas que han cometido un delito. ☞ **recluir, prisión, reclusorio, centro de readaptación social.**

— que es de la cárcel: *carcelario*.

— persona encargada de vigilar a los presos: *carcelero*.

— encerrar a alguien en una prisión: *encarcelar*.

— poner en libertad a un preso por orden judicial: *excarcelar, desencarcelar, soltar*.

carcino Prefijo que significa cangrejo. ☞ **prefijo.**

— rama de la zoología que estudia los crustáceos: *carcinología*.

carcomer Destruir o agotar algo debido a la continua acción de un elemento exterior sobre el objeto. ☞ **corroer, roer.**

— insecto cuya larva destruye la madera: *carcoma*.

— polvo residual de la madera roída por el insecto: *carcoma*.

cardar Quitar el exceso de pelo de determinadas fibras. ☞ **pelo, pelar, rapar.**

— instrumento para preparar las fibras: *carda*.

— acción y resultado de cardar: *carda, cardadura*.

— que es especialista en cardar: *cardador*.

— peinado de las cardas: *cardado*.

— porción de lana preparada de una sola vez: *cardada*.

cardenal 1. Prelado católico que forma parte del cónclave para elegir Papa. ☞ **jerarquía.**

— *El Sacro Colegio de consejeros del Papa se compone de setenta cardenales*.

— que es del cardenal: *cardenalicio*.

— dignidad de cardenal: *cardenalato*.

2. Moretón que se forma alrededor de una herida o golpe. ☞ **hematoma.**

— *Debido al accidente, su pierna está llena de cardenales*.

cardiología Rama de la medicina que trata el corazón. ☞ **corazón, miocardio.**

— médico especialista en enfermedades del corazón: *cardiópata*.

— médico especialista en el corazón y en el sistema circulatorio: *cardiólogo*.

— prefijo que significa corazón y estómago: *cardi*.

— que pertenece al o se relaciona con el corazón: *cardiaco, cardiario*.

— persona que padece de alguna afección del corazón: *cardiaco*.

— registro gráfico de las corrientes eléctricas que produce la contracción del músculo cardiaco: *electrocardiograma*.

— aparato que registra las fuerzas eléctricas de los movimientos cardiacos: *cardiógrafo*.

— dolor provocado en el cardias que oprime al corazón: *cardialgia*.

cardumen Grupo de peces que nadan juntos. ☞ **banco.**

carear Enfrentar a dos personas durante un juicio legal. ☞ **confrontar, encarar.**

— acción de carear: *careo*.

carecer No tener algo. ☞ **necesitar.** ❖ TENER.

— privación de algo: *carencia*.

— que pertenece a la carencia o se relaciona con ella: *carencial*.

— que a algo o a alguien le falta una cosa: *carente*.

— falta de algo: *carestía*.

— que el precio de algo suba debido a su escasez: *carestía*.

carenar 1. Hacerle arreglos al casco de una nave. ☞ **casco.**

— *El sitio donde se carena a los barcos se llama carenero*.

— acto de carenar: *carenadura*.

2. Revestir un vehículo de determinado material.

— *La carena es un recubrimiento que se coloca sobre los vehículos para protegerlos y embellecerlos*.

careta Armazón de diversos materiales que semeja la forma de la cara y cubre el rostro. ☞ **máscara, cara.**

— descubrir las intenciones ocultas de alguien: *quitarle la careta*.

carey Materia dura de color ambarino obtenida de ciertas especies de tortuga marina y utilizada en la fabricación de peines y diversos objetos. ☞ **concha.**

carfo Prefijo que significa brizna. ☞ **prefijo, brizna.**

— movimiento de las manos de los moribundos: *carfología*.

cargar 1. Llenar un recipiente de algo. ☞ **poner.** ❖ TIRAR.

— Hay que cargar el tanque con gas.

2. Imponer sobre algo o alguien una obligación o peso excesivo. ☞ **gravar.** ❖ ALIGERAR.

— *La carga impositiva del año pasado fue menor que la actual*.

3. Colocar mercancías en un vehículo para transportarlas. ☞ **transportar.** ❖ DESCARGAR.

— *Los vehículos de carga no pueden circular por ciertas calles de la ciudad*.

— cantidad de algo que de una sola vez se transporta: *carga, cargamento*.

4. Anotar en un registro contable el dinero a favor o en contra.

— *Las compras de fin de año las cargaron a mi tarjeta*.

— cantidad acumulada en un registro contable que debe pagarse: *cargo*.

5. Recaer el peso de algo o alguien sobre otro. ☞ **apechugar.**

— *La madre ha cargado con los gastos de toda la casa*.

caricatura Imagen ridícula que destaca los rasgos característicos de algo o alguien. ☞ **bosquejo.**

— que pertenece a o se relaciona con la caricatura: *caricaturesco*.

— dibujante de caricaturas: *caricaturista*.

— retratar algo o a alguien ridiculizándolo y exagerando sus rasgos característicos: *caricaturizar*.

caricia Demostración afectuosa o de deleite consistente en pasar suavemente las manos o los labios sobre alguien o algo. ☞ **acariciar, rozar, besar, abrazar, roce, beso, abrazo.** ❖ GOLPE.

— hacer caricias: *acariciar*.

— que demuestra afecto: *caricioso, cariñoso*.

— sentimiento afectuoso que se tiene por alguien o algo: *cariño*.

— demostración afectuosa por medio de palabras o caricias: *arrumaco*.

— roce de los labios en señal de afecto: *beso*.

— acto de ceñir el cuerpo de otro con los brazos en señal de afecto: *abrazo*.

— golpe suave de la mano sobre alguien en señal de cariño: *palmada*.

caridad 1. Ayuda que se presta a los necesitados. ☞ **caridad, limosna.**

— *Hay un refrán que dice que "la caridad empieza por la propia casa"*.

2. Virtud teologal que estipula amar a Dios sobre todas las cosas y al prójimo como a sí mismo. ☞ **virtud.**

— *La caridad es un opuesto de la envidia y la animadversión*.

— que pertenece a o se relaciona con la caridad: *caritativo*.

— que ayuda a los demás: *caritativo*.

— pedir limosna: *implorar caridad*.

— acción humanitaria: *obra de caridad*.

caries Enfermedad que produce la destrucción de los tejidos óseos. ☞ **diente.**
— diente corroído por enfermedad: *diente cariado.*
— daño producido por una caries: *cariadura.*
— corroer: *cariar.*
— ocasionar caries: *cariar.*
— padecer caries un diente: *cariarse.*
— que tiene caries: *carioso.*
— amalgama, silicato, cemento, oro o porcelana con que se rellena la parte del diente cariado que ha sido removida: *empaste.*
— foco infeccioso formado alrededor de la raíz del diente: *granuloma.*

cario Prefijo que significa núcleo. ☞ **prefijo, núcleo.**
— proceso de división celular que comienza en la cromatina del núcleo: *cariocinesis.*

carisma 1. Encanto que algunas personas ejercen sobre los demás. ☞ **gracia, magnetismo, simpatía.**
—*Aunque ese actor no es guapo, tiene carisma.*
— que es encantador y atrayente: *carismático.*
2. Don extraordinario concedido por Dios a alguien, tratándose de religión.
—*El poder de curar a los enfermos es un carisma.*

cariz Modo particular en que algo se presenta en determinado momento. ☞ **aspecto.**
— estado atmosférico: *cariz.*

carlanca Collar con púas que se utiliza alrededor del cuello de algunos perros. ☞ **bozal, dogal, collar.**

carieta Lima cuadrada para suavizar el hierro. ☞ **lima.**

carmen Composición poética. ☞ **poesía, verso.**

carmín Sustancia de color rojo encendido que se obtiene principalmente de la cochinilla. ☞ **rojo, grana.**
— de carmín: *carmíneo.*
— insecto hemíptero parecido a la cochinilla que produce una sustancia de color rojo: *quermes.*
— color rojo dado por el quermes: *carmesí.*

carminativo, -va Medicamento o sustancia que provoca la expulsión de gases acumulados en el aparato digestivo. ☞ **expeler, pedo.**
— expeler gases acumulados en el aparato digestivo: *carminar.*

carnada Porción de comida con que se atrae a los animales para cazarlos o pescarlos. ☞ **cebo.**

carnaval Fiesta popular que se celebra en los tres últimos días que preceden a la cuaresma. ☞ **cuaresma.**
— que pertenece a o se relaciona con el carnaval: *carnavalesco, carnaválico.*
— broma propia de carnaval: *carnavalada.*
— personajes que sirven como modelos para los disfraces propios del carnaval: *Arlequín, Colombina, Dominó, Pierrot.*
— elementos propios del carnaval: *antifaces, máscaras, caretas, disfraces, carros alegóricos, desfiles.*

carne Materia muscular y blanda del cuerpo de los animales. ☞ **músculo.**
— animales de carne comestible para el hombre: *reses, cerdos, borregos, aves.*
— carne comestible de los pescados, aves y algunas reses tiernas: *carne blanca.*
— color de carne que se da en todas las representaciones del cuerpo humano: *carnación.*
— cebo de carne: *carnada.*
— animal o planta que se alimenta de carne: *carnívoro.*
— carne deshebrada, deshidratada y salada: *machaca.*
— relativo a la carne: *carnal.*
— que tiene carne: *cárneo.*
— tornarse los tejidos en materia semejante a la carne: *carnificarse.*
— que pertenece a los placeres corporales: *carnal.*
— deleite de la carne: *carnalidad.*
— parte interior de la piel de los animales que ha estado en contacto con la carne: *carnaza.*
— matar las reses: *carnear.*
— establecimiento donde se vende carne: *carnicería.*
— destrozo violento y sanguinario de seres vivos: *carnicería.*
— asesino sanguinario: *carnicero.*
— persona que corta y vende carne: *carnicero.*
— piel con los poros sobresalientes debido al miedo o frío que siente la persona: *carne de gallina.*
— persona a la que se le expone a sufrir algún daño para que otro u otros no lo sufran: *carne de cañón.*
— hermano consanguíneo: *hermano carnal.*
— dos personas unidas por una estrecha amistad: *son uña y carne.*
— persona que tiene una amistad tan estrecha con otra que parecen hermanos: *carnal.*

carné Tarjeta que identifica o acredita a alguien como miembro de una institución. ☞ **carnet.**
— tarjeta de identificación: *carnet de identificación.*
— agenda que registra fechas y actividades: *carnet.*

caro, -ra Lo que cuesta o excede del precio o valor habitual y justo de algo. ☞ **prohibir, prohibitivo.** ❖ BARATO.
— consecuencia inesperada y desagradable de determinada acción: *costar caro.*

carótida Cada una de las dos arterias que rodean el cuello llevando sangre a la cabeza. ☞ **arteria.**

carpa Toldo de lona u otro material que se extiende sobre un armazón que lo sostiene. ☞ **tienda, circo, pabellón.**
— teatro donde se ofrecen espectáculos de tipo popular: *carpa.*

carpeta 1. Cubierta bordada o de tela que se coloca sobre muebles como adorno.
— *Hay carpetas bordadas en forma tan bella que parecen filigrana.*
2. Cartera de diversos materiales que sirve para guardar hojas. ☞ **block, cuaderno.**
— *Las carpetas actuales tienen dibujos en la portada y están forradas de plástico.*
— dar por terminado un asunto o expediente: *dar carpetazo.*

carpintería Taller donde se trabaja la madera. ☞ **madera.**
— persona que transforma la madera en diversos objetos: *carpintero.*
— realizar trabajos de carpintería sin dedicarse completamente a esa actividad: *carpintear.*
— carpintero que trabaja en los buques: *calafate.*
— cerrar las junturas de las tablas de madera de los buques: *calafatear.*
— arte de cortar piedras y madera: *estereotomía.*
— arte de fabricar muebles con maderas finas: *ebanistería.*
— persona que se dedica a hacer trabajos sobre maderas finas: *ebanista.*
— arte de cortar y calar la chapa de madera para formar figuras: *marquetería.*
—herramienta de hierro que asegura los maderos sobre los bancos: *barrilete.*
— pieza de madera con una cuchilla movible que alisa la madera: *cepillo.*
— laminilla que se arranca de la madera al cepillarla: *viruta.*
— instrumento que sirve para abrir canales en los maderos: *acanalador.*
— trabajar la madera con listones: *listonar.*
— instrumento cortante con que se agujera la madera: *taladro.*
— herramienta compuesta de un mango y una cabeza de hierro que sirve para clavar, desclavar o golpear la madera: *martillo.*

— instrumento de acero con la superficie rasposa que sirve para lijar: *lima*.

— madero grueso que sirve como mesa para las labores de la carpintería: *banco*.

— hoja de acero afilada y dentada sujeta a un mango que sirve para cortar madera: *sierra*.

carpir Limpiar la tierra de hierba. ☞ **escardar.**

— peine de púas gruesas: *carpidor, escarpidor*.

carpo Parte de la mano que se articula con el antebrazo. ☞ **muñeca, mano, tarso.**

— que pertenece a o se relaciona con la muñeca y las falanges: *carpofalángico*.

— que pertenece a o se relaciona con el carpo y el metacarpo: *carpometacarpiano*.

— que pertenece o se relaciona con el carpo y el pie: *carpopedal*.

— primer hueso exterior de la primera fila del carpo: *escafoides*.

— parte de la mano entre el carpo y los dedos: *metacarpo*.

carpófago, -ga Animal que se alimenta de frutos. ☞ **fruto, alimento.**

— fruto formado por carpelos diferentes: *carpoclorizo*.

— hoja modificada que contiene los óvulos de una flor: *carpelo*.

— parte de la botánica que estudia al fruto de las plantas: *carpología*.

— caída prematura del fruto: *carpoptosis*.

— enfermedad de las plantas en que producen frutos en exceso: *carpomanía*.

carraspear Producir o sentir una aspereza en la garganta. ☞ **toser, garganta.**

— aspereza en la garganta que impide tragar saliva: *carraspera*.

— acto de carraspear: *carraspeo*.

— que padece carraspera crónica: *carrasposo*.

— áspero: *carraspeño*.

carrera 1. Acto de trasladarse con prisa de un sitio a otro. ☞ **correr, prisa.** ❖ LENTITUD.

— *Vine de carrera a entregarte el documento.*

— hacer algo de manera apresurada debido a una presión externa determinada: *a las carreras*.

— hacer algo sin cuidado: *a la carrera*.

2. Competencia de velocidad entre personas, animales o vehículos.

— *En el hipódromo se juegan carreras de caballos.*

— carrera de caballos donde se instalan vallas que el animal tiene que saltar guiado por su jinete: *de obstáculos*.

3. Curso aparente que sigue un astro. ☞ **astro, órbita.**

— *Los planetas del Sistema Solar van en carrera alrededor del Sol.*

4. Estudios a nivel profesional o técnico que capacitan a alguien en determinada actividad. ☞ **profesión.**

— *Las carreras profesionales tienen una duración de cuatro a seis años.*

— seguir estudios profesionales: *hacer una carrera*.

— dedicarse a determinada ocupación con éxito: *hacer carrera*.

— que tiene dedicación absoluta a su profesión: *profesor de carrera*.

5. Viga que sostiene a otras en una construcción. ☞ **viga.**

— *La carrera enlaza elementos en una armadura.*

— línea de puntos que se descosen de un tejido: *carrera en la media*.

carrete Cilindro que sirve para enredar o devanar hilos. ☞ **bobina.**

carro Vehículo de ruedas. ☞ **automóvil, coche.**

carril Surco que señala el paso de un vehículo. ☞ **rodera.**

— vía de ferrocarril: *carril*.

carrillo Parte carnosa de la cara. ☞ **mejilla, cachete.**

— que tiene cachetes abundantes: *carrilludo*.

— grasa de la mejilla del cerdo: *carrillada*.

carriola Andadera para bebés. ☞ **andar, andadera.**

carroña Carne podrida. ☞ **cadáver, carne.**

carrusel Artefacto que consiste en una serie de caballitos de madera que dan vueltas sobre una tarima. ☞ **tiovivo, redondel, juego.**

carta 1. Papel escrito que se envía de una persona a otra para decirle algo y que generalmente va dentro de un sobre. ☞ **misiva, despacho, fax, correo.**

— *Mándame cartas cuando estés en el extranjero.*

— constitución de un país: *Carta Magna*.

— mandar y recibir cartas entre dos personas: *cartearse*.

— mensaje con remitente desconocido: *anónimo*.

— el que envía una carta: *remitente*.

— a quien va dirigida una carta: *destinatario*.

— trato entre personas o instituciones por correo: *correspondencia*.

— conjunto de cartas enviadas o recibidas: *correspondencia*.

— institución que organiza el envío y la recepción de documentos: *correo*.

— oficina que organiza la correspondencia en una localidad: *administración de correos*.

— lo que se añade a una carta ya firmada: *posdata*.

— cubierta de papel en que se guarda una carta: *sobre*.

— sello engomado con determinado valor que se adhiere al sobre para enviar una carta: *timbre*.

— pagar previamente el porte de una carta por el correo: *franquear*.

— cantidad que se paga por enviar una carta o transportar algo: *porte*.

— empleado de correos que entrega las cartas a domicilio: *cartero*.

— acto de cartearse: *carteo*.

2. Tarjeta con diseños determinados que conforma la baraja. ☞ **naipe, baraja.**

— *Con las cartas se puede jugar pókar.*

— conjunto de naipes con que se practican diversos juegos de azar: *baraja*.

— imagen de un animal o ser humano dibujada en una carta: *figura*.

— figuras de las cartas: *sota, caballo y rey*.

— cada una de las cuatro series de cartas en que se divide la baraja: *palo*.

— palos de la baraja: *copa, diamante, espada y corazón*.

— carta que hace las veces de cualquier otra, según el juego de que se trate: *comodín*.

— intervenir en determinada situación: *tomar cartas en el asunto*.

— adivinar el porvenir por medio de la lectura de los naipes de la baraja: *echar las cartas*.

— mapa: *carta geográfica*.

— menú: *carta*.

— pedir el menú a propia elección: *pedir a la carta*.

— combinaciones de figuras de las cartas: *echar las cartas*.

— comportarse astutamente para lograr los fines propuestos: *jugar bien las cartas*.

— adivinación por medio de cartas: *cartomancia*.

— mostrar las verdaderas intenciones: *poner las cartas sobre la mesa, poner las cartas boca arriba*.

cartapacio Conjunto de papeles en una carpeta. ☞ **fólder.**

cartel 1. Aviso o anuncio que se coloca adherido a un muro. ☞ **póster, afiche.**

— *Anualmente se convoca a un concurso de diseño de carteles para anunciar el festival de la escuela.*

— cartel grande: *cartelón*.

— marco para colocar todo tipo de carteles: *cartelera*.

— sección del periódico donde se anuncia la programación diaria de películas: *cartelera cinematográfica*.

— sección del periódico donde se anuncia la programación diaria de obras de teatro: *cartelera teatral.*

2. Organización de varios grupos para obtener un fin común. ☞ **inteligencia.**

— *Los carteles de la mafia son tristemente famosos.*

— tener buena forma: *tener cartel.*

— dar la lista de toreros en una corrida de toros: *dar el cartel.*

— dar la lista de actores en una representación teatral: *dar el cartel.*

cartera Estuche de diversos materiales y tamaños utilizado para guardar documentos y dinero. ☞ **moneda, monedero.**

— ladrón de carteras: *carterista.*

— listado de determinados elementos con que alguien cuenta: *cartera de...*

— cuaderno pequeño con diversos datos: *cartilla.*

— documento que acredita la realización del servicio militar: *cartilla militar.*

— reprender a alguien a modo de enseñarle lo que se debido: *leerle la cartilla.*

cárter Estuche de metal de diversas partes de un motor. ☞ **motor.**

cartílago Tejido conjuntivo elástico y membranoso. ☞ **conjuntivo.**

— membrana que protege el cartílago: *pericondrio.*

— tipos de cartílago: *hialino, de fibras elásticas, fibrocartílago blanco.*

— cartílago firme y elástico: *hialino.*

— cartílago sumamente flexible que se encuentra principalmente en ciertas zonas de la laringe: *de fibras elásticas.*

— cartílago con asas compactas de fibras colágenas: *fibrocartílago blanco.*

— que tiene consistencia gelatinosa: *cartilaginoso.*

— que pertenece a o se relaciona con los cartílagos: *cartilaginoso, cóndrico.*

— inflamación del tejido cartilaginoso: *condritis.*

— parte de la anatomía que estudia los cartílagos: *condrología.*

— descripción de los cartílagos: *condrografía.*

— tumor del tejido cartilaginoso: *condroma, condrocele.*

— parte cartilaginosa del esqueleto de los vertebrados: *condroesqueleto.*

— planta que da frutos cartilaginosos: *condrocarpo.*

— formación de tejido cartilaginoso: *condrificación.*

— parecido al cartílago: *condroide.*

— reblandecimiento del tejido cartilaginoso: *condromalacia.*

cartivana Tira de papel colocada en la orilla de las hojas de un libro o cuaderno para que se pueda encuadernar. ☞ **escartivana, encuadernar.**

cartografía Trazado de cartas geográficas. ☞ **mapa.**

— que pertenece a o se relaciona con el trazado de mapas: *cartográfico.*

— persona que hace mapas: *cartógrafo.*

— medición de las líneas en las cartas geográficas: *cartometría.*

— aparato que mide las líneas geográficas en los mapas: *cartómetro.*

cartomancia Adivinación del futuro por medio de los naipes de la baraja. ☞ **adivinación, baraja.**

— que practica la cartomancia: *cartomántico.*

— que pertenece a o se relaciona con la cartomancia: *cartomántico.*

cartón Pliegos de papel viejo prensados en un bloque grueso. ☞ **papel.**

— obra hecha de cartón: *cartonaje.*

— fabrica de cartón: *cartonería.*

— que pertenece a o se relaciona con el cartón: *cartonero.*

— cartón delgado y de más calidad: *cartulina.*

cartucho Estuche que contiene una carga explosiva. ☞ **bala, casquete.**

— prenda donde se llevan los cartuchos: *cartuchera.*

carúncula Colgajo carnoso que bajo el pico poseen algunos animales, por lo general las aves como los gallos y guajolotes. ☞ **carne, cresta, barba.**

— que pertenece a o se relaciona con las carúnculas: *caruncular.*

— que posee carúnculas: *carunculado.*

casa 1. Construcción destinada a vivienda. ☞ **morada, departamento, hogar, vivir, domicilio, vivienda.**

— *Una casa es el hogar de las familias.*

— miembros de una familia con antecedentes de nobleza: *casa.*

— burdel: *casa de citas, casa non sancta.*

— orfanatorio: *casa cuna.*

— iglesia: *casa de Dios, casa de oración.*

— lugar donde ha residido una familia por generaciones: *casa solariega.*

— frase que implica que un matrimonio debe tener un lugar propio para vivir: *el casado, casa quiere.*

— casa grande y ostentosa: *caserón, casona.*

— pequeña construcción de cuatro paredes para diversos usos: *caseta.*

— que no se ha fabricado de modo industrial: *casero.*

— persona dueña de una vivienda con respecto al que le paga una renta por ella: *casero.*

— vivienda independiente: *casa.*

— vivienda en conjunto con otras: *departamento.*

— vivienda destartalada y pequeña: *casucha.*

— el que es dueño de una o varias casas: *casateniente.*

2. Establecimiento comercial. ☞ **empresa, industria.**

— *La casa matriz de la editorial se encuentra en E.U.A.*

casaca Prenda de vestir con faldones y manga ajustada que se usaba en la antigüedad. ☞ **chaqueta.**

casar 1. Unir civil o religiosamente a dos personas en matrimonio. ☞ **desposar, matrimonio.** ❖ DIVORCIARSE.

— *En México, el casarse por la Iglesia no está reconocido legalmente.*

— que propone o interviene para que se realice una boda: *casamentero.*

— acto de casar o casarse: *casamiento.*

— fiesta de celebración de una boda: *casorio.*

— ceremonia de bodas: *casamiento.*

— dote que aporta la esposa que no puede disfrutar hasta que no tenga hijos: *axovar.*

— pacto que se hace entre los futuros esposos sobre las condiciones del matrimonio a celebrarse: *capitulación.*

— caudal que aporta la mujer al casarse: *dote.*

— ropa y muebles que la mujer aporta al matrimonio: *ajuar.*

— parentesco ocurrido por matrimonio: *alianza.*

— aro que intercambian los novios en la ceremonia religiosa cristiana: *anillo, argolla.*

— trece monedas que en la ceremonia religiosa católica entrega el desposado a la desposada: *arras.*

— regalos de boda que da el novio a la novia: *donas.*

— relativo al matrimonio: *conyugal.*

— casado por segunda vez: *bínubo.*

— casado dos veces: *bígamo.*

— boda: *himeneo, nupcias.*

— persona que se casa: *contrayente.*

— mujer recién casada: *novia, desposada.*

— varón recién casado: *novio, desposado.*

— mujer que acompaña y asiste a los novios durante la celebración de la boda: *madrina.*

2. Organizar dos elementos de modo que coincidan. ☞ **corresponder, coincidir.** ❖ DISPAREJO.

— *Los retazos de tela no casan en cuanto al color o la textura.*

cascabel Esfera hueca que contiene una partícula de metal que, al moverla, suena.

— sonido producido por cascabeles: *cascabeleo.*

— algazara: *cascabeleo.*

— persona alegre: *cascabelera.*

— atreverse alguien a hacer algo que a los demás les parece difícil: *ponerle el cascabel al gato.*

cascada 1. Caída de agua de una corriente. ☞ **catarata.**

— *Las cascadas se aprovechan para obtener energía eléctrica.*

— despeñadero profundo por donde cae agua: *salto.*

2. Serie de elementos en el que cada uno actúa sobre el otro. ☞ **serie.**

— *Los males le sobrevinieron en cascada.*

3. Voz que carece de fuerza y entonación. ☞ **gutural.**

— *Tenía la voz cascada por los años y la bebida.*

cascajo Pedazos menudos de cualquier objeto duro. ☞ **grava.**

— lugar donde hay mucho cascajo: *glera, cascajar.*

— arena menuda que se coloca en un camino para igualarlo: *recebo.*

— fragmentos de ladrillo: *cascote, ripio.*

— piedrecillas desprendidas de las rocas por la acción del tiempo: *rocalla.*

— piedra machacada: *almendrilla, balasto, grava, guijo.*

— piedra machacada colocada entre los rieles de una vía de tren: *balasto.*

— piedra menuda: *casquijo.*

— reducir algo a cascajo machacándolo: *cascamajar.*

— abundante en piedras: *cascajoso.*

cascar 1. Romper algo que tiene estructura quebradiza. ☞ **quebrantar.**

— *Todos los frutos de cáscara dura se cascan.*

— artefacto de metal que rompe los frutos de cáscara dura: *cascadera.*

— acción de cascar: *cascadura.*

— que casca: *cascante.*

— instrumento para pelar nueces: *cascanueces.*

— instrumento para pelar piñones: *cascapiñones.*

— corteza de los frutos y árboles: *cáscara.*

— de cáscara gruesa: *cascarudo.*

— laminilla de metal que recubre varios objetos: *cascarilla.*

— envoltura dura y quebradiza del huevo: *cascarón.*

— persona inexperta: *recién salida del cascarón.*

casco 1. Pieza de cualquier material duro que envuelve y protege la cabeza. ☞ **gorro, sombrero.**

— *El morrión es una casco con un ala y un adorno en medio que lo divide en dos.*

— parte de la armadura que protege la cabeza: *casco.*

— fragmento de vasija: *casco.*

— parte del sombrero que se ajusta en la cabeza: *casco.*

— parte del sombrero que sobresale de las cabeza: *ala.*

— prenda que cubre la cabeza: *casquete.*

— corte de pelo que sólo cubre el cráneo: *casquete corto.*

— persona informal e irreflexiva: *de cascos ligeros.*

2. Parte dura del pie de los caballos. ☞ **suelo, uña, bajo.**

— *En los cascos de los caballos se clava la herradura.*

— parte blanda y flexible de los cascos: *ranilla.*

— parte blanda y flexible en la parte inferior y posterior de los cascos: *pulpejo.*

— segunda tapa de los cascos: *saúco.*

— cubierta córnea que cubre los cascos: *tapa.*

— caballo que tiene los cascos altos, redondos y huecos: *casquiacopado.*

— caballo con cascos blandos: *casquiblando.*

— caballo con cascos anchos: *casquiderramado.*

— caballo con cascos pequeños y duros: *casquimuleño.*

— caballo con la palma de los cascos irritada: *gafo.*

— animal con mucho casco en los pies: *cascudo.*

— tienda donde se venden los despojos que no son carne de las reses: *casquería.*

caseína Sustancia albuminoidea que se encuentra en la leche. ☞ **queso, leche.**

— prefijo que significa queso: *case.*

— relativo al queso: *caseoso.*

— parte caseosa y grasosa de la leche que por la acción del calor se separa formando una masa con la que se prepara el queso: *cuajada.*

— acción de endurecerse la leche: *caseación.*

— unir los elementos de un líquido y convertirlo en sólido: *cuajar.*

— sustancia contenida en una de las cuatro cavidades del estómago de los rumiantes que aún no pacen y sirve para cuajar la leche: *cuajo.*

— fermento que disuelve la albúmina y coagula la caseína de la leche: *caseasa.*

— sustancia formada por carbono, hidrógeno, oxígeno y azufre que se encuentra en la leche: *albúmina.*

— con las características de un albuminoide: *albuminoideo.*

— constituyente nitrogenado coloidal de la materia viva: *albuminoide.*

— separar la caseína de la leche: *caseificar.*

— acción de caseificar: *caseificación.*

— transformar en caseína: *caseificar.*

caserna Bóveda construida abajo de los bastiones de una fortificación. ☞ **fortaleza.**

casi Partícula gramatical que expresa la idea de aproximación a la realización de algo.

casilla Espacio cuadrangular en una hoja de papel o en un tablero. ☞ **cuadrícula.**

— ocasionar el disgusto de alguien: *sacarlo de sus casillas.*

— mueble con pequeños espacios separados para guardar diversas cosas: *casillero.*

casimir Tela de lana muy fina con que se hacen los trajes para caballero. ☞ **tela.**

casino Lugar perteneciente a una sociedad donde se juega y se organizan convivios. ☞ **club, timba, garito.**

casís (vea recuadro de bebidas). Licor preparado con un fruto semejante a la grosella. ☞ **licor.**

casmodia Enfermedad consistente en bostezar frecuentemente. ☞ **bostezar, oscitación.**

— enfermedad en que se bosteza con frecuencia: *oscitante.*

caso 1. Conjunto de circunstancias posibles en determinado momento.

— *En caso de divorcio voluntario, el trámite es más rápido.*

— persona que no va a dejar de actuar indebidamente: *caso perdido.*

— situación específica: *caso particular.*

— frase que resume una situación: *el caso es que...*

— expresión que indica una posibilidad: *en caso de que...*

— frase que indica que, pase lo que pase, las cosas se harán como se tenían previstas: *en cualquier caso...*

— frase que niega parcialmente lo que se había dicho: *en todo caso...*

— frase que indica una solución después de que todas las demás no han dado resultado: *en último caso...*

— no prestar atención: *hacer caso omiso, no hacer caso.*

— frase que expresa la inutilidad de determinada acción: *no haber caso.*

— frase que expresa indiferencia ante una situación: *para el caso...*

— ser algo o alguien inoportuno: *no venir al caso.*

2. Variación que una palabra tiene en relación con otra en una misma oración. ☞ **declinación.**

— *Existen seis casos: ablativo, acusativo, dativo, genitivo, nominativo y vocativo.*

— caso que expresa la función de complemento en determinadas lenguas: *ablativo.*

— caso que indica el complemento directo del verbo: *acusativo.*

— caso que indica el complemento indirecto del verbo y va precedido por las preposiciones "a" y "para": *dativo.*

— caso que denota relación de propiedad y que habitualmente es antecedido por la preposición "de": *genitivo*.

— caso que designa el sujeto de la significación del verbo y no lleva preposición: *nominativo*.

— caso que sirve para llamar, nombrar o invocar: *vocativo*.

— posibilidad que tiene una palabra para adoptar distintas formas en distintos casos: *declinación*.

caspa Membranilla córnea, delgada y blancuzca que se forma en la raíz del pelo. ☞ **fórfola.**

— quitar la caspa: *descaspar, escoscar*.

— persona que tiene o es proclive a tener caspa: *casposa*.

— peine para quitar la caspa: *caspera*.

casquillo Aro metálico con que se refuerza, protege o cubre algo. ☞ **abrazar, abrazadera.**

casquivano, -na Persona informal y de poco juicio. ☞ **ligero, liviano.** ❖ SERIO, FORMAL.

casta 1. Generación que comparte rasgos comunes. ☞ **especie, linaje, raza.**

— *La casta de los doberman es una cruza*.

— persona que manifiesta poco cariño a los parientes: *descastado*.

— mejorar una raza de animales cruzándola: *encastar*.

— procrear: *encastar*.

— persona con cualidades excepcionales en su tipo: *de casta*.

— de buen origen: *castizo*.

— lenguaje puro y sin mezcla de voces

extrañas: *castizo*.

— persona que pugna por la pureza del lenguaje: *casticista, purista*.

— cualidad de castizo: *casticidad, casticismo*.

2. Habitantes de una comunidad que forman una clase especial. ☞ **clase.**

— *La India es una sociedad de castas*.

— persona perteneciente a la primera casta de la India (sacerdotes): *brahmán*.

— nombre griego de los brahmanes: *gimnosofista*.

— persona que pertenece a la segunda casta (guerreros y nobles): *chatria*.

— miembro de la tercera casta (agricultores y servidores): *sudra*.

— individuo de la casta a la que pertenecen los comerciantes: *vaisia*.

— persona de clase ínfima no incluida dentro del sistema de castas: *paria*.

castañetear Chocar los dientes moviendo las mandíbulas. ☞ **diente.**

— instrumento de percusión formado por dos mitades de madera que se frotan y chocan entre sí: *castañuelas*.

— tocar las castañuelas: *castañetear*.

— producir sonidos al chocar las articulaciones del cuerpo: *castañetear*.

— sonido que resulta de hacer resbalar la yema del dedo anular para que choque con el pulpejo: *castañeta*.

castidad Abstención de actividades de carácter sexual. ☞ **continencia.** ❖ LUJURIA.

— persona que se abstiene del trato sexual o sólo practica lo que considera virtuoso: *casta*.

— promesa que hacen los religiosos de no tener intercambio sexual: *voto de castidad*.

— cinturón usado en la época medieval especialmente diseñado para que la mujer no pudiera practicar el coito: *cinturón de castidad*.

castigar Infligir un daño a alguien. ☞ **mortificar, perjudicar.** ❖ PREMIAR.

— pena que se impone a alguien: *castigo*.

— mermado: *castigado*.

— pena vergonzosa para el que la sufre: *castigo infamante, castigo afrentoso*.

— suspender una pena: *levantar el castigo*.

— imposición de una pena muy severa que se convierte en un escarmiento para los otros: *castigo ejemplar*.

— castigar duramente a alguien para que no vuelva a cometer la falta: *escarmentar*.

— relativo al castigo: *punitivo*.

— que merece castigo: *punible*.

— castigar: *punir*.

castillo (vea ilustración). 1. Edificio fortificado que abunda en la época medieval. ☞ **palacio, fortaleza.**

— *Los castillos habitualmente estaban rodeados por un foso*.

— partes de un castillo: *foso, puente levadizo, portillo, puerta de salida, muros, parapeto, muralla, troneras, escudo, baluarte, torreón, almenas, barbacana, vigía, mirador, campanario, torre*.

castillo

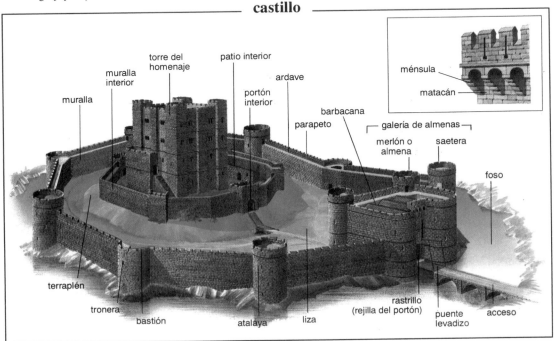

méns ula
matacán

muralla
muralla interior
torre del homenaje
patio interior
portón interior
ardave
parapeto
barbacana
galería de almenas
merlón o almena
saetera
foso
terraplén
tronera
bastión
atalaya
liza
rastrillo (rejilla del portón)
puente levadizo
acceso

— excavación alargada alrededor de una fortaleza: *foso*.

— puente colocado encima del foso que se levanta o baja a voluntad: *levadizo*.

— abertura en la muralla del castillo: *portillo*.

— pared de piedra que rodea una fortaleza: *muro, muralla*.

— barandilla que sirve para defenderse de un ataque: *parapeto*.

— agujero redondo abierto en las fortificaciones para disparar: *troneras*.

— saliente pentagonal en los ángulos de las fortificaciones: *baluarte, bastión*.

— construcción alta y estrecha que sobresale en una fortaleza: *torreón*.

— prismas que rematan la parte superior de las murallas: *almenas*.

— construcción aislada que defiende una fortaleza: *barbacana*.

— gobernador de un castillo: *castellano*.

— señora de un castillo: *castellana*.

— lugar donde hubo o hay castillos: *castellar*.

castrar Quitar los órganos sexuales a los animales. ☞ **capar.**

— acción de castrar: *castración*.

— persona que debilita la voluntad de alguien: *castradora*.

— persona encargada de privar a un animal de los órganos sexuales: *castrador*.

— cicatriz que queda después de una castración: *castradura*.

— temor inconsciente de verse privado de los órganos sexuales: *complejo de castración*.

— extirpar o inutilizar los órganos de reproducción masculinos: *emascular*.

— provocar que un animal no sea apto para reproducirse: *esterilizar*.

— colocar un anillo en las partes genitales para impedir el coito: *infibular*.

— toro castrado: *buey*.

— hombre o animal castrado: *capón*.

— pollo castrado y cebado: *capón*.

— macho cabrío castrado: *castrón*.

— puerco castrado: *castrón*.

— animal no castrado: *cojudo*.

— hombre castrado: *espadón, soprano*.

— hombre castrado que cuida de las mujeres de un harén: *eunuco*.

— oveja castrada: *renil*.

castrense Propio de la vida militar. ☞ **militar.** ❖ CIVIL.

casual Lo que ocurre sin tener un plan predeterminado. ☞ **azar, imprevisto, fortuito.** ❖ PLANEADO.

— combinación de circunstancias imprevisibles: *casualidad*.

— de modo imprevisto: *casualmente, por casualidad*.

casuística Conjunto de ejemplos que sostienen una teoría. ☞ **caso.**

— tratadista de casuística: *casuista*.

— relativo a la casuística: *casuístico*.

casulla Túnica que usan los sacerdotes para celebrar misa. ☞ **sacerdote.**

— lista que cae verticalmente en la parte central de la casulla: *cenefa*.

— casulla que tiene más corta la parte delantera: *planeta*.

— especialista en hacer casullas y otros elementos de culto: *casullero*.

catabolismo Fase del metabolismo que implica la liberación de energía y la desintegración de materia compuesta dentro del organismo. ☞ **metabolismo, anabolismo.**

— fase constructiva del metabolismo: *anabolismo*.

cataclismo Gran trastorno de orden material o social. ☞ **diluvio.**

— trastorno del globo terráqueo producido por agua: *cataclismo*.

— historia de los diluvios: *cataclismología*.

catacresis Figura retórica que consiste en alterar el significado de las expresiones dando un nombre a un objeto que carece de nombre en especial. ☞ **tropo.**

— *Mi casa es tu casa*.

catacumbas Túnel subterráneo en el que se enterraba a los muertos. ☞ **ataúd.**

catacústica Parte de la física que estudia las propiedades del eco. ☞ **eco.**

catadrióptica Parte de la física que estudia la reflexión y la refracción de la luz. ☞ **luz.**

— aparato compuesto de espejos y lentes: *catadióptrico*.

catafalco Imitación de un sepulcro colocado en una iglesia para celebrar un funeral. ☞ **funeral.**

catalejo Anteojo para ver a larga distancia. ☞ **anteojo.**

catalepsia Suspensión de la movilidad y sensibilidad de los músculos. ☞ **cataplexia.**

— catalepsia en los animales en la que imitan la muerte cuando se sienten amenazados: *cataplexia*.

— atacado de catalepsia: *cataléptico*.

catálisis Modificación en una reacción química inducida por un elemento que permanece químicamente inalterado al final de la misma. ☞ **química, reacción.**

— sustancia que provoca una reacción química y hace que la misma se continúe bajo distintas condiciones: *catalizador*.

— relativo a la catálisis: *catalítico*.

— artefacto que contiene un catalizador que convierte el humo expelido por los automóviles en vapores menos dañinos: *convertidor catalítico*.

catalogar Ordenar documentos llevando un registro de los mismos. ☞ **clasificar, sílaba, sílabo.** ❖ DESORDENAR.

— inventario detallado de ciertos documentos o mercancías: *catálogo*.

— persona que arma catálogos: *catalogador*.

— acción de catalogar: *catalogación*.

— susceptible de ser catalogado: *catalogable*.

— relación de los elementos existentes en algo: *elenco*.

— mueble donde se guardan clasificadas pequeñas tarjetas con determinada información: *fichero*.

— lugar donde se conservan documentos: *archivo*.

catalótico, -ca Remedio para quitar las cicatrices. ☞ **cicatriz.**

catamenial Lo que se relaciona con la función menstrual. ☞ **menstruación.**

cataplasma Retazos de tela apelmazada empapada con un ungüento curativo. ☞ **bizma.**

— medicamento líquido que se coloca en paños: *fomento*.

— preparado sólido y resinoso utilizado con fines curativos: *emplasto*.

— cataplasma de ceniza y otros ingredientes: *cernada*.

— líquido graso empleado en fricciones: *embroca*.

— remedio aplicado sobre la piel: *apósito, tópico*.

— apósito hecho con polvos de mostaza: *sinapismo*.

— medicamento que ablanda las partes hinchadas: *demulcente, emoliente*.

— hacer que se mitigue una inflamación: *resolver*.

— medicamento que atenúa una inflamación o irritación: *resolutivo*.

cataplexia Embotamiento repentino de la sensibilidad de una parte del cuerpo. ☞ **catalepsia.**

catapulta Maquinaria de guerra con la que se lanzaban piedras. ☞ **arma.**

— caer pesada e inesperadamente sobre alguien o algo: *caer como catapulta*.

catar Probar algo para analizar su condición o sabor. ☞ **probar.**

— acto y resultado de catar: *cata, catadura*.

— el que cata: *catador*.

— hacer un orificio en algo para examinar su condición: *calar*.

catarata 1. Salto grande de agua. ☞ **cascada.**

— *Las cataratas del Niágara se encuentran en la frontera de Canadá y E.U.A.*

2. Enfermedad del ojo caracterizada por la opacidad del cristalino. ☞ **cristalino, ojo.**

— *En la operación de cataratas se extirpa el cristalino.*

— proceso en el que se observa una presión anormalmente elevada del líquido ocular: *catarata verde o glaucoma.*

— acto de cortar la córnea transparente en la operación de cataratas: *ceratomía.*

catarro Inflamación de una membrana mucosa del aparato respiratorio que produce irritación en la garganta y secreción nasal abundante. ☞ **gripe.**

— que padece de catarro habitualmente: *catarroso.*

— que tiene catarro: *catarriento.*

— contraer catarro: *acatarrarse.*

catarsis Sublimación de las pasiones mediante una expresión artística o un suceso emocional intenso. ☞ **purgar, purgación.**

— que pertenece a la catarsis o se relaciona con ella: *catártico.*

— eliminación de sustancias nocivas al organismo: *catarsis.*

catástasis Punto culminante de una obra dramática. ☞ **clímax.**

— *La catástasis en **La Iliada** se manifiesta cuando Agamenón se entera de la muerte de Patroclo.*

— desenlace de una catástasis: *catástrofe.*

catástrofe Suceso lamentable y trágico. ☞ **cataclismo, hecatombe.**

— enlace desgraciado de un poema épico: *catástrofe.*

— suceso terrible: *catastrófico.*

catecismo Libro que resume una doctrina. ☞ **compendio.**

— conjunto de principios de la doctrina católica: *catecismo.*

— persona que instruye los principios de la religión católica: *catecúmeno.*

— enseñanza del catecismo: *catequesis.*

— persona dedicada a la catequesis: *catequista.*

— relativo al catecismo: *catequístico.*

— instruir en la doctrina católica: *catequizar.*

— convencer a otro para que haga cierta cosa: *catequizar.*

— método de enseñanza mediante preguntas y respuestas: *catequesis.*

— galería en las iglesias donde se colocaban los catecúmenos: *catecumenia.*

cátedra Butaca donde se sienta el profesor en el aula de una universidad. ☞ **aula, clase.**

— clase dada por un profesor universitario: *cátedra.*

— cargo de un profesor: *cátedra.*

— que es profesor en una universidad: *catedrático.*

— manera de hablar cuando se hace con la autoridad propia de cierto cargo: *ex cátedra.*

— ilustrar a otro sobre determinado

tema que se domina: *dar cátedra.*

catedral Iglesia principal de una diócesis. ☞ **iglesia, diócesis.**

— relativo al obispo: *episcopal.*

— territorio bajo la autoridad de un obispo: *diócesis.*

— silla de la catedral donde se sienta un obispo y simboliza su jurisdicción: *episcopal.*

— perteneciente a una catedral: *catedralicio.*

— dignidad de ser catedral una iglesia: *catedralidad.*

categoría Conjunto de varios elementos unificados bajo un mismo criterio. ☞ **clase, jerarquía.**

— cualidad de un objeto que hace que sea clasificado en determinada categoría: *categorema.*

— relativo a la categorema: *categoremático.*

— expresión contundente que no deja lugar a dudas: *categórico.*

— de modo tajante: *categóricamente.*

— proceder por categorías: *categorizar.*

— acción de clasificar por categorías: *categorización.*

caterva Agrupación de muchos elementos. ☞ **muchedumbre.**

— gladiador romano que luchaba en grupos: *catervario.*

catéter Artefacto tubular que permite la inyección o la evacuación de flujos del organismo. ☞ **sonda.**

— instrumento quirúrgico para sondar: *algalia.*

— introducir una sonda: *cateterizar.*

cateto Cada uno de los dos lados que forman el ángulo recto en un triángulo rectángulo. ☞ **triángulo.**

— instrumento que mide con exactitud longitudes verticales: *catetómetro.*

catgut Hilo de fibra animal para coser tejidos orgánicos. ☞ **cirugía.**

catión Ion con carga positiva. ☞ **ion.** ❖ ANIÓN.

— electrodo por donde la corriente sale para volver al manantial eléctrico: *cátodo.*

— relativo al cátodo: *catódico.*

catolicismo Doctrina de la Iglesia Católica. ☞ **religión.**

— iglesia fundada por Jesucristo cuyo representante máximo es el Papa y que considera que Dios es uno y cree en los dogmas de fe y en la adoración de las imágenes: *católica.*

— universalidad de la religión católica: *catolicidad.*

— que tiene cualidad de católico: *catolicismo.*

catre Cama ligera y plegable. ☞ **cama, camastro.**

catrín Hombre afeitado y elegante. ☞ **petimetre.**

cauce Lecho de un río; conducto descubierto por donde corre el agua. ☞ **lecho, caudal.**

— zanja para conducir agua: *acequia.*

— concavidad por donde fluye una corriente de agua: *álveo.*

— cauce formado en un terreno por las aguas de lluvia: *badén, rambla.*

— parte honda de un valle por donde corre agua: *vaguada.*

— cauce que permanece seco si no cae una lluvia torrencial: *barranquera, rehoyo.*

— cauce a donde llegan los sobrantes de los riegos: *azaba.*

— dirigir por un cauce una corriente de agua: *encauzar.*

caución 1. Precaución al actuar. ☞ **cautela.**

— *El acusado tendrá que hablar con mucha caución en el juicio.*

2. Garantía otorgada en señal de que se cumplirá con lo pactado. ☞ **fianza.**

— *El juez ordenó libertad bajo caución.*

— dar una fianza: *caucionar.*

caucho Sustancia elástica obtenida de varios árboles. ☞ **hule, goma, látex.**

— nombre genérico de las diversas sustancias viscosas o lechosas que manan de ciertos árboles y que al endurecerse son elásticas: *látex.*

— caucho tratado con sulfuro de carbono: *vulcanizado.*

— tratar el caucho con sulfuro de carbono para que tenga más elasticidad y durabilidad: *vulcanizar.*

— caucho endurecido por la vulcanización: *ebonita.*

— sustancia elástica similar al caucho, pero más blanda: *gutapercha.*

— sustancia viscosa que fluye de ciertos árboles y cuya consistencia es similar al caucho al endurecerse: *goma.*

— sustancia viscosa que se hincha al contacto con el agua: *mucílago.*

— que se hincha al contacto con el agua como la goma: *mucilaginoso.*

— planta euforbiácea que produce el caucho: *caucho.*

— terreno lleno de árboles de caucho: *cauchal.*

— que es del caucho: *cauchero.*

— que trabaja el caucho: *cauchero.*

caudal 1. Totalidad de bienes y dinero que alguien posee. ☞ **rico, riqueza.**

— *El caudal de las casas reinantes en la época de esplendor es incalculable.*

— que tiene una gran fortuna: *acaudalado.*

— lugar donde se guardan las pertenencias valiosas: *caja de caudales, caja de seguridad, caja fuerte.*

2. Agua de un río. ☞ **raudal.**

— *El caudal de un río es el cauce principal que desemboca al mar.*

— abundantemente: *caudalosamente.*

— río por el cual fluye mucha agua: *caudaloso.*

— corriente que desemboca en un caudal: *afluente.*

— corriente de agua abundante y rápida: *raudal, recial.*

3. Cola de la capa de los obispos. ☞ **obispo.**

— *La cauda es la cola de la capa que utilizan los obispos y arzobispos.*

— haz de luz que semeja una cola en los cometas: *cauda.*

— planta que tiene las hojas terminadas en forma de cola: *caudífera.*

— eclesiástico que carga la cauda del obispo: *caudatario.*

— cometa con cola larga: *caudado.*

— cometa con cola detrás del núcleo: *caudato.*

caudillo Persona que dirige determinado movimiento social. ☞ **líder, guía.** ❖ SEGUIDOR.

— hombre que guía gente en la guerra: *adalid.*

— dignatario de los persas o afganos: *khan.*

— defensor de una causa: *paladín.*

— guiar una guerra o una rebelión: *acaudillar.*

— liderato de un caudillo: *caudillaje.*

caul Prefijo que significa tallo. ☞ **prefijo, tallo.**

— planta cuya flor nace sobre el tallo: *caulífera.*

cauro Viento que viene del noroeste. ☞ **viento.**

causa 1. Motivo que origina o provoca un efecto. ☞ **fundamento, razón.** ❖ EFECTO.

— *No me explico la causa de su enojo: todo se realizó de acuerdo con sus instrucciones.*

— provocar un acontecimiento: *causar.*

— ser el motivo para que algo ocurra: *causar.*

— relación de la causa al efecto: *causalidad.*

— elemento que provoca una consecuencia: *causante.*

— que provoca un efecto: *causador.*

— razón en que se fundamenta un argumento o suceso: *causal.*

— que expresa la causa de algo: *causativo.*

— unirse dos o más personas para hacer o apoyar algo: *hacer causa común con alguien.*

— tener conocimiento de la situación a tratar: *con conocimiento de causa.*

— debido a: *a causa de...*

2. Proceso judicial donde se determina cual de las dos partes tiene razón. ☞ **litigio.**

— *En una causa criminal se determina la culpabilidad del acusado.*

— que es del seguimiento de pleitos judiciales: *causídico.*

cáustico, -ca 1. Lo que quema o desorganiza una estructura. ☞ **corrosivo, cauterizar.**

— *Los ácidos son cáusticos para el tejido conjuntivo.*

— estado de cáustico: *causticidad.*

— convertir una sustancia en cáustica: *caustificar.*

2. Comentario agresivo. ☞ **mordaz, sarcástico.** ❖ BENÉVOLO.

— *La envidia engendra comentarios cáusticos.*

— mordazmente: *cáusticamente.*

— malignidad al escribir o hablar: *causticidad.*

cautela Reserva y previsión al actuar. ☞ **prudencia, cuidado.** ❖ DESCUIDO.

— precaverse: *cautelar.*

— acto de cautelar: *cautelación.*

— que actúa con precaución: *cauteloso.*

— que obra con cuidado: *cauto.*

cauterizar Quemar con un corrosivo o hierro candente. ☞ **quemar.**

— *A veces es necesario cauterizar una herida para que no se infecte.*

— medio por el cual se quema un tejido: *cauterio.*

— acción y resultado de cauterizar: *cauterización.*

— que cauteriza: *cauterizante.*

— elemento que se quema sobre la piel con fines medicinales: *moxa.*

— cauterización sobre la piel: *moxa.*

— operaciones quirúrgicas por medio de corrientes eléctricas: *galvanocaustia.*

— instrumento para practicar la galvanocaustia: *galvanocauterio.*

— cauterio hueco de platino calentado por medio de electricidad: *termocauterio.*

cautivar 1. Atraer la atención o el interés de alguien. ☞ **embelesar, seducir.**

— *Su buena disposición y simpatía cautivó al renuente público que la escuchaba.*

— lo que seduce por su encanto: *cautivador, cautivante.*

2. Privar de su libertad a personas o animales. ☞ **aprisionar, esclavo, esclavizar.** ❖ LIBERAR.

— *La fracción contraria cautivó a ciertos militares y los intercambió por municiones.*

— que se encuentra privado de su libertad: *cautivo.*

— estado y tiempo en que alguien se encuentra privado de su libertad: *cautiverio.*

— situación de no tener libertad: *cautividad.*

cava 1. Lugar diseñado especialmente para guardar vino. ☞ **bodega.**

— *Las cavas deben tener una temperatura determinada para la mejor conservación del vino.*

2. Cada una de las dos venas mayores que entran en la aurícula derecha del corazón. ☞ **vena.**

— *Por las venas cavas vuelve la sangre al corazón después de haber bañado los tejidos.*

cavar Horadar la tierra con la azada u otra herramienta. ☞ **abrir, pala, palar.**

— plancha de hierro con borde afilado y mango que sirve para horadar la tierra: *azada.*

— especie de azada de dos dientes: *bidente.*

— instrumento con que se desbroza la tierra: *binadera.*

— limpiar la tierra de maleza: *desbrozar.*

— instrumento semejante a la azada: *coa.*

— azada pequeña para escardar: *escabuche.*

— arrancar las hierbas de los sembradíos: *escardar.*

— especie de azadón: *legón.*

— instrumento compuesto de una plancha de hierro y un mango grueso que sirve para excavar la tierra: *pala.*

— hacer hoyos o zanjas en el suelo sacando tierra: *excavar.*

— azada larga y estrecha: *azadón.*

— acto de cavar: *cavadura.*

— cavar de una vez la tierra: *cavada.*

— fácil de cavar: *cavadizo.*

— tierra que se separa cavando: *cavadiza.*

— acción y resultado de horadar la tierra: *cavazón.*

caverna 1. Hueco profundo en la tierra o roca. ☞ **cueva, gruta.**

— *En la época de las cavernas, el hombre utilizaba como vivienda las oquedades naturales del terreno.*

— que se asemeja a la forma de una caverna: *cavernoso.*

— que es grave y profunda una voz humana, con resonancias semejantes a los sonidos producidos en una caverna: *cavernosa.*

— que es de la caverna: *cavernario.*

— hombre que habita en cavernas: *cavernícola.*

2. Hueco que se forma en un tejido al ser destruido. ☞ **cavidad.**

— *Debido a la tuberculosis se forman cavernas en los pulmones.*

cavidad Espacio hueco formado en una superficie. ☞ **oquedad.**
— prefijo que significa hueco: *cel.*
— cavidad subterránea llena de agua: *hidrofilacio.*
— cavidad natural del suelo: *abismo.*
— cavidad resultante de un golpe sobre una pieza metálica: *abolladura.*
— oquedad de una roca: *agujero.*
— cavidad en que están incrustados los dientes: *alveolo.*
— cavidades del escroto en que se alojan los testículos: *bolsa.*
— cavidad pequeña: *célula.*
— cavidad de poca extensión en la masa de una piedra: *coquera.*
— cavidad de un hueso en que se encaja la cabeza de otro: *cotila.*
— cavidad en forma de copa: *cotila.*
— cavidad que forma una ropa doblada y recogida: *enfaldo.*
— cavidad longitudinal en la tierra o en un cuerpo duro: *grieta.*
— cavidad de forma cóncava en el espesor de un muro: *nicho.*
— cavidad del ojo: *órbita.*
— cavidad que forma una cosa encorvada: *seno.*
— cavidad grande y profunda en la tierra: *sima.*
— cavidad hecha en la tierra con el arado: *surco.*

cavilar Pensar con insistencia sobre un asunto determinado. ☞ **meditar, reflexionar, considerar.**
— acto y resultado de cavilar: *cavilación.*
— que está preocupado por determinado asunto: *caviloso.*
— cualidad de caviloso: *cavilosidad.*
— pensamiento al que se le dedica mucha atención y tiempo: *cavilación.*
— sospecha desagradable: *cavilosidad.*

cayado Vara con la orilla curva que usan pastores y obispos. ☞ **báculo.**

cayo Isla pequeña y pedregosa en medio del mar. ☞ **peñasco.**

caz Conducto pequeño para tomar agua de un río. ☞ **canal, canalillo.**

cazar Ir tras la huella de animales con objeto de apresarlos o matarlos. ☞ **acechar, acosar asechar.**
— acto y resultado de cazar: *caza.*
— animales capturados en una partida: *caza.*
— animales muertos en una caza: *cacería.*
— caza de animales grandes: *mayor.*
— caza de animales pequeños: *menor.*
— buscar con empeño algo: *andar a la caza de...*
— conjunto de personas reunidas para cazar: *partida, cacería.*
— lugar propicio para cazar: *cazadero.*
— que atrapa animales: *cazador.*

— que son aptos para cazar: *cazadores.*
— chaqueta gruesa y resistente apta para ir de cacería: *cazadora.*
— arte de la caza de aves: *avicetología.*
— caza de aves hecha con aves de rapiña: *cetrería, volatería.*
— cuidado de aves de rapiña para cazar: *cetrería.*
— arte de caza mayor: *ballestería.*
— lugar donde se guardan los instrumentos de caza: *ballestería.*
— montería de caza mayor: *batida.*
— arte de cazar: *montería, cinegética, venación.*
— prefijo que significa cazar: *ven.*
— que es de la caza: *venatorio.*
— ave amaestrada para que atraiga con su canto a otras de su misma especie que se desea cazar: *reclamo.*
— utensilio que imita el canto de un ave para atraerlo y cazarlo: *reclamo.*
— artificio para atraer presas: *señuelo.*

cazo Recipiente metálico semiesférico con mango. ☞ **olla, vasija.**
— vasija de barro poco profunda: *cazuela.*
— cazuela pequeña: *cazoleta.*
— comida guisada en una cazuela: *cazolada.*
— recipiente de metal cilíndrico con dos asas: *cacerola.*
— vasija ancha semiesférica para contener sopas: *escudilla.*
— cacerola plana: *tortera.*
— sitio reservado a las mujeres en los antiguos teatros: *cazuela.*

cebar 1. Alimentar de forma especial a los animales para engordarlos. ☞ **atracar, sobrealimentar.** ❖ MATAR DE HAMBRE.
— *Se ceba a los animales para obtener carne de mejor calidad.*
— que sirve para cebar: *cibera.*
— que es de la alimentación: *cibal.*
— comida que se da a los animales para que engorden: *cebo.*
— acto de engordar animales: *ceba.*
— alimento que se da al ganado para su engorde: *ceba.*
— animal cebado: *cebón.*
2. Realizar las actividades necesarias para que determinada máquina o utensilio funcione. ☞ **preparar.**
— *Hay que cebar el horno para que continúe encendido.*
3. Echarle una pequeña cantidad de explosivo a las armas de fuego.
— *Se ceban los cohetes, los barrenos, y las armas de fuego.*
— materia con que se alimenta una cosa destinada a hacer explosión: *cebo.*

cebiche Platillo de mariscos crudos aderezados con limón, salsa de tomate y diversos ingredientes. ☞ **ceviche.**

cebollar Sembradío de cebollas. ❖ PUERRO.
— liliácea de raíz bulbosa comestible: *cebolla.*

cecear Hablar enfatizando los fonemas "z" y "c". ☞ **pronunciar.**
— acción de cecear: *ceceo.*

cecina Carne salada y secada al sol. ☞ **tasajo.**
— preparar un platillo secándolo y salándolo: *cecinar.*

cedazo Malla metálica sujeta a un aro que sirve para cernir. ☞ **cribar, cernir, cernedor.**
— criba con los espacios muy reducidos para separar cuidadosamente: *tamiz.*

ceder 1. Transferir un objeto o un derecho a otro. ☞ **dar, otorgar.** ❖ NEGAR.
— *Cedió las ganancias del negocio al orfanato.*
— que cede: *cedente.*
— acto y resultado de ceder: *cesión.*
— que recibe algo cedido por otra persona: *cesionario.*
— que transfiere algo a otra persona: *cesionista.*
2. Disminuir algo en intensidad. ☞ **debilitar, moderar.** ❖ AUMENTAR, INCREMENTAR.
— *Gracias a sus cuidados, la enfermedad ha cedido.*
3. Cejar alguien en su empeño. ☞ **transigir.**
— *Cedieron ante las presiones del sindicato y se levantó la huelga con las peticiones resueltas.*

cedizo, -za Materia orgánica que empieza a descomponerse. ☞ **pudrir, putrefacto.**

cédula Documento que certifica algo. ☞ **tarjeta.**
— colección de cédulas: *cedulario.*
— documento que ampara el ejercicio de una profesión: *cédula profesional.*

cefalalgia Dolor de cabeza. ☞ **cabeza, cefalea.**
— prefijo que significa cabeza: *cefal.*
— que es del dolor de cabeza: *cefalálgico.*
— cefalalgia violenta e intermitente: *cefalea.*
— que es de la cabeza: *cefálico.*

céfiro Viento que proviene del oeste. ☞ **viento, brisa, vientecillo.**
— manera poética de referirse a la brisa: *céfiro.*
— tela casi transparente: *céfiro.*

cegar 1. Perder o quitar la vista. ☞ **enceguecer.** ❖ VER.
— *Un ácido puede cegar la vista.*
— que es de la ceguera: *cegal.*
— que deslumbra o ciega: *cegador.*
— modo de escribir de los ciegos: *cecografía.*
— que es de la cecografía: *cecográfico.*

— que es corto de vista: *cegatón.*

— privación total de la vista: *ceguedad.*

— estado de ciego: *ceguera.*

— que está privado de la vista: *ciego.*

— escritura realizada con puntos en bajo relieve para que un ciego pueda leer por medio del tacto: *escritura Braille.*

— que sirve de guía a un ciego: *lazarillo.*

— que está privado del sentido de la vista, particularmente desde el nacimiento: *invidente.*

2. Privarse de la capacidad de razonar. ☞ **ofuscar.**

— *Te ciega tu amor de madre y no ves los errores que tu hijo comete.*

— que está dominado por un sentimiento irreflexivo: *ciego.*

3. Tapar un hoyo, grieta o abertura. ☞ **obstruir, cerrar.**

— *Cegar un pozo cuando ya no tiene agua es lo aconsejable.*

ceja 1. Borde prominente y curvo cubierto de pelo sobre la cuenca del ojo. ☞ **ojo, pelo, vello.**

— espacio entre las dos cejas: *gabelo, entrecejo.*

— levantar las cejas en señal de interrogación o sorpresa: *arquearlas, enarcarlas.*

— arrugar el entrecejo expresando enfado o preocupación: *fruncirlo.*

— tener una idea o intención fija: *tener algo o a alguien entre ceja y ceja.*

— que tiene el entrecejo poblado de pelo: *cejijunto.*

— que tiene cejas negras: *cejinegro.*

— que tiene cejas abundantes: *cejudo.*

— demostración de enfado que se hace con el sobrecejo: *ceño.*

— parte superior inmediata a las cejas: *sobrecejo.*

2. Borde saliente de cualquier cosa. ☞ **pestaña.**

— *El vestido tenía cejas en los bordes debido a que los terminados estaban mal hechos.*

— listón de madera que sostiene y tensa las cuerdas de ciertos instrumentos musicales: *ceja, cejilla.*

cejar Ceder en la realización de algo. ☞ **desistir.** ❖ CONTINUAR.

celar 1. Vigilar al ser amado debido a una sensación de inquietud y recelo.

— *Otelo celaba a Desdémona de tal modo que llegó a matarla.*

— inquietud provocada por el temor de que la persona amada se vaya o se enamore, o prefiera a otra persona: *celos.*

— que es propenso a sentir celos: *celoso.*

— esmero con que se realiza una actividad: *celo.*

— que es escrupuloso al realizar cualquier actividad: *celoso.*

— inclinación obsesiva a sentir celos: *celomanía.*

2. Esconder algo. ☞ **ocultar.** ❖ MOSTRAR.

— *Celó sus aviesas intenciones hasta que fue demasiado tarde para evitar que las realizara.*

— situación en que se atrae al enemigo para sorprenderle: *celada, emboscada, trampa.*

— pieza de la armadura que cubría y protegía la cabeza: *celada.*

— que se realiza de manera oculta: *celadamente.*

— que se encuentra cubierto: *celado.*

— claraboya: *celaje.*

— enrejado de madera que encubre algo: *celosía, cancel.*

celda Cuarto pequeño individual donde se recluye a alguien. ☞ **mazmorra, calabozo.**

— cárcel destinada a los esclavos romanos: *ergástula.*

— celda de una cárcel: *calabozo.*

— calabozo subterráneo: *mazmorra.*

— cada uno de los compartimientos de un panal: *celda.*

celebrar 1. Realizar una ceremonia conmemorando algo. ☞ **festejar.**

— *Al celebrar la Semana Santa, los católicos conmemoran la muerte y resurrección de Cristo.*

— acción de celebrar: *celebración.*

— que celebra: *celebrante.*

2. Hablar exaltadamente de los méritos de alguien o algo. ☞ **alabar, enaltecer.** ❖ DESDEÑAR.

— *El discurso celebraba los triunfos de los héroes nacionales.*

— aclamación: *celebración.*

— que es famoso: *célebre.*

— que es muy célebre: *celebérrimo.*

— que tiene gran fama: *celebridad.*

— que es un personaje reconocido por sus méritos: *celebridad.*

celeridad Velocidad al realizar una acción. ☞ **rapidez, velocidad.** ❖ LENTITUD.

— que es rápido: *célere.*

— vehículo de dos ruedas precursor de la bicicleta: *celerífero.*

— que corre con velocidad: *celerígrado.*

— que tiene pies ligeros: *celerípedo.*

— aumentar la velocidad: *acelerar.*

celescopio Aparato que sirve para iluminar las cavidades de un cuerpo orgánico.

celestina Mujer que se dedica a servir como intermediaria en las relaciones hombre-mujer. ☞ **alcahueta.**

celíaco, -ca Que es de los intestinos o el vientre. ☞ **intestino, vientre.**

célibe Que no ha contraído matrimonio. ☞ **soltero.** ❖ CASADO.

— estado de soltero: *celibato.*

celofán Tejido delgado, flexible y transparente.

célula 1. Elemento fundamental de plantas y animales. ☞ **protoplasma.**

— *La célula es la última unidad estructural de materia orgánica viva capaz de funcionar en forma independiente.*

— partes de una célula: *pared celular, membrana plasmática, mitocondria, aparato de Golgi, vacuola, citoplasma, membrana nuclear, nucléolo, núcleo, cromatina, retículo endoplásmico, ribosomas, centriolo, lisosoma.*

— materia coloidal que constituye el citoplasma, el núcleo vivo y la mitocondria de la célula donde los fenómenos vitales se manifiestan: *protoplasma.*

— membrana que rodea la célula regulando el paso de determinadas sustancias al interior: *membrana celular, membrana plasmática.*

— ácido que juega un papel importante en la producción de albúmina en la célula y se encuentra en los nucléolos: *ácido ribonucleico (ARN).*

— ácido nucleico que constituye los genes del organismo y que es el principal componente de la cromatina: *ácido desoxirribonucleico (ADN).*

— protoplasma de la célula externa a la membrana nuclear: *citoplasma.*

— red de membranas que transportan la materia dentro de la misma célula: *retículo endoplásmico.*

— Cada uno de los organismos celulares adyacentes al núcleo que participan en la formación del aparato mitótico: *centriolo.*

— organismo semejante a un saco que contiene varias enzimas hidrolíticas: *lisosoma.*

— organismos ricos en proteínas, grasas y enzimas que se encuentran afuera del núcleo y producen la energía necesaria a la célula a través de la respiración celular: *mitocondrias.*

— membranas vesiculares sin ribosomas necesarias para la secreción celular: *aparato de Golgi.*

— gránulos citoplasmáticos ricos en ácido ribonucleico donde se realiza la síntesis de las proteínas: *ribosomas.*

— cavidad en el protoplasma de una célula que contiene fluidos: *vacuola.*

— cuerpo esférico del núcleo que se alarga durante la síntesis de las proteínas: *nucléolo.*

— parte del núcleo celular que se colorea intensamente con tintes básicos y en ciertas fases se dispone a sí misma en sus constituyentes (cromosomas) en los cuales se constituyen los diferentes genes: *cromatina.*

— organismo fundamental en las funciones de reproducción y síntesis de proteínas, compuesto de un fluido rico en proteínas y rodeado por una membrana perfectamente definida: *núcleo*.

— célula que viaja a través de los organismos y engulle cuerpos extraños: *fagocito*.

— proceso mediante el cual las células degluten partículas extrañas: *fagocitosis*.

— conjunto de células embrionarias que constituirán los tejidos orgánicos diferenciados: *blastema*.

— trama de los tejidos que sostiene los elementos celulares: *estoma*.

— proceso mediante el cual una célula origina a otra: *división celular*.

— tipos de división celular: *mitosis y meiosis*.

— división celular en que el núcleo conserva el mismo número de cromosomas: *mitosis*.

— fases de la mitosis: *profase, metafase, anafase y telofase*.

— fase inicial de la mitosis en la cual los cromosomas se condensan de la forma restante y se dividen en pares: *profase*.

— fase de la mitosis y meiosis en la cual los cromosomas se acomodan: *metafase*.

— fase de la mitosis y meiosis en la cual los cromosomas viajan a las orillas: *anafase*.

— fase final de la mitosis en la cual dos nuevos núcleos aparecen con sus cromosomas respectivos: *telofase*.

— fase de la meiosis que se caracteriza por la formación de la membrana nuclear y el acomodamiento de los cromosomas: *telofase*.

— elemento que existe en el núcleo en el momento de la división celular: *cromosoma*.

— tipo de división celular en que el número de cromosomas se reduce a la mitad: *meiosis*.

— parte de la biología que estudia la célula: *citología*.

— que es de las células: *celular*.

— que está formado por células: *celuloso*.

— muerte de una o más células de un organismo vivo: *necrosis*.

2. Grupo pequeño que funciona independientemente dentro de una organización mayor. ☞ **grupo, grupúsculo**.

— *Las células de trabajo tienen funciones perfectamente delimitadas sin que sea necesario que el director general las supervise.*

celulitis Grasa acumulada en los muslos, las caderas y las nalgas de algunas personas.

celulosa Membrana celular de las plantas aprovechable en muchas industrias.

— que es de celulosa: *celulósico*.

— plástico compuesto de alcanfor y celulosa nitrogenada: *celuloide*.

cementerio Sitio donde se entierra a los muertos. ☞ **necrópolis, muerte, camposanto**.

— prefijo que significa muerte: *necro*.

— culto a los muertos: *necrología, necrodulía*.

— notificación en una sección del periódico de las muertes ocurridas: *necrología*.

— adivinación por la evocación de los muertos: *necromancia*.

— cementerio de moros: *almacabra*.

— lugar en los cementerios donde se entierran los huesos sacados de las sepulturas temporales: *osario, calavernario*.

— exhumación de restos que se hace en los cementerios para trasladarlos a la fosa o al osario: *monda*.

— sacar de la tierra los restos de un difunto: *exhumar, desenterrar*.

— luces que se ven en el suelo procedentes de la combustión de los organismos en descomposición en los cementerios: *fuegos fatuos*.

— lugar destinado para la combustión e incineración de cadáveres: *crematorio*.

— dispositivo donde se creman cadáveres: *horno crematorio*.

— cavidad en la tierra donde se entierra a los muertos cuyo sepelio no puede costearse: *fosa común*.

— hueco superpuesto dentro de un muro en los cementerios, en el cual se coloca un cadáver: *nicho*.

— caja o vasija donde se guardan las cenizas de un muerto: *urna cineraria*.

— agujero en la tierra donde se entierra a un muerto: *sepultura*.

— enterrar a un muerto: *sepultar*.

— construcción sellada y levantada sobre el suelo que encierra los restos de uno o más muertos: *sepulcro*.

cemento Silicato que al combinarse con agua forma una argamasa que se endurece y sirve como material de construcción. ☞ **hormigón**.

— que se endurece el cemento una vez preparado y aplicado: *fraguado*.

— fraguado de un material plástico: *cementado*.

— mezcla de piedras, cemento y arena: *hormigón*.

— hormigón reforzado con varillas de hierro: *cemento armado*.

— cemento preparado con cal hidráulica endurecido bajo el agua: *hidráulico*.

— cemento sin cal de consistencia dura al fraguarse: *portland*.

— sustancia que protege el esmalte en la raíz de los dientes: *cemento*.

— calentar un metal con un material en polvo o pasta: *cementar*.

— acción y resultado de cementar: *cementación*.

cenar Tomar alimentos en la noche. ☞ **merendar**. ❖ DESAYUNAR, COMER.

— alimentos que se toman en la noche: *cena*.

— sitio a propósito para cenar: *cenadero, cenador*.

cenegal Lugar donde hay mucho lodo. ☞ **barro, lodo, barrizal, lodazal**.

— lodo depositado en las aguas estancadas: *cieno*.

— lleno de cieno: *cenagoso*.

cencerro Campanilla cilíndrica que se coloca en el ganado. ☞ **campana**.

— que es del cencerro: *cencerruno*.

— sonar cencerros: *cencerrear*.

— sonido del cencerro: *cencerreo*.

cenefa Orilla de una vestidura. ☞ **borde, ribete**.

cenestesia Conjunto de sensaciones fisiológicas que permiten el sentimiento de la existencia del propio cuerpo independiente de los sentidos. ☞ **cuerpo**.

cenit Punto en la esfera celeste que es considerado en la vertical de determinado punto de la Tierra. ❖ NADIR.

— que es del cenit: *cenital*.

— luz que proyecta un tragaluz en el techo: *cenital*.

ceniza Residuo grisáceo en forma de polvo de algo que se quemó por completo. ☞ **pavesa, favila**.

— pasta de ceniza de huesos limpia y lavada para afinar el oro y la plata: *cendra*.

— destinado a contener cenizas de cadáveres: *cinerario*.

— de ceniza: *cinericio*.

— que tiene aspecto y forma de ceniza: *cineriforme*.

— cenizas volcánicas de colores claros: *cineritas*.

— recipiente donde se echan las cenizas del cigarro: *cenicero*.

— lo que contiene ceniza: *ceniciento*.

— de color de ceniza: *cenizoso*.

— chispa encendida que se reduce pronto a ceniza: *pavesa, favila*.

— quitar la ceniza de las brasas, soplando el fuego: *despavesar*.

— cubrir con ceniza: *encenizar*.

— quemar algo reduciéndolo a cenizas para después guardarlas: *incinerar*.

cenobio Convento situado fuera de una población. ☞ **monasterio**.

— monje que vive en un monasterio: *cenobita*.

— que es del cenobita: *cenobítico*.

— vida cenobítica: *cenobitismo*.

— persona que gusta de vivir apartada: *cenobita*.

cenotafio Monumento funerario que no contiene los restos de la persona. ☞ **mausoleo, sarcófago, sepulcro, tumba.**

cenote Estanque de agua subterránea en las regiones calizas. ☞ **agua.**

cenozoico, -ca Tercera capa en que se divide la corteza terrestre. ☞ **era.**

cenología Parte de la física que demuestra el vacío. ☞ **vacío, física.**

censo Registro de la población o de las actividades económicas de un país. ☞ **empadronar, padrón.**

— realizar el empadronamiento de los vecinos de un lugar: *censar*.

censura 1. Intervención de la autoridad para dictaminar o reprobar los asuntos públicos o privados. ☞ **dictamen, reprobar, reprobación.**

— *En algunos países existe una comisión que censura ciertas obras artísticas.*

— reprobar algo: *censurar*.

— crítico: *censor*.

— que es digno de crítica o de reprobación: *censurable*.

2. Juicio que se hace de determinada obra o persona. ☞ **criticar, crítica.**

— *El pintor no soportó la censura de su obra.*

— emitir un juicio de algo: *censurar*.

— que censura: *censurador*.

centauro Ser fantástico mitad hombre y mitad caballo.

centavo Moneda que representa una céntima parte de la unidad monetaria. ☞ **moneda.**

— conjunto de cien cosas: *centenada, centena*.

— que es de la centena: *centenario*.

— fiesta celebrada cada cien años: *centenario*.

— cien años: *centuria, siglo*.

— repartido en cien partes: *centesimal*.

— cada una de las cien partes iguales en que se divide un todo: *centésimo, céntimo*.

— prefijo que significa cien: *centi*.

— centiárea: *un metro cuadrado*.

— dividido en cien grados: *centígrado*.

— centésima parte de un gramo: *centigramo*.

— centésima parte de un litro: *centilitro*.

— centésima parte de un metro: *centímetro*.

— obra literaria escrita en cien partes: *centiloquio*.

— compañía de cien hombres en el ejército romano: *centuria*.

— jefe de cien hombres en el ejército romano: *centurión*.

— de cien pies: *centípedo*.

— hacer cien veces mayor algo: *centuplicar*.

— producto de multiplicar por cien: *céntuplo*.

— de cien manos: *centímano*.

— diez veces diez: *cien, ciento*.

centella 1. Descarga eléctrica pequeña. ☞ **chispa, rayo.**

— *La centella salta de un pedernal.*

— soltar destellos rápidos: *centellear, cintilar*.

— temblar con el movimiento del agua una luz reflejada en ella: *rielar*.

— destello oscilante y cambiante: *centelleo, resplandor, brillo, fulgor*.

— acción y resultado de centellear: *centelleo*.

2. Lo que pasa de manera breve y veloz. ☞ **fugaz.**

— *Pasó como una centella a recoger sus cosas camino al aeropuerto.*

centinela Persona que vigila un lugar. ☞ **guardián, vigilante, velador.**

centro Punto interior donde parten y convergen líneas o acciones particulares. ☞ **núcleo, meollo, eje.**

— que tiene el centro en el lugar debido: *centrado, medido, calculado*.

— que está localizado en el centro: *central*.

— ubicar algo en el centro o en el sitio adecuado: *centrar*.

— que se encuentra en el centro de una población: *céntrico*.

— que es el centro geométrico de algo: *céntrico*.

— punto donde aplicando una fuerza vertical se podrían equilibrar todas las fuerzas de gravedad que actúan sobre un cuerpo: *centro de gravedad*.

— adorno floral o frutal colocado en medio de la mesa: *centro de mesa*.

— teléfono que enlaza las conexiones de varios teléfonos interiores con el exterior: *centralita*.

— conjunto de viviendas donde se localizan todos los servicios en un poblado: *centro de población*.

— casa matriz de una empresa o institución: *central*.

— sistema político en que una sola institución absorbe todas las funciones: *centralismo*.

— que es partidario del centralismo: *centralista*.

— que tiene inclinación a alejarse del centro: *centrífugo*.

— aplicar fuerza centrífuga para separar los ingredientes de una mezcla: *centrifugar*.

— máquina para centrifugar: *centrifugadora*.

— fuerza que impele a un cuerpo que gira alrededor de un centro a escaparse por la tangente: *fuerza centrífuga*.

— fuerza que atrae hacia el centro: *centrípeta*.

— reunir varios elementos en un punto determinado: *centralizar*.

— acción y resultado de centralizar: *centralización*.

— que tiene buen juicio: *centrado*.

— ubicarse y conocer la situación que se vive: *centrarse*.

cenzontle Ave canora mexicana. ☞ **ave, sinsonte.**

ceñir 1. Rodear una cosa a otra. ☞ **ajustar, abrazar.**

— *Al final de la novela, el héroe ciñe en sus brazos a la heroína.*

— que queda apretado: *ceñido*.

— faja: *ceñidor*.

2. Limitarse en algo. ☞ **moderar, ajustar.** ❖ EXTENDER.

— *Este año no hubo déficit ya que nos ceñimos al presupuesto.*

— acción y resultado de ceñir: *ceñidura*.

ceño Arruga en el entrecejo que denota enfado. ☞ **enfadar, enfado.** ❖ SONRISA.

— que habitualmente tiene gesto de enojo: *ceñudo*.

cepa Parte del tronco pegada a la raíz. ☞ **tronco.**

— raíz inmediata al tronco: *cepejón*.

— rama de árbol: *cepo*.

— trozo de tronco empleado para trabajar sobre él: *cepo*.

— tierra adherida a las raíces al transplantarla: *cepellón*.

— planta de vid: *cepa*.

— que tiene buen linaje: *de pura cepa, de buena cepa*.

cepillar Limpiar algo con un utensilio que tiene cerdas adheridas. ☞ **peinar, restregar, frotar, rascar, pasar el cepillo.**

— utensilio con filamentos fijos en una plancha: *cepillo*.

— alisar la madera: *cepillar*.

— pieza de madera inserta en una cuchilla movible que usan los carpinteros: *cepillo*.

— pelo grueso y duro de origen animal o sintético utilizado en los cepillos: *cerda*.

— pequeña pala adherida a un cepillo para sostenerlo: *mango*.

— cepillo circular para formar caireles, enchinar o alisar el pelo: *cepillo redondo*.

— cepillo con cerdas de alambre o plástico duro: *de púas*.

cepo Trampa para cazar animales. ☞ **trampa.**

— caja para poner limosnas con una ranura en su tapa superior: *cepo*.

— cuerno petrificado: *ceratolita*.

cera Sustancia amarilla, fácil de derretir, de origen animal o vegetal. ☞ **vela, candela, betún.**

— cera blanca y purificada: *brumo*.

— cera negra: *chapopote*.

— panal sin ˙miel reseco y oscuro: *macón*.

— porción de cera sin labrar: *maqueta*.

— betún con que las abejas bañan las colmenas: *propóleos*.

— cortar la cera vana de la colmena: *despuntar, descerar*.

— revolver en hojas la cera de los pilones para blanquearla: *enrehojar*.

— cera tal como sale de un panal: *vana, virgen*.

— vela grande de cera usada en las iglesias: *cirio*.

— disolución de cera en esencia de trementina: *encáustico*.

— disco de cera estampado unido a ciertos documentos: *sello*.

— cilindro de cera con una torcida que sirve para alumbrar: *vela*.

— hebra gruesa que prende: *torcida*.

— aplicar cera a algo: *encerar*.

— método de adivinación consistente en ir echando gotas de cera en una vasija llena de agua: *ceromancia*.

— sustancia semejante a la cera que segregan los oídos: *cerilla, cerumen*.

— que tiene color o brillo como el de la cera: *céreo*.

— tienda donde venden ceras: *cerería*.

— que produce cera: *cerífero*.

— medicamento que contiene cera y miel: *ceromático*.

— que contiene cera o es semejante a ella: *ceroso*.

— composición de cera y aceite: *cerato*.

— frase que expresa la necesidad de adecuarse a las circunstancias existentes sin pretender lo que no es posible obtener: *no hay más cera que la que arde*.

— ser dócil: *ser como la cera*.

cerámica Técnica de fabricar objetos de barro, porcelana o loza. ☞ **alfarería.**

— que es de la cerámica: *cerámico*.

— que fabrica cerámica: *ceramista*.

— objeto decorativo de barro, porcelana o loza: *cerámica*.

ceraunomancia Adivinación por medio de las tempestades. ☞ **relámpago, tempestad, rayo.**

— prefijo que significa relámpago: *ceraun*.

— aparato que registra la intensidad de los relámpagos: *ceraunómetro*.

— rama de la meteorología que estudia la acción del rayo: *ceraunografía*.

cerbatana Tubo que expele bolas al soplar por uno de sus extremos. ☞ **bo-**

doque, bodoquera.

cerca 1. Que algo está a poca distancia. ☞ **inmediato, vecino.** ❖ LEJOS, DISTANTE.

— *La Merced se encuentra cerca del centro de la ciudad de México.*

— proximidad: *cercanía*.

— que está próximo: *cercano*.

— que se encuentra a muy poca distancia: *cerquita*.

2. Construcción que rodea un terreno. ☞ **barda, alambre, alambrada.**

— *Levantar una cerca de alambre cuesta menos que hacerla de cemento o piedra.*

— delimitar un área mediante la construcción de una barda: *cercar*.

— rodear una plaza enemiga e incomunicarla: *cercar*.

— sitio que se hace a una plaza enemiga. *cerco*.

— banda que rodea algo: *cerco*.

— terreno delimitado por una barda: *cercado*.

— acto de cercar: *cercadura*.

cercenar Cortar las extremidades de algo. ☞ **mutilar.** ❖ COSER.

— que fue arrancado por completo: *a cercén*.

— parte separada al cortar: *cercenadura*.

— cicatriz que queda después de una mutilación: *cercenadura*.

— acción y resultado de cercenar: *cercenadura, cercenamiento*.

cerciorar Confirmar la verdad de algo.

☞ **asegurar.**

cercha Pieza curvada de distintos materiales que sirve como soporte. ☞ **cimbra.**

— curvar una tabla: *cerchar*.

— combarse una viga: *cerchearse*.

cerda Pelo grueso utilizado en los cepillos. ☞ **fibra, filamento.**

cerdo (vea ilustración). Mamífero doméstico, omnívoro y comestible. ☞ **puerco, cochino, marrano.**

cereal Planta o fruto farináceo. ☞ **harina, grano.**

— que es de los cereales: *cerealista*.

— semilla pequeña de los cereales: *grano*.

— filamento que se prolonga de la envoltura del grano: *arista*.

— cubierta delgada y quebradiza de los granos: *cascarilla*.

— sustancia albuminoidea encontrada en los granos: *gluten*.

— tallo delgado y flexible de los cereales cuando están verdes: *paja*.

— planta de cereal ya madura: *mies*.

— conjunto de flores situadas a lo largo de un tallo: *espiga*.

— partículas de la cascarilla de los granos una vez molidos: *salvado*.

— cortar las espigas: *segar*.

— que es de las mieses: *meseguero*.

— quemarse las mieses: *alheñar*.

— diversos cereales: *arroz, avena, cebada, centeno, maíz, rubión, trigo, zahína*.

— semilla blanca, harinosa y comestible: *arroz*.

cerdo

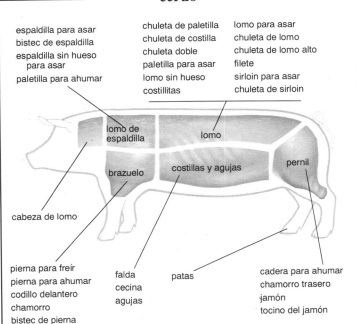

espaldilla para asar
bistec de espaldilla
espaldilla sin hueso para asar
paletilla para ahumar

chuleta de paletilla
chuleta de costilla
chuleta doble
paletilla para asar
lomo sin hueso
costillitas

lomo para asar
chuleta de lomo
chuleta de lomo alto
filete
sirloin para asar
chuleta de sirloin

lomo de espaldilla

lomo

brazuelo

costillas y agujas

pernil

cabeza de lomo

pierna para freír
pierna para ahumar
codillo delantero
chamorro
bistec de pierna

falda
cecina
agujas

patas

cadera para ahumar
chamorro trasero
jamón
tocino del jamón

— grano color miel comestible: *avena.*

— semilla alargada y puntiaguda semejante al trigo: *cebada.*

— semilla semejante al trigo pero obtenida de una espiga más alargada: *centeno.*

— grano harinoso color amarillo: *maíz.*

— semilla negruzca y harinosa: *alforfón, rubión.*

— semilla semejante al maíz empleada como forraje o para hacer harina: *sorgo, zahína.*

— semilla dorada harinosa: *trigo.*

— que es del trigo: *frumentario.*

— forma poética para designar al trigo: *frumento.*

— polvo molido de los granos: *harina.*

— que tiene aspecto de harina: *farináceo, harinoso.*

— pienso de granos triturados: *frangollo.*

cerebro (vea ilustración). 1. Órgano situado en el cráneo de los vertebrados, el más importante del sistema nervioso; coordina los estímulos de los sentidos y origina los impulsos motores que controlan las actividades mentales. ☞ **encéfalo, seso.**

— *En el cerebro del hombre se verifican las facultades mentales.*

— que es del cerebro: *cerebral.*

— que es del cerebro y de la médula: *cerebroespinal.*

— partes del cerebro: *cerebelo, duramadre, hemisferio cerebeloso, bulbo raquídeo, cuerpo calloso, glándula pineal, hipófisis, istmo del encéfalo, lóbulo, meninge, piamadre, sustancia blanca, sustancia gris.*

—centro nervioso que ocupa la cavidad posterior del cráneo: *cerebelo.*

— membrana externa que protege el cerebro y la médula espinal: *duramadre.*

— cada una de las dos mitades en que se divide el cerebro: *hemisferio cerebeloso.*

— abultamiento de la médula espinal en su parte superior: *bulbo raquídeo.*

— materia blanca que conecta los dos lóbulos del cerebro: *cuerpo calloso.*

— pequeño órgano ubicado entre el cerebro y cerebelo que se cree regula el crecimiento: *epífisis, glándula pineal.*

— glándula productora de numerosas hormonas: *hipófisis.*

—estrechamiento entre el cerebro medio y posterior: *istmo del encéfalo.*

— abultamiento del cerebro: *lóbulo.*

— cada una de las tres membranas que protegen el cerebro y la médula espinal: *meninge.*

— tejido esponjoso situado entre la piamadre y la duramadre: *aracnoides.*

— membrana serosa que protege al cerebro y a la médula espinal: *piamadre.*

— materia nerviosa, blanca y fibrosa situada en el interior del cerebro y en la parte periférica de la médula: *sustancia blanca.*

— materia nerviosa grisácea situada en la parte periférica del cerebro y en el interior de la médula: *sustancia gris.*

— materia que es una prolongación del sistema nervioso y se encuentra dentro de la columna vertebral: *médula espinal.*

— surco entre las circunvoluciones del cerebro: *anfractuosidad.*

— vuelta producida por las salientes del cerebro: *circunvolución.*

— línea de unión entre las partes de un órgano: *cisura.*

— correspondencia entre la configuración anatómica del cerebro y los carac-

cerebro

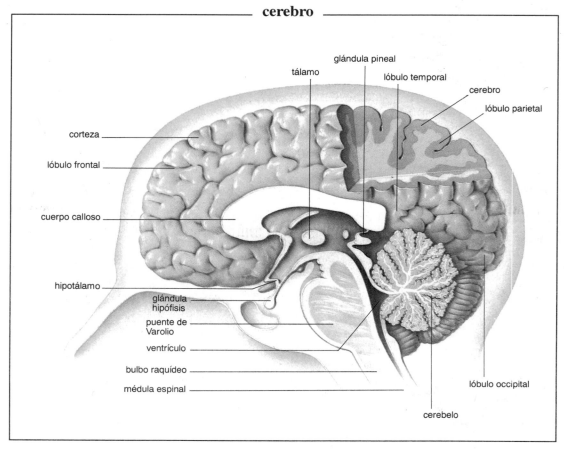

tálamo

glándula pineal

lóbulo temporal

cerebro

lóbulo parietal

corteza

lóbulo frontal

cuerpo calloso

hipotálamo

glándula hipófisis

puente de Varolio

ventrículo

bulbo raquídeo

médula espinal

lóbulo occipital

cerebelo

teres psíquicos y físicos de la persona: *frenología.*

— separación quirúrgica de las fibras que unen los lóbulos frontales y el tálamo que se practica para aliviar ciertas afecciones nerviosas graves: *leucotomía, lobotomía.*

— horadación del cráneo: *trepanación.*

— ocasionar una herida profunda en la cabeza: *descalabrar.*

2. Capacidad de pensar y obrar adecuadamente en cada circunstancia. ☞ **inteligencia.**

— *Tiene cerebro para las matemáticas.*

— persona que piensa cuidadosamente antes de actuar: *cerebral.*

ceremonia Acto solemne con que se conmemora o celebra algo. ☞ **protocolo, pompa, celebrar, celebración.**

— que es de la ceremonia: *ceremonial.*

— que es afecto a lo solemne: *ceremonioso, ceremoniero.*

— muy ceremonioso: *ceremoniático.*

cerillo Mecha de papel encerado o madera con un extremo de material combustible. ☞ **fósforo.**

— estuche para guardar cerillos: *cerillera, fosforera.*

— persona que vende cerillos o cigarros: *cerillero, cigarrero.*

cerner Separar lo grueso de una materia pulverizada. ☞ **cribar, cernir, harina.**

— *El cedazo sirve para cerner.*

— utensilio para cribar: *cernedor.*

— bastidor de madera que sostiene el cedazo: *cernedera.*

— acto y resultado de cerner: *cernidura.*

cerno Corazón de las maderas duras. ☞ **madera.**

cero 1. Signo que representa en las matemáticas la falta de valor o número. ☞ **matemáticas, nada.**

— *El cero a la izquierda del punto decimal no tiene valor.*

— no ser tomado en cuenta: *ser un cero a la izquierda, ser inútil.*

2. Punto inicial de una escala. ☞ **inicio.**

— *La temperatura es de 30 grados sobre cero.*

cerquillo Cabello que forma una corona en la cabeza de los religiosos. ☞ **flequillo, corona, orla.**

cerrar 1. Asegurar algo de tal forma que impida la salida o la entrada o ajustándolo en el hueco donde va. ☞ **atrancar.** ❖ ABRIR.

— *Cierra las ventanas con pestillo.*

— acción y resultado de cerrar: *cerradura.*

— mecanismo que sirve para cerrar: *cerradura.*

— distintos tipos de cerradura: *barra, candado, aldaba, pestillo, botón, cerrojo, falleba, pasador, picaporte, lla-*

ve, tirador, tranca.

— pequeño disco metálico en el pomo de una puerta que al presionarse asegura la misma: *botón.*

— instrumento que cierra de golpe las puertas: *picaporte.*

— puño para cerrar o abrir cajones, puertas o ventanas: *tirador.*

— plancha metálica con diversos cortes en las orillas que abre o cierra una cerradura: *llave.*

— viga que cruzada a lo largo de una puerta o ventana las asegura: *tranca.*

— varilla doblada que asegura puertas y ventanas: *falleba.*

— barra de hierro que se corre dentro de unas anillas para asegurar puertas o ventanas: *cerrojo.*

— palo con que se aseguran los postigos: *aldaba, barra.*

— cerradura que por medio de anillos o armellas asegura algo: *candado.*

— pasador plano con que se asegura una puerta: *pestillo.*

— barra de hierro que se corre para cerrar algo: *pasador.*

— lugar donde se hacen o arreglan llaves y cerraduras: *cerrajería.*

— especialista en hacer o arreglar llaves o cerraduras: *cerrajero.*

— clausurar o guardar algo dentro de un espacio determinado: *encerrar.*

2. Dar por terminado un asunto. ☞ **concluir.** ❖ EMPEZAR.

— *Para cerrar el negocio con broche de oro fuimos a cenar a un elegante restorán.*

— acción y resultado de cerrar: *cierre.*

— fecha en que los contribuyentes deben declarar sus ingresos anuales: *cierre fiscal.*

3. Incomunicar un lugar con el exterior. ☞ **clausurar.**

— *Cerró la habitación de su esposa cuando ella murió.*

4. Recuperar la piel su contextura original después de haber sido alterada. ☞ **cicatriz, cicatrizar.**

— *Ya cerraron las puntadas de la operación cesárea.*

5. Obstruir algo. ☞ **tapar.** ❖ ABRIR.

— *Cerraron el periférico al tránsito.*

— cubrirse el cielo de nubes negras antes de una tormenta: *cerrazón.*

6. Doblar o juntar lo que se tenía extendido.

— unirse o juntarse para impedir el paso o la entrada de algo: *cerrar filas.*

— llave que regula el flujo de un líquido: *cierre.*

— hilera de dientes metálicos o de plástico que sube o baja para ajustar una prenda de ropa: *cierre.*

— obstinarse en una situación: *cerrarse.*

— persona obstinada y dogmática: *cerrada.*

— obstinación: *cerrazón.*

— calle que termina en un muro: *cerrada.*

cerro Pequeña elevación del terreno. ☞ **monte.** ❖ VALLE.

— cerro alto: *cerrajón.*

— terreno abrupto: *cerril.*

— cerro de poca altura: *cerrejón.*

— cuello y espinazo de los animales: *cerro.*

cerril Animal no domesticado. ☞ **salvaje.** ❖ DOMESTICADO.

— obstinación: *cerrilismo.*

certamen Concurso literario, artístico o científico. ☞ **competencia, torneo, prueba.**

certeza Convencimiento pleno de la existencia de algo. ☞ **certidumbre, seguridad, certitud.** ❖ INCERTIDUMBRE, DUDA.

— tiro que da en el blanco: *certero.*

— tino al tirar: *certería.*

— que es seguro: *cierto.*

— que está conforme a la razón: *certero.*

certificar Corroborar de manera oficial que algo es cierto. ☞ **atestiguar, refrendar.**

— documento que asegura la verdad de un hecho: *certificado, certificación.*

— acto de certificar: *certificación.*

— que certifica: *certificador.*

— que sirve para acreditar la autenticidad de algo: *certificatorio.*

— cartas que mediante el pago de una cantidad de dinero extra se entrega al destinatario en propia mano y se asegura que realmente la carta fue recibida: *correo certificado.*

— funcionario público que certifica contratos y otros actos de carácter legal: *notario.*

cerumen Secreción amarillenta del oído. ☞ **oído.**

cerval Sensación de miedo muy grande. ☞ **terror, espanto.**

— que es del ciervo: *cerval.*

cerveza (vea recuadro de bebidas). Bebida fermentada de granos de cebada. ☞ **malta.**

— que es de la cerveza: *cervecero.*

— lugar donde se fabrica cerveza: *cervecería.*

— lugar donde se vende cerveza: *cervecería.*

— persona que hace o vende cerveza: *cervecero.*

— cebada germinada para preparar cerveza: *malta.*

— semilla puntiaguda y alargada con que se prepara la cerveza: *cebada.*

— levadura de cerveza aplicada como medicina: *cerevisina.*

— sustancia que provoca la fermentación de cebada para fabricar cerveza: *levadura de cerveza.*

— planta cuyo fruto desecado se utiliza para darle el sabor amargo a la cerveza: *lúpulo.*

— cerveza clara: *pelel.*

— tipos de cerveza: *clara y oscura.*

— disolución del azúcar que contiene la malta: *braceado.*

— espuma de la cerveza: *giste.*

— jarro de un cuarto de litro en que se bebe cerveza: *bock.*

— recipiente grande donde se bebe cerveza: *yarda, tarro.*

cerviz Parte superior y posterior del cuello. ☞ **cogote, cuello.**

— que es de la cerviz: *cervical.*

— cuello de los animales: *cerro.*

cesar Suspender la actividad que se está realizando. ☞ **interrumpir.** ❖ CONTINUAR.

— acción y resultado de cesar: *cesación, cesamiento.*

— que cesa: *cesante.*

— persona desempleada: *cesante.*

— estar en estado de cesante: *estar en cesantía.*

— acción y resultado de suspender en un cargo a alguien: *cese.*

cesárea Extracción quirúrgica del feto por medio de una incisión en la pared abdominal de la madre. ☞ **parir.**

césped Hierba menuda y tupida que cubre el suelo. ☞ **prado, pasto.**

— artefacto para cortar el césped: *podadora.*

cesta Recipiente de palma trenzada que se utiliza para transportar cosas. ☞ **canasta.**

— aro de metal del que cuelga una malla de tela que se coloca adosado a un tubo y que sirve para anotar tantos en el baloncesto: *cesta.*

— que cabe en una cesta: *cestada.*

— fabricante o vendedor de cestas: *cestero.*

— tienda o fábrica de cestas: *cestería.*

— cesta grande: *cesto.*

— cesto grande relleno de tierra que sirve como defensa en una fortificación: *cestón.*

cesto Correa con púas de metal que se coloca en la mano. ☞ **guante.**

cesura Pausa en el verso después de cada acento. ☞ **pausa, final.**

cetárea Criadero de animales marinos. ☞ **mar.**

— orden de mamífero pisciforme de gran tamaño: *cetáceo.*

— esperma de ballena: *cetina.*

— lugar a donde van a criar las ballenas a sus crías: *cetario.*

cetrería Caza de halcones y aves de presa, así como el conjunto de conocimientos relacionados a su cría. ☞ **halconería, caza.**

— relacionado con la cetrería: *cetrero.*

cetrino, -na De color verdoso amarillento. ☞ **aceitunado.**

cetro Vara de metal precioso adornada, que simboliza poder o dignidad. ☞ **báculo.**

cian Prefijo que significa azul. ☞ **prefijo, azul.**

— coloración azulada anormal en los ojos: *cianoftalmia.*

cibernética Ciencia que estudia los medios de transmisión de información en las máquinas y los seres vivos. ☞ **informática, computación.**

— ciencia que estudia el mecanismo de las conexiones nerviosas en los seres vivos: *cibernética.*

— que es de la cibernética: *cibernético.*

cicatear Gastar de manera mezquina la menor cantidad de dinero en algo. ☞ **escatimar, regatear.**

— que es tacaño: *cicatero, ruin.*

— tacañería: *cicatería.*

cicatriz Señal que deja una herida una vez curada. ☞ **costra, marcar, marca.**

— completarse la curación de una herida: *cicatrizar.*

— acción y resultado de cicatrizar: *cicatrización.*

— que cicatriza: *cicatrizante, sarcótico.*

— costra de un tejido orgánico quemado: *escara.*

— sustancia que cicatriza superficialmente: *escarótico.*

cicerone Persona que funciona como guía y acompañante de otra. ☞ **guía, acompañar, acompañante.**

ciclán Animal con testículos ocultos o que le falta uno. ☞ **testículo.**

ciclismo Deporte o ejercicio en bicicleta. ☞ **bicicleta.**

— bicicleta con motor: *ciclomotor.*

— que anda en bicicleta: *ciclista.*

— que participa en carreras de bicicletas: *ciclista.*

ciclo Serie de fenómenos o acciones con un orden y fin determinado. ☞ **período, lapso.**

— que se repite periódicamente: *cíclico.*

ciclón Viento y lluvia que se desplaza en movimientos circulares a gran velocidad. ☞ **huracán, borrasca.**

— que es del ciclón: *ciclónico, ciclonal.*

cíclope Monstruo mitológico con un solo ojo en medio de la frente.

— gigantesco: *ciclópeo.*

ciego, -ga Que está privado de la vista. ☞ **cegar.**

cielo 1. Espacio que rodea a la Tierra. ☞ **firmamento.**

— *El cielo semeja una bóveda de color azul encima de la Tierra.*

— que es del cielo: *celeste.*

— color azul del cielo cuando está despejado: *cerúleo.*

— cielo no enturbiado y transparente: *claro, limpio.*

— cielo con nubes grises que anuncian tormenta: *cubierto, nublado.*

— que es un cielo sin nubes: *raso, despejado.*

— masa de vapores de color blanco o gris en suspensión en la atmósfera: *nube.*

— que se presenta en el momento oportuno: *caído del cielo.*

— expresión de cariño: *cielo, cielito.*

— expresión de gratitud: *te has ganado el cielo.*

— frase que indica que los acontecimientos naturales e importantes de la vida ocurren sin necesidad de que uno procure que pasen: *matrimonio y mortaja, del cielo bajan.*

— escandalizarse por algo: *poner el grito en el cielo.*

— hacer todo para lograr un objetivo: *remover cielo y tierra para...*

2. Lugar ubicado en el firmamento donde, de acuerdo con ciertas religiones, como el cristianismo, se cree que habita Dios y a donde van las almas de los bienaventurados. ☞ **edén, paraíso, gloria.** ❖ INFIERNO.

— *De acuerdo con la tradición judeocristiana, en el cielo se encuentran Dios y su corte.*

— que es del lugar donde descansan las almas de los que se comportaron bien en vida: *celestial, empíreo.*

3. Voluntad de Dios.

— lugar agradable: *cielo.*

— sentirse a gusto: *sentirse como en el cielo.*

— delicioso: *celestial.*

— lugar, según los antiguos, a donde llegaban las almas después de la muerte: *campos elíseos.*

— cielo mitológico escandinavo: *glasor.*

— lugar donde iban a parar las almas de los héroes según la mitología escandinava: *valhala.*

— morada de los dioses griegos: *Olimpo.*

— morada de Dios: *empíreo.*

— cielo de los musulmanes: *chana.*

4. Parte interior, superior y lisa de un espacio. ☞ **bóveda.**

— *Al paladar también se le llama cielo de la boca.*

— revestimiento con que se cubren los techos en su interior: *cielo raso.*

ciencia Cuerpo de conocimientos sistematizados relativos a un área específica del saber. ☞ **disciplina.**

— saber transmitido directamente por Dios al hombre: *ciencia infusa.*

— conjunto de conocimientos misteriosos y mágicos con que se intenta conocer la naturaleza y el hombre: *ciencias ocultas, ocultismo.*

— matemáticas: *ciencias exactas.*

— sistemas de conocimiento relacionados con la materia orgánica, las leyes naturales y su aplicación: *ciencias naturales.*

— ciencias naturales: *astronomía, meteorología, química, física, geología, biología, mineralogía.*

— conjunto de áreas de conocimiento relacionadas con el hombre y su desarrollo en sociedad: *ciencias sociales.*

— conocer algo con certeza: *a ciencia cierta.*

— no necesitar una actividad de conocimientos profundos o sistematizados al respecto: *no tener ciencia algo.*

— que pertenece a o se relaciona con la ciencia: *científico.*

— que se está dedicado a determinada área de la ciencia: *científico.*

— método de trabajo para llegar a determinadas conclusiones que obedece a un sistema exacto de procedimientos: *científico.*

— procedimiento científico: *observación, experimentación, conclusión.*

— de acuerdo a las normas científicas: *científicamente.*

— creencia de que los valores científicos son fundamentales en todo: *cientificismo.*

— partidario del cientificismo: *cientificista.*

cieno Depósito de tierra, agua y materia orgánica en el suelo o en el lecho de las corrientes de agua. ☞ **barro, fango.**

— terreno pantanoso: *cenagal.*

— cieno pegajoso: *légamo.*

— lugar cubierto de légamo: *legamal.*

ciento Cantidad equivalente a diez veces diez. ☞ **centavo.**

— centésima parte de un milímetro: *cienmilímetro.*

— centésima parte de un millón: *cienmillonésimo.*

cierne Acto de florecer las plantas. ☞ **bisoño, bisoñez.** ❖ MADURO.

— lo que está en camino de ser: *en cierne.*

cierto, ta 1. Que es seguro. ☞ **indiscutible.** ❖ INCIERTO.

— *Es cierto que el sol sale por el oriente y se pone en el occidente.*

— tener razón en un argumento: *estar en lo cierto.*

— frase que contradice una aseveración anterior: *lo cierto es que...*

— frase que niega una aseveración

anterior: *no es cierto.*

— frase que confirma una aseveración anterior: *cierto.*

— frase que añade algo que viene al caso en la conversación: *por cierto, ciertamente.*

— aunque: *si bien es cierto que...*

2. Partícula que expresa que algo es determinado pero desconocido al mismo tiempo. ☞ **un, algún.**

— *Ciertos manifestantes se opusieron a la policía, pero se diseminaron sin que se pudiera conocer su identidad.*

cierzo Viento que proviene del norte. ☞ **viento.**

cifosis Enfermedad en que la columna se encorva hacia afuera. ☞ **joroba.**

cifra Signo con que se representa un número. ☞ **número.**

— signo arábigo que expresa determinada cantidad: *guarismo.*

— calcular algo: *manejar cifras.*

cifrar 1. Redactar algo mediante signos secretos. ☞ **escribir.**

— *En la guerra, los mensajes se cifran para que el enemigo no pueda entenderlos si los llegara a interceptar.*

— documento redactado con signos secretos: *cifrado, oculto.*

— leer lo que está escrito en escritura secreta: *descifrar.*

— acto y resultado de descifrar: *desciframiento.*

— que se puede descifrar: *descifrable.*

— en forma de cifra: *cifradamente.*

2. Resumir algo en otro elemento de menos valor. ☞ **reducir.**

— *Cifra toda su felicidad en el dinero que pueda obtener.*

cigarro Rollo de tabaco envuelto en papel que se fuma. ☞ **pitillo, cigarrillo.**

— estuche para guardar cigarros: *cigarrera.*

— que trabaja en la elaboración de cigarros: *cigarrero.*

— tienda de tabacos: *cigarrería.*

— fábrica de cigarros: *cigarrera.*

— cigarro de papel: *cigarrillo, pitillo.*

— pomo con un extremo con agujeros por donde se sorbe tabaco en polvo: *fusique.*

— planta solanácea de cuyas hojas se prepara el tabaco que se fuma: *tabaco, nicociana.*

— alcaloide venenoso que existe en el tabaco: *nicotina.*

— trastornos debidos al cigarro en los fumadores: *nicotismo, nicotinismo.*

— cigarro enrollado en hoja de tabaco: *habano, puro.*

— cigarro puro aplastado: *breva, chicote.*

— cigarro puro de mala calidad: *tagarnina.*

— puro preparado de manera rudimentaria: *veguero.*

— parte interior del puro: *tripa.*

— hoja de tabaco que envuelve la tripa: *capa.*

— diferente medida de los puros: *vitola.*

— anillo de colores que rodea a un puro, que señala la fábrica de donde proviene: *vitola.*

— inhalar y expeler el humo de los cigarros al chuparlos: *fumar.*

— tragarse el humo del cigarro al fumar: *dar el golpe.*

— parte que se desecha del cigarro: *colilla, bachicha.*

— dispositivo poroso que sirve para que no absorba el cuerpo toda la nicotina: *filtro.*

— tubo pequeño para fumar que contiene un material absorbente para que supuestamente chupe las toxinas que contiene el cigarro: *boquilla, pitillera.*

cigoma Hueso malar. ☞ **mejilla.**

— que pertenece a o se relaciona con el pómulo o la mejilla: *cigomático.*

cigoto Óvulo fecundado. ☞ **embrión, óvulo.**

cigüeñal Eje doblado en varios codos ajustados a bielas unidas a un pistón que provoca que el movimiento rectilíneo se transforme en circular. ☞ **motor.**

— dispositivo para sacar agua de un pozo: *cigoñal.*

cilicio 1. Saco áspero que se ciñe sobre la piel como penitencia. ☞ **silicio.**

— *En la Edad Media era muy frecuente que los religiosos llevaran un cilicio bajo la túnica.*

2. Cadenillas de fierro con puntas usadas como penitencia.

— *Los penitentes solían flagelarse la espalda con un cilicio para expurgar sus pecados.*

cilindro Sólido limitado por dos planos paralelos circulares. ☞ **geometría.**

— que tiene forma de cilindro: *cilíndrico.*

— comprimir en un cilindro algo: *cilindrar.*

— operación de cilindrar: *cilindrado.*

— tubo en que se encuentra el émbolo de una máquina: *cilindro.*

— disco cilíndrico que se mueve dentro de una máquina: *émbolo.*

— émbolo de máquina de vapor o motor de combustión interna: *pistón.*

cima Parte alta de algo. ☞ **cúspide, ápice, apogeo.** ❖ SIMA.

— recortar las orillas de algo: *cimar.*

— que se ubica en la punta: *cimero.*

cimborrio Construcción que sostiene a la cúpula. ☞ **cúpula.**

cimbrar 1. Mover algo con un movimiento oscilatorio. ☞ **vibrar.**

—*Las ramas de los árboles se cimbra-ron al tirar de ellas para recoger la fruta.*

2. Colocar una estructura de madera para hacer el colado del cemento en una construcción. ☞ **edificar.**

— *Cimbra el escalón antes de verter el cemento.*

— quitar las cimbras de una construc-ción: *descimbrar.*

— armazón de madera: *cimbrado.*

cimentar 1. Colocar el sostén de una edificación.

— *Para cimentar un edificio se nece-sita hacer un gran boquete en el suelo.*

— soporte de una construcción: *ci-miento.*

— acto de cimentar: *cimentación.*

2. Establecer la base sobre la que se apoya determinada tarea o idea. ☞ **consolidar.**

— *Hay que cimentar el proyecto de manera que no haya posibilidad de fracaso.*

— que cimienta: *cimentador.*

— puntos de apoyo de algo: *cimientos.*

— preparar algo de manera estable y sólida: *echar los cimientos para...*

— desde un inicio: *desde los cimientos.*

cimera Ornamento que se coloca sobre un yelmo. ☞ **armadura.**

cimitarra Espada curva usada por los moros. ☞ **arma, sable.**

cimocito Célula que origina fermenta-ción. ☞ **fermentar.**

— que destruye los fermentos: *cimo-cida.*

— bacteria que produce fermentación: *cimófito.*

— que lleva el fermento: *cimóforo.*

— fermentación por medio de una en-zima: *cimólisis.*

— tratado de las fermentaciones: *ci-mología.*

cinam Prefijo que significa canela. ☞ **prefijo, canela.**

— que pertenece a o se relaciona con la canela: *cinámico.*

cincelar Trabajar madera o piedra con cincel. ☞ **labrar.**

— herramienta recta y biselada para trabajar piedra o madera: *bisel, esco-plo, bedano.*

— especialista en labrar madera o pie-dra: *cincelador.*

— acto de cincelar: *cinceladura.*

— obra labrada de madera o piedra: *cincelado.*

cinco Número y cifra que representa cuatro más uno. ☞ **número.**

— espacio de cinco años: *quinquenio, lustro.*

— que sucede cada cinco años: *quin-quenal.*

— prefijo que significa cinco: *penta.*

— que tiene cinco lados: *pentágono.*

— cinco veces diez: *cincuenta.*

— cada una de las cincuenta partes en que se divide un todo: *cincuentavo, quincuagésimo.*

— celebración de los cincuenta años de algo: *cincuentenario.*

— cincuenta unidades de algo: *cin-cuentena.*

— que tiene cincuenta años: *cincuen-tón, quincuagenario.*

cincha Banda con que se asegura la silla de montar sobre los caballos. ☞ **guar-nición.**

— colocar la cincha a un caballo: *cin-char.*

— parte del cuerpo de los caballos donde se coloca la cincha: *cinchera.*

cine Prefijo que significa movimiento. ☞ **prefijo, mover, movimiento.**

— parte de la mecánica que estudia el movimiento en sus condiciones de es-pacio y tiempo: *cinemática.*

cineasta Persona que interviene en la realización, dirección o creación de cintas cinematográficas. ☞ **película.**

— sala de exhibición de películas: *ci-nematógrafo, cine.*

— aparato que reproduce cintas: *cine-matógrafo, proyector.*

— que pertenece a o se relaciona con el cinematógrafo: *cinematográfico.*

— captar escenas en movimiento para que sean proyectadas en cine: *cinema-tografiar.*

— arte del cine: *cinematografía.*

— procedimiento mediante el cual se puede proyectar una película en panta-llas gigantes con sensación de realidad en cuanto a la perspectiva: *cinemasco-pe.*

— procedimiento que permite proyec-tar tres imágenes yuxtapuestas: *cine-rama.*

ciner Prefijo que significa ceniza. ☞ **prefijo, ceniza.**

— recipiente que se utiliza para guardar la ceniza de los cadáveres: *cinerario.*

cinglar 1. Darle forma al hierro. ☞ **forjar.**

— *Al cinglar se somete a gran presión la pelota candente de hierro para dar-le forma.*

— martillo grande de fragua: *cinglador.*

2. Hacer andar un bote con un solo remo. ☞ **remo.**

— *Al cinglar un bote, el remo se colo-ca en la popa.*

cínico, -ca Que no respeta las convencio-nes. ☞ **desvergonzado.** ❖ HONESTO.

— actitud o comportamiento desver-gonzado: *cinismo.*

cinografía Estudio del perro y sus razas. ☞ **perro.**

— enfermedad mental en que el indi-viduo cree que se ha convertido en perro: *cinantropía.*

— lugar destinado a la carrera de gal-gos: *cinódromo, canódromo.*

— que es amante de los perros: *cinófilo.*

— que tiene parecido al perro: *cino-morfo.*

cinta Tira larga y angosta. ☞ **banda.**

— película: *cinta cinematográfica.*

— tira de tela o plástico que tiene centímetros y milímetros marcados para la medición de longitudes: *cinta métrica.*

— tira utilizada para cubrir los con-ductores eléctricos: *cinta aislante.*

— tira de material plástico que impri-me sonidos para posteriormente repro-ducirlos: *cinta magnetofónica.*

— cinta angosta: *cintilla.*

— adornado con cintas: *cinteado.*

— conjunto de cintas: *cintería.*

— despectivo de cinta: *cintajo.*

— cinta adhesiva de celofán: *durex.*

— cinta adhesiva de papel: *masking.*

— cinta adhesiva con un curativo: *curita.*

cinto Tira de diversos materiales que se ajusta a la cintura para ceñir diversas prendas de ropa. ☞ **cinturón.**

cintura Parte estrecha del cuerpo huma-no arriba de las caderas. ☞ **talle.**

— forzar a alguien a comportarse de-bidamente: *meter a alguien en cintura.*

— hombre mantenido por una mujer: *cinturita.*

— tira de las prendas de ropa que ajusta en la cintura: *pretina.*

— tira que cuelga en la cintura por detrás de algunas prendas de vestir: *trabilla.*

cinturón Tira de diversos materiales que se ajusta a la cintura para ceñir diversas prendas de ropa. ☞ **cinto.**

— vivir sobriamente debido a penurias económicas: *ceñirse el cinturón.*

— correa ceñida a la cintura para sos-tener un sable: *biricú.*

— cinto de cuero para llevar cartu-chos: *canana.*

— tira que cruza desde el hombro has-ta la cintura para colgar la espada: *tahalí, charpa.*

— cinturón de espinas de fierro que se coloca sobre la piel como penitencia: *cilicio.*

— cinturón del que cuelga la espada: *talabarte.*

— broche para ajustar cinturones o correas: *hebilla.*

cintra Curva de un arco o bóveda. ☞ **arco, bóveda.**

cipo Señal que en los caminos indica un límite, distancia o dirección. ☞ **mojón.**

circo 1. Carpa donde se realizan espectáculos. ☞ **pabellón, carpa.**

— *En los circos, los payasos, los equilibristas y animales amaestrados atraen mucho a los pequeños.*

— que pertenece a o se relaciona con el circo: *circense.*

— que se dedica al circo, ya sea como empresario o como artista: *circquero.*

— artistas de un circo: *acróbata, funámbulo, malabarista, transformista, trapecista, payaso, contorsionista, domador.*

— que baila y camina sobre cuerdas en el aire: *acróbata.*

— acróbata que hace ejercicios sobre la cuerda: *funámbulo.*

— que lanza objetos y juega en el aire con ellos: *malabarista.*

— que se disfraza rápidamente y se convierte en otro tipo: *transformista.*

— que hace acrobacias en un columpio: *trapecista.*

— que disfrazado y maquillado hace chistes o movimientos que provocan risa: *payaso.*

— que tiene flexibilidad de movimiento y puede doblarse y alargarse de manera asombrosa: *contorsionista.*

— que amansa las fieras y se exhibe con ellas en el circo: *domador.*

2. Lugar circular donde se celebraban los juegos romanos. ☞ **anfiteatro.**

— *Los emperadores romanos gastaban grandes sumas en el circo para congraciarse con el pueblo.*

— suelo sobre el que se lleva a cabo una competencia en el circo: *arena.*

— franja de terreno alisado para realizar carreras dentro del circo o de un estadio: *pista.*

— hueco de acceso al circo o a un estadio: *vomitorio.*

— cada uno de los espacios entre los vomitorios: *cúneo.*

— banco de un anfiteatro: *grada.*

— línea de gradas: *gradería.*

circuito 1. Borde circular de algo. ☞ **contorno.**

— *El periférico de la ciudad es un circuito.*

— rodear algo: *circuir.*

2. Serie de conductores por donde pasa una corriente eléctrica. ☞ **cable.**

— *Cuando tienen contacto dos circuitos se provoca un corto.*

circular Moverse de un sitio a otro de modo continuo. ☞ **pasar.** ❖ DETENERSE.

— pasar una noticia de una persona a otra: *circular.*

— enviar órdenes, instrucciones: *enviar una circular.*

— movimiento continuo: *circulación.*

— propagación de algo: *circulación.*

— poner algo en vigencia: *lanzar a la circulación.*

— que tiene un movimiento constante: *circulante.*

— moneda que está vigente y en uso: *circulante.*

— que pertenece a o se relaciona con la circulación: *circulatorio.*

— acto de circular: *circulación.*

círculo 1. Área limitada por una circunferencia. ☞ **circunferencia, redondel.**

— *El círculo es una superficie limitada por una línea curva cerrada.*

— que tiene la forma de un círculo: *circular.*

— va a reprobar porque no asiste a clases y no asiste a clases porque sabe que va a reprobar: *círculo vicioso.*

— corona circular que rodea algo: *aureola.*

— curva que sigue un astro alrededor de un satélite o del Sol: *órbita.*

— círculo metálico: *corona.*

— espacio redondo: *corro, circo.*

— objeto plano y en forma de círculo: *disco.*

— disco plano de madera o metal: *rodaja.*

— objeto circular que gira alrededor de un centro: *rueda.*

— círculo máximo de la esfera celeste: *Ecuador.*

— círculo máximo de la esfera celeste que cruza los polos: *meridiano.*

— semicírculo: *hemiciclo.*

— espacio semicircular con gradas: *hemiciclo.*

— círculo de la esfera terrestre que corre en la misma dirección del Ecuador: *paralelo.*

— que tiene forma redonda y plana: *lenticular.*

— que tiene forma redonda: *orbicular.*

— recta que enlaza el centro de un círculo con cualquier punto de la circunferencia: *radio.*

— línea que pasa por el centro del círculo y une ambos extremos de su circunferencia: *diámetro.*

— porción de la curvatura de un círculo: *arco.*

— porción de un círculo entre el arco y la cuerda: *segmento.*

— línea que une los dos extremos de un arco: *cuerda.*

— parte de un círculo entre dos radios y el arco que los junta: *sector.*

— cuarta parte de un círculo dentro de dos radios: *cuadrante.*

2. Grupo de amistades o conocidos de alguien.

— *El círculo en que se desenvuelve es muy cerrado, rechazan a personas ajenas.*

— sectores sociales: *círculo financiero, círculo de comerciantes, círculo político.*

circuncidar Operar quirúrgicamente para cortar una parte del prepucio. ☞ **retajar.**

— operación para cortar el prepucio: *circuncisión.*

— varón que ha sufrido la circuncisión: *circunciso.*

circundar Colocar algo alrededor de otra cosa. ☞ **rodear.**

— que rodea: *circundante.*

circunferencia Curva cerrada con puntos equidistantes a un centro. ☞ **círculo.**

— cada una de las 360 partes en que se divide la circunferencia: *grado.*

— sexagésima parte de un grado: *minuto.*

— superficie entre dos circunferencias concéntricas: *corona.*

— limitarse a determinada área: *circunferir.*

circunflejo Acento en forma de ángulo. ☞ **acento.**

circunlocución Figura retórica que consiste en usar una frase para expresar lo que se puede decir en una palabra. ☞ **perífrasis.**

— *Ha pasado a mejor vida significa que ha muerto.*

circunscribir Limitar algo dentro de determinada área. ☞ **ceñir, ajustar.** ❖ EXTENDERSE.

— acto de limitar: *circunscripción.*

— que está limitado a: *circunscrito.*

— demarcación jurídica o administrativa: *circunscripción.*

circunspecto, -ta Que es reservado y distante. ☞ **discreto.** ❖ ABIERTO.

— que tiene cualidad de circunspecto: *circunspección.*

circunstancia Conjunto de situaciones que coinciden en determinado momento. ☞ **ocasión, condición.**

— en ningún caso: *bajo ninguna circunstancia.*

— poner la expresión de acuerdo a lo que sucede: *poner cara de circunstancia.*

— que depende de determinadas condiciones: *circunstancial.*

— que está detallado: *circunstanciado.*

— especificar las condiciones de algo: *circunstanciar.*

— que es testigo de algo: *circunstante.*

— que se encuentra alrededor: *circunstante.*

circunvalación Borde o línea que rodea algo. ☞ **circuito.**

— rodear algo: *circunvalar.*

circunvecino, -na Que se encuentra cercano a algo. ☞ **próximo.** ❖ DISTANTE.

circunvolución Vuelta o rodeo. ☞ **giro.**

circunyacente Que se encuentra alrededor de algo. ☞ **circunstante.**

cirílico (vea recuadro de alfabetos). Alfabeto utilizado por lenguas eslavas. ☞ **alfabeto, abecedario.**

cirio Vela de cera larga y ancha. ☞ **cera, vela.**
— candelero alto: *cirial.*
— plato con un pequeño tubo adosado para sujetar una vela: *candelero.*

cirro 1. Nube que tiene varias protuberancias. ☞ **nube.**
— *El cirro es un tipo de nube.*
— que tiene protuberancias: *cirroso.*
2. Tumor endurecido. ☞ **tumor.**
— endurecimiento de alguna víscera: *cirrosis.*

cirugía Rama de la medicina que cura dolencias por medio de operaciones realizadas a mano con instrumentos cortantes. ☞ **medicina.**
— que pertenece a o se relaciona con la cirugía: *quirúrgico.*
— espacio destinado en específico a realizar operaciones: *quirófano.*
— que se dedica a la cirugía: *cirujano.*
— restauración morfológica de los pacientes que presentan defectos físicos o alteraciones producidas por diversas causas: *cirugía plástica.*
— cierto tipo de operación que se puede efectuar fuera del cuerpo del paciente: *microcirugía.*
— abrir y cortar una parte del cuerpo para curarla: *operar.*
— separar un miembro del cuerpo cortándolo: *amputar.*
— cortar unos tejidos para agrandar una herida: *desbridar.*
— arrancar un tejido de raíz: *extirpar.*
— horadar el cráneo: *trepanar.*
— extirpación de un tejido: *ablación.*

ciscar Provocarle a alguien preocupación o temor. ☞ **asustar.**
— que está atemorizado: *ciscado.*
— reducir a polvo algo: *hacer cisco.*

cisma Desacuerdo entre los miembros de un grupo. ☞ **dividir, división.** ❖ ACUERDO.
— que pertenece a o se relaciona con el cisma: *cismático.*
— dentro de la religión católica, persona que se muestra abiertamente opuesto a las doctrinas de la Iglesia: *apóstata, cismático.*

cisterna Depósito de agua. ☞ **tanque, aljibe.**

cisticercosis Enfermedad ocasionada por cisticercos en el organismo.
— larva que se aloja en el organismo humano o animal: *cisticerco.*

cisura Abertura que se hace de algo. ☞ **incisión, romper, rotura.**

citar 1. Acordar previamente la hora y el lugar de un encuentro. ☞ **convocar, convenir.**
— *Me citaron en el juzgado mañana por la tarde para la junta de avenencia.*
— acuerdo para que dos o más perso-

nas se vean en determinado lugar: *cita.*
— acción de citar: *cita.*
— notificación ante un juez: *citación.*
— llamar la atención del toro con el capote: *citar.*
— documento que convoca a alguien a acudir a determinado lugar: *citatorio.*
2. Nombrar las palabras de otro. ☞ **aludir.**
— *Ella cita a cada momento a su filósofo de cabecera.*
— frase que se toma de otro y se incluye en la conversación o escrito propio: *cita.*
— autor mencionado o aludido: *citado.*
— nota de pie de página: *cita de pie de página.*
— referencias: *bibliografía citada.*

cítrico, -ca Frutas agrias o agridulces.
— que pertenece a los cítricos: *citrícola.*
— fruto agrio: *cítrico.*
— cultivo de cítricos: *citricultura.*
— esencia de limón: *citrina.*
— que tiene el color del limón: *citrino, limonado.*
— sitio con limoneros: *limonar.*
— fruto amarillo de pulpa agria y jugosa: *limón.*
— agua de limón con azúcar: *limonada.*
— algunos cítricos: *guayaba, naranja, limón.*

ciudad Población de grandes dimensiones donde se reúne gran número de comercios e industrias y que cuenta con una organización educativa, cultural y de servicios. ☞ **urbe.**
— ciudad populosa: *urbe.*
— que pertenece a o se relaciona con el urbanismo: *urbanístico.*
— conocimientos encaminados al desarrollo armónico de las ciudades en todos sus aspectos: *urbanismo.*
— arquitecto especializado en el desarrollo planificado de las ciudades: *urbanista.*
— que es de la ciudad: *urbano.*
— dotar de servicios a un conjunto de viviendas: *urbanizar.*
— compañía que urbaniza: *urbanizadora.*
— espacio fortificado en el interior de una ciudad: *ciudadela.*
— ciudad de donde uno es originario: *ciudad natal.*
— confederación de ciudades en la antigua Grecia: *anfictionía.*
— ciudad donde se reunían los poderes gubernamentales en la antigua Grecia: *polis.*
— ciudad donde se asientan los poderes de un gobierno: *capital.*
— habitante de una capital: *capitalino.*
— habitante de una ciudad: *ciudadano.*
— que goza de ciudadanía: *ciudadano.*

— suburbio de una ciudad: *ciudad satélite.*
— suburbio de una ciudad: *periferia.*

ciudadanía Estado de una persona que lo acredita como nacido en determinado país con sus respectivos derechos y obligaciones. ☞ **nación, nacionalidad.**
— persona que tiene derechos y obligaciones civiles: *ciudadano.*
— que pertenece a o se relaciona con los ciudadanos: *civil.*
— gobierno de civiles: *civilismo.*
— normas y conjunto de conocimientos relativos al desempeño del hombre en sociedad: *civismo.*
— rama del derecho que trata de las relaciones privadas entre ciudadanos: *derecho civil.*

civilización 1. Desarrollo alcanzado por una sociedad en su constante evolución histórica. ☞ **progreso.** ❖ RETROCESO.
— *El grado de civilización que el hombre ha alcanzado es sublime en algunos aspectos y deplorable en otros.*
— instruido y de comportamiento educado: *civilizado.*
— educar a alguien haciéndolo más educado y sociable: *civilizar.*
— llevar los progresos sociales a determinada comunidad: *civilizar.*
2. Conjunto de las costumbres, tradiciones, leyes, creencias y de las actividades y producciones artísticas, científicas, económicas de uno o varios pueblos.
— *La civilización helénica alcanzó uno de los más altos grados de cultura a la que un pueblo puede llegar.*
— grupo social en determinada época y lugar: *cultura, civilización.*

cizalla Pinzas para cortar metal. ☞ **tijeras.**

cizaña Elemento que hace daño y envenena. ☞ **daño, dañino.**
— infundir sospechas o provocar enemistades: *sembrar cizaña, hacer cizaña, cizañar.*
— que gusta de hacer mal a otros: *cizañudo.*

clac Sombrero plegable. ☞ **sombrero.**

clamar Llamar en voz alta pidiendo algo. ☞ **vociferar.**
— griterío: *clamor.*
— grito de dolor: *clamor.*
— grito largo y profundo: *clamoreada.*
— sucesión ininterrumpida de gritos: *clamoreo.*
— que es un quejido lastimoso: *clamoroso.*
— gritar y quejarse: *clamorear.*

clámide Capa corta usada por los griegos y romanos. ☞ **capa.**

clan Grupo social que consiste de los

descendientes de un mismo antepasado. ☞ **tribu.**

— conjunto de personas con los mismos intereses que forma grupo: *clan.*

clandestino, -na Que se hace o dice en forma secreta. ☞ **oculto.** ❖ PÚBLICO.

— circunstancia que se mantiene oculta: *clandestinidad.*

— de manera oculta: *clandestinamente.*

clangor Forma poética de referirse al sonido de la trompeta. ☞ **sonido.**

clara Sustancia blanca y viscosa que rodea la yema de un huevo. ☞ **huevo.**

claraboya Ventana redonda. ☞ **tragaluz, cenit.**

clarete (vea recuadro de bebidas). Vino tinto claro.

clarividente Que tiene la capacidad de percibir algunos fenómenos que para los demás son inadvertidos. ☞ **adivinación.**

— percepción inusitada de las cosas y situaciones: *clarividencia.*

claro 1. Que se encuentra lleno de luz. ☞ **iluminar, iluminado.** ❖ OSCURO.

— *Si se pintan las paredes en tonos pastel, una habitación se ve clara.*

— efecto que provoca la luz al iluminar un espacio: *claridad, clareza.*

— salir el sol: *clarear, clarecer.*

— superficie con partes iluminadas y otras sombreadas: *claroscuro.*

2. Que se distingue bien por ser terso y transparente. ☞ **cristalino.** ❖ TURBIO.

— *La voz del actor era clara y bien modulada.*

— purificar algo: *clarificar, aclarar.*

— que clarifica: *clarificativo.*

— que puede ser clarificado: *clarificable.*

3. Color no intenso. ☞ **pastel.**

— *Los colores claros en la ropa durante la época de calor son los adecuados.*

4. De fácil comprensión. ☞ **inteligible.**

— *La explicación del maestro fue tan clara que nadie tuvo dudas.*

— persona que expresa sus pensamientos aun cuando a otros les parezcan inoportunos o faltos de delicadeza: *claridosa.*

— conversar para deshacer un malentendido: *aclarar.*

5. Lo que es evidente. ☞ **manifiesto.**

— *Es claro por tu actitud que no tienes ningún deseo de asistir a la fiesta.*

6. Espacio vacío. ☞ **hueco.**

— *En un claro del bosque, acampamos.*

clase 1. Estrato social. ☞ **nivel.**

— *Marx pensaba que las clases sociales estaban siempre en pugna.*

— discriminación de un grupo social para con otro: *clasismo.*

— que es distinguido y elegante: *de clase.*

— que se comporta convenientemente: *tener clase.*

2. Lección que da un maestro sobre determinada materia. ☞ **cátedra, curso.**

— *La clase de inglés de hoy trató sobre la gramática.*

3. Grupo de estudiantes que toman las mismas materias. ☞ **generación, salón.**

— *Mi clase consta de 35 alumnos.*

4. Conjunto de varios órdenes de animales o plantas con elementos en común. ☞ **taxonomía.**

— *Los mamíferos son una clase a la que pertenecen los primates.*

clásico, -ca 1. Autor y obra artística considerada como modelo digno de imitación. ☞ **modelo, prototipo.**

— *Los Beatles son un grupo clásico dentro de la música contemporánea.*

— música compuesta después del barroco y antes del romanticismo: *clásica.*

2. Todo lo relativo al arte de Grecia y Roma antiguas.

— *El Renacimiento fue una época donde se revaloraron las obras clásicas.*

— arte que imitaba la arquitectura clásica en el siglo XVIII: *neoclásico.*

— corriente artística que considera lo hecho en la Grecia y Roma antiguas como digno de imitación: *clasicismo.*

— que es partidario del clasicismo: *clasicista.*

— de modo clásico: *clásicamente.*

clasificar Organizar algo de acuerdo a categorías. ☞ **catalogar.**

— acto de clasificar: *clasificación.*

— que clasifica: *clasificador.*

claudicar Ceder flaqueando a la realización de algo. ☞ **ceder, rendir.** ❖ CONTINUAR.

— acto de claudicar: *claudicación.*

claustro 1. Pasillo del patio interior de un convento. ☞ **galería.**

— *Se refiere al estado monástico o conventual como claustro.*

— angustia provocada por permanecer en lugares cerrados: *claustrofobia.*

— encerrarse en determinado lugar o situación: *enclaustrarse.*

— matriz: *claustro materno.*

— dejar que un religioso salga de la orden a la que pertenece: *exclaustrar.*

2. Grupo representativo del profesorado y la dirección de una institución de enseñanza. ☞ **junta.**

— *El claustro se reúne cada mes para tomar decisiones importantes con respecto a la Universidad.*

cláusula Cada una de las estipulaciones de un contrato. ☞ **condición, disposición.**

clausurar Cerrar o dar por terminado un negocio o una actividad. ☞ **cesar, disolver.** ❖ EMPEZAR, ABRIR.

— cierre de una institución: *clausura.*

— vida conventual: *clausura.*

clava Palo ancho y tosco. ☞ **palo.**

clavar Fijar un clavo dentro de una superficie. ☞ **remachar.**

— pieza de hierro puntiaguda y delgada que sirve para asegurar o para que penda algo: *clavo.*

— conjunto de clavos puestos en algo: *clavazón.*

— uno de los clavos que se utiliza para colgar cosas: *alcayata.*

— clavo delgado, pequeño y metálico, que se utiliza para sujetar la tela: *alfiler.*

— clavo doblado en la punta que se utiliza para sujetar algo: *escarpia.*

— clavo pequeño con la punta grande y aplanada: *tachuela.*

— clavo de metal con la punta terminada en espiral que se ajusta a un objeto: *tornillo.*

— clavo grueso con un tornillo en la punta que se ajusta con una tuerca: *perno.*

— cilindro pequeño de madera: *clavija.*

— torcer la punta de un clavo después de haber atravesado la superficie clavada: *redoblar.*

— golpear la punta de un clavo una vez que ya ha atravesado la superficie: *remachar.*

— quitar un clavo: *desclavar.*

— llenar una superficie con clavos: *clavetear.*

— acto de clavetear: *claveteo.*

— salto de un trampolín o lugar elevado para echarse dentro del agua: *clavado.*

— enamorarse profundamente de alguien: *clavarse.*

— obstinarse en algo: *clavarse.*

— acertar en una deducción: *dar en el clavo.*

— equivocarse: *dar una en el clavo y ciento en la herradura.*

— aferrarse a algo o alguien: *agarrarse a un clavo ardiendo.*

— librarse de una persona o cosa molesta: *sacarse el clavo.*

— frase que expresa que enamorarse de nuevo es conveniente para olvidar lo anterior: *un clavo saca a otro clavo.*

clave 1. Conjunto de signos que sirven para descifrar una escritura oculta. ☞ **cifra, llave.**

— *Sin tener la clave, no se puede descifrar un mensaje oculto.*

2. Figura que indica la notación musical. ☞ **llave.**

— *La clave de sol y la clave de do son las más comunes.*

3. Parte esencial de una situación. ☞ **meollo.**

— *Algunos dicen que la clave para triunfar en los negocios es la audacia.*

clavícula Hueso que cruza de manera horizontal el pecho y que se encuentra conectado con el omóplato y el esternón.

—animal mamífero sin clavículas: *acleido.*

—relativo a la clavícula y las costillas: *cleidocostal.*

— operación quirúrgica que consiste en cortar la clavícula: *cleidotomía.*

— que pertenece a o se relaciona con la clavícula: *clavicular.*

clavija Pequeño cilindro de madera para colgar o tapar algo. ☞ **espiga.**

— mueble para colgar prendas de vestir: *perchero, clavijero.*

claxon Bocina en los automóviles para llamar la atención a otros conductores o a peatones. ☞ **bocina.**

cledonismancia Adivinación basada en la interpretación de los ruidos. ☞ **adivinación, ruido.**

cleidomancia Adivinación por medio de llaves y cerrojos. ☞ **adivinación, llave.**

clemencia Disposición para perdonar. ☞ **piedad, indulgencia.** ❖ INTRANSIGENCIA.

— que se muestra dispuesto a perdonar: *clemente.*

clepsidra Utensilio que mide el tiempo al gotear agua de un recipiente unido a otro por una parte estrecha. ☞ **reloj.**

cleptomanía Inclinación patológica a robar. ☞ **robar.**

— que siente impulsos incontrolables para tomar lo ajeno: *cleptomaníaco, cleptómano.*

clero Grupo sacerdotal de la Iglesia. ☞ **eclesiástico.**

— que ha hecho voto religioso: *clérigo.*

— que pertenece al clérigo o se relaciona con él: *clerical.*

— situación clerical: *clericato, clericatura.*

— clase compuesta por el clero: *clerecía.*

—*género literario medieval cultivado especialmente en España por personas que se dedicaban al estudio y que en su mayoría eran religiosos: Mester de Clerecía.*

— poesía que caracteriza al género del Mester de Clerecía: *la de Gonzalo de Berceo.*

— poder que tiene la Iglesia en la vida política: *clericalismo.*

— aversión a la Iglesia y sus representantes: *clerofobia.*

— enemigo de la Iglesia o sus representantes: *clerófobo.*

cleuasmo Figura retórica consistente en atribuirse uno lo que es aplicable a otros o atribuir a otros lo que es apli-

cable a uno mismo. ☞ **ironía, asociación.**

— *Todos los mexicanos somos ingeniosos.*

cliché 1. Impresión fotográfica negativa. ☞ **fotografía.**

— imprimir en planchas de metal tipografía para después reproducirla en varios ejemplares: *clisar.*

— acción de clisar: *clisado.*

— persona física o moralmente parecida a otra: *cliché.*

2. Frase que expresa un lugar común.

— *Decir "si te portas mal me avisas" ha llegado a ser un cliché.*

cliente Que solicita los servicios de alguien o compra un producto. ☞ **parroquiano, consumidor, público.** ❖ VENDEDOR.

— conjunto de clientes: *clientela.*

clima 1. Temperatura determinada en una región. ☞ **tiempo, atmósfera, condición atmosférica.**

— *Cerca de los trópicos, el clima es cálido.*

— equipo electromecánico que por medio de electrodos, electricidad o algún combustible provoca cambios de temperatura dentro de una habitación: *clima artificial.*

— sistema que por medio de electrodos baja la temperatura dentro de una habitación: *aire acondicionado.*

— sistema que por medio de electrodos eleva la temperatura dentro de una habitación: *calefacción.*

— utensilio, por lo general eléctrico, que humedece el ambiente de una habitación: *vaporizador.*

— que pertenece a o se relaciona con el clima: *climático, climatológico.*

— tratado de los climas: *climatología.*

— descripción del clima de determinada región: *climatografía.*

— influencia del clima: *climatura.*

— ciencia que trata los fenómenos atmosféricos, especialmente en la determinación del clima: *meteorología.*

2. Condiciones que caracterizan la atmósfera emocional o moral de un grupo de personas. ☞ **atmósfera, medio ambiente.**

— *La junta de directores se desarrolló en un clima cordial.*

climaterio Período en que el ser humano inicia o termina su función genital. ☞ **adolescencia, menopausia.**

— relativo al climaterio: *climatérico.*

clímax 1. Momento culminante de algo. ☞ **apogeo, culminar, culminación.**

— *El clímax en la película se da cuando descubren el cadáver de la heroína.*

2. Momento de máxima excitación en el acto sexual. ☞ **orgasmo.**

— *El clímax en los varones se da en el momento de eyacular.*

clínica 1. Aplicación práctica de la medicina. ☞ **medicina.**

— *Sin la parte clínica, el estudio de la medicina es inútil.*

— que pertenece a o se relaciona con la clínica: *clínico.*

2. Institución médica para el diagnóstico, tratamiento y prevención de enfermedades. ☞ **hospital, sanatorio.**

— *En las clínicas las vacunas se aplican a los infantes.*

clip Ganchillo de metal para sujetar papeles. ☞ **papel.**

clipeiforme Que tiene la forma de un escudo. ☞ **escudo.**

clítoris Órgano femenino eréctil y carnoso ubicado en la parte superior de la vulva. ☞ **vulva.**

— partes genitales externas femeninas: *vulva.*

— masturbación en la mujer: *clitorismo.*

— desarrollo excesivo del clítoris: *clitorismia.*

— que pertenece a o se relaciona con el clítoris: *clitorídeo.*

— escisión del clítoris: *clitoridectomía.*

cloaca Tubería por donde corren las aguas sucias en una ciudad. ☞ **alcantarilla.**

clon Ser genéticamente idéntico a su progenitor. ☞ **genética.**

— aislar un gen: *clonizar.*

cloquear (vea recuadro de voces animales). Emitir la gallina su voz característica. ☞ **cacarear, clueca.**

— voz de la gallina: *cloqueo.*

clorofila Sustancia verde que le da color a las plantas. ☞ **planta.**

— que pertenece a la clorofila o se relaciona con ella: *clorofílico.*

— que tiene clorofila: *clorofílico.*

cloroformizar Anestesiar a alguien usando cloroformo. ☞ **anestesia.**

— líquido utilizado como anestésico: *cloroformo.*

club Asociación de personas con objetivos o intereses comunes. ☞ **círculo.**

— local donde se practican diferentes actividades de tipo recreativo: *club deportivo.*

clueca Ave que se encuentra empollando. ☞ **aves, empollar.**

— ponerse clueca un ave doméstica: *enclocar.*

clutch (cloch) Mecanismo por medio del cual se acciona el motor y las velocidades de un automóvil. ☞ **embrague.**

coa Pala con mango largo y plano usada en la agricultura. ☞ **azadón.**

coacción Procedimiento violento para

forzar a alguien a hacer algo en contra de su voluntad. ☞ **coerción.**
— obligar a otro a hacer lo que no quiere: *coaccionar, coactar.*
— que tiene manera de obligar: *coactivo.*
— calidad de coactivo: *coactividad.*

coacervar Acumular algo. ☞ **amontonar.** ❖ DISGREGAR.

coadjutor, -ra Que acompaña a otro a realizar ciertas diligencias. ☞ **coadyuvar, coadyuvante.**

coadyuvar Ayudar en la consecución de algo. ☞ **cooperar.**
— colaborador en una actividad: *coadyuvante, coadyutor, coadjutor.*
— que colabora: *coadyutorio.*

coagular Solidificar lo líquido. ☞ **cuajar.**
— masa de líquido cuajado: *coágulo.*
— acción y resultado de coagular: *coagulación.*
— que es posible cuajar: *coagulable.*
— elemento que solidifica un líquido: *coagulador, coagulante.*
— masa de sangre solidificada en un vaso o en el corazón: *coágulo sanguíneo.*

coalición Unión de varias naciones contra uno o diversos países. ☞ **coligar, coligación.**
— unirse con determinado fin: *coligarse.*
— acto y resultado de coligarse: *coligación.*
— participante en una coalición: *coligado.*

coaptación Ajuste de un hueso dislocado o fracturado. ☞ **hueso.**
— ajustar de forma unida varios elementos: *coaptar.*

coartar Restringir la libertad de acción de otro. ☞ **limitar.**
— acto y resultado de coartar: *coartación.*

coartada Situación que prueba que el acusado de un delito no se encontraba en ese lugar en el momento en que éste fue cometido. ☞ **subterfugio.**

coaxial Que tiene un mismo eje. ☞ **eje.**

coba Halago insincero. ☞ **lisonja, adular, adulación.**
— adular: *dar coba.*

cobarde Que se muestra temeroso ante un posible riesgo. ☞ **miedo, miedoso, gallina.** ❖ VALIENTE.
— falta de valor: *cobardía.*
— tener cobardía: *cobardear.*

cobertizo Sitio que cubre de modo rústico para resguardarse de la intemperie. ☞ **tejavana, tejado.**

cobertor Manta gruesa. ☞ **edredón, colcha, sarape.**

cobertura 1. Cualquier cosa que cubre algo. ☞ **capa, revestir, revestimiento, tapa.**
— *El pastel con cobertura de crema es mi favorito.*

2. Alcance que tiene determinado medio de comunicación en el público. ☞ **alcanzar, alcance.**
— *El noticiario de la noche tiene la más amplia cobertura.*

cobija Manta que protege del frío. ☞ **manta, sarape.**
— manta rellena de plumón: *edredón.*
— manta hecha con retazos de tela de diversos colores: *centón.*
— colcha pequeña colocada en los pies: *cubrepiés.*
— manta afelpada: *frazada.*
— dar amparo y protección: *cobijar.*
— guarecerse del frío: *cobijarse.*
— lugar protegido: *cobijo.*
— acción y resultado de cobijar: *cobijamiento.*
— que protege contra algo: *cobijador.*
— teja colocada entre dos canales: *cobija.*
— pluma pequeña en las alas y la cola de las aves: *cobija.*
— quedarse dormido hasta muy tarde: *pegarse las cobijas.*
— guardar un sentimiento: *cobijar un sentimiento.*

cobrar 1. Percibir dinero a manera de pago. ☞ **recaudar, embolsar, recibir.** ❖ PAGAR.
— *Fui a cobrar el cheque al banco.*
— acto y resultado de cobrar: *cobranza.*
— acto y resultado de cobrar dinero: *cobro.*
— que puede ser cobrado: *cobrable.*
— persona encargada de hacer efectivos los pagos que otro debe hacer: *cobrador.*
— lugar destinado a hacer cobros: *cobraduría.*
— documento que permite cobrar a determinada persona en efectivo la cantidad allí designada en un banco: *cheque.*
— documento probatorio de que determinada cantidad ha sido entregada a cambio de un bien o servicio: *recibo.*
— documento que obliga a una persona a pagarle a otra determinada cantidad de dinero: *letra, pagaré.*
— obtener determinado beneficio como compensación de un perjuicio: *cobrarse.*
— recuperar el conocimiento después de un desmayo: *cobrar conciencia.*

2. Desarrollar determinada disposición de ánimo o sentimiento por alguien o algo. ☞ **adquirir.**
— *Le ha cobrado animadversión a los insectos.*
— cazar o pescar un animal: *cobrar una presa.*

cocada Pasta dulce hecha de coco.

cocaína Alcaloide de la hoja de la coca

usado como droga.
— arbusto eritoxiláceo originario del Perú: *coca.*
— plantío de coca: *cocal.*
— abuso de la cocaína: *cocaísmo.*
— afición excesiva al uso de la cocaína: *cocainomanía.*
— adicto a la cocaína: *cocainómano.*

cóccix Hueso en que termina la columna vertebral en su parte interior. ☞ **coxis.**

cocear Patear violenta y repetidamente a los animales. ☞ **coz.**
— acción de cocear: *coceadura.*

cocer Someter un alimento u otra materia a la acción del fuego en agua hirviendo para que deje de estar crudo o cambie su textura. ☞ **escaldar.**
— fermentar un líquido: *cocer.*
— acción y resultado de cocer: *cocción, cocedura, cocimiento.*
— cocción en horno: *cochura.*
— hornada de algo: *cochura.*
— lugar donde se cuece algo: *cocedero, estufa, horno.*
— líquido donde algo se cuece o es hervido: *cocimiento.*
— tener mucho calor: *cocerse.*

cociente Expresión numérica que indica que se ha dividido una cantidad entre otra. ☞ **dividir.**

cocinar Preparar alimentos, especialmente los que se cuecen al fuego. ☞ **guisar.**
— lugar especialmente dispuesto en una casa para preparar alimentos: *cocina.*
— establecimiento donde se vende comida preparada: *cocina económica.*
— que pertenece a o se relaciona con la cocina: *coquinario.*
— que pertenece a o se relaciona con el arte de guisar: *culinario.*
— persona que guisa la comida en determinado sitio: *cocinero.*
— hornillo portátil: *cocinilla.*
— muebles de cocina: *estufa, horno, fregadero, filtro, escurridera, refrigerador, alacena, anaqueles, espetera, vasar, silla, mesa.*
— mueble donde, por medio de leña, carbón, petróleo, gas o electricidad se produce fuego para calentar alimentos: *estufa.*
— parte de la estufa donde se asan los alimentos: *asador.*
— parte de la estufa donde se cuecen los alimentos a elevada temperatura: *horno.*
— mueble consistente en una tarja y grifos para lavar platos y vasos: *fregadero.*
— recipiente de acero donde se colocan los platos y vasos que se lavan: *tarja.*
— artefacto que adosado al fregadero

o de modo independiente purifica el agua potable: *filtro.*

— tabla de plástico o armazón de hierro forrado de plástico donde se colocan los trastos recién lavados para secarse: *escurridera.*

— mueble que produce frío para conservar los alimentos: *refrigerador, nevera, frigorífico.*

— tabla para colocar la batería de cocina: *espetera.*

— mueble con puertas y estantes para guardar trastes y sartenes: *anaquel.*

— banco en la alacena para colocar vasos y platos: *vasar.*

— armario donde se guardan alimentos en conserva, granos o paquetes: *alacena, despensa.*

— conjunto de cacerolas y utensilios para guisar: *batería de cocina.*

— recipientes para cocinar: *alcuza, besuguera, budinera, marmita, perol, cacerola, puchero, flanera, sartén, caldero, cazuela, vasija, olla, molde, comal, molcajete.*

— vasija para guardar el aceite: *alcuza.*

— sartén ovalado para freír pescado: *besuguera,*

— cacerola para hacer budines o cocer a baño maría: *budinera.*

— olla de metal con tapadera y asas: *marmita.*

— vasija metálica semiesférica para calentar líquidos: *perol.*

— recipiente con mango para guisar: *cacerola.*

— vasija de barro para guisar: *puchero.*

— molde para hacer flanes: *flanera.*

— vasija con mango que sirve para freír: *sartén.*

— vasija metálica con fondo redondo y asa móvil: *caldero.*

— vasija ancha y poco profunda de barro: *cazuela.*

— recipiente de formas y materiales variados: *vasija.*

— vasija redonda y profunda de barro o metal: *olla.*

— recipiente hueco con determinada forma para que, al momento de rellenarlo, la sustancia adquiera esa forma: *molde.*

— lamina metálica para calentar tortillas: *comal.*

— recipiente de piedra con un macillo del mismo material usado para machacar alimentos: *molcajete.*

— utensilios de cocina: *cucharón, abrelatas, destapador, exprimidor, cernidor, palote, batidora, picadora, licuadora, sandwichera, rallador, molinillo, espetón.*

— utensilio de metal o madera compuesto por una concavidad y mango utilizado para servir o revolver alimentos: *cucharón.*

— artefacto metálico para abrir latas: *abrelatas.*

— artefacto metálico con un borde afilado para quitar las corcholatas a los envases: *destapador.*

— utensilio para estrujar cítricos y sacarles su jugo: *exprimidor.*

— malla metálica pegada a un aro que sirve para cribar: *cernidor.*

— rodillo de madera o plástico para amasar: *palote.*

— aparato eléctrico con aspas que bate: *batidora.*

— aparato eléctrico consistente en un vaso de vidrio o de plástico que se ajusta a un motor para picar o moler alimentos: *licuadora.*

— aparato eléctrico consistente en un recipiente con una cuchilla para cortar o triturar alimentos: *picadora.*

— utensilio eléctrico que prensa y calienta sandwiches: *sandwichera.*

— utensilio metálico con agujeros con bordes salientes y filosos para desmenuzar alimentos: *rallador.*

— palo de madera con aros en un extremo redondeado que se utiliza para revolver el chocolate y que haga espuma: *molinillo.*

— varilla de hierro para asar: *espetón.*

cocleado, -da En forma de espiral. ☞ **espiral, coclear.**

— órgano en forma de espiral: *cóclea.*

cocodrilo moreletii (vea ilustración). Reptil mexicano en peligro de extinción debido al empleo de su piel en la confección de prendas de vestir.

cocolera Tórtola mexicana. ☞ **aves.**

cócora Persona o cosa molesta. ☞ **encocorar.**

coctel Mezcla de vino o licor con jarabe y hielo. ☞ **beber, bebida, campechana.**

cocodrilo

— reunión en un bar donde se baila y se toman copas: *coctel*.

—vestido elegante de tarde o de noche que no llega al piso: *de coctel*.

— recipiente para preparar cocteles: *coctelera*.

cochambre Película de grasa y mugre adherida a una superficie. ☞ **mugre**.

— que está lleno de mugre: *cochambroso, cochambriento*.

coche 1. Vehículo tirado por caballos que transportaba personas. ☞ **carro**.

—*El coche de caballos habitualmente tenía cuatro ruedas*.

— conductor de un carruaje: *cochero*.

2. Vehículo que se desplaza impulsado por un motor. ☞ **automóvil**.

—*En las ciudades muy contaminadas se limita la circulación de los coches en determinados días*.

— lugar en una casa destinado a estacionar el automóvil: *cochera, garage*.

3. Vagón de ferrocarril. ☞ **furgón**.

—*El coche comedor es el lugar destinado a ofrecer servicio de restaurante en un tren*.

— carrito en que se transporta a los niños pequeños: *coche de bebé*.

cochinada 1. Acción vil e indigna. ☞ **bajeza**.

—*El que te haya traicionado fue una cochinada*.

— persona que tiene un comportamiento obsceno: *cochino*.

2. Desperdicios y polvo. ☞ **inmundicia, porquería**.

—*Los cerdos viven en la cochinada*.

— que es sucio y desarrapado: *cochino*.

— cerdo: *cochino*.

— alcancía de barro con la forma de un cerdo: *cochinito*.

coda Parte final de una pieza musical.

codaste Madero que sostiene la estructura de la popa. ☞ **barco**.

codeína Alcaloide obtenido del opio. ☞ **morfina, opio**.

códice 1. Manuscrito anterior a la imprenta y que tiene un valor histórico o literario. ☞ **manuscrito**.

—*La Ilíada y La Odisea llegaron a nosotros gracias a los códices*.

2. Relato hecho con jeroglíficos de asuntos históricos o religiosos, de los indios mesoamericanos y escrito por ellos mismos.

—*El pasado mexicano consta en los códices*.

codiciar Anhelar algo. ☞ **desear, ambicionar**.

— deseo vehemente por algo: *codicia*.

— que es digno de ser deseado: *codiciable*.

— que tiene ambición y deseo por algo: *codicioso*.

codificar 1. Reunir en un único texto, leyes que tratan el mismo tema.

☞ **recopilar, compilar**.

—*En la Ley Federal Electoral se codificaron todas las disposiciones relativas al proceso electoral*.

— sistema legislativo sobre determinada materia: *código*.

2. Vaciar un mensaje en determinado lenguaje. ☞ **cifrar**.

—*El emisor codifica un mensaje que posteriormente es decodificado por el receptor*.

— sistema de signos que permiten formular un lenguaje: *código*.

— sistema biológico que transmite la información genética: *código genético*.

— instrucciones que ejecuta una computadora: *código*.

— sistema postal para localizar con mayor facilidad la ubicación de los domicilios: *código postal*.

— acto de codificar: *codificación*.

— captar determinado mensaje enviado por el emisor: *decodificar*.

codo 1. Parte posterior en la articulación del antebrazo con el brazo. ☞ **brazo**.

—*Según se cree, un golpe en el codo derecho es señal de futuras riquezas*.

— golpe dado con el codo: *codazo*.

— articulación más alta del brazo de los animales: *codillo*.

— pieza de la ropa a la altura del codo: *codera*.

— caminar con los codos a los lados: *codear*.

— ángulo formado al doblarse un tubo o una varilla: *codo*.

— que pertenece a o se relaciona con el codo: *cubital*.

— hueso largo y grueso del antebrazo: *cúbito*.

— relacionarse con alguien: *codearse*.

— estar inmerso en un asunto: *meterse hasta los codos*.

— ser muy parlanchín: *hablar hasta por los codos*.

— ser aficionado a beber mucho: *empinar el codo*.

— ser tacaño: *ser muy codo*.

— estar hambriento: *comerse los codos*.

2. Medida que va desde el codo hasta la punta de los dedos de la mano.

—*Un codo mide aproximadamente 40 centímetros*.

coeficiente Proporción entre una variable y cierta base arbitrariamente fijada. ☞ **factor**.

coercer Restringir a alguien. ☞ **impedir**. ❖ PERMITIR.

— acción y resultado de coercer: *coerción*.

— que puede ser limitado: *coercible*.

— que se utiliza para reprimir o limitar

la acción de otro: *coercitivo*.

coetáneo, -a Persona que con respecto a otra vive en el mismo período de tiempo. ☞ **contemporáneo**.

coexistir Existir al mismo tiempo.

☞ **coincidir, sincronizar**.

— que vive o existe en el mismo período de tiempo que otra persona: *coexistente*.

— existencia de dos o más elementos o personas en el mismo período de tiempo: *coexistencia*.

— vivir en el mismo lugar: *convivir, cohabitar*.

cofia Gorro usado por las mujeres que protege el pelo. ☞ **tocado**. ❖ PAPALINA.

cofradía Grupo de personas que se reúnen con fines religiosos. ☞ **congregar, congregación**.

— miembro de una cofradía: *cófrade*.

— femenino de cófrade: *cófrada*.

cofre Caja para guardar cosas. ☞ **baúl, arcón**.

— caja con tapa abovedada y ornamentada para guardar objetos: *arca*.

— caja en forma de arca: *arquilla, arqueta*.

— caja para guardar joyas: *escriño*.

— mueble vertical ornamentado y compuesto de muchos cajones empleado para guardar cosas: *bargueño, cómoda*.

— arca de gran tamaño: *arcón*.

— caja de madera con chapa de metal para guardar cosas: *baúl*.

coger 1. Sujetar algo con las manos.

☞ **tomar, agarrar**. ❖ SOLTAR.

—*El muchacho cogió la mercancía del estante y se echó a correr*.

2. Atrapar y sorprender a alguien realizando determinada acción.

—*Lo cogieron con las manos en la masa*.

3. Tener relaciones sexuales. ☞ **fornicar**.

—*El verbo "coger" en México tiene tal connotación de tipo sexual que la gente evita utilizarlo como sinónimo de sujetar*.

— acto y resultado de coger: *cogida*.

cogitabundo, -da Que se encuentra preocupado y pensativo. ☞ **meditabundo**.

— pensar: *cogitar*.

— que pertenece a o se relaciona con la capacidad de pensar: *cogitativo*.

cognac (vea recuadro de bebidas). Bebida alcohólica destilada de uva, de origen francés. ☞ **aguardiente**.

cognado, -da 1. Pariente por línea femenina. ☞ **consanguíneo**.

—*Un cognado es una persona que tiene antepasados comunes con otro*.

— parentesco entre dos personas: *cognación*.

—parentesco por cognación: *cognaticio*.

2. Palabra semejante a otra. ☞ **similar.** ❖ DIFERENTE.

—*Entre el español y el inglés existen lo que se llaman falsos cognados: palabras que son muy parecidas y que, sin embargo, significan cosas distintas.*

cognoscitivo, -va Que sirve para conocer. ☞ **conocer.**

—conocimiento por medio de la inteligencia: *cognición*.

cogollo Hojas tiernas del interior de algunas plantas. ☞ **repollo, grumo.**

—formar cogollo las hojas de ciertas plantas: *acogollar*.

cogujón Punta de una almohada o colchón. ☞ **colchón.**

cogulla Capa con capucha usada por los monjes. ☞ **hábito.**

cogote Parte inferior y trasera de la cabeza. ☞ **occipucio, nuca.**

—golpe dado en el cogote: *cogotazo*.

—derribar a alguien de un golpe en la nuca: *acogotar, descogotar*.

—vencer o dominar: *acogotar*.

—prenda de ropa que protege la parte superior y posterior del cuello: *cogotera, cubrenuca*.

cohabitar 1. Mantener relaciones sexuales un hombre y una mujer. ☞ **fornicar, cópula, copular.**

—*No cohabitan determinadas parejas aunque vivan bajo el mismo techo.*

2. Compartir una vivienda. ☞ **convivir.**

cohechar Ofrecer dinero o ciertos favores a un funcionario o empleado para que no cumpla con su deber en beneficio de uno. ☞ **sobornar.**

—acto de cohechar: *cohecho*.

—sobornar a alguien: *dar mordida, untar la mano*.

cohen Persona que hace actos de magia y adivina el futuro. ☞ **adivinación.**

coherente Conjunto de elementos que tienen una relación armónica y lógica entre sí. ☞ **congruente.** ❖ AMBIVALENTE, INCONGRUENTE.

—conexión de varios elementos entre sí: *coherencia*.

cohesión Fuerza que mantiene unidos varios elementos. ☞ **adherencia.**

—que produce cohesión: *cohesivo*.

—comunicar la fuerza que mantiene unidos los elementos de un todo: *cohesionar*.

cohete 1. Tubo relleno de pólvora que se lanza al aire donde estalla produciendo un haz de luz. ☞ **pirotecnia.**

—*A partir de un terrible incendio ocurrido en La Merced, barrio céntrico de la ciudad de México, se prohibió la manufactura de cohetes en la ciudad.*

—nombre genérico de cualquier artefacto que, relleno de pólvora, se lanza al aire para que al explotar produzca juegos luminosos: *fuegos artificiales*.

—tienda o fábrica de cohetes: *cohetería*.

—cohete que al lanzarse estalla con ruido: *petardo, trueno*.

—varilla que al encenderla despide un haz luminoso: *luz de bengala*.

—cohete que, una vez encendido, se arrastra por el suelo: *buscapiés*.

—fuego artificial lanzado al aire que estalla formando una estrella gigantesca: *carcasa*.

—cohete de gran tamaño que produce fuerte ruido: *bomba*.

—círculo de madera con diversos cohetes que van estallando conforme gira: *girándula*.

—estructura en forma de toro llena de cohetes que estallan: *torito*.

—estructura de madera con diversos cohetes: *castillo*.

—varilla del cohete: *timón*.

—pequeña cantidad de explosivo que se coloca en un arma o cohete: *cebo*.

—tubito de vidrio para encender los fuegos artificiales: *pebete*.

—mezcla de pez y cera con que se unta el hilo de los cohetes: *cerote*.

—paño para untar el hilo de los cohetes: *cerotero*.

—poner el cebo en un cohete: *cebar*.

—estallido de un cohete: *traque*.

—oficio de mezclar materias explosivas para formar fuegos artificiales: *pirotecnia*.

—que pertenece a o se relaciona con la pirotecnia: *pirotécnico*.

—persona dedicada a la creación de fuegos artificiales: *pirotécnico, cohetero*.

—expeler una ventosidad: *echarse un "cuete"*.

2. Dispositivo que se mueve en el aire impulsado por un motor de reacción. ☞ **proyectil.**

—*Los cohetes se utilizan como arma de guerra o para transportar satélites por el espacio.*

cohibir Impedir un comportamiento natural debido al temor o la vergüenza. ☞ **reprimir, inhibir.**

—acto de cohibir: *cohibición, cohibimiento*.

—que reprime o inhibe: *cohibidor*.

cohonestar 1. Hacer creer que determinada acción es justa y válida cuando no lo es. ☞ **engañar.**

cohorte Conjunto de elementos de la misma clase. ☞ **tropa, muchedumbre.**

coincidir 1. Concurrir varias personas o elementos a un mismo lugar, momento o situación. ☞ **converger, conjugar.**

—*Coincidíamos en los pasillos de la Facultad, de modo que nos hicimos amigos.*

—acto de coincidir: *coincidencia*.

—casualidad: *coincidencia*.

2. Ser iguales o semejantes los resultados de algo. ☞ **corresponder, concordar.**

—*A pesar de que cada quien resolvió la operación por su cuenta, los resultados coinciden.*

3. Expresar un acuerdo de opinión con otra persona. ☞ **acordar.**

—*Coincido con la opinión expresada por ti.*

coito Acto sexual. ☞ **cópula.**

—introducción del pene por el ano: *coito anal*.

—que se relaciona al coito: *coitivo*.

cojín Saco relleno de material acolchado y blando. ☞ **almohada, almohadón.**

—pequeño cojín: *cojinete, almohadilla*.

—pieza en que se sostiene un eje: *cojinete*.

cojo, -a Persona o mueble que carece de pierna o pata. ☞ **renco.**

—caminar dificultosamente debido a la falta de una pierna o tener el pie lastimado: *cojear, renquear*.

—no tener un mueble apoyo suficiente debido a la falta de una pata: *cojo*.

—manera de andar cojeando: *recancanilla*.

—ocasionar la cojera de alguien: *encojar*.

—impedimento para andar con igualdad: *cojera*.

—vara que sirve para apoyarse cuando se tiene dificultad para caminar: *bastón*.

—palos perpendiculares unidos por otro atravesado que sirven para apoyar el cuerpo cuando se tiene un pie herido o enfermo y se tiene dificultad para caminar: *muleta*.

cojolite Faisán de origen mexicano. ☞ **ave.**

cola 1. Extremidad de la columna vertebral que forma en los cuadrúpedos una prolongación. ☞ **rabo.**

—*Se acostumbra cortar la cola a los perros de determinadas razas.*

—tronco de la cola de los cuadrúpedos: *maslo*.

—animal que tiene canas en la cola: *colicano, rabicán*.

—que tiene cola larga: *colilargo, rabilargo*.

—que tiene cola corta: *rabicorto, colicorto*.

—plumas de las aves al final del cuerpo: *cola*.

— ave sin cola: *reculo*.

— extremo de la columna vertebral en las aves: *rabadilla*.

— cola de pescado: *colapez, colapiscis*.

— mover la cola un animal: *colear*.

— golpe dado con la cola: *coletazo*.

— animal con la cola muy prolongada: *macruro*.

— cola que tiene mucho pelo: *hopo*.

— cabello largo recogido en la parte posterior de la cabeza humana: *cola de caballo*.

— pelo recogido y colgante sobre la espalda: *coleta*.

2. Hilera de personas formadas. ☞ **fila.**

— *El que llega al último se debe de formar al final de la cola.*

— juego que consiste en formar una larga hilera y echar a correr remolcando a los que van al final de ésta: *coleadas*.

— último lugar de una hilera: *cola*.

— añadido breve a un escrito: *coletilla, apostilla*.

3. Parte del cuerpo media y posterior. ☞ **culo.**

— *"Cola" es una manera común de referirse a las nalgas y a las partes genitales.*

4. Pasta que sirve para pegar cosas. ☞ **encolar, pegar, pegamento.**

— *Con cola se solía pegar la madera.*

— sustancia con la que se puede fabricar cola: *colágena*.

— pegar con cola: *encolar*.

— tener consecuencias: *tener cola*.

— parte final de algo: *cola de un vestido, de una cometa*.

— tener alguien algo que pueda reprochársele: *tener cola que le pisen*.

colaborar Trabajar con otro u otros en la realización de algo. ☞ **cooperar, contribuir.**

— acto de colaborar: *colaboración*.

— que interviene junto con otros en la realización de algo: *colaborador*.

— que apoya a una nación enemiga de su país en tiempo de guerra: *colaboracionista*.

— apoyo dado por un colaboracionista: *colaboracionismo*.

colación 1. Dulces que se obsequian en Navidad. ☞ **aguinaldo.**

— *Las piñatas se rellenan de colación.*

— mencionar algo que no se tenía planeado decir: *sacar a colación*.

2. Alimento ligero. ☞ **refacción.**

— *Por penitencia en los conventos se come colación.*

3. Otorgamiento de un beneficio eclesiástico. ☞ **otorgar, colacionar.**

— *La colación implica el conceder una dignidad o título honorífico a alguien.*

— otorgar un beneficio: *colar, colacionar*.

colactáneo, -a Niño que ha compartido el seno de su madre o de su nodriza con otro. ☞ **hermano de leche.**

colágeno Materia que forma los tejidos conjuntivo, óseo y cartilaginoso. ☞ **piel.**

colapsar Reducir o paralizar la actividad de algo o alguien. ☞ **disminuir, desmayar.**

— paro de una actividad: *colapso*.

— disminución de las actividades vitales del organismo: *colapso, desmayo*.

colar 1. Pasar un líquido a través de una malla para depurarlo. ☞ **depurar.**

— *Hay que colar el recaudo de modo que la cebolla y el jitomate molido no vayan en el caldo.*

— acción y resultado de colar: *coladura*.

— malla metálica sujeta a un aro para filtrar líquidos: *coladora*.

— utensilio de metal con agujeros colocado en una tarja para evitar que los desperdicios se vayan por el caño: *coladera*.

2. Meterse en un sitio por el cual es difícil hacerlo. ☞ **filtrar, escurrir, escurrirse.**

— *Se coló en la fiesta sin haber sido invitado.*

— corriente de aire que penetra por un resquicio: *colado*.

— persona que asiste a un evento sin haber sido invitado: *colado, gorrón*.

colateral 1. Lo que se encuentra al lado de algo. ☞ **lateral.**

— *Las casas colaterales a la mía se encuentran descritas en las escrituras de mi casa.*

2. Pariente que no es por línea directa. ☞ **pariente.**

— *Los hijos de mi prima son parientes colaterales de mis hijos.*

colcha Manta que cubre exteriormente la cama. ☞ **manta, cubrecama.**

— poner material esponjoso entre dos telas y coserlas: *acolchar, colchar*.

— acto de acolchar: *colchadura*.

colchón Saco de tela relleno de resortes con material esponjoso que se utiliza para acostarse sobre él. ☞ **cama.**

— lugar donde se venden colchones: *colchonería*.

— saco delgado relleno de hule espuma: *colchoneta*.

— colchón rústico de paja y sin bastillar: *jergón*.

— colchoncito: *transpuntín*.

coleccionar Guardar en forma sistemática un conjunto de cosas de la misma clase. ☞ **recolectar, compilar.**

— conjunto de cosas de la misma clase

reunidas de modo sistemático: *colección*.

— que guarda objetos de la misma clase: *coleccionista, coleccionador*.

— que puede pertenecer a una colección: *coleccionable*.

— conjunto de citas recopiladas en un libro: *centón*.

— colección de pequeñas obras literarias seleccionadas: *antología, analectas, florilegio*.

— volumen compuesto por obras literarias antes dispersas y ahora reunidas: *colecticio*.

— colección de fragmentos literarios selectos: *crestomatía*.

— conjunto de cosas inconexas: *miscelánea*.

— lista de datos, obras o textos: *repertorio*.

— conjunto de varias cosas: *suma*.

— colección de textos inconexos: *silva*.

— colección de plantas: *herbario*.

— colección de plantas disecadas: *herbolario*.

— colección de armas: *oploteca, panoplia*.

— colección de cuadros: *galería*.

— lugar donde se guarda una colección de libros: *biblioteca*.

— sitio para guardar una colección de discos o casetes: *discoteca, fonoteca*.

— sitio donde se guardan revistas y periódicos: *hemeroteca*.

— sitio donde se guardan pinturas: *pinacoteca*.

— sitio donde se guardan obras científicas o artísticas y se exponen al público: *museo*.

— museo de armas: *oploteca*.

— sitio donde se guardan documentos de diversa índole: *archivo*.

colecta Recaudación hecha con propósitos caritativos. ☞ **recaudar, recaudación.** ❖ DONACIÓN.

— reunir bienes o dinero: *colectar*.

colectividad Conjunto de personas que conforman un todo. ☞ **sociedad.**

— sistema que defiende la propiedad común de ciertos bienes: *colectivismo*.

— adepto al colectivismo: *colectivista*.

— que es realizado entre todos: *colectivamente*.

— transformar algo en propiedad de todos: *colectivizar*.

— acto de colectivizar: *colectivización*.

— que pertenece a un conjunto de personas: *colectivo*.

— vehículo de transporte público: *colectivo*.

colector Tubo de desagüe que recoge las aguas sucias de varias cañerías. ☞ **drenaje.**

colega Persona que tiene la misma profesión u oficio que otro. ☞ **compañe-ro, camarada.**

colegio 1. Institución dedicada a la enseñanza. ☞ **instituto, escuela.**

— *El colegio donde aprendí mis primeras letras ya no existe.*

— estudiante de una escuela de enseñanza primaria, media o media superior: *colegial.*

— femenino de colegial: *colegiala.*

— cuota que se paga mensualmente en una institución de enseñanza privada: *colegiatura.*

2. Asociación que representa los intereses de un determinado grupo de personas con características comunes. ☞ **gremio.**

— *El Colegio Electoral es el organismo encargado de dictaminar asuntos relativos con el proceso electoral.*

— registrarse en un colegio: *colegiarse.*

— grupo asociado en un colegio: *colegiado.*

— grupo de profesores de una misma institución: *colegio de profesores.*

colegir Obtener determinada deducción o resultado partiendo de ciertos indicios. ☞ **inferir.**

colédoco Conducto que transporta la bilis al duodeno. ☞ **bilis, vesícula.**

— inflamación de la vesícula biliar: *colecistitis.*

— que pertenece a o se relaciona con la vesícula biliar: *colecístico.*

— extirpación de la vesícula biliar: *colecistectomía.*

— vesícula biliar: *colecisto.*

— formación de piedras en la vesícula biliar: *colecistolitiasis.*

— saco membranoso que contiene la bilis: *vesícula biliar.*

— del color de la bilis: *porráceo.*

— sustancia grasa solidificada en los cálculos biliares: *colesterina.*

— humor amarillento y viscoso segregado por el hígado: *bilis.*

cólera 1. Estado de enojo violento. ☞ **ira, furor.** ❖ TEMPLANZA.

— *Sufre ataques de cólera cada vez que las cosas no salen como quiere.*

— que es propenso a sufrir ataques de cólera: *colérico.*

2. Enfermedad endémica caracterizada por frecuentes ataques de vómito y diarrea. ☞ **peste.**

— *Una epidemia de cólera se extendió por algunos países de Sudamérica a principios de la década de los 90.*

— que tiene síntomas parecidos a los del cólera: *coleriforme.*

— enfermedad con síntomas parecidos a los del cólera: *colerina.*

colesterol Alcohol esteroide presente en las células animales y en los fluidos

del organismo, considerado como un factor que propicia la aparición de arterioesclerosis. ☞ **grasa.**

coleto Prenda de piel entallada al cuerpo. ☞ **piel.**

— hablar con uno mismo: *decir para su coleto.*

colgar 1. Sujetar algo de modo que quede oscilando. ☞ **pender, tender.**

— *Cuando cuelgues la ropa, sujétala con ganchos para que no se caiga.*

— dispositivo que sirve para tender cosas: *colgador.*

— trozo de algo que queda prendido y oscilante: *colgajo.*

— acto y resultado de colgar: *colgamiento.*

— joya que se lleva prendida a una prenda de ropa o al cuello o la muñeca: *colgante.*

— tela que pende de un muro: *colgante.*

— abandonar una actividad, oficio o profesión: *colgar el hábito, colgar los guantes.*

— tardarse más de lo planeado en algo: *colgarse.*

2. Atribuir a alguien algo que no es suyo. ☞ **achacar.**

— *Según las malas lenguas, le cuelgan ese chilpayate.*

cólico Espasmo doloroso de los músculos abdominales o del útero. ☞ **retortijón, torozón.**

coligar Reunirse en grupo con propósitos comunes. ☞ **coalición, asociar, asociarse.**

— acción y resultado de coligarse: *coligación.*

— participante en una coalición: *coligado.*

colilla Extremo inservible del cigarro. ☞ **pucho, bachicha.**

colimación Orientación de un aparato óptico en una sola dirección. ☞ **óptica.**

colina Pequeña elevación en el terreno. ☞ **cerro.**

colindar Compartir un límite con otro terreno. ☞ **lindar.**

— limítrofe: *colindante.*

colirio Cualquier sustancia medicinal aplicada al ojo. ☞ **ojo.**

coliseo Estadio de gran tamaño donde se dan espectáculos. ☞ **circo.**

colisión Choque entre dos cosas opuestas. ☞ **embate, contender, contienda.** ❖ ACUERDO.

colmar Llenar algo hasta los bordes. ☞ **rebosar.** ❖ VACIAR.

— que está completo: *colmado.*

— agotar la paciencia de alguien: *colmar el plato, colmar la paciencia.*

colmenar Lugar donde habitan las abejas. ☞ **panal.**

— panal seco: *macón.*

— cera con que las abejas bañan las colmenas: *propóleos.*

— cera con que las abejas cubren el interior de las colmenas: *tanque.*

colmillo Diente entre el incisivo y la primera muela. ☞ **diente.**

— diente saliente de elefante: *colmillo.*

— conocer de la vida: *tener colmillo.*

— ser astuto: *ser colmilludo.*

— mordida con los colmillos: *colmillazo.*

— que tiene los colmillos largos o anchos: *colmilludo.*

— que pertenece a o se relaciona con los colmillos: *colmillar.*

colmo 1. Nivel más alto de algo. ☞ **súmmum.**

— *Ese vestido es el colmo de la elegancia: deslumbrarás a todos en la fiesta.*

— estar algo lleno: *colmado.*

— expresión que enfatiza de manera negativa una situación: *para colmo...*

— ser algo intolerable: *ser el colmo.*

2. Porción que rebasa la orilla del recipiente que lo contiene. ☞ **copete.**

— *Las cucharadas de azúcar me gustan colmadas.*

colocar Poner algo o a alguien en el sitio que le corresponde. ☞ **poner, acomodar.** ❖ QUITAR.

— acto de colocar: *colocación.*

— empleo: *colocación.*

— compañía dedicada a contactar personas que necesitan trabajo con alguien interesado en contratarlas: *agencia de colocaciones.*

colofón Lo que se agrega como complemento después de terminada una obra. ☞ **acotar, rematar, acotación, remate.**

coloide Sustancia gelatinosa. ☞ **albúmina, gelatina.**

— que pertenece a o se relaciona con los coloides: *coloidal, coloideo.*

colombina Disfraz de carnaval que representa a un personaje femenino de la comedia italiana.

colombófilo Aficionado a la cría de palomas.

colon Parte del intestino situada entre el ciego y el recto. ☞ **intestino.**

— inflamación del colon: *colitis.*

— primera parte del intestino: *intestino delgado.*

— partes del intestino delgado: *duodeno, yeyuno, íleon.*

— trozo del intestino que enlaza el estómago por el píloro: *duodeno.*

— abertura en el estómago que comunica el estómago con el intestino: *píloro.*

— segunda porción del intestino delgado: *yeyuno.*

— última porción del intestino delgado: *íleon.*

— porción ancha del intestino: *intestino grueso.*

— partes del intestino grueso: *ciego, colon y recto.*

— parte situada entre el intestino delgado y el colon: *ciego.*

— última porción del intestino grueso que desemboca en el ano: *recto.*

colonia 1. Cada una de las secciones habitacionales en que se divide una ciudad. ☞ **barrio.**

— *En las colonias céntricas de la ciudad el precio del metro cuadrado de terreno es muy elevado.*

— persona que vive en determinado barrio o suburbio: *colono.*

— grupo de habitantes de un suburbio o sector que procura el bienestar del vecindario: *asociación de colonos.*

— área que comprende una cuadra de casas en un vecindario: *manzana.*

— persona que representa los intereses de un sector del vecindario ante la delegación: *jefe de manzana.*

2. Territorio sujeto al dominio de otro país. ☞ **poseer, proteger, posesión, protectorado.**

— *Las trece colonias de Inglaterra declararon su independencia de ésta en el siglo XVIII.*

— que pertenece a o se relaciona con la colonia: *colonial.*

— época en que los países americanos estuvieron sujetos al dominio de una metrópoli europea: *colonia, coloniaje.*

— nación que ejerce dominio sobre otro país: *metrópoli.*

— habitante de una colonia: *colono.*

— hijo de español o de raza blanca nacido en los territorios americanos durante la época colonial: *criollo.*

— que cultiva tierras ajenas mediante un contrato especial: *colono.*

— relación de producción entre colonos y terratenientes: *colonato.*

— sistema político que considera la existencia de colonias como una manera válida de producción para las metrópolis: *colonialismo.*

— que es adepto al colonialismo: *colonialista.*

— forma de poblar y establecer un territorio gobernado por otra nación: *colonización.*

— fundación de nuevos territorios: *colonización.*

— poblar un territorio: *colonizar.*

3. Agrupación de organismos. ☞ **conjunto.**

— *Una colonia de abejas construye una colmena.*

coloquio 1. Conversación entre varias personas. ☞ **plática.**

— *En la Universidad se organizó un coloquio donde varios especialistas hablaron sobre un tema específico.*

— lenguaje usado en la conversación cotidiana: *coloquial.*

color Impresión luminosa que el ojo percibe de distintas maneras. ☞ **teñir, tinte.**

— dar color a algo: *colorear, colorar.*

— acto de colorear: *coloración.*

— conjunto de características relacionadas con el color en determinado objeto: *coloración.*

— tonalidades mezcladas en un objeto: *colorido.*

— animación en algo: *colorido.*

— color con que se tiñe algo: *tinte, colorante.*

— dar determinado color a algo: *teñir.*

— cada variación de un mismo color: *matiz, tono.*

— sustancia colorante que se obtiene de vegetales o animales: *pigmento.*

— escala de colores: *gama.*

— propiedad que hace que ciertos objetos dispersen la luz en rayos de colores semejantes al arco iris: *irisación.*

— presentar un objeto los colores del arco iris: *irisar.*

— destello luminoso que hace ver un objeto de color distinto al que tiene: *viso.*

— cambio de color de una parte de algo debido a la manera en que recibe y refleja luz: *tornasol.*

— material con este color: *tornasolado.*

— luz reflejada por un cuerpo: *reflejo, destello, brillo.*

— serie de rayos producto de la descomposición de la luz: *espectro.*

— que tiene colores muy variados: *abigarrado.*

— que forma líneas o manchas de diversos colores: *jaspeado, veteado.*

— color vivo en exceso: *chillón.*

— color subido de tono: *vivo.*

— color pálido: *desvaído.*

— que ha perdido la fuerza de su tono: *descolorido.*

— prefijo que significa color: *crom.*

— bacteria que produce coloración: *cromógena.*

— impresión hecha en colores: *cromotipia.*

— arte de hacer litografía de varios colores: *cromolitografía.*

colorado, -da Que tiene color rojo. ☞ **rojo.**

— maquillaje aplicado a las mejillas de color rojo: *colorete, rubor.*

colosal Que tiene gran tamaño. ☞ **grande.** ❖ CHICO, PEQUEÑO.

— estatua de tamaño gigante: *coloso.*

— persona que descuella en determinada actividad: *coloso.*

colporragia Hemorragia vaginal. ☞ **vaginal.**

— prefijo que significa seno o vagina: *colpo.*

— hernia vaginal: *colpocele.*

— prolapso de la vagina: *colpoptosis.*

— incisión en la vagina: *colpotomía.*

colubriforme Que tiene forma de serpiente. ☞ **culebra, serpiente.**

columbrar Ver algo desde lejos. ☞ **divisar, vislumbrar.**

columna 1. Apoyo vertical y largo que sostiene una construcción. ☞ **pilar.**

— *Las columnas de estilo clásico son dóricas, jónicas y corintias.*

— pequeña columna de las barandillas: *balaustre.*

— parte más estrecha de un balaustre: *garganta.*

— parte superior de una columna: *capitel.*

— pieza en forma de tablero que remata el capitel: *ábaco.*

— reborde en forma de collar que rodea una columna: *anillo, collarín.*

— cordón en forma de anillo que rodea una columna: *astrágalo.*

— pedestal de una columna: *dado.*

— fuste de una columna: *escapo.*

— parte de una columna entre el capitel y la base: *fuste.*

— parte del fuste de una columna entre el astrágalo y el capitel: *collarino.*

— parte más ancha de una columna: *éntasis.*

— parte inferior de una columna: *basa, pedestal, neto.*

— parte del pedestal que está en contacto con el suelo: *zapata.*

— macizo sobre el que se apoya una columnata: *estilóbato.*

— cuadrado sobre el cual se apoya una columna: *plinto.*

— acanaladura en la superficie de una columna: *estría.*

— espacio entre dos columnas: *intercolumnio.*

— edificio circundado de columnas: *períptero.*

— galería de columnas que circunda un edificio: *peristilo.*

— serie de columnas: *columnata.*

— capitel sin ornamentos: *dórico.*

— capitel ornamentado de volutas: *jónico.*

— adorno en forma de espiral: *voluta.*

— columna con capitel adornado con hojas de acanto: *corintio.*

— cada uno de los retoños que salen de las hojas de acanto de piedra del capitel corintio: *caulículo.*

— edificio formado por columnas: *Partenón.*

2. Serie de elementos acomodados en forma vertical. ☞ **pila.**

— *En los periódicos o en algunos libros los textos se colocan en forma de columna.*

— líquido contenido en un tubo: *columna.*

— serie de huesos unidos entre sí que protege la médula espinal: *columna vertebral, espina dorsal, raquis.*

— torcedura de la columna vertebral que ocasiona un saliente en la espalda: *joroba, giba.*

— columna curvada hacia los lados: *escoliosis.*

— sustancia nerviosa prolongación del cerebro que se encuentra dentro de la columna vertebral: *médula.*

— parte posterior del cuello formado por siete vértebras: *cerviz.*

— que pertenece a la cerviz o se relaciona con ella: *cervical.*

— primera vértebra cervical: *atlas.*

— segunda vértebra del cuello: *axis.*

— parte de la columna que sostiene la espalda, compuesta por doce vértebras: *dorso.*

— relativo al dorso: *dorsal.*

— curva dorsal exagerada: *cifosis.*

— parte inferior de la espalda compuesta por cinco vértebras: *lomo.*

— que pertenece al lomo o se relaciona con él: *lumbar.*

— curva lumbar muy acentuada: *lordosis.*

— dolor en la región lumbar: *lumbago.*

— extremo inferior de la columna vertebral compuesto por cinco vértebras fusionadas: *sacro.*

— hueso formado por tres o cuatro vértebras articulado con el sacro que forma la parte final de la espina: *coxis.*

— cartílago fibroso compuesto por un núcleo de masa gelatinosa que une las vértebras móviles entre sí: *disco intervertebral.*

— cada uno de los huesos que forman la columna vertebral: *vértebra, espóndil.*

— cordón celular que, debajo de la médula espinal, sirve de sostén a los animales cordados: *notocordio.*

3. Lo que se erige como sostén de algo. ☞ **puntal.**

— *La columna más firme de la Independencia de México fue Hidalgo.*

columpiar Hacer que algo oscile. ☞ **mecer, balancear.**

— cosas que sirven para mecerse: *columpio, hamaca, mecedora, trapecio.*

— red que colgada de los extremos sirve para dormir o columpiarse: *hamaca.*

— silla con las patas pegadas a dos barras curvas: *mecedora.*

— aparato con dos cuerdas verticales unidas mediante una barra por debajo: *trapecio.*

— asiento con cuerdas que cuelga de una barra y sirve para mecerse: *columpio.*

coluro Cada uno de los círculos máximos perpendiculares al Ecuador. ☞ **eclíptica.**

collage Obra plástica compuesta por diversos materiales.

collar 1. Ornamento que se coloca alrededor del cuello. ☞ **garganta, gargantilla.**

— *Un collar de perlas al cuello no se recomienda, de acuerdo con la tradición, el día de la boda.*

— adorno pegado al cuello: *gargantilla.*

— alzacuellos: *collarín.*

— diminutivo de collar: *collarín.*

2. Aro que se pone alrededor del cuello de los animales para sujetarlos. ☞ **correa.**

— *Al collar con puntas de hierro se le llama carlanca.*

3. Cualquier cosa que circunde algo. ☞ **aro, anillo.**

— *Este pato tiene un collar de plumas de distinto color.*

coma 1. Signo ortográfico que indica una pausa mínima en la oración. ☞ **puntuación.**

— *Las comas mal empleadas pueden afectar un texto.*

— cualquier trazo pequeño usado en la escritura: *vírgula, virgulilla.*

— poner entre dos comas una oración: *entrecomar.*

— signo ortográfico compuesto de dos vírgulas que se colocan al inicio y final de una palabra u oración usadas para enfatizar algo: *comillas.*

— comentar irónicamente algo: *entrecomillar.*

— poner comillas: *entrecomillar.*

— enfatizar una aseveración: *entrecomillarla.*

2. Estado de inconsciencia que se da en algunas enfermedades o después de un trauma. ☞ **sopor.**

— que pertenece al coma o se relaciona con él: *comatoso.*

— en estado grave e inconsciente: *comatoso.*

comadre La madrina en relación con la madre del ahijado, así como de la madre con respecto a la madrina. ☞ **madrina.**

— mujer que asiste a una ceremonia pagando los gastos de la misma total o parcialmente y que, en el caso de un bautizo, se compromete a sustituir a la madre si ésta faltara: *madrina.*

— relación entre comadres: *comadrazgo.*

— amiga con la que se chismea y se trata con confianza: *comadre.*

— chismorrear: *comadrear.*

— acto de comadrear: *comadreo.*

— chisme: *comadrería.*

— que es aficionado a comadrear: *comadrero.*

— mujer que asiste en los partos: *comadrona.*

— cirujano que asiste en los partos: *comadrón, ginecólogo.*

— el padrino de un niño o el padre con respecto al padrino: *compadre.*

— varón que asiste a una ceremonia pagando los gastos de la misma total o parcialmente y que, en el caso de un bautizo, se compromete a sustituir al padre si éste faltara: *padrino.*

comal Plancha de metal o barro que se coloca sobre el fuego para calentar alimentos. ☞ **plancha, parrilla.**

— refrán que significa un reproche cuando alguien critica un defecto o característica de otra persona que él mismo tiene: *el comal le dijo a la olla...*

comandar Guiar una expedición o acción, por lo general bélica. ☞ **guiar, mandar.** ❖ SEGUIR.

— jerarquía superior a la de capitán: *comandante.*

— jurisdicción de un comandante: *comandancia.*

— oficinas de un comandante: *comandancia.*

— grupo de militares que incursiona en territorio enemigo: *comando.*

comandita Tipo de sociedad formada por porciones sociales donde una clase de socios responde de modo subsidiario e ilimitado por las obligaciones que tenga la sociedad. ☞ **sociedad.**

— socio que sólo paga sus aportaciones dentro de la sociedad: *comanditario.*

— socio que responde solidaria e ilimitadamente al pago de las obligaciones que contraiga la sociedad: *comanditado.*

comarca Área que comprende varias poblaciones. ☞ **región.**

— que pertenece a la comarca o se relaciona con ella: *comarcal.*

— poblado que se encuentra próximo: *comarcano.*

combar Torcer un objeto. ☞ **curva, curvar.**

— curva de un objeto: *comba, alabeo.*

— acción y resultado de combar: *combadura.*

combatir Oponerse firmemente a algo o a alguien. ☞ **luchar.**

— acción y resultado de guerrear: *combate, batalla.*

— episodio de una lucha: *combate*.

— que puede ser combatido: *combatible*.

— persona o país que participa en una lucha: *combatiente*.

— afición a la lucha: *combatividad*.

— que no se deja vencer por circunstancias adversas: *combativo*.

— ser vencido en una lucha: *quedar fuera de combate*.

combinar Unir elementos de modo que formen un conjunto armónico.

☞ **coordinar.**

— acción y resultado de combinar: *combinación*.

— unir dos sustancias químicas de modo que resulte otra distinta a las originales: *combinarse*.

— unión de las moléculas de dos cuerpos: *combinación*.

combustible Cualquier materia que arde con facilidad. ☞ **inflamable.**

— que tiene cualidad de ser combustible: *combustibilidad*.

— que favorece la combustión de otros cuerpos: *comburente*.

— acción y resultado de quemar: *combustión*.

— sustancias combustibles: *alcohol, gasolina, carbón, aceite, gas, leña, turba, diesel*.

— que protege contra el fuego: *incombustible, ignífugo*.

comedia 1. Género dramático, de tono ligero y festivo.

— *Las comedias siempre tienen un final feliz*.

— actor cómico: *comediante*.

— actriz cómica: *comedianta*.

— autor de comedias: *comediógrafo*.

— género teatral que se representaba en las calles, de asunto cómico, surgido en Italia en el siglo XVI con personajes arquetípicos: *Comedia Italiana, Comedia del Arte*.

— género teatral donde se relatan las aventuras de los caballeros del siglo XVI: *comedia de capa y espada*.

— obra teatral donde el argumento y trama ingeniosa provocan situaciones cómicas: *comedia de enredo*.

2. Novela por episodios que pasa por televisión. ☞ **telenovela.**

— *Las comedias de la tarde tienen un alto rating*.

— escritor de telenovelas: *comediógrafo*.

— telenovela sensiblera: *comedión*.

3. Acción falsa y simulada. ☞ **farsa.**

— *Armó toda una comedia y logró salirse con la suya*.

comedido, -da 1. Persona servicial y amable. ☞ **servicio, servicial.**

— *Puedes contar con su ayuda: es una persona comedida*.

— ofrecer ayuda desinteresadamente: *comedirse*.

— actitud comedida: *comedimiento*.

— que tiene cualidad de comedido: *comedimiento*.

2. Persona que se contiene al hablar o actuar. ☞ **prudente, templado.** ❖ IMPULSIVO.

— *Es una persona comedida: siempre obra después de haber reflexionado profundamente*.

comendador Caballero de una orden militar. ☞ **encomienda.**

— derecho a recibir dinero por las rentas de cierto lugar: *encomienda*.

— territorio de una orden militar: *encomienda*.

comensal 1. Animal que vive adherido a otro alimentándose a costa de él.

☞ **parásito.**

— *Se le llama huésped al animal que aloja a otro, al que a la vez se le llama comensal*.

— fenómeno biológico en que un animal vive en otro: *comensalismo*.

2. Cada una de las personas sentadas a una mesa para comer. ☞ **comer, convidar, convidado.**

— *Como en la casa somos supersticiosos nunca hay trece comensales a la mesa*.

— situación de compartir la misma mesa con otro: *comensalía*.

comentar Manifestar opiniones sobre determinado asunto. ☞ **explicar, criticar.**

— observación que se hace sobre algún asunto: *comentario*.

— persona conocedora de un determinado tema acerca del cual platica: *comentarista, comentador*.

— acto de comentar: *comento*.

— diversos tipos de comentarios: *exégesis, escolio, glosa, apostilla, paráfrasis, nota, elucidación*.

— explicación profunda de un texto, especialmente de la Biblia: *exégesis*.

— nota que aclara o explica un texto: *escolio*.

— explicación de un texto difícil: *glosa*.

— nota que se añade a un texto para aclararlo o comentarlo: *apostilla, paráfrasis*.

— texto sintetizado y recreado: *paráfrasis*.

— explicación para aclarar algo: *elucidación*.

— escrito que se coloca al final de un texto para ampliar la información del mismo: *nota*.

comenzar Dar principio a una cosa.

☞ **empezar, iniciar.** ❖ FINALIZAR, TERMINAR.

— inicio de algo: *comienzo*.

— acto de comenzar: *comienzo*.

comer Tomar alimentos. ☞ **alimento, ingerir.**

— *Al comer, uno mastica y desmenuza los alimentos para que puedan pasar por el tubo digestivo*.

— tratado de los alimentos: *bromatología, trofología*.

— actividades y conocimientos relativos al buen comer: *gastronomía*.

— que es capaz de nutrir: *alible*.

— forma poética para referirse a todo aquello que alimenta: *almo*.

— alimentar a los animales para engordarlos: *cebar*.

— triturar los alimentos en la boca con los dientes: *masticar*.

— ablandar los alimentos mediante el continuo movimiento de los dientes: *mascar*.

— comer de modo exagerado en determinada ocasión: *jambar, devorar, zamparse*.

— tragar ávida y precipitadamente: *engullir, manducar, embaular*.

— hacer pasar los alimentos al aparato digestivo: *tragar*.

— transformar los alimentos en sustancias asimilables para el organismo: *digerir*.

— comer hasta que ya no se puede más: *atracarse, atascarse, hartarse, llenarse, saciarse*.

— comer al mediodía: *yantar*.

— tomar los alimentos por la mañana: *desayunar*.

— tomar alimentos ligeros por la noche: *merendar*.

— comer por la noche: *cenar*.

— apreciar y disfrutar el sabor de algo: *paladear, saborear*.

— tener deseo de comer: *sentir apetito, tener hambre*.

— sensación que impulsa a comer por tener vacío el estómago: *hambre*.

— conocimientos relativos a la nutrición: *trepsología*.

— dar un alimento que es aprovechado benéficamente por el organismo: *nutrir*.

— conjunto de fenómenos relativos a la ingestión y asimilación de alimentos que mantienen a los organismos vivos y saludables: *nutrición*.

— régimen alimenticio destinado a restaurar fuerzas: *analéptico*.

— alimento que, debido a su mal sabor o a su mala condición, no se puede comer: *incomestible, incomible*.

— susceptible de ser comido: *comestible, comible, comedero*.

— habitación destinada a comer: *comedor*.

— establecimiento donde se sirven comidas: *comedor, manducatoria*.

— establecimiento donde se sirven cenas: *cenador.*

— establecimiento donde se sirven todo tipo de comidas: *restaurante.*

— todo lo que se come, ya sea preparado o no: *comida.*

— alimentos que se toman a mediodía: *comida.*

— comida abundante en una celebración: *comelitona, comilona, comida pantagruélica.*

— comida buena y abundante: *opípara.*

— comida de celebración: *ágape.*

— comida ligera que se toma en los conventos: *colación, refacción.*

— persona que gusta de comer abundantemente: *glotona, tragona, comilona.*

— persona convidada a comer: *comensal.*

— servir la comida: *dar de comer.*

— persona que gusta de comer abundantemente: *de buen comer, de buen diente.*

— tener lo necesario para vivir: *tener que comer, tener para comer.*

— hambre insaciable: *fagomanía, polifagia.*

— dificultad para comer: *disfagia.*

— animal que se alimenta de flores: *antófago.*

— animal o persona que se alimenta de vegetales: *fitófago, herbívoro.*

— animal que se alimenta de raíces: *rizófago.*

— animal o persona que sólo se alimenta de productos vegetales: *vegetariano.*

— animal que come sustancias animales: *zoófago.*

— animal que come todo tipo de sustancias orgánicas: *omnívoro.*

— animal que se alimenta de peces: *ictiófago, piscívoro.*

— animal que se alimenta de insectos: *insectívoro.*

— animal que come huevos: *ovívoro.*

— animal que se alimenta de frutos: *frugívoro.*

— animal que come tierra: *geófago.*

— animal que se alimenta de grano: *granívoro.*

— animal que come carne: *carnívoro.*

— animal que come excrementos: *escatófago, coprófago.*

— persona que come carne humana: *antropófago.*

— que gusta de comer mucho pan: *artófago.*

— animal que se alimenta de cadáveres: *necrófago.*

comidilla Motivo de chisme y murmuración. ☞ **murmurar, murmuración.**

comercio Compra, venta o intercambio de bienes y servicios. ☞ **mercado, mercadeo.**

— todo lo que es susceptible de intercambiarse, venderse o comprarse: *comerciable.*

— persona que se dedica a comprar o vender algo: *comerciante.*

— organizar algo para que determinado bien o servicio que se proporcione redite muchas ganancias: *comercializar.*

— visión y afán para realizar buenos y jugosos negocios: *comercialismo.*

— forma poética de referirse a un comerciante: *mercader.*

— hacer negocios e intercambios con diversos bienes y productos: *comerciar.*

— acción y resultado de comerciar: *comercio.*

— establecimiento donde se venden mercancías: *comercio.*

— vara rodeada por dos culebras, símbolo del comercio: *caduceo.*

— artículo que se vende o compra: *mercancía, mercadería.*

— el que comercia: *mercante.*

— persona que vende o compra algo en un mercado: *marchante.*

— relativo al comercio: *comercial, mercantil.*

— anuncio publicitario en radio o televisión: *comercial.*

cometa 1. Cuerpo celeste de rastro muy luminoso que viaja alrededor del Sol. ☞ **estrella.**

— *El rastro luminoso de los cometas se llama cola o cabellera.*

2. Armazón de papel y madera en forma de estrella que se echa a volar al viento. ☞ **papalote.**

— *Febrero y marzo son los meses en que se vuelan las cometas.*

cometer Hacer algo incorrecto o erróneo. ☞ **ejecutar, perpetrar.**

— acción y resultado de cometer: *comisión.*

— orden que se da a alguien para que ejecute algo: *comisión.*

— autor de una falta o delito: *cometedor.*

— encargo dado a alguien: *cometido.*

— que hace algo incorrecto o erróneo: *cometiente.*

comezón Sensación de ardor que provoca la necesidad de rascarse. ☞ **escozor, picor, picazón.**

comics Folleto de historietas ilustradas. ☞ **caricatura, caricaturas.**

cómico, -ca Que causa gracia y risa. ☞ **divertir, divertido, chistoso.**

— de manera divertida: *cómicamente.*

comillas Signo de puntuación que enfatiza algo. ☞ **coma.**

comino Hierba usada como especia. ☞ **especia.**

— no tomar en cuenta algo: *valer un comino.*

comisario Persona que desempeña determinada función. ☞ **funcionario.**

— oficina donde se encuentra el comisario: *comisaría.*

— grupo de personas encargadas de actuar en determinado asunto: *comisión, delegación.*

comisión Cantidad de dinero que se obtiene por realizar un encargo de índole comercial. ☞ **retribución, honorarios.**

— que se dedica a realizar negocios por cuenta de otra persona: *comisionista.*

comisura Punto en que se unen dos bordes del cuerpo que son iguales, como los párpados o los labios. ☞ **juntura, sutura.**

— que pertenece a o se relaciona con la comisura: *comisural.*

comité Grupo de personas encargado de realizar ciertas funciones en representación de una colectividad. ☞ **junta.**

comitiva Grupo de personas que acompañan a determinado individuo. ☞ **séquito.**

como 1. Del mismo modo que.

— *El carnicero me vendió hígado de puerco como de res.*

2. Se usa para interrogar la manera de ser o hacerse algo.

— *¿Cómo se preparan los chiles en nogada?*

— expresión cortés de asentimiento: *¡cómo no!*

3. Expresa asombro, indignación o duda.

— *¡Cómo has engordado!*

4. Semejante a. ☞ **igual.**

— *El helado me supo como a cajeta.*

5. Precisa la manera en que se hace o sucede algo.

— *Dijo cómo sucedió.*

6. Señala que algo no se ha escuchado o entendido bien.

— *¿Cómo dijo?*

7. Expresa seguridad en cuanto a algo o la afirmación que antes se negó.

— *¡Cómo que no podré ir!*

cómoda Mueble con cajones. ☞ **buró, cajonera.**

cómodo, -da Que es de fácil uso o proporciona bienestar. ☞ **confortable.** ❖ INCÓMODO.

— tener una sensación de bienestar por la posición en que se encuentra: *estar cómodo en una cama.*

— estado de cómodo: *comodidad.*

— carta o dado que tiene un valor arbitrario y favorable para el que le toca en suerte: *comodín.*

— derecho a disfrutar de algo que no se acaba con el uso: *comodato.*

— recipiente que se usa para que los enfermos que no pueden levantarse hagan sus necesidades desde la cama: *cómodo*.

— que presta una cosa en comodato: *comodante*.

— que toma una cosa en comodato: *comodatario*.

comodoro Grado en la jerarquía de la Armada de algunos países. ☞ **marina.**

comoquiera De todos modos.

compacto, -ta Que posee una estructura apretada y comprimida. ☞ **comprimir, comprimido.**

— que está compacto: *compacidad, compactibilidad*.

— acto de compactar: *compactación*.

— comprimir algo: *compactar*.

compadecer Sentir piedad y afligirse por la desgracia del prójimo. ☞ **conmover, apiadar.**

— sentimiento de piedad por la desgracia ajena: *compasión*.

— dar pena: *dar compasión*.

— que se inclina a condolerse de la desgracia ajena: *compasivo*.

— que es digno de compasión: *compasible*.

compadrazgo Relación entre compadres. ☞ **amistad, comadre.**

compaginar 1. Organizar elementos de diversa índole de modo tal que sean armónicos. ☞ **compenetrar, armonía, armonizar.**

— *Compagina sus dos profesiones: la de maestro y la de pintor.*

— acción y resultado de compaginar: *compaginación*.

2. Formar las planas de un periódico. ☞ **imprenta.**

— *Al compaginar se combinan las galeras.*

compañía 1. Acción y resultado de acompañar. ☞ **acompañar.**

— *Un animal en casa siempre es buena compañía.*

— persona que está junto a uno: *compañero*.

— amistad y disposición de ayuda entre personas: *compañerismo*.

— objeto que forma pareja con otro: *compañero*.

2. Sociedad mercantil. ☞ **empresa.**

— *La compañía decidió cerrar el corporativo y trasladarse a provincia.*

3. Grupo de cantantes o actores de ópera o teatro. ☞ **actor.**

— *La compañía estatal de teatro ganó el premio a la mejor puesta en escena del año.*

comparar Determinar las semejanzas o diferencias que hay entre dos o más elementos. ☞ **cotejar.**

— que puede ser cotejado: *comparable*.

— que contiene una comparación: *comparativo*.

— acción y resultado de comparar: *comparación*.

comparecer Presentarse alguien en el lugar donde ha sido requerido. ☞ **asistir.**

— acción y resultado de comparecer: *comparecencia*.

— que se presenta en determinado lugar: *compareciente*.

— acto de un juez donde se ordena la comparecencia: *comparición*.

comparsa 1. Grupo de personas que en el carnaval van juntas por la calle vestidas con trajes especiales.

— *En el carnaval iba una comparsa de diablos.*

— conjunto de comparsas: *comparsería*.

2. Persona que realiza un papel secundario o de apoyo en escena. ☞ **extra.**

— *Era comparsa en el ballet, en la escena de la fiesta.*

compartir Tener algo entre varios. ☞ **distribuir, participar.**

— acto de compartir: *compartimiento*.

— camarote en un barco o en un tren: *compartimiento*.

— cada uno de los espacios en que se ha dividido un espacio mayor: *compartimiento*.

compás 1. Instrumento para medir y trazar circunferencias. ☞ **bigotera.**

— *Al compás pequeño que se ajusta con un tornillo se le llama bigotera.*

— medir con compás: *compasar*.

2. Intervalo en el que se divide la duración de una frase musical en partes iguales. ☞ **música.**

— *Tienes que sentir el compás de la canción antes de intentar cantarla.*

— mesurado: *compasado*.

— pausa en determinada acción: *compás de espera*.

— dividir en compases: *compasar*.

— compás menor: *compasillo*.

compatible Que puede ocurrir, coincidir o existir con una misma persona. ☞ **armonía, armonizar.** ❖ INCOMPATIBLE.

— calidad de compatible: *compatibilidad*.

— hacer que dos elementos armonicen: *compatibilizar*.

compatriota Persona que ha nacido en el mismo país que uno. ☞ **coterráneo.**

compeler Incitar a alguien para que haga algo en contra de su voluntad. ☞ **obligar.** ❖ PERSUADIR.

compendio Texto que reúne fragmentos de varias obras. ☞ **coleccionar, colección.**

— reducir un texto: *compendiar, compendizar*.

— reducido a su mínima expresión: *compendiado, compendioso*.

compensar Dar algo a alguien por algún perjuicio causado. ☞ **indemnizar.**

— acto de compensar: *compensación*.

— indemnización: *compensación*.

— que compensa: *compensador*.

compenetrar 1. Penetrar las partes de una cosa entre las de otra. ☞ **mezclar.**

— *Debe compenetrarse la llanta con el rin.*

2. Sentirse identificado con alguien. ☞ **avenir, simpatía, avenirse, simpatizar.**

— *Algunas parejas llegan a compenetrarse.*

— acto de compenetrar: *compenetración*.

competer Tener derecho, pertenecer o incumbir en determinado asunto. ☞ **incumbir.**

— derecho a pertenecer o incumbir en determinado asunto: *competencia*.

competir Rivalizar dos personas o grupos entre sí por la consecución de un mismo objetivo. ☞ **contender.**

— acto de competir: *competencia*.

— empresa que se dedica y rivaliza con el mismo negocio que uno: *competencia*.

— contrincante: *competidor*.

— que gusta de competir: *competidor*.

— lucha entre dos o más personas por la obtención de algo: *competición*.

compilar Reunir en un solo volumen varios textos o fragmentos. ☞ **compendio.**

— acto de compilar: *compilación*.

— autor de una compilación: *compilador*.

compinche Persona que participa con otro en un hecho ilícito o indebido. ☞ **cómplice.**

complacer Darle a alguien gusto. ☞ **alegría, alegrar.** ❖ DISGUSTAR.

— que se encuentra dispuesto a agradar: *complaciente*.

— estado en que una persona se encuentra satisfecha: *complacencia*.

— tolerancia hacia el comportamiento de otros: *complacencia*.

complejo 1. Tendencia inconsciente que determina la conducta de un individuo. ☞ **acomplejado, trauma.**

— *Cuando un complejo es determinante en el desarrollo social del individuo es necesario obtener ayuda profesional.*

— sentimiento de rivalidad del niño con el padre: *complejo de Edipo*.

— sentimiento de rivalidad de la niña con la madre: *complejo de Electra*.

— temor a verse privado de los órganos genitales: *complejo de castración*.

— sentimiento de inferioridad constante: *complejo de inferioridad.*

2. Asunto difícil debido a los muchos elementos que intervienen en él. ☞ **complicado.**

— *El problema del campo es complejo.*

— cualidad de complejo: *complejidad.*

3. Establecimiento industrial compuesto por varias fábricas. ☞ **industria, ciudad industrial.**

— *En Lerma hay un complejo industrial.*

complexión Aspecto físico de una persona en relación con su constitución corporal. ☞ **constitución.**

complicado, -da Que es de difícil resolución debido a la mezcla de varios elementos. ☞ **difícil, embrollar, elaborar, embrollado, elaborado.**

— volver una cosa difícil: *complicar.*

— acción de complicar: *complicación.*

cómplice Persona que participa con otro en determinada acción, generalmente indebida. ☞ **compinche.**

— intervención de alguien en determinada acción: *complicidad.*

complementar Añadir a algo lo que le faltaba de manera que forme un todo. ☞ **agregar, completar.** ❖ QUITAR.

— que completa una cosa: *complementario.*

— elemento que hace que algo esté completo al agregárselo: *complemento.*

— expresión que completa el significado de una oración: *complemento.*

completar Hacer una cosa íntegra y total. ☞ **complementar.**

— que se encuentra con todos los elementos necesarios: *completo.*

— de manera total: *completamente.*

— lo que se usa para completar algo: *completivo.*

completas Último rezo del día. ☞ **rezar, rezo.**

complot Conspiración oculta en contra de algo o alguien. ☞ **confabular, confabulación.**

componer 1. Reparar algo que se encuentra descompuesto. ☞ **arreglar.** ❖ DESCOMPONER.

— *He mandado componer la lavadora cinco veces y no queda bien.*

— acto de componer algo: *compostura.*

2. Elaborar una obra de carácter artístico. ☞ **crear.**

— *Componer una obra musical requiere de muchos conocimientos teóricos.*

— obra musical o poética: *composición.*

— rama musical que enseña el arte de componer: *composición.*

— autor de obras musicales: *compositor.*

3. Juntar varios elementos de modo que sean armónicos. ☞ **combinar, arreglar.**

— *Compone unos arreglos florales maravillosos.*

— comportamiento adecuado y correcto: *compostura.*

4. Formar varios elementos un todo. ☞ **integrar, conformar.**

— *Una oración simple está compuesta por sujeto y predicado.*

— elemento que forma parte de un todo: *componente.*

compota Dulce de fruta cocida con azúcar. ☞ **mermelada.**

— recipiente para compota: *compotera.*

compuesto, -ta 1. Que está formado por varios elementos. ❖ SIMPLE.

— *Las palabras compuestas se encuentran formadas por dos o más palabras.*

2. Que está arreglado. ☞ **arreglar.**

— *Por fin mi lavadora está compuesta.*

3. Persona de comportamiento correcto. ☞ **propio.**

— *Él es muy compuesto en el hablar y en el vestir.*

comportar Proceder de determinada manera. ☞ **conducir.**

— implicar algo: *comportar.*

— conducta: *comportamiento.*

comprar Adquirir algo con dinero. ☞ **adquirir.** ❖ VENDER.

— acto y resultado de comprar: *compra.*

— acto y resultado de comprar y vender: *compraventa.*

— que puede ser adquirido con dinero: *comprable, compradero, compradizo.*

— persona que con dinero adquiere algo: *comprador, comprante.*

— que compra algo: *cliente, parroquiano, consumidor, público.*

comprender 1. Discernir el significado de algo. ☞ **entender, percibir.**

— *No comprendo cómo eres capaz de actuar de ese modo.*

— inteligible: *comprensible.*

— facultad de conocer y entender algo: *comprensión.*

— que entiende determinado asunto y lo acepta: *comprensivo.*

2. Contener algo dentro de sí. ☞ **abarcar.**

— *La propiedad comprende la casa y el granero.*

compresa Tela mojada que se coloca sobre una parte del cuerpo como método curativo. ☞ **apósito.**

comprimir Apretar una sustancia de modo que ocupe menos volumen. ☞ **oprimir.**

— susceptible de ser apretado y reducido en tamaño: *comprimible, compresible.*

— acto y resultado de comprimir: *compresión.*

— que puede ser compresible: *compresibilidad.*

— que comprime: *compresivo, compresor.*

— píldora: *comprimido.*

comprobar Confirmar algo mediante el análisis, la investigación o la comparación. ☞ **confrontar.**

— que puede ser comprobado: *comprobable.*

— documento que sirve para verificar algo: *comprobante.*

— que sirve para probar un hecho: *comprobatorio.*

comprometer 1. Poner en manos de alguien la solución de un derecho o una obligación. ☞ **convenir.**

— *Se ha comprometido a pagar los gastos de la boda.*

— promesa de algo: *compromiso.*

— que pertenece a o se relaciona con el compromiso: *compromisorio.*

— persona que hace trámites en representación de otro: *compromisario.*

— intención pública de casarse: *compromiso.*

2. Colocar a otro en aprietos. ☞ **implicar.**

— *Tus acciones indebidas me comprometen.*

— que implica a otro: *comprometedor.*

compuerta Puerta que regula la salida o entrada de agua a canales o presas. ☞ **esclusa.**

compulsión Inclinación obsesiva a hacer algo. ☞ **manía, compeler.**

compulsar Verificar que un documento sea copia exacta del original. ☞ **cotejar.**

— acto de compulsar: *compulsación.*

— copia cotejada con su original: *compulsa.*

compungir Hacer que alguien se entristezca. ☞ **afligir.**

— acto de compungirse: *compunción, compungimiento.*

computación Aplicación de la tecnología para la solución de problemas por medio de una entrada, salida y proceso de datos. ☞ **sistemas, informática.**

— dispositivo electrónico programable que almacena y procesa datos: *computadora.*

— conjunto de computadoras que tienen concentrada información compartida con base en privilegios: *red.*

— permiso de acceso a determinada información: *privilegio.*

— clave secreta que accesa los privilegios: *password.*

— computadora que contiene toda la información a compartir en una red: *server.*

— computadora ramificada del server: *terminal.*

— estación de trabajo donde se envía y se recibe información de un procesador central: *terminal.*

— segundos que se tarda la máquina en contestar una petición: *tiempo de respuesta.*

— secuencia de instrucciones que se le da a una computadora para que las realice de una manera determinada: *programa.*

— conjunto de programas adecuados a la composición física de la máquina mediante los cuales es posible establecer comunicación con ella: *software.*

— conjunto de dispositivos electrónicos que conforman una computadora: *hardware.*

— entradas para la ramificación de los diferentes dispositivos: *puertos.*

— accesorios de una computadora: *cpu (unidad de proceso central), drives, floppies, disco duro, diskettes, teclado, monitor, impresora, modem, mouse, plotter.*

— mecanismo que controla todos los dispositivos de una computadora para el proceso de la información: *cpu (unidad de proceso central).*

— dispositivo que permite la comunicación entre el puerto y el cpu: *tarjeta.*

— unidades por medio de las cuales se graba información en un diskette: *drives, floppies.*

— dispositivo interno que almacena información: *disco duro.*

— dispositivo externo que almacena información: *diskette.*

— dispositivo compuesto de una serie de piezas con signos convencionales que al pulsarlos permiten la comunicación con la computadora: *teclado.*

— pantalla monocromática o a colores que muestra la información mandada por medio del teclado: *monitor.*

— dispositivo externo que marca en papel la información procesada: *impresora.*

— documento escrito emitido por la impresora: *impresión, reporte.*

— dispositivo externo que permite la comunicación entre dos computadoras: *modem.*

— dispositivo externo que permite el movimiento del cursor a través de la pantalla: *mouse.*

— dispositivo externo que, a través de un programa preestablecido, permite dibujar a colores: *plotter.*

— programa que regula y organiza los recursos con que cuenta la máquina: *sistema operativo.*

— programa que recibe un lenguaje de alto nivel y lo transforma en lenguaje máquina: *compilador.*

— programa escrito en lenguaje de alto nivel: *programa fuente, código fuente.*

— programa en lenguaje máquina: *programa objeto, código objeto.*

— programa que recibe un programa en lenguaje de alto nivel y lo transforma a señales comprensibles para la máquina: *traductor.*

— programas de auxilio para el usuario en el manejo de su computadora: *rutinas de utilería.*

— programa que el usuario elabora con objetivos específicos: *programa del usuario.*

— persona que trabaja directamente con una computadora recibiendo los servicios de ella: *usuario.*

— especialista en la codificación de las instrucciones para procesar la información: *programador.*

— especialista en definir la práctica del proceso de información: *analista.*

— persona que mecanografía la información a procesar: *capturista.*

— almacenamiento volátil de información de una computadora: *memoria.*

— información que se mantiene sólo mientras la computadora está encendida: *memoria RAM (Random Access Memory) (memoria de acceso directo).*

— memoria que se utiliza para guardar programas con carácter permanente: *memoria ROM (Read Only Memory).*

— pequeño dispositivo electrónico que permite el funcionamiento de las partes internas de la máquina: *chip.*

— conjunto de signos convencionales inteligibles para el programador que, al ser compilados, se transforman en señales electrónicas que sirven para la creación de programas: *lenguaje de alto nivel.*

— señales electrónicas inteligibles para la computadora: *lenguaje máquina.*

— signo visual que señala la posición dentro de un monitor e indica que el usuario está en comunicación con la computadora: *cursor.*

— índice que aparece en la pantalla que muestra las diferentes opciones de un programa: *menú.*

— instrucción para que la computadora realice un proceso propio del sistema operativo: *comando.*

— principales comandos: *format, copy, dir, del, type, rename, print.*

— preparar un diskette o un disco duro para que sea capaz de almacenar información: *formatear.*

— pasar información de un disco duro a diskette, de diskette a diskette, o de diskette a disco duro: *copiar.*

— solicitar que aparezcan en el monitor todos los archivos contenidos en un disco o diskette: *listar.*

—hacer desaparecer uno o varios archivos: *borrar.*

—solicitar que aparezca en la pantalla el contenido de un archivo: *typear.*

— cambiar el nombre de un archivo: *renombrar.*

— imprimir un archivo: *imprimir.*

— manipulador de un conjunto de archivos por medio de un lenguaje integrado en un paquete: *manejador de base de datos.*

— serie de programas relacionados entre sí con un fin específico: *paquete.*

— conjunto organizado de programas y procedimientos con que funciona o se hace funcionar un proceso en forma automatizada: *sistema.*

— rendimiento de un sistema: *performance.*

— conjunto de archivos relacionados entre sí: *base de datos.*

— conjunto de registros que se relacionan entre sí: *archivo.*

— conjunto de registros que, para poder ser procesados, implican operaciones para generar resultados: *archivo de datos.*

— conjunto de registros que no conlleva ningún tipo de operación, generalmente es para lectura o impresión: *archivo de documento.*

— conjunto de datos que se relacionan entre sí: *registro.*

— información que se va a procesar: *datos.*

— encender la computadora: *inicializar.*

— reinicializar la computadora: *resetear, bootear.*

— escribir y organizar la disposición de la información en pantalla: *editar.*

— grabar la información en un disco duro o diskette: *salvar.*

— establecer comunicación con la computadora o un sistema determinado: *accesar.*

— imposibilidad de accesar: *caerse el sistema.*

— encender el switch de una impresora: *poner en línea.*

computar 1. Expresar una magnitud. ☞ **contar, calcular.**

— *El año se computa en meses, días o semanas.*

— acto de contar: *cómputo.*

2. Considerar algo como equivalente a determinado valor. ☞ **conmutar.**

— *Me computaron mis años de servicio y pude obtener la jubilación más pronto.*

comulgar Recibir los católicos la eucaristía. ☞ **eucaristía, hostia.**

— que comulga: *comulgante.*

— barandal donde se arrodillan los fieles enfrente del altar: *comulgante.*

— consagración en la misa católica del vino y el pan que representan la sangre y el cuerpo de Cristo: *comunión, eucaristía*.

— laminilla de pan ázimo que se da en la comunión: *hostia*.

— vino y hostias antes de ser consagrados: *oblata*.

— transformar algo en sagrado mediante una ceremonia: *consagrar*.

común 1. Que, al encontrarse en abundancia, no tiene algo especial. ☞ **corriente, ordinario.** ❖ EXTRAORDINARIO.

— *Los perros y los gatos son las mascotas más comunes.*

2. Que pertenece a la colectividad. ☞ **colectivo.** ❖ PARTICULAR.

— *Los parques públicos son de uso común.*

— grupo de personas: *comunidad, comunión*.

— unión de elementos: *comunión*.

— que pertenece a la comunidad: *comunal*.

comunicar Transmitir cualquier clase de información. ☞ **informar.** ❖ CALLAR.

— acto de comunicar: *comunicación*.

— que puede ser comunicado: *comunicable*.

— que es afecto a expresar abiertamente sus pensamientos o sentimientos: *comunicativo*.

— poner en contacto dos espacios: *comunicar*.

— aislar a alguien para evitar que tenga contacto con el exterior: *incomunicar*.

— que pone dos medios en contacto: *comunicante*.

— que es chismoso: *comunicativo*.

— medios de comunicación: *teléfono, telégrafo, televisión, radio, cine, periódicos, revistas, correo*.

comunismo Sistema político-social que defiende la abolición de la propiedad privada y la administración de los bienes por el Estado. ☞ **socialismo.**

— adepto al comunismo: *comunista*.

con 1. Indica relación de compañía o colaboración. ☞ **preposición.**

— *Ella trabaja con el periódico para reunir fondos.*

2. Indica el instrumento con que se hace algo. ☞ **preposición.**

— *Pegas la cartulina con cinta adhesiva.*

3. Indica el modo de hacer algo. ☞ **preposición.**

— *Preparé el pastel con mucho gusto.*

conato Suceso que se inicia, pero que no llega a su término. ☞ **intentar, intento.**

concadenar Enlazar varios elementos entre sí. ☞ **encadenar, concatenar.**

— acción y resultado de concadenar: *concatenación*.

cóncavo, -va Superficie que forma un hoyo. ☞ **cavidad.** ❖ CONVEXO.

— que es cóncavo: *concavidad*.

— hoyo en una superficie: *concavidad*.

concebir 1. Quedar fecundada una hembra. ☞ **preñar.**

— *La fecha ideal para concebir es cuando el óvulo se ha desprendido de las trompas de Falopio.*

— acción y resultado de concebir: *concepción*.

2. Formar ciertas ideas o imágenes en el cerebro. ☞ **percibir.**

— *Tardó varios meses en concebir las ideas para crear su obra maestra.*

— que puede ser comprendido: *concebible*.

— representación mental de un objeto o idea: *concepto*.

— formar cierta opinión sobre algo o alguien: *conceptuar*.

— lenguaje agudo, rebuscado y que produce equívocos: *conceptuoso*.

— que tiene forma conceptuosa: *conceptuosidad*.

— estilo conceptuoso: *conceptismo*.

conceder Dar algo a alguien. ☞ **otorgar.** ❖ NEGAR.

— acto y resultado de conceder: *concesión*.

— permiso que una empresa da a otra para explotar algo que le pertenece: *concesión*.

— persona o empresa a quien se da una concesión: *concesionario*.

— que sirve para conceder: *concesivo*.

— sin disminuir las consecuencias de determinada acción: *sin concesiones*.

concejo Corporación que administra un municipio. ☞ **ayuntamiento, municipio.**

— miembro del ayuntamiento: *concejal*.

— que pertenece a o se relaciona con el concejo: *concejil*.

— cargo de concejal: *concejalía*.

concentrar 1. Reunir en un solo punto elementos dispersos. ☞ **unificar.** ❖ DISPERSAR.

— *De acuerdo con las instrucciones del guía, el grupo se concentró en las escalinatas del edificio.*

— materia a la que se le ha separado su parte acuosa: *concentrada*.

— que tienen el mismo centro: *concéntrico*.

2. Enfocar la atención sobre determinada cosa. ☞ **reflexionar, meditar.**

— *Concéntrate en lo que estás haciendo.*

— acto de concentrar: *concentración*.

concernir Tener alguien interés para algo. ☞ **atañer.**

— que se relaciona con lo que se está tratando: *concerniente*.

concertar 1. Organizar elementos diversos de modo que formen un todo organizado o armónico. ☞ **coordinar, concordar.**

— *Es difícil concertar intereses diversos.*

2. Llegar a un acuerdo. ☞ **convenir.**

— *Concertaron la boda de sus respectivos hijos desde que nacieron.*

3. Poner de modo acorde voces o instrumentos. ☞ **afinar.**

— *La orquesta concertó la melodía.*

— pieza musical que tiene varias voces: *concertante*.

— persona que ofrece conciertos solo: *concertista*.

— ejecución de obras musicales en público: *concierto, recital*.

— primer violinista en una orquesta: *concertino*.

conciencia Conocimiento que un individuo tiene de sí mismo y de las cosas a su alrededor.

— hacer algo de manera cuidadosa: *concienzudamente, a conciencia*.

— que hace todo con mucho cuidado: *concienzudo*.

— sentirse culpable por haber obrado de modo incorrecto: *remorder la conciencia*.

— darse cuenta de algo: *tomar conciencia*.

— sentir que se ha actuado correctamente: *tener la conciencia limpia*.

— derecho a profesar la creencia que uno quiera: *libertad de conciencia*.

— analizar las acciones y motivaciones de uno: *examen de conciencia*.

conciliar Poner en paz dos elementos que están en pugna. ☞ **reconciliar.**

— acción y resultado de conciliar: *conciliación*.

— que es adecuado para conciliar: *conciliativo, conciliatorio, conciliador*.

— que puede ser conciliado: *conciliable*.

— junta de personas para deliberar sobre determinado asunto: *concilio*.

— reunión de eclesiásticos para discutir cuestiones importantes: *concilio*.

— asociación de personas para discutir algo oculto o prohibido: *conciliábulo*.

conciso, -sa Expresado de modo preciso. ☞ **breve.**

— brevedad: *concisión*.

concitar Provocar discordias. ☞ **incitar.**

conciudadano Persona que pertenece al mismo país que uno. ☞ **compatriota.**

cónclave Junta en que los cardenales eligen al Papa. ☞ **Papa.**

concluir Dar por terminado algo. ☞ **acabar, finalizar.** ❖ EMPEZAR.

— acto de concluir: *conclusión*.

— decisión o expresión final de algo

después de haber deliberado sobre ello: *conclusión*.

— argumento que finaliza una discusión: *conclusivo*.

— razonamiento que no admite duda: *concluyente*.

concomitante Que va con otro elemento. ☞ **conexo, afín.**

— relación entre dos elementos que actúan al mismo tiempo: *concomitancia*.

concordar Poner de acuerdo dos elementos. ☞ **coincidir.**

— que concuerda: *concordante*.

— que asiente o está de acuerdo con algo o alguien: *concorde*.

— estado de paz y armonía: *concordia*.

— acuerdo entre un Estado y el Vaticano: *concordato*.

— que pertenece a o se relaciona con el concordato: *concordatorio*.

concreto, -ta 1. Lo que existe en el mundo sensible. ☞ **corpóreo.** ❖ ABSTRACTO.

— *Una mesa es un objeto concreto.*

— acto de concretar: *concreción*.

— transformar lo que es abstracto en concreto: *concretar*.

— limitarse a cierto punto: *concretarse*.

2. Hormigón armado. ☞ **cemento.**

— *Las casas de concreto son más sólidas que las prefabricadas de madera.*

concubino, -na Persona que cohabita con otra sin estar casados. ☞ **amor, amante, amasia.**

— copulación: *concúbito*.

— situación de hacer vida marital sin haberse casado: *concubinato*.

conculcar Violar los derechos de alguien. ☞ **nulificar, infringir.** ❖ RESPETAR.

concuño, -ña Hermano o hermana del cuñado. ☞ **cuñado, concuñado.**

concupiscencia Deseo de los bienes terrenales o de los placeres carnales. ☞ **voracidad, deseo.**

— que desea bienes terrenales o que busca placeres carnales: *concupiscente*.

concurrir 1. Reunirse en una misma circunstancia varios elementos. ☞ **coincidir.**

— acción y resultado de concurrir: *concurrencia*.

2. Asistir a determinado acto. ☞ **asistir.**

— *Concurrieron grandes personalidades a la fiesta.*

— grupo de personas invitadas a un acto: *concurrencia*.

— invitado a una fiesta: *concurrente*.

— lugar con mucha gente: *concurrido*.

— acto de concurrir varias personas para la realización de algo: *concurso*.

3. Tomar parte en un concurso. ☞ **concursar.**

— *Concurrieron varias estrellas al concurso por televisión.*

4. Mostrarse de acuerdo con la opinión de otro. ☞ **acordar.**

— *Concurro contigo respecto a la decisión que tomaste.*

concursar 1. Presentarse a determinado acto compitiendo por algo contra otros aspirantes. ☞ **competir.**

— *En el programa dominical el público es el que concursa.*

— certamen: *concurso*.

2. Declarar en quiebra a una persona. ☞ **quiebra.**

— juicio en que se determina la quiebra de una persona: *concurso*.

concusión 1. Exigencia ilegal cometida por un funcionario público. ☞ **exacción.**

— *La concusión está penada por la ley .*

— que comete concusión: *concusionario*.

2. Golpe traumático en la cabeza. ☞ **conmoción.**

— *La concusión se caracteriza por la pérdida temporal de la conciencia.*

concha 1. (vea ilustración de la p. 160). Recubrimiento duro que protege a los moluscos. ☞ **caparazón, coraza.**

— prefijo que significa concha: *conqui*.

— animal de cuerpo blando y segmentado: *molusco*.

— no interesarse debidamente en un compromiso adquirido: *hacer concha*.

— aparentar desinterés por algo: *hacer concha*.

— ser apático y desinteresado en todo, encargándole el trabajo propio a otros: *ser conchudo*.

— retraerse en uno mismo: *encrocharse, meterse en la concha*.

— sacar las ostras de una concha: *desbullar*.

— parte de la zoología que estudia las conchas: *conquiliología*.

— que tiene figura de concha: *conquiforme*.

— terreno abundante en conchas: *conchífero, conquilífero*.

— que tiene conchas: *conquilíoforo*.

— especialista en conchas: *conquiliologista, conquiliólogo*.

— que es parecido a una concha: *concoideo*.

— molusco con concha rugosa de color verde: *ostra*.

— cada una de las piezas duras que protegen el cuerpo de los moluscos: *valva*.

— sustancia dura de color blanco irisado que recubre el interior de algunas conchas: *nácar*.

— unión de las dos valvas en los moluscos que la tienen: *charnela*.

— ligamento entre las dos valvas: *gozne*.

— pieza que cubre la concha de los moluscos univalvos: *opérculo*.

— opérculo circular de algunos cara-

coles marinos: *ombligo marino, haba marina*.

— concha cuya cubierta exterior es ondulada: *imbricada*.

— concha fósil en espiral: *amonita*.

— concha fósil de forma cónica: *belemnita*.

— concha fósil pequeña y oblonga: *herátula*.

— concha fósil del período terciario: *numulita*.

— concha semicircular con dos valvas, rojiza por fuera y blanca por dentro: *venera*.

— concha bivalva de los mares intertropicales de donde se obtienen las perlas: *madreperla*.

2. Pieza de pan dulce. ☞ **pan.**

— *Las conchas están cubiertas con franjas de azúcar.*

conchabar Ponerse de acuerdo con alguien para realizar determinado trabajo o acompañarse en una diligencia. ☞ **acordar.**

— acción y resultado de conchabar: *conchabo, conchabe, conchabanza*.

conde Título nobiliario inferior al de duque. ☞ **noble.**

— femenino de conde: *condesa*.

— territorio y dignidad de conde: *condado*.

condecorar Conceder a alguien un honor o una medalla como símbolo de distinción. ☞ **distinguir, premiar.**

— acto y resultado de condecorar: *condecoración*.

— insignia que simboliza una distinción recibida: *condecoración*.

— distintas condecoraciones: *placa, medalla, cruz*.

condenar 1. Dictaminar un castigo por una falta cometida. ☞ **sentenciar.**

— *El juez lo condenó a la pena máxima: cuarenta años de prisión.*

— castigo impuesto: *condena*.

— que puede recibir una condena: *condenable*.

— que significa en sí mismo una condena: *condenatorio*.

— según algunas religiones, irse al infierno por los pecados cometidos: *condenarse*.

2. Reprobar el comportamiento de alguien. ☞ **censurar.**

— *Muchas veces se condena a alguien de antemano sin conocer a ciencia cierta los hechos.*

— acto de condenar: *condena, condenación*.

— que merece desaprobación: *condenable*.

— persona que actúa malévolamente: *condenado*.

condensar 1. Reducir un texto sin per-

conchas

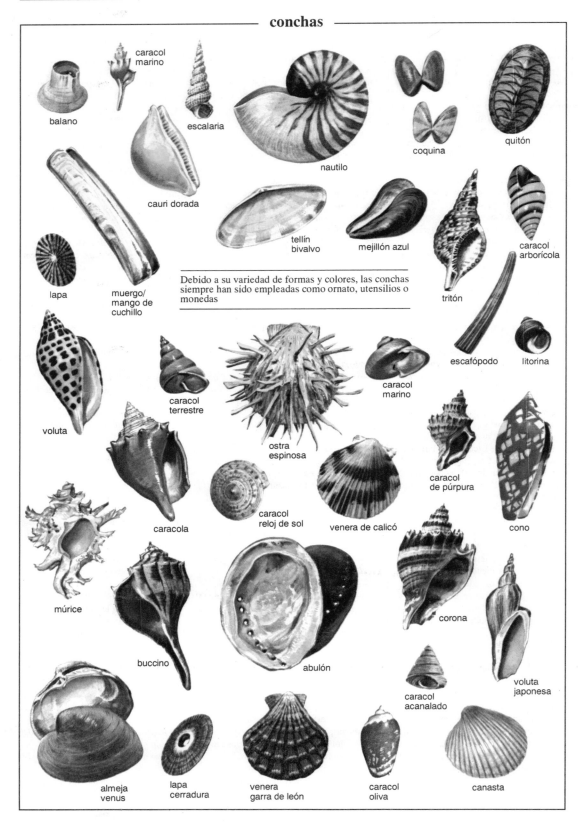

balano

caracol marino

escalaria

cauri dorada

nautilo

coquina

quitón

lapa

muergo/ mango de cuchillo

tellín bivalvo

mejillón azul

caracol arborícola

tritón

Debido a su variedad de formas y colores, las conchas siempre han sido empleadas como ornato, utensilios o monedas

escafópodo

litorina

voluta

caracol terrestre

ostra espinosa

caracol marino

caracol de púrpura

cono

múrice

caracola

caracol reloj de sol

venera de calicó

buccino

abulón

corona

voluta japonesa

almeja venus

lapa cerradura

venera garra de león

caracol oliva

caracol acanalado

canasta

der la esencia del mismo. ☞ **abreviar, resumir.**

— *No es fácil condensar un texto, dejando lo importante y sustrayendo la "paja".*

— acto y resultado de condensar: *condensación.*

— texto abreviado: *condensado.*

— que puede ser condensado: *condensable.*

2. Hacer una sustancia más sólida evaporando parte del líquido. ❖ LICUAR.

— *La leche condensada es más densa que la normal o la evaporada.*

3. Transformar en líquido un vapor. ❖ SUBLIMAR.

— *Se condensan gases o vapores en los laboratorios.*

— máquina para condensar gases o vapores: *condensador.*

— aparato que condensa electricidad: *condensador eléctrico.*

condescender Acceder voluntariamente a los deseos de otro. ☞ **transigir, complacer.**

—acto de condescender: *condescendencia.*

— que accede a los deseos de otros: *condescendiente, complaciente.*

condicionar Supeditar la realización de algo a determinadas circunstancias. ☞ **depender.**

— manera de ser de algo o alguien: *condición.*

— circunstancia necesaria para que ocurra otra posterior: *condición.*

— supeditado a otras circunstancias para que ocurra: *condicional.*

— derecho que tiene una persona sentenciada por un delito para obtener su libertad si cumple con determinados requisitos: *libertad condicional.*

—acto de condicionar: *condicionamiento.*

— que condiciona: *condicionante.*

— que pertenece a una clase social elevada: *de condición.*

— estar en buen o mal estado: *estar o no en condiciones.*

cóndilo Extremo redondo de un hueso que encaja en otro. ☞ **hueso.**

condimentar Agregar a la comida ingredientes que la hagan más sabrosa. ☞ **aderezar, aliñar.**

— ingredientes que se añaden a la comida para hacerla más sabrosa: *condimento, especias.*

— condimentos: *aceite, vinagre, ajo, cebolla, azafrán, epazote, escabeche, pimienta, chile, estragón, jengibre, orégano, laurel, nuez, perejil, cilantro, albahaca, alcaparra, anís, canela, clavo, comino, pimiento, menta, hierbabuena, nuez moscada, vainilla, catsup, salsa, adobo, sal.*

— agregarle chile a la comida: *enchilar.*

— agregarle adobo a la comida: *adobar.*

— agregarle escabeche a la comida: *escabechar.*

— agregarle especias a la comida: *especiar.*

— poner en escabeche la carne o el pescado para conservarlo: *marinar.*

— salsa de vinagre, pimienta, laurel y diversos ingredientes donde se marina la carne o el pescado: *escabeche.*

— salsa de jitomate y chile donde se sazonan las carnes: *adobo.*

condiscípulo, -la Compañero de estudios. ☞ **camarada.**

condolencia Sentimiento solidario por la aflicción de otro. ☞ **pésame.**

— compartir la aflicción de otro por la pérdida de un ser querido: *condolerse.*

condominio Posesión de un bien en común. ☞ **copropiedad.**

— persona que comparte la propiedad de un bien con otros: *condómino, condueño.*

— conjunto de viviendas particulares con determinadas áreas cuya propiedad comparten todos los condóminos: *edificio en condominio.*

condonar Perdonar una falta o un castigo. ☞ **perdonar.** ❖ CASTIGAR.

— acto de condonar: *condonación.*

condrología Parte de la anatomía que estudia el tejido cartilaginoso. ☞ **cartílago, condrografía.**

— parte cartilaginosa del esqueleto de los vertebrados: *condroesqueleto.*

— inflamación del tejido cartilaginoso: *condritis.*

— tumor del tejido cartilaginoso: *condroma.*

conducir 1. Guiar un vehículo. ☞ **manejar, piloto, pilotar, pilotear.**

— *Hay que presentar un certificado del grupo sanguíneo que se tiene para obtener la licencia de conducir.*

— que guía un vehículo: *conductor, chofer.*

2. Dirigir un asunto o a una persona por determinado sendero. ☞ **guiar, llevar.**

— *Tu conducta intransigente no conduce a nada bueno.*

— que conduce: *conducente.*

3. Ser el medio para que un fluido vaya de un lugar a otro. ☞ **acarrear, transportar.**

— *Los metales conducen la electricidad.*

— canal por donde se lleva un fluido: *conducto.*

— tubería por la que circula un fluido: *conducción.*

— acción y resultado de conducir: *conducción.*

— propiedad de los cuerpos de dejar pasar el calor o la electricidad: *con-*

ductibilidad, conductividad.

— propiedad de una sustancia de dejar pasar fácilmente la corriente eléctrica: *conductancia.*

— conductos de agua: *alcantarilla, sumidero, vertedero, canal, acueducto, albañal, cloaca, roza, reguera, acequia, cauce, cañería, manguera, canalón, gárgola, erogatorio.*

—otros tipos de conductores: *tubo, cánula, fístula, sifón.*

— caño por donde sale el líquido de un depósito: *erogatorio.*

— depósito subterráneo para recibir las aguas de lluvia: *sumidero, alcantarilla.*

— lugar de desagüe: *vertedero.*

— conducto estrecho por donde pasa un fluido: *canal.*

—conducto artificial elevado sobre una estructura en arcos o subterráneo por donde se conduce agua: *acueducto.*

— conducto de desagüe de aguas sucias: *albañal, cloaca.*

— cauce para conducir el agua de riego desde una acequia a los bancales: *reguera.*

— zanja para conducir agua: *acequia.*

— lote en que se divide un terreno para regarlo y cultivarlo: *bancal.*

— canal hecho en un muro para conducir el agua o la electricidad: *roza.*

— conjunto de conductos para transportar fluidos: *cañería.*

— acequia para regar: *cauce.*

— cañería que lleva el agua de lluvia de los tejados hasta el suelo: *canalón, gárgola.*

— tubo flexible de plástico para conducir agua de una llave a cualquier lugar: *manguera.*

— cilindro hueco de diversos materiales para conducir fluidos: *tubo.*

— conjunto de tubos: *tubería.*

— tubo corto de goma para diversos usos médicos: *cánula.*

— conducto artificial para evacuar las secreciones del organismo: *fístula.*

— tubo doblado para vaciar líquidos: *sifón.*

4. Obrar de determinado modo. ☞ **comportar.**

—*Se conduce en todas las circunstancias como es debido.*

—modo de comportarse: *conducta.*

conduplicación Figura retórica consistente en repetir al comienzo de una frase una expresión que aparece en la frase anterior. ☞ **epanadiplosis.**

— *Agua de la ribera,*
agua del ojo sombrío,
agua fuerte de la muerte:
corazón mío.

Jaime Sabines.

conectar Enlazar dos máquinas o un aparato a un conducto eléctrico para que funcionen. ☞ **enchufar.**
— lo que sirve para enlazar: *conectivo.*
— enlace de dos elementos: *conexión.*
— conocimiento de una persona que posteriormente puede ser de provecho: *tener conexiones.*
— que se encuentra relacionado: *conexo.*
— contraer conexiones: *conectarse.*

conejera Madriguera de conejos. ☞ **animal.**
— animal mamífero roedor: *conejo.*
— lugar donde se crían conejos: *conejal, conejar.*
— vendedor de conejos: *conejero.*
— pelo de conejos: *conejuna.*
— cría de conejo: *cunicultura.*
— que está dedicado a la cunicultura: *cunicultor.*
— que tiene parecido con un conejo: *cunicular.*
— conejo joven: *gazapo.*

confabular Acordar entre varias personas una acción en contra de otro o una actividad ilícita. ☞ **conspirar.**
— acción y resultado de confabular: *confabulación.*
— que confabula: *confabulador.*

confeccionar Hacer una vestimenta o preparar un platillo. ☞ **elaborar.**
— acto de confeccionar: *confección, hechura.*
— que confecciona: *confeccionador.*
— oficio de hacer ropa: *corte y confección.*

confederado, -da Organismo o estado miembro de una confederación. ☞ **federación.**
— acto de confederarse: *confederación.*
— conjunto de estados unidos por organismos políticos comunes: *confederación.*
— unirse varios estados: *confederarse.*

conferencia 1. Reunión de varias personas para discutir un tema importante. ☞ **conversar, conversación.**
— *Los jefes de Estado se reunieron en conferencia.*
— discutir sobre determinado asunto: *conferenciar.*
2. Plática de un especialista. ☞ **disertar, disertación.**
— *La conferencia que dieron sobre el eclipse fue muy ilustrativa.*
— disertar sobre determinado tema: *conferenciar.*
— que pronuncia una conferencia: *conferenciante.*
3. Conversación telefónica. ☞ **teléfono.**
— *Las tarifas por concepto de una conferencia se han incrementado.*

conferir Otorgar una dignidad a alguien. ☞ **dar.** ❖ NEGAR.

confesar Reconocer las faltas o pecados cometidos. ☞ **declarar.**
— acto de confesar: *confesión.*
— que pertenece a la confesión o se relaciona con ella: *confesional.*
— cubículo en las iglesias católicas donde los fieles confiesan sus pecados a un sacerdote: *confesionario, confesonario.*
— susceptible de ser confesado: *confesable.*
— que es demasiado vergonzoso o terrible para hablar de ello: *inconfesable.*
— sacerdote católico que escucha los pecados e impone penitencias: *confesor.*
— que ha reconocido su delito: *confeso.*
— arrepentimiento por haber ofendido a Dios: *contrición.*
— sensación de pena por haber ofendido a Dios: *atrición.*
— tener el castigo correspondiente a una falta: *expiar.*
— castigo impuesto por el confesor para reparar los pecados cometidos: *penitencia.*

confeti Fragmentos muy pequeños y coloreados de papel usados en fiestas y carnavales. ☞ **fiesta.**

confiar 1. Encargar el cuidado de algo o alguien a otro. ☞ **encomendar.**
— *Ha confiado todos sus negocios a su apoderado.*
2. Pretender y creer que determinado evento necesario ocurra. ☞ **suponer, esperar.**
— *Confío en que llegues con bien a tu destino.*
— creencia en un futuro positivo: *tener confianza en...*
— autoestima: *confianza en sí mismo*
3. Creer en la honradez de otra persona. ☞ **fiar.**
— *Confío en mi amigo como en mí mismo.*
— creencia en los valores de otro que hace que se le dé libertad para actuar: *voto de confianza.*
— familiaridad en el trato: *confianza.*
— persona que abusa del buen trato que otros le dan: *confianzudo.*
— persona que conoce de los asuntos privados de otro debido a que éste le tiene confianza: *confidente.*
— asunto secreto: *confidencial.*
— conversación donde se tratan asuntos íntimos: *confidencia.*
— mueble para recostarse: *confidente.*
— acción y resultado de confiar: *confianza.*

configurar Dar forma a algo. ☞ **conformar.**

— acción y resultado de configurar: *configuración.*
— aspecto de algo: *configuración.*

confinar 1. Encerrar o desterrar a alguien. ☞ **recluir.**
— *Los prisioneros peligrosos están confinados a un área de alta seguridad.*
— que está encerrado o desterrado: *confinado.*
— acción y resultado de confinar: *confinamiento.*
— estado de un confinado: *confinamiento.*
2. Compartir un terreno con bordes comunes con otro. ☞ **colindar.**
— *México confina con E.U.A.*
— límite entre dos regiones colindantes: *confín.*
— región que colinda con otra: *confinante.*
— lugar lejano: *confín.*
— en un lugar muy distante: *en el confín de la tierra.*

confirmar 1. Comprobar la veracidad de algo. ☞ **corroborar.** ❖ NEGAR.
— *El testigo ha confirmado lo que el acusado declaró.*
— acto de confirmar: *confirmación.*
— que confirma: *confirmador, confirmatorio.*
— que es útil para confirmar: *confirmativo.*
2. Dar la seguridad de algo. ☞ **asegurar.**
— *Ya confirmé el vuelo de regreso.*
— sacramento que afirma la fe católica: *confirmación.*

confiscar Apoderarse el Estado de un bien particular. ☞ **embargar, quitar.**
— acto de confiscar: *confiscación.*

confitar Cocer o recubrir con azúcar frutas y semillas. ☞ **garapiñar, azúcar.**
— que está cubierto de azúcar: *confitado.*
— tienda de dulces: *confitería, dulcería.*
— golosina de azúcar: *confite, confitura.*
— que prepara o vende dulces: *confitero.*

conflagración Enfrentamiento violento entre naciones. ☞ **guerra.**
— incendio: *conflagración.*
— incendiar: *conflagrar.*

conflicto Situación antagónica. ☞ **choque.**
— que implica conflicto: *conflictivo.*
— de trato difícil: *conflictivo.*
— hacer que las cosas se vuelvan más complicadas para uno: *conflictuarse.*

confluir Encontrarse dos caminos o conductos. ☞ **juntar, encrucijada.**
— dos caminos o conductos que se encuentran: *confluentes.*

— acto de confluir: *confluencia*.

— punto de unión entre dos ríos o montañas: *horcajo*.

— encrucijada de tres caminos: *trivio*.

— encrucijada de cuatro caminos: *cuadrivio*.

conformar 1. Sujetar la voluntad propia a la ajena o a las circunstancias. ☞ **aceptar**.

— *Confórmate con lo que tienes, y no sufras por lo que no puedes obtener.*

— aprobación de algo: *conformidad*.

— que es poco exigente y ambicioso: *conformista*.

— situación y estado conformista: *conformismo*.

2. Dar a algo la forma que le corresponde. ☞ **configurar**.

— *El cuerpo de ballet está conformado por treinta bailarines y dos solistas.*

— configuración: *conformación*.

3. Dar alegría y satisfacción a alguien. ☞ **contentar**.

— *Mi padre estaba enojado, pero al ver mis buenas notas se conformó.*

— que es fácil de contentar: *conformadizo*.

— relación de elementos acordes entre sí: *conformidad*.

confortar Animar y fortalecer a alguien débil o triste. ☞ **apoyar, consolar, vigor, vigorizar**.

— todo lo que contribuye a sentirse a gusto y cómodo: *confort*.

— que consuela o conforta: *confortable*.

— acto de confortar: *confortación, confortamiento, conforte*.

— que es útil para confortar: *confortativo*.

confraternidad Relación cordial entre personas o naciones. ☞ **fraternidad, amistad**.

— relacionarse cordialmente personas de diferentes estratos sociales: *confraternar, confraternizar*.

confrontar 1. Poner a dos personas frente a frente. ☞ **careo**.

— *Se confrontó a los testigos durante el juicio.*

— careo entre dos o más personas: *confrontación*.

2. Comparar dos cosas entre sí para comprobar algo. ☞ **cotejar**.

— *Se confrontaron las cartas y se llegó a la conclusión de que fueron redactadas por la misma persona.*

— que confronta dos elementos: *confrontador, confrontante*.

confucianismo Doctrina predicada por Confucio y profesada especialmente en China y Japón. ☞ **religión**.

confulgencia Brillo simultáneo. ☞ **brillar, estrella, destello**.

confundir 1. Tomar algo por otra cosa. ☞ **turbar, equivocar**.

— *Tantas instrucciones contradictorias me confundieron y nunca pude llegar a mi destino.*

— que no tiene claridad: *confuso*.

— error: *confusión*.

2. Mezclar diversos elementos de tal modo que no se encuentren en un orden o lógica. ☞ **desordenar**. ❖ ORGANIZAR.

— *No confundas los montones porque después sería imposible saber el orden.*

— desorden: *confusión*.

conga (vea recuadro de bebidas). Bebida de diversas frutas con licor. ☞ **beber, bebida**.

congelar 1. Transformar en hielo un líquido. ☞ **hielo, enfriar**.

— *Congela la carne para que no se eche a perder.*

— compartimiento de un refrigerador para congelar alimentos: *congelador*.

— que sirve para congelar: *congelante, congelativo*.

— acción y resultado de congelar: *congelación, congelamiento*.

— que puede ser congelado: *congelable*.

2. Impedir el ascenso de un empleado o funcionario.

— *Debido a sus malos manejos, lo congelaron en su puesto.*

3. Impedir la movilización o el aumento de dinero, bienes o salarios.

— *Por orden judicial, congelaron su cuenta bancaria.*

congénere Que pertenece a la misma clase o género. ☞ **igual**.

congeniar Compartir gustos y aficiones. ☞ **avenir, entender, avenirse, entenderse**.

— que tiene el mismo carácter que otro: *congenial*.

congénito, -ta Que se ha nacido con ello. ☞ **innato**. ❖ ADQUIRIDO.

congestionar Obstruir la afluencia de algo debido a la acumulación de determinados elementos. ☞ **acumular, entorpecer**.

— acumulación anormal de sangre en una parte del organismo: *congestión*.

— aglomeración de automóviles en una vía de tránsito: *congestionamiento, congestión*.

— que pertenece a o se relaciona con la congestión: *congestivo*.

conglobación Conjunto de elementos no materiales. ☞ **englobar**.

conglomerar Unir en una sola masa. ☞ **aglomerar**. ❖ SEPARAR.

— que da cohesión: *conglomerante*.

— masa de distintos materiales mezclados: *conglomerado*.

— unión de varias empresas: *conglomerado*.

— acto de conglomerar: *conglomeración*.

— roca formada por fragmentos de otras: *clástico*.

conglutinar Pegar diversos fragmentos. ☞ **conglomerar**.

— que pega: *conglutinativo, conglutinoso, conglutinante*.

congoja Sentimiento de aflicción. ☞ **pena, tristeza**. ❖ ALEGRÍA, FELICIDAD.

— causar pena: *congojar*.

— que siente tristeza: *acongojado, congojoso*.

congraciar Atraer la benevolencia y simpatía de otro. ☞ **bienquistar**.

— acto de congraciar: *congraciamiento*.

— que sirve para atraer una actitud benevolente hacia uno: *congraciante*.

congratular Expresar alegría por la felicidad ajena. ☞ **felicitar**. ❖ CONDOLER.

— acto de congratular: *congratulación*.

— que es útil como congratulación: *congratulatorio*.

congregar Reunir a gente en un mismo sitio. ☞ **unir, citar**.

— acción de congregarse: *congregación*.

— comunidad religiosa: *congregación*.

— conjunto de fieles a una iglesia: *congregación*.

— que participa en una congregación: *congregante*.

congreso 1. Asamblea legislativa compuesta por la Cámara de Diputados y la Cámara de Senadores. ☞ **ley, diputado, senador, legislativo**.

— *El Congreso de la Unión tiene su sede en la ciudad de México.*

— uno de los tres poderes supremos del Estado cuya función principal es la elaboración y aprobación de leyes: *poder legislativo*.

— ciudadano elegido popularmente que representa a otros ante el Congreso: *diputado*.

— diputado nominado y electo según el principio de representación proporcional mediante un sistema de listas regionales: *plurinominal*.

— diputado nominado y electo según el principio de votación mayoritaria relativa mediante el sistema de distritos electorales uninominales: *uninominal*.

— resultado de dividir la población total del país entre distintas regiones señaladas para realizar el proceso electoral: *distrito electoral*.

— totalidad de diputados que conforman la Cámara: *quinientos*.

— uno de los dos cuerpos legislativos elegidos por votación directa: *Senado*.

— total de senadores que conforman la Cámara: *sesenta y cuatro*.

— período en que se tratan en el Congreso todos los asuntos que su Ley Orgánica determina: *período de sesiones ordinarias*.

— período en que se tratan asuntos exclusivos a cada una de las Cámaras: *período de sesiones extraordinarias*.

— toda resolución del Congreso: *ley o decreto*.

2. Reunión de diversos especialistas que discuten e intercambian conocimientos sobre un mismo tema. ☞ **asamblea**.

— *El congreso de biomédicos se efectúa en diversas instituciones científicas del país*.

— que asiste a un congreso: *congresista*.

congruente Que corresponde con otro elemento, que armoniza con él. ☞ **acordar, concordar, acorde, concorde, congruo**. ❖ DISCORDE.

— relación entre dos elementos acordes: *congruencia*.

conjeturar Suponer algo. ☞ **presumir**.

— idea preconcebida: *conjetura*.

— que se puede presuponer: *conjeturable*.

— que está cimentado en conjeturas: *conjetural*.

— que conjetura: *conjeturador*.

conjugar 1. Expresar un verbo conjuntado el modo, tiempo, número y persona. ☞ **verbo**.

— *En español, los verbos se conjugan de acuerdo a la terminación del infinitivo*.

— acto de conjugar: *conjugación*.

— cada una de las tres clases de verbos de acuerdo a la manera como termina el infinitivo de los mismos: *conjugación*.

— verbos cuyo infinitivo termina en "ar": *primera conjugación*.

— verbos cuyo infinitivo termina en "er": *segunda conjugación*.

— verbos cuyo infinitivo termina en "ir": *tercera conjugación*.

— cambio que sufre la terminación de una palabra para expresar el género, número, tiempo y persona: *conjugación*.

— accidentes del verbo: *modo, tiempo, número y persona*.

— manera en que se expresa el significado de un verbo: *modo*.

— clases de modos gramaticales: *infinitivo, indicativo, imperativo, potencial y subjuntivo*.

— modo de verbo que expresa la acción de una manera general e indeterminada: *infinitivo*.

— modo que expresa la existencia o la acción de algo cierto: *indicativo*.

— modo que indica una orden o súplica: *imperativo*.

— modo que expresa una acción como posible: *potencial*.

— modo que expresa una acción como dudosa, posible o deseada: *subjuntivo*.

— variaciones del verbo que sirven para indicar pasado, presente o futuro: *tiempo*.

— propiedad del verbo de expresar la unidad o pluralidad del sujeto: *número*.

— números del verbo: *singular y plural*.

— accidente del verbo que señala quién es el sujeto u objeto de la oración: *persona*.

— persona que habla: *primera persona*.

— persona a quién se habla: *segunda persona*.

— persona de quien se habla: *tercera persona*.

— forma verbal invariable que expresa la acción como si estuviera ocurriendo en el presente: *gerundio*.

— parte de la oración que tiene características de verbo y adjetivo: *participio*.

— cualquier manera distinguible en el uso o valor de un verbo: *forma*.

— forma verbal en que se expone simple y llanamente un hecho: *conjugación enunciativa*.

— oración cuyo sujeto es indeterminado: *conjugación impersonal*.

— forma verbal en que se combinan dos verbos, uno de ellos en infinitivo: *conjugación de obligación*.

— forma verbal con un pronombre incluido: *pronominal*.

— forma verbal en la que el sujeto sufre la acción y no la realiza: *conjugación pasiva*.

— forma de conjugación que se ajusta al modelo debido: *conjugación regular*.

— verbo que tiene su conjugación incompleta: *conjugación defectiva*.

— forma verbal en que existen dos verbos: *conjugación perifrástica*.

— cualquier forma construida con infinitivo que expresa una acción futura: *progresiva*.

2. Coincidir diversas circunstancias o elementos en un mismo lugar y tiempo. ☞ **coordinar**.

— *Todo se conjugó para que la fiesta fuera un éxito: el buen clima, la comida sabrosa, la música alegre y el servicio perfecto*.

conjunción 1. Reunión de circunstancias semejantes. ☞ **conjugar, coincidir, coincidencia**.

— *La conjunción de los factores hicieron posible ese encuentro que culminó en matrimonio*.

2. Situación en que dos astros se encuentran en la misma parte del zodiaco. ☞ **sínodo, interlunio**.

— *A la conjunción de dos astros en el*

mismo grado de la elíptica se le llama *sínodo*.

— tiempo de la conjunción en que la Luna es invisible: *interlunio*.

3. Partícula gramatical que enlaza dos elementos en una oración. ❖ DISYUNCIÓN.

— *Las conjunciones se dividen de acuerdo a las distintas maneras en que se expresan las relaciones entre los diversos elementos que enlazan*.

— grupo de palabras que funcionan como conjunción: *locución conjuntiva, expresión conjuntiva, frase conjuntiva, conjunción compuesta, modo conjuntivo*.

— conjunción que enlaza dos elementos equivalentes en una oración: *y*.

— conjunción que enlaza dos oraciones afirmativas: *y*.

— conjunción que enlaza una oración afirmativa y otra negativa y viceversa: *y*.

— conjunción que enlaza frases o palabras con sentido negativo: *ni*.

— conjunción que anuncia la consecuencia natural de lo que acaba de decirse: *conque*.

— conjunciones que expresan diferencia, alternativa o separación entre objetos, ideas o personas: *o, u, ya, ora, ahora, bien*.

— conjunciones que indican causa o razón de algo: *porque, pues, puesto que, pues que, supuesto que, ya que, como, como que*.

— conjunciones que expresan idea de requisito o condición: *con tal que, con tal de que, ya que, así que, así, siempre que, dado que, si, como*.

— conjunciones que expresan oposición o contrariedad entre algo que se ha dicho ya y algo que se va a decir: *mas, pero, aunque, sino*.

— conjunciones que se utilizan para poder continuar la oración o el párrafo: *pues, así que, por tanto, por lo tanto, por consiguiente, así pues*.

— conjunciones que sirven para enlazar los términos de una comparación: *como, así como*.

— conjunciones que indican un fin propuesto: *para que, a fin de que*.

— conjunciones que sirven para unir lógicamente un hecho con su consecuencia: *por consiguiente, conque, luego, pues*.

— que pertenece a o se relaciona con la conjunción: *conjuntivo*.

conjuntar Unir de modo armónico diversos elementos. ☞ **agregar, congregar, unificar**. ❖ DISGREGAR.

— que forma una estructura bien unificada: *conjuntado*.

— de modo armónico y unificado: *conjuntamente*.

— unión de varios elementos que forman un todo: *conjunto.*

— grupo de elementos matemáticos que comparten características comunes: *conjunto.*

— prendas de vestir que combinan entre sí: *conjunto.*

conjuntiva Membrana que reviste la parte interior del párpado. ☞ **párpado, ojo.**

— inflamación de la conjuntiva: *conjuntivitis.*

conjuntivo Tejido que une y sostiene las distintas estructuras del organismo. ☞ **músculo, piel.**

conjurar 1. Terminar con un peligro o preocupación. ☞ **alejar.**

— *Todos sus males se conjuraron al visitar al médico.*

2. Reunirse entre varios para actuar en contra de algo o alguien. ☞ **conspirar.**

— *El grupo terrorista conjuraba en contra del gobierno.*

3. Alejar los espíritus malignos. ☞ **exorcizar.**

— *Conjuró con rezos a las presencias que sentía lo acechaban.*

— complot: *conjura, conjuración.*

— que participa en una conjura: *conjurado.*

conllevar Soportar una situación o persona difícil. ☞ **sobrellevar.**

conmemorar Celebrar un festejo para recordar un suceso. ☞ **evocar.** ❖ OLVIDAR.

— celebración para recordar un suceso: *conmemoración.*

— que sirve para recordar y celebrar algo: *conmemorativo.*

conmensurable Que es susceptible de medirse. ☞ **medir.** ❖ INCONMENSURABLE.

— calcular con una medida en común: *conmensurar.*

— acto de conmensurar: *conmensuración.*

— que sirve para medir: *conmensurativo.*

conmigo Que está o hace algo con la persona que habla. ❖ CONTIGO.

conminar Pedir a alguien, por medio de una amenaza velada, que haga determinada acción. ☞ **requerir.**

— acto de conminar: *conminación.*

— que implica una amenaza velada: *conminatorio.*

conminuto, -ta Reducido a fragmentos diminutos. ☞ **diminuto.**

conmiseración Sentimiento de aflicción por la tristeza de otro. ☞ **compadecer, compasión.**

conmonitorio Narración escrita de un suceso. ☞ **crónica, memoria.**

conmoción Sacudimiento físico o moral. ☞ **trauma, concusión.**

conmover 1. Provocar un sentimiento de compasión o estupefacción.

☞ **afectar, emocionar, compadecer.**

— *La actuación de la obra conmovió al público.*

2. Hacer temblar algo. ☞ **sacudir, estremecer.**

— *La Revolución Rusa conmovió el sistema semifeudal del Imperio.*

— acto de conmover: *conmoción.*

conmutar Cambiar una cosa por otra. ☞ **intercambiar.** ❖ CONVALIDAR.

— *Le conmutaron la pena de prisión por seis meses de servicio a la comunidad.*

— que es susceptible de ser conmutado: *conmutable.*

— acto de conmutar: *conmutación.*

— pieza para que un aparato cambie de conductor: *conmutador.*

— que es parte o se relaciona a la conmutación: *conmutativo.*

— aparato telefónico que recibe y distribuye llamadas telefónicas: *conmutador, centralita.*

connatural Que está acorde con la naturaleza de quien se trata. ☞ **natural.**

— acostumbrar a alguien a todo aquello que le era ajeno: *connaturalizar.*

— acto de connaturalizar: *connaturalización.*

connivencia Acuerdo entre varias personas para llevar a cabo una acción deshonesta. ☞ **cómplice, complicidad.**

connotación Cualidad de los signos de tener varios significados. ❖ DENOTACIÓN.

— significado referencial de una palabra: *denotación.*

— implicar algo más de lo directamente expresado: *connotar.*

— que implica algo diferente a lo expresado: *connotativo.*

connovicio, -cia Compañero de noviciado. ☞ **noviciado.**

connubio Enlace civil o religioso entre un hombre y una mujer. ☞ **matrimonio.**

cono Cuerpo originado por un triángulo rectángulo que gira alrededor de uno de sus catetos. ☞ **cilindro, geometría.**

— en forma de cono: *cónico, conoideo.*

— calidad de cónico: *conicidad.*

conocer Tener conciencia de la naturaleza, cualidades y relaciones de las cosas o personas. ☞ **saber, entender.** ❖ DESCONOCER.

— estar enterado: *conocer.*

— susceptible de ser conocido: *conocible.*

— persona con la que no se tiene un trato profundo y estrecho: *conocido.*

— persona famosa y reconocida: *conocida.*

— acción de conocer: *conocimiento, conciencia.*

conque Conjunción que expresa una conclusión a lo anteriormente expresado. ☞ **conjunción.**

conquistar 1. Tomar posesión de algo mediante la fuerza. ☞ **dominar, vencer.**

— *Los españoles conquistaron Mesoamérica en 1521.*

— que puede ser dominado: *conquistable.*

2. Atraer la voluntad y simpatía de alguien. ☞ **granjear, seducir.**

— *Don Juan, el personaje literario, conquistaba a todas las mujeres que se proponía.*

— que seduce por su encanto: *conquistador.*

consabido, -da Que se repite, se conoce o se sabe. ☞ **acostumbrar, conocer, acostumbrado, conocido.**

— que sabe de algo: *consabidor.*

consagrar 1. Hacer que alguien o algo sea aceptado y reconocido. ☞ **acreditar.** ❖ DESCONOCER.

— *Los estudios y su experiencia lo consagran como un gran médico.*

2. Transformar, mediante una ceremonia, algo en sagrado. ☞ **santificar.**

— *La Eucaristía según el rito católico consagra el pan y el vino en el cuerpo y la sangre de Cristo.*

— que puede ser consagrado: *consagrable.*

— ceremonia en que se consagra algo: *consagración.*

— que consagra: *consagrante.*

3. Dedicarse esforzadamente a una actividad. ☞ **dedicar.**

— *La madre Teresa se consagró a la ayuda de los desvalidos.*

— acto de consagrar: *consagración, consagramiento.*

consanguíneo Persona que tiene antepasados en común con otra. ☞ **pariente.**

— parentesco entre personas que comparten antepasados: *consanguinidad.*

consciente 1. Persona que obra con sentido común. ☞ **responsable, sensato.** ❖ INCONSCIENTE, INSENSATO.

— *Es una persona muy consciente de sus responsabilidades; puedes confiar en ella.*

2. Persona que no obstante una enfermedad o accidente tiene pleno conocimiento de sus acciones. ☞ **sobrio, lúcido.** ❖ INCONSCIENTE.

— *A pesar del golpe que recibió en la cabeza está consciente.*

— facultad que hace posible el conocimiento de uno mismo y del exterior: *conciencia.*

conscripto, -ta Joven que ha sido reclutado para el servicio militar. ☞ **reclutar, militar.**

— reclutamiento: *conscripción.*

consecuencia Resultado de algo anterior. ☞ **efecto.** ❖ CAUSA.

— que prosigue a algo: *consecuente.*

— que va inmediatamente después de algo: *consecutivo.*

— que actúa de acuerdo a lo que propone: *consecuente.*

conseguir Obtener lo que se ha deseado. ☞ **lograr, alcanzar, buscar.**

— acción de conseguir: *consecución, conseguimiento.*

conseja Relato o fábula oral de carácter popular. ☞ **leyenda, refrán.**

consejo 1. Sugerencia que se da sobre determinado asunto. ☞ **admonición, aconsejar.**

— *No siguió los consejos del médico, y ahora se encuentra en el hospital.*

— dar un consejo: *aconsejar.*

— que aconseja: *consejero.*

2. Organismo que administra una institución. ☞ **junta, patronato.**

— *El Consejo en pleno decidió vender las acciones.*

— que es miembro de un consejo: *consejero.*

consentir 1. Cuidar, proteger y procurar el bien y la comodidad de alguien. ☞ **mimar.**

— *Consentir en demasía a los niños puede ser contraproducente.*

— que es mimado: *consentido.*

— que es tolerante con la conducta de otro: *consentidor.*

— acto de consentir: *consentimiento.*

2. Autorizar determinado comportamiento. ☞ **permitir.**

— *El padre de familia no consiente que sus hijos adolescentes lleguen después de medianoche al hogar.*

— autorización: *consentimiento.*

— acuerdo unánime: *consenso.*

— aceptado por unanimidad: *consensuado.*

— contrato firmado con la aprobación de los contrayentes: *consensual.*

conserje Persona encargada del mantenimiento de un edificio. ☞ **portero.**

— vivienda y cargo del conserje: *conserjería.*

conservar 1. Mantener celosamente algo. ☞ **guardar.** ❖ PERDER.

— *Conservó toda la vida el collar de perlas que llevó en sus quince años.*

2. Mantener en buenas condiciones algo. ☞ **durar, perdurar.**

— *Conserva una magnífica salud a pesar de su avanzada edad.*

— alimento preparado y guardado de tal manera que puede durar mucho tiempo sin echarse a perder: *conserva.*

— acto de conservar: *conservación.*

— que es parte o se relaciona con la industria de las conservas: *conservero.*

— distintos modos de conservar alimentos: *encurtir, secar, desecar, escabechar, curar, ahumar, salar.*

— guardar en vinagre frutas, carnes o verduras: *encurtir.*

— exponer un alimento al humo para que se seque y se conserve: *ahumar.*

— preparar un alimento en aceite, vinagre, sal y hierbas aromáticas para conservarlo: *escabechar.*

— quitar con diversos métodos el líquido a un alimento para conservarlo: *desecar, secar.*

— ahumar, salar o desecar carnes y pescados para conservarlos: *curar.*

— agregarle mucha sal a un alimento para secarlo y conservarlo: *salar.*

— comida guisada que se come fría: *fiambre.*

— alimento en vinagre: *encurtido.*

— conserva de fruta cocida con azúcar: *mermelada, jalea.*

— conserva de carne de cerdo que va como relleno de un plástico o intestino de algún animal: *embutido.*

— persona que cree en la tradición y está en contra de cualquier cambio súbito: *conservadora.*

— doctrina política que cree firmemente en los valores tradicionales: *conservadurismo.*

— escuela donde se enseña música y artes escénicas: *conservatorio.*

considerar 1. Analizar algo tomando en cuenta todos sus aspectos. ☞ **examinar, reflexionar.**

— *Consideró el problema y decidió que tenía fácil solución.*

— pensar en algo que puede ser determinante en lo futuro: *tomar en consideración.*

— que es abundante: *consideradamente.*

— en gran cantidad: *considerable.*

2. Manifestar respeto y estimación por alguien o algo. ☞ **respetar.**

— *Ella le tenía muchas consideraciones a su suegra.*

— acto de considerar: *consideración.*

— conducta respetuosa hacia alguien: *consideración.*

consignar 1. Asentar algo por escrito. ☞ **anotar.**

— *Se consignaron en el acta todos los datos de los contrayentes.*

2. Determinar el Ministerio Público qué actos son delito, y comunicarlo al juez correspondiente. ☞ **juzgar.**

— *El Ministerio Público consignó a los asaltantes ante el juez.*

— acto de consignar: *consignación.*

— orden general que se da: *consigna.*

3. Tener un objeto depositado para su venta, exposición o guarda. ☞ **depositar.**

— *Las antigüedades están consignadas en la galería.*

— depositar para venta un objeto en algún lugar: *a consignación.*

— a quien se envía una mercancía: *consignatario.*

consigo Que está, lleva o tiene con él o ella.

consiguiente Como consecuencia de lo anteriormente expuesto. ☞ **derivar, derivado de.**

— por consiguiente: *consiguientemente.*

consistir Estar algo compuesto por determinado elemento. ☞ **estribar.**

— composición de un cuerpo: *consistencia.*

— fundamento de una estructura: *consistencia.*

— que es compacto y firme: *consistente.*

consistorio Consejo de cardenales dirigidos por el Papa. ☞ **cardenal, Papa.**

— relativo al consistorio: *consistorial.*

consola Mueble que sirve para guardar objetos o aparatos eléctricos. ☞ **ménsula.**

consolar Ayudar y apoyar a alguien en circunstancias penosas. ☞ **aliviar.**

— sentimiento de alivio de un dolor: *consuelo, consolación.*

— acto de consolar: *consolación.*

— que puede ser consolado: *consolable.*

— que consuela: *consolador.*

— persona que ayuda a soportar aflicciones: *cirineo, paño de lágrimas.*

— medicamento que alivia dolores: *bálsamo.*

— ayuda de cualquier tipo que alivia las penas: *bálsamo.*

consolidar Fortalecer una empresa o una construcción. ☞ **asegurar.**

— acción y resultado de consolidar: *consolidación.*

— balance financiero de un conjunto de empresas pertenecientes al mismo consorcio: *consolidado.*

consomé Agua hervida con la sustancia de la carne de res o pollo. ☞ **caldo.**

consonante 1. Sonido en el que el aire al salir por la boca sufre algún tipo de obstrucción. ☞ **letra, fonética.** ❖ VOCAL.

— *El alfabeto en español consta de 23 sonidos consonantes.*

— relativo a las consonantes: *consonántico.*

2. Sonido armónico. ☞ **armonía, sonido.**

— *Los acordes consonantes producían una sensación de paz.*

— relación armónica entre elementos diversos: *consonancia.*

consorte-construir

C

— de acuerdo con: *en consonancia con.*

— armonizar algo: *consonar.*

consorte 1. Esposo o esposa. ☞ **cónyuge.**

— *Los consortes partieron de luna de miel.*

2. Compañero de suerte. ☞ **camarada.**

— *Somos consortes en el sorteo, nos sacamos el premio mayor.*

consorcio Unión de diversos elementos que tienen fines o características en común. ☞ **asociar, asociación.**

conspicuo, -cua Que es muy visible o notorio. ☞ **sobresaliente.** ❖ ORDINARIO.

conspirar 1. Unirse varias personas contra alguien. ☞ **confabular, intrigar.**

— *Los terroristas conspiran contra determinado gobierno o sistema.*

— acto de conspirar: *conspiración.*

— que participa en una conspiración: *conspirador.*

2. Coincidir varios hechos para que ocurra algo. ☞ **concurrir.**

— *Todo conspiró en su contra y perdió la oportunidad de su vida.*

constante Factor que se mantiene inmutable. ☞ **durar, duradero.**

constar 1. Estar compuesto de diversos elementos. ☞ **componer.**

— *El archivo consta de 1500 fichas.*

2. Registrar algo en un documento. ☞ **inscribir, escribir.**

— *Haga constar en el acta la declaración del testigo, por favor.*

— documento que avala la veracidad de algo: *constancia.*

3. Tener la certeza de algo. ☞ **saber.**

— *Me consta que estuvo allí a las 6:00 p.m., yo lo vi.*

constatar Comprobar la veracidad de algo. ☞ **confirmar.**

— acto de constatar: *constatación.*

constelación Conjunto de astros que forman determinada figura. ☞ **zodiaco, astronomía.**

consternar Causar una sensación de estupor o enojo. ☞ **asombrar.**

— estupor: *consternación.*

— asombrarse: *consternarse.*

constipado Irritación en el aparato respiratorio que produce tos, escalofrío, dolor de garganta. ☞ **catarro.**

— enfermar de catarro: *constiparse.*

— apretar los poros: *constipar.*

— irritación del interior de los intestinos que produce estreñimiento: *constipación.*

constituir 1. Formar algo parte fundamental de un todo. ☞ **componer, formar.**

— *Las actividades recreativas constituyen una parte fundamental de la vida de cualquier persona.*

— formarse algo: *constituirse.*

— que forma parte de otra cosa: *cons-*

CONSTELACIÓN

Andrómeda	**Draco/**
Acuario/	**Dragón**
Aguador	**Géminis/**
Aquila/	**Gemelos**
Águila	**Leo/León**
Aries/	**Libra/**
Carnero	**Balanza**
Auriga/	**Orión**
Cochero	**Pegaso**
Bootes/	**Perseo**
Boyero	**Piscis/Peces**
Cáncer/	**Sagitario/**
Cangrejo	**Arquero o**
Capricornio/	**Flechador**
Cabra	**Scorpio/**
Casiopea	**Escorpión**
Cefeo	**Tauro/Toro**
Ballena	**Osa Mayor**
Cruz del Sur	**Osa Menor**
Cygnus/Cisne	**Virgo/Virgen**

---

titutivo, constituyente.

— modo de estar compuesto un cuerpo con referencia a su volumen y estatura: *constitución, complexión.*

2. Hacer u organizar algo. ☞ **crear, erigir.**

— *La ciudad de México se constituyó como la capital del país en 1917.*

— acto de constituir: *constitución.*

— asistir a determinado sitio en cumplimiento de una obligación: *constituirse.*

constitución Ley fundamental que determina la organización política-social de un Estado. ☞ **ley.**

— *La Constitución de los Estados Unidos Mexicanos fue aprobada el 5 de febrero de 1917.*

— de acuerdo a lo establecido en la Constitución: *constitucional.*

— cada una de las disposiciones numeradas de la ley: *artículo.*

— que participa en la elaboración de una constitución: *constituyente.*

— derecho que todo ciudadano tiene y que se encuentra especificado en la Constitución: *garantía individual, garantía constitucional.*

constreñir 1. Obligar a otro a hacer algo en contra de su voluntad. ☞ **forzar.**

— *Las intrigas en el trabajo le constriñeron a renunciar.*

2. Apretar fuertemente una parte del cuerpo. ☞ **cerrar, estreñir.** ❖ SOLTAR.

— *El médico constriñó con vendajes la parte lesionada.*

— que aprieta: *constrictor, constrictivo.*

— acto de constreñir: *constreñimiento, constricción.*

---

construir Edificar algo. ☞ **hacer, crear, fabricar.** ❖ DESTRUIR.

— acto de construir: *construcción.*

— actividad de edificar inmuebles: *construcción.*

— obra de ingeniería o arquitectura: *construcción.*

— arte de diseñar, edificar y ornamentar inmuebles de acuerdo con reglas preestablecidas: *arquitectura.*

— aplicación de las disciplinas fisicomatemáticas a la construcción o a cualquier otra actividad industrial: *ingeniería.*

— persona o empresa que realiza una obra con un contrato fijo: *contratista.*

— obrero de la construcción: *albañil, peón.*

— trabajo de albañil: *albañilería.*

— obra de albañilería hecha con piedras pegadas a mano con argamasa: *mampostería.*

— estructura de madera que sostiene un techo mientras se cuela el cemento: *cimbra.*

— peón que trabaja poniendo yeso a muros y techos: *yesero.*

— persona que dirige a los peones y que está sujeto a las órdenes del arquitecto: *maestro, capataz.*

— erigir una edificación: *levantar.*

— iniciar la construcción de algo: *colocar la primera piedra.*

— formarse en las paredes ampollas con la pintura: *ahuecarse, abolsarse.*

— cortar y alisar los ladrillos: *agramilar.*

— pintar un muro imitando a los ladrillos: *agramilar.*

— agregarle cal al piso, techo o paredes para que al pintar se iguale el tono: *blanquear, encalar.*

— verificar que los muros estén parejos: *aplomar.*

— labrar las orillas de los ladrillos o bloques de piedra: *cantear.*

— asegurar con cal o yeso una pieza de albañilería: *encalar.*

— adornar los bordes de un muro con azulejos: *alicatar.*

— blanquear las paredes con yeso o cal: *enjalbegar, enlucir.*

— afianzar un muro con un palo ajustado en una grieta: *rafear.*

— reforzar una obra por la parte de atrás: *trasdosear.*

— reforzar por la parte inferior un edificio: *socalzar.*

— aventar pelladas a un muro: *repellar.*

— porción de yeso amasada: *pellada.*

— igualar el paramento de una construcción: *retundir.*

☞ sinónimos o referencias   ❖ antónimos u opuestos afines   167

— cualquiera de las dos caras de una pared: *paramento*.

— rellenar un hueco con cascajo: *enripiar*.

— piedra y arena resultado de machacar un bloque de cemento o roca: *cascajo*.

— parte de un edificio que se encuentra abajo del nivel del suelo y le da solidez: *cimiento*.

— armazón de madera colocada en una construcción para sostener a los trabajadores mientras hacen su labor: *andamio*.

— material de desecho de una edificación: *escombro*.

— pieza de arcilla cocida con que se forman paredes: *ladrillo*.

— argamasa de cal hidráulica que se utiliza en la construcción: *cemento*.

— pieza larga de metal que sirve para afianzar los muros y techos de una construcción: *varilla*.

— estructura de varillas ajustadas entre sí que sirven como soporte a los muros y techos: *castillo*.

— pieza gruesa de madera que sostiene el techo de una construcción: *viga*.

— pegar con yeso las junturas de los ladrillos: *zaboyar*.

consuegro, -gra Padre o madre de uno de los esposos en relación a los del otro. ☞ **suegro, pariente.**

— establecer parentesco de consuegros: *consuegrar*.

consuetudinario, -ria Que es habitual. ☞ **costumbre.** ❖ EXTRAORDINARIO.

cónsul Funcionario diplomático que representa los intereses de sus conciudadanos en el extranjero. ☞ **embajada, diplomacia, embajador, diplomático.**

— cargo y oficina del cónsul: *consulado*.

— que pertenece a o se relaciona con el consulado o cónsul: *consulado*.

— femenino de cónsul: *consulesa*.

— alto funcionario en la Roma clásica: *cónsul*.

consultar Buscar ayuda o consejo o un dato. ☞ **preguntar, indagar, investigar.** ❖ RESPONDER, ACLARAR.

— que sirve para responder o aclarar: *consultivo*.

— acto de consultar: *consulta*.

— cita con un profesional para solicitar sus servicios: *consulta*.

— despacho u oficina de un profesional: *consultorio*.

— que consulta: *consultante*.

— especialista que asesora sobre determinado asunto: *consultor*.

consumar Llevar a cabo algo de modo total. ☞ **cumplir, terminar.** ❖ INICIAR, DEJAR A MEDIAS.

— acción de consumar: *consumación*.

— de modo acabado y perfecto: *consumadamente*.

— realizado a la perfección: *consumado*.

— persona que realiza muy bien su oficio o actividad: *consumado*.

— que sirve para perfeccionar: *consumativo*.

— que consuma: *consumante*.

consumir 1. Terminar con lo que se tenía en existencia. ☞ **extinguir, gastar.** ❖ GUARDAR.

— *El sueldo mensual se consume de tal manera que imposibilita el ahorro.*

— acto de consumir: *consumo, consumición, consunción*.

— que puede ser consumido: *consumible*.

2. Beber y comer en un establecimiento público. ☞ **tomar, comer.**

— *Los clientes consumen mucho alcohol en los bares de moda.*

— comprador: *consumidor*.

— institución dedicada a defender los intereses del consumidor: *Procuraduría Federal del Consumidor*.

— impuesto sobre ciertos productos: *consumo*.

— país en que, al estar satisfechas las necesidades elementales de sus ciudadanos, la producción está encaminada a satisfacer necesidades superfluas: *sociedad de consumo*.

3. Debilitarse u obsesionarse por un deseo interno o un agente externo. ☞ **abrasar, abrasarse.**

— *Le consumía la impaciencia por verle.*

consunción Adelgazamiento extremo. ☞ **anemia.**

consustancial Característica que tiene algo o alguien inherente a su propia naturaleza. ☞ **connatural.** ❖ AJENO.

— hecho de ser algo consustancial a otro elemento: *consustancialidad*.

— creencia luterana según la cual la sangre y el cuerpo de Cristo se encuentran en el pan y vino sin que por lo mismo éstos dejen de ser pan y vino: *consustanciación*.

— creencia católica según la cual el pan y el vino se transforman en el cuerpo y la sangre de Cristo: *transustantación*.

contacto 1. Elemento que sirve de enlace. ☞ **enlazar, enlace.**

— *Tenemos un contacto con los laboratorios que fabrican las vacunas que necesitamos.*

— establecer comunicación con alguien o algo: *contactar*.

2. Situación y punto en que dos elementos se tocan o encuentran. ☞ **comunicar, comunicación.**

— *El contacto entre las dos figuras se da por los vértices.*

— pequeños lentes que se adhieren al ojo: *lentes de contacto*.

— comienzo de un eclipse: *contacto*.

contagiar Comunicar una enfermedad o costumbres negativas a otro. ☞ **contaminar, apestar.**

— acto de contagiar: *contagio*.

— que se transmite por contagio: *contagioso*.

— que tiene calidad de contagioso: *contagiosidad*.

— introducir en el organismo un germen o virus: *inocular*.

— enfermedad que ocurre en épocas o lugares determinados y fijos: *endemia*.

— enfermedad de carácter infeccioso que se desarrolla en determinado lugar en muchas personas: *epidemia*.

— aislamiento de una o varias personas que tengan una enfermedad infecciosa para evitar el contagio: *cuarentena*.

container Cajón metálico que, colocado sobre un vehículo, sirve para transportar carga. ☞ **contener, contenedor.**

contaminar Comunicar a alguien o algo elementos nocivos. ☞ **corromper, inficionar, infectar.** ❖ PURIFICAR.

— corromper algo: *inficionar*.

— acto de contaminar: *contaminación*.

— que contamina: *contaminador, contaminante*.

— alteración del medio ambiente por los desechos del hombre: *contaminación, polución*.

— producir un mal físico o de otro tipo de carácter progresivo: *cancerar*.

— inocular veneno: *emponzoñar*.

— abundar algo dañino: *infestar*.

— degenerarse totalmente la vida orgánica de una parte del cuerpo: *gangrenar*.

contar 1. Hacer cálculos numéricos. ☞ **calcular, enumerar.**

— especialista que se encarga de calcular los ingresos y egresos de personas físicas o morales: *contador, contable, tenedor de libros*.

— oficina donde se calculan ingresos y egresos de una empresa o institución: *contaduría*.

— oficio y actividad de contador: *contabilidad, contaduría*.

— asentar datos y cálculos en los registros necesarios: *contabilizar*.

— que puede ser contado: *contable*.

— máquina que se utiliza para cuantificar o medir algo: *contador*.

— ingresos y egresos de una empresa o corporación para determinado período: *presupuesto*.

— dinero que se recibe: *ingresos.*

— cuenta de lo comprado o vendido: *factura.*

— estado del deber y haber en las operaciones financieras: *cuenta.*

— conjunto de actividades relacionadas con el manejo del dinero en los comercios o empresas o corporaciones: *finanzas.*

— hacer cuentas para determinar qué corresponde pagar aplicando las nóminas correspondientes: *liquidar.*

— hacer que los gastos correspondan con los ingresos: *ajustar.*

— recuperar los fondos invertidos: *amortizar.*

— pagar el capital de un préstamo: *amortizar.*

— total de lo que posee una empresa: *activo, haber.*

— importe total de lo que adeuda una empresa: *pasivo, debe.*

— tiempo en el cual rige un ordenamiento o una actividad empresarial para fines fiscales: *ejercicio.*

— remate o saldo de una cuenta: *finiquito.*

— pago de una deuda: *saldo, liquidación.*

— añadir una cantidad a determinada cuenta: *cargar.*

—operación mercantil para establecer el estado financiero de un negocio: *balance.*

— beneficios no distribuidos: *superávit.*

— pérdidas pendientes de amortizar: *déficit.*

— hacer que otro pague lo que debe: *ajustar cuentas.*

— dinero que sale por concepto de gastos: *egresos.*

2. Tener presente y sentirse apoyado por alguien o algo. ☞ **disponer, confiar.**

— *Cuenta conmigo para todo lo que necesites.*

— sentirse apoyado por alguien o algo: *contar con...*

— considerar y valorar algo: *tomar en cuenta.*

3. Elaborar y decir un relato. ☞ **narrar, cuento.**

— *En las tardes lluviosas, nos turnamos para contar historias fantásticas para entretener a los niños.*

— relato corto y ficticio: *cuento, novela corta.*

—persona que elabora cuentos: *cuentista.*

— persona que narra cuentos: *cuentero.*

— persona que inventa historias en su vida diaria: *cuentero.*

— expresión de saludo: *¿qué me cuentas?*

contemplar 1. Mirar con detenimiento. ☞ **observar.**

— *En la novela, la heroína iba todas las tardes a contemplar el mar.*

— acción de contemplar: *contemplación.*

— estado místico: *contemplación.*

— que contempla: *contemplativo.*

2. Pensar algo con atención. ☞ **considerar, analizar.**

— *Ella contempla la posibilidad de irse a casar al extranjero.*

— consideración: *contemplación.*

contemporáneo 1. Que pertenece a la misma época. ☞ **coetáneo.**

— *La Primera Guerra Mundial y la Revolución Rusa fueron sucesos contemporáneos.*

— ajustarse a los deseos de otro para evitar conflictos: *contemporizar.*

— acto de contemporizar: *contemporización.*

2. Que tiene lugar en la época actual. ☞ **moderno.**

— *Las tendencias artísticas contemporáneas tienen una gran variedad de escuelas, técnicas y corrientes.*

contender Luchar entre sí dos oponentes para conseguir algo. ☞ **competir.**

— acción y resultado de contender: *contienda.*

—situación en que hay un pleito: *contenciosa.*

— que participa en una contienda: *contendiente, contendedor.*

—tribunal que resuelve asuntos relacionados con la administración pública: *contencioso administrativo.*

contener 1. Tener algo en sí mismo o en su interior. ☞ **abarcar, comprender.**

— *El envase contiene dos litros de refresco.*

— acción y resultado de contener: *contención.*

— que está destinado a contener: *contentivo.*

— que contiene a otro: *continente.*

2. Reprimir un sentimiento. ☞ **refrenar.** ❖ LIBERAR.

— *El policía se contuvo para no responder a la agresión.*

—castidad: *continencia.*

— persona moderada en sus apetitos: *continente.*

contentar 1. Procurar la satisfacción de alguien. ☞ **complacer, alegría, alegrar.** ❖ ENOJAR.

— *Contentaron al niño con un dulce.*

— alegría: *contento, contentamiento.*

— fácil de contentar: *contentadizo.*

2. Hacer que alguien deje de estar eno-

jado con otro. ☞ **reconciliar.** ❖ ENEMISTAR.

— *Después de no hablarle por un mes, la contentó.*

contera Adorno metálico en la punta de un bastón o espada. ☞ **regatón, punta, puntera.**

contertulio Persona que acude a la misma reunión. ☞ **tertulia.**

contestar Dar respuesta a un requerimiento. ☞ **responder.** ❖ PREGUNTAR.

— que puede ser contestado: *contestable.*

— respuesta: *contestación.*

— que está inclinado a responder de mala manera: *contestón, respondón.*

contexto Hilo conductor de una narración o una situación. ☞ **meollo.**

— observar a alguien o algo dentro de su época y ámbito: *el personaje histórico actuó de acuerdo a su contexto.*

contextura Manera en que están unidos los elementos de un todo. ☞ **textura.**

contigo Pronombre que expresa la idea de estar, ir o hacer algo con la persona referida. ☞ **pronombre.**

contiguo, -gua Junto a. ☞ **inmediato.** ❖ LEJANO.

— que tiene cualidad de contiguo: *contigüidad.*

continente Cada una de las grandes porciones de tierra separadas por el mar. ☞ **geografía.**

— que pertenece al continente: *continental.*

continuo, -nua Que ocurre repetidamente. ☞ **seguido.** ❖ INTERRUMPIDO.

— no detenerse en algo: *continuar.*

— que prosigue con algo ya iniciado: *continuador.*

— de modo constante: *continuadamente.*

— que tiene cualidad de continuo: *continuidad.*

— acción y resultado de continuar: *continuación.*

contingente 1. Que es probable, pero no seguro, que suceda. ☞ **probable.** ❖ NECESARIO.

— *La lluvia es un fenómeno contingente.*

— que tiene la posibilidad de que ocurra: *contingencia.*

— que es posible: *contingible.*

2. Grupo de personas que acompaña a alguien. ☞ **comitiva.**

—*Llegó un contingente a la campaña.*

contonear Mover hombros y caderas al caminar. ☞ **balancear.**

— acto de contonear: *contoneo.*

contorno 1. Borde que limita una superficie. ☞ **borde.**

— trazar el borde de una superficie: *contornear.*

2. Lugar cercano a una población. ☞ **alrededor.**

— *Se dice que en los contornos del pueblo es peligroso andar de noche.*

contorsión Movimiento desarticulado del cuerpo. ☞ **descoyuntura, retorcer, retorcimiento.**

— retorcerse con el cuerpo: *contorsionarse.*

— que realiza contorsiones asombrosas: *contorsionista.*

contraatacar Pasar súbitamente de la defensiva a la ofensiva. ☞ **atacar.**

contrabandear Pasar subrepticia e ilegalmente mercancías a un país. ☞ **fayuca.**

— que ejerce el contrabando: *contrabandista.*

— distribución clandestina de mercancía extranjera introducida a un país de manera ilegal: *contrabando.*

contraceptivo Método para evitar la fecundación. ☞ **anticonceptivo.**

— suspensión de la fertilidad por medios artificiales: *contracepción.*

contradecir Manifestar una idea contraria a la de otro. ☞ **rebatir, desmentir.** ❖ ACORDAR, CONVENIR.

— que contradice: *contradictor, contradictorio.*

— acto de contradecir: *contradicción.*

contraer 1. Reducir a menor volumen o diámetro. ☞ **encoger, retraer, crispar.** ❖ EXPANDIR.

— *La madera se contrae con la humedad.*

— acto de contraer: *contracción.*

— espasmo vaginal que indica la pronta expulsión del producto: *contracción.*

— palabra en contracción: *contracta.*

2. Adquirir algo. ☞ **comprometer.**

— *El novio contrae el compromiso de pagar el vestido según la costumbre.*

contraespionaje Organización para acabar con la acción de los espías en un país. ☞ **espionaje.**

contrafaz Reverso de una moneda o medalla. ☞ **medalla, moneda.**

contrafuerte Estructura que sirve de soporte de un muro. ☞ **pilar.**

— arco que comunica a un contrafuerte el empuje de una bóveda: *arbotante.*

— contrafuerte con un pináculo donde se apoya un arbotante: *botarel.*

contrahacer Imitar falsamente algo. ☞ **falsificar.**

— que está torcido o mal formado: *contrahecho.*

— contrario al sentido natural: *contrahecho.*

— que está falsificado: *contrahechura.*

contraindicación Situación desfavorable para la curación de una enfermedad. ☞ **perjudicial.**

— prohibir algo que sea poco conveniente para el enfermo: *contraindicar.*

contralor, -ra Funcionario que inspecciona la contabilidad de una empresa o institución. ☞ **auditor.**

— oficina y puesto de contralor: *contraloría.*

contralto Voz intermedia entre tiple y tenor. ☞ **cantar.**

contraluz Visión de un objeto desde el lado opuesto a donde cae la luz. ☞ **luz.**

contramaestre Jefe de una cuadrilla de trabajadores. ☞ **capataz.**

contranatural Que atenta contra lo considerado normal o natural. ☞ **antinatural.** ❖ NORMAL, NATURAL.

contraorden Orden que contradice una dada con anterioridad. ☞ **revocar.**

— revocar una orden: *contraordenar.*

contrapelo En sentido opuesto al natural o debido. ☞ **contrario.**

contrapeso Objeto que compensa el peso de otro en una balanza y lo equilibra. ☞ **equilibrar, equilibrio.**

— compensar el peso en una balanza: *contrapesar.*

contraponer Exponer dos elementos contrarios y compararlos. ☞ **oponer.**

— oponerse a algo o alguien: *contraponerse.*

— acto de oponer: *contraposición.*

contraproducente Que produce efectos no deseados. ☞ **perjudicial.** ❖ CONVENIENTE.

contrapunto Música en varias voces. ☞ **música.**

— cantar a contrapunto: *contrapuntear.*

— cantar versos improvisados: *contrapuntear.*

contrariar 1. Mostrar oposición a las acciones o palabras de otro. ☞ **contradecir.**

— *Una persona necia encuentra placer en contrariar a los demás.*

— oposición u obstáculo: *contrariedad.*

— que es opuesto: *contrario.*

2. Provocar el disgusto de alguien. ☞ **enojar.**

— *Me contraría mucho tu decisión de irte.*

— disgusto: *contrariedad.*

contrarreforma Movimiento católico de oposición a las corrientes luteranas y protestantes. ❖ REFORMA.

contrarrestar Hacer menos nocivo el efecto de algo. ☞ **resistir.** ❖ RENDIRSE.

— acto de contrarrestar: *contrarresto.*

contrasentido Contrario al sentido natural de las palabras. ☞ **disparate.**

contraseña Signo conocido por los miembros de determinado grupo. ☞ **clave.**

contrastar Mostrar algo en comparación con otra cosa resaltando las características de ambas. ☞ **comparar, oponer.**

— acto de contrastar: *contraste.*

— que es susceptible de ser contrastado: *contrastable.*

— verificar pesos y medidas o la ley de oro, plata o monedas: *contrastar.*

contratar Convenir dos partes en determinada obligación. ☞ **negociar.**

— documento que establece derechos y obligaciones entre dos partes: *contrato, contrata.*

— acto de contratar: *contratación.*

contratiempo Suceso imprevisto y nocivo. ☞ **accidente.**

— sonido que entra deliberadamente en un compás cuando no debiera: *a contratiempo.*

contravenir Actuar en oposición a una orden recibida. ☞ **desobedecer, infringir.** ❖ OBEDECER.

— que desobedece una orden: *contraventor.*

— acto de contravenir: *contravención.*

contraventana Pequeña puerta que protege una ventana. ☞ **postigo.**

contrayente Persona que contrae matrimonio. ☞ **matrimonio, desposar, desposado.**

contribuir 1. Participar en algo. ☞ **ayudar.**

— *Todos contribuyeron en los preparativos de la fiesta.*

— aportación: *contribución.*

— que contribuye: *contribuidor.*

2. Pagar impuestos. ☞ **aportar, impuesto, tributo, tributar.**

— *Todos los ciudadanos tienen la obligación de contribuir con un porcentaje de sus ingresos por concepto de impuestos.*

— impuesto: *contribución, tributo.*

— persona o institución que tiene la obligación de pagar impuestos: *contribuyente.*

— que pertenece a o se relaciona con la contribución: *contributivo.*

contrito, -ta Que se encuentra acongojado por haber cometido algo indebido. ☞ **arrepentir, abatir, arrepentido, abatido.**

— sensación de culpa por haber ofendido a Dios: *contrición.*

contrincante Persona que compite con otra por la consecución de algo. ☞ **adversario.**

contristado, -da Que se encuentra triste y compungido. ☞ **triste.**

— entristecer: *contristar.*

controlar Ejercer dominio y vigilancia sobre algo. ☞ **dirigir, dominar, examinar.**
— inspección: *control.*
— moderarse en las acciones: *controlarse.*

controversia Diferencia de opiniones sobre determinado tema. ☞ **debate.**
— discutir algo: *controvertir.*
— que es o puede ser materia de discusión: *controvertible.*
— que suscita controversia: *controvertido, controversial.*

contubernio Alianza de intereses con fines ilícitos. ☞ **intriga.**

contumaz Que persiste en una actitud equivocada. ☞ **obstinado, rebelde.**
— calidad de contumaz: *contumacia.*

contundente 1. Que se utiliza para golpear y dañar. ☞ **dañar.**
— *Un mazo puede llegar a ser un arma contundente.*
— golpe dado sobre una parte del cuerpo que produce moretón: *contusión.*
— parte del cuerpo que ha sido lesionada por un golpe: *contusa.*
2. Que no admite réplica. ☞ **terminar, terminante.**
— *La discusión se concluyó gracias a su contundente comentario.*
— que tiene cualidad de contundente: *contundencia.*

conturbar Ocasionar la intranquilidad de alguien. ☞ **turbar.** ❖ TRANQUILIZAR.
— inquietud: *conturbación.*

convalecer Recuperarse de una dolencia. ☞ **recobrar, reponer, recuperarse, reponerse.** ❖ ENFERMAR.
— situación y período en que alguien se recupera de una enfermedad: *convalecencia.*
— que se encuentra reponiéndose de una operación o enfermedad: *convaleciente.*

convalidar Confirmar la veracidad o validez de algo. ☞ **refrendar.** ❖ DESCONOCER.
— acto de convalidar: *convalidación.*

convección Transmisión de calor de un objeto caliente a un fluido.

convencer Inducir a otro a hacer determinada cosa. ☞ **persuadir.** ❖ OBLIGAR.
— creencia firme e invariable: *convicción, convencimiento.*
— situación de creer en algo de modo firme: *convencimiento.*
— que convence: *convincente.*

convencional Que se establece en base a un acuerdo o a la costumbre. ☞ **consabido, aceptar, aceptado.**
— acuerdo preestablecido: *convención.*
— costumbres de carácter social: *convenciones sociales.*

— que tiene calidad de convencional: *convencionalismo.*
— comportamiento adecuado a las costumbres consideradas socialmente correctas: *convencionalismo.*

convenir 1. Llegar a un acuerdo con alguien. ☞ **pactar.**
— *Convinieron en repartir los gastos del viaje.*
— acuerdo entre dos partes: *convenio.*
2. Llegar a la misma conclusión. ☞ **acordar.**
— *Hemos convenido en que el anfitrión es una persona muy agradable.*
3. Ser algo bueno y no perjudicial para alguien. ☞ **útil.**
— *No te conviene exponerte al frío si estás enfermo de gripe.*
— que es útil y apropiado: *conveniente.*
— situación provechosa para alguien: *conveniencia.*
— que sólo busca el provecho propio: *convenenciero.*

convento Lugar donde habita una orden religiosa. ☞ **monasterio.**
— que pertenece al convento: *conventual.*
— convento musulmán que albergaba monjes soldados: *rábida.*
— convento en que había una comunidad de religiosos y otra de religiosas: *dúplice.*
— lugar para protegerse del frío en un convento: *calefactorio.*
— oratorio en un convento: *capilla.*
— habitación donde duerme un religioso en un convento: *celda.*
— galería que cerca el patio de un convento: *claustro.*
— sitio para comulgar en un convento: *comulgatorio.*
— lugar en los conventos de monjas en que se juntan para asistir a los oficios: *coro.*
— lugar en que los visitantes se entrevistan con los religiosos en un convento: *locutorio.*
— lugar en que los religiosos toman sus alimentos: *refectorio.*
— ventana por donde se da la comunión a las monjas: *cratícula.*

converger Concurrir en un punto. ☞ **juntar, encontrar, encontrarse, convergir.**
— que coincide en determinado punto: *convergente.*
— punto en que se encuentran dos elementos: *convergencia.*
— acto de converger: *convergencia.*

conversar Hablar entre varias personas. ☞ **platicar.**
— plática: *conversación.*
— palabras propias del lenguaje ha-

blado: *conversacional, coloquial.*
— persona de plática amena: *conversador.*
— que gusta de hablar mucho: *conversador.*
— hacer recaer la plática en determinado tema: *sacar la conversación de...*

convertir Producir un cambio en alguien o algo. ☞ **transformar, cambiar.**
— que puede ser transformado: *convertible.*
— que tiene calidad de convertible: *convertibilidad.*
— coche descapotable: *convertible.*

convexo Con superficie redondeada y sobresaliente. ❖ CÓNCAVO.
— calidad de convexo: *convexidad.*

convicto Persona que ha sido encontrada culpable por la ley. ☞ **reo.**

convidar Solicitar la presencia o participación de alguien en un acontecimiento grato. ☞ **invitar.**
— invitado a una ceremonia: *convidado.*
— acto y resultado de convidar: *convite.*
— banquete: *convite.*

convivir Compartir vivienda o costumbres con alguien. ☞ **coexistir.**
— acción y resultado de convivir: *convivencia.*
— que se vive armónicamente con alguien: *buena convivencia.*

convocar Llamar a alguien para que asista a determinado lugar. ☞ **citar, avisar.**
— acción y resultado de convocar: *convocatoria, convocación.*
— aviso: *convocatoria.*

convoy Serie de vehículos que viajan juntos. ☞ **escolta.**
— escoltar un convoy: *convoyar.*

convulsión Contracción violenta de músculos. ☞ **espasmo.**
— que tiene convulsiones: *convulsionario.*
— que es de las convulsiones: *convulsivo, convulso.*
— provocar convulsiones: *convulsionar.*

cónyuge Esposo o esposa. ☞ **consorte.**
— que pertenece al matrimonio o se relaciona con él: *conyugal.*

coñac (vea recuadro de bebidas). Bebida destilada de vinos flojos, aromatizada y añejada en toneles de roble. ☞ **aguardiente.**

coño Palabra que designa en forma vulgar la parte genital femenina. ☞ **panocha.**

cooperar Participar conjuntamente en la realización de algo. ☞ **coadyuvar, colaborar.**
— acto de cooperar: *cooperativa.*
— que pertenece a o se relaciona con

la cooperación: *cooperativista, cooperativo.*

— miembro de una cooperativa: *cooperativista.*

— organización que fabrica, vende o compra en común algo: *cooperativa.*

— doctrina que defiende la ayuda mutua entre naciones o instituciones: *cooperativismo.*

— persona comedida: *cooperadora, cooperativa.*

cooptación Designación de una persona como miembro de un grupo mediante el voto. ☞ **elegir, elección.**

coordenadas Líneas convergentes en un punto que determinan una posición.

— distancia de un punto en un plano a la coordenada vertical medida en la dirección del eje horizontal: *abscisa.*

— coordenada que determina la situación de un plano en el eje vertical: *ordenada.*

— línea con determinado valor en un plano: *eje.*

coordinar Organizar diversos elementos en un todo armónico. ☞ **concertar, conciliar.**

— relación entre elementos coordinados: *coordinación.*

— que organiza diversas funciones y actividades: *coordinador.*

— que coordina: *coordinante.*

copa 1. Recipiente con un pie para beber. ☞ **cáliz, vaso.**

— *También se le llama copa al líquido contenido en ella.*

— copa en que se guardan las hostias: *copón.*

— en forma de copa: *acopado.*

— parte de un brasier que sostiene los senos pectorales: *copa.*

— soporte de una copa: *pie.*

— persona que se encarga de servir copas: *copero, escanciador.*

— echar vino a una copa o vaso: *escanciar.*

— copa para la celebración de la eucaristía en el rito católico: *cáliz.*

— copa que, según la tradición, utilizó Jesús en la última cena: *grial, santo grial.*

— beber copas de vino: *copear.*

— acto de copear: *copeo.*

— llegar al extremo de una situación difícil: *apurar la copa.*

2. Ramas de un árbol. ☞ **árbol.**

— *El árbol era tan alto que no se distinguía la copa.*

— formar copa los árboles: *acopar.*

— que tiene copa grande: *copudo.*

copelar Fundir metales preciosos en un crisol de huesos calcinados. ☞ **metal, metalurgia.**

— vaso de barro refractario: *crisol.*

copartícipe Persona que forma parte de una empresa con otro. ☞ **socio, compañero.**

— participación entre varios: *coparticipación.*

copiar Hacer algo igual a otra cosa que se toma como modelo. ☞ **imitar, calcar, transcribir.**

— acto de copiar: *copia.*

— objeto imitado: *copia.*

— aparato eléctrico que sirve para copiar documentos: *fotocopiadora.*

— que imita: *copiante.*

— que se dedica a copiar: *copista.*

— procedimiento electrostático para hacer fotocopias: *xerografía.*

— reproducir una copia xerográfica: *xerocopiar.*

copinar Desollar a un animal quitándole la piel enteramente. ☞ **desollar.**

— piel de una res sacada completamente: *copina.*

copla Poema breve de carácter popular compuesto de cuatro versos destinado a ser cantado. ☞ **cantiga, poema.**

— compositor de versos: *coplero.*

— cantar o componer coplas: *coplear.*

copo Porción acumulada de material ligero. ☞ **grumo, coágulo.**

copra Sustancia blanda y grasa del interior del coco.

coprófago, -ga Animal que se alimenta de excrementos. ☞ **excremento, estiércol.**

— intoxicación de la sangre por retención de materia fecal: *copremia.*

— continua repetición de palabras altisonantes: *coprolalia.*

— excremento fósil: *coprolito.*

— tratado de los abonos o materias fertilizadoras: *coprología.*

— que pertenece a o se relaciona con el excremento: *fecal.*

— interés u obsesión por el excremento: *escatología.*

copropiedad Régimen de propiedad en que varias personas son dueñas de un todo. ☞ **condominio.**

— persona que posee junto con otra u otras algo: *copropietario.*

cópula Relación sexual. ☞ **coito, sexo.**

— tener relaciones sexuales: *copular.*

— palabra que establece la relación entre dos oraciones: *cópula, conjunción.*

— conjunción que une dos oraciones: *copulativa.*

copyright Marca que señala la propiedad artística de un autor o editor.

☞ **autor, derechos de autor.**

coque Carbón residual. ☞ **carbón.**

coquetear Actuar desplegando todos los encantos. ☞ **seducir.**

— encantador y seductor: *coqueto.*

— que presume y se interesa exclusivamente en su arreglo personal: *coqueto.*

— acción de coquetear: *coqueteo.*

— comportamiento seductor en el que

corazón

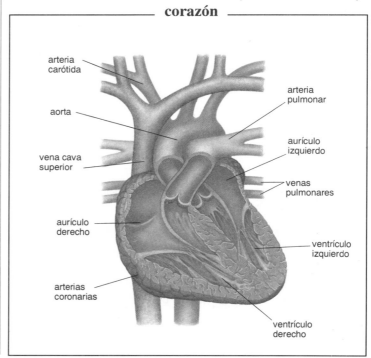

se intenta desplegar todos los encantos: *coquetería.*

— que es seductor: *coquetón.*

— mueble con un espejo de cuerpo entero: *coqueta.*

coquinario, -ria Relativo a la cocina. ☞ **cocina.**

coraje 1. Actitud valiente y osada. ☞ **valentía, osadía. ❖** COBARDÍA.

— *Hay que tener coraje para sobrevivir en un medio tan hostil.*

— que es osado: *corajudo.*

2. Sentimiento de enojo y despecho. ☞ **resentir, resentimiento. ❖** AGRADECIMIENTO.

— *Le tiene coraje porque no se ganó el premio.*

— que es enojón: *corajudo.*

— arrebato de ira: *corajina.*

corazón (vea ilustración de la p. 172). Órgano vital para el organismo que mantiene la sangre en circulación dentro del cuerpo. ☞**cardiología, miocardio.**

— líquido rojo que circula en el cuerpo transportando oxígeno y nutrientes además de eliminar los productos de desecho: *sangre.*

— prefijo que significa corazón: *cardi.*

— pieza móvil que regula la dirección de la circulación de la sangre: *válvula.*

— válvula situada entre la aurícula y ventrículo izquierdos: *mitral.*

— válvula situada entre la aurícula y ventrículo derechos: *tricúspide.*

— vasos que conducen la sangre fuera del corazón: *arterias.*

— hacer el corazón los movimientos de contracción y dilatación alternos: *latir, palpitar.*

— movimiento de dilatación y contracción del corazón: *latido.*

— canales que hacen llegar la sangre al corazón: *venas.*

— que tiene forma de corazón: *cordiforme, acorazonado.*

— que fortalece el corazón: *cordial.*

— de hoja acorazonada: *cordifoliado.*

— sentir que algo va a pasar: *tener la corazonada, tener un pálpito.*

— que se es bondadoso, afable y gentil: *de corazón blando, limpio de corazón.*

— hacer algo con gusto y deseo de hacerlo: *de corazón, de todo corazón.*

— que se es cruel: *tener mal corazón, ser duro de corazón.*

— que se es generoso y compasivo: *tener buen corazón, tener un gran corazón.*

— ocasionar o tener mucha pena: *romper el corazón, partir el corazón, arrancar el corazón (en mil pedazos).*

— actuar o hablar sinceramente: *con*

el corazón en la mano.

— sentirse fuertemente emocionado: *brincarle a uno el corazón en el pecho.*

— sentir pena por alguien: *encogérsele a uno el corazón.*

— tener miedo: *encogérsele a uno el corazón, parárasele a uno el corazón.*

— expresión de cariño: *corazón mío.*

corambre Conjunto de pieles. ☞ **piel, cuero.**

— que comercia con cueros: *corambrero.*

Corán Libro sagrado de los musulmanes. ☞ **musulmán.**

— que pertenece a o se relaciona con el Corán: *coránico.*

— cada uno de los fragmentos breves en que se divide el Corán o la Biblia: *versículo.*

coraza 1. Armazón que protege pecho y espalda. ☞ **peto.**

— *Los caballeros medievales usaban una coraza como parte de su armadura.*

— recubrimiento metálico de un barco: *coraza.*

2. Recubrimiento duro que protege el cuerpo de algunos animales mamíferos.

— *Los armadillos tienen coraza.*

3. Algo no material que protege. ☞ **escudo.**

— *Cubre su inseguridad bajo una coraza de altanería.*

corbata Prenda de vestir en forma de tira que utilizan los hombres sujeta al cuello y cuelga sobre el pecho como adorno. ☞ **plastrón.**

— corbata corta y ancha: *plastrón.*

— corbata que se abrocha por detrás: *corbatín.*

corbeta Barco de guerra. ☞ **fragata.**

corcel Forma poética de referirse al caballo. ☞ **caballeriza.**

corcova Abultamiento en pecho o espalda. ☞ **joroba.**

— que está jorobado: *corcovado.*

— movimiento en que el lomo se arquea: *corcovo.*

— arquear el lomo: *corcovear.*

corchea Signo musical con la mitad del valor que una negra. ☞ **nota, música.**

corchete Signo gráfico que indica la reunión de diversos elementos. ☞ **paréntesis, paréntesis cuadrados.**

corcho Parte exterior de consistencia porosa de la corteza de ciertos árboles. ☞ **madera, corteza.**

— ponerse la madera como el corcho: *acorcharse.*

— arrancar el corcho de un árbol: *descorchar.*

— quitarle el tapón de corcho a una botella: *descorchar.*

— poner los tapones de corcho a las

botellas: *encorchar.*

— acto de descorchar: *descorche.*

— impuesto que se paga en los salones de fiestas por abrir las botellas compradas por el anfitrión: *descorche.*

cordialidad Actitud afable. ☞ **gentileza, amable, amabilidad.**

— que es afectuoso y afable: *cordial.*

cordón Conjunto de fibras torcidas. ☞ **cuerda, mecate, listón.**

— conjunto de cuerdas de la guitarra: *cordaje.*

— cuerda delgada: *cordel.*

— que se asemeja a un cordel: *cordelado.*

— tienda donde se venden hilos y cordeles: *cordelería.*

— taller donde se elaboran cuerdas: *cordelería.*

— cuerda pequeña: *cordón.*

— vasos que unen la placenta con el vientre del feto: *cordón umbilical.*

— golpe dado con un cordón: *cordonazo.*

— ornamento compuesto de cordones: *cordonadura.*

— lugar donde se venden listones, flecos y cordones: *cordonería.*

cordón bleu Persona que elabora platillos de alta cocina. ☞ **cocina, cocinero, chef.**

cordura Estado en que se actúa razonadamente. ☞ **sensato, sensatez.**

— que es sensato: *cuerdo.*

coreografía Arte de representar especialmente una danza en el escenario. ☞ **danza, baile.**

— que pertenece a la danza o se relaciona con ella: *coreográfico, dancístico.*

— especialista en el diseño de coreografías: *coreógrafo.*

coriáceo Semejante al cuero. ☞ **cuero.**

corifeo 1. El que guiaba al coro en las representaciones de la Grecia clásica. ☞ **portavoz, coro.**

— *El corifeo inició el llanto en el coro por la muerte del héroe.*

2. El que sigue a otro en una opinión en forma servil.

— *Como corifeo dijo que sí a todo lo que su jefe ordenó.*

corlear Aplicar barniz a las superficies metálicas para que parezcan doradas. ☞ **dorado, dorar.**

— barniz dorado: *corladura.*

cornamenta Conjunto de cuernos de un animal. ☞ **cuerno, cornadura.**

— embestida dada con los cuernos: *cornada.*

— que tiene cuernos grandes: *cornalón.*

— embestir con los cuernos: *cornear, acornear, dar cornadas.*

☞ sinónimos o referencias ❖ antónimos u opuestos afines

— diminutivo de cuerno: *cornezuelo, córneo.*

— que tiene forma de cuerno: *cornial, cornil.*

— que tiene cuernos: *cornudo.*

— que tiene cuernos separados: *corniabierto.*

— que tiene cuernos orientados al suelo: *cornigacho.*

— que tiene cuernos erectos: *corniveleto.*

— que tiene cuernos orientados hacia atrás: *cornivuelto.*

— que embiste por los cuernos: *cornúpeto.*

córnea Membrana transparente y dura que recubre la parte anterior del globo ocular. ☞ **ojo, esclerótica.**

— manchas blancas en la córnea: *albugo.*

— mancha blanca en la córnea del ojo: *leucoma.*

— inflamación de la córnea: *queratitis.*

coro Conjunto de personas que cantan al unísono. ☞ **cantar.**

— conjunto de personajes con participación colectiva en una obra de la Grecia clásica: *coro.*

— que forma parte de un coro: *corista.*

— lugar en una iglesia donde se coloca el coro: *coro.*

— repetir una canción al unísono: *corear.*

— secundar servilmente una iniciativa: *corear.*

coroides Membrana ocular ubicada entre la esclerótica y la retina. ☞ **esclerótica, retina, ojo.**

— inflamación de la coroides: *coroiditis.*

corona 1. Aro de cualquier material que adorna la cabeza. ☞ **diadema.**

— *La corona es símbolo de realeza o nobleza.*

— representación del poder de la realeza: *corona.*

— poner una corona: *coronar.*

— acto de coronar: *coronación.*

— círculo luminoso que rodea la cabeza: *aureola.*

— cinta de diversos materiales que ciñe la cabeza: *diadema.*

— corona de laurel símbolo de un premio: *laureola.*

— corona de flores: *pancarpia.*

— adorno alto en la cabeza: *tiara.*

— quitarle la corona a alguien: *descoronar.*

2. Círculo luminoso alrededor del Sol. ☞ **aureola, nimbo.**

— *Durante un eclipse se ve una corona alrededor de la Luna al interponerse delante del Sol.*

3. Punta de la cabeza. ☞ **cabeza.**

— *Los eclesiásticos se cortan ritualmente el cabello de la corona; a eso se le conoce como tonsura.*

— verse la cabeza del bebé por el conducto vaginal al nacer: *coronar.*

— llegar a la culminación de una empresa: *coronar.*

— punto en la parte superior de la corona: *coronilla.*

— estar harto de algo: *estar hasta la coronilla.*

4. Parte visible de un diente. ☞ **muela.**

— *En ciertos casos se recubre la corona de un diente con porcelana o metal.*

coronel Militar a cargo de un regimiento. ☞ **jerarquía, militar.**

— femenino de coronel: *coronela.*

— cargo de coronel: *coronelía.*

corunda Masa cocida en forma triangular combinada con carne o habas.

corpiño Chaleco ajustado al cuerpo. ☞ **jubón.**

corporación Grupo de varias empresas u organismos unidos entre sí dedicados a diversas actividades. ☞ **emporio.**

— que pertenece a una corporación: *corporativo.*

— oficina matriz de un emporio: *corporativo.*

corporal Que pertenece a o se relaciona con el cuerpo. ☞ **cuerpo.**

— calidad de corporal: *corporalidad.*

— que tiene existencia material: *corporalidad.*

— que tiene una estructura física y material: *corpóreo.*

— calidad de corpóreo: *corporeidad.*

— transformarse en real y físico algo: *corporificar.*

corpulento, -ta Que tiene estructura física gruesa. ☞ **fornido.** ❖ ENCLENQUE.

— estado de corpulento: *corpulencia.*

corpúsculo Partícula microscópica. ☞ **microbio.**

— que pertenece a los corpúsculos: *corpuscular.*

corral Sitio cerrado donde se guardan animales. ☞ **establo, corraliza.**

— encerrar al ganado en un corral: *acorralar.*

— sacar al ganado de un corral: *desacorralar.*

— corral grande: *corralón.*

— lugar donde se guardan los coches cuando no pueden circular debido a una infracción de tránsito: *corralón.*

— lugar descubierto donde se representaban comedias en la Grecia antigua: *corral.*

correa Banda de cuero. ☞ **cinturón.**

— conjunto de correas: *correaje.*

— golpe dado con una correa: *correazo, cuerazo.*

corredor 1. Pasillo de un edificio. ☞ **hall.**

— *El corredor que hay en el departamento quita mucho espacio.*

2. Persona que vende y compra en representación de otra. ☞ **gestor.**

— *Un corredor de bienes raíces se encarga de todos los trámites de compraventa de inmuebles.*

corregidor, -ra Funcionario que se encarga de la administración de justicia. ☞ **magistrado.**

— cargo de corregidor: *corregimiento.*

corregir Quitar errores y mejorar algo. ☞ **enmendar.**

— acto de corregir: *corrección.*

— castigo aplicado para mejorar el comportamiento de alguien: *corrección.*

— lugar donde se manda a los menores infractores: *correccional, reformatorio, consejo tutelar de menores.*

— que sirve para mejorar una conducta en otro: *correctivo.*

— comportamiento adecuado: *corrección.*

— que pertenece a la corrección o se relaciona con ella: *correccional.*

— que se encarga de modificar las pruebas tipográficas cuando es necesario: *corrector.*

— especialista en mejorar la redacción de un texto cuando es necesario: *corrector de estilo.*

— que se puede corregir: *corregible.*

— calidad de corregible: *corregibilidad.*

correlación Relación recíproca entre dos elementos. ☞ **relacionar, relación.**

— con relación a algo: *correlativo.*

correligionario, -ria Que comparte las mismas creencias políticas o religiosas. ☞ **camarada.**

correo Oficina pública encargada de la distribución de cartas. ☞ **carta, estafeta.**

— que lleva un mensaje o mercancías: *correo.*

— caja metálica para depositar cartas: *buzón.*

— casilla alquilada en la oficina de correos para que se deposite la correspondencia que llega para una persona o empresa determinada: *apartado postal.*

— persona que antiguamente llevaba el correo: *estafeta.*

— oficina postal: *estafeta.*

— interés por coleccionar estampillas postales: *filatelia.*

— fragmento de papel ilustrado que se coloca sobre las cartas para señalar que se ha pagado el derecho postal: *estampilla.*

— que pertenece a o se relaciona con el correo: *postal.*

— sello estampado sobre la estampilla que indica la oficina y la fecha en que se envió o recibió una carta: *matasellos.*

— envío y recepción de cartas: *correspondencia.*

— exención del pago de derechos: *franquicia postal.*

correr 1. Caminar con rapidez. ☞ **trotar.**

— *Juan corre todas las mañanas en el parque.*

— que corre: *corredor.*

— perseguir a alguien: *corretear.*

— acto de corretear: *correteo.*

— acto de correr en una competencia: *carrera.*

— persecución apresurada: *corretiza.*

— marchar velozmente un caballo: *galopar.*

— andar un caballo con ligereza y sin mucha rapidez: *trotar.*

— correr llevando el paso: *trotar.*

— andar de prisa sin despegar un pie del suelo alternadamente: *marchar.*

— ir muy de prisa: *a todo correr.*

— abstenerse de participar en un asunto: *dejar correr.*

— huir precipitadamente: *echarse a correr.*

— irse de farra: *corrérsela.*

— alcanzar el orgasmo: *correrse.*

2. Ir de un lugar a otro apresuradamente. ☞ **prisa, andar con prisas, andar a las carreras.**

— *Anda corriendo con los preparativos de su viaje.*

— prisa al hacer las cosas: *corredera.*

3. Fluir los líquidos. ☞ **fluir.**

— *El grifo está descompuesto y no corre el agua.*

— agua que no está estancada: *corriente.*

4. Deslizar algo o alguien sobre una superficie. ☞ **arrastrar.**

— *Córrete un lugar para que ella se siente.*

5. Hacer que las cortinas o ventanas se deslicen sobre un riel para cerrarlas. ☞ **descorrer.**

— *Corre las cortinas; está entrando frío.*

— soltarse un hilo de la media: *correrse la media.*

— rotura pequeña en las medias: *corredura.*

— que se desata o se corre con facilidad: *corredizo.*

6. Pasar por alguna experiencia. ☞ **experimentar.**

— *Corrieron con suerte al no salir lastimados en el accidente.*

— aventuras: *correrías.*

7. Lidiar toros. ☞ **lidiar.**

— *Se realizan varias suertes al correr toros.*

— lidia de toros: *corrida.*

corresponder 1. Ser algo cierto, adecuado o pareja de otra cosa. ☞ **checar, coincidir.**

— *El calcetín no corresponde a su pareja.*

— acto de corresponder: *correspondencia.*

— par de algo: *correspondiente.*

2. Realizar una acción de manera recíproca a otra anterior. ☞ **aceptar, responder.**

— *Correspondió a sus atenciones, invitándolo a cenar.*

3. Tener alguien o algo derecho a saber o realizar algún asunto. ☞ **incumbir.**

— *Le corresponde a la Secretaría de Relaciones Exteriores expedir pasaportes.*

corresponsal Periodista que envía reportes a otro país. ☞ **periódico.**

— cargo de corresponsal: *corresponsalía.*

corriente 1. Que es común. ☞ **ordinario.** ❖ EXTRAORDINARIO.

— *Es una persona común y corriente, sin ninguna característica sobresaliente.*

2. Movimiento artístico. ☞ **escuela.**

— *La corriente posmodernista tiene auge al final de los noventa.*

3. Movimiento de un fluido. ☞ **fluir.**

— *La corriente eléctrica se transmite a través de conductores especiales.*

— sin retraso: *al corriente.*

— no tener iniciativa: *dejarse llevar por la corriente.*

— no aceptar los valores de la mayoría: *ir contra la corriente.*

— hacer algo en lo cual se tenía retraso: *ponerse al corriente.*

corro Círculo formado por varias personas. ☞ **rueda.**

— grupo de personas que platica: *corrillo.*

corroborar Apoyar la veracidad de algo. ☞ **confirmar.** ❖ NEGAR.

— acto de corroborar: *corroboración.*

— que corrobora: *corroborante.*

corroer Destruir un agente paulatinamente una materia. ☞ **carcomer, roer, abrasar.**

— acto de corroer: *corrosión.*

— susceptible de corroerse: *corrosible.*

— que sirve para corroer: *corrosivo.*

corromper Echar a perder. ☞ **descomponer, alterar.** ❖ MEJORAR.

— que no tiene valores morales: *corrompido, corrupto.*

— acción y resultado de corromper: *corrupción.*

— delito que consiste en inducir a un menor de edad a realizar actos indebidos: *corrupción de menores.*

— hecho indebido: *corruptela.*

— persona que corrompe: *corruptor.*

— que tiene cualidad de corrupto: *corruptibilidad.*

corrugar Hacer pliegues. ☞ **arrugar.**

— encogimiento: *corrugación.*

corsario, -ria Barco con permiso para perseguir embarcaciones de otros países, especialmente españolas. ☞ **pirata, corso.**

corsé Faja con armazón de varillas que cubre el torso. ☞ **faja.**

— laminilla córnea para armar un corsé: *ballena.*

— poner una faja: *encorsetar, encorselar.*

— establecimiento donde se vende ropa interior femenina: *corsetería.*

cortapisa Restricción que se le impone a alguien. ☞ **limitar, límite.**

cortar 1. Separar algo con un objeto afilado. ☞ **rebanar, tajar, cercenar.**

— *Hay que cortar la tela para hacer el vestido.*

— acción y resultado de cortar: *corte.*

— Filo de un instrumento: *corte.*

— que corta o sirve para cortar: *cortador.*

— afilado: *cortante.*

— acción y resultado de cortar las piezas de un vestido: *corte.*

— lesión producida por el filo de un instrumento: *corte.*

— que puede ser cortado: *cortable.*

— operación de cortar árboles: *corta, tala.*

— tijeras pequeñas para cortar uñas: *cortauñas.*

— cuchillo para cortar papeles: *cortapapeles.*

— navaja pequeña: *cortaplumas.*

— poner fin de manera terminante a una situación molesta: *cortar por lo sano.*

— poner obstáculos a otro para que le sea difícil realizar lo que desea: *cortar las alas.*

— hacer el viento o el frío que arda la piel: *cortar.*

— separar una parte de las cartas de la baraja y ponerla sobre la otra: *cortar la baraja.*

— cortar completamente: *a cercén.*

— cortar sin que sobresalga nada: *al rape.*

— que es capaz de cortar penetrando la superficie: *incisivo.*

— que corta: *tajante.*

— que corta con hacha o cuchillo de una manera total y efectiva: *tajar.*

— instrumentos cortantes: *tijeras, cuchillo, hacha, cincel, bisturí, hoz, navaja, podadora, espada, cuña, escoplo, formón, sierra.*

— instrumento con dos hojas de acero afiladas que cortan: *tijeras.*

— hoja de acero afilada con mango que sirve para rebanar: *cuchillo.*

— herramienta cortante con una pieza de acero afilada: *hacha.*

— herramienta que sirve para labrar madera o piedra: *cincel.*

— cuchilla pequeña para usos médicos: *bisturí.*

— hoja de acero curva y afilada que sirve para cortar la cosecha: *hoz.*

— pequeña cuchilla de acero: *navaja.*

— aparato compuesto de navajas rotatorias que cortan el pasto: *podadora.*

— arma de acero recta y afilada, con empuñadura: *espada.*

— espada curva que usan los orientales: *cimitarra.*

— cincel usado por los carpinteros: *escoplo.*

— cuchillo con dientes afilados que corta madera: *sierra, serrucho.*

— escoplo ancho: *formón.*

— instrumento de madera o metal que sirve para hender cuerpos sólidos: *cuña.*

— grieta muy fina: *cisura.*

— abertura alargada y estrecha en una superficie: *grieta.*

— separación entre dos partes de una superficie: *hendedura, hendidura.*

— grieta longitudinal en un hueso: *fisura.*

— herida producto de la introducción de un cuchillo: *cuchillada.*

— lesión en el cuerpo por un instrumento punzocortante: *herida.*

— ausencia de un fragmento en la orilla de alguna cosa producto de un corte: *muesca.*

— corte hecho por tijeras en una superficie: *tijeretada.*

2. Dividir una superficie o línea con otra. ☞ **intersectar.**

— *La línea corta el círculo.*

— separar una cosa de otra: *la calzada corta la calle.*

3. Suspender un proceso. ☞ **interrumpir.**

— *Sus gritos me cortaron la inspiración.*

— terminar una relación: *cortarla.*

— separarse unas personas de otras: *cortarse.*

— ignorar a una persona: *dar el cortón.*

— persona tímida y turbada: *cortada.*

— no ser muy listo: *ser corto de inteligencia.*

— escasez de inteligencia: *cortedad.*

4. Separar los ingredientes de un líquido espeso. ☞ **agrio, agriar.**

— *La mayonesa se cortó por dejarla fuera del refrigerador.*

— atravesar algo un líquido: *cortar las aguas.*

— café con un poco de leche: *cortado.*

5. Provocar que cese la continuidad de algo. ☞ **suspender.**

— *Nos cortaron el presupuesto que habíamos estado recibiendo.*

— impedir la circulación de algo: *cortar el agua, la luz.*

corte 1. Lugar donde vive un monarca y su familia acompañado de sus consejeros y nobles. ☞ **palacio.**

— *La corte era el centro de intrigas en la Francia del s. XVI.*

— que pertenece a o se relaciona con la corte: *áulico, cortesano, palaciego.*

— que vive en la corte asesorando al rey: *cortesano.*

— acompañamiento de un rey: *cortejo, séquito.*

2. Tribunal de justicia. ☞ **juez.**

— *La Suprema Corte de Justicia de la Nación tiene su sede en la ciudad de México.*

— lugar donde se reúnen y trabajan los magistrados del tribunal: *corte.*

cortejar Halagar a alguien para conquistar su voluntad o simpatía.

— acto y resultado de cortejar: *cortejo.*

— que corteja: *cortejador.*

cortés Persona amable y educada. ☞ **atento, correcto.**

— calidad de cortés: *cortesía, cortesanía.*

— tratar a alguien con una actitud amable y respetuosa: *hacer una cortesía.*

— gratuito y como muestra de respeto o amistad: *boletos de cortesía.*

— la que se hace por cumplir con las convenciones sociales: *visita de cortesía.*

— actitud educada a pesar de tener razones de peso para mostrarse grosero: *lo cortés no quita lo valiente.*

— mujer que sostiene relaciones con algún hombre cobrando por ello: *cortesana.*

corteza 1. Parte exterior del tronco y ramas de una planta.

— parte exterior de la corteza del alcornoque: *corcho, súber.*

— capa interior delgada y fibrosa de la corteza: *líber.*

— capa externa compuesta por células muertas de cualquier árbol: *súber.*

— que pertenece a o se relaciona con la corteza: *cortical.*

2. Capa visible de una superficie. ☞ **superficie, costra.**

— *La corteza terrestre no es plana.*

— de corteza gruesa: *cortezudo.*

cortijo Casa de campo. ☞ **finca.**

cortisona Sustancia extraída de las glándulas suprarrenales con fines médicos. ☞ **glándula.**

cortina Pieza colgante de tela que cubre o adorna una ventana. ☞ **persiana.**

— cubierta de madera o tela que a manera de techo sostiene un cortinaje: *dosel, baldaquín, pabellón.*

— cortinón que cuelga al frente de un escenario: *telón.*

— cortina transparente que se cuelga además de otra gruesa: *estor.*

— pieza colgante de plástico que protege en los cuartos de baño para que no salpique el agua de la regadera: *cortina de baño.*

— armazón que se coloca a lo largo de una ventana, ventanal o puerta para tapar los cortineros: *galería.*

— ajustar el largo de una cortina de acuerdo a la caída deseada: *arremangar.*

— cerrar las cortinas: *correrlas.*

— abrir las cortinas: *descorrerlas.*

— pieza adosada a la pared que sujeta y recoge las cortinas: *alzapaños.*

— riel sobre el que corre una cortina: *cortinero.*

— conjunto de cortinas: *cortinaje.*

— cortina pequeña: *cortinilla.*

— cortina pesada: *cortinón.*

— caída densa de lluvia: *cortina de agua.*

— masa densa de humo: *cortina de humo.*

— revelar un asunto oculto: *descorrer la cortina.*

— ser algo misterioso: *perderse en una cortina de humo, estar detrás de la cortina.*

corto, -ta Que no mide o no tiene la extensión o la duración necesarias. ☞ **poco, chaparro, breve.** ❖ LARGO, EXTENSO.

— calidad de corto: *cortedad.*

— quedar una prenda más corta por algún lado: *cortear.*

— reducir el tamaño de algo: *acortar.*

— que ocurrirá lo previsto: *a la corta o a la larga.*

— que es poco inteligente: *corto de alcance.*

— hacer o decir menos de lo que se debería: *quedarse corto.*

cortocircuito Contacto erróneo al encontrarse dos circuitos sin que la corriente pase por la resistencia. ☞ **circuito, electricidad.**

— elemento que dificulta el paso de la corriente y evita que se transforme en calor: *resistencia.*

coruscación Forma poética de referirse al brillo. ☞ **brillar.**

— brillar: *coruscar.*

corva Parte posterior de la rodilla. ☞ **rodilla.**

corvadura Punto en donde se tuerce algo. ☞ **curva, curvatura.**

— torcer algo: *encorvar.*

corvetear Caminar el caballo con las patas delanteras levantadas. ☞ **caballería.**

— movimiento en que el caballo camina con las patas delanteras levantadas: *corveta.*

corvino, -na Relativo al cuervo.

cosa Todo lo que puede ser sujeto u objeto de pensamiento. ☞ **ente, ser, objeto.**

coscolino, -na Persona que gusta de coquetear y seducir. ☞ **alegría, alegre.**

coscomate Depósito de barro y zacate para guardar el maíz. ☞ **troje.**

coscorrón Golpe breve y ligero en la cabeza. ☞ **cabeza.**

cosechar Recoger los productos de la tierra. ☞ **cultivar.**

— tiempo en que se recolectan los frutos de la tierra: *cosecha.*

— acción y resultado de cosechar: *cosecha.*

— que cosecha determinado producto: *cosechero.*

— inventos y fantasías de alguien: *de la cosecha de alguien.*

— acto y época en que se cortan con la hoz las mieses: *siega.*

— cosecha de uva: *vendimia.*

— tiempo de auge en una cosecha: *fuga.*

— recolección del algodón: *pizca.*

— cálculo de la cosecha de azúcar a pie: *tazmía.*

coselete Coraza de material ligero. ☞ **coraza.**

coseno Seno del complemento de un ángulo. ☞ **seno, ángulo, círculo.**

coser Unir algo por medio de hilo y aguja. ☞ **tejer.**

— acción y resultado de coser: *costura, cosido.*

— mujer que tiene como oficio coser: *costurera.*

— estuche donde se guardan los utensilios para coser: *costurero.*

— aparato mecánico o eléctrico que reemplaza el trabajo manual de coser: *máquina de coser.*

— hilván cosido a grandes puntadas: *basta.*

— costura de grandes puntadas con que se arma lo que después se coserá definitivamente: *hilván.*

— costura en que por el derecho las puntadas quedan juntas y parejas: *pespunte.*

— pasada dada con hilo y aguja: *puntada.*

— puntada con que se cosen los dobladillos: *repulgo.*

— dobladillo estrecho: *repulgo.*

— pliegue doblado y cosido en el borde de una tela: *dobladillo.*

— dobladillo por donde se pasa una cinta: *jareta.*

— pedazo de tela que sobresale: *ceja.*

— cosido mal hecho: *corcusido.*

— costura continua que sirve para rematar los bordes de una tela: *bastilla.*

— costura en forma de espiga que sirve para reforzar algo: *espiguilla.*

— adorno de tela arrugada en forma paralela: *frunce.*

— pliegue de una tela doblada y cosida por el doblez: *lorza.*

— arreglo que se hace a una tela cosiéndola para unir las roturas o reforzando el material: *remiendo.*

— costura en cirugía: *sutura.*

— meter el hilo a una aguja: *enhebrar.*

— quitar las costuras: *descoser.*

— coser con hilvanes: *hilvanar.*

— quitar los hilos a una tela para hacer flecos o figuras: *deshilar.*

— afianzar el final de una costura para que no se deshaga: *rematar.*

— arreglar un tejido roto: *zurcir.*

— trabajo hecho con hilo y agujas: *labor.*

— coser con diversos puntos y tejidos sobre una tela: *bordar.*

— diseñador de vestidos: *modista, sastre.*

cosmético Sustancia para embellecer la cara. ☞ **maquillaje.**

— oficio y técnica especializada en la aplicación de cosméticos: *cosmetología.*

cosmos Conjunto de lo existente. ☞ **universo.**

— que pertenece al cosmos o se relaciona con él: *cósmico.*

cosmopolita Persona acostumbrada a viajar y a conocer distintas culturas y costumbres. ☞ **mundano, universo, universal, ciudadano del mundo.**

cosquillas Sensación de hormigueo debido al contacto de algo sobre la piel que produce risa. ☞ **hormigueo.**

— que es propenso a sentir cosquillas: *cosquilludo, cosquilloso.*

— tener sensación de hormigueo en una parte del cuerpo: *cosquillear.*

costa Zona de tierra a la orilla del mar. ☞ **litoral, playa.**

— entrada redondeada y pequeña a la costa: *bahía.*

— parte del mar que penetra en la tierra: *golfo.*

— entrante del mar a la tierra: *ensenada, cala, caleta.*

— terreno inmediato a la costa a donde se extienden las aguas de la marea: *estero, estuario.*

— golfo estrecho, profundo y abrupto de Noruega: *fiordo.*

— costa a donde llegan los barcos: *puerto.*

— ensenada que forma un puerto natural: *rada.*

— altura de tierra a orillas del mar: *promontorio.*

— costa cortada verticalmente: *acantilado.*

— extremo de un malecón: *morro.*

— muralla que se construye para detener la entrada del mar: *malecón.*

— construcción para la carga y descarga de los barcos en los puertos: *muelle.*

— saliente de la costa que penetra al mar: *cabo.*

— navegar cerca de la costa: *costear.*

— que vive en la costa: *costeño.*

— que pertenece a o se relaciona con la costa: *costanero.*

— cantidad que se paga por algo: *costa.*

— a cualquier precio: *a toda costa.*

costado Parte lateral del cuerpo. ☞ **lado.**

costal Bolsa grande de fibra. ☞ **saco.**

— golpe dado con un costal relleno de algo: *costalazo, costalada.*

— peón que carga costales: *costalero.*

costar 1. Tener una cosa que se vende a un precio. ☞ **precio.**

— *Los artículos de lujo cuestan mucho.*

— acto y resultado de costar: *costo.*

— pagar el gasto de algo: *costear.*

— generar ganancias y cubrir los gastos: *costear.*

— que tiene un valor muy alto: *costoso.*

— cantidad que se paga por algo: *costa, costo.*

2. Originar un esfuerzo. ☞ **trabajar.**

— *Le costó muchos años de estudio hacer su carrera.*

costilla Hueso que compone el tórax. ☞ **esternón.**

— conjunto de costillas: *costillaje, costillar.*

costra Capa exterior de algo. ☞ **corteza.**

— que tiene costra: *costroso.*

costumbre Práctica repetida de algo. ☞ **hábito, uso.**

— conjunto de aficiones y usos de una comunidad: *costumbres.*

— estar habituado a algo: *acostumbrado.*

— género artístico que refleja la forma de vida y los hábitos de una comunidad: *costumbrismo.*

cota Jubón de malla metálica usado en la Edad Media. ☞ **arma, armadura.**

cota Cifra que indica la altura sobre el mar. ☞ **nivel.**

cotejar Comparar dos elementos. ☞ **verificar, confrontar.**
— acto y resultado de cotejar: *cotejo.*
— que puede ser cotejado: *cotejable.*

coterráneo Que ha nacido en la misma región que uno. ☞ **compatriota.**

cotidiano, -na Que se repite habitualmente. ☞ **día, diario.** ❖ EXTRAORDINARIO.

cótila Cavidad de un hueso en que penetra otro. ☞ **hueso.**

cotiledón Fibra lobulada que rodea una semilla. ☞ **semilla, planta.**
— que es de un cotiledón: *monocotiledónea.*
— que es de dos cotiledones: *bicotiledónea.*
— que tiene cotiledón: *cotiledóneo.*

cotillear Hablar de otras personas. ☞ **chismear.**
— acto de cotillear: *cotilleo.*

cotizar Determinar o consultar el precio de algo. ☞ **calcular, poner, determinar, bolsa.**
— acción y resultado de cotizar: *cotización.*
— que puede ser cotizado: *cotizable.*

coto Terreno cerrado a personas ajenas a él. ☞ **cerca, cercar, cercado.**
— marcar los límites de un terreno: *acotar.*
— impedir que se continúe con abusos: *poner coto.*

cotona Chamarra de gamuza. ☞ **chaqueta.**

cotorrear Burlarse de alguien contándole mentiras. ☞ **mentir.**
— acto de cotorrear: *cotorreo.*
— charla intrascendente: *cotorreo.*

cottage Pequeña cabaña que se tiene fuera de la ciudad. ☞ **cabaña.**

coturno Zapato de suela gruesa que se usaba para aparentar mayor altura en las representaciones teatrales en la Grecia antigua. ☞ **plataforma, zapato de plataforma.**

covacha Pequeña cueva. ☞ **cueva.**
— cuarto desaliñado: *covacha.*

cow boy Encargado de cuidar y guiar las vacas en un rancho de E.U.A. ☞ **vaquero.**

coxal Relativo a la cadera. ☞ **cadera.**
— enfermedad de la cadera: *coxalgia.*
— que pertenece a la cadera o se relaciona con ella: *coxálgico.*

coxis Cóccix.

coyamel Cerdo pequeño de origen americano. ☞ **saíno, pecarí.**

coyol Palmera de origen americano. ☞ **coyolar.**

coyote 1. Mamífero carnicero originario del norte de América. ☞ **lobo.**
— *El coyote se parece al lobo y al perro.*
2. Persona que engaña a otra, realizando trámites a su nombre. ☞ **tinterillo.**
— *Cuando se compra o vende un automóvil hay que cuidarse de los coyotes en el negocio.*
— sacar provecho de otro: *coyotear.*
— acción y resultado de coyotear: *coyotaje, coyoteo.*

coyunda Soga para unir el yugo. ☞ **yugo.**

coyuntura 1. Unión de dos huesos. ☞ **articular, articulación.**
— *Las coyunturas permiten flexibilidad en los movimientos.*
— desencajarse los huesos: *descoyuntar.*
2. Situación favorable. ☞ **circunstancia, oportuno, oportunidad.**
— *Hay que aprovechar la coyuntura para darle las noticias.*
— que pertenece a la coyuntura o se relaciona con ella: *coyuntural.*

coz 1. Golpe dado con los pies o patas. ☞ **cocear.**
— *Una coz de caballo lleva mucha fuerza.*
2. Parte posterior de una escopeta. ☞ **culata.**
— *Al impulso hacia atrás de un arma de fuego cuando se dispara se le llama coz.*

crac Suspensión brusca y súbita de una actividad. ☞ **quebrar, quiebra.**

cráneo Caja de ocho huesos que forma la cabeza y que guarda y protege el encéfalo. ☞ **cabeza, calavera.**
— que pertenece al cráneo o se relaciona con él: *craneal, craneano.*
— tratado del cráneo: *craneología.*
— enfermedad del cráneo: *craneopatía.*
— estudio de la parte externa del cráneo que pretende conocer la inteligencia del individuo: *craneoscopía.*
— huesos del cráneo y de la cara: *hueso cigomático, hueso nasal, huesos maxilares, tabique, hueso lagrimal, hueso frontal, hueso parietal, hueso temporal, hueso etmoides, hueso occipital, hueso esfenoides, vómer.*
— unión de los huesos de la cabeza: *sutura.*
— hueso en forma de murciélago lateral del cráneo ubicado entre el frontal, etmoides y occipital: *esfenoides.*
— hueso del cráneo en la parte superior anterior: *frontal.*
— hueso que forma la base de la nariz y de las órbitas oculares: *etmoides.*
— huesos que forman la mandíbula: *maxilar.*
— hueso que forma la parte superior e inferior del cráneo: *occipital.*
— hueso que conforma las órbitas del ojo: *orbital.*
— cada uno de los huesos mayores que forman las partes laterales del cráneo: *parietal.*
— cada uno de los huesos que conforman las sienes: *temporal.*
— pequeño hueso que forma la parte posterior del tabique nasal: *vómer.*
— división ósea plana y delgada que separa las fosas nasales: *tabique.*
— laminilla ósea ubicada en el interior de cada fosa nasal: *cornete.*
— rotura del cráneo: *efracción.*

crápula Vida disipada. ☞ **vicio, libertino, libertinaje.** ❖ SOBRIEDAD.
— que mantiene una vida libertina: *crapuloso.*

crascitar (vea recuadro voces animales). Emitir su voz el cuervo. ☞ **graznar.**

craso, -sa Que es grande o gordo. ☞ **grueso.**
— gordura: *crasitud.*

cráter Abertura superior de un volcán. ☞ **boca.**

crátera Vasija en forma de copa. ☞ **copa.**

crawl Estilo de nado consistente en mover alternadamente los brazos. ☞ **nadar, nado.**

crayón Lápiz encerado para colorear. ☞ **lápiz.**
— dibujar y pintar con crayones: *crayonear.*

crear Hacer que algo comience a existir. ☞ **hacer, formar, forjar.** ❖ DESTRUIR.
— acto y resultado de crear: *creación.*
— surgimiento del Universo: *creación.*
— objeto que ha sido formado: *creación.*
— resultado de un acto creativo: *creación.*
— que hace o inventa algo: *creador.*
— elemento que interviene en la creación de algo: *impulso creador, acto creador.*
— Dios: *El Creador.*
— que es hábil para inventar o hacer cosas: *creativo.*
— capacidad para crear: *creatividad.*
— cosa creada: *creatura, criatura.*

crecer 1. Hacerse algo más extenso. ☞ **aumentar.** ❖ DISMINUIR.
— *Los ingresos crecen de acuerdo con los ascensos.*
— acción y resultado de crecer: *crecimiento.*
— aumentar el ánimo por un motivo que lo rete: *crecerse al castigo.*
— aumento de algo: *creces.*
— aumentar la corriente de un río: *crecer.*
— aumentar el desempleo: *crecer.*
— subida del caudal de un río: *crecida.*

— que va aumentando: *creciente*.

— posición lunar de 90 grados: *cuarto creciente*.

2. Aumentar de tamaño un organismo. ☞ **desarrollar**.

— *Un niño bien alimentado tiene posibilidades de crecer más*.

— desarrollo de un ser orgánico: *crecimiento*.

credencial Pequeña tarjeta de identificación. ☞ **cédula**.

— documento que acredita a un embajador: *cartas credenciales*.

creer Tener por veraz algo. ☞ **admitir**.

— que puede ser creído: *creíble, creedero, verosímil*.

— calidad de creíble: *credibilidad*.

— acto y resultado de creer: *creencia*.

— fe en algo: *creencia*.

— que cree fácilmente algo: *crédulo*.

— que tiene cualidad de crédulo: *credulidad*.

— aceptación de algo como cierto: *crédito*.

— tener fama: *tener crédito*.

— valor asignado a una materia que permite concluir una carrera: *crédito*.

— término para pagar algo: *crédito*.

— documento enmicado que permite pagar cosas a crédito: *tarjeta de crédito*.

crema 1. Parte grasosa de la leche. ☞ **yogurt**.

— *La crema chantilly es crema batida con azúcar*.

— que tiene consistencia parecida a la crema: *cremoso*.

— lugar donde se venden quesos y cremas: *cremería*.

2. Pasta grasosa para lubricar la piel. ☞ **aceite, coldcream**.

— *Existe en el mercado una variedad infinita de marcas de crema*.

cremallera Par de tiras con dientecillos metálicos o plásticos que engranan con un piñón. ☞ **cerrar, cierre**.

cremar Quemar cuerpos. ☞ **incinerar**.

— acción y resultado de cremar: *cremación*.

— que pertenece o se relaciona a la cremación de cuerpos: *crematorio*.

— edificio donde se incineran cadáveres: *crematorio*.

crematística Conjunto de conocimientos acerca del manejo del dinero. ☞ **economía**.

— prefijo que significa negocio: *crematis*.

— pertenece al dinero o se relaciona con él: *crematístico*.

crencha Línea que separa el cabello en dos partes. ☞ **pelo, cabello, raya**.

crepúsculo 1. Momento en que se mete el Sol. ☞ **atardecer**.

— *El crepúsculo se retarda en verano*.

— que pertenece o se relaciona al crepúsculo: *crepuscular*.

2. Epoca en que algo toca a su fin. ☞ **declinar, declinación**. ❖ COMIENZO.

— *El crepúsculo del Imperio romano se dio con la invasión de los bárbaros*.

cresa Conjunto de huevecillos depositados de una sola vez por un insecto. ☞ **larva, huevo, huevecillo**.

crescendo Aumento paulatino de algo. ☞ **crecer**.

crespo, -pa De aspecto rizado y arrugado. ☞ **ensortijar, ensortijado**.

— tela corrugada: *crespón*.

cresta 1. Carnosidad o plumas que coronan la cabeza de algunas aves.

— *Los gallos y guajolotes tienen cresta*.

2. Punto superior de una ola y de una montaña. ☞ **cima**.

— *Cuando hay tormenta, las crestas de las olas son altísimas*.

— que tiene crestas: *crestado*.

crestomatía Colección de imágenes. ☞ **colección**.

cretino, -na Persona torpe y majadera. ☞ **pendejo, estúpido**.

— estado de insuficiencia mental: *cretinismo*.

cretona Tela estampada de algodón.

criado, -da Persona que ayuda en las labores del hogar. ☞ **sirviente, empleado doméstico**.

criar Procurar el desarrollo de un infante, planta o animal.

— acto de criar: *cría, crianza, criamento*.

— infante o animal mientras se está desarrollando: *cría*.

— infante: *criatura*.

— niño bien educado: *bien criado*.

— niño caprichoso y consentido: *mal criado*.

cribar Separar algo mediante una coladera. ☞ **cerner**.

— lleno de agujeros: *criboso*.

— acto y resultado de cribar: *cribado*.

— aro con una malla metálica para cerner: *criba*.

cricket Juego de pelota en que se usan paletas de madera. ☞ **juego, criquet**.

crimen Delito grave. ☞ **delito**.

— autor de un crimen: *criminal*.

— que pertenece a o se relaciona con el crimen: *criminal*.

— serie de hechos criminales en determinado lugar: *criminalidad*.

— jurista especializado en el delito: *criminalista*.

— estudio de la criminalidad: *criminología*.

crin Hilera de cerdas sobre cabeza y cuello de un caballo.

— parte superior del cuello de los caballos: *crinera*.

crinado, -da Forma poética de referirse al cabello largo. ☞ **cabello**.

crinolina Armazón de varillas forrado de tela que esponja la caída de una falda. ☞ **miriñaque**.

criollo, -lla Persona nacida en un país del cual sus padres no son originarios: ☞ **mestizo**.

— español nacido en América en la época colonial: *criollo*.

— que tiene carácter criollo: *criollismo*.

— que es producto de la aclimatación de distintas variedades en un lugar determinado: *mango criollo, nueces criollas*.

criómetro Aparato para medir bajas temperaturas. ☞ **frío, termómetro**.

— terapia mediante el frío: *crioterapia*.

cripta Sitio subterráneo para enterrar a los muertos. ☞ **cementerio, ataúd**.

críptico, -ca Que es oculto y secreto. ☞ **misterio, misterioso**. ❖ CLARO.

criptógamo, -ma Planta con los órganos reproductores escondidos. ☞ **planta**. ❖ FANERÓGAMA.

criptografía Escritura secreta. ☞ **clave, escritura en clave**.

— texto cifrado: *criptograma*.

crisálida Insecto que, encerrado dentro de un capullo, ha dejado de ser larva y está alcanzando su completo desarrollo. ☞ **ninfa, capullo, pupa**.

— fase inicial de desarrollo de un insecto: *larva*.

crisis Situación temporalmente desfavorable. ☞ **difícil, dificultad**.

— momento o situación decisiva para que se produzca un cambio: *crítico*.

crisma Mezcla de aceites usados en la consagración de algo. ☞ **bálsamo, consagrar**.

— copa para guardar el crisma: *crismera*.

— quebrarse la cabeza: *rompérsele a uno la crisma*.

— pensar mucho en la solución de un problema: *romperse la crisma*.

crisol Vaso refractario para fundir o calcinar metales. ☞ **copela**.

— purificar metales: *crisolar, acrisolar*.

— arte de cambiar los metales en oro: *crisopeya, alquimismo*.

crispar 1. Mover los músculos de manera tensa y brusca. ☞ **tensar, contraer**. ❖ SOLTAR.

— *Se le crisparon los músculos de la pierna por exceso de ejercicio*.

— contracción muscular: *crispatura, crispadura, crispamiento.*

2. Causar irritación y enojo. ☞ **exasperar, encrespar.**

— Me crispa que se comporte tan bien con ella cuando ha sido grosera con él.

crispir Salpicar un muro con pintura. ☞ **manchar, pintar.**

cristal Materia cuyas moléculas están acomodadas formando figuras geométricas. ☞ **vidrio.**

— diferentes cristales: *cristal de roca, cristal de sal, cristal de pirita.*

— arte y establecimiento donde se fabrican y venden objetos de cristal: *cristalería.*

— mueble de comedor donde se guardan copas y vasos: *cristalera.*

— lupa: *cristal de aumento.*

— vidrio fino, más rígido y transparente que el común: *cristal.*

— una misma situación es percibida de distinto modo según las circunstancias o las personas: *todo es según el cristal con que se mire.*

— adquirir forma o textura de cristal: *cristalizar.*

— perteneciente a los cristales: *cristalino.*

— susceptible de cristalizar: *cristalizable.*

— acción y resultado de cristalizar: *cristalización.*

— parte de la mineralogía que trata de las formas cristalizadas de los minerales: *cristalografía.*

— tener resultados un proyecto: *cristalizar.*

— intersección de dos caras: *faceta.*

— lado de un cuerpo cristalizado: *faceta, cara.*

cristalino Parte del ojo en la que convergen los rayos luminosos sobre la retina. ☞ **ojo, retina.**

cristianismo Religión derivada de las enseñanzas de Jesucristo, basada en la Biblia como texto sagrado y profesada por la Iglesia Católica, por la Iglesia Ortodoxa y por las distintas ramas de la Iglesia Protestante. ☞ **religión.**

— conocimiento acerca de Cristo: *cristología.*

— que es creyente de alguna rama del cristianismo: *cristiano.*

— bautizar: *cristianar.*

— universo cristiano: *cristiandad.*

— convertir a alguien al cristianismo: *cristianizar.*

— parte de la Biblia que trata de la vida de Cristo: *Evangelio.*

— expresarse en el idioma que habla la mayoría: *hablar en cristiano.*

criterio Capacidad de comprensión y juicio de una persona para juzgar algo. ☞ **opinar, discernir, opinión, discernimiento.**

criticar Examinar y emitir un juicio sobre alguien o algo. ☞ **analizar.**

— que se considera que todo lo ajeno es desagradable y de poco valor: *criticón.*

— juicio expresado sobre alguien o algo: *crítica.*

— susceptible de ser juzgado negativamente: *criticable.*

— especialista que se dedica a juzgar los valores artísticos de una obra: *crítico.*

croar (vea recuadro de voces animales). Emitir su voz las ranas.

crocitar ☞ **crascitar.**

cromar Recubrir una superficie con un metal blancuzco capaz de pulimento.

crómlech Monumento arqueológico compuesto de un círculo de piedras verticales. ☞ **menhir.**

cromosfera Capa superior que rodea al Sol. ☞ **fotosfera, sol.**

— capa luminosa interior de la atmósfera del Sol.

cromosoma Organismo celular que contiene la mayoría del DNA o RNA en que se conjuntan los genes del individuo. ☞ **célula.**

crónica Relato histórico de los hechos y acontecimientos ordenados según ocurrieron en el tiempo. ☞ **anal, historia.**

— que es autor de una crónica: *cronista.*

— artículo periodístico en que se informa comentando y opinando sobre un tema: *crónica deportiva, crónica taurina, crónica social.*

— crónica de extensión breve: *cronicón.*

crónico, -ca Que tiene carácter permanente y duradero. ☞ **tiempo, permanente.** ❖ EVENTUAL.

— calidad de crónico: *cronicidad.*

cronómetro Reloj que mide el tiempo con exactitud. ☞ **tiempo.**

— disciplina que determina el tiempo de los sucesos históricos: *cronología.*

— medir el tiempo de algo con exactitud: *cronometrar.*

— acto y resultado de cronometrar: *cronometraje.*

— medido en un tiempo exacto: *cronométrico.*

croqueta Masa frita de carne, pescado o pollo con huevo y pan molido.

croquis Dibujo hecho a grandes rasgos. ☞ **bosquejo, esbozo.**

crotorar (vea recuadro de voces animales). Emitir un ruido la cigüeña con el pico.

cruopier Empleado de una casa de juegos. ☞ **tahúr, juego.**

crucero 1. Barco turístico. ☞ **barco.**

— Los cruceros son grandes hoteles que navegan en alta mar.

2. Lugar donde se intersectan dos caminos. ☞ **encrucijada.**

— Los peatones deben detenerse en los cruceros hasta estar seguros de que no pasan coches por ninguna de las calles.

crucial Elemento decisivo para algo. ❖ ☞ **fundamento, fundamental.** ❖ TRIVIAL.

crucificar Clavar a alguien en la cruz. ☞ **mortificar, torturar.**

— figura formada por dos barras que se intersectan: *cruz.*

— símbolo del cristianismo: *cruz.*

— condecoración de órdenes militares, civiles y religiosas: *cruz de hierro, cruz de la legión de honor.*

— dolor, pena que se sufre en forma profunda y duradera: *cruz.*

— figura de Jesucristo clavado en la cruz: *crucifijo.*

— acción y resultado de crucificar: *crucifixión.*

— que tiene forma de cruz: *cruciforme, crucial.*

— que tiene la insignia de la cruz: *crucífero.*

— persona que carga la cruz en algunas ceremonias: *crucero.*

— expedición de caballeros cristianos al Oriente en la época medieval para recuperar las tierras santas: *cruzada.*

— preguntarse algo con extrañeza: *hacerse cruces.*

— caballero medieval que iba a las cruzadas: *cruzado.*

crucigrama Juego que consiste en inferir las palabras que van en unas casillas mediante determinadas claves o acertijos. ☞ **acertijo.**

— que resuelve crucigramas: *crucigramista, cruciverbista.*

crudo, -da 1. Que no está cocido. ❖ COCIDO, GUISADO.

— La carne a la tártara es carne cruda aderezada con diversos aliños.

2. Poco delicado o sin tacto. ☞ **despiadado, truculento.** ❖ DELICADO, FINO.

— La película tiene escenas muy crudas.

3. Color natural de las fibras. ☞ **fibra.**

— La seda cruda tiene un color semejante a la arena.

4. Clima riguroso. ☞ **frío.**

— El invierno en los países del norte es crudo.

— calidad de crudo: *crudeza.*

cruel Persona que hace sufrir a otras o a los animales y que no siente compasión. ☞ **despiadado, desalmado.** ❖ COMPASIVO.

— calidad de cruel: *crueldad.*

— que es muy cruel: *crudelísimo.*

crujía Parte de un edificio dividido en celdas o cuartos. ☞ **pasillo.**

crujir Hacer cierto ruido al chocar, estrellarse o frotar dos cuerpos. ☞ **ruido.**

— sonido que se provoca al crujir algo: *crujido.*

— que cruje: *crujiente.*

cruento, -ta Que implica derramamiento de sangre. ☞ **sangre, sangriento.**

— forma poética de referirse a la sangre: *crúor.*

— que pertenece a o se relaciona con el crúor: *cruórico.*

crural Relativo al muslo. ☞ **muslo.**

cruzar 1. Hacer un movimiento formando una cruz. ☞ **encoger.** ❖ ESTIRAR.

— *Cruzó los brazos en señal de impaciencia.*

2. Poner una cosa sobre otra formando la cruz.

— *Cruzar dos vigas para sostener el techo.*

3. Coincidir en el mismo punto dos personas que van en dirección opuesta.

— *Nos cruzamos en el pasillo de la universidad y no nos saludamos.*

4. Ir de un extremo a otro. ☞ **atravesar.**

— *Hay que esperar que el semáforo esté en rojo para cruzar la calle.*

— acto y resultado de cruzar: *cruce.*

— lugar donde se intersectan dos calles: *cruce.*

— espacio donde se intersectan las dos naves de una iglesia: *crucero.*

5. Hacer que procreen el macho y hembra de determinada raza. ☞ **reproducir, reproducción.**

— *La hembra del perro está lista para cruzarse en su segundo calor.*

cruzeiro (vea recuadro de monedas.) Unidad monetaria del Brasil. ☞ **moneda.**

cuaco ☞ **caballeriza, caballo.**

cuaderno Conjunto de hojas de papel cosidas para escribir. ☞ **libro, libreta.**

— pegar pliegos de papel para hacer un libro o libreta: *encuadernar.*

— arrancar las hojas de un libro o libreta: *desencuadernar.*

cuadra Lugar donde se guardan los caballos. ☞ **caballeriza.**

cuadrado 1. Figura geométrica formada por cuatro lados paralelos. ☞ **rectángulo, cuadrilátero.**

— *Un cuadrado tiene todos los lados del mismo tamaño.*

— que tiene forma de cuadrado: *cuadrado, charola cuadrada, cajuela cuadrada.*

— que tiene cuatro lados: *cuadrilátero.*

— que tiene cuatro ángulos: *cuadrángulo.*

— que tiene forma de cuadrángulo: *cuadrangular.*

— dar a un objeto forma cuadrada: *cuadrar.*

— resultado de multiplicar una cantidad por sí misma: *cuadrado.*

— multiplicar una cantidad por sí misma: *elevar al cuadrado.*

— espacio cuadrado que sirve para determinar los tamaños de los tipos de imprenta: *cuadratín.*

— acción y resultado de cuadrar: *cuadratura.*

— serie de cuadrados dibujados en un papel: *cuadrícula.*

— trazar cuadrículas en un papel: *cuadricular.*

— que pertenece o se relaciona a la cuadrícula: *cuadricular.*

— hoja de papel con cuadrículas: *cuadriculada.*

2. Persona que se circunscribe solamente a lo que considera correcto. ☞ **tapado, cerrado.** ❖ ABIERTO, LIBREPENSADOR.

— *Es muy cuadrado para actuar, sólo va a lugares que ya conoce y nunca acepta proposiciones para incursionar en nuevos sitios.*

— agradar algo o alguien a otra persona: *cuadrar.*

— coincidir dos elementos comparables: *cuadrar.*

— quedarse erguido una persona en señal de respeto: *cuadrarse.*

cuadrante Cuarta parte de un círculo. ☞ **círculo.**

— *El cuadrante está delimitado por dos radios.*

2. Indicador de la escala de graduación de un aparato. ☞ **radio.**

— *El cuadrante indica en qué estación se encuentra la radio.*

cuadriga Carro tirado por cuatro caballos. ☞ **carro.**

cuadrilla Grupo de peones que trabajan en equipo. ☞ **brigada.**

cuadro 1. Lienzo pintado. ☞ **pintar, pintura.**

— *Los cuadros de autores mexicanos se cotizan bien en los mercados internacionales.*

2. Cualquier objeto en forma de cuadrado. ☞ **cuadrado.**

— *Prefiero las masas cuadradas a las redondas.*

3. Espectáculo impresionante. ☞ **escena.**

— *La ciudad presentaba un cuadro desolador después del temblor.*

4. Conjunto de datos organizados de modo esquemático. ☞ **resumen, esquema.**

— *Los cuadros sinópticos son muy útiles para sintetizar información.*

5. Marco de un lienzo. ☞ **enmarque.**

— *La pintura debe colocarse dentro de un cuadro.*

6. Conjunto de síntomas que presenta un enfermo: *cuadro clínico.*

7. Cada una de las partes en que se dividen los actos de las obras de teatro.

— *El cuadro del juicio puede interpretarse magníficamente.*

— hacerse la vida complicada: *hacerse la vida de cuadros.*

cuajar 1. Tornarse un líquido en sólido. ☞ **coagular, sólido, solidificar.**

— *La leche cuaja y se convierte en queso.*

— sustancia que se emplea para cuajar: *cuajo.*

— parte sólida de la leche: *cuajada, requesón.*

— porción coagulada de una sustancia: *cuajarón.*

2. Obtener éxito en un negocio. ☞ **cristal, cristalizar.**

— *Con ganas y organización, un negocio cuaja por sí solo.*

cual Partícula gramatical que indica una relación entre varios elementos. ☞ **pronombre.**

cuál Partícula gramatical que indica interrogación o duda entre varios elementos. ☞ **pronombre.**

cualidad Elemento que hace que alguien o algo sea lo que es. ☞ **propiedad.**

— que implica calidad: *cualitativo.*

— determinar que alguien o algo tenga determinadas cualidades: *calificar.*

— obrero que está especializado: *calificado.*

cualquier, -ra Persona u objeto indeterminado. ☞ **alguno.**

— plural de cualquier: *cualesquiera.*

cuando 1. Conjunción gramatical que indica el momento o lugar en que algo se hará.

— *Cuando llegues a la fiesta habla por teléfono.*

— expresión que indica el máximo de tiempo que llevará hacer algo: *cuando más, cuando mucho, cuantimás.*

— expresión que indica algo eventual: *de cuando en cuando.*

— expresión que indica poca frecuencia: *de vez en cuando.*

— expresión que indica lo mínimo aceptable: *cuando menos.*

— expresión que indica ya que: *cuando lo dices tan serio, deberá ser cierto.*

cuándo Interrogación sobre el tiempo en que sucede algo.
— *¿Cuándo vendrás a vernos?*
— expresión de extrañeza: *¿de cuándo acá?*

cuantía Cantidad o importancia de algo. ☞ **cantidad.**
— que es abundante: *cuantioso.*
— que está relacionado con la cantidad: *cuantitativo.*
— una de las varias subdivisiones en que las varias formas de energía se miden: *cuanto.*

cuanto, -ta Que algo se hará tan pronto como sea posible.
— *Iré allí en cuanto amanezca.*
2. Simultaneidad de acción.
— *En cuanto ella gritaba, él huía.*
— pocos: *unos cuantos.*
— con mayor razón: *cuanto más.*
— puesto que: *por cuanto.*
— acerca de: *en cuanto.*
— pronto: *cuanto antes.*
— tan pronto: *en cuanto.*

cuánto Duda o interrogación, admiración, impaciencia o molestia acerca de la duración, cantidad o precio de algo:
— *¡Cuántos son!*
— *¡Cuánto ha llorado!*
— *¿Cuánto costará un anillo de brillantes?*
— *¡Cuánto tardas!*
— *¡cuánto cobran!*

cuáquero, -ra Persona que es adepta a una secta del protestantismo fundada en Inglaterra y caracterizada por la ausencia de clero y el espíritu de ayuda entre sus miembros. ☞ **protestantismo.**

cuarentena Estancia de personas o cosas infectadas en cierto lugar y durante cierto tiempo para evitar el contagio.

cuaresma Período de ayuno entre los cristianos rememorando la época anterior a la muerte de Cristo. ☞ **ayuno, vigilia.**
— días en que los cristianos no comen carne de res, pollo o pescado: *vigilia.*
— que pertenece o se relaciona a la cuaresma: *cuaresmal.*

cuarta, -to Cada una de las cuatro partes en que se divide un entero. ☞ **cuatro.**
— medida de la mano extendida: *cuarta.*

cuartana Fiebre que aparece cada cuatro días. ☞ **fiebre, calentar, calentura.**
— que padece cuartanas: *cuartanario.*

cuartear Resquebrajarse una superficie. ☞ **agrietar.**
— acto y resultado de cuartearse: *cuarteo.*
— grieta en un muro: *cuarteadura, cuarteo.*

cuartel Edificio donde se aloja un ejército. ☞ **militar, ejército.**
— encerrar a un militar en un cuartel: *acuartelar.*
— asalto a un cuartel: *cuartelazo, cuartelada.*
— división de un escudo: *cuartel.*
— no conceder descanso: *no dar cuartel.*

cuarteto 1. Conjunto y composición para ciertos instrumentos o voces. ☞ **música.**
— *Los cuartetos de cuerdas son muy solicitados en las bodas.*
2. Poema de cuatro versos endecasílabos. ☞ **poema.**
— *Los cuartetos pertenecen al arte mayor.*

cuartilla Hoja de papel. ☞ **hoja.**

cuarto 1. Habitación de cuatro paredes. ☞ **habitación, alcoba.**
2. Cada una de las cuatro partes iguales en que se divide algo.
— *Son las seis y cuarto.*
3. Cada una de las cuatro partes en que se divide el tiempo que pasa entre dos conjunciones de la Luna con el sol.
— *Dicen que hay que cortarse el pelo cuando la luna esté en cuarto creciente.*

cuate 1. Persona que es muy amiga de otra. ☞ **compadre, amigo.**
— *Somos cuates desde que éramos niños.*
— relación entre cuates: *cuatismo.*
2. Que nació al mismo tiempo que su hermano. ☞ **mellizo, gemelo.**
— *Son cuates, aunque no se parezcan físicamente.*

cuaternario, -ria Epoca geológica en que aparece el hombre. ☞ **era.**

cuatrero, -ra Ladrón de ganado. ☞ **ganado.**

cuatro Cifra que representa tres más uno. ☞ **número.**
— que tiene cuarenta años: *cuadragenario.*
— orden número cuarenta: *cuadragésimo, cuarentavo.*
— universo de cuarenta elementos: *cuarentena.*
— que pertenece o se relaciona al número cuarenta: *cuarentenal.*
— persona que ha cumplido los cuarenta: *cuarentón.*
— cuatro decenas: *cuarenta.*
— que tiene cuatro ángulos: *cuadrangular.*
— velocípedo de cuatro ruedas: *cuadriciclo.*
— que ocurre cada cuatro años: *cuadricenal, cuadrienal.*
— periodo de tiempo de cuatro años: *cuadrienio.*

— ponerle a uno una trampa: *ponerle un cuatro.*
— que tiene cuatro hojas: *cuadrifolio.*
— orden que ocupa el número cuatrocientos: *cuadrigentésimo.*
— cuatro centenas: *cuatrocientos.*
— de cuatro pétalos: *cuadripétalo.*
— mamífero de cuatro manos: *cuadrumano.*
— mamífero de cuatro patas: *cuadrúpedo.*
— que tiene un tamaño cuatro veces más grande: *cuádruple, cuádruplo.*
— aumentar cuatro veces: *cuadriplicar, cuadruplicar.*

cuba 1. (vea recuadro de bebidas). Combinación hecha de ron y refresco de cola.
— *A las cubas con refresco de cola, ron o brandy y agua mineral se les llama campechanas.*
2. Recipiente de madera. ☞ **tonel.**
— *Algunas bebidas alcohólicas reposan en grandes cubas.*
— que fabrica cubas: *cubero.*
— oficio de cubero: *cubería.*
— que es natural de Cuba: *cubano.*

cubeta Recipiente de plástico o metal para acarrear agua. ☞ **cubo.**

cubículo Oficina pequeña. ☞ **celda, capilla, habitación.**

cubierto 1. Cuchara, tenedor y cuchillo. ☞ **mesa.**
— *Hay una manera determinada de colocar los cubiertos al servir la mesa.*
2. Precio por servir la comida en restaurante. ☞ **menú.**
— *El cubierto tiene un cargo determinado.*

cubil Lugar donde se refugian las fieras. ☞ **madriguera, guarida.**

cubilete Recipiente cuadrado. ☞ **vaso.**
— manipular el cubilete en diversos juegos: *cubiletear.*
— acto y resultado del cubileteo: *cubileteo.*
— diestro en manejar el cubilete: *cubiletero.*

cubismo Escuela de pintura caracterizada por la desintegración geométrica de las figuras. ☞ **pintar.** ❖ PINTURA.
— que pertenece al cubismo o se relaciona con él: *cubista.*

cúbito Hueso largo y grueso del antebrazo. ☞ **antebrazo, codo.**
— que pertenece al codo o se relaciona con él: *cubital.*

cubo 1. Cuerpo geométrico limitado por seis caras cuadradas. ☞ **hexaedro, dado.**
— *Los cubos se usan para diversos juegos.*
— resultado de multiplicar dos veces por sí mismo un número: *al cubo.*

— multiplicar dos veces por sí mismo el mismo número: *elevar al cubo.*

2. Recipiente para uso doméstico. ☞ **cubeta.**

3. Habitación cuadrangular o redonda donde se encuentran las escaleras de servicio.

— *La basura habitualmente se guarda en el cubo.*

cubrecama Frazada que protege las cobijas y sábanas. ☞ **colcha.**

cubrir 1. Colocar algo sobre otra cosa ocultándola. ☞ **recubrir, proteger.**

— *En un eclipse total, un astro cubre a otro y lo tapa completamente.*

2. Poner algo encima de otro para protegerlo.

— *Cubrir al niño con una manta.*

— que se utiliza como protección de algo: *cubierta.*

— acto y resultado de cubrir: *cubrimiento.*

— suelo de un barco: *cubierta.*

3. Avanzar un regimiento antes que otro que viene a la retaguardia o la retaguardia disparar al enemigo mientras otro avanza. ☞ **proteger, defender.**

— *El pelotón cubría al regimiento que iba a pasar la frontera.*

4. Llenar algo. ☞ **colmar.**

— *Cubrieron la alberca con flores en la fiesta.*

5. Ser suficiente algo. ☞ **bastar.**

— *La fianza no cubre todos los gastos generados por el juicio.*

cucar Molestar a alguien para provocar su enojo. ☞ **molestar.**

cuclillas Posición en que las rodillas están dobladas y las nalgas tocan los talones.

cucurucho Papel enrollado en forma de cono. ☞ **papel.**

cuchara Utensilio para comer compuesto de mango y pala ahuecada. ☞ **mesa.**

— cuchara para servir: *cucharón.*

— revolver con la cuchara: *cucharear, cucharetear.*

— cucharita para postre o café: *cucharilla, cucharita de té.*

— cantidad de algo que cabe en una cuchara: *cucharada.*

— intervenir en un asunto: *meter la cuchara.*

— instrumento de albañilería: *cuchara.*

— tomar lo mejor de algo: *servirse con la cuchara grande.*

cuchichear Hablar en voz baja. ☞ **susurrar.**

— acción y resultado de cuchichear: *cuchicheo.*

cuchichiar (vea recuadro de voces animales). Emitir su voz la perdiz.

cuchillo Instrumento cortante formado por una hoja alargada de metal afilada o con dientes y un mango. ☞ **cortar, machete, puñal.**

— corte de un instrumento cortante: *filo.*

— lámina metálica y filosa de un cuchillo: *hoja.*

— herida en la cara por una navaja o cuchillo: *chirlo.*

— parte del cuchillo opuesta al filo: *canto.*

— parte del cuchillo por donde se sostiene: *mango.*

— lámina afilada: *cuchilla.*

— corte o herida causada por un cuchillo: *cuchillada.*

— que pertenece al cuchillo o se relaciona con él: *cuchillar.*

— establecimiento donde se fabrican, venden o afilan cuchillos: *cuchillería.*

— que hace o vende cuchillos: *cuchillero.*

— herir o matar con cuchillo: *acuchillar.*

cuchitril Vivienda sucia, pequeña y miserable. ☞ **pocilga.**

cuello Parte de los vertebrados que une y sostiene la cabeza. ☞ **pescuezo.**

— parte posterior del cuello: *nuca, cerviz, occipucio.*

— cuello de los animales: *cerro, pescuezo.*

— parte debajo de la barbilla: *gollete.*

— cuello de una botella: *gollete.*

— que tiene el cuello largo: *cuellilargo.*

— de cuello corto: *cuellicorto.*

— abertura de una prenda de vestir circundante al cuello: *escote.*

— parte de una prenda de vestir que cubre a esa parte del cuerpo: *cuello de camisa, cuello redondo, cuello duro.*

— parte anterior, interior o exterior, del cuello: *garganta.*

— nuca carnosa de las personas: *morrillo.*

— nuca del ganado vacuno: *testuz.*

— prominencia de los hombres en la garganta: *nuez.*

— carnosidad debajo de la barbilla: *papada.*

— vello que nace en la nuca: *tolano.*

— punta y parte de la cara debajo de la boca: *barbilla.*

— abultamiento del cuello: *bocio.*

— cortar el cuello y la cabeza: *degollar.*

— apretar el cuello hasta producir asfixia: *ahorcar.*

— atrapar a alguien por el cuello: *apercollar.*

— matar a alguien golpeándole la nuca: *acogotar.*

— lastimarse el cuello: *desnucar.*

— matar a alguien golpeándole el cuello: *desnucar.*

cuenca 1. Espacio hueco y curvo que alberga algo. ☞ **oquedad.**

— *Las cuencas de los ojos albergan los dos globos oculares.*

2. Extensión de terreno bañado por las aguas de un río o mar. ☞ **valle.**

— *Las cuencas son ricas y fértiles.*

cuenco Recipiente de madera. ☞ **vaso.**

cuenta 1. Acción y resultado de contar y relación, suma o recibo de la cantidad. ☞ **contar.**

— *Un auditor revisa que las cuentas de un negocio sean correctas.*

— tener crédito: *tener cuenta abierta.*

— depósito de dinero en una institución bancaria del cual la persona puede disponer: *cuenta corriente.*

— persona que dispone de una cuenta en una institución bancaria: *cuentahabiente.*

— cuenta corriente que otorga crédito: *cuenta de crédito.*

— considerar algo: *tomar en cuenta.*

— deducir algo que no se había percibido: *caer en la cuenta, darse cuenta de...*

— vengarse de alguien: *ajustar cuentas.*

— informar algo: *dar cuenta de...*

— bajo responsabilidad de alguien: *de cuenta y riesgo...*

— calcular algo: *echar cuentas, llevar la cuenta.*

— presentar a un acreedor el monto de sus deudas: *pasar la cuenta.*

— solicitar informes de las deudas personales para pagarlas: *pedir la cuenta.*

— de modo inadvertido: *sin darse cuenta.*

2. Pieza redonda y pequeña de cualquier material. ☞ **abalorio.**

— *Se cayeron las cuentas del collar.*

cuento Relato ficticio. ☞ **narrar, contar, narración.**

— algo que no tiene fin y que se repite: *cuento de nunca acabar.*

— dejar de decir mentiras para justificar algo: *dejarse de cuentos.*

— ser algo inoportuno: *no venir a cuento una cosa.*

— mencionar algo como por casualidad: *traer a cuento.*

— inventar historias increíbles: *venir con cuentos.*

cuerda 1. Fibra de diversos materiales ensamblada. ☞ **cordel, cable.**

— *Las cuerdas metálicas se usan para sostener postes.*

— ser menos exigente con otro: *aflojar la cuerda.*

— jugar dando saltos a una cuerda que hace un movimiento ondulatorio: *saltar la cuerda.*

— abusar de la generosidad de otro: *tirar de la cuerda.*

2. Hilo de material orgánico o plástico que se usa en algunos instrumentos musicales.

— *Es necesario afinar las cuerdas de la guitarra cada vez que se va a tocar.*

— cada una de las cuatro voces musicales (bajo, tenor, contralto y tiple): *cuerda.*

— línea recta que comunica dos puntos de una curva: *cuerda.*

— cada uno de los ligamentos que producen la voz: *cuerda vocal.*

3. Mecanismo que comunica el movimiento a un instrumento. ☞ **mecanismo.**

— *A ciertos relojes hay que darles cuerda cada determinado tiempo para que funcionen.*

— activar el mecanismo de algo: *dar cuerda.*

— animar a otro a hacer o hablar de algo que le gusta: *dar cuerda.*

cuerdo, -da Persona que está en posesión de sus facultades mentales. ☞ **lúcido, sobrio.** ❖ LOCO.

— cualidad y estado de cuerdo: *cordura.*

cuerno Apéndice duro y cónico en la cabeza de algunos animales. ☞ **asta.**

— en forma de cuerno: *ceratoideo.*

— cuerno petrificado: *ceratolita.*

— golpe dado con la punta del cuerno: *cornada.*

— cuerno de animal cuadrúpedo: *cornamenta.*

— cuerno que empieza a nacer: *pitón.*

— frotar los animales los pitones o cuernos para quitarles la piel: *escodar.*

— quitársele la piel a los pitones: *descornar.*

— semejante al cuerno: *córneo.*

— vaso con figura de cuerno: *cornucopia.*

— que tiene cuernos: *cornudo.*

— animal que embiste con los cuernos: *cornúpeta.*

— ser infiel: *poner los cuernos.*

— marido a quien se le es infiel: *cornudo, cornúpeta.*

— desinteresarse por alguien o algo: *mandar al cuerno.*

— fracasar algo: *irse al cuerno algo.*

— extremo de la luna menguante o creciente: *cuerno.*

— extremidad de un objeto que tiene punta: *cuerno.*

cuero Piel de los animales curtida. ☞ **piel.**

— preparar las pieles: *curtir.*

— azotar con un cinturón de cuero: *cuerear.*

— piel donde nace el pelo: *cuero cabelludo.*

— estar desnudo: *en cueros.*

— desnudarse: *encuerarse.*

— golpe dado con un cinturón de cuero: *cuerazo.*

— paliza a base de cuerazos: *cueriza.*

— que tiene buen cuerpo y bonita cara: *ser un cuero.*

cuerpo 1. Conjunto de las distintas partes de un ser viviente. ❖ ALMA.

— *El cuerpo humano está compuesto por tres cuartas partes de agua.*

— lucha en que se tocan los adversarios: *cuerpo a cuerpo.*

— disfrutar de los placeres de la existencia: *vivir a cuerpo de rey.*

— en forma completa: *en cuerpo y alma.*

— que pertenece a o se relaciona con el cuerpo: *corporal.*

— ceremonia funeraria en donde el cadáver se encuentra en el lugar: *de cuerpo presente.*

2. Consistencia o densidad de algún material. ☞ **bulto, sustancia.**

— *La sopa no tiene cuerpo.*

— objeto que prueba que se ha cometido un crimen: *cuerpo del delito.*

3. Cada una de las partes de un todo.

— *El cuerpo de la máquina es el que controla su funcionamiento.*

— empezar a adquirir forma un proyecto: *dar cuerpo a.*

4. Grupo de personas organizadas para desempeñar una actividad. ☞ **compañía, equipo.**

— *La solista provenía del cuerpo de baile.*

— conjunto de representantes de otros países: *cuerpo diplomático.*

— conjunto de personas cuyo oficio es apagar los fuegos: *cuerpo de bomberos.*

— objeto de dos dimensiones: *cuerpo geométrico.*

— parte principal de algo: *el cuerpo de la obra.*

— estrellas, planetas, lunas, cometas en el universo: *cuerpo celeste.*

cuesco Hueso de las frutas. ☞ **semilla, hueso.**

cuesta Terreno que tiene una inclinación. ☞ **pendiente.**

— cargar a alguien en la espalda: *llevar a cuestas.*

— período después de Navidad en que la gente anda muy gastada: *la cuesta de enero.*

cuestión Materia de discusión. ☞ **asunto.**

— poner en duda algo: *cuestionar.*

— serie de preguntas por escrito: *cuestionario.*

— que es discutible: *cuestionable.*

— que pide limosna con fines benéficos: *cuestor.*

— acción de pedir donativos: *cuestación.*

cuete Estar borracho. ☞ **borracho.**

— corte de carne de res: *cuete.*

cueva Cavidad en la superficie o en el interior de la corteza terrestre. ☞ **caverna.**

cuidar Dedicar tiempo, interés, atención y dar protección a algo o alguien. ☞ **asistir, conservar.** ❖ DESCUIDAR.

— temor por la tranquilidad de alguien: *tener cuidado.*

— ser alguien poco digno de confianza: *ser de cuidado.*

— hacer algo con atención: *poner cuidado.*

— que pone atención en lo que hace: *cuidadoso.*

— que se encarga de cuidar a alguien o un lugar: *cuidador.*

cuita Sentimiento de aflicción. ☞ **pena.**

— afligido: *cuitado.*

culata Parte posterior de un arma de fuego. ☞ **arma.**

— golpe dado con la culata: *culatazo.*

— anca de las caballerías: *culata.*

culebrear Andar en zig-zag.

culminar Terminar con éxito algo. ☞ **finalizar.** ❖ INICIAR.

— acto y resultado de culminar: *culminación.*

— que es lo más elevado de algo: *culminante.*

culo Parte trasera e inferior del cuerpo de los animales. ☞ **trasero, asentaderas, derriere.**

— que tiene temor: *culero.*

culpable Responsable de un delito o una mala acción. ☞ **culposo.** ❖ INOCENTE.

— circunstancia de ser culpable: *culpabilidad.*

— falta grave: *culpa.*

— atribuir a alguien la realización de un delito o de una mala acción: *culpar, culpabilizar.*

culto, -ta 1. Persona que tiene amplios conocimientos sobre diversos temas. ☞ **instruir, instruido.** ❖ IGNORANTE, ZAFIO.

— desarrollo intelectual: *cultura.*

— dar cultura: *culturizar.*

— que pertenece o se relaciona a la cultura: *cultural.*

2. Sentimiento de veneración por alguien o algo. ☞ **admirar, admiración.**

— *Las civilizaciones antiguas le rendían culto a la naturaleza.*

cumbre Punto más alto de algo. ☞ **cima.**

cumplimentar Halagar una persona.
☞ **halagar.**
— halago: *cumplido.*

cumplir 1. Realizar lo pactado. ☞ **efectuar.** ❖ INCUMPLIR.
— *Cumplió su compromiso de matrimonio.*
2. Hacer lo que se debe. ☞ **observar.**
— *Al tener la mayoría de edad, hay que cumplir con el servicio militar.*
— que es responsable: *cumplido.*
— acción de cumplir: *cumplimiento.*
— llegar a determinada edad: *cumplir años.*
— celebración por haber nacido ese día: *cumpleaños.*

cúmulo Acumulación de objetos.
☞ **acumular.**

cuna Cama para bebés.

cundir Extenderse algo. ☞ **propagar.**

cuneiforme En forma de cuña.
— instrumento curvo para hender objetos: *cuña.*

cuneta Parte lateral de una carretera.
☞ **carretera.**

cuñado, -da Hermano o hermana del esposo. ☞ **pariente.**
— parentesco entre cuñados: *cuñadía.*

cuño Bloque de acero para grabar.
☞ **acuñar, troquel.**

cuota Cantidad fija que se paga por un servicio o mercancía.

cuplé Canción popular, principalmente en España, de principios de siglo.
☞ **cantar.**
— que canta cuplés: *cupletista.*

cupo Lo que cabe dentro de algo.
☞ **caber, cabida.**

cupón Documento que se da a cambio de algo. ☞ **vale.**

cúpula Techo esférico de un edificio.
☞ **domo.**
— construcción cilíndrica entre la cúpula y los arcos: *cimborio.*
— cúpula con ventanas alrededor: *linterna.*

— muro cilíndrico que sostiene una cúpula: *tambor.*

cura Sacerdote católico. ☞ **padre, sacerdote.**

curar 1. Sanar una herida o enfermedad. ☞ **sanar.** ❖ ENFERMAR.
— *El médico especialista que cura animales es el veterinario.*
— que sirve para curar: *curativo.*
— aplicación de remedios: *cura.*
— persona que sin tener los conocimientos oficiales requeridos se dedica a ayudar y sanar enfermos: *curandero.*
— práctica del curandero: *curandería.*
2. Preparar las carnes para conservarlas. ☞ **conservar.**
— *Hay que curar el pescado.*

curia Organismo que se encarga de la organización de la Iglesia Católica.
— que pertenece o se relaciona a la curia: *curial, curialesco.*

curiosear Interesarse de manera ocasional y poco provechosa en algo.
☞ **meticheo, metichear.**
— deseo de conocer y enterarse: *curiosidad.*
— que se interesa profundamente por algo que no es de su incumbencia: *curioso, metiche.*

currículum Relación de datos personales de alguien. ☞ **historia.**
— plural de curriculum: *currícula.*
— planes de estudio de una institución educativa: *currícula.*

cursar Llevar una materia en la escuela.
☞ **estudiar.**
— materia específica llevada durante cierto tiempo: *curso.*
— que cursa: *cursante.*

cursi Que es ridículo y de mal gusto.
☞ **almíbar, almibaradp.**
— que tiene cualidad de cursi: *cursilería.*
— acto ridículo: *cursilada.*

cursivo, -va Tipo de letra que se escribe de modo seguido.

curso Movimiento de las aguas.

curtir Endurecer y secar la piel. ☞ **piel.**
— que está endurecido por la vida y la experiencia: *curtido.*
— taller donde se curten pieles: *curtiduría.*
— acto y resultado de curtir: *curtimiento, curtiembre.*

curul Asiento de un diputado. ☞ **silla.**

cultivar Preparar la tierra para la producción de plantas y frutos. ☞ **labrar.**
— acción de cultivar: *cultivo.*
— cultivo de árboles: *arboricultura.*
— cultivo de árboles frutales: *fruticultura.*
— cultivo de verduras, legumbres y frutos que necesitan riego: *horticultura.*
— cultivo del olivo y elaboración de su aceite: *oleicultura.*
— cultivo de prados: *praticultura.*
— elaboración de vinos: *vinicultura.*
— cultivo de la vid: *viticultura.*

curva Línea que altera su dirección sin producir ángulos. ☞ **círculo.**
— cualidad de curvo: *curvatura.*
— dar a un objeto forma curva: *encorvar, curvar, combar.*

cúspide Punto culminante de algo.
☞ **cima, cumbre.**
— punta de un diente: *cúspide.*

custodiar Vigilar algo. ☞ **cuidar, guardar.**
— acción de custodiar: *custodia.*
— recipiente donde se coloca el Santísimo Sacramento y se muestra a los feligreses en el altar: *custodia.*
— persona que custodia algo: *custodio.*

cutícula Película que cubre un organismo. ☞ **pellejo, piel.**
— relativo a la cutícula: *cuticular.*

cutis Piel de la cara. ☞ **tez.**
— relativo a la piel de las personas: *cutáneo.*

cuyo, -ya Partícula gramatical que indica posesión y relación. ☞ **pronombre.**
— especie de roedor: *cuyo.*

Ch

chabacano 1. Árbol frutal de corteza rojiza, flores rosadas y fruto amarillento.
— *El árbol de chabacano es un rosáceo.*
2. Fruto del mismo árbol. ☞ **drupa, fruto.**
— *Me encanta la mermelada de chabacano.*
3. De mal gusto, vulgar. ❖ FINO, REFINADO, DELICADO.
— *Es muy chabacana, siempre mastica chicle con la boca abierta.*

chablis (vea recuadro de bebidas). Vino blanco seco francés.

chacalín Variedad de camarón pequeño mexicano. ☞ **acocil.**

chac mool Escultura de piedra que representa una figura humana recostada sobre sus caderas, con las piernas semiflexionadas y las manos sosteniendo generalmente un recipiente que se apoya en el vientre. Estas esculturas pertenecen al arte del Nuevo Imperio de los mayas.
— *Un bello chac mool se encontró en Chichén Itzá.*

chacota Gritería alegre debida a chistes y bromas con que se celebra algo. ☞ **burla, guasa, chanza.**
— burlarse o bromear y divertirse haciendo escándalo: *chacotear.*
— bromista empedernido: *chacotero.*

chacuaco Horno especial para fundir minerales de plata.
— fumar excesivamente: *fumar como chacuaco.*

chachalaca 1. Variedad de gallinácea mexicana. ☞ **ave.**
— *La chachalaca no tiene cresta.*
— conjunto de chachalacas: *chachalaquero.*
2. Que es muy charlatán o parlanchín.
— *Irá a la reunión la chachalaca de Manuela.*
— hablar mucho: *chachalaquear.*
— conversación ruidosa: *chachalaqueo.*

cháchara 1. Cualquier objeto de poco valor, baratija.
— *Me gusta comprar chácharas en el mercado.*
— persona que vende chácharas: *chacharero.*
— vender baratijas: *chacharear.*

2. Charla insustancial.
— *Nos la pasamos en la cháchara toda la tarde.*
— charlar, charlatanear: *chacharear.*

chafear Dejar de desempeñar algo con la eficacia, perfección, etc. con que antes se venía haciendo, dejar de operar o funcionar bien.
— corriente, de poca calidad: *chafa.*

chahuiztle Hongo que daña los cereales.
— tener mala suerte: *caer el chahuiztle.*

chal Prenda de vestir que utilizan las mujeres sobre los hombros para no sentir frío. ☞ **ropa.**

chalán 1. Que se dedica a negociar en compra y venta, siendo persuasivo y convincente.
— *¡Cuídate de los chalanes!*
2. Criado, sirviente, ayudante de albañil o del cobrador en vehículos de transporte.
— *Pide a un chalán que te ayude a cargar.*
3. ☞ **chalana, panga.**
— *Apúrate a subir los animales en el chalán.*

chalana Embarcación para transportar grandes cargas en ríos y lagos de poca profundidad. ☞ **chalán, panga.**

chale 1. Emigrante de China.
— *En Baja California hay muchos chales.*
2. ¡Caray!, exclamación frecuente en lengua hablada.
— *¡Chale! Por décima vez llegas tarde a trabajar.*

chalupa 1. Canoa pequeña y angosta muy ligera en acequias o entre chinampas.
— *En las chalupas de Xochimilco venden comida.*
2. Antojito mexicano hecho con masa de maíz de forma redonda u ovalada, que se fríe y se rellena con frijoles, queso, salsa picante, etc.
— *Le encanta almorzar chalupas.*

chamaco, -a Muchacho, desde el niño hasta el joven. ☞ **niño, muchacho.** ❖ ANCIANO.
— ser o estar joven: *ser chamaco, estar chamaco.*

chamagoso, -a Sucio o mugroso. ☞ **sucio, mugroso, mugriento.** ❖ LIMPIO.

chamarra Especie de chaqueta abierta al frente, que se cierra con zíper. ☞ **chaqueta.**

chamba Trabajo, ocupación. ☞ **trabajo, empleo.**
— trabajo temporal: *chambita.*
— trabajar: *chambear.*
— que es muy trabajador: *chambeador.*

chambón, -a Que hace las cosas mal, que es descuidado y poco eficiente para el trabajo. ☞ **torpe, inhábil.** ❖ CUIDADOSO, HÁBIL.

chambra Suéter que usan los bebés.

chamizal Terreno donde crecen chamizos o arbustos.
— arbusto de las zonas áridas de México: *chamizo.*

chamorro 1. Parte de la pierna del cerdo.
— *Le encanta comer chamorros.*
2. Pantorrilla de mujer, particularmente la gruesa.
— *Esa chica tiene unos chamorros muy bien torneados.*

champaña (vea recuadro de bebidas). Bebida alcohólica francesa.

champurrado Atole de chocolate, bebida mexicana. ☞ **atole.**

chamuco Forma coloquial de referirse al diablo. ☞ **diablo, demonio.**

chamuscar Quemar o achicharrar. ☞ **fuego.**
— ponerse en evidencia frente a los otros: *chamuscarse, quemarse.*

chancla Zapato muy usado y viejo, con el talón doblado y aplastado.
— emborracharse: *ponerse hasta las chanclas.*
— caerse: *dar el chanclazo.*
— caminar desenfadado haciendo ruido: *chanclear.*

chanchullo Asunto ilícito, tramposo o sucio para lograr algo.
— ilegal, deshonesto, falso o tramposo: *chueco.*

changarro Tienda pequeña. ☞ **tienda, tendajón.**
— expresión usada para pedir a alguien, con cierto afecto, que cuide de lo que se hace en una oficina, local de un negocio o algo similar mientras la persona que lo pide no está: *te encargo el changarro.*

chango Nombre genérico de distintas variedades de monos pequeños. ☞ **mono, simio.**

— ponerse abusado o aguzado, avivarse: *ponerse chango.*

chantaje Amenaza contra alguien de dar a conocer información confidencial sobre él y así obligarlo a hacer algo determinado, generalmente pagar cierta cantidad de dinero para que no se lleve a cabo esa amenaza. ☞ **extorsión.**

chanza Broma o burla graciosa. ☞ **burla, broma.**

chapa 1. Mecanismo para cerrar. ☞ **cerradura.**

— *La chapa de la puerta de mi casa es muy segura.*

2. Hoja de madera, metal o algo similar. ☞ **plancha, placa.**

— *La mesa del comedor tiene una chapa de nogal.*

3. Rubor de las mejillas. ❖ PALIDEZ.

— *¡Qué bonitas chapas tiene esta niña!*

— que tiene un color rosado fuerte en las mejillas: *chapeado, chapeteado.*

chaparro, -a 1. De corta estatura, tratándose de alguien, o que es más ancho que alto, algo. ☞ **bajo.** ❖ ALTO, GRANDE.

— *Esa niña está muy chaparrita para la edad que tiene.*

2. Variedad de arbusto americano.

— *Los chaparros tienen hojas muy ásperas.*

chapopote Sustancia negra y espesa derivada del petróleo, usada para asfaltar caminos y para impermeabilizar techos. ☞ **asfalto.**

chapotear Nadar jugando, salpicando y haciendo ruido.

— pequeña piscina para niños: *chapoteadero.*

chapucero, -a 1. Que trabaja con suciedad, torpeza o descuido y hace las cosas mal; persona que trabaja de esta manera. ❖ ESMERADO, CUIDADOSO.

— *Es un chapucero; mira qué mueble me hizo, no se sabe si es mesa o banco.*

— obra hecha con descuido: *chapucería, chapuza.*

2. Tramposo, embustero, deshonesto, sucio.

— *Es de lo más chapucero para los negocios.*

chapulín Variedad de saltamontes mexicano.

chaqueta Prenda exterior de vestir, de manga larga, que cubre la parte superior del cuerpo. ☞ **chamarra.**

— cambiar de partido político o de opinión: *cambiar de chaqueta.*

— traicionar: *chaquetear.*

— traidor: *chaquetero.*

— masturbarse: *hacerse una chaqueta, chaquetearse.*

charal 1. Pez diminuto mexicano de agua dulce, comestible.

— *Me gustan los charales bien doraditos.*

2. Persona o animal extremadamente delgado.

—*Después de tanta desvelada se quedó hecho un charal.*

charamusca 1. Variedad de dulce mexicano de harina en forma de tirabuzón, acaramelado.

— *En los puestos del mercado había galletas y charamuscas.*

2. Algo que se retuerce o forma espirales al quemarse.

— *Todo ese papel periódico se hizo charamusca en el fuego.*

charlar Hablar mucho y animadamente, sin ningún propósito. ☞ **platicar, conversar.** ❖ CALLAR.

— que habla mucho y no dice nada, o por lo menos nada sustancial: *charlatán.*

— embaucador, que promete cosas que no cumple: *charlatán.*

— palabrería, locuacidad: *charlatanería.*

— persona que da pláticas literarias: *charlista.*

— aficionado a platicar: *charlador.*

charola Pieza plana de la vajilla que se utiliza para servir o presentar cosas. ☞ **bandeja.**

— facilitarle a alguien las cosas: *dar algo en charola de plata.*

— credencial o identificación de alto rango: *charola.*

— brillar: *charolear.*

— ser influyente: *dar el charolazo.*

charro 1. Jinete mexicano, hábil en el manejo y doma de caballos, que viste de manera peculiar.

— *Hay muchas películas mexicanas protagonizadas por charros.*

— conjunto de suertes y actividades que practican los charros: *charrería.*

— exhibición de las habilidades de los charros: *charreada, jaripeo.*

2. Que se relaciona con los charros.

— *La silla charra lleva adornos muy vistosos.*

— lugar donde se realizan las charreadas o jaripeos: *lienzo charro.*

— patizambo: *de piernas charras.*

3. Que es de mal gusto o ridículo.

— *¡Qué vestido tan charro! Yo le quitaría los listones morados y los holanes.*

4. Que traiciona los intereses gremiales que aparenta defender, tratándose de líderes o sindicatos principalmente.

— *El sindicato charro pactó con el*

dueño de la fábrica y sólo nos dan el 2% de aumento.*

chatarra Conjunto de cosas inservibles metálicas, desechos o desperdicios, principalmente de hierro.

chato, -ta 1. De nariz pequeña y roma. ☞ **ñato.** ❖ NARIZÓN, NARIGÓN.

— *Es de cara pequeña, chato y de labios finos.*

2. Que es pobre, de baja o escasa condición o mezquino.

— *Sus aspiraciones son muy chatas.*

chavo, -a Muchacho. ☞ **joven, adolescente, chico.** ❖ VIEJO, ANCIANO.

chayote 1. Planta trepadora americana que produce un fruto comestible.

— *Las hojas del chayote son grandes y ásperas.*

2. Fruto de esta planta, llamada también chayotera.

— *Los chayotes tienen un sabor ligeramente dulce.*

— realizar tareas muy arduas y tormentosas o estar en una situación dura y difícil.: *parir chayotes.*

checar Comprobar el funcionamiento, exactitud o veracidad de algo, vigilar el comportamiento de alguien o dar validez a un comprobante marcándolo. ☞ **supervisar, controlar.**

— tener un horario fijo en el trabajo: *checar tarjeta.*

chef Jefe de cocina. ☞ **comida.**

chía 1. Planta mexicana que produce una semilla comestible.

— *La chía alcanza hasta metro y medio de altura.*

2. Semilla de esta planta.

—*Las chías son gruesas y de color un poco negro.*

— bebida refrescante hecha con chía, jugo de limón y agua azucarada: *agua de chía.*

chico, -ca 1. Que es pequeño de tamaño. ❖ ALTO.

— *Tu cara es más chica que la mía.*

2. Niño o muchacho.

— *Sus amiguitos son buenos chicos.*

chicha (vea recuadro de bebidas). Bebida alcohólica americana.

— sin características propias, ni una cosa ni otra: *ni chicha ni limonada.*

— en completa quietud: *en calma chicha.*

chichicuilote Variedad de ave acuática mexicana.

— piernas largas y flacas: *piernas de chichicuilote.*

chicho, -cha Que domina cierta actividad o conocimiento, que es muy bueno para algo.

— ser muy presumido, creerse mucho, sentirse el mejor: *creerse o sentirse el muy chicho.*

---

chiflar Producir silbidos o sonidos agudos al juntar los labios. ☞ **silbar.**
— loco: *chiflado.*
— locura, fantasía: *chifladura.*
— enamorarse: *chiflarse.*
— expresión que significa que alguien salió mal en un negocio, que no obtuvo lo deseado debido a su torpeza: *quedar como el que chifló en la loma.*

chiflón 1. Corriente de aire, especialmente la que es fuerte y molesta.
— *Cierra la puerta, que me da el chiflón.*
2. Objeto que se adapta a las mangueras y que hace que el agua salga con más presión.
— *Ponle el chiflón a la manguera.*

chilacayote Variedad mexicana de planta y fruto de la calabaza común. ☞ **calabaza.**

chilaquiles Guiso mexicano que se prepara cociendo los recortes de tortillas fritas con salsa de chile y jitomate o tomate verde. Se le agrega cebolla, queso y crema al servirlos.

chile Variedad de planta y fruto picante de origen americano. ☞ **pimiento, ají.**
— persona que vende o cultiva chile: *chilero.*
— alimento excesivamente picante: *chiloso.*
— bebidas a base de chile y maíz: *chileatole, chilatole, chilate.*
— miembro viril: *chile.*

chilpayate Niño pequeño o hijo cuando es pequeño. ☞ **bebé.**

chillar 1. Lanzar quejidos o lamentos, vociferar. ☞ **gritar.** ❖ CALLAR.
— *Chilló mucho cuando se pegó con el martillo.*
— quejumbroso, que de todo se lamenta: *chillón.*
— grito, quejido: *chillido.*
2. Derramar lágrimas. ☞ **llorar.** ❖ REÍR.
— *Las telenovelas la tienen chillando toda la tarde.*
— que llora constantemente o que llora por cualquier cosa: *chillón.*
— lloradera: *chilladera.*

chimenea Conducto o túnel por donde sale el humo que produce la combustión de algo; conjunto del conducto de salida del humo, el hogar o hueco en la pared al nivel del suelo donde se coloca el combustible, la campana o manto y las dos columnas donde se apoya la campana. ☞ **parachispas.**

chimpatlán Variedad de roedor de origen americano. ☞ **ardilla voladora, asapán.**

chinampa Terreno rectangular, original-mente flotante, hecho a base de cañas, piedras y tierra, en el que se cultivan verduras, frutas y flores. Se construían en las lagunas del valle de México. Actualmente siguen siendo el sistema de cultivo en Xochimilco. ☞ **canales.**

chincualear Andar siempre de paseo o en fiestas y diversiones, alborotarse. ☞ **pasear.**

chingar 1. Perjudicar o molestar intensamente a alguien, dañarlo o amolarlo, ofenderlo e insultarlo. ☞ **ofender, fregar.** ❖ RESPETAR.
— *A ese muchacho le gusta chingar a la gente.*
— causarle a alguien un daño o perjuicio muy grave, ganarle en una competencia o concurso, violar o matar a una persona: *chingarse a alguien.*
— molestarse uno terriblemente por trabajar en exceso, someterse a una presión muy fuerte: *chingarse.*
— molestia excesiva o dolorosa por verse obligado a hacer tareas agobiantes: *chinga.*
— con gran esfuerzo o con fuerte presión ante una obligación o trabajo: *en chinga.*
— hecho que causa molestia o indignación, o perjudica a alguien: *chingadera.*
— que molesta o fastidia excesivamente a otros, que abusa de ellos: *chingón.*
— que molesta constantemente en forma más o menos disimulada: *chingaquedito.*
— que está en muy mala situación o en un estado lamentable: *chingado.*
— golpe o caída violenta y fuerte producida por una situación adversa o por alguna cosa: *chingadazo.*
— muy perjudicado o molesto, lleno de problemas graves: *de la chingada.*
— estar alguien en una situación desesperada o morirse alguien: *llevárselo la chingada, irse a la chingada.*
— ser una persona que abusa de otros o que los fastidia con mala fe: *ser un hijo de la chingada.*
— mandar a alguien o algo muy lejos de uno por ser muy molesto y dañino: *mandar a la chingada.*
— en un lugar muy distante o alejado: *en la chingada, en casa de la chingada.*
— expresión que indica la molestia que causan los pretextos de alguien: *déjese de chingaderas o déjate de chingaderas.*
— conjunto numeroso de cosas o personas: *chingo.*
2. Echar a perder una cosa o descom-

ponerla. ☞ **fregar.** ❖ ARREGLAR, COMPONER.
— *Por andar jugando con el radio ya lo chingaste.*
— descomponerse algo: *chingarse, llevárselo la chingada o irse a la chingada.*
— objeto de mala calidad o de poco valor, cosa despreciable: *chingadera.*
— hecho admirable por su calidad o belleza: *chingonería.*
— que es muy brillante o hábil en algo, que lo conoce o domina: *chingón.*

chínguere Cualquier bebida embriagante de aguardiente.

chípil 1. Que se encuentra berrinchudo, mimoso o caprichoso, tratándose de un niño, por el embarazo de su madre.
— *Está chípil desde que le dijeron que va a tener un hermanito.*
2. Hijo menor de la familia. ☞ **benjamín.**
— *Roberto es el chípil de la casa.*

chipote Protuberancia que se forma en la cabeza como resultado de un golpe. ☞ **chichón.**

chiquear Mimar o consentir a alguien. ☞ **consentir.**
— mimado: *chiqueado.*
— persona a la que le gusta mimar a otras: *chiqueador.*
— parche que con algún remedio se coloca en la sien para curar el dolor de cabeza: *chiqueador.*

chiripa Casualidad. ☞ **azar.** ❖ CERTIDUMBRE, CERTEZA, SEGURIDAD.
— de casualidad: *de chiripa.*
— casualidad extrema: *chiripazo.*

chirrión Látigo burdo que usaban los carreteros.
— expresión que indica que algo sale de manera contraria a la esperada: *voltéársele el chirrión por el palito.*
— exclamación de asombro o de inconformidad: *¡Ah chirrión!, ¡Ay chirrión!*

chisme 1. Noticia o informe sobre alguien, que puede enemistarla con otras personas o causar confusión en quienes lo reciben. ☞ **habladuría, murmuración.**
— *Hay gente ociosa que vive del chisme.*
— contar chismes: *chismosear, chismear, chismorrear.*
— que cuenta chismes, que le gustan los chismes: *chismoso.*
— acción y resultado de chismosear o chismorrear: *chismorreo.*
— descripción o relación de chismes y ocupación de chismosear: *chismografía.*
— que le gusta contar chismes o se dedica a contarlos: *chismógrafo.*

2. Objeto pequeño e intrascendente.
— *Le encanta comprar chismes en los mercados.*

chispa 1. Destello, partícula luminosa o encendida que descarga algo prendido.
— *Del taladro salían chispas.*
— enojarse mucho: *echar chispas.*
— provocar algo: *encender la chispa.*
2. Diamante o brillante muy pequeño.
— *Los aretes tenían chispas.*
3. Ingenio, agudeza, gracia o encanto. ❖ SOSERÍA, ANTIPATÍA.
— *Esa muchacha tiene mucha chispa.*
4. Porción pequeña de algo. ☞ **pizca.**
— *Le gusta el helado con unas chispas de chocolate.*
— nada: *ni chispa.*
— ligeramente bebido: *achispado.*
— ¡caray!: *¡chispas!*
5. Gotita de lluvia.
— *Apenitas caen unas chispas en la tarde.*

chiste 1. Ocurrencia o anécdota pequeña que se cuenta para hacer reír.
— *Contó un chiste que me hizo llorar de tanta risa.*
— chiste con matices sexuales: *chiste verde, chiste colorado, chiste de color.*
— insulso: *sin chiste.*
2. Situación divertida o hecho en el que se da a entender algo con la finalidad de divertir. ☞ **broma, gracia.**
— *Le dijeron que le darían un coche si terminaba la preparatoria y el chiste fue que le dieron un coche de juguete.*
— irrisorio: *de chiste.*
— ni de casualidad, ni por azar: *ni de chiste.*
— lo importante es, lo interesante es: *el chiste es.*
— tener algo importancia: *tener chiste.*
— tener una cosa su dificultad: *tener su chiste.*
3. Asunto supuestamente insignificante que resulta perjudicial.
— *El chiste le valió el divorcio.*

chocar 1. Golpear violentamente algo o alguien contra una cosa u otra persona. ☞ **golpe.**
— *Mi coche chocó con un camión en la carretera.*
— colisión: *choque.*
2. Disputar dos personas o dos grupos contrarios entre sí. ☞ **enfrentar.** ❖ CONCORDAR, AVENIRSE.
— *Las autoridades chocan constantemente con sus subordinados.*
— pelea, disputa, contienda: *choque.*

— fuerza o grupo preparado para atacar violentamente: *fuerza de choque, grupo de choque.*
— olvidar las desavenencias dos personas y quedar como amigos: *chocarla, chocar las manos.*
— brindar: *chocar las copas.*
3. Resultar algo o alguien antipático, molesto o enojoso.
— *Le chocan muchísimo los machistas, pero también las feministas.*
— antipático, molesto, irritante: *chocante.*
— impertinencia: *chocantería.*

chocolate 1. Pasta comestible preparada con granos de cacao molidos y tostados, azúcar, vainilla o canela.
— *Los aztecas hacían chocolate antes de la llegada de los españoles.*
— tipos: *amargo, blanco, a la española, a la francesa, a la mexicana, en tablillas, en polvo, derretido, trufas, confitados, rellenos, chispas.*
2. Bebida elaborada con agua o leche y esta pasta.
— *Cada mañana se toma un vaso de chocolate.*
3. Dulce, golosina o bombón preparado con esa pasta.
— *Me regaló una caja de chocolates el día de mi santo.*
— molesto, enojado: *como agua para chocolate.*
— hacerle a una persona lo que ella hace a los demás: *darle una sopa de su propio chocolate, darle agua de su propio chocolate.*
— utensilio para batir el chocolate: *molinillo.*

chocho, -a 1. Que tiene disminuidas las facultades mentales por efecto de la edad. ☞ **decrépito, senil.** ❖ JOVIAL.
— *Con tantas enfermedades parece un viejo chocho.*
— perder facultades: *chochear.*
— hecho o acción de una persona que chochea: *chochez.*
2. Dulce redondo, pequeño y multicolor.
— *A los niños les gustan los pasteles con chochos.*
3. Medicina homeopática presentada como dulce redondo. ☞ **homeopatía, salud, enfermedad.**
— *Mi médico me receta chochos.*

chongo 1. Moño de pelo.
— *Siempre la peinan de chongo.*
— llegar a las manos dos o más mujeres, pelearse: *agarrarse del chongo.*
2. Dulce de leche cuajada, miel y canela.

— *Le encantan los chongos zamoranos.*

chorcha Situación festiva en la que predomina el bullicio y la alegría. ☞ **bullicio, algarabía.** ❖ SERIEDAD, SILENCIO.
— aficionado a fiestas: *chorchero.*

chorrear Fluir, brotar, escurrir o caer agua ☞ **agua, empapar.**
— diarrea: *chorrillo.*

choteo Burla o broma. ☞ **burla, mofa, pitorreo.**
— poner en ridículo un asunto o a una persona: *chotear.*
— acción y resultado de chotear: *choteada.*
— que está muy visto: *choteado.*

choza Cabaña pequeña, habitualmente de paja y adobe.

chubasco Aguacero intenso. ☞ **lluvia.**

chulear Piropear a alguien, hacerle halagos. ☞ **alabar, elogiar.**
— ¡qué bonito, qué hermosura o qué preciosidad de...!: *¡qué chulada de...!*
— bonito, lindo: *chulo.*

chupar 1. Absorber un líquido o algo jugoso con la boca; succionar con los labios. ☞ **sorber, succionar.**
— *El niño chupó el caramelo.*
— objeto que usan los niños para que se entretengan chupándolo y no pidan el pecho para mamar: *chupón.*
— acción y resultado de chupar con fuerza: *chupetón.*
— delicioso: *¡de rechupete! ¡como para chuparse los dedos!*
— no confiar: *no chuparse los dedos.*
2. Tomar bebidas alcohólicas. ☞ **emborracharse.**
— *Chupó en la fiesta y tuvo una cruda espantosa.*
— trago, bebida alcohólica: *chupe.*

churrigueresco (vea recuadro de estilos arquitectónicos). Estilo arquitectónico barroco de origen español caracterizado por una excesiva ornamentación. ☞ **arte.**

churro 1. Postre de forma cilíndrica, hecho con masa de harina y aceite, que se fríe y se sirve con azúcar.
— *Ayer cené churros con chocolate.*
— de casualidad, de manera accidental: *de churro.*
2. Cosa de mala calidad.
— *Esta película es un churro.*

chusco Que tiene gracia y humor. ☞ **gracioso, cómico.** ❖ SOSO.

chusma Conjunto de gente ordinaria y plebeya; populacho ☞ **plebe, vulgo.**

chutar Lanzar el balón con el pie. ☞ **patear, futbol.**

D

daca Voz que significa da o dame acá. ☞ **presta**. ❖ TOMA.

dacapo Término musical que indica que debe volverse al principio de un fragmento en una composición.

dactilar Que pertenece a los dedos o se relaciona con ellos. ☞ **digital**.
— semejante a un dedo: *dactilado*.
— arte de hablar con un abecedario manual: *dactilología*.

dadaísmo Movimiento artístico de vanguardia surgido en 1916, que se caracterizó por su oposición a los valores artísticos vigentes en la época, los cuales intentó desacreditar para sustituirlos con lo incongruente y lo accidental.
— que pertenece al dadaísmo o se relaciona con él: *dadá, dadaísta*.

dádiva Cosa que se da. ☞ **don, regalo, donación**.
— que da con generosidad: *dadivoso*.
— regalar, donar: *dadivar*.
— de forma generosa: *dadivosamente*.
— generosidad, magnanimidad: *dadivosidad*.

dado 1. Pieza de forma cúbica, que en cada una de sus caras tiene señalados puntos o figuras desde uno hasta seis, y que sirve para diversos juegos.
— *Los antiguos romanos ya jugaban a los dados*.
— alterar el peso de los dados para obtener un resultado deseado: *cargar los dados*.
— regañar: *poner como dado*.
2. Piedra cúbica que sirve de pedestal a una columna o de asiento a un poste.
— *El dado de ese pilar está hermosamente labrado*.
3. Que se da, dado. ☞ **regalado, entregado, cedido, traspasado**.
— *Le fue dado un premio por su valor*.

dador, -ra Que da. ☞ **portador, comisionado, librador**.
— que lleva una carta o que firma una letra de cambio: *dador*.
— que dona su sangre: *dador*.

dalia Planta mexicana de jardín que en verano da flores de color amarillo.

dama 1. Señora distinguida. ☞ **mujer, ama, cortesana, matrona, dueña, doncella, reina**. ❖ MUJERZUELA.
— *Todos respetan a tu abuela, pues es una dama*.
— acompañantes de la reina, la princesa

o las infantas: *damas de compañía*.
2. Pieza en el juego de damas.
— *Las damas chinas se juegan con canicas, y las damas españolas con fichas*.
3. Reina en el juego de ajedrez.
— *La dama es de marfil y el rey de ébano*.
4. Losa que cierra por delante la cavidad de un horno para fundir.
— *La dama está rajada y no es posible fundir metales hasta repararla*.

damisela Muchacha joven y soltera que presume de dama. ☞ **señorita, damita, doncella, moza**. ❖ PROSTITUTA.

damnificar Causar daño. ☞ **perjudicar, lesionar**. ❖ AYUDAR, MEJORAR.
— perjudicado, víctima, dañado, afectado: *damnificado*.
— que causa daño o deterioro: *damnificador*.
— menoscabo, extorsión, detrimento, deterioro: *damnificación*.

dandy Hombre elegante. ☞ **dandi, petimetre, figurín, elegante, extravagante**.

danza Baile y música con que se acompaña. ☞ **baile, ballet**.
— conjunto de movimientos que se ejecutan al compás de la música: *danza*.
— que baila: *danzador, danzante*.
— que es activo y diligente: *danzante*.
— que pertenece a la danza o se relaciona con ella: *dancístico*.

danzar Agitar con movimientos rítmicos el cuerpo siguiendo el compás de una música ☞ **zapatear**.
— que baila con destreza: *danzarín*.
— salón de baile: *dancing*.
— baile cubano: *danzón*.
— bailar danzones: *danzonear*.

dañar 1. Causar perjuicio, malestar o dolor. ☞ **maltratar, perjudicar, menoscabar**.
— *No me aprietes tan fuerte que me dañas*.
2. Descomponer, echar a perder una cosa. ☞ **preservar, conservar**.
— *Dejé la sandía fuera del refrigerador toda la noche y se dañó*.
— que causa perjuicio, dolor, molestia, malestar: *dañino, dañoso*.
— que está alterado de sus facultades mentales: *dañado*.

— susceptible de ser condenado: *dañable*.

daño Estropicio, detrimento, menoscabo. ☞ **avería, destrucción, agravio, mal, perjuicio**. ❖ BENEFICIO, MEJORA.
— resultado de causar maltrato: *daño*.
— de forma peligrosa: *dañosamente*.
— que daña: *dañoso*.

dar 1. Donar, regalar. ☞ **entregar, otorgar**. ❖ QUITAR.
— *Mi abuelo me dio un reloj en mi cumpleaños*.
2. Entregar.
— *El estafador se dio preso al verse rodeado de policías*.
3. Conferir.
— *El jefe le dio el cargo de gerente*.
4. Aplicar, ordenar.
— *Los médicos dan el remedio, mas tu has de seguir sus instrucciones*.
5. Conceder, otorgar.
— *Me dieron mi licencia para conducir a los dieciocho años*.
6. Producir.
— *Los manzanos dan frutos jugosos y alimenticios*.
7. Causar.
— *Me da mucha tristeza verte enfadado*.
8. Untar, bañar.
— *Dale otra mano de pintura a la mesa, o se verá muy opaca*.
9. Sonar las horas en un reloj.
— *¡Vámonos, ya dieron las doce!*
10. Sobrevenir.
— *Le dio un ataque al corazón por la impresión que recibió*.
11. Acertar.
— *Diste en el blanco al comportarte tan ecuánime*.
12. Empeñarse en una idea.
— *Al volverse viejo, le dio por inventar cosas que no habían sucedido*.

datar 1. Anotar la fecha y el lugar en que sucede alguna cosa. ☞ **anotar, fechar, registrar**.
— *Los médicos datan la aparición de los primeros síntomas de una enfermedad para combatirla*.
— indicación de lugar y tiempo en un documento: *data*.
2. Haber tenido principio una cosa en un tiempo determinado.
— *Nuestra amistad data del año pasado*.

dato 1. Antecedente necesario para llegar al conocimiento exacto de una cosa. ☞ **documento, testimonio, fundamento, apunte**.

— *El detective analizó los datos y así pudo descubrir al ladrón*.

— filiación, identificación, historial, documento certificado: *datos*.

2. Título de alta dignidad en los países de Oriente.

— *El dato de este gran hombre es equivalente al de conde*.

dauco Biznaga de tallos lisos.

deambular Andar sin dirección determinada. ☞ **errar, pasear, vagar, caminar**.

— conjunto de naves o galerías transitables que rodean la capilla mayor de una iglesia: *deambulatorio*.

deán Jefe de diez monjes en un monasterio.

— grado más antiguo de cada facultad en una universidad: *deán*.

— dignidad del deán: *deanato, deanazgo*.

— territorio del deán: *deanato*.

debajo Situado en lugar inferior respecto de otra cosa. ☞ **abajo**. ❖ SOBRE, ENCIMA, ARRIBA.

— *Pásame el libro que está debajo de la lámpara*.

2. Con sujeción o sumisión a otra persona. ☞ **sumiso**.

— *Los inspectores están debajo del jefe de la oficina*.

debate Discusión de un asunto entre varias personas. ☞ **controversia**.

— lucha, contienda: *debate*.

debatir Intercambiar opiniones, discutir un asunto. ☞ **polemizar, contradecir, confrontar**. ❖ ACORDAR.

debe Parte de una cuenta que indica las deudas. ☞ **débito, deuda, egreso**. ❖ INGRESO.

deber 1. Estar obligado moral o socialmente a algo. ☞ **responsabilidad, compromiso, juramento, imposición**. ❖ IRRESPONSABILIDAD.

— *Debo ver por mis hijos, pues están muy jóvenes*.

2. Tener obligación de pagar o estar en deuda. ☞ **deuda**.

— *Debo dos años de impuestos y estoy muy preocupado*.

3. Tener por causa.

— *La inflación se debe a la mala administración*.

4. Tarea para hacer fuera de clases. ☞ **ejercicio**.

— *El niño cumplió con sus deberes y obtuvo buenas calificaciones*.

— tareas o comisiones que hay que cumplir: *deberes*.

— cumplidamente: *debidamente*.

débil De poco vigor o fuerza. ☞ **endeble, frágil. delicado, enclenque**. ❖ ROBUSTO, FUERTE.

— deficiente en lo físico o en lo moral: *débil*.

debilidad Falta de vigor, energía o fuerza física.

— flaqueza de ánimo: *debilidad*.

debilitar Disminuir la fuerza o el poder. ☞ **minar, agotar**. ❖ ROBUSTECER.

— que debilita: *debilitador, debilitante*.

débito Deuda.

— anotar el debe en una cuenta: *debitar*.

— antiguo contrato de venta al fiado: *debitorio*.

debut Primera presentación de un artista o de una obra.

debutar Estrenarse, presentarse por primera vez en público.

— que aparece por primera vez ante el público: *debutante*.

década 1. Periodo de diez días o diez años. ☞ **decenio**.

— *Fue gerente por dos décadas y luego se jubiló*.

2. Historia de diez personajes.

— *Escribió décadas de próceres americanos*.

3. Parte de una obra compuesta de diez libros o capítulos.

— Décadas *de Tito Livio es un libro muy ilustrativo*.

4. Serie o conjunto de diez. ☞ **decena**.

— *Tengo una década de comics, ¿quieres leerlos?*

— prefijo que significa diez: *deca*.

decadencia Principio de la ruina. ☞ **ocaso, deterioro, degradación, destrucción**. ❖ PROGRESO, OPULENCIA, GLORIA.

— movimiento literario que surgió en París a fines del siglo XIX: *decadentismo*.

— partidario del decadentismo: *decadentista*.

— que está minándose: *decadente*.

— que está en decadencia: *decaído*.

decaer Ir a menos, perder sus cualidades o facultades algo o alguien. ☞ **desmoronarse, debilitarse, declinar, flaquear**. ❖ AUMENTAR, FORTALECER.

decaimiento Decadencia. ☞ **desaliento, debilidad, postración, abatimiento**.

— debilidad física: *decaimiento*.

decálogo Los diez mandamientos que Dios impuso al pueblo hebreo.

decapitar Cortar la cabeza. ☞ **degollar, guillotinar, descabezar**.

— acción de decapitar: *decapitación*.

decena Conjunto de diez unidades.

— que se repite cada decenio o dura diez años: *decenal*.

— que pertenece al número diez o se relaciona con él: *decenario*.

decencia Decoro y buenas costumbres con las que una persona vive y se

distingue. ☞ **dignidad, compostura, pudor, modestia, recato, honestidad**. ❖ INDECENCIA, SUCIEDAD, DESHONOR.

— que vive conforme a la decencia: *decente*.

— de forma decente: *decentemente*.

decenio Periodo de diez años. ☞ **década**.

— décimo en orden: *deceno*.

decepción Pesar causado por un desengaño. ☞ **contrariedad, desilusión, desencanto, chasco**.

— desilusionado, desengañado: *decepcionado*.

— penoso, amargo: *decepcionante*.

decepcionar Desengañar. ☞ **desilusionar**. ❖ ILUSIONAR.

deceso Muerte natural o civil. ☞ **fallecimiento, defunción, desaparición**.

decibel Unidad de medida para expresar la intensidad del sonido. ☞ **decibelio**.

decible Que se puede decir.

— facultad de hablar, verbosidad: *deciderar*.

— que se puede decir sin reparo: *decidero*.

decidir 1. Dar solución definitiva a cualquier asunto. ☞ **determinar, fallar, disponer**.

— *Decidí terminar las obras esta semana*.

2. Persuadir a alguien a que tome cierta determinación.

— *Lo ayudó a decidir qué traje ponerse*.

— resuelto, enérgico, audaz: *decidido*.

— con decisión, con seguridad: *decididamente*.

decidor Agradable y ocurrente en su conversación.

décimo, -ma Cada una de las diez partes en que se divide un entero. ☞ **diezmo**.

decir 1. Expresar el pensamiento con palabras. ☞ **declarar, hablar**. ❖ CALLAR.

— *Antes de morir, mi padre dijo su última voluntad*.

2. Dicho oportuno y notable

— *Era famoso por sus decires graciosos*.

3. Asegurar, opinar.

— *Lo que yo diga debe creerse, pues fui testigo de los hechos*.

4. Nombrar, llamar.

— *Le dicen El Chato por la nariz que tiene*.

5. Contener los libros cierta doctrina.

— *Lo que dice el* Nuevo Testamento *es la vida de Jesús*.

decisión 1. Determinación, dictamen que se toma en un asunto. ☞ **resolución, acuerdo**. ❖ INDECISIÓN, VACILACIÓN.

— *Se tomó la decisión de continuar con el programa de limpieza urbana*.

2. Firmeza de carácter. ☞ **entereza.**

— *El presidente del consejo mostró gran decisión en sus actos.*

3. Sentencia que dicta un tribunal. ☞ **fallo.**

— *La decisión no te favorece; te dieron diez años de cárcel.*

decisivo, -va Que decide o resuelve un asunto; que conduce a un resultado definitivo. ☞ **tajante, terminante, concluyente, contundente.**

— decisivo: *decisorio.*

declamar 1. Recitar en público. ☞ **orar, decir.**

— *Los alumnos de secundaria declamaron un poema a la patria.*

2. Hablar en voz alta para ejercitarse en las reglas de la retórica.

— *El poeta declama sus versos para componerlos mejor.*

3. Hablar con vehemencia.

— *El abuelo declamaba sus razones con gran energía.*

— arte de declamar: *declamación.*

— que declama: *declamador.*

— tono enfático: *declamatorio.*

declaración 1. Acción y resultado de declarar o declararse.

— *Su declaración de amor fue mal recibida.*

2. Explicación o exposición de algo.

— *La declaración de las propiedades del átomo fue muy clara.*

3. Manifestación de un propósito.

— *El dirigente del partido leyó la declaración de sus lineamientos políticos.*

4. Información de carácter jurídico de un testigo o reo. ☞ **confesión.**

— *Hoy rindió su declaración* el acusado.

declarar 1. Manifestar algo. ☞ **expresar.** ❖ CALLAR, OCULTAR.

—*Declaró que retiraría su candidatura.*

2. Manifestar el ánimo.

— *Nuestro club declara estar a favor de la pena de muerte.*

3. Hacer declaración los reos y testigos.

— *Declaró ante el juez de distrito.*

declinar 1. Inclinarse hacia abajo. ☞ **debilitarse, bajar, caer.**

— *Las ramas más largas del sauce declinan hasta rozar el suelo.*

2. Ir hacia su fin una cosa.

— *Declinó el día.*

— caída, decadencia, ocaso: *declinación.*

3. No admitir. ☞ **rehusar, rechazar.** ❖ ACEPTAR, ACCEDER, ADMITIR.

—*Declinó su nombramiento, pues las condiciones no le convenían.*

— que declina: *declinante.*

— petición en que se declina un fuero o no se reconoce por competente el

juez ante quien se actúa: *declinatoria.*

4. Enunciar las formas que una palabra adopta para desempeñar las funciones correspondientes a cada caso gramatical.

— *El alumno declinó correctamente la palabra rosa en latín.*

declive Inclinación del terreno. ☞ **pendiente, desnivel.** ❖ SUBIDA, CUESTA.

— declive: *declividad, declivio.*

decolorar Quitar el color. ☞ **descolorar, desteñir.** ❖ TEÑIR.

— acción y resultado de decolorar: *decoloración.*

— sustancia que tiene la propiedad de decolorar: *decolorante.*

decomisar Declarar que una cosa tiene pena de confiscación. **incautar, requisar, confiscar, apropiar.**

— que decomisa: *decomisador.*

— pena de confiscación: *decomiso.*

decoración 1. Acción y resultado de decorar o adornar. ☞ **ornamentación, ambientación, renovación.**

— *La decoración del museo está hecha por expertos.*

2. Cosa que decora. ☞ **adorno.**

— *El tapiz es una decoración muy usual.*

3. Componentes de una escenografía en teatro.

— *El telón, las bambalinas y el mobiliario forman la decoración de la escena.*

— decoración, adorno: *decorado.*

— que pertenece a la decoración o adorno o se relaciona con ellos: *decorativo.*

decorar Adornar, hermosear una cosa o un sitio. ☞ **ornamentar, ambientar, engalanar.**

— que adorna o decora una cosa o un sitio: *decorador.*

decoro 1. Honor, respeto, reverencia.

—*Ante el Papa, debemos comportarnos con decoro.*

2. Recato, honestidad, pureza.

— *No perdió el decoro al tratar un asunto tan delicado.*

3. Estimación propia, honra. ☞ **pundonor.**

—*Mi decoro lo mantengo intacto con acciones honradas.*

4. Arte de decorar los edificios.

— *Llegó un especialista en el decoro de fachadas.*

— que tiene decoro: *decoroso.*

decrecer Menguar, disminuir, hacerse menos. ☞ **aminorar, declinar.** ❖ ASCENDER, CRECER, AUMENTAR.

— que decrece: *decreciente.*

— disminución, decadencia, mengua: *decrecimiento, decremento.*

— debilitación gradual de la intensidad de un sonido: *decrescendo.*

decrépito, -ta 1. Persona de muy avan-

zada edad, decaída por la vejez. ☞ **senil.**

—*Mi abuela está decrépita, sufre una enfermedad muy grave a los setenta años.*

2. Cosa que ha llegado a su decadencia.

— *Está silla decrépita no sirve para sentarse, está apolillada.*

decrepitud 1. Suma vejez, debilidad de las facultades mentales ocasionada por el paso de los años. ☞ **decadencia, senilidad, chochez.**

— *La decrepitud habíase apoderado del abuelo y lo hacía figurarse cosas extrañas.*

2. Decadencia extrema de las cosas. ☞ **ruina, vetustez, abandono, deterioro.**

— *La vieja casona estaba en plena decrepitud.*

decretar 1. Ordenar por decreto la persona que tiene facultad para hacerlo. ☞ **dictar, promulgar, reglamentar, decidir, mandar.**

— *El jefe de Estado decretó un alza de impuestos.*

2. Anotar brevemente y al margen la respuesta que debe darse a un escrito.

— *Mi jefe decreta lo que yo he de redactar en forma de carta.*

decreto 1. Resolución o determinación de alguna autoridad, como el jefe de Estado o su gobierno, un tribunal o un juez.

— *Por decreto presidencial tendremos nuevas reservas ecológicas.*

2. Acción y resultado de decretar o anotar al margen.

— *El decreto era ilegible y no pude redactar la respuesta.*

decurso Sucesión o transcurso del tiempo. ☞ **curso, paso.**

dechado 1. Modelo que se tiene presente para imitarlo. ☞ **arquetipo, ejemplo, muestra.**

—*Tu cuñado es un dechado de bondad y sabiduría.*

2. Labor de costura que imita la muestra.

—*La niña hizo un dechado en tela de seda y quedó precioso.*

3. Ejemplo de virtudes y perfecciones o de vicios y maldades.

— *El presidente de ese país es un dechado de maldades.*

dedicación 1. Acción y resultado de dedicarse o consagrarse a una cosa.

— *La dedicación de este libro está dirigida a los pobres del mundo.*

2. Consagración de un templo.

— *Mañana se hará la dedicación de esta parroquia a San Lucas.*

3. Acción y resultado de dedicarse intensamente a una profesión o trabajo. ☞ **aplicación, esmero, dinamismo.**

— *Su dedicación a la música es nota-*

ble; ofrece conciertos a los veinte años.

dedicar 1. Consagrar una cosa al culto divino o a otro fin. **destinar, ofrecer.**
— *Dedicaron los sábados al culto de la Virgen.*
2. Dirigir a una persona, como homenaje, un objeto o una obra.
— *Dediqué a mi marido mi primer libro de cuentos.*
3. Emplear una persona sus actividades en algo determinado. ☞ **ocuparse.**
— *El vecino se dedica a los negocios.*
— que dedica o consagra: *dedicante.*
— dedicatorio: *dedicativo.*
— que supone dedicación: *dedicatorio.*

dedicatoria Nota dirigida a quien se consagra o dedica a una obra. ☞ **dedicación, homenaje, ofrecimiento, testimonio.**

dedillo (al) Que se sabe con detalle y seguridad. ☞ **perfectamente.**

dedo 1. Cada una de las partes móviles en que terminan la mano y el pie del hombre y de los animales. ☞ **extremidad, apéndice, prolongación.**
— *Los dedos de la mano son: pulgar, índice, cordial, anular y meñique.*
2. Medida de longitud de 18 mm.
— *La cajita medía tres dedos de largo.*
3. Porción del ancho de un dedo.
— *Dos dedos equivalen a 10 cms. aproximadamente.*

deducción 1. Acción y resultado de sacar consecuencias de un supuesto.
— *La deducción del asunto fue difícil, pero al fin se aclaró todo.*
2. Derivación de una corriente de agua.
— *El techo tiene deducciones y por ello está a punto de venirse abajo.*
— serie de notas musicales que ascienden o descienden de tono en tono: *deducción.*
— cantidad de dinero que se descuenta de una cantidad total: *deducción.*
— que procede por deducción: *razonamiento deductivo.*

deducir 1. Obtener conclusiones de un principio o supuesto. ☞ **colegir, razonar, inferir.**
— *Por su apariencia deduje que no había pasado la noche en su casa.*
2. Rebajar, descontar. ☞ **sustraer.**
— *Le dedujeron 3 mil pesos de impuestos para el seguro.*
— que puede ser deducido: *deducible.*

defecar Expulsar las heces fecales. ☞ **obrar, evacuar, excretar.**
— acción de defecar, deposición o materia defecada: *defecación.*
— que sirve para defecar: *defecador.*

defección Acción de separarse con deslealtad de una causa. ☞ **abandono, traición, deserción, detracción.**

— lo que puede faltar o fallar: *defectible.*

defecto 1. Carencia de alguna de las cualidades que debe tener una cosa. ☞ **deficiencia, desperfecto.**
— *El pantalón tiene un defecto, por eso es más barato.*
2. Imperfección material o moral.
— *Sufre el defecto de tener mal carácter y nadie la aguanta.*
3. Pliegos sobrantes o faltantes en la impresión de un libro.
— *Este libro tiene el defecto de carecer de índice y de prólogo.*

defender 1. Abogar en favor de uno. ☞ **proteger, amparar, escudar.** ❖ ATACAR, CULPAR, OFENDER.
— *Se defendió de esas acusaciones.*
2. Resistir un ataque. ☞ **cubrir, salvaguardar.** ❖ ATACAR.
— *Cogió un rifle para defenderse de los asaltantes.*
— que se puede defender: *defendible.*
— defendible: *defendedero.*
— que defiende: *defensor.*
— persona a quien se defiende: *defendido.*
— resguardo, defensa: *defensión.*

defensa 1. Acción de defender o defenderse.
— *La defensa que tenemos es nuestro valor.*
2. Arma con que uno se defiende. ☞ **amparo, protección.**
— *Estos cuchillos son una excelente defensa.*
3. Parte del automóvil que sirve de protección contra posibles choques. ☞ **parachoques.**
— *Cuando choqué, la defensa protegió el frente del auto.*
4. Jugadores que protegen la meta.
— *El defensa no pudo parar el gol.*
— fortificaciones de una plaza: *defensas.*
— conjunto de elementos inmunológicos en el cuerpo humano: *defensas.*

deferencia Adhesión al proceder ajeno por respeto o cortesía.
— muestra de cortesía: *deferencia.*
— condescendiente: *deferente.*
— mostrar respeto: *deferir.*

deficiencia Estado de carencia o desarrollo incompleto de una cosa. ☞ **debilidad, imperfección.** ❖ EFICIENCIA, PERFECCIÓN.
— estado de retraso mental o desarrollo intelectual incompleto: *deficiencia mental.*

déficit Lo que falta a las ganancias para que se equilibren con los gastos. ☞ **pérdida, deuda.** ❖ SUPERÁVIT, GANANCIA.

definición 1. Acción y efecto de definir.

— *El profesor nos dio una definición clara de la palabra deflujo.*
2. Enumeración de las cualidades y caracteres de un objeto. ☞ **concepto.**
— *La definición de las características de esta computadora es muy clara.*
3. Declaración de cada uno de los vocablos en el diccionario. ☞ **explicación.**
— *Este diccionario tiene definiciones muy completas.*
4. Calidad en la impresión de una imagen. ☞ **resolución.**
— *La TV posee una definición admirable.*

definir Indicar de manera precisa la significación de una palabra o las características de un objeto. ☞ **explicar.**
— resolver una duda: *definir.*
— objeto del cual se han explicado o indicado las características: *definido.*
— sin duda ni margen de error: *definido.*
— lo que define: *definidor.*
— parte de una congregación religiosa: *definitorio.*
— miembro del definitorio: *definidor.*

definitivo De carácter permanente. ☞ **decisivo, concluyente, resolutivo, terminante.** ❖ PROVISORIO. PROVISIONAL.
— de manera decisiva o concluyente: *definitivamente.*

deformación 1. Acción y resultado de deformar.
— *Debido al accidente, sus huesos presentaban una horrible deformación.*
2. Cosa que ha perdido su forma propia. ☞ **irregularidad, monstruosidad, imperfección, distorsión, desproporción.** ❖ PERFECCIÓN.
— *La deformación del camino nos impedía llegar al pueblo.*

deformar Alterar la forma de una cosa. ☞ **desfigurar, desproporcionar, torcer.**
— que deforma: *deformador, deformante.*
— capaz de causar deformación: *deformatorio.*

defraudar 1. Privar a uno de lo que le toca. ☞ **robar, estafar, timar, engañar.**
— *El empleado defraudó a la empresa; no entregó los pagos de los clientes.*
2. Eludir el pago de los impuestos.
— *Defraudar al fisco es un delito que se paga con cárcel.*
3. Frustrar, dejar sin efecto algo en lo que se confiaba. ☞ **desilusionar.**
— *El joven defraudó las esperanzas que su padre había puesto en él.*
— acción y resultado de defraudar: *defraudación.*
— que defrauda: *defraudador.*

defunción Muerte. ☞ **fallecimiento, deceso, desaparición.**

degeneración 1. Acción y resultado de degenerar. ☞ **declinar, decadencia.**
— *La degeneración de esta especie de aves se advierte en la muerte prematura de sus ejemplares.*
2. Alteración grave de la estructura de un tejido orgánico.
— *Su enfermedad ocasionó la degeneración de los huesos.*
3. Pérdida progresiva de la normalidad psíquica y moral de un individuo. ☞ **depravación, perversión, extravío.**
— *La ansiedad que tenía sufrió una degeneración hasta volverse locura.*

deglutir Tragar los alimentos. ☞ **comer, engullir, ingerir.**
— acción y resultado de deglutir o tragar: *deglución.*

degollar 1. Cortar el cuello. ☞ **decapitar, guillotinar.**
— *Anoche degollaron al cerdo para asarlo hoy temprano.*
2. Escotar el cuello de un vestido. ☞ **escotar, sesgar, cortar.**
— *No soporto los cuellos altos, voy a degollar esta blusa.*
3. Matar al toro con estocadas mal dirigidas.
— *Me tapé los ojos mientras degollaban al toro.*

degradar 1. Despojar de un grado o dignidad. ☞ **destituir, deshonrar.** ❖ ENNOBLECER, HONRAR, ENSALZAR.
— *El general fue degradado al comprobarse que había traicionado a su país.*
2. Debilitar progresivamente. ☞ **degenerar, disminuir.**
— *El alcohol lo degradó tanto que perdió el sentido de la realidad.*
— acción y resultado de degradar, humillación, bajeza: *degradación.*
— que degrada o envilece: *degradante.*

degustar Catar los alimentos y bebidas. ☞ **probar, saborear, paladear, gustar.**

deidad Ser divino. ☞ **dios, semidiós, divinidad, ídolo.**
— divinizar, ensalzar excesivamente: *deificar.*

dejadez Pereza, negligencia, abandono de sí mismo o de sus cosas propias. ☞ **indolencia, despreocupación, desgano.** ❖ ÁNIMO, ESFUERZO.
— flojo, desidioso: *dejado.*

dejar 1. Retirarse o apartarse de una cosa. ☞ **abandonar.**
— *El turista dejó el hotel a las 8:00 a.m.*
2. Omitir.
— *Dejé de encender una vela por su salud, pues me avisaron que había muerto.*
3. Consentir.
— *Déjame ir a la fiesta, te prometo regresar temprano.*
4. Producir ganancia.
— *El negocio de la comida deja muy buenos pesos.*
5. Desamparar.
— *Aquel hombre dejó a su suerte a su abuela.*
6. Encargar, recomendar.
— *Me dejó al frente de la tienda.*
7. Ausentarse, faltar.
— *Dejó el pueblo y no volvió nunca.*
8. Ceder, heredar.
— *Le dejó muchas deudas y casi ningún bien.*
9. Suspender, cesar.
— *Déjese de tonterías y vamos a trabajar.*
10. Llevar a alguien de un punto a otro. ☞ **conducir.**
— *Pasé a dejarlo a su casa.*
— traslado rápido: *dejada.*
11. Abandonarse.
— *A los treinta años estaba gordo, pues se había dejado mucho.*

delante Parte anterior de algo. ☞ **enfrente, adelante.** ❖ DETRÁS.
— en presencia de algo o alguien: *delante de.*
— aventajar: *tomar la delantera.*
— el que juega en la primera fila: *delantero.*

delatar Revelar algún delito designando al autor. ☞ **denunciar, descubrir, acusar.** ❖ ENCUBRIR, OCULTAR.
— que denuncia, acusador: *delator.*
— acción y resultado de delatar: *delación.*

delegación 1. Acción y efecto de delegar.
— *Mi jefe hizo la delegación de cargos y me tocó el de gerente.*
2. Oficina del delegado. ☞ **sucursal, gerencia.**
— *La delegación está en el segundo piso.*
3. Conjunto o reunión de delegados.
— *En este hotel se hospedó la delegación de médicos.*
4. Cada una de las entidades políticas en que se divide el D.F.
— *Tengo que tramitar mi pasaporte en la delegación.*
— persona a quien se otorgan las facultades que tiene otra: *delegado.*

delegar Facultar a una persona para que represente a otra.
— que delega: *delegatorio.*

deleitar Provocar placer o gozo. ☞ **agradar, regocijar.** ❖ ABURRIR.
— placer, gozo: *deleite.*

deletrear 1. Pronunciar separadamente las letras y sílabas de cada palabra. ☞ **silabear.**
— *Los niños aprenden pronto a deletrear.*
2. Adivinar el significado de los jero-glíficos. ☞ **interpretar.**
— *Algunos sabios han deletreado las inscripciones mayas.*

deleznable 1. Que dura poco o se rompe fácilmente. ☞ **delicado, inconsistente.**
— *Este vidrio es deleznable, temo que no dure mucho.*
2. Que se desliza o se resbala con facilidad. ☞ **escurridizo.**
— *El jabón vuelve deleznable los objetos.*
— deslizarse, resbalarse: *deleznarse.*
3. Despreciable. ☞ **detestable.**
— *Tenía un comportamiento deleznable y nadie lo soportaba.*

delgadez Calidad de delgado. ☞ **flacura.** ❖ ROBUSTEZ.
— de pocas carnes, menudo, espigado: *delgado.*
— muy delgado: *delgaducho.*

deliberar Considerar las ventajas y desventajas de un asunto. ☞ **debatir, decidir, pensar, resolver.**
— acción y resultado de deliberar: *deliberación.*
— hacer algo de forma deliberada: *deliberadamente.*
— voluntario, intencionado: *deliberado.*

delicadeza 1. Calidad de lo que es frágil o tenue. ☞ **exquisitez, pulcritud, perfección.** ❖ IMPERFECCIÓN.
— *La delicadeza del paisaje es lo que conmueve al hombre sensible.*
— que es débil o enfermizo: *delicaducho.*
2. Elegancia o finura que denota una persona o una cosa.
— *La delicadeza de sus modales la distinguía entre las demás mujeres.*
3. Exquisito miramiento con las personas. ☞ **tacto, amabilidad, atención, cortesía, ternura.** ❖ ASPEREZA, DESATENCIÓN.
— lo trataron con mucha delicadeza.
— que se trata con delicadeza: *delicado.*

delicia 1. Placer muy intenso. ☞ **deleite.** ❖ DOLOR, ABURRIMIENTO.
— *Un encuentro amoroso constituye una verdadera delicia.*
2. Lo que causa gozo y placer.
— *La música es una delicia para los oídos.*
— agradable, encantador, deleitoso: *delicioso.*

delimitar Fijar límites. ☞ **deslindar, establecer, demarcar.**

delinear Trazar las líneas de una figura. ☞ **perfilar, dibujar.**
— que delínea: *delineador.*
— que traza planos: *delineante.*
— acción y resultado de delinear: *delineación.*

delinquir Cometer un delito. ☞ **incurrir, infligir, transgredir.**

— que pertenece al delito o se relaciona con él: *delictivo, delictuoso.*

— conjunto de delitos: *delincuencia.*

— que ha cometido un delito: *delincuente.*

delirio 1. Perturbación mental causada por la fiebre, que se manifiesta en verbosidad incoherente.

— *La enfermedad lo mantuvo en total delirio.*

2. Imaginación exagerada de una persona que sufre una pasión violenta. ☞ **desvarío.**

— *El pobre sufre delirio de grandeza.*

delito Violación de la ley. ☞ **culpa, falta, infracción, transgresión.**

— aquello con que se ha cometido un delito: *cuerpo del delito.*

demacrado, -da Flaco, que ha perdido carnes. ☞ **enflaquecido, escuálido, desmejorado.**

— desmejoramiento por falta de alimentos o por enfermedad: *demacración.*

— enflaquecer: *demacrarse.*

demagogia 1. Abuso del poder confiado por el pueblo. ☞ **tiranía, despotismo.**

— *Un dirigente que cae en la demagogia merece ser destituido.*

2. Política que busca halagar las pasiones del pueblo para someterlo.

— *Un país regido por la demagogia se vuelve incrédulo.*

demandar 1. Exigir o pedir. ☞ **inquirir, preguntar, interrogar.**

— *Los campesinos demandan tierra y créditos para poder producir.*

2. Formular una petición judicial. ☞ **litigar, pleitear.**

— *Como no pagaste tus deudas te van a demandar.*

— petición, solicitud: *demanda.*

— persona a quien se pide una cosa en juicio: *demandado.*

— que demanda: *demandante.*

demarcación 1. Acción y resultado de demarcar o limitar.

— *La demarcación de este territorio es confusa, siempre se equivoca uno.*

2. Terreno demarcado.

— *Veracruz es una demarcación porteña.*

demarcar . Marcar límites de terreno. ☞ **limitar, determinar, deslindar.**

demasía 1. Exceso. ☞ **colmo** ❖ ESCASEZ.

— *Comí en demasía y me siento muy mal.*

2. Atrevimiento. ☞ **descortesía, insolencia, descaro.** ❖ CORTESÍA, DECORO.

— *Eres un grosero, te comportaste con demasía en la fiesta.*

— en demasía: *demasiado, demasiadamente.*

— excederse, desmandarse: *demasiarse.*

demencia Locura, enajenación mental. ☞ **trastorno.** ❖ LUCIDEZ.

— propio de la demencia: *demencial.*

— que pertenece a la demencia o se relaciona con ella: *demencial.*

demérito Acción por la cual se pierde el mérito o el valor. ☞ **indignidad, imperfección.** ❖ MÉRITO, CORRECCIÓN, APROBACIÓN.

democracia 1. Doctrina política en la que el pueblo participa al elegir a sus gobernantes.

— *La democracia concientiza a los ciudadanos.*

2. Nación gobernada por la voluntad del pueblo. ❖ ARISTOCRACIA.

— *Este país es un perfecto ejemplo de democracia.*

demografía Parte de la estadística que se ocupa del estudio cuantitativo de la población humana y de otras características de la misma.

— que se dedica a trabajos demográficos: *demógrafo.*

demoler Derribar, destruir, deshacer un edificio o un argumento.

demonio 1. Angel malo o espíritu del mal. ☞ **Lucifer, Luzbel, anticristo.**

— *Creía que el demonio la había inducido a enamorarse de aquel joven.*

2. Ser sobrenatural. ☞ **genio, furia.**

— *Los demonios inspiran al artista, pero también pueden desquiciarlo.*

3. Que es travieso, hábil.

— *Este niño es un demonio, no para de comer y jugar.*

demorar 1. Retardar. ☞ **retraso.** ❖ PUNTUALIDAD.

— *Los trámites del pasaporte van a demorar tu viaje.*

2. Detenerse en una parte.

— *El autobús no puede demorarse, pues tiene un horario muy estricto.*

— tardanza, dilación: *demora.*

— lento, tardío: *demoroso.*

demostrar 1. Probar de modo evidente e inequívoco. ☞ **comprobar, testimoniar, documentar.**

— *Demostró su teoría en una prueba de laboratorio*

2. Manifestar. ☞ **mostrar, expresar.**

— *No tiene inconveniente en demostrarle su odio.*

denigrar Hablar mal de algo o de alguien para desacreditarlo ante otros. ☞ **ofender, difamar, desprestigiar.** ❖ HONRAR, ALABAR.

denominar Designar con un nombre particular a alguna persona o cosa. ☞ **nombrar, llamar, señalar, apodar.**

— nombre o título con el que se designa a las personas o cosas: *denominación.*

— distintamente, señaladamente: *denominadamente.*

— se dice del número completo: *denominado.*

denostar Injuriar, ofender de palabra. ☞ **infamar, vilipendiar, calumniar.** ❖ HONRAR, ALABAR.

denotar Indicar, significar, anunciar. ☞ **evidenciar.**

— *Su trabajo denota poca habilidad.*

— que denota: *denotativo.*

denso, -sa Espeso, impenetrable. ☞ **compacto, apiñado, tupido, unido.**

— de forma densa: *densamente.*

— calidad de denso: *densidad.*

— hacer densa una cosa: *densificar.*

— confuso, oscuro: *denso.*

dentado, -da Que tiene dientes o algo parecido a éstos. ☞ **aguzado, dentellado, serrado.**

— perforación en la orilla del papel: *dentado.*

dentadura Conjunto de dientes, muelas y colmillos de la boca del hombre o del hocico de un animal.

dental Que pertenece a los dientes o se relaciona con ellos. ☞ **bucal.**

dentista Profesional que se ocupa de las enfermedades de los dientes y encías. ☞ **odontólogo.**

— odontología: *dentistería.*

dentro En el interior de un espacio real o imaginario. ❖ FUERA.

denuedo Valor, intrepidez. ☞ **ánimo, coraje.** ❖ COBARDÍA.

— con denuedo: *denodadamente.*

— valiente, atrevido: *denodado.*

denunciar 1. Declarar, publicar. ☞ **noticiar, avisar.** ❖ TAPAR, ESCONDER, DEFENDER.

— *Este periódico ha denunciado las anomalías de la administración pública.*

2. Acusar ante la autoridad.

— *Fue a denunciar el robo de su auto.*

— pronosticar, predecir, vaticinar: *denunciar.*

3. Declarar una mina para poder explotarla.

— *El viejo de al lado denunció su veta de diamantes y hoy es millonario.*

— acción y resultado de denunciar: *denuncia.*

deparar 1. Suministrar. ☞ **dar, proporcionar, distribuir.** ❖ QUITAR.

— *Tu abuela te depara un gran porvenir; te va a heredar la finca.*

2. Poner delante.

— *Nadie sabe lo que el destino le deparará.*

departir Conversar. ☞ **hablar, platicar, dialogar, charlar.**

— que departe: *departidor.*

---

depauperar 1. Empobrecer. ❖ ENRIQUECER.

— *Las deudas habían depauperado su capital.*

2. Debilitar. ☞ **extenuar.** ❖ FORTALECER, ENGORDAR.

— *La enfermedad depaupera lentamente su cuerpo.*

— anemia, agotamiento: *depauperación.*

— agotado, escuálido: *depauperado.*

dependencia 1. Subordinación a un poder mayor. ☞ **esclavitud, sumisión, sujeción.** ❖ INDEPENDENCIA.

— *La dependencia de los niños con respecto a sus padres es absoluta.*

2. Oficina que depende de una superior. ☞ **delegación.**

— *La dependencia de correos número 18 está en mi calle.*

3. Conjunto de dependientes de un comercio. ☞ **plana, personal.**

— *En diciembre el jefe dio regalos a toda la dependencia.*

depender 1. Estar una persona o cosa subordinada a otra. ☞ **reconocer, obedecer, subordinarse.**

— *Los soldados dependen de los superiores.*

2. Producirse o ser causado por otro.

— *Del examen depende que me acepte la compañía.*

3. Vivir una persona de la protección de otra.

— *Siempre dependió de su familia.*

— que atiende a los clientes: *dependiente.*

— que depende: *dependiente.*

depilar Eliminar el vello con diferentes métodos. ☞ **cortar, afeitar, rasurar, pelar.**

— acción y resultado de depilar: *depilación.*

— pasta o crema para hacer caer el vello: *depilatorio.*

deplorar Sentir vivamente un suceso. ☞ **lamentar, dolerse.**

— digno de lástima, nefasto: *deplorable.*

deponer 1. Dejar, apartar de sí. ☞ **alejar.**

— *Por fin depusieron las armas.*

2. Privar a alguien de su empleo o dignidad. ☞ **degradar, despojar, privar.**

— *El general fue depuesto ingnominiosamente por traidor.*

3. Afirmar. ☞ **atestiguar, asegurar.**

— *Depuso ante el juez su versión* de lo sucedido.

— testigo, declarante: *deponente.*

4. Vomitar.

— *El enfermo depuso sangre, creo que está grave.*

5. Evacuar el vientre.

— *El bebé depone tres veces al día, pues su organismo funciona muy bien.*

deportar Desterrar a alguien. ☞ **confinar, alejar, expatriar, exiliar.**

— pena de destierro: *deportación.*

deporte Práctica de ejercicios físicos. ☞ **ejercicio, juego.**

deposición 1. Privación de empleo o dignidad. ☞ **deponer, degradación.**

— *La deposición de estos funcionarios es un ejemplo para todos.*

2. Evacuación del vientre.

— *En las deposiciones los médicos pueden encontrar la enfermedad del paciente.*

3. Exposición, aclaración de un asunto.

— *La deposición del ingeniero acerca del funcionamiento del barco fue muy larga.*

depositar 1. Poner bienes bajo cuspodia de una persona o entidad.

— *Mañana depositaré este cheque en mi cuenta bancaria.*

2. Colocar en un sitio determinado.

— *Deposite su cupón en el lugar indicado.*

3. Encomendar una responsabilidad moral a una persona.

— *En ti deposito todas mis esperanzas.* ☞ **confiar.** ❖ DESCONFIAR.

4. Poner a una persona donde pueda hacer libremente su voluntad.

— *Tuvieron que depositar a la novia en casa del juez, pues los padres no daban su consentimiento para el matrimonio.*

— que deposita: *depositador,. depositante.*

depravación Acción y resultado de depravar o depravarse. ☞ **corrupción, envilecimiento, perversión.**

— que tiene muchos vicios: *depravado.*

depravar Alterar, echar a perder. ☞ **viciar, adulterar, corromper.** ❖ MORALIZAR.

— con malicia: *depravadamente.*

— que deprava: *depravador, depravante.*

depreciar Rebajar el precio o valor de una cosa. ☞ **abaratar, disminuir.** ❖ ENCARECER, VALORAR.

— disminución del valor o precio: *depreciación.*

depredación 1. Robo hecho con devastación. ☞ **destrucción, rapiña, despojo.**

— *Los ciudadanos están asustados de la depredación de una banda de asaltantes.*

2. Malversación. ☞ **abuso, concusión.**

— *La depredación de los empleados tuvo lugar cuando el dueño se ausentó.*

depredador,-ra (vea ilustración de la p. 197). Que depreda; conjunto de diversos animales que estropean los jardines al comerse las plantas y flores y forman sus nidos y madrigueras. ☞ **plaga.**

— que depreda o roba: *depredador.*

depresión 1. Acción y resultado de deprimir o deprimirse. ☞ **psicología.**

— *La depresión del enfermo es tan fuerte, que temo no se alivie.*

2. Concavidad en el terreno u otra superficie. ☞ **hoyo, hundimiento, cuenca.** ❖ CONVEXIDAD, ALTURA.

— *Haremos una piscina aprovechando la depresión.*

3. Pérdida de fuerzas o ánimo. ☞ **decaimiento, postración.**

— *Cayó en una fuerte depresión después de la muerte de su amigo.*

4. Periodo de mala economía. ☞ **crisis.** ❖ AUGE.

— *La depresión económica del año pasado es comparable a la actual.*

deprimir 1. Causar desánimo. ☞ **causar desaliento, abatir, apenar.** ❖ ANIMAR, ALENTAR.

— *Esa mala noticia deprime a cualquiera.*

2. Rebajar. ☞ **humillar.**

— *Sus palabras soeces sólo lo deprimen ante los demás.*

3. Hundir o reducir el volumen de alguna cosa.

— *La piedra deprimió el cojín en el que había caído.*

deprisa Con celeridad. ☞ **presteza, prontitud.**

depurar 1. Quitar impurezas. ☞ **limpiar, purificar, catarsis.** ❖ ENSUCIAR.

— *Debemos depurar nuestro organismo para evitar enfermedades.*

2. Eliminar de un partido o asociación a los disidentes.

— *Antes de depurar esta sección debemos estar seguros de quiénes son los traidores.*

depurativo Que purifica los humores y especialmente la sangre. ☞ **laxante, emoliente, purgante.**

derecha 1. Lado derecho. ❖ IZQUIERDA.

— *Hay una tienda de dulces a la derecha de la casa.*

2. Mano derecha. ❖ IZQUIERDA.

— *Me puse el anillo en la mano derecha para que reluciera al saludar.*

3. Sector conservador de una asamblea.

— *La derecha se opone al aborto legal.*

derecho 1. Conjunto de leyes y normas que determinan las relaciones sociales de las personas. ☞ **justicia, razón, equidad.** ❖ INJUSTICIA.

— *El derecho canónico concierne a las*

relaciones jerárquicas de la Iglesia.
2. Facultad del hombre de hacer o exigir conforme a la moral, las leyes o las costumbres. ☞ **opción, poder.**
— *Todas las personas tienen derecho a ser escuchadas.*
3. Facultad universitaria en que estudian los preceptos de las leyes.
— *Estudia derecho para llegar a ser un buen abogado.*
derecho, -cha 1. Que no está doblado ni encorvado. ☞ **recto.** ❖ CHUECO.
— *El bastón debe estar perfectamente derecho para que soporte mi peso.*
2. En el cuerpo humano, dícese de lo que está colocado al lado opuesto del corazón.
— *Tiene una infección en el ojo derecho.*
3. Lado mejor labrado de una tela. ❖ REVÉS.
— *Bordé rosas en el derecho del mantel.*
— observar una cosa por todos lados: *revisarla al derecho y al revés.*
— a la derecha: *a mano derecha.*
— calidad de derecho: *derechura, rectitud.*
derechohabiente Persona que deriva su derecho de otra.
deriva Desvío de una nave por efecto del viento o las corrientes.

— desorientado, abandonado: *a la deriva.*
— carecer de rumbo: *estar a la deriva.*
derivar 1. Proceder, traer su origen de alguna cosa. ☞ **nacer, originarse, resultar, provenir.**
— *Este río deriva de las altas montañas.*
2. Desviarse del rumbo una nave. ☞ **perderse.**
— *La embarcación derivó hacia el Sur, merced a los vientos.*
3. Traer o formar una palabra de cierta raíz.
— *Dermatitis es un vocablo que deriva de la palabra griega* derma, *que quiere decir piel.*
dermatología Estudio de las enfermedades de la piel.
— médico especialista en las enfermedades de la piel: *dermatólogo.*
— enfermedad de la piel: *dermatosis.*
— inflamación de la piel causada por algún tipo de dermatosis: *dermatitis.*
derogar Anular una cosa establecida como ley o costumbre. ☞ **reformar, modificar.** ❖ PROMULGAR.
derrama Repartimiento de un impuesto o de un gasto eventual. ☞ **distribu-**

ción, tributo, contribución.
— pelos largos y blancos que salen en el borde libre del belfo inferior de los caballos: *derramas.*
derramar 1. Verter cosas líquidas o menudas. ☞ **volcar, esparcir, salirse.**
— *El tropiezo me hizo derramar la leche.*
2. Divulgar una noticia. ☞ **extenderse, cundir, difundir.**
— *El periódico derramó la alarma entre la población.*
3. Repartir los tributos.
— *Esta dependencia se encarga de derramar las contribuciones.*
4. Desembocar una corriente de agua. ☞ **desaguar.**
— *El río Amazonas derrama en el océano Atlántico.*
— con liberalidad, pródigamente: *derramadamente.*
derrapar Patinar un vehículo desviándose de la dirección que llevaba.
derredor Contorno de una cosa. ☞ **alrededor, en derredor.**
derrengar 1. Herir o lastimar el espinazo o los lomos de una persona o animal de manera que no pueda andar normalmente. ☞ **descadenar, deslomar, desriñonar.**

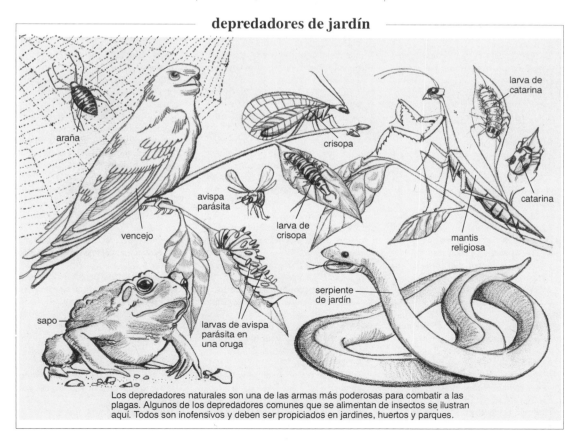

depredadores de jardín

araña

vencejo

sapo

avispa parásita

larvas de avispa parásita en una oruga

crisopa

larva de crisopa

serpiente de jardín

larva de catarina

catarina

mantis religiosa

Los depredadores naturales son una de las armas más poderosas para combatir a las plagas. Algunos de los depredadores comunes que se alimentan de insectos se ilustran aquí. Todos son inofensivos y deben ser propiciados en jardines, huertos y parques.

— *Cargó tanta leña al burro que lo derrengó.*

2. Desviar más a un lado que a otro. ☞ **torcer, inclinar.**

— *La carga se derrengó hacia el lado derecho de la nave y cayó al mar.*

3. Cosechar la fruta de un árbol, arrojando un palo.

— *No derrengues las naranjas o estarán golpeadas y no las podremos vender.*

— torcido, decaído: *derrengado.*

— lesión que queda en el cuerpo derrengado: *derrengadura.*

— palo con que se derriba la fruta: *derrengo.*

derretir 1. Volver líquido un sólido por medio del calor. ☞ **fundir, deshacer, liquidar, descuajar, disolver.** ❖ SOLIDIFICAR.

— *Derretí la mantequilla para preparar el pastel.*

2. Derrochar la hacienda. ☞ **gastar.**

— *Derritió su herencia en un dos por tres.*

— que ama: *que se derrite de amor.*

— estar lleno de impaciencia o inquietud: *derretirse de impaciencia.*

— amartelado, enamorado: *derretido.*

— acción de derretir o derretirse: *derretimiento.*

derribar 1. Echar abajo. ☞ **demoler, derruir.** ❖ ALZAR, CONSTRUIR.

— *Haré derribar ese muro para construir una casa.*

2. Tirar al suelo a una persona, animal o cosa. ☞ **postrar, desplomar, precipitar.**

— *Derribó a su adversario en el segundo asalto.*

3. Hacer caer, derrocar. ❖ INSTITUIR.

— *La muchedumbre derribó al tirano.*

4. Tirarse a tierra, dejarse caer.

— *Al oír el disparo me derribé para no ser herido.*

— se dice de las ancas de una caballería cuando son más bajas de lo regular: *derribado.*

— el que derriba o echa abajo: *derribador.*

derrocar 1. Hacer rodar por un precipicio. ☞ **despeñar, precipitar.**

— *Derrocaremos el auto para hacerlo desaparecer.*

2. Derribar un edificio.

— *Hoy derrocan el antiguo hospital para ciegos.*

3. Derribar a uno del estado o fortuna que tiene. ☞ **deponer, destituir.** ❖ INSTITUIR.

— *Los rebeldes trataron de derrocar al gobierno actual.*

— despeñadero: *derrocadero.*

derrochar Malgastar, dilapidar los bienes. ☞ **despilfarrar, tirar.** ❖ AHORRAR.

— presumir de lo que se tiene: *hacer derroche.*

— despilfarro, desperdicio: *derroche.*

— que derrocha o malgasta: *derrochador.*

derrotar 1. Destrozar la hacienda, muebles o vestidos. ☞ **romper.**

— *El tornado derrotó cuanto teníamos.*

2. Destruir, arruinar a uno en la salud o en los bienes.

— *La enfermedad lo derrotó en pocos meses.*

3. Vencer por completo en cualquier actividad. ☞ **perder.** ❖ GANAR.

— *Derrotaron al enemigo antes de que llegara a sus fronteras.*

4. Apartarse la embarcación de su rumbo.

— *La nave derrotó hacia el Norte, alejándose de la ruta prevista.*

— que anda roto, andrajoso: *derrotado.*

— tendencia a manifestar desaliento: *derrotismo.*

— vencimiento completo en cualquier actividad: *derrota.*

derrotero 1. Ruta que lleva un barco. ☞ **dirección, derrota.**

— *En el derrotero del buque están incluidos tres puertos.*

2. Camino o medio que toma uno para llegar a lo que se ha propuesto.

— *El derrotero de esta actriz está lleno de éxitos.*

derrotista Persona o asociación que practica el derrotismo. ☞ **pesimista.**

derruir Demoler un edificio. ☞ **destruir.** ❖ CONSTRUIR.

derrumbar Precipitar. ☞ **despeñar, derribar.**

— despeñadero, precipicio: *derrumbadero.*

— acción y resultado de derrumbar: *derrumbe.*

desabastecer Hacer carecer a una persona o a un pueblo de los bastimentos necesarios. ☞ **desproveer.** ❖ PROVEER, ABASTECER.

— falta de víveres: *desabasto.*

desabotonar 1. Sacar los botones de los ojales. ☞ **desabrochar.** ❖ ABOTONAR, ABROCHAR.

— *Desabotónate la camisa para untarte pomada de mentol.*

2. Abrirse los botones de las flores.

— *En primavera es hermoso ver cómo desabotonan las margaritas.*

desabrido, -da 1. Que tiene poco sabor o lo tiene malo. ☞ **insípido.**

— *La cena estuvo desabrida.*

2. Destemplado.

— *El clima estuvo desabrido estas vacaciones.*

3. De carácter desapacible, sin atractivo. ☞ **seco, hosco, descortés, soso.**

— *Era un tipo desabrido y me aburría*

de estar con él.

desabrigar Quitar el abrigo. ☞ **descubrir, desarropar, desnudar.**

— sin abrigo: *desabrigadamente.*

— sin favor ni apoyo, desamparado: *desabrigado.*

— acción de desabrigar: *desabrigo.*

desabrochar Soltar los broches. ☞ **desatar, desasir, abrir.** ❖ ABROCHAR.

desacato Falta de respeto. ☞ **desobediencia, irreverencia.** ❖ OBEDIENCIA.

— con desacato: *desacatadamente.*

— que desacata: *desacatador.*

— desacato: *desacatamiento.*

desacertar No acertar. ☞ **errar, desatinar, fallar.** ❖ ATINAR, ACERTAR.

— desatinadamente: *desacertadamente.*

— que obra sin acierto: *desacertado.*

desacierto 1. Acción de desacertar.

— *Su desacierto lo echó todo a perder.*

2. Dicho o hecho errado. ☞ **desatino, descuido, torpeza, error.** ❖ ACIERTO.

— *Escribir ahora sin "h" es un desacierto.*

desacomodar 1. Hacer desorden. ☞ **desordenar.** ❖ ACOMODAR, ORDENAR.

— *Los niños vinieron sólo a desacomodar la habitación.*

2. Privar de la comodidad. ☞ **incomodidad.**

— *La llegada de nuestros parientes nos da alegría, pero nos desacomoda también.*

3. Quitar a uno su empleo u ocupación. ☞ **despedir, destituir, cesar.** ❖ ACOMODAR, EMPLEAR.

— *Mi primo quedó desacomodado cuando recortaron el personal.*

desaconsejar Tratar de persuadir a una persona de lo contrario de lo que tiene resuelto hacer. ☞ **disuadir, desviar.** ❖ ACONSEJAR.

— sin consejo o cordura: *desaconsejadamente.*

— que obra sin prudencia y por capricho: *desaconsejado.*

desacoplar Separar lo que está acoplado. ☞ **desencajar, desunir, aislar.** ❖ ACOPLAR.

desacordar 1. Desafinar un instrumento musical. ☞ **desentonar, destemplar.** ❖ AFINAR, ACORDAR, TEMPLAR.

— *El violinista se enfureció al encontrar desacordado su instrumento.*

2. Dejar de estar de acuerdo.

— *Rompieron sus relaciones pues desacordaban siempre.*

desacorde Que no concuerda con otra cosa. ☞ **disonante, discordante.** ❖ ACOPLAR.

— instrumento musical destemplado: *desacorde.*

desacostumbrado, -da Que está fuera de la costumbre o el uso. ☞ **inusitado, inusual, insólito, inhabitual, nuevo.** ❖ ACOSTUMBRADO.
— fuera de lo acostumbrado: *desacostumbradamente.*

desacostumbrar Hacer perder o dejar la costumbre que uno tiene.

desacreditar Disminuir la reputación de una persona o la estimación de una cosa. ☞ **denigrar, deshonrar, difamar.** ❖ ACREDITAR, JUSTIFICAR, GARANTIZAR.

desacuerdo 1. Falta de conformidad. ☞ **discordia, disconformidad, disputa, discrepancia.** ❖ CONFORMIDAD, ACUERDO, PACTO.
— *Hubo total desacuerdo en la reunión.*
2. Falta de memoria. ☞ **omisión, olvido, error.**
— *Tu desacuerdo es imperdonable, ayer te dije que llegaras temprano.*

desafecto, -ta Que no tiene estima por una cosa o persona. ☞ **malquerencia.** ❖ AFECTO.
— mala voluntad: *desafección.*

desafiar 1. Provocar a lucha, combate o discusión. ☞ **retar, afrentar, excitar, bravear.**
— *El torero desafía a la muerte cada vez que sale al ruedo.*
2. Competir con alguien en cosas que requieren fuerza, habilidad o destreza. ☞ **rivalizar, contender, disputar.**
— *Es un mal boxeador y desafió al campeón, ¡está loco!*
3. Ofrecer resistencia. ☞ **oponerse, arrostrar.**
— *El faro desafía a las tormentas.*

desafinar 1. Perder la perfecta entonación un instrumento o voz. ☞ **desentonar.** ❖ AFINAR, ENTONAR.
— *El violín y el tenor desafinaron un poco.*
2. Hablar indiscreta o inoportunamente.
— *Su madre desafinó por completo en la conversación con sus indiscreciones.*
— acción y resultado de desafinar: *desafinación.*
— desviándose de la perfecta entonación: *desafinadamente.*

desaforado, -da 1. Que obra sin ley ni fuero. ☞ **desatinado, furibundo, colérico, frenético.** ❖ ATINADO.
— *Iba desaforado cometiendo injusticias y atropellando a todos.*
2. Que es contra el fuero o privilegio. ☞ **ilegal, arbitrario, brutal, indebido.**
— *Es desaforado privar a alguien de su libertad sin una orden legal.*
3. Excesivamente grande. ☞ **desmedido, descomunal, enorme.**

— *Poseía una estatura desaforada para su edad.*

desaforar 1. Quebrantar los fueros y privilegios, o privar a uno del fuero o exención de que goza. ☞ **atropellar, transgredir, violar, infringir.**
— *La revolución desaforó a los nobles.*
2. Perder todo reparo, descomponerse. ☞ **descomedirse, descararse, desvergonzarse.**
— *Ante la tragedia mi padre se desaforó.*

desafortunado, -da Sin buena suerte o fortuna. ☞ **desdichado, adverso.** ❖ AFORTUNADO, FELIZ.

desafuero Acto violento contra la ley o contra las buenas costumbres. ☞ **violencia, desorden.**

desagradar Causar desagrado. ☞ **disgustar, fastidiar.** ❖ AGRADAR.
— que desagrada o disgusta: *desagradable.*
— de forma desagradable: *desagradablemente.*
— disgustado: *desagradado.*

desagradecer No corresponder al beneficio obtenido, desconocerlo. ☞ **olvidar.** ❖ AGRADECER.
— de forma desagradecida: *desagradecidamente.*
— que no agradece, ingrato: *desagradecido.*
— acción de desagradecer: *desagradecimiento.*

desagraviar 1. Reparar un agravio o daño, dando satisfacción al ofendido. ☞ **satisfacer, indemnizar, resarcir.**
2. Desquitarse del daño o perjuicio recibido. ☞ **vengarse, resarcirse.**
— acción y resultado de desagraviar: *desagravio.*

desaguar 1. Sacar el agua de un sitio.
— *Tuvieron que desaguar el sótano, pues se inundó.*
2. Desembocar los ríos en el mar. ☞ **afluir, derramar.**
— *En época de lluvias el río desagua violentamente.*
3. Vomitar o evacuar el vientre.
— *A causa del mareo tiene que desaguar.*
— quitar el agua de alguna parte: *desaguazar.*

desagüe 1. Acción y resultado de desaguar.
— *El desagüe fue escaso pero el piso quedó encharcado.*
2. Conducto para dar salida a las aguas. ☞ **desaguadero, drenaje.**
— *El desagüe se obstruyó por la basura que arrojaron en él.*

desaguisado, -da 1. Hecho contra la ley o la razón. ☞ **injusticia.**
— *Rompió todo lo que había en la*

tienda armando un desaguisado.
2. Acción desacomedida. ☞ **agravio, denuesto.**
— *No saludar es un desaguisado muy penoso.*

desahogado, -da 1. Que vive con comodidad. ☞ **holgado.** ❖ APURADO.
— *La familia lleva una vida desahogada.*
2. Despejado.
— *Tienen una casa espaciosa y desahogada.*
— con desahogo: *desahogadamente.*

desahogar 1. Aliviar la pena o el trabajo. ☞ **ayudar, consolar.** ❖ DESANIMAR, AHOGAR.
— *Esta máquina desahoga el trabajo.*
2. Descansar del calor y la fatiga.
— *Detengámonos en este lago para desahogarnos.*
3. Salir de deudas.
— *Con el préstamo bancario desahogaré mi situación económica.*
4. Confiarse a una persona. ☞ **confiarse, franquearse.** ❖ REPRIMIRSE.
— *Desahogó en mí toda su pena.*
— alivio de una pena o trabajo: *desahogo.*
— esparcimiento, distracción: *desahogo.*

desahuciar 1. Quitar a uno toda esperanza de lograr algo. ☞ **desesperanzar.**
— *Su propio padre lo desahució al pretender él estudiar música.*
2. Despedir al inquilino o arrendatario. ☞ **correr.** ❖ ACOGER, RECIBIR.
— *Lo desahuciaron el mes pasado y ahora vive en la calle.*
3. Declarar los médicos incurable al enfermo.
— *Los médicos lo han desahuciado y él prefiere vivir intensamente los años que le quedan.*

desairar Desatender a una persona. ☞ **menospreciar.** ❖ APRECIAR, ATENDER.
— acción y resultado de desairar: *desaire.*
— falta de gentileza: *desaire.*
— que sufre un desaire: *desairado.*

desajustar Desigualar una cosa de otra. ☞ **desconvenir.** ❖ AJUSTAR, ARREGLAR.
— acción y resultado de desajustar: *desajuste.*

desaliento Falta de vigor o ánimo. ☞ **debilidad, desvanecimiento, desalentar.** ❖ VIGOR, FORTALEZA.

desaliño Falta de limpieza o compostura. ☞ **negligencia, descuido, suciedad.** ❖ LIMPIEZA.
— descomponer la figura: *desaliñar.*
— que presenta desaliño: *desaliñado.*

desalmado, -da Falto de conciencia.

☞ **cruel, inhumano.** ❖ BONDADOSO, HUMANITARIO.

desalojar 1. Hacer salir a una persona o cosa de un lugar. ☞ **sacar.** ❖ METER.
— *Desalojaron el cine pues comenzaba a incendiarse.*
2. Dejar el hospedaje o morada. ☞ **salir.** ❖ LLEGAR, ENTRAR.
— *Desalojaremos la habitación del hotel a las dos de la tarde.*
— acción y resultado de desalojar, lanzamiento: *desalojo.*
— que es echado fuera: *desalojado.*
— defecar: *desalojar el intestino.*

desamarrar 1. Quitar las amarras. ☞ **desasir, desatar.** ❖ AMARRAR, ATAR.
— *Después de la posada desamarraremos lo que quedó de la piñata.*
2. Dejar el barco sobre una sola cuerda o amarra.
— *No desamarres el buque, pues se aproxima una tempestad.*
— que no tiene amarras: *desamarrado.*

desamor Falta de amor, amistad o afecto. ☞ **odio, enemistad.** ❖ AMOR, CARIÑO.

desamparar Dejar sin amparo o protección. ☞ **desproteger, abandonar.** ❖ AMPARAR, PROTEGER.

desandar Volver atrás en el camino recorrido.

desangrar 1. Extraer mucha sangre. ☞ **sangrar.**
— *Se desangró hasta morir a causa de las heridas de ametralladora.*
— perder gran cantidad de sangre: *desangrarse.*
2. Dilapidar la fortuna de otro. ☞ **empobrecer.**
— *Las deudas de su padre desangraron su patrimonio.*

desanimar Quitar el ánimo. ☞ **desalentar, acobardar.** ❖ ANIMAR.
— desaliento: *desánimo.*
— el que no tiene ánimo: *desanimado.*

desanudar 1. Deshacer un nudo. ☞ **desatar, desamarrar.** ❖ ANUDAR.
— *Desanuda el paquete para que veas el regalo que te traigo.*
2. Aclarar algún enredo.
— *La policía logró desanudar la confusión de este asunto.*

desaparecer Quitar de la vista. ☞ **ocultar.** ❖ APARECER.
— acción y resultado de desaparecer: *desaparición.*

desapasionado, -da Falta de pasión. ☞ **imparcial.** ❖ APASIONADO.

desapego Falta de afición o apego. ☞ **alejamiento.** ❖ APEGO.

desaprobar Quitar la aprobación a algo. ☞ **reprobar.** ❖ APROBAR.
— acción y resultado de desaprobar: *desaprobación.*
— lo que no se aprueba: *desaprobado.*

desaprovechar 1. Utilizar mal una cosa. ☞ **desperdiciar.** ❖ APROVECHAR.
— *No estudiaba nunca por lo que desaprovechaba el violín que le habían regalado.*
2. Perder lo adelantado.
— *Desaprovechaste un año escolar por tu enfermedad.*
— que no se aprovecha: *desaprovechado.*

desarmar 1. Quitar el arma. ❖ ARMAR.
— *El perro desarmó al ladrón.*
2. Licenciar los ejércitos.
— *Después de la guerra el general desarmó a sus soldados.*
3. Separar las piezas de que está compuesta una cosa.
— *Desarmé el reloj para tratar de componerlo.*

desarraigar 1. Extraer una planta desde su raíz. ☞ **arrancar.**
— *Desarraigué la mala hierba para que el maíz creciera sano.*
2. Echar fuera de su región a alguien. ☞ **desterrar.**
— *La envidia y el mal trato desarraigaron al artista.*
3. Extinguir por completo una pasión o vicio.
— *Con penitencia y ayuno desarraigué de mi corazón el amor que sentía por ella.*
4. Disuadir a alguien de su opinión.
— *Mi padre desarraigó las ideas antimonárquicas que yo tenía.*

desarrapado, -da Cubierto de harapos. ☞ **desharrapado, andrajoso, harapiento.**

desarreglar Alterar el orden o regla de una cosa. ☞ **descomponer, desordenar.** ❖ ARREGLAR, ORDENAR.
— lo que ha sufrido desarreglo: *desarreglado.*
— descuidado en el vestir: *desarreglado.*

desarrollar 1. Desenvolver, deshacer un rollo. ☞ **desplegar, desenrollar.**
— *Desarrollé el mapa para saber adónde dirigirme.*
2. Aumentar. ☞ **acrecentar, incrementar.**
— *Desarrollar la industria nacional es un propósito a largo plazo.*
3. Explicar una teoría. ☞ **explayar.**
— *Desarrolló un interesante experimento de laboratorio.*
4. Tener lugar, acontecer de un modo.
— *Todo se desarrolló como se esperaba.*

desarropar Quitar la ropa que cubre a una persona. ☞ **desabrigar, desvestir.** ❖ ARROPAR, VESTIR.

desarrugar Estirar, quitar las arrugas.

desarticular 1. Separar dos o más huesos articulados. ☞ **descoyuntar, dislocar.**
— *El golpe le desarticuló la rodilla.*
2. Separar las piezas de una máquina. ☞ **desensamblar, desembragar.** ❖ ENSAMBLAR, ARTICULAR.
— *Desarticularon la imprenta para limpiarla.*
3. Desorganizar. ☞ **desconcertar, quebrantar, deshacer.** ❖ ACOPLAR, UNIR, ORGANIZAR.
— *La policía desarticuló una poderosa banda de narcotraficantes.*

desasear Quitar el aseo, limpieza o compostura. ☞ **ensuciar, desaliñar.** ❖ LIMPIAR, ASEAR.

desasosegar Privar de sosiego o tranquilidad. ☞ **inquietar, turbar, perturbar.** ❖ TRANQUILIZAR, SOSEGAR.
— desagrado, turbación: *desasosiego.*
— que sufre molestias: *desasosegado.*

desastre Desgracia grande, calamidad. ☞ **catástrofe, derrota.**

desatar 1. Deshacer una atadura. ☞ **desanudar, desligar.**
— *Desata las agujetas de tu zapato para poder verte el pie.*
2. Deshacer o aclarar una intriga, un asunto.
— *Desaté los malos entendidos entre mi familia y yo.*
3. Excederse en el habla.
— *Se desató, y sólo decía incoherencias.*
4. Actuar desordenadamente.
— *Al morir su padre, el muchacho se desató.*
5. Soltarse con furia una fuerza física o moral. ☞ **desencadenar.**
— *Se desató una tormenta tropical.*

desatender 1. No prestar atención. ☞ **descuidar.** ❖ ATENDER, CUIDAR.
— *El chico desatiende a la profesora, pues sueña con ser pirata.*
2. No hacer caso de una persona o cosa. ☞ **olvidar, despreciar.**
— *La anfitriona desatendió a muchos, pues la estrella había llegado.*
— falta de atención, descortesía: *desatención.*

desatento, -ta 1. Que no pone la atención que debiera en una cosa. ☞ **distraído, desadvertido.**
— *Eres un desatento al conducir, me da miedo ir contigo.*
2. Descortés, falto de urbanidad.
— *Por ser desatento, el jefe no te ascendió.*

desatinado, -da Que obra sin tino o acierto. ☞ **atolondrado, aturdido, atropellado, desatento.**

desatinar 1. Perder el tino. ❖ ACERTAR, ATINAR.
— *El ruido me hizo desatinar y no recuerdo lo que iba a decir.*

2. Decir o hacer desatinos. ☞ **disparatar, divagar, chochear, delirar, desvariar.** ❖ RAZONAR.

— *Cuando toma alcohol desatina en fea forma.*

— falta de tino, locura: *desatino.*

desatornillar Extraer un tornillo haciéndolo girar. ☞ **destornillar.**

desautorizar Quitar la autoridad o la estimación a una persona o cosa. ☞ **desaprobar, destituir, desacreditar, degradar.** ❖ AUTORIZAR, APROBAR.

desavenencia Oposición, discordia. ☞ **desunión, cizaña, contrariedad.** ❖ CONCORDIA. UNIÓN.

desavenir Desconcertar, discordar. ☞ **desunir, separar.** ❖ CONCERTAR.

desayunar Tomar el desayuno.

desazón 1. Falta de sabor y gusto. ☞ **insipidez, sosería, desabrimiento.** ❖ SAZÓN.

— *No la quiero por esposa pues cocina con desazón.*

2. Molestia. ☞ **descontento, disgusto.**

— *Tu partida me causó desazón.*

3. Mala salud. ☞ **desasosiego, zozobra, indisposición.** ❖ TRANQUILIDAD, SOSIEGO.

— *La gripa me provoca desazón.*

— indispuesto, disgustado: *desazonado.*

desbancar 1. Despejar un sitio de los bancos que lo ocupan. ☞ **desembarazar.**

— *Desbanquemos el salón de clases para practicar el baile.*

2. Ganar el banquero todo el fondo que puso en el juego.

— *Desbanqué con la inversión de petróleo que hice.*

3. Suplantar a uno en la amistad o cariño de otra persona. ☞ **suplantar, reemplazar.**

— *Fue fácil desbancarte, pues tu naturaleza es débil y vulgar.*

desbandada 1. Acción y resultado de desbandarse.

— *La desbandada de reses se oía a muchos kilómetros de distancia.*

2. Fuga desordenada. ☞ **estampida, abandono, huida.**

— *Al llegar el ejército enemigo la desbandada fue general.*

— confusamente, desordenadamente: *a la desbandada.*

desbandarse 1. Huir en desorden. ☞ **desatar, dispersarse, escaparse.**

— *Las aves suelen desbandarse al oír un ruido fuerte.*

2. Apartarse de la compañía de otros. ☞ **separarse, retraerse.**

— *Al llegar al cruce de caminos aquel grupo se desbandó.*

desbarajustar Causar gran confusión y desorden. ☞ **desbaratar, desordenar.**

— desorden, confusión: *desbarajuste.*

desbaratar 1. Deshacer o arruinar una cosa. ☞ **descomponer.** ❖ ARREGLAR.

— *Desbarata las cajas antes de tirarlas a la basura.*

2. Malgastar los bienes. ☞ **disipar, despilfarrar, derrochar.** ❖ AHORRAR, APROVECHAR.

— *Como no era su dinero lo desbarató en poco tiempo.*

3. Impedir una cosa. ☞ **estorbar, obstaculizar.**

— *El policía desbarató el plan de los secuestradores.*

desbarrar 1. Tirar con la barra.

— *Vamos a desbarrar unas cuantas naranjas.*

2. Discurrir fuera de razón. ☞ **equivocarse, errar.**

— *Al estar borracho desbarra sin darse cuenta.*

3. Escurrirse. ☞ **deslizarse, patinar.**

— *El charco de agua me hizo desbarrar.*

desbastar 1. Quitar las partes más bastas en una cosa que se labra. ☞ **gastar.**

— *El carpintero desbasta la madera antes de utilizarla.*

2. Quitar la tosquedad a una persona. ☞ **educar.**

— *El colegio desbasta a los niños rebeldes.*

desbloquear Quitar el bloqueo.

desbocado, -da 1. Arma que tiene la boca del cañón desgastada.

— *No ganaremos la batalla con estos cañones desbocados.*

2. Persona que habla de un modo indecente. ☞ **desvergonzado, descarado.**

— *Me daba pena presentarla a mis amigos, pues era muy desbocada.*

— caballo que corre sin control: *desbocado.*

desbordar 1. Salir un líquido de sus bordes. ☞ **derramarse.**

— *El río se desbordó a causa de la lluvia.*

2. Salir de sus límites o medida. ☞ **rebosar.**

— *Serviste mucho café y se ha desbordado la taza.*

— acción y resultado de desbordar: *desbordamiento.*

— que se desborda: *desbordante.*

desbrozar Quitar la broza. ☞ **limpiar, aclarar.**

— despojo, desecho, maleza, escoria: *broza.*

descabellado, -da Sin orden ni concierto. ☞ **absurdo.**

descabezar 1. Quitar la cabeza.

— *La cocinera descabezó los pollos antes de asarlos.*

2. Cortar la parte superior de algunas cosas.

— *Descabeza las lechugas para hacer ensalada.*

descalabrar 1. Herir en la cabeza.

— *El techo se desplomó y descalabró a todos.*

2. Causar daño o perjuicio.

— *Las altas y bajas económicas descalabraron mi presupuesto.*

— presentarse un contratiempo: *sufrir un descalabro.*

— herido en la cabeza: *descalabrado.*

descalificar Privar de calificación o derecho. ☞ **eliminar, vetar, incapacitar.**

descalzar 1. Quitar el calzado.

— *Mi perro fiel me descalza cuando llego a casa.*

— que no tiene calzado: *descalzo.*

2. Perder la caballería una o más herraduras.

— *No pude seguir galopando, pues el caballo se descalzó a medio viaje.*

descamar 1. Quitar las escamas de los peces. ☞ **escamar.**

— *Compré un cepillo especial para descamar el pescado.*

2. Caerse la epidermis en forma de escamas.

— *La humedad lo descama y debe untarse pomada.*

descamisado Sin camisa.

— muy pobre: *descamisado.*

— en la Revolución Francesa, los llamados "sans culotte": *descamisados.*

descampado Terreno que está limpio de malezas.

descansar 1. Cesar el trabajo.

— *La fábrica descansa sólo los domingos.*

2. Reparar las fuerzas con la quietud.

— *En cuanto termine el trabajo voy a descansar en la playa.*

3. Apoyar una cosa sobre otra.

— *Los libros descansan en una repisa de roble.*

descararse Hablar o actuar con desvergüenza.

— atrevimiento, insolencia: *descaro.*

— que se descara, desvergonzado: *descarado.*

descargar 1. Quitar o aliviar la carga.

— *Pasé los bultos a la mula para descargar el caballo.*

2. Disparar un arma.

— *El asesino descargó la pistola en su víctima.*

3. Dar un golpe.

— *Furioso, descargó un puñetazo en la mesa.*

4. Exonerar de una obligación.

— *Mi padre me descargó de llevar la contabilidad.*

5. Dar salida a una corriente eléctrica.

☞ sinónimos o referencias   ❖ antónimos u opuestos afines

—Este cable descarga una corriente de alta tensión.

6. Dejar un cargo.

— Hoy me descargué del puesto de gerente.

descargo 1. Acción de quitar la carga.

—El descargo del buque lo salvó de hundirse durante la tempestad.

2. Partida que en las cuentas se contrapone al cargo.

—El descargo no está claro, hay que volver a sumar.

descarnado, -da Asunto crudo o desagradable expuesto sin paliativos.

— circunstancia repugnante que se presenta sin disimulo: descarnada.

descarriar 1. Desviar a alguien de su carril o de su camino.

—La piedra descarrió al auto en que íbamos.

2. Apartar las reses del rebaño.

— El pastor no supo conducir a las vacas y éstas se descarriaron.

3. Apartarse de lo justo y razonable.

— Se alteró tanto que estaba descarriado.

— que se ha apartado del buen juicio: oveja descarriada.

descarrilar Salir un vehículo fuera de carril. ☞ **accidentar, volcar.**

— acción y resultado de descarrilar: descarrilamiento.

descartar 1. Apartar una cosa de sí. ☞ **desechar, excluir.**

— ¡Tienes que descartar esa camisa de tu guardarropa!

2. En algunos juegos de cartas, separarse de algunas sustituyéndolas por otras.

— Descarté tres naipes para ver si lograba hacer pókar.

3. Excusarse de hacer alguna cosa. ☞ **abstenerse, rehuir.**

— Yo me descarté de la expedición pues me da pereza caminar.

descender 1. Pasar de un lugar a otro más bajo. ☞ **bajar.** ❖ SUBIR, ASCENDER.

— Descendió las escaleras muy despacio.

2. Pasar de un grado alto a otro bajo.

— Descendió a los tonos más graves de la escala musical.

3. Proceder de una persona o familia por generaciones. ☞ **derivar.**

—Desciende de ilustre familia.

4. Derivarse una cosa de otra.

—Esta palabra desciende de un vocablo griego.

5. Correr una cosa líquida. ☞ **manar, fluir.**

—El río desciende por el valle.

descentrado, -da Se dice del instrumento o pieza cuyo centro se halla fuera de la posición que debe ocupar.

☞ **excéntrico, desviado.** ❖ CENTRADO.

descentralizar Transferir a diversos organismos parte de la autoridad que antes ejercía el Estado.

— acción de descentralizar: descentralización.

— que descentraliza: descentralizador.

descerrajado, -da De perversa vida y mala índole.

descerrajar 1. Violar una cerradura. ☞ **forzar, romper.**

— Descerrajé mi puerta pues había perdido las llaves.

2. Disparar. ☞ **descargar.**

—Asustado, le descerrajó un tiro a su propia sombra.

— acción de descerrajar: descerrajadura.

descifrar 1. Poner en claro lo que está escrito en cifra o clave. ☞ **interpretar.**

— Descifrarán la estela que encontró el arqueólogo.

2. Aclarar lo oscuro o lo ininteligible. ☞ **adivinar.**

— Debo descifrar este enigma para hallar el tesoro.

desclavar 1. Quitar los clavos.

—Desclaven el mueble para volverlo a tapizar.

2. Desengastar las piedras preciosas de la guarnición de metal. ☞ **desengastar.**

—Tuve que desclavar mis diamantes para empeñarlos.

— cincel que se usa para desclavar: desclavador.

descocado, -da Que habla o actúa con descaro.

descocarse Manifestar demasiada desenvoltura. ☞ **descararse.** ❖ RECATARSE.

— desenvoltura, osadía: descoco.

descolgar 1. Bajar lo que está colgado.

— Descuelga la ropa pues ya está lloviendo.

2. Quitar las colgaduras.

—Después de la boda descolgaron los adornos de la iglesia.

3. Descender escurriéndose por una cuerda. ☞ **arriar.**

—Me descolgué por el tubo del desagüe para escapar del incendio.

descolorar Quitar o aminorar el color. ☞ **decolorar.**

descolorido, -da De color pálido, sin color. ☞ **incoloro, lívido, blanquecino.**

descomponer 1. Desordenar. ☞ **desbaratar.** ❖ ORDENAR, ARREGLAR, COMPONER.

— El gato descompuso las bolas de estambre.

2. Separar las partes que forman un compuesto. ☞ **aislar, dividir, analizar.**

—Con esta sustancia es posible descomponer este elemento químico.

3. Indisponer los ánimos.

— Se descompuso su humor al llegar tarde al cine.

4. Corromperse alguna cosa. ☞ **pudrirse, dañarse.**

—La fruta se descompuso con el calor.

— podrido, putrefacto: descompuesto.

5. Perder salud. ☞ **enfermar.** ❖ SANAR.

— Me descompuse al comer pescado en mal estado.

6. Demudarse el rostro.

— Se descompuso su semblante por el susto.

descomunal Monstruoso, extraordinario en su especie. ☞ **enorme, desmesurado, monumental.**

desconcertar 1. Turbar el orden y composición de una cosa. ☞ **desorganizar, desbarajustar.** ❖ ORDENAR, ORGANIZAR.

— Su desorden desconcertó todos los planes de viaje que teníamos.

2. Sorprender. ☞ **desorientar.**

—Se desconcertó con la noticia de su embarazo.

3. Dislocar.

—El golpe le desconcertó los huesos del brazo.

4. Perder la serenidad. ☞ **confundir.**

— Se desconcertó tanto que comenzó a llorar.

desconectar 1. Interrumpir la comunicación eléctrica. ☞ **cortar.** ❖ CONECTAR.

—Desconectaron la luz por falta de pago.

2. Faltar unión y trato. ☞ **desunir, separar.**

— Se desconectó de los amigos hace tiempo.

desconfiar No fiarse de una persona o cosa. ☞ **recelar, dudar, temer.** ❖ CONFIAR, FIAR, CREER.

— de forma desconfiada: desconfiadamente.

— que desconfía, receloso: desconfiado.

— falta de confianza: desconfianza.

desconformar 1. No convenir en algo, ser de parecer opuesto o diferente. ☞ **disonar, contrastar.** ❖ ACORDAR, CONVENIR.

—Al ver las condiciones del contrato yo me desconformé y no accedí a nada.

2. No convenir una cosa con otra. ☞ **discordar, desconcertar, desparejar, desigualar.** ❖ CONVENIR.

—Esta tuerca desconforma con este tornillo.

descongelar 1. Deshelar. ❖ CONGELAR.

—Descongelaré el refrigerador antes de limpiarlo.

2. Ablandar con el calor las viandas congeladas. ❖ TEMPLAR.
—*Debes de descongelar la carne en el horno.*
3. Hacer que se pueda disponer de un crédito. ❖ CONGELAR.
—*Mañana descongelan mi cuenta de cheques.*

descongestionar 1. Hacer que la congestión desaparezca. ☞ **aliviar.** ❖ CONGESTIONAR, ENFERMAR.
—*Esta medicina descongestiona la nariz.*
2. Disminuir la aglomeración. ☞ **despejar.** ❖ CONGESTIONAR.
—*Al descongestionar la avenida habrá mayor fluidez vial.*
— disminución de la congestión: *descongestión.*

desconocer 1. No recordar una cosa o a una persona. ☞ **olvidar.**
— *Desconocí la casa pues había pasado mucho tiempo.*
2. No conocer. ☞ **ignorar.**
— *Desconoces el tema y vas a reprobar el examen.*
3. Negar uno ser suya una cosa. ☞ **repudiar.**
—*Desconoció su obra por modestia.*
4. Darse por dese ntendido de una cosa. ☞ **desatenderse.**
—*Desconoció a sus parientes pobres pues se avergonzaba de ellos.*

desconsiderar No guardar la consideración debida. ❖ CONSIDERAR.
— acción y resultado de desconsiderar: *desconsideración.*
— sin consideración: *desconsideradamente.*
— falto de consideración: *desconsiderado.*

desconsolar Privar de consuelo. ☞ **afligir, entristecer, apenar, apesadumbrar.** ❖ CONSOLAR, ANIMAR.

desconsuelo 1. Angustia, aflicción profunda del que ha perdido la esperanza. ☞ **abatimiento, pena.**
—*Su desconsuelo era inmenso al morir su padre.*
2. Desfallecimiento por malestar en el estómago. ☞ **debilidad, congoja.**
—*Te voy a hacer un caldo para que se te quite el desconsuelo.*

descontar 1. Rebajar una cantidad de una suma. ☞ **restar, reducir.** ❖ AUMENTAR.
—*Le descontaron las faltas que tuvo.*
2. Rebajar méritos o virtudes que se atribuyen a una persona. ☞ **desacreditar, menospreciar.** ❖ ACREDITAR.
— *Eres injusto al descontar todo lo que he hecho por ti.*

descontentadizo, -za Que con facilidad se descontenta.

— difícil de contentar: *descontentadizo.*
— falta de contento: *descontentamiento.*

descontento, -ta 1. Disgustado. ☞ **queja, decepción, enfado.** ❖ CONTENTO.
— *Está descontento con su calificación.*
2. Desagrado. ☞ **enojo, pena.**
—*La noticia provocó descontento general.*

descontrol Que carece de control.

descontrolar Provocar la pérdida de control. ☞ **turbar, desmandar, rebelar.**

descorazonar 1. Arrancar el corazón.
—*El carnicero descorazonó las reses para venderme las vísceras.*
2. Desanimar. ☞ **desalentar, desmoralizar, abatir.**
—*Al ver el desastre me descorazoné.*
— con descorazonamiento: *descorazonadamente, descorazonado.*

descorchar 1. Quitar el corcho al alcornoque. ☞ **descortezar, descascar.**
—*Descorché mis viejos chanclos para repararlos.*
2. Romper el corcho de la colmena para sacar la miel. ☞ **fracturar, forzar.**
— *Al descorchar el panal me cubrí con una tela gruesa para evitar picaduras.*
3. Quitar el corcho a una botella. ☞ **destapar, destaponar.**
—*Todas las noches descorchaban vino en aquel palacio.*

descorrer 1. Volver por el mismo camino, pero en sentido contrario. ☞ **retroceder.**
—*Los niños corrían y descorrían por la vereda.*
2. Plegar lo que estaba estirado. ☞ **encoger.**
— *Descorre las persianas para que entre el sol.*
3. Correr o escurrir un líquido. ☞ **fluir, manar.**
— *La botella se volcó y la leche descorría por el piso.*
— efecto de desprenderse o correr un líquido: *descorrimiento.*

descortesía Falta de cortesía. ☞ **grosería, desatención, descomedimiento.** ❖ CORTESÍA, APRECIO.
— falto de cortesía: *descortés.*
— sin cortesía: *descortésmente.*

descoser Desprender las puntadas de lo que estaba cosido. ☞ **desatar, deshacer, desunir.** ❖ COSER, HACER, UNIR.

descosido, -da 1. Indiscreto, hablador. ☞ **desordenado.**
—*No le cuenten nada, es un descosido.*
2. Parte descosida de la prenda. ☞ **desunido, roto.**
—*¡Que vergüenza!, traigo un descosido en la blusa.*

descrédito Pérdida de reputación, valor o estima. ☞ **baldón, desprestigio, mancha, demérito.**

descreer 1. Dejar de creer en algo.
—*Si descrees no te traerán nada los Santos Reyes Magos.*
2. Negar el crédito debido a una persona.
—*El banco descreyó de mi solvencia.*

describir 1. Representar una cosa de modo que se dé una idea de ella. ☞ **dibujar, pintar.**
—*Este grabado describe una corrida de toros.*
2. Representar personas o cosas por medio del lenguaje. ☞ **reseñar.**
— *Describió su aspecto por carta.*
3. Definir una cosa, dando una idea general de sus partes y propiedades. ☞ **detallar.**
— *Descríbeme los huesos del cráneo.*
4. Seguir determinada línea una cosa que se mueve.
— *El astro describe una elipse en su trayectoria.*

descuartizar Dividir un cuerpo en cuartos. ☞ **partir, trozar.**
— hacer pedazos algo: *descuartizar.*
— acción de descuartizar un cuerpo: *descuartizamiento.*

descubierto, -ta 1. Reconocimiento que se hace para observar si en los alrededores hay enemigos. ☞ **inspección, exploración.**
—*Enviaron a dos soldados a realizar una descubierta.*
2. Que no está cubierto. ☞ **expuesto.**
— *Estaba con el dorso descubierto y se quemó con el sol.*
3. Se dice de los lugares despejados y espaciosos. ☞ **abierto, desnudo.**
— *Vamos a edificar la casa en ese descubierto.*

descubridor, -ra 1. Que descubre, averigua o indaga.
— *Madame Curie fue descubridora del elemento llamado polonio.*
2. El que descubre un país o lugar nuevo. ☞ **explorador.**
— *Colón fue el descubridor de América.*

descubrimiento Hallazgo. ☞ **encuentro.**
— que se encuentra o se descubre: *descubrimiento.*

descubrir 1. Manifestar lo que estaba oculto o destapar lo que estaba tapado. ☞ **revelar.** ❖ TAPAR, ESCONDER.
— *Descubrió las malas intenciones que la movían.*
2. Hallar lo que estaba ignorado o escondido. ☞ **encontrar.** ❖ IGNORAR.
— *Descubrió el lugar perfecto para construir.*
3. Alcanzar a ver.

— Descubriremos nuevos paisajes en la expedición.

4. Venir en conocimiento de una cosa por primera vez.

— Descubrieron una galaxia lejana.

— quitarse el sombrero: descubrir la cabeza.

— andar o estar sin resguardo: estar al descubierto.

descuento 1. Acción y resultado de descontar.

— El descuento estaba mal hecho y pagué de más.

2. Rebajar. ☞ **reducción, disminución.**

— ¡30% de descuento en toda la mercancía!

descuidar No cuidar una cosa. ☞ **desatender, abandonar.** ❖ CUIDAR, ATENDER.

desdecir 1. Decir lo contrario de lo que se ha dicho. ☞ **retractarse, abjurar.** ❖ DECIR.

— Había dado su consentimiento pero se desdijo a última hora.

2. No concordar una cosa con otra.

—Esos malos modales desdicen de su apellido ilustre.

desdén Indiferencia que denota menosprecio. ☞ **desprecio.**

— con desaliño: al desdén.

desdentado Que ha perdido los dientes.

desdeñar Tratar con desdén. ☞ **despreciar, menospreciar.**

— despreciable y vil, que merece ser tratado con desdén: desdeñable.

— que manifiesta desdén: desdeñoso.

desdibujar Borrarse la precisión de los contornos de una cosa. ☞ **esfumarse.**

— que es borroso, confuso: desdibujado.

desdicha 1. Suceso adverso. ☞ **desgracia.** ❖ DICHA.

— A los veinte años tuvo la desdicha de perder a sus padres.

2. Pobreza extrema. ☞ **miseria.**

— Vivía en la desdicha, sin casa ni pan.

— que sufre desdicha, desgraciado: desdichado.

desdoblar 1. Extender lo que estaba doblado. ☞ **estirar.** ❖ DOBLAR.

— Desdobla tu traje para que no se arrugue.

2. Separar los elementos de un compuesto.

— Tenemos que desdoblar esta sustancia para estudiarla mejor.

desdorar Manchar la reputación. ☞ **deslustrar.**

— deshonor, afrenta: desdoro.

desear 1. Aspirar a la posesión de una cosa. ☞ **querer, anhelar.**

— Deseo un televisor.

2. Manifestar como un cumplido un deseo.

— Le deseo feliz cumpleaños.

3. Anhelar que acontezca algún suceso.

— Deseo que vuelvas pronto.

— digno de ser deseado: deseable.

— que se desea: deseado.

— tener muchas imperfecciones: dejar mucho que desear.

desecar 1. Extraer la humedad de una sustancia o de una cosa. ☞ **deshidratar.**

— Desecamos rebanadas de manzana para conservarlas todo el año.

2. Dejar secos terrenos inundados para aprovecharlos.

— Antes de sembrarlas es necesario desecar estas tierras.

desechar 1. Excluir, desestimar. ☞ **rechazar.**

— Deseché algunos muebles por viejos y pasados de moda.

2. Renunciar a un cargo o dignidad.

— El profesor desechó el cargo de líder sindical.

3. Apartar una idea, sospecha o temor.

—A la mañana siguiente desechó sus temores y se puso a cantar.

4. Expeler.

— Después de la fiebre desechó orina con sangre.

desecho Cosa que se desecha. ☞ **residuo, despojo, desperdicio.**

desembarcar 1. Sacar el cargamento de un barco y llevarlo a tierra.

— Los estibadores desembarcaron tabaco y plátano.

2. Desalojar los pasajeros el barco.

— Mientras desembarcábamos pude admirar la belleza del puerto.

desembocar 1. Salir por un sitio estrecho.

— Los cables de electricidad desembocan por un tubo de cemento.

2. Desaguar un río o canal en otro o en el mar.

— Esta corriente desemboca en el río caudaloso que allá ves.

3. Tener salida una calle en otra.

— La avenida desemboca en una vía rápida.

— sitio por donde desemboca un río o una calle en otra: desembocadero, desembocadura.

desembolsar 1. Sacar lo que está dentro de una bolsa.

— Mi compañera desembolsó unos panes y nos pusimos a comer.

2. Pagar una cantidad de dinero. ☞ **gastar.** ❖ AHORRAR.

— Tuve que desembolsar lo de mis impuestos para no ir a la cárcel.

— acción y resultado de desembolsar: desembolso.

— cantidad de dinero que se gasta: desembolso.

desembrollar Desenredar lo confuso.

☞ **aclarar.** ❖ EMBROLLAR.

desembuchar Vaciar las aves el buche.

— decir lo que uno sabe: desembuchar.

desempacar Sacar las mercancías de su empaque. ☞ **desenvolver.** ❖ EMPACAR.

— extraer de las maletas la ropa y los efectos personales que se llevan en un viaje: desempacar.

desempatar Deshacer el empate.

— acción y resultado de desempatar: desempate.

desempeñar 1. Sacar lo que estaba empeñado.

— Con esta cantidad desempeñé mi reloj de oro.

2. Llevar a cabo alguna función.

—Desempeñó bien su trabajo.

3. Representar un papel en el teatro.

— Desempeñó bien el carácter de vieja amargada.

— acción de desempeñar: desempeño.

desempleo Falta de trabajo. ☞ **paro.** ❖ EMPLEO.

— que no tiene empleo: desempleado.

desempolvar Quitar el polvo. ☞ **limpiar.** ❖ EMPOLVAR.

— volver a usar lo que se había olvidado: desempolvar.

desencadenar 1. Quitar las cadenas. ☞ **desamarrar.** ❖ ENCADENAR.

— El niño desencadenó al elefante sin querer.

2. Producirse un fenómeno natural.

— Se desencadenó una gran tormenta.

3. Provocar un suceso apasionado o violento.

— Su discurso desencadenó furiosas protestas.

desencajar 1. Descomponerse el semblante.

—Al ver al fantasma se desencajó.

— lo que está desfigurado: desencajado.

2. Sacar de su encaje una cosa.

—Desencajé el mantel para hacer con él servilletas.

desencantar Deshacer el encanto. ☞ **desilusionar, desengañar.** ❖ ENCANTAR.

— acción de desencantar, desilusión: desencanto.

— desilusionado, desengañado: desencantado.

desenchufar Separar lo que estaba enchufado. ☞ **desconectar.** ❖ ENCHUFAR.

desenfado Desahogo del ánimo. ☞ **desparpajo.** ❖ ENFADO.

— desembarazado: desenfadado.

— quitar el enfado: desenfadar.

desenfrenar 1. Quitar el freno a las bestias.

— El caballerango corrió a desenfrenar a su yegua preferida.

2. Entregarse a un vicio.

—Al morir sus padres el jovencito se desenfrenó.

— acción de desenfrenarse: *desenfreno*.

— sin freno, desordenado: *desenfrenado*.

desenfundar Quitar la funda. ☞ **sacar, destapar.** ❖ ENFUNDAR.

desenganchar Separar la caballería del carruaje. ☞ **desatar.** ❖ ENGANCHAR.

— soltar lo que está enganchado: *desenganchar*.

desengañar Hacer comprender a alguien el engaño o error en el que está. ☞ **desilusionar.** ❖ ENGAÑAR.

— aleccionado por la experiencia, desilusionado: *desengañado*.

desengrasar 1. Quitar la grasa. ☞ **limpiar.** ❖ ENGRASAR.

—*Para bajar de peso he de desengrasar lo que como.*

2. Comer cosas saladas o agrias para quitar el sabor de un manjar grasoso.

—*Tómate esta ensalada de lechuga para desengrasarte.*

desenlazar Desatar los lazos. ☞ **desenredar.** ❖ ENLAZAR, UNIR.

— finalizar la trama de una novela o drama: *desenlazar*.

— acción de desenlazar, fin: *desenlace*.

desenmarañar Desenredar lo confuso. ☞ **desatar.** ❖ ENMARAÑADO.

— explicar, aclarar lo oscuro y enredado: *desenmarañar*.

desenmascarar Quitar la máscara. ☞ **descubrir.** ❖ ENMASCARAR.

— dar a conocer los propósitos verdaderos de una persona, delatarla: *desenmascarar*.

desenredar Deshacer un enredo. ☞ **desatar.** ❖ ENREDAR.

desenrollar Desenvolver lo que está enrollado. ☞ **desarrollar.** ❖ ENROLLAR.

desentender 1. Fingir que no se entiende o que se ignora alguna cosa.

—*Con tal de no trabajar se desentiende cuando le doy instrucciones.*

2. No tomar parte en un asunto.

—*Durante el viaje se desentendió del grupo y los dejó cargar con todo.*

desenterrar 1. Sacar lo que está enterrado. ☞ **extraer, exhumar, descubrir.** ❖ ENTERRAR.

—*Los albañiles desenterraron el muro para reforzar su base.*

2. Traer a la memoria lo olvidado. ☞ **recordar.** ❖ OLVIDAR.

— Para explicar la clase desenterré mis conocimientos de pintura.

desentonar 1. Subir o bajar fuera de ocasión el tono de la voz o de un instrumento. ☞ **disonar, desafinar.** ❖ ENTONAR, AFINAR.

—*Yo no toco con ese flautista; ¡desentona!*

2. No estar en consonancia con el entorno. ☞ **discordar, desacordar.**

—*Estos sillones desentonan en el jardín.*

— ser inoportuno: *desentonar*.

desentrañar 1. Arrancar las entrañas. ☞ **destripar, despanzurrar.**

—*La cocinera desentrañó varias gallinas para hacer caldo.*

2. Averiguar un secreto. ☞ **desenmarañar.** ❖ ENMARAÑAR.

—*El detective desentrañó el misterio de esta casa.*

desentumecer Lograr que un miembro entumecido recobre su agilidad. ☞ **desentumir, desentorpecer.**

— acción y resultado de desentumecer: *desentumecimiento*.

desenvainar 1. Sacar de la vaina cualquier arma blanca. ☞ **desenfundar, desnudar.**

—*Al tiempo que me amenazaba desenvainó una navaja muy filosa.*

2. Sacar lo que está oculto o encubierto.

—*Quisiera desenvainar tus verdaderos propósitos.*

desenvolver 1. Extender lo envuelto o arrollado. ☞ **abrir, desplegar, estirar.** ❖ ENVOLVER.

—*Desenvuelve el paquete, por favor.*

2. Desarrollar.

—*La actriz desenvuelve con maestría esa escena.*

deseo 1. Aspiración al conocimiento, posesión o disfrute de una cosa. ☞ **capricho, gusto, ansia, afán.**

—*El deseo de riqueza lleva al hombre a cometer locuras.*

2. Acción y resultado de desear.

—*Deseo que nos conozcamos mejor.*

— que tiene deseos, que desea: *deseoso*.

desequilibrar Hacer perder el equilibrio. ❖ EQUILIBRAR.

desequilibrio Falta de equilibrio. ☞ **inestabilidad, inseguridad.**

— que ha perdido el equilibrio mental, loco: *desequilibrado*.

desertar 1. Abandonar el soldado sus armas. ☞ **huir, escapar.**

—*Desertó en el campo de batalla.*

2. Abandonar uno los lugares que frecuentaba.

—*Desertó del grupo de natación.*

3. Abandonar uno la causa o ideas que profesaba. ☞ **renegar.**

—*Si la situación sigue así, desertaré del partido conservador.*

— acción y resultado de desertar: *deserción*.

— que deserta: *desertor*.

desértico, -ca Desierto, despoblado.

— que pertenece al desierto o se relaciona con él: *desértico*.

desesperar 1. Quitar la esperanza o perderla. ☞ **desesperanzar, desalentar.** ❖ ESPERANZAR, ALENTAR.

—*Desesperó al no conseguir su amor.*

2. Provocar exasperación una cosa, situación o persona.

—*Su actitud pasiva me desespera.*

desestimar Tener en poco, no estimar. ☞ **despreciar, menospreciar.** ❖ ESTIMAR, APRECIAR.

— acción de desestimar: *desestima, desestimación*.

desfachatez Descaro, desvergüenza. ☞ **descoco.**

desfalcar 1. Tomar para sí un caudal que se tiene en custodia. ☞ **robar, estafar, sustraer.**

— Este señor desfalcó a mi padre y nos quedamos en la ruina.

2. Quitar parte de una cosa. ☞ **descabalar.**

—*Con el golpe el jarrón se desfalcó.*

desfalco Acción y resultado de desfalcar. ☞ **robo, estafa.**

— falta que comete el que desfalca: *desfalco*.

desfallecer 1. Causar desfallecimiento. ☞ **extenuar.**

—*El ejercicio lo hizo desfallecer.*

2. Padecer debilidad, decaimiento. ☞ **flaquear.**

—*Desfalleció de pena.*

3. Desmayarse, desvanecerse.

—*Come tan mal que al menor esfuerzo desfallece.*

— pérdida de ánimo: *desfallecimiento*.

— disminución de vigor, energía: *desfallecimiento*.

desfasado, -da Que está fuera de las condiciones, circunstancias o corrientes del momento. ❖ OPORTUNO.

desfasar Establecer una diferencia de fase entre dos fenómenos eléctricos alternos de una misma frecuencia.

— diferencia de fase: *desfase*.

desfavorable Que no es favorable. ☞ **adverso, contrario, hostil.** ❖ FAVORABLE, ADECUADO.

desfigurar 1. Cambiar una figura afeándola.

—*El accidente desfiguró su rostro.*

2. Referir una cosa alterándola.

—*El ladrón desfiguró la versión de los hechos.*

3. Inmutarse. ☞ **turbarse, demudar.**

—*La sorpresa desfiguró patéticamente su rostro.*

— acción y resultado de desfigurar: *desfiguración*.

— cosa extravagante o ridícula: *desfiguro*.

desfiladero 1. Paso estrecho entre montañas. ☞ **puerto, cañada, angostura, quebrada, cañón.**

—*Las mulas son un excelente transporte para ir por los desfiladeros.*

2. Paso estrecho por donde la tropa

---

marcha desfilando.

— *Cubrieron de grava el desfiladero para hermosearlo.*

desfilar 1. Marchar o caminar en fila.

— *Las modelos de alta costura desfilan con gracia.*

2. Pasar las tropas ante un personaje.

— *El 16 de septiembre desfila el ejército.*

— acción de desfilar, parada, revista: *desfile.*

desflorar 1. Quitar la flor o el brillo. ☞ **ajar, deslucir.**

— *El uso continuo desfloró el barniz del violín.*

2. Quitar la virginidad. ☞ **desvirgar.**

—*Ardía en deseos de desflorarla.*

— acción de desflorar: *desfloración.*

desfogar 1. Dar salida al fuego.

—*La boca de este horno es para desfogar la lumbre.*

2. Dar rienda suelta a una pasión. ☞ **desahogar, desbordar.**

—*Al estar juntos desfogaron su amor.*

3. Deshacerse en lluvia o viento una tempestad. ☞ **desencadenar, manifestar.**

— *A la media noche se desfogó el temporal.*

— acción de desfogar: *desfogue.*

desfondar 1. Quitar o romper el fondo de un vaso o caja.

—*Desfondé este cajón para usarlo de librero.*

2. Romper el fondo de una embarcación.

—*El iceberg desfondó la nave.*

desgaire 1. Desaliño. ☞ **desgarbo, descuido.** ❖ CUIDADO, ALIÑO.

—*Mi madre cocina al desgaire y todo sabe mal.*

2. Ademán de desprecio. ☞ **desaire.** ❖ NATURALIDAD.

—*Hablaba y manoteaba al desgaire, pues era un engreído.*

desgajar 1. Arrancar una rama de árbol. ☞ **desgarrar, romper.**

—*El ventarrón desgajó el naranjo.*

2. Arrancar una cosa de otra a la cual está unida. ☞ **separar.**

— *Déjame desgajar la naranja.*

desgana 1. Falta de gana o apetito. ☞ **inapetencia.**

—*No tomaba ni comía nada, estaba con desgana.*

2. Tedio o repugnancia a una cosa. ☞ **indiferencia, indolencia, fastidio.** ❖ GUSTO, INTERÉS.

—*Siempre hace las cosas a desgana.*

— inapetente, sin ganas: *desganado.*

desgañitarse 1. Gritar lo más fuerte que se puede. ☞ **vocear.**

—*Sola en su casa se desgañitaba sin que nadie acudiera en su ayuda.*

2. Enronquecer dando gritos. ☞ **desgargantarse.**

—*Se desgañitó de tanto llorar.*

desgarbado, -da Falto de garbo o elegancia.

— falta de garbo: *desgarbo.*

desgarrar 1. Rasgar. ☞ **romper.**

—*De una dentellada el perro desgarró mi pantalón.*

2. Apartarse. ☞ **separar.**

—*Al ser exiliado se desgarró de su familia.*

— desgarrón: *desgarradura.*

— rotura o rompimiento: *desgarre.*

desgarro 1. Rotura o rompimiento.

—*Con hilo y aguja compondré el desgarro de mi vestido.*

2. Arrojo. ☞ **desvergüenza, descaro.**

—*El héroe nos defendió con desgarro.*

— acción y resultado de arrancar la flema: *desgarro.*

desgarrón 1. Rasgón o rotura grande de la ropa.

— *Tu saco tiene un desgarrón tan grande que ya no se puede zurcir.*

2. Jirón o tira de tela.

— *Cubrí mi herida con desgarrones del mantel, pues no había vendas.*

desgastar 1. Gastar una cosa por el uso o roce continuos. ☞ **consumir, deshacer, gastar.**

— *Los neumáticos se desgastan pronto en caminos difíciles.*

2. Echar a perder, pervertir. ☞ **viciar, corromper.**

—*La juventud se desgasta si no tiene principios sólidos.*

3. Perder fuerza, vigor o poder. ☞ **desganar.**

— *Este trabajo me desgasta.*

— acción y resultado de desgastar: *desgaste.*

desglosar 1. Quitar la nota o glosa a un escrito.

— *Antes de fotocopiar mis apuntes desglósalos.*

2. Separar un impreso de otros con los cuales está encuadernado.

—*Desglosé la sección de deportes del periódico pues no me interesa.*

3. Apartar una cuestión de otras.

— *Debemos desglosar el tema para estudiarlo mejor.*

— acción y resultado de desglosar: *desglose.*

desgobernar 1. Destruir el orden del gobierno. ☞ **desordenar.**

—*Los grupos rebeldes intentan desgobernar al país.*

2. Desencajar los huesos. ☞ **descoyuntar, dislocar.**

—*El golpe le desgobernó el fémur.*

3. Descuidar el gobierno del timón.

—*No desgobiernes la nave pues podríamos zozobrar.*

4. Afectar movimientos de miembros desconcertados. ☞ **agitar, mover.**

—*Al oír una cumbia yo bailo desgobernando mi cuerpo.*

desgobierno Falta de orden o gobierno. ☞ **trastorno, confusión.** ❖ ORDEN, ORGANIZACIÓN.

desgraciar Echar a perder a una persona o cosa. ☞ **dañar.** ❖ FAVORECER, BENEFICIAR.

desgranar Desprender el grano de su vaina.

— *Vamos a desgranar el maíz.*

desgravar Rebajar o eximir un derecho o impuesto.

desgreñar Desordenar los cabellos. ☞ **despeinar.** ❖ PEINAR, ALISAR.

desguazar Deshacer un buque.

— acción y resultado de desguazar: *desguace.*

deshabitar 1. Abandonar una habitación. ☞ **salir.** ❖ HABITAR.

—*Desde que tengo este gato los ratones deshabitaron mi casa.*

2. Dejar un lugar sin habitantes. ☞ **despoblar.** ❖ POBLAR.

—*La sequía deshabitó el pueblo.*

— lugar sin habitantes, despoblado: *deshabitado.*

deshacer 1. Destruir lo que está hecho. ☞ **desbaratar.** ❖ CONSTRUIR, HACER.

—*El ciclón deshizo mi casa.*

2. Desgastar.

— *El molino deshace el grano y lo convierte en polvo.*

3. Romper un trato o negocio.

—*La potencia oriental deshizo el pacto de paz.*

4. Angustiarse, afligirse mucho.

—*Al ver que no regresabas me deshice en llanto.*

desharrapado Andrajoso. ☞ **harapiento, desarrapado.**

deshelar Hacer líquido lo helado. ☞ **descongelar.** ❖ HELAR, CONGELAR.

— acción y resultado de deshelar: *deshielo.*

desheredar Excluir a alguien de una herencia. ☞ **privar.** ❖ HEREDAR.

— privado de bienes o fortuna, menesteroso: *desheredado.*

deshidratar Quitar el agua de un cuerpo. ☞ **secar.** ❖ HIDRATAR.

deshilachar Quitar los hilos o hilachas a una tela. ☞ **deshilvanar, deshilar.** ❖ HILAR.

— ropa muy estropeada: *deshilachada.*

deshilvanar Quitar los hilvanes o hilos. ☞ **deshilachar.** ❖ HILVANAR.

— carecer algo de coherencia y orden: *estar deshilvanado.*

deshinchar 1. Quitar la hinchazón.

☞ **desinflamar.** ❖ HINCHAR.

—*Ponte hielo en el ojo para que se te deshinche.*

2. Quitar la cólera o el enojo. ☞ **desahogar.**

—*Se deshinchó gritando y pataleando.*

deshojar 1. Quitar las hojas a una planta.

—*El ventarrón deshojó los naranjos.*

2. Quitar las hojas a un libro o cuaderno.

— *Los chicos deshojaron el tomo cuarto de la enciclopedia.*

— sin hojas: *deshojado.*

— caída de las hojas: *deshoje.*

deshonestidad Falta de honestidad o decencia. ☞ **indecencia.** ❖ HONESTIDAD.

— falto de honestidad, impúdico: *deshonesto.*

deshonrar Quitar el honor o la dignidad. ☞ **humillar.** ❖ HONRAR.

— pérdida del honor, afrenta: *deshonor.*

— pérdida de la honra, humillación: *deshonra.*

deshora Tiempo inoportuno.

desidia Negligencia, pereza. ☞ **abandono, descuido.**

— negligente, dejado, abandonado: *desidioso.*

desierto, -ta Lugar despoblado, solitario. ☞ **vacío.**

designar 1. Poner nombre. ☞ **nombrar, denominar.**

—*Estos polvos se designan arsénico.*

2. Señalar el destino. ☞ **destinar, elegir, marcar.**

—*Habían designado a la noria a los caballos viejos.*

— acción de designar: *designación.*

designio Idea o proyecto que se desea realizar. ☞ **intención.**

desigualdad Falta de igualdad. ☞ **disparidad.** ❖ IGUALDAD.

desilusionar Hacer perder la ilusión. ☞ **desengañar, desencantar.** ❖ ILUSIONAR.

— pérdida de la ilusión: *desilusión.*

desinencia Terminación de una palabra.

desinfectar Eliminar los gérmenes que producen una infección. ☞ **limpiar, purificar.**

— acción y resultado de desinfectar: *desinfección.*

— que desinfecta: *desinfectante.*

desinflamar Quitar la inflamación o irritación. ❖ INFLAMAR.

desinflar Sacar el aire o gas que llena o infla una cosa. ☞ **deshinchar.** ❖ INFLAR, HINCHAR.

desintegrar Descomponer un cuerpo en sus elementos.

— acción y resultado de desintegrar: *desintegración.*

desinterés Falta de interés en el provecho personal. ☞ **desapego.** ❖ INTERÉS.

desintoxicar Curar de la intoxicación.

— acción y resultado de desintoxicar: *desintoxicación.*

desistir Renunciar a la ejecución de un trabajo. ☞ **abandonar, dejar.** ❖ INSISTIR.

deslealtad Falta de lealtad. ☞ **alevosía, traición.** ❖ LEALTAD.

— que actúa sin lealtad: *desleal.*

— de forma desleal: *deslealmente.*

deslenguado, -da Malhablado. ☞ **grosero, desbocado.**

— cortar la lengua: *deslenguar.*

— descararse: *deslenguarse.*

desligar 1. Soltar la ligadura. ☞ **desatar, deshacer.** ❖ LIGAR.

—*Desligué al perro pues estaba inquieto.*

2. Dispensar. ☞ **eximir, exonerar, librar.** ❖ OBLIGAR.

—*La maestra me desligó de la obligación más penosa: las tareas.*

deslindar 1. Señalar los límites de un terreno. ☞ **delimitar, demarcar.**

—*El arquitecto deslindó el monte para luego fraccionarlo.*

2. Aclarar una cosa. ☞ **precisar.**

—*Debemos deslindar responsabilidades para evitar malos entendidos.*

desliz 1. Resbalón.

—*Si caminas por el hielo puedes sufrir un desliz.*

2. Falta. ☞ **pecado, flaqueza.**

— *La sociedad nunca le perdonó su desliz amoroso.*

deslizar 1. Resbalar sobre una superficie lisa o mojada. ☞ **escurrir, patinar.**

—*Los patines se deslizan fácilmente sobre el hielo.*

2. Hacer una cosa con descuido.

—*Deslicé algunos comentarios pero no fueron bien acogidos.*

deslucido, -da Que no tiene gracia.

— descolorido, borroso: *deslucido.*

deslucir Quitar gracia, atractivo. ☞ **empañar.** ❖ LUCIR, BRILLAR.

deslumbrar 1. Cegar la vista una luz brillante. ☞ **enceguecer.**

—*El faro del tren lo deslumbró.*

2. Producir gran impresión. ☞ **maravillar, impresionar.**

—*La deslumbró su riqueza.*

— que deslumbra u ofusca: *deslumbrador, deslumbrante.*

desmadejar Causar flojedad en el cuerpo.

desmán Tropelía, exceso. ☞ **trastorno.**

— apartarse el ganado del rebaño o manada: *desmanarse.*

desmantelar 1. Echar por tierra los muros de una construcción. ☞ **abatir, demoler.**

—*Desmantelaron ese edificio de oficinas.*

2. Desamueblar una casa. ☞ **abandonar, desalojar.**

—*Antes de mudarnos desmantelamos nuestro hogar.*

desmañado, -da Falto de maña, descuidado. ☞ **torpe, inhábil.**

desmayar 1. Causar desmayo.

—*Es una noticia tan grave que puede hacer desmayar a mi madre.*

2. Perder el valor. ☞ **desanimar, desalentar.** ❖ ANIMAR, ALENTAR.

—*Ten valor, no desmayes, pronto encontrarás empleo.*

3. Perder el sentido. ☞ **privar.**

—*Al verlo herido se desmayó.*

desmedido, -da Falto de medida. ☞ **desproporcionado, excesivo.**

desmedrado, -da Desmejorado, enflaquecido. ☞ **desmirriado.**

desmejorar Menoscabar, deteriorar. ☞ **deslucir, desaliñar.** ❖ LUCIR.

desmelenar Desordenar el cabello. ☞ **desgreñar, despeinar.**

desmembrar Separar los miembros del cuerpo. ☞ **desunir, mutilar.**

desmemoriado, -da Que olvida con facilidad. ☞ **olvidadizo, distraído.**

desmentir Decir a uno que ha mentido. ☞ **contradecir, negar, refutar.** ❖ CONFIRMAR.

desmenuzar 1. Deshacer una cosa en partes menudas. ☞ **partir, picar.**

—*Desmenuza el pollo para hacer croquetas.*

2. Examinar atentamente. ☞ **estudiar, analizar.**

—*Desmenuza el tema de hoy para que todos lo comprendan.*

— acción y resultado de desmenuzar: *desmenuzamiento.*

desmerecer 1. Hacerse indigno de premio o alabanza. ❖ MERECER.

— *Por haber hecho trampa desmereces el premio.*

2. Perder una cosa su mérito o valor. ☞ **desvalorizar.**

—*El dinero desmerece si la economía del país no es firme.*

3. Resultar una cosa inferior a otra con la cual se compara.

— *Este automóvil desmerece de los que están hechos en Alemania.*

— que desmerece: *desmerecedor.*

— demérito: *desmerecimiento.*

desmesurado, -da Excesivo, desproporcionado.

desmirriado, -da Desmedrado, consumido. ☞ **flaco, extenuado.**

desmontar 1. Talar un monte.

—*Se apresuraron a desmontar pues era necesario construir casas.*

2. Deshacer un montón.

—*El campesino desmontó el terreno para luego sembrar.*

3. Desprender las piezas de un objeto.

☞ **desarmar, deshacer, descomponer.**

—*Desmontarán la imprenta para poderla transportar.*

4. Bajar del caballo. ☞ **bajar, apear.**

—*Desmontó rápidamente pues corría a ayudar a su amada.*

desmoralizar 1. Corromper las costumbres y la moral. ☞ **pervertir, viciar.** ❖ MORALIZAR.

— *Las películas de sexo y violencia desmoralizan a quien las ve.*

2. Desalentar. ☞ **desanimar.** ❖ ANIMAR, ALENTAR.

—*La derrota había desmoralizado a los soldados.*

desmoronar 1. Deshacer una cosa formada de partes agregadas entre sí.

— *Desmorona el tabique para hacer grava.*

— derruir una construcción: *desmoronar.*

2. Venir a menos. ☞ **hundirse, derrumbarse.**

—*Se desmoronó su fortuna.*

— acción y resultado de desmoronar: *desmoronamiento, desmorono.*

desnaturalizar 1. Privar del derecho de naturaleza y patria. ☞ **expulsar, desterrar.**

—*Por decreto gubernamental los criminales serán desnaturalizados.*

2. Variar la forma, condiciones o propiedades de una cosa. ☞ **alterar, desfigurar, deformar.**

— *El calor desnaturaliza casi cualquier objeto que toque.*

desnivelar Perder el nivel. ❖ NIVELAR.

— diferencia de alturas entre dos o más puntos: *desnivel.*

desnucar Romper la nuca. ☞ **descalabrar.**

desnudar 1. Quitar el vestido o la ropa. ☞ **desvestir.** ❖ VESTIR.

— *La modelo se desnuda para posar.*

2. Despojar una cosa de lo que la cubre y adorna.

—*Se desnudó de todos sus afeites y se fue a dormir.*

desnudo, -da 1. Sin ropa.

—*La blusa dejaba ver sus brazos desnudos.*

2. Despojado de su adorno. ☞ **carente, falto.**

—*Paredes desnudas, blancas, rodeaban mi cama.*

3. Falto de una cosa.

—*Este hogar está desnudo de amor.*

4. Claro. ☞ **manifiesto.**

—*Te digo la verdad desnuda.*

5. Representación artística de una figura humana desnuda.

—*Este desnudo es muy bello y erótico.*

desnutrición Nutrición deficiente. ☞ **anemia, debilidad.**

— experimentar desnutrición: *desnutrir.*

desobedecer No obedecer. ☞ **contravenir, transgredir.** ❖ OBEDECER.

desocupar 1. Dejar vacío o libre. ☞ **vaciar, evacuar.** ❖ OCUPAR, LLENAR.

—*Desocuparán el edificio en estos días.*

2. Desembarazarse de un negocio, trabajo u ocupación.

—*Ya me desocupé de hacer las cuentas y creo que está todo bien.*

— falta de ocupación, ociosidad: *desocupación.*

— sin ocupación, ocioso: *desocupado.*

desodorante Que elimina los olores molestos.

— mitigar los malos olores: *desodorizar.*

desoír No hacer caso, desatender.

desolar 1. Angustiarse, afligirse. ☞ **apenar.** ❖ CONSOLAR.

—*La noticia de su muerte me desoló.*

2. Arrasar. ☞ **asolar, destruir.**

—*La peste desoló al país.*

desollar Quitar la piel a un animal, despellejar. ☞ **maltratar.**

desorbitar Sacar una cosa de su órbita. ☞ **desordenar, exagerar.**

desordenar 1. Sacar una cosa de su orden. ☞ **desacomodar, descomponer.** ❖ ORDENAR.

—*El gatito desordenó los estambres.*

2. Excederse. ☞ **exagerar.**

—*Los jóvenes se desordenan en las fiestas.*

desorejar Cortar las orejas.

— que no tiene orejas: *desorejado.*

— prostituido, abyecto: *desorejado.*

desorganizar Destruir la organización de una cosa. ☞ **desordenar.** ❖ ORGANIZAR.

desorientar Hacer perder la orientación. ☞ **confundir.** ❖ ORIENTAR.

— estar perdido: *estar desorientado.*

— acción y resultado de desorientar: *desorientación.*

desovar Soltar las hembras de los peces o anfibios sus huevos.

— acción y resultado de desovar: *desove.*

despabilar Quitar la parte quemada del pabilo. ☞ **despavesar.**

despacio Lentamente, poco a poco. ❖ RÁPIDO.

— muy lento: *despacito.*

despachar 1. Concluir un asunto. ☞ **resolver, enviar.**

—*El abogado despachó sus pendientes y se fue a su casa.*

2. Expender mercadería. ☞ **vender.** ❖ COMPRAR.

—*Mi amigo despacha en esa farmacia.*

3. Enviar.

—*Ayer despaché el paquete.*

despacho 1. Lugar donde se estudia o se despacha asuntos. ☞ **oficina.**

—*El despacho estaba tapizado de verde.*

2. Comunicación noticiosa. ☞ **comunicado.**

— *Llegó un despacho notificando lo del terremoto.*

3. Expediente, resolución.

—*El despacho del juez establece la sentencia del reo.*

— acción y resultado de despachar: *despacho.*

despampanante Sorprendente, desconcertante, extraordinario.

despanzurrar Dañar en la panza. ☞ **aplastar.**

— aplastado, destruido: *despanzurrado.*

desparpajo Desenvoltura al hablar o al actuar. ☞ **desenfado.**

desparramar Esparcir lo que estaba junto. ☞ **separar.** ❖ UNIR.

— ancho, abierto: *desparramado.*

despatarrar Abrir excesivamente las piernas.

— caer con las piernas abiertas: *despatarrar.*

despavorido Lleno de pavor. ☞ **aterrado, atemorizado.**

— llenar de miedo, sentir pavor: *despavorir.*

despectivo Despreciativo. ☞ **ofensivo.**

despecho 1. Sentimiento causado por un desengaño o por un golpe a la vanidad. ☞ **decepción.**

— *Al ver a su amada con otro sufrió tal despecho que se suicidó.*

— decepcionado: *despechado.*

— desilusionar: *despechar.*

2. Destete. ☞ **ablactación.**

—*El despecho de mi bebé ha de hacerse gradualmente.*

despedazar Hacer pedazos. ☞ **maltratar, destruir.**

— estar muy afligido: *despedazado.*

despedir 1. Echar a alguien de su empleo. ☞ **correr.**

—*Despidió al empleado inepto.*

2. Arrojar una cosa.

—*La secadora despide aire caliente.*

despegar 1. Desprenderse una cosa de otra. ☞ **separar, apartar.** ❖ PEGAR, UNIR.

— *Despega las etiquetas del vestido antes de ponértelo.*

— perder el afecto de alguien: *despegar.*

2. Elevarse del piso un avión. ☞ **volar.** ❖ ATERRIZAR.

—*El avión estalló cuando despegaba.*

—acción y efecto de despegar: *despegue.*

despeinar Descomponer el peinado. ☞ **desgreñar.** ❖ PEINAR.

— desaliñado, desarreglado: *despeinado.*

despejar 1. Quitar los obstáculos. ☞ **allanar.** ❖ OBSTRUIR.

—*Despeja la mesa para poner en ella la comida.*

— aclarar la mente: *despejar.*

— aclarar: *despejar.*

— sin obstáculos: *despejado.*

2. Determinar el valor de una incógnita. ☞ **calcular.**

—*Debíamos despejar tres ecuaciones para aprobar el examen.*

3. Patear el balón para alejarlo de la meta.

— *El jugador estrella despejó muy hábilmente.*

— acción y efecto de despejar: *despeje.*

despellejar Quitar el pellejo. ☞ **desollar.**

— murmurar maliciosamente de alguien: *despellejar.*

despenar 1. Sacar de penas. ☞ **consolar.** ❖ PENAR.

—*Tu presencia despenó mi vida.*

2. Dar fin al moribundo.

—*Se dedicaba a despenar a los desahuciados.*

— deshauciado, moribundo: *despenado.*

despensa 1. Lugar destinado a guardar comestibles. ☞ **alacena.**

—*La despensa está llena de ratones, es necesario fumigar.*

2. Provisión de comestibles.

—*Fui al mercado y compré una despensa muy bien surtida.*

— encargado de la despensa: *despensero.*

despeñar Tirar una cosa desde lo alto. ☞ **arrojar, precipitar.**

— lugar alto propicio para despeñarse: *despeñadero.*

despepitar 1. Quitar las semillas o huesos a una fruta.

—*Despepita la calabaza para hacer dulce.*

2. Hablar con enojo. ☞ **desgañitarse.**

—*Llegó despepitando lo que le había pasado.*

— desear vehementemente: *despepitarse por algo.*

desperdiciar No aprovechar debidamente una cosa. ☞ **derrochar.** ❖ APROVECHAR.

desperdigar Separar, dispersar. ☞ **desunir, esparcir.** ❖ UNIR.

desperezarse Estirar los miembros para sacudir la pereza. ☞ **despabilarse.**

desperfecto Deterioro leve. ☞ **descompostura, defecto.**

despertar 1. Interrumpir el sueño. ☞ **desadormecer.** ❖ DORMIR.

— *Tuve que despertarlo pues se le hacía tarde.*

2. Estimular. ☞ **excitar.**

—*Al oler el guiso se me despertó el apetito.*

despiadado Que no tiene piedad. ☞ **cruel, inhumano.** ❖ NOBLE, PÍO.

despido Acción y resultado de despedir a un empleado. ☞ **cese.**

despilfarrar Gastar excesivamente. ☞ **derrochar.** ❖ AHORRAR.

— que despilfarra: *despilfarrador.*

despistar Hacer perder la pista. ☞ **desorientar.** ❖ ORIENTAR.

— engañar: *despistar.*

— confundido, distraído: *despistado.*

desplante Dicho o acto arrogante y descarado.

— sacar de la tierra una planta: *desplantar.*

desplazar 1. Mover algo o a alguien para ponerlo en otro lugar. ☞ **trasladar.** ❖ PERMANECER.

—*Desplaza esas piedras del camino para que el auto pueda pasar.*

2. Desalojar un cuerpo parte del líquido en el que se sumerge.

—*El niño desplazó poca agua al entrar en la tina.*

3. Trasladarse a otra parte. ☞ **viajar.**

—*Nos desplazamos cincuenta kilómetros al Norte buscando agua.*

— acción y resultado de desplazar: *desplazamiento.*

— que ha sido movido, excluido: *desplazado.*

desplegar 1. Extender lo que está plegado. ☞ **desdoblar.** ❖ PLEGAR.

—*Desplegamos el mapa para saber qué carretera tomar.*

2. Poner en práctica una actividad.

—*El pintor desplegó lo mejor de su arte ante nosotros.*

desplomar Caer a plomo algo de gran peso. ☞ **precipitarse.**

— descender rápidamente: *desplomarse.*

— caer inconsciente una persona: *desplomarse.*

despoblar Dejar desértico un lugar. ☞ **deshabitar.** ❖ POBLAR.

— disminuir considerablemente la población de un sitio: *despoblar.*

— desierto: *despoblado.*

despojar Privar a alguien de lo que tiene. ☞ **quitar, arrebatar.**

desportillar o despostillar Romper el borde de una cosa.

desposar Contraer matrimonio. ☞ **casarse.** ❖ DIVORCIARSE.

desposeer Privar a uno de lo que posee. ☞ **arrebatar, despojar.** ❖ POSEER.

— sin bienes, menesteroso: *desposeído.*

déspota Que trata duramente a sus subordinados o que abusa de su autoridad. ☞ **tirano.**

despotricar Hablar sin consideración ni reparo contra alguien o algo.

despreciar Desestimar. ☞ **desdeñar, menospreciar.** ❖ ESTIMAR.

desprender Separar lo que estaba unido. ☞ **despegar.** ❖ PRENDER.

despreocuparse Librarse de una preocupación. ☞ **relajarse, desentenderse.** ❖ PREOCUPARSE.

— que no tiene preocupaciones, indiferente: *despreocupado.*

desprestigiar Quitar el prestigio. ☞ **afrentar, deshonrar.** ❖ PRESTIGIAR.

desprevenido No prevenido. ☞ **desprovisto.** ❖ PREVENIDO.

desproporción Falta de proporción. ☞ **desequilibrio, desmesura.** ❖ PROPORCIÓN.

despropósito Dicho o hecho impropio, fuera de sentido o lugar. ☞ **disparate.**

— fuera de propósito: *despropósito.*

desproveer Quitar las provisiones. ☞ **despojar.** ❖ PROVEER.

— desprevenido: *desprovisto.*

después 1. Posteriormente tanto en tiempo como en espacio. ❖ ANTES.

— *Iré a casa después del juego.*

2. Posteriormente en sucesión de jerarquías.

— *Él es el más alto, después de ti.*

despuntar Quitar la punta.

desquiciar Sacar de quicio. ☞ **desencajar, descomponer.** ❖ ARREGLAR.

desquitar 1. Resarcirse de una pérdida. ☞ **recuperarse.**

—*Vino a desquitarse con una mano de pókar.*

2. Tomar satisfacción de un agravio. ☞ **vengarse, desagraviarse.**

—*Se desquitó a golpes de los insultos que había recibido.*

destacamento Tropa acantonada en un lugar.

destacar 1. Hacer notar los méritos de algo. ☞ **señalar.** ❖ OCULTAR.

— *La profesora destacó al alumno más inteligente.*

— sobresalir, hacerse notar: *destacar.*

2. Mandar a una porción de soldados a una misión.

—*Nos destacaron en el río para vigilar al enemigo.*

— sobresaliente: *destacado.*

destajo 1. Forma de pago que toma en cuenta la cantidad de trabajo y no el tiempo trabajado.

— *He de trabajar mucho para ganar bien, pues me pagan a destajo.*

2. Obra que uno toma por su cuenta.

—*Este proyecto me interesa tanto que lo haré a destajo.*

— hablar en exceso: *a destajo.*

destapar Quitar la tapa o tapón. ☞ **abrir, descorchar.** ❖ TAPAR.

destartalado Sin orden. ☞ **descompuesto, destruido.**

— desbaratado: *destartalado.*

destello 1. Resplandor intenso y brillante. ☞ **reflejo, rayo.**

—*Al caer la tarde el sol lanza destellos enceguecedores.*

2. Manifestación de talento.

— *Durante el concierto el flautista tuvo destellos que todos advertimos.*

— emitir destellos: *destellar.*

— que destella: *destellante.*

destemplar 1. Alterar la armonía y el orden. ☞ **alterar, desconcertar.** ❖ TEMPLAR.

—*Su mal humor destempló la reunión.*

2. Perder la armonía los músicos. ☞ **desentonar.**

—*A medio concierto el violinista se destempló.*

desteñir Quitar el tinte. ☞ **decolorar.** ❖ TEÑIR.

— decolorado: *desteñido.*

— apagar los colores: *desteñir.*

desternillarse Romperse las ternillas o costillas. ☞ **descomponerse.**

— reír fuertemente: *desternillarse de risa.*

desterrar 1. Echar a alguien de un territorio o país. ☞ **expatriar.** ❖ REPATRIAR.

— *Desterraron a los rebeldes inconformes.*

2. Quitar la tierra a las raíces de las plantas. ☞ **desenterrar.** ❖ ENTERRAR.

—*Desterré esta mata de hierbabuena para trasplantarla.*

destiempo Fuera de tiempo. ☞ **inoportunamente.**

destilar Vaporizar una sustancia volátil y volverla líquida enfriándola. ☞ **filtrar.**

destinar 1. Señalar o determinar una cosa para un fin. ☞ **designar.**

— *Esta madera se destinó para la construcción de pianos.*

2. Designar a una persona para un empleo.

—*Me destinaron al puesto de jefe de oficina y acepté.*

— persona a quien va dirigida una cosa: *destinatario.*

destino 1. Encadenamiento necesario de los sucesos. ☞ **hado, suerte, fortuna.**

—*Algunos creen que un destino puede leerse en las estrellas.*

— suerte, hado: *destino.*

2. Lugar hacia donde viaja algo o alguien. ☞ **fin, meta.** ❖ ORIGEN, PRINCIPIO.

—*Su destino era París, pero se quedó en España.*

destituir Privar a alguien de su cargo. ☞ **echar, cesar.** ❖ RESTITUIR.

— acción y resultado de destituir: *destitución.*

— que sufre destitución: *destituido.*

destornillar Sacar un tornillo dándole vueltas. ☞ **desarmar.** ❖ ATORNILLAR.

destrenzar Deshacer una trenza. ❖ TRENZAR.

destreza Arte con que se hace una cosa.

☞ **habilidad.** ❖ TORPEZA.

destripar Sacar o quitar las tripas. ☞ **despanzurrar.**

destronar 1. Quitar o sacar del trono. ☞ **deponer, abdicar.** ❖ ENTRONAR.

—*Los rebeldes destronaron al rey y le cortaron la cabeza.*

2. Suplantar a alguien.

—*El joven atleta destronó al campeón de carreras.*

— depuesto: *destronado.*

destrozar 1. Hacer trozos. ☞ **despedazar.**

— *El carro destrozó los palos que había en el camino.*

2. Destruir al enemigo. ☞ **aniquilar, estropear.**

—*Las bombas destrozaron al ejército completamente.*

destruir 1. Inutilizar algo material o inmaterial. ☞ **deshacer, destrozar.** ❖ CONSTRUIR.

— *La tormenta destruyó las líneas eléctricas.*

2. Quitar los medios con los que alguien se mantiene.

—*El jefe destruyó su forma de vida al despedirlo.*

desunir Deshacer una unión. ☞ **separar, alejar.** ❖ UNIR.

desusar Dejar de usar. ☞ **desacostumbrar.** ❖ USAR.

desvaído 1. Persona alta y desairada. ☞ **desgalichado.**

—*Era muy flaca y desvaída, por eso no encontraba marido.*

2. Color apagado o desvanecido.

—*La luz y el tiempo habían desvaído las cortinas.*

desvalido Sin protección. ☞ **desamparado.**

desvalijar Quitar el contenido de una valija o maleta. ☞ **robar.**

— privar de bienes con robo o engaño: *desvalijar.*

desvalorizar 1. Perder su valor una cosa. ☞ **desvalorar, devaluar.** ❖ VALORIZAR.

—*Con el tiempo estos billetes van a desvalorizarse.*

2. Desacreditar. ☞ **despreciar.**

—*El pasaporte se desvaloriza si tiene raspones o enmendaduras.*

— que ha perdido su valor, devaluado: *desvalorizado.*

desván Parte más alta de una casa, inmediata al tejado. ☞ **buhardilla.**

—lugar inhabitable: *desván gatero.*

desvanecer 1. Hacer perder de vista gradualmente. ☞ **esfumarse, desaparecer.**

—*Al amanecer las sombras se desvanecen.*

2. Quitar de la mente una idea. ☞ **olvidar.** ❖ RECORDAR.

—*Al estudiar se desvaneció mi duda.*

3. Turbar el sentido, desmayarse.

—*Frente a frente con el asaltante, se desvaneció.*

desvariar Decir despropósitos. ☞ **disparatar, delirar.**

desvelar Quitar el sueño, mantener despierto. ☞ **velar.** ❖ DORMIR.

— poner mucho empeño en hacer algo: *desvelarse por...*

— con mucho empeño: *con desvelos.*

desvencijar Descomponer una cosa separando sus partes. ☞ **desbaratar.**

— cosa que pierde solidez al desunirse sus partes, destartalada: *desvencijada.*

desventaja Perjuicio de una cosa en comparación con otra. ☞ **desigualdad, desequilibrio.** ❖ VENTAJA.

— lo que causa desventaja: *desventajoso.*

desventura Mala suerte. ☞ **desgracia, desdicha.** ❖ VENTURA.

— que tiene desventura: *desventurado.*

— de forma desventurada: *desventuradamente.*

desvergüenza Falta de vergüenza. ☞ **insolencia, descaro.** ❖ VERGÜENZA.

desvestir Quitar la ropa. ☞ **desnudar.** ❖ VESTIR.

— que no tiene ropa, desnudo: *desvestido.*

desviar Hacer mudar de dirección. ☞ **apartar.**

desvincular Romper lazos o vínculos. ☞ **desunir, separar.** ❖ VINCULAR.

— desamortizar: *desvincular.*

desvirgar Quitar la virginidad. ☞ **desflorar.**

desvirtuar Quitar la virtud a una cosa, echarla a perder.

desvivirse Mostrar vivo interés por algo. ☞ **deshacerse, derretirse.**

detallar Referir una cosa con todos sus detalles o pormenores. ☞ **narrar, tratar, relatar.**

— de forma detallada, al pormenor: *detalladamente.*

detalle 1. Pormenor de una cosa.

— *Decoró la casa hasta en sus más pequeños detalles.*

2. Amabilidad, gesto agradable.

—*Aarón tuvo el detalle de regalarnos chocolates.*

— persona que cuida los detalles: *detallista.*

detectar Descubrir la presencia de una cosa. ☞ **localizar, revelar, hallar.**

detective. Persona que hace investigaciones policiacas. ☞ **investigador.**

detector Aparato que revela la presencia de algo en un ambiente. ☞ **localizador.**

detener 1. Parar, suspender el movimiento.

— *¡Detén el auto en esa esquina!*

2. Poner preso. ☞ **arrestar**.

—*Lo detuvieron acusado de fraude.*

detentar Retener uno lo que no es suyo. ☞ **usurpar**.

detergente Sustancia que facilita el lavado de ropa y vajillas.

— limpiar un objeto: *deterger*.

deteriorar Menoscabar, estropear. ☞ **degradar**. ❖ MEJORAR, PERFECCIONAR.

— acción y resultado de deteriorar: *deterioración*.

— deterioración, daño, defecto: *deterioro*.

determinar 1. Indicar con precisión los términos de una cosa. ☞ **fijar, establecer**.

—*Vamos a determinar las cláusulas del contrato.*

2. Hacer tomar una resolución. ☞ **decidir**.

—*Su enfermedad nos determinó a llevarla a un hospital.*

3. Señalar una cosa para algún fin. ☞ **fijar**.

—*Debemos determinar el tema de la junta.*

— acción y resultado de determinar: *determinación*.

determinado, -da Preciso, cierto. ☞ **señalado**. ❖ IMPRECISO.

detestar Aborrecer, odiar. ☞ **execrar, abominar**. ❖ QUERER.

— pésimo, odioso, abominable: *detestable*.

detonación Acción y resultado de detonar. ☞ **estallido, explosión, disparo**.

detonar Dar un estampido. ☞ **disparar, estallar**.

—artificio que hace detonar un explosivo: *detonador*.

— que hace detonar: *detonante*.

detractor, -ra Calumniador. ☞ **infamador, maldiciente**.

detrás En la parte posterior. ☞ **tras**.

detrimento Daño leve o deterioro parcial. ☞ **perjuicio, avería**.

detrito Residuo de un cuerpo que se descompone en partículas. ☞ **desperdicio, basura**.

deuda 1. Obligación de pagar dinero. ☞ **deber, adeudo, débito**.

—*Tiene deudas de juego.*

— que debe, codeudor, debiente: *deudor*.

— obligación moral: *deuda*.

2. Falta, pecado, ofensa. ☞ **pecado, culpa**.

—*Dios perdona nuestras deudas porque nos ama.*

deudo, -da Pariente. ☞ **parentesco, familiar**.

devaluación Disminución del valor de una moneda. ☞ **desvalorización**.

devaluar Rebajar el valor de una moneda o de otra cosa.

devanar Arrollar hilo en un ovillo o carrete.

—cavilar, meditar: *devanarse los sesos*.

devaneo 1. Locura. ☞ **delirio, desatino**.

—*Después de leer novelas se sumergía en un devaneo fantasioso.*

2. Distracción pasajera. ☞ **pasatiempo**.

—*Dibujar comics era un devaneo para él.*

3. Amorío pasajero.

—*Había tenido devaneos extramaritales y ahora se arrepentía.*

devastación Acción y resultado de devastar o asolar una comarca. ☞ **destrucción, desolación**.

devastar Destruir, arrasar un lugar o cosa. ☞ **arruinar**.

— que devasta o destruye una cosa: *devastador*.

devengar Adquirir derecho o alguna remuneración por servicios. ☞ **ganar**.

— cantidad que se devenga: *devengo*.

devenir Porvenir. ☞ **acontecer, suceder**.

devoción 1. Veneración, fervor religioso. ☞ **piedad**.

— *Rezaba con devoción para que su hijo se aliviara.*

— libro que contiene oraciones: *devocionario*.

2. Afición, predilección.

— *Su devoción es asistir a todos los partidos de futbol.*

— no ser una persona del agrado de otra: *no ser santo de su devoción*.

devolver 1. Restituir una cosa a su dueño. ☞ **volver, tornar**.

—*Le devolví los vestidos que me prestó.*

2. Volver una cosa al estado que tenía.

— *El hada lo devolvió a su figura original.*

3. Corresponder a un favor o a un agravio. ☞ **compensar**.

—*Le devolvió sus atenciones visitándolo.*

4. Vomitar.

— *Devolvió el estómago durante el viaje.*

devorar 1. Comer con ansia y rápidamente. ☞ **tragar, engullir**.

—*Devoró el pastel de chocolate.*

2. Destruir. ☞ **arruinar, consumir**.

—*Las llamas devoraron la casa.*

— poner gran atención a algo: *devorar*.

— que devora: *devorador, devorante*.

devoto, -ta 1. Dedicado con fervor a la piedad. ☞ **piadoso, religioso**.

—*Mi tía era tan devota que iba diario a misa.*

2. Afecto a una persona. ☞ **leal, fiel, apegado**.

— *Tengo un devoto admirador.*

día 1. Tiempo que tarda la Tierra en dar una vuelta sobre su eje.

— *El año tiene una duración de 365 días.*

2. Periodo de 24 horas.

—*Estamos a tres días de camino.*

3. Tiempo que dura la claridad del sol.

—*En invierno los días son más cortos.*

4. Tiempo que hace.

— *Es un día lluvioso.*

5. Santo o cumpleaños de una persona.

—*Le hicimos un pastel en su día.*

diablillo 1. Persona traviesa, juguetona.

— el que se viste de diablo en carnaval: *diablillo*.

— travesura grande, chiquillada: *diablura*.

diablo 1. Angel del mal. ☞ **Satán, Lucifer, demonio**.

—*El diablo ofrece cualquier placer a cambio del alma de los hombres.*

2. Persona mala o traviesa.

— *Ese hombre es un diablo cuando toma.* ☞ **travieso, audaz**.

3. Carro para arrastrar troncos de árbol.

—*El diablo tiene las ruedas zafadas.*

diácono Ministro eclesiástico de grado inmediato al sacerdocio.

— orden inmediata al sacerdocio que se confiere a los diáconos: *diaconato*.

diadema 1. Cinta blanca que antiguamente ceñía la cabeza de los reyes.

—*El monarca llevaba una diadema de seda blanca.*

2. Adorno femenino para la cabeza. ☞ **corona**.

—*Mi madre se hacía un peinado ceñido con una diadema.*

— que tiene diadema: *diademado*.

diáfano, -na Que deja pasar la luz casi en su totalidad. ☞ **traslúcido**.

— claro, limpio, puro: *diáfano*.

diafragma 1. Músculo ancho y delgado que separa el pecho del abdomen.

—*Tenía un fuerte dolor en el diafragma.*

2. Lámina que hace vibrar la aguja del fonógrafo.

— *El diafragma estaba roto y no podíamos oír discos.*

3. Disco con un orificio que deja pasar más o menos luz en una cámara fotográfica.

—*Regular la velocidad del diafragma es esencial para lograr buenas fotos.*

— cerrar más o menos el diafragma: *diafragmar*.

diagnosticar Determinar una enfermedad por sus síntomas.

— calificación que el médico da de una enfermedad: *diagnóstico*.

diagonal Línea recta que se traza de un ángulo a otro no contiguo en una figura geométrica.

☞ **sinónimos o referencias** ❖ **antónimos u opuestos afines**

— oblicuo, sesgado: *diagonal.*

— de modo diagonal, oblicuamente: *diagonalmente.*

diagrama Dibujo geométrico que sirve para demostrar una proposición o para figurar de manera gráfica la variación de un fenómeno.

dial Pieza circular con letras o números que tienen los teléfonos para hacer llamadas.

dialéctica Filosofía o arte de razonar metódica y justamente. ☞ **lógica.**

dialecto Cada una de las derivaciones de un idioma. ☞ **lengua.**

— variedad regional de un idioma: *dialecto.*

— que pertenece al dialecto o se relaciona con él: *dialectal.*

dialogar Hablar en diálogo. ☞ **platicar, charlar.**

— escribir en forma de diálogo: *dialogar.*

diálogo 1. Conversación entre varias personas. ☞ **plática, coloquio, charla.**

— *Se llevaron a cabo los diálogos universitarios.*

2. Obra literaria escrita en forma de conversación.

— *Los diálogos de la novela la hacen muy ágil.*

diamante Piedra preciosa formada por carbono cristalizado; es la sustancia natural más dura que se conoce, la más brillante y límpida. ☞ **adamante.**

— sitio que contiene diamantes: *diamantífero.*

diámetro Línea recta que pasa por el centro de un círculo y llega a ambos extremos en la circunferencia.

diana 1. Toque militar para despertar a las tropas al amanecer.

— *Al toque de diana se levantaron los reclutas.*

2. Punto central de un blanco de tiro.

— *Afiné mi puntería y le di a la diana.*

¡diantre! Exclamación de enojo o sorpresa que equivale a la palabra diablo.

diapositiva Imagen fotográfica positiva sobre un soporte transparente que sirve para proyectarla.

diario, -ria 1. De todos los días. ☞ **cotidiano.**

— *Diario comemos en casa.*

2. Publicación que aparece todos los días. ☞ **periódico, gaceta.**

— *El diario traía fotos del accidente.*

3. Relación de lo que ha ido sucediendo de día en día.

— *Este diario cuenta la historia de mi vida.*

4. Libro donde se asientan cada día las operaciones de una firma comercial. ☞ **memoria.**

— *Necesito revisar el diario de la tienda para pagar los impuestos.*

diarrea Trastorno intestinal que consiste en evacuaciones líquidas frecuentes.

— que pertenece a la diarrea o se relaciona con ella: *diarréico.*

diáspora Dispersión de algo por el mundo.

— dispersión de los judíos después de la destrucción de su pueblo: *diáspora.*

diatriba Crítica verbal o escrita de carácter violento e injurioso. ☞ **sátira, libelo.**

dibujar 1. Delinear y sombrear figuras en una superficie. ☞ **pintar, trazar, esbozar, caricaturizar.**

— *Dibuja cartones cómicos para el suplemento dominical de esta revista.*

2. Describir con propiedad una pasión o una cosa inanimada.

— *Sus relatos dibujaban el carácter de la gente del pueblo.*

— acción y resultado de dibujar: *dibujo.*

— que dibuja: *dibujante, dibujador.*

dicción 1. Conjunto de sonidos que expresan una idea. ☞ **palabra, término, expresión.**

— *La dicción es importante para comunicarse adecuadamente.*

2. Manera de hablar, escribir o pronunciar. ☞ **pronunciación, elocución.**

— *Su dicción es defectuosa, por eso no se le entiende.*

diccionario Libro que contiene y explica en orden alfabético, las voces de una o más lenguas o de una ciencia. ☞ **catálogo, glosario, vocabulario.**

dictado Acción y resultado de dictar.

— preceptos de moral, inspiración: *dictado.*

dictador Jefe supremo que ejerce poder absoluto en un Estado. ☞ **autócrata, déspota, tirano.**

dictadura 1. Dignidad y cargo del dictador. ❖ DEMOCRACIA.

— *Su dictadura está basada en abusos y arbitrariedades.*

2. Tiempo que dura este régimen de gobierno.

— *Durante los diez años de dictadura no era posible protestar.*

dictamen Juicio. ☞ **opinión, sentencia.**

dictaminar Dar sentencia o juicio. ☞ **enjuiciar.**

dictar 1. Decir algo para que otro lo escriba.

— *Los profesores dictan el tema de estudio.*

2. Pronunciar un fallo o sentencia. ☞ **expedir; promulgar.**

— *El juez dictó sentencia de cadena perpetua.*

dicha Felicidad, suerte. ☞ **prosperidad, ventura.** ❖ DESVENTURA.

— con dicha: *dichosamente.*

— feliz, que trae consigo dicha: *dichoso.*

dicho 1. Frase o sentencia. ☞ **refrán, proverbio.**

— *El anciano hablaba con dichos.*

2. Ocurrencia. ☞ **chiste, agudeza.**

— *Era muy divertido oír sus dichos.*

— aficionado a decir dichos; bromista: *dicharachero.*

— dicho bajo, vulgar: *dicharacho.*

didáctico Que pertenece a la enseñanza o se relaciona con ella. ☞ **pedagógico.**

diente (vea ilustración de la p. 213)
1. Cada uno de los huesecillos encajados en las quijadas, que sirven para masticar y morder.

— *Al bebé le salió su primer diente.*

2. Punta o resalto de una cosa.

— *Le falta un diente a la sierra.*

3. Cada una de las partes en que se divide el ajo.

— *Agrega un diente de ajo al caldo para que salga sabroso.*

— comer mucho: *tener buen diente.*

diéresis Signo ortográfico que indica que debe pronunciarse la u en las sílabas gue, gui.

— licencia poética que consiste en deshacer un diptongo: *diéresis.*

diestro, -tra 1. Derecho; que está de este lado.

— *Toma el libro que está a tu diestra.*

2. Hábil y sagaz. ☞ **listo, experto.**

— *Es diestro para los juegos de azar.*

— calidad de diestro: *destreza.*

3. Mano derecha.

— *El contrabajista pulsa las cuerdas con los dedos de la diestra.*

— sin tino: *a diestra y siniestra.*

dieta 1. Abstinencia total o parcial de alimento, impuesto como medio terapéutico. ☞ **privación, ayuno.**

— *Su dieta le impedía comer harinas y azúcares.*

— ciencia que estudia el valor nutritivo de los alimentos: *dietética.*

2. Asamblea en que se discuten los asuntos públicos en ciertos países. ☞ **junta, congreso.**

— *La dieta votó por mi padre para presidente.*

3. Honorarios que cobran ciertos funcionarios mientras desempeñan algún encargo fuera de su residencia. ☞ **estipendio.**

— *No me alcanza para nada pues mi dieta es muy exigua.*

diezmo Décima parte de los frutos o de las ganancias que pagaban los fieles a la Iglesia o al rey. ☞ **impuesto.**

— pagar el diezmo a la Iglesia: *diezmar.*

difamar Hacer perder el crédito y buena fama de una persona. ☞ **denigrar, calumniar.**

diente

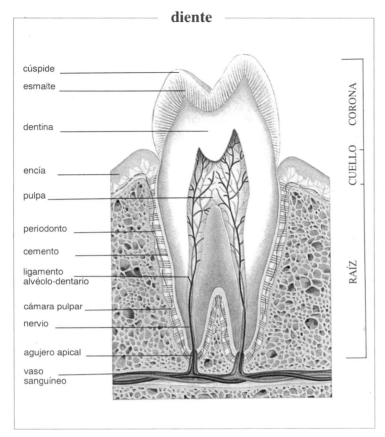

cúspide

esmalte

dentina

encía

pulpa

periodonto

cemento

ligamento
alvéolo-dentario

cámara pulpar

nervio

agujero apical

vaso
sanguíneo

CORONA

CUELLO

RAÍZ

— que difama o desacredita: *difamador, difamatorio.*

diferencia 1. Falta de similitud entre dos o más cosas. ☞ **desigualdad.** ❖ SEMEJANZA, IGUALDAD.

— *La diferencia entre estos dos trajes está en el color.*

2. Residuo de una sustracción. ☞ **resta.**

— *La diferencia de esta cuenta es la cantidad de impuestos a pagar.*

3. Controversia, debate. ☞ **oposición, disentimiento.** ❖ ACUERDO.

—*Hubo diferencias en la reunión.*

diferencial Que pertenece a la diferencia o se relaciona con ella.

diferenciar 1. Hacer distinción entre dos cosas.

— *Los niños aprenden rápido a diferenciar las formas.*

2. Variar el uso que se hace de una cosa. ☞ **diversificar.**

— *Las herramientas pueden diferenciarse según nuestras necesidades.*

3. Discordar. ☞ **discrepar.**

—*Si hablamos de política vamos a diferenciar en nuestras opiniones.*

4. Distinguir, hacerse notable.

— *Esta mujer se diferencia por su*

elegancia.

diferir 1. Retrasar. ☞ **aplazar, posponer.** ❖ ADELANTAR.

—*El juez va a diferir la ejecución de la sentencia.*

2. Ser diferente. ☞ **distinguir.**

—*Este auto difiere de los demás en su carrocería.*

difícil Que no se logra con facilidad. ☞ **trabajoso, complicado.** ❖ FÁCIL.

difuminar Frotar con esfumino, esfumar.

— *esfumino del dibujante: difumino.*

difundir 1. Propagar físicamente.

—*El ventilador difundió las cosas que tenía delante.*

2. Transformar los rayos de un foco luminoso en luz que se propaga en todas direcciones.

—*Los diamantes difunden la luz.*

difunto, -ta Muerto. ☞ **cadáver.**

digerir Hacer la digestión el estómago y los intestinos.

digital 1. Que pertenece a los dedos o se relaciona con ellos. ☞ **dactilar.**

—*Las fracturas digitales son frecuentes en ciertos deportes.*

2. Planta medicinal con forma de dedal.

—*La flor del dedal tiene la corola púrpura.*

dígito Número que puede expresarse con un solo guarismo.

dignatario Persona que tiene un cargo o dignidad.

dignidad 1. Función, cargo o título eminente. ☞ **ocupación, título, puesto.**

— *La dignidad de senador conlleva grandes responsabilidades.*

2. Nobleza en los modales. ☞ **grandeza, excelencia.**

—*Aunque era muy joven tenía gran dignidad en su comportamiento.*

3. Respeto a sí mismo. ☞ **decoro, seriedad.**

—*Nunca pierdas tu dignidad pues es lo más valioso que tienes.*

dije 1. Alhajas pequeñas que se llevan como adorno. ☞ **joya.**

— *Tenía un cofrecito repleto de dijes multicolores.*

2. Persona de muchas cualidades.

— *Tu mujer es un dije.*

dilación Retraso. ☞ **demora, retardo.**

dilapidar Malgastar, disipar los bienes. ☞ **despilfarrar.** ❖ GUARDAR.

— *acción y resultado de dilapidar: dilapidación.*

— *que dilapida: dilapidador.*

dilatar 1. Aumentar el volumen de un cuerpo. ☞ **ensanchar.** ❖ ENCOGER, REDUCIR.

—*En contacto con el calor la goma se dilata.*

2. Retrasar. ☞ **demorar, retardar.**

—*Espéralos, no dilatan en llegar.*

dilección Amor tierno y puro. ☞ **amistad, cariño.**

dilecto, -ta Amado con dilección.

dilema Argumento formado por dos proposiciones contrarias. ☞ **conflicto, alternativa.**

diletantismo Gusto refinado, afición muy grande a un arte.

— *amante del arte por afición o diversión: diletante.*

diligencia 1. Esmero en ejecutar una cosa. ☞ **cuidado, celo.** ❖ DESCUIDO.

— *Trabaja con exactitud y diligencia y ascenderás de puesto.*

2. Prisa. ☞ **apresuramiento, rapidez, prontitud.** ❖ RETARDO.

— *El trabajo debe hacerse con diligencia.*

3. Coche grande para el transporte de viajeros y mercancías. ☞ **carro, vehículo.**

—*Las antiguas diligencias eran tiradas por caballos.*

4. Ejecución de un auto o decreto judicial. ☞ **trámite.**

— *Como era abogado, se la pasaba llevando a cabo diligencias.*

dilucidar Explicar un asunto. ☞ **aclarar, resolver.**

— acción de dilucidar, aclaración: *dilucidación.*

— que dilucida o aclara: *dilucidador.*

diluir Añadir líquido a una solución. ☞ **disolver.**

— acción y resultado de diluir: *dilución.*

— preparación obtenida por diluir un sólido en un líquido: *dilución.*

diluvio Inundación debida a grandes lluvias. ☞ **aguacero.**

dimanar Proceder una cosa de otra. ☞ **provenir.**

dimensión 1. Extensión medible de un cuerpo en una dirección particular.

— Las tres dimensiones son largo, alto y profundo.

2. Cada una de las extensiones de un cuerpo en el espacio.

— Las dimensiones de esta caja son muy pequeñas.

— que pertenece a la dimensión o se relaciona con ella: *dimensional.*

diminuto Demasiado pequeño. ☞ **pequeño, chico.** ❖ GRANDE.

— que empequeñece: *diminutivo.*

dimitir Renunciar a un puesto o comisión.

— acción y resultado de dimitir: *dimisión.*

— puesto que puede dimitirse: *dimisible.*

— el que dimite: *dimitente.*

dinámico, -ca Que pertenece a la fuerza cuando produce movimiento o se relaciona con ella. ☞ **móvil.** ❖ ESTÁTICO.

dinamita Mezcla explosiva.

— combinación explosiva inventada por Alfred Nobel en 1866: *dinamita.*

dinastía Serie de soberanos o de hombres ilustres de una misma familia.

— que pertenece a la dinastía o se relaciona con ella: *dinástico.*

dinero Tipo de cambio corriente. ☞ **oro.**

dinosaurio (vea ilustración). Reptil prehistórico.

— división de los dinosaurios: *saurisquios y ornitisquios.*

dintel Parte superior de las puertas y ventanas.

— fabricar dinteles o hacer una cosa en forma de dintel: *dintelar.*

diócesis Territorio bajo la jurisdicción espiritual de un obispo. ☞ **arquidiócesis.**

dioptría Unidad para medir la potencia de los lentes.

— parte de la óptica que trata de la refracción de la luz: *dióptrica.*

diorama Lienzo pintado por ambas caras para lograr efectos visuales de movimiento.

Dios 1. Ser sobrenatural creador del universo según la religión cristiana.

— Solo Dios puede librarnos de esta calamidad.

2. (vea recuadro de dioses prehispánicos). Deidad venerada por diferentes pueblos.

— Apolo es el dios griego de los oráculos.

diploma Certificado que acredita un grado académico o un premio.

— persona que recibe un diploma: *diplomado.*

— otorgar diploma: *diplomar.*

— graduarse: *diplomarse.*

diplomacia 1. Arte de relacionarse los Estados soberanos y forma de negociar los asuntos internacionales.

— Mi primo estudia diplomacia pues quiere llegar a ser embajador.

2. Cortesía aparente e interesada.

— Me corrió de su casa con mucha diplomacia.

dipsomanía Obsesión por ingerir bebidas alcohólicas. ☞ **alcoholismo.** ❖ ABSTINENCIA.

dinosaurio

braquiosaurio · diplodoco · celofisis · contosaurio · anquilosaurio · hadrosaurio · estegosaurio · tiranosaurio

DIOSES PREHISPÁNICOS

Xaman Ek	dios maya de la Estrella Polar, guía de los caminantes
Xilonen o Chicomecoatl	diosa náhuatl del maíz
Xipelotepec	dios azteca de las enfermedades
Xipetotec	dios azteca de los sacrificios humanos (nuestro señor el desollado)
Xiuhtecutli	dios azteca del fuego (inventado por **Tezcatlipoca**)
Xochicatsin	diosa azteca del parto
Xochipilli	dios azteca de las flores y la abundancia (significa príncipe de las flores)
Xochiquetzal	diosa azteca de las flores y del buen amor
Xonai-Quecuya	diosa zapoteca de los muertos
Yum Kax	dios maya de los bosques y del maíz
Kukulkán	dios maya de la vida y patrono de los artesanos (equivalente a **Quetzalcoatl**)

— que padece dipsomanía: *dipsómano.*

diptongo Conjunto de dos vocales pronunciadas en una sola sílaba.
— formar un diptongo: *diptongar.*

diputado, -da Persona elegida para representar a sus electores en la cámara legislativa. ☞ **representante.**
— oficio del diputado: *diputación.*
— conjunto de diputados: *diputación.*

dique 1. Muro para contener las aguas. ☞ **presa.**
—*El dique se rompió y la ciudad corre el peligro de inundarse.*
2. Construcción de un astillero en la que se arman los barcos.
—*El dique puede inundarse a voluntad para que entren en él las naves.*

dirección 1. Acción de dirigir o dirigirse.
— *Ejerció la dirección del partido durante mucho tiempo.*
2. Camino. ☞ **ruta, rumbo.**
— *El autobús se fue en la dirección equivocada.*
3. Personas que dirigen una sociedad. ☞ **administración, directiva.**
— *La dirección tomó medidas contra la contaminación.*

directo, -ta 1. Que no se detiene en puntos intermedios.
— *El tren hace viajes directos.*
2. Que no se desvía. ☞ **recto.** ❖ CHUECO.
— *Es descendiente en línea directa de una familia noble.*
— que recibe la acción del verbo: *objeto directo.*
— rayo proveniente de la fuente: *directo.*

dirigir Llevar una cosa a un término o lugar señalado. ☞ **encaminar, encauzar.**

dirimir Ajustar una controversia. ☞ **deshacer.**
— que estorba, disuelve o dirime: *dirimente.*

discernir Separar o distinguir una cosa de otra.
— facultad para discernir, inteligencia: *discernimiento.*

disciplina Observancia estricta de leyes u ordenamientos. ☞ **instrucción, orden.** ❖ INDISCIPLINA.

discípulo, -la Persona que sigue una enseñanza u opinión de una escuela o de un maestro. ☞ **alumno.** ❖ MAESTRO.
— que pertenece al discípulo o se relaciona con él: *discipular.*

disco 1. Objeto plano y circular.
—*Las monedas tienen forma de disco.*
— figura circular: *disco.*
2. Lámina circular donde se graban las vibraciones sonoras que reproduce un fonógrafo. ☞ **acetato.**
—*Tengo discos de música clásica y de rock and roll.*

discóbolo Atleta que lanza el disco. ☞ **lanzador de disco.**

díscolo, -la Revoltoso, perturbador, malhumorado. ☞ **indócil, avieso.** ❖ DÓCIL.

disconforme Que no está de acuerdo con algo. ☞ **inconforme.** ❖ CONFORME.
— falta de conformidad, desacuerdo: *disconformidad.*

discontinuo Sin continuidad. ☞ **interrumpido.** ❖ CONTINUO.

discordia Oposición de voluntades. ☞ **desacuerdo, inconformidad.** ❖ CONCORDIA.

discreción Sensatez para hablar o actuar. ☞ **tacto.** ❖ INDISCRECIÓN.

discrepar Diferenciarse una cosa de otra. ☞ **discordar, desdecir.** ❖ ACORDAR.
— falta de acuerdo: *discrepancia.*
— que discrepa: *discrepante.*

discriminar 1. Diferenciar una cosa de otra. ☞ **separar.** ❖ UNIR.

— *Discriminó lo que no le servía.*
2. Considerar que hay diferencia en las razas humanas. ☞ **segregar.**
— *En mi colegio discriminan a los chinos.*
— acción y resultado de discriminar: *discriminación.*
— que discrimina: *discriminador.*

disculpa Razón que se da para descargarse de una culpa. ☞ **excusa, perdón.**
— ofrecer disculpa: *disculparse.*

discurrir 1. Andar por diversos lugares. ☞ **recorrer.**
—*Discurrió por toda la ciudad.*
2. Reflexionar sobre algo. ☞ **pensar.**
—*Discurrió qué hacer ante el problema.*
— inventar algo: *discurrir.*
— transcurrir el tiempo: *discurrir.*
— fluir un líquido: *discurrir.*

discurso Palabras que expresan un pensamiento. ☞ **oración, enunciado.**

discutir 1. Examinar varias personas una cuestión exponiendo cada una su punto de vista. ☞ **polemizar.** ❖ AFIRMAR.
—*Discutimos acerca de qué decisión tomar.*
2. Examinar detenidamente algo. ☞ **analizar.**
—*Los profesores discutieron el nuevo plan de estudios.*

disecar 1. Cortar en partes un organismo para estudiarlo.
— *El médico disecó el corazón.*
2. Preparar un organismo muerto para que aparente estar vivo. ☞ **embalsamar.**
—*Disecaron algunos pelícanos para decorar la tienda.*
— que se puede disecar: *disecable.*
— organismo muerto que parece estar vivo: *disecado.*

disección Operación de abrir y separar los tejidos de un organismo para exponerlos.
— que hace la disección: *disector.*

diseminar Separar lo que estaba unido. ☞ **desparramar, esparcir.**
— acción de diseminar: *diseminación.*
— que disemina: *diseminador.*

disentir No pensar o sentir como otro. ☞ **discrepar, discordar, divergir.** ❖ CONCORDAR, CONVERGIR.
— acción y resultado de disentir: *disensión, disentimiento.*
— desacuerdo en las opiniones: *disensión.*

diseño Delineación, trazo, dibujo. ☞ **proyecto.**
— hacer diseños: *diseñar.*
— que diseña: *diseñador.*

disertar Examinar y razonar con detalle y metódicamente alguna materia.
— acción y resultado de disertar: *disertación.*

— aficionado a disertar: *disertador*.

disfraz 1. Vestido de fiesta que da un aspecto desacostumbrado a la persona que lo usa.

—*Mi disfraz de globo aerostático fue muy aplaudido.*

2. Cambio hecho a una cosa o situación para que parezca ser distinta de como es. ☞ **encubrimiento, simulación.**

— *Disfraza sus intenciones para lograr sus propósitos.*

— llevar un disfraz: *disfrazarse*.

— que tiene disfraz: *disfrazado*.

disfrutar 1. Sentir placer. ☞ **gozar, complacerse, recrearse.** ❖ SUFRIR, PADECER, SOBRELLEVAR.

— *¿Disfrutaste con la película?*

2. Aprovechar las utilidades de algo. ☞ **percibir, usufructuar.** ❖ PAGAR, ABONAR.

—*En el cargo que ocupa disfruta de grandes privilegios.*

3. Tener la protección o amistad de alguien.

—*Disfruta de la confianza del jefe.*

disgregar Separar las partes de un todo. ☞ **disolver, desintegrar.** ❖ AGREGAR, CONGREGAR, INTEGRAR.

— acción y resultado de disgregar: *disgregación*.

— que disgrega: *disgregador, disgregante*.

— capaz de disgregar: *disgregativo*.

disgustar 1. Ocasionar disgusto, enojo. ☞ **inquietud, pesadumbre, enfado, descontento.** ❖ GUSTO, ALEGRÍA, COMPLACENCIA, CONTENTO.

— *se disgustó con su madre.*

2. Enfadarse dos o más personas. ☞ **diferencia, desavenencia.**

—*Las vecinas se disgustaron por nada.*

3. Desabrir una bebida o un alimento. ☞ **desabrimiento, desazón.**

—*La sopa se disgustó pues le pusiste demasiada agua.*

disidente Que se aparta de la creencia de una institución o de la mayoría. ☞ **discrepante, discorde.**

disidencia 1. Acción y resultado de disentir.

—*El índice de disidencia en nuestro partido es muy alto.*

2. Grupo de los disidentes.

— La disidencia marchó por las principales calles de la ciudad.

3. Desacuerdo de opiniones en materia importante. ☞ **discrepancia, escisión.** ❖ ACUERDO.

— *La disidencia entre los diplomáticos puede ocasionar una guerra.*

disímil Diferente, distinto, desemejante. ❖ IGUAL, PARECIDO, SEMEJANTE.

— desemejanza: *disimilitud*.

disimulo 1. Habilidad con que se oculta lo que se siente o se piensa.

—*Hablaba con disimulo fingiendo ser mi amigo.*

2. Inclinación a tolerar las faltas de otros. ☞ **indulgencia, tolerancia, permisividad.** ❖ SEVERIDAD, RIGOR, DUREZA.

—*Tu madre los educó con disimulo.*

disipar 1. Hacer que algo se evapore. ☞ **volatilizar.** ❖ CONDENSAR.

—*El alcohol se disipa si no está en un recipiente sellado.*

2. Esparcir lo que está aglomerado. ☞ **disolver, disgregar.** ❖ AGREGAR, CONCENTRAR.

—*El viento disipó el polvo que estaba sobre la mesa.*

3. Malgastar algo que se posee. ☞ **derrochar, desperdiciar.** ❖ CONSERVAR. AHORRAR, PRESERVAR.

—*Disipé mi herencia y ahora estoy en la ruina.*

— que malgasta la hacienda: *disipador*.

dislate Hecho o dicho absurdo, increíble o poco formal. ☞ **locura, disparate, desatino.**

dislocar 1. Sacar algo de su lugar. ☞ **desencajar, desarticular.**

—*Dislocó las partes del reloj y ya no sirve.*

2. Salirse un hueso de su lugar. ☞ **desmembrar, luxar.** ❖ REUNIR.

— *Con el golpe se le dislocó una rodilla.*

3. Deformar un razonamiento. ☞ **tergiversar.**

—*El periódico dislocó lo que yo dije en la entrevista.*

— acción y resultado de dislocar: *dislocación, dislocadura*.

disminuir Hacer menos una cantidad o medida. ☞ **acortar, achicar, aminorar.** ❖ AGRANDAR, AUMENTAR, DILATAR, EXTENDER.

disociar Separar una cosa de otra, o los componentes de una sustancia. ☞ **separar, desunir, disgregar.** ❖ JUNTAR, UNIR, ASOCIAR, COMPONER.

— acción y resultado de disociar: *disociación*.

disoluto, -ta Vicioso. ☞ **libertino, depravado.**

disolver 1. Desunir las moléculas o partículas de un sólido mediante un líquido con el que se incorporan.

—*Disuelve sal en agua para teñir la ropa.*

2. Separar lo que estaba unido. ☞ **desunir, disociar, disgregar, descomponer.** ❖ JUNTAR, UNIR, ASOCIAR, AGREGAR, COMPONER.

—*El divorcio disuelve los lazos conyugales.*

disonancia 1. Sonido desagradable. ☞ **cacofonía, disón.**

—*Sus versos están plagados de disonancias.*

2. Falta de conformidad entre dos o más cosas. ☞ **disparidad, disconformidad.** ❖ PARALELISMO, CONCORDANCIA.

—*La disonancia entre su atuendo y la hora del día es evidente.*

— que disuena: *disonante, dísono*.

dispar Que no se parece. ☞ **desigual, diferente, disparejo.** ❖ PAR, SEMEJANTE.

— diferencia entre las cosas comparadas: *disparidad*.

disparar 1. Hacer que un arma arroje el proyectil.

—*Disparé contra las ratas del campo.*

— pieza que sirve para disparar el arma: *disparador*.

2. Tirar con violencia. ☞ **arrojar, aventar.**

—*El volcán dispara grandes rocas candentes.*

3. Enviar con fuerza el balón hacia la portería.

—*El jugador disparó con intención de meter gol.*

— patear con el pie el balón: *disparar*.

4. Salir corriendo.

—*Ante la manada de lobos salió disparado.*

— acción y resultado de disparar: *disparo*.

— invitar, convidar: *disparar*.

disparate Dicho o hecho absurdo, ridículo, anormal o excesivo. ☞ **dislate, barbaridad.**

— hacer o decir disparates: *disparatar*.

— el que disparata: *disparatado*.

dispendio Gasto excesivo e innecesario. ☞ **derroche, desperdicio.** ❖ AHORRO.

— que causa dispendios: *dispendioso*.

dispensa Permiso que da una autoridad para no cumplir una regla. ☞ **exención, privilegio.**

— papel donde consta una exención: *dispensa*.

dispensar 1. Conceder, otorgar. ☞ **dar.**

—*El presidente me dispensó favores muy significativos.*

2. Excusar de una obligación.

—*La profesora me dispensó de ir a la ceremonia mañana.*

dispensario Establecimiento de beneficencia donde se presta atención médica o se dan medicinas.

dispersar Separar lo que estaba unido. ☞ **diseminar, esparcir.** ❖ CONCENTRAR, AGREGAR.

displicencia 1. Desagrado o indiferencia en el trato. ☞ **apatía, aspereza.** ❖ CALIDEZ, SIMPATÍA.

— Tu novio te trata con displicencia, yo creo que no te quiere.

2. Falta de ganas para ejecutar un trabajo. ☞ **desaliento, pereza.** ❖ INTERÉS, ÁNIMO.

— Lavas la ropa con tal displicencia que ha de quedar sucia.

— que siente displicencia: *displicente.*

disponer 1. Poner en orden las cosas. ☞ **arreglar, organizar.** ❖ DESCOMPONER, DESORDENAR.

— Antes de salir de viaje dispuso sus asuntos e hizo un testamento.

2. Ordenar lo que se hará. ☞ **mandar, determinar.**

— ¿Qué dispuso el capitán?

3. Prepararse, alistarse. ☞ **prevenirse.**

— Nos dispusimos para salir muy temprano.

4. Tener dominio sobre cosas o personas.

— Don Ramón dispuso de sus hijos enviándolos a un convento.

— hábil, gallardo: *dispuesto.*

— tener una firme decisión: *estar o hallarse dispuesto.*

disponible Que se puede disponer o usar. ☞ **utilizable.**

— militar o funcionario que no tiene cargo, pero al que se le puede dar uno de inmediato: *disponible.*

disposición 1. Acción y resultado de disponer.

— La nueva disposición gubernamental prohíbe el uso de bebidas alcohólicas.

2. Capacidad para realizar una tarea. ☞ **aptitud.** ❖ INCAPACIDAD.

— Este muchacho tiene muy buena disposición para ser médico.

3. Estado de ánimo, humor.

— Mi padre siempre estaba en disposición de ayudarme.

— organización de las partes de una composición literaria: *disposición.*

dispositivo, -va 1. Mecanismo que pone en marcha una operación mecánica.

— El dispositivo no funciona, por lo tanto no hay luz.

2. Lo que dispone.

— La junta dispositiva apoyó a los menesterosos.

— medidas que se toman para resguardar un lugar o un acontecimiento: *dispositivo de seguridad.*

disputar Discutir, altercar con otro. ☞ **debatir.** ❖ ASENTIR, CONCORDAR.

— acción y resultado de disputar: *disputa.*

— que disputa: *disputador.*

— participar en discusiones: *entrar en disputas.*

disquisición Investigación rigurosa de algún tema. ☞ **razonamiento, análisis.**

distancia 1. Porción de espacio o de tiempo entre dos cosas o sucesos. ☞ **lejanía, trecho.**

— La distancia hace que uno olvide lo desagradable que ha sucedido.

2. Diferencia entre una cosa y otra. ☞ **disimilitud, desemejanza.** ❖ AFINIDAD, CERCANÍA.

— Hay mucha distancia entre este músico clásico y este organillero de la calle.

3. Falta de afecto entre personas. ☞ **frialdad, antipatía.** ❖ CERCANÍA, SIMPATÍA.

— Desafortunadamente, entre mis primos y yo existe una gran distancia.

distar 1. Estar muy lejos en espacio o tiempo una cosa de otra.

— El pueblo dista 100km. de mi casa.

2. Ser muy diferente una cosa de otra.

— El edificio de la escuela dista mucho del de la iglesia.

distender Ocasionar una tensión violenta en los tejidos o membranas del cuerpo.

— acción de distender: *distensión.*

distinción 1. Acción de distinguir. ☞ **diferenciación.** ❖ IDENTIFICACIÓN, ASIMILACIÓN, CONFUSIÓN.

— La abuelita hizo distinciones entre sus nietos que llegaron a odiarse.

2. Lo que hace que dos cosas no sean iguales o parecidas. ☞ **característica.**

— Su distinción es la cabellera rubia que tanto cuida.

3. Honor que se concede a una persona y la diferencia de los otros. ☞ **prerrogativa, honra.** ❖ INFAMIA, BALDÓN.

— La reina le dio la distinción de caballero.

4. Orden, claridad y precisión en las cosas. ☞ **elegancia.** ❖ CONFUSIÓN, OSCURIDAD.

— La distinción en tus papeles te ayudará a hacer los trámites fácilmente.

5. Elegancia en el aspecto y las maneras de alguien. ☞ **gallardía, galanura.** ❖ TOSQUEDAD, RUDEZA.

— Llama la atención de todos por su belleza y distinción.

6. Consideración que se le tiene a alguien. ☞ **miramiento, comedimiento.** ❖ GROSERÍA, DESATENCIÓN.

— Como está muy anciana tu abuela todos hacen distinción al tratarla.

— a diferencia de: *a distinción de.*

— juzgar el valor de cada cosa: *hacer distinciones.*

— sin discriminar: *sin distinciones.*

distinguir 1. Darse cuenta de algo. ☞ **advertir, notar.** ❖ IGNORAR.

— Distinguió que tus intenciones no eran buenas y por eso te echó.

2. Establecer diferencias. ☞ **diferenciar, identificar.** ❖ CONFUNDIR.

— El profesor distinguió a los buenos alumnos.

3. Tener gran respeto a alguien. ☞ **honrar, enaltecer.** ❖ OFENDER, VILIPENDIAR.

— Distinguen al presidente a donde quiera que va.

4. Hacerse notar. ☞ **descollar, sobresalir.**

— Se distinguió por su mala educación.

— que recibe una distinción: *distinguido.*

— distinción sutil o excesiva: *distingo.*

— ser muy ignorante o distraído: *no distinguir lo blanco de lo negro.*

distintivo Lo que hace que algo se diferencie o se distinga.

— señal, marca, insignia: *distintivo.*

distinto 1. Que no es lo mismo que otro o no se le parece. ☞ **diferente, desigual.** ❖ IDÉNTICO, IGUAL.

— La vegetación tropical es distinta de la desértica.

2. Claro, comprensible, inteligible.

— El orador habló con voz distinta.

distorsión Torcedura de una parte del cuerpo. ☞ **luxación, dislocación.**

— deformación de una onda sonora: *distorsión.*

distorsionar Originar deformidad o distorsión.

distraer 1. Dejar uno de poner atención, o hacer que alguien deje de atender a algo. ☞ **desatender, desoír.** ❖ OÍR.

— El chico se distrae en clase.

2. Producir diversión. ☞ **entretener, divertir.** ❖ FASTIDIAR, MOLESTAR.

— Lo distraigo durante su enfermedad.

3. Hacer que algo cambie de dirección. ☞ **desviar, apartar.** ❖ ATRAER.

— El viento distrajo de su trayectoria al globo.

distracción 1. Acción y resultado de distraer. ☞ **desviación, apartamiento.**

— La distracción más grata de mi infancia era la lectura.

2. Diversión, recreo.

— La radio es una gran distracción.

distraído Que atiende poco a lo que sucede.

distribuir 1. Repartir una cosa entre varios. ☞ **compartir, adjudicar.** ❖ COLECTAR.

— Su madre nos distribuyó globos y pastel.

2. Darle a las cosas su destino.

— El cartero distribuye la correspondencia del barrio.

3. Comercializar un producto.

— Las camionetas repartidoras distribuyen el pan blanco a las tiendas.

— acción y resultado de distribuir: *distribución.*

— que distribuye: *distribuidor*.

— que pertenece a la distribución o se relaciona con ella: *distributivo*.

distrito Subdivisión administrativa o judicial de un territorio.

— que pertenece al distrito o se relaciona con él: *distrital*.

disturbio Alteración de la paz pública. ☞ **perturbación, alteración, agitación, alboroto**.

disuadir Convencer a alguien para que cambie de opinión o de propósito. ☞ **desaconsejar**. ❖ PERSUADIR.

disyuntiva Alternativa entre dos cosas. ☞ **dilema**.

disyuntivo, -va Que desune o separa. ☞ **contrario, opuesto, antagónico**.

— conjunción que significa separación, diferencia o alternativa: *disyunción*.

ditirambo Poema en honor del dios griego Baco o Dionisio.

— poema elogioso: *ditirambo*.

— alabanza exagerada: *ditirambo*.

— arrebatado, desmesurado: *ditirámbico*.

diurno, -na 1. Perteneciente o relativo al día. ☞ **matutino, vespertino**. ❖ NOCTURNO.

— La secundaria es diurna.

2. Que está activo durante el día.

— *Algunas plantas son sólo diurnas.*

diuturno, -na. Que dura mucho tiempo. ☞ **duradero, constante**. ❖ FUGAZ, PASAJERO.

— gran espacio de tiempo: *diuturnidad*.

divagar 1. Desviarse del asunto. ☞ **rodear, alejarse, andarse por las ramas**. ❖ CONCRETAR.

— *Divagaba tanto que nunca supe qué quiso decir.*

2. Andar sin rumbo fijo. ☞ **vagabundear, rodar**. ❖ PARAR.

— *Su impresión fue tan grande que divagó dos días.*

diván Banco alargado y blando, sin brazos ni respaldos, en el que hay cojines. ☞ **sofá, canapé**.

divergir 1. Irse apartando dos o más líneas o superficies. ☞ **alejarse**. ❖ ACERCAR.

— *Las vías del tren divergen en el próximo cruce.*

2. Tener distintas opiniones. ☞ **discrepar, disentir**. ❖ CONVERGER, CONVENIR, ASENTIR.

— *Sus puntos de vista divergen.*

diversión 1. Acción y resultado de divertir.

— *Mi diversión preferida es leer.*

2. Lo que divierte. ☞ **pasatiempo, recreo**.

— *El circo es una diversión para niños.*

diverso, -sa Lo que es distinto, diferente o desemejante.

— variedad, desemejanza: *diversidad*.

divertir 1. Causar placer. ☞ **entretener, deleitar, alegrar**. ❖ ABURRIR, IRRITAR.

— *Me divirtió mucho el payaso.*

2. Apartar, desviar una cosa de otra.

— *Divirtieron la carretera, ahora hay dos carriles.*

dividendo. 1. Cantidad que ha de dividirse entre otra.

— *Los dividendos están equivocados, por eso no cuadra la contabilidad.*

2. Fracción de los beneficios de una empresa que corresponde a cada socio. ☞ **interés, renta**.

— *Gana tan buenos dividendos que se compró un auto.*

dividir 1. Separar en partes. ☞ **partir, quebrar**. ❖ JUNTAR, UNIR.

— *Dividimos equitativamente la pizza.*

2. Repartir entre varios. ☞ **distribuir, repartir**. ❖ COLECTAR.

— *Divide esta caja de manzanas entre los empleados.*

3. Provocar desacuerdo entre los miembros de un grupo.

— *Los chismes de Pedro dividieron a los vecinos.*

— que puede dividirse: *divisible*.

— calidad de divisible: *divisibilidad*.

— acción y resultado de dividir: *división*.

divino 1. Que pertenece a algún dios o se relaciona con él. ☞ **deífico, sagrado, sobrehumano**. ❖ PROFANO, DIABÓLICO.

— *Su curación pareció un acto divino.*

2. Que se distingue por su excelencia. ☞ **excelso, sublime**. ❖ RASTRERO, PROSAICO, VULGAR.

— *Su belleza era divina.*

— creerse falsamente muy superior: *sentirse la divina garza*.

divinidad Naturaleza divina. ☞ **deidad, numen**. ❖ MORTAL.

divinizar 1. Considerar divino algo o a alguien.

— *Los aztecas divinizaban los fenómenos naturales.*

2. Alabar excesivamente.

— *Sus padres lo divinizaron y por eso se volvió insoportable.*

divo, -va 1. Cantante de opera famoso. ☞ **intérprete**.

— *La diva es muy obesa.*

2. Dios de la mitología.

— *El divo era mitad hombre y mitad dios.*

— artista que se atribuye méritos inmerecidos, petulante: *divo*.

divorciar Separar legalmente a los cónyuges. ☞ **descasar, desunir**.

— desunir lo que estaba junto: *divorciar*.

— que se divorció: *divorciado*.

divulgar Hacer del conocimiento público algo. ☞ **difundir, publicar**. ❖ OCULTAR, VELAR, ENCUBRIR.

— acción y resultado de divulgar: *divulgación*.

— que divulga: *divulgador*.

dizque Se dice que.

do 1. Primera nota de la escala musical.

— *Dio un do sostenido sobre agudo nítidamente.*

— el mayor esfuerzo que se puede hacer para obtener algo: *do*.

2. Donde.

— *¿Do queda tu calle?*

dobladillo Pliegue que se hace en los bordes de la ropa, doblándola un poco hacia dentro dos veces para coserla. ☞ **repulgo**.

doblar 1. Aumentar una cosa el cien por ciento.

— *Dobló la apuesta y ganó.*

2. Plegar una cosa sobre sí misma.

— *Dobla las sábanas antes de guardarlas.*

3. Grabar los diálogos de una película ya filmada.

— *Doblaré a Mastroianni en su próxima película.*

— actor que ejecuta escenas peligrosas en sustitución de otro: *doble*.

4. Cambiar de dirección.

— *Doblé la esquina y me encontré con mi padre.*

5. Tocar a muerto las campanas.

— *Su muerte fue tan sentida que las campanas doblaron toda la tarde.*

— traducción del idioma en que está una película: *doblaje*.

— ceder a las intenciones de otro: *doblar las manos*.

doble 1. De más cuerpo, no sencillo.

— *Pidió un whisky doble.*

2. Cosa que va acompañada de otra igual.

— *Su casa tiene doble cerradura.*

3. Flor de más pétalos que los ordinarios.

— *El crisantemo es una flor doble.*

— hipócrita, disimulado: *doble*.

— pliegue: *doble*.

— ser muy parecido a alguien: *ser su doble*.

doblegar 1. Hacer que algo se tuerza. ☞ **doblar, deformar**. ❖ ARREGLAR, ENDEREZAR.

— *El sismo doblegó la estructura del edificio.*

2. Hacer que alguien cambie de propósito. ☞ **convencer**. ❖ RESISTIR.

— *Doblegaron su rebeldía a base de cariño.*

— someterse, transigir: *doblegarse.*

doblez 1. Parte de una cosa que se dobla.
— *El doblez era muy angosto*
2. Señal que queda.
— *No puedo quitar el doblez con la plancha.*

docena Conjunto de doce cosas iguales.
— que se vende por docenas: *docenal.*
— formado por doce elementos o unidades: *docenario.*

docente Persona que se dedica a la enseñanza.
— que pertenece a la enseñanza o se relaciona con ella: *docente.*
— la profesión del docente: *docencia.*

dócil 1. Manso, obediente, sumiso. ❖ RE-BELDE, INDÓCIL.
— *Los niños de mi hermana son dóciles.*
2. Material con el que se trabaja fácilmente. ☞ **dúctil, flexible.**
— *La plastilina es una masa dócil.*

docto, -ta ☞ Sabio, erudito. ❖ IGNO-RANTE, PROFANO.

doctor, -ra 1. Que ha obtenido el máximo grado que concede una universidad.
— *Mi cuñado es doctor en letras.*
2. Persona que enseña. ☞ **catedrático, profesor, facultativo.**
— *El doctor en filosofía da clases de ética.*
3. Que ejerce la medicina. ☞ **médico.**
— *El doctor le diagnosticó cáncer.*
— título honorífico que las autoridades otorgan a personalidades eminentes: *doctor honoris causa.*
— grado de doctor y estudios con que se obtiene: *doctorado.*
— que se refiere al doctorado: *doctoral.*

doctrina Conjunto de opiniones de una escuela filosófica, literaria o religiosa.
— perteneciente o relativo a una doctrina: *doctrinario.*

documental Que se basa en documentos.
— película hecha con propósitos informativos o pedagógicos: *documental.*

documentar 1. Probar con documentos. ☞ **patentizar, legalizar, justificar.**
— *Debemos documentarnos al pasar por la aduana.*
2. Informar acerca de algún asunto o suceso. ☞ **enseñar.**
— *Me documenté en la enciclopedia.*

documento 1. Escrito que sirve para comprobar algo. ☞ **fuente.**
— *Este documento prueba que soy mexicana.*
2. Lo que enseña algo acerca de algún hecho.

— *Las fotos son un excelente documento.*

dodecafonía Sistema atonal en el que se emplean sin distinción los doce intervalos cromáticos en que se divide la escala.

dogma Creencia fundamental de una religión o filosofía. ☞ **credo, evangelio, superstición.**
— creencia que alguna persona o institución impone sin fundamento: *dogma.*
— lo referente a los dogmas: *dogmático.*

dogo, -ga Perro de presa de cabeza grande y hocico chato.

dólar Unidad monetaria de Estados Unidos, Australia, Canadá y otros países.

dolencia Enfermedad, malestar o achaque. ☞ **indisposición.** ❖ BIENESTAR, SALUD.

doler 1. Padecer dolor una parte del cuerpo.
— *Comenzó a dolerme la cabeza.*
2. Causar pesar el hacer una cosa o pasar por ella.
— *Me duele dejarte, pero debo irme.*
3. Compadecerse del mal ajeno. ☞ **compadecerse, apiadarse.**
— *Se dolió de la desgracia de esos niños.*

dolor 1. Sensación molesta en una parte del cuerpo.
— *Los juanetes me dan dolor de pies.*
2. Estado de tristeza. ☞ **pena.**
— *Su dolor era insoportable cuando se murió su hijo.*
— arrepentimiento, pesar, aflicción: *dolor.*
— que padece dolor, apenado: *dolorido.*
— dolor muy fuerte: *dolorón.*

doloso, -sa Simulado, engañoso, fraudulento.

domar Someter a una persona o a un animal a la fuerza. ☞ **domeñar, sujetar.** ❖ LIBERAR, SOLTAR.
— acción y resultado de domar: *doma, domadura.*
— que puede domarse: *domable.*
— que doma: *domador.*

domesticar Acostumbrar a un animal a vivir con el ser humano. ☞ **amansar.**
— hacer tratable a una persona de mal carácter: *domesticar.*
— acción y resultado de domesticar: *domesticación.*

doméstico, -ca 1. Que pertenece a la casa o se relaciona con ella. ☞ **hogareño, casero.**
— *Las tareas domésticas son pesadas pero necesarias.*
2. Animal que se cría en casa.
— *El perro es un animal doméstico.*

3. Sirviente de una casa. ☞ **criado, mozo, servidor.**
— *Tengo un solo doméstico para atender a mi familia.*

domiciliar 1. Dar domicilio.
— *El Estado domicilió a los damnificados de la inundación.*
2. Poner señas en una carta.
— *La secretaria domicilia las felicitaciones de Navidad.*
3. Fijar uno su domicilio en un lugar. ☞ **establecer.**
— *Me domicilio en Veracruz desde hace dos años.*

domicilio Casa donde uno habita. ☞ **hogar, morada, residencia.**
— que pertenece al domicilio o se relaciona con él: *domiciliario.*
— lugar donde, para efectos legales, una persona habita: *domicilio legal.*

dominar 1. Tener dominio o ascendiente sobre cosas o personas. ☞ **sujetar, someter.** ❖ SUBLEVAR.
— *El padre dominaba a la familia entera.*
2. Poseer a fondo una ciencia o arte. ☞ **sobresalir, descollar.**
— *Dominó el arte de la alquimia.*
3. Sobresalir una cosa entre otras.
— *El sonido que domina en esta pieza es el de la flauta.*
4. Reprimir, ejercer dominio sobre sí mismo. ☞ **contener.**

domingo Primer día de la semana; sigue al sábado y precede al lunes.
— que pertenece al domingo o se relaciona con él: *dominical.*
— embarazo de una mujer soltera: *domingo siete.*
— que se usa en domingo o en días festivos: *dominguero.*
— que viste bien o se arregla sólo en domingo o días festivos: *dominguero.*

dominico, -ca Miembro de la orden religiosa fundada por Santo Domingo de Guzmán. ☞ **fraile, religión.**

dominio 1. Poder que se tiene sobre cosas o personas. ☞ **dominación, mando.** ❖ SERVIDUMBRE.
— *Los más fuertes ejercen un dominio absoluto sobre los débiles.*
2. Territorio sujeto a un Estado o a una autoridad.
— *Tenemos que luchar para que nuestro país no sea un dominio extranjero.*
3. Campo al que pertenecen las ideas, prácticas y materiales de una ciencia o arte.
— *El dominio de un instrumento musical se logra con talento y paciencia.*
4. Conocimiento profundo de alguna cosa.

—*Muy pocos tienen el dominio de la teología.*

— acción y resultado de dominar: *dominación.*

— que sufre dominio: *dominado.*

— que domina: *dominador, dominante.*

dominó 1. Juego de veintiocho fichas rectangulares, blancas y punteadas.

—*Era un campeón de dominó en el club.*

2. Disfraz con capucha. ☞ **antifaz, capuchón, capa.**

—*Llegó al baile vestido con un dominó precioso.*

domo Cúpula.

don 1. Regalo, presente, dádiva.

—*Los dones divinos no abundan.*

2. Gracia, habilidad.

—*Tiene el don de la simpatía.*

3. Tratamiento de respeto que se antepone a los nombres de pila masculinos.

—*Don Rubén es un hombre considerado y magnánimo.*

— capacidad de ganar simpatías: *don de gentes.*

— capacidad para hacerse obedecer: *don de mando.*

donaire Gracia, elegancia, gallardía.

— dicho gracioso y agudo: *donaire.*

donar Ceder gratuitamente el dominio de una cosa. ☞ **dar.** ❖ QUITAR, ARREBATAR.

— que dona: *donador, donante.*

— a quien se dona algo: *donatario.*

— acción de dar: *donación.*

— algo que se dona: *donativo, donación.*

doncel 1. Joven noble que aún no era armado caballero. ☞ **paje.**

—*El doncel ardía en deseos de ir a la guerra.*

2. Hombre virgen.

— *En su noche de bodas aún era doncel.*

doncella 1. Mujer virgen. ☞ **joven.**

—*La doncella era bella y prudente.*

— mujer noble y soltera: *doncella.*

— muchacha que sirve en una casa: *doncella.*

2. Joven noble que servía a mujeres de mayor jerarquía.

—*Las doncellas de la reina la quieren y la envidian.*

— estado de virginidad: *doncellez.*

donde En qué lugar, a qué lugar, por qué lugar, en el lugar en que. ☞ **adonde, do.**

dondequiera En cualquier parte. ☞ **doquier, doquiera.**

donjuán Mujeriego, tenorio.

— conjunto de características propias del donjuán: *donjuanismo.*

donoso, -sa Que tiene donaire. ☞ **gracioso.**

doña Tratamiento de respeto que se antepone a los nombres femeninos.

dorado, -da 1. De color oro.

—*El sol tenía destellos dorados.*

— acción y resultado de dorar: *dorado.*

2. Lleno de magnificencia. ☞ **espléndido, magnífico.**

—*Era un palacio soberbio y dorado.*

3. Especie de pez comestible de colores vivos y reflejos dorados.

—*La red estaba cargada de dorados.*

— la mejor época de algo o de alguien: *época dorada.*

— lo que se desea intensamente: *sueño dorado.*

dorar 1. Cubrir con oro o dar la apariencia de oro. ☞ **sobredorar.**

—*Mandó a dorar su anillo de cobre.*

2. Simular lo desagradable.

—*Doró las noticias desagradables.*

— mentir un poco para que alguien acepte una situación: *dorar la píldora.*

3. Tostar ligeramente un alimento.

—*Dora unas rebanadas de pan para la sopa de ajo.*

dórico, -ca (vea recuadro de estilos arquitectónicos). 1. Uno de los tres órdenes de la arquitectura griega.

—*El estilo dórico establece capiteles sencillos y columnas sin basamento.*

2. Dialecto griego de los dorios.

—*Píndaro y Teócrito hablaban dórico.*

dormir 1. Descansar con el sueño. ☞ **reposar, adormecerse, dormitar.** ❖ DESPERTAR.

—*Tengo que dormir un poco, pues hoy trabajo en la noche.*

2. Pasar la noche en un lugar. ☞ **pernoctar.**

—*Ayer dormí en casa de mis amigos.*

3. Entumecerse un miembro.

—*Se le durmió el pie, pues tiene mala circulación sanguínea.*

— perezoso: *dormido.*

— que duerme mucho: *dormilón.*

— estar medio dormido: *dormitar.*

— habitación para dormir: *dormitorio.*

— engañar a alguien: *dormirlo.*

— abandonarse uno después de su triunfo: *dormir en sus laureles.*

dorso Parte posterior de una cosa.

— parte del cuerpo que va de los hombros a la cintura: *dorso, espalda.*

— que pertenece al dorso o se relaciona con él: *dorsal.*

dos 1. Número doble de la unidad. ☞ **ambos.**

—*El hombre se yergue sobre dos extremidades.*

2. El segundo de una serie.

—*Soy el número dos en la lista.*

— en pares: *de dos en dos.*

— muy rápidamente: *en un dos por tres.*

dosel Mueble de adorno que, a cierta altura, cubre o resguarda un altar o una cama cayendo por detrás como una colgadura.

dosis 1. Cantidad de un medicamento que se toma de una vez. ☞ **toma.**

— *Una dosis de analgésico es excelente contra el catarro.*

2. Cantidad de una cosa cualquiera. ☞ **medida, porción.**

— *Una dosis de dulzura mejora las relaciones humanas.*

dosificar Dividir en dosis. ☞ **graduar, determinar, partir.**

dossier 1. Conjunto de documentos referidos a un asunto. ☞ **expediente.**

—*El dossier de este caso legal es muy voluminoso.*

2. Conjunto de colaboraciones de un mismo tema que aparecen en el número de una revista.

dotación 1. Acción y resultado de dotar.

—*La dotación de medicinas es insuficiente.*

2. Tripulación de un buque de guerra o personal de un taller, oficina o finca. ☞ **servicio, equipo, tripulación.**

—*La dotación del buque es valiente y capaz.*

dotar 1. Destinar bienes a una fundación. ☞ **donar, ceder, proporcionar.**

—*Dotó a la escuela de laboratorios y libros.*

2. Asignar a un barco u oficina el número de empleados o marinos necesarios para el servicio. ☞ **dar, asignar, conceder.**

—*El sindicato dotó de empleados al hospital.*

— ser capaz de realizar bien una tarea: *estar dotado.*

dote 1. Bienes que lleva una mujer al matrimonio.

—*La chica tenía una dote generosa.*

2. Cualidad relevante de una persona. ☞ **prendas.**

—*Tiene abundantes dotes musicales.*

draconiano, -na Excesivamente severo.

draga 1. Máquina para limpiar de fango y arena los ríos y puertos.

—*La draga operaba día y noche extrayendo escombros del lecho del río.*

2. Barco que lleva esa máquina.

—*Han de reparar la draga en el dique seco.*

— usar la draga, limpiar, excavar: *dragar.*

— acción y resultado de dragar: *dragado.*

— barco para dragar minas: *dragaminas.*

dragón 1. Animal mitológico en forma de

reptil gigante que echa fuego por la boca.

—*El dragón tenía cautiva a la princesa.*

— reptil cuya piel forma a los lados del cuerpo una especie de paracaídas que lo ayuda en sus saltos: *dragón volador.*

2. Especie de planta que da flores rojas o amarillas.

—*Planté dragones en el jardín de mi casa.*

3. Mancha opaca en los ojos de las bestias.

— *Mi yegua tenía dragones en los ojos.*

drama 1. Obra literaria dialogada destinada a la representación teatral.

—*Estoy escribiendo un drama histórico.*

2. Suceso terrible y trágico. ☞ **catástrofe.**

— *Fue un drama el desalojo domiciliario.*

— que pertenece al drama o se relaciona con él: *dramático.*

— cualidad de dramático: *dramatismo.*

— escribir un drama basándose en un suceso o en una obra no dramática: *dramatizar.*

— el que escribe dramas: *dramaturgo.*

— el arte del dramaturgo: *dramaturgia.*

— hacer más grave un problema, o reaccionar ante éste como si fuera peor de lo que es: *hacer un drama.*

drapeado, -da Acción y resultado de plegar una tela.

drástico, -ca Que reacciona violenta y rápidamente. ☞ **draconiano, rígido.**

drenar 1. Hacer que la humedad salga de un lugar, abriendo en él zanjas o cañerías. ☞ **desecar.**

— *Drenarán el terreno para poder construir en él.*

— serie de ductos para desaguar líquidos: *drenaje.*

2. Hacer que salgan los líquidos de una llaga.

—*Tuvieron que drenar la herida, pues se estaba infectando.*

driblar En el futbol, conducir el balón sin que el adversario lo intercepte.

dril Tipo de tela fuerte de algodón.

droga 1. Sustancia de efecto estimulante, depresivo o alucinógeno.

—*Las drogas minaron su salud.*

— que toma drogas por vicio: *drogadicto.*

2. Cualquier medicamento. ☞ **medicina, fármaco, remedio.**

—*Toma drogas contra la presión alta.*

— lugar donde se venden drogas, farmacia: *droguería.*

— administrar drogas: *drogar.*

3. Deuda importante.

— *Tiene una droga de miles de millones.*

dromedario Mamífero de la familia de los camellos, con una sola joroba cuya velocidad es notable.

druida Sacerdote de los antiguos celtas.

— que pertenece a los druidas o se relaciona con ellos: *druídico.*

— religión de los druidas: *druidismo.*

dualidad Carácter de lo que es doble. ☞ **paridad, dualismo, duplicidad.**

dubitativo Que implica duda.

dúctil 1. Metal que resiste sin romperse grandes deformaciones en frío. ☞ **maleable.** ❖ INDEFORMABLE.

—*Necesitamos un metal dúctil para reparar la cerca.*

2. Persona dócil. ☞ **flexible, acomodadizo.** ❖ RÍGIDO, INFLEXIBLE.

—*Si hijo era dúctil y obediente.*

— calidad de dúctil: *ductilidad.*

ducha Baño de chorros de agua.

— bañar con chorros: *duchar.*

— aparato para baños terapéuticos: *ducha.*

ducho, -cha Que la experiencia lo ha hecho hábil en una labor. ☞ **experimentado, diestro.** ❖ BISOÑO, NOVATO, INEXPERTO.

dudar 1. No saber si algo es cierto.

—*Mi suerte era tan buena que llegué a dudar de ella.*

2. No creer en algo. ☞ **sospechar, recelar.** ❖ CONFIAR, CREER.

— *Dudo que haya fantasmas aquí.*

3. No confiar en alguien.

— *Duda de su mujer y su vida es un infierno.*

— estado mental en que se vacila, se sospecha o desconfía: *duda.*

— lo que inspira duda: *dudoso.*

— seguramente: *sin duda.*

duela Cada una de las tablas encorvadas que forman un barril.

— cada una de las tablas que cubren el piso: *duela.*

duelo 1. Demostración de dolor o aflicción por la muerte de una persona.

— *Guarda duelo por su amigo.*

2. Reunión de parientes y amigos del difunto que asisten a la casa mortuoria o al entierro. ☞ **entierro.**

— *Fue un duelo numeroso.*

3. Combate entre dos, precedido por un desafío. ☞ **reto, desafío, provocación, encuentro.**

— *Los duelos eran frecuentes todavía en el siglo XIX.*

— el que con frecuencia se bate en duelo con otros, espadachín, pendenciero: *duelista.*

duende 1. Ser mitológico de pequeña estatura, con figura de niño o viejo.

☞ **elfo, gnomo, chaneque.**

—*Los duendes viven en el bosque.*

2. Espíritu que habita en algunas casas y hace travesuras a quien las habita. ☞ **fantasma, espectro.**

—*La casa no se vendía pues estaba llena de duendes.*

3. Encanto especial de una persona o cosa. ☞ **atractivo, glamour.** ❖ ANTIPATÍA.

—*Tiene mucho duende para recitar poemas.*

— caracteres de duende: *duendesco.*

dueño, -ña 1. Poseedor de una cosa. ☞ **amo, propietario, señor.**

—*El dueño de estas tierras es poderoso.*

2. Viuda que en las casas nobles dirigía a las otras criadas. ☞ **ama, señora.**

—*La dueña era la encargada del buen orden de la casa.*

3. Persona que tiene dominio sobre otra. ☞ **jefe, patrón.**

—*Su amada es también la dueña de su vida.*

— adquirir dominio sobre algo: *hacerse dueño de una situación.*

— esposa: *dueña de las quincenas.*

— tener uno plena seguridad al actuar: *ser dueño de sí.*

duermevela Sueño ligero o frecuentemente interrumpido.

dulce 1. Uno de los sabores fundamentales junto con el agrio y el salado.

—*El pastel de fresas es dulce y cremoso.*

2. Agradable a los sentidos. ☞ **placentero, deleitoso.** ❖ AMARGO. DESAGRADABLE.

— *Su voz era suave y dulce.*

3. Complaciente. ☞ **dúctil, agradable.** ❖ AGRIO, HOSCO.

—*Ella es una persona muy dulce.*

4. Que es dúctil.

—*Algunos metales son dulces.*

5. Alimento aderezado con azúcar. ☞ **confite, caramelo.**

—*Sabe hacer dulce de leche.*

— vaso para dulce: *dulcera.*

— tienda donde se venden dulces: *dulcería.*

— excesivamente dulce o sentimental: *dulzón.*

— calidad de dulce: *dulzura.*

— muy agradable: *dulce como la miel.*

duna Pequeño monte de arena que el viento forma en las playas y los desiertos. ☞ **colina, montículo, prominencia.**

dúo 1. Composición escrita para dos voces o instrumentos. ☞ **dueto.**

—*Hoy se presentó un dúo de piano y contrabajo.*

2. conjunto de dos voces o instrumentos.

— *El dúo de jazz recibió muchos aplausos.*

— hacer dos personas la misma cosa al mismo tiempo: *a dúo.*

duplicar 1. Multiplicar por dos. ☞ **doblar.**

— *En poco tiempo duplicó su fortuna al invertir en diamantes.*

2. Hacer doble una cosa.

— *Intervino sólo para duplicar los problemas.*

3. Obtener una copia de algo.

— *Duplica las actas de nacimiento para hacer el trámite.*

— acción de duplicar: *duplicación.*

duplicado Copia de un documento.

— ejemplar repetido de una obra.

— aparato para copiar escritos: *duplicador.*

— duplicado, segundo documento o escrito: *duplicata.*

duplicidad 1. Hipocresía en los actos. ☞ **doblez, falsedad.** ❖ HONESTIDAD, FRANQUEZA.

— *El habla y actúa con duplicidad, por eso nadie le cree.*

2. Calidad de doble. ☞ **dualidad.**

— *Al tramitar una beca la duplicidad de solicitudes puede anular todo el papeleo.*

duplo, -pla Que contiene un número dos veces exactamente.

durar 1. Continuar una cosa siendo, obrando, sirviendo. ☞ **persistir, perdurar.**

— *¿Cuánto dura la función?*

2. Permanecer, subsistir.

— *Las inscripciones de esta tumba han durado cien años.*

— tiempo en que algo permanece o existe: *duración.*

— que puede durar mucho: *durable, duradero.*

— mientras dura una cosa: *durante.*

durmiente 1. Que duerme.

— *La música callejera despertó a los durmientes.*

2. Madera horizontal sobre la cual se apoyan otras.

— *Las vías del tren se asientan sobre durmientes.*

duro 1. Objeto difícil de cortar, romper o doblar. ☞ **compacto, firme, resistente.** ❖ DÉBIL, BLANDO, FRÁGIL.

— *El hierro es un metal muy duro.*

— poco blando: *duro*

2. Persona que resiste bien la fatiga. ☞ **fuerte, robusto, vigoroso.** ❖ DÉBIL, ENCLENQUE, DELICADO.

— *Los marineros tienen que ser duros.*

3. Demasiado severo. ☞ **áspero, rudo.** ❖ SUAVE.

— *Es un entrenador muy duro.*

— de manera firme, cruel o rigurosa: *duramente.*

4. Que actúa con crueldad. ☞ **inhumano, cruel, despiadado.** ❖ BENIGNO, COMPASIVO.

— *Es un duro enemigo.*

— cualidad de lo firme, cruel o riguroso: *dureza.*

5. Difícil de soportar. ☞ **penoso.** ❖ LIGERO, AGRADABLE.

— *Es duro levantarse de madrugada.*

6. Estilo poco fluido.

— *Su poesía es dura y solemne.*

— ser fiel o firme: *estar en las duras y en las maduras.*

— con severidad: *con mano dura.*

E

ébano Madera del árbol del mismo nombre.

— el que hace muebles finos de madera: *ebanista.*

— taller del ebanista: *ebanistería.*

— colección o conjunto de muebles finos: *ebanistería.*

— tipos de maderas de ébano: *ébano amarillo, ébano de Canarias, ébano del Senegal, ébano verde.*

ebonita Caucho endurecido por la vulcanización con azufre, sirve para fabricar botones, peines, aisladores eléctricos. ☞ **vulcanita.**

eborario, -ria 1. De marfil o relativo a él. ☞ **ebúrneo.**

— *Tenía en su vitrina una preciosa colección de figuras eborarias.*

— semejante al marfil: *ebúrneo.*

— de gran blancura: *ebúrneo.*

2. Rama de la arqueología que se ocupa de los objetos hechos de hueso y marfil.

— *Los estudios sobre eboraria son muy interesantes.*

ebriedad Turbación pasajera del ánimo ocasionada por una excesiva ingestión de alcohol. ☞ **embriagar, embriaguez.** ❖ SOBRIEDAD.

— el que está alcoholizado: *ebrio, beodo, borracho, cuete.*

— que está dominado por una gran emoción o por una pasión: *ebrio.*

— conjunto de trastornos mentales que ocasiona el exceso de alcohol: *ebriación.*

— reacción física posterior al estado de ebriedad: *cruda, resaca.*

— enfermedad consistente en la adicción a las bebidas embriagantes: *alcoholismo, dipsomanía.*

ebullición 1. Acción y resultado de hervir una sustancia. ☞ **hervor.**

— *El agua para el té estaba en ebullición.*

— aparato que se utiliza para medir la temperatura a que hierve un líquido: *ebullómetro, ebulloscopio.*

— determinación del peso molecular de una sustancia previamente mezclada con el disolvente adecuado, gracias a la observación del ascenso del punto de ebullición: *ebullometría, ebulloscopía.*

2. Agitación pasajera del ánimo.

— *El público del estadio estaba en ebullición cuando cayó el gol.*

Eccehomo (echeomo) 1. Imagen de Jesucristo con la corona de espinas y la clámide púrpura tal y como lo presentó Pilatos al pueblo.

— *Velázquez pintó un eccehomo genial.*

2. Persona muy lastimada y de miserable aspecto.

— *Después del accidente quedé como eccehomo.*

eclampsia Enfermedad que aparece hacia el final del embarazo o inmediatamente después del parto, producida por la absorción de materias de la placenta que dañan a los riñones.

— síntomas de eclampsia: *convulsiones, edemas, alta tensión arterial y aparición de albúmina en la orina.*

eclecticismo 1. Método filosófico que adopta lo que le parece mejor de distintas tesis, opiniones o cosas y que se opone a todo dogmatismo.

— *El eclecticismo tuvo su origen en Alejandría.*

2. Modo de actuar o juzgar que evita las soluciones extremas.

— *Esos franceses se adhirieron al eclecticismo.*

— que adopta entre distintas opiniones o criterios lo que mejor le parece: *ecléctico.*

— que pertenece al eclecticismo o se relaciona con él: *ecléctico.*

eclesiástico, -ca 1. Que pertenece a o se relaciona con la Iglesia o las personas que se dedican a ella.

— *Estos libros eclesiásticos son de la abuela.*

— espiritualizar bienes temporales: *eclesiastizar.*

2. Todo miembro del clero católico. ☞ **sacerdote, cura, clérigo.**

— *Un eclesiástico debe tener vocación.*

— conjunto de personas que se reúnen en una misma parroquia: *comunidad eclesial.*

— división territorial que se hace en función de la jurisdicción de las iglesias: *jurisdicción eclesiástica.*

eclipse 1. Ocultación pasajera, total o parcial, de un astro por interponerse otro cuerpo celeste entre el astro y

el observador. ☞ **astro, Luna, planetas, Sol.**

— *Habrá eclipse total de Sol mañana.*

— causar un astro la ocultación de otro: *eclipsar.*

— que pertenece al eclipse o se relaciona con él: *eclíptico.*

— plano de la órbita de la tierra: *eclíptica.*

— eclipse que sucede cuando la Luna entra en la sombra que proyecta la tierra: *eclipse de Luna.*

— eclipse en el que la Luna pasa entre la Tierra y el Sol: *eclipse solar.*

— eclipse que sólo oculta una parte del Sol o de la Luna: *eclipse parcial.*

— eclipse en el que la Luna, al estar frente al Sol, permite observar un anillo luminoso en torno suyo: *eclipse anular.*

2. Ausencia o desaparición transitoria de una persona o cosa.

— *La belleza femenina provoca un eclipse en la de los varones.*

— opacar o deslucir a una persona, o una cosa a otra, o un acontecimiento a otro: *eclipsar.*

— ausentarse, evadirse una persona o cosa: *eclipsarse.*

— lo que puede desaparecer u oscurecerse: *eclipsable.*

— desmayo fulminante y pasajero que sufre una persona: *eclipsia.*

eclosión 1. Aparición súbita de una manifestación social o cultural.

— *La llegada de los españoles a América fue una eclosión dolorosa.*

2. Apertura del ovario al tiempo de la ovulación para dejar salir al óvulo.

— *La eclosión ovárica tiene sus ciclos.*

3. Brote, nacimiento de un capullo de flor o de crisálida. ☞ **apertura.**

— *En una eclosión mis rosas se abrieron.*

4. Momento en que sale el polluelo del cascarón.

— *Después de la eclosión, veremos a la avecilla.*

eco 1. Repetición de un sonido reflejado por un cuerpo duro. ☞ **resonancia.**

— *Con el eco, su grito se escuchó varias veces.*

---

2. Sonido o rumor que llega débil y confusamente.

— *El eco del tam-tam del tambor continuó hasta el amanecer.*

3. Recurso poético que consiste en repetir una o más sílabas de la última palabra de un verso para formar el que sigue.

Soberbia: No desesperes aún...

Eco: Aún.

Amor propio: que aún puede dejar de ser.

Eco: Ser.

Soberbia: que ese barro quebradizo...

Eco: Quebradizo.

Amor propio: no logre su hechizo ni a su amante obligue.

Más, ¿él a quién sigue?

Eco: A un ser quebradizo.

Sor Juana Inés de la Cruz.

4. Noticia vaga o incierta acerca de un suceso.

— *La noticia de su muerte nos llegó como un eco.*

5. Persona que imita servilmente a otra.

— *Él siempre fue el eco de su hermano mayor.*

6. Repetición a media voz que canta una parte del coro de las últimas sílabas que canta la otra.

— *Los músicos renacentistas empleaban frecuentemente el recurso del eco.*

— adaptar algo y difundirlo: *hacerse eco de...*

ecología Rama de la biología que se ocupa de las relaciones entre los organismos y el medio en que viven.

— que es experto en ecología: *ecólogo.*

— que pertenece a la ecología o se relaciona con ella: ecológico.

— movimiento social que lucha por preservar el medio ambiente natural: *movimiento ecologista.*

— ramas de la ecología: *ecología vegetal, ecología animal y ecología humana.*

economía 1. Ciencia que se ocupa de las leyes de producción, distribución y consumo de los recursos para satisfacción de las necesidades humanas.

— *El coordinador de ese grupo nunca quiso tomar cursos de economía.*

— especialista en economía: *economista.*

— parte de la economía que intenta representar numéricamente las relaciones económicas basándose en teoría matemática y en estadística: *econometría.*

2. Administración acertada de los bienes.

— *La economía es el único medio para alcanzar la fortuna.*

— encargado de la administración y los gastos de un hospital, convento, etc.: *ecónomo.*

— arte de la administración del hogar: *economía doméstica.*

3. Ahorro de trabajo, de tiempo o de dinero.

— *La bicicleta representa una economía de tiempo, energía y dinero.*

— que es de bajo precio: *económico.*

— que ahorra: *economizador.*

— ahorrar tiempo, dinero, trabajo, etc.: *economizar.*

— tendencia a realizar el menor esfuerzo en el habla: *economía lingüística.*

— que pertenece a la economía o se relaciona con ella: *económico.*

éctasis Licencia poética que consiste en alargar una sílaba breve para ajustar la medida del verso.

ectoplasma 1. Parte externa del citoplasma de una célula.

— *El ectoplasma puede verse con facilidad en protozoos de vida independiente.*

2. En el espiritismo, emanación que proviene del cuerpo de un médium y se materializa tomando diversas formas del espíritu que se ha invocado.

— *Creía que un fantasma está hecho de ectoplasma.*

— emisión de ectoplasmas: *ectoplasmia.*

— que pertenece al ectoplasma o se relaciona con él: *ectoplásmico.*

ecuación Igualdad que tiene una o más incógnitas o variables.

— tipos de ecuaciones: *ecuación algebraica, ecuación con varias incógnitas, ecuación de una sola incógnita, ecuación determinada, ecuación diferencial, ecuación diofántica, ecuación en derivadas parciales, ecuación en diferenciales totales, ecuación entera, ecuación indeterminada, ecuación integral, ecuación irracional, ecuación lineal, ecuación racional, ecuación paramétrica.*

ecuador Círculo imaginario que divide la Tierra en dos hemisferios y es equidistante de los polos.

— círculo imaginario perpendicular al eje de la Tierra, formado por la proyección del ecuador terrestre sobre la esfera celeste: *ecuador celeste.*

— línea de superficie de la Tierra que se forma con todos los puntos en que la aguja imantada se mantiene horizontal: *ecuador magnético o línea aclínica.*

— línea a lo largo de la cual las temperaturas medias anuales son las más elevadas de la Tierra: *ecuador térmico.*

ecuánime Que tiene tranquilidad, entereza y juicio sereno e imparcial. ☞ **sereno.** ❖ PARCIAL.

— neutralidad, serenidad, honradez, rectitud en el proceder: *ecuanimidad.*

ecuestre 1. Que pertenece a la equitación o se relaciona con ella.

— *Las suertes ecuestres requieren destreza.*

2. Que pertenece a o se relaciona con el caballero, la orden ecuestre o el ejercicio de la caballería.

— *Por sus hazañas recibió la orden ecuestre.*

3. Que pertenece al caballo o se relaciona con él.

— *El arreo ecuestre es un trabajo muy bello.*

— escultura que representa a un jinete sobre un caballo: *escultura ecuestre.*

ecuménico Universal, que alcanza a todo el orbe.

— actividades o empresas que tienden a unir a los cristianos: *ecumenismo.*

— universalidad de una cosa: *ecumenicidad.*

— movimiento iniciado por el Papa Juan XXIII que estaba en favor del acercamiento de la comunidad católica con otras comunidades religiosas: *ecumenismo.*

— concilio en el que toman parte todos los obispos católicos y que es presidido por el Papa: *concilio ecuménico.*

eczema Enfermedad de la piel que consiste en la aparición de vesículas que al secarse forman costras. ☞ **eccema**.

— producción de lesiones cutáneas que guardan parecido con el eczema: *eccematización.*

— sustancia o agente que ocasiona lesiones del tipo de un eczema: *eczemógeno, eccemógeno.*

echar 1. Lanzar una cosa para que vaya de un lugar a otro. ☞ **aventar.**

— *El niño le echaba confeti a su perro en la feria.*

— acción y resultado de arrojar o lanzar algo: *echamiento.*

— arrojarse, precipitarse sobre alguien o algo: *echársele encima.*

2. Hacer que algo llegue a un determinado lugar dejándolo caer.

— *Eché tres monedas en ese teléfono público y todas se las tragó.*

3. Tenderse, acostarse una persona o animal.

— *Rendido, el buey se echó en la verde pradera.*

— acción de tenderse: *echada, echazón.*

— lugar para acostarse: *echadero.*

4. Mover el cuerpo o una parte de él.

— *Al bailar debes echar tu cuerpo hacia adelante y luego hacia atrás.*

5. Hacer salir a alguien o algo de un sitio de manera violenta o por la fuerza. ☞ **sacar.**

— *Hay que echar de tu casa a esos rufianes.*

6. Dejar sin empleo a una persona. ☞ **correr, despedir.**

— *Lo echaron de su trabajo por holgazán.*

7. Desprender, un objeto o alguien, algo de sí. ☞ **arrojar.**

— *El tronco de la chimenea echa chispas y humo.*

8. Brotar las plantas, hojas, flores y frutos.

— *El cerezo echaba flores bellísimas cada año.*

9. Poner algo a otra cosa para obtener cierto resultado.

— *Échale unas gotitas de limón a la cuba.*

— beber o comer algo: *echar un trago, echar un bocado.*

— llevar a cabo el recuento de gastos y ganancias de un negocio: *echar cuentas.*

— comenzar una carrera, huir: *echar a correr.*

— atribuir, imputar: *echar la culpa.*

— elegir uno u otro camino: *echar por la derecha o por la izquierda.*

— decir, reconvenir a alguien: *echarle un sermón.*

— adivinar la suerte con la baraja o repartir los naipes entre los jugadores: *echar las cartas.*

— frustrar: *echar por tierra.*

— derribar: *echar por tierra.*

— conjeturar, suponer la edad de alguien: *echarle un número determinado de años.*

— condenar a un hombre a la cárcel: *echarlo a la cárcel.*

— deteriorarse una cosa: *echarse a perder.*

— extrañar a una persona: *echarla de menos.*

— tener mucho coraje: *echar espuma por la boca, echar lumbre.*

— frustrar un asunto o negocio o descomponer un objeto, aparato, etc.: *echarlo a perder.*

— descuidar el trabajo o las obligaciones: *echarse a dormir.*

— desistir, desdecirse: *echarse para atrás.*

— adquirir una responsabilidad: *echarse encima.*

— dar alguien motivos para que otro se vuelva en su contra: *echarse encima a alguien.*

— pasar el tiempo rápidamente sin notarlo de modo que obstaculice la realización relajada de algo: *echarse el tiempo encima.*

— notar, reparar, advertir algo: *echar de ver.*

— presumir de algo: *echárselas de.*

— reclamar, reprochar: *echar en cara.*

— hacer que algo empiece a funcionar, a moverse, a realizar una acción: *echar a.*

— hablador, fanfarrón: *echador, echón.*

— confiarse una persona en sus méritos y logros: *echarse a dormir en sus laureles.*

— expresión que indica la posibilidad de despreocuparse de algo una vez que se ha conseguido lo que se quería: *crea fama y échate a dormir.*

echarpe Chal ligero, largo y angosto. ☞ **pañoleta, mantón, bufanda.**

edad 1. Tiempo que un ser ha vivido desde su nacimiento; tiempo que ha durado algo desde que fue hecho. ☞ **vida, años, era.**

— *Se casó a los veintinueve años de edad.*

— vida prolongada: *larga edad.*

2. Tiempo, época, periodo.

— *En la edad de piedra el hombre vivía en cuevas.*

— edad de la madurez física y mental de una persona: *edad adulta.*

— vejez: *edad avanzada.*

— periodo que va del final de la juventud de una persona hasta el principio de su vejez: *edad madura.*

— desarrollo intelectual de un niño en comparación con su edad cronológica: *edad mental.*

— edad en que una persona está en condiciones de contraer matrimonio: *edad núbil.*

— albores de la ancianidad: *edad provecta.*

— juventud: *edad temprana, flor de la edad.*

— niñez, infancia: *edad tierna.*

— edad en la que el hombre posee todo su vigor, de los 30 a los 50 años aproximadamente: *edad viril.*

— tener los años suficientes para ser considerado ciudadano de un país: *ser mayor de edad.*

— no poseer aún responsabilidades civiles: *ser menor de edad.*

— estar un niño en la edad en que normalmente empieza a ir a la escuela: *estar en edad escolar.*

— edad en que los niños entran en la adolescencia: *edad de la punzada, edad del pavo.*

— tener los años suficientes para hacer algo: *estar en edad de.*

— cualquier época en la que haya gran florecimiento artístico o científico: *edad de oro.*

edafología Ciencia que se ocupa del estudio de los suelos en sus aspectos físico, químico y biológico.

— que tiene conocimientos especiales acerca del suelo: *edafólogo.*

— que pertenece a o se relaciona con la vida de las plantas según el suelo en que crecen: *edáfico.*

— formación y evolución de los suelos: *edafogénesis.*

edecán Ayudante, asistente, auxiliar. ☞ **acompañante.**

edema Tumefacción de la piel ocasionada por la acumulación anormal de líquido en el tejido celular subcutáneo. ☞ **hinchazón.**

— síntoma de enfermedades del hígado, riñones o corazón: *edema.*

— que pertenece a la hinchazón de la piel o se relaciona con ella: *edematoso.*

edén 1. Paraíso terrenal según el *Antiguo Testamento.*

— *Nuestros primeros padres perdieron el Edén, dice la Biblia.*

2. Lugar muy agradable en el que no falta nada, o que parece un Paraíso.

— *Mi casa se ha convertido en un Edén.*

— que pertenece al Edén o se relaciona con él: *edénico.*

edicto Ley, decreto, orden, providencia de llamamiento público que anuncia o publica una autoridad civil o eclesiástica.

— edicto que se publica con motivo de una boda para que se denuncie algún impedimento en contra de la misma en caso de que lo haya: *edicto matrimonial.*

edificar 1. Levantar una construcción o edificio. ☞ **erigir.** ❖ DERRUIR.

— *El ingeniero edificó las nuevas oficinas de su constructora.*

— construcción destinada a habitación, oficinas, comercios u otros usos: *edificio.*

— que fabrica o manda a construir una vivienda: *edificador.*

— que es posible levantar una construcción en él, tratándose de terrenos: *edificable.*

2. Infundir alguien en otras personas

sentimientos de piedad o de virtud, mediante el ejemplo.

— *El buen gobernante edifica a la comunidad con sus acciones.*

— que incita a la virtud: *edificante, edificativo, edificador.*

— lo que concierne a la construcción de edificios: *edificatorio.*

edil Miembro de un ayuntamiento. ☞ **concejal.**

— que pertenece a o se relaciona con el cargo de edil: *edilicio.*

— dignidad y empleo de edil: *edildad.*

— tiempo de duración del cargo de edil: *edilidad.*

editar Publicar mediante la imprenta u otro medio de reproducción gráfica una obra, un libro, folleto, revista, periódico, etc. ☞ **publicar.**

— impresión de una obra para su publicación: *edición.*

— total de ejemplares de una obra impresa con los mismos moldes: *edición.*

— edición que se hace de un texto consultando las diversas fuentes que lo originaron: *edición crítica.*

— edición de tamaño reducido y caracteres pequeños: *edición diamante.*

— primera edición de una obra cuando ya se han hecho muchas de ella, especialmente, de obras clásicas: *edición príncipe.*

— persona o institución que publica una obra y se hace cargo del costo y de su administración comercial: *editor.*

— persona que cuida de la preparación de un texto ajeno siguiendo criterios filológicos: *editor.*

— editor que asume la responsabilidad de cuanto se publica en un periódico o revista: *editor responsable.*

— empresa que se dedica a la impresión y distribución de obras literarias, artísticas, científicas, musicales, etc.: *editorial.*

— que pertenece a o se relaciona con el editor o la edición: *editorial.*

— artículo periodístico de fondo, no firmado: *editorial.*

— persona que escribe el editorial de un periódico: *editorialista.*

— cada una de las celebraciones de un certamen, exposición o festival determinados: *edición.*

edrar Hacer la segunda cava a las tierras o viñas. ☞ **binar.**

edredón Cobertor relleno de pluma de ave, algodón o material sintético. ☞ **cobija.**

educar 1. Dirigir, encaminar, instruir. ☞ **enseñar, adoctrinar, criar.**

— *Él educa a su hijo con inteligencia y amor.*

— acción y resultado de dirigir, formar e instruir a una persona: *educación.*

— conocimiento que un individuo tiene de las costumbres de la sociedad en que vive: *educación.*

— que educa: *educador.*

— educación de las habilidades físicas del cuerpo humano, mediante la gimnasia y el deporte: *educación física.*

— estudios que comprenden la educación escolarizada: *jardín de infancia o kindergarten, primaria, secundaria, preparatoria y estudios profesionales.*

— que pertenece a la educación o se relaciona con ella: *educativo, educacional.*

2. Desarrollar o perfeccionar las facultades intelectuales y morales de una persona. ☞ **ilustrar.**

— *Las artes y las letras lo educaron desde niño.*

3. Desarrollar las fuerzas físicas por medio del ejercicio, haciéndolas más aptas para su fin.

— *Él educó su cuerpo para ser un mejor clavadista.*

4. Perfeccionar, afinar los sentidos.

— *Los espectáculos artísticos educan el gusto.*

edulcorar Endulzar una sustancia de sabor desagradable o insípido.

— sustancia capaz de endulzar: *edulcorante.*

— acción o resultado de añadir edulcorante a un compuesto: *edulcoración.*

efebo Adolescente, mancebo. ☞ **muchacho.**

— que pertenece a o se relaciona con la pubertad: *efébico.*

— conjunto de cambios que se dan en la pubertad: *efebogénesis.*

— estudio de los fenómenos propios de la pubertad: *efebología.*

efecto 1. Resultado de la acción de una causa. ☞ **producto, consecuencia, fruto.**

— *A todo efecto corresponde una causa.*

— ejecutar, realizar o hacerse efectivo algo: *efectuar, efectuarse.*

— dar algo el resultado que se deseaba: *surtir efecto, hacer efecto.*

2. Impresión hecha en el ánimo. ☞ **sensación.**

— *La música me produce un efecto sedante.*

3. Fin para el que se hace una cosa.

— *El agraviado acudió a la policía*

a efecto de denunciar a quienes lo habían asaltado.

— calidad de lo que funciona perfectamente: *efectividad.*

4. Artículo para venta. ☞ **mercancía, producto.**

— *Los efectos de mayor precio son difíciles de vender.*

5. Movimiento giratorio que, además del de traslación, se da a una esfera, balón, pelota, etc., al impulsarla, y que la hace desviarse de su trayectoria normal.

— *El delantero tiró a gol, pegándole al balón con efecto.*

6. Bienes, pertenencias, enseres.

— *Lo corrieron de su casa y le sacaron a la calle todos sus efectos personales.*

— lo real y verdadero en oposición a lo quimérico o dudoso: *efectivo.*

— calidad de lo que es real: *efectivo.*

— realmente: *efectivamente.*

— empleo o cargo que se tiene en propiedad, en contraposición al interino: *efectivo.*

— moneda o billete y no otro tipo de documento: *efectivo.*

— fuerzas militares que están bajo un mismo mando: *efectivos.*

— ejecutar, llevar a cabo: *hacer efectivo.*

— tendencia artística que busca impresionar fácilmente el ánimo: *efectismo.*

— aficionado al efectismo o recurso de esta tendencia: *efectista.*

efedrina Alcaloide extraído de la efedra cuya estructura molecular es parecida a la adrenalina, se utiliza como sucedáneo de ésta y para aliviar el asma, la fiebre del heno o las congestiones nasales.

efemérides Libro o comentario en que se consignan los hechos importantes acaecidos en la misma fecha pero en distintos años.

— anuario de tablas en el que se indican día a día los sucesos astronómicos que han de presentarse a lo largo de un año: *efemérides astronómicas.*

efervescencia 1. Liberación de burbujas gaseosas a través de un líquido. ☞ **burbujeo, hervor.**

— *Muchas aguas minerales con gas producen efervescencia en exceso.*

2. Inquietud, agitación, acaloramiento de los ánimos.

— *El conflicto étnico ha llegado a niveles de efervescencia bélica.*

— que está o puede estar en efervescencia: *efervescente.*

eficacia Fuerza o virtud para producir un efecto deseado.

— que logra hacer efectivo un intento o propósito: *eficaz*.

— que tiene facultades para producir determinado efecto o realizar una determinada tarea: *eficiente*.

— virtud y capacidad para lograr un efecto deseado: *eficiencia*.

efigie 1. Imagen o representación de una persona real y verdadera.

— *El castigo al culpable se hará en su efigie*.

2. Representación o personificación de una cosa ideal.

— *La efigie de esta virgen es muy hermosa*.

3. Imagen representada en una moneda o medalla.

— *El presidente mandó acuñar monedas con su efigie*.

efímero 1. Que tiene la duración de un día.

— *El encanto de los cerezos en flor es efímero*.

2. Que es breve, fugaz, de corta duración.

— *Tu amor por mí es tristemente efímero*.

eflorescencia 1. Transformación de ciertas sales en polvo al perder el agua de cristalización.

— *Una de las propiedades del vitriolo azul es la eflorescencia*.

— que es capaz de convertirse espontáneamente en polvo debido a la pérdida de agua de cristalización: *eflorescente*.

2. Erupción en la piel, de color rojo subido.

— *Es un caso típico de eflorescencia cutánea*.

3. Costra de sal, generalmente de color blanquecino, que se forma en suelos áridos de zonas templadas y cálidas.

— *La eflorescencia de los suelos en esa zona mantiene ocupado a un grupo de investigadores*.

— minerales cubiertos por una capa de óxido metálico: *minerales eflorescentes*.

efluvio 1. Emisión de pequeñas partículas o vapores de un cuerpo.

— *Los cadáveres despiden un efluvio de olor desagradable*.

2. Irradiación o emanación en lo inmaterial.

— *Ella es un efluvio de simpatía, gracia y buen humor*.

— emisión que se manifiesta con una corriente eléctrica débilmente luminosa y oscura: *efluvio eléctrico*.

— tratamiento de algunas enfermedades por medio de emanaciones eléctricas: *efluvioterapia*.

efod Vestidura de lino, corta y sin mangas de los sacerdotes israelitas.

efracción 1. Violencia, hecho violento.

— *La llegada del ejército constituyó una efracción en este conflicto*.

2. Fractura realizada con fines delictivos, en particular para robar.

— *El asalto se perpetró mediante la efracción de cristales*.

— que roba rompiendo algo: *efractor*.

efugio Escapatoria, evasión, salida. ☞ **rodeo, subterfugio.**

efusión 1. Manifestación de sentimientos, especialmente generosos o de alegría, muy vivos. ☞ **efusividad.** ❖ FRIALDAD.

— *Lo besó con gran efusión*.

— que experimenta expansión del ánimo: *efusivo*.

2. Derramamiento de un cuerpo líquido, y más comúnmente, de la sangre.

— *La efusión sanguínea es altamente riesgosa*.

— derramar un líquido: *efundir*.

— derrame de la lava de un volcán: *efusión*.

— roca volcánica que alcanza la superficie en estado de fusión y se solidifica al contacto con el aire o agua: *efusiva*.

— aparato con el que se comparan los pesos moleculares de los gases, observando los tiempos relativos que tardan en pasar por un pequeño orificio: *efusiómetro*.

égida Protección, escudo, defensa. ☞ **resguardo.**

egiptología Ciencia que se ocupa del estudio del antiguo Egipto.

— que pertenece a la egiptología o se relaciona con ella: *egiptológico*.

— que es experto en la cultura antigua de Egipto: *egiptólogo*.

égloga Composición poética típica de la poesía bucólica o pastoril; de dimensión reducida y de carácter artificioso que suele adoptar la forma del diálogo o del soliloquio y de la alegoría, generalmente en celebración de la vida rústica.

— que pertenece a la égloga o se relaciona con ella: *eglógico*.

ego El ser individual. Parte consciente de la personalidad según la terminología psicoanalítica. ☞ **yo.**

— exaltación extrema de la propia personalidad considerándola el centro de la atención general: *egocentrismo*.

— persona que refiere a sí todas las cosas: *egocéntrica*.

— amor excesivo que uno se tiene así mismo anteponiendo los propios intereses a los de los demás: *egoísmo*.

— persona interesada única y exclusivamente en su persona: *egoísta*.

— persona muy egoísta: *egoistón, gandalla*.

— culto a sí mismo: *egolatría*.

— persona que se envanece de ella misma: *ególatra*.

— que pertenece a la egolatría o se relaciona con ella: *egolátrico*.

— afán desmesurado de hablar de uno mismo: *egotismo*.

— sentimiento exagerado de la propia individualidad: *egotismo*.

egregio Insigne, ilustre. ☞ **sobresaliente.**

— de forma ilustre, prestigiosa: *egregiamente*.

egresar 1. Salir de alguna parte.

— *Miles de españoles egresaron de su país durante la guerra civil*.

2. Terminar los estudios en una institución educativa. ☞ **graduarse.**

— *Mi hermano egresó de la escuela de ingenieros el año pasado*.

— persona que llega al término de los cursos de un plantel: *egresado*.

3. Salir dinero de la caja de un negocio. ❖ INGRESAR.

— *La semana próxima egresará una fuerte suma de la cuenta de mi padre*.

— partida de gastos de una cuenta: *egreso*.

eje 1. Varilla que atraviesa un cuerpo giratorio y lo sostiene.

— *El eje se dobló y el globo terráqueo dejo de girar*.

— eje imaginario alrededor del cual gira la Tierra: *eje de la esfera terrestre*.

2. Barra horizontal dispuesta perpendicularmente a la línea de tracción y que une las ruedas de un carruaje, carro, automóvil, etc.

— *El eje de un automóvil está hecho de material muy resistente*.

3. Línea que divide por la mitad el ancho de una calle o camino.

— *Sobre el eje del camino se había detenido el jinete*.

4. Idea fundamental de un argumento, raciocinio o tema predominante en un discurso.

— *El eje de su tesis era muy confuso*.

5. Sostén o apoyo principal de una empresa.

— *La productividad es el eje de este negocio*.

6. Diámetro principal de una curva.

— *Hay que determinar con precisión el eje de esta curva*.

— causar alguien o algo a una persona una gran desgracia: *partirle el eje*.

ejecutar 1. Realizar una cosa, llevar a

cabo un proyecto. ☞ **efectuar, efecto.**

— *Se deben ejecutar siempre los proyectos que valgan la pena.*

— acción y resultado de realizar lo que se ha planeado: *ejecución.*

— que realiza un plan o proyecto: *ejecutor.*

— que posee un cargo directivo en una empresa: *ejecutivo.*

2. Llevar a cabo la pena de muerte de un reo que ha sido sentenciado. ☞ **ajusticiar.**

— *Mañana al amanecer ejecutarán a los traidores.*

— acción y resultado de dar muerte a alguien: *ejecución.*

— verdugo: *ejecutor.*

3. Interpretar una pieza musical.

— *El pianista ejecuta la sonata que más me gusta.*

— que interpreta una obra musical: *ejecutante.*

— forma de realizar o interpretar una obra musical o artística: *ejecución.*

4. Reclamar una deuda.

— *El abogado ejecutó la deuda con apego a las leyes.*

— embargo judicial para el pago de una deuda: *ejecución.*

— deudor que puede ser demandado: *ejecutable.*

— que pone por obra las leyes: *ejecutivo.*

— resolución judicial última: *ejecutoria.*

— albacea: *ejecutor testamentario.*

— poder del Estado que se encarga de que se cumplan las leyes: *poder ejecutivo.*

¡éjele! Expresión que se usa para mofarse de quien comete un error o torpeza.

ejemplo 1. Que puede servir de modelo o que es digno de ser imitado.

— *Tu tío puso el ejemplo de cómo gozar de la vida en la ancianidad.*

— que sirve de modelo a seguir: *ejemplar.*

— original, prototipo, norma representativa: *ejemplar.*

— calidad de ejemplar: *ejemplaridad.*

— incitar con la propia conducta a que otros la imiten: *dar ejemplo.*

2. Hecho o texto que se cita para comprobar un aserto.

— *El movimiento punk es un claro ejemplo de la inconformidad de los jóvenes.*

— ilustrar con ejemplos: *ejemplificar.*

— acción y resultado de ejemplificar: *ejemplificación.*

— expresión que se usa cuando se va

a poner un ejemplo para comprobar, ilustrar o autorizar lo que antes se ha dicho: *por ejemplo...*

3. Metáfora, anécdota, refrán.

— *Una excelente forma de educar a los niños es mediante un ejemplo.*

— cada uno de los escritos o impresos sacados de un original: *ejemplar.*

— cada uno de los individuos de una especie, raza o género: *ejemplar.*

— cada uno de los objetos que integran una colección: *ejemplar.*

ejercer 1. Practicar o desempeñar los actos particulares de un cargo, oficio, arte o profesión. ☞ **practicar.**

— *Él ejerce la medicina con gran responsabilidad.*

— acción y resultado de ocuparse de una labor: *ejercicio.*

— acción y resultado de desempeñar un cargo: *ejercicio.*

— esfuerzo corporal o intelectual cuyo objeto es el desarrollo de una facultad o aptitud: *ejercicio.*

— trabajo intelectual que sirve de repaso o práctica a lo que ya se ha aprendido: *ejercicio.*

— aprender algo mediante la práctica: *ejercitar.*

— persona que realiza ejercicios de oposición o espirituales: *ejercitante.*

— acción de practicar alguna cosa: *ejercitación.*

2. Hacer uso de derechos o atribuciones.

— *Todo ciudadano ejerce sus derechos constitucionales.*

ejército 1. Conjunto de las fuerzas militares de una nación.

— *El ejército debe dedicarse a auxiliar a la población del país.*

— tipos de ejércitos: *ejército de tierra, ejército de mar, ejército de aire, ejército expedicionario, ejército auxiliar, ejército de reserva, ejército de mercenarios, ejército de voluntarios, ejército de socorro.*

2. Colectividad muy numerosa que persigue un mismo fin y se organiza para conseguirlo.

— *Para la colecta de la Cruz Roja se organizó todo un ejército de voluntarios.*

— institución religiosa y filantrópica inglesa: *ejército de salvación.*

ejido Campo o terreno común de todos los vecinos de un pueblo destinado a la producción agropecuaria.

— poseedor de una parte del ejido: *ejidatario.*

— que pertenece al ejido o se relaciona con él: *ejidal.*

ejote Vaina tierna del frijol.

elaborar 1. Fabricar o preparar un pro-

ducto por medio de un trabajo determinado. ☞ **confeccionar, producir.**

— *Para elaborar nuestros productos requerimos de trabajo especializado.*

— acción y resultado de elaborar: *elaboración.*

— que se puede confeccionar: *elaborable.*

— que produce un objeto: *elaborador.*

2. Hacer asimilable.

— *El estómago elabora los alimentos.*

elación 1. Altivez, presunción, soberbia.

— *Vivir con elación conduce a la soledad.*

— altivo, presuntuoso, soberbio: *elato.*

2. Nobleza de espíritu. ☞ **elevación.**

— *Sólo los hombres íntegros logran una verdadera elación.*

3. Hinchazón, ampulosidad de estilo y lenguaje.

— *Hablaba con tal elación, que nadie lo entendía.*

elástico 1. Que tiene elasticidad, que puede recobrar sus dimensiones o su forma cuando cesa la fuerza que lo deforma o después de haber sido doblado, alargado, etc.

— *El hule es altamente elástico.*

— calidad de elástico: *elasticidad.*

— medida de la elasticidad: *elasticimetría.*

— tela que ajusta al cuerpo: *elástica.*

2. Acomodaticio, que puede ajustarse a distintas circunstancias.

— *Tiene un carácter tan elástico que a todos dice que sí.*

elección 1. Acción y resultado de elegir. ☞ **opción, alternativa.**

— *Su elección de servir en el ejército fue muy loable.*

2. Nombramiento de un cargo que se hace por sufragio o votación.

— *Mi abuelo fue diputado por elección popular.*

— nombrar por votación a alguien para que ocupe un cargo o dignidad: *elegir.*

— persona a la que se ha otorgado un cargo por votación popular, pero que aún no ha tomado posesión de él: *electo.*

— cada una de las personas que dan su voto u opinión para que otra ocupe un puesto público: *elector.*

— escoger, preferir: *elegir.*

electricidad Forma de energía que se produce por el movimiento de electrones y protones de los átomos, que tienen la propiedad de repelerse y atraerse; normalmente se emplea para producir luz y calor.

— que pertenece a la electricidad o se relaciona con ella: *eléctrico*.

— objeto que conduce o comunica electricidad: *conductor eléctrico*.

— aparato que funciona por medio de la electricidad: *aparato eléctrico*.

— aparatos eléctricos destinados al uso doméstico: *electrodomésticos*.

— que es experto en electricidad: *electricista*.

— aplicar la electricidad a un motor como fuerza motriz: *electrificar*.

— comunicar a un cuerpo o producir electricidad en él: *electrizar*.

— susceptible de adquirir propiedades eléctricas: *electrizable*.

— dar muerte por medio de una corriente o descarga eléctrica: *electrocutar*.

— descomposición química de un cuerpo verificada por medio de la electricidad: *electrólisis*.

— partícula integrante del átomo que contiene una única carga de electricidad negativa: *electrón*.

— parte de la física que estudia la acción de las corrientes eléctricas: *electrodinámica*.

— parte de la física que se ocupa del comportamiento de los electrones en el vacío o en la materia sólida o gaseosa: *electrónica*.

— que pertenece a la electrónica o se relaciona con ella: *electrónico*.

— descarga eléctrica usada como medio terapéutico: *electrochoque*.

electuario Medicamento compuesto de ingredientes vegetales cuya consistencia es muy parecida a la de la miel.

elefantiasis Enfermedad que consiste en un desmesurado aumento de algunas partes del cuerpo, especialmente de las piernas y pies. ☞ **elefancia**.

— que pertenece a la elefantiasis o se relaciona con ella: *elefanciaco*.

— que padece este mal: *elefanciaco, elefantiásico*.

— clase de elefantiasis que solamente afecta a los miembros inferiores: *elefantopodia*.

elegante 1. Que está dotado de nobleza, belleza, gracia y sencillez. ☞ **fino, airoso**. ✤ VULGAR.

— *Elaboró un elegante diseño para el edificio que piensa construir.*

2. Que se viste con belleza y sencillez.

— *Mi secretaria es elegante en el vestir.*

— calidad de elegante: *elegancia*.

— que pretende ser elegante: *elegantón*.

elegía Composición literaria inspirada en sentimientos de dolor o melancolía o en que se lamenta algún suceso funesto, como la muerte de una persona.

— que pertenece a la elegía o se relaciona con ella: *elegíaco o elegiaco*.

— tono lastimero, triste: *tono elegíaco*.

elemento 1. Cada una de las partes que en conjunto forman un todo.

— *Este elemento forma parte de una estructura más compleja.*

— que pertenece al elemento o se relaciona con él: *elemental*.

2. Cada uno de los cuerpos químicos simples que por sí solos o en combinación conforman todas las sustancias conocidas.

— *Cada elemento químico tiene su sitio en la tabla periódica.*

3. Conceptos fundamentales para el conocimiento de una disciplina o materia.

— *Con ese maestro estudiamos los elementos de la sociología.*

— que es fundamental, primordial: *elemental*.

— calidad de elemental: *elementalidad*.

4. Medios, recursos de que se dispone para lograr un fin.

— *No posee los elementos necesarios para realizar el análisis que pediste.*

— estar una persona en un ambiente que le es familiar: *estar en su elemento*.

elemí Resina amarillenta de consistencia sólida que segregan algunos árboles tropicales utilizada en la fabricación de ungüentos y barnices.

elenco 1. Catálogo, índice, lista. ☞ **relación**.

— *Yo llevo el elenco de los instrumentos musicales necesarios para el concierto de hoy.*

2. Total de integrantes de una compañía de teatro, de danza, de ópera, etc.

— *Ayer se estrenó una comedia cuyo elenco estaba compuesto por los más selectos artistas.*

elequeme Árbol americano cuyas flores tienen forma de mariposas, que se utiliza para proteger del sol los plantíos de café. ☞ **eléqueme, bucare**.

elevar 1. Alzar, levantar, izar una cosa o una carga. ☞ **subir**.

— *Las porras elevan el ánimo de los deportistas.*

2. Incrementar, agrandar. ☞ **aumentar**.

— *Esos comerciantes elevaron los precios sin autorización del gobierno.*

3. Situar a alguien en un puesto o empleo más importante que el que tenía.

— *Durante aquella temporada lo elevaron a primer actor de la compañía.*

4. Dirigir una petición a la autoridad.

— *Elevaron una justificada protesta cuando les retuvieron el sueldo.*

5. Extasiarse, transportarse, enajenarse.

— *Se eleva en cuanto ve contento a su hijo.*

— acción y resultado de elevar o elevarse: *elevación*.

— que tiene la función de elevar: *elevador*.

— equipo movido por fuerza eléctrica que sube o baja personas o cosas de una altura a otra, ascensor: *elevador*.

— multiplicar una cantidad por sí misma cierto número de veces: *elevar un número a una potencia*.

elidir Frustrar, malograr, eliminar una cosa. ☞ **anular**.

— acción y resultado de eliminar algo: *elisión*.

elijar Cocer una sustancia según métodos farmacéuticos para extraer el jugo y separar las partes más gruesas, o para otros fines análogos.

eliminar 1. Quitar, separar una cosa de otra. ☞ **suprimir**.

— *El verdadero estudiante elimina todos los obstáculos que se le presentan para llegar a su meta.*

2. Alejar o excluir a alguien de una agrupación o de un asunto. ☞ **excluir**.

— *Eliminaron de la competencia a los atletas que usaron drogas estimulantes.*

3. Lograr que de un conjunto de ecuaciones algebraicas desaparezca una incógnita.

— *Eliminaste erróneamente la incógnita.*

4. Expulsar el cuerpo las sustancias que ya no le sirven. ☞ **orinar, sudar**.

— *¿Elimina usted agua en exceso?*

5. Derrotar o vencer a alguien.

— *Los eliminaron de la carrera rápidamente.*

— competencia selectiva de un campeonato o concurso: *eliminatoria*.

— que sirve para suprimir: *eliminatorio*.

— acción y resultado de eliminar: *eliminación*.

elipse Curva cerrada que describe un punto al moverse en un plano, de tal manera que la suma de sus distancias a dos puntos fijos, llamados focos, sea constante.

— que pertenece o se relaciona con la elipse: *elíptico*.

— superficie cuyas secciones planas son elipses o círculos: *elipsoide*.

— figura de construcción gramatical que consiste en suprimir en la oración aquellas palabras que no son necesarias para el sentido del enunciado: *elipsis*.

élite 1. Lo mejor y más selecto de un género, grupo o conjunto.
— *El escuadrón de élite se enfrentó a la armada enemiga*.
2. Minoría que dentro de una sociedad ocupa un lugar de privilegio, por su saber, riqueza o funciones de mando y control.
— *La élite gobernante vive en la opulencia*.
— que únicamente se relaciona con un selecto número de acompañantes: *elitista*.

elixir 1. Licor medicinal compuesto de una o varias sustancias disueltas en alcohol.
— *Mi abuela prepara un elixir estupendo para el dolor de muelas*.
2. Medicamento maravilloso.
— *La sábila es un verdadero elixir para padecimientos musculares*.
3. Piedra filosofal.
— *Los alquimistas nunca encontraron el elixir de la eterna juventud*.

elocuencia Facultad de hablar o escribir de modo eficaz para deleitar, conmover o persuadir.
— que habla o escribe con elocuencia o que la tiene: *elocuente*.
— manera de expresarse: *elocución*.

elogio Alabanza, testimonio del mérito de algo o alguien. ☞ **alabanza.**
— laudatorio: *elogioso*.
— felicitar, enaltecer o adular a otro: *elogiar*.
— que ensalza una condición, cosa o persona: *elogiador*.
— que es digno de halago: *elogiable*.

elongación 1. Distancia angular que hay de un astro al Sol o de un planeta a otro.
— *Es muy difícil calcular la elongación entre Mercurio y Plutón*.
2. Alargamiento accidental de un miembro o de un nervio.
— *Después del percance automovilístico su pierna derecha presentaba una elongación anormal*.

elote Mazorca tierna del maíz que se consume como alimento, principalmente en México y Centroamérica.
— merienda en que se comen elotes: *elotada*.
— mazorca ya desgranada: *olote*.

elucidar Poner en claro, explicar lo que está confuso. ☞ **esclarecer, aclarar, dilucidar.**
— explicación, aclaración: *elucidación*.

— libro o tratado que explica conceptos difíciles de entender: *elucidario*.

eluctable Que se puede vencer mediante lucha. ☞ **eludible.**

elucubrar Trabajar concienzuda y reflexivamente en alguna obra intelectual. ☞ **lucubrar.**
— acción y resultado de elucubrar: *elucubración, lucubración*.
— trabajo desarrollado por medio de la fuerza de velar y trabajar asiduamente: *elucubración, lucubración*.

eludir 1. Esquivar, soslayar una obligación o un problema. ☞ **evitar.**
— *Tú eludes insensatamente resolver los problemas laborales*.
— que se puede eludir: *eludible*.
2. Neutralizar algo, quitarle su efecto.
— *Eludí los golpes con técnica de boxeo*.
— acción y resultado de sortear o rehuir una dificultad: *elusión*.
— lo que esquiva y evita: *elusivo*.

emaciación Adelgazamiento excesivo producido por alguna enfermedad.
— muy flaco, consumido, extenuado: *emaciado*.

emanar 1. Proceder, tener origen y principio una cosa de cuya sustancia se participa. ☞ **provenir, derivar.**
— *De la cocina emana un olor muy apetitoso*.
2. Emitir ciertos cuerpos sustancias volátiles.
— *Del thiner emanan olores tóxicos*.
— acción y resultado de emanar: *emanación, efluvio*.
— aparato que permite la vaporización de ciertos productos volátiles: *emanador*.

emancipar 1. Liberar a alguien de la patria potestad, de la tutela o la servidumbre. ☞ **manumitir, independizar.**
— *Los esclavos se emanciparon cuando Hidalgo abolió la esclavitud*.
2. Salir o desprenderse de la sujeción o subordinación en que se estaba.
— acción y resultado de liberar o de independizarse: *emancipación*.
— que emancipa: *emancipador*.
— que ha logrado su libertad: *emancipado, manumiso*.

emascular Cortar los órganos de reproducción masculina. ☞ **castrar.**
— herramienta que se utiliza para castrar animales machos: *emasculador*.
— castración, capadura: *emasculación*.

embabiamiento Embobamiento, distracción. ☞ **alelamiento, atontamiento.**

embabucar Engañar a otro, sorprender-

lo por su buena fe e inocencia. ☞ **embaucar.**

embachar Hacer que el ganado lanar entre en un bache para trasquilarlo.

embadurnar Untar, embarrar, ensuciar. ☞ **pintarrajear.**
— que cubre de pintura u otra sustancia una superficie: *embadurnador*.
— acción y resultado de embarrar o embarrarse: *embadurnamiento*.

embair Embelesar, ofuscar, hacer creer lo que no es.
— acción y resultado de embair: *embaimiento*.
— estafador, embaucador: *embaidor*.

embajada 1. Mensaje o comisión relativo a algún asunto importante.
— *La embajada contenía tan sólo malas noticias*.
2. Representación oficial de un país en otro.
— *Le confirieron la embajada de París*.
3. Edificio en que habita el embajador.
— *La embajada norteamericana en México tiene un sistema de seguridad excesivo*.
4. Conjunto de empleados que tiene a sus órdenes el embajador o su comitiva oficial.
— *Toda esta embajada es un verdadero caos*.
— persona que representa al jefe de un Estado en otro país: *embajador*.

embalar 1. Empaquetar, enfardar, colocar en cajas los objetos que se han de transportar. ☞ **empacar.**
— *Embale usted muy bien los jarrones a fin de que no se rompan durante el viaje*.
— que embala: *embalador*.
— acción y resultado de envolver y guardar los objetos que van a llevarse a otra parte: *embalaje*.
— envoltura o caja con que se protegen y en donde se guardan los objetos: *embalaje*.
2. Golpear el agua para que la pesca se asuste y entre en las redes.
— *Por más que embalábamos ningún pez caía en las mallas*.
— acción y resultado de embalar: *embalo*.
3. Introducir la bala en el cañón sin agregar pólvora.
— *Mi compadre era muy bueno para embalar rápidamente*.
4. Incrementar la velocidad de un cuerpo o vehículo en movimiento.
— *El campeón debe su éxito a que en la última recta embaló su automóvil*.
— recta final: *embalaje final*.

5. Dejarse llevar por un sentimiento o una pasión.

— *Él se embaló y no hacía más que pensar en su amada.*

embaldosar Revestir el suelo con baldosas.

— pavimento de mosaicos o baldosas: *embaldosado.*

— acción y resultado de embaldosar: *embaldosado.*

embalsamar 1. Conservar con sustancias antisépticas o aromáticas un cuerpo para preservarlo de la putrefacción. ☞ **momificar.**

— *La tradición de embalsamar cadáveres tiene su origen en el antiguo Egipto.*

— que se dedica a embalsamar cadáveres: *embalsamador.*

— acción y resultado de embalsamar: *embalsamamiento.*

2. Aromatizar, perfumar.

— *Ciertas plantas embalsaman el ambiente sólo por las noches.*

embalsar 1. Meter algo en una embarcación pequeña o balsa.

— *Los pescadores embalsaron sus redes muy temprano.*

2. Detener agua en un hoyo del terreno o charca. ☞ **rebalsar, estancar, encharcar.**

— *Embalsaremos el agua que escurre del desagüe para que no se desperdicie.*

3. Suspender en un lazo grande o balso a una persona o cosa para izarla.

— *La mercancía se embalsa para subirla a la cubierta de los barcos.*

— acción y resultado de embalsar o embalsarse: *embalse.*

— represa o depósito grande que se forma artificialmente: *embalse.*

— cantidad de agua que se almacena de esta forma: *embalse.*

embalumar 1. Cargar algo o a alguien con su gran peso.

— *No se debe embalumar sin faja protectora.*

2. Afrontar problemas o preocupaciones graves.

— *Con tanto trabajo me embalumé.*

emballenar Armar, dar forma a un corsé con láminas elásticas o varillas.

— armazón compuesta de barbas de ballena: *emballenado.*

— corpiño de mujer hecho del mismo modo: *emballenado.*

— cuyo oficio es el de armar corsés: *emballenador.*

emballestado Caballo que tiene desviada la parte inmediata al casco.

— contraer una caballería la enfermedad del emballestado: *emballestarse.*

— colocarse un tirador en posición de disparar la ballesta: *emballestarse.*

embanastar 1. Introducir objetos en un cesto grande o banasta.

— *El panadero guarda los bizcochos en la banasta.*

2. Meter a muchas personas en un espacio cerrado.

— *Nos embanastamos en el ascensor.*

embancarse 1. Entre fundidores de metales, adherirse a las paredes del horno los materiales escoriados.

— *Se había embancado tanto plomo que ya no era posible meter nada al horno.*

2. Varar una embarcación en un banco.

— *Tuvo el velero que embancarse a fin de no zozobrar.*

embanderar Adornar con pendones o banderas. ☞ **empavesar.**

embanquetar Poner aceras o banquetas en las calles.

embarazar 1. Poner encinta a una mujer o ponerse encinta una mujer. ☞ **preñar, fecundar, fertilizar.**

— *Antes de partir, el marido celoso había tenido el cuidado de embarazar a su mujer.*

— obstáculo, impedimento, molestia: *embarazo.*

— turbación, falta de naturalidad en la actitud: *embarazo.*

— estado de una hembra desde que es fecundada hasta que da a luz: *embarazo.*

— tiempo que dura la gestación: *embarazo.*

— que se hace dificultosamente: *embarazosamente.*

— que pone en dificultad: *embarazoso.*

— que embaraza: *embarazador.*

2. Estorbar, retardar, poner en dificultad una cosa. ☞ **impedir, embazar.**

— *Sus enemigos se empeñaban en embarazar los proyectos que tenía.*

embarbascarse 1. Atorarse el arado en las raíces fuertes de las plantas o cualquier otra herramienta entre fibras de materiales.

— *Ayer se embarbascó la herramienta y no trabajé lo suficiente.*

2. Aturdirse, enredarse, confundirse.

— *Las mujeres me embarbascan.*

embarbecer Salir la barba. ☞ **barbecer.**

embarbillar Ensamblar un madero a otro por medio de un corte oblicuo.

— acción y resultado de embarbillar: *embarbillado.*

— ensambladura de maderas por medio de lengüetas y ranuras: *embarbillado.*

embarcar 1. Ingresar personas o mercancías en un transporte. ☞ **almacenar, abordar.**

— *Embarcaron la mercancía en el avión hace tres horas.*

— que introduce mercancías a un transporte: *embarcador.*

— barco, nave: *embarcación.*

— lapso que dura el recorrido de un punto a otro: *embarcación.*

— lugar en que anclan las naves: *embarcadero.*

2. Intervenir en una empresa difícil o un negocio incierto. ☞ **arriesgar.**

— *Sin saber cómo, me embarqué en el negocio de antigüedades.*

— incluir a otro en una empresa: *embarcarlo.*

3. Destinar a alguien en un buque.

— *Mi primo se embarcó en un buque mercante.*

4. Engañar, timar.

— *Me embarcaron con palabrería.*

embardar Colocar bardas o cercas a un terreno para delimitarlo. ☞ **bardar.**

embargar 1. Confiscar un bien por mandato legal. ☞ **incautar, decomisar.**

— *Si no pagas antes del plazo te embargarán el negocio.*

— retención de bienes por orden judicial: *embargo, embarque.*

2. Embarazar, estorbar, detener. ☞ **impedir.**

— *Para correr ágilmente lo embargaban los achaques y la edad.*

3. Paralizar, suspender, enajenar los sentidos una emoción.

— *Le embarga una gran tristeza por la muerte de su padre.*

— que puede ser embargado: *embargable.*

— indigestión: *embargo.*

— expresión que se usa para indicar que cierta situación no es obstáculo para la consecución de un fin: *sin embargo.*

embarradilla Empanada pequeña rellena de dulce.

embarrancar 1. Atorarse en un barranco o atolladero.

— *El carro se embarrancó al salir de la curva.*

2. Atascarse en un problema o dificultad.

— *Los problemas administrativos embarrancan al país.*

3. Encallar un buque en el suelo del mar. ☞ **varar.**

— *Al hundirse el buque se embarrancó.*

embarrar 1. Embadurnar, manchar o cubrir con barro. ☞ **enfangar, encenagar.**

— *Los niños corrieron a embarrarse,
felices de que nadie los vigilara.*

2. Manchar con cualquier sustancia.

— *Me embarré de estiércol la mano.*

3. Enredar, embrollar un asunto.

— *Los abogados a veces no hacen
más que embarrar los problemas.*

— complicar a otro en un problema
grave: *embarrarlo.*

4. Meter el extremo de una barra entre dos objetos para hacer palanca
con ella.

— *Es necesario embarrar este automóvil para poder moverlo.*

embarrilar Introducir algo en toneles o
barriles. ☞ **entonelar.**

— *La cerveza fina se embarrila.*

— que empaqueta o guarda en barriles: *embarrilador.*

embarrotar Asegurar, fortalecer con
barrotes. ☞ **abarrotar.**

embarullar 1. Confundir, mezclar desordenadamente cosas, ideas, etc. con
otras.

— *Se embarulló al hablar de filosofía.*

— que mezcla todo desordenadamente: *embarullador.*

2. Actuar desordenada y atropelladamente. ☞ **desordenar, embrollar.**

— *La juventud de hoy todo lo embarulla.*

embasamiento Cimientos, base de un
edificio.

embastar Poner almohadillas o bastas
a las monturas de los caballos.

embastecer 1. Tornarse grueso, engrosar.

— *El ganado embastecerá pronto.*

2. Ponerse basto o tosco.

— *Ella ha embastecido lamentablemente.*

embate Acometida impetuosa. ☞ **acometida, embestida.**

— golpe fuerte del viento que desvía
el curso de una nave: *embatada.*

embaucar Engañar a un inocente.
☞ **embabucar.**

— persona que estafa y sorprende la
buena fe de otro: *embaucador.*

embaular Empacar dentro de un baúl
objetos.

— que está metido en un espacio reducido: *embaulado.*

embausamiento Abstracción, embelesamiento, enajenamiento del ánimo.

embazar 1. Teñir de color bazo, pardo
o amarillento.

— *Mi madre embazaba las cortinas
con un pigmento especial.*

2. Detener, obstaculizar, impedir.
☞ **embarazar.**

— *A papá le embazaba siempre la
falta de ilusiones para prosperar.*

3. Pasmar, causar admiración por algo.

— *Las grandes ciudades embazan a
cualquiera.*

4. Quedar en suspenso, sin posibilidad de actuar.

— *Me embacé en espera de tu respuesta.*

5. Cansarse, fastidiarse.

— *Te embaza mi presencia. Acéptalo.*

6. Sentir dolor en el bazo.

— *Si corres ahora seguro que te embazarás.*

— meterse en bazas en los juegos de
naipes: *embazarse.*

embebecer 1. Embelesar, entretener.

— *Me embebecen tus sermones.*

2. Quedar admirado o pasmado.

— *Mirar el mar, embebece.*

embeber 1. Absorber un cuerpo sólido
otro que es líquido. ☞ **empapar.**

— *Es necesario embeber trapos con
alcohol para curarte.*

2. Contener una cosa algo dentro de
sí.

— *La ballena embebía a Jonás como una dura prueba.*

3. Encoger, disminuir.

— *La lana se embebece cuando se
lava.*

4. Instruirse bien en una materia, documentarse.

— *Se embebió tanta literatura, que
no sabía de otra cosa.*

5. Embelesarse, embebecerse.

— *Las películas románticas embeben a mi hermana hasta las lágrimas.*

— abstraído, absorto, ensimismado:
embebido.

— que embelesa: *embebedor.*

— columna de un edificio cuyo fuste
parece que se introduce dentro de
otro cuerpo: *embebida.*

embejucar Atar con bejucos.

embelecar Engañar con halagos y falsas
apariencias o artificios.

— embuste, ilusión, engaño: *embeleco.*

— que embeleca: *embelecador.*

embeleñar Narcotizar con beleño.
☞ **adormecer, embelesar.**

embelesar Cautivar, encantar, arrebatar
los sentidos. ☞ **fascinar.**

— acción y resultado de embelesar:
embelesamiento.

embellaquecerse Tornarse ruin y malvado, hacerse bellaco. ☞ **envilecer.**

embellecer Hacer o poner bello algo o
a alguien. ☞ **acicalar.**

— que adorna y hermosea: *embellecedor.*

— acción y resultado de embellecer
o embellecerse: *embellecimiento.*

embermejar 1. Teñir de color bermejo
o rojizo. ☞ **embermejecer.**

— *Las tejedoras embermejan su propio estambre.*

2. Avergonzar a una persona, hacerla
que se ponga colorada.

— *Tus insultos embermejaron a esa
dama.*

emberrincharse Encolerizarse con demasía.

embestir 1. Arrojarse una cosa, animal
o persona con fuerza sobre otra.
☞ **acometer, arremeter.**

— *El toro embiste el capote del torero.*

2. Arremeter, atacar.

— *El boxeador embistió al policía en
forma criminal.*

— ataque: *embestida.*

— que embiste: *embestidor.*

3. Abordar a uno para pedir prestado
o pedir limosna.

— *En la calle los pordioseros te embisten por doquier.*

embetunar 1. Cubrir un objeto con betún.

— *La cocinera embetunó el pastel
con merengue.*

2. Lustrar el calzado.

— *Embetunaba calzado para sobrevivir.*

embicar 1. Embestir una embarcación
algún punto de la costa.

— *El buque embicó violentamente
contra el puerto.*

2. Atinar a introducir una cosa en un
hoyo.

— *Es necesario embicar la pelota en
todos los hoyos en el deporte del golf.*

embijar 1. Teñir con bija o bermellón.

— *Se embijaba los labios para atraer
a los hombres.*

2. Impregnar de miel u otra sustancia
pegajosa algo. ☞ **pringar.**

— *Al meter las manos al tonel se embijó de mermelada.*

— enmielado: *embijado.*

3. Ensuciar.

— *Me embijaste mi saco nuevo.*

— lo que está formado de partes desiguales: *embijado.*

— acción y resultado de embijar: *embije.*

embizcar Quedar bizco.

emblandecer Ablandar, reblandecer.

— enternecerse, compadecerse: *emblandecerse.*

emblanquecer Poner blanca una cosa.
☞ **blanquear.**

— acción y resultado de emblanquecer o emblanquecerse: *emblanquecimiento.*

emblema 1. Símbolo, insignia en que se
representa una figura y que lleva de-

bajo una leyenda que aclara su significado. ☞ **divisa.**

— *El emblema de los piratas es una calavera.*

2. Distintivo propio y representativo.

— *Los franceses tienen un gallo por emblema.*

— actuar de forma representativa: *emblemáticamente.*

— que pertenece al emblema o se relaciona con él: *emblemático.*

embobar 1. Asombrar, alelar a alguien. ☞ **pasmar.**

— *Este niño está embobado con la televisión.*

2. Quedar absorto, ensimismado.

— *La novela francesa me emboba.*

embocar 1. Aplicar los labios a la boquilla de un instrumento o introducir algo en la boca.

— *El saxofonista embocó su instrumento y tocó divinamente.*

— boquilla de un instrumento musical: *embocadura.*

— tocar afinadamente y con suavidad un instrumento musical de viento: *tener buena embocadura.*

— parte del freno que se les pone a los caballos en el hocico: *embocadura.*

2. Emprender, comenzar un trabajo.

— *Mi hermano ya embocó su negocio de ropa.*

3. Hacer que algo entre por una parte estrecha.

— *No debe usted embocar ese tornillo, pues lo maltrata.*

— acción y resultado de introducir algo por una parte estrecha: *embocadura.*

4. Tragar mucho, engullir, comer de prisa.

— *Ella se embocó un pollo entero, unas papas, unas salchichas, un pastel y un helado.*

5. Hacer creer algo falso.

— *Que no te emboquen, yo soy tu verdadero padre.*

6. Lanzar, echar a otro algo que causa molestia.

— *Le embocó una sarta de injurias.*

— sabor que tienen los vinos: *embocadura.*

— boca o abertura del escenario de un teatro: *embocadura.*

— pasaje por donde los buques acceden a los ríos que desembocan en el mar: *embocadura.*

— comenzar a superar los problemas de una situación: *tomar la embocadura.*

embochinchar Ocasionar alboroto.

embodegar 1. Almacenar en una bodega.

— *Embodeguemos el contrabando que llegó anoche.*

2. Comer con voracidad.

— *Te embodegaste todo el pescado.*

embolar 1. Insertar bolas de madera en los cuernos de los toros de lidia para que no puedan herir con ellos.

— *Como no habían embolado al toro todos corríamos para escondernos de él.*

— toro atontado: *toro embolado.*

2. Lustrar los zapatos. ☞ **bolear.**

— *El pequeño de ocho años embolaba botas y zapatos muy bien.*

— limpiabotas: *embolador, bolero.*

— acción y resultado de lustrar zapatos: *embolada, boleada.*

3. Emborrachar.

— *Mi abuela se embola con anís todas las noches.*

embolia Obstrucción de un vaso sanguíneo por un coágulo o por otro cuerpo extraño.

embolismar 1. Inventar chismes o enredar situaciones.

— combinación confusa de cosas: *embolismo.*

2. Confusión, enredo.

— mentira, chisme o calumnia: *embolismo.*

émbolo 1. Disco o cilindro que se mueve y ajusta dentro de un cuerpo de bomba entre dos fluidos a diferente presión, para transmitir un esfuerzo motor. ☞ **pistón.**

— *El émbolo de la bomba de gasolina se averió.*

2. Cuerpo de naturaleza diversa que produce una embolia.

— *Por el tamaño del émbolo, el paciente tuvo una total oclusión del vaso sanguíneo.*

embolsar 1. Guardar cualquier objeto en una bolsa. ☞ **meter.**

— *Embolsé mis perfumes por comodidad.*

2. Recibir dinero por servicios prestados o en el juego o en los negocios.

— *Jugando naipes se embolsó una suma de dinero considerable.*

— devolver una cantidad de dinero a las manos de quien lo había invertido: *reembolsar, rembolsar.*

— acción y resultado de embolsar: *embolso.*

embonar 1. Mejorar una cosa o hacerla buena.

— *Embonó aún más su existencia adquiriendo un automóvil.*

2. Ajustar, acomodar, venir bien una cosa a otra. ☞ **acomodar.**

— *La llave embonó bien en la cerradura.*

3. Guarnecer exteriormente con tablones el casco de un buque.

— *El marino embona el barco por órdenes del capitán.*

— forro de tablones con los que se refuerza un buque: *embono.*

emboñigar Untar con excremento de vaca o boñiga.

emboque 1. Paso de la bola por un aro, o de cualquier objeto por una parte estrecha.

— *El balón embocó en la canasta y el equipo ganó el partido.*

2. Engaño, trampa.

— *No emboques a tu prójimo tan insensiblemente.*

emboquillar 1. Colocar un tubo pequeño o boquilla a los cigarros.

— *Esta fábrica emboquilla sus cigarros con papel dorado.*

2. Labrar la entrada de un túnel o galería.

— *Es necesario emboquillar firmemente esta entrada para que no se derrumbe.*

embornal Canal por donde se va el agua de lluvia de los tejados. ☞ **imbornal.**

emborrachar 1. Causar embriaguez la ingestión de bebidas alcohólicas. ☞ **embriagar.**

— *Esta noche me emborracho.*

2. Atontar, adormecer, perturbar.

— *Las palmeras se emborrachan de sol.*

3. Perder el juicio o el uso libre y racional de las potencias.

— *Él se emborracha de amor.*

— que emborracha: *emborrachador.*

— ebriedad: *emborrachamiento.*

emborrar 1. Henchir de borra o lana una cosa. ☞ **atiborrar.**

— *Emborraste esos cojines viejos.*

2. Darle a la lana una segunda carda.

— *La lana debe emborrarse para mejorar su calidad.*

emborrascar 1. Irritar, alterar. ☞ **enfurecer.**

— *Ante tantos contratiempos su ánimo se emborrascó.*

2. Tornarse el clima inestable y tormentoso.

— *Cerca de las montañas se emborrasca el aire.*

3. Malograr un negocio.

— *Se emborrascó la inversión en bienes raíces.*

4. Empobrecerse la veta de una mina.

— *En poco tiempo se emborrascará esta veta.*

emborrazar Poner una rebanada de tocino a un ave para asarla.

emborricarse 1. Aturdirse, atontarse. ☞ **ofuscarse.**
— *No deberías emborricarte con ese problema.*
2. Enamorarse perdidamente de alguien.
— *Emborricarse de una mujer tiene malas consecuencias.*

emborrizar 1. Dar a la lana la primera carda para hilarla.
— *Emborriza la lana o se estropeará.*
2. Bañar con azúcar, huevo y harina dulces o alimentos que han de freírse.
— *Emborrice usted el pan antes de ponerlo en aceite.*

emborronar 1. Cubrir de borrones o manchas de tinta un papel. ☞ **borronear.**
— *Todo escritor emborrona papeles y papeles.*
2. Escribir sin cuidado, de prisa y sin meditar.
— *Emborrono cuartillas y tengo éxito.*
— que emborrona: *emborronador.*
— acción y resultado de emborronar: *emborronamiento.*

emborrullarse Liarse en una discusión o pelea. ☞ **emborrullarse.**

emboscar 1. Disponerse un grupo de personas en un lugar para atacar por sorpresa a quien ha de pasar por ahí.
— *El guerrillero aprende a emboscar al ejército.*
2. Entrar u ocultarse en el ramaje.
— *Nos emboscamos para darnos un beso.*
3. Escudarse en una ocupación cómoda para mantenerse alejado del cumplimiento de otras, especialmente en tiempos de guerra.
— *Por flojera se emboscan esos soldados.*
— acción y resultado de emboscar: *emboscada, emboscadura.*
— tropa que se disimula para lograr un ataque sorpresa: *emboscada.*
— lugar apto para esta operación de guerra: *emboscadura.*

embosquecer Convertir en bosque un terreno.

embostar Enriquecer un terreno con excremento de ganado o bosta. ☞ **abonar.**

embotar 1. Debilitar, entorpecer los sentidos, quitarles agudeza.
— *El alcohol embota la sensibilidad.*
2. Engrosar el filo de un arma o hacerlo romo para que deje de ser peligroso.
— *Embotar las lanzas es signo de paz.*
3. Meter cosas dentro de un bote.
— *Embotaba conservas y las vendía.*

embotellar 1. Guardar en botellas un líquido. ☞ **envasar.**
— *Los refrescos se embotellan con poca higiene.*
— compañía, fábrica que produce bebidas refrescantes: *embotelladora.*
— que embotella: *embotellador.*
— acción y resultado de embotellar: *embotellamiento, embotellado.*
2. Acorralar a alguien.
— *Embotelló a su marido y lo golpeó.*
3. Detener un negocio o una mercancía.
— *Embotellará esa remesa de ropa hasta que suban los precios.*
4. Impedir que las naves enemigas lleguen al mar.
— *La armada embotelló los buques enemigos.*
— obstrucción de la entrada de un puerto: *embotellamiento.*
5. Concentrarse vehículos automotores impidiendo el flujo normal de la circulación.
— *Nos embotellamos tres horas en el periférico.*
— oclusión del tránsito en la vía pública: *embotellamiento.*

emboticar Tratar con demasiadas medicinas a un enfermo.

embotijar 1. Echar en vasijas grandes o botijas cualquier líquido.
— *Embotijó buen vino para tomarlo durante el viaje.*
2. Colocar una capa de botijas en el suelo antes de embaldosarlo, para prevenir la humedad.
— *Los albañiles embotijan el patio desde temprano para echar el piso a media tarde.*
3. Hinchar, inflar.
— *Esa mujer se embotijó.*
4. Tener indignación, enojarse.
— *Embotijado me enfrenté al jefe.*

embovedar 1. Cubrir una habitación con techo cóncavo. ☞ **abovedar.**
— *Embovedó el techo por la costumbre del pueblo.*
2. Encerrar en una bóveda.
— *Embovedan la comida en espera de demanda.*
— en forma de bóveda: *abovedado.*

embozar 1. Cubrirse una persona el rostro con una prenda de vestir, dejando sólo libres los ojos.
— *Las mujeres musulmanas se embozan por tradición.*
2. Disfrazar.
— *Te fuiste embozado al carnaval.*
3. Poner bozal.
— *Embocé a mi perro porque muerde.*
4. Obstruir un paso o conducto.
— *Este camino lo embozaron.*

embracilar Llevar en brazos.
— niño acostumbrado a estar siempre en brazos: *embracilado.*

embragar 1. Rodear y sujetar un objeto pesado con cuerdas o bragas.
— *Embragaron el ropero para izarlo.*
2. Lograr que un mecanismo o parte de él conecte con el motor.
— *Finalmente los mecánicos embragaron el novedoso motor.*
— acción y resultado de embragar: *embrague.*
— mecanismo para embragar: *embrague.*

embravecer 1. Irritar, enfurecer. ☞ **alterar.** ❖ APACIGUAR.
— *Las maniobras del torero embravecen cada vez más al animal.*
2. Robustecerse, crecer sanas las plantas.
— *Como el camino había sido abandonado, las matas se habían embravecido alrededor.*
3. Encresparse el mar.
— *Con el mar embravecido partió la nave.*

embrazar Meter el brazo por el asa o embrazadura del escudo.
— acción y resultado de asir el escudo en esta forma: *embrazadura.*

embrear Impregnar, untar, cubrir con brea una cosa.
— que está impregnado de brea o alquitrán: *embreado.*
— acción y resultado de embrear: *embreado.*

embregarse Meterse en bregas o trabajos arduos.

embreñarse Internarse por tierra llena de maleza o breñas.

embretar Hacer entrar a los animales en el brete o corral.

embriagar 1. Causar embriaguez, borrachera, por la ingestión de bebidas alcohólicas.
— *Se embriagaron con este tequila.*
2. Atontar, perturbar, adormecer.
— *Se embriagaron de tanta plática.*
3. Enajenar, arrebatar, extasiar.
— *Esta monja se embriaga de amor al prójimo.*
— turbación pasajera de las potencias dimanadas por el exceso en el consumo de bebidas alcohólicas: *embriaguez.*
— que embriaga o provoca embriaguez: *embriagante, embriagador.*

embridar 1. Poner a los caballos la brida o freno.
— *Es necesario embridar un caballo antes de ensillarlo.*
2. Lograr que un caballo lleve bien la cabeza.
— *El jinete embridó mal al caballo.*

3. Someter, frenar, sujetar.

— *¡Embrida a los adolescentes para que obedezcan!*

4. Poner bridas o anillos a dos tubos para unirlos.

— *La instalación de gas necesita embridarse rápidamente, pues hay una fuga.*

embrión 1. Germen de un cuerpo organizado.

— *El embrión de un mamífero tarda tiempo en gestarse.*

2. Principio incipiente de una cosa o idea.

— *Mi proyecto de matrimonio está en embrión todavía.*

— que pertenece al germen o embrión o se relaciona con él: *embrionario.*

embrocar 1. Vaciar el contenido de un recipiente en otro volcándolo hacia abajo.

— *Para no desperdiciar el aceite al envasarlo, embroca perfectamente las dos vasijas.*

2. Volver boca abajo una vasija o plato.

— *Mi abuela embrocaba los platos para que no les cayera polvo.*

3. Devanar en una broca los hilos y torzales para hacer zapatos.

— *El artesano embroca cuidadosamente sus materiales.*

4. Atrapar un toro al lidiador entre las astas.

— *No podíamos rescatar al torero embrocado.*

embrochalar Sostener por medio de un brochal o viga los largueros que no pueden ser apoyados en la pared.

embromar 1. Bromear, chancear.

— *Embromaba a su novia con flores de truco.*

2. Fastidiar, perjudicar.

— *No embromes a tu jefe o serás despedido.*

3. Enredar, confundir.

— *Me siento embromado con tu carta.*

embroquelar 1. Defenderse con un broquel o escudo pequeño. ☞ **abroquelar.**

— *Se habían embroquelado los combatientes, cuando un bando pidió tregua.*

2. Recurrir a cualquier defensa. ☞ **abroquelar.**

— *Te embroquelas cada vez que hablo contigo.*

embroquetar Sujetar con broquetas o estacas pequeñas las patas de las aves para asarlas.

embrujar Intentar causar a alguien o algo un embrujo mediante artes supersticiosas. ☞ **hechizar.**

— acción y resultado de embrujar: *embrujo, embrujamiento.*

— fascinación, encanto, atractivo que una persona o cosa tiene: *embrujo.*

embrutecer Atontar, entorpecer los sentidos, hacer perder el uso de la razón. ☞ **idiotizar.**

— que atonta y entorpece: *embrutecedor.*

— acción y resultado de embrutecer: *embrutecimiento.*

embuchar 1. Meter alguna cosa en el buche.

— *La carne de pato embuchada con almendras es deliciosa.*

2. Meter en una tripa de animal carne picada con condimentos. ☞ **embutir.**

— *El abarrotero embuchaba sus chorizos con muy buena carne.*

— cebadura cruel y forzada que se hace a las aves: *embuchamiento.*

— tripa rellena de carne: *embuchado.*

3. Comer mucho y de prisa.

— *No te embuches la comida o enfermarás.*

4. Colocar hojas o folios unos dentro de otros.

— *Es una labor delicada embuchar el suplemento dominical cultural.*

— introducción fraudulenta de votos: *embuchado, embute.*

— persona que, en una imprenta, intercala las hojas o cuadernillos: *embuchador.*

embudo 1. Instrumento cónico que termina en un canuto y sirve para trasvasar líquidos.

— *Ayer cargamos de gasolina el coche con un embudo.*

— colocar un embudo en la boca de los recipientes para envasar líquidos: *embudar.*

2. Trampa, engaño, enredo.

— *Fue un embudo la elección del gobernador.*

3. Calzones muy anchos y con pliegues.

— *Los indígenas usan embudos blancos.*

— colocar un embudo en la boca de los recipientes para envasar líquidos: *embudar.*

— que sostiene el embudo para llenar las vasijas: *embudador.*

embullar Meter bulla o ruido. ☞ **animar.**

emburujar Amontonar, apelmazar, hacer burujos, bultos o cosas. ☞ **aborujar.**

embuste 1. Mentira disfrazada con artificios. ☞ **patraña.**

— *Estoy harto de ese embuste.*

2. Alhaja, bisutería de poco valor.

— *Ni con embustes nuevos se embellece mi suegra.*

— valerse con frecuencia de engaños: *embustear.*

— serie de mentiras: *embustería.*

— que dice mentiras: *embustero.*

embutir 1. Rellenar de carne picada una tripa. ☞ **embuchar.**

— *En este pueblo se dedican a embutir con carne de la mejor calidad.*

— tripa rellena de carne picada y condimentada: *embutido.*

2. Meter una cosa dentro de otra y apretarla. ☞ **introducir.**

— *El plomero embutió un tubo dentro del desagüe para arreglarlo.*

3. Labrar a golpe de martillo chapas metálicas de forma que una de sus caras tenga relieve. ☞ **taracear.**

— *El orfebre embutía sin cesar formas artísticas.*

— acción y resultado de embutir: *embutido.*

— arte de taracear: *embutido.*

— industrial cuyo negocio es la forja de chapas metálicas: *embutidor.*

— herramienta que sirve para hacer este trabajo: *embutidor.*

— trozo de hierro en el que entran las cabezas de los clavos al ser remachados: *embutidera.*

emenagogo Fármaco que provoca la aparición del ciclo menstrual en las mujeres.

emerger 1. Surgir, brotar del agua o de otro líquido. ☞ **brotar.**

— *El buzo emergió súbitamente del mar.*

2. Salir una cosa del interior de otra.

— *Después del esfuerzo emergieron los resultados.*

— que emerge o aparece: *emergente.*

— lo que nace o tiene su principio en otra cosa: *emergente.*

— acción y resultado de surgir o emerger: *emergencia.*

— accidente súbito: *emergencia.*

— emanación abundante de agua: *emergencia.*

emérito Que al término del desempeño de algún cargo disfruta de algún beneficio por sus buenos servicios.

emersión 1. Reaparición de un astro después de un eclipse.

— *La emersión solar es un espectáculo de la naturaleza.*

2. Ascenso a la superficie de un cuerpo que se hallaba sumergido.

— *Durante la emersión del objeto, el físico comprobó su teoría.*

emético Sustancia cuya finalidad es provocar el vómito. ☞ **vomitivo.**

— intoxicación producida por el exceso de algún vomitivo: *emetismo.*

emetropía Estado normal del ojo en que el cristalino enfoca las imágenes sobre la retina.

— persona que posee vista normal: *emétrope.*

emigrar 1. Abandonar la tierra natal para establecerse definitiva o temporalmente en otra. ☞ **expatriarse, desterrarse.** ❖ INMIGRAR.

— *Por el hambre, millones de mexicanos emigran anualmente en busca de trabajo.*

2. Cambiar periódicamente de clima o localidad ciertos animales.

— *Todos los años los patos de este lago emigran.*

— que pertenece a la emigración o se relaciona con ella: *emigratorio.*

— que emigra: *emigrante.*

— que vive fuera de su patria por razones políticas: *emigrado.*

— acción y resultado de emigrar: *emigración.*

— conjunto de emigrantes: *emigración.*

eminente Elevado, sobresaliente, que descuella. ☞ **destacado.**

— que denota superioridad: *eminencialmente.*

— que es eminente por su inteligencia, dotes de mando, actividad, etc.: *eminencia.*

— que influye secretamente en la política: *eminencia gris.*

— elevación de un terreno: *eminencia.*

— excelencia de ingenio o virtud: *eminencia.*

— título de honor a los cardenales: *eminencia, eminentísimo.*

— prominencia de un órgano o de una región anatómica: *eminencia.*

emitir 1. Arrojar, exhalar, despedir. ☞ **proyectar.**

— *Emitía unos eructos tan violentos que causaba horror.*

2. Poner en circulación valores, títulos o moneda. ☞ **difundir.**

— *El mes próximo se emitirá la nueva moneda del país.*

— conjunto de valores, títulos o efectos públicos que se crean para ponerlos en circulación: *emisión.*

3. Expresar, manifestar una opinión o juicio.

— *El presidente emitirá mañana sus ideas acerca de la contaminación atmosférica.*

— mensajero que lleva un comunicado: *emisario.*

— dentro del fenómeno de la comunicación, persona que dirige un mensaje: *emisor.*

4. Lanzar ondas hertzianas o de otro tipo para transmitir señales. ☞ **radiar.**

— *La estación de radio de mi pueblo fue la única que emitió la noticia del temblor.*

— aparato que emite ondas hertzianas o de otro tipo: *aparato emisor.*

— estación de radio: *radioemisora.*

— acción y resultado de emitir: *emisión.*

— que emite: *emisor.*

emoción Excitación o turbación pasajera del ánimo.

— que pertenece a la emoción o se relaciona con ella: *emocional.*

— conmover el ánimo, causar emoción: *emocionar.*

— que causa emoción: *emocionante.*

— que es propenso a las emociones: *emocionable.*

emoliente Sustancia que sirve para ablandar. ☞ **suavizante.**

— relajar, ablandar: *emolir.*

emolumento Pago que corresponde a un cargo o prestación de servicios. ☞ **remuneración, sueldo, honorarios.**

empacar 1. Acomodar bultos y otras vituallas en cajas, maletas o pacas. ☞ **embalar.**

— que empaca: *empacador.*

— máquina que empaca: *empacadora.*

— empacar en paquetes: *empaquetar.*

— acción y resultado de empacar: *empacamiento.*

2. Obstinarse.

— *No debes empacarte con ese capricho.*

3. Atracarse de comida.

— *Se empacó todo lo que había en el refrigerador.*

empachar 1. Causar indigestión o saciedad. ☞ **hartar.**

— *El niño se empachó de tacos en la feria.*

2. Cansar, importunar, estorbar. ☞ **fastidiar.**

— *El ruido del bar me empachó.*

3. Disfrazar, encubrir.

— *Las bailarinas se empacharon como gitanas.*

4. Avergonzarse, turbarse.

— *Te empacha la desnudez.*

— que sufre una indigestión aguda: *empachado.*

— que es corto de ingenio: *empachado.*

— con impedimento y estorbo: *empachadamente.*

— saciedad: *empacho, empachera.*

— que causa vergüenza: *empacho.*

— expresión que se usa para describir que alguien no se turba ante situaciones comprometedoras: *actuar sin empacho, no tener empacho.*

empadrar 1. Sentir cariño en exceso un niño por sus padres.

— *La niña se empadró con sus padres putativos.*

2. Unir sexualmente a los animales. ☞ **echar.**

— *En el rancho van a empadrar al toro con la vaca pinta.*

— apareamiento de las bestias: *empadre.*

empadronar Asentar en un padrón, registrar a alguien en el libro de los habitantes de una comunidad, país, etc. ☞ **censar.**

— que forma los padrones: *empadronador.*

— acción y resultado de empadronar o empadronarse: *empadronamiento.*

— lista de personas que componen una comunidad: *padrón.*

empajar 1. Cubrir o rellenar con paja.

— *Empajé el colchón el año pasado.*

2. Mezclar paja con barro y agua para hacer adobes.

— *Mañana te dedicas a empajar y después haremos los adobes.*

— paja revuelta con salvado que se da a las caballerías: *empajada.*

empalagar 1. Causar asco o hastío un alimento por ser dulce en exceso.

— *Este postre me empalaga.*

2. Cansar, fastidiar.

— *Me empalagan las mujeres cariñosas.*

— acción y resultado de empalagar o empalagarse: *empalago, empalagamiento.*

— que causa hastío: *empalagoso.*

empalar 1. Atravesar a uno con una estaca o palo. ☞ **ensartar.**

— *En la Edad Media se empalaba a los herejes.*

2. Dar con la pala a la pelota.

— *El jugador empalaba tan bien la pelota que no había quien le ganara.*

3. Obstinarse, encapricharse.

— *Se empaló con esa idea tonta.*

empaliar Adornar con colgaduras la iglesia y calles por donde pasará una procesión.

— adornos de tela que se ponen en una fiesta: *empaliada.*

empalizar Delimitar un terreno con cercas o vallas. ☞ **cercar.**

— estacada, alambrada, valla hecha de varas delgadas, apretadas unas contra otras y hundidas en el suelo: *empalizada.*

empalmar 1. Unir por los extremos dos tubos, sogas, cables, maderas, etc. ☞ **ensamblar.**

— *El plomero empalmó mal la tubería.*

— cosa que se ajusta a otra: *empalme.*

— modo de hacer un ensamble: *empalme.*

2. Ligar o combinar ideas, planes, acciones, caminos, vías, etc.

— *Empalmaremos ambas carreteras para ahorrar tiempo.*

— sitio en el que se unen dos caminos o dos proyectos: *empalme.*

3. Suceder una cosa a continuación de otra.

— *Tus ideas empalman muy bien con las mías.*

4. Portar una navaja oculta en la manga y la palma de la mano para sorprender con ella.

— *El asaltante empalmaba siempre un cuchillo de mango de hueso.*

— acción y resultado de empalmar: *empalme.*

empalomar Coser un cabo de refuerzo o relinga a la vela por medio de empalomaduras.

— muralla de piedras sin argamasa que se construye en un río a manera de presa: *empalomado.*

empamparse Extraviarse en la pampa.

empanar 1. Cubrir una vianda en masa de pan para cocerla o freírla.

— *Mi abuela empanaba atún para hacer bocadillos muy sabrosos.*

— vianda cubierta con masa que se cuece al horno o se fríe: *empanada.*

— pastelillo que se confecciona doblando la masa sobre sí misma para cubrir así el relleno: *empanadilla.*

— alimento rebozado con pan molido y frito: *empanado, empanizado.*

2. Sembrar de trigo los campos.

— *Es necesario que empanemos ahora, antes del tiempo de lluvias.*

3. Sofocarse los sembrados por haber echado demasiada simiente en ellos.

— *Ten cuidado de que vayan a empanarse tus tierras.*

— habitación rodeada de otras que carece de luz y de ventilación: *empanado.*

— trampa en un negocio: *empanada.*

empandar Torcer o doblar algo hasta dejarlo pando.

empandillar Juntar dos o más naipes para hacer una trampa.

empantanar 1. Inundar con agua un terreno hasta dejarlo hecho un pantano. ☞ **anegar.**

— *Los enemigos empantanaron el único paso libre.*

2. Meter a uno en un pantano.

— *Mi caballo, al caer en el fango, me empantanó hasta la cintura.*

3. Estorbar, impedir el curso de un negocio.

— *Se empantanó el negocio por culpa del contador.*

empanturrarse Comer en demasía. ☞ **ahitarse.**

empanzarse Hartarse, empacharse, sufrir de dilatación estomacal.

empañar 1. Cubrir a un niño con telas o paños.

— *Como hacía frío empañé al bebé.*

2. Restar brillo o diafanidad. ☞ **enturbiar.**

— *El tiempo y el polvo empañan los objetos de plata.*

3. Mancillar el honor o la fama de alguien.

— *Con el fraude empañó su prestigio de hombre de bien.*

empañetar Embarrar, cubrir una pared con una mezcla de barro, paja y boñiga. ☞ **enlucir.**

empapar 1. Saturar un cuerpo de agua u de otro líquido. ☞ **humedecer, calar, mojar, embeber.**

— *La lluvia empapó mis toallas.*

2. Enterarse a fondo de un asunto. ☞ **imbuirse.**

— *El nuevo profesor se había empapado de todo lo concerniente a su primera clase.*

empapelar 1. Envolver o cubrir de papel.

— *Decidí empapelar mi habitación con tapiz rosa.*

— que tapiza o empapela: *empapelador.*

2. Acusar a una persona legalmente.

— *Tenían bien empapelado al ladrón y lo iban a consignar.*

3. Dejar que se acumulen asuntos pendientes en una oficina.

— *No cumplió con su trabajo pues se empapeló con asuntos inútiles.*

— acción y resultado de empapelar o empapelarse: *empapelado.*

emparamarse Entumecerse de frío en los páramos.

emparchar Poner parches o remiendos a una cosa.

emparedar 1. Encerrar a una persona entre paredes. ☞ **tapiar.**

2. Ocultar una cosa entre muros o entre dos objetos.

— *En este castillo emparedaron a un muerto.*

— acción y resultado de emparedar: *emparedamiento.*

— recluso por castigo, penitencia o propia voluntad: *emparedado.*

— casa donde viven los emparedados: *emparedamiento.*

— que está encerrado entre paredes: *emparedado.*

— vianda cubierta con rebanadas de pan: *emparedado.*

emparejar 1. Formar una pareja o par.

— *En el pókar es necesario emparejar para poder apostar.*

2. Colocar una cosa al nivel de otra. ☞ **igualar.**

— *Para construir es necesario que emparejemos el terreno.*

3. Juntar las hojas de una puerta o ventana sin cerrarlas.

— *Empareja los póstigos para que entre menos luz.*

4. Alcanzar en un camino a una persona o cosa.

— *Emparejaron al llegar a la curva.*

5. Procurar lo necesario para terminar algo que está incompleto.

— *Tendremos una hija para emparejar la familia.*

6. Ponerse al nivel de otro en una actividad.

— *Los alumnos avanzados, por desidia, se emparejaron con los retrasados.*

emparentar 1. Contraer parentesco por la vía del casamiento.

— *Sus familias emparentaron con el matrimonio de sus respectivos hijos.*

2. Tener una cosa afinidad o semejanza con otra.

— *El círculo se emparenta con el óvalo.*

emparrar Formar un cobertizo o techo de parras.

— parra que se extiende sobre un armazón de madera o hierro que la sostiene: *emparrado.*

emparrillar Asar en parrillas.

— conjunto de barras o vigas cruzadas y trabadas: *emparrillado.*

emparvar Formar con las mieses ya cortadas un montón.

empastar 1. Cubrir con pasta una cosa.

— *Empastaron las muelas con material de mala calidad.*

2. Encuadernar los libros con pasta de cartón, tela o cuero.

— *Esta enciclopedia está empastada con piel de cerdo.*

— que encuaderna libros: *empastador.*

3. Rellenar un diente cariado con pasta.

— *El dentista me empastó un incisivo y dos premolares.*

4. Aplicar bastante cantidad de pintura para ocultar la primera impresión.

— *Empastaba con frecuencia sus obras para dar un efecto distinto.*

— pincel especial con que se meten tintas: *empastador.*

5. Sembrar un terreno de pasto o

plantas forrajeras para que los animales puedan pastar en él.

— *El ganadero empastó quince hectáreas de terreno para sus reses.*

empastelar 1. Mezclar las letras de una composición tipográfica de tal forma que carezcan de sentido.

— *En el periódico siempre empastelan mis artículos.*

2. Transigir un negocio sin justicia para salir del problema.

— *Los abogados empastelan cualquier juicio.*

empatar 1. Obtener dos o más contrincantes el mismo número de votos, puntos, tantos, etc.

— *Se organizó una segunda ronda de votaciones, pues los candidatos habían empatado.*

2. Suspender, obstaculizar el curso de un asunto.

— *El juez empató mi querella, de forma que aún no sabemos si yo estaba considerado inocente o culpable.*

3. Juntar una cosa con otra. ☞ **empalmar.**

— *Empatarán los obreros las vías a fin de que el tren no descarrile.*

— acción y resultado de empatar: *empate.*

empatía 1. Sensación que consiste en experimentar como propia una emoción psíquica o estética ajena.

— *La empatía no puede ser entendida por psicólogo alguno.*

2. Capacidad del individuo para compenetrarse emotivamente con otros seres o modos de vida.

— *Me causa una gran empatía la conducta de los ingleses.*

empatillar Sujetar el anzuelo para pescar con un alambre.

empecinar 1. Cubrir de pecina o pez alguna cosa.

— *Los marineros empecinaron gran parte de la cubierta del buque para evitar filtraciones de agua.*

2. Mostrar terquedad u obstinación en algún asunto. ☞ **obcecarse, porfiar.**

— *El niño se empecinó con la idea de ir a Disneylandia.*

— obstinado, terco, testarudo: *empecinado.*

— acción y resultado de empecinar: *empecinamiento.*

empedarse Emborracharse.

empedernido 1. Que tiene muy arraigado un vicio o costumbre. ☞ **incorregible.**

— *Soy un lector empedernido de la nota roja.*

2. Que es insensible, duro de corazón.

— *Era tan empedernido que ni a su madre perdonó el darle la vida.*

— endurecer mucho: *empedernir.*

— tornarse insensible: *empedernirse.*

empedrar 1. Cubrir el suelo con piedras ajustadas unas con otras. ☞ **adoquinar, embaldosar.**

— *Empedraron el camino viejo con adoquín.*

2. Cubrir una superficie con cosas extrañas a ella.

— *No empiedres mis planos, por favor.*

— pavimento hecho con piedras: *empedrado.*

— que tiene por oficio enlosar o adoquinar calles: *empedrador.*

empegar Barnizar con pez derretida o con otra sustancia semejante los pellejos, barriles o vasijas.

— marcar con pez el ganado lanar: *empeguntar.*

— baño de pez que se le da a ciertos recipientes: *empegadura.*

empeine 1. Parte inferior del vientre entre las ingles.

— *Sufría una gran picazón en el empeine.*

2. Parte del pie que va del arranque de la pierna hasta el principio de los dedos.

— *El zapato no le entraba, pues tenía un empeine muy ancho.*

3. Enfermedad cutánea que se caracteriza por la picazón y el color rojo de la zona que afecta. ☞ **impétigo.**

— *Se cubría la cara pues la tenía cubierta de empeine.*

4. Planta hepática del tipo del musgo.

— *El empeine se da mucho en estos campos.*

empelechar Aplicar chapas de mármol a una superficie.

empelotar 1. Envolver, enrollar.

— *Empelota, por favor, estos artefactos.*

2. Enamorar apasionadamente.

— *Empelotaba a mi hermana con descaro.*

3. Desnudarse, quedar en pelotas, en cueros, desnudo.

— *Un hombre se empelotó y salió a la calle para asustar a las jovencitas.*

4. Confundirse, enredarse las personas a causa de un malentendido.

— *Después de mucha discusión acabamos completamente empelotados.*

— acción y resultado de empelotar: *empelotamiento.*

empellar Dar empellones o empujones.

— golpe fuerte que se da con el cuerpo: *empellón.*

— tratar a alguien con brusquedad: *tratar a empellones.*

empenachar Adornar con una diadema de plumas o penacho.

— que tiene penacho: *empenachado.*

empeñar 1. Dejar o poner algo en prenda del pago de una deuda o empréstito. ☞ **pignorar.**

— *Como no pudo pagar la cuenta, el cliente dejó empeñado su reloj de oro.*

— obligación de pagar que contrae quien obtiene un préstamo: *empeño.*

— lugar en que se empeñan los objetos: *casa de empeño.*

— dueño de una casa de préstamos, prestamista: *empeñero.*

2. Insistir con vehemencia en algo. ☞ **porfiar.**

— *De niño, me empeñaba en ser escuchado por mis padres.*

— constancia, tesón en el trabajo: *empeño.*

— deseo muy fuerte de realizar algo: *empeño.*

3. Endeudarse, entramparse.

— *Se empeñó en demasía por culpa de su padre.*

— acción y resultado de empeñar o empeñarse: *empeño.*

— expresión que se usa para prometer que se va a cumplir algo: *empeñar la palabra.*

— protector, padrino: *empeño.*

empeñolarse Subirse a los peñoles o cerros altos y fortalecerse ahí.

empeorar Poner o ponerse una cosa más mal de lo que ya estaba, volver algo peor. ☞ **agravarse.** ❖ MEJORAR.

empequeñecer 1. Minorar o rebajar la importancia de una cosa, hacerla más pequeña. ☞ **reducir.**

— *Empequeñecerá tu fortuna por malgastarla.*

2. Menoscabar la propia estimación.

— *Ella empequeñecía frente a las otras modelos.*

emperador Título de mayor dignidad al soberano de un imperio.

emperchar 1. Colgar la ropa en un gancho o mueble especiales para ese efecto.

— *Mi madre se dedicaba por las tardes a planchar y emperchar la ropa.*

2. Caer un animal en el lazo, trampa o percha que se le ha tendido.

— *La pobre paloma se emperchó y apenas podía moverse.*

emperejilar Acicalarse con exageración. ☞ **empapirotar.**

emperezar 1. Dejarse dominar por la pereza.

— *Me empereza tanto trabajo.*

2. Obstaculizar o entorpecer el movimiento de una cosa.

— *Emperezaremos los avances de las aguas con una represa.*

empergaminar Cubrir o forrar con piel de cabra o carnero preparada de manera particular para este efecto, especialmente libros.

emperifollar Adornar a alguien o algo con profusión o esmero. ☞ **emperejilar, empapirotar.**

empernar Asegurar o clavar una cosa con pernos o clavos gruesos.

empero Pero, sin embargo.

emperrarse Obstinarse, empeñarse en una cosa. ☞ **obcecarse.**

empetatar Cubrir el piso con petate. ☞ **esterar, estera.**

empezar 1. Dar inicio a una cosa. ☞ **comenzar.** ❖ FINALIZAR.

— *Mis clases empiezan mañana.*

2. Comenzar, iniciar, dar principio al uso o consumo de una cosa.

— *Mi chocolate está empezado. Alguien lo mordió.*

empicotar Poner a un condenado en el sitio del suplicio o picota.

empinar 1. Levantar en alto, enderezar. ☞ **alzar.**

— *Los chicos empinaron su bandera.*

2. Inclinar un recipiente para beber de él.

— *La pequeña empinaba su botella en busca de más leche.*

3. Alzarse en las puntas de los pies para ver mejor.

— *¡Empínate y verás estrellas!*

4. Beber mucho, en particular bebidas alcohólicas.

— *Ese individuo empina día y noche.*

— expresión utilizada para referir que alguien bebe alcohol en exceso: *empinar el codo.*

5. Alcanzar gran altura las plantas, torres, montañas, etc.

— *Los edificios se empinaban pretendiendo alcanzar las estrellas.*

6. Erguirse los cuadrúpedos sobre sus patas traseras.

— *No te empines caballo, que me caigo.*

empiparse Hartarse de comida.

empíreo 1. En el cristianismo, morada de Dios, los ángeles y los bienaventurados.

— *Cuando muera iré al empíreo.*

2. Celestial, supremo, divino.

— *El empíreo designio me dio inspiración.*

3. Firmamento.

— *En el aéreo empíreo están cifradas mis esperanzas.*

empireuma Sabor y olor fétido que despide una materia orgánica al ser

sometida a la acción de un fuego violento.

empírico 1. Que pertenece o se relaciona con el empirismo o que basa su conocimiento en la experiencia, sin teoría ni razonamiento.

— *Las parteras empíricas suelen saber más que un obstetra.*

2. Que es partidario del empirismo filosófico.

— *Como empírico ese filósofo ha perdido el tiempo.*

3. Que se basa en la experimentación y no en la teoría o en el cálculo.

— *La experimentación y la comprobación de resultados son parte del método empírico.*

— doctrina o corriente filosófica que admite que la fuente del conocimiento es la experiencia: *empirismo.*

empitonar Prender el toro al lidiador con los cuernos o pitón. ☞ **empuntar.**

empizarrar Cubrir un techo o piso con pizarras.

emplasto 1. Medicamento preparado de uso externo que se compone de una pasta sólida y glutinosa. ☞ **cataplasma.**

— *El médico recetó un emplasto maravilloso.*

2. Arreglo poco satisfactorio, componenda.

— *El albañil hizo un verdadero emplasto en el muro.*

— sustancia pegajosa como el emplasto: *emplástico.*

emplazar 1. Citar ante un juez o a alguien en determinado lugar y a determinada hora para dar razón de algo. ☞ **requerir.**

— *El juez emplazó a los testigos a presentarse en tres días.*

2. Colocar, disponer una cosa en determinado lugar. ☞ **situar.**

— *El ingeniero emplazó dos edificios en un campo muy hermoso.*

— situación, colocación, ubicación: *emplazamiento.*

emplear 1. Encargar a alguien un trabajo. ☞ **contratar.**

— *Mi padre empleaba muchachos para que repartieran el periódico.*

— acción y resultado de emplear: *empleo.*

— que ocupa un cargo o desempeña una labor: *empleado.*

— que contrata obreros: *empleador.*

2. Usar, gastar, hacer servir una cosa o algo. ☞ **aprovechar.**

— *El artista empleará las aptitudes físicas y psíquicas que tiene.*

emplomar 1. Cubrir, unir o soldar con plomo.

— *Algunos ataúdes se emploman para que resistan el paso del tiempo.*

2. Poner sellos de plomo a una cosa.

— *El secretario emplomó la correspondencia.*

— cuyo oficio es emplomar: *emplomador.*

emplumar 1. Adornar con plumas una cosa.

— *Emplumé mi traje de noche.*

2. Castigar o ridiculizar a alguien embarrándolo de una sustancia pegajosa y recubriéndolo luego con plumas.

— *Los estudiantes de bachillerato emplumaron a los novatos.*

3. Guarnecer con plumas las flechas.

— *Los indios emplumaban con esmero sus flechas.*

— echar plumas las aves: *emplumecer.*

empobrecer 1. Hacer pobre o más pobre a alguien, venir a pobre una persona. ☞ **depauperar.** ❖ ENRIQUECER.

— *Los gastos excesivos lo empobrecieron hasta que no le quedó un solo centavo.*

2. Eliminar las partes valiosas de una cosa.

— *Después de la revisión, su artículo se empobreció.*

3. Decaer, venir a menos una cosa.

— *Empobreció la brillantez de los colores del cuadro.*

— que resta cualidades: *empobrecedor.*

— acción y resultado de empobrecer: *empobrecimiento.*

empodrecer Pudrir, descomponer, dañar. ☞ **corromper.**

empolvar 1. Cubrir de polvo algo.

— *Se empolvó la ropa que dejé tendida en la azotea.*

2. Envejecer, perder habilidades.

— *Se empolvecen los aparatos que no se guardan debidamente.*

— expresión que se usa para decir que alguien se acicala con polvos de tocador: *empolvarse la nariz.*

empollar 1. Calentar una ave sus huevos con su plumaje o producir crías algunos insectos. ☞ **incubar, anidar.**

— *Empolló mi gallina hasta que creció.*

2. Meditar un asunto con detenimiento.

— *Empollé la solución al problema mientras bebía.*

emponzoñar 1. Dar ponzoña. ☞ **intoxicar.**

— *La tarántula emponzoño a su víctima.*

2. Echar a perder, contaminar.

— Esta ciudad se emponzoñó para siempre.

empopar Volver un buque la popa al viento o la corriente.

emporcar Ensuciar, cubrir de porquería. ☞ **pringar.**

emporio 1. Lugar famoso en donde florecen las ciencias y las artes.

— París es un emporio de la pintura contemporánea.

2. Lugar en el que concurren para el comercio gente de diversas naciones, centro comercial de un país.

— El país construye un emporio.

empotrar 1. Hincar algo en la pared o el suelo asegurándolo para que no pueda moverse.

— Empotró en el muro un librero.

2. Poner en el potro las colmenas.

— Los apicultores empotran las colmenas.

emprender 1. Dar inicio a una obra o empresa. ☞ **comenzar, empezar.**

— A los dieciocho años emprendió la gran tarea de ser músico.

2. Acometer a alguien para importunarle, sorprenderle o reñirle.

— Su marido emprendía a golpes contra ella cuando se enojaba.

— que emprende grandes tareas o cosas difíciles: *emprendedor.*

— trabajo arduo que se comienza con valor: *empresa.*

— sociedad industrial o mercantil: *empresa.*

— conjunto de empresas o empresarios: *empresariado.*

— que está al frente de una empresa: *empresario.*

empréstito Acción y resultado de pedir prestado. ☞ **préstamo.**

empujar 1. Hacer fuerza contra una persona o cosa para moverla. ☞ **presionar.**

— Empujo la silla y me siento a descansar.

2. Echar a alguien de su empleo o cargo. ☞ **echar.**

— Lo empujaron por holgazán.

3. Hacer presión, intrigar para conseguir algo.

— Mis enemigos empujan en contra mía.

— acción y resultado de empujar: *empuje.*

— esfuerzo que produce el peso de una bóveda sobre las paredes que la sostienen: *empuje.*

— fuerza, presencia de ánimo ante la adversidad: *empuje.*

— impulso que se da con fuerza para apartar a alguien o algo de su lugar: *empujón.*

— expresión que se usa con el senti-

do de atropellar, embestir a otro: *darle un empujón.*

empuñar 1. Asir por el pomo o puño una cosa. ☞ **blandir.**

— Empuña la daga y clávala sin piedad.

2. Asir una cosa tomándola estrechamente con la mano.

— Empuñaba la plancha como quien lo hace con un arma.

— guarnición o puño de la espada: *empuñadura.*

— mango o manija de algún objeto: *empuñadura.*

empurpurado Vestido de color púrpura.

emputecer 1. Prostituir, corromper.

— Mis hermanas emputecieron por culpa de mi padre.

2. Enfadar, perder los estribos. ☞ **encabronarse.**

— Le emputecía la miseria en que vivía.

emular Reproducir las acciones de otro tratando de aventajarlo. ☞ **imitar.**

emulgente Que efectúa un proceso de purificación.

emulsión Dispersión coloidal de un líquido o sólido en un líquido. ☞ **lechada.**

enajenar 1. Transmitir a otro el derecho o dominio sobre una cosa. ☞ **ceder, traspasar.**

— Enajenó sus bienes a nombre de su nieto.

2. Privar de la razón, turbarse o entorpecerse los sentidos. ☞ **enloquecer.**

— Se enajenó gravemente por los fuertes dolores que le aquejaban.

3. Privarse de algo. ☞ **desposeer.**

— Le enajenaron el amor, el cariño y la amistad por sus maldades.

enalbardar 1. Poner la albarda a una caballería.

— El caballerango enalbardó al caballo en la madrugada.

2. Rebozar con harina y huevos un manjar para freírlo.

— El cocinero enalbarda los platillos con maestría.

enaltecer Ensalzar, encumbrar a una persona o cosa a mayor estima. ☞ **exaltar.**

enamorar 1. Despertar la pasión o sentimiento del amor.

— Todo en él me enamoraba, hasta su tono de voz.

2. Galantear, decir requiebros o piropos. ☞ **cortejar.**

— Él la enamoraba a su prima sin saber que ella le correspondería.

— acción y resultado de enamorar o enamorarse: *enamoramiento.*

— que está inflamado con la pasión del amor: *enamorado.*

— propenso a enamorarse: *enamoradizo.*

enano Que es diminuto en su especie o edad, o que anormalmente lo es.

— trastorno del crecimiento consistente en la incapacidad de alcanzar una estatura normal según la edad, sexo, raza, especie, etc.: *enanismo.*

enarbolar 1. Levantar en alto una bandera o estandarte. ☞ **izar.**

— Enarbolaremos la bandera nacional.

2. Encabritarse una cabalgadura.

— Mi caballo se enarbola con las serpientes.

3. Enfurecerse, enfadarse.

— Ella se enarboló para siempre con los hombres.

enarcar 1. Dar forma de arco. ☞ **arquear.**

— El artesano enarca las varillas para formar un armazón muy bello.

2. Poner cercos o arcos a los toneles.

— Es necesario que enarquemos pronto estas cubas para vaciar en ellas el vino.

3. Encogerse.

— El niño se enarcó al caer.

enardecer Excitar o avivar una pasión o disputa. ☞ **incitar, animar.**

— acción y resultado de enardecer: *enardecimiento.*

enarenar 1. Esparcir arena sobre una superficie.

— El carnicero enarena el piso de su negocio para que no corra la sangre de las reses muertas.

2. Varar las embarcaciones. ☞ **encallar.**

— Estábamos contrariados pues nuestra nave se enarenó desde hacía tres días.

enarmónico Uno de los tres géneros del sistema musical que procede por dos semitonos menores y una tercera mayor. Notas musicales de similar sonido y diferente nombre.

enartrosis Articulación movible que forma parte de una sección esférica de un hueso que encaja en una cavidad.

encabalgar 1. Apoyarse una cosa sobre otra. ☞ **descansar.**

— Las vigas del techo se encabalgan sobre el pilar más fuerte.

2. Dotar de caballos.

— El dinero del Estado encabalgará a los soldados.

3. Acomodar en versos o hemistiquios contiguos una parte de una frase o palabra.

— *El poeta encabalgaba sus versos de tal forma que lograba un efecto musical.*

encabezar 1. Figurar en primer lugar en una lista.

— *Los rebeldes encabezan la lista de condenados.*

2. Poner a un escrito nombre o su encabezado. ☞ **titular.**

— *El redactor encabezaba las noticias de deportes.*

— fórmula con que se empieza un escrito: *encabezamiento.*

3. Registrar o empadronar a las personas.

— *Nuestra misión es encabezar a todos los que vivan en nuestra colonia.*

4. Aumentar el grado alcohólico al vino para impedir su fermentación.

— *El que encabeza licores y se los bebe, termina borracho.*

5. Unir por sus extremos dos tablones o vigas.

— *Encabezó muy bien esas vigas el carpintero.*

6. Acordar una cantidad para el pago de un impuesto.

— *Encabezaron una suma considerable para los impuestos, los industriales y el Estado.*

7. Acaudillar, mandar.

— *Madero encabezó el movimiento revolucionario.*

encabritarse Levantar una cabalgadura las patas delanteras.

encabronar Enfurecer, sacar de quicio.

encachar Poner un revestimiento de piedra o de hormigón al cauce de un río o una corriente de agua.

encajonar 1. Guardar en cajones los objetos.

— *Los obreros encajonan la mercancía para poder transportarla.*

2. Introducir en un sitio estrecho. ☞ **arrinconar.**

— *El vaquero encajonó a los bueyes para lazarlos.*

encalar Blanquear las paredes con cal o espolvorear con ella una cosa. ☞ **enjalbegar.**

encalvecer Quedar sin cabello o calvo.

encallar 1. Quedar una embarcación atascada en el fondo bajo o en la arena sin poder moverse. ☞ **enarenar.**

— *Mi lancha encalló frente al muelle.*

2. No poder salir adelante en un negocio o empresa.

— *Sin apoyos económicos, encallaremos en este asunto.*

encamar 1. Tenderse en la cama a reposar una enfermedad. ☞ **acostarse.**

— *Al sentir los primeros dolores me encamé para no agravar mi mal.*

2. Echarse las reses y piezas de caza en los sitios que buscan para su descanso.

— *Los animales quién sabe dónde se encamaron.*

3. Echarse o abatirse las mieses.

— *El labriego encamó el trigo para que no lo descubrieran los ladrones.*

encaminar 1. Enseñar a otro el camino, ponerse en camino. ☞ **conducir, orientar, dirigir.** ❖ DESENCAMINAR.

— *Como mi hermana no conocía el pueblo, la encaminé hasta la salida.*

2. Orientar las intenciones hacia un fin determinado.

— *Encamina bien tu vida.*

encamisar 1. Poner la camisa.

— *Encamise a su hijo, señora, o enfermará.*

2. Encubrir, disfrazar.

— *Se encamisaron con grandes disfraces para el carnaval.*

encampanar 1. Dar forma de campana.

— *Encampanó sus pantalones a la moda.*

2. Ilusionar, entusiasmar a otro con planes fantásticos.

— *Me encampané con el regreso de mi esposa.*

encanallar Degradar, corromper, comportarse como canalla. ☞ **envilecer, embrutecer.**

encancerarse Adquirir características cancerígenas un tumor.

encandecer Calentar una cosa hasta hacerla ascua.

encandilar 1. Deslumbrar o cegar acercando mucho una luz a los ojos.

— *Los conejos se encandilan fácilmente.*

2. Engañar, alucinar con apariencias o falsas razones.

— *Ella se encandilará con lo que le diga su confesor.*

3. Avivar el fuego.

— *¡Encandile la lumbre o se apaga!*

4. Despertar o excitar el deseo amoroso.

— *Me encandilo con frecuencia con mujeres tontas.*

encanecer 1. Ponerse blanco o cano el pelo.

— *Cuando el indio encanece, el ladino ya murió.*

2. Envejecer, hacerse rancio.

— *Encanece el hombre al paso de los años.*

encanijarse Tornarse canijo o delgado y enfermizo. ☞ **desmejorarse.**

encantar 1. Hacer uso de artes de magia. ☞ **embrujar.**

— *La bruja del pueblo encantó a mi madre.*

2. Atraer, captar la atención por medio de la hermosura o las cualidades.

— *Encantaba a sus visitas por sus habilidades como repostera.*

3. Gustar mucho de una cosa.

— *Me encantan los hombres velludos.*

— acción y resultado de encantar: *encantamiento.*

— expresión coloquial que se usa para decir que da gusto conocer a alguien: *encantado de conocerle.*

— expresión coloquial que se usa para decir que se disfruta de algo: *encantado de la vida.*

— que encanta: *encantador.*

encañonar 1. Introducir una cosa por un cañón.

— *Los soldados encañonaron la bala y la pólvora.*

2. Dirigir la puntería de un arma de fuego. ☞ **apuntar.**

— *El general encañonó las posiciones enemigas.*

3. Amenazar con una pistola.

— *El policía me encañonó cruelmente.*

4. Engrosar la barba.

— *Cuando crezcas se encañonará tu barba.*

encapotar 1. Cubrir con una capa.

— *Los toreros se encapotan en el paseíllo.*

2. Nublarse el cielo. ☞ **encapotarse.**

— *Cuando el cielo se encapota, llueve.*

encapricharse Obstinarse uno en un propósito necio, en un capricho. ☞ **obcecarse.**

encapuchar Cubrir con un gorro o capucha.

encarar 1. Poner a uno cara a cara con otro. ☞ **enfrentar.**

— *Te encaraste con tu propio enemigo.*

2. Afrontar una dificultad o asunto difícil.

— *Encaró la muerte de su amado esposo con valentía.*

encarcelar Poner a uno en la cárcel. ☞ **recluir.** ❖ LIBERAR.

encarecer 1. Incrementar el precio de una cosa o algo.

— *Encarecen la carne, el huevo y la leche y no se puede comprar.*

2. Ponderar, alabar en exceso.

— *Encareceré mucho sus buenos oficios.*

encargar 1. Encomendar una cosa al cuidado de otro. ☞ **responsabilizar.**

— *La vecina me encargó que le regara sus plantas.*

2. Recomendar, pedir.

— *Le encargo que tenga cuidado con los ladrones.*

— acción y resultado de encargar: *encargo.*

3. Solicitar que se traiga o envíe de otro lugar alguna cosa.

— *Encargué guaraches típicos de mi pueblo.*

encariñar Despertar el cariño por algo o alguien. ☞ **aficionar.**

encarnar 1. Tomar una sustancia espiritual, una idea, etc., forma corporal. ☞ **personificar.**

— *Los ideales del pueblo encarnan en acciones.*

2. Crear carne una herida cuando va mejorando o sanando.

— *Encarnará pronto la puñalada que le dieron.*

3. Personificar, representar alguna idea, doctrina, etc.

— *El dictador encarnaba al mal en persona.*

encarnizar Ensañarse, abusar u hostilizar a alguien, mostrarse cruel.

— *Los gatos se encarnizan con sus presas.*

encarroñar Ser causa de descomposición una cosa.

encartar 1. Condenar en rebeldía a un reo. ☞ **procesar.**

— *Si desobedece un preso a sus carceleros es posible que lo encarten.*

2. Anotar en los padrones para el pago de impuestos.

— *Mi trabajo consiste en encartar a los servidores públicos.*

3. Hacerse con demasiadas cartas en un juego.

— *Como se encartó, acabó perdiendo.*

encartonar Poner cartones.

encasar Encajar un hueso dislocado, volverlo a su lugar.

encascotar Cubrir o rellenar con cascote.

encasillar 1. Poner en casillas. ☞ **catalogar.**

— *Encasillaré todas estas tarjetas.*

2. Señalar un gobierno candidato para las elecciones.

— *Ya encasillaron al futuro gobernador.*

3. Concebir una opinión acerca de algo o alguien, prejuzgándole.

— *Me encasillaron como feo y nadie me quiere.*

encasquetar 1. Encajar bien en la cabeza un gorro, sombrero o casco. ☞ **calar, encajar.**

— *Se encasquetó el sombrero y salió a la calle.*

2. Introducir en alguien ideas sin fundamento.

— *Al niño le encasquetaron el miedo a la oscuridad.*

encasquillar 1. Poner casquillos o abrazaderas de metal.

— *El artesano encasquilla sus trabajos.*

2. Atascarse un arma de fuego con el casquillo de una bala al momento del disparo.

— *Se encasquilló mi pistola al segundo disparo.*

encastillar 1. Fortificar un pueblo o ciudad con castillos.

— *Los árabes encastillaron Granada.*

2. Encerrarse en un castillo.

— *La princesa se encastilla, pues su amado no regresa.*

3. Apilar, amontonar.

— *Encastillarán la mercancía para su transporte.*

encauchar Cubrir o rellenar con caucho.

encausar Formar causa a uno, proceder contra él judicialmente.

encausto 1. Tinta roja con que antiguamente escribían sólo los emperadores.

— *El documento real fue escrito con encausto.*

2. Adustión o combustión.

— *Por encausto desarrolló el pintor una nueva técnica en sus colores.*

— técnica pictórica que utiliza el calor o el fuego: *encáustica.*

encauzar 1. Dirigir una corriente por un cauce. ☞ **encarrilar.**

— *Encauzaron el río para que no se desbordara.*

2. Encaminar, dirigir por buen camino un asunto.

— *Encauzaré mi vida por el sendero del bien.*

encebadar Dar a las bestias cebada en exceso.

encebollar Condimentar con cebolla en abundancia un manjar.

encéfalo Conjunto de órganos que forman parte del sistema nervioso de los vertebrados y que están contenidos en la cavidad del cráneo.

encelar 1. Concebir o dar celos por el amor de una persona o por envidia.

— *Su cercanía con la otra mujer me encelaba.*

2. Estar en la época de aparearse un animal.

— *Los gatos se encelan cada cuatro o cinco meses.*

encella Forma o molde que sirve para hacer quesos y requesones.

encenagar 1. Cubrir o ensuciar con lodo o cieno. ☞ **enfangar.**

— *Mi perro se encenagó al cruzar el monte.*

2. Entregarse a todos los vicios.

— *Te encenagaste por amor a una perdida.*

encender 1. Prender fuego a una cosa para que dé luz y calor.

— *Encendí una vela en el fondo de la cueva para ver por dónde íbamos.*

2. Conectar un aparato eléctrico.

— *Enciende la radio para oir las noticias.*

3. Suscitar, ocasionar.

— *Una invasión encenderá la guerra.*

4. Excitar, inflamar los ánimos.

— *Se encendió de cólera cuando lo supo.*

encepar 1. Meter en el cepo.

— *Antiguamente se encepaba a los ladrones.*

2. Echar las plantas raíces que entren bien en la tierra.

— *La bugambilia encepará muy bien en este macetón.*

encerar Aplicar cera a alguna cosa. ☞ **lustrar.**

encerrar 1. Introducir algo o a alguien en un lugar del que no es posible sacarlo sin un artificio o llave. ☞ **guardar.**

— *Las películas se encierran en los pisos superiores del edificio.*

2. Contener, incluir.

— *Esta experiencia encierra un ejemplo invaluable.*

— acción y resultado de encerrar: *encierro.*

3. Retirarse del mundo cotidiano por motivos religiosos, recogerse en una clausura.

— *Los monjes cartujos se encierran en un monasterio.*

encestar 1. Guardar algo en una cesta o canasta. ☞ **embalar.**

— *La campesina encestó los huevos que su gallina había puesto.*

2. Introducir el balón en la canasta o cesto en el juego de basquetbol.

— *Mi hermano encestaba muy bien en su equipo de basquetbol.*

— acción y resultado de encestar en el basquetbol: *enceste.*

encía Carne que cubre la quijada y protege la dentadura.

encíclica Discurso extenso que hace el Papa acerca de algún tema de actualidad y que dirige a los obispos.

enciclopedia 1. Conjunto de todas las ciencias.

— *Su saber era enciclopédico.*

2. Obra extensa de consulta que reú-

ne los conocimientos de todas las materias o de una sola.

— *La enciclopedia británica es extraordinaria.*

encimar 1. Colocar una cosa sobre otra.

— *Mis papeles los encimé en el libro.*

2. Añadir, dar más.

— *Encimaron más estatutos al código moral.*

— que se encuentra en un lugar superior respecto de otro inferior: *encima.*

encinta Mujer que está embarazada. ☞ **preñada, gestante.**

encintar 1. Poner cintas a una cosa o adornarla con ellas.

— *El enamorado encintó los cabellos de su amada.*

2. Poner una faja de piedra para formar el borde de una acera.

— *Encintaron la acera para que no se agriete.*

encismar Promover un cisma o discordia.

encizañar Introducir pleito o discordia.

enclaustrar Encerrar en un claustro.

enclavar Fijar con clavos.

enclave 1. Territorio incluido en otro de mayor extensión cuyas características son distintas.

— *Esa base aérea es un enclave del ejército aliado.*

2. Grupo étnico, político o ideológico que convive o se encuentra inserto dentro de uno mayor y de características diferentes.

— *Las aldeas indígenas son un enclave en territorio oaxaqueño.*

enclenque De escasa salud, enfermizo.

enclítico Partícula gramatical que se une al vocablo que le precede formando con éste una palabra.

encobrar Dar un baño de cobre a ciertas piezas de metal.

encofrar 1. Hacer moldes para contener el hormigón.

— *Este albañil encofrará mañana todas las armazones.*

2. Encofrar armazones para asegurar las galerías de las minas.

— *Antes de entrar al subterráneo encofraremos las paredes de tierra.*

encoger 1. Disminuir el tamaño de algunas cosas. ☞ **reducir.**

— *El agua caliente encoge las prendas de lana.*

2. Contraer una parte del cuerpo. ☞ **acurrucarse, agazaparse.**

— *El animal se encogió de miedo.*

3. Tener cortedad de ánimo.

— *Ese muchacho se encogía ante la adversidad.*

encolar Fijar o untar con cola una superficie. ☞ **pegar.**

encolerizar Ocasionar furor, ira. ☞ **irritar.**

encomendar 1. Encargar alguna tarea o alguna comisión. ☞ **solicitar.**

— *Al partir, encomendé a mi vecina que regara mis plantas.*

2. Ponerse bajo la protección de alguien.

— *Me encomiendo a Dios en todos mis actos para tener éxito.*

3. Enviar recados y memorias.

— *Encomendaba sus secretos con el criado.*

encomiar Alabar, celebrar mucho algo o a alguien. ☞ **loar.**

— *Encomiaron en la escuela mi conducta.*

enconar 1. Inflamar la llaga o herida del cuerpo de alguien. ☞ **infectarse.**

2. Enemistarse, exasperarse, irritarse.

— *Se enconó conmigo injustificadamente.*

— animadversión, rencor arraigado: *encono.*

enconcharse 1. Meterse en su concha un animal.

— *Los caracoles se enconchan con facilidad.*

2. Retraerse, tornarse introvertido.

— *Mi hijo se enconchaba cuando lo felicitaban.*

encontrar 1. Dar con algo que se busca. ☞ **hallar.**

— *Después de mucho trabajo encontré mi anillo perdido.*

2. Concurrir a un mismo lugar las personas. ☞ **reunirse.**

— *Nos encontrábamos los bohemios en el café cuando llovía.*

3. Estar, hallarse.

— *Me encuentro perdido en el mundo.*

— opiniones divergentes: *opiniones encontradas.*

— acción y resultado de encontrar: *encuentro.*

encorajinar Hacer que alguien se encolerice.

encorar 1. Cubrir o guardar con cuero una cosa.

— *Los artesanos encoraron sus adminículos para protegerlos.*

2. Hacer que las llagas críen cuero.

— *Ya encoraron mis heridas.*

encorchetar Poner corchetes o sujetar con ellos.

encordar 1. Poner cuerdas a los instrumentos musicales.

— *El guitarrista encuerda su guitarra nueva.*

2. Apretar un cuerpo con cuerdas.

— *Al reo lo encordaron por peligroso.*

encornadura Forma o disposición de los cuernos de un animal. ☞ **cornamenta.**

encorsetar 1. Poner el corsé muy ceñido.

— *La actriz se encorsetó para salir a escena.*

2. Sujetar algo a normas rígidas.

— *Un fanático encorseta sus ideas.*

encortinar Colocar cortinas.

encorvar 1. Flexionar una cosa hasta hacerla corva. ☞ **arquear.**

— *Las palmeras se encorvaron con el viento.*

2. Inclinarse.

— *Los guardias se encorvan ante su superior.*

encostalar Guardar en costales.

encostrar Formar costra, cubrir con costra una cosa.

encovar Guardar en una cueva.

encrespar 1. Rizar, ensortijar el cabello. ☞ **ensortijar.**

— *Paula se encrespó el cabello para gustarle a su amante.*

2. Enfurecer, irritar.

— *Los golpes encresparon al oso y atacó con más saña.*

3. Erizarse el pelo o plumaje por alguna fuerte impresión o miedo.

— *Al gato se le encrespó el pelo cuando vio al perro.*

4. Levantarse o alborotarse el oleaje del mar.

— *Las olas se encrespan con los huracanes.*

encrestarse Erguirse la cresta las aves.

— *El gallo se encresta ante el peligro.*

encristalar Poner o colocar cristales o vidrio.

encrucijada 1. Bifurcación de caminos. ☞ **cruce, intersección.**

— *En la encrucijada del camino está un puente.*

2. Emboscada, trampa.

— *Al león le tendieron una encrucijada y lo cazaron.*

3. Dilema, disyuntiva.

— *La elección de una esposa constituye una encrucijada.*

encrudecer 1. Lograr que una cosa tenga apariencia o condición de cruda.

— *La lana se encrudece para ciertos tejidos.*

2. Exasperar, irritar.

— *Mis ánimos se encrudecen.*

encruelecer Instigar a la crueldad, hacerse cruel.

encuadernar (vea ilustración de la p. 244). Juntar, unir y coser pliegos o cuadernos y ponerles forros o cubiertas para formar un volumen. ☞ **empastar.**

encuadernación

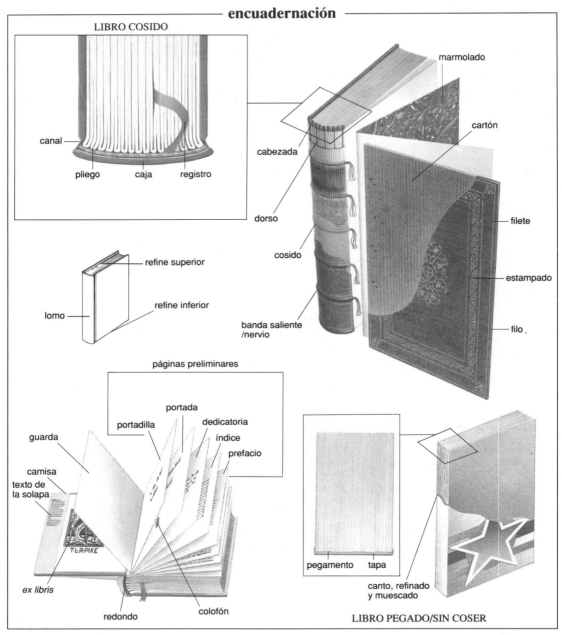

LIBRO COSIDO

canal · pliego · caja · registro

marmolado · cartón · filete · estampado · filo

cabezada · dorso · cosido · banda saliente /nervio

refine superior · refine inferior · lomo

páginas preliminares

portadilla · portada · dedicatoria · índice · prefacio

guarda · camisa · texto de la solapa · ex libris · redondo · colofón

pegamento · tapa · canto, refinado y muescado

LIBRO PEGADO/SIN COSER

encuadrar 1. Encerrar en un marco o cuadro.
— *Encuadré una pintura que me regalaron.*
2. Encajar una cosa en otra.
— *Encuadran bien las piezas de mi rompecabezas.*
3. Determinar los límites de una cosa.
— *El proyecto se encuadra en el campo de las ciencias sociales.*
— campo visual que recoge una cáma-ra fotográfica o cinematográfica desde un ángulo determinado: *encuadre.*

encubrir Ocultar un hecho, una cosa o a alguien y no manifestarlo.

encuclillarse Agacharse doblando las piernas de modo que las rodillas toquen la barbilla de la cara.

encuerar Despojar de toda ropa. ☞ **desnudar, empelotar.**

encuesta 1. Acopio de datos, opiniones o demandas por medio de cuestiona-rios. ☞ **sondeo.**
— *La encuesta revela que el pueblo está desnutrido.*
2. Averiguación, pesquisa.
— *Debe hacerse una encuesta para saber las causas del crimen.*

encumbrar 1. Remontar una montaña o pico elevado.
— *El alpinista encumbra elevadas cimas.*
2. Sobresalir, descollar, levantar en alto, engrandecer.

— *Se encumbraron los atletas que ganaron la competencia.*

3. Envanecerse, engreírse.

— *Se encumbra neciamente quien no es humilde.*

encurtir Preservar alimentos en vinagre o salazón.

encharcar Cubrir de agua un terreno, formar charcos. ☞ **anegar, humedecer.**

enchilar 1. Condimentar con chile un alimento.

— *La cocinera enchila demasiado la comida.*

2. Irritar, enojar.

— *Se enchiló con su suegra por entrometida.*

enchinar 1. Rizar el cabello.

— *Ella se enchinó el cabello.*

2. Empedrar con guijarros o chinas.

— *Los obreros enchinaron la avenida.*

enchinchar Importunar, hacer perder el tiempo. ☞ **molestar.**

enchiquerar 1. Encerrar bestias en un chiquero.

— *Los toros se enchiqueran todos los días.*

2. Meter a una persona a la cárcel.

— *Enchiqueraron al borracho de la esquina.*

enchironar Meter a alguien en la cárcel.

enchuecar Torcer, desviar, encorvar.

enchufar 1. Ajustar o conectar una pieza a otra.

— *Los tubos se enchufan con precisión.*

2. Establecer una conexión eléctrica.

— *Los aparatos eléctricos se enchufan.*

3. Conseguir un empleo o cargo por medio de influencias.

— *Mi papá enchufó un trabajo en el gobierno.*

— acción y resultado de enchufar: *enchufe.*

ende Por lo tanto.

endeble Que tiene poca fuerza o resistencia. ☞ **frágil, delicado.** ❖ FUERTE.

endécada Periodo de once años.

endecasílabo Composición poética cuyos versos constan de once sílabas.

endecha 1. Composición poética de carácter triste.

— *Su amante despechado entonaba melancólicas endechas.*

2. Estrofa de cuatro versos de seis o siete sílabas que generalmente está asonantada.

prolija memoria,
permite siquiera
que por un instante
sosiegue mis penas.

Sor Juana Inés de la Cruz.

endemia Enfermedad infecciosa que asola una región en determinado periodo o habitualmente. ☞ **epidemia.**

— que pertenece a la endemia o se relaciona con ella: *endémico.*

— actos o sucesos que se repiten con frecuencia en un país o región: *actos endémicos.*

endemoniado 1. Poseído por el demonio. ☞ **embrujado, endiablado.**

— *Un espíritu endemoniado se aparece por las noches.*

2. Muy perverso.

— *Ese hombre es un endemoniado.*

endenantes Antes, hace tiempo.

endentar Encajar una cosa en otra.

endentecer Empezar a echar los dientes los niños.

enderezar 1. Corregir, poner derecha una cosa que está desviada o torcida. ☞ **enmendar, encarrilar.**

— *Árbol torcido, jámas su tronco endereza.*

2. Dirigir.

— *Enderezó la causa de la independencia y se hizo héroe.*

endeudarse Contraer deudas.

endilgar Encargar una tarea pesada o enfadosa. ☞ **enjaretar.**

endiosar 1. Convertir en dios.

— *El amante endiosa a su amada.*

2. Ensoberbecerse, envanecerse.

— *Se endiosó con sus éxitos pasajeros.*

endocrino Que pertenece a las hormonas o a las glándulas de secreciones internas o se relaciona con ellas.

— ciencia que estudia las glándulas endocrinas: *endocrinología.*

endógeno Lo que nace o se origina en el interior o que tiene su origen en causas internas.

endomingarse Vestirse con las mejores galas. ☞ **arreglarse.**

endosar 1. Transferir un documento de crédito firmándolo por atrás. ☞ **ceder.**

— *Endosé un cheque sin fondos.*

— acción y resultado de endosar: *endoso.*

2. Conferir a alguien una tarea molesta.

— *Le endosaron lavar el baño.*

endoscopio Aparato con el que es posible examinar la uretra y la vejiga urinaria.

endotérmico Que absorbe calor.

endovenoso Intravenoso.

endriago Monstruo fabuloso mitad hombre y mitad fiera.

endrino 1. Dícese de lo que tiene color muy negro. ☞ **renegrido.**

— *Tenía a mi servicio a un mulato endrino.*

2. Ciruelo silvestre.

— *El endrino se da en los bosques silvestres.*

endrogarse 1. Drogarse, usar estupefacientes.

— *Los maleantes se endrogaban a diario.*

2. Contraer deudas, entramparse. ☞ **endeudarse.**

— *El taxista se endrogó con la compra de su nuevo taxi.*

endulzar 1. Volver dulce una cosa. ☞ **azucarar.**

— *El pastel se endulza con leche condensada.*

2. Mitigar un dolor o suavizar un trabajo.

— *Endulzó sus faenas cantando.*

endurecer 1. Poner dura una cosa.

— *El ejercicio endurece los músculos.*

2. Insensibilizarse, embrutecerse, tornarse cruel.

— *La vida en la prisión endurece las almas.*

enema Lavativa.

enemigo Contrario, adversario, opuesto en una disputa, guerra o deporte. ☞ **rival, contrincante.** ❖ AMIGO.

— aversión u odio: *enemistad.*

— causar aversión u odio: *enemistar.*

éneo De cobre o bronce.

energía 1. Potencia activa de un organismo.

— *La energía está en todos los cuerpos.*

2. Ánimo, eficacia o voluntad para actuar. ☞ **brío.**

— *Tomar vitaminas es esencial para trabajar con energía.*

3. Causa capaz de transformarse en trabajo.

— *La energía eléctrica produce calor en una estufa.*

— tipos de energía: *energía cinética, energía magnética, energía calorífica, energía mecánica, etc.*

— que pertenece a la energía o se relaciona con ella: *energético, enérgico.*

energúmeno 1. Que está poseído por el demonio. ☞ **endemoniado.**

— *Ese brujo es un energúmeno.*

2. Estar furioso, iracundo.

— *Mi abuelo se pone energúmeno cuando pierde su dentadura.*

enero Primer mes de los doce que forman el año civil.

enervar 1. Debilitar, eliminar las fuerzas físicas o mentales.

— *Las drogas enervan al individuo.*

2. Poner nervioso, causar irritación.

— *Me enervan los pusilánimes.*

enésimo Número indeterminado de veces en que se reproduce un fenómeno o cosa.

enfado 1. Ira, enojo, disgusto. ☞ **cólera.**
— *La novia se enfadó con su prometido y lo abandonó.*
2. Molestia, fastidio, contrariedad.
— *Me enfada esperar a los impuntuales.*
3. Afán, trabajo.
— *Con mucho enfado terminé mi tarea.*

enfangar Encenegar, ensuciar con fango. ☞ **embarrar.**

énfasis 1. Fuerza de entonación con que se subraya lo que se dice. ☞ **vehemencia.**
— *El candidato puso énfasis en su discurso al hablar de las elecciones.*
2. Figura retórica que consiste en dar a entender más de lo que se expresa, o en hacer comprender lo que no se dice.
Y mi voz que madura
y mi voz quemadura
y mi bosque madura
y mi voz quema dura.
                    Xavier Villaurrutia.

enfermedad Trastorno del cuerpo humano o animal que se origina en una falla orgánica, pérdida de la salud. ☞ **afección.** ❖ SALUD.
— que padece enfermedad: *enfermo.*
— que tiende a enfermarse: *enfermizo.*

enfervorizar Infundir ánimo, brío, fervor por una causa. ☞ **enardecer.**

enfilar 1. Poner en fila varias cosas.
— *Los cargadores enfilaron la mercancía para embarcarla.*
2. Dirigirse hacia un punto determinado. ☞ **encaminar.**
— *Las cabalgaduras enfilaron hacia la montaña, escapando de sus dueños.*
3. Dirigir la mirada hacia un punto determinado. ☞ **apuntar.**
— *Los soldados enfilaron los cañones para disparar.*
4. Ensartar objetos haciéndolos pasar por una cuerda o alambre.
— *Las costureras enfilaban lentejuelas para adornar el mantel.*

enfisema Tumefacción que se produce en los tejidos a causa de aire o gas.

enfiteusis Cesión perpetua o por largo tiempo de un bien inmueble mediante el pago de un impuesto.

enflaquecer Adelgazar, debilitarse, disminuir fuerza o corpulencia, ponerse flaco. ☞ **desmejorar.**

enflechado Arma, arco o ballesta a la que se le ha puesto una flecha.

enfocar 1. Lograr que la imagen que se aprecia a través de una lente sea nítida y clara.
— *La televisión enfoca por sí misma la imagen a color.*
2. Dirigir la atención o un foco concentrándolo.
— *Los jugadores enfocaron su energía para ganar.*
3. Examinar, analizar los puntos esenciales de una cosa o asunto.
— *El tema de mi tesis se enfoca hacia la química inorgánica.*
— acción y resultado de enfocar: *enfoque.*

enfrascar 1. Guardar en frascos. ☞ **envasar.**
— *El vino se enfrasca en vidrio traslúcido.*
2. Aplicarse con esmero a una cosa.
— *El seminarista se enfrascó en la lectura de la Biblia.*

enfrenar Poner el freno, contener o detener un impulso.

enfrentar Afrontar, poner enfrente.
— que está delante de la parte opuesta: *enfrente.*
— afrontar una situación, oponerse: *enfrentar.*

enfriar 1. Hacer descender la temperatura de una cosa. ☞ **refrescar.** ❖ CALENTAR.
— *Mi limonada la enfrío con hielos.*
2. Acatarrarse, constiparse.
— *Por andar descubierto por la noche me enfríe.*
3. Moderar las pasiones, calmar los ánimos exaltados.
— *El amor que ellos sentían por Dios se enfrió.*

enfrijolada Tortilla de maíz adobada con frijoles molidos.

enfrontar Alcanzar el frente de alguna cosa; hacer frente.

enfundar 1. Meter un objeto en su funda o estuche. ☞ **guardar.**
— *Los instrumentos musicales se enfundan cuidadosamente.*
2. Llenar, henchir.
— *Se enfundó de orgullo por las hazañas realizadas.*

enfurecer Irritar, exasperar, encolerizar o enojarse. ☞ **emborrascar.**
— acción y resultado de enfurecer: *enfurecimiento.*

enfurruñarse Ponerse mohíno, enfadarse. ☞ **emperifollar.**

engallar 1. Erguir el cuello, estirarse.
— *Mi hijo se engalla cuando está contento.*
2. Comportarse con arrogancia o retadoramente.
— *El boxeador se engalló al tirar a la lona a su adversario.*

enganchar 1. Sujetar, agarrar una cosa por medio de un gancho. ☞ **colgar.**
— *La lavandera engancha la ropa para secarla.*
2. Introducir a uno en un oficio o vicio.
— *El traficante enganchó a esos drogadictos.*

engañar Dar a la mentira apariencia de verdad. ☞ **mentir.**
— acción y resultado de engañar: *engaño.*

engarabatar 1. Asir algo con un garabato o gancho.
— *La moza engarabata el cubo del pozo.*
2. Hacer un gesto o trazo en forma de garabato.
— *El niño engarabateaba las letras hasta que aprendió a escribir.*

engarbarse Subirse un ave a la parte más alta de un árbol.

engargolar Hacer que ajusten dos o más objetos que tienen gárgoles o ranuras.

engarrafar Agarrar fuertemente.

engarrotar Entumecer. ☞ **agarrotar.**

engarzar Ensartar objetos pequeños en un hilo.

engatillar 1. Acoplar dos chapas metálicas doblando el borde de cada una.
— *El artesano engatilló un calendario azteca.*
2. Fallar el mecanismo de disparo en las armas de fuego.
— *Se le engatilló el revólver al vaquero.*

engatusar Atraerse la voluntad de alguien con halagos. ☞ **seducir.**

engendrar 1. Procrear, propagar la especie. ☞ **procrear.**
— *Mi padre engendró a siete hijos.*
2. Ocasionar, causar, formar.
— *La intriga internacional engendró la guerra.*
— monstruo, criatura deforme: *engendro.*

engentarse Hartarse una persona del barullo de la multitud.

engeridor Abridor, cuchilla de injertar.

englobar Abarcar varias ideas o cosas en una sola.

engolado 1. que tiene gola.
— *Me compré un suéter engolado.*
2. Acento que tiene su resonancia en el fondo de la garganta.
— *El hablar engolado produce nódulos en las cuerdas vocales.*
3. Afectado, presuntuoso.
— *El anunciante es un tipo engolado.*

engolfar 1. Hacer que una embarcación penetre en el golfo.
— *La lancha se engolfa sin precaución.*

2. Dedicar mucho tiempo a determinada ocupación.

— *El malviviente se engolfaba con el billar.*

engolosinar 1. Atraer con atractivos a alguien. ☞ **engatusar.**

— *Las piernas de mi vecina me engolosinaron.*

2. Prendarse de una cosa.

— *Me engolosiné con las novelas de suspenso.*

engomar Adherir con goma papeles u otros objetos para lograr su adherencia. ☞ **pegar, fijar.**

engordar 1. Aumentar de peso. ☞ **robustecerse.**

— *Mi madre engordó por comer antojitos.*

2. Cebar animales para su venta. ☞ **criar.**

— *Engordaré este puerco para la cena de Navidad.*

engorro Situación molesta o complicada. ☞ **obstáculo.**

— que es molesto, embarazoso: *engorroso.*

engranaje 1. Conjunto de piezas que encajan entre sí y facilitan el movimiento de un mecanismo.

— *El engranaje del embrague se estropeó.*

2. Acción y resultado de engranar.

— *La mecánica estudia el engranaje.*

— hacer que encajen los dientes de las ruedas o engranes: *engranar.*

engrandecer 1. Hacer grande una cosa. ☞ **aumentar.**

— *Su mala voluntad engrandece su pésima reputación.*

2. Alabar exageradamente. ☞ **enaltecer.**

— *El profesor engrandecía los progresos de su alumno preferido.*

engrapar Unir dos piezas con grapas.

engrasar Lubricar, untar con grasa. ☞ **aceitar.**

engreír Envanecerse, ensoberbecerse, llenar de vanidad.

engringarse Adoptar las costumbres de los norteamericanos o gringos. ☞ **agringarse.**

engrosar Hacer que aumente de volumen o peso alguien o algo, hacerla gruesa.

engrudo Pegamento hecho con harina o almidón cocidos en agua. ☞ **cola, goma.**

enguantar Proteger las manos con guantes.

enguedejar Rizar la cabellera, ponerle guedejas. ☞ **ensortijar.**

engullir Devorar atropelladamente los alimentos. ☞ **tragar.**

enharinar Cubrir con harina.

enhebrar 1. Ensartar el hilo en la aguja para coser.

— *El hilo se enhebra con dificultades.*

2. Decir muchas cosas seguidamente.

— *El orador enhebra sus ideas admirablemente.*

enhiesto Que está erguido, derecho, tieso.

enhorabuena Felicitación, pláceme, congratulación. ☞ **parabién.**

enigma Algo difícil de entender o descifrar. ☞ **incógnita, adivinanza.**

— que en sí encierra un enigma o de significación misteriosa: *enigmático.*

enjabonar Dar jabón a algo, darse jabón. ☞ **jabonarse.**

enjaezar Ensillar las caballerías engalanándolas con guirnaldas.

enjalbegar Blanquear las paredes. ☞ **encalar.**

enjambre 1. Conjunto de las abejas que forman una colmena.

— *Aquí hay un enjambre de abejas africanas.*

2. Multitud, muchedumbre.

— *Un enjambre de gente viaja en el metro.*

enjarciar Poner la jarcia a una nave.

enjaretar 1. Introducir un cordón por la jareta.

— *Enjareté mi cinta rosa a la capucha del abrigo para cerrarla.*

2. Encargar a uno ciertos trabajos penosos o molestos. ☞ **endilgar.**

— *Me enjareté la tarea de pasear a sus parientes por todo México.*

enjaular Meter en una jaula.

enjoyar 1. Engalanar con piedras preciosas.

— *La señora se enjoyó ricamente para ir a la fiesta.*

2. Engastar piedras preciosas.

— *Los diamantes se enjoyan con mucha precisión.*

enjuagar Limpiar con agua pura lo que se ha enjabonado o fregado. ☞ **aclarar.**

— *Los vidrios se enjuagan con vinagre para que no queden opacos.*

— acción y resultado de enjuagar: *enjuague.*

— negocio turbio: *enjuague.*

enjugar 1. Secar el exceso de humedad de una cosa.

— *Se enjugó el sudor con su pañuelo de seda.*

2. Cancelar una deuda.

— *El pobre hombre enjugó trabajosamente su débito a sus acreedores.*

enjuiciar Someter una cuestión a examen, discusión o juicio.

enjulio Palo que se coloca horizontalmente en el telar y sobre el cual se entreteje la urdimbre.

enjundia 1. Gordura de los animales.

— *Las aves tienen la enjundia en la overa.*

2. Fuerza vigor, energía, arrestos.

— *La enjundia del músico se muestra en el concierto.*

enjuta Cada uno de los triángulos que quedan al poner un círculo en un cuadrado. ☞ **embecadura.**

enladrillar Hacer suelo con ladrillos.

enlamar Cubrir de lama o cieno una cosa.

enlatar Envasar en botes hechos de lata.

enlazar 1. Atar con cuerdas o lazos una cosa. ☞ **ligar.**

— *El leñador enlazó dos troncos para cargarlos mejor.*

2. Unir, dar enlace unas cosas con otras.

— *En Europa enlacé mi viaje de negocios con las compras de Navidad.*

3. Contraer matrimonio.

— *Mi tía de ochenta años se enlazará con un mozalbete cazafortunas.*

— persona que funge como conexión entre otras: *enlace.*

— acción y resultado de enlazar: *enlace.*

enlodar 1. Embarrar con lodo o fango. ☞ **encenagar.**

— *Mis pantalones nuevos se enlodaron.*

2. Envilecer, prostituir.

— *No te enlodes de esa manera, muchacha.*

enlomar 1. Formar los encuadernadores el lomo de los libros.

— *Mi padre enlomaba con piel libros antiguos.*

2. Arquear el lomo de las caballerías.

— *La yegua enlomaba violentamente tratando de tirarme.*

enloquecer Volverse loco, perder el juicio. ☞ **delirar.**

enlosar Cubrir el suelo con losas.

enlucir Blanquear, limpiar, poner brillante. ☞ **empañetar.**

enlutar 1. Vestir de luto.

— *Los hombres distinguidos se enlutan con frac negro.*

2. Apenar, entristecer, afligir.

— *Esas mujeres se enlutan por la muerte de sus hijos.*

enmadrarse Cariño excesivo por la madre.

enmalezarse Cubrirse de maleza o hierba alta.

enmallarse Quedar un pez atrapado por las mallas en la red.

enmangar Colocar el mango o asa a un instrumento.

enmarañar 1. Revolver hasta formar una maraña.

— *El cabello se enmaraña si no se cepilla.*

2. Complicar o enredar un asunto.

— *Me enmarañan los consejos de esas viejas.*

enmarcar Poner en un marco. ☞ **encuadrar.**

enmaromar Atar a una bestia con maroma o cuerda.

enmascarar Cubrir con máscara o carátula.

enmelar Producir miel las abejas.

enmendar Corregir o reparar los defectos o errores de algo.

enmohecer 1. Cubrir de moho o de herrumbre. ☞ **oxidar.**

— *Este queso se enmoheció muy pronto.*

2. Quedar inutilizado por falta de uso o actividad.

— *Se me enmohecieron los huesos por trabajar sentado.*

enmudecer Dejar de hablar, perder el habla. ☞ **callar.**

ennegrecer Volver algo negro. ☞ **ensombrecer.**

ennoblecer Enaltecer, dignificar, hacer noble. ☞ **engrandecer.**

enojar Disgustar, molestar, enfurecer, causar enojo. ☞ **irritar.**

— cólera, ira, furia, rabia: *enojo.*

enología Conjunto de conocimientos relativos a la elaboración del vino.

enorgullecer Llenar de orgullo. ☞ **ufanarse.**

enorme Que es mayor de lo normal, desmedido. ☞ **gigantesco.**

enquiciar 1. Colocar una puerta o ventana en su marco o quicio.

— *El carpintero enquició las ventanas.*

2. Poner en orden, afirmar.

— *Se casó y se enquició.*

enquistarse 1. Formarse un quiste.

— *La inflamación de su brazo se debía al quiste de grasa que tenía.*

2. Alojarse una larva de gusano parásito en un cuerpo animal.

— *La solitaria se enquista en el estómago e intestinos.*

enraizar Echar raíces una planta. ☞ **arraigar.**

enramar 1. Adornar con ramas entrelazadas o dar sombra con ellas.

— *La anciana enramaba con rosas y claveles su jardín.*

2. Dar ramas los árboles.

— *Ese fresno enramó bellamente.*

enranciar Ponerse una cosa rancia, echarse a perder. ☞ **agriar.**

enrarecer 1. Dilatar un gas haciéndolo menos denso. ☞ **dispersar.**

— *Encendí el ventilador para enrarecer el humo de cigarro.*

2. Hacer que una cosa sea rara, que escasee.

— *La harina, en tiempos de guerra, se enrareció.*

3. Hacerse tenso un ambiente.

— *Se erareció la reunión por discutir de política.*

enrasar Alcanzar el mismo nivel. ☞ **igualar.**

enredar 1. Cazar con una red.

— *El pescador ha enredado un pez muy extraño.*

2. Enmarañar, enlazar una cosa con otra. ☞ **revolver.**

— *El gato se divertía enredando el estambre.*

3. Confundir o entorpecer un asunto.

— *Los periódicos enredaron la verdad de las cosas.*

enrejar Cercar con rejas. ☞ **cercar.**

enriar Sumergir en agua el lino, paño o esparto para macerarlos.

enrielar Formar rieles.

enripiar Rellenar los huecos de un piso o pared con ripios o trozos de ladrillo.

enriquecer Adquirir o hacerse de riquezas y prosperar.

enrocar 1. Jugada que se hace con el rey y una torre en el ajedrez.

— *Como mi adversario se enrocó ya no había nada que hacer.*

2. Colocar en la rueca la lana que ha de hilarse.

— *La anciana enrocaba hábilmente a pesar de su poca vista.*

enrojecer 1. Volver roja una cosa. ☞ **colorear.**

— *Enrojece un poco más el betún del pastel.*

2. Poner roja una cosa por acción del calor o del fuego.

— *El acero enrojece a alta temperatura.*

3. Ruborizarse, sonrojarse.

— *La nena enrojeció de vergüenza.*

enrolar Inscribirse en un ejército o en la tripulación de un barco. ☞ **reclutar.**

enrollar Envolver, arrollar.

enromar Quitarle a una cosa el filo, poner roma una cosa.

enronquecer Tornarse ronco.

enroscar 1. Doblar, torcer en redondo, poner en forma de rosca.

— *El alambre se enrosca para que no estorbe.*

2. Meter una cosa o tornillo a vuelta de rosca.

— *El carpintero enrosca el tornillo en la tabla.*

enrubiar Teñir de color rubio el pelo u otra cosa.

ensabanar Envolver con sábanas.

ensalada 1. Manjar hecho con base en diversas legumbres y hortalizas, aderezado con vinagre, aceite y sal.

— *La ensalada de nopales es digestiva.*

2. Mezcla confusa de cosas.

— *El pleito resultó una ensalada.*

ensalivar Llenar o empapar de saliva.

ensalmo Sistema curativo supersticioso que emplea oraciones y medicinas empíricas. ☞ **conjuro.**

— curar por medio de ensalmos: *ensalmar.*

— expresión que indica que algo sucede con agilidad y rapidez: *como por ensalmo.*

ensalzar Encumbrar, enaltecer, alabar algo o a alguien. ☞ **loar.**

ensambenitar Hacer que una persona vista un capotillo de castigo por orden de la Inquisición.

— mote o sobrenombre vejatorio: *sambenito.*

ensamblar Unir, juntar, empalmar una estructura o maquinaria. ☞ **encajar.**

ensanchar Extender el ancho de una cosa. ☞ **agrandar.**

ensangrentar Manchar de sangre.

ensañar Hallar placer en dañar a otro. ☞ **encarnizarse.**

ensartar 1. Enhebrar en un hilo perlas o cuentas.

— *El joyero ensartó perlas negras en un hilo de seda muy resistente.*

2. Atravesar un cuerpo con un palo puntiagudo. ☞ **espetar, empalar.**

— *Ensartamos varias palomas en un palo para asarlas.*

ensayar 1. Poner a prueba una cosa antes de utilizarla.

— *Ayer ensayamos el nuevo programa de la computadora.*

2. Practicar las escenas de una representación antes de presentarla en público.

— *Todos ensayamos la obra hasta que salió sin ningún error.*

— acción y resultado de ensayar: *ensayo.*

— género literario que aborda un tópico sin ser extenso: *ensayo.*

— sesión en donde se practican escenas de teatro: *ensayo.*

ensebar Untar con grasa o sebo.

enseguida Inmediatamente, prontamente, al momento. ☞ **en seguida.**

ensenada Bahía pequeña. ☞ **fondear.**

enseña Pendón, divisa, estandarte. ☞ **insignia, bandera.**

enseñar 1. Educar, instruir, aleccionar sobre un tema a alguien. ☞ **ilustrar.**
— *La profesora enseña geografía de una manera muy ágil.*
2. Revelar a uno lo que estaba oculto. ☞ **descubrir.**
— *Aladino enseñó a su avaro tío dónde estaba la lámpara maravillosa.*
3. Acostumbrarse, habituarse a una cosa.
— *El niño se enseñó a bañarse diariamente.*

enseres Efectos o instrumentos necesarios para el desempeño de una profesión, de un arte o de una cosa.

ensiforme Que tiene forma de espada.

ensillar Poner a la caballería la silla de montar.

ensimismarse Concentrarse uno en sí mismo. ☞ **abstraerse.**

ensoberbecer Excitar el orgullo o la soberbia. ☞ **engreírse.**

ensordecer Causar sordera.
— ruido o sonido muy intenso: *ensordecedor.*

ensortijar Torcer en redondo, rizar el cabello, el hilo, etc. ☞ **ondular.**

ensuciar 1. Manchar una cosa.
— *El gato ensució el piso de lodo.*
2. Hacer las necesidades corporales en un sitio inadecuado para ello. ☞ **defecar.**
— *Era tan pequeño que se ensució en los pantalones.*
— deshonrar, infamar: *ensuciar.*

ensueño Ilusión, fantasía, imagen que se ve en sueños. ☞ **quimera.**

entablar 1. Cercar o cubrir con tablas una cosa. ☞ **bardear.**
— *Entablé el trigo para que no se lo comieran los animales.*
2. Comenzar una batalla o negociación.
— *Las potencias enemigas entablaron el diálogo conciliatorio.*
3. Igualar, empatar.
— *Los contrincantes quedaron entablados.*

entablillar Inmovilizar un miembro fracturado con tablillas y vendas.

entallar 1. Esculpir o grabar en bronce, mármol o madera.
— *El artesano dijo que entallaría mi nombre en esta placa.*
2. Practicar cortes en un árbol para extraerle la resina.
— *Los obreros entallan ciertos árboles para extraer el caucho.*
3. Ajustar una prenda al talle.
— *Se entalló de tal forma el vestido que se apreciaban sus caderas y su cintura.*

éntasis Parte más gruesa del fuste de algunas columnas.

ente Lo que es, existe o puede existir. ☞ **ser.**

enteco Enfermizo, enclenque, esmirriado. ☞ **flaco.**

entelequia Cosa irreal.

entelerido Sobrecogido de frío o temor.

entender 1. Percibir una idea clara de las cosas, comprenderlas. ☞ **captar.**
— *No entendía por qué la Tierra era redonda.*
2. Conocer, penetrar, interpretar, tener conocimiento de algo.
— *El sabio entendía de materias sagradas.*
3. Ir de común acuerdo en una empresa o negocio.
— *Los jugadores nos entendíamos muy bien en el equipo.*
4. Tener alguna relación amorosa.
— *Juanita se entendía con el empleado de la farmacia.*
— expresión que se usa para significar a mi juicio, según mi modo de pensar: *a mi entender.*
— sabio, docto, conocedor: *entendido.*
— facultad intelectual relacionada con intuiciones: *entendimiento.*

entenebrecer Cubrir de oscuridad y tinieblas.

entente Acuerdo, pacto, entendimiento. ☞ **convenio.**

enterar 1. Avisar, informar de lo que sucede. ☞ **notificar.**
— *La niña enteró a su madre de los chismes del pueblo.*
2. Conocer, oír, saber.
— *Me entero en los periódicos de política y deportes.*

entérico Que pertenece al intestino o se relaciona con él.

enternecer 1. Ablandar una cosa, ponerla tierna.
— *La carne se enternece macerándola.*
2. Mover a ternura.
— *Me enterneció el gesto de tu hija.*

entero 1. Íntegro, completo.
— *Le pagaban su sueldo entero sin descontarle los impuestos.*
2. Que tiene dignidad, que es recto, justo.
— *Mi abuelo a sus noventa años es un hombre muy entero.*

enterrar 1. Poner debajo de la tierra.
— *La semilla se entierra para que germine.*
2. Sepultar los restos de una persona. ☞ **inhumar.**
— *Enterraron al poeta con todos los honores.*
3. Clavar, arrinconar.
— *Enterró el puñal en el cuello del cerdo y lo desangró.*

entesar Poner tensa o darle fuerza a una cosa. ☞ **entiesar.**

entestar Unir, encajar dos piezas.

entibiar 1. Moderar la temperatura de un líquido, ponerlo tibio.
— *Entibió el agua para el baño.*
2. Moderar las pasiones o el fervor.
— *Se entibió el ánimo de los espectadores.*

entidad 1. Esencia o naturaleza de una cosa. ☞ **ser.**
— *La piedad es entidad de los santos.*
2. Organismo, corporación que se considera como una unidad.
— *La ONU es una entidad pacifista.*

entimema Silogismo abreviado que por sobreentenderse sólo consta de dos premisas.

entomatado Guiso hecho con base en tomates molidos.

entomología Ciencia que se dedica al estudio de los insectos y su relación con el medio ambiente.
— que estudia los insectos: *entomólogo.*

entonar 1. Estar en el tono musical adecuado. ☞ **armonizar, cantar.**
— *El clavecín se entona de modo especial.*
2. Dar vigor al organismo.
— *Una copa de vino entona a cualquiera.*

entonces 1. En aquel tiempo o en aquella ocasión.
— *Entonces llegó ella y me enamoré.*
2. En tal caso, siendo así.
— *¡Entonces vete y déjame en paz!*

entonelar Guardar, poner en toneles. ☞ **embarrilar.**

entontar Atontar o volverse uno tonto. ☞ **entontecer, idiotizar.**

entorchar 1. Formar antorchas.
— *Entorcharemos esas velas por la noche.*
2. Enroscar un hilo de metal a una cuerda.
— *Las cuerdas de guitarra se entorchan.*

entornar Cerrar a medias una puerta, ventana o los párpados de los ojos. ☞ **entrecerrar.**

entorno Lo que rodea, ambiente en que se vive.

entorpecer 1. Embotar el entendimiento o la agilidad mental, poner torpe.
— *El alcohol entorpece los reflejos del organismo.*
2. Obstaculizar, estorbar, retardar una diligencia o proyecto. ☞ **impedir.**
— *Las calumnias entorpecían los planes de Miguel.*

entortar 1. Dejar tuerto.

— *Entorté al criminal con una varilla.*

2. Torcer lo que estaba derecho.

— *La chusma entorta las buenas constumbres.*

entozoario Parásito que habita dentro del cuerpo de un animal.

entramar Fabricar una armazón de madera o hierro.

— acción y resultado de entramar: *entramado.*

entraña 1. Cada uno de los órganos que contiene un cuerpo animal, víscera. ☞ **tripa.**

— *El cáncer le había corroído las entrañas.*

2. Lo más íntimo, esencial o escondido de algo.

— *Vamos a llegar a la entraña del conflicto.*

— introducir en lo más profundo: *entrañar.*

— voluntad o sentimiento de alguien: *buena entraña, mala entraña.*

— amar profundamente: *amar entrañablemente.*

entrar 1. Pasar de afuera a adentro. ☞ **penetrar.** ❖ SALIR.

— *El gato entraba a la cocina por la ventana.*

2. Encajar, ser admitida una cosa en otra, en algo, o por alguien. ☞ **embonar.**

— *Me entraron los pies perfectamente en mis botas nuevas.*

3. Tener principio, empezar, tratándose de edades, estaciones del año, escritos, estudios, etc.

— *Entró el hombre en la edad provecta.*

entreabrir Abrir a medias una cosa.

entreacto Intermedio durante una representación teatral.

entrecano Cabello, barba o persona a medio encanecer.

entrecejo Espacio de la cara entre las dos cejas. ☞ **ceño.**

entrecerrar Entornar una puerta, ventana o párpado. ☞ **entornar.**

entrecomillar Poner entre comillas.

entrecortar Cortar una cosa sin acabar de dividirla.

— corte incompleto: *entrecorte.*

— voz o sonido emitido intermitentemente: *voz entrecortada, sonido entrecortado.*

entrechocar Golpearse dos cosas una con otra. ☞ **chasquear.**

entredicho Tener duda o sospecha acerca de algo.

entredós 1. Encaje o tira bordada que se cose entre dos telas.

— *Mi abuela es experta en coser entredós.*

2. Armario de poca altura.

— *El entredós de la sala es precioso.*

entrefilete Pequeño artículo o nota en un periódico.

entreforro Entretela.

entregar 1. Ceder o poner en poder de otro. ☞ **dar.**

— *Antes de morir, mi abuela me entregó todas sus joyas.*

2. Poner a alguien a disposición de la justicia. ☞ **delatar.**

— *Juan entregó a su propio hermano porque era un ladrón.*

3. Dedicarse por completo a una actividad.

— *Agustín se había entregado en cuerpo y alma a la música.*

4. Abandonarse o ponerse a la disposición de otro.

— *Esa mujerzuela se entregó por interés.*

entrelazar Entretejer, enlazar, cruzar una cosa con otra.

entremedias Entre uno y otro tiempo, espacio, lugar o cosa.

entremés 1. Pieza cómica breve de un solo acto, que suele representarse entre los actos de un drama.

— *Los entremeses de Cervantes son muy divertidos.*

2. Cada uno de los platillos ligeros que se sirven antes de la comida como botana. ☞ **aperitivo.**

— *Preparé un entremés de anchoas y almejas para la fiesta de hoy.*

entrenar Preparar, habituar o ejercitarse para el desarrollo de una actividad. ☞ **adiestrar.**

— el que entrena: *entrenador.*

— acción y resultado de entrenar: *entrenamiento.*

entrepalmadura Enfermedad de las caballerías que se presenta en la cara palmar del casco.

entrepanes Campo no sembrado entre tierras que sí lo están.

entrepaño 1. Parte de pared comprendida entre dos columnas o dos huecos.

— *Ese templo tiene grandes entrepaños.*

2. Tabla o tarima que se introduce en un anaquel o estante.

— *Al librero le faltan entrepaños.*

entrepelar Tener mezclados dos o más colores de pelo.

entrepierna 1. Parte inferior de los muslos.

— *Me duele la entrepierna.*

2. Refuerzo que se pone en la parte interior de los calzones y pantalones.

— *Se rompió la entrepierna de mis calzones.*

entrepiso Espacio entre piso y piso.

entrepretado Caballos o mulas heridos en el pecho o en los brazuelos.

entrepuente Entrecubierta de un barco.

entresacar 1. Elegir o sacar una cosa entre otras.

— *Entresaque los gorgojos y piedras de los frijoles.*

2. Cortar parte del cabello.

— *El peluquero me entresacó buena parte de pelo.*

entresijo 1. Pliegue del peritoneo que cubre los intestinos por delante. ☞ **mesenterio.**

— *Me duele el entresijo.*

2. Cosa oculta e íntima.

— *Tengo una idea en entresijo.*

3. Cautela, reserva o precaución.

— *El policía me miró con entresijo.*

entresuelo Cuarto construido entre un piso bajo y el principal de una casa.

entretallar Trabajar una cosa a bajo relieve, grabar o esculpir.

entretanto Lapso entre dos acontecimientos. ☞ **entre tanto.**

entretejer 1. Trenzar hilos diferentes en la tela que se hila. ☞ **entrelazar.**

— *El inválido entreteje telas como terapia.*

2. Trabar una cosa con otra.

— *El conflicto político se entretejió con el religioso en la Reforma.*

entretela 1. Refuerzo que se pone a la tela de una prenda de vestir.

— *A mi ropa le falta entretela.*

2. Lo íntimo del corazón.

— *Tus insultos me llegan hasta la entretela.*

entretener 1. Tener detenido y en espera.

— *Vuelve pronto, no te entretengas en la calle.*

2. Divertir, amenizar, recrear. ☞ **distraer.**

— *El payaso entretiene mucho rato a los niños.*

3. Retrasar el desempeño de un proyecto o negocio.

— *Los abogados todo lo entretienen.*

— *Entretenían mi pago y yo andaba sin quinto.*

entretiempo Tiempo de la primavera y el otoño.

entrevenarse Introducirse algo por las venas.

entreventana Pared que se encuentra en medio de dos ventanas.

entrever 1. Vislumbrar apenas una cosa sin apreciarla claramente. ☞ **divisar.**

— *Entreveía la paz en sus horas de oración.*

2. Presentir, intuir, conjeturar.

— *Entreveo tus lascivas intenciones.*

entreverar Mezclar una cosa entre otras.

entrevista Encuentro concertado entre

varias personas para tratar un asunto.

entripar Enojar, enfadar.

— molestia en las tripas: *entripado*.

— enojo o coraje disimulado: *entripado*.

entristecer Causar tristeza, ponerse triste. ☞ **afligir**.

entrometer Ocuparse o meterse en asuntos ajenos.

— que intenta enterarse de la vida de los demás o que está donde no lo llaman: *entrometido*.

entroncar 1. Vincularse familiarmente una persona con una familia. ☞ **emparentar**.

— *Entroncó con la familia de su esposa al casarse*.

2. Cruzarse dos caminos. ☞ **empalmar**.

— *Yendo por esta carretera entroncaremos con la avenida principal*.

entronizar 1. Colocar en el trono.

— *Al rey lo entronizaron solemnemente*.

2. Elogiar, destacar, celebrar mucho.

— *A ese poeta lo entronizaron prematuramente*.

entubar Poner tubos en alguna cosa.

entuerto 1. Ultraje, ofensa, injuria.

— *El Quijote deshacía entuertos*.

2. Dolores posteriores al parto.

— *Cuando nací mi madre sufrió crueles entuertos*.

entumecer 1. Adormecer e impedir el movimiento de un miembro o nervio. ☞ **entumir, envarar**.

— *Se me entumecieron las piernas*.

2. Alterarse, hincharse el mar o un río.

— *La mar se entumece suavemente*.

entupir Bloquear un conducto o cosa o comprimirlo.

enturbiar Agitar o revolver algo hasta que quede turbio.

entusiasmo 1. Apasionamiento que se siente por algo o por alguien. ☞ **exaltación**.

— *María sentía un gran entusiasmo en cocinar para su marido*.

2. Inspiración fogosa de los profetas, escritores o artistas.

— *El entusiasmo de Beethoven lo inspiró para crear obras maestras*.

enumerar Mencionar o numerar sucesivamente y en orden una serie de cosas. ☞ **inventariar**.

enunciar Exponer brevemente un plan, proyecto o idea.

envainar 1. Meter un arma en su vaina o estuche. ☞ **enfundar**.

— *Envaine su espada, capitán*.

2. Envolver una cosa en otra, ciñéndola a manera de vaina.

— *Envainó su dinero en el bolsillo*.

envalentonar Infundir arrogancia, valentía o fanfarronería.

envanecer Provocar orgullo y vanidad. ☞ **enorgullecer**.

envarar Paralizar, entorpecer el movimiento de un miembro o cosa. ☞ **entumecer**.

envasar Colocar una cosa en un recipiente. ☞ **embotellar**.

— acción y resultado de envasar: *envase*.

— recipiente: *envase*.

envejecer Hacer o volverse viejo. ☞ **avejentarse**.

envenenar 1. Emponzoñar con veneno.

— *Mi tío se envenenó con cianuro*.

2. Llenarse de odio y amargura el ánimo.

— *Sus celos me envenenan el alma*.

enverar Tomar las frutas su color de maduras.

— color de madurez de un fruto: *envero*.

enverdecer Reverdecer el campo.

envergadura 1. Ancho de una vela incluyendo el grátil.

— *Esos veleros son de gran envergadura*.

2. Distancia entre las puntas de las alas extendidas de un ave o avión.

— *Un jet tiene gran envergadura*.

3. Categoría, importancia, trascendencia.

— *El congreso al que fui era de poca envergadura*.

envés Parte posterior de una cosa. ☞ **revés**.

enviar Transportar algo o a alguien de algún sitio a otro. ☞ **despachar**.

enviciar 1. Pervertir, corromper con un vicio. ☞ **depravar**.

— *El traficante envicia a la juventud*.

2. Aficionarse a una actividad.

— *El futbol me envicia*.

3. Echar las plantas muchas hojas y poco fruto.

— *El colorín se envicia cada año*.

envidia Disgusto que causa el bien ajeno.

— tener envidia, apetecer el bien ajeno: *envidiar*.

envilecer 1. Volver corrupto, vil y despreciable algo o a alguien. ☞ **embellaquecer**.

— *Ese bellaco envileció a su amante*.

2. Abatir o perderse la dignidad.

— *El alcohol envileció a ese funcionario*.

envinagrar Aderezar con vinagre una cosa.

envinar Mezclar vino en el agua, o con algún manjar.

— del color del vino: *envinado*.

— acción y resultado de envinar: *envinado*.

enviudar Perder al cónyuge por fallecimiento de éste.

envolver 1. Recubrir o arrollar una cosa con tela, papel u otro material. ☞ **embalar**.

— *La cocinera envolvió el pollo con miel y especias para hornearlo*.

2. Complicar a alguien en una situación o disputa. ☞ **asediar**.

— *El abogado me envolvió con sus argumentos y tuve que acceder*.

enyerbar 1. Cubrirse de yerbas un campo.

— *El ejido se enyerba por descuido*.

2. Embrujar o envenenar con yerbas.

— *Esta mujer me enyerbó*.

3. Enamorarse perdidamente.

— *Los amantes se enyerbaron hasta la muerte*.

enyesar Revestir, tapar, acomodar, agregar yeso a una cosa.

enyugar Uncir los bueyes o mulas al yugo.

enzarzar 1. Poner o cubrir de zarzas o matas un campo, o enredarse en zarzas.

— *La planicie se enzarza año con año*.

2. Enredarse en una discusión o pelea o meter discordia.

— *Los políticos se enzarzaron en la disputa por el poder*.

enzima Cualquier sustancia que se elabora en las células vivas y actúa como catalizadora de todos los procesos bioquímicos del organismo animal o vegetal, fermento soluble.

enzootia Enfermedad que por causas locales ataca a una o más especies animales. ☞ **endemia**.

enzurdecer Tornarse zurdo.

eólico Que pertenece al viento o se relaciona con él.

eón 1. Unidad de tiempo geológico o periodo de tiempo incalculable.

— *Un eón equivale a millones de años*.

2. Entidad divina emanada de la divinidad suprema según los gnósticos.

— *A la inteligencia eterna también se le llama eón*.

epacta Número de días en los que el año solar excede al lunar. ☞ **añalejo**.

epanástrofe Figura retórica llamada también concatenación o conduplicación.

epazote Planta mexicana de la familia

de las quenopodiáceas, que se usa como condimento o vermífugo. ☞ **pazote.**

epéntesis Intercalación de una letra en medio de un vocablo.

epicarpio Piel que cubre el fruto de las plantas.

epicedio Composición poética en que se llora o se alaba a un muerto.

epiceno Género de los nombres de animales que designa con una misma terminación y artículo al macho y a la hembra.

epicentro Centro de propagación de un sismo o temblor de tierra.

épico Que pertenece a la epopeya o a la poesía heroica o se relaciona con ella.

epicúreo 1. Que sigue la doctrina o sistema filosófico epicureísta.
— *Un epicúreo busca el placer a través de los sentidos.*
— búsqueda del placer como finalidad en la vida: *epicureísmo.*
2. Persona voluptuosa, sensual.
— *Ese caballero es un auténtico epicúreo.*

epidemia Enfermedad que afecta a gran número de individuos y se propaga rápidamente. ☞ **plaga.**

epidermis Membrana exterior que cubre los músculos y órganos de los seres vivos. ☞ **piel.**

epifanía 1. Fiesta que celebra la cristiandad para conmemorar la adoración de los reyes al niño Jesús, manifestación de Jesucristo a los paganos.
— *La epifanía se celebra el seis de enero.*
2. Aparición, manifestación.
— *Fue una epifanía grandiosa la publicación de mi novela.*

epífisis Extremidad de un hueso largo.

epigastrio Zona superior del abdomen.

epígono Que imita el estilo o sigue las huellas de otro.

epígrafe 1. Resumen o cita que se pone al inicio de un escrito.
— *Busco un epígrafe para mi nuevo libro.*
2. Inscripción en piedra, metal, etc. ☞ **título, rótulo.**
— *En esas ruinas había un epígrafe.*

epigrama 1. Poesía breve e ingeniosa, por lo común satírica o cómica.
"De enviarte mis libros huyo.
¿Sabes por qué, Pontiliano?
Porque me temo, y no en vano,
que me remitas el tuyo."
Marcial.
2. Crítica o burla breve, mordaz e ingeniosa.
— *Si breve, dos veces bueno.*

epilepsia Enfermedad que se caracteri-

za por convulsiones y pérdida del conocimiento.
— que sufre o padece epilepsia: *epiléptico.*
— que pertenece a la epilepsia o se relaciona con ella: *epiléptico.*

epílogo Final de un discurso o de una obra literaria o dramática.

episcopado 1. Dignidad y gobierno de un obispo o el tiempo de su duración.
— *El episcopado es vitalicio.*
2. Reunión o conjunto de obispos.
— *El episcopado se declaró en contra del aborto.*
— que pertenece al obispo o se relaciona con él: *episcopal.*

episodio Cada una de las acciones parciales de una historia, narración o de un suceso importante.

epistemología Estudio del origen, naturaleza, métodos y límites del conocimiento humano.

epístola Carta o escrito que se dirige a un ausente.

epitafio Inscripción que se pone sobre una lápida o sepultura.

epíteto Expresión que acentúa el carácter de un sustantivo o nombre.

epítome 1. Resumen o compendio de una obra extensa.
— *La enciclopedia suele llevar epítome.*
2. Figura retórica que consiste en repetir las primeras palabras de un discurso, después de haber dicho otras, para mejor claridad.

epítrope Figura retórica que consiste en conceder algo que se discute para rebatir mejor al adversario. ☞ **concesión.**

época Periodo de tiempo, punto fijo en la historia. ☞ **etapa.**
— expresión usada para denotar que un hecho dejará larga memoria: *hacer época.*

epónimo Que por su fama o sus acciones da nombre a un pueblo, un lugar o una época.

epopeya Poema narrativo, extenso, que trata asuntos heroicos, gloriosos o legendarios. ☞ **épico.**

epulón Que come y se regala mucho.

equidad Justicia natural por oposición a la justicia legal; sentido de la justicia. ☞ **rectitud.**

equilátero Figura que tiene los lados iguales entre sí.

equilibrio 1. Situación de un cuerpo cuando las fuerzas que actúan sobre él se estabilizan. ☞ **compensación.** ❖ DESEQUILIBRIO.
— *Un móvil siempre está en equilibrio.*
2. Armonía entre cosas o fuerzas diversas.

— *Busca el equilibrio entre el amor y el odio.*

equimosis Mancha oscura que se hace en la piel al recibir un golpe. ☞ **moretón, cardenal.**

equino Que pertenece al caballo o se relaciona con él.
— arte de montar y manejar bien al caballo: *equitación.*

equinoccio Época en que los días son iguales a las noches en toda la Tierra debido a la posición del Sol sobre el ecuador celeste.

equipal Asiento hecho de paja, cuero o varas entretejidas.

equipar Suministrar o proveer de un equipo o de lo que se necesite. ☞ **dotar.**
— conjunto de bultos que se llevan para un viaje: *equipaje.*

equiparar Comparar una cosa con otra considerándolas iguales o equivalentes.

equiponderar Ser de igual peso dos cosas.

equitativo Que tiene equidad.

equivaler Ser iguales una cosa a otra en valor y eficacia.

equivocar Errar al apreciar una cosa o tomar una cosa por otra. ☞ **confundirse.** ❖ ACERTAR.
— acción y resultado de equivocar: *equivocación.*
— equivocación o error: *equívoco.*

era 1. Largo espacio de tiempo. ☞ **época.**
— *La era del oscurantismo duró muchos años.*
2. Terreno en el que se cultivan hortalizas o flores.
— *Habíamos tardado dos meses en sembrar la era completa.*

erario Tesoro público. ☞ **hacienda.**

eremita Hombre que se aleja del mundo para hacer oración y purificarse. ☞ **asceta, anacoreta.**

ergotizar Abusar del sistema de argumentación silogística o del ergotismo.

erguir Levantar, enderezar, poner derecha una cosa. ☞ **alzar.**

erial Campo sin trabajar ni cultivar. ☞ **páramo.**

erigir 1. Levantar una construcción. ☞ **edificar.**
— *El alcalde erigió una estatua en su honor.*
— acción y resultado de levantar o edificar una cosa: *erección.*
2. Constituir a algo o a alguien con un carácter que antes no tenía.
— *Se erige en juez al que es recto y justo.*

erina Pinzas especiales para separar

y sujetar los tejidos en una operación.

erisipela Enfermedad contagiosa caracterizada por manchas rojas en la piel.

eritrocito Glóbulo rojo de la sangre.

erizar 1. Levantar y ponerse rígida una cosa.
— *El cabello se eriza por miedo.*
2. Llenar una cosa de obstáculos o asperezas.
— *En la situación actual se eriza por la miseria.*
— dificultoso, áspero: *erizado.*

ermita Capilla o santuario situado en lugar apartado. ☞ **oratorio.**
— que vive en la ermita o en soledad: *ermitaño.*

erogar Distribuir o repartir bienes o caudales o darles uso.

erosión Destrucción lenta producida por algún agente físico. ☞ **corrosión.**

erótico Amatorio, que pertenece al amor o se relaciona con él.
— enajenación mental caracterizada por un delirio erótico: *erotomanía.*

erradicar Suprimir de raíz algún mal. ☞ **corrosión.**

errar 1. Equivocar en un intento. ☞ **fallar.**
— *El presidente erró al formar su nuevo gabinete.*
2. Caminar sin rumbo fijo.
— *El turista erró con angustia en el desierto.*
— idea equivocada o falsa: *error.*

eructar Expeler ruidosamente por la boca los gases estomacales.
— acción y resultado de eructar: *eructo.*

erudición Conocimiento e instrucción en una o varias materias.

erupción 1. Emisión violenta y repentina de algo.
— *Hay una erupción de descontento.*
2. Aparición y desarrollo en la piel de granos, manchas o vesículas.
— *Esa mujer es bella pero tiene una erupción en la cara.*
3. Emisión de lava de un volcán.
— *La erupción volcánica acarrea grandes desgracias para los hombres.*

esbelto Que posee una figura delgada, airosa y sobresaliente.

esbirro Que tiene por oficio prender a las personas. ☞ **sicario.**

esbozo Bosquejo, boceto.

escabeche Aderezo compuesto de vinagre, cebolla y hierbas de olor, utilizado para conservar alimentos.

escabel Banquillo que sirve para descansar los pies. ☞ **taburete.**

escabroso 1. Pleno de obstáculos, abrupto, peligroso. ☞ **fragoso.**

— *El camino a la cima de la montaña era escabroso.*
2. Que tiene carácter de obsceno o indecente.
— *Cuando se es adolescente, una lectura escabrosa puede afectar a la moral.*

escabullirse Huir o escaparse subrepticiamente de una situación desagradable o molesta. ☞ **huir.**

escafandra Equipo de buceo que consta de un traje impermeable y un casco de metal, perfectamente cerrados provisto de tubos de aire, que sirve para realizar labores dentro del agua.

escagüite Árbol mexicano que produce cierta resina o tintura roja.

escala 1. Escalera de mano.
— *Los pintores utilizaron una escala grande para alcanzar el techo.*
2. Línea recta dividida en partes iguales que representan proporcionalmente determinadas unidades de medida.
— *El termómetro alcanzó los cuarenta grados en la escala.*
3. Graduación ordenada de cosas parecidas o similares.
— *La escala de colores es muy sencilla.*
— algunos tipos de escala: *escala musical, escala cromática, escala social.*
— escalas sísmicas: *escala de Ritcher, escala de Mercalli.*
4. Paraje o puerto que tocan los buques o aeronaves antes de llegar a su destino.
— *Hicimos tres escalas durante el viaje.*

escaldar Quemar con agua hirviendo. ☞ **abrasar.**

escaleno Triángulo cuyos lados son desiguales entre sí.

escalera (vea ilustración de la p. 254). Serie de escalones que sirven para subir y bajar.

escalfar Cocer en agua hirviendo los huevos sin cáscara.

escalofrío Malestar que consiste en una sensación alternada de frío y calor, simultáneos y anormales.

escalón Peldaño.

escalope Rebanada delgada de carne. ☞ **loncha, lonja, tajada.**

escalpelo Lanceta de hoja muy afilada y fina que se emplea en disecciones anatómicas. ☞ **bisturí.**

escama Membrana córnea que entretejida con otras cubre la piel de ciertos animales, como los reptiles o peces.
— hacer entrar en recelo o desconfianza: *escamar.*
— que siente recelo: *escamado.*

escamocha Sobras de alimentos.

escamotear Hacer desaparecer, con habilidad y astucia, un objeto ante la vista de otros.

escampar Despejar, cesar de llover.

escanciar Servir el vino en copas o beberlo.

escanda Trigo cuyo grano es difícil de separar del cascabillo. ☞ **escaña.**

escándalo 1. Alboroto, estruendo, algarabía. ☞ **tumulto.**
— *Los borrachos armaron mucho escándalo anoche.*
2. Acción o palabra que es la causa que inclina al mal a alguien.
— *Tus palabras soeces causan escándalo en los niños.*
— causar escándalo: *escandalizar.*

escandir Medir los versos.

escaño 1. Banco con respaldo propio para varias personas. ☞ **banco.**
— *Sentémonos en ese escaño del parque.*
2. Sitial del legislador en el parlamento.
— *Mi tío ocupó un escaño en esta diputación.*

escapar Fugarse de alguna dificultad, peligro o encierro. ☞ **escabullirse.**
— acción y resultado de escapar: *escape.*

escaparate Estante para exhibición. ☞ **vitrina.**

escapulario 1. Tela que cubre pecho y espalda en el hábito de ciertos frailes.
— *Los franciscanos usan escapulario.*
2. Pedazo de tela que atado al cuello se usa como devoción.
— *Los niños educados cristianamente usan medalla o escapulario religioso.*

escaque Cada una de las casillas del tablero de ajedrez y damas. ☞ **cuadro.**

escara Costra que se forma en las llagas.

escarabajo Insecto coleóptero.

escaramuza 1. Combate ligero entre las avanzadas de dos ejércitos enemigos. ☞ **refriega.**
— *Antes de la batalla los soldados se enfrentaron en una escaramuza.*
2. Riña, refriega.
— *Hubo una escaramuza en la esquina.*

escarapela Divisa hecha con cintas de colores. ☞ **distintivo.**

escarbar Cavar el suelo; hurgar en los dientes, la nariz, los oídos.

escarcha Rocío de la noche que se congela. ☞ **hielo.**

escarlata Color carmesí menos subido que el de la grana. ☞ **rojo.**

escarlatina Enfermedad contagiosa infantil que provoca fiebre y manchas rojizas en la piel.

escarmentar Tomar enseñanza de lo que uno ha visto o experimentado. ☞ **corregir.**

escarnio Burla cruel. ☞ **afrenta.**
— hacer mofa de otro, afrentándolo: *escarnecer.*

escarpar Cortar un terreno hasta formar en él un plano inclinado.
— que tiene escarpa o declive áspero: *escarpado.*

escarpín Calzado de tejido suave que sirve para andar por casa. ☞ **pantufla, chancla.**

escarza Herida en las patas de las caballerías.

escarzo Operación de escarzar o castrar las colmenas.

escaso Que es poco abundante o le falta un pedazo. ☞ **exiguo.**
— faltar o disminuir una cosa: *escasear.*
— carencia, pobreza, limitación: *escasez.*

escatimar Restringir lo que se da. ☞ **ahorrar.**

escena 1. Sitio o parte del teatro donde se representa la obra.
— *Yo nací para la escena.*
2. Cada una de las partes en que se divide un drama.
— *En la última escena de la obra de misterio se revela quién es el asesino.*
3. Hecho o acontecimiento de la vida real.
— *La escena del crimen fue vista por el detective.*

escéptico Que pone en duda la existencia de la verdad o afirma que el hombre es incapaz de conocerla. ☞ **incrédulo.**

escindir Cortar, dividir o separar. ☞ **hender.**
— rompimiento, división, separación: *escisión.*

escirro Tumor canceroso y duro que se presenta principalmente en las glándulas.

esclarecer Iluminar, poner clara una cosa oscura o confusa. ☞ **elucidar.**
— ilustre, insigne: *esclarecido.*

esclavina Capa corta que se usa pegada a otra prenda.

esclavo Que está bajo el mandato o dominio de otro y carece de libertad o arbitrio propio. ☞ **siervo, vasallo.**

esclerosis Endurecimiento de las membranas celulares de ciertos tejidos.

esclerótica Capa ocular dura, opaca y blanquecina que cubre casi por completo el globo del ojo.

escalera

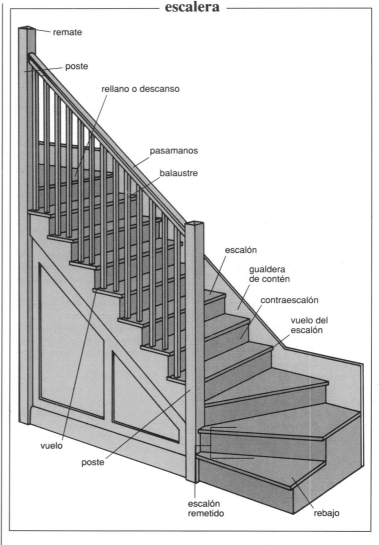

remate
poste
rellano o descanso
pasamanos
balaustre
escalón
gualdera de contén
contraescalón
vuelo del escalón
vuelo
poste
escalón remetido
rebajo

esclusa Compartimiento practicado en un canal para que los buques puedan pasar de un tramo a otro de distinto nivel.

escoba Haz de ramas o fibras flexibles atado a un mango que sirve para barrer y limpiar. ☞ **cepillo.**

escocer 1. Manifestarse una sensación irritante en el cuerpo.
— *La urticaria me escuece el brazo.*
— irritación o dolor: *escozor.*
2. Manifestarse una impresión de aflicción en el ánimo.
— *El regaño del maestro me escoció.*

escofina Herramienta a modo de lima que sirve para desbastar.

escoger Preferir algo o a alguien entre otros.
— selecto: *escogido.*

escolapio Que pertenece a las escuelas pías o se relaciona con ellas.

escolar 1. Que pertenece al estudiante o a la escuela o se relaciona con ellos.
— *El ambiente escolar es muy molesto.*
2. Estudiante que cursa y sigue las escuelas.
— *El niño es un buen escolar.*

escolio Comentario explicativo que se pone al pie de un texto. ☞ **acotación.**

escolta Acompañamiento de soldados o civiles que custodian algo o a alguien como medida de seguridad o reverencia.

escollo 1. Peñasco parcialmente cubierto de agua.
— *El piloto del barco debe cuidarse de los escollos.*

2. Obstáculo, tropiezo, dificultad.
— *Esta vida se llena de escollos.*

escombro Desecho que queda al derribar un edificio o explotar una mina. ☞ **cascote.**
— limpiar de escombro: *escombrar.*

esconce Ángulo, rincón o punta que corta la línea o la dirección de una superficie.

esconder Disimular algo en un sitio secreto. ☞ **ocultar.**

escopeta Arma de fuego portátil que se usa para cazar. ☞ **rifle.**
— tipos de escopeta: *escopeta de pistón, escopeta de salón, escopeta de viento.*

escorbuto Enfermedad cuyas características principales son el debilitamiento de los vasos capilares y las hemorragias múltiples, producida por la falta de ciertas vitaminas.

escoria 1. Desecho de los metales o de la lava volcánica. ☞ **desperdicio.**
— *En la siderúrgica se produce escoria.*
2. Gentuza, populacho, chusma.
— *A mi fiesta de gala, sólo vino la escoria.*
— pila de desperdicios o lugar en el que se dejan: *escorial.*

escorzo Figura representada con la disminución de proporciones que la perspectiva exige.

escote 1. Contribución que toca a cada persona de un grupo que hace un gasto.
— *Hicimos el negocio a escote.*
2. Corte de un vestido hecho en el cuello o la espalda.
— *El escote de su vestido llegaba hasta el ombligo.*

escribir Expresar ideas por medio de signos convencionales.
— que escribe libros o artículos: *escritor.*
— documento en el que se comunica algo: *escrito.*
— acción y resultado de escribir: *escritura.*

escroto Piel que cubre los testículos.

escrúpulo Duda, recelo o reparo que se experimenta respecto a la veracidad o bondad de una cosa.

escrutinio Examen y averiguación diligente de una cosa.
— comprobar un escrutinio, escudriñar, indagar: *escrutar.*

escuadra 1. Regla para trazar ángulos rectos.
— *El arquitecto perdió su escuadra.*
2. Flota de buques de guerra o unidad de fuerzas militares.

— *Nos formamos en escuadra para el combate.*

escuálido Que está excesivamente delgado y macilento. ☞ **demacrado.**

escuchar Poner atención a lo que se oye. ☞ **percibir.**
— acción y resultado de escuchar: *escucha.*

escudo 1. Arma defensiva para protegerse.
— *Los granaderos usan escudos.*
2. Emblema, divisa, superficie en la que se inscriben los distintivos de una ciudad o de una familia.
— *El escudo familiar es de rancio abolengo.*

escudriñar Examinar cuidadosamente una cosa en sus detalles. ☞ **indagar.**

escuela (vea recuadro de escuelas pictóricas). 1. Institución que imparte educación. ☞ **colegio.**
— *La escuela secundaria es parte de la eduación básica.*
2. Edificio donde se imparte educación.
— *La escuela se derrumbó con el temblor.*
3. Doctrina o estilo de una determinada corriente o de un maestro.
— *La escuela mexicana de pintura es grandiosa.*
— teoría, principios o sistema de un autor: *escuela.*

escueto Dícese de lo escaso, reducido y sin adornos. ☞ **conciso.**

esculcar Revisar minuciosamente a una persona o una cosa para buscar algo oculto.

esculpir Tallar a mano una obra de escultura. ☞ **cincelar.**
— arte de crear formas mediante el tallado o el esculpido de algún material: *escultura.*

escupir Arrojar saliva o algo por la boca.

escurrir 1. Hacer que una cosa mane, escurra o deje chorrear un líquido hasta que seque.
— *Del volcán escurre lava.*
2. Deslizarse, escaparse.
— *El ministro se escurrió de la multitud que lo acosaba.*

esdrújula Vocablo cuyo acento prosódico se encuentra en la antepenúltima sílaba.

esencia 1. Propiedad permanente e invariable de una cosa. ☞ **naturaleza.**
— *La esencia de la literatura es la imaginación.*
2. Sustancia aromática concentrada. ☞ **perfume, fragancia.**
— *Mi abuela rociaba sus vestidos con esencia de rosas.*

esfera 1. Cuerpo sólido de superficie curva cuyos puntos equidistan de uno interior llamado centro. ☞ **bola.**
— *La esfera es un cuerpo geométrico.*
— que pertenece a la esfera o se relaciona con ella: *esférico.*
2. Ambiente, nivel o rango social.
— *Los pelados pertenecen a una baja esfera.*

esfínter Anillo muscular que cierra y abre un orificio del cuerpo.

esforzar Realizar trabajos físicos o morales para conseguir un objetivo.
— acción y resultado de esforzar: *esfuerzo.*

esfumar 1. Atenuar un dibujo difuminando los rasgos que en él aparecen.
— *El pintor esfuma los colores con el pincel.*
2. Disipar, desvanecerse.
— *Tu alegría se esfumó cuando llegué.*

esgrimir 1. Enfrentarse y defenderse con una espada, sable u otra arma blanca.
— *Esgrimía sus armas con destreza.*
2. Presentar ciertas ideas o recursos como medios para lograr un fin.
— *El abogado esgrimió sus más ruines argumentos.*
— arte de blandir las armas blancas: *esgrima.*

esguince 1. Movimiento rápido del cuerpo que se hace para evitar un golpe. ☞ **ademán.**
— *Se salvó de la estocada con un esguince muy hábil.*
2. Luxación de una coyuntura.
— *Traía vendado el tobillo pues había sufrido un esguince.*

eslabón Argolla que enlazada a otras forma una cadena.

eslogan Frase propagandística que se convierte en expresión popular. ☞ **lema.**

eslora Longitud interior de un barco.

esmalte Barniz vítreo que se aplica por fusión a la loza, porcelana, a los metales, etc.
— aplicar esmalte: *esmaltar.*

esmeralda Piedra preciosa de color verde transparente.

esmeril Mineral de gran resistencia de color negro azulado que se usa para pulir.
— pulir un objeto con esmeril: *esmerilar*

esmero Dedicación y cuidado especial para hacer alguna cosa.

esmirriado Flaco, enclenque, desnutrido.

esmog Contaminación atmosférica producida por humo y gases tóxicos.

esmoquin Traje masculino de etiqueta

ESCUELAS PICTÓRICAS

La representación o expresión subjetiva de la realidad exterior o interna ha sido el componente temático principal de la pintura, arte constituido por colores aplicados sobre una superficie específica, sea ésta tela, lienzo, pared o algún objeto. Mujeres y hombres la han ejercitado desde el principio de la historia. La manera como cada sociedad ha mostrado su mirada en la línea del tiempo ha determinado la sucesión de escuelas de pintura.

ESCUELAS

- representaciones primero de animales y luego de seres humanos, bi o tricomáticas, en paredes de cuevas pintadas con fines mágicos y rituales: **pintura prehistórica o arte rupestre.**
- representaciones polícromas de hombres y objetos de la vida cotidiana, horizontales, de carácter plano con las cabezas de frente y los pies de perfil: **pintura egipcia.**
- representaciones polícromas bidimensionales de hombres y animales, especialmente toros, con preferencia por el uso del color ocre: **pintura cretense.**
- representaciones miméticas de la figura humana y del mundo natural, pintadas según las proporciones reales o aumentadas: **pintura griega.**
- representaciones polícromas de la figura humana y del mundo natural, con incrustaciones de marmol, copia de elementos arquitectónicos, ornamentos, y escenas mitológicas: **pintura romana.**
- representaciones polícromas de la figura humana, del mundo natural o de los dioses, en paredes de edificios para exhibir acontecimientos históricos y mitológicos: **pintura prehispánica y mesoamericana.**
- representaciones básicamente iconográficas de pasajes de las Escrituras y de la historia religiosa del cristianismo, con fines didácticos, ubicadas en paredes, lienzos, y retablos: **pintura miedeval.**
- representaciones polícromas de temas cristianos con la técnica de la miniatura o de los mosaicos: **pintura bizantina.**
- representaciones polícromas, al fresco, esquemáticas y simbólicas, con fines didácticos: **pintura románica.**
- representaciones polícromas, con figuras estilizadas, de naturaleza vertical cuyas escenas responden a la ejemplificación de un tema o pasaje bíblicos: **pintura gótica.**
- representaciones polícromas, con uso de la perspectiva, el color, la luz y el paisaje, de temas sacros y seculares, primero al temple y luego al óleo: **pintura renacentista.**
- representaciones polícromas, naturalistas, copiadas de la realidad, con predominio de escenas violentas casi teatrales o, por el contrario, de paisajes serenos y equilibrados de tema religioso y realizadas principalmente al óleo en lienzos, y al fresco en bóvedas y techos: **pintura barroca.**
- representaciones polícromas elegantes y sensuales, con preeminencia de figuras humanas por vía de retratos y autorretratos y de objetos naturales en bodegones: **pintura dieciochesca.**

- representaciones polícromas de escenas de la antigüedad clásica: **pintura neoclásica.**
- representaciones polícromas cuyos temas principales son el culto a la libertad, el amor a la naturaleza, las escenas sentimentales y los temas enigmáticos y esotéricos: **pintura romántica.**
- representaciones polícromas del paisaje, con pretensiones de copiar el color tal cual es: **pintura realista.**
- representaciones polícromas de una realidad que empieza a desdibujarse, con predominio por captar lo fugaz y momentáneo, y valorando especialmente la luz y las escenas al aire libre: **pintura impresionista.**
- representaciones polícromas, distorsionadas de la realidad, donde el color se manifiesta de manera violenta: **pintura fauvista o fauvismo.**
- representaciones polícromas donde la realidad se fragmenta en infinitos pedazos al modo de un rompecabezas mal ensamblado: **pintura cubista o cubismo.**
- expresiones polícromas donde predominan los temas relacionados con las máquinas, la velocidad y la modernidad: **pintura futurista o futurismo.**
- expresiones polícromas de la realidad donde predominan los temas oníricos, lo imaginario, y lo irracional: **pintura surrealista o surrealismo.**
- representaciones polícromas de carácter monumental con predominio de temas históricos, revolucionarios: **pintura muralista mexicana o muralismo.**
- representaciones polícromas, de carácter pictórico y escultórico donde los temas expresan una rebelión contra lo establecido y una expresión de los aspectos absurdos de la existencia: **pintura dadaista o dadaísmo.**
- expresiones polícromas, cuya interpretación de la realidad se obtiene a partir de la interpretación que cada artista hace sensiblemente de su realidad: **pintura expresionista, o expresionismo.**
- desaparición de la representación material y mimética de la realidad y expresión de la misma por medio de formas, colores y texturas: **pintura o arte abstracto.**
- realidad expresada por medio de formas ópticas y de juegos con la perspectiva: **pintura óptica u op-art.**
- caricatura de la realidad donde los temas básicos están relacionados con la cotidianidad y los mitos del hombre contemporáneo: **pintura pop o arte pop.**
- ejecuciones artísticas con variados tipos de materiales, generalmente de carácter efímero: **performances.**

---

sin faldones que se usa con corbata negra.

esnob Que se empeña en imitar los gustos y modas novedosas.

esófago Conducto que parte de la faringe y desemboca en el estómago.

esotérico Oculto, reservado o enigmático. ☞ **secreto, arcano.**

espacio 1. Dimensión, capacidad o continente de cada cosa. ☞ **extensión.**

— *El espacio que ocupa este sillón en mi sala es muy pequeño.*

2. Cielo astronómico. ☞ **cosmos.**

— *El espacio está aún por explorarse.*

— poner distancia o espacio entre las cosas: *espaciar.*

espada 1. Arma blanca larga, aguda y cortante con guarnición y empuñadura. ☞ **sable.**

— *El caballero desenvainó su espada con valentía.*

— encontrarse una persona en situación conflictiva: *entre la espada y la pared.*

2. Que es diestro en el manejo de la espada.

— *Ese novillero es un verdadero espada.*

3. Palo de la baraja.

— Con el as de espadas gané la partida.

— que maneja diestramente la espada: *espadachín.*

espadaña Campanario en forma de pared con huecos para las campanas.

espaguetti Pasta de harina de trigo en forma de cilindros macizos y largos.

espalda 1. Parte posterior del cuerpo que va desde los hombros hasta la cintura.

— Me duele la espalda por la flagelación.

2. Parte posterior de una cosa.

— A la espalda del cine está el bar.

— retirar una persona su apoyo a quien se lo había prometido: *darle la espalda.*

— apoyar a alguien: *dar el espaldarazo.*

espantar Causar miedo o espanto. ☞ **atemorizar.**

esparadrapo Tela adhesiva para sujetar vendajes.

esparcir Extender, diseminar o divulgar alguna cosa. ☞ **desparramar.**

espasmo Convulsión involuntaria de los músculos. ☞ **contracción.**

espátula Paleta pequeña con bordes afilados y mango largo.

especie 1. División de un género.

— La naranja es una especie de los cítricos.

2. Grupo de cosas que comparten ciertas características esenciales. ☞ **familia.**

— El amor es una especie de locura.

3. Rumor, información que circula.

— Los diarios circularon una especie falsa de tu muerte.

4. Aderezo, adobo.

— El chile es la especie más común en México.

— en mercancía o productos naturales: *en especie.*

espectáculo 1. Distracción o diversión pública. ☞ **función.**

— El espectáculo del cinematógrafo es masivo.

2. Todo lo que atrae la atención.

— La hora crepuscular es un bello espectáculo

— que asiste a un espectáculo o que mira con atención un objeto: *espectador.*

espectro 1. Imagen horrible que provoca susto. ☞ **fantasma.**

— El espectro de un antepasado asesinado ronda por mi casa.

2. Dispersión de un conjunto de radiaciones.

— El espectro de la luz provoca el arcoiris.

especular 1. Examinar una cosa y reflexionar acerca de ella para evaluarla. ☞ **meditar.**

— El filósofo especula sobre la veracidad de su teoría.

2. Procurar provecho o ganancia de un producto fuera del tráfico mercantil.

— El abarrotero especula con productos básicos.

— acción y resultado de especular: *especulación.*

espejo 1. Lámina de metal bruñido o cristal azogado en que se reflejan fielmente los objetos.

— La abuela vanidosa no deja de verse en el espejo.

2. Aquello en que se ve una cosa como retratada.

— El teatro es un espejo de virtudes.

espeleología Ciencia que estudia las cavidades de la Tierra.

espeluznante Que hace erizarse el cabello. ☞ **pavoroso, terrorífico.**

esperanto Idioma que pretende ser universal.

esperar 1. Creer que algo ha de suceder y aguardarlo.

— Yo espero que te portes bien.

2. Permanecer en un lugar hasta que suceda algo o llegue alguien.

— Te esperé hasta el amanecer.

— estado de ánimo o confianza que se tiene de alcanzar algo: *esperanza.*

esperma Semen.

esperpento Figura que se distingue por su deformidad o fealdad. ☞ **adefesio.**

espesar Concentrar una sustancia. ☞ **condensar.**

espetar 1. Ensartar un cuerpo con un instrumento muy agudo. ☞ **empalar.**

— El pescado se espeta para ahumarlo.

2. Decir de palabra o por escrito algo que ocasione sorpresa o molestia.

— Me espetó una sarta de injurias en su carta.

espía Que con disimulo averigua información para comunicarla a otros.

espiga 1. Granos agrupados a lo largo de una vara o tallo.

— La espiga del trigo es hermosa.

2. Extremo rebajado de un madero que se introduce en el hueco de otro.

— La espiga se usa en carpintería para ensamblar.

— alto, crecido de cuerpo: *espigado.*

espina 1. Púa que nace en algunas plantas o animales. ☞ **agujón.**

— La rosa sin espinas no es rosa.

2. Hueso puntiagudo del pescado.

— Me ahogué con la espina de este pescado.

3. Escrúpulo o pesar.

— Me quité la espina de mis errores.

espiral Línea curva que da vueltas alrededor de un punto, alejándose de éste en cada una de las vueltas. ☞ **voluta.**

espirar Expeler el aire aspirado.

espíritu 1. Ser inmaterial dotado de razón. ☞ **conciencia.**

— El hombre se compone de espíritu y materia.

2. Esencia o sustancia de una cosa.

— El espíritu del bosque se hace presente.

3. Ánimo, valor, vivacidad o ingenio.

— El espíritu de lucha es esencial en un deportista.

espita Manguera corta, canuto que se introduce en un recipiente para sacar su contenido. ☞ **canuto.**

esplendidez Generosidad, desprendimiento, larqueza.

— magnífico, generoso: *espléndido.*

— lustre, nobleza: *esplendor.*

esplín Estado de ánimo que padece quien se aburre de todo en la vida.

espolvorear Desparramar polvo sobre algo.

esponja Material poroso y hueco que absorbe líquidos.

— ahuecar, hacer esponjoso un cuerpo: *esponjar.*

esponsales Promesa de matrimonio que se hacen los novios.

espontáneo Voluntario y de propio movimiento, que se produce naturalmente. ☞ **impensado.** ❖ PREMEDITADO.

espora Corpúsculo reproductor unicelular que se divide repetidamente hasta formar otro individuo.

esporádico Que es irregular, eventual y no se presenta siempre. ☞ **ocasional.**

esposar Sujetar a alguien con aros de metal.

esprit Agudeza de ingenio, chispa.

espuela Punta de metal que se sujeta al talón del jinete para picar la cabalgadura.

espulgar Eliminar de la cabeza o el cuerpo los piojos.

espuma Grupo de pompas o burbujas que se forman en la superficie de algunos líquidos.

espurio Falso, adulterado, bastardo.

esputo Flema que se arroja al espectorar. ☞ **salivazo.**

esquela Mensaje, escrito breve.

esqueleto (vea ilustración de la p. 258). Soporte óseo del hombre y de los animales vertebrados.

esquema Bosquejo de las características de una cosa. ☞ **boceto.**

esquí Tabla larga y estrecha de madera

o fibra de vidrio que se usa para deslizarse sobre nieve o agua.

esquife Nave pequeña que se lleva en un barco, para saltar a tierra.

esquila 1. Campana pequeña.

— *La esquila llama a oración.*

2. Acción y resultado de cortar el vellón a las ovejas, de esquilar. ☞ **esquileo.**

— *Esquilé a mis borregos la semana pasada.*

esquina Arista que forman dos paredes o superficies.

esquirla Fragmento o astilla de hueso, metal o madera.

esquirol Obrero que reemplaza al que está en huelga. ☞ **rompehuelgas.**

esquite Manjar que consiste en granos de maíz tierno hervidos y aderezados con chile y sal.

esquivar Evitar una situación indeseable o un golpe. ☞ **soslayar, rehuir.**

esquizofrenia Enfermedad mental caracterizada por una disociación específica de las funciones síquicas y pérdida del contacto con la realidad.

estable Que es firme, que permanece fijo e inmóvil. ☞ **seguro.**

— fundar, fijar un negocio o residencia: *establecer.*

establishment Grupo de personas de alto nivel social que defienden los privilegios de su clase.

establo Cuadra techada en que se guarda el ganado. ☞ **caballeriza.**

estaca Palo con punta en un extremo para clavarlo. ☞ **tranca.**

estación 1. Cada uno de los tiempos en que se divide el año.

— *Primavera, verano, otoño e invier-no, cada una es una estación hermosa.*

2. Terminal de trenes, autobuses o automóviles, u otro medio de transporte.

— *Llegué a la estación justo a tiempo para subirme al tren.*

estadio 1. Lugar público, campo con instalaciones especiales para practicar toda clase de deportes y hacer competencias o exhibiciones.

— *El estadio tiene capacidad para cinco mil espectadores.*

2. Etapa de un proceso de desarrollo. ☞ **fase.**

— *Los gusanos atraviesan diferentes estadios de evolución antes de convertirse en mariposas.*

3. Longitud equivalente a la octava parte de una milla.

esqueleto

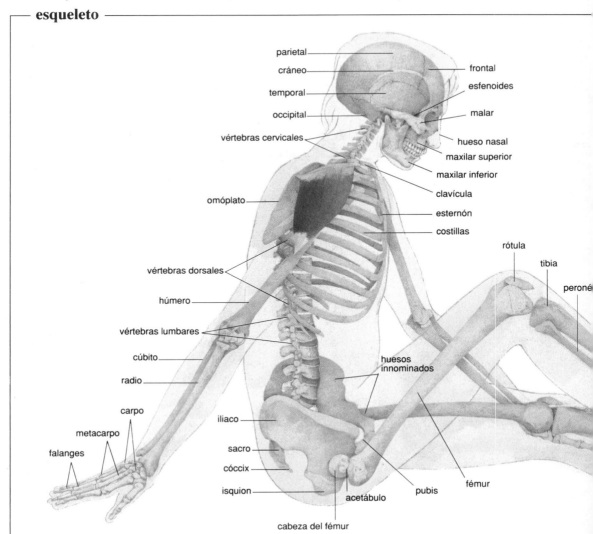

parietal · cráneo · frontal · temporal · esfenoides · occipital · malar · vértebras cervicales · hueso nasal · maxilar superior · maxilar inferior · clavícula · omóplato · esternón · costillas · rótula · tibia · peroné · vértebras dorsales · húmero · vértebras lumbares · huesos innominados · cúbito · radio · carpo · metacarpo · iliaco · falanges · sacro · cóccix · fémur · isquion · pubis · acetábulo · cabeza del fémur

— *El atleta corrió veinte estadios.*

estado 1. Situación, condición en que se encuentra una persona o cosa. ☞ **circunstancia.**

— *El estado de salud de mi abuela es muy precario.*

2. País, territorio, nación. ☞ **patria.**

— *El Estado mexicano defiende la causa de la paz.*

3. Orden, jerarquía o condición de individuos en un país o pueblo.

— *El estado civil de una persona es útil para las estadísticas.*

4. Gobierno de un país o porción de determinado territorio.

— *Yo trabajo para el Estado.*

estafa Acción y resultado de obtener con engaño dinero o valores. ☞ **desfalco.**

— pedir o sacar dinero o valores con

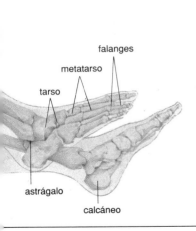

falanges

metatarso

tarso

astrágalo

calcáneo

artificio y con ánimo de no pagar: *estafar.*

estafermo Que está inactivo o parado, de aspecto ridículo.

estafeta Correo.

estafiate Planta mexicana herbácea de flores amarillas que se usa como antihelmíntico.

estafilococo Bacterias que se agrupan en racimos e infectan las heridas y forúnculos.

estalactita Columna calcárea pendiente del techo de las cavernas.

— columna calcárea que se forma en el suelo de las cavernas: *estalagmita.*

estallar 1. Reventar una cosa repentinamente. ☞ **detonar.**

— *La llanta estalló sin remedio.*

2. Sentir o manifestar repentinamente una pasión o afecto del ánimo.

— *Estallé de júbilo a tu regreso.*

estambre Hebra que se forma con el vellón de lana para confeccionar prendas de vestir.

estampa 1. Efigie o figura impresa. ☞ **lámina.**

— *Tengo una estampa de la Virgen María.*

2. Aspecto distinguido de una persona o animal.

— *Ese toro tiene una estampa magnífica.*

— sello fiscal o de correos: *estampilla.*

estampida Estruendo, ruido fuerte y seco.

estancar 1. Obstruir el paso de alguna cosa.

— *El agua se estancó por la basura que había.*

2. Detener el curso de una negociación.

— *La negociación se estancará por tu ausencia.*

estandard Tipo, patrón, modelo. ☞ **estándar.**

— nivel medio de vida de una población: *estandard de vida.*

estandarte Pendón, insignia que usan los cuerpos militares o las organizaciones civiles o religiosas.

estanque Depósito artificial de agua. ☞ **acequia.**

estante Repisa, armario con anaqueles y sin puertas. ☞ **aparador.**

estaño Metal blanco, ligero y maleable.

estar Existir o permanecer en un lugar o situación.

— con ciertos verbos reflexivos toma esta forma quitándosela a ellos y denota gran aproximación a su significado: *estarse muriendo, estarse quieto, estarse callado.*

— como auxiliar acompañando a un

gerundio forma un verbo compuesto: *estoy viajando, estaba comiendo, estuvo durmiendo.*

éstasis Detención o estancamiento de sangre u otro líquido que circula.

estática, -co 1. Parte de la mecánica que trata de los cuerpos en equilibrio.

— *La estática depende de leyes físicas.*

2. Que permanece en un mismo estado sin mudanza.

— *Las barricas de vino quedan estáticas durante años.*

3. Que se queda parado o detenido de emoción o asombro.

— *Nos quedamos estáticos en las butacas del estadio.*

estatura Altura de alguien desde los pies a la cabeza.

estatuto Reglamento u ordenamiento eficaz que tiene fuerza de ley. ☞ **código.**

este 1. Oriente, punto cardinal, levante.

— *Por el Este vinieron los hombres blancos y barbados.*

2. Que designa al objeto o persona que se halla cerca de quien habla o de aquéllos con quienes se habla.

— *Este tipo me robó mi cartera, señor juez.*

estela Rastro que deja en el agua una nave o en el aire un cuerpo en movimiento.

estelar Que pertenece a las estrellas o se relaciona con ellas. ☞ **sideral.**

estenógrafo Que transcribe rápidamente un discurso un dictado. ☞ **taquígrafo.**

— taquigrafía: *estenografía.*

estentóreo Ruido excesivo. ☞ **vociferante.**

estepa Llanura extensa. ☞ **páramo.**

estera Tapete hecho de juncos o paja entretejida. ☞ **petate.**

estereofónico Sistema y aparatos de grabación de sonido que producen un efecto dimensional de perspectiva auditiva.

— reproducción de los sonidos destinados a dar la impresión de relieve acústico: *estereofonía.*

estereotipo 1. Plancha o cliché de imprenta.

— *Los panfletos están en el estereotipo.*

2. Imagen o idea fija aceptada por un grupo de manera simplificada.

— *El maestro sólo enseña con estereotipos.*

estéril Que no da fruto o no produce nada. ☞ **improductivo.**

esternón Hueso plano del pecho en el cual se articulan las costillas.

estero Terreno cercano a la orilla de un

río o en su desembocadura por el que se extienden las aguas de las mareas, en ocasiones pantanoso y cubierto de maleza.

estertor Respiración propia de los moribundos.

estética 1. Parte de la filosofía que estudia la naturaleza de lo bello, su percepción y los criterios que se aplican para formar juicios sobre él.
— *La estética suele confundirse con lo artístico.*
2. Que es atractivo, hermoso o artístico.
— *La colección de figuritas de yeso que me gané en la feria es estética.*

estetoscopio Instrumento médico utilizado para auscultar los sonidos de un cuerpo.

estiaje Nivel mínimo de un río, estero, laguna, etc., durante la época de sequía.
— verano, estación más caliente del año: *estío.*
— que pertenece al estío o se relaciona con él: *estival.*

estibar Acomodar la carga o estiba en un buque o transporte.

estiércol Excremento de los animales. ☞ **excremento.**

estigma 1. Marca, señal en el cuerpo.
— *Con hierro candente me hicieron el estigma que tengo en el brazo.*
2. Desdoro, afrenta, mala fama.
— *La droga es un estigma para la sociedad.*

estilete Navaja de hoja estrecha como púa. ☞ **punzón.**

estilo (vea recuadro de estilos arquitectónicos). Modo, manera, forma.
— representar un objeto con sólo sus rasgos característicos: *estilizar.*

estilográfica Pluma que tiene en su interior un cartucho con tinta.

estimar Apreciar, valorar a alguien o algo.
— aprecio o valor en que se tasa una cosa: *estimación.*

estímulo Incitación para actuar.
— excitar a uno para que se realice una cosa: *estimular.*
— que estimula o excita: *estimulante.*

estipendio Retribución que se da a una persona por sus servicios. ☞ **salario.**

estípite Pilastra con la base menor hacia abajo.

estipular Determinar las condiciones de una acción. ☞ **convenir, concertar.**

estirar Alargar una cosa extendiéndola con fuerza.

estirpe Casta y abolengo de una familia.

estofar 1. Labrar de realce telas acolchadas.

— *Mi tía solterona estofó su colcha matrimonial inútilmente.*
2. Pintar sobre el oro bruñido.
— *El artesano estofó con gracia ese retablo.*
— acción y resultado de estofar: *estofado.*

estoico Que sigue la doctrina del estoicismo.

estómago Víscera en la que se hace la digestión.

estopa Tela gruesa de lino o cáñamo, que suele usarse para labores de aseo.

estoperol Clavo corto de cabeza ancha. ☞ **tachuela.**

estoque Espadín angosto, largo y sin filo, que sirve para herir de punta.

estorbar Impedir, obstruir la ejecución de una cosa.

estornudar Exhalar aire violentamente a causa de un movimiento espasmódico.

estrabismo Defecto de los ojos que no miran paralelamente.

estrado Plataforma, sitio de honor en un salón de actos. ☞ **tarima.**

estrafalario Desaliñado en el vestir o en el porte. ☞ **extravagante.**

estrago Destrozo, daño, desolación, ruina.
— corromper, dañar: *estragar.*

estrambote Grupo de versos que se añade algunas veces al final de una combinación métrica.

estrambótico Extravagante, estrafalario, extraño.

estrangular Asfixiar oprimiendo el cuello para impedir la respiración.

estraperlo Contrabando de artículos prohibidos o restringidos por el Estado.

estrás Vidrio incoloro semejante al diamante.

estrategia Habilidad para dirigir un asunto.
— ardid, treta: *estratagema.*

estrato Capa o faja de un cuerpo u órgano.
— tipos de estrato: *estrato geológico, estrato meteorológico, estrato social, estrato anatómico,* etc.

estrechar 1. Reducir las dimensiones de una cosa. ☞ **angostar.**
— *El sastre estrechó mi saco.*
2. Apretar, reducir.
— *Mis gastos se estrecharon por la inflación.*
— escasez de lo necesario para sobrevivir: *estrechez.*
— que tiene poca anchura: *estrecho.*

estrella 1. Cuerpo celeste compuesto de gases que brilla con luz propia.
— *Existen estrellas rojas, amarillas, azules y blancas según su temperatura.*
2. Suerte, hado, destino.
— *Ella nació con buena estrella.*
3. Que sobresale en su profesión o en su arte.
— *Ese jugador es una estrella.*
— adornar con estrellas: *estrellar.*

ESTILOS ARQUITECTÓNICOS	
barroco	Estilo elaborado y rebuscado que se desarrolló en Europa en el siglo XVIII.
bizantino	Estilo de línea simple caracterizado por domos y minaretes como el de la ciudad de Bizancio.
brutalista	Estilo rígido y contemporáneo, carente de ornamentación.
clásico	Estilo sobrio y armónico, originado en Grecia y desarrollado por los romanos.
colonial	Estilo desarrollado durante la Colonia en Hispanoamérica.
churrigueresco	Estilo barroco exuberante que caracteriza a la arquitectura hispánica y novohispánica de los primeros decenios del siglo XVIII.
gótico	Estilo que se desarrolló en el siglo XIII al XV, caracterizado por cúpulas elevadas y estilizadas, ventanas y arcos ojivales.
internacional	Estilo de los años veinte caracterizado por una geometría rigurosa y estructuras de hormigón.
neoclásico	Estilo de finales del siglo XVIII y principios del XIX que retoma los elementos de la arquitectura clásica.
orgánico	Estilo de mediados del siglo XX, caracterizado por la continuidad y compenetración entre los espacios interiores y exteriores.
románico	Estilo europeo de los siglos IX al XII, caracterizado por el uso de grandes arcadas y escultura decorativa.
romántico	Estilo del siglo XIX donde se retoman elementos de todas las corrientes.

— hacer que choque una cosa con otra: *estrellar.*

estremecer Hacer temblar, conmoverse. ☞ **inquietarse.**

— acción y resultado de estremecer: *estremecimiento.*

estrenar 1. Utilizar por primera vez una cosa.

— *Estrené mis calzones anoche.*

2. Representar por primera vez una obra de teatro, de danza, de música, etc.

— *Mi obra maestra se estrenará algún día.*

estreñir Producir dificultad para evacuar el excremento. ☞ **constipar.**

— acción y resultado de estreñir: *estreñimiento.*

estrépito Ruido muy fuerte. ☞ **estruendo.**

estría 1. Surco que se labra en algunas columnas de arriba a abajo. ☞ **ranura.**

— *La columna dórica tiene hermosas estrías.*

2. Marca en forma de raya en un cuerpo.

— *La estría que tengo en el rostro es por rabiar tanto.*

— producir rayas o surcos: *estriar.*

estribo 1. Apoyo para el pie del jinete.

— *El jinete se enredó en el estribo y cayó.*

2. Escalón para subir o bajar de un coche.

— *Con el pie en el estribo muchos se quedan colgando.*

— expresión popular para indicar la última copa que se toma un viajero: *la del estribo.*

— fundarse, apoyarse una cosa en otra: *estribar.*

— conjunto de versos que introducen una composición musical y se repiten después de cada estrofa: *estribillo.*

estribor Lado derecho de una nave mirando a la proa. ❖ BABOR.

estricnina Alcaloide muy venenoso y activo.

estricto Severo, riguroso. ☞ **rígido.**

estridente Agudo, discordante, fuera de lo normal.

estro 1. Inspiración, estímulo, rumen.

— *El estro me invade cuando te miro.*

2. Periodo de celo sexual en los mamíferos.

— *El estro de las hembras es cíclico.*

estroboscopio Lámpara cuya frecuencia de destello se puede graduar y que sirve para estudiar y fotografiar el movimiento oscilatorio o giratorio de una máquina, como una hélice o un disco fonográfico.

estrofa División de una composición poética en cierto número de versos. ☞ **estribillo.**

estrógeno Sustancias que provocan el estro o celo en las hembras.

estropajo Fruto de una planta cucurbitácea que desecado sirve para fregar.

estropear Deteriorar, echar a perder una cosa. ☞ **dañar.**

— deterioro, rotura, destrozo: *estropicio.*

estructura Conformación, distribución de las partes de una obra, un cuerpo o un objeto. ☞ **disposición.**

estruendo Ruido muy grande, bullicio. ☞ **estrépito.**

estrujar 1. Presionar una cosa para extraerle el jugo. ☞ **apretar, exprimir.**

— *La naranja estrujada sabe amarga.*

2. Apretar y oprimir a alguien fuertemente.

— *Con tus brazos me estrujas.*

estuario Estero, desembocadura de un río.

estuco Masa de yeso y agua de cola.

— revestir con estuco: *estucar.*

estuche Envoltura especial o caja que sirve para guardar algo.

estudio 1. Aplicación del entendimiento para comprender o retener en la memoria alguna cosa.

— conocimiento que se adquiere con el estudio: *estudios.*

— *Estudió contrabajo desde los dieciocho años.*

2. Obra en la que se explica una cuestión. ☞ **tratado.**

— *Encontré un estudio sobre animales prehistóricos muy interesante.*

3. Recinto en el que se trabaja o estudia.

— *Mi estudio es muy silencioso y apropiado para leer.*

estufa Aparato o adminículo que provee de fuego o calor como herramienta para cocinar o como medio de calefacción. ☞ **brasero, anafre, calentador.**

estulticia Necedad, tontería, sandez.

— tonto, necio, bobo: *estulto.*

estupendo Admirable, magnífico, espléndido.

estúpido Torpe, falto de inteligencia. ☞ **bobo.**

— dicho o hecho propio de un estúpido: *estupidez.*

estupor Entorpecimiento, letargo de las funciones intelectuales. ☞ **sopor, pasmo.**

— que está atónito, asombrado, pasmado, extasiado: *estupefacto.*

estupro Violación a un menor mediante engaño o abuso. ☞ **violación.**

esvástica Cruz gamada. ☞ **svástica.**

etapa Época, avance parcial o fase que atraviesa el desarrollo de una acción u obra.

etcétera Voz que se usa en el discurso para indicar que se omite lo que queda por decir.

— abreviatura de etcétera: *etc.*

éter 1. Cielo, bóveda celeste.

— *Se perdieron en el éter mis suspiros.*

2. Fluido que se suponía llenaba el espacio o donde se transmitían las ondas de luz, el calor, la electricidad, etc.

— *Los físicos antiguos creían en el éter.*

3. Líquido muy inflamable y volátil de olor fuerte y sabor picante que se usa como anestésico.

— *El oler éter adormece.*

— que pertenece o se relaciona con el éter: *etéreo.*

eterno 1. Que no tuvo principio ni tendrá fin. ☞ **perpetuo.**

— *Antes de que la vida existiera, existía lo eterno.*

2. Que no tendrá fin. ☞ **eviterno.**

— *El gozo eterno de los beatos es inconmensurable.*

ética Parte de la filosofía que trata o estudia los principios que rigen al bien.

— que pertenece a la ética o se relaciona con ella: *ético.*

etimología Raíz de las palabras o razón de su existencia.

etiología Estudio del origen y las causas de las cosas o enfermedades.

etiqueta 1. Protocolo que se observa en actos públicos solemnes. ☞ **ritual.**

— *Durante la coronación del rey nadie se atrevió a transgredir la etiqueta.*

2. Rótulo o marbete que se pone a una mercancía para señalar su valor o características.

— *La etiqueta de mi vestido dice que es talla cinco.*

étnico Que pertenece o se relaciona con una etnia, nación o raza.

— grupo caracterizado por determinadas modalidades culturales: *etnia.*

etología Estudio de las costumbres.

eucaristía Sacramento de la religión católica que consiste en consagrar el vino y el pan. ☞ **comunión.**

eufemismo Modo de expresar con suavidad o decoro ciertas ideas.

eufonía Sucesión armoniosa de sonidos.

euforia Sensación de bienestar y entusiasmo. ☞ **alegría.**

eunuco Hombre emasculado que era destinado a cuidar el harén de un rey.

eutanasia 1. Muerte suave, tranquila y sin dolor.

— *Fue una eutanasia la agonía de mi tía centenaria.*

2. Teoría en favor de la licitud de acortar la vida a un enfermo incurable o que sufre mucho.

— *La iglesia católica reprueba la eutanasia.*

eutrapelia 1. Equilibrio y mesura en los placeres. ☞ **moderación.**

— *La eutrapelia se practica como medio de alcanzar la virtud.*

2. Broma inofensiva, recreo honesto.

— *El deporte es una noble eutrapelia.*

evacuar 1. Desocupar, retirarse de un lugar.

— *La señal de alarma indicaba que había que evacuar el edificio.*

2. Deponer, expeler excrementos o humores una persona.

— *El bebé evacuó en los pañales.*

evadir 1. Soslayar una dificultad o evitar un daño.

— *Es un delito evadir el pago de impuestos.*

2. Fugarse, escaparse, escabullirse.

— *El preso intentó evadirse en la noche.*

evaluar Calcular el valor de una cosa. ☞ **valorar, valuar.**

evangélico Que pertenece al evangelio o se relaciona con él.

evangelio Doctrina de Jesucristo.

evaporar Disipar un líquido convirtiéndolo en vapor. ☞ **gasificar.**

evento 1. Suceso imprevisto. ☞ **incidente.**

— *El éxito de esa actriz fue un real evento.*

— que está sujeto a situaciones imprevistas: *eventual.*

2. Acontecimiento.

— *El evento más importante del siglo fue cuando nací, dijo un argentino.*

evidente Que es claro, patente, manifiesto, que no da lugar a duda. ☞ **indudable.**

— certeza manifiesta de una cosa: *evidencia.*

evitar Impedir que suceda algo.

eviterno Que habiendo comenzado en el tiempo no tendrá fin.

evo Término teológico que designa a la eternidad o tiempo ilimitado.

evocar 1. Llamar a los espíritus.

— *El espiritista evocó a mi tío difunto para que se manifestara.*

2. Traer a la memoria un suceso pasado recordándolo.

— *La monja evocó sus pecados.*

evolución Acción y resultado de evolucionar. ☞ **transformación.**

evolucionar Pasar por una serie sucesiva de transformaciones.

ex Que denota fuera, más allá o que ha sido.

exabrupto Brusquedad, incorrección, grosería.

exacción Acción y resultado de exigir el pago de impuestos.

exacerbar Avivar, excitar una pasión.

exacto Que es fiel, cabal o preciso. ☞ **acertado.**

exagerar Acentuar una cosa de forma que parezca mayor de lo que realmente es. ☞ **abultar.**

exaltar 1. Engrandecer, celebrar una cosa. ☞ **loar, enaltecer.**

— *El orador exaltó la imagen de la patria.*

2. Dejarse arrebatar por una pasión.

— *El licenciado se exaltó ante la evidencia de su ineptitud.*

examen 1. Ejercicio al que se somete alguien para probar sus capacidades. ☞ **prueba.**

— *El examen de maridos debiera legislarse.*

2. Investigación o reconocimiento detenido de una cosa.

— *Se examinan las causas de la contaminación, torpemente.*

exangüe Agotado, exhausto por la pérdida de sangre o el cansancio. ☞ **exhausto.**

exánime 1. Que no da señales de vida. ☞ **yerto.**

— *El cuerpo exánime de la víctima fue destazado y comido por el maniático.*

2. Desmayado.

— *Su cuerpo quedó exánime en decúbito dorsal.*

exasperar 1. Hacer más intenso un dolor.

— *Su jaqueca se exasperó.*

2. Enardecer, irritar, enojar.

— *Se exasperó el maestro con la poca aplicación de sus alumnos.*

excarcelar Poner en libertad a un preso por orden judicial. ☞ **indultar.**

excátedra 1. Cuando el Papa define explícitamente el dogma en materias de fe o de moral, en virtud de su ministerio y autoridad apostólica, como supremo pastor de la Iglesia.

— *El dogma de la Inmaculada fue definido excátedra.*

2. Hablar en tono magistral.

— *Las conferencias excátedra del poeta nos asombraron.*

excavar Horadar un cuerpo sólido haciendo un hoyo en él. ☞ **cavar.**

exceder Pasar a un nivel mayor, propasarse.

excelente Que sobresale en mérito o bondad entre las cosas de su especie que son buenas. ☞ **extraordinario.**

— tratamiento que se da a una persona eminente: *excelentísimo.*

— muy alto, eminente: *excelso.*

excéntrico 1. Que tiene un carácter raro o extravagante. ☞ **estrafalario.**

— *Mi tío era un excéntrico.*

2. Que está fuera del centro.

— *El engranaje excéntrico es aplicado a las transmisiones mecánicas.*

excepción Acción y resultado de exceptuar o de excluir a una persona o cosa de lo previsto o común.

— excluir de la regla común: *exceptuar.*

exceso Parte que sobra o que sale de la medida o regla.

excipiente Ingrediente inocuo en el que se disuelven los medicamentos.

excisión Amputación de un órgano hecha con un instrumento cortante.

excitar 1. Provocar, mover, estimular una acción. ☞ **enardecer.**

— *Las glándulas salivales se excitan y segregan saliva ante la presencia de alimento.*

2. Provocar deseo sexual.

— *Los perros se excitan más que los pericos.*

exclamar Hablar con vehemencia para expresar un vivo afecto del ánimo o para poner énfasis en lo que se dice. ☞ **vocear.**

exclaustrar Dar permiso u orden para que un religioso o religiosa deje el convento.

excluir Apartar algo o a alguien del lugar que ocupaba.

— que se excluye, que es único: *exclusivo.*

excremento Materia que el cuerpo arroja después de la digestión por vía natural. ☞ **caca, mierda, estiércol.**

— expeler los residuos de materia orgánica: *excretar.*

exculpar Descargar de culpa. ☞ **disculpar, reivindicar.**

excursión Viaje a algún lugar para estudio, recreo o ejercicio.

excusar 1. Argumentar razones para liberarse alguien de la responsabilidad o del castigo que se le imputa. ☞ **pretextar.**

— *Se excusó el abogado de defenderme por mi estado mental.*

2. Disculpar o perdonar.

— *Excusaremos al reo por su buena conducta.*

execrar Aborrecer, maldecir, odiar, reprobar, detestar, condenar.

— aborrecible, abominable, odioso: *execrable.*

exégesis Explicación o interpretación o aclaración de un texto, especialmente de la Biblia, etc.

exequias Honras fúnebres. ☞ **funerales.**

exequible Que se puede conseguir o efectuar.

exergo Parte de una moneda o medalla en que se coloca una inscripción.

exfoliar Dividir en láminas o escamas.

exhalar 1. Emitir gases, vapores u olores. ☞ **emanar.**
— *El cadáver exhala olores fétidos.*
2. Emitir suspiros, quejas, etc.
— *Exhalaré mis tristezas esta noche.*

exhausto Que está completamente agotado.

exhibir Presentar, manifestar, mostrar en público.
— acción y resultado de exhibir: *exhibición.*
— espectáculo, estreno o exposición: *exhibición.*

exhortar Persuadir a alguien con razones y ruegos a que haga o deje de hacer algo. ☞ **incitar.**

exhumar Desenterrar un cadáver.

exigir Demandar, reclamar imperiosamente el cumplimiento de un compromiso.

exiguo Que es escaso, insuficiente, carente o corto. ☞ **escaso.**

exiliar Expatriar, desterrar, deportar.
— destierro o expatriación: *exilio.*

eximir Liberar, exentar de cargas, obligaciones o culpas.
— libre, desembarazado: *exento.*

exinanición Debilidad, falta de vigor o fuerza.

existir 1. Ser real y verdadero.
— *"Pienso, luego existo".*
2. Durar.
— *"¿Existirá? Quién sabe, mi instinto la presiente, dejad que yo la alabe, previamente".*
López Velarde.
— que existe, que vive: *existente.*
— estado de lo que existe: *existencia.*
— mercancías que aún no han tenido ventas o empleo: *existencias.*

éxito Resultado feliz de un negocio o asunto. ☞ **triunfo.**

ex libris Sello que se pone en un libro con el nombre del dueño o el de la biblioteca a la que pertenece el libro.

éxodo Emigración en masa de un pueblo. ☞ **diáspora.**

exógeno Órgano que se forma en el exterior de otro.

exonerar 1. Aliviar de un peso, carga u obligación.
— *Fui a exonerar los instestinos detrás de aquel árbol.*
2. Eximir a alguien de una obligación o culpa.

— *Al deudor lo exoneraron y se salvó de la cárcel.*

exorar Pedir una cosa con empeño.
— que se deja vencer fácilmente con ruegos: *exorable.*

exorbitante Excesivo, que sobrepasa los límites convenientes.

exorcismo Conjuro religioso en contra de un espíritu maligno.

exordio Prefacio, introducción de un discurso o trabajo literario. ☞ **preámbulo.**

exósmosis Corriente de adentro hacia afuera que se produce cuando dos líquidos de distinta densidad están separados por una membrana.

exotérico Que es común y vulgar.

exotérmico Que despide o desprende calor.

exótico De origen desconocido y extraño. ☞ **extranjero.**

expandir Extender, ensanchar, agrandar las dimensiones de algo.
— acción y resultado de expandir: *expansión.*
— recreo, vacación: *expansión.*

expatriar Abandonar el lugar de nacimiento. ☞ **emigrar, exiliar.**

expectación Esperar algo con desasosiego, afán o curiosidad.
— espera fundada en promesas o posibilidades: *expectación.*

expectorar Arrojar flemas y secreciones de las vías respiratorias.

expedir 1. Enviar, remitir.
— *Expidieron de la fábrica la mercancía encargada.*
2. Despachar, extender por escrito un documento.
— *El regente expidió un decreto nugatorio.*
— acción o resultado de expedir: *expedición.*
— facilidad para decir o hacer algo: *expedición.*
— excursión para realizar una empresa y personas que la integran: *expedición.*
— que está libre de obstáculos: *expedito.*

expeler Arrojar, echar, despedir.

expender 1. Gastar.
— *El rico expele insensatamente su fortuna.*
2. Vender mercancía al menudeo. ☞ **despachar.**
— *En ese lugar expendían drogas, alcohol y otras cosas.*
— tienda donde se vende al menudeo: *expendio.*

expensas Gastos, costas.
— por cuenta de, con cargo a: *a expensas de.*

experiencia Conocimiento que se ad-

quiere con el uso o la práctica. ☞ **pericia.**
— probar algo en forma práctica: *experimentar.*
— acción y resultado de experimentar: *experimento.*

expiar 1. Purgar una culpa. ☞ **purificar.**
— *El reo expió su delito y sigue en la cárcel.*
2. Purificar una cosa profanada.
— *El presidente expió el lábaro patrio después del agravio sufrido.*

expirar 1. Morir, perecer. ☞ **fallecer.**
— *Expiraron finalmente los enfermos del cólera.*
2. Terminar un plazo.
— *Expiró el tiempo de las libertades.*

explayar 1. Ensanchar, extender.
— *Me explayé en una conversación de carácter confesional.*
2. Divertirse.
— *Nos explayamos en la fiesta de disfraces.*

explicar Hacer comprender una cosa. ☞ **aclarar.**
— acción y resultado de explicar: *explicación.*
— exposición destinada a hacer comprender: *explicación.*
— satisfacción dada para justificarse: *explicación.*
— que se explica fácilmente: *explicable.*
— que expresa claramente una cosa: *explícito.*

explorar Examinar, registrar minuciosamente una cosa, lugar o hecho, a fin de conocerlos. ☞ **reconocer.**
— internarse en un lugar para conocerlo: *explorar.*

explosión 1. Acción y resultado de reventar un cuerpo con gran ruido. ☞ **estallido.**
— *Hubo una explosión en el avión.*
2. Manifestación violenta de ciertos afectos del ánimo.
— *Mi rabia tuvo una explosión cuando descubrí tus infamias.*

explotar 1. Aprovechar, beneficiar.
— *Los ingenieros explotaron ese yacimiento de carbón.*
2. Estallar.
— *Explotó la bomba en un parque.*
3. Abusar de alguien.
— *Las patronas explotan a las sirvientas.*
— acción y resultado de explotar: *explotación.*
— conjunto de elementos dedicados a una industria: *explotación.*
— que explota: *explotador.*

expoliar Arrebatar o despojar con violencia o con iniquidad.

expolición Figura retórica que consiste en repetir en distintas formas un mismo pensamiento.

exponer 1. Poner de manifiesto, poner a la vista.

— *Mi padre expuso sus pinturas en una galería muy afamada.*

2. Expresar la interpretación que se hace acerca de un asunto. ☞ **explicar.**

— *Expuse mis ideas con claridad y me aplaudieron.*

3. Poner en peligro.

— *El esquiador expone su salud en un deporte riesgoso.*

4. Hacer que una cosa reciba la acción de un agente físico.

— *Cierta pintura se expone al calor para que se impregne.*

— acción y resultado de exponer: *exposición.*

exportar Expedir mercancías de un país a otro.

expósito Niño recién nacido abandonado en un lugar público. ☞ **hospiciano.**

exprés o expreso Servicio o transporte rápido o expedito.

expresar Manifestar sentimientos o ideas por medio de un lenguaje. ☞ **declarar.**

— acción y resultado de expresar: *expresión.*

exprimir 1. Prensar una fruta para extraerle el jugo. ☞ **estrujar.**

— *La naranja se lava antes de exprimirla.*

2. Estrujar, agotar una cosa.

— *En la fábrica me exprimieron.*

exprofeso Hecho con intención particular, a propósito.

expropiar Incautar, desposeer legalmente bienes por razones de Estado o de utilidad pública.

expugnar Asaltar una plaza o ciudad o tomarla por la fuerza.

expulsar Arrojar fuera, despedir. ☞ **expeler, echar.**

expurgar 1. Limpiar o purificar alguna cosa.

— *El pecador expurgó su conciencia.*

2. Tachar, eliminar algo de un libro o impreso.

— *Me expurgaron mis versos por incomprensibles.*

exquisito 1. Que posee extraordinaria finura o buen gusto.

— *Era un hombre exquisito que usaba chistera y guantes.*

2. Delicioso.

— *Este bombón está exquisito.*

éxtasis Arrebato del alma a causa de una sensación muy intensa.

extemporáneo Que surge o sucede fuera de su época o su momento.

extender 1. Desplegar una cosa hasta que ocupe más espacio del que ocupaba.

— *Extendí la tela para cortarla.*

2. Poner por escrito, despachar.

— *Extendí mi renuncia de manera respetuosa.*

extenuar Debilitar, enflaquecer.

exterior Que está fuera de una cosa. ☞ **marginal.**

— dar a conocer, revelar algo desconocido: *exteriorizar.*

exterminar Eliminar definitivamente una cosa. ☞ **aniquilar.**

externar Exteriorizar, manifestar, evidenciar.

extinguir Apagar, hacer que se acaben del todo ciertas cosas.

extirpar Extraer de raíz, acabar del todo una cosa, suprimir.

extra 1. Fuera de, además.

— *Me fumé un cigarrillo extra de los que siempre fumo.*

2. Comparsa que interviene en una representación teatral, filmación, etc.

— *Trabajar de extra es una puerta a la fama y al éxito.*

extradición Acción de entregar un preso en el extranjero a un gobierno que lo reclama.

extraer Sacar una cosa de otra en la que se encontraba.

extralimitarse Excederse en el uso de derechos, facultades o autoridad. ☞ **exceder.**

extranjero 1. Natural de otro país. ☞ **foráneo, exótico.**

— *Mi suegra no es extranjera, es extraterrestre.*

2. Toda nación que no es la propia.

— *Viajé al extranjero.*

extraño 1. De distinta nación, familia o profesión. ☞ **diferente.**

— *Vengo de un país extraño.*

2. Que no tiene que ver en una cosa.

— *No arrojes cuerpos extraños en este líquido.*

3. Extravagante, raro.

— *Ese tipo tiene modales extraños.*

extrañar 1. Experimentar sorpresa ante algo.

— *Me extraña tu actitud poco digna.*

2. Echar de menos a alguien.

— *Te extrañaré en mi viaje por el mundo.*

extraoficial Fuera de lo previsto oficialmente.

extraordinario Fuera de lo común, más allá de lo ordinario. ☞ **excepcional.**

extraterrestre 1. Que sucede o se halla fuera de la tierra.

— *La vida extraterrestre nos es aún desconocida.*

2. Ser de otro planeta.

— *Los filmes sobre extraterrestres abundan.*

extravagante Que actúa o viste fuera de lo común o usual, o en forma ridícula. ☞ **estrafalario.**

extraviar 1. Perder una cosa.

— *Extravié mis píldoras anticonceptivas.*

2. Perder un camino.

— *Nos extraviamos en el desierto sin agua y sin brújula.*

3. Tomar malas costumbres o hacer mala vida. ☞ **descarriarse.**

— *Esa chica se extravió por falta de valores morales.*

extremaunción Sacramento de la Iglesia católica que consiste en administrarle a un moribundo los santos óleos.

extremo 1. Lo más intenso, elevado o activo de alguna cosa.

— *El odio al rufián alcanzó un nivel extremo.*

2. Parte primera o última de una cosa.

— *Viajé de un extremo al otro.*

3. Punta, fin, borde.

— *El extremo derecho de mi castillo se derrumbó*

4. Excesivo, manifestación exagerada.

— *Los estultos y los fanáticos siempre asumen actitudes extremas.*

extrínseco Externo, accesorio, no esencial.

exuberancia Abundancia suma. ☞ **profusión.**

— abundante y copioso: *exuberante.*

exudar Rezumar un líquido.

exultar Regocijarse en forma extrema, mostrar viva alegría.

— demostración muy alta de alegría: *exultación.*

exvoto Ofrenda o manifestación de gratitud por un beneficio recibido que se cuelga en los templos.

eyacular Lanzar, expeler el contenido de un órgano, cavidad o depósito.

fa Cuarta nota de la escala musical a partir de do.

— clave usada desde el siglo X: *clave de fa*.

— expresión que se usa para manifestar indiferencia o desinterés por algo: *ni fu ni fa*.

fabricar Producir cosas o mercancías por medios mecánicos. ☞ **elaborar, confeccionar.**

— establecimiento que cuenta con la maquinaria y utensilios necesarios para manufacturar o producir mercancías: *fábrica*.

— dueño, maestro o artesano encargado de una industria: *fabricante*.

— que se ha producido en una fábrica o taller: *fabricado*.

— que pertenece a las industrias o fábricas o se relaciona con ellas: *fabril*.

— acción y resultado de fabricar productos: *fabricación, fábrica*.

— total de operaciones que se realizan para producir objetos: *fabricación*.

— complejo industrial: *factoría*.

— establecimiento donde se elaboran productos: *establecimiento fabril*.

— establecimiento donde se venden los bienes procesados: *establecimiento comercial*.

— división dentro del espacio de una fábrica destinada a trabajos precisos: *nave*.

— instalación en que se guardan los géneros que una fábrica produce: *almacén, depósito*.

— operador de una máquina: *obrero*.

— trozo de muro que se rehace por el pie, dejando lo demás intacto, en arquitectura: *punto de fábrica*.

— construcción que está hecha con ladrillo o piedras ya labradas en lugar de yeso amasado: *construcción de fábrica*.

— conjunto de chismes, mentiras o embustes: *fábrica*.

— que inventa cuentos, mentiras, líos: *fabricador*.

— conjunto de derechos que se cobran en las iglesias por llevar a cabo ceremonias como bautizos o bodas: *derechos de fábrica*.

— conjunto de personas que administran los bienes de una iglesia: *consejo de fábrica*.

— rentas que sirven para el mantenimiento de una iglesia: *bienes de fábrica*.

— conocimiento del funcionamiento de la maquinaria y los instrumentos que sirven para la fabricación de objetos: *tecnología*.

— persona que tiene los conocimientos especializados de un oficio: *técnico*.

— lo que resulta del proceso de elaboración manual o con ayuda de una máquina: *producto*.

— conjunto de mecanismos combinados para trabajar materiales: *máquina-herramienta*.

— trabajo físico, fuerza manual incorporada al proceso productivo de una fábrica: *mano de obra*.

— productos básicos que son transformados en la producción de un bien: *materia prima*.

— clases de fábricas o industrias: *pesada, ligera, pequeña industria, gran industria, manufacturera, de transportes, de precisión, de transformación, agrícola, de la construcción, de obras públicas, de caucho, química, de materias plásticas, de colorantes, de combustibles, petrolíferas, de minería, carbonífera, siderúrgica, metalúrgica, de construcción naval, bélica, aeronáutica, de ferrocarriles, del automóvil, mecánica, de artes gráficas, papelera, del libro, de equipamiento, textil, de la confección, del calzado, alimenticia, harinera, conservera, pesquera, hidráulica, de gas y electricidad, forestal, etc.*

fábula 1. Relato de ficción generalmente escrito en verso en el que por medio de alegorías y personificación de seres irracionales inanimados o abstractos se expone una enseñanza o moraleja. ☞ **cuento, relato,** ❖ REALIDAD.

— *Ella cuenta a los niños la fábula de la liebre y la tortuga*.

— que es característico del relato de ficción con moraleja: *fabulesco*.

— repertorio de fábulas: *fabulario*.

— persona que compone o relata fábulas: *fabulista, fabulador*.

— escribir relatos moralizantes cortos: *fabular*.

— que es extraordinario, sorprendente e increíble: *fabuloso*.

— que es muy abundante o numeroso: *fabuloso*.

— hablar sin fundamento, inventar cosas: *fabular*.

— tipo de relato fabuloso inventado por Esopo: *fábula esópica*.

— algunas fábulas más conocidas: *La liebre y la tortuga, La zorra y el cuervo, La hormiga y la cigarra, La zorra y la gata, El burro flautista, La lechera, La zorra y el busto, La zorra y las uvas*.

— vicios o virtudes que simbolizan los animales de las fábulas: *majestad y nobleza, el león; astucia, la zorra; maldad, el lobo; previsión, la hormiga; perseverancia, la tortuga; fatuidad, presunción y velocidad, la liebre; astucia y humildad, el ratón; simpleza de espíritu, el caballo*.

— cuento o novela inmoral sin intención didáctica: *fábula milesia*.

— ser o estar muy bello o extraordinario algo: *ser de fábula, estar de fábula*.

2. Mito o leyenda mitológica. ☞ **mito.** ❖ REALIDAD.

— *La fábula de Narciso ha inspirado a escritores y pintores*.

— persona que escribe acerca de la mitología: *fabulista, fabulador*.

— hábito de inventar leyendas: *fabulismo*.

3. Rumor, chisme, relato falso que se comunica a alguien.

— *Lo que te dijeron de ella es pura fábula*.

faca Cuchillo curvado de grandes dimensiones. ☞ **facón, puñal, navaja, daga.**

— golpe dado con un cuchillo: *facazo*.

— que tiene la cara cruzada por una raya blanca de modo que parece herido con una faca, tratándose de toros, vacas, terneros o becerros: *facado*.

faccioso, -sa Quien pertenece a una pandilla o forma parte de una sublevación; que es perturbador de la quietud pública. ☞ **sedicioso, rebelde, revolucionario, revoltoso.** ❖ LEAL.

— quien se declara en favor de un partido o de una parte de un grupo o parcialidad: *faccionario.*

— grupo parcial de personas rebeladas o amotinadas o grupo parcial que favorece a un partido político: *facción.*

— acción de guerra: *facción.*

— cada una de las subdivisiones separadas del rostro humano: *facción.*

— conjunto de las partes o subdivisiones del rostro humano: *facciones.*

faceta 1. Cada uno de los aspectos que se deben considerar de un determinado asunto.

— *Hay que tomar en cuenta todas las facetas de la vida nacional.*

— chiste sin gracia: *facetada.*

— chistoso o que se hace el chistoso: *faceto.*

2. Cada una de las caras de un poliedro pequeño, como el que forman algunas piedras preciosas. ☞ **superficie, lado, matiz.**

— *Ese diamante tiene muchas facetas.*

— superficie que se obtiene al matar las aristas del estilete grabador de un disco: *faceta de pulimento.*

— canto que resulta del desgaste de fragmentos de piedra por la acción de la arena llevada por el viento: *canto de faceta.*

3. Superficie de cada uno de los ocelos que forman los ojos de los artrópodos.

facial Que pertenece al rostro o se relaciona con él. ☞ **cara.**

— aspecto de la cara o aspecto del semblante en cuanto revela alguna enfermedad: *facies.*

— aspecto característico del enfermo que agoniza: *facies hipocrática.*

— intersección de dos rectas que se imaginan en la cara de un hombre y en la de ciertos animales cuyo valor reside en su relación con el desarrollo del cerebro: *índice facial.*

— nervio que anima los músculos cutáneos de la cabeza y el cuello; los de los huesos del oído y algunos del velo paladar: *nervio facial.*

— dolor en los nervios del rostro: *neuralgia facial.*

— rigidez patológica de la cara: *parálisis facial.*

— acción de activar y estimular manual o mecánicamente los músculos de la cara: *masaje facial.*

— conjunto de caracteres derivados de las condiciones en que se formó una roca: *facies.*

— valor inscrito o grabado en alguna moneda, sello o póliza del Estado: *valor facial.*

fácil 1. Que se realiza sin gran esfuerzo o con poco trabajo. ☞ **simple, sencillo, realizable.** ❖ DIFÍCIL, COMPLICADO.

— *Es un vestido fácil de hacer.*

— capacidad que tiene una persona de llevar a cabo algo descansadamente y sin gran esfuerzo: *facilidad.*

— acción y resultado de allanar las dificultades que algo tiene: *facilitación.*

— destreza, aptitud, maña: *facilidad.*

— de manera sencilla: *fácilmente.*

2. Que se deja llevar por las opiniones de otros o que cambia constantemente de opinión.

— mujer que frecuentemente accede a las peticiones amorosas masculinas: *mujer fácil, mujer liviana.*

— prostituta: *mujer de la vida fácil.*

3. Que es viable, posible o probable. ❖ IMPROBABLE.

— *Es fácil que tiemble en México.*

— oportunidad, ocasión propicia: *facilidad.*

— hacer algo posible o simple: *facilitar.*

— arreglo comercial que permite pagar algo en abonos: *facilidades de pago.*

4. Que es dócil o manejable. ❖ DIFÍCIL.

— *La nueva secretaria es de trato fácil.*

facineroso, -sa Malhechor o delincuente habitual. ☞ **bandido, criminal.**

facsímil Imitación o reproducción perfecta de una firma, escrito, dibujo u otro documento. ☞ **réplica, copia.**

— copia de una obra de arte o una edición de libro: *reproducción facsimilar.*

factible Que se puede llevar a cabo o que es posible de realizar. ☞ **realizable, posible, asequible.** ❖ IMPOSIBLE, IRREALIZABLE.

— condición de factible: *factibilidad.*

factor 1. Elemento o aquello que produce un efecto o que contribuye a conseguir cierto resultado. ☞ **agente.**

— *Dios es el supremo factor de todas las cosas, para los creyentes.*

— factor cuya acción depende de la presencia de otro: *factor condicional.*

— capacidad humana que consiste en la facilidad con que un individuo puede cambiar rápidamente de tarea mental: *factor de habilidad.*

— sustancia de la célula que controla el resultado de los caracteres del organismo: *factor determinante.*

— agente causal hereditario que determina características en la descendencia: *factor genético.*

— elemento por el que se distinguen los individuos de una raza o especie: *factor diferencial.*

— cualquiera de los factores necesarios para producir un carácter hereditario: *factor complementario.*

— cada uno de los factores que determinan el equilibrio genético: *factor equilibrado.*

— gen capaz de cumplir la acción de otro: *factor de extensión.*

— factor o gen capaz de producir por sí solo el mismo resultado que el que logran un conjunto de ellos: *factor duplicado.*

— agente infeccioso que determina la masculinidad de las células de las bacterias: *factor sexual, factor de fertilidad.*

— sustancia presente en la sangre de algunos hombres y del macaco Rhesus que ocasiona accidentes al hacer transfusiones y es también causa de abortos: *factor Rhesus.*

— relación entre la densidad de un objeto moldeado y la densidad aparente de la materia utilizada: *factor de compresión.*

2. Cada uno de los números o expresiones algebraicas que se multiplican por otra o forman el planteamiento de una multiplicación. ☞ **coeficiente, cifra, multiplicador.**

— *De la multiplicación de los factores resulta el producto.*

— producto cuyos factores están en progresión aritmética: *factorial.*

— desglose de un número de cifras: *factorización.*

— cantidad por la que debe multiplicarse el resultado de una medición para obtener el verdadero valor de la magnitud que se quiere calcular: *factor de corrección.*

— número de neutrones liberados cuando desaparece un neutrón en el transcurso de una reacción nuclear: *factor de multiplicación.*

3. Mandatario general de un comerciante que se encarga de dirigir un establecimiento mercantil en nombre y a cuenta de otro. ☞ **encargado, gerente, apoderado.**

— *Confiemos en que el factor haga buenos negocios.*

— establecimiento comercial o industrial: *factoría.*

— empleo y oficina del gerente o factor de un establecimiento mercantil: *factoría.*

— técnica de administración financiera en la que un titular transfiere créditos comerciales a un intermediario financiero o factor: *factoring (fáctorin).*

— elementos que intervienen en un proceso productivo: *factores de producción.*

— división de los factores de producción: *tierra, trabajo y capital.*

factótum Persona a la que se le tiene plena confianza, encargada de todas las tareas de una casa, dependencia o negocio. ☞ **representante, servidor, criado.**

factura 1. Nota de venta en la que se detalla el precio de las mercancías y las condiciones de pago. ☞ **cuenta.**

— *Cada factura del auto es de dos millones de pesos.*

— extender los documentos de una venta y detallar en ellos los artículos que se remiten al comprador: *facturar.*

— persona encargada de extender facturas al comprador: *facturador.*

— acción y resultado de facturar: *facturación.*

— sección donde se llevan a cabo el registro de pedidos, la contabilización de las facturas y el conjunto de estas operaciones contables: *facturación.*

— máquina adaptada a los procesos y operaciones de facturación: *facturadora.*

— clasificar y registrar los bultos o el equipaje en las estaciones de ferrocarril o de autobús para que lleguen a su destino: *facturar.*

— factura que se envía a los compradores para que den su conformidad a los términos del contrato: *factura de repaso o factura simulada.*

2. Hechura de algo. ☞ **confección, elaboración, fabricación.**

— *La mala factura de esta tela es evidente.*

facultad 1. Capacidad física o espiritual o aptitud de alguien para realizar algo o resistencia y fuerza de un órgano para funcionar. ☞ **aptitud, habilidad.**

— *Roberto, el campeón, tiene la facultad de correr rapidísimo.*

— que pertenece a la capacidad o aptitud de alguien o se relaciona con ellas: *facultativo.*

— aptitudes físicas para la lidia, tanto del torero como del toro: *facultades.*

— conjunto de funciones síquicas de un individuo: *facultades mentales.*

2. Permiso, licencia, autorización o poder de que disfruta alguien para llevar a cabo determinadas diligencias o autoridad propia de un cargo. ☞ **autorizar, beneplácito, venia.**

— *Los abogados tienen la facultad de defender legalmente a las personas.*

— que pertenece a la facultad o el poder que disfruta alguien para realizar algo o se relaciona con ella: *facultativo.*

— que profesa una ciencia o arte: *facultativo.*

— médico o cirujano: *facultativo.*

— conceder a alguien permiso o poderes: *facultar.*

— derecho que se tiene sobre los bienes: *facultad de disponer.*

— poder o autorización que tienen algunos deudores para cumplir su obligación de forma diferente a la debida: *facultad alternativa.*

3. Cada una de las secciones de una universidad que está autorizada para otorgar el grado de doctor. ☞ **universidad.**

— *Yo egresé de la facultad de medicina.*

facundia Inclinación excesiva a hablar. ☞ **verborrea, verbosidad, locuacidad, labia.**

— que habla excesivamente o tiene mucha labia: *facundo.*

fachada 1. Parte exterior de un edificio por cada uno de los lados que se pueden ver. ☞ **frontis, frontispicio.**

— *¡Qué bonita es la fachada de la catedral!*

— arreglar o redecorar las fachadas de un edificio: *fachear.*

— estar un edificio frente a otro: *hacer fachada.*

— fachada en la que se halla la entrada principal del edificio: *fachada principal.*

— fachada que está decorada con tablones de distintas clases: *fachada compuesta.*

2. Aspecto externo o apariencia de algo o de alguien.

— *Tiene toda la fachada de legalidad ese negocio, pero creo que se trata de algo muy deshonesto.*

— apariencia o aspecto de una persona o cosa: *facha.*

— que viste desaliñadamente: *fachoso.*

— andar muy desarreglado, sucio o con ropa extravagante: *andar en fachas.*

faena 1. Trabajo mental o corporal. ☞ **ocupación, tarea, labor.**

— *Los albañiles realizan duras faenas.*

— quehacer doméstico: *faenas del hogar.*

2. Jugarreta, mala pasada. ☞ **trastada.**

— *La faena que usted me hizo es una canallada.*

— broma pesada: *mala faena.*

3. Actuación de torero. ☞ **suertes.**

— *En la corrida de toros del domingo, los toreros hicieron una buena faena.*

fagocito Célula que existe en todos los seres pluricelulares cuya función es atrapar y digerir elementos extraños, microbios y residuos no asimilados por el organismo, como los leucocitos o glóbulos blancos.

— cubrir una célula a elementos extraños para que sean destruidos: *fagocitar.*

— que pertenece a los fagocitos o se relaciona con ellos: *fagocitario.*

— que es producido por los fagocitos: *fagocitario.*

— proteína que se encuentra en los leucocitos cuya función depuradora está dirigida contra ciertas bacterias: *fagocitina.*

— célula madre del fagocito: *fagocitoblasto.*

— destrucción de los fagocitos por las bacterias: *fagolisis, fagocitolisis.*

— características de algunas células de digerir elementos extraños, lo que determina la protección del organismo contra microbios y bacterias: *fagocitosis.*

— tipos de fagocitosis: *macrofagocitosis, microfagocitosis y ultrafagocitosis.*

— fagocitosis en que se incorporan partículas gruesas como granos de polvo: *macrofagocitosis.*

— la que se ejerce sobre elementos minúsculos como microbios: *microfagocitosis.*

— aquella en que se atrapan partículas del tamaño de las micelas coloidales: *ultrafagocitosis.*

— lo que resulta de la muerte del fagocito al ingerir éste una partícula nociva: *pus.*

— actividad esencial en los procesos de metamorfosis de una mariposa o una rana: *fagocitosis.*

faja 1. Banda o tira alargada de cualquier material flexible con que se rodea y se ciñe una cosa. ☞ **tira, banda, lista.**

— *La faja que se les pone a los recién nacidos es necesaria para sujetar su ombligo.*

— rodear o ceñir algo o una parte de alguien con una banda de tela, papel, o de otro material cualquiera: *fajar.*

— poner a los recién nacidos una banda de tela alrededor del vientre: *fajar.*

— acción y resultado de fajar: *fajadura, fajamiento.*

— banda de papel con que se ciñen los impresos que se envían por correo: *fajilla.*

— tira de lona cubierta de alquitrán que se une para formar los cabos en un barco: *fajadura.*

2. Prenda femenina que sujeta y ciñe la cintura y el torso afinándolos. ☞ **corsé, ajustador.**

— *La faja, aunque estaba muy apretada, no lograba ocultar su gordura.*

— que está ceñido con una tira de tela: *fajado.*

— que tiene alrededor del cuerpo una franja de color distinto al predominante, tratándose de animales: *fajado.*

3. Tira de tela o banda de diferentes colores que representa cargos militares, civiles o eclesiásticos.

— *Los oficiales militares de México no usan fajas.*

— protección de los buques acorazados: *faja blindada.*

— refuerzo de lona que se cose a una vela en los lugares en que más se desgasta: *faja de vela.*

— clases de fajas de vela: *faja de caída, faja de pie, faja del medio.*

— madero o tablón que en una mina sirve para hacer el piso o para armar los pozos: *fajado.*

4. Terreno más largo que ancho. ☞ **sector, área.**

— *Este terreno tiene una faja sembrada y otra no.*

— hacerle frente a alguien golpeándolo o enfrentar directamente un problema o situación difícil: *fajarse.*

— acometida o embestida: *fajada.*

— boxeador que resiste muy bien los golpes: *fajador.*

— que es de probada rectitud y valiente: *bien fajado.*

— iniciar y realizar con gran entusiamo un trabajo arduo: *fajarse.*

— tomar el mando de una situación con decisión y firmeza: *fajarse los pantalones.*

— seducir con caricias o tener juegos eróticos con alguien: *fajar.*

fajo Manojo, haz o atado de algún conjunto de cosas. ☞ **fajina.**

— atado, mazo o conjunto de haces: *fajuna.*

— paquete de dinero: *fajo de billetes.*

falacia Engaño, fraude con el que se trata de sorprender a otro o razonamiento falso con el que se quiere demostrar algo. ☞ **mentira, argucia, falaz.** ❖ VERDAD.

— mentiroso, engañador o falso: *falaz.*

— que atrae con falsas apariencias, que es ilusorio o fingido: *falaz.*

falange 1. Formación militar numerosa o de armamento pesado, organización paramilitar o conjunto numeroso y organizado de personas con un mismo objetivo. ☞ **legión, tropa.**

— *El ejército se organizaba en falanges para resistir los ataques más violentos.*

— partido político fundado en 1933 por José Antonio Primo de Rivera: *Falange Española.*

— doctrina o tendencia política, similar al nazismo y fascismo, de la Falange Española: *falangismo.*

— que pertenece al falangismo, se relaciona con él o que es partidario de esta doctrina política: *falangista.*

2. Cada uno de los huesos de los dedos de las manos y pies.

— *Cada dedo tiene tres falanges excepto los pulgares, que tienen dos.*

— que pertenece a la falange o se relaciona con ella: *falangiano.*

— hueso de los dedos más cercano a la mano o al pie: *primera falange, falange proximal.*

— hueso siguiente a la primera falange: *falangina, segunda falange, falange media.*

— hueso siguiente a la segunda falange: *falangeta, tercera falange, falange distal.*

— inflamación de las falanges: *falangitis.*

— operación quirúrgica de la mano que consiste en separar la unión excesiva de los dedos: *falangización.*

falciforme Que tiene forma de hoz. ☞ **curvo.**

— ligamento que sostiene al hígado: *ligamento falciforme.*

— que tienen forma de hoz, tratándose de plantas con hojas así: *falcifoliadas.*

— cuchillo curvo para la vendimia: *falceño.*

— que tiene el pico curvo, tratándose de aves: *falcirrostro.*

falda 1. Parte del vestido o prenda de vestir que va desde la cintura y puede llegar hasta los pies.

— *Siempre anda vestida con blusas y faldas o pantalones.*

— que pertenece a la falda o se relaciona con ella: *faldero.*

— persona que confecciona faldas: *faldero.*

— que es muy aficionado a estar entre las mujeres: *faldero.*

— perro pequeño que generalmente se pone en las faldas de las mujeres: *perro faldero.*

— tener una actitud servil: *estar como perro faldero.*

— parte baja de las camisas que se mete entre el pantalón y el cuerpo: *faldón.*

— partes de ciertos trajes que cuelgan de la cintura: *faldillas.*

— que tiene mucha falda: *faldudo.*

— ropa que cuelga exageradamente por el suelo: *faldulario, faldumenta, fandulario.*

— falda muy corta que deja ver hasta medio muslo: *minifalda.*

— falda corta: *faldellín.*

— falda que es larga y cae suelta desde la cintura: *faldón, faldamenta, faldamento.*

— bolsa que antiguamente iba unida a las faldas: *faldriquera, faltriquera.*

— mujer o mujeres: *faldas.*

— asuntos amorosos: *líos de faldas.*

— que está muy apegado a su madre o a las mujeres de su familia, tratándose de un niño: *pegado a las faldas.*

— falda que tiene pliegues: *falda tableada, falda de tablones o falda plisada.*

— parte de la armadura que colgaba desde la cintura: *faldar.*

— lienzo que cubre el decorado que desèa ocultarse en una obra teatral: *faldeta.*

— trozo de cuero que en las sillas de montar sirve para evitar que la pierna del jinete roce con la del caballo: *faldón.*

— apéndice telar de una falda: *cola.*

— adorno rizado de las faldas: *holán.*

— prenda femenina que se pone bajo la falda y sirve para que no se transparenten las formas: *fondo, medio fondo, enagua, combinación.*

— prenda ahuecada que se lleva debajo de las faldas para abombarlas: *crinolina, miriñaque.*

2. Parte baja de las montañas.

— *Caminaron por las faldas de la sierra durante varios días.*

— caminar por el pie de una montaña: *faldear.*

— vertiente triangular de un tejado: *faldón.*

— embocadura de la chimenea: *faldón.*

— piedra del molino que se añade a otra para aumentar el peso: *faldón.*

— superficie lateral del pistón: *falda del pistón.*

3. Corte de carne que proviene del abdomen de la res.

— *Compró un kilo de falda para hacer salpicón.*

falible 1. Que puede engañarse o equivocarse. ☞ **erróneo.** ❖ INFALIBLE.

— *La ciencia, aún con todos los adelantos técnicos de hoy, es falible.*

— riesgo de incurrir en error: *falibilidad.*

2. Que puede fallar o puede ser defectuoso. ❖ INFALIBLE.

— *Esas piezas del motor son falibles, por eso tengan cuidado al encenderlo.*

fálico, -ca Que pertenece al pene o falo, o se relaciona con él.

— miembro viril: *falo, pene.*

— antiguo culto a los órganos sexuales masculinos, como símbolo de potencia y actividad creadora: *falismo.*

— figuración o representación antigua del órgano viril como símbolo mágico o religioso: *amuleto fálico, danza fálica, vaso fálico, dibujo fálico.*

falsear 1. Deformar la esencia de una cosa hasta que no concuerde ya con la verdad o exactitud. ☞ **adulterar, corromper, contrahacer, falsificar.**

— *No falseen los datos históricos.*

— acción y resultado de hacer disconforme una cosa con la verdad o realidad: *falseamiento.*

— falta de autenticidad de algo: *falsedad, falsía.*

— disconformidad entre las palabras o ideas y las cosas: *falsedad.*

— que falsea algo: *falseador, falsario.*

— que no es verdadero y no corresponde a la verdad ni a la realidad: *falso.*

— que es aparente o simulado: *falso.*

— que no es sincero, que es embustero o mentiroso: *falso, falsario.*

— con malas mañas, tratándose de ganado equino: *falso.*

— que es inadecuado, que no logra su objetivo: *en falso.*

— descubrir la mentira de otro: *cogerlo en falso.*

— delito que consiste en declarar faltando a la verdad intencionalmente: *falso testimonio.*

— violación de las leyes heráldicas: *armas falsas.*

— cetáceo cuyas características lo sitúan entre los globicéfalos y las verdaderas orcas: *falsa orca.*

— cetáceo que difiere de los verdaderos delfines en algunas características de los huesos del cráneo: *falso delfín.*

— método matemático para determinar las raíces de una ecuación: *regla de falsa posición.*

— variedad color violeta de la fluorita: *falsa amatista.*

— jaspe verde: *falsa malaquita.*

— mica amarilla: *falso oro.*

— variedad amarilla de cuarzo: *falso topacio.*

— refuerzo de tela en la parte interior de una prenda de vestir: *falso.*

— acometer una suerte de toreo sin terminarla: *entrar en falso.*

— que pretende pasar por lo que no es o finge algo que no siente: *farsante.*

— fingimiento o condición del farsante: *farsantería.*

2. Hacer una cosa pierda su resistencia y firmeza. ☞ **flaquear, flojear o ceder.** ❖ RESISTIR.

— *Cuidado con falsearse los pies al pasar el río por las piedras.*

— que no tiene resistencia ni está firme o seguro: *falso.*

3. Desviar ligeramente un corte cualquiera de la perpendicular, en arquitectura.

— *Cuidado con falsear la escalera.*

— acción y resultado de falsear en arquitectura: *falseo.*

4. Desafinar la cuerda de un instrumento musical.

— *Dos cuerdas de esa guitarra falsean.*

— cuerda desafinada de un instrumento musical: *cuerda falsa.*

— nota musical afinada que se emite a destiempo: *nota falsa.*

— sucesión de dos notas situadas a distancia de un semitono, en voces diferentes: *falsa relación.*

— relación entre dos cuerdas que, al intervalo de un tono, producen la relación existente entre el sostenido de la inferior y el bemol de la superior: *falsa relación enarmónica.*

— relación de si a fa, en el encadenamiento del acorde de subordinante y dominante: *falsa relación de trítono.*

5. Hacer una jugada mal calculada o hacer trampa en ciertos juegos de baraja.

— *No vale falsear en el juego del tresillo.*

falsete 1. Voz más aguda que la natural o normal que se logra haciendo vibrar las cuerdas superiores de la faringe. ☞ **voz de registro alto, voz aguda.**

— *Voz de cabeza es el nombre vulgar del falsete.*

— frase melódica que el guitarrista intercala entre copla y copla de una canción: *falseta.*

2. Tapón que se pone a un barril en lugar de la espita.

— *Para que deje de salir el vino de esta cuba, voy a ponerle un falsete.*

3. Pequeña puerta delgada de una sola hoja.

— *Este falsete da a otra habitación.*

falsificar 1. Reproducir o copiar un documento, una firma, una moneda o una obra de arte con la intención de hacerlos pasar por originales. ☞ **falsear.**

— *Es muy difícil falsificar un Van Gogh.*

— acción y resultado de falsificar algo: *falsificación.*

— que falsifica algo: *falseado, falsario.*

— que no es legítimo ni auténtico, que es imitación: *falso, falseado.*

— que suple a otra, tratándose de cosas, en una construcción o edificación: *falso.*

— copiar una obra ajena y hacerla pasar como propia: *plagiar.*

— que se dedica a falsificar documentos de cualquier tipo con fines lucrativos o políticos: *falseador, falsario, timador, estafador, defraudador, transgresor, malversador, infractor, imitador, simulador, corruptor.*

2. Alterar la forma real de alguna cosa. ☞ **falsear.**

— *Es inútil querer falsificar la verdad de lo que dijo.*

faltar 1. No haber algo que se requiere o se necesita, carecer de ello. ☞ **necesitar, escasez.** ❖ SOBRAR, TENER.

— *Cuando no hay dinero falta todo en una casa.*

— que está necesitado o privado de algo: *falto de.*

— que falta: *faltante.*

— privación o ausencia de lo necesario o útil: *falta.*

— en vez de: *a falta de.*

— expresión que indica que en ausencia de una cosa mejor, hay que conformarse con lo que se tiene: *a falta de pan, tortillas.*

— precisar de una persona o cosa, ser necesaria: *hacer falta.*

— no ser necesario: *no hacer ninguna falta.*

— estar justa una cosa: *no faltar ni sobrar nada.*

— relatar algo en forma exacta y completa: *sin faltar puntos ni comas.*

— morir: *faltarle a alguien.*

— expresión que indica el colmo de una cosa: *¡lo que nos faltaba!, ¡sólo eso nos faltaba!.*

2. No tener una cosa lo que se espera que tuviese o lo que debiera tener. ☞ **fallar, inexistencia.** ❖ EXISTENCIA.

— *Le faltan los botones a esa falda.*

— desamor: *falta de cariño.*

— lo que resta perfección a una cosa: *falta.*

— mezquino, insensible, apocado: *falto*.

— sin juicio: *faltoso*.

— que no está en su lugar: *faltante*.

3. No cumplir alguien con sus obligaciones, agraviar a otro. ☞ **herir, ofender.**

— *No debes faltarle a tus padres el respeto que les debes.*

— infracción, pecado, delito o acción de alguien en contra de lo justo o debido: *falta*.

— defecto del peso de una moneda: *falta*.

— equivocación: *falta de tino*.

— no cumplir con lo que se debe: *caer en falta*.

— mentir: *faltar a la verdad*.

— carencia de principios morales y sociales: *falta de educación*.

— con plena seguridad y puntualidad: *sin falta*.

— no cumplir lo prometido: *faltar a la palabra dada*.

— ser infiel al esposo o esposa: *faltarle*.

— expresión que se usa para rechazar lo que se considera impropio o inadmisible: *¡no faltaba más!*

4. No llegar o no asistir a donde debe de ir alguien o a donde se le espera, estar ausente.

— *Falta mucho a clases, si sigue así va a reprobar.*

— ausencia de una persona en el lugar en que debe estar y anotación de esta ausencia: *falta*.

— apuntar en una lista la ausencia de un alumno: *ponerle falta*.

— que con frecuencia no llega a clases, tratándose de alumnos o maestros: *faltista*.

— que no suele aparecerse a donde debiera ir o en donde debiera estar: *faltante, faltón*.

— notar la ausencia de alguien o de algo: *echarlo en falta*.

5. Quedar una cosa sin hacer o un tiempo por transcurrir, estar por suceder algo.

— *Falta muy poco para Navidad.*

— expresión que indica disposición inmediata a hacer algo: *no faltaba más ni sobraba menos*.

— suerte de la ruleta que comprende los números del 1 al 18: *falta*.

falúa Embarcación pequeña movida por remo, vela o motor, que tiene una cabina. ☞ **falucho, lancha.**

falucho Embarcación con una vela latina que navega por las costas. ☞ **falúa, balandro.**

fallar 1. Dejar una cosa de funcionar bien o romperse, no dar el resultado correcto o esperado. ❖ SERVIR.

— *Me están fallando las fuerzas, pero espero que no me falle el corazón.*

— defecto o falta de algo en su funcionamiento o composición: *falla*.

— fractura de la corteza terrestre: *falla, falla geológica*.

— que se corta según las grietas que tiene, tratándose de partes de la corteza terrestre: *fallado*.

— falla geológica muy grande que se ramifica en otras pequeñas: *falla compleja*.

— talud que se forma a partir de una falla: *escarpe de falla*.

— límite que separa la región de terreno hendida de la levantada: *plano de falla*.

— desnivel de la fisura: *salto de falla*.

— tipos de fallas geológicas: *falla vertical* y *falla oblicua*.

2. Equivocarse al emitir algo o en un juicio, hacer algo que resulta falso. ☞ **errar.** ❖ TENER ÉXITO.

— *No debo fallar en esta competencia de ingenio.*

— equivocación que alguien comete al decir o hacer algo: *falla*.

— malogrado, fracasado o frustrado: *fallido*.

— que no es posible cobrar o recuperar, tratándose de dinero o de un crédito: *fallido*.

— exteriorización involuntaria e inconsciente de un deseo: *acto fallido*.

3. Dejar una persona de cumplir con sus obligaciones o responsabilidades. ❖ CUMPLIR.

— *Le falló a su familia cuando comenzó a viajar.*

— falta o defecto de alguien en sus responsabilidades: *falla*.

4. Decidir un litigio dictaminando la sentencia. ☞ **juzgar, condenar, resolver.**

— *El juez deberá fallar tu inocencia por falta de pruebas acusatorias.*

— sentencia del juez, tribunal o árbitro: *fallo*.

— acción y resultado de desahuciar un médico al enfermo: *fallo*.

fallecer 1. Morir, perecer o fenecer. ☞ **expirar, sucumbir.**

— *Fallecieron seis deportistas en un accidente.*

— muerto o extinto: *fallecido*.

— acción de fallecer: *fallecimiento*.

— defunción, óbito, muerte; *fallecimiento*.

2. Faltar una cosa o terminarse.

— *Estaba tan fatigado que las fuerzas de sus piernas fallecían.*

falluca Mercadería extranjera ilegalmente introducida a un país. ☞ **contrabando.**

— comerciante de objetos ilegales: *falluquero*.

— comprar y vender contrabando: *falluquear*.

— que se compra o vende sin haberse autorizado su importación, tratándose de mercancías: *de falluca*.

fama Prestigio, renombre, opinión muy extendida que se tiene de una cosa o persona. ☞ **reputación.** ❖ OSCURIDAD, ANONIMATO.

— que es muy conocido: *famoso, afamado*.

— gozar de cierta reputación o ser conocido por muchas personas: *tener fama*.

— lograr éxito en lo que se emprende: *tener fama y fortuna*.

— acreditar a alguien dándolo a conocer: *darle fama*.

— opinión generalizada o reputación de que se es de determinada manera: *fama de*.

— de conducta inmoral: *de mala fama*.

— expresión que indica que una vez que se ha conseguido reputación de algo, es muy difícil cambiarla: *cría fama y échate a dormir*.

— expresión que indica que los que se esfuerzan no obtienen el beneficio que sí consiguen los que alardean de ese esfuerzo y no hacen nada más que lograr fama: *unos cobran la fama y otros cardan la lana*.

— frase latina que significa que las noticias se esparcen rápidamente: *fama volat*.

familia. 1. Conjunto de personas emparentadas entre sí por consanguinidad, afinidad o adopción. ☞ **estirpe.**

— *El libro Cien años de soledad trata la vida de la familia Buendía.*

— que pertenece a la familia o se relaciona con ella: *familiar*.

— que es sencillo, natural y sin protocolo: *familiar*.

— pariente de cualquier clase: *familiar*.

— persona a quien se le tiene gran confianza: *familiar*.

— que es muy conocido: *familiar*.

— con franqueza y compañerismo: *con familiaridad*.

— acostumbrarse a ciertas cosas o aclimatarse a un medio que no es el propio: *familiarizarse*.

— hacer común o conocida para alguien alguna cosa: *familiarizarse*.

— familia muy numerosa o muy grande: *familión*.

— grupo formado por la familia base y los allegados a ella por casamiento: *familia extendida.*

— unión por parentesco natural y biológico de personas que provienen de una misma raíz: *consanguinidad.*

— persona que está emparentada con otra por tener los mismos antepasados: *consanguíneo.*

— generaciones que componen la ascendencia de una persona: *tatarabuelo, tataradeudo, bisabuelo, abuelo paterno, abuelo materno, padre, madre.*

— descendencia de una persona: *hijo, hija, nieto, biznieto, tataranieto, rebisnieto, chozno o cuarto nieto, bichozno o quinto nieto.*

— personas que son el principio de cualquier familia: *padre, madre.*

— respecto de una persona, hijo de los mismos padres: *hermano.*

— respecto de una persona, hijo de un hermano o hermana de cualquiera de los padres: *primo, prima.*

— hermano de cualquiera de los padres de un niño: *tío, tía.*

— con respecto de una persona, el hijo de su hermano: *sobrino.*

— parentesco que mediante el matrimonio se forma entre cada uno de los cónyuges y los parientes consanguíneos del otro: *parentesco de afinidad.*

— pariente por afinidad, que no tiene relación de consanguinidad: *familiar político o pariente político.*

— parientes políticos: *suegro, yerno, nuera, cuñado, concuño, padrastro, madrastra, hijastro, abuelastro, compadre, comadre, padrino, madrina, ahijado.*

— tomar legalmente como hijo propio a un menor: *adoptar.*

— hijo que una pareja acoge sin ser de su sangre: *hijo adoptivo.*

— cada una de las generaciones que determinan el parentesco entre las personas: *grado.*

— parentesco colateral: *hermanos, tíos, primos.*

— padecimiento en el que la herencia tiene un papel determinante: *enfermedad familiar.*

2. Grupo de personas que conviven en la misma casa y que generalmente está integrado por el padre, la madre y los hijos.

— *La familia pequeña vive mejor.*

— padre: *cabeza de familia.*

— padre o madre: *jefe de familia.*

— persona que aún depende de los padres: *hijo de familia.*

— ser excesivamente apegado a la familia y en especial a la madre: *tener mamitis.*

— tener muchos hijos: *estar cargado de familia.*

— carecer de descendencia: *no tener familia.*

— número de hijos demográficamente hablando: *tamaño familiar.*

— volumen de un producto comercial mayor que los demás: *tamaño familiar.*

— determinaciones tomadas para regular la natalidad: *planificación familiar.*

— en la intimidad: *en familia.*

— familia integrada por un hombre y una mujer: *familia monógama.*

— familia integrada por un solo hombre y varias mujeres: *familia polígama.*

— familia integrada por una sola mujer y varios hombres: *familia poliándrica.*

— la Virgen, Jesús Niño y San José: *la Sagrada Familia.*

3. Linaje, estirpe, casta o raza.

— *La familia borbónica lleva reinando en España varios siglos, a pesar de algunas interrupciones.*

— de linaje honorable: *de buena familia.*

— provenir de un clan cuyo linaje es noble: *ser de buena familia.*

— documento en el que se consigna a las personas que forman un clan: *libro de familia.*

— serie de parientes de un individuo y escrito que lo consigna: *genealogía, árbol genealógico.*

— cabeza principal de una familia: *genearca.*

— arte de explicar el linaje de una familia: *heráldica.*

— tipos de organización de familias: *familia patriarcal, familia instable, familia troncal, familia matriarcal.*

— estrato social burgués que en Francia, durante la III República, ocupaba muchos de los puestos administrativos, financieros y comerciales: *las doscientas familias.*

— conjunto de esclavos del servicio público en la Roma antigua: *familia pública.*

4. Conjunto de cosas o personas que tienen varias propiedades o características comunes.

— *Las palabras se pueden asociar por familias.*

— conjunto de idiomas procedentes de otro común a cada uno de ellos: *familia de lenguas.*

— palabras que proceden de la misma raíz: *familia de palabras.*

— operaciones de gramática genera-

tiva y transformacional que permiten realizar el cambio estructural que requiere una transformación: *familia de transformaciones.*

— conjunto de tres ciclones o más que provienen de una misma perturbación atmosférica: *familia de ciclones.*

— conjunto de piezas de cerámica cuyos colores son el azul, rojo de óxido de hierro, oro mate, oro rojo: *familia crisantemofenicia.*

— conjunto de piezas de cerámica de color rosa carmín: *familia de China, Japón e Irán.*

— conjunto de piezas de cerámica de color verde: *familia de China.*

5. Conjunto de personas que forman el cuerpo de una orden religiosa.

— *La familia de las carmelitas descalzas se originó en el siglo XVI.*

— eclesiástico dependiente de un obispo: *familiar.*

— el que toma los hábitos de una orden religiosa: *familiar.*

— representante de la Inquisición: *familiar.*

— empleo del ministro de la Inquisición: *familiatura.*

6. Forma de clasificación o categoría de las plantas y animales.

— *La violeta es una planta de la familia de las violáceas.*

fámulo, -la Sirviente doméstico o de una escuela. ☞ **servidor.**

fan Seguidor entusiasta de una moda, una persona o una corriente artística de cualquier clase. ☞ **simpatizante.** ❖ DETRACTOR.

— admiradores de algo o alguien: *fans.*

fanal 1. Luz que se emplea a bordo de un barco.

— *En un barco el fanal de luz verde se coloca a estribor.*

— determinar un barco su situación por medio de luces: *abalizar.*

— luces que indican la situación de un barco: *fanales de posición.*

— los que un tren lleva al frente y a los costados: *fanales de locomotora.*

2. Campana de cristal transparente que resguarda la luz.

— *Este fanal, bien pulido, proyectará mejor el resplandor de la luz.*

3. Foco de luz muy potente que se coloca en los lugares que requieren de gran iluminación como puertos, fábricas o patios. ☞ **linterna, lámpara, faro.**

— *Ese fanal prendido da mucho calor.*

fanático, -ca Que defiende apasionadamente una postura ideológica u opinión cualquiera. ☞ **exaltado, intolerante.** ❖ EQUILIBRADO, FRÍO.

— apasionamiento o apoyo desmedido de una causa, creencia u opinión: *fanatismo.*

— producir furor por algún movimiento ideológico o determinar el fanatismo: *fanatizar.*

— que fanatiza o provoca el fanatismo: *fanatizador.*

— con fanatismo: *fanáticamente.*

fandango 1. Baile español muy alegre que se danza en pareja y se acompaña con guitarras, castañuelas, violín y platillos. ☞ **danza, fiesta.**

— *Cuando cumplas quince años organizaremos un gran fandango.*

— que es aficionado a bailar fandango: *fandanguero.*

— fandango que proviene de la provincia de Huelva, España: *fandanguillo.*

— tipos de fandangos: *malagueños, levantinos, onubenses y de creación personal.*

— algunos fandangos: *La Rondeña, La Jabera, Los Verdiales, Las Bandolas.*

2. Bullicio, alboroto o desorden. ☞ **relajo.**

— *No pude dormir porque los vecinos tuvieron fandango anoche.*

— que anda de fiesta en fiesta: *fandanguero.*

3. Situación complicada, llena de líos o que supone muchas molestias.

— *Estamos en el fandango de la entrada a clases: que libros y cuadernos, que el uniforme, que material para taller...*

fanega Medida agraria de capacidad distinta que varía según la región en que se usa y cantidad medida.

— porción de tierra equivalente a una fanega: *fanegada.*

— con abundancia: *a fanegadas.*

— terreno que sobrepasa las tres hectáreas: *fanega legal, fanega de tierra.*

fanerógama Planta cuyos órganos reproductores, en forma de flor, se aprecian a simple vista. ❖ CRIPTÓGAMA.

fanfarronear Hablar haciendo ostentación exagerada de lo que se es o de lo que se posee. ☞ **presumir, jactarse, exagerar, fanfarria, farolón.**

— que presume exagerada y ostentosamente de alguna cualidad o de lo que hace: *fanfarrón.*

— acción o dicho propio del fanfarrón, presunción, bravata o petulancia: *fanfarronada.*

— modo de comportarse o condición

del que es engreído, presumido o fanfarrón: *fanfarronería.*

— presunción, petulancia o jactancia: *fanfarria.*

— banda militar de música: *fanfarria.*

— hablar o hacer ostentación exagerada de alguna cualidad o hecho, fanfarronear: *fanfarrear.*

— con fanfarronería o petulancia: *fanfarronamente.*

— actitud o conducta propia de los fanfarrones: *fanfarronesca.*

fango 1. Mezcla de tierra y agua. ☞ **lodo, cieno.**

— *Me ensucié los zapatos con el fango del camino.*

— que está lleno o cubierto de fango: *fangoso.*

— que es parecido o semejante al fango: *fangoso.*

— calidad o condición de fangoso: *fangosidad.*

— lugar cubierto de fango: *fangal, fangar.*

— sitio cubierto de lodo, fango o barro: *barrizal, lodazal, fangal.*

— meter algo en el fango o cubrir algo con fango: *enfangar.*

— llenarse o cubrirse algo con fango: *enfangarse.*

— que se ha ensuciado con lodo o fango: *enfangado.*

— borbollón de fango que generalmente contiene dióxido de aluminio: *fuente fangosa.*

— barro curativo hecho con aguas termales: *fango terapéutico.*

— lodo muy blando: *fango suelto.*

— lodo que se forma en el lecho de los ríos, lagunas o lugares de poca profundidad: *cieno.*

— sitio lodoso al lado de los ríos o lagunas: *estero.*

2. Degradación moral de alguien. ☞ **deshonra.**

— *Un asesino se revuelca en el fango de la infamia y el deshonor.*

— meterse en actividades inmorales o deshonestas: *enfangarse.*

— entregarse desmedidamente a los placeres sexuales: *enfangarse.*

— cubrir algo con légamo: *enlodar, empantanar.*

— untar lodo: *embadurnar.*

— pervertir o enviciar a alguien: *enlodarlo.*

fantasear 1. Echar a volar la imaginación o concebir algo fantástico o quimérico. ☞ **divagar, inventar, soñar despierto.**

— *Desde que está en la adolescencia se la pasa fantaseando y cantando.*

— imaginación creadora o aspecto creador de la imaginación: *fantasía.*

— alucinación, ensoñación o producto de la imaginación que no tiene fundamento en la realidad: *fantasía.*

— imagen mental que no es perceptible sensorialmente: *fantasía.*

— facultad mental que permite representarse hechos o cosas que no existen: *fantasía.*

— que pertenece a la fantasía o se relaciona con ella: *fantástico.*

— asombroso, maravilloso: *fantástico.*

— que es aparente, legendario, irreal, incierto o ficticio: *fantástico.*

— relato fantástico, novela o cuento: *fantasía.*

— relatos o poemas en los que aparecen elementos de ficción: *literatura fantástica.*

— espejismo o ilusión de los sentidos: *fantasmagoría.*

— composición musical que sugiere la libertad de su improvisación por su forma libre: *fantasía.*

— adorno que se aplica a una cosa con el único fin de embellecerla: *fantasía.*

— que imita piedras preciosas o joyas auténticas: *de fantasía.*

— que no es común ni corriente o general, que es producto de la imaginación: *de fantasía.*

— hebra de una tela cuyo aspecto es distinto de las demás: *hilo de fantasía.*

— caracteres de imprenta diferentes de la itálica y de la redonda usados principalmente en el siglo XIX: *caracteres de fantasía.*

— modalidad del juego de billar que incluye sesenta y cuatro figuras impuestas: *fantasía clásica.*

— que fantasea mucho: *fantasioso.*

2. Alabarse, presumir o vanagloriarse de algo.

— *Ese amigo tuyo fantasea de inteligente y millonario.*

— presunción, jactancia: *fantasía.*

— que es presumido, vanidoso o presuntuoso: *fantasioso, fantástico, fantasmón.*

— persona presuntuosa u ostentosa: *fantasma.*

fantasma 1. Visión, aparición o imagen de algo o de alguien, generalmente de una persona muerta que se aparece supuestamente a ciertas personas para asustarlas. ☞ **aparición, espectro.**

— *Esas personas creen que los fantasmas de los difuntos se les aparecen para recordarles sus malas acciones.*

— que pertenece al fantasma o se relaciona con él: *fantasmal.*

— alucinación de los sentidos o figuración imaginaria: *fantasmago-ría*.

— que pertenece a la fantasmagoría o se relaciona con ella: *fantasmagórico*.

— imagen irreal que forja la mente: *fantasía*.

— espíritu que se cree habita en las casas posesionándose de ellas y asustando a quien viva ahí: *fantasma, duende, duendecillo*.

— fantasma grande o persona que se disfraza de espectro para asustar a otros: *fantasmón*.

— pueblo sin habitantes y abandonado: *pueblo fantasma*.

— voz que no existe lingüísticamente y se debe sólo a un error de transcripción: *palabra fantasma*.

— creencia de estar preñada una madre cuando esto no es verdad: *embarazo fantasma, embarazo histérico o embarazo nervioso*.

— sensación de que aún se tiene una parte del cuerpo que ha sido amputada: *miembro fantasma*.

— andar deprimido y sin ilusión de nada: *andar como un fantasma*.

— fantasma que causa horror: *espectro*.

— fantasma de figura sobrecogedora que inspira pavor: *espantajo*.

— criatura deforme o fantasma que proviene del infierno: *engendro*.

— aparecido o fantasma completamente vendado: *momia*.

— aparición de los huesos o fantasma calavérico del que se supone fue en vida un ser humano: *calaca, calavera*.

— figura fantástica con la que se asusta a los niños: *coco, papón*.

— fantasma que se aparece a los vivos para pedirles que recen por su salvación: *ánima en pena, ánima del purgatorio*.

— ser fantástico o fantasma que se cree se aparece a los hombres para concederles deseos: *genio*.

— espíritu de la tierra que se representa como un enano: *gnomo, nomo*.

— procesión fantasmal que se aparece por las noches horrorizando a quien la ve: *estantigua*.

2. Cada una de las señales luminosas que se colocan en las partes peligrosas de las carreteras para prevenir a los automovilistas.

— *Lo deslumbraron las luces de los automóviles que venían en el carril contrario y fue a estrellarse contra los fantasmas*.

— circuito telefónico suplementario compuesto de partes de conductores en paralelo para los circuitos de ida y vuelta: *circuito fantasma*.

3. Defecto de una imagen televisiva que se percibe doble y borrosa.

— *Hay que llamar al técnico porque las imágenes aparecen con fantasmas en todos los canales de la televisión*.

— arte de forjar figuras mediante ilusiones ópticas: *fantasmagoría*.

fantoche 1. Títere o marioneta con la que se divierten los niños. ☞ **pelele, muñeco**.

— *El teatro de títeres o fantoches es muy antiguo*.

— títere que se mueve con hilos: *guiñol*.

2. Persona de apariencia grotesca o ridícula.

— *Su marido es un fantoche, tiene sesenta años y viste como si fuera un muchachito*.

3. Individuo fanfarrón y ostentoso. ☞ **fatuo**.

— *Nadie te cree porque saben que eres un fantoche*.

— acción o dicho característico de un fantoche: *fantochada*.

faquir o fakir Santón musulmán o indio que vive en continua penitencia y se sostiene de limosnas. ☞ **asceta, penitente**.

— conjunto de actos aparentemente extraordinarios que realizan los faquires y se atribuyen a poderes sobrenaturales: *faquirismo*.

— actos de faquirismo: *catalepsia, inmovilidad, insensibilidad, invulnerabilidad, supresión de los movimientos vitales, control de la materia*.

— asceta brahamánico: *sadhu, yogín o yogui*.

— conjunto de disciplinas y técnicas ascéticas de la India encaminadas al dominio del cuerpo y del espíritu: *yoga*.

— estar muy delgado: *parecer faquir*.

faralá 1. Holán ancho que adorna los tidos, cortinas o tapetes.

— *El traje típico de las mujeres andaluzas va adornado con faralás*.

2. Adorno excesivo, de mal gusto o vulgar

— *Dice que es marquesa y siempre se arregla con faralás. ¡Qué ridícula!*

farallón 1. Parte sobresaliente de una masa de rocas o relieves escarpados en una superficie de terreno.

— *Había muchos farallones en lo que ahora es la colonia del Pedregal*.

2. Roca muy grande, alta y tajada que sobresale en el mar o en la playa. ☞ **peñasco, despeñadero, acantilado**.

— conjunto de farallones: *farallonal*.

faramalla Dicho o hecho mentiroso y afectado, o lo que tiene apariencia muy vistosa y no es valioso en realidad.

— hablador, presumido o fatuo: *faramallero, faramallón*.

— faramallón: *faramallero*.

farándula Trabajo, arte o profesión de los cómicos, farsantes o gente del teatro.

— que pertenece a la farándula o se relaciona con ella: *farandúlico*.

— individuo cuyo oficio es divertir al público: *farandulero*.

— que es falso e hipócrita: *farandulero*.

— ambiente teatral: *mundo de la farándula*.

— ser artista: *andar en la farándula*.

faraón Soberano egipcio anterior a la conquista persa.

— que pertenece a los antiguos soberanos egipcios o se relaciona con ellos: *faraónico*.

— que es fastuoso o grandioso: *faraónico*.

faraute 1. Mensajero, heraldo.

— *Te hacían llegar los comunicados con el faraute*.

2. Actor cuyo oficio consistía en recitar el prólogo o loa en las comedias.

— *Es necesario tener una buena dicción para decir la parte del faraute*.

fardo Bulto muy grande y bien apretado. ☞ **costal, saco, farda**.

— bulto de ropa, lío: *farda*.

— saco o bulto que llevaban los pastores y peregrinos: *fardel*.

— conjunto de fardos: *fardería*.

— corte que se hace en un madero para encajarle otro, en carpintería: *farda*.

— individuo desaliñado: *fardel*.

— impuesto que pagaban moros y judíos en los reinos cristianos: *farda*.

— empaquetar bultos: *embalar*.

— materiales que sirven para empaquetar: *papel, cartón, cuerdas, cajas*.

— *Tengo que lavar esta farda de trapos*.

fárfara 1. Planta medicinal herbácea de hojas grandes y coloridas que tiene flores amarillas, usada como pectoral.

— *Es muy saludable tomar té de fárfara*.

2. Tela muy delgada y transparente o membrana que tienen los huevos por dentro.

— *La fárfara de los huevos contiene aire para que respire el polluelo*.

— huevo sin cascarón: *huevo en fárfara*.

— a medio acabar: *en fárfara*.

farfullar Hablar o hacer algo rápida y atropelladamente.

— que hace algo o habla atropellada y confusamente: *farfullador, farfullero*.

— modo de hablar confuso y, a veces, ininteligible: *farfulla.*

fargallón, -na Que es desordenado o que hace las cosas rápida y atropelladamente. ☞ **sucio, chapucero, chambón.**

farináceo, -cea Que es propio o característico de la harina, que tiene aspecto de la harina o la contiene. ☞ **feculento.**

— polvo de trigo o grano de trigo molido: *harina.*

faringe Parte superior del esófago situada detrás de las fosas nasales y la cavidad bucal, que va desde la base del cráneo hasta el inicio de la laringe. ☞ **garganta, fauces.**

— que pertenece a la faringe o se relaciona con ella: *faríngeo.*

— inflamación de la faringe: *faringitis.*

— parte de la faringe que está por detrás de las fosas nasales: *rinofaringe.*

— consonante cuya articulación se produce al contacto de la raíz de la lengua con la pared de la faringe: *consonante faríngea.*

— parte de la faringe que está en el fondo de la cavidad bucal: *orofaringe.*

— parte situada por debajo de la cavidad bucal: *larinofaringe.*

— techo de la faringe relacionado con el cráneo: *cavum.*

— arterias faríngeas: *ascendente que proviene de la carótida externa y descendiente que proviene de la esfenopalatina.*

fariseo 1. Miembro de una secta judía que aparentaba rigor y austeridad.

— *Aproximadamente hacia 100 a.C. los fariseos eran poderosos.*

2. Persona que simula una bondad que no tiene o que se finge piadoso. ☞ **hipócrita.**

— *Eres un fariseo, dices que te conmueven los niños que trabajan y tú los explotas.*

— hipocresía: *fariseísmo*

— hipócrita: *farisaico.*

farmacéutico, -ca Que pertenece a la farmacia o se relaciona con ella, que prepara medicinas. Individuo cuya profesión es la farmacología. ☞ **boticario, droguero, herbolario, químico**

— sustancia que se emplea para curar: *fármaco, medicina, medicamento.*

— disciplina que tiene como objetivo el estudio de las medicinas o medicamentos, sus propiedades y formas de prepararlos: *farmacia, farmacología.*

— establecimiento o lugar donde se preparan y venden medicinas o medicamentos: *farmacia, botica.*

— que pertenece a la farmacología o se relaciona con ella: *farmacológico.*

— persona que tiene como profesión la farmacología o tiene conocimientos farmacológicos: *farmacólogo.*

— estuche que contiene los medicamentos elementales: *botiquín, farmacia de bolsillo.*

— libro en el que se encuentran las sustancias medicinales más comunes: *farmacopea.*

— libro que trata de la composición de los medicamentos: *antidotario.*

— tratamiento de las enfermedades por medio de la administración de medicamentos: *farmacoterapia.*

— parte de la farmacología que estudia los procedimientos industriales de extracción y síntesis de los medicamentos: *farmacotecnia.*

— parte de la terapéutica que estudia la acción de los medicamentos en el organismo: *farmacodinamia.*

— parte de la farmacología o farmacia cuyo objetivo es investigar las drogas o medicinas en su estado natural o en la condición en que se obtienen de la naturaleza: *farmacognosia.*

— parte de la farmacognosia que comprende el cultivo, recolección y preparación a la cosecha de plantas medicinales: *farmacoemporia.*

— parte de la farmacognosia que se dedica al comercio y embalaje de los medicamentos: *farmacodiacosmia.*

— parte de la farmacología que se ocupa de la determinación del valor curativo de los medicamentos: *farmacocrestología.*

— parte de la farmacología que se ocupa de la preparación de los medicamentos: *farmacopoiesis.*

— parte de la farmacología que se ocupa de la clasificación, morfología, anatomía, fisiología y patología de los medicamentos: *farmacobotánica.*

— técnica de clasificación y ordenación de los medicamentos: *farmacotaxia.*

— ordenar remedios y curaciones un doctor: *prescribir.*

— prescripción facultativa de lo que el enfermo ha de tomar: *receta.*

— medicamento que actúa especialmente en una enfermedad: *fármaco específico.*

— cantidad de medicina que se suministra a un enfermo: *dosis.*

— dosis pequeña de medicina en forma de pasta redonda y cubierta de azúcar: *gragea, pastilla.*

— bolita de medicamento y excipiente que se ingiere: *píldora.*

— pomada medicinal de aplicación cutánea: *ungüento.*

— bebida compuesta de azúcar cocida en agua y jugos medicinales: *jarabe.*

— introducir a presión una sustancia medicinal en un cuerpo por medio de una aguja: *inyectar.*

— fluido o líquido medicinal que se inyecta: *inyección.*

— bebida medicinal: *pócima.*

— sustancia inocua que se añade a los medicamentos para darles la forma adecuada para su uso: *excipiente.*

— cualquiera de las sustancias que forman una medicina: *ingrediente.*

— preparación médica hecha a partir de un virus que se inocula al ser humano para preservarlo de alguna enfermedad: *vacuna.*

— fármaco que sirve para limpiar el cuerpo humano: *purgante.*

— medicina que hace que el vientre recupere sus movimientos: *laxante.*

— medicamento que estrecha o contrae alguna sustancia de los tejidos orgánicos: *astringente.*

— medicina que provoca la expulsión de alimentos por la boca: *vomitivo.*

— medicina que ayuda a contener el vómito: *antiemético.*

— medicamento que excita los nervios: *estimulante.*

— fármaco que calma los desórdenes nerviosos: *antiespasmódico.*

— medicamento que causa sueño: *somnífero, sedante.*

— medicina que produce sopor o embotamiento: *narcótico, estupefaciente.*

— estupefacientes más conocidos: *morfina, cocaína, opio.*

— sustancia química que paraliza el desarrollo de ciertos microorganismos patógenos: *antibiótico.*

— antibióticos de uso frecuente: *penicilina, estreptomicina, aureomicina, terramicina, cloromicetina.*

— medicamento que suprime toda sensación dolorosa: *analgésico, calmante.*

— fármaco que causa insensibilidad: *anestésico.*

— medicamento que combate la fiebre: *antipirético.*

— medicina que alivia la inflamación: *antiflogístico.*

— medicamento que cura la reuma: *antirreumático.*

— medicamento que impide la infección o putrefacción: *antiséptico, antipútrido.*

— medicamento que extermina los gusanos que provocan una enfermedad: *antihelmíntico.*

— sustancia que estimula el apetito sexual: *afrodisiaco.*

— sustancia que disminuye el apetito sexual: *anafrodisiaco.*

— materia tóxica que al entrar en un organismo puede ocasionarle la muerte: *veneno.*

— individuo que se especializa en el uso de los venenos: *toxicólogo.*

faro 1. Torre muy alta situada en las costas y puertos que tiene una luz en la parte superior que sirve para guiar de noche a las embarcaciones. ☞ **baliza, torre.**

— *Los faros emiten una sucesión de fuertes destellos.*

— faro grande que sirve de señal en los puertos: *farola.*

— caja de vidrio o de otro material transparente que sirve para resguardar la luz que se pone dentro de ella: *farol.*

— persona que se dedica a hacer o vender faroles: *farolero.*

— foco, reflector, linterna: *farol.*

— golpe dado con un farol: *farolazo.*

— linterna de papel pintado con colores vivos que se usa en las fiestas: *farol a la veneciana.*

— farol grande, a veces con dos o más brazos luminosos, propio para el alumbrado público: *farola.*

— persona encargada de mantener los faroles del alumbrado: *farolero.*

— cada una de las luces que se colocan en las embarcaciones: *farol de situación.*

— aparato que mediante ondas hertzianas orienta a los aviones: *radiofaro.*

— luz muy potente que se coloca en los aeródromos para facilitar las maniobras de los aviones: *aerofaro, faro de pista de aterrizaje.*

— clases de faros: *faro marítimo, faro fijo de destellos, faro centelleante, faro de ocultación, faro alternativo, faro intermitente, faro costero o de recalada, faro de paso, faro de entrada de puerto, barco faro, boya luminosa, baliza.*

— luces que tiene un faro: *eléctrica, de acetileno, de gas, de petróleo, luz fija, centelleante, pestañeante, de destellos, alternativa, intermitente, de ocultación, de código.*

— funda de papel que cubre los paquetes del tabaco picado: *farol.*

— suerte del torero que consiste en girar pasándose la capa por la cabeza: *farol.*

— trago grande de licor fuerte: *farolazo, fajo.*

— acción falsa y tramposa: *farolazo.*

— ojos: *faroles.*

— golpear a alguien: *apagarle un farol.*

2. Proyector de luz o fanal delantero de cualquier vehículo.

— *No le funcionaban los faros a ese camión materialista.*

— el que está dirigido hacia el suelo o hacia los bordes de la carretera: *faro contra niebla.*

— luz roja que va en la parte trasera de los vehículos: *farol de cola.*

— farol que sirve para que se comuniquen los guardavías: *farol de señales.*

3. Lo que guía a la inteligencia o a la conducta humana.

— *Su amigo ha sido el mejor faro que ha tenido para dejar de beber.*

farolear Fanfarronear, hablar con arrogancia y presunción.

— acción y resultado de farolear: *faroleo.*

— persona presumida o jactanciosa: *farolero, farolón, farol.*

— acción o dicho característico del farolero: *farolería.*

— ser un metiche: *meterse a farolero.*

farotón, -ona. Que es muy descarado y ligero.

— mujer muy descarada: *farota.*

farpa Punta cortada de una bandera, lanza, estandarte o flecha.

— que termina en punta cortante o farpa: *farpado.*

farra 1. Fiesta bulliciosa. ☞ **parranda, juerga.**

— *Vámonos de farra para celebrar tu cumpleaños.*

— andar de fiesta en fiesta: *andar de farra, farrear.*

2. Pez parecido al salmón cuya carne es muy agradable al paladar.

— *Hoy comeremos guisado de farra.*

fárrago Revoltijo de objetos. ☞ **mescolanza, confusión.** ❖ ORDEN.

— que está desordenado o que es confuso: *farragoso.*

farro Cebada medio molida que no tiene cascarilla.

farsa 1. Pieza dramática de naturaleza variada, generalmente la grotesca y cómica. ☞ **comedia.**

— *Yo actúo en una farsa muy divertida.*

— comediante, histrión o representante de farsas: *farsante.*

— autor de farsas: *farsista.*

2. Compañía de actores que se dedican a representar obras dramáticas grotescas y cómicas.

— *Va a venir una farsa que tiene buena fama.*

3. Enredo que se hace para engañar, trampa o simulación. ☞ **enredo, simulación.**

— *Nadie va a creer esa farsa con la que pretendes engañarnos.*

— que simula lo que no siente para obtener algún beneficio: *farsante, hipócrita.*

— fingimiento: *farsantería.*

fasces Insignia de los cónsules romanos que constaba de una hacha que simbolizaba la justicia, atada a un haz de varas que representaba la fuerza.

fascículo 1. Cuadernillo que se entrega o vende periódicamente y forma parte de una obra entera. ☞ **folleto.**

— que pertenece al fascículo o se relaciona con él: *fascicular.*

— *Colecciono los fascículos semanales de la enciclopedia científica.*

2. Haz de fibras musculares o nerviosas.

— *Tenía una inflamación en el fascículo espinotalámico.*

— lo que está organizado en forma de hacecillos: *fasciculado.*

— disposición de las fibras del cuerpo en fascículos: *fasciculación.*

fascinar 1. Deslumbrar o seducir a otro. ☞ **encandilar, hechizar.** ❖ REPELER, DISGUSTAR, DESENGAÑAR.

— *Me fascina esa película; es la tercera vez que la veo.*

2. Hacer mal de ojo.

— *Siempre saca al niño con un amuleto por si lo fascinan.*

— que encanta o que atrae irresistiblemente: *fascinador.*

— acción y resultado de fascinar: *fascinación.*

fascismo 1. Movimiento político italiano fundado por Benito Mussolini en 1919, de carácter nacionalista y totalitario, que se unió a las fuerzas militares de Hitler durante la Segunda Guerra mundial

— *El fascismo alcanzó el poder en Italia en 1922.*

— liga italiana de acción política y social previa a la constitución del fascismo: *fascio.*

— que pertenece al fascismo o se relaciona con él, que es partidario del fascismo: *fascista.*

— tendencia que se opone o es contraria al fascismo: *antifascismo.*

— que pertenece al antifascismo o se relaciona con él, que es partidario de esta tendencia: *antifascista.*

— nombre popular de los militantes fascistas italianos: *camisas negras.*

— doctrina de Hitler y del Partido Nacional Socialista en Alemania: *nacional socialismo.*

— abreviatura en alemán de nacionalsocialista: *nazi.*

— nombre de los miembros del Partido Nacional Socialista alemán: *camisas pardas*.

2. Régimen político italiano basado en la dictadura de un sólo partido, que fue represivo y antidemocrático.

— *Su familia huyó de Italia durante el fascismo.*

— vigencia del fascismo en Italia: *1922-1945*.

— teóricos del régimen fascista: *Benito Mussolini y Giovanni Gentile*.

— postulados del régimen fascista: *rechazo de la creencia en el progreso, la democracia y el pacifismo; creación de un régimen totalitario basado en una ideología oportunista; obediencia total al jefe del partido; culto al estado italiano como continuador del imperio romano*.

— voz italiana que significa jefe, conductor y es el sobrenombre que adoptó Mussolini: *duce*.

— policía política fascista: *O.V.R.A.*

— invasiones italianas fascistas a otros países: *colonización de Libia (1922-1933); conquista de Etiopía (1935-1936); intervención en la Guerra Civil española (1936-1939)*.

— año en que Mussolini entra en la Segunda Guerra mundial junto con Hitler: *1940*.

3. Cualquier régimen autoritario, racista, militarista y radical de derecha que pretende controlar a la sociedad civil por medio del poder político, la fuerza y la represión.

— *El fascismo de Francisco Franco duró más de cuarenta años.*

— democracia autoritaria de los años sesenta que se caracterizó por desarrollar los elementos fascistas inherentes a los aparatos de Estado: *neofascismo*.

— sistema de dictadura militar que se desarrolló en países del Tercer Mundo: *fascismo de guerra*.

— países que han sufrido el fascismo de guerra: *Irán, República de Sudáfrica, República de Corea, Brasil, Indonesia, Uruguay, Chile, Bolivia, Argentina, Tailandia*.

fase 1. Cada una de las etapas sucesivas en las que se observan cambios en los aspectos de la Luna y los planetas. ☞ **periodo**.

— *Ahora mi hijo está estudiando las fases de la Luna en la escuela primaria.*

— fase en que la Luna no se ve desde la Tierra: *Luna nueva o novilunio*.

— fase en que la Luna se ve como medio disco iluminado en forma de D: *Luna creciente o cuarto creciente*.

— fase en que la Luna puede verse totalmente iluminada: *Luna llena o plenilunio*.

— fase en que la Luna se ve como medio disco iluminado en forma de C: *Luna menguante o cuarto menguante*.

2. Cada uno de los aspectos que presenta un fenómeno en evolución o un organismo en desarrollo.

— *Este negocio ha pasado por la fase de auge y grandes ganancias, pero ahora se halla en la de crisis.*

— variación de valores entre dos procesos sucesivos: *diferencia de fase*.

3. Cada una de las corrientes alternas o monofásicas que producidas por un mismo generador originan las corrientes polifásicas.

— *De la fase alterna se pasa a la bifásica y a la trifásica.*

— aparato que mide la diferencia de fase entre dos fenómenos eléctricos periódicos: *fasímetro*.

fastial Piedra triangular terminal más alta de un edificio. ☞ **hastial**.

fastidiar Causar hastío, aburrimiento, asco, repugnancia, cansancio o molestia algo o alguien. ☞ **cansar, aburrir.** ❖ AGRADAR, DELEITAR, DIVERTIR.

— que ocasiona desazón, aburrimiento o incomodidad: *fastidioso*.

— que es inoportuno o llega a cansar: *fastidioso*.

— disgustado: *fastidiado*.

— aguantarse en una situación sin poder cambiarla: *fastidiarse*.

— encontrarse o sentirse enfermo: *estar fastidiado*.

— exclamación para manifestar disgusto: *¡qué fastidio!*

fastuoso, -sa Que gusta del lujo, la ostentación y la riqueza. ☞ **fausto, suntuoso, derrochador.** ❖ MODESTO. SENCILLO, MÍSERO.

— lujo exagerado, ostentación o suntuosidad: *fausto*.

— fastuoso: *fastoso*.

— calidad o condición de fastuoso: *fastuosidad*.

fatal 1. Que es muy malo o desafortunado. ☞ **nefasto.** ❖ FELIZ, PROVIDENCIAL, FAUSTO.

— *El chile y las bebidas alcohólicas son fatales para quien padece úlcera.*

2. Que es inevitable, forzoso, que ocurre necesariamente o es obra del destino. ☞ **fatídico, funesto, nefasto.** ❖ ELUDIBLE.

— *Unidos por una fatal coincidencia, no podían ser felices.*

— destino hado o fuerza independiente a la voluntad humana que determina los acontecimientos: *fatalidad*.

— desgracia, desdicha: *fatalidad*.

— teoría o creencia en que todos los acontecimientos de la vida están predeterminados por una causa sobrenatural: *fatalismo*.

— pesimismo: *fatalismo*.

— que es pesimista o se deja llevar por los sucesos sin intentar influir en su destino: *fatalista*.

— que pertenece al fatalismo o se relaciona con él, que es partidario de esa teoría: *fatalista*.

— acatando la realidad por dura que sea: *fatalmente*.

— golpe que causa la muerte: *golpe fatal*.

fatídico, -ca Que anuncia el porvenir, señalando sobre todo las desgracias. ☞ **fatal.** ❖ FELIZ, FAUSTO.

fatigar Causar alguna actividad o algo cansancio o extenuación. ☞ **agotar, extenuar, cansar.** ❖ REPOSAR.

— cansancio, agotamiento o extenuación que se manifiesta después de un trabajo extenso o prolongado: *fatiga*.

— molestia, penalidad o sofocación: *fatiga*.

— que puede extenuarse: *fatigable*.

— que cansa o harta: *fatigador*.

— que causa agotamiento: *fatigoso*.

— jadeante: *fatigoso*.

— cansancio que se experimenta sin haber tenido una actividad pesada y que se debe a diversos estados patológicos: *fatiga subjetiva*.

— incapacidad de contraerse un músculo después de un trabajo intenso: *fatiga neuromuscular*.

— esfuerzo que soporta cada una de las partes de una máquina: *fatiga*.

— esfuerzo anormal que sufre un barco o una de sus partes por la acción del mar o por una estibación errónea: *fatiga de buque*.

— prueba que se realiza con los materiales para conocer su resistencia: *ensayo de fatiga*.

fatuo, -ua 1. Que es muy presuntuoso y soberbio. ☞ **vanidoso.** ❖ MODESTO, HUMILDE.

— *Los jóvenes, por su inexperiencia, suelen ser fatuos.*

— vanidad infundada y ridícula: *fatuidad*.

2. Que le falta razón o entendimiento. ☞ **necio.** ❖ LISTO.

— *Es un fatuo quien se aferra a las causas perdidas.*

— dicho o hecho necio: *fatuidad*.

— condición o calidad de fatuo: *fatuidad*.

— inflamación de ciertas sustancias animales o vegetales que forman pequeñas llamas: *fuego fatuo*.

fauces Parte de la boca de los mamíferos que va desde el velo del paladar hasta el inicio del esófago o mandíbula de los animales carnívoros feroces. ☞ **garganta, faringe.**

fauna 1. Conjunto de animales perteneciente a un país, medio o a una región determinada.
— *La fauna de un bosque depende del equilibrio ecológico de éste.*
2. Tratado que enumera, describe y estudia los animales de una región determinada.
— *Esa fauna marina contiene bellísimas ilustraciones.*
— que pertenece a la fauna o se relaciona con ella: *fáunico.*

fausto, -ta 1. Que causa felicidad, gusto o alegría, o es venturoso. ☞ **dichoso.** ❖ INFAUSTO, FATAL.
— *Tu boda es para nosotros un fausto acontecimiento.*
2. Lujo excesivo magnificencia, esplendor u opulencia. ☞ **magnificencia, suntuosidad.** ❖ SENCILLEZ, MODESTIA, SIMPLICIDAD.
— *En esta época de crisis el derroche y el fausto no deben existir.*
— que está cargado de adornos, de lujo o es ostentoso: *faustoso.*
— condición o calidad de faustoso: *faustosidad.*
— lujo, suntuosidad o magnificencia: *fasto.*
— que es memorable, venturoso o feliz: *fasto.*

fautor, -ra Quien favorece o ayuda a otro a llevar a cabo sus propósitos, principalmente aquéllos censurables o poco honestos.
— calidad de fautor: *fautoría.*

favor 1. Protección o ayuda que se le da a alguien. ☞ **socorro, amparo, ayuda.** ❖ DESAIRE.
— *Saldremos adelante con el favor que nos has concedido.*
— que ampara o propicia algo: *favorable.*
— ayudar o proteger a una persona: *favorecer.*
— que ayuda: *favorecedor.*
— hacer por otro algo sin recibir nada a cambio: *hacerle el favor.*
— expresión de cortesía con la que se pide algo a alguien: *por favor.*
— corresponder una mujer amorosamente a un hombre: *concederle sus favores.*
2. Dádiva, beneficio, apoyo o aceptación que se tiene o recibe alguien. ☞ **merced, privilegio.** ❖ OBSTÁCULO, RECHAZO.
— *Cuenta con el favor del director para modificar la representación.*

— que es oportuno, propicio o conveniente: *favorable.*
— dar o hacer un favor a una persona: *favorecer.*
— mejorar el aspecto o apariencia de algo o de alguien: *favorecer.*
— agraciado físicamente por algo: *favorecido.*
— que sienta bien a una persona haciendo que se vea mejor: *favorecedor.*
— preferencia que se tiene, por sobre otras, de una persona sin atender a sus méritos reales: *favoritismo.*
— privilegiado: *favorecido, afortunado.*
— que se prefiere: *favorito.*
— persona que goza de ser el preferido de alguien: *favorito.*
— deportista o animal de un deporte o concurso considerado como probable ganador: *favorito.*
— conforme a los deseos de uno: *favorablemente.*
— en beneficio y utilidad de: *a favor de, en favor de.*
— apoyar alguna causa o a alguien: *estar en favor de.*
— tener a alguien que defienda y apoye a uno: *tenerlo a su favor.*
— expresión que indica indignación e incredulidad: *¡Hazme el favor!*

faz 1. Rostro o cara. ☞ **semblante.**
— *Tiene la faz quemada por los rayos del sol.*
— imagen del rostro de Jesucristo: *Santa Faz.*
2. Cara o lado principal de una moneda o medalla.
— *La medalla que vi tiene en la faz la virgen del Carmen.*
3. Aspecto de una circunstancia o lado de un objeto o de algo.
— *No hay nada igual en toda la faz de la Tierra.*

fe 1. Creencia sobre la verdad de algo que no puede ser probada ni demostrada. ☞ **convicción, seguridad, certidumbre.** ❖ INCREDULIDAD.
— *Tengo plena fe y confianza en lo que tú me cuentas.*
— certificar una autoridad algo o asegurar alguien que algo ha sucedido de cierta forma: *dar fe.*
— notario: *fedatario.*
— autoridad que tienen los notarios para certificar documentos que son considerados auténticos: *fe pública.*
— en verdad: *a fe, por mi fe.*
— lista que va al final de un libro y que contiene las correcciones que han de tomarse en cuenta al leerlo: *fe de erratas.*
2. Conjunto de creencias que alguien tiene, en especial, las religiosas.

— *Dejó el catolicismo y ahora tiene otra fe.*
— religión católica: *fe católica.*
— certificado de nacimiento de una persona que firma una autoridad eclesiástica: *fe de bautizo.*
— creencia en los valores de la nación: *fe patriótica.*
3. Una de las virtudes teologales en el cristianismo.
— *Las virtudes teologales son fe, esperanza y caridad.*
4. Confianza que se deposita en alguien, lealtad o fidelidad.
— *Tengo plena fe en la humanidad.*
— sinceridad o buena intención con que se realiza o dice una cosa: *buena fe.*
— doblez, deslealtad, alevosía: *mala fe.*
— fidelidad marital: *fe conyugal.*

feble Que es débil, flojo y flaco. ☞ **endeble.**
— merma que al ser acuñada saca en su peso una moneda: *feblaje.*
— sin firmeza: *feblemente.*

febril 1. Que pertenece a la fiebre o a la elevación de la temperatura del cuerpo o que se relaciona con ella. ❖ ÁLGIDO, HIPOTÉRMICO.
— *Es muy importante saber la evolución febril de un enfermo.*
— elevación anormal de la temperatura del cuerpo: *fiebre.*
— que tiene fiebre: *febricitante, calenturiento.*
— fiebre muy alta y duradera: *febrícula.*
— que combate la fiebre, tratándose de un medicamento: *febrífugo.*
2. Ardoroso, desasosegado, vehemente. ❖ TRANQUILO, CALMADO, FRÍO.
— *La víspera de la fiesta había en la casa una actividad febril.*

fecal Que pertenece a las heces o excrementos o se relaciona con ellos. ☞ **hez.**
— conjunto de residuos acumulados en el intestino grueso en vías de salir por el recto y ano: *bolo fecal.*
— conjunto de materias fecales en el intestino grueso que forma una especie de tumor palpable: *fecaloma.*
— presencia de materia fecal en la orina: *fecaluria.*

fécula Sustancia orgánica blanca que pertenece a los carbohidratos y se halla en las células de algunas semillas de plantas.

fecundar 1. Hacer que conciba una hembra. ☞ **engendrar, procrear.**
— *Para propagar esta especie es necesario fecundar a las hembras.*

— capacidad de un individuo de engendrar nuevos seres: *fecundidad*.

— reproducción numerosa: *fecundidad*.

— que embaraza a una hembra: *fecundador*.

2. Hacer productiva una cosa. ☞ **fertilizar.** ❖ ESTERILIZAR.

— *Hay que fecundar este campo con abono.*

— hacer que una cosa pueda producir: *fecundizar*.

— acción y resultado de fecundizar: *fecundización*.

— que tiene fertilidad: *fecundo*.

— capacidad de producir: *fecundidad*.

— que fecundiza: *fecundizador*.

— fértil, copioso, exuberante: *fecundo*.

3. Hacer que un vegetal pueda reproducirse. ❖ ESTERILIZAR.

— *La polinización consiste en fecundar el estigma de una flor con el polen del estambre.*

— acción y resultado de fecundar: *fecundación*.

— que fecunda: *fecundador*.

— que tiene la virtud de fecundar: *fecundativo*.

— que se reproduce por medios naturales: *fecundo*.

— calidad de fecundo: *fecundidad*.

— fertilidad: *fecundidad*.

— que es susceptible de ser fecundado: *fecundable*.

fecha 1. Anotación o indicación del tiempo en que se hace o sucede una cosa, señalando día, mes y año. ☞ **data.**

— *Entré a trabajar dos días antes de la fecha de 5 de enero de 1980, que pone mi contrato.*

— poner en un escrito las señales de día, mes y lugar en que se hace: *fechar*.

— determinar la fecha exacta de un suceso histórico, un documento o una obra de arte: *fechar*.

— hasta este momento: *hasta la fecha*, *a la fecha*.

— sistema para dividir el tiempo en fechas y registro impreso de los días del año ordenados por meses: *calendario*.

— libro pequeño en forma de calendario que sirve para anotar las fechas y lo que es importante recordar: *agenda*.

— documento en el que se registran los acontecimientos de cada día y registro de los hechos notables que han ocurrido el mismo día en diferentes épocas: *efemérides*.

— ciencia que tiene por objeto determinar el orden y las fechas de los sucesos históricos: *cronología*.

2. Periodo determinado en el tiempo en que algo sucede.

— *Para esas fechas mis padres aún vivían.*

— periodo de cien años: *siglo, centuria, centenario*.

— periodo de ciento cincuenta años: *sesquicentenario*.

— periodo de doscientos años: *bicentenario*.

— periodo de mil años: *milenario*.

fechoría Acción ruin y perversa. ☞ **maldad.**

federación 1. Acción de unirse o unión de varias provincias o estados independientes para constituir un gobierno general.

— *Es necesario acatar lo que decida la federación.*

— que pertenece a la federación o se relaciona con ella: *federal, federativo*.

— soldado o policía de la federación: *federal*.

— doctrina o sistema político que apoya la organización federal de los estados: *federalismo*.

— que es partidario del federalismo: *federalista, federal*.

2. Unión de varias organizaciones de la misma clase e independientes entre sí.

— *La federación deportiva ha tenido algunas fallas.*

— organizarse varias personas o agrupaciones para defender intereses comunes: *federar*.

fehaciente Lo que es indudable, evidente y digno de fe. ☞ **indiscutible.**

felicitar Expresar a una persona alegría por un acontecimiento feliz para ella o manifestarle el deseo de que tenga buena fortuna. ☞ **congratular.** ❖ COMPADECER.

— que causa felicidad: *feliz*.

— que ocurre de modo favorable, acertado o propicio: *feliz*.

— que es acertado, afortunado u oportuno, tratándose de las formas de manifestar ideas o expresiones relacionadas con el entendimiento: *oportuno, feliz*.

— estado de ánimo caracterizado por la alegría y el bienestar: *felicidad*.

— hecho, circunstancia o condición que determina alegría, satisfacción y bienestar: *felicidad*.

— euforia por la posesión de un bien: *felicidad*.

— buena suerte: *felicidad*.

— experimentar placer, satisfacción y gran alegría: *estar feliz, sentirse feliz*.

— con éxito: *felizmente*.

— acción de felicitar: *felicitación*.

— expresión o escrito breve en el que se desea a otro prosperidad o bienaventuranza: *felicitación*.

— lugar próspero y abundante donde se es feliz: *jauja*.

— ser feliz y afortunado: *tener buena estrella*.

feligrés, -sa Que pertenece a una parroquia. ☞ **devoto, creyente.**

— conjunto de personas devotas que asisten a la misma iglesia: *feligresía*.

— lugar que está bajo la dirección de un párroco: *feligresía*.

— parroquia rural que está integrada por diferentes barrios: *feligresía*.

felón, -na Traidor, desleal o que comete acciones ruines. ❖ LEAL, FIEL.

— deslealtad, traición o acción ruin y baja: *felonía*.

felpa 1. Tela constituida por pelos brillantes, lacios y largos, muy suave, de algodón, seda, lana u otros materiales.

— *Todas las noches duermo con mi osito de felpa.*

2. Tunda de golpes o regaño. ☞ **zurra.** ❖ ELOGIO.

— *Me dan ganas de darle una buena felpa para quitarle su afición a las bromas pesadas.*

femenino, -na 1. Que es propio o peculiar de las mujeres. ❖ VIRIL, FUERTE, MASCULINO.

— *Los colores suaves son muy femeninos.*

2. Que pertenece a las mujeres o hembras o que se relaciona con ellas. ❖ VIRIL, FUERTE.

— *El mundo femenino ha evolucionado notablemente en las últimas décadas.*

— que pertenece a las mujeres o se relaciona con ellas: *femenil, femíneo*.

— mujer, persona del sexo femenino: *fémina*.

— conjunto de características propias de una mujer: *feminidad, femineidad*.

— cualidad de lo que es femenino: *feminidad, femineidad*.

— presencia de rasgos femeninos muy marcados en ciertos varones: *feminización*.

— cambios estructurales y funcionales que sufre un animal macho castrado al que se le implanta tejido ovárico: *feminización*.

— hacer que en un macho se desarrollen rasgos femeninos: *feminizar*.

— varón que adopta las maneras femeninas: *afeminado*.

— doctrina o movimiento social que atribuye a la mujer derechos que pertenecían sólo a los hombres o que propone su emancipación: *feminismo*.

— que pertenece al feminismo o se relaciona con él, que es partidario de este movimiento: *feminista*.

— con ademanes propios de mujer: *femenilmente*.

3. Que pertenece a los seres dotados de órganos pasivos de fecundación o se relaciona con ellos.

— *Esa planta tiene células femeninas y células masculinas*.

4. Género de nombre gramatical que indica el sexo de los animales, el que se considera para las cosas o el que responde a cuestiones puramente gramaticales. ❖ MASCULINO.

— *La terminación "a" de sustantivos y ciertos adjetivos generalmente indica que son femeninos*.

fementido, -da Que falta a su palabra y es desleal o traidor.

fémur Hueso del muslo.

— que pertenece al fémur o se relaciona con él: *femoral*.

— parte alargada de las patas de los insectos, que tiene forma de varilla: *femoral*.

fenecer 1. Morir, fallecer. ☞ **expirar**. ❖ NACER.

— *Estamos de luto, pues mi padre acaba de fenecer*.

— acción y resultado de expirar o fenecer: *fenecimiento*.

2. Acabarse una cosa. ❖ SURGIR, INICIARSE.

— *El manantial de agua acaba de fenecer*.

fenicar Echar ácido fénico para destruir los microbios. ☞ **fenol**.

— fenol muy venenoso y corrosivo que se emplea para desinfectar pues es muy tóxico para los microorganismos: *ácido fénico*.

— primer antiséptico que usó Líster en 1867: *ácido fénico*.

— resina de la que se extrae el ácido fénico: *alquitrán de hulla y de madera*.

— sustancias que se fabrican a partir del ácido fénico: *colorantes, drogas y plásticos*.

fénix 1. Lo que es único y excelente en su clase.

— *Lope de Vega es conocido como el fénix de los ingenios*.

2. Ave fabulosa que vivía en los desiertos de Arabia.

— *El ave fénix era el símbolo de la inmortalidad de los egipcios*.

— lugar donde los egipcios dedicaron un templo al ave fénix: *Heliópolis*.

fenol Nombre genérico de compuestos orgánicos en que el radical hidroxilo reemplaza a uno o más átomos de hidrógeno en un hidrocarburo de la serie aromática. ☞ **fenicar**.

fenómeno 1. Cualquier manifestación, acción o suceso material, social o espiritual.

— *El arcoiris es un fenómeno atmosférico*.

— que pertenece al fenómeno o se relaciona con él: *fenomenal, fenoménico*.

— sistema filosófico derivado de la sicología empírica: *fenomenología*.

— término filosófico acuñado por Johann H. Lambert para designar el arte de distinguir la verdad de la apariencia: *fenomenología*.

— que pertence a la fenomenología o se relaciona con ella: *fenomenológico*.

— método caracterizado por filosofar con base en descripciones de vivencias: *método fenomenológico*.

— filósofo que utiliza el método fenomenológico: *fenomenólogo*.

— sistema filosófico propuesto por Husserl del cual nace la metafísica existencialista de Heidegger: *fenomenología pura*.

— doctrina filosófica que sólo considera a los fenómenos o lo que perciben los sentidos: *fenomenalismo, fenomenismo*.

2. Acción, persona o animal extraordinario, maravilloso o sorprendente.

— *El carnaval brasileño es todo un fenómeno*.

— que es muy grande, sorprendente o prodigioso: *fenomenal*.

— de forma extraordinaria y maravillosa: *fenomenalmente*.

fenotipo Manifestación del conjunto de caracteres hereditarios, controlados por los genes, que puede estar determinada por la acción del medio.

— modificación de los caracteres de un organismo causada por influencias ambientales que no se trasmite a la descendencia: *fenocopia*.

feo, -a 1. Que carece de hermosura o atractivo. ❖ BELLO, BONITO, HERMOSO.

— *Los changos son animales muy feos*.

— ser desagradable físicamente: *ser más feo que pegarle a Dios*.

— condición o calidad de feo: *fealdad*.

2. Que se presenta adverso o desfavorable. ❖ FAVORABLE, AGRADABLE.

— *Está haciendo un tiempo muy feo, pues cae granizo*.

3. Que es desagradable o que supone dificultades, riesgos o conflictos. ❖ AGRADABLE.

— *Como no saben perder, se puso feo el juego de dominó*.

— perder en el juego: *bailar con la fea*.

4. De modo contrario a los gustos de

una persona, con mal aspecto o de mala manera.

— *Le contestó muy feo a su mamá*.

— despreciar a alguien: *hacerle el feo*.

— sentir tristeza o desazón: *sentir feo*.

— sentir vergüenza o sentirse ofendido: *sentir feo*.

feral Cruel y sangriento.

feraz. Que es muy fértil y produce abundantes frutos, tratándose de tierras, cultivos o cosas similares.

— calidad de fértil o feraz: *feracidad*.

féretro Caja en que se sepultan los restos mortuorios de una persona. ☞ **ataúd**.

feria 1. Mercado extraordinario que se instala temporalmente en una plaza pública.

— *Compré estos aretes en la feria*.

— vender, comprar o cambiar una cosa por otra en la feria o mercado: *feriar*.

— que va a la feria a comprar o vender: *feriante*.

— mercado de gran importancia: *ferial*.

— lugar en el que se exhiben los productos de la feria: *ferial*.

2. Fiesta que se celebra en ocasiones determinadas.

— *El año pasado fui a la feria de San Marcos*.

— hacer fiesta suspendiendo las labores por uno o varios días: *feriar*.

— día de fiesta en que no se trabaja, que no sea sábado ni domingo: *día feriado*.

— fiesta de Semana Santa: *ferias mayores*.

3. Conjunto de juegos, espectáculos de magia y circo, puestos de comidas y refrescos que se instalan temporalmente en una colonia o población durante ciertas fiestas.

— *Vamos a subirnos a los caballitos de esa feria*.

4. Dinero o monedas sueltas.

— *No tengo feria para pagar el pasaje del camión*.

fermentar Hacer que se transforme una sustancia o transformarse mediante el proceso bioquímico en compuestos orgánicos reducidos o compuestos orgánicos oxidados.

— conjunto de transformaciones de una sustancia por reacciones biológicas de oxidación y reducción hasta convertirse en un compuesto orgánico: *fermentación*.

— sustancia transformadora, activa o catalítica: *fermento*.

— que fermenta: *fermentador*.

— que tiene la propiedad de producir la fermentación: *fermentativo*.

— que es susceptible de fermentación: *fermentable*.

— aparato en que se efectúa el proceso de fermentación: *fermentador*.

— cuerpo que provoca la aceleración de una reacción química y que al final permanece inalterado: *catalizador*.

— denominación de los catalizadores biológicos según su origen: *enzimas, hormonas y vitaminas*.

— sustancia que se elabora en las células vivas y que actúa como catalizador de todos los procesos bioquímicos del organismo animal o del vegetal: *enzima*.

— funciones del organismo humano que se deben a la acción de las enzimas: *digestión de los alimentos, conducción de los impulsos nerviosos, contracción de los músculos, coagulación de la sangre*.

— fermentación de una sustancia por los efectos de una enzima: *enzimosis*.

— ciencia que estudia las enzimas: *enzimología*.

— nombre genérico de diversos hongos microscópicos cuyas enzimas son los principales agentes de la fermentación alcohólica: *levadura*.

— enzima de los organismos animales y vegetales cuya función consiste en convertir los almidones en azúcares: *diastasa o amilasa*.

— enzima que ocasiona la fermentación alcohólica de los carbohidratos: *cimasa o zimasa*.

— nombre genérico de los fermentos que producen la oxidación: *oxidasa*.

— enzima que actúa sobre las proteínas insolubles de la comida transformándolas en peptonas, y haciéndolas así aptas para la digestión: *pepsina*.

— enzima del jugo pancreático que transforma las proteínas en peptonas: *tripsina*.

— fermento pancreático que induce la transformación de la lactosa en glucosa y galactosa: *lactasa*.

— nombre genérico que denomina a todas las enzimas que desdoblan las proteínas: *proteasa*.

— enzima del jugo pancreático que transforma las grasas en glicerina y ácidos grasos: *lipasa*.

— enzima que reduce los compuestos químicos: *reductasa*.

— fermentación por la acción del vinagre: *acética*.

— fermentación mediante los ácidos que se hallan en el líquido aceitoso de la manteca: *butírica*.

feroz 1. Que es sanguinario, que ataca y devora, tratándose de animales. ☞ **fiera.** ❖ PACÍFICO, DÓCIL.

— *Hay muchos cuentos sobre animales feroces*.

— animal salvaje, agresivo y sanguinario e indómito: *fiera*

2. Que es ensañado y cruel, que maltrata, hiere o mata, tratándose de personas. ❖ BONDADOSO, PACÍFICO.

— *El protagonista principal de esa película es un asesino feroz e inhumano*.

3. Que causa mucho daño o terror.

— *El cáncer es un padecimiento feroz*.

— salvajismo, fiereza, saña: *ferocidad*.

4. Que es muy grande.

— *Tengo un apetito tan feroz que pediría tres guisados*.

férreo, -a Que está hecho de hierro o es de hierro, que tiene propiedades parecidas a las de este metal.

— vías del ferrocarril: *línea férrea, vía férrea*.

— de gran voluntad o tenacidad: *de voluntad férrea*.

ferretería 1. Establecimiento en que se venden objetos de hierro como herramientas, clavos y alambres.

— *Ve a la ferretería por la báscula que necesitas*.

— persona que vende en una ferretería: *ferretero*.

2. Conjunto de objetos de hierro que venden en este establecimiento.

— *¡Llévate toda esa ferretería!*

ferrocarril Medio de transporte constituido por varios vehículos o vagones unidos entre sí y jalados por una locomotora que los hace avanzar sobre dos rieles paralelos o vía.

— que pertenece al ferrocarril o se relaciona con él: *ferrocarrilero*.

— empleado de ferrocarriles: *ferrocarrilero, ferroviario*.

— sociedad comercial que se dedica al transporte de carga y de turismo por tren: *empresa ferroviaria, sociedad de transportes, compañía ferrocarrilera*.

— lugar de donde parten y a donde llegan los ferrocarriles: *estación del ferrocarril, estación de ferrocarriles, estación de trenes*.

— transporte en el que los vagones son arrastrados por un cable para subir y bajar por pendientes muy empinadas: *funicular, ferrocarril funicular*.

— ferrocarril cuya vía se compone de tres carriles, dos de los cuales sirven para la rodadura y un tercero funciona como cremallera: *ferrocarril de montaña*.

— ferrocarril subterráneo: *metro o metropolitano, ferrocarril urbano*.

— tipos de ferrocarriles según la ve-

locidad con que realizan su recorrido: *rápido, expreso, directo*.

— carruaje grande de ferrocarril que puede estar diseñado para viajeros o para mercancías: *vagón, furgón*.

— servicios que puede albergar un vagón de pasajeros: *vagón o coche cama, vagón de literas, coche salón, vagón restaurante, vagón cafetería, vagón de equipajes, vagón mixto, vagón bar*.

— tipos de vagones según el nivel económico de quien los ocupa: *vagón de primera clase, vagón de segunda clase, vagón de tercera clase*.

— partes de un vagón: *caja del vagón, fuelle, tubo flexible del freno, tubo flexible de la calefacción, enganche, acoplamiento, tope, plataforma, plataforma exterior, portezuela, puerta, escalerilla, estribo, pasillo, departamento o compartimiento, puerta del departamento, puerta corredera, departamento para fumadores, departamento para no fumadores, rejilla o redecilla portaequipajes, generador eléctrico, puerta oscilante, regulador de calefacción, freno de alarma, traspuntín, asiento tapizado, brazo del asiento, mesilla abatible, litera superior, litera inferior, ventilador, lamparilla, interruptor de luz*.

— personas que supervisan el funcionamiento de los vagones: *revisor, interventor, jefe de tren, encargado auxiliar de coche cama*.

— clases de vagones de mercancías: *vagón de carga, vagón de ganado, frigorífico, vagón para contenedores, vagón góndola, vagón para automóviles, vagón grúa, vagón de equipajes, furgón taller, furgón postal o vagón correo*.

— partes de un vagón de carga: *trampilla del techo, bordes abatibles, puertas corredizas, plataforma, telero, garita del freno de mano, farol de cola*.

— grupo de vagones de un tren: *convoy*.

— máquina que remolca los vagones del ferrocarril: *locomotora*.

— tipos de locomotoras: *locomotora de vapor, locomotora eléctrica y locomotora diesel*.

— partes de una locomotora de vapor: *caldera, hogar, cámara de combustión, colector, regulador, válvula de seguridad, recalentador, escape, caja de humos, puerta del hogar, arenero, silbato, palanca de marcha, volante de cambios de marcha, cenicero, copa del horno, bomba de alimentación, cilindro de vapor, vástago, pistón, émbolo, biela exterior, biela interior, chimenea,* linterna delantera, topes, rastrillo, quitapiedras, tanque de agua, depósito de carbón, palanca de silbato, freno de aire comprimido, manómetro, indicador de nivel de agua, escalerilla.

— partes de una locomotora eléctrica: transformador, motor de tracción, compresor, compresor del freno, caja de ejes, ventilador de refrigeración, pantógrafo, toma de corriente, línea eléctrica, cable, tracción eléctrica, arenero, carter del reductor, disyuntor, aislante, caja de acumuladores, serpentín, refrigerador, gancho de tracción, cabina.

— partes de la cabina: voltímetro, amperímetro, palanca de silbato, palanca del cambio de marcha, palanca del freno.

— partes de una locomotora diesel: motor diesel, cilindro, turbocompresor, turbina, refrigerador, radiador, bomba de aceite, compresor, servomotor, piñones, bogies, distribuidor, palanca, volante de mando, cabina.

— acera que corre a lo largo de la vía del tren y que sirve para que los pasajeros lo aborden: andén.

— personal que trabaja en una estación de ferrocarriles: jefe de estación, subjefe, ingeniero, capataz, taquillero, mozo de cuerda, lamparero, guardagujas, cambiavía, guardavía, guardabarrera, vigilante.

ferroso, -sa 1. Que está hecho de hierro o lo contiene.

— Esta herramienta es ferrosa.

2. Denominación química que indica la presencia de hierro divalente.

— Este compuesto químico es sal ferrosocálcica.

— tratamiento médico en que se utilizan el hierro y sus compuestos: ferroterapia.

— fijación de hierro en los tejidos humanos: ferropexia.

— que tiene hierro o alguna de sus cualidades: ferrugiento.

— que contiene hierro, tratándose de minerales: ferruginoso.

— aguas minerales que contienen alguna sal de hierro: aguas ferruginosas.

— que tiene el color del óxido de hierro: ferrúgineo.

fertilizar Enriquecer la tierra con abono para que produzca abundantes frutos. ☞ **fecundar.**

— cualidad de la tierra de producir grandes cantidades de frutos: fertilidad.

— acción de tratar una tierra con sustancias para hacerla más productiva: fertilización.

— sustancia que aumenta la fecundidad del suelo: fertilizante, abono.

— tipos de fertilizantes: fertilizante de fondo y fertilizante de conservación.

— que puede ser fertilizado: fertilizable.

— que es productivo o da riqueza: fértil.

— que produce abundantemente, tratándose de terrenos, cultivos, plantas o algo similar: fértil.

— que tiene la capacidad de reproducirse o tiene muchos hijos, tratándose de personas o animales: fértil.

férula 1. Accesorio de yeso o metálico que se utiliza para mantener inmóvil una parte del cuerpo, generalmente una de las extremidades, que se ha desviado de su posición normal o que ha sufrido una fractura.

— Me torcí el tobillo y he de llevar esta férula durante quince días.

2. Palmeta, instrumento de castigo.

— Algunas escuelas aún utilizan la férula para corregir a los alumnos.

— bajo sojuzgamiento, bajo el dominio de alguien: bajo la férula de.

fervor 1. Entusiasmo, eficacia con que se realiza una actividad. ☞ **ardor, impetuosidad.** ❖ FRIALDAD.

— Mi amigo estudia música con singular fervor.

— con celo: fervorosamente.

— que actúa con gran entusiasmo: fervoroso, ferviente.

2. Devoción, fe o piedad ardientes. ☞ **misticismo.** ❖ INDIFERENCIA, IMPIEDAD.

— Leer con fervor los evangelios es una vía segura a la salvación eterna.

— que se comporta con fervor o tiene fervor: fervoroso, ferviente.

3. Calor muy intenso.

— El anciano pasaba sus vacaciones en regiones templadas, pues ya no aguantaba el fervor de las playas.

— ardiente o hirviente: férvido.

— hervencia: fervencia.

fervorín Exhortación breve.

festejar 1. Hacer una fiesta para agasajar a una persona o celebrar un suceso importante.

— El día de mi cumpleaños me lo festejaron en la oficina.

— acción de festejar: festejo.

— festividad, conmemoración: festejo.

— reunión de personas efectuada para divertirse, bailar, etc., en celebración de algo o alguien: fiesta.

— día en que se festeja un suceso y se organizan actos conmemorativos o diversiones: fiesta.

— banquete suntuoso o festejo particular: festín.

2. Cortejar a una mujer.

— Para festejar a una mujer, nada mejor que las flores y las serenatas.

— galanteo a una mujer: festejo.

festinar Apresurar, acelerar un asunto.

— prisa, celeridad: festinación.

festivo, -va 1. Que es digno de celebrarse. ☞ **solemne.**

— El día que te recibas será festivo para nosotros.

— fiesta o solemnidad con que se celebra alguna cosa: festividad.

— día en que la Iglesia católica celebra algún misterio o a un santo: festividad.

— día de fiesta o de asueto: día festivo.

— serie de manifestaciones artísticas o festividades de carácter excepcional por el lugar donde se celebran, la calidad de quienes participan o la naturaleza de las obras que forman el programa: festival.

— serie de actuaciones dedicada a un arte o a un artista: festival.

— tipos de festivales: festival cinematográfico, festival de música, festival de danza, festival de la canción.

2. Que es alegre, jovial, entretenido o gozoso, que es chistoso o jocoso. ❖ TRISTE.

— Los dos hermanos son totalmente diferentes, uno es festivo y el otro es aguafiestas.

festonear 1. Ser o conformar el borde ondulado de algo.

— Desde mi casa se ve como las montañas festonean el horizonte.

2. Bordar festones.

— En la clase de costura aprendimos a festonear.

— bordado que realza el borde de una tela: festón.

3. Adornar con guirnaldas de flores. ☞ **festonar.**

— Hay arquitectos que festonean en los bordes de las fachadas de ciertas casas.

— adorno arquitectónico en forma de guirnalda: festón.

— que tiene sus bordes en forma de festón: festoneado.

— lóbulo pequeño de las hojas de las plantas: festón.

fetiche Objeto de culto al que le atribuyen poderes sobrenaturales.

— adoración que se tiene a ciertos objetos considerados mágicos: fetichismo.

— idolatría, veneración excesiva: fetichismo.

— deformación sexual que consiste en

aumentar el placer carnal utilizando objetos inanimados: *fetichismo.*

— que pertenece al fetichismo o se relaciona con él, que practica el fetichismo: *fetichista.*

— término económico que designa la característica básica del régimen de producción capitalista: *fetichismo de la mercancía.*

fétido, -da Que desprende un olor muy desagradable, que apesta. ☞ **pestilente.** ❖ PERFUMADO, OLOROSO.

— tufo, pestilencia: *fetidez.*

feto Embrión de los animales vivíparos desde que adquiere la forma de su especie hasta el momento de su nacimiento.

— que pertenece al feto o se relaciona con él: *fetal.*

— parte de la medicina que trata del estudio, diagnosis y tratamiento de las enfermedades del ser en estado fetal: *fetología.*

— aborto voluntario o muerte que se le da voluntariamente a un feto: *feticidio.*

— que ocasiona la muerte de un ser en estado embrionario: *feticida.*

— persona que voluntariamente extermina a un feto: *feticida.*

— desarrollo del embrión: *fetación, gestación.*

— que no está completamente desarrollada en forma, tratándose de mamíferos recién nacidos: *fetíparo.*

feudal Que pertenece al feudalismo o se relaciona con este sistema.

— sistema político, económico y social propio de la Edad Media que tuvo su auge en el occidente europeo: *feudalismo.*

— organización política y social de un país que recuerda el régimen feudal medieval: *feudalismo.*

— tierras o bienes que un rey o un gran señor de la Edad Media concedía a un vasallo para que los gobernara o explotara a cambio de que el vasallo le rindiera fidelidad, tributo, ayuda militar y otras obligaciones: *feudo.*

— reconocimiento o dignidad que se concede al otorgar tierra a un vasallo: *feudo.*

— respeto o vasallaje: *feudo.*

— que pertenece al feudo o se relaciona con él: *feudista.*

— estudioso que escribe acerca de los feudos: *feudista.*

— que poseía un feudo o tenía esa dignidad: *feudatario.*

— entregar el vasallo a su señor el tributo prefijado: *feudar.*

— jerarquía feudal: *rey, gran vasallo, duque, marqués, conde, obispo, abad,*

barón, caballero, noble, hombre libre, villano, siervo, artesano, siervo de la gleba, colono, plebeyo.

fez Gorro de fieltro rojo en forma de cono que usaban los turcos.

fiambre 1. Carne cocida y preparada para poder comerla fría.

— *Hace una semana inauguraron una tienda que sólo vende fiambres y quesos en esa esquina.*

— preparar carnes frías o fiambres: *fiambrar.*

— portaviandas especial para alimentos que se pueden tomar fríos: *fiambrera.*

— persona que hace o vende embutidos: *fiambrero.*

2. Cadáver.

— *Encontraron un fiambre en la selva.*

fianza 1. Obligación legal que una persona contrae de pagar aquello a que otro se ha comprometido en el caso de que no cumpla.

— *Tuvo que firmar la fianza para que su hijo pudiera comprarse a crédito un departamento.*

— persona que se compromete a responder por otra: *fiador.*

2. Garantía que se da, generalmente en dinero, como prueba de la buena disposición que se tiene para el cumplimiento de una obligación.

— *El juez le concedió libertad bajo fianza.*

— fianza que se da para que alguien que sale de la cárcel cumpla con presentarse ante las autoridades correspondientes cuando sea requerido: *fianza carcelera.*

— fianza que se da hipotecando bienes raíces: *fianza de arraigo.*

— técnica de medicina veterinaria que consiste en poner la pata de un caballo en estiércol húmedo para herrarla con más facilidad: *poner en fianza.*

— depositar cierta cantidad como seguro de que se cumplirá una obligación: *dar la fianza.*

fiar 1. Vender o entregar algo sin recibir inmediatamente el pago, con la condición de que se pague después.

— *Te voy a fiar pero espero que mañana me pagues.*

— comerciante que vende a crédito: *fiador.*

— confiar en una persona: *fiarse.*

— merecer alguien la confianza o fe que se le tiene: *ser de fiar.*

— que es digno de confianza: *fiable.*

2. Obligarse a cumplir por otro en caso de que éste deje de hacerlo. ☞ **avalar.**

— *Voy a fiar por ti puesto que tu negocio es muy bueno.*

— persona que se compromete a responder por otra: *fiador.*

fiat Autorización, consentimiento o mandato para que una cosa se lleve a cabo.

fibra 1. Cada una de las hebras o filamentos que entran en la composición de los tejidos orgánicos animales o vegetales.

— *Las fibras nerviosas más importantes se hallan en la médula y en el cerebro.*

— que tiene abundantes fibras: *fibroso.*

— que tiene apariencia fibrosa: *fibroide*

— degeneración de carácter fibroide: *fibrosis.*

— inflamación sin supuración del tejido fibroso de cualquier parte del cuerpo: *fibrositis.*

— tumor de carácter fibroso que tiene tubérculos: *fibrotuberculoma.*

— tumor formado por tejido fibroso: *fibroma*

— aparición de fibromas en la piel o en el útero: *fibromatosis.*

— tumor formado por elementos fibrosos y sarcomatosos: *fibrosarcoma.*

— fibra pequeña o filamento que se encuentra en las neuronas: *fibrilla.*

— ramificación más fina que las demás que se halla en el extremo del cilindro-eje de la neurona: *fibrilla terminal.*

— que está formado por fibrillas terminales: *fibrilar.*

— vibración arrítmica de las fibras musculares: *fibrilación.*

2. Cada uno de los filamentos sintéticos o fabricados con los que se hacen tejidos, telas, láminas, etc.

— *Hay que comprar fibra de nylon para poder hacer ese adorno del disfraz.*

— que por estar hecho de muchas fibras es correoso y resistente: *fibroso.*

— sustancia fibrosa que puede suministrar hilos continuos al ser sometida a operaciones de hilatura: *fibra textil.*

— materia textil formada por fibras artificiales celulósicas: *fibrana.*

— fibra que se fabrica a partir de la celulosa: *fibra artificial.*

— fibra que es producto de síntesis químicas: *fibra sintética.*

— materia plástica que se obtiene tratando la celulosa con cloruro de cinc: *fibra vulcanizada.*

— filamento de vidrio que tiene gran resistencia a la tracción: *fibra de vidrio.*

— conjunto de vetas que forman algunos minerales metálicos en las minas: *fibrazón.*

3. Conjunto de filamentos metálicos que reunidos, generalmente en forma de bola, se utilizan para pulir o tallar objetos.
— *Pásame la fibra para pulir el piso.*
4. Esponja áspera con que se lavan los trastes.
— *Esta grasa sólo se quita con fibra y detergente.*
5. Vigor, energía, fuerza.
— *A pesar de la fibra que le echaron sólo obtuvieron el tercer lugar.*
ficción 1. Acción y resultado de fingir. ☞ **disimulo, artificio.**
— *Nuestras vidas son realidad y no ficción.*
— que es fingido o aparente: *ficticio.*
— que es falsificado, plagiado o arreglado: *ficticio.*
2. Creación de la imaginación. ☞ **quimera, ilusión.** ❖ REALIDAD.
— *Una novela es fruto de la ficción.*
— irreal, utópico, imaginario: *ficticio.*
— invención poética: *obra de ficción.*
— procedimiento de técnica jurídica que supone la existencia de un hecho no real para hacer de él el fundamento de un derecho: *ficción legal o ficción de derecho.*
ficha 1. Pequeña pieza aplanada de cartón, metal, madera o plástico con la que se intercambian valores en los juegos de mesa, sirve para marcar avances en ciertos juegos o tienen un valor determinado.
— *Para hacer una apuesta de 2000 pesos he de poner dos fichas azules.*
— pieza del dominó: *ficha de dominó.*
— colocar una ficha del juego de dominó: *fichar.*
2. Rectángulo de papel o cartulina en el que se apuntan los datos de una investigación para sistematizarla o las señas de personas, libros o documentos.
— *Tengo veinte fichas del tema historia de México.*
— rellenar una cartulina con los datos de una persona, libro, documento o los de una investigación científica: *fichar.*
— elaborar tarjetas sobre un tópico o materia específicos: *fichar.*
— mueble o cajón en que se almacenan las tarjetas de identificación de un tema determinado: *fichero.*
— colección de tarjetas de datos: *fichero.*
— que está anotado en un registro: *fichado*
— tarjeta de archivo: *ficha de investigación.*
— algunos tipos de fichas de investigación: *ficha hemerográfica, ficha bibliográfica, ficha de contenido.*
— cédula de identificación personal

que se usa en los expedientes administrativos: *ficha singalética.*
— cédula en la que se apuntan las medidas y señales corporales de un individuo para identificarlo: *ficha antropométrica.*
— hacer la ficha antropométrica de un individuo: *fichar.*
— inscribir a un jugador en un equipo: *fichar.*
— acción y resultado de tomar los datos de una persona, en especial, de fichas a un deportista: *fichaje.*
— rectángulo de cartulina gruesa en el que se practican tantos hoyos como datos numéricos o alfabéticos se requiere consignar: *ficha perforada, tarjeta perforada.*
— considerar a alguien como sospechoso de un delito y someterlo a vigilancia: *fichar.*
— aparecer los datos de una persona en los registros policiales: *estar fichado.*
— tener mala reputación o ser alguien de cuidado: *ser una ficha, ser una fichita.*
3. Papeleta numerada que indica el orden en que han de ser atendidos los clientes en un comercio o pieza de cartón o plástico que se usa como contraseña.
— *Dame las fichas para recoger los abrigos que dejamos en el guardarropa.*
fidedigno Que es auténtico, verdadero o digno de fe y crédito.
fideicomiso Entrega de una herencia o cantidad de dinero a una persona para que con ella ejecute lo que se le encarga. ☞ **fidecomiso.**
— que pertenece al fideicomiso o a las disposiciones que un testador deja acerca de su herencia o se relaciona con esto: *fideicomisario.*
— que pertenece al beneficiario de la donación dejada a otra persona por fideicomiso o se relaciona con él: *fideicomisario.*
— magistrado cuya tarea es vigilar la ejecución de los fideicomisos: *fideicomisario.*
— persona que ordena el fideicomiso: *fideicomitente.*
— que es el encargado de un fideicomiso: *fiduciario.*
— que pertenece a los valores ficticios que se apoyan únicamente en la confianza que se tiene a quien los emite o se relaciona con ellos: *fiduciario.*
— operación jurídica en la que se transfiere un bien a una persona a condición de que lo devuelva en el tiempo convenido: *fiducia.*

— que contiene una cláusula de fiducia: *fiduciario.*
fideo Pasta de harina de trigo en forma de tira muy delgada que sirve para hacer sopa.
— estar excesivamente delgado: *estar hecho un fideo.*
fiebre 1. Fenómeno patológico que consiste en la elevación anormal de la temperatura del cuerpo. ☞ **calentura, febril.** ❖ HIPOTERMIA.
— *Enfermo de una infección en la garganta, tenía 38 grados de fiebre.*
— que pertenece a la fiebre o se relaciona con ella: *febril.*
— calentura que va de los 37 a los 38°C: *febrícula o temperatura subfebril.*
— calentura de 38 a 38.5°C: *fiebre leve.*
— calentura de 38.5 a 39°C: *fiebre moderada.*
— calentura de 39 a 41°C: *fiebre alta.*
— calentura de 41 a 43°C: *fiebre altísima o hiperpirexia.*
— clases de fiebre: *fiebre continua, fiebre remitente, fiebre intermitente, fiebre recurrente, fiebre ondulante, fiebre atípica, fiebre efímera.*
— fiebre acompañada de úlceras blanquecinas situadas en la boca, el aparato digestivo o en la mucosa genital: *fiebre aftosa.*
— enfermedad alérgica causada por el polen de ciertas plantas: *fiebre del heno.*
— forma de enfermedad infecciosa cuyo agente patógeno se ingiere en la leche de cabras o vacas enfermas: *fiebre de Malta.*
— infección febril contagiosa que se caracteriza porque produce piel amarilla y vómitos negros: *fiebre amarilla.*
— enfermedad endémica de ciertas regiones del Perú: *fiebre de La Oroya o verruga peruana.*
— calentura alta acompañada de granos o ronchas como en el sarampión: *fiebre eruptiva.*
— fiebre acompañada de sudores y decaimiento general como en la tuberculosis: *fiebre héctica o hética.*
— fiebre que suele presentarse en las mujeres al segundo o tercer día del parto cuando se aproxima la aparición de la leche: *fiebre láctea.*
— enfermedad que presenta algunos síntomas de la tifoidea, causada por bacilos de la salmonela: *fiebre paratifoidea.*
— infección del aparato genital de la mujer que se presenta en el sobreparto: *fiebre puerperal.*
— forma de reumatismo agudo causa-

da por un estreptococo y localizada en el corazón: *fiebre reumática.*

— enfermedad causada por el bacilo de Eberth que ataca la región abdominal: *fiebre tifoidea.*

— enfermedad endémica producida por la picadura de una especie de Trombidium: *fiebre fluvial japonesa.*

— cada una de las enfermedades transmitidas por piojos y garrapatas que se caracterizan por excesos de fiebre e inflamación del hígado y bazo: *fiebre recidiva.*

— fiebre muy fuerte que es causada por un microbio procedente de terrenos pantanosos y es transmitida por el mosquito anófeles: *fiebre palúdica.*

— fiebre que causa cualquier enfermedad de un órgano: *fiebre sintomática.*

— fiebre causada por una lesión y que dura poco: *fiebre traumática.*

— fiebre que se induce artificialmente al enfermo con fines curativos: *fiebre terapéutica.*

— fiebre acompañada de frío glacial en las extremidades: *fiebre lipiria.*

— fiebre intermitente que se presenta cada tercer día: *fiebre terciana.*

— fiebre palúdica que dura cuatro días: *fiebre cuartana.*

— hipertermia prolongada y moderada cuyo origen es infeccioso o nervioso: *febrícula.*

— estado de elevación anormal de la temperatura del cuerpo: *hipertermia.*

— punto de mayor intensidad de la fiebre: *acmé.*

— periodo en el cual la fiebre va cediendo: *lisis.*

— instrumento para medir la temperatura: *termómetro.*

— padecimientos que se presentan junto con la fiebre: *aceleración del pulso y la respiración, jaqueca, sed, disminución de las secreciones, debilidad, escalofríos, temblores, dilatación de las pupilas, falta de apetito, delirio.*

2. Estado de frenesí y entusiasmo excesivo. ☞ **apasionamiento.** ❖ DESÁNIMO.

— *Conoció a la mujer de sus sueños y era presa de la fiebre amorosa.*

fiel 1. Que corresponde a la confianza puesta en alguien o algo, que cumple su responsabilidad de lealtad a alguien. ☞ **leal, honrado.** ❖ INFIEL, DESLEAL.

— *Un amigo fiel es aquel que guarda nuestros secretos.*

— lealtad, observancia de la amistad y amor que uno debe a otro: *fidelidad.*

— lealtad matrimonial: *fidelidad conyugal.*

— con fidelidad: *fielmente.*

— que es deshonrado, descreído o traicionero: *infiel.*

— muy leal: *fidelísimo.*

— juramento que prestaba el vasallo a su señor en señal de obediencia durante el feudalismo: *promesa de fidelidad.*

2. Que sigue siempre a su dueño o amo y no lo ataca, tratándose de animales. ❖ INFIEL.

— *Dicen que los perros son los animales más fieles al hombre.*

3. Persona que guarda la fe de su religión. ☞ **devoto, feligrés.**

— *Los fieles a las creencias religiosas indígenas efectúan ritos curiosos.*

4. Que está en conformidad con la verdad, la realidad o la exactitud del modelo que reproduce. ☞ **exacto.** ❖ INFIEL, IRREGULAR.

— *El niño fue capaz de hacer una referencia muy fiel de los hechos.*

— exactitud y puntualidad en la ejecución de una cosa: *fidelidad.*

— buena calidad en la reproducción de un sonido: *alta fidelidad.*

— capacidad de un aparato de televisión de reproducir sin deformación la modulación entre la señal de video y la señal de audio: *fidelidad de un televisor.*

— aptitud de un radiorreceptor para reproducir exactamente la señal que recibe: *fidelidad de un receptor de radiodifusión.*

— persona autorizada para ejercer las funciones de un escribano en los lugares en donde no lo hay: *fiel de hechos.*

5. Aguja que marca el peso exacto en las balanzas.

— *El fiel marcaba exactamente cincuenta kilos.*

— en igualdad de peso: *en fiel.*

— empleado encargado de vigilar la medida de granos y líquidos: *fiel medidor.*

— oficial que supervisa en un matadero el peso de la carne: *fiel de romana.*

6. Tornillo que asegura las hojas de las tijeras.

— *Hay que comprar otro fiel para esas tijeras.*

fieltro Tela que resulta de conglomerar borra o lana, con la que se fabrican sombreros, alfombras, tapetes. etc.

fiera 1. Animal salvaje e indómito, carnicero y sanguinario.

— *Los mamíferos carnívoros de dientes afilados y garras son fieras temibles.*

— que pertenece a las fieras o se relaciona con ellas: *fiero.*

— que es sanguinario, duro y cruel o que ataca y devora, tratándose de animales o fieras: *feroz, fiero.*

— salvajismo, brutalidad o crueldad de una fiera: *fiereza. ferocidad.*

— violentamente: *fieramente.*

— que muestra los dientes, tratándose de animales en heráldica: *fiero.*

— persona que se dedica a amaestrar fieras: *domador.*

— algunas fieras: *león, tigre, tigre de Bengala, leopardo, pantera, pantera negra, jaguar o tigre americano, puma o león americano, onza o guepardo, cheetah, lince, ocelote, gato montés, chacal, hiena, hiena rayada, hiena manchada, lobo, coyote, perro, zorra, zorro común, zorro rojo, zorro ártico, zorro azul, jabalí, jabato, oso, oso pardo, oso gris, oso de Alaska, oso polar, oso blanco, oso malayo.*

2. Persona cruel, inhumana o de carácter violento o persona que se enoja con facilidad.

— *Cuando lo tratan mal o injustamente se vuelve una fiera.*

— que es ensañado o cruel, que maltrata, hiere o mata, tratándose de personas: *feroz, fiero.*

— que causa mucho daño y terror, que es horroroso o terrible: *feroz, fiero.*

— encolerizarse excesivamente: *ponerse hecho una fiera.*

— poseer habilidad extraordinaria para determinada actividad: *ser una fiera para.*

fierro 1. Metal de color gris azulado que se utiliza principalmente en la industria. ☞ **hierro, férreo, ferroso.**

— *El fierro puede soldarse.*

— que está hecho de fierro o lo contiene: *ferroso, férreo.*

— que tiene propiedades como las del fierro o hierro: *férreo.*

2. Trozo de metal, en especial el que tiene forma de varilla.

— *Lo tuvieron que vacunar con la antitetánica porque se clavó un fierro en el pie.*

— grilletes, cadenas: *fierros de aprisionar.*

3. Dinero, monedas.

— *Me quedé sin un fierro en el frontón.*

— gran cantidad de dinero: *fierrada.*

— tener dinero: *traer muchos fierros.*

fiesta 1. Reunión social llena de alegría, regocijo y diversión que se hace generalmente para celebrar algo. ☞ **festejar, festivo.**

— *Vamos a hacer una fiesta ahora que cumplas años.*

— hacer una fiesta para agasajar a una

persona o celebrar un suceso importante: *festejar*.

— acción y resultado de festejar: *festejo*.

— festejo particular o banquete suntuoso: *festín*.

— que es digno de celebrarse: *festivo*.

— que es alegre o divertido: *festivo*.

— fiesta solemne para celebrar algo: *festividad*.

— sitio cerrado donde se celebran peleas de gallos, hay actuación de artistas, juegos y rifas: *palenque*.

— fiesta musical, cinematográfica, literaria o de cualquier otro carácter cultural que dura varios días: *festival*.

— corrida de toros: *fiesta brava*.

— estar muy alegre por algún acontecimiento venturoso: *estar de fiesta*.

— estar de mal humor y aburrido: *no estar para fiestas*.

— echarse a perder un festejo: *aguarse la fiesta*.

— individuo molesto y aburrido: *aguafiestas*.

— expresión que se utiliza para apaciguar los ánimos exaltados durante un discusión: *tengamos la fiesta en paz*.

— hacer demostraciones de cariño o simpatía a alguien: *hacerle fiestas*.

2. Día en que se conmemora cierto suceso civil, patriótico o alguna solemnidad religiosa.

— *Este fin de semana son las fiestas patrias por la independencia del país*.

— día entre semana en que no se trabaja: *día de fiesta o día festivo*.

— día en que se conmemora algún hecho histórico significativo: *día de fiesta nacional*.

— día de trabajo normal que para los tribunales es feriado: *fiesta de consejo*.

— conmemoración del descubrimiento de América, el 12 de octubre: *fiesta del Día de la Raza*.

— festejos que se llevan a cabo una vez al año: *fiestas mayores*.

— fiesta que celebran los hebreos en memoria del Éxodo: *fiesta de los tabernáculos*.

— fiestas musulmanas: *fiesta de la ruptura del ayuno, fiesta de los sacrificios de las víctimas, gran fiesta*.

— día en que la Iglesia católica celebra la memoria de un santo: *fiesta religiosa*.

— fiesta que celebra la Iglesia católica todos los años en el mismo día: *fiesta fija o fiesta inmoble*.

— celebración religiosa católica que no tiene fecha fija, como la Semana Santa o Corpus: *fiesta movible*.

— llevar a cabo los ritos de una conmemoración religiosa de forma adecuada: *celebrar, guardar o santificar las fiestas*.

— día en que hay obligación de oír misa: *fiesta de guardar*.

— fiestas de la Iglesia católica en las que el descanso y la asistencia a misa son obligatorios: *fiestas de precepto*.

— fiestas de precepto: *todos los domingos del año, la Natividad, la Circuncisión, la Epifanía, Corpus Christi, la Inmaculada Concepción, la Asunción, San José, Todos los Santos, y las fiestas patronales de cada región*.

— fiestas oficiales religiosas: *Domingo, Pascua, Nochebuena, Navidad, Natividad, Nochevieja, San Silvestre, Día de la Raza, Día de la Hispanidad, día del Pilar, Asunción, Santiago Apóstol, Virgen de Guadalupe, Asunción, Concepción, Corpus Christi, Reyes o Epifanía, Adoración, Circuncisión, Pentecostés, Día de Difuntos, Día de Todos los Santos, Santos Inocentes, Pascua del Espíritu Santo, Pascua de Resurrección, Pascua Florida, Adviento, Carnaval, Miércoles de Ceniza, Semana Santa, Jueves Santo, Viernes Santo, Sábado de Gloria, Domingo de Resurrección, Purificación, Purísima, Anunciación, Trinidad*.

— objetos con los que se hace o adorna una fiesta: *serpentinas, confeti, papel picado, farolillos de papel, globos de colores, guirnaldas, coronas de flores, luces de bengala, cohetes, fuegos artificiales, matracas, espantasuegras, silbatos, nariz, bigote y cejas artificiales con gafas, caretas, máscaras, disfraces, gorritos de papel*.

— olla de barro forrada con papel picado de diversos colores que está llena de fruta y dulces y se cuelga para que los invitados a una fiesta la rompan a palos: *piñata*.

fígaro 1. Barbero, peluquero.

— *Necesito ir con el fígaro de mi colonia para que me corte el pelo*.

2. Chaqueta corta que llega sólo a la cintura. ☞ **torera**.

— *Para la fiesta de mañana llevaré una falda negra y un fígaro rojo*.

figón Fonda o taberna de baja categoría. ☞ **posada**.

— persona encargada de una fonda: *fondero, figonero*.

figura 1. Forma exterior de un cuerpo o aspecto de una cosa o persona. ☞ **configuración. apariencia, silueta**.

— *La tristeza había encorvado su figura*.

— formar el cuerpo de una cosa o representar el aspecto o apariencia de algo: *figurar*.

— de cuerpo bien o mal formado: *de buena o mala figura*.

— causar una buena o una mala impresión o dar buen o mal aspecto una persona que se prueba al lado de otras: *hacer buena figura, hacer mala figura*.

— silueta que puede observarse sobre una placa fotográfica o sobre una placa cubierta de polvo al ser colocada entre electrodos cargados con alta tensión: *figura de Lichtenberg*.

2. Representación de la forma de algo o de alguien con un dibujo, escultura, pintura, etc.

— *A los niños les encanta dibujar figuras*.

— aparentar, fingir, pretender o representar algo: *figurar*.

— que sirve de representación de otra cosa o que es figura de algo: *figurativo*.

— corriente artística que representa figuras de realidades concretas en oposición al arte abstracto: *arte figurativo*.

— arte abstracto: *arte no figurativo*.

— que puede representarse con una forma concreta: *figurable*.

— estatuilla de terracota, barro o bronce: *figurilla*.

— dibujo, boceto o modelo de trajes de moda o revista de modas: *figurín*.

— persona que hace o vende muñecos de barro, yeso, pan u otro material: *figurero*.

— representación que se realiza en madera, metal o piedra: *figura de bulto*.

— delineación de la postura de los astros en el cielo en un determinado momento: *figura celeste*.

— figura que representa seres y objetos de la realidad: *figura natural*.

— figura que representa seres de la mitología: *figura quimérica, figura mitológica*.

— objetos fabricados por el hombre: *figura artificial*.

— cada una de las barajas que representan personas como el rey, la reina, el joto, el as o la sota: *figuras*.

— signo que representa la duración o el valor de un sonido o de un silencio en la notación musical: *figura musical*.

— figuras musicales: *redonda, blanca, negra, corchea, semicorchea, fusa, semifusa*.

— espacio cerrado por líneas o superficies: *figura geométrica*.

— definición legal de las características específicas de un acto que viola la ley: *figura del delito*.

— el mascarón de proa de una embarcación: *figurón de proa.*

3. Imagen, símbolo o divisa con la que se representa un concepto moral o intelectual. ☞ **alegoría.**

— *La figura de una paloma blanca es el símbolo de la paz.*

— suponer uno algo que no se sabe de cierto, imaginarse algo: *figurarse.*

— acción de imaginar o figurarse alguna cosa: *figuración.*

— imaginársele algo a alguien: *figurársele.*

— expresión que se usa para empezar a relatar algo poco creíble: *figúrese usted que.*

— secta jansenista del siglo XVIII que atribuía mero carácter alegórico a las Sagradas Escrituras: *figurismo.*

— representación pictórica, escultórica o dramática de algo no material, sino de una idea abstracta: *figura moral.*

— cada uno de los cuatro tipos de silogismo: *figura lógica.*

— sentido que es un sentido diferente del propio o literal de las palabras: *sentido figurado.*

— alteración del empleo o del sentido de las palabras para lograr efectos poéticos: *figura retórica.*

— que utiliza figuras retóricas: *figurado.*

— figura retórica que consiste en referirse a una persona o cosa sin nombrarla: *alusión.*

— figura retórica que consiste en dar a las palabras un sentido distinto del que en realidad tienen: *antífrasis.*

— figura retórica que consiste en la oposición del sentido de dos frases o palabras: *antítesis.*

— figura retórica que consiste en dirigir vehementemente ciertas palabras a alguien: *apóstrofe.*

— figura retórica que consiste en la evocación de unas ideas o imágenes por medio de otras distintas: *asociación.*

— figura retórica que consiste en dirigir a alguien una alabanza con apariencia de represión: *asteísmo.*

— figura retórica que consiste en dar a entender algo negando lo contrario de lo que se quiere decir: *atenuación.*

— figura retórica que consiste en jerarquizar o dar gradación de palabras de manera que vayan de menos a más: *aumentación.*

— figura retórica que disfraza la ironía o burla: *carientismo.*

— figura retórica en que el que habla atribuye a otro sus buenas o malas acciones: *cleuasmo.*

— figura retórica que es el término más alto de una gradación ascendente: *clímax.*

— figura retórica que consiste en establecer las semejanzas de dos cosas para comprenderlas mejor: *comparación.*

— figura retórica que consiste en amenazar con males terribles: *conminación.*

— figura retórica que consiste en subrayar alguno de los puntos tratados para llamar la atención sobre él: *conmoración.*

— figura retórica que consiste en la inversión de los términos de una frase: *conmutación, retruécano.*

— figura retórica que consiste en dirigir un ruego o súplica ferviente: *deprecación.*

— figura retórica que consiste en que la persona que habla lo haga como si platicara consigo misma: *dialoguismo.*

— figura retórica que consiste en una enumeración en la que ordenadamente se afirma o niega algo de lo que se ha enumerado: *distribución.*

— figura retórica que consiste en manifestar quien habla perplejidad con respecto a lo que ha de hacer: *dubitación.*

— figura retórica que consiste en dar a entender más de lo que se expresa: *énfasis.*

— parte final de un discurso en la que se repiten brevemente los puntos que se han tratado: *enumeración.*

— figura retórica de corrección: *epanortosis.*

— figura retórica que consiste en repetir varias veces una palabra o en intercalar varias veces un verso en una composición poética: *epímone.*

— figura retórica que consiste en repetir algo que ya se ha dicho para dejarlo claro: *epítome.*

— interrogación retórica: *erotema.*

— expresión que reemplaza a otra que sonaría dura: *eufemismo.*

— figura retórica que es una broma inofensiva: *eutrapelia.*

— figura retórica que expresa asombro o alguna emoción: *exclamación.*

— figura retórica que consiste en condenar o increpar a otro: *execración.*

— figura retórica que consiste en repetir un mismo pensamiento de distintas formas: *expolición.*

— figura retórica que consiste en repetir seguidamente una o más palabras: *geminación.*

— figura retórica que consiste en la enumeración de algo de acuerdo con un determinado orden de valores: *gradación.*

— figura retórica que consiste en aumentar con exageración una alabanza o una sátira: *hipérbole.*

— figura retórica que consiste en alterar el orden lógico de las ideas u oraciones: *histerología, hipérbaton.*

— figura retórica que consiste en poner un dicho o discurso en boca de una persona muerta: *idolopeya.*

— figura retórica que consiste en afirmar que primero que suceda una cosa ha de ocurrir otra que no está dentro de lo posible: *imposible.*

— figura retórica que consiste en expresar el deseo de que a otro le suceda un gran mal: *imprecación.*

— figura retórica que consiste en preguntar para expresar indirectamente la afirmación: *interrogación.*

— figura retórica con que se da a entender lo contrario de lo que se dice: *ironía.*

— figura retórica que consiste en negar lo contrario de lo que se quiere afirmar: *lítote.*

— figura retórica que consiste en poner a Dios, los hombres o la naturaleza por testigos de lo que se dice: *obtestación.*

— figura retórica que anticipa un argumento: *ocupación.*

— figura retórica que consiste en manifestar vehementemente el deseo de que suceda alguna cosa: *optación.*

— figura retórica que consiste en usar voces de significado semejante dando a entender que lo tienen diverso: *paradiástole.*

— figura retórica que consiste en emplear expresiones o frases que contienen una aparente contradicción: *paradoja.*

— figura retórica que consiste en decir cosas al parecer ofensivas que en realidad son halagüeñas: *parresia.*

— figura retórica que consiste en usar repetidamente las conjunciones para dar fuerza a los conceptos: *polisíndenton.*

— figura retórica en la que se deja incompleta una frase para que se sobreentienda: *precisión.*

— figura retórica que consiste en aparentar que se omite lo que se está expresando: *preterición.*

— figura retórica que consiste en anticipar el autor la objeción que se pudiera hacer: *prolepsis.*

— figura retórica que consiste en atribuir cualidades de los hombres a las cosas o animales: *prosopopeya, personificación.*

— figura retórica que consiste en repetir una cláusula en un mismo vocablo: *reduplicación*.

— figura retórica que consiste en repetir a propósito palabras o conceptos: *repetición*.

— figura retórica que consiste en dejar incompleta una frase dando a entender el sentido de lo que no se dice: *reticencia*.

— figura retórica que invierte el orden de los términos de una oración o frase: *batruécano*.

— figura retórica que contiene una burla cruel: *sarcasmo*.

— figura retórica que censura o ridiculiza las costumbres y defectos humanos: *sátira*.

— figura retórica que consiste en comparar expresamente una cosa con otra para realzarla: *símil, semejanza*.

— figura retórica que consiste en hacer preguntas que uno mismo responde: *sujeción*.

— figura retórica de anticipación o prolepsis: *sujeción*.

— figura retórica que consiste en diferir la declaración del concepto para avivar la curiosidad del lector: *suspensión*.

— figura retórica que consiste en la repetición inútil o viciosa de un mismo pensamiento: *tautología*.

— figura retórica que cambia el orden lógico de las palabras de una oración: *trasposición o transposición*.

— cada una de las figuras retóricas que consisten en matices del pensamiento independientes de la expresión: *figura de pensamiento*.

— principales figuras de pensamiento: *antítesis, apóstrofe, interrogación, gradación, hipérbole, lítote, prosopopeya*.

— cada una de las figuras retóricas en las que la palabra conserva su significado: *figura de dicción, figura del lenguaje*.

— cada una de las figuras retóricas en las que cambia el sentido de la palabra: *tropo o figura literaria*.

— figura del lenguaje que consiste en colocar próximos dos vocablos que tienen el mismo origen o semejanza fonética: *paronomasia o agnominación*.

— figura del lenguaje que mediante la repetición notoria de fonemas contribuye a la estructura o expresividad del verso: *aliteración*.

— figura del lenguaje que consiste en el desarrollo de una proposición explicándola de diversas maneras: *amplificación*.

— figura del lenguaje que consiste en repetir una frase al comienzo de un párrafo: *anáfora*.

— figura del lenguaje que consiste en redactar una frase que puede tener más de un sentido: *anfibología*.

— figura del lenguaje que consiste en omitir las conjunciones para dar viveza al concepto: *asíndenton*.

— figura del lenguaje que consiste en la repetición innecesaria y enojosa de palabras: *batología*.

— figura del lenguaje que consiste en empezar cláusulas con la voz final de la cláusula anterior: *concatenación, epanástrofe*.

— figura del lenguaje que expresa brevedad y precisión en el enunciado de los conceptos: *concisión*.

— figura del lenguaje que consiste en insistir en alguno de los puntos tratados para grabarlo más en la atención: *conmoración*.

— figura del lenguaje que consiste en el empleo innecesario de sinónimos: *datismo*.

— figura del lenguaje que consiste en que cada oración de un párrafo queda completa por sí misma: *disyunción*.

— figura del lenguaje que consiste en usar para una sola cosa dos palabras distintas: *endíadis*.

— figura del lenguaje que consiste en repetir al fin de una cláusula o frase el mismo vocablo con que empieza: *epanadiplosis o redición*.

— figura del lenguaje que consiste en la exclamación o reflexión que concluye y resume la exposición de un concepto: *epifonema*.

— figura del lenguaje en la que se concede lo que alega el adversario para rebatirlo: *epítrope*.

— figura del lenguaje que consiste en fingir que se deja una cosa al arbitrio ajeno: *epítrope*.

— figura del lenguaje que consiste en repetir un mismo pensamiento con distintas formas: *expolición*.

— figura del lenguaje que consiste en emplear vocablos que imitan el sonido de una cosa o de un animal: *onomatopeya*.

— figura del lenguaje que es una traducción: *políptoton*.

— figura del lenguaje que consiste en emplear en una cláusula un mismo vocablo con diferentes antecedentes gramaticales: *traducción*.

— tropo que consiste en expresar un contrasentido: *abusión*.

— tropo que consiste en trasladar el sentido recto de las palabras a otro figurado haciendo una identificación tácita: *metáfora*.

— tropo que consiste en expresar en un discurso, por medio de metáforas consecutivas un sentido recto y otro figurado para dar a entender una cosa expresando otra diferente: *alegoría*.

— tropo que consiste en el uso del nombre apelativo de algo o alguien en lugar del propio: *antonomasia*.

— tropo que consiste en dar a una palabra un sentido traslaticio para designar una cosa que carece de nombre: *catacresis*.

— tropo que consiste en aplicar voces propias de seres animados a cosas: *metagoge*.

— tropo con que se nombra una cosa por otra relacionada con ella: *metonimia*.

— tropo que es una especie de metonimia que consiste en tomar el antecedente por el consiguiente: *metalepsis*.

— tropo que designa el todo por la parte, el género por la especie o viceversa: *sinécdoque*.

4. Persona que destaca en alguna actividad. ☞ **notabilidad, eminencia, héroe.**

— *Mi tío Luis era una figura en el campo de la parasitología.*

— destacar, brillar en alguna actividad: *figurar*.

— pertenecer a un sector determinadas personas o cosas, formar parte de algo: *figurar*.

— persona presumida, que trata de aparentar más de lo que es: *figurón*.

— persona pequeña y de aspecto ridículo: *figurilla*.

— persona que ocupa un cargo sin ejercer las responsabilidades que le corresponden: *figura decorativa*.

— expresión que sirve para decir que el carácter de una persona, tal y como se la conoce, será el mismo hasta la muerte: *genio y figura hasta la sepultura*.

5. Personaje de una obra dramática y actor que lo representa.

— *La figura de Hamlet me estremeció toda la vida.*

— cada una de las personas que es comparsa en una obra teatral: *figurante*.

— personaje de comedia de carácter exagerado: *figurón*.

— hombre joven que se acicala excesivamente, lagartijo, petimetre, lechuguino: *figurín*.

6. Cada una de las posiciones o movimientos de un actor, bailarín, gimnasta, etc.

— *Me fascinaron las figuras que realizaron los patinadores artísticos.*

7. Mueca, seña o ademán afectado que se hace para comunicarse con otro.

— *No hagas esas figuras con la cara, te ves ridícula y fea.*

— mueca o ademán afectado que alguien hace: *figurería*.

— que tiene por costumbre hacer muecas: *figurero*.

— figura que provoca risa: *figura grotesca*.

fijar 1. Sujetar, asegurar una cosa a otra. ☞ **afianzar**. ❖ SOLTAR, AFLOJAR.

— *Para fijar el librero a la pared necesito un taladro.*

— hacer estable o permanente una cosa, darle una forma definitiva: *fijarla*.

— acción y resultado de fijar: *fijación*.

— que fija: *fijador*.

— firmeza, seguridad o inalterabilidad: *fijeza*.

— que es firme o está bien asegurado, que no puede moverse, cambiar ni desprenderse: *fijo*.

— seguramente, sin duda: *de fijo*.

— goma o laca que sirve para mantener el pelo en el lugar que se desea: *fijador, fijapelo*.

— sustancia que permite que un perfume permanezca sin cambios: *fijador*.

— sustancia que coagula rápidamente las proteínas y otras sustancias orgánicas de los tejidos orgánicos, como el formol o el alcohol, para poder estudiarlos: *fijador*.

— líquido para fijar fotografías, dibujos o pinturas: *fijador, fijativo*.

— estado de reposo que alcanzan las materias químicas después de que se han agitado: *fijación*.

— que no puede volatilizarse sino a temperaturas muy altas, tratándose de sustancias químicas: *fijo*.

— estado de los vegetales y animales muertos que han sido colocados en un soporte especial: *fijación*.

— proceso por el cual una palabra se liga a una locución perdiendo su existencia independiente: *fijación*.

— sistema que permite asegurar el pie al esquí para evitar que se deslice: *fijación*.

— obrero que introduce el mortero entre las piedras: *fijador*.

— carpintero que coloca las puertas y ventanas en sus juntas: *fijador*.

— que pone carteles, anuncios o pósters en las paredes: *fijacarteles*.

— colocar un médico veterinario a un animal de modo que sea fácil maniobrar con él: *fijar un animal*.

— estrellas cuyos movimientos no se aprecian fácilmente y que conservan una posición invariable: *estrella fija*.

— punto marítimo de longitud: *punto fijo*.

— determinación de la forma originaria de un escrito que se ha transmitido mediante varias copias: *fijación de un texto*.

— cruz heráldica cuyo pie termina en punta: *cruz fijada*.

2. Determinar, precisar, definir una idea o un objeto, establecer algo de manera definitiva.

— *Ya fijamos cuánto pagarán de renta los inquilinos.*

— continuidad, persistencia de algo: *fijeza*.

— que está establecido de modo durable, sin estar expuesto a cambios: *fijo*.

— que es exacto y no admite duda o discusión: *fijo*.

— observar, contemplar un fenómeno o mirar a alguien o algo con atención: *fijarse*.

— aplicar intensamente los sentidos a entender algo: *fijar la atención*.

— persistencia en la edad adulta de una dependencia muy grande del padre, de la madre o de otra figura: *fijación*.

fila Orden que guardan varias personas o cosas dispuestas en línea, unas detrás de otras o unas junto a otras. ☞ **hilera, columna.**

— colocar cosas o personas en columna: *enfilar*.

— apuntar en línea recta, dirigirse a un objetivo: *enfilarse*.

— marchar las personas, en especial los soldados, en columnas ordenadas: *desfilar*.

— en el servicio activo del ejército: *en filas*.

— hilera de personas que van una tras otra: *fila india*.

— en línea recta: *en fila*.

— en un sitio privilegiado: *en primera fila*.

— agruparse entre sí los que forman una comunidad: *estrechar filas*.

— bando, facción, grupo político: *filas*.

— ensartar perlas: *enfilar perlas*.

filacteria 1. Amuleto o talismán antiguo.

— *La maga porta una filacteria poderosa que la protege de todo mal.*

2. Tira de pergamino con pasajes de las Escrituras que los judíos llevan atadas, durante ciertos rezos, al brazo izquierdo o a la frente.

— *Las filacterias se guardan en pequeñas cajas.*

3. Cinta con inscripciones que se pone en escudos de armas o epitafios.

— *La filacteria de esta tumba es muy antigua.*

filamento Cualquier hilo fino, flexible o rígido o cuerpo en forma de hilo. ☞ **hebra.**

— que tiene filamentos o hilos: *filamentoso*.

— hilo conductor de electricidad de las bombillas o focos: *filamento eléctrico, filamento lumínico*.

— tipos de filamentos lumínicos: *filamento de alumbrado doméstico, filamento de faro de automóvil, filamento de proyector de cine*.

filántropo, -pa Persona que respeta y ama a la humanidad, en especial el que aporta sus bienes para el bienestar de los hombres. ☞ **altruista, benefactor.** ❖ MISÁNTROPO, EGOÍSTA.

— amor al género humano: *filantropía*.

— que pertenece a la filantropía o se relaciona con ella: *filantrópico*.

filarmónico, -ca Que es amante de la música. ☞ **melómano.**

— asociación musical que ejecuta conciertos: *filarmonía, filarmónica*.

— pasión por la música: *filarmonía*.

filatelia Arte que consiste en el estudio y la colección de los timbres o sellos, especialmente los de correos, afición por los timbres.

— que pertenece a la filatelia o se relaciona con ella: *filatélico*.

— persona que colecciona sellos de correos: *filatelista, filatélico, numismático*.

— marca con que se inutilizan los timbres de una carta: *matasellos*.

— clases de timbres o sellos: *timbre o sello de correo ordinario, timbre o sello de servicios especiales, timbre o sello aéreo, timbre o sello conmemorativo, timbre o sello temático, timbre o sello de beneficencia, timbre o sello de impuesto de guerra, timbre o sello de urgencia, timbre o sello para impresos, sello local, correo submarino, timbre fiscal*.

— pequeña placa de metal utilizada por los filatelistas para medir el dentado de los sellos postales: *odontómetro*.

filete 1. Rebanada de carne magra o parte de la res más blanda y con menos nervios y grasa. ☞ **bistec.**

— *Se daba vida de rico comiendo filete todos los días.*

— partir una pieza de carne en rebanadas o lonjas: *filetear*.

2. Lonja de pescado que se corta paralelamente a la espina dorsal.

— *Ayer cenamos unos filetes de pescado deliciosos*.

— cortar el pescado en lonjas: *filetear*.

3. Línea o lista fina de adorno en un dibujo. ☞ **ribete, franja.**

— *Me gustan los filetes de ese dibujo al carbón*.

— dibujar pequeñas rayas doradas en el lomo o en las pastas de un libro: *labrar filetes*.

— adornar con filetes un dibujo: *filetear*.

filiación 1. Conjunto de señas personales de un individuo que sirven para identificarlo.

— *Tuvo que dar su filiación para que lo contrataran en ese trabajo*.

— tomar las señas personales de alguien: *filiar*.

2. Situación de un individuo de estar inscrito o afiliado a un partido político.

— *Su filiación priísta se conoció de inmediato*.

— partidario o adepto a cierto partido: *afiliado*.

3. Descendencia en línea directa o serie de individuos enlazados unos con otros por el lazo de generación.

— *La filiación natural que une a los hijos con sus padres en algunos animales es muy breve*.

— que pertenece a los hijos o se relaciona con ellos: *filial*.

4. Dependencia que tienen algunas personas o cosas respecto de otras.

— *Hay una gran filiación entre todas las naciones hispanoamericanas*.

— unir o asociar una persona a otras: *afiliar, filiar*.

— sucursal o dependencia de un establecimiento o empresa: *filial*.

filibustero 1. Pirata que en los siglos XVI, XVII y XVIII navegaba por el mar de las Antillas y atacaba las colonias españolas en América. ☞ **bucanero.**

— *Los filibusteros se enriquecían rápidamente*.

— piratería: *filibusterismo*.

2. Partidario de la independencia de las provincias españolas de ultramar cuando eran colonias.

— obstaculizar la aprobación de una ley una personalidad política: *filibusterismo*.

filicidio Muerte que el padre o la madre dan a su hijo.

— que mata a su hijo: *filicida*.

filiforme Que tiene forma o aspecto de hilo.

— una de las clases de papilas de la lengua: *papila filiforme*.

— cada uno de los órganos delgados y finos que forman parte del cuerpo de una persona o de un animal: *órgano filiforme*.

— pulso de una persona en estado de shock: *puslo filiforme*.

filigrana 1. Obra formada con finísimos hilos de oro o plata, o la que es hecha con perfección y delicadeza.

— *Este broche veneciano es de filigrana de oro del siglo XVI*.

— delicado: *de filigrana*.

2. Marca transparente que se hace en el papel al fabricarlo.

— *Recibía cartas en papel de filigrana*.

filípica Amonestación severa, censura fuerte. ❖ ELOGIO, ALABANZA.

filis Habilidad, gracia o delicadeza al hablar o al hacer algo.

filmar Tomar o fotografiar las escenas en movimiento con una cámara cinematográfica. ☞ **cinematografiar.**

— película de cine: *filme, film*.

— película o la que se reproducen, en tamaño muy reducido, imágenes de impresos o manuscritos para verlos luego mediante una proyección: *microfilm*.

— cortometraje publicitario: *filmlet*.

— rodaje de una película: *filmación*.

— estudio de la influencia que ejerce una película en una persona o en determinada clase social: *filmología*.

— que pertenece a la filmología o se relaciona con ella: *filmológico*.

— lugar en que se guardan las cintas de películas: *filmoteca*.

— colección de películas: *filmoteca*.

— persona que filma una película: *filmador*.

— cámara cinematográfica de uso no profesional: *filmador*.

— descripción o conocimiento de los filmes de un director, productor o de un actor: *filmografía*.

filo 1. Borde agudo de ciertas cosas, especialmente de un instrumento cortante.

— *Ten cuidado con el filo del cuchillo, te puedes herir*.

— que tiene mucho filo: *filoso, afilado*.

— dar filo o sacar filo a algo: *afilar*.

— que puede ser favorable o adverso: *de doble filo*.

— línea de dirección que lleva el viento con respecto de una embarcación: *filo del viento*.

2. Hambre.

— *Teníamos mucho filo porque no habíamos comido en dos días*.

— tener hambre: *traer filo*.

filófago Que se alimenta de hojas.

filogenia o filogénesis Origen y evolución de las razas o especies animales o vegetales.

— que pertenece a la filogénesis o se relaciona con ella: *filogenético, filogénico*.

— biólogo especializado en el estudio de la filogenia: *filogenista*.

filología Ciencia que estudia una cultura a partir de su lengua, basándose sobre todo en los textos escritos que la dan a conocer.

— que pertenece a la filología o se relaciona con ella: *filológico*.

— persona que se dedica a rastrear el origen de los textos históricos y a analizarlos: *filólogo*.

— ciencia que estudia un grupo de lenguas y sus diferencias y semejanzas: *filología comparada*.

— estudio de la cultura grecorromana a partir de las lenguas griega y latina y de los documentos escritos: *filología clásica*.

filomanía Crecimiento excesivo de hojas en un vegetal.

filón 1. Fisura irregular o veta de la corteza terrestre que contiene diversos minerales mezclados con rocas. ☞ **yacimiento, veta.**

— *Aún quedan exploradores que buscan filones en las zonas montañosas*.

— veta mineral que no contiene materia explotable: *filón estéril*.

— excavación que se hace, a partir de un filón, para extraer el material aprovechable: *mina*.

— obrero que excava un filón en busca de material utilizable: *minero*.

— industria que se dedica a la prospección, extracción y beneficio de los materiales útiles que se encuentran en la corteza terrestre: *minería*.

2. Fuente de riqueza, negocio próspero o ganga.

— *A pesar de su apariencia la tienda de la esquina es un verdadero filón*.

filoseda Tela hecha con lana y seda o seda y algodón.

filosofía 1. Ciencia que trata de la esencia, propiedades, causas y efectos de las cosas del conocimiento y actividades humanas y estudia las formas del pensamiento.

— *Está leyendo mucho sobre filosofía de la historia*.

— que pertenece a la filosofía o se relaciona con ella: *filosófico*.

— meditar sobre los problemas filosóficos: *filosofar*.

— persona que se dedica al estudio del ser en el universo o de un sistema filosófico: *filósofo*.

— tesis filosófica: *filosofema*.

— pensador pretencioso, que plagia las ideas de otros o pretende filosofar sin tener capacidad para ello: *filosofastro*.

— abuso de las argumentaciones filosóficas: *filosofismo*.

— con los postulados de un sistema de pensamiento determinado: *filosóficamente*.

— parte de la filosofía que trata del ser y de sus propiedades, principios y causas primeras: *metafísica*.

— ciencia que estudia las leyes y modos de conocimiento científico mediante el raciocinio: *lógica*.

— ciencia que trata del bien en general y de las acciones humanas con respecto a su bondad o malicia: *moral*.

— parte de la filosofía que trata de la moral y de las obligaciones del hombre: *ética*.

— parte de la metafísica que trata del ser en general y de sus propiedades trascendentales: *ontología*.

— filosofía del raciocinio, arte de razonar: *dialéctica*.

— estudio del origen, naturaleza, métodos y límites del conocimiento humano: *epistemología*.

— ciencia que trata del modo ordenado de hacer o pensar una cosa: *metodología*.

— rama de la filosofía que estudia la naturaleza del arte, su percepción y los criterios que se aplican para apreciarlo: *estética*.

— doctrina filosófico-religiosa de los que pretenden conocer a Dios directa e intuitivamente, es decir, sin necesidad de la revelación ni de la especulación: *teosofía*.

— ciencia que trata de Dios y de sus atributos: *teología*.

— teología natural, fundada en los principios de la razón: *teodicea*.

— filosofía que investiga las leyes físicas del universo: *filosofía natural*.

— doctrinas filosóficas más importantes: *aristotelismo, platonismo, doctrina socrática, epicureísmo, eclecticismo, cinismo, pitagorismo, estoicismo, neoplatonismo, peripatetismo, escolasticismo, cartesianismo, suarismo, vivismo, lilismo, averroísmo, kantismo, enciclopedismo, espinosismo, hegelianismo, criticismo, krausismo, sincretismo, racionalismo, gnosticismo, agnosticismo, idealismo, fenomenalismo espiritualismo, materialismo, atomismo, individualismo, fatalismo, re-*

lativismo, determinismo, conceptualismo, empirismo, realismo, pragmatismo, positivismo, ortodoxia, heterodoxia, herejía, hedonismo, escepticismo, dogmatismo, dualismo, existencialismo, nihilismo, iluminismo.

2. Reflexión sistemática sobre el universo y el hombre, que busca conocer y explicar sus orígenes, finalidades, relaciones y cualidades.

— *La filosofía aristotélica sigue teniendo importancia en la actualidad.*

— persona austera y virtuosa que lleva una vida tranquila y reflexiva con apego a los valores intelectuales: *filósofo*.

— falsa filosofía: *filosofismo*.

— que piensa sistemáticamente en las cosas y el hombre en relación con el mundo: *filosofador*.

— resignarse ante lo inevitable: *tomarlo con filosofía, llevarlo con filosofía*.

— meditar, raciocinar. *filosofar*.

filoxera Insecto parásito de las vides que ataca y destruye rápidamente hojas y raíces y enfermedad de la vid que este insecto produce.

— que pertenece a la filoxera o se relaciona con ella: *filoxérico*.

filtrar 1. Hacer que un líquido o gas pase por un filtro, cuerpo poroso o aparato, para clarificarlo o depurarlo. ☞ **depurar.**

— *Es necesario filtrar el agua antes de beberla.*

— aparato compuesto de diferentes materias sólidas que sirve para que un líquido o gas, al pasar a través de ellas, se purifique: *filtro*.

— cuerpo o materia porosa a través del cual pasa un líquido o gas para clarificarlo o depurarlo: *filtro, filtrador*.

— aparato electrónico que se usa para eliminar determinadas frecuencias: *filtro*.

— pantalla que sirve para excluir ciertos rayos luminosos: *filtro solar*.

— acción de hacer pasar un líquido o gas por un cuerpo sólido: *filtración*.

— que filtra: *filtrador*.

— que sirve para purificar un líquido, gas, haz de luz o sonido: *filtrante*.

— papel poroso en forma de cono que se pone en el destilador de café: *filtro de cafetera*.

2. Penetrar un líquido a través de un cuerpo sólido. ☞ **traspasar.**

— *Hay una gotera en el techo de mi departamento, se ha de filtrar el agua del baño de arriba.*

— paso de un líquido o gas a través de un filtro o de cualquier cuerpo permeable: *filtración*.

— manantial de la costa del mar de agua potable: *filtro*.

3. Dejar pasar un cuerpo, a través de sus poros, un líquido o gas.

— *Esa manguera es tan vieja que filtra el agua por varias partes.*

— desaparecer inadvertidamente el dinero o los bienes de una persona: *filtrarse*.

— gasto, robo o mala administración del capital: *filtración*.

— bebida mágica que se supone tiene el poder de enamorar a quien lo toma: *filtro de amor*.

fin. 1. Término, detención, límite o consumación de una cosa o momento en que alguien muere. ☞ **remate.**
❖ PRINCIPIO, COMIENZO, INICIO.

— *Al fin del día los trabajadores regresan a sus casas.*

— que está en la última parte de algo, que sirve de fin, término, remate o conclusión: *final*.

— momento en que algo termina, se detiene o alguien muere: *final*.

— terminarse o llegar algo a su fin: *finalizar, finar*.

— morir, fallecer: *finar*.

— persona muerta: *finado*.

— matar a alguien o destruir algo: *darle fin*.

— terminar una cosa: *darle fin*.

— concluir una obra o poner fin a algo: *finalizar*.

— última y decisiva competencia de un campeonato o concurso: *final*.

— persona que llega a la última prueba de un campeonato o de un concurso: *finalista*.

— en la última parte de: *al final de*.

— en el momento en que algo termina: *a fines de, a fin de, a finales de, al final de*.

— por último, después de vencidos todos los obstáculos, hasta que: *al fin, por fin, finalmente*.

— después de todo, de todos modos: *al fin y al cabo*.

— en conclusión, en suma: *a fin de cuentas*.

— acabar, concluir, rematar algo: *finiquitar*.

— saldar una cuenta: *finiquitar*.

— acción de saldar una deuda y documento que lo acredita: *finiquito*.

— que pertenece al fin de un siglo determinado o se relaciona con él: *finisecular*.

— sábado y domingo: *fin de semana*.

— sitio muy lejano y apartado: *fin del mundo*.

— que no termina, que es innumerable: *sin fin*.

— una gran cantidad de: *un sin fin de.*

— conjunto de cadenas, correas o cintas cuyo principio y terminación se encuentran ligados y que pueden, por ello, girar continuamente: *banda sin-fín.*

— composición literaria corta con la que se daba por terminada una temporada o un espectáculo teatral: *fin de fiesta.*

2. Objetivo, motivo o finalidad que se da a una cosa o finalidad que alguien trata de alcanzar.

— *Cuando trabajo, mi fin es ganar dinero.*

— motivo por el que se lleva a cabo una cosa o fin preciso al que se dirige una acción: *finalidad.*

— objetivo a cuya consecución se dirigen la intención y los medios del que actúa: *fin último.*

— con objetivo o con el propósito de: *a fin de, con el fin de.*

— con objetivo o con propósitos: *con fines.*

— doctrina metafísica que considera el mundo como un orden de objetivos o fines que las cosas tienden a llevar a cabo: *finalismo.*

— que pertenece al finalismo o se relaciona con él, que es partidario de esta doctrina: *finalista.*

financiar. Proveer el dinero necesario alguien para sufragar los gastos de una empresa o de algo. ☞ **costear.**

— conjunto de las actividades de la hacienda pública o de la banca y la economía monetaria pública o privada: *finanzas.*

— dinero o cantidad de la que alguien dispone: *finanzas.*

— que se relaciona con las finanzas o pertenece a ellas: *financiero.*

— persona versada en las cuestiones relacionadas con las finanzas: *financiero, financista.*

— negociante hábil: *genio de las finanzas.*

— acción de costear los gastos de una obra: *financiación.*

— compañía que presta dinero para hacer o impulsar obras, o lo invierte en negocios y empresas: *compañía financiera.*

fincar 1. Comprar o edificar bienes inmuebles o fincas.

— *Voy a fincar mi casa en este solar.*

— propiedad rural, rancho o establecimiento agrícola o ganadero: *finca.*

— propiedad inmueble urbana: *finca.*

— terreno en el que se han construido edificios o casas: *terreno fincado.*

2. Cifrar, depositar o apoyarse en algo o alguien, tener algo por fundamento.

— *Los padres fincan sus esperanzas en los hijos.*

fingir Dar a entender, mediante las palabras o la actitud lo que no es verdad, presentar como real algo que no lo es. ☞ **aparentar, simular.**

— acción y resultado de fingir o simulación, engaño: *fingimiento.*

— que finge o que actúa fingiendo según su conveniencia: *fingidor.*

— aparente, falso: *fingido.*

— con simulación o engaño: *fingidamente.*

fino, -na 1. Que es delicado, de buena calidad en su género o que está hecho con elegancia y cuidado. ❖ ORDINARIO, BASTO, BURDO.

— *Llevaba un traje hecho de fina seda.*

— primor, delicadeza, buena calidad: *finura.*

2. Que hace las cosas con delicadeza, esmero y cuidado o que tiene esas cualidades.

— *Conocí en Oaxaca a un artesano muy fino.*

3. Que es delgado, esbelto y estrecho, que tiene rasgos detallados. ❖ PESADO, GORDO.

— *Era una mujer de rostro fino.*

4. Que se comporta adecuadamente o de forma atenta, urbana, cortés. ❖ DESCORTÉS.

— *Su educación demostraba que era un hombre fino.*

— cortesía, buenos modales: *finura.*

— que finge delicadeza, cortesía o elegancia: *finolis.*

5. Que percibe las cosas con profundidad y se da cuenta de los detalles más sutiles. ❖ TARDO, LERDO.

— *Tiene un olfato tan fino que sabrá enseguida que fumaste.*

finta Ademán, movimiento o amenaza que se hace para engañar a otro. ☞ **amago.**

— amagar con una espada o con los puños: *fintear.*

— tener a una persona en tensión por las repetidas amenazas de que se le hace objeto: *traerlo finto.*

fiordo Golfo estrecho y profundo que se encuentra donde los glaciales descienden o descendían, entre montañas. ☞ **fiord.**

firma 1. Representación gráfica o forma característica de escribir su nombre y apellidos una persona en un documento con su puño y letra.

— *Su firma era ininteligible.*

— poner uno su firma: *firmar.*

— firmar un documento que aún no está escrito: *firmar en blanco.*

— que firma: *firmante.*

— expresión usada en documentos oficiales para no repetir el nombre de la persona que firma: *el abajo firmante.*

— firma en que se omite el nombre de pila: *media firma.*

— denominación del empleo o dignidad del firmante en un documento: *antefirma.*

2. Acción de carácter legal de firmar documentos oficiales una o más personas.

— *La firma del testamento se hará mañana en la notaría.*

3. Nombre de una empresa o compañía, razón social.

— *La firma de esos restaurantes es extranjera.*

— confiarle a otro la dirección de un negocio: *darle la firma.*

— tener uno a su cargo la representación de una empresa: *llevar la firma.*

— tener buen nombre una empresa o compañía: *tener buena firma.*

— orinar un hombre en la vía pública: *echarse una firma.*

fiscal 1. Que pertenece a los bienes propiedad del Estado, al erario o tesoro público, o se relaciona con ellos.

— *Trabajo en esta dependencia fiscal.*

— bienes propiedad del Estado: *fisco.*

— realizar el trabajo de promover los intereses de la hacienda pública: *fiscalizar.*

— medio de control a que se halla sujeta la actividad administrativa por el fisco: *fiscalización.*

— oficio, oficina y empleo del secretario o ministro de hacienda: *fiscalía.*

— que fiscaliza: *fiscalizador.*

— tributo, carga o gravamen que impone el fisco a la población: *impuesto.*

— cuota o cantidad que el Estado impone por ciertos servicios: *contribución.*

2. Persona que representa al ministerio público en los tribunales. ☞ **acusador.**

— *El fiscal tenía pruebas contra el acusado.*

— llevar a cabo el oficio de fiscal: *fiscalizar.*

— acción y resultado de llevar a cabo el oficio de fiscal: *fiscalización.*

— oficio, despacho y empleo del fiscal: *fiscalía.*

3. Persona que indaga o revela las actividades de otro.

— *No me gusta porque es un metiche y un fiscal de asuntos ajenos.*

4. Entrometerse o criticar la vida de otro.

— *Es una vecina que, a fuerza de fiscalizar las vidas ajenas, sabe todo lo que pasa en el edificio.*

— acción y resultado de indagar y delatar las actividades de alguien: *fiscalización.*

fisgar 1. Pescar con un arpón de tres dientes.

— *Los pescadores van a fisgar un tiburón muy peligroso.*

2. Husmear, atisbar, ver lo que sucede en alguna parte. ☞ **indagar.**

— *Quien se dedica a fisgar se vuelve indiscreto.*

— curioso, husmeador o entrometido: *fisgón, metiche.*

— entrometerse en asuntos ajenos: *fisgonear.*

— acción y resultado de fisgonear: *fisgoneo.*

física Ciencia que estudia los fenómenos naturales para descubrir las leyes que los rigen, y determinar las propiedades de la materia y sus relaciones fundamentales con la energía.

— que pertenece a la física o se relaciona con ella: *físico.*

— persona que se dedica al estudio de la física o tiene como profesión esta ciencia: *físico.*

— aspecto exterior de una persona, lo que forma su constitución o estado corporal: *físico.*

— que pertenece a las características materiales de un objeto o cuerpo, o se relaciona con ellas, que es concreto o real: *físico.*

— tendencia o doctrina que busca en las leyes de la física la explicación de todos los fenómenos: *fisicismo.*

— que pertenece al fisicismo o se relaciona con él, que es partidario de esta doctrina: *fisicista.*

— parte de la física que estudia el movimiento y el equilibrio de los cuerpos materiales: *mecánica.*

— parte de la física que estudia la relación entre el calor y otras formas de energía: *termodinámica.*

— parte de la física que estudia la producción, propiedades y propagación de las ondas sonoras: *acústica.*

— parte de la física que estudia las cargas eléctricas en reposo y en movimiento: *electricidad y magnetismo.*

— parte de la física que estudia la luz, su propagación, medida y propiedades: *óptica.*

— parte de la física que se ocupa del átomo en cuanto a su estructura y propiedades: *física atómica.*

— parte de la física que investiga el

núcleo del átomo y las radiaciones que emanan de él: *física nuclear.*

— parte de la mecánica que trata de los cuerpos en equilibrio: *estática.*

— parte de la mecánica que estudia las causas del movimiento de las partículas y de los cuerpos rígidos: *dinámica.*

— parte de la mecánica que estudia el movimiento en sus condiciones de espacio y tiempo sin tener en cuenta sus causas: *cinemática.*

— parte de la mecánica de fluidos que estudia las propiedades de los líquidos en estado de reposo o en equilibrio: *hidrostática.*

— parte de la mecánica de fluidos que estudia los líquidos en movimiento: *hidrodinámica.*

— parte de la mecánica que estudia el equilibrio de los gases y de los cuerpos sólidos en el aire: *aerostática.*

— parte de la mecánica que estudia el movimiento de los gases y los movimientos relativos de gases y sólidos: *aerodinámica.*

— ciencia que integra la física y la química: *fisicoquímica.*

— que pertenece a la ciencia que estudia los fenómenos físicos y químicos o se relaciona con ellos: *fisicoquímico.*

— persona especializada en la fisicoquímica: *fisicoquímico.*

— que pertenece a la física y a la mecánica simultáneamente o se relaciona con ambas: *fisicomecánico.*

— que pertenece a la física y a las matemáticas simultáneamente o se relaciona con ambas: *fisicomatemático.*

fisiocracia Doctrina económica del s. XVIII que sostenía la existencia de un orden natural que debe ser norma de la vida individual y cuyas leyes el Estado no puede contrariar.

— que pertenece a la fisiocracia o se relaciona con ella: *fisiocrático, fisiócrata.*

— que es partidario de esta doctrina: *fisiócrata.*

fisiología Ciencia de la biología que estudia los órganos de los seres vivos, animales y vegetales, y las funciones y procesos que ocurren en ellos.

— que pertenece a la fisiología: *fisiológico.*

— persona que se dedica al estudio de las funciones de los seres orgánicos o que tiene como profesión la fisiología: *fisiólogo.*

fisión División de un átomo en dos partes de masa casi iguales, liberando energía.

— llevar a cabo la división de un nú-

cleo atómico o producirse una fisión: *fisionar.*

fisioterapia Tratamiento de las enfermedades por medios físicos y mecánicos, como masaje, ejercicios graduados, gimnasia, aplicación científica de agua, electricidad, calor o luz.

— que pertenece a la fisioterapia o se relaciona con ella: *fisioterápico.*

— persona especializada en dar masajes o dirigir cualquier tratamiento fisioterápico: *fisioterapeuta, fisioterapista.*

fisirrostro, -tra Que tiene el pico corto, aplastado y profundamente hendido, tratándose de aves paseriformes.

fisonomía o fisionomía 1. Conjunto de características particulares que constituyen el rostro de una persona.

— *No es guapa, pero tiene una fisonomía atractiva y agradable.*

— que pertenece al rostro particular de una persona o se relaciona con él: *fisonómico, fisionómico, fisiognómico.*

— que estudia los rostros humanos: *fisonomista.*

— que es hábil para recordar o juzgar a uno por sus rasgos fisonómicos: *fisonomista, fisónomo.*

2. Apariencia o aspecto exterior de una cosa.

— *La fisonomía de esta calle es medio tenebrosa.*

fistol 1. Alfiler que sirve para sujetar la corbata.

— *En mi cumpleaños me regalaron un fistol que tenía un diamante.*

2. Hombre ladino y astuto.

— *Mi compadre es un fistol jugando al pókar.*

fístula 1. Conducto por el que pasa agua u otro líquido.

— *Hicimos una fístula al tubo del drenaje para desahogarlo.*

— que pertenece a la fístula o se relaciona con ella: *fistular.*

— que tiene forma de conducto hueco o de fístula o es semejante a ella: *fistuloso.*

2. Conducto estrecho que comunica un órgano con el exterior o con otro, muy difícil de cicatrizar y que surge por diferentes causas.

— *Tenían que operarle una fístula en la pantorrilla.*

— proceso de formación de una fístula: *fistulización.*

— que tiene fístulas o que ha originado fístulas, tratándose de llagas o úlceras: *fistuloso.*

— hacer que una llaga se vuelva fístula: *fistular, afistular.*

— fístula de origen congénito: *fístula congénita.*

— fístula que se origina a consecuencia de alguna enfermedad: *fístula patológica.*

— fístula que se origina a consecuencia de fracturas o heridas de bala o de arma blanca: *fístula traumática.*

— fístula que se origina a propósito mediante una operación o intervención quirúrgica: *fístula quirúrgica.*

3. Instrumento musical de viento parecido a la flauta.

— *La fístula da notas muy agudas.*

fisura 1. Fractura longitudinal de un hueso o grieta alargada de una mucosa o de la piel. ☞ **grieta.**

— *Es más frecuente hablar de las grietas de los pezones de las mamas, formadas durante la lactancia, que de fisuras.*

— surco profundo que separa el área motora anterior del área sensorial posterior de la corteza cerebral: *fisura de Rolando.*

2. Hendidura o surco profundo en la superficie de una roca.

— *Hay montañas rocosas que tienen muchas fisuras.*

— proceso de formación de una fisura: *fisuración.*

fitófago, -ga Que se alimenta de vegetales. ☞ **vegetariano, herbívoro.**

fitografía Parte de la botánica que se dedica a observar y describir las plantas.

— que pertenece a la fitografía o se relaciona con ella: *fitográfico.*

— persona que se dedica a dibujar, fotografiar y describir vegetales: *fitógrafo.*

fitología Ciencia que trata de los vegetales. ☞ **botánica.**

fitopatología Rama de la botánica que estudia la prevención y curación de las enfermedades de las plantas.

— que pertenece a la fitopatología o se relaciona con ella: *fitopatológico.*

— biólogo especializado en la fitopatología: *fitopatólogo.*

fitotomía Parte de la botánica que estudia la anatomía de las plantas.

flabeliforme Que tiene forma de abanico. ☞ **abanico.**

— abanico de mango largo: *flabelo.*

— que agita un flabelo o gran abanico montado en un palo en ceremonias religiosas o cortesanas: *flabelífero.*

— que tiene las antenas en forma de abanico, tratándose de animales: *flabelicornio.*

fláccido, -da o flácido, -da Que no tiene tersura ni consistencia, que es blando, laxo o flojo. ☞ **fofo.** ❖ FIRME, RECIO, DURO, ERECTO.

— calidad o condición de fláccido o lo que es débil o laxo: *flaccidez.*

flaco, -ca 1. Que tiene poca carne y poca grasa en el cuerpo. ☞ **delgado.** ❖ GORDO, OBESO.

— *Mi hijo es muy flaco a pesar de que come mucho.*

— calidad de flaco: *flacura.*

— adelgazar, perder grasa o ponerse flaco: *enflacar, enflaquecer.*

— despectivo de flaco: *flacucho.*

— delgadez o adelgazamiento: *flaqueza.*

2. Que no tiene fuerzas ni vigor, que es débil. ☞ **flaqueza.** ❖ FUERTE, SANO.

— *Búscale el lado flaco a tu mamá y así te dará permiso para ir a la fiesta.*

— debilitar, perder el ánimo: *enflaquecer, flaquear.*

— acción y resultado de enflaquecer: *enflaquecimiento.*

— debilidad, falta de ánimo: *flaqueza.*

flagelar 1. Azotar, golpear con un látigo o con una vara el cuerpo de alguien. ☞ **zurrar.**

— *Los amos flagelaban a los esclavos negros constantemente.*

— acción y resultado de flagelar: *flagelación.*

— acción de azotarse para provocar excitación sexual, para sufrir una penitencia o tratar de alcanzar el éxtasis emotivo: *flagelación.*

— que flagela: *flagelador.*

— fanático que se azota públicamente durante ciertas ceremonias religiosas: *flagelante.*

— azote o instrumento con el que se golpea: *flagelo.*

— calamidad o azote del viento o del agua: *flagelo.*

2. Censurar algo o recriminar verbalmente a alguien.

— *Los opositores flagelaron e insultaron al gobernador.*

— castigo o plaga: *flagelo.*

flagrante Que es evidente, que no necesita pruebas.

— en el momento de cometer un delito: *en flagrante, in fraganti.*

— delito que se está cometiendo o que se acaba de cometer, siendo sorprendido el delincuente: *flagrante delito.*

flagrar Arder o resplandecer como la llama.

flama 1. Masa gaseosa en combustión o llama elevada y reflejo que produce.

— *Las flamas de la chimenea alumbraban el salón.*

— despedir llamas: *flamear.*

— encender algo que flamea inmediatamente: *inflamar.*

— que prende con facilidad y flamea inmediatamente: *inflamable.*

— que arroja y despide llamas: *flamígero.*

— que tiene características propias de la llama: *flámeo.*

— candelabro diseñado para que arroje grandes llamas: *flamero.*

— esterilizar instrumentos o superficies quemando un líquido inflamable que se ha rociado sobre ellos: *flamear.*

— ondear al viento una bandera o una vela de ciertas embarcaciones: *flamear*

— acción y resultado de ondear las banderas o velas: *flameo.*

— longitud de una bandera: *flameo.*

2. Pasión vehemente, ardor o llama.

— *Sentía una ardiente flama en su corazón cada vez que la veía, pero no se atrevía a confesarle su amor.*

flamante 1. Que está brillante o resplandeciente, que tiene un aspecto vistoso y centelleante.

— *Las flamantes estrellas brillaban en el cielo oscuro.*

2. Que es nuevo, reciente o acabado de estrenar.

— *Trae un flamante coche desde ayer.*

flan 1. Postre hecho con leche, azúcar y yemas de huevo cuya consistencia es gelatinosa.

— *En mi cumpleaños me regalaron un flan con nueces.*

— ser pusilánime e indolente: *ser un flan.*

2. Disco de metal listo para la acuñación de monedas.

— *El flan es un disco aún sin grabar.*

flanquear 1. Estar colocado al lado de una cosa o colocarse al lado de algo. ☞ **escoltar.**

— *Se apoyó en el barandal que flanqueaba los tres escalones.*

— lado, costado o ala de un cuerpo: *flanco.*

— que flanquea: *flanqueador.*

— que tiene a sus costados otras cosas que lo circundan: *flanqueado.*

2. Colocarse al costado de una fuerza o persona, para protegerla o atacarla.

— *Nuestro ejército flanqueará las líneas enemigas para debilitarlas.*

— cualquier costado de una tropa: *flanco.*

— que ataca un lado enemigo: *flanqueador.*

— que está defendido o protegido por los lados: *flanqueado.*

flaquear 1. Debilitarse o perder fuerza. ☞ **flaco.**

— *Sus piernas flaqueaban y creyó que iba a desmayarse.*

— debilidad, falta de fuerzas: *flaqueza.*

— que no tiene fuerzas ni vigor: *flaco.*

— debilidad, talón de Aquiles de una persona: *punto flaco.*

2. Decaer el ánimo de alguien. ☞ **desanimar.**

— *Flaqueaba cada vez que veía a su exmujer.*

— falta de ánimo o de carácter: *flaqueza.*

— acción defectuosa que se comete por debilidad moral: *flaqueza.*

— afrontar con energía una situación muy dura y penosa: *sacar fuerzas de la flaqueza.*

3. Ceder algo o estar a punto de caerse, amenazar ruina algo. ☞ **aflojar, ceder.**

— *Después del temblor la escalera flaqueó por la orilla.*

flato 1. Presencia excesiva de gases en el tubo digestivo. ☞ **meteorismo.**

— *El jugo de jitomate es muy buen remedio contra el flato.*

— acumulación de gases en el intestino: *flatulencia.*

— que causa o produce ventosidad: *flatulento.*

— ventoso, que padece meteorismo: *flatulento.*

2. Melancolía o tristeza.

— *Por estar lejos de su país padecía de flato.*

flautista Músico que toca la flauta.

— instrumento musical en forma de tubo, cuyo sonido se produce gracias a la columna de aire que imprime el músico por la boquilla: *flauta.*

— tocar la flauta: *flautear.*

— artesano que hace flautas: *flautero.*

— que produce un sonido semejante al de una flauta: *flautado, flauteado.*

— uno de los registros del órgano cuyo sonido imita al de las flautas: *flautado.*

— flauta pequeña cuyo tono es agudo: *flautín, octavín.*

— persona que toca este instrumento: *flautín.*

— pieza de pan dulce de forma alargada hecha de hojaldre: *flauta.*

— instrumento primitivo compuesto de una serie de cañas de diversa longitud unidas entre sí para obtener los diferentes sonidos de la escala musical: *flauta de pan.*

— flauta antigua cuya boquilla tenía una obstrucción: *flauta dulce.*

— flauta común que se toca de través: *flauta trasversa.*

— expresión que se usa para indicar un logro que alguien tiene por casualidad: *pasarle como al burro que tocó la flauta.*

flebitis Inflamación de las paredes de las venas, especialmente las de los miembros inferiores, que se presenta después de operaciones quirúrgicas, en el puerperio o a consecuencia de tumores, traumatismo o infecciones.

— formación de coágulos en el sistema circulatorio como consecuencia de la flebitis: *trombosis.*

fleco 1. Adorno de pasamanería hecho de hilos o cordoncillos colgantes.

— *Se le enredó el fleco del rebozo en el anillo.*

2. Pelo corto de una persona que le cae sobre la frente.

— *Como tiene la frente muy ancha usa fleco para disimularla.*

— pelo corto que cae sobre la frente: *flequillo.*

flechar 1. Colocar la flecha en el arco tensado para dispararla.

— *Es necesario un pulso firme para flechar correctamente.*

— arma compuesta por una varilla delgada que en un extremo tiene una punta afilada y en otro plumas o barbas para orientarla; se dispara generalmente con un arco: *flecha.*

— persona que dispara flechas: *flechador.*

— acción de arrojar una flecha: *flechazo.*

— persona que fabrica flechas: *flechero.*

— conjunto de flechas: *flechería.*

— especie de caja para llevar flechas, que se carga en el hombro: *carcaj, aljaba.*

— flecha cuya punta se embadurna de brea y se enciende para prender fuego: *flecha incendiaria.*

— remate de forma cónica o piramidal propio de un campanario: *flecha.*

— inclinación dada al borde del ala de un avión para facilitar su penetración en el aire: *flecha.*

— altura de una bóveda desde la línea de los arranques: *flecha.*

— punto más elevado de la trayectoria de un proyectil con respecto al plano horizontal que pasa por el origen del tiro: *flecha.*

— edificación que cubre el acceso a un fuerte, camino o puente que guarece a los vigilantes: *flecha.*

— cada una de las vetas de oligisto u óxido de manganeso irisado que aparecen dentro de algunos cristales de cuarzo: *flecha de amor.*

— rama de un árbol que se aproxima a la vertical: *flecha.*

— remate que se hace al final de una costura para que no se deshilache: *flecha.*

— embarcación ligera de guerra: *flechera.*

— cada uno de los cordeles horizontales que, pasando por los cabos, sirven de escalones para subir a los palos de los barcos: *flechaste.*

— conjunto de flechastes: *flechadura.*

2. Herir o matar con flechas.

— *El cazador flechó al venado en una pata.*

— herida de flecha: *flechazo.*

— que va hacia su destino rápida y directamente: *flechado.*

3. Inspirar amor repentinamente.

— *Hace diez años fleché al que ahora es mi esposo.*

— amor, pasión que se concibe o inspira repentinamente: *flechazo.*

fleje 1. Tira de chapa de hierro que sirve como refuerzo de ciertos objetos o para asegurar envolturas.

— *Mi paquete va bien atado con flejes.*

— atar un paquete con tiras metálicas: *flejar.*

2. Pieza alargada y curva de acero que se utiliza para muelles o resortes.

— *El asiento del sillón está hundido pues se le han roto varios flejes.*

flema 1. Mucosidad de las vías respiratorias que se arroja por la boca. ☞ **esputo, expectoración.**

— *Puesto que las flemas que arrojaba eran verdes, seguro tenía infección.*

— que causa flemas o que tiene flemas: *flemoso.*

— recipiente de latón con arena en el interior destinado a recibir los esputos: *escupidera.*

2. Rasgo de carácter de una persona que consiste en no alterarse fácilmente, imperturbabilidad o serenidad. ❖ INQUIETUD, ALACRIDAD.

— *Aunque había un incendio en su casa, su flema lo hizo no gritar, sino salir caminando tranquilamente.*

— imperturbable, sereno o tranquilo: *flemático.*

— no alterarse: *tener flema, tener sangre de horchata.*

3. Tardanza, pachorra o lentitud para hacer las cosas. ❖ RAPIDEZ.

— *Caminaba con tal flema que, a pesar de la hora, llegaríamos retrasados.*

— que es tardo, lento o calmoso: *flemático, flemudo.*

fletar 1. Alquilar un vehículo terrestre,

marítimo o aéreo para transportar personas o cosas.

— *Dicen que su abuelito fletó un barco para ir al Polo Norte.*

— acción y resultado de alquilar un vehículo para transportar personas o cosas: *fletamento.*

— carga que lleva un buque: *flete.*

— contrato en el que se estipula el flete: *fletamento.*

— precio fijado por el arrendamiento de un vehículo: *flete.*

— naviero o su representante en un contrato de fletamento: *fletante.*

— persona que pone en alquiler un transporte: *fletante.*

— que se alquila para transporte: *fletero.*

2. Embarcar mercancías en un transporte comercial para enviarlas a alguna parte o hacer uso de un transporte comercial de mercancías y pagar por él.

— *Se le descompuso la camioneta y tuvo que fletar un camión para enviar las naranjas.*

— realizar alguien trabajos penosos y duros o verse perjudicado al tener que hacer algo contrario a sus gustos o intereses: *fletarse.*

— transporte comercial de mercancías: *flete.*

— precio fijado por el transporte de mercancías: *flete.*

— transportista de oficio o el que cobra el flete: *fletero.*

flexible 1. Que puede doblarse fácilmente sin que se rompa o ajustarse a otras formas. ❖ RÍGIDO, INFLEXIBLE.

— *Este material sí es flexible y se podrá ajustar el tamaño que deseamos.*

— elasticidad, ductilidad, maleabilidad de una cosa: *flexibilidad.*

— hacer que un objeto cobre elasticidad: *flexibilizar.*

— doblar o hacer que se doble algo flexible: *flexionar.*

— acción y resultado de doblar o doblarse algo que tiene cierta elasticidad o está articulado: *flexión.*

— alteración o accidente gramatical que sufren las voces o palabras de admitir desinencias de género o número y de modo, tiempo, número y persona para relacionarse con otras palabras en la oración: *flexión.*

— flexión de los sustantivos y adjetivos de género y número: *flexión nominal.*

— flexión de los verbos de modo, tiempo, número y persona: *flexión verbal.*

— palabra que admite cambios: *palabra flexible o palabra variable.*

— conjugar un verbo o modificar una palabra por medio de desinencias o sufijos: *flexionar.*

— que expresa las funciones gramaticales o sus relaciones por medio de flexiones: *flexivo.*

— que se dobla o hace que una cosa se doble: *flexor.*

— pliegue, curva, doblez: *flexura.*

— que es blando: *flexuoso.*

2. Que se adapta a diversas circunstancias, que es acomodaticio, dócil o tolerante. ❖ INFLEXIBLE, DOGMATICO.

— *El nuevo reglamento de la escuela es más flexible que el anterior.*

— capacidad de una persona o ánimo para ambientarse a situaciones nuevas o desconocidas para ella o para ceder y acomodarse fácilmente a algo: *flexibilidad.*

— calidad o condición de flexible: *flexibilidad.*

— que pertenece a la flexión o se relaciona con ella: *flexional.*

flirtear Coquetear, relacionarse amorosamente de manera superficial, pasajera o frívola. ☞ **galantear, ligar.**

— cada persona que practica el coqueteo, con respecto al otro: *flirt.*

— acción de galantear: *flirteo, flirt.*

flojo, -ja 1. Que está suelto, mal atado, mal apretado o poco tirante. ☞ **suelto.** ❖ COMPACTO, FIJO, APRETADO, AJUSTADO.

— *Las cuerdas del paquete estaban flojas, por eso se deshizo.*

— ir perdiendo fuerza o debilitarse: *flojear.*

— debilidad o flaqueza en determinada cosa: *flojedad.*

2. Que tiene poca actividad, vigor, intensidad o magnitud. ☞ **débil, flojear.** ❖ ACTIVO.

— *Tuvimos una entrada muy floja en el teatro; ya no vamos a dar más funciones.*

— amenazar con la caída de algo o su debilitación total: *flojear.*

— con descuido y sin interés en algo: *flojamente.*

3. Que se deja llevar por la pereza, que no le gusta realizar un esfuerzo o actividad, que no quiere trabajar. ☞ **perezoso.** ❖ ACTIVO, TRABAJADOR.

— *Mi marido es un flojo, no trabaja y la casa la mantengo yo.*

— situación o estado en el que se encuentra alguien cuando no quiere trabajar o le falta ánimo para hacer algo: *flojera, flojedad.*

— actuar con cansancio o desgana: *flojear.*

flor (vea ilustración de la p. 296). 1. Parte de las plantas angiospermas que contiene los órganos de la reproducción.

— *Entre las flores que más me gustan están las rosas, los claveles y las violetas.*

— que pertenece a las flores o se relaciona con ellas: *floral.*

— brotarle flores a una planta: *florear, florecer, florar.*

— acción y resultado de florecer: *florecimiento.*

— que florea o florece: *florecedor.*

— que tiene flores o que está lleno de flores: *florido, florífero.*

— abundancia o exuberancia de flores: *floridez.*

— recipiente donde se ponen flores: *florero.*

— adornar con flores: *florear.*

— que tiene flores como motivo de adorno: *floreado.*

— tienda de flores: *florería, floristería, quiosco de flores.*

— persona que vende flores: *florista, vendedor de flores.*

— abertura de los botones de las flores: *florescencia, floración.*

— desarrollo de las flores, desde que abren hasta que se marchitan, y tiempo que dura: *floración.*

— conjunto de plantas de una región, país o de un medio: *flora.*

— que pertenece a la flora de una zona o se relaciona con ella: *florístico.*

— obra que describe el conjunto de plantas de una región o medio: *flora.*

— con flores, tratándose de una planta: *en flor.*

— flor que forma colonias en la superficie de ríos o lagunas: *flor de agua.*

— amaranto, alegría: *flor de amor.*

— narciso amarillo: *flor de ángel.*

— flores de jardín: *rosa, clavel, clavelina, azucena, tulipán, gladiolo o gladiola, crisantemo, hortensia, jazmín geranio, begonia, violeta, dalia, alhelí, cala, orquídea, azalea, ciclamen, magnolia, malva, pensamiento, glicina, zinnia, hibisco, peonía, lirio, siempreviva, azahar, lilia, nomeolvides, miosotis, pasionaria, gardenia, jacinto, camelia, caléndula, margarita, narciso, junquillo, petunia, anémona, nardo, heliotropo, girasol, prímula, virbuno, lavándula, digital, campánula, capuchina, clemátide, verbena, boca de dragón, azafrán, acónito, redondedro, guisante de flor, fucsia, buganvilia.*

— flores silvestres: *amapola, margarita, violeta, malva, artemisa, manzanilla, campánula o campani-*

lla, muguete, acónito, geneciana, edelweiss, rododendro, mirbalano, corazoncillo, adormidera, botón de oro, tila, pie de león, primavera, acedera, pensamiento, brezo, saxígrafa, cardo, llantén, mostaza, achicoria.

— parte de la flor formada por los pétalos y que rodea los órganos sexuales: *corola.*

— cubierta externa, en forma de copa, de las flores: *corola.*

— parte masculina de una flor, constituida por estambres, filamentos, antena y polen: *androceo.*

— parte femenina de una flor constituida por pistilo, gineceo: *carpelos, ovarios, estilo y estigma.*

— flor sin cáliz o corola: *flor incompleta.*

— flor que carece de androceo o pistilo: *flor imperfecta o flor unisexual.*

— flor que carece de androceo y de pistilo: *flor estéril.*

— flor cuyos cálices no tienen los sépalos soldados entre sí: *flor dialisépala.*

— flor cuyo cáliz tiene los sépalos soldados en una sola pieza: *flor gamosépala.*

— flor en que la corola no tiene los pétalos soldados entre sí: *flor dialipétala.*

— flor cuyo color lo forma una sola pieza: *flor gamopétala.*

— flor que se da al final de un tallo o rama: *flor terminal.*

— flor que nace de las yemas en las axilas de las hojas: *flor bráctea.*

— flor cuya polinización se lleva a cabo estando ella cerrada: *flor cleistógama.*

— conjunto de ramos, hojas o flores situados alrededor de un punto del tallo: *verticilo.*

— flor en que las piezas de cada verticilo están al mismo nivel: *flor cíclica.*

— flor que está formada por muchas florecillas asentadas en un receptáculo común: *flor compuesta.*

2. Lo más selecto de una cosa o la parte mejor, superficie de algo.

— *La flor de la edad es la juventud.*

— desarrollarse algo intensamente: *florecer.*

— apogeo de una cultura o actividad científica o artística: *florecimiento.*

— colección de fragmentos selectos de la literatura: *florilegio.*

— en el mejor momento: *en la flor.*

— lo mejor de su clase: *flor y nata.*

— expresión que señala lo que es excelente: *ser la flor de la canela.*

— en la superficie de algo: *a flor de.*

— estar a punto de decir algo: *tenerlo a flor de labios.*

— desvirgar a una mujer: *desflorarla.*

3. Piropo, requiebro, adulación o halago de una cualidad de alguien.

— *Es tan atractiva que siempre le echan flores.*

— piropear, requiebrar a una mujer: *florear.*

— dicho vano, ocioso o lisonjero: *floreo.*

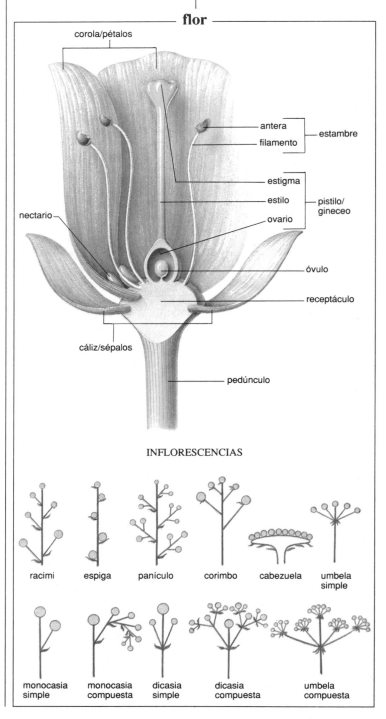

flor

corola/pétalos

antera
filamento
estambre

estigma
estilo
pistilo/gineceo
ovario

nectario

óvulo

receptáculo

cáliz/sépalos

pedúnculo

INFLORESCENCIAS

racimi   espiga   panícula   corimbo   cabezuela   umbela simple

monocasia simple   monocasia compuesta   dicasia simple   dicasia compuesta   umbela compuesta

— charla de pasatiempo: *floreo*.

4. Jugada de pókar y otros juegos de mesa que consiste en tener todas las cartas del mismo palo.

— *Hizo una flor, pero su compañero tenía pókar de reyes.*

— hacer suertes o juegos complicados con el lazo en charrería: *florear*.

— tocar varias cuerdas de la guitarra con tres dedos sucesivamente: *florear*.

— acción de tocar varias cuerdas de la guitarra sucesivamente: *floreo*.

— bacterias que están en el intestino y que ayudan a la digestión: *flora intestinal o flora bacteriana*.

— sacar la harina más fina con un cedazo grueso: *florear*.

— pan que se hace con la flor de la harina: *pan floreado*.

— rosetas de maíz, palomitas: *flor de maíz*.

florete 1. Espadín de cuatro aristas y sin aro en la empuñadura que sirve para el ejercicio de la esgrima.

— *Aún con la punta chata, los floretes son peligrosos.*

— manejar el florete: *floretear*.

— acción y resultado de floretear: *floreteo*.

— mover la punta de una espada: *florear*.

— acción de mover la punta de la espada: *floreo*.

2. Tela muy fina de algodón.

— *Me mandaron una blusa de florete.*

floricultura Cultivo de las flores y de las plantas ornamentales. ☞ **horticultura**.

— persona que cuida y cultiva flores: *floricultor*.

flotar 1. Sostenerse un cuerpo en la superficie de un líquido. ❖ HUNDIRSE.

— *El nadador flotó unos segundos antes de sumergirse en el mar.*

— conjunto de barcos de un país o de una compañía: *flota*.

— agrupación de buques de guerra de la misma clase: *flotilla*.

— agrupación de embarcaciones menores de cualquier género: *flotilla*.

— que flota en un líquido: *flotador*.

— boya pequeña de corcho u otro material ligero que se echa en un río para observar la velocidad de la corriente: *flotador*.

— cámara de un neumático que se usa para sobrenadar: *flotador*.

— nivel que marca hasta dónde llega el agua al casco de una embarcación: *línea de flotación*.

— estar sobrenadando en un líquido un cuerpo: *estar a flote*.

2. Sostenerse un cuerpo en el aire sin caer.

— *El globo, aunque flotó por mucho tiempo sobre los árboles, poco a poco se fue alejando.*

— conjunto de aviones de un país o de una compañía: *flota*.

— flota pequeña de aviones: *flotilla*.

3. Ondear en el aire una tela o algo similar.

— *Me encanta ver flotar tantas banderas.*

— acción y resultado de flotar: *flote, flotación, flotadura, flotamiento*.

— que puede flotar: *flotable*.

— salir de apuros: *salir a flote*.

fluctuar 1. Ondear un cuerpo sobre el agua por el movimiento de ésta.

— *Habiendo perdido los remos, nuestra lancha fluctuaba sin gobierno en alta mar.*

2. Oscilar, cambiar o variar algo, en especial oscilar los precios o los valores del mercado.

— *Siendo yo joven, mi situación económica fluctuaba siempre según el trabajo que desempeñaba.*

— acción y resultado de cambiar o fluctuar algo: *fluctuación*.

— vacilación o duda ante algo: *fluctuación*.

— que cambia constantemente: *fluctuante*.

— que fluctua o cambia: *fluctuoso*.

fluir 1. Correr un líquido de forma fácil y natural por cierta parte o de un lugar a otro. ☞ **manar**.

— *Por las venas fluye la sangre.*

— que corre o fluye fácilmente, como los líquidos y gases: *fluido*.

— sustancia o cuerpo que, debido a la poca cohesión de sus moléculas, toma la forma del recipiente que lo contiene o cambia de forma con facilidad: *fluido*.

— acción de fluir algo: *flujo*.

— movimiento ascendente de la marea: *flujo*.

— excreción o salida de líquidos o fluidos del cuerpo: *flujo*.

— hemorragia: *flujo de sangre*.

— excreción mucosa de los genitales femeninos: *flujo blanco*.

— menstruación: *flujo catamenial*.

— diarrea: *flujo de vientre*.

— diarrea que contiene alimentos no digeridos: *flujo celíaco*.

2. Salir, exteriorizarse o manifestarse algo y correr en abundancia.

— *Actualmente no fluye el dinero.*

— que es fácil, uniforme y móvil: *fluido*.

— verbosidad, facundia: *flujo de palabras*.

— agente imaginario o hipotético al cual se le atribuye la causa o esencia de ciertos fenómenos: *fluido*.

fluvial Que pertenece a los ríos o se relaciona con ellos.

— que vive o crece en los ríos o corrientes: *fluviátil*.

— que pertenece a la medición del nivel y al caudal de los ríos o se relaciona con ellos: *fluviométrico*.

— aparato que registra y grafica las variaciones de nivel de un río: *fluviógrafo*.

— transporte de carga o de pasajeros por río: *navegación fluvial*.

— resultado de la acción de las aguas fluviales: *morfogénesis fluvial*.

— que integra depósitos o formas topográficas ocasionados por la acción de los ríos y la fusión de los glaciares: *fluvioglaciar*.

fobia Aversión o repugnancia excesiva hacia algo, temor exagerado hacia cosas o situaciones que no ofrecen peligro real. ❖ AFICIÓN, SIMPATÍA.

— temor patológico hacia todo o parte del ambiente que rodea al individuo: *panofobia*.

— temor patológico hacia un objeto en particular: *monofobia*.

— que pertenece al temor excesivo hacia algo o se relaciona con él: *fóbico*.

foco 1. Punto donde se concentra algo y desde donde se difunde. ☞ **centro, núcleo**.

— *Por céntrica, tu casa será el foco de reunión de nuestro equipo.*

— lugar desde donde se difunden elementos o características de una civilización determinada: *foco cultural*.

— nivel más alto de atención o percepción: *foco de atención*.

— punto en el que se concentran las ondas sonoras emitidas dentro de una superficie cóncava al ser reflejadas por ésta: *foco acústico*.

— centro de un proceso morboso: *foco de infección*.

2. Fuente o reflector del que parte un haz de rayos luminosos o caloríficos. ☞ **linterna**.

—*El foco rojo de los semáforos indica que se debe hacer alto.*

— hacer converger en un punto un haz luminoso o un flujo de electrones: *focalizar*.

— acción y resultado de hacer coincidir en un punto rayos lumínicos: *focalización*.

— clarificación de la imagen televisiva mediante la concentración del haz electrónico en un tubo catódico: *focalización*.

3. Punto donde convergen los rayos lumínicos o caloríficos reflejados por un espejo o refractados por un lente; punto en el que se reúnen ciertas curvas como la elipse, la hipérbole y la parábola.

— *Hay que regular el foco de esta lente.*

— que se refiere a los focos de los espejos y lentes o se relaciona con ellos: *focal*.

— determinación de los focos de un sistema óptico: *focometría*.

— aparato que mide la distancia focal de las lentes y de los objetivos fotográficos: *focómetro*.

fofo, -fa Que tiene poca consistencia, que es blando, ahuecado o esponjoso. ☞ **fláccido.** ❖ CONSISTENTE.

fogata Fuego que levanta llama. ☞ **hoguera.**

— hacer fuego con hogueras: *fogarizar*.

fogonazo Llamarada instantánea que produce el disparo de un arma o la explosión brusca de ciertas sustancias o cosas.

— lugar destinado a hacer fuego en las cocinas: *fogón*.

— hogar de las calderas de vapor: *fogón*.

— persona que cuida el fogón en las máquinas de vapor: *fogonero*.

fogoso, -sa Que es ardiente, exaltado e impetuoso al hacer algo, que hace las cosas con vehemencia y pasión. ❖ FRÍO, TRANQUILO.

— cualidad o condición de fogoso: *fogosidad*.

foguear Acostumbrar a los soldados al fuego de la batalla o acostumbrar a alguien a los trabajos o molestias de cierta ocupación.

— acostumbrarse uno a los trabajos: *foguearse*.

— acción y resultado de foguear o foguearse: *fogueo*.

foliar 1. Numerar las hojas de un documento o de un impreso.

— *Hoy folié veinticinco documentos.*

— hoja de un libro o cuaderno: *folio*.

— acción de numerar los folios de un documento o impreso: *foliación*.

— serie numerada de las hojas o folios de un escrito: *foliación*.

— aparato que sirve para ponerle la numeración a los documentos: *foliador, foliadora*.

— título de las páginas de un libro: *folio*.

— primera página de un escrito cuan-

do sólo ella está numerada: *folio recto*.

— segunda página o revés de un folio cuando sólo tiene numerada la primera: *folio vuelto, folio verso*.

2. Que pertenece a las hojas de una planta o se relaciona con ellas.

—*Las glándulas foliares de una planta producen las hojas.*

— acción de echar hojas las plantas: *foliación*.

— manera de estar colocadas las hojas de una planta: *foliación*.

— que tiene hojas, tratándose de una planta o de alguna de sus partes: *foliado*.

— que tiene estructura laminar o aspecto de hoja de planta: *foliáceo*.

— hierba euforbiácea de tallo nudoso: *folio*.

— cada una de las hojuelas de una hoja compuesta: *folíolo, foliolo*.

folklore o folclor. 1. Conjunto de usos, costumbres, artes, creencias, fiestas, bailes, cantos y música de un grupo humano, pueblo o nación.

— *Está reuniendo las canciones populares del folklore veracruzano.*

2. Ciencia o disciplina que estudia las tradiciones, usos, leyendas y costumbres de un pueblo.

—*No consigo el libro sobre el folklore suizo que me recomendaste.*

— persona que conoce las costumbres de una región: *folklorista, folclorista*.

— que pertenece al folklore o se relaciona con él: *folklórico, folclórico*.

follaje 1. Conjunto de hojas y ramas de de los árboles y otras plantas. ☞ **fronda.**

— *Ya hace falta podar el follaje de esos árboles.*

2. Conjunto de hojas y ramas que se ponen en un arreglo floral.

— *Este arreglo trae más follaje que flores.*

3. Verbosidad o exceso de palabras superficiales al hablar.

—*No voy a oír a ese ponente porque usa mucho follaje y no aporta nada interesante.*

folleto Cuaderno impreso o libro poco extenso o con pocas páginas.

— persona que escribe folletos: *folletista*.

— novela que aparece por entregas en un periódico o revista: *folletín, folletón*.

— que pertenece al folletín o se relaciona con él: *folletinesco*.

— que tiene las características de un folletín o es como él: *folletinesco*.

— persona que escribe folletines o historias por episodios: *folletinista*.

follón, -na 1. Que es flojo, cobarde o jactancioso. ❖ DILIGENTE, VALIENTE.

— *Tengo un vecino tan follón que nunca enfrenta sus problemas.*

— forma de actuar vil, cobarde o maliciosa; pereza o flojera: *follonería*.

2. Alboroto, situación caótica.

— *Se hizo un follón en el periférico por un accidente.*

3. Cohete que se dispara y no produce ruido.

— *En mi cumpleaños encendimos muchos follones.*

4. Vástago que un árbol echa desde la raíz.

— *Mi palmera tiene ya tres follones.*

fomentar 1. Promover una actividad, apoyar a alguien en una empresa o impulsar el crecimiento, formación o desarrollo de algo. ☞ **ayudar, impulsar.** ❖ APACIGUAR, MITIGAR.

— *Este banco fomenta las actividades agrícolas.*

— acción y resultado de fomentar: *fomento, fomentación*.

— que protege y alienta la consecución de un fin: *fomentador*.

— ayuda, protección o impulso: *fomento*.

— calor que se aplica a una cosa para avivarla: *fomento*.

2. Aplicar a un enfermo paños húmedos.

— *El médico dijo que fomentáramos al niño para bajarle la fiebre.*

— líquido curativo con que se humedecen los paños que se le aplican a un enfermo o cataplasma: *fomento*.

fonda Establecimiento de servicio público, de baja categoría, donde se da alojamiento y se sirven comidas o establecimiento donde únicamente se da servicio de comidas. ☞ **posada.**

— persona que atiende una fonda: *fondista, fondero*.

fondo 1. Parte interna e inferior de un recipiente o de una cosa hueca.

— *En el fondo del barril había residuos de vino.*

— profunda o íntimamente: *a fondo*.

— llegar una persona a los límites de su resistencia física y mental: *tocar fondo*.

2. Suelo marino o fluvial.

— *En el fondo del mar quedó el barco hundido.*

— examinar, reconocer el fondo del agua: *fondear*.

— asegurar una embarcación en el

fondo del mar o río con el ancla: *fondear.*

— registrar un barco perfectamente o a fondo en busca de contrabando: *fondear*

— acción de registrar o reconocer una embarcación: *fondeo.*

— inspección aduanal de un buque: *visita de fondeo.*

— lugar ideal para fondear una embarcación: *fondeadero.*

— acción de fondear una embarcación: *fondeo.*

— que espera el crecimiento de la marea para pasar un obstáculo o remontar un río, tratándose de una embarcación: *fondeado.*

— hundirse, irse a pique una embarcación: *irse al fondo.*

3. Parte más alejada del lugar desde donde se mira o parte posterior de algo.

— *Al fondo del local había una ventana con flores.*

4. Extensión de un terreno desde el frente hacia el interior.

— *Este solar tiene doce metros de fondo.*

— cavidad anatómica que no comunica con otro órgano: *fondo de saco.*

5. Espacio que ocupan las filas de soldados.

— *El capitán ordenó a los infantes que se alinearan de tres en fondo.*

6. Parte posterior a la que ocupan o en la que destacan las figuras de un cuadro o los adornos de una superficie.

— *El fondo de esta tela es azul.*

— base auditiva sobre la que destaca algo: *fondo musical.*

— telón, cortinas o lienzo coloreado sobre el cual se dispone un mobiliario: *telón de fondo.*

7. Grosor o profundidad de los diamantes.

— *Mi anillo de compromiso es un diamante con fondo bellísimo.*

8. Capital, riqueza o caudal.

— *Los fondos de este negocio se han agotado.*

— acumular riquezas: *fondearse.*

— conjunto de colonias pobres donde hay mucha violencia: *bajos fondos.*

9. Resguardo de dinero destinado a un fin preciso.

— *El fondo para la jubilación deberá incrementarse.*

10. Conjunto de obras, periódicos, documentos, discos, películas, etc., de una biblioteca, hemeroteca, archivo, etc., que generalmente puede consultar el público.

— *El fondo de esa biblioteca es rico y abundante en libros y folletos raros.*

11. Parte esencial o principal de una cosa.

— *Debe analizarse el fondo del asunto para encontrarle una justificación.*

— escrutar en el interior de una persona o cosa: *fondear.*

— en realidad, en esencia, en verdad: *en el fondo.*

— que contiene una reflexión profunda: *de fondo, con fondo.*

— con rigor y perfectamente: *a fondo.*

12. Contenido de una obra literaria, dramática, cinematográfica, etc., expresado a través de una forma. ❖ FORMA.

— *Para analizar esta novela debemos empezar por separar el fondo de la forma.*

13. Prenda de vestir femenina e interior, usada bajo el vestido o la falda.

— *Ponte un fondo porque se trasluce ese vestido.*

14. Parte del casco de una embarcación que queda bajo el agua.

— *El fondo de esta nave está averiado.*

15. Radiación que proviene de fuentes distintas del material radiactivo que se está midiendo.

— *La existencia de fondo se debe a los rayos cósmicos que provienen del espacio exterior.*

16. Unión de dos anzuelos y un plomo para pescar.

— *Este fondo de anzuelos azules me trae buena suerte.*

fonema Unidad fonológica mínima que en el sistema de la lengua puede oponerse a otras en contraste significativo. ☞ **fonología.**

— que pertenece al fonema o se relaciona con él: *fonemático.*

fonética 1. Conjunto de los sonidos que forman un idioma. ☞ **fonología.**

— *Yo no conozco la fonética del japonés.*

2. Ciencia o disciplina lingüística que estudia la manera en que se pronuncian o se oyen los sonidos del habla.

— *La fonética es una herramienta muy útil para conocer la evolución de nuestro idioma.*

— que pertenece a la fonética o se relaciona con ella: *fonético.*

— sistema de escritura que representa sonidos: *alfabeto fonético.*

— que pertenece a la voz o al sonido: *fónico.*

— arte de combinar los sonidos de acuerdo con las leyes de la acústica: *fónica.*

— persona que estudia los sonidos de un idioma: *fonetista.*

— conjunto de caracteres y particularidades fonéticas de un idioma: *fonetismo.*

— adaptación de la escritura a los sonidos de una lengua: *fonetismo.*

— factores que afectan a los sonidos de un idioma: *la persona que habla (fonética fisiológica o articulatoria), las ondas sonoras que produce (fonética acústica), los efectos auditivos (fonética perceptiva).*

fonógrafo 1. Aparato mecánico que graba y reproduce las vibraciones sonoras.

— *El inventor del fonógrafo fue Tomás Alva Edison.*

2. Aparato eléctrico de sonido que sirve para tocar discos. ☞ **tocadiscos.**

— *Mi abuelita nos heredó un fonógrafo.*

— que pertenece al fonógrafo o se relaciona con él: *fonográfico.*

fonología Disciplina o ciencia de la lingüística que estudia la organización, estructura y las funciones de los fonemas de una lengua. ☞ **fonema.**

— unidad o forma, considerada invariable, de cada sonido de una lengua: *fonema.*

— que pertenece a la fonología o se relaciona con ella: *fonológico.*

— persona que estudia fonología: *fonólogo.*

fonoteca Archivo o establecimiento donde se conservan cintas, discos o alambres magnetofónicos que tienen grabados sonidos, música o palabras.

fontana Fuente, manantial.

— lugar en que abundan los veneros o manantiales: *fontanal.*

— que pertenece a las fuentes o se relaciona con ellas: *fontanal, fontanero.*

— persona que construye y repara las fuentes y cañerías: *plomero, fontanero.*

— conjunto de cañerías por donde corre el agua: *fontanería.*

— oficio que consiste en instalar y reparar los conductos de agua: *fontanería.*

— partes de una instalación de fontanería de una casa: *tubería, llave de paso exterior, llave de paso interior, contador, tuberías de agua fría y caliente, caldera, calentador, depósito de agua caliente, radiadores, cisterna, inodoro, lavabo, bidet, regadera.*

foque Cada una de las velas de forma triangular que se orientan y atan sobre el palo grueso colocado horizontalmente en la proa del buque.

forajido Delincuente que huye de la jus-

F

foráneo-formar

ticia y anda en las afueras de la población. ☞ **malhechor.**

foráneo, -a Que proviene de otro lugar, que es forastero o extraño. ☞ **forastero.** ❖ COETÁNEO, COMPATRIOTA.

forastero, -ra 1. Que vive en un lugar sin haber nacido allí. ☞ **foráneo, forense.** ❖ COMPATRIOTA, COETÁNEO.
— *Lleva ya veinte años en este país, a veces lo tratan como forastero.*
2. Que es extraño o ajeno, que proviene de otro lugar.
— *No le preocupaba que no tuviera relación con jurisdicciones forasteras a pesar de que iniciarían las exportaciones muy pronto.*

forcejear o forcejar Resistir haciendo fuerza al ataque de otro o para vencer una resistencia. ❖ AVENIRSE.
— acción y resultado de forcejear: *forcejeo, forcejo.*
— esfuerzo violento: *forcejón.*
— que tiene mucha fuerza: *forcejudo.*

forense Que pertenece a la abogacía o a los tribunales o se relaciona con ellos.
— médico que atiende las necesidades legales de un juzgado, asistiendo a un juez en los asuntos médicos: *médico forense.*

forestal Que pertenece a los bosques y a su aprovechamiento o se relaciona con ellos.

forillo Telón pequeño que se pone detrás del telón del foro para tapar puertas y otras aberturas.

forjar 1. Dar forma mediante la acción del calor y con un martillo a una pieza de metal. ☞ **herrar, forja.**
— *El artesano forjó esta hermosa reja para mi ventana.*
— acción y resultado de forjar: *forja, forjadura.*
— fragua del platero: *forja.*
— persona que se dedica a forjar metales: *forjador.*
2. Construir una obra de albañilería.
— *Con sólo dos trabajadores forjé mi propia casa.*
— argamasa de cal, arena y agua: *forja.*
— constructor de algo: *forjador.*
3. Revocar una superficie toscamente con yeso.
— *La pared fue forjada con yeso de baja calidad.*
4. Crear o lograr algo con esfuerzo y trabajo.
— *Cada país debe forjar un porvenir provechoso para sus habitantes.*
— creador de alguna cosa: *forjador.*
5. Inventar, fingir historias una persona.

— *El ladrón forjó mil mentiras para salvarse de la justicia.*
— que forja: *forjador.*

forma 1. Aspecto exterior o superficial de los cuerpos materiales o contorno característico de algo. ☞ **figura.** ❖ SUSTANCIA, MATERIA.
— *El marco de este cuadro tiene forma ovalada.*
— configuración del cuerpo humano de la mujer: *formas.*
— que pertenece a la forma o se relaciona con ella: *formal.*
— que tiene forma contrahecha o está desfigurado: *deforme.*
— que no tiene forma o que tiene una forma indeterminada: *informe.*
— que tiene la misma forma o que no sufre variaciones: *uniforme.*
— obrero que forja la figura de un objeto: *formador.*
— trabajador de una imprenta que organiza las partes del molde: *formador.*
— con aspecto de: *en forma de.*
— prepararse para una prueba física o intelectual: *ponerse en forma.*
— que tiene forma de guisante: *pisiforme.*
— que tiene forma de pez: *pisciforme.*
— que tiene figura de huso: *fusiforme.*
— que tiene forma de abanico: *flabeliforme.*
— que tiene figura de gusano: *vermiforme.*
— aflojar las cuñas de un grabado para corregirlo o calzarlo: *abrir la forma.*
2. Conjunto de relaciones entre elementos que se mantienen constantes, independientemente de las variaciones de cada uno de ellos.
— *La forma gramatical que expresa el femenino en español es la terminación "a" de sustantivos y adjetivos.*
— cada una de las formas que adopta un mismo morfema: *formante.*
— lengua reflexiva: *lengua formante.*
3. Modo de actuar o proceder ante una situación o manera de hacer algo.
— *No me gusta tu forma de solucionar los problemas.*
— que se puede moldear o formar: *formable.*
— modo particular o propio de comportarse alguien: *forma de ser.*
— de tal manera que: *de forma que.*
— con formalidad o rectitud, como se debe: *en forma.*
— estar en buenas condiciones físicas o mentales para realizar algo: *estar en forma.*
4. Hoja de papel que trae impresa las

indicaciones que deben seguirse y los datos que se requieren para efectuar un trámite.
— *Si quiere solicitar una tarjeta de crédito llene esta forma y anexe la documentación que allí se indica.*
5. Expresión o estilo con el que se dan a conocer las ideas, el contenido o el fondo de una obra literaria, dramática, cinematográfica, etc. ❖ FONDO.
— *Para analizar esta novela empecemos por separar el fondo de la forma.*
— dar expresión precisa a algo impreciso: *dar forma.*
6. Tamaño de un impreso o formato de un libro en cuanto a sus dimensiones.
— *Me gusta la forma de ese libro.*
— tamaño y proporción de un libro, fotografía, cuadro o algo similar: *formato.*

formalizar 1. Darle a una cosa la última forma.
— *Antes de que la veas, quiero terminar de formalizar mi escultura.*
2. Cumplir con los requisitos legales de un trámite.
— *Formalizaré mi situación legal en cuanto me case.*
— actitud o tendencia de apego riguroso a las reglas o método de algo: *formalismo.*
— que sigue rigurosamente las costumbres y tradiciones: *formalista.*
— que pertenece al formalismo o se relaciona con él, que es partidario de esta tendencia: *formalista.*
— siguiendo las normas: *formalmente.*
— con los requisitos indispensables para algo: *con las formalidades, con todas las formalidades.*
3. Concretar o precisar una situación vaga.
— *Hay que formalizar la inauguración del local.*
— tornarse serio: *formalizarse.*
— que tiene seriedad y compostura en sus actos: *formal.*
— que es serio y poco amigo de bromas, tratándose de personas: *formal.*
— exactitud y puntualidad en las acciones o buen comportamiento y seriedad: *formalidad.*
— expreso, preciso, determinado: *formal.*
— acción y resultado de formalizar: *formalización.*

formar 1. Dar a algo una forma, cierta organización, orden o estructura. ☞ **configurar.** ❖ DEFORMAR, DESTRUIR.
— *El río se ensancha y forma un lago precioso cerca de un valle.*

2. Reunir, ordenar u organizar varias cosas o personas para que constituyan un todo.

— *Todas estas fotos forman mis mejores recuerdos.*

3. Constituir varias personas o elementos una corporación o un todo.

— *Los padres de familia forman el club de ecologistas de mi colonia.*

4. Criar, educar o dar el adiestramiento adecuado para algo.

— *Un padre da buenos ejemplos a sus hijos para formarlos debidamente.*

— que educa o forma: *formador.*

— crecer y desarrollarse una persona tanto física como moralmente: *formarse.*

5. Ponerse en fila un grupo de personas.

— *Los soldados se forman para desfilar.*

— acción y resultado de formar algo o a alguien: *formación.*

— que forma o da forma: *formativo.*

formidable 1. Excelente, magnífico. ❖ PÉSIMO, MALO.

— *Con una cena formidable festejaron sus bodas de plata.*

2. Que es de excesivo tamaño, enorme, imponente o colosal. ❖ ÍNFIMO.

— *En mi calle construyeron un edificio formidable de cuarenta pisos.*

3. Muy temible. ❖ PLACENTERO.

— *Para los niños la oscuridad es un enemigo formidable.*

fórmula 1. Símbolo de un hecho científico o de los diversos elementos que contiene una sustancia.

— *Revisa la fórmula de ese medicamento para comprobar que no tiene ninguna de las sustancias a las que eres alérgico.*

— reducir a símbolos un hecho científico o recetar algo: *formular.*

— grupo de símbolos que representan la composición atómica y molecular de cada sustancia química: *fórmula química.*

2. Expresión breve, precisa y clara del modo en que algo se lleva a cabo o se resuelve.

— *Triunfó con su carrera, por lo visto tenía la fórmula del éxito.*

— expresar algo en términos claros, precisos y concisos: *formular.*

— que pertenece a la fórmula o se relaciona con ella: *formular.*

— documento impreso con instrucciones o preguntas sobre un determinado tema que se utiliza para obtener información: *formulario.*

— que se hace por fórmula o para cubrir las apariencias: *formulario.*

— apego excesivo a las normas o reglas sociales: *formulismo.*

— tendencia o afición a preferir la apariencia de las cosas a su esencia: *formulismo.*

— expresión formal que se utiliza en determinadas situaciones sociales: *fórmula de cortesía.*

— por cumplir, para cubrir las apariencias: *por fórmula.*

fornicar Tener trato sexual extramarital.

— que pertenece a las relaciones sexuales extramaritales o se relaciona con ellas: *fornicario.*

— que tiene el vicio de fornicar: *fornicador, fornicario.*

— acción y resultado de llevar a cabo el acto sexual adúltero: *fornicación, fornicio.*

fornitura 1. Piezas de repuesto de un reloj o de otro mecanismo de precisión.

— *En esta joyería arreglaron parte de la fornitura averiada de mi reloj.*

2. Conjunto de adornos y accesorios con los que se engalana una prenda de vestir.

— *Mi vestido de bodas lleva perlas y diamantes como fornitura.*

3. Porción de caracteres, tipos o letras que se funde en una imprenta para completar un conjunto de esa clase de signos.

— *Necesito la fornitura de las cursivas.*

foro 1. Reunión en la que se discuten y exponen asuntos de interés actual ante un grupo de personas que puede participar en la discusión y lugar en donde se realiza. ☞ **conferencia.**

— *El foro sobre pintura surrealista estuvo muy interesante.*

2. Fondo del escenario.

— *La mayor parte de la obra se desarrollaba en el foro.*

3. Lugar en que los tribunales oyen y determinan las causas. ☞ **juzgado.**

— *El pleito se complicó y fue necesario llegar hasta el foro para deslindar responsabilidades.*

4. Ejercicio de la abogacía y la magistratura. ☞ **jurisprudencia.**

— *Al foro se le llama también ciencia del derecho.*

5. Plaza en que se trataban los asuntos públicos en la antigua Roma.

— *Actualmente sólo mediante reconstrucciones podemos conocer el antiguo foro romano.*

forrajear Segar y recoger el pasto verde para alimentar al ganado.

— hierba fresca, pasto, cereal o paja con que se alimenta el ganado: *forraje.*

— acción de forrajear: *forraje.*

— que sirve para forraje, tratándose de plantas o partes de éstas: *forrajera.*

— que va por pastura o recoje forraje: *forrajeador.*

— abundancia de cosas insignificantes: *forraje.*

forrar Cubrir una cosa con forro para protegerla.

— cubierta interior o exterior de algo: *forro.*

— estar abrigado: *estar bien forrado.*

— hacerse de mucho dinero, enriquecerse: *forrarse.*

— llenarse o atiborrarse de comida: *forrarse.*

fortalecer Hacer que algo o alguien sea más fuerte o vigoroso, material o moralmente, tonificar o robustecer. ☞ **fuerte, fuerza.** ❖ DEBILITAR.

— que tiene una constitución robusta, que es resistente o vigoroso, que tiene valor: *fuerte.*

— vigor físico o moral, potencia, empuje, energía o poder: *fuerza.*

— que fortalece, tonifica o robustece: *fortalecedor.*

— acción y resultado de fortalecer o fortalecerse: *fortalecimiento.*

— lo que hace fuerte un sitio o una plaza: *fortalecimiento.*

— fuerza, vigor: *fortaleza.*

— virtud de vencer el temor: *fortaleza.*

— defensa natural que dada su situación tiene un lugar: *fortaleza.*

— lugar fortificado: *fortaleza.*

— que es fuerte, robusto y vigoroso, que está fornido: *fortachón, forzudo.*

fortificar 1. Dar a algo o a alguien vigor y fuerza, material o moral. ☞ **fortalecer.** ❖ DEBILITAR.

— *El cura fortificó mi ánimo con sus rezos.*

2. Proteger una población o país con obras de defensa militar. ☞ **atrincherar, blindar.**

— *Arriba de ese cerro fortificaron un refugio los soldados.*

— acción de construir obras de defensa militar: *fortificación.*

— conjunto de obras de defensa militar con que se protege un lugar: *fortificación.*

— construcción militar con la que se protege un territorio: *fuerte, fortificación.*

— fuerte pequeño: *fortín.*

— construcción que se hace en las trincheras para defenderse mejor: *fortín.*

— que fortifica: *fortificador.*

— persona que diseña una fortificación: *ingeniero militar*.

— partes de una fortificación: *parapeto, trinchera, valla, terraplén, empalizada, defensa, barricada, escarpa, contraescarpa, contrafuerte, antepecho, muro, muralla, pared, lienzo, fosa, torre, torre de ángulo, barbacana, tronera, aspillera, glacis, garita, galería, camino de ronda, poterna, puente levadizo, flanco, ala, batiente, explanada, esperonte, falsabraga, aproches, blindaje, protección, cortina, cañonera, camino cubierto, adarve, pasadizo, mina, arsenal, santabárbara, depósito de municiones, barreno, artillería, cabeza de puente, matacán, rampa, palenque, dependencias, alojamientos, cuarto de guardia, estado mayor, enfermería, almacenes, sala de máquinas, control de comunicaciones*.

fortuito, -ta Que sucede casual, imprevista o accidentalmente, que es ocasional o esporádico. ☞ **casual.** ❖ DELIBERADO, PREVISTO.

— casualmente, sin premeditación: *fortuitamente*.

fortuna 1. Suerte de alguien o conjunto de circunstancias casuales o fortuitas que determinan el destino de una persona. ☞ **suerte.**

— *Su fortuna fue haber descubierto su vocación de músico*.

— que es suertudo, que tiene suerte o fortuna: *afortunado*.

— que es adverso, que no tiene fortuna: *desafortunado*.

— por suerte o por casualidad: *por fortuna*.

— aventurarse en una empresa: *probar fortuna*.

— sucederle a uno las cosas felizmente: *soplarle la fortuna*.

— suceso fortuito favorable o desfavorable: *golpe de fortuna*.

— sufrir un barco una gran tormenta y estar a punto de naufragar: *correr fortuna*.

2. Conjunto cuantioso de bienes de alguien, capital o dinero de un grupo de personas. ☞ **caudal.**

— *A los treinta años era dueño de una gran fortuna*.

— negociar con éxito: *hacer fortuna*.

— juego mecánico de las ferias o parques de diversiones formado por una, dos o tres ruedas a cuyo alrededor cuelgan canastillas con asientos para dos personas, que gira verticalmente con ayuda de un motor: *rueda de la fortuna*.

forúnculo Proceso inflamatorio de una especie de grano que da lugar a la formación del vello que aparece en la piel. ☞ **furúnculo.**

— que pertenece al forúnculo o se relaciona con él: *forunculoso*.

— surgimiento simultáneo de varios forúnculos en una parte del cuerpo o en varias regiones del mismo: *forunculosis*.

forzar 1. Realizar un esfuerzo violento para conseguir algo.

— *El ladrón forzó la puerta para entrar en mi casa*.

2. Tomar una posición enemiga a fuerza de armas.

— *Los amotinados forzaron la cubierta con facilidad*.

3. Abusar de una persona sexualmente. ☞ **violar.**

— *El castigo legal por forzar a una mujer debiera ser muy duro*.

4. Obligar a alguien a que haga lo que no quiere.

— *No es adecuado forzar a un niño a comer*.

— acción de forzar algo o a alguien: *forzamiento*.

— persona que violenta a otra, ya sea física o mentalmente: *forzador*.

— que se retiene por la fuerza: *forzado*.

— que no es espontáneo: *forzado*.

— esclavo que rema en una galera: *forzado*.

— sin ganas: *forzadamente*.

— que es imposible eludir o excusar, que es obligatorio o imprescindible: *forzoso*.

— necesaria, obligada u obligatoriamente: *forzosamente, a fuerzas, por fuerza*.

fosa 1. Cavidad o agujero grande y profundo que se hace en la superficie de la tierra. ☞ **hoyo.**

— *Cavó una fosa para depositar la basura del campamento*.

— excavación terminada en cemento que recibe las materias orgánicas del desagüe: *fosa séptica*.

— hoyo, hueco, excavación: *foso*.

— espacio que se encuentra bajo el tablado de un escenario: *foso*.

— excavación que circunda una fortificación: *foso, fosado*.

— hueco que permite componer cómodamente una máquina en los talleres: *foso*.

— excavar un foso alrededor de una cosa: *fosar*.

— hundimiento de una zona situada entre fallas geológicas que ocasiona cierta depresión en la corteza terrestre: *fosa tectónica*.

2. Cavidad en la superficie de la tierra en la que se depositan los restos mortales de un ser humano. ☞ **sepulcro, sepultura.**

— *Depositaron el ataúd en la fosa y empezaron a cubrirlo de ladrillos, cemento y tierra*.

— fosa en la que se entierran cadáveres de personas desconocidas o muy pobres: *fosa común*.

— cementerio, camposanto: *fosal*.

3. Hueco de cualquier superficie, en especial, la de ciertos órganos del cuerpo.

— *El aire que respiramos entra por las fosas nasales*.

fosforecer Presentar una cosa la luminiscencia del fósforo o emitir luz fosforescente.

— luminosidad que proyectan algunos cuerpos en la oscuridad sin estar en combustión ni haber sido afectados por radiación alguna: *fosforescencia*.

— que tiene fosforescencia: *fosforescente*.

— instrumento que mide la fosforescencia de un cuerpo: *fosforoscopio, fosforóscopo*.

fósforo 1. Elemento natural muy parecido a la cera, que arde espontáneamente cuando hace calor; se encuentra en ciertas rocas, en los huesos, dientes y otros tejidos.

— *El fósforo es una materia esencial para los tejidos vivos*.

— combinación de fósforo con un metal: *fosfuro*.

— que pertenece al fósforo o se relaciona con él: *fosfórico*.

— que contiene fósforo: *fosforado*.

2. Pieza alargada de madera o cartón con una punta inflamable. ☞ **cerillo.**

— *Para encender una hoguera basta un solo fósforo*.

— persona que vende cerillos: *fosforero*.

— cajita especial para fósforos: *fosforero*.

fósil 1. Vestigio orgánico o restos y huellas de hombres, animales y plantas de antiguas edades geológicas que se han conservado en la corteza terrestre, después de petrificarse o mineralizarse.

— *Vamos a ir de excursión para buscar fósiles*.

— transformarse los cuerpos o sustancias orgánicas en fósiles: *fosilizarse*.

— acción y resultado de fosilizarse: *fosilización*.

— que tiene o contiene fósiles, tratándose de un depósito geológico: *fosilífero*.

— que contribuye a la fosilización, tratándose de condiciones geológicas o elementos inorgánicos: *fosilizante*.

— terreno que contiene fósiles: *fosilífero*.

— ciencia que estudia los fósiles: *paleontología*.

— persona dedicada al estudio de los vestigios de formas vivientes: *paleontólogo*.

— estudio de los restos humanos fosilizados: *paleoantropología*.

— excrementos fosilizados: *coprolitos*.

— pez fosilizado: *ictiolito*.

— vegetal fósil: *fitolito*.

— algunos fósiles animales: *nautilus, ictiosaurio, iguanodonte, plesiosaurio, dinosaurio, estegosaurio, arqueopterix, diplodoco, pterodáctilo, belemnita, ictiornis, pterodonte, mastodonte, dinoterio, mamut, gliptodonte, megaterio, dinornis, hombre de Heidelberg, de Neanderthal, de Cromagnon*.

2. Que es muy viejo o anticuado.

— *Sus amigos son unos fósiles, no sé porque no anda con gente de su edad*.

— cursar repetidamente los años escolares sin llegar nunca a graduarse: *fosilizarse*.

fotocopiar Reproducir documentos con una máquina fotocopiadora o hacer fotocopias.

— máquina que toma copias: *fotocopiadora*.

— operación de reproducir instantáneamente documentos o escritos mediante el revelado de un negativo fotográfico: *fotocopia*.

— copia fiel o fotografía instantánea de un documento: *fotocopia*.

— que fotocopia: *fotocopiador*.

— persona que acciona una fotocopiadora: *fotocopiador, fotocopista*.

fotoeléctrico, -ca Que produce electrones a causa de radiaciones luminosas, tratándose de fenómenos eléctricos.

— conjunto de fenómenos fotoeléctricos que consisten en producir electrones por la acción de radiaciones luminosas o electromagnéticas: *fotoelectricidad*.

— emisión de electrones de una sustancia que ha sido expuesta a la radiación: *efecto fotoeléctrico*.

— proyección de electrones de una superficie expuesta a la acción de rayos luminosos: *fotoemisor, fotoemisividad*.

fotofobia Temor exagerado y anormal ante la luz.

fotogénico, -ca 1. Que pertenece a los efectos químicos de la luz sobre ciertos cuerpos o que se relaciona con ellos.

— Hay diversos compuestos fotogénicos.

— producción de luz: *fotogenia*.

— que produce luz: *fotógeno*.

2. Que sale favorecido en las fotografías o que es adecuado para la reproducción fotográfica.

— *Mi hermana menor es muy fotogénica*.

— fijación química de imágenes: *fotogenia*.

fotograbado Producción de planchas de relieve para impresión en prensa tipográfica que utiliza la acción química de la luz y plancha que se obtiene con ese procedimiento.

— persona que hace fotograbados: *fotograbador*.

— hacer fotograbados: *fotograbar*.

fotografiar 1. Reproducir una imagen por medio de fotografías o tomar fotografías.

— *Llévate la cámara para fotografiar a tus primas en la ceremonia de fin de cursos*.

— procedimiento que consiste en reproducir en una placa sensible a la luz las imágenes que recoge una cámara oscura: *fotografía*.

— imagen que se obtiene con este procedimiento: *fotografía*.

— que pertenece a la fotografía o se relaciona con ella: *fotográfico*.

— persona que se dedica a tomar placas fotográficas o tiene como profesión la fotografía: *fotógrafo*.

— serie de fotografías de una misma persona o de un motivo en particular: *estudio fotográfico*.

— establecimiento dedicado a fotografiar profesionalmente: *estudio fotográfico*.

— fotografía que puede revelarse inmediatamente: *fotografía instantánea*.

— cada una de las imágenes que forman una película o filme: *fotograma*.

— prueba fotográfica en la que los blancos son negros y viceversa: *negativo fotográfico*.

— prueba que se obtiene a partir de un negativo y que constituye la imagen definitiva: *positivo fotográfico*.

— imagen fotográfica que se coloca en un soporte para proyectarla: *diapositiva*.

— partes de una cámara fotográfica y accesorios: *botón disparador, visor, contador de exposiciones, lente, objetivo, ocular, prisma, diafragma, filtro, botón de rebobinado, palanca de carga, soporte para accesorios, chasis, carrete, clisé, rollo, placa, fuelle, obturador, célula fotoeléctrica, telémetro, regulador del tiempo de exposición, fijador del trípode, flash, objetivo intercambiable, teleobjetivo, gran angular, ojo de pez, zoom, filtros, fotómetro, exposímetro, trípode, estuche, funda*.

— condiciones y características con las cuales se puede tomar una fotografía: *distancia focal, imagen, foco, tiempo de exposición, sobreexposición, profundidad de campo, abertura del diafragma, composición, enfoque, exteriores, interiores, iluminación, montaje, contraluz, claroscuro, contraste, truco, trucaje, fotograma*.

2. Describir acciones, cosas, personas o animales por escrito o verbalmente, de forma tan fiel que parezca una fotografía.

— *Nos hizo una fotografía de su casa de campo*.

fotogrametría Método que consiste en la obtención de las dimensiones reales de terrenos muy grandes o de secciones de zonas topográficas por medio de fotografías.

fotolitografiar Reproducir una imagen mediante fotolitografías.

— arte y técnica de reproducir y fijar dibujos mediante fotografías de los originales en planchas metálicas de offset o en piedras litográficas: *fotolitografía*.

— copia que se obtiene fotolitografiando: *fotolitografía*.

— que pertenece a la fotolitografía o se relaciona con ella: *fotolitográfico*.

fotómetro Instrumento que mide la intensidad de cualquier fuente de luz.

— parte de la física que estudia las propiedades de los cuerpos relacionadas con la luz y las cantidades o medidas de ésta: *fotometría*.

— que pertenece al fotómetro o se relaciona con la fotometría: *fotométrico*.

fotón Cada una de las partículas de que parece estar constituida la luz.

— ciencia que explica el comportamiento de la electricidad: *teoría cuántica*.

fotosíntesis Proceso químico que realizan las plantas verdes por medio de la clorofila u otros pigmentos, que consiste en absorber la luz solar mediante las hojas y convertirla en la energía que utiliza para sintetizar los azúcares que necesita para vivir.

— que pertenece a la fotosíntesis o se relaciona con ella: *fotosintético*.

fototerapia Procedimiento curativo que

utiliza los efectos de la luz en el cuerpo humano. ☞ **naturismo.**

— que pertenece a la fototerapia o se relaciona con ella: *fototerápico.*

fototipia Sistema y técnica que consiste en reproducir imágenes fotográficas sobre una capa de gelatina, con bicromato, extendida sobre cristal o cobre, y lámina o reproducción obtenida con este sistema.

— que pertenece a la fototipia o se relaciona con ella: *fototípico.*

frac Saco de etiqueta masculino que tiene por detrás dos faldones.

fracasar Malograrse un proyecto o un plan, dejar de obtener el resultado esperado en algún intento o no triunfar alguien. ☞ **frustrar, ❖** TRIUNFAR, RESULTAR.

— acción y resultado de fracasar: *fracaso.*

— frustrado, malogrado o derrotado: *fracasado.*

fracción 1. Parte o trozo de un todo que se puede contar o medir.

— *Recibió una fracción muy pequeña de ganancia.*

— segmentar una cantidad, unidad o algo que se pueda medir o contar en partes: *fraccionar.*

— acción y resultado de fraccionar: *fraccionamiento.*

— cada una de las partes que resultan de dividir un terreno grande en varias propiedades pequeñas, provistas de todos los servicios: *fraccionamiento.*

— colonia, barrio o asentamiento que se desarrolla en este tipo de urbanización: *fraccionamiento.*

— que pertenece a la parte de un todo: *fraccionario.*

— que puede subdividirse en partes: *fraccionable.*

— repetición de un significado único en varios significantes que no tienen sentido, sino en un conjunto de palabras: *signo fraccionado.*

2. Expresión matemática que simboliza una división o parte de una unidad.

— *La fracción de este quebrado es de 3/4 ó 0.25.*

— que representa una fracción de una unidad: *fraccionario.*

— que tiene la forma de una fracción: *fraccionario.*

— fracción o cifra que simboliza una parte de la unidad y que se escribe después de un punto: *fracción decimal.*

— fracción de un quebrado cuyo denominador es mayor que el numerador: *fracción propia.*

— fracción de un quebrado que tiene el numerador mayor que el denominador: *fracción impropia.*

3. Parte de un grupo u organización que difiere de los otros del mismo conjunto.

— *La fracción moderada de ese partido se abstuvo de votar.*

— que tiende o se inclina a la disgregación: *fraccional.*

4. Cada una de las partes cuantificables que se separan de una sustancia química.

— *Equivocaste la fracción de petróleo bruto para ese experimento.*

— dividir una sustancia química en partes cuantificables: *fraccionar.*

5. Parte numerada que indica una subdivisión de un artículo de la ley.

— *La fracción III del artículo 27 constitucional se puede interpretar de dos maneras.*

fracturar (vea ilustración de la p. 305). Partir o quebrar una cosa con esfuerzo. ☞ **romper.**

— acción y resultado de romperse algo: *fractura.*

— sitio en el que se rompe un estrato geológico: *fractura.*

— características que adquiere un mineral cuando se rompe: *falla, fractura.*

— rotura de un hueso: *fractura.*

— fractura de hueso en la que éste no atraviesa la piel: *fractura sencilla o fractura cerrada.*

— fractura en la que el hueso rasga la piel y queda expuesto: *fractura abierta o fractura complicada.*

— fractura donde el hueso se parte en pequeños fragmentos: *fractura conminuta o fractura múltiple.*

fraga 1. Terreno abrupto y lleno de maleza.

— *Sin fijarse, acampó en una fraga hostil y peligrosa.*

2. Madera a la que hay que partir en pedazos para que queden bien pulimentados.

— *Trajeron un camión lleno de madera de fraga.*

fragante Que exhala un olor delicioso y penetrante. ☞ **perfumado. ❖** PESTILENTE, MALOLIENTE.

— aroma suave y delicioso, perfume: *fragancia.*

— fama que tiene una persona: *fragancia.*

— olor muy agradable: *aroma.*

fragata Embarcación de guerra utilizada en misiones de escolta y patrulla.

— embarcación ligera de guerra parecida a la fragata: *fragata ligera o corbeta.*

— embarcación de tres palos con co-

fas y vergas en cada uno de ellos: *fragata de vela.*

frágil 1. Que se rompe fácilmente, que es quebradizo. ☞ **endeble. ❖** FUERTE.

— *Cuidado con la vajilla, pues es muy frágil.*

2. Que cae fácilmente en tentaciones, que es débil o enfermizo. ❖ FUERTE, ROBUSTO.

— *Con una mujer frágil, mejor no casarse.*

3. Que es caduco o perecedero, que se descompone fácilmente. ❖ DURADERO.

— *Esas flores son muy frágiles, mejor deme claveles que son más duraderos.*

— calidad de frágil, debilidad o inconsistente: *fragilidad.*

fragmentar Reducir un todo a partes pequeñas. ☞ **partir. ❖** FRACCIONAR.

— acción y resultado de fragmentar o fragmentarse: *fragmentación.*

— trozo o pedazo de algo que se ha quebrado: *fragmento.*

— porción de un escrito o texto incompleto: *fragmento.*

— parte que ha llegado a nosotros de una obra artística: *fragmento.*

— parte de una obra musical que forma un todo o periodo musical breve: *fragmento.*

— que pertenece al fragmento o se relaciona con él: *fragmentario.*

— que existe de forma incompleta o no terminada: *fragmentario.*

— que está hecho de pedazos: *fragmentario.*

fragor Ruido muy grande, bramido o estruendo que produce algo o alguien. ☞ **estruendo, estrépito.**

— ruidoso, estrepitoso, atronador o estruendoso: *fragoso, fragoroso.*

— que es abrupto, áspero, escarpado o está lleno de maleza o breñas: *fragoso.*

— condición o calidad de fragoso: *fragosidad.*

— sitio difícil y lleno de maleza o espesura del bosque o los montes: *fragosidad.*

fraguar 1. Moldear, forjar el metal el herrero para darle la forma y resistencia requeridas. ☞ **forjar.**

— *El obrero fraguará la puerta de mi jardín.*

— horno en el que se calientan los metales para forjarlos: *fragua.*

— taller en que se hace esto: *fragua.*

— recorrer en un agujero de la fragua los residuos de carbón o hierro: *sangrar la fragua.*

— acción y resultado de forjar un metal: *fraguado.*

— que fragua: *fraguador.*

fracturas

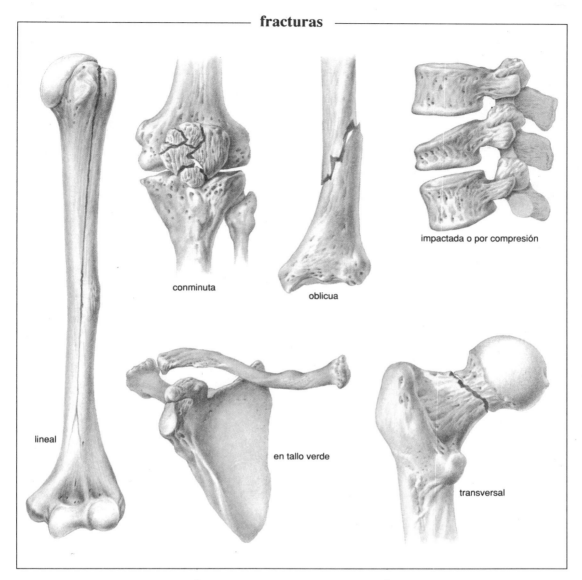

conminuta

oblicua

impactada o por compresión

lineal

en tallo verde

transversal

2. Planear con cuidado o idear un proyecto. ☞ **tramar.**
— *Entre todos fraguamos la idea de hacerte una fiesta sorpresa.*
— que idea o trama un plan: *fraguador.*
— acción y resultado de fraguar una idea: *fraguado.*
3. Consolidarse, secarse el yeso, cemento o algún otro compuesto. ☞ **endurecerse.**
— *Este cemento es de los que fragua rápidamente.*
— acción y resultado de endurecerse el cemento: *fraguado.*
fraile 1. Monje o religioso de algunas órdenes.
— *Ya mayor se hizo fraile.*

— que pertenece a los frailes o se relaciona con ellos: *frailesco, frailengo, fraileño.*
— que es característico de los frailes: *frailero.*
— que es muy devoto o muy amigo de los frailes: *frailero.*
— conjunto de frailes: *frailería.*
— que parece fraile o religioso: *afrailado.*
— religioso que ha tenido pocos estudios: *fraile de misa y olla.*
— apócope de fraile: *fray.*
2. Doblez que se hace en el borde de un vestido o traje que llega hasta los talones.
— *El fraile del disfraz está rasgado.*
3. Corte triangular que se practica en

la pared de las chimeneas para que el humo suba fácilmente.
— *El gato se escondía en el fraile de la chimenea.*
4. Parte de papel que queda sin imprimir bien por falta de tinta.
— *Este libro tiene dos páginas con frailes.*
— que tiene una parte en blanco por error, tratándose de impresos: *afrailado.*
— cada uno de los dos palitos en los que se asegura el huso de hierro en el torno de seda: *frailecillo.*
— pájaro pequeño de la familia de los tiránidos, zancudo de color negro y blanco cuyo penacho tiene plumas cortas y eréctiles: *frailecillo.*

— ave de la familia de los álcidos que carece de plumas remeras, propia de las regiones árticas: *frailecillo.*

— ave de la familia de los tiránidos, de plumaje grisáceo, con fajas negras, patas amarillas y ojos grandes: *frailecillo.*

— arbusto de Cuba, de flores olorosas, pequeñas, de cuatro pétalos blancos: *frailecillo.*

francachela Reunión de personas a comer o celebrar con gran regocijo. ☞ **fiesta, reventón.**

franciscano, -na Que pertenece a la orden religiosa de San Francisco o se relaciona con ella. ☞ **francisco.**

— fundaciones religiosas franciscanas que siguen las enseñanzas de San Francisco de Asís: *Frailes Menores, Clarisas, Hermanos y Hermanas de la Penitencia.*

francmasonería (vea recuadro de masonería). Cofradía secreta cuyos miembros practican principios de fraternidad, usan emblemas, signos especiales y se reúnen en logias. ☞ **masonería.**

— que pertenece a la francmasonería o se relaciona con ella: *francmasónico.*

— asamblea de francmasones: *logia.*

— lugar en que se reúnen: *logia.*

— miembro de una logia: *masón, francmasón.*

franco, -ca 1. Que es leal, claro, dadivoso, sincero y honrado, que no oculta ni disfraza nada. ❖ HIPÓCRITA, MEZQUINO.

— *Ese médico te dirá la verdad sobre tu enfermedad, es muy franco.*

— actitud de una persona al expresar lo que piensa sin ocultar nada ni disfrazarlo: *franqueza.*

— que es sincero y de carácter abierto: *francote.*

2. Que es libre, que ocurre sin dificultad ni obstáculos. ❖ SUJETO.

— *A pesar de lo ocurrido nuestro acercamiento fue franco.*

— liberalidad o generosidad: *franqueza.*

— estar libre de trabajo y sin ninguna obligación: *estar franco.*

3. Que esta exento de impuestos, contribuciones, cargas o reglamentos.

— *Cómprate ropa allá, te saldrá más barata porque es zona franca.*

— exención de reglamentos, leyes o impuestos: *franquicia, franqueza.*

4. Que pertenece al pueblo germánico que vivió en las actuales Alemania y Francia desde los primeros siglos de la era cristiana.

— *Los guerreros francos conquistaron la Galia romana en los siglos V y VI y ahí se establecieron.*

— amigo de lo francés: *francófilo.*

— enemigo de lo francés: *francófobo*

5. Cada una de las unidades monetarias de Francia, Bélgica y Suiza.

— *Tiene que cambiar pesos por francos suizos porque se va a Basilea.*

franela Tela ligera hecha de lana o algodón.

frangir Trocear o dividir una cosa en pedazos. ☞ **fragmentar.**

— frágil, capaz de quebrarse: *frangible.*

— suceso desafortunado e imprevisto: *frangente.*

frangollar Triturar los granos de legumbres y cereales o hacer algo mal y a toda prisa.

— granos de cereales o pienso de legumbres triturado: *frangollo.*

— comida hecha sin cuidado: *frangollo.*

— que hace mal o con prisa algo, tratándose de personas: *frangollón, frangollero, chambón.*

franja 1. Parte larga y angosta de un plano, superficie o sector de una cosa que se diferencia o distingue del resto por determinadas características. ☞ **área.**

— *Esta hondonada tiene una franja lodosa.*

2. Ribete, guarnición de pasamanería que adorna los vestidos o uniformes. ☞ **banda.**

— *El vestido de los acólitos tiene una franja dorada.*

— adornar una ropa con franjas o tiras de colores: *franjar, franjear.*

franquear 1. Dejar algo libre para poder pasar, desobstruir un paso. ❖ ATAJAR, CERRAR.

— *Los soldados nos franquearon la entrada al Palacio Nacional.*

2. Pasar de un lado a otro venciendo obstáculos o dificultades. ☞ **traspasar.**

— *Con estas hachas franquearemos el camino a través de la selva.*

— acción y resultado de liberar o desobstruir: *franqueo, franqueamiento.*

— que puede librarse de impedimentos: *franqueable.*

— revelar su interior una persona frente a otra, sincerarse o desahogarse: *franquearse*

— paso franco: *franquía.*

— derecho que tiene un buque de pasar libremente por ciertas aguas: *franquía.*

3. Dar libertad o exonerar de una obligación.

— *Deberían franquear del servicio militar a los estudiantes brillantes.*

4. Liberar una cosa del pago que se debe dar normalmente por ella.

— *Este gobierno promete franquear los alimentos básicos.*

— libertad o exención de impuestos: *franqueza, franquicia.*

— exención del pago de envío de correspondencia o paquetes: *franquicia postal.*

— exención de derechos de aduana: *franquicia aduanal.*

5. Abonar el precio del correo por el envío de una carta o paquete.

— *Estos sobres han de ser franqueados al recibirse.*

— acción y resultado de pagar los portes de una carta o un paquete: *franqueo.*

— cantidad que se paga por el envío de una carta o paquete: *franqueo.*

frasco 1. Botella pequeña de cuello redondo y generalmente con tapa. ☞ **casco.**

— *Tráeme los frascos de medicinas que están vacíos para guardar esos botones.*

— caja con rejilla para transportar frascos: *frasquera.*

2. Vaso hecho casi siempre de un cuerno en el que se llevaba la pólvora antes de la invención del cartucho.

— *Antiguamente los cazadores cargaban con sus frascos y escopetas cuando iban a los bosques.*

frase 1. Grupo de palabras que tiene sentido autónomo. ☞ **enunciado.**

— *Como tarea tengo que escribir diez frases.*

— que pertenece a la frase o se relaciona con ella: *fraseológico.*

— construir o formar frases: *frasear.*

— construcción nominal: *frase nominal.*

— construcción verbal: *frase verbal.*

— construcción adjetiva: *frase adjetiva.*

— construcción adverbial: *frase adverbial.*

2. Construcción sintáctica que no tiene verbo.

— *Tenemos que separar las oraciones de las frases.*

3. Forma particular o característica con que se expresa una persona, estilo de un género, corriente cultural o de una lengua.

— *Muchas frases de Alfonso Reyes son citadas por los autores contemporáneos.*

— grupo de expresiones características de una lengua, de una época, de un grupo social o de una persona: *fraseología*.

— que pertenece a la fraseología o se relaciona con ella: *fraseológico*.

— frase que expresa una sentencia proveniente de la sabiduría popular: *frase proverbial*.

4. Conjunto de palabras sin importancia o valor, generalmente por ser huecas o vacías.

— *Hay que dejarse de frases y hablar de lo que importa.*

— conjunto de expresiones oscuras, vacías, pretenciosas o falsas: *fraseología*.

— que pertenece a las frases vacías o falsas, o se relaciona con ellas: *fraseológico*.

— hablar mucho sin decir realmente nada: *gastar frases*.

— hacerse el ingenioso: *hacer frases*.

fraternizar 1. Identificarse, unirse y tratarse como hermanas las personas. ☞ **hermandar, confraternizar.**

— *Tengo sólo dos amigas y las tres fraternizamos desde hace años.*

— armonía y unión entre hermanos o entre los que se quieren como si lo fueran: *fraternidad*.

— que pertenece a los hermanos o se relaciona con ellos: *fraterno, fraternal*.

— que es propio o característico de los hermanos: *fraternal*.

— hermandad o agrupación muy íntima: *fatría*.

— fraternizar: *confraternizar*.

2. Tratarse amistosamente los que alternan en algún lugar. ☞ **avenirse.**

— *Como somos pocos en el condominio hemos logrado fraternizar y no tenemos problemas.*

— agrupación de personas que trata de conseguir armonía y unión entre sus miembros: *fraternidad*.

— amistosamente o con afecto fraternal: *fraternalmente*.

fratricida Que mata a su hermano o hermana. ☞ **homicida.**

— muerte de una persona a manos de su hermano: *fratricidio*.

fraude Engaño premeditado de una persona para beneficiarse a costa de otra u otras, a las que perjudica.

— que es engañoso, falsificado o falso, que implica engaño o estafa: *fraudulento, frauduloso*.

— estafa, falsificación o engaño: *fraudulencia*.

— con engaño o suciamente: *fraudulentamente*.

fray 1. Apócope de fraile.

— *Aquel fraile se llama fray Antonio.*

2. Tratamiento que usan los religiosos de órdenes militares, para distinguirlos de los de las órdenes religiosas.

— *Mi primo era fray del ejército guatemalteco.*

freático, -ca. Que se relaciona con las aguas acumuladas en el subsuelo sobre una capa impermeable y que alimentan pozos y manantiales.

— capa de subsuelo que contiene estas aguas: *capa freática*.

frecuentar 1. Repetir un acto a menudo o concurrir habitualmente a un lugar.

— *Frecuentaba mucho la casa de su novia hasta que se casó.*

— que sucede con regularidad o se repite constantemente: *frecuente*.

— que es común o usual: *frecuente*.

— con constancia o asiduidad: *frecuentemente, con frecuencia*.

— que frecuenta algún lugar o repite algo constantemente: *frecuentador*.

— acción de frecuentar: *frecuentación*.

— repetición regular o constante de alguna acción o suceso: *frecuencia*.

— número de oscilaciones completas o ciclos de cualquier fenómeno periódico o regular por unidad de tiempo: *frecuencia*.

— relación entre el número de veces que se ha producido un fenómeno y el total de veces posibles que podría producirse en un tiempo dado: *frecuencia*.

— aparato que se usa para medir la frecuencia de una corriente eléctrica: *frecuencímetro*.

— aparato electrónico que sirve para determinar la frecuencia de una corriente alterna: *frecuencímetro*.

2. Confesar y comulgar una persona católica muy a menudo.

— *Cada semana frecuenta la iglesia desde que la abandonó su esposo.*

fregar 1. Molestar, fastidiar mucho; se considera una palabra vulgar. ☞ **chingar.**

— *Me estuvo fregando toda la tarde hasta que le di el dinero que me pedía.*

— acción y resultado de molestar o fastidiar: *fregada, friega, fregadura, fregazón, fregatina, fregantina*.

— acción reiterada de molestar o perjudicar: *fregadera, fregadero*.

— situación muy molesta o que representa mucho esfuerzo y trabajo: *friega*.

— que molesta o fastidia mucho, que es muy pesado e insoportable: *fregado*.

— que fastidia o molesta, que perjudica o amuela: *fregón*.

— molestia, impertinencia: *fregazón*.

2. Causar un daño o perjuicio a alguien, amolarlo; se considera vulgar y grosera esta palabra.

— *Lo fregó, echándole la culpa.*

— acción y resultado de amolar o perjudicar a alguien: *fregada, friega, fregadura, fregazón, fregatina, fregantina*.

— que está en muy mala situación económica, que tiene muy mala salud o que se encuentra con el ánimo deteriorado por alguna circunstancia adversa: *fregado*.

— situación adversa: *fregada*.

— golpiza violenta: *friega*.

— estar empobrecido: *andar fregado de dinero*.

— atrevido, audaz o tenaz: *fregado*.

— que es muy bueno en una actividad: *fregón*.

3. Friccionar con fuerza una cosa usando otra o limpiar algo frotándolo con fuerza. ☞ **restregar, fricar.**

— *Usa un cepillo para fregar el piso y quitarle las manchas de grasa.*

— acción y resultado de fregar: *fregadura, fregado*.

— frotación, fricción: *fregamiento*.

— pila en que se lava la ropa o los trastes: *fregadero*.

— persona que friega pisos: *fregandero, fregón*.

— mujer que hace la limpieza o friega: *fregona, fregandera*.

— que se puede restregar: *fregable*.

— estropajo para restregar en un barco: *fregajo*.

— acción y resultado de frotar alguna sustancia sobre la piel o de frotar alguna parte del cuerpo: *friega*.

freír Dorar y cocer un alimento en aceite o grasa hirviendo. ☞ **frito.**

— recipiente eléctrico capaz de freír grandes cantidades de papas y otros alimentos: *freidora*.

— conjunto de cosas fritas, en particular los antojitos preparados con mucho aceite o manteca: *fritanga, fritada, fritura*.

— conjunto de botanas o bocadillos que se ofrecen antes de comer en forma: *frituras*.

— conjunto de tortillas de maíz fritas y aderezadas con frijoles, salsa, carne y cebolla: *fritanga, garnacha*.

— puesto callejero en el que se expenden alimentos fritos: *freiduría, fritería*.

— acción y resultado de freír: *freidura*.

— que se siente abrumado, desanimado o molesto: *frito*.

— causar molestia a una persona continuamente: *tenerlo frito, traerlo frito*.

— triángulo de tortilla de maíz frito: *totopo*.

— triángulos de tortilla de maíz fritos y cocidos con salsa de jitomate: *chilaquiles*.

frenar 1. Detener el movimiento de una máquina o vehículo con el freno. ☞ **inmovilizar.** ❖ ACELERAR.

— *El maquinista frenó el tren a tiempo para no matar al caballo.*

— palanca o pedal que detiene la marcha de máquinas o vehículos: *freno*.

2. Refrenar, reprimir un impulso natural. ☞ **enfrenar, freno.**

— *Tuve que frenar mi odio, pues me perjudicaba más a mí que a ella.*

— acción de contener repentinamente un movimiento: *frenazo*.

frenesí Enardecimiento, pasión, arrebato o ímpetu incontrolable que siente una persona. ❖ SOSIEGO, PLACIDEZ.

— que siente frenesí o está poseído de un ímpetu incontrolable: *frenético*.

— que está furioso o loco: *frenético*.

— con frenesí o impetuosamente: *frenéticamente*.

frenillo 1. Membrana que sujeta la lengua por debajo de su línea media.

— *Mi padre pronuncia mal la r porque tiene un defecto en el frenillo.*

2. Pliegue o ligamento que une a cada labio con la encía.

— *Se lastimó el frenillo con una espina y le sangró mucho.*

3. Ligamento que une el prepucio al bálano.

— *Tenía una irritación en el frenillo del pene.*

4. Cada una de las cuerdas del papalote o cometa que partiendo de los vértices concurren en la cuerda principal.

— *El perro había roto un frenillo del papalote y ya no volaba.*

freno 1. Palanca o pedal que detiene la marcha de máquinas y vehículos. ❖ ACELERADOR.

— *Con la lluvia, pueden fallar los frenos de un coche.*

— detener el movimiento de una máquina o vehículo con el freno: *frenar*.

— acción y resultado de frenar repentinamente un vehículo o máquina: *frenazo, frenada*.

— empleado de ferrocarril que maneja los frenos: *frenero, guardafrenos*.

— tipos de frenos: *freno de aire o freno aerodinámico, freno eléctrico, freno hidráulico, freno neumático*.

2. Moderación, sujeción de los actos de una persona. ❖ ACICATE.

— *Los jóvenes no necesitan freno, sino consejos.*

— reprimir un impulso natural: *frenar*.

— dejarse llevar por vicios y pasiones sin límite: *correr sin freno*.

— contener o reprimir a una persona: *jalarle el freno*.

— obedecer o doblegarse una persona ante la fuerza de otra: *coger el freno, tascar el freno*.

3. Cerco que forma parte de la brida y que se pone en el hocico de un animal para controlarlo.

— *Mi caballo tenía freno de plata y montura de cuero negro.*

— mover un caballo el freno en su hocico: *morder o tascar el freno*.

— lugar y tienda en que se hacen o venden frenos: *frenería*.

— persona que fabrica o vende frenos: *frenero*.

frente 1. Parte alta de la cara que va desde las cejas hasta la línea donde nace el pelo.

— *Jesucristo tenía una frente serena.*

— que es de frente sobresaliente: *frentón, frentudo*.

— golpe dado con la frente: *frentazo*.

— golpe emocional que sufre alguien al perder una esperanza o al decepcionarse de algo: *frentazo*.

— frente de una persona en la que nace el pelo a poca distancia de las cejas: *frenta calzada*.

— tener orgullo o dignidad: *estar con la frente en alto, tener la frente levantada*.

— mostrar señales de enojo o sorpresa: *arrugar la frente*.

2. Parte delantera de una cosa. ❖ ATRÁS.

— *El frente de la casa estaba hecho de ladrillos rojos.*

— en la parte delantera o hacia adelante: *al frente*.

— enfrente de, ante: *frente a*.

— a la cabeza, delante de: *al frente de*.

— directamente y sin rodeos: *de frente*.

3. Línea de fuego, lugar de la batalla o posición avanzada de un ejército.

— *Es muy peligroso estar en el frente de batalla.*

— uno ante otro y en actitud de lucha: *frente a frente*.

— enfrentar, comparar dos personas o cosas: *ponerlas frente a frente*.

— afrontar directamente un problema: *hacer frente a*.

4. Grupo de personas que se asocia y organiza para luchar por algo o defender determinada causa.

— *Los frentes de liberación luchan contra las dictaduras.*

fresadora Máquina que tiene una perforadora para labrar metales.

— herramienta de movimiento circular continuo y dientes cortantes que se usa para perforar o labrar metales: *fresa*.

— obrero que maneja una fresadora: *fresador*.

— abrir agujeros o labrar metales con una fresa: *fresar*.

fresco, -ca 1. Que es ligeramente frío. ☞ **refrescar.** ❖ TIBIO, CALIENTE.

— *En las tardes de primavera se siente fresco el aire.*

— calidad de lo que es fresco: *frescura*.

— moderar la temperatura de algo: *refrescar*.

— bebida ligeramente fría: *refresco, bebida fresca*.

2. Frío ligero y húmedo. ☞ **frescor, frescura.**

— *No le gusta el fresco de la mañana.*

— a la intemperie: *al fresco*.

— estar en un lugar disfrutando del clima: *tomar el fresco*.

3. Que está ventilado o que hace soportar el calor.

— *Este vestido es muy fresco.*

— exuberancia y fertilidad de un lugar lleno de plantas: *frescura*.

4. Nuevo, acabado de hacer, de cortar o de obtener. ☞ **lozano.** ❖ PASADO.

— *Vendo sólo flores frescas.*

— pureza, limpieza, lozanía: *frescura*.

— descuido, negligencia o abandono: *frescura*.

— acontecimiento recién sucedido: *noticia fresca*.

5. Que es tranquilo o sereno, que es saludable o natural. ❖ TURBADO, INQUIETO.

— *No sólo tiene el cutis fresco, sino que su actitud es fresca y jovial.*

— tranquilidad, lozanía o serenidad: *frescura*.

— color rosado de las carnes sanas y frescas: *frescor*.

— despreocupado y contento: *más fresco que una lechuga.*

6. Que es atrevido o grosero, que se comporta en forma insolente y molesta. ☞ **sinvergüenza.** ❖ PRUDENTE, TÍMIDO.

— *Ese tipo es un fresco, me molesta siempre que me lo encuentro.*

— desfachatez, descaro o insolencia: *frescura.*

— mencionar a la madre de otra persona cubriéndola de epítetos insolentes: *refrescarle la madre.*

— decir una impertinencia o grosería: *decir una fresca.*

7. Técnica de pintura que se hace sobre estuco de cal húmeda generalmente en una pared o techo.

— *En este museo hay unos frescos que representan al pueblo mexicano.*

frezar 1. Poner los peces anfibios sus huevos. ☞ **desovar.**

— *Los salmones vienen cada año a frezar a este río.*

— desove de los peces y tiempo en que se lleva a cabo: *freza.*

— total de huevos que pone un pez: *freza.*

2. Restregarse un pez para desovar.

— *Algunos peces necesitan frezar muy poco para poner sus huevos.*

— huella o surco en el fondo del mar que dejan los peces al desovar: *freza.*

3. Escarbar y levantar la tierra un animal. ☞ **hozar.**

— *Los cerdos frezan en busca de setas.*

— hueco que hace un animal con el hocico: *freza.*

4. Comer el gusano de seda.

— *Estos gusanos de seda frezan las hojas.*

— tiempo en el que come el gusano de seda: *freza.*

5. Hacer sus necesidades fisiológicas los animales.

— *Los caballos vienen a frezar a esta parte del terreno.*

— estiércol de los animales: *frez, freza.*

frialdad 1. Sensación de frío. ☞ **fresco.** ❖ ARDENCIA, CALOR.

— *Al entrar a esa casa deshabitada sentí frialdad.*

— muy sensible al frío: *friolero, friático, friolento.*

2. Indiferencia, desinterés, displicencia. ❖ AFICIÓN, ARDOR.

— *La frialdad del carácter de mi madre nos hacía infelices a todos.*

— indiferente, insensible: *frío.*

— sin interés: *fríamente.*

3. Imposibilidad de tener hijos. ☞ **esterilidad, infecundidad, frigidez.** ❖ FERTILIDAD.

— *La frialdad de mi hermano es curable.*

fricasé Guisado de carne estofada de origen francés.

fricativo, -va Que se pronuncia con cierta fricción producida por el paso del aire al chocar con el velo del paladar, los dientes o la lengua. ❖ OCLUSIVO.

— fonema que representa un sonido fricativo: *fonema fricativo.*

friccionar Frotar con fuerza una parte del cuerpo. ☞ **tallar.**

— acción y resultado de frotar con fuerza una parte del cuerpo: *fricción.*

— roce de dos cosas en contacto: *fricción.*

— desavenencias o roces entre dos o más personas: *fricciones.*

— remedio casero que consiste en frotar el cuerpo con fuerza: *friega.*

— zurra, tunda: *friega.*

— molestia, tarea pesada y tediosa: *friega.*

frígido, -da Frío.

— frialdad: *frigidez.*

— ausencia de deseo sexual y orgasmo en la mujer: *frigidez.*

frigorífico, -ca 1. Que hace descender la temperatura artificialmente, tratándose de sustancias químicas o de espacios donde se mantienen helados ciertos alimentos.

— *Esa cámara frigorífica mantiene congelados todos los alimentos requeridos para tres días en este restaurante.*

2. Refrigerador o armario provisto de frío artificial donde se conservan alimentos y otras sustancias susceptibles de descomposición. ☞ **nevera, refrigerador.**

— *En el laboratorio de química tenemos un frigorífico muy potente.*

— caja de metal o fibra de vidrio en la que se ponen trozos de hielo para conservar en ella alimentos frescos o refrescos fríos: *hielera.*

— frigorífico pequeño en el que únicamente se guardan bebidas y botanas: *servibar.*

— compartimiento del refrigerador o cámara especial más fría que un frigorífico normal donde se guardan los alimentos que se quieren helar: *congelador.*

— partes y accesorios de un frigorífico: *compresor, motor, ventilador, termostato, cámara fría, congelador, evaporador, cilindros refrigerantes, condensador, motor eléctrico, líquido, amoniaco, gas freón, tuberías, circuito cerrado, bandeja para cubos de hielo, compartimiento para hue-*

vos, verduras, carnes, productos lácteos, fiambrera, rejillas, descongelador, luz, puerta hermética, cordón, enchufe, asa.

frijol Planta leguminosa americana de diversas especies, y semillas de dicha planta que crecen en vainas. ☞ **judías.**

— sembradío de frijoles: *frijolar.*

— alimentación o comida: *frijoles.*

— tortilla de maíz frita y adobada con frijoles molidos: *enfrijolada.*

— hacerle reproches a una persona: *echarle de frijoles, echarle puros frijoles*

— frijoles molidos y rehogados: *frijoles refritos.*

— frijoles cocidos sin moler: *frijoles parados.*

— algunos tipos de frijoles: *bayo, negro, pinto.*

— gusano que ataca al frijol crudo: *gorgojo.*

— croqueta de plátano, queso y frijoles molidos: *burrita.*

— guiso a base de granos de maíz o arroz, frijoles y carne de cerdo: *moros con cristianos.*

frío 1. Que es de temperatura más baja que la normal o que tiene una temperatura más baja que la que agrada a una persona. ☞ **frialdad.** ❖ CALIENTE, CALUROSO.

— *El agua está muy fría para nadar.*

— sensación de frío: *frialdad.*

— sentir frío: *tener frío.*

— muy sensible al frío: *friolero, friolento.*

— menudencia, objeto de poco valor o poca importancia: *friolera.*

— sensación de baja de temperatura que precede a accesos de fiebre: *escalofrío o escalofríos, fríos.*

— voz propia de un juego infantil que indica a una persona que está lejos del objeto que busca: *estás frío, vas frío, muy frío.*

2. Estado atmosférico en que la temperatura es más baja que la acostumbrada. ❖ CALOR.

— *Está haciendo mucho frío.*

— estación del año en la que hace mucho frío: *invierno.*

3. Que es indiferente o desapegado, que no manifiesta sus emociones ni se deja llevar por ellas. ❖ ARDOROSO, ATENTO, SOLÍCITO.

— *Mi abuela, de temperamento frío, no permitía jamás que la besáramos.*

— sin dejarse llevar por las emociones o circunstancias: *en frío.*

— estar paralizado, sorprendido o estupefacto por algún suceso: *quedarse frío.*

— sin haber ensayado antes: *en frío*.

— comenzar una actividad en la que hay que mover el cuerpo sin haber hecho ejercicios preparatorios o de calentamiento: *estar frío*.

— que se practica una vez que ha desaparecido la inflamación del área afectada, tratándose de operaciones quirúrgicas: *en frío*.

4. Que es indiferente ante el placer sexual. ☞ **insensible.** ❖ ARDOROSO, ANIMADO.

— *El sacerdote era frío y por eso se conservaba célibe.*

frisar 1. Rizar los flecos de algún tejido.

— *Vamos a frisar los bordes de la colcha para adornarla.*

— tela de lana ordinaria que se usa para hacer forros: *frisa*.

— tejido de tela cuyo pelo se ha rizado: *frisado*.

— persona que se dedica a frizar telas: *frisador*.

— acción y resultado de rizar o frisar una tela: *frisadura*.

2. Colocar una frisa o lámina entre dos piezas para unirlas herméticamente.

— *El obrero frisó este mueble, de manera que ahora ya no le entra polvo.*

— empalizada que se pone en una obra de construcción: *frisa*.

— arandela que se pone entre dos piezas para hacerlas embonar perfectamente: *frisa*.

— acción y resultado de frisar: *frisadura*.

3. Acercarse, aproximarse, rozar.

— *Mi vecina frisaba los treinta años.*

4. Frotar, fregar.

— *En un barco la cubierta se frisa a diario.*

frito, -ta Que se ha cocido en aceite hirviendo. ☞ **freir.**

— conjunto de cosas fritas: *fritanga, fritada, fritura*.

— puesto callejero en el que se expenden frituras: *fritería, freiduría*.

— mujer que hace y vende fritangas: *fritanguera*.

— estar fastidiado, chocado, harto de alguna situación: *estar frito*.

— encontrarse en una situación muy difícil: *estar frito*.

— causar molestias o dificultades a alguien: *tenerlo frito, traerlo frito*.

frívolo, -la 1. Que es insustancial, ligero, trivial o de poca importancia. ☞ **superficial.** ❖ IMPORTANTE.

— *Esta obra es un espectáculo frívolo, no tiene ningún mensaje.*

2. Que es voluble, irreflexivo e in-

consecuente. ☞ **irresponsable.** ❖ CONSTANTE, ADICTO.

— *No hay que fiarse de las mujeres frívolas.*

— calidad o condición de insustancial o ser inconsecuente: *frivolidad*.

— alocadamente, sin medir las consecuencias: *frívolamente*.

fronda Hoja de una planta o conjunto de hojas y ramas que forman la espesura. ☞ **follaje, ramaje.**

— que está lleno de árboles o de hojas y ramas: *frondoso*.

— espesura, ramaje u hojarasca: *frondosidad*.

— fronda del helecho: *fronde*.

frotar Friccionar o raspar una y otra vez una cosa. ☞ **friccionar.**

— que frota o refriega: *frotador, frotante*.

— acción y resultado de restregar o friccionar: *frote, frotamiento*.

— acción de frotar: *frotadura, frotación*.

— que sirve para sobar: *frotador*.

— frotación ruda que puede causar daño: *restregón, estregón, refregón*.

— frote de una parte del cuerpo con las uñas: *rascadura*.

— frotación de una cosa con un cepillo: *cepillado*.

— erosión de un objeto por efecto de la frotación: *abrasión, desgaste*.

— frotar el cuerpo de una persona para relajar sus músculos: *masajear*.

— frotar la masa del pan repetidas veces para que esponje: *amasar*.

— frotar un objeto hasta dejarlo resplandeciente: *sacarle brillo*.

fructificar 1. Echar sus frutos las plantas o la tierra. ☞ **rendir.**

— *Este año el árbol de duraznos ha tardado en fructificar.*

— acción y resultado de dar sus frutos una planta: *fructificación*.

— que madura y da frutos: *fructificador, fructificante*.

— que da frutos: *fructífero*.

— con fruto: *fructíferamente*.

2. Producir beneficios o resultados buenos. ☞ **rendir, aprovechar.** ❖ PERJUDICAR.

— *En este nuevo empleo fructificarán los estudios que hice en la universidad.*

— acción y resultado de dar o producir beneficios: *fructificación*.

— que es susceptible de dar buenos resultados: *fructificable*.

— que produce beneficios: *fructificador, fructificante, fructuoso*.

— con buen resultado o con éxito: *fructuosamente*.

frugal 1. Sobrio, moderado o mesurado

en el comer y en el beber. ☞ **parco.** ❖ VORAZ, DESMESURADO.

— templanza, moderación o continencia en la ingestión de alimentos o bebidas: *frugalidad*.

— con medida: *frugalmente*.

2. Que se refiere a las cosas en las que esa moderación o mesura se hace evidente.

— *Su cena es muy frugal, pero su comida es abundante.*

fruncir 1. Arrugar el entrecejo, cejas o frente en señal de disgusto.

— *Mis padres no me permitían ni el más ligero fruncir de cejas ante sus regaños.*

2. Hacer una tela con pliegues pequeños o arruguitas. ☞ **plisar.** ❖ ALISAR.

— *Voy a fruncir el borde de mi falda.*

— acción de fruncir: *fruncimiento*.

— que arruga y estrecha: *fruncidor*.

— conjunto de pliegues de una tela: *fruncido*.

— arruga, pliegue o conjunto de éstos en una tela: *frunce*.

3. Estrechar una cosa o reducirla de tamaño. ❖ AMPLIAR, DESARROLLAR.

— *Cuando te da el sol de frente, frunces los ojos y parece que los llevas cerrados.*

— aparentar modestia: *fruncirse*.

— mentira, fingimiento: *fruncimiento*.

fruslería Objeto de poco valor, dicho o hecho insustancial. ☞ **bagatela, menudencia, nadería.** ❖ EXCELENCIA, COSA TRASCENDENTE.

— fútil, insustancial o frívolo: *fruslero*.

— fruslería: *minucia, baratija, chuchería, cháchara*.

frustrar 1. Impedir que suceda lo que otro esperaba. ☞ **obstaculizar.**

— *La lluvia frustró el partido de futbol.*

2. Malograr un proyecto, una esperanza o ilusión. ☞ **chasquear, fracasar.**

— *Su matrimonio fue un intento frustrado.*

— fracasar o fallar en algo: *frustrarse*.

— que no logra o produce el efecto deseado: *frustráneo*.

— acción y resultado de desilusionar o desilusionarse: *frustración*.

— que hace abortar un proyecto: *frustratorio*.

fruto 1. Producto maduro de una planta que contiene las semillas.

— *Hay gran variedad de frutos comestibles en esta zona.*

— fruto de algunas plantas que es comestible: *fruta*.

— conjunto de frutos comestibles: *fruta*.

— que da frutas: *frutal*.

— cultivo de los árboles y plantas frutales: *fruticultura*.

— arte o técnicas que enseña este cultivo: *fruticultura*.

— persona dedicada a este oficio: *fruticultor, hortelano*.

— que pertenece al cuidado y cultivo de las frutas o se relaciona con la fruticultura: *frutícola*.

— producir frutos los árboles y plantas: *dar fruta, fructificar, frutar, frutear o frutecer*.

— comercio, tienda o puesto que expende fruta: *frutería*.

— persona que vende frutas: *frutero*.

— que sirve para transportar o contener frutas: *frutero*.

— recipiente que contiene frutas: *frutero*.

— cestillo con frutas de imitación: *frutero*.

— lienzo bordado para cubrir la fruta servida en una mesa: *frutero*.

— pintura que reproduce distintas frutas: *frutero*.

— cuadro de pinturas y flores: *frutaje*.

— que se alimenta de frutos, tratándose de animales: *frugívoro*.

— fruta que se come en la estación del año en que naturalmente madura: *fruta del tiempo, fruta de temporada*.

— fruta que, sometida a la desecación, se puede conservar mucho tiempo: *fruta seca*.

— clases de frutos: *frutos secos y frutos carnosos*.

— fruto que cuando se abre deja escapar la semilla: *fruto seco dehiscente*.

— fruto que no se abre naturalmente: *fruto seco indehiscente*.

— partes de una fruta: *pericarpio, epicarpio, mesocarpio, endocarpio, cáscara, hollejo, valva, vaina, raspa, binza, telilla, monda, corteza, rabo, rabillo, pendúnculo, carne, pulpa, gajo, jugo, semilla, pepita, grano, hueso, corazón*.

— partes de que está compuesto un fruto carnoso: *piel o epicarpio, carne o mesocarpio y corazón, endocarpio o hueso*.

— frutas: *melocotón, durazno, albaricoque, albérchigo, damasco, ciruela, manzana, manzana reineta, pera, pera limonera, pera de agua, bergamota, cereza, guinda, melón, sandía, calabaza, higo, breva, naran-*

ja, mandarina, limón, pomelo, toronja, lima membrillo, aguacate, piña, guayaba, caqui, níspero, papaya, mango, mamey, chirimoya, plátano, dátil, granada, mora, fresa, uva, nuez, tomate, tuna, pitaya, jinicuil.

— frutos secos: *nuez, coco, avellana, almendra, alloza, pistache, cacahuate, castaña, piñón, bellota, uva pasa, ciruela pasa, pasa de Corinto, higo seco, orejón, dátil*.

— frutos hortícolas: *tomate, pimiento, pepino, berenjena, calabaza, calabacín, melón, sandía, judía verde, haba, alubia, guisante, lenteja, garbanzo, aceituna*.

— frutos en baya: *uva, grosella, frambuesa, mora, zarzamora, fresón, fresa, fresa silvestre, acerola, arándano, madroño*.

— frutos subterráneos: *zanahoria, nabo, remolacha, patata, batata, boniato, ñame, rábano, cebolla, ajo*.

— productos que se elaboran con frutos: *mermelada, jalea, gelatina, compota, confitura, conserva, fruta escarchada, jarabe, jugo, tartas, pastel, postre, licor, vino, sidra, vinagre*.

— flores, hojas y tallos: *lechuga, escarola, espinaca, acelga, col, repollo, coliflor, col de Bruselas, espárrago, alcachofa, broccoli*.

— cualquier cosa que esté vedada por la sociedad: *fruta prohibida*.

2. Producto de la naturaleza o de la tierra.

— *Este campo ha dado tantos frutos que quizá nunca sea improductivo.*

3. Utilidad, provecho, beneficio o resultado que se obtiene de algo.

— *Ese libro es el fruto de sus experiencias y conocimientos.*

fuego 1. Calor y luz que se producen en forma de llama al entrar un cuerpo en combustión. ☞ **lumbre.**

— *Al acercarme al fuego se secaron mis ropas y entré en calor.*

— acción y resultado de estar los cuerpos encendidos en combustión o enrojecidos por el calor: *ignición*.

— que transmite o contiene fuego: *ignífero*.

— que posee alguna de las cualidades del fuego o es del color del fuego: *ígneo*.

— que está encendido, ardiente: *ignito*.

— que vomita fuego: *ignívomo*.

— instrumento que mide temperaturas muy altas: *pirómetro*.

— sustancia que se inflama espontáneamente con el aire: *pirófora*.

— arte de la adivinación del futuro por medio del fuego: *piromancia*.

— decorar la madera con una punta encendida: *pirograbar*.

— artesanías como la cerámica, la cristalería, el esmaltado, que utilizan el calor: *artes del fuego*.

— etapas progresivas de la cocción del vidrio: *primer fuego, segundo fuego y tercer fuego*.

— cilindro de cera cuyo centro es una mecha que se enciende para dar claridad o con fines religiosos: *vela, candela, cirio, veladora, bujía*.

2. Sustancia encendida en brasa o llama.

— *La leña produce fuego y el carbón brasas.*

— fuego que levanta llama: *fogarada, fogarata, fogata*.

— que quema o arde: *fogoso*.

— fuego repentino que se apaga pronto: *llamarada*.

— entusiasmo pasajero: *llamarada de petate*.

— llamarada instantánea de los materiales inflamables: *fogonazo*.

— brasas que quedan después de que el fuego se ha apagado: *rescoldo*.

— cada uno de los cohetes, castillos y demás dispositivos de pólvora que se ponen a arder como juego en las celebraciones: *fuego artificial*.

— que pertenece al fuego o se relaciona con él, en especial los fuegos artificiales: *pírico, pirotécnico*.

— fuego artificial pequeño: *luz de bengala*.

— algunos fuegos artificiales: *cohete, volado, buscapiés, petardo, triquitraque, luz de bengala, luminaria, castillo de fuego, rueda, estrella fija, cascada, monumento, sol, triángulo de glorias, carretilla, árbol de fuego, toro de fuego, ramillete, relámpago, falla, paloma*.

— elementos que conforman un fuego artificial: *cartucho, tubo, pólvora, limadura de zinc, limadura de hierro, limadura de cobre, limadura de sal, limadura de mica*.

— persona que fabrica y enciende fuegos artificiales: *cohetero*.

— con flama baja: *a fuego lento*.

— poco a poco y casi sin que uno lo advierta: *a fuego lento*.

— sobre la flama: *a fuego directo*.

— proporcionar a una persona lumbre para encender un cigarro u otra cosa: *dar fuego*.

— encender con flamas un objeto: *hacer fuego, prender fuego, pegar fuego*.

— hacer lumbre para cocinar o para otras actividades: *encender el fuego*.

— flama pequeña que surge de la

inflamación de sustancias orgánicas en estado de putrefacción: *fuego fatuo*.

— entusiasmo pasajero: *fuego fatuo*.

— meteoro ígneo que aparece después de las tempestades en la arboladura de los buques: *fuego de Santelmo*.

— fuego que se compone de aceite, resina, alcanfor, salitre: *fuego infernal*.

— tormento de los condenados, entre los cristianos, según el Evangelio: *fuego del infierno*.

— tormento temporal de las almas entre los cristianos: *fuego del purgatorio*.

— fuego que se enciende y bendice el Sábado Santo en la religión católica: *fuego nuevo*.

— conservar el entusiasmo por un ideal: *mantener el fuego sagrado*.

— expresión que indica que alguien, tratando de salir de un problema, cae en otro mayor: *huir del fuego y dar en las brasas*.

3. Lumbre grande que quema lo que no está destinado a arder. ☞ **incendio**.

— *Lo más peligroso de un fuego son los gases tóxicos*.

— sonar las campanas o sirenas para comunicar que hay un incendio: *tocar a fuego*.

— proyectil incendiario hecho con una sustancia que se inventó en Grecia que era lanzado para quemar las naves enemigas: *fuego griego, fuego greguisco, fuego guirigüesco*.

4. Fogata que se coloca en cierto sitio como señal.

— *El fuego a la orilla del camino indicaba que más adelante había un accidente*.

— fuego hecho con algún combustible que levante llamas: *fogata*.

— hacer fuego con hogueras o fogatas: *foganizar*.

5. Disparo o resultado de disparar un arma como la pistola o el cañón.

— *Durante la contienda el fuego era muy intenso*.

— arma que es capaz de disparar un proyectil de pólvora: *arma de fuego*.

— voz de mando que ordena a la tropa disparar: *¡fuego!*

— orden que se da para detener los disparos: *¡alto el fuego!*

— disparar: *hacer fuego*.

— comenzar a disparar: *romper el fuego*.

— dejar de disparar o dejar de pelear en una guerra: *alto el fuego, cese el fuego*.

— oído en algunas armas de fuego como el cañón: *fogón*.

— conjunto de disparos que hacen los soldados al mismo tiempo y sin interrupción: *fuego graneado*.

— conjunto de disparos que ejecutan los soldados sin intervalo alguno, pero no al mismo tiempo: *fuego a discreción*.

— descarga de disparos ininterrumpida: *fuego nutrido*.

— disposición de las armas para lograr el máximo rendimiento de los proyectiles: *plan de fuegos*.

— vencer la artillería enemiga con la propia: *apagar los fuegos*.

— destruir, asolar un país: *entrar a sangre y fuego*.

— estar en una situación difícil, comprometida o entre dos circunstancias contrarias: *estar entre dos fuegos*.

6. Irritación de la piel en forma de grano, roncha o costra.

— *No podía hablar bien, pues tenía un fuego en el labio*.

— epidemia de erisipela maligna que causó grandes males entre los siglos X y XVI: *fuego de San Antón o de San Marcial*.

— sensación de quemadura desde el estómago a la faringe: *pirosis*.

7. Ardor que surge con las pasiones.

— *Sentía un fuego abrasador en su pecho cada vez que la veía*.

— ardiente, ardoroso, violento, impulsivo o arrebatado: *fogoso*.

— ardimiento, violencia, arrebato o viveza exagerada: *fogosidad*.

— estar excesivamente enojado, furioso: *echar fuego*.

— enardecer los ánimos de una disputa: *atizar el fuego*.

— conducirse de manera peligrosa, temeraria y necia: *jugar con fuego*.

— tener plena confianza en una persona: *meter las manos al fuego o poner las manos en el fuego por alguien*.

fuelle 1. Artefacto para aspirar aire y proyectarlo con fuerza, hacia alguna dirección o dentro de alguna cosa.

— *En la fragua utilizan un fuelle para avivar el fuego*.

— fuelle que por un lado aspira aire y por el otro lo avienta: *fuelle de doble efecto*.

— partes de un fuelle: *caja, tapa, fondo, costados, válvula, tubo*.

2. Tubo o prisma plegable de un artefacto, que se infla al estirarlo y se desinfla al plegarlo.

— *Las cámaras fotográficas antiguas tenían un fuelle negro*.

— aparato que sirve para inyectar aire a presión en las barricas de vino: *fuelle de trasiego*.

— soplo cardiaco propio de una malformación del corazón: *ruido de fuelle*.

fuente 1. Chorro de agua que brota de la tierra.

— *Mi terreno tiene una fuente de agua de azufre*.

— lugar en que nacen fuentes o manantiales: *fontanar*.

— erupción de gas que proviene del interior de la tierra: *fuente ardiente o fuente de fuego*.

— fuente a la que van a beber los animales: *abrevadero*.

— fuente de agua medicinal: *aguas termales, baños termales, baños minerales*.

2. Instalación que permite que broten chorros de agua por uno o varios surtidores y que generalmente se halla en una calle, plaza o jardín.

— *La fuente de este parque tiene peces de bronce*.

— que pertenece a las fuentes o se relaciona con ellas: *fontanero*.

— fuente de agua cuyo fluido sale a intervalos regulares: *fuente intermitente*.

— fuente de uso público: *bebedero*.

3. Pila bautismal.

— *Humedécete los dedos con agua bendita de esa fuente y persígnate*.

4. Recipiente o bandeja que se usa para servir comida y cantidad de comida que cabe en ese recipiente.

— *Tenía para cenar una fuente repleta de carnes frías y quesos*.

— cantidad de vianda que contiene una bandeja: *fuentada*.

5. Cualquier objeto o aparato del que brota algún líquido y cuya salida se puede regular.

— *Llena el vaso con el agua de frutas que más se te antoje en las fuentes que están atrás de ese mostrador y escoge lo que quieras de comida para almorzar*.

— objeto que desprende rayos luminosos: *fuente de luz*.

6. Fundamento o principio de alguna cosa. ☞ **origen**.

— *Las enciclopedias son fuentes de conocimiento*.

7. Origen de cierta información.

— *La fuente de conocimientos del autor de este libro fue su abuelita*.

— textos, libros o documentos que le sirven de información a un autor: *fuentes*.

— estudiar una persona con buenos preceptores: *beber de buenas fuentes*.

— de informadores dignos de crédito: *de buena fuente.*

8. Cantidad de material radiactivo que se utiliza científica o industrialmente.

— *¿Sabes cuáles son las fuentes de ese centro de experimentación nuclear?*

fuera En la parte externa de algo, sin estar considerado. ☞ **afuera.** ❖ DENTRO.

— sin: *fuera de.*

— salvo que, excepto que: *fuera de.*

— aparte de que: *fuera de que.*

— sin control: *fuera dé sí.*

— estar una persona muy turbada y sin control: *estar fuera de sí.*

— interjección que indica el deseo de que otro se retire inmediatamente: *¡afuera!, ¡fuera!*

— persona que viene de fuera o que es de provincia, con respecto al citadino: *fuereño.*

— provenir uno de otro lugar: *ser de fuera.*

— alrededores o parte circundante de una ciudad: *las afueras.*

— sin posibilidad para obtener algo: *fuera del alcance.*

— sin comparación entre los de su especie: *fuera de serie.*

— excluir a alguno de ciertas actividades: *dejarlo fuera.*

— salida de la pelota del terreno de juego en algunos deportes: *pelota fuera de banda.*

— motor de una embarcación que está colocado en el exterior del casco: *motor fuera de borda.*

— ilustración que aparece intercalada en un libro: *ilustración fuera de texto.*

fuero Privilegio, exención, prerrogativa que se concede a una ciudad o a una persona. ☞ **concesión.**

— que pertenece a los fueros o se relaciona con ellos: *fuerista.*

— persona que defiende los privilegios de que goza: *fuerista.*

— arrogancia, presunción: *fueros.*

— tribunal o juez que aplica las leyes: *fuero exterior.*

— intimidad de una persona: *fuero interno.*

fuerte 1. Que tiene fuerza, tenacidad y resistencia. ☞ **fuerza.** ❖ DÉBIL, FRÁGIL.

— *Necesitamos madera fuerte para construir esta casa.*

— resistencia, solidez, reciedumbre o pujanza: *fuerza, fortaleza.*

— incrementar la fuerza o resistencia de un material: *reforzar.*

— caballo que no obedece al freno: *caballo fuerte de boca.*

— pilar que apoya a una pared: *contrafuerte.*

— con fuerza: *fuertemente.*

2. Que es robusto o corpulento, que tiene fuerza muscular. ☞ **fornido.** ❖ DÉBIL.

— *Se necesita un hombre fuerte para cargar estas cajas.*

— hombre: *sexo fuerte.*

— fuerte: *fornido, fortachón, forzudo.*

3. Animoso, firme, seguro, valioso o valiente. ☞ **esforzado.** ❖ INCONSISTENTE, COBARDE.

— *Sólo los hombres con carácter fuerte vencen sus pasiones.*

— firmeza, energía, eficacia o virtud: *fuerza.*

— que da vigor y fuerza: *confortante, reconfortante.*

— hacerse una persona de valor para enfrentar condiciones adversas: *hacerse fuerte.*

4. Que es muy intenso o abundante. ❖ TENUE, DÉBIL.

— *A pesar del dolor tan fuerte que tenía, se fue a trabajar.*

— intensidad o abundancia: *fuerza.*

— vocales más perceptibles: *vocales fuertes.*

— terreno lleno de matorrales: *terreno fuerte.*

5. Que tiene un sabor u olor muy intenso, que tiene un alto grado de alcohol.

— *A mis hijos no les gustan los quesos fuertes.*

6. Con intensidad, fuerza o en abundancia.

— *Cuando está mojado o sucio el bebé de mi vecina empieza a llorar muy fuerte.*

7. Que es capaz de persuadir o que produce una gran impresión en las personas.

— *Vimos una película tan fuerte que tuve que salirme del cine.*

— capacidad de alguien o autoridad para influir o persuadir: *fuerza.*

— versado o docto en alguna ciencia: *fuerte en.*

— la Eucaristía: *el pan de los fuertes.*

8. Que posee recursos poderosos o tiene mucha influencia.

— *Esa es una de las empresas más fuertes del país.*

— poder o coacción: *fuerza.*

— moneda que excede en peso o ley: *moneda fuerte.*

9. Construcción militar que sirve para proteger un territorio. ☞ **fortificación.**

— *Después de la guerra no quedó casi nada del fuerte.*

fuerza 1. Vigor físico, potencia o resistencia para soportar algo que pesa mucho. ☞ **energía, fuerte.** ❖ DEBILIDAD.

— *Sólo la fuerza de todos nosotros logrará mover este auto.*

— con dedicación y esfuerzo: *a fuerza de.*

— restablecerse un enfermo: *cobrar fuerzas.*

— realizar un esfuerzo extraordinario: *sacar fuerzas.*

— sopesar las dificultades de una acción antes de llevarla a cabo: *medir uno sus fuerzas.*

— ser hablador: *írsele la fuerza por la boca.*

2. Capacidad de impulso o empuje que se tiene para mover una cosa pesada o resistencia que se ejerce al movimiento de algo para detenerlo. ☞ **esfuerzo.**

— *La fuerza de esta palanca permite levantar grandes cantidades de arena.*

3. Virtud, eficacia o efectividad natural que las cosas tienen por sí mismas para convencer. ❖ IMPOTENCIA.

— *Se impresionó ante la fuerza de sus palabras.*

— decisión, firmeza de un individuo para llevar a cabo lo que se ha propuesto: *fuerza de voluntad.*

— energía del cuerpo: *fuerza vital.*

— parte de una nación que impulsa la prosperidad económica: *fuerzas vivas.*

— impulso amoroso que experimentan individuos de la misma familia: *fuerza de la sangre.*

4. Uso de la autoridad o de la capacidad de alguien, de un grupo de personas o de una nación para obligar a otro a hacer algo, para dominarlo o influir en él. ❖ IMPOTENCIA.

— *Es más fácil dominar por el uso de la fuerza que con el razonamiento amoroso.*

— forcejear, violentar: *hacer fuerza.*

— ser necesario: *ser fuerza.*

— de forma obligada o necesaria: *a la fuerza, por fuerza.*

— con violencia, obligadamente: *de viva fuerza.*

— inercia, rutina de la que no parece fácil deshacerse: *fuerza de la costumbre.*

— circunstancia ineludible que modifica el estado de cosas o que interfiere en la realización de algo: *fuerza mayor.*

— conjunto de elementos de la autoridad encargados de mantener el orden: *fuerza pública.*

— ejército: *fuerza armada, fuerza militar.*

— parte del ejército entrenado especialmente para las ofensivas: *fuerza de choque.*

5. Capacidad o habilidad de un deportista o equipo que lo sitúa en determinada clasificación y dicha clasificación.

— *Ahora está jugando en la primera fuerza juvenil.*

fugarse 1. Escaparse en forma oculta y rápidamente de la prisión o huir precipitadamente de un peligro eminente. ☞ **evadirse. ❖** COMPARECER, PRESENTARSE.

— *Se fugaron dos presidiarios de la cárcel estatal en unos botes de basura.*

— escape, evasión apresurada: *fuga.*

— que va huyendo: *fugitivo.*

— que pasa muy de prisa, como si huyera: *fugitivo.*

— perecedero, de corta duración, caduco: *fugitivo.*

— que huye con rapidez y desaparece: *fugaz.*

— que dura muy poco tiempo: *fugaz.*

— meteorito: *estrella fugaz.*

— rápidamente: *fugazmente.*

— acción en la que una autoridad facilita la salida de un detenido pretextando dejarlo en libertad para luego matarlo: *ley fuga.*

2. Escaparse una sustancia de su recipiente accidentalmente.

— *Se fugó el ácido sulfúrico de esa probeta; tengan cuidado y no se quemen.*

— filtración, pérdida de un gas o líquido: *fuga.*

— tinte poco persistente que se usa para distinguir ciertos hilos durante su elaboración: *tinte fugaz.*

— transtorno del curso del pensamiento en el que las ideas sobrevienen tan rápidamente que es imposible expresarlas todas: *fuga de ideas.*

— escrito en el que las consonantes se sustituyen por puntos: *fuga de consonantes.*

— escrito en el que las vocales se sustituyen por puntos: *fuga de vocales.*

— composición musical de dos o más voces basada en dos o más temas introducidos a la entrada de cada voz: *fuga.*

— estilo musical que participa de las características de la fuga: *fugado.*

— gama de colores que aparece en la postimagen óptica: *fuga de colores.*

— momento de mayor intensidad de una acción o ejercicio: *fuga.*

— término sicoanalítico que designa lapsos en los que un individuo no recuerda lo que ha hecho: *fuga.*

fulano, -na Término con el que se reemplaza el nombre de una persona o persona imaginaria. ☞ **zutano, mengano, perengano.**

— expresión con que se suple el nombre y apellido de una persona: *fulano de tal.*

— mujer de la calle: *fulana, ramera, prostituta.*

— amante hombre o mujer: *fulano o fulana.*

fulgurar Despedir rayos de luz, centellear o resplandecer. ☞ **brillar. ❖** ESTAR APAGADO.

— resplandor y brillantez con luz propia: *fulgor.*

— brillante, resplandeciente o centelleante: *fulguroso, fulgente.*

— brillar, resplandecer: *fulgir.*

— acción y resultado de despedir rayos de luz: *fulguración.*

— electrocución causada por un rayo: *fulguración.*

— fenómeno astronómico que consiste en un rápido aumento de temperatura en la zona de cromósfera solar acompañado de una emisión de radiaciones y partículas: *fulguración.*

— que despide rayos de luz: *fulgurante.*

— aparato que mide la intensidad de la electricidad atmosférica: *fulgurómetro.*

— tubo vitrificado que produce un rayo al penetrar en la tierra y fundir las sustancias silíceas que encuentra: *fulgurita.*

fulminar 1. Emitir o lanzar rayos eléctricos natural o artificialmente.

— *En las noches de tormenta el cielo fulmina.*

— que posee ciertas características del rayo: *fulminoso, fulmíneo.*

— que es muy rápido, súbito: *fulminante.*

2. Dar muerte o herir a alguien los rayos eléctricos, las armas de fuego o proyectiles.

— *Cuando estaba en la cima de la montaña lo fulminó un rayo.*

— que mata sin remedio, tratándose de una enfermedad: *fulminante.*

3. Matar o herir alguien a otro con armas de fuego o proyectiles.

— *Su mujer fulminó al ladrón con una pistola.*

— que es adecuado para explotar produciendo mucho ruido y resplandor: *fulminante.*

— cualquier materia explosiva: *fulminato.*

— sustancia que explota por percusión con relativa facilidad: *sustancia fulminante.*

— algodón de pólvora: *fulmicotón.*

— ácido poco estable, muy explosivo y de poca duración: *ácido fulmínico.*

— sal explosiva del ácido fulmínico: *fulminato.*

— combinación de mercurio, carbono, oxígeno y nitrógeno: *fulminato de mercurio.*

4. Fundir con fuego o electricidad los metales.

— *Para darle forma, es necesario primero fulminar este hierro.*

5. Desahogar uno su enojo insultando o hiriendo a otro o demostrarle coraje por algo que hizo o dijo.

— *Lo fulminó con una mirada cuando empezaba a burlarse de ella.*

— que fulmina: *fulminador.*

— acción de fulminar: *fulminación.*

— voltear a ver a una persona airadamente: *fulminar con la mirada.*

fumar Aspirar y despedir el humo de una sustancia puesta a arder, en cigarros, puros o pipas.

— que suele fumar: *fumador.*

— sitio para fumar: *fumadero, fumador.*

— que echa humo: *fumante.*

— cantidad de humo que se arroja de una vez: *fumarada.*

— porción de tabaco con que se rellena una pipa: *fumarada.*

— que se puede fumar: *fumable.*

— cada una de las aspiraciones que se da al cigarro, al puro o a la pipa: *chupada.*

— cantidad de humo que una persona es capaz de retener a partir de una chupada: *fumada, bocanada.*

— recipiente en que se dejan caer las cenizas del cigarro o la pipa: *cenicero.*

— estuche en que se guardan los cigarrillos para fumar: *pitillera, tabaquera.*

— arrojar humo por la nariz y la boca: *humear.*

— no tomar en cuenta a alguien o no hacerle caso: *no fumarlo.*

— gastarse indebidamente el dinero: *fumárselo.*

— romper un objeto, echarlo a perder: *fumárselo.*

fumarola Conjunto de gases y vapores que salen por las grietas cercanas al cráter de un volcán.

— tipos de fumarolas según las sustancias que despiden: *fumarola seca o anhidra, fumarola ácida o clorhidrosulfurosa, fumarola fría o sulfhídrica.*

fumigar Desinfectar con humo, gas o vapor algo para que mueran o no penetren animales u organismos dañinos. ☞ **desinfectar.**
— acción de fumigar: *fumigación.*
— que pertenece a la fumigación o se relaciona con ella: *fumigatorio.*
— persona que se encarga de rociar sustancias tóxicas: *fumigador.*
— aparato para desinfectar: *fumigador.*

fumívoro, -ra Que absorbe o suprime el humo o que no produce humo, tratándose de chimeneas y hornos.
— aparato colocado sobre una chimenea u horno para agilizar la salida del humo: *fumívoro, extractor.*

funámbulo Malabarista que hace acrobacias en el aire, estando sobre una cuerda suspendida, un alambre o trapecio. ☞ **volatinero.**
— que hace movimientos o agilidades parecidas al de los funámbulos: *funambulesco.*

función 1. Actividad o acción característica de algo o de alguien.
— *La función del corazón es purificar y bombear la sangre del cuerpo.*
— ejecutar una persona o cosa las actividades que le son propias: *funcionar.*
— acción y resultado de funcionar: *funcionamiento.*
— que pertenece a las actividades orgánicas, matemáticas, químicas o vitales: *funcional.*
— alteración de un órgano no detectable en forma de lesión: *transtorno funcional.*
— función que lleva a cabo un organismo sin intervención de la voluntad: *función vegetativa.*
— que es práctico, utilitario o sencillo: *funcional.*
— que la forma, disposición y medidas están determinadas por criterios utilitarios o prácticos, tratándose de muebles o de objetos: *funcional.*
2. Ejercicio de un puesto o cargo. ☞ **ocupación.**
— *Las funciones de abogado son a veces muy delicadas.*
— persona que está a cargo de un puesto público: *funcionario.*
— burocracia: *funcionarismo.*
— conjunto de los funcionarios de una organización, institución o empresa: *funcionariado.*
— en el ejercicio de su cargo: *en funciones.*
— trabajo que desempeñan los individuos y las instituciones dentro del sistema social del que forman parte: *función social.*

3. Representación de una obra teatral, exhibición de una película u otro espectáculo.
— *La función de títeres resultó un éxito.*
— fiesta de toros: *función taurina.*
4. Relación matemática entre magnitudes, de forma tal que a cada valor de una de ellas corresponde determinado valor de otra.
— *Hay un número considerable de funciones en matemáticas.*
— estudio de las operaciones matemáticas que hacen corresponder a un elemento de un conjunto cierto número: *cálculo funcional.*
5. Desempeño de un elemento lingüístico en otro de mayor tamaño o jerarquía.
— *La función de sujeto en una oración la puede desempeñar un sustantivo, un pronombre, una frase nominal o una oración subordinada sustantiva.*
— principal función lingüística: *función distintiva.*

funda Cubierta o bolsa de diversos materiales flexibles que sirve para envolver y proteger una cosa.
— diferentes tipos de fundas: *funda de almohada, funda de pistola, funda de machete o cuchillo, funda de colchón, funda de sillón.*

fundamental Que sirve de base o es lo principal o lo más necesario. ☞ **básico, esencial.** ❖ ACCIDENTAL.
— principio o base en que se apoya algo material: *fundamento.*
— razón, idea con que se asegura una cosa: *fundamento.*
— principio, origen o raíz en que tiene su valor una cosa no material: *fundamento.*
— nociones, rudimentos de conocimiento: *fundamentos.*
— seriedad, formalidad: *fundamento.*
— dar las razones o argumentos para apoyar, justificar o defender algo: *fundamentar.*
— acción y resultado de fundamentar algo material o alguna teoría, idea o conocimiento: *fundamentación.*
— esencialmente: *fundamentalmente.*
— fondo o trama de los tejidos: *fundamento.*
— parte del tejido conjuntivo que queda después de considerar los diversos tipos de células y fibras de los seres vivos: *sustancia fundamental.*

fundar 1. Iniciar la edificación de una ciudad entera o de una construcción.
— *Los conquistadores españoles fundaron ciudades cristianas en cuanto llegaron a América.*

— acción y resultado de fundar: *fundación.*
— que funda una ciudad o algo similar: *fundador.*
2. Establecer, instituir, organizar o poner los primeros elementos de algo.
— *Mi abuelo invirtió todo su dinero en fundar un periódico.*
— que establece e instituye un patrimonio o que comienza a edificar un bien común: *fundador.*
— persona jurídica que inicia o continúa la obra benéfica de quien instaura un patrimonio: *fundación.*
— institución de caridad: *fundación.*
— documento en que se asientan las cláusulas de estas instituciones: *fundación.*
— que pertenece a la fundación o se relaciona con ella: *fundacional.*
3. Basar con razonamientos y pruebas una idea o dar las razones esenciales para apoyar, justificar o defender algo.
— *Mi teoría se funda en conocimientos generales y en experimentaciones prácticas.*
— principio, raíz y origen de una cosa: *fundación.*
— razonamiento que se sostiene con pruebas lógicas: *razonamiento fundado o fundamentado.*

fundir 1. Derretir metales y otros cuerpos sólidos por la acción del calor para vaciarlos en moldes. ☞ **fusionar.**
— *El joyero fundió un trozo de plata para hacer con él una pulsera.*
— acción y resultado de derretir o derretirse: *fundición.*
— lugar en que se funden los metales: *fundición, fundería.*
— que tiene por oficio fundir los metales: *fundidor.*
— operario, dueño o director de una fundición: *fundidor.*
— que se puede derretir: *fundible.*
— que facilita la fundición: *fundente.*
— hierro colado que se produce en altos hornos: *fundición.*
— conjunto de toda la variedad de letras de una clase en una imprenta: *fundición.*
— lugar destinado a la fundición de minerales: *fuslina.*
— hierro que sale licuado de los altos hornos: *hierro fundido.*
— acero que se obtiene al quemar parte del carbono que contiene el hierro fundido o colado: *acero fundido.*
— principio o final de una escena cinematográfica que en lugar de ser rápido va realizándose gradualmente

abriendo o cerrando el objetivo: *fundido, encadenado*.

— arte de fundir y labrar los metales: *metalurgia*.

2. Unir dos o más conceptos, intereses o corporaciones diferentes en una sola. ☞ **juntar, agrupar**. ❖ DIVIDIR.

— *Funde la realidad histórica que vive y la mitología para crear sus epopeyas.*

— suavizar los colores de forma que la transición entre unos y otros sea gradual: *fundir los colores*.

funeral Ceremonia que se lleva a cabo al velar, enterrar o cremar el cadáver de alguien. ☞ **exequias**.

— que pertenece a los funerales o se relaciona con ellos: *funerario*.

— empresa o compañía que se encarga de la organización y los arreglos necesarios para un funeral: *funeraria*.

— que pertenece a los muertos o se relaciona con ellos: *fúnebre*.

— que es muy triste: *fúnebre*.

— tenebroso, macabro, temible: *fúnebre*.

— expresión que indica la forma de portar las armas los militares en señal de duelo durante un funeral: *a la funerala*.

— nota que se publica para dar a conocer el fallecimiento de una persona o carta breve en que se participa a alguien de esto: *esquela*.

funesto, -ta Que trae problemas, penas y sinsabores o desgracias. ☞ **aciago, nefasto**. ❖ ALEGRE, FAUSTO.

— deshonrar, mancillar o profanar: *funestar*.

— de forma triste y desgraciada: *funestamente*.

fungicida Sustancia que combate las infecciones producidas por hongos parásitos en los seres vivos.

fungir 1. Desempeñar un determinado empleo, cargo o función.

— *Actualmente, mi padre funge como presidente de esa asociación de médicos.*

2. Suplir a alguien o realizar las actividades o funciones de otra persona.

— *Fungió como mi padrino durante la enfermedad de mi papá.*

— que puede reemplazar a cosas de la misma condición o con características similares: *fungible*.

— que se desgasta y consume con el uso: *fungible*.

fungosidad Porosidad o esponjosidad de algo, en especial la que semeja a los hongos. ❖ DENSIDAD.

— excrecencia carnosa en forma de hongo: *fungo*.

— esponjoso, poroso, carnoso, fofo: *fungoso*.

— que está cubierto de poros, tratándose de especies biológicas: *fungoso*.

funicular Que funciona por una cuerda o que depende de la tensión de un cable o, tratándose de ferrocarriles, que es capaz de subir cuestas muy empinadas cuya tracción se lleva a cabo por medio de un cable o cadena.

— tipos de funiculares: *funicular terrestre, funicular aéreo*.

— cadena sin fin instalada sobre pilares, de la que penden sillas o cuerdas que transportan a los esquiadores a los lugares altos de las montañas: *telesquí, telesilla*.

furgón 1. Vagón para equipajes en un tren de pasajeros.

— vagón del tren que transporta el correo: *furgón postal*.

— furgón que se coloca a la cabeza del tren y que está destinado a recibir los efectos de una colisión: *furgón de choque*.

— furgón que se coloca al final del tren y tiene la misma función: *furgón de cola*.

2. Vehículo largo, fuerte y cubierto que se usa para transportar muebles, víveres, equipaje o mercancías. ☞ **camión, camioneta**.

— *Algunos llaman furgón al carro grande de los bomberos.*

— vehículo comercial cubierto, más pequeño que el furgón, destinado al reparto de mercancías: *furgoneta*.

furia 1. Ira, rabia, cólera, violencia o impetuosidad. ❖ CALMA, PLACIDEZ.

— *Era tal su furia que rompía todo lo que estaba a su alcance.*

— desenfrenado, airado o excesivamente propenso a encolerizarse: *furioso, furibundo, furente*.

— cólera, ira exaltada o furia: *furor*.

— que denota ira exaltada: *furibundo*.

— estar excesivamente encolerizado: *estar hecho una furia*.

2. Acceso de demencia. ❖ SERENIDAD, SOSIEGO, CORDURA.

— *La furia de este sujeto raya en lo patológico.*

— demente violento que ha de ser amarrado: *furioso*.

— excesivo apetito sexual femenino: *furor uterino*.

— acceso de violencia brutal que padece un enfermo durante los ataques de epilepsia: *furor elíptico*.

3. Agitación grande o violenta de los elementos naturales. ❖ CALMA.

— *La furia del viento anunciaba la proximidad del ciclón.*

— impetuoso, violento o terrible: *furioso*.

— que tiene carácter violento, tratándose de partes de una composición musical: *furioso*.

— tempestad marítima: *furia del mar*.

4. Velocidad excesiva o prontitud para realizar algo, intensidad al hacer algo. ❖ CALMA, PARSIMONIA.

— *Corría con tanta furia que consiguió llegar él primero.*

— prisa excesiva: *furor*.

— que es excesivamente grande o intenso: *furioso*.

— entusiasta o partidario de una causa: *furibundo*.

— entusiasmo del poeta cuando compone: *furor*.

— agitación violenta o momento de mayor intensidad ante determinadas cosas, como una moda o costumbre: *furor*.

— ponerse o estar algo muy de moda: *hacer furor, causar furor*.

furris Malo, despreciable, que es de pacotilla o está mal elaborado. ☞ **chafa**.

furtivo, -va Que hace las cosas ocultándose o lo que se lleva a cabo a escondidas y sigilosamente. ❖ MANIFIESTO.

— ocultamente, a escondidas: *furtivamente*.

— sonido poco perceptible al pronunciar una palabra: *sonido furtivo*.

— cazador, pescador o leñador que ejecuta sus actividades a hurtadillas, por estar sin el permiso correspondiente: *cazador furtivo, pescador furtivo, leñador furtivo*

furúnculo Inflamación del tejido celular subcutáneo que produce un tumor doloroso y puntiagudo. ☞ **forúnculo**.

— aparición simultánea de varios furúnculos: *furunculosis*.

fusa Nota musical que vale media semicorchea.

fusco Oscuro, que tira a negro.

— pato negro: *fusca*.

— pistola: *fusca*.

fuselaje Cuerpo de los aviones, generalmente en forma de huso, que soporta las alas, los planos estabilizadores de cola y el tren de aterrizaje y es la parte del avión donde van los pasajeros o la carga.

fusible 1. Chapa metálica fácil de fundirse que se intercala en un circuito para que interrumpa la corriente, fundiéndose, cuando ésta sea excesiva.

— *Los fusibles son indispensables para el buen funcionamiento de un circuito eléctrico.*

2. Lo que puede fundirse por efecto del calor.

— *Hay tiras metálicas fusibles de varias clases.*

— condición de lo que es fusible: *fusibilidad.*

fusiforme Que tiene forma de huso o es ahusado.

fusil Arma de fuego portátil de cañón largo de acero montado en una culata de madera. ☞ **arma.**

— que pertenece al fusil o se relaciona con él: *fusilero.*

— soldado de infantería que llevaba un fusil: *fusilero, fusilero-granadero.*

— eliminar a una persona con la descarga de fusiles: *fusilar.*

— acción de fusilar: *fusilamiento.*

— ejecución con fusiles: *fusilamiento.*

— conjunto de fusiles o de personas que los disparan: *fusilería.*

— fuego de fusiles: *fusilería.*

— fusil que utiliza un cargador con varios cartuchos, que se recarga automáticamente y dispara un solo tiro o varios sucesivamente: *fusil de repetición, fusil automático.*

— fusil automático que se puede montar sobre un trípode y disparar sucesivamente: *ametrallador, ametralladora.*

— fusil de gran calibre y cañón en forma de campana: *fusil naranjera.*

— fusil que lanza arpones unidos al arma mediante una cuerda de nylon: *fusil subacuático o fusil submarino.*

— fusil con un pistón que contiene pólvora fulminante: *fusil de pistón.*

— fusil antiguo que producía una chispa que incendiaba el cebo y que fue usado en los siglos XVII y XVIII: *fusil de chispa, fusil de sílex.*

— arma de fuego menor que el fusil: *carabina.*

— partes que constituyen un fusil y accesorios: *culata, seguro, cerrojo, palanca del cerrojo, recámara, ánima, percutor, muelle, corredera, guardamano, abrazadera, cañón, alza, mira, punto de mira, retículo, caña, anilla, caja, cuerpo, cargador, gatillo, guardamonte o protector del gatillo, teleobjetivo, proyectil, bala.*

— copiar, plagiar o imitar un escrito original sin citar al autor: *fusilarse.*

fusionar 1. Fundir un cuerpo sólido. ☞ **desleír, fundir.**

— *Fusiona el hierro y dale forma.*

— cambio que sufre un cuerpo sólido al fundirse o hacerse líquido: *fusión.*

— recipiente o instrumento para fundir: *fusor.*

— formación de núcleos atómicos pesados mediante la unión de otros más livianos, lo cual se da a temperaturas muy elevadas y produce una gran emisión de energía: *fusión nuclear.*

— fusión nuclear que tiene su origen en una agitación térmica de elevada temperatura: *fusión termonuclear.*

— temperatura en la que un cuerpo empieza a pasar del estado sólido al líquido: *punto de fusión.*

— mezcla de mineral, materia fundente y coque en un alto horno: *lecho de fusión.*

— transformación de materia sólida en líquida por medio del calor: *fusión ígnea.*

2. Unir intereses, ideas o partidos o juntar dos o más elementos en un conjunto. ❖ SEPARAR, DIVIDIR.

— *Intentemos fusionar nuestras teorías para apoyarnos mutuamente.*

— unificación o unión en un todo de partidos, intereses o ideas: *fusión.*

— tendencia a la unión temporal o permanente de ideas, intereses o partidos afines: *fusionismo.*

— que está en favor del fusionismo: *fusionista.*

— reunión de dos o más empresas industriales o comerciales en una sola: *fusión.*

— sensación no analizada debido a que se da combinada con otros estímulos: *fusión.*

— evolución en la que un grupo de fonemas da lugar a uno solo: *fusión.*

fusta 1. Conjunto de varas, ramas y leña delgada o ramaje tierno que sirve de pastura al ganado.

— *Con esta fusta haremos un buen fuego.*

2. Látigo formado por una vara larga, delgada y flexible unida a una correa que se usa en equitación para estimular a los caballos.

— *Perdí mi fusta y ya no tuve cómo controlar al caballo.*

fustán, fustal o fustaño Tejido de algodón grueso con pelo por una de sus caras. ❖ BOMBASÍ.

fuste 1. Madera de los árboles debajo de la corteza.

— *El fuste del cedro es una materia muy apreciada para hacer muebles.*

2. Vara, palo largo y delgado.

— *Usaremos este fuste como astabandera.*

3. Parte de una columna que media entre el capitel y la base.

— *El fuste de esta columna está labrado.*

— silla de montar: *fuste.*

4. Fundamento, base o esencia de una cosa no material.

— *El fuste de su discurso está relacionado con su gran humanitarismo.*

— que pertenece al fuste o se relaciona con él: *fustero.*

fustigar 1. Criticar duramente, vituperar o censurar.

— *Esta novela fustiga a los funcionarios corruptos.*

— que censura: *fustigador.*

— acción y resultado de fustigar: *fustigación.*

2. Dar de latigazos. ☞ **azotar.**

— *Antiguamente se fustigaba sin piedad a los esclavos.*

— que azota: *fustigador, fustigante.*

— acción y resultado de dar de varazos o latigazos: *fustigación.*

futesa Insignificancia, fruslería. ☞ **nadería.**

fútil Que es nimio, insignificante o insustancial, que no tiene importancia. ☞ **trivial.** ❖ RELEVANTE, ESENCIAL, SUSTANCIAL.

— cosa de poca o ninguna importancia: *futilidad.*

— condición o calidad de fútil: *futilidad.*

— charla ociosa o intrascendente: *sarta de futilidades.*

futuro 1. Porvenir de una persona, tiempo que está por llegar o venir, tiempo que viene después del presente. ❖ PASADO.

— *El futuro es siempre incierto.*

— que pertenece al futuro o es del futuro: *futurista.*

— vanguardia artística propuesta en Italia por Tomás Marinetti a principios del siglo XX: *futurismo.*

— que pertenece al movimiento del futurismo o se relaciona con esta corriente artística: *futurista.*

— conjunto de estudios que intentan predecir el porvenir: *futurología.*

— quien se dedica a adivinar sucesos por venir: *futurólogo.*

— tiempo verbal que indica acción posterior al tiempo en que se habla: *futuro de indicativo, futuro perifrástico.*

— tiempo verbal que expresa que una acción futura es sólo posible: *futuro de subjuntivo.*

2. Que está por venir, ocurrir o existir.

— *Me preocupa mi suerte futura.*

— derecho a ocupar un puesto que aún no queda vacante: *futura.*

— que pertenece a futura sucesión o se relaciona con ella: *futurario.*

3. Novio o prometido.

— *Te presento a mi futuro.*

— mujer a punto de casarse: *futura.*

G

gabán Capa ancha con mangas, a veces con capucha. ☞ **abrigo, capote, sobretodo.**

gabarda Fruto o rosal silvestre. ☞ **escaramujo.**

gabardina 1. Ropa con mangas ajustadas de tela impermeable. ☞ **ropón, sobretodo, impermeable.**
— *Está a punto de llover; no olvides tu gabardina.*
2. Tela impermeable de tejido diagonal con que se confeccionan diversas prendas de vestir.
— *Mi papá se mandó hacer un traje de gabardina.*

gabarra Barco pequeño y chato, de vela o remos, destinado a la carga y descarga en los puertos. ☞ **lanchón, barcaza, chalana.**

gabarro 1. Defecto que tienen las telas o tejidos en la trama.
— *Ese suéter tiene muchos gabarros.*
2. Incomodidad con que se enfrenta una obligación. ☞ **molestia, incomodidad.**
— *¡Qué gabarro tener que ir a trabajar!*
3. Enfermedad en los caballos que consiste en un tumor inflamatorio, ordinariamente con supuración y abertura fistulosa.
— *¡Pobre cuaco, tiene un gabarro en la pata!*

gabela Tributo o impuesto que se paga al Estado. ☞ **carga, contribución, fisco, gravamen.**

gabinete 1. Habitación más pequeña que la sala donde se reciben visitas de confianza. ☞ **aposento, salita, recibidor.**
— *El gabinete está lleno de gente.*
2. Conjunto de muebles donde se guardan aparatos, objetos para uso, estudio o exhibición. ☞ **museo, colección.**
— *Las piezas arqueológicas están en aquel gabinete.*
3. Cuerpo de ministros que componen un gobierno. ☞ **cartera, ministerio.**
— *El gabinete presidencial se reunió en privado.*

gaceta 1. Periódico en que se dan noticias literarias, artísticas, políticas. ☞ **impreso, publicación, periódico, diario.**
— *Revisamos la gaceta, pero no encontramos la información.*
2. Caja resistente al fuego para colocar dentro del horno las piezas de loza o porcelana para protegerlas de la acción directa de las llamas.
— *La alfarería se manchó por no protegerla en la gaceta.*

gacho, -cha Inclinado hacia abajo. ☞ **encorvado.** ❖ ERGUIDO.
— *Iba con la cabeza gacha por la tristeza.*

gafa 1. Pieza de metal para sujetar cosas pares. ☞ **grapa, enganche.**
— *La gafa del trenecito está rota.*
2. En plural, enganche con que se afianzan los anteojos detrás de las orejas. ☞ **gafas, anteojos.**
— *Se rompieron las gafas de mis anteojos.*
— nombre genérico dado a los anteojos: *gafas, lentes.*

gafete Broche o gancho de metal empleado para portar la identificación personal sobre la ropa. ☞ **corchete, sujetador.**
— *Si no llevas gafete no puedes entrar al edificio de Gobernación.*

gaguear Que no puede hilar las palabras fácilmente. ☞ **tartamudear.**
— persona tartamuda: *gago.*

gaje Salario que corresponde a un empleo. ☞ **retribución, sueldo, obvención.**
— molestias o perjuicios que se experimentan en un empleo y ocupación: *gajes del oficio.*

gajo Porción interior de diversas frutas.
— *Los gajos de naranja son deliciosos.*

gala 1. Lo más esmerado y selecto de una persona o cosa.
— *Lucía será la gala del pueblo.*
2. Gracia o garbo para hacer o decir una cosa.
— *Hizo gala de su inteligencia.*
3. Vestido o adorno espléndido. ☞ **frac, smoking, levita, chaqué, uniforme.**
— *Tienes que ir vestido de gala a la reunión.*
4. Festejo de carácter extraordinario. ☞ **ceremonia, etiqueta.**
— *La fiesta anual fue de gran gala.*
5. Moneda que se da como recompensa. ☞ **propina.**
— *Deja unas monedas de gala al mesero.*
6. Regalos que se hacen a los que contraen matrimonio.
— *Las galas de los desposados están en la sala.*

galáctico, -ca Todo lo referente a la vía láctea o a cualquier galaxia.
— *Los fenómenos galácticos son espectaculares.*

galán o galano 1. Hombre bien parecido, guapo. ☞ **adonis, airoso, gallardo, gentil, apuesto.**
— *Ese muchacho está galán.*
2. Actor principal de una obra o película. ☞ **galancete, estrella.**
— *El galán de la película es Jorge Negrete.*
— perchero móvil para las prendas de vestir masculinas: *galán de noche.*

galante 1. Persona que se muestra atenta, amable y obsequiosa. ☞ **cortés, tierno.**
— *Es tan galante que agrada a cualquiera.*
2. Mujer de costumbres deshonestas. ☞ **disoluta, frívola, liviana, coscolina, mundana.**
— *Ella es de la vida galante.*

galantear 1. Cortejar a una mujer. ☞ **piropear, florear, coquetear, rondar, conquistar, hacer la corte.**
— *Le encanta galantear a las mujeres.*
2. Solicitar asiduamente alguna cosa o la voluntad de una persona.
— *Con galanteos trató de convencerme.*

galápago 1. Tortuga que habita en el agua.
— *Pepe es pescador de galápagos.*
2. Enfermedad del asno y del caballo.
— *Ese burro sufre de galápago.*

galardonar Premiar los servicios o méritos de una persona. ☞ **recompensa, lauro, distinción, gratificación.**
— *Ella tiene el honor de galardonar al triunfador.*
— persona que recibe el premio: *galardonado.*
— el que otorga un premio: *galardoneador.*

galaxia Conjunto de astros, objetos celestes, nebulosas, etc., que forman parte del Sistema Solar.
— *La Vía Láctea es la galaxia que habitamos.*

galbanero, -ra Perezoso, sin interés para hacer algo. ☞ **holgazán, haragán, flojo, lento, desidioso.** ❖ ACTIVO, DILIGENTE.
— *Es un galbanero, no le pidas ayuda.*

galeato Prólogo de una obra donde el

autor se defiende de posibles ataques o críticas que puedan surgir. ☞ **advertencia, aclaración.**

galeno Médico.
—*El galeno del pueblo evitó la epidemia.*

galeno, -na Viento o brisa suave y tranquila.
—*La galena nos acompañó en casi todo el viaje por el mar.*

galeón 1. Barco grande de vela que se utilizaba en la Edad Media para el comercio o la guerra. ☞ **embarcación.**
—*El galeón es una de las naves más memorables de la Edad Media.*
2. Cámara grande que sirve para almacenar diferentes frutos.
—*La cosecha de plátano se guardó en un galeón de La Merced.*

galera 1. Cárcel para mujeres. ☞ **prisión, mazmorra, penal, presidio, chirona.**
—*Las galeras no son suficientes para las reclusas.*
2. Sala de hospital con camas a ambos lados.
—*Los enfermos de la piel están en la galera del segundo piso.*
3. Barco antiguo de vela y remo.
—*En las películas sobre la esclavitud romana aparecen galeras.*
4. Sombrero de copa.
—*El mago vestía chaleco y galera.*
5. Línea vertical y horizontal que se utiliza para separar el dividendo y el divisor.
—*Las dos cifras se dividían por una galera.*
— pena y dolor: *azotes y galera.*
— no prosperar: *no salir de azotes y galera.*

galería 1. Habitación larga y espaciosa que sirve para colocar cuadros, objetos curiosos o adornos. ☞ **museo, exposición, pinacoteca, gabinete.**
—*La galería Arvil es muy famosa por las pinturas que exhibe.*
2. Colección de pinturas.
—*El Museo Tamayo exhibe una galería de pintores oaxaqueños.*
3. Asientos del piso más alto de un teatro.
—*Sólo hay boletos en galería.*
4. Corredor con vidrios utilizado para dar más luz a las piezas interiores de las casas.
—*Hay que reparar la galería; algunos vidrios están rotos.*

galerna, -no Viento fuerte proveniente del noroeste. ☞ **borrasca, tempestad.** ❖ CALMA.
—*La galerna casi hunde el barco.*

galerón 1. Poema popular.
—*La banda de Tepito compuso un galerón y tres canciones.*

2. Casa grande.
—*Parece un galerón por el tamaño de las habitaciones.*

galga 1. Piedra grande que cae rodando con grandes saltos.
— *Una galga alcanzó a golpear el carro.*
2. Hormiga amarilla.
— *En Honduras es frecuente encontrar galgas.*
3. Enfermedad de la piel parecida a la sarna.
— *Cuídate; esa infección puede ser galga.*

galguear Limpiar el canal de riego.
—*Antes de iniciar la siembra tenemos que galguear.*

gañote Garganta. ☞ **gaznate, garguero.**
— *De tanto cantar me quedó el gañote muy lastimado.*
— ir gratis a un sitio: *ir de gañote.*

garabato 1. Gancho de hierro para agarrar o colgar cosas.
—*La bolsa está colgada del garabato.*
2. Dibujo o escritura mal hecha, ilegible. ☞ **garrapato.**
—*Siempre escribe con puros garabatos.*
3. Atractivo de algunas mujeres.
— *Ella tiene garabato al caminar.*
4. Arado para una sola caballería.
— *Sujeta bien el garabato, vamos a empezar a labrar.*
— hacer garabatos: *garabatear.*
— escritura mal hecha: *garabatosa.*

garaje (garage) 1. Lugar donde se guardan los automóviles, camiones, etc. ☞ **cochera, encierro, depósito.**
— *En el garaje sólo caben dos carros.*
2. Taller de reparación de automóviles.
— *Voy a llevar el carro al garaje; se le cayó una tuerca.*

garambullo Planta de hojas gruesas cuyo fruto es una tuna pequeña de color rojo.
—*El garambullo crece en zonas áridas.*

garantizar 1. Proteger contra posible riesgo o necesidad.
— *Me garantizaron mi reloj contra golpes.*
2. Prenda que se da como respaldo del cumplimiento de un compromiso.
— *Para comprar el carro, dejé mi reloj en garantía.*
3. Responder por la calidad de un objeto.
— *Todos los productos están garantizados.*
— derechos que la Constitución reconoce a todos los ciudadanos: *garantías individuales.*
— que da garantía: *garante.*

ganguear Hablar prolongando los sonidos por algún defecto en la nariz. ☞ **gaguear, tartamudear.**
— Persona que ganguea: *gangoso.*

gangrena Afectación de un tejido u ór-

gano producida por falta de riego sanguíneo o por infección de las heridas. ☞ **gangrena.**
— padecer gangrena un órgano: *gangrenarse.*

gánster (gangster) Miembro de una banda que realiza negocios ocultos e ilegales. ☞ **mafia.**
—actuar como gánster: *gangsterismo.*

gansear Decir o hacer cosas sin sentido.
—*Lo único que sabe hacer es gansear.*

ganzúa 1. Alambre doblado en la punta que sirve para abrir cerraduras. ☞ **palanqueta.**
—*Si no traes llave, el carro se puede abrir con una ganzúa.*
2. Ladrón que roba lo que está escondido.
— *Es un ganzúa: saqueó todas las bolsas de los invitados.*
3. Persona hábil que obtiene secretos.
— *Descubrió todo en un momento, el muy ganzúa.*
— abrir con ganzúa: *ganzuar.*

gañán 1. Ayudante en el cultivo del campo.
— *Para la cosecha de algodón se requiere contratar un gañán.*
2. Hombre fuerte y rudo.
— *El vecino del 9 es un gañán.*
— grupo de gañanes: *gañanía.*

gañir (vea recuadro de voces animales)
1. Aullar de un perro o sonidos agudos que producen otros animales cuando sufren maltrato. ☞ **ladrar, aullar, resollar.**
2. Efecto que producen las personas al respirar y producir sonidos. ☞ **roncar.**
— *Pepe no me dejó dormir con sus gañidos.*

galicismo Aplicación mecánica de palabras o reglas del idioma francés en otra lengua.
—*El abuso de galicismos demerita al idioma español.*
— el que emplea muchos galicismos: *galicista.*

galillo Campanilla de la garganta. ☞ **gañote, gaznate.**

galimatías Lenguaje confuso; expresión incorrecta de las ideas. ☞ **embrollo**

galófilo, -la Que estima a los franceses.
—*En la época de Maximiliano había numerosos galófilos.*

galófobo, -ba Que siente odio, rechazo hacia todo lo francés.

galón 1. Medida inglesa para líquidos igual a cuatro litros y medio.
—*El galón de pintura no es suficiente para retocar la pared.*
2. Cinta que sirve para proteger y decorar vestidos. ☞ **trencita, bordado, bolillo, encaje.**
—*Los galones de tu vestido son preciosos.*

3. Listón de madera que adorna los costados exteriores de un barco.
— *El barco llevaba banderines en los galones.*
4. Señal honorífica que utilizan en el ejército.
— *Cada galón que porta un general demuestra el nivel de su jerarquía.*

galopar Cabalgar más rápidamente que a trote. ☞ **galuchar, montar.**
— *Prefiero galopar en montaña que en llano.*
— ir a rienda suelta, desbocadamente: *ir a todo galope.*

galopín, -na 1. Persona sucia, descuidado. ☞ **desaseo, mugre.** ❖ LIMPIEZA, PULCRITUD.
— *Ese galopín sólo provoca destrozos.*
2. Pícaro. ☞ **bribón.**
— *El vecino del 4 es un galopín.*
3. Hombre astuto.
— *Lo galopín te ayuda para resolver tus conflictos.*

galopina Ayudante de cocinero.
— *La galopina no limpia bien los trastes.*

galpón 1. Sitio cubierto con o sin paredes. ☞ **cobertizo, galeón, galera.**
— *Los caballos están en el galpón.*
2. Lugar destinado a los esclavos de las antiguas haciendas.
— *Los galpones parecían más cárceles que cuartos.*
3. Casa grande de una planta.
— *En vez de casa parece galpón.*

galvanizar 1. Aplicar electricidad por medio de una pila.
— *Ese reloj tiene un mecanismo galvanizado.*
2. Dar un baño de cinc a otro metal para protegerlo de la oxidación.
— *La casa tiene techos galvanizados.*
3. Estimular con corrientes eléctricas los músculos o nervios de los animales vivos o muertos.
— *Para realizar investigaciones más precisas es necesario galvanizar a los animales.*
4. Dar ánimos a una persona. ☞ **entusiasmo, motivar.**
— *Lo que tú necesitas es galvanizarte.*
— obrero encargado de regular la temperatura de los metales para galvanizar: *galvanizador.*
— metal bañado con cinc: *galvanizado.*

galladura Mancha pequeña como sangre que se encuentra en la yema de huevo fecundado. ☞ **prendedura, engalladura.**

gallardo, -da 1. Persona atractiva, esbelta, de movimientos ágiles. ☞ **galán.**
— *Pocos bailarines tan gallardos como él.*
2. Valiente, animoso. ❖ COBARDE.
— *Con sus actitudes gallardas sabe*

enfrentar sus problemas.
3. Algo grande, excelente.
— *La construcción tiene torres gallardas.*
— cualidad para iniciar o enfrentar acciones: *gallardía.*

gallear 1. Fanfarronear, presumir de valiente mediante gritos y amenazas. ☞ **pavonear, valentonada, machería.**
— *Ignóralo; sólo le gusta gallear.*
2. Tratar de sobresalir autoalabándose.
— *Siempre gallea en las reuniones.*
— cuando aparecen irregularidades en la fundición de metales: *galleo.*
— cuando el gallo se aparea con la gallina: *galleo.*

galleta 1. Pasta hecha a base de harina, huevo, azúcar y otros ingredientes que, dividida en porciones pequeñas, se cuece en horno y puede durar mucho tiempo sin alterarse. ☞ **pasta, pan, broa, hostia, oblea.**
— *En la fiesta sirvieron galletas con ensalada.*
2. Pasta recocida utilizada en las expediciones por su duración.
— *Al escasear los víveres la ración se redujo a una galleta por cabeza.*
3. Trozos de carbón mineral lavado y clasificado que no rebasa la medida establecida comercialmente.
— *Para anunciar los productos de la fundidora, el agente llevó galletas de muestra.*
4. Escudo en la gorra de los marinos.
— *Todos los marinos llevaban la misma galleta de emblema en la gorra.*
— propinar una bofetada: *dar una galleta.*
— que es muy fuerte: *tiene galleta.*

gallináceo, -a 1. De aspecto parecido a la gallina.
— *El rostro de Macuca es gallináceo.*
2. Aves no voladoras, de pico ligeramente encorvado, patas cortas con membranas entre los tres dedos delanteros y con otro dedo atrás. ☞ **ave, pájaro.**
— *El gallo y el faisán son de la familia de las gallináceas.*

garañón Animal macho destinado a la reproducción. ☞ **semental, caballo.**

garapiñar 1. Poner un líquido a solidificar en forma de grumos.
2. Bañar golosinas con azúcar hecha grumos.
— *Hay que garapiñar las almendras.*
— bebida fría hecha de corteza de piña y agua con azúcar: *garapiña.*
— vasija que sirve para garapiñar: *garapiñera.*

garbo 1. Agilidad y gracia en la manera de actuar o efectuar una actividad. ☞ **gallardía, gentileza.** ❖ TORPEZA.
— *Tiene garbo al caminar.*

2. Persona generosa, desinteresada.

garduño, -ña 1. Mamífero nocturno de color grisáceo, de cabeza pequeña, orejas redondas y patas cortas que destruye a las crías de los gallineros.
2. Persona que roba con habilidad y sin llamar la atención.
— *No me di cuenta cuando el garduño sacó el monedero de mi bolsa.*

garete (al) 1. Sin control, que va a la deriva.
— *Luego de la tormenta, el barco quedó al garete.*
2. Ir sin rumbo fijo.
— *Toma una decisión, no andes al garete.*

garfio Instrumento de hierro puntiagudo y arqueado que sirve para sostener un objeto. ☞ **gancho, garabito.**
— echar los garfios: *garfear.*

garfiñar Robar. ☞ **hurtar.**

gargajear Escupir. ☞ **expectoración.**
— flema o mucosidad que se arroja por la boca: *gargajo.*
— que gargajea con frecuencia: *gargajoso.*

gargalizar Decir palabras confusas.

garganta 1. Parte interior del cuello ubicada entre el velo del paladar y la entrada del esófago y de la laringe. ☞ **gargantón, galillo, gañote, gaznate.**
2. Parte estrecha y delgada de un cuerpo, en especial la raíz de una planta.
3. Voz de cantante.
— *Tiene una garganta excepcional.*
— a punto de llorar: *tiene un nudo en la garganta.*
— practicar el canto: *hacerse uno de garganta.*
— líquido que se arroja violentamente por la garganta: *gargantada.*

gargantilla Collar que va sobre la garganta.

gárgara Acción de mantener un líquido en la garganta sin tragarlo, produciendo sonidos semejantes al agua en ebullición.

gárgola 1. Conducto angosto adornado por donde escurre el agua de techos o tejados. ☞ **caño, canalón.**
— *Este palacio tiene gárgolas en forma de león.*
2. Ranura que se hace en la madera para sostener el extremo de una viga.
— *Estas gárgolas son muy estrechas, no vamos a poder encajar aquí las vigas.*

garita 1. Casita en que se abrigan los guardias o vigilantes de un lugar.
— *En la garita están los policías que cuidan la colonia.*
2. Excusado.
— *Las casas viejas tenían una garita al fondo del patio.*

garito Casa de juego. ☞ **tahurería, antro.**

garlar Hablar mucho sin discreción. ☞ **parlotear, charlar, chacharear.**

garlopa Cepillo largo utilizado en carpintería para igualar las superficies de la madera. ☞ **galera.**

garnacha 1. Vestidura larga con grandes mangas usada por los magistrados. ☞ **toga.**
—*El juez presidió la sesión ataviado con su garnacha.*
2. Compañía de teatro ambulante.
— *En Coyoacán se presentó una garnacha muy simpática.*
3. Tortilla grande de maíz aderezada con carne y salsa.
—*Almorzamos garnachas en el mercado.*
4. Uva roja muy dulce con la que se prepara el vino del mismo nombre.
—*Este año se cosecharon buenas garnachas.*
— traer la ropa arrugada: *andar como garnacha.*

garniel Bolsa de cuero que se cuelga del cinturón.

garra 1. Pata de animal con uñas curvas, fuertes y filosas. ☞ **zarpa, garfa, mano.**
—*Con la garra el león detiene a sus presas.*
2. Gancho con que se afianzan dos embarcaciones.
—*El remolcador aseguró al petrolero con sus garras.*
3. Ropa sucia y descuidada. ☞ **harapos.**
—*Se viste con las garras que le regalan.*
— ser atractivo: *tener garra.*

garrafa 1. Recipiente ancho y redondo, de vidrio, cobre o estaño, con cuello largo y angosto. ☞ **vasija, castaña.**
— *Nos bebimos toda la garrafa de vino.*
2. Vasija de metal utilizada para hacer helados.
— *Se echó a perder todo el helado de la garrafa.*

garrafal 1. Especie de cereza muy grande.
— *Me trajo una cesta de frutas con garrafales bien maduras.*
2. Muy grande, exagerado. ☞ **exorbitante, enorme, excesivo.** ❖ MODERADO.
—*Durante la reunión de ayer cometí un error garrafal: no saludé a tu madre.*

garrapata 1. Arácnido parásito muy pequeño que se adhiere al cuerpo de ciertos animales y les chupa la sangre. ☞ **caparra.**
—que se pega a una persona para sacar provecho: *garrapata.*

garrapato 1. Cardillo espinoso que se adhiere a la ropa. ☞ **garambainas, garabo.**
—*Al pasar por el parque me llené de garrapatos.*
2. Escritura mal hecha y deforme. ☞ **ga-**

rabato .
—*Mientras viajaba en el tren, traté de escribir pero sólo hice garrapatos.*
— hacer garrapatos: *garrapatear.*

garrar Retroceder un barco con el ancla en el mar.

garrido, -da 1. Que es atractivo, bien parecido. ☞ **gallardía.** ❖ DESGARBO.
—*Era tan garrido que todas las mujeres suspiraban por él.*
2. Galán.
—*En la película sale un hombre muy garrido.*

garrocha 1. Vara larga que en la punta tiene tres filos y se emplea para picar a los toros. ☞ **puya, punzón.**
—*El público se molesta cuando utilizan la garrocha para lidiar al toro.*
2. Vara para dar saltos. ☞ **pértiga.**
—*Ganó una medalla de oro en salto de garrocha.*
— que practica salto de garrocha: *garrochista.*
— lastimar con garrocha: *garrochar.*
— golpe dado con garrocha: *garrochazo.*
— ser muy alto: *ser una garrocha.*

garrón 1. Espolón de ave.
—*El gallo traía navaja en el garrón.*
2. Parte que queda en un árbol al cortarle una rama principal.
— *No podaron bien el árbol, lo dejaron lleno de garrones.*
3. Hueso del talón. ☞ **calcañar.**
— *Al caer, el animal se lastimó el garrón.*

garrote 1. Palo grueso y fuerte. ☞ **tranca, estaca, palo, bastón, tronco.**
— *El policía golpeó al borracho con el garrote.*
— dar golpes con garrote: *garrotear.*
— golpe fuerte con garrote: *garrotazo.*
2. Instrumento con el que se estrangulaba a los condenados a muerte.
—*Antiguamente se amenazaba con el garrote a los acusados para obligarlos a confesar.*
3. Falta de continuidad al hacer una línea en un dibujo.
—*Era un trazo lleno de garrotes.*
— abusivo al pedir: *limosnero y con garrote.*

garrucha Polea. ☞ **carrillo.**

gárrulo, -la 1. Ave que canta o gorjea mucho. ☞ **ave, pájaro.**
—*La gárrula de la vecina comienza a cantar al amanecer.*
2. Persona que habla mucho. ☞ **parlanchina, cotorrear.**
—*Carmen me contó su vida entera, es una gárrula.*
3. Que hace mucho ruido de manera continua. ❖ SILENTE.
—*La fuente del parque es una gárrula.*

— cualidad de gárrulo: *garrulidad.*
— que garrula: *garrulador.*

garuar Lloviznar. ☞ **lluvia.**
— llovizna: *garúa.*

garzo, -za 1. De color azulado.
—*En el norte hay mucha gente garza.*
2. Hongo comestible.
— *En el campo la gente distingue las garzas de otros hongos.*

gas 1. Mezcla de hidrocarburos gaseosos que se usa en aparatos domésticos e industriales.
— *No tengo gas y no pude cocinar nada para hoy.*
2. Mezcla del carburante y aire que alimenta algunos motores. ☞ **gasolina, combustible.**
— *En el campo se emplean tractores a gas.*
— hacer pasar un cuerpo de estado líquido a gas: *gasificar.*
— tubería por la que se conduce a distancia el gas: *gasoducto.*
— aparato con el que se obtienen gases: *gasógeno.*
— método de análisis para medir gases: *gasometría.*
— instrumento para medir el gas: *gasómetro.*
— ir a toda velocidad: *a todo gas.*
3. Concentración de aire en los intestinos. ☞ **flatulencia, pedo.**
— *El bebé tiene cólico por gases.*
— en estado de gas: *gaseiforme.*

gasa 1. Tela muy delgada y sutil.
—*El vestido de la quinceañera era de gasa.*
2. Banda de tela esterilizada que se usa para proteger heridas. ☞ **venda.**
— *Le hice una curación con gasa y alcohol.*

gasolina Líquido inflamable obtenido del petróleo que se usa en los motores de combustión interna, como el del automóvil. ☞ **bencina, esencia, carburante.**

gasolinera Lancha con motor a gasolina.
— lugar donde se vende la gasolina: *gasolinería.*

gastar 1. Emplear el dinero en una cosa. ☞ **desembolsar, expender, pagar.**
—*Por comprar estos zapatos me gasté todo mi dinero.*
— pagar una cosa: *hacer un gasto.*
— que gasta mucho: *gastador.*
— dinero que se entrega para el mantenimiento de una casa: *gasto.*
— gastar de manera excesiva: *echar la casa por la ventana.*
— cubrir gastos: *amortizar.*
2. Deteriorar un objeto. ☞ **menguar, mermar.** ❖ CONSERVAR.
—*No uso seguido ese vestido porque se me gasta.*
3. Consumir o acabar. ☞ **agotar, des-**

gatos

DE PELO CORTO

rex

ruso azul

birmano

habana

korat

siamés

manx

abisinio

DE PELO LARGO

cartujano

birma

persa

balinés

somalí

himalayo

angora

perdiciar. ❖ AHORRAR.

— *Procura no gastar tanta agua.*

— que se puede gastar: *gastable.*

gasterópodo Clase de moluscos terrestres o acuáticos, como el caracol o la ostra.

gastrálgico, -ca Que produce dolor en el estómago. ☞ **gastritis.**

— dolor de estómago: *gastralgia.*

gastronomía Arte de preparar buena comida. ☞ **culinaria, cocina.**

— afición a comer bien: *gastronomía.*

— que se refiere a la gastronomía: *gastronómico.*

— hábil en la gastronomía: *gastrónomo.*

gatazo Engaño, hurto. ❖ GENUINO.

— hacer trampa: *dar el gatazo.*

gateado, -da 1. Semejante al gato.

—*Nora llevaba un abrigo gateado.*

2. Madera veteada compacta que utilizan los ebanistas en muebles muy finos.

— *No cubras la mesa para que luzca el gateado.*

gatear 1. Trepar como los gatos.

— *Vi a Jorgito gatear en la rama del árbol.*

2. Andar con los pies y manos en el suelo.

—*Pronto caminará, ahora sólo puede gatear.*

3. Robar.

— *Cuida tus cosas; aquí les gusta gatear.*

— enamorar a los criados: *gatear.*

gatillo 1. Parte de un arma donde se apoya el dedo para disparar. ☞ **percutor.**

—*Mientras duró su amenaza, no quitó el dedo del gatillo.*

2. Instrumento utilizado para extraer muelas o dientes. ☞ **pulicán.**

—*El dentista lo lastimó con el gatillo cuando hizo la extracción.*

3. Parte del pescuezo de los gatos.

— *Carga al minino por el gatillo.*

4. Muchacho ratero.

— *El muy gatillo bolseó a todos en la fiesta.*

gato, -ta (vea ilustración de la p. 322) 1. Animal mamífero, doméstico, de cuatro patas cortas y pelaje espeso y suave. ☞ **bicho, minino, miau, felino.**

— *La gata se cayó.*

— nombre con el que se denomina a todos los felinos: *gatos.*

2. Máquina con engranes que sirve para levantar grandes pesos a poca altura.

— *Se ponchó la llanta y no traigo el gato.*

3. Bolso donde se guarda dinero. ☞ **talego, bolsillo.**

—*Encontré un gato con unas cuantas monedas.*

4. Hombre astuto. ☞ **sagaz.**

—*No lo vas a convencer, es un gato.*

— lugar habitado por gatos: *gatero.*

— abertura que se deja en un muro o puerta para que pasen por ella los gatos: *gatera.*

— grupo de gatos: *gatería.*

— dar una cosa inferior a la prometida: *dar gato por liebre.*

— expresión que significa se sospecha algo oculto: *aquí hay gato encerrado.*

— forma despectiva para denominar a un trabajador: *gato.*

gatuno, -na Que pertenece a los gatos o se relaciona con ellos.

gatuperio 1. Mezcla de ingredientes diferentes con resultado desagradable. ☞ **mescolanza.**

—*Esa ensalada resultó un gatuperio.*

2. Intriga. ☞ **enredo, embrollo.**

—*Los alumnos hicieron un gatuperio cuando se fue el maestro.*

gaveta 1. Cajón corredizo de escritorio. ☞ **cajoncillo, compartimiento.**

—*Los papeles que quieres están en la gaveta.*

2. Mueble que tiene varios cajones. ☞ **gavetero.**

—*El doctor dejó los instrumentos en la gaveta.*

gavia 1. Vela que se coloca en el mástil más grande de un barco.

— *Con la gavia desplegada el barco se alejó.*

2. Jaula de madera donde se encerraba a los locos.

— *Los hospitales antiguos solían tener gavias.*

3. Zanja para delimitar una propiedad.

—*El prado comienza desde la gavia.*

— hoyo que se hace en la tierra para plantar árboles: *gavia.*

4. Gaviota.

gavilla 1. Conjunto de cañas, ramas o hierba, mayor que un manojo y menor que un haz.

— *Traje una gavilla de leña para la fogata.*

— formar gavillas: *gavillar.*

2. Junta de personas, comúnmente de mal vivir.

— *El asalto al banco lo efectuó una gavilla.*

gayar Adornar con tiras de colores contrastantes.

gayola 1. Encierro de presos. ☞ **jaula, cárcel, chirona.**

—*Al ladrón lo pusieron en gayola.*

2. Piso más alto de un teatro.

—*El espectáculo se ve mejor desde gayola.*

gaza Asa que se forma en el extremo de un cable para enganchar una cosa.

gazapo (vea recuadro de voces animales). 1. Cría del conejo.

— *El corral está lleno de gazapos, nacieron ayer.*

2. Hombre astuto. ☞ **ladino.**

— *Tenía todo preparado para engañarnos, es un gazapo.*

3. Mentira, embuste. ☞ **patraña.**

— *Le cayeron en el gazapo.*

4. Errores inadvertidos que se cometen al escribir o al hablar. ☞ **yerro, errata.**

—*En el periódico aparecen gazapos ortográficos.*

gazmiar 1. Quejarse, resentirse.

—*La vecina no deja de gazmiar.*

2. Comer continuamente golosinas. ☞ **gulusmear, glotonería.**

— *Ya deja de gazmiar, te vas a poner gordo.*

gazmoño, -ña Que finge devoción o virtudes que no tiene. ☞ **mojigato, hipócrita, beato.**

gaznate 1. Parte superior de la tráquea.

—*El hueso se le atoró en el gaznate.*

2. Dulce en forma de cilindro hecho de piña o coco.

—*En Toluca venden deliciosos gaznates.*

gea Descripción del conjunto de cuerpos inorgánicos de una región.

géiser Fuente termal natural intermitente, que expulsa agua caliente y vapor.

geisha Bailarina y cantante profesional japonesa.

gelatina 1. Sustancia sólida, transparente, que se obtiene de huesos y tejidos animales, muy digerible, se emplea en la alimentación humana.

—*Los embutidos se hacen con gelatina de cerdo o de res.*

2. Dulce preparado con esencia de frutas y azúcar.

— *Te quedó muy rica la gelatina de fresa.*

— parecido a la gelatina: *gelatinoso.*

gélido, -da Helado o muy frío.

gema (vea ilustración de la p. 326) 1. Piedra preciosa.

— *La gema se verá muy bien en tu anillo.*

2. Sal de mina.

—*Prepara el pescado con sal en gema.*

3. Botón que nace de los vegetales.

— *De esa gema crecerá una hermosa flor.*

gemelo, -la 1. Cada uno de los dos o más seres que nacen de un mismo parto.

— *Me dijeron que tuviste gemelos.*

2. Elementos similares que forman una pareja. ☞ **igual, idéntico.** ❖ DIFERENTE, DISTINTO, IMPAR.

— *Esa ecuación tiene elementos gemelos.*

3. Instrumento óptico de doble anteojo que permite ver a distancia.

—*Préstame tus gemelos, no alcanzo a ver.*

4. Músculos de la pierna.

— *Los músculos gemelos están cerca de la rodilla.*

5. Juego de botones para asegurar los puños de las camisas. ☞ **mancuernilla.**

— *Me regaló unos gemelos de zafiro.*

gemir 1. Expresar dolor con voz lastimera. ☞ **lamentar, gimotear, clamor.**

— *Toda la noche se le escuchó gemir.*

2. Aullar los animales.

— *El perro no dejó de gemir cuando se murió el amo.*

— acción de gemir: *gemido.*

gen Factor hereditario presente en el núcleo de la célula, que determina la aparición de caracteres en las plantas y animales. ☞ **gene, herencia.**

gendarme Policía o guardia.

— cuartel de gendarmes: *gendarmería.*

genealogía 1. Conjunto de los antepasados de una persona.

— *Antiguamente, con la genealogía se demostraba la pertenencia a la nobleza.*

2. Documento que comprueba la ascendencia de una persona.

— *Mi tía abuela guarda la genealogía de la familia.*

— que pertenece a la genealogía o se relaciona con ella: *genealógico.*

— experto en elaborar genealogías: *genealogista.*

genearca Cabeza principal de una raza o familia.

geneático, -ca Que intenta predecir el futuro de alguien por la manera en que nació.

generador, -ra 1. Que da la existencia, que engendra. ☞ **procreador.**

— *Zeus fue generador de semidioses, según la mitología griega.*

2. Parte de una máquina que produce la energía y la fuerza con que funciona.

— *A este carro le falla el generador.*

general 1. Que se refiere a la totalidad o a un grupo de personas o cosas. ☞ **universal, total, global.** ❖ SINGULAR.

— *En general, el nivel educativo del grupo es bajo.*

2. Algo común, que sucede frecuentemente. ☞ **usual, frecuente.**

— *Generalmente llego tarde.*

3. Jefe militar perteneciente a grados superiores.

— *El general de brigada está listo para iniciar el combate.*

— general en jefe: *generalísimo.*

— toque de llamada a las armas: *generala.*

— grupo de generales: *generalato.*

4. Superior de una orden religiosa. ☞ **prior.**

— *La madre general dirigió el canto.*

5. Aduana.

— *Detuvieron la mercancía en la general.*

— aduanero: *generalero.*

generalizar Aplicar un criterio o juicio de manera común, sin especificar. ☞ **igualar, equiparar.**

generar Producir algo. ☞ **causar.**

— lo que puede generar: *generativo.*

— procrear: *generar.*

género 1. Conjunto de seres que tienen características en común. ☞ **especie, clase, orden, familia, variedad, tipo.**

— *El hombre pertenece al género animal.*

2. Accidente gramatical que indica si un vocablo es masculino o femenino.

— *La palabra cosa es de género femenino.*

3. Cualquier mercancía, artículo, mercadería.

— *Es vendedor de géneros de carpintería.*

4. Manera de hacer una cosa. ☞ **modo, estilo.**

— *El género que utiliza al tocar la guitarra es magistral.*

— común a muchas especies: *genérico.*

5. Tela, paño.

— *Este vestido está hecho con un género muy fino.*

generoso, -sa 1. Que obra con magnanimidad y nobleza. ☞ **desinteresado.**

— *Siempre cuentas con su apoyo, es muy generoso.*

2. Excelente en su especie.

— *El vino francés es muy generoso.*

— que pertenece a lo generoso o se relaciona con él: *generosidad.*

génesis 1. Origen o principio de una cosa. ☞ **creación, origen, principio.**

— *En el génesis de la Biblia se explica la creación del mundo.*

2. Serie de hechos y causas que conducen a un resultado.

— *Hay que estudiar la génesis del Renacimiento.*

genética Parte de la biología que estudia los fenómenos y leyes de la herencia en plantas y animales.

— que pertenece a la genética o se relaciona con ella: *genético.*

— que domina los estudios de genética: *genetista.*

genetliaco, -ca 1. Que pertenece o se relaciona con la práctica supersticiosa de adivinar a uno su fortuna por el día en que nace.

— composición literaria que se hace en el nacimiento de alguien: *genetliaca.*

genio 1. Disposición natural para realizar alguna actividad o disciplina.

— *Pepe es un genio en matemáticas.*

2. Facultad creadora, gran ingenio.

— *El genio del hombre ha inventado máquinas fabulosas.*

3. Carácter de una persona. ☞ **temperamento.**

— *Tiene un genio insoportable.*

4. Deidad que según los antiguos gentiles engendraba todo cuanto hay en la naturaleza.

— *El genio de los mares está enojado, habrá tormenta.*

genital Que sirve para la generación. ☞ **pene.**

— testículos: *genitales.*

genitivo, -va Que puede procrear o producir una cosa.

— caso gramatical que denota posesión, propiedad o pertenencia: *genitivo.*

genotipo Características hereditarias de una persona.

gente 1. Grupo de personas. ☞ **gentío, muchedumbre, público.**

— *En ese cine siempre hay mucha gente.*

2. Nación. ☞ **pueblo.**

— *Para el presidente su gente es lo más importante.*

3. Familia. ☞ **parentela.**

— *Llegó a la reunión con toda su gente.*

4. Grupo de soldados. ☞ **tropa.**

— *El general Ruiz atacó con su gente armada.*

5. Personas que viven reunidas o trabajan a las órdenes de una.

— *Yo respondo por la producción de mi gente.*

— niños: *gente menuda.*

— grupo de personas influyentes: *gente gorda.*

— actuar con bondad: *ser gente.*

— que tiene buenas intenciones: *gente de bien.*

— gente despreciable: *gentuza.*

gentil 1. Gallardo, apuesto, bello, guapo, gracioso, galán, tipazo, agradable.

— *Tiene un modo tan gentil de hablar.*

2. Pagano, idólatra.

— *Los gentiles creían en muchos dioses.*

gentilicio, -cia Perteneciente a la gente o a las naciones.

genuflexión Señal de reverencia que consiste en colocar la rodilla en el suelo. ☞ **postración, arrodillarse.**

genuino, -na Algo que es puro, verdadero, auténtico. ☞ **fidedigno, cierto.**

geo Prefijo que significa tierra o suelo.

— *La geofagia es el hábito de comer tierra.*

geocéntrico, -ca 1. Que pertenece al centro de la tierra o se relaciona con él.

— *El Ecuador es una región geocéntrica.*

— sistema que suponía a la Tierra el centro del Universo: *geocéntrico.*

2. En astronomía, se aplica a la latitud y longitud de un planeta desde la Tierra.

— *La Tierra es geocéntrica respecto de Venus.*

geodesia Ciencia que estudia la determinación de la figura y magnitud de la

gemas

CORTES DE LAS GEMAS

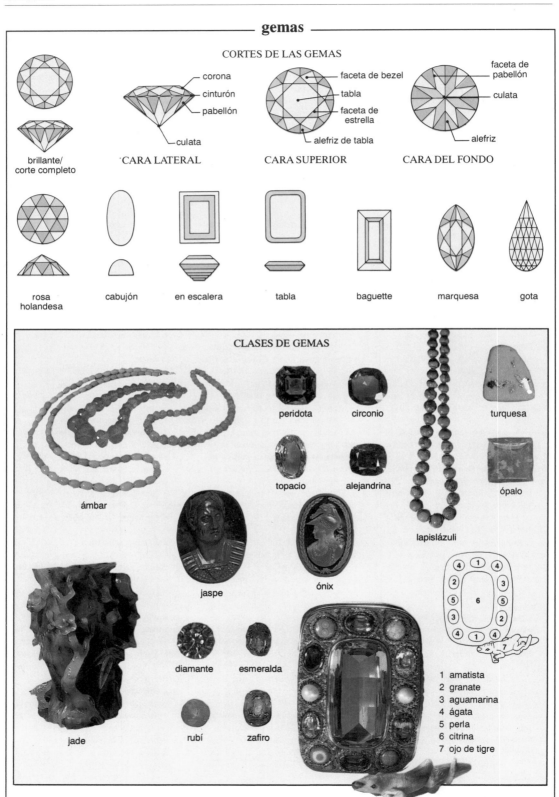

brillante/
corte completo

corona
cinturón
pabellón
culata

CARA LATERAL

faceta de bezel
tabla
faceta de
estrella
alefriz de tabla

CARA SUPERIOR

faceta de
pabellón
culata
alefriz

CARA DEL FONDO

rosa
holandesa

cabujón

en escalera

tabla

baguette

marquesa

gota

CLASES DE GEMAS

peridota

circonio

turquesa

topacio

alejandrina

ópalo

lapislázuli

ámbar

jaspe

ónix

jade

diamante

esmeralda

rubí

zafiro

1 amatista
2 granate
3 aguamarina
4 ágata
5 perla
6 citrina
7 ojo de tigre

Tierra o de una parte de ella. ☞ **topografía, geomorfía, planimetría, agronometría.**

geografía 1. Ciencia que describe los aspectos de la Tierra. ☞ **geogenia.**

— *Los climas, la distribución de los seres vivos y la historia de la formación de fenómenos volcánicos son tres de los asuntos que trata la geografía.*

2. Tierra, campo o región.

— *Sólo a caballo podremos recorrer esa difícil geografía.*

— relativo a la geografía: *geográfico.*

— según las reglas de la geografía: *geográficamente.*

— persona con amplio conocimiento de la geografía: *geógrafo.*

— parte de la geografía que estudia la distribución de las especies vegetales en la superficie terrestre: *geografía botánica.*

— parte de la geografía que estudia la configuración de las tierras y mares: *geografía física.*

— parte de la geografía que estudia los lenguajes y dialectos en la tierra: *geografía lingüística.*

geología Ciencia que estudia todos los aspectos de la corteza terrestre.

— que tiene amplio conocimiento en geología: *geólogo.*

— Que pertenece a la geología o se relaciona con ella: *geológico.*

geomancia Predicción supersticiosa que se hace utilizando los cuerpos terrestres o con líneas, círculos o puntos hechos en la tierra. ☞ **quiromancia, geomancía.**

geometría Parte de las matemáticas que trata de las propiedades, medida y relaciones de sólidos, superficies, líneas y puntos.

— división de la geometría: *plana y del espacio.*

— el que se dedica a la geometría: *geómetra.*

— cuerpo geométrico: *geometral.*

geotropismo Propiedad de las plantas para orientar su crecimiento a partir de la gravedad terrestre.

gerencia 1. Cargo del que dirige los negocios de una empresa. ☞ **dirección, administración, asesoría, gestión.**

— *Por su buen desempeño le dieron la gerencia.*

2. Actividades específicas del cargo.

— *La estimación del proyecto depende de tu gerencia.*

— responsable de la gerencia: *gerente.*

geriatría Rama de la medicina que estudia los procesos biológicos normales en la vejez y las enfermedades de ésta. ☞ **gerontología.**

gerifalte Ave parecida al halcón.

— que sobresale en cualquier evento: *gerifalte.*

germanófilo, -la Partidario de Alemania o de los alemanes.

germen 1. Principio de un nuevo ser. ☞ **origen, embrión.**

— *Para su desarrollo, el germen de este virus necesita cierta temperatura.*

2. Parte de la semilla de la que se forma

GENTILICIOS DE AMÉRICA

Los gentilicios designan básicamente a un conjunto de personas pertenecientes a una determinada comunidad geográfica. Nuestro idioma posee una serie terminaciones que se agregan a las palabras para designar a estos grupos. Sin embargo, el uso de tales partículas no se ha generalizado en todo el ámbito hispanohablante para designar a ciertas comunidades.

Presentamos a continuación algunos gentilicios consagrados en nuestra lengua, así como ciertas propuestas de gentilicios pertenecientes, sobre todo, a muchas islas hermosísimas que están en el Caribe, y cuyos habitantes tienen siglos de morar en ellas. Para estas propuestas nos hemos basado no sólo en el espíritu del español, sino en fuentes oficiales, como algunos boletines de las Naciones Unidas.

Hemos buscado formar el gentilicio por analogía con otros. También quisimos evitar repetir el gentilicio para denominar a la gente de lugares diferentes pero que tienen el mismo nombre (como Mérida, en Yucatán, y Mérida, en Venezuela). Por último, cuando se trata de un país que está compuesto por dos islas, se decidió dar prioridad a la mayor, que es, en general, la denominación más aceptada.

Anguila: anguileños.
Antigua y Barbuda: antigüeños.
Antillas Holandesas: antillanoholandeses.
Curaçao: curazoleños
Argentina: argentinos.
Aruba: arubeses.
Bahamas: bahameses.
Barbados: barbadenses.
Belice: beliceños.
Bolivia: bolivianos.
Bonaire: bonairenses.
Brasil: brasileños.
Canadá: canadienses.
Chile: chilenos.
Colombia: colombianos.
Costa Rica: costarricenses, ticos.
Cuba: cubanos.
Dominicana: dominiqueños o dominiquinos.
Ecuador: ecuatorianos.
El Salvador: salvadoreños.
Estados Unidos: estadounidenses, norteamericanos, yanquis, gringos.
Granada: granadinos.
Guadalupe: guadalupinos.
Guatemala: guatemaltecos.

Guayana francesa: guayanofranceses.
Guyana: guyaneses.
Haití: haitianos.
Honduras: hondureños.
Islas Caimán: islocaimanos o caimanos.
Islas Vírgenes: islovirginenses.
Jamaica: jamaiquinos.
María Galante: marigalantinos.
Martinica: martiniqueños o martiniquinos o martinicos.
México: mexicanos.
Montserrat: montserrateños.
Nicaragua: nicaragüenses.
Panamá: panameños.
Paraguay: paraguayos.
Perú: peruanos.
Puerto Rico: puertorriqueños, portorriqueños, borinqueños.
República Dominicana: dominicanos.
San Cristóbal y Nieves: sancristobaleños o sancristobalenses.
San Vicente y las Granadinas: sanvicentinos
Santa Lucía: santalucenses.
Surinam: surinameses.
Trinidad y Tobago: trinideños.
Turcos y Caicos: caiquenses o caicanos.
Uruguay: uruguayos.
Venezuela: venezolanos.

GENTILICIOS DE MÉXICO

DE LOS ESTADOS DE MEXICO.

Aguascalientes: aguascalentenses o hidrocálidos.
Baja California Norte: bajacalifornianos.
Baja California Sur: subcalifornianos.
Campeche: campechanos.
Coahuila: coahuilenses
Colima: colimenses, colimeños o colimotes.
Chiapas: chiapanecos.
Chihuahua: chihuahuenses.
Distrito Federal: citadinos, defeños, chilangos.
Durango: duranguenses, o durangueños.
Guanajuato: guanajuatenses.
Guerrero: guerrerenses.
Hidalgo: hidalguenses.
Jalisco: jaliscienses.
México, Estado de: mexiquenses.
Michoacán: michoacanos.
Morelos: morelenses.
Nayarit: nayaritas o nayaritenses.
Nuevo León: neoloneses, neoloneses, nuevoleonenses.
Oaxaca: oaxaqueños.
Puebla: poblanos.
Querétaro: queretanos.
Quintana Roo: quintanarroenses.
San Luis Potosí: potosinos.
Sinaloa: sinaloenses.
Sonora: sonorenses.
Tabasco: tabasqueños.
Tamaulipas: tamaulipecos.
Tlaxcala: tlaxcaltecas.
Veracruz: veracruzanos, jarochos.
Yucatán: yucatecos.
Zacatecas: zacatecanos.

DE LAS CAPITALES DE LOS ESTADOS

Aguascalientes: aguascalentenses.
Campeche: campechanos.
Ciudad Victoria: victorenses.
Colima: colimeños, colimenses, colimotes.
Cuernavaca: cuernavaquenses.
Culiacán: cualiacanenses.
Chetumal: chetumaleños o chetumalenses.
Chihuahua: chihuahuenses.
Chilpancingo: chilpancingueños.
Durango: durangueños o duranguenses.
Guadalajara: tapatíos, guadalajareños, guadalajarenses.
Guanajuato: guanajuatenses.
Hermosillo: hermosillenses.
Jalapa: jalapeños.
La Paz: paceños.
Mérida: meridanos.
Mexicali: mexicalenses.
Monterrey: regiomontanos.
Morelia: morelianos.
Oaxaca: oaxaqueños.
Pachuca: pachuqueños.
Puebla: poblanos, angelopolitanos.
Querétaro: queretanos.
Saltillo: saltillenses.
San Luis Potosí: potosinos.
Tepic: tepiqueños.

Tlaxcala: tlaxcaltecas.
Toluca: toluqueños.
Tuxtla Gutiérrez: tuxtleños o tuxtlecos.
Villa Hermosa: villahermosinos.
Zacatecas: zacatecanos.

DE ALGUNAS CIUDADES DE MEXICO

Acámbaro, Gto.: acambarenses o acambareños.
Apatzingán, Mich.: apatzingueños.
Atlixco, Pue.: atlixqueños o atlixquenses.
Cadereyta, Qro.: cadereytanos.
Cancún, Qu.R.: cancunquenses.
Ciudad del Carmen, Camp.: carmenses.
Ciudad Delicias, Chih.: delicienses.
Ciudad Juárez, Chih.: juarenses.
Ciudad Lerdo, Dur.: lerdenses.
Ciudad Mante, Tam.: mantenses o manteños.
Ciudad Obregón, Son.: obregonenses.
Coatzacoalcos, Ver.: coatzacoalqueños o coatzacoalquenses.
Cocula, Jal.: coculeños o coculenses.
Comalcalco, Tab.: comalcalquenses.
Comitán, Chis.: comitecos.
Córdoba, Ver.: cordobenses.
Cozumel, Qu.R.: cozumelenses.
Ensenada, BCN.: ensenadenses.
Fresnillo, Zac.: fresnillenses.
Gómez Palacio, Dur.: gomezpalacenses.
Huamantla, Tlax.: huamatlecos.
Huatulco, Oax.: huatulqueños o huatulquenses.
Huichapan, Hgo.: huichapenses.
Huixquilucan, EdoMex.: huixquiluquenses.
Iguala, Gro.: igualenses.
Linares, NL.: linaredenses.
Loreto, BCS.: loretanos.
Los Mochis, Sin: mochienses.
Manzanillo, Col.: manzanillenses.
Matamoros, Tam.: matamoreños o matamorenses.
Matehuala, SLP.: matehualenses o matehualeños.
Mazatlán, Sin.: mazatlecos.
Monclova, Coah.: monclovenses.
Nogales, Son.: nogalenses.
Nuevo Laredo: novolaredenses.
Peñoles, Ags.: peñolenses.
Piedras Negras, Coah.: petronegrenses.
Progreso, Yuc.: progreseños.
Río Verde, SLP.: rioverdeños o rioverdenses.
Santa Rosalía, BCS.: rosalenses.
Silao, Gto.: silaoenses.
Sombrerete, Zac.: sombreretenses.
Tecuala, Nay.: tecualeños o tecualenses.
Tehuacán, Pue.: tehuaquenses.
Tehuantepec, Oax.: tehuanos.
Tepeji del Río, EdoMex.: tepejienses.
Tequisquiapan, Qro.: tequisquiapenses.
Tijuana, BCN.: tijuanenses.
Tizimín, Yuc.: ticimileños.
Tlaquepaque, Jal.: tlaquepaquenses.
Tonalá, Chis.: tonalenses.
Tula, Hgo.: tulenses.
Uruapan, Mich.: uruapenses o uruapeños.
Zihuatanejo, Gro.: zihuatanejenses.

una planta.
— *El germen de trigo es muy nutritivo.*
3. Primer tallo que surge de una planta.
— *La semilla que sembré ya tiene un germen.*

4. Pequeño organismo que puede causar enfermedades.
— *Lava bien esa fruta; puede tener gérmenes.*
— microorganismos infecciosos: *gér-*

menes patógenos.
— origen, principio de una cosa: *germen.*
germinar Brotar y crecer las plantas.
— que puede germinar: *germinativo.*
— que germina: *germinante.*

— que hace germinar: *germinador*.

— desarrollarse las causas morales o abstractas: *germinar*.

gerontología Ciencia que estudia la vejez. ☞ **geriatría**.

— que se dedica a la gerontología: *gerontólogo*.

— psiquiatra para ancianos: *gerontopsiquiatra*.

gerundio Forma del verbo de características adverbiales que expresa acción simultánea a la del verbo principal.

gesta Hechos memorables de un personaje. ☞ **hazaña, aventura, suceso**.

gestar 1. Llevar y alimentar en las entrañas a un ser, desde su concepción hasta el parto.

— *El futuro bebé se está gestando en tu vientre*.

2. Preparar o desarrollar ideas.

— *Tenemos que gestar los planes para el próximo año*.

gesticular Hacer gestos. ☞ **monear, guiñar**.

— que gesticula: *gesticulador*.

gestionar Realizar actividades o acciones para lograr algo. ☞ **negociar, diligenciar, pesquisar, intentar, asesorar**.

— que gestiona: *gestor*.

gesto 1. Movimientos del rostro o de las manos que expresan estados de ánimo. ☞ **mueca, seña, gesticular**.

— *Sé que no te gusta la comida, pero no hagas gestos*.

2. Semblante, cara, rostro. ☞ **expresión, apariencia, actitud**.

— *Tenía un gesto de severidad tal, que todos lo respetaban*.

3. Conducta, rasgo de carácter.

— *En un gesto de buena voluntad, Silvia donó sus joyas*.

— mostrar enojo: *poner gesto*.

ghetto (gueto) 1. Campo de concentración.

— *En la Segunda Guerra Mundial los judíos eran obligados a vivir en ghettos*.

2. Asociación política, religiosa, racial o económica.

— *El ghetto judío es muy poderoso*.

giba Abultamiento en el lomo o la espalda. ☞ **joroba, corcova**.

— joroba de los camellos: *giba*.

— que tiene giba: *giboso*.

— jorobado: *gibado*.

gigante, -ta 1. Mucho mayor que lo considerado normal. ☞ **colosal, enorme, formidable, titánico, excesivo**.

— *Las metas son gigantes, pero las cumpliremos*.

2. Que sobrepasa la estatura de los demás. ❖ PIGMEO, ENANO.

— *Es un gigante, mide más de dos metros*.

3. El que sobresale por una virtud o vicio.

— *Posee una bondad gigante*.

— que pertenece a lo gigante o se relaciona con él: *gigantesco*.

— aumentativo de gigante: *gigantón*.

gigoló Hombre joven que se relaciona con mujeres mayores que él para obtener beneficios económicos.

gigote Guisado de carne picada en trozos pequeños y frita en manteca. ☞ **picadillo, menudillo, trocitos**.

gimnasia 1. Arte de ejercitar, fortalecer y dar flexibilidad al cuerpo por medio de ejercicios. ☞ **calistenia, acrobacia, flexión**.

— *La práctica de la gimnasia favorece a la salud*.

2. Conjunto de estos ejercicios.

— *Hay varios tipos de gimnasia: sueca, rítmica, tradicional*.

— lugar donde se practica la gimnasia: *gimnasio*.

— que realiza ejercicios gimnásticos: *gimnasta*.

— que pertenece a la gimnasia o se relaciona con ella: *gimnástico*.

gimnospermo, -ma Plantas cuyos pistilos no llegan a cerrar, por lo que las semillas quedan al descubierto.

gimotear Gemir frecuentemente sin causa justificada. ☞ **lloriquear, sollozar, suspirar**.

ginebra (vea recuadro de bebidas). Licor que se aromatiza con las bayas del enebro.

gineceo 1. Habitación que los antiguos griegos destinaban a sus mujeres.

— *Se reunían en el gineceo a descansar*.

2. Órgano femenino de la flor.

— *El gineceo es fecundado por el polen*.

ginecología Parte de la medicina que trata de las enfermedades de la mujer.

— que pertenece a la ginecología o se relaciona con ella: *ginecológico*.

— médico que ejerce la ginecología: *ginecólogo*.

ginesta Arbusto de pequeñas flores amarillas que se usa para hacer escobas.

girar 1. Dar vueltas sobre un eje. ☞ **rotar, rolar**. ❖ FIJAR.

— *La puerta de ese almacén gira con facilidad*.

2. Desviarse, cambiar de dirección. ☞ **virar**.

— *Gira a la izquierda; el teatro está en la otra calle*.

3. Expedir letras de cambio o talones.

— *Debo girar este dinero a mamá*.

giro 1. Movimiento circular.

— *Las manecillas del reloj hacen un giro a la derecha*.

2. Acción y resultado de girar.

— *El auto dio tres giros antes de estrellarse*.

3. Dirección que se da a una conversación o negocio.

— *La plática giró en torno a la carestía*.

4. Conjunto de operaciones de una empresa.

— *Voy a dedicarme al giro de bienes raíces pues se gana mucho dinero*.

5. Movimiento o envío de bienes, principalmente de dinero, por medio de pagarés.

— *Mañana te envío tu dinero en un giro postal*.

— cambiar algo con respecto a lo esperado: *tomar otro giro*.

— que da vueltas: *giratorio*.

— gallo que tiene plumas en el cuello y las patas amarillas: *gallo giro*.

girola Nave de un templo con bóveda semicircular adornada al estilo gótico o romano.

giroscopio 1. Instrumento creado para probar el movimiento de rotación de la Tierra. ☞ **giróscopo, giróstato**.

— *León Foucault inventó el giroscopio en 1852*.

2. Aparato para estudiar los movimientos circulares del viento.

— *La magnitud del huracán se midió con el giroscopio*.

giróstato Disco que gira rápidamente y tiende a conservar el plano de rotación resistiendo a cualquier fuerza externa. ☞ **giroscopio**.

gis Pasta de yeso que se utiliza para escribir en superficies enceradas. ☞ **clarión, tiza**.

gitano, -na Raza errante, sin domicilio fijo, procedente al parecer del norte de la India.

— *Un grupo de gitanos se instaló en el baldío de atrás*.

— que pertenece a los gitanos o se relaciona con ellos: *gitano*.

glacial 1. Helado, excesivamente frío. ☞ **gélido**. ❖ CALOR.

— *Anoche hizo un frío glacial*.

2. Indiferente, desabrido. ☞ **antipático, imperturbable, impenetrable**.

— *Pepe es de una indiferencia glacial*.

3. Tierras de las zonas glaciales.

— *En regiones glaciales los habitantes se cubren con pieles*.

glaciar (vea ilustración de la p. 330) Masa grande de hielo acumulada en las montañas que desciende arrastrando grandes rocas y erosionando los valles.

gladiador Luchador en la antigua Roma que combatía a muerte en el circo. ☞ **confector, luchador, agonista, gladiator**.

glande Cabeza del miembro sexual masculino. ☞ **bálano**.

glándula Cualquiera de los órganos que segregan sustancias necesarias para el

glaciar

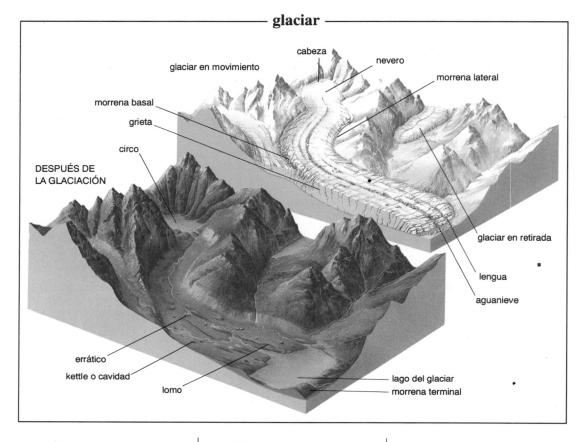

cabeza
nevero
glaciar en movimiento
morrena lateral
morrena basal
grieta
circo
DESPUÉS DE
LA GLACIACIÓN
glaciar en retirada
lengua
aguanieve
errático
kettle o cavidad
lomo
lago del glaciar
morrena terminal

organismo.

— glándula que elabora hormonas: *glándula endócrina.*

— glándula que segrega adrenalina: *glándula suprarrenal.*

— que pertenece a las glándulas o se relaciona con ellas: *glandular.*

glasear Dar brillo a la superficie de un pastel con azúcar glasé.

— abrillantar cualquier superficie: *glasear.*

glauco, -ca De color verde claro.

glaucoma Enfermedad grave del ojo originada por una tensión excesiva en el globo ocular que ocasiona disminución progresiva de la visión.

gleba Masa de tierra que se levanta al pasar el arado.

glera Terreno con muchos fragmentos de piedra.

glicerina Líquido sin color, espeso y dulce que se encuentra en los cuerpos grasos; se usa en farmacias y perfumería, pero principalmente para preparar nitroglicerina.

glifo (vea recuadro de estilos arquitectónicos) Elemento decorativo en forma de surco propio de la arquitectura dórica.

glíptica Arte de grabar en acero los bloques en los que se acuñan las monedas,

medallas, etc.

—arte de grabar en piedras finas: *glíptica.*

gliptoteca Museo dedicado a obras de escultura y piedras grabadas.

globo 1. Cuerpo esférico. ☞ **esfera.**

—*Este globo de vidrio, según la adivinadora, permite ver el futuro.*

2. La Tierra, el planeta que habitamos.

— *El globo terrestre tiene dos polos.*

— con figura de globo: *globoso.*

3. Bolsa de plástico de colores que se infla para hacer un juguete. ☞ **bomba.**

—*El niño gritaba por su globo.*

— globo de enormes proporciones equipado con una canastilla para transportar gente: *hidrostático.*

glóbulo 1. Pequeño cuerpo esférico.

— *La medicina homeopática se suministra en glóbulos.*

. 2. Célula globosa de la sangre.

— *El glóbulo blanco es llamado también leucocito.*

— compuesto de glóbulos: *globuloso.*

gloria 1. Lugar de Dios en el cielo.

— *Dios está en la gloria.*

2. Fama y honor que resulta de hacer buenas cosas.

—*Después de mucho esfuerzo obtuvo la gloria.*

3. Lo que enaltece o ilustra a una per-

sona o cosa.

— *La gloria de los héroes.*

4. Majestad, esplendor.

— *El príncipe es la gloria del reino.*

5. Tela de seda delgada y transparente.

— *El vestido de la novia era de gloria y tules.*

6. Pastel lleno de dulce en forma de curva.

— *En la mesa hay un platón con glorias, conchas y cocoles.*

— estar contento: *estar en la gloria.*

— hacer algo con placer y contento: *estar en sus glorias.*

— estar sabroso un alimento: *saber a gloria.*

glorieta 1. Plaza pequeña en un jardín.

—*Nos reunimos a charlar en la glorieta.*

2. Plaza donde desembocan varias calles o avenidas.

— *Esa calle está cerca de la glorieta.*

glosa 1. Explicación o comentario a un texto difícil de entender.

— *El profesor hizo una glosa de **La Ilíada**.*

2. Compostura o reparo que se pone en las cuentas.

— *Si te equivocas no importa; con una glosa lo resolvemos.*

3. Composición poética.

— *En este siglo ha cambiado el estilo de escribir glosas.*

4. Variación musical que se ejecuta sin sujetarse estrictamente a las notas.

— *Los hermanos interpretaron una glosa sobre un tema de Mozart.*

glotis Abertura superior de la laringe.

glotón, -na Que come mucho y sin control.

— *Eres un glotón; deja de comer.*

— *mamífero carnívoro muy voraz de las regiones árticas de Europa y Asia: glotón.*

glucemia Presencia de azúcar en la sangre.

glucosa Forma del azúcar, soluble en agua, que se encuentra en muchos frutos maduros y en la sangre. ☞ **dextrosa.**

gluglutear (vea recuadro de voces animales). Emitir su voz el pavo.

gluten Sustancia proteínica elástica de color amarillento, pegajosa y sin sabor, que junto con el almidón y otros compuestos se encuentra en los cereales.

glúteo Músculo que forma las nalgas. ☞ **trasero, pompa, tafanario.**

— que pertenece a la nalga o se relaciona con ella: *glúteo.*

gnosticismo Conjunto de sectas y doctrinas filosóficas originarias de Oriente que se extendieron por el mundo grecorromano en el siglo II y se mezclaron con el cristianismo.

gobén Palo que sujeta las tablas que se ponen a los lados del carro o camión para mantener la carga.

gobernar 1. Mandar o regir con autoridad. ☞ **administrar, manejar, regentear.**

— *Para gobernar el país se necesita ser mayor de 35 años.*

2. Dirigir, conducir o guiar una cosa.

— *Se necesita una buena tripulación para gobernar este buque.*

— que gobierna: *gobernador.*

— ministerio de gobierno: *gobernación.*

— Acción y resultado de gobernar: *gobierno.*

— con aptitudes para gobernar: *gobernoso.*

godeo Placer, gusto, deleite, alegría.

gol 1. En el futbol, espacio que hay entre los postes de la meta. ☞ **meta.**

— *Debemos reparar el gol, pues mañana hay juego.*

2. Suerte de meter el balón en este lugar.

— *Anotaron un gol y ganaron.*

— hacer muchos goles: *golear.*

— que anota goles: *goleador.*

golf Juego de origen escocés que consiste en meter, con ayuda de diferentes palos, una pelota en varios hoyos espaciados.

golfear Vivir como golfo. ☞ **vagabundear, callejear, enviciarse, vaguear.**

golfo Gran porción del mar que se interna en la tierra. ☞ **abertura, bahía, abrigadero, caleta, puerto.**

golfo, -fa 1. Vagabundo, pilluelo. ☞ **desarrapado, vago, indeseable.**

— *No tiene un domicilio fijo, anda de golfo.*

2. Mujer que se dedica a la prostitución.

— *En ciertas esquinas de la ciudad abundan las golfas.*

Gólgota Colina situada fuera de la muralla de Jerusalén, donde fue sacrificado Jesucristo. ☞ **religión, calvario.**

golosina Alimento que se come más por gusto que para alimentarse. ☞ **postre, dulce.**

— aficionado a las golosinas: *goloso, glotón.*

golpe 1. Encuentro repentino y violento de dos cuerpos. ☞ **empellón, topada.**

— *Me di un golpe en la mesa.*

2. Multitud o abundancia de una cosa. ☞ **masa, muchedumbre.**

— *El caracol llegó con un golpe de mar.*

3. Desgracia repentina que afecta gravemente a alguien.

— *Su muerte fue un golpe para todos.*

4. Latido del corazón.

— *Tiene alterado el golpe cardiaco.*

5. Asalto, atraco.

— *El robo al banco fue un golpe maestro.*

6. Ocurrencia graciosa y oportuna en una conversación.

— *Estaba tan aburrido hasta que dio el golpe con su broma.*

— que ha sufrido un golpe: *golpeado.*

— obtener algo de manera inesperada: *golpe de suerte.*

— arrepentimiento: *golpe de pecho.*

— acceso de tos: *golpe de tos.*

— evaluación repentina de algo: *golpe de vista.*

— toma de poderes de un Estado de manera violenta: *golpe de estado.*

— sembrar por hoyos: *golpe a golpe.*

— evitar un contratiempo: *parar el golpe.*

golpear Dar repetidos golpes. ☞ **batir, azotar, herir, sacudir, asestar, maltratar, tundir.**

— efecto de golpear: *golpeo, golpeteo.*

gollete 1. Parte superior de la garganta.

— *El ladrón tomó a su víctima por el gollete.*

2. Cuello estrecho de algunos recipientes.

— *Estas botellas de vino llevan un adorno en el gollete.*

goma 1. Sustancia viscosa que se obtiene de la savia de algunos árboles o de plantas marinas, que después de seca se

disuelve en agua para pegar o adherir cosas. ☞ **cola, caucho, pegamento.**

— *Juan pegó su cuaderno roto con goma.*

2. Tira o banda de goma parecida a una cinta. ☞ **liga, resorte.**

— *Puedes sujetar esos papeles con una goma.*

— que sirve para borrar trazos de lápiz: *goma de borrar.*

— chicle: *goma de mascar.*

— untar de goma: *gomar.*

— el que trafica con objetos de goma: *gomero.*

— estado puro y natural de la sustancia extraída de las amapolas para derivar drogas: *goma de opio.*

gónada Glándula productora de gametos masculinos (testículo) y femeninos (ovario). ☞ **reproducción, genital.**

gonce 1. Articulación de los huesos. ☞ **esqueleto, hueso.**

— *Se quebró el brazo justo en el gonce.*

2. Herraje con que se fijan las puertas y ventanas. ☞ **gozne.**

— *Hay que aceitar los gonces de esa puerta.*

góndola 1. Bote de turismo usado en Venecia.

— *Las góndolas comenzaron a usarse en Venecia en el año 1000.*

2. Carruaje donde pueden viajar juntas varias personas.

— *En Chapultepec hay paseos en góndola.*

3. Estantería de autoservicio, con mercancías en ambos lados.

— *Contrataron a un experto en decorar góndolas y la tienda quedó preciosa.*

gong Instrumento de percusión oriental, en forma de disco, que vibra al ser golpeado por un palo forrado con tela de seda. ☞ **gongo, batintín.**

gonococo Bacteria que produce inflamación de la mucosa de los órganos genitales.

gonorrea Infección en el flujo mucoso de los genitales causada por la presencia de gonococos. ☞ **sífilis, venéreo.**

gordo, -da 1. Que tiene mucha carne. ☞ **res, cerdo, ganado, carne.**

— *El becerro está muy gordo.*

2. Abultado o grueso.

— *Tengo que leer este libro para mañana y está muy gordo.*

3. Que excede del grosor común.

— *Pásame el hilo más gordo.*

4. Sebo de la carne animal.

— *Detesto los gordos de la carne.*

5. Tortilla de maíz más gruesa que la común. ☞ **garnacha, sope, maíz.**

— *Desayunamos gorditas en Toluca.*

6. Persona con exceso de peso. ☞ **gruesa, obesidad.**

—*Rebeca está demasiado gorda.*

— premio mayor de la lotería: *premio gordo.*

— provocar discusión: *armar la gorda.*

— estar embarazada: *estar gorda.*

— hombre que tiene gran importancia: *pez gordo.*

Gorgonas Monstruos mitológicos: Medusa, Euríale y Esteno, con cabellera de serpientes; Medusa convertía en piedra a todo aquel que la mirara.

— que pertenece a las Gorgonas o se relaciona con ellas: *gorgónea.*

gorgoritear Hacer quiebros con la voz al cantar. ☞ **gargantear.**

gorjear Empezar a hablar un niño.

— voz de los pájaros: *gorjeo.*

gorra Prenda para proteger y abrigar la cabeza, con visera o alas para cubrir las orejas. ☞ **montera, cachucha, papalina, boina.**

—*En las mañanas acostumbra ponerse una gorra de piel.*

— que vive o come a expensas de los demás: *gorrón.*

— hacerse invitar para comer a costillas de los demás: *gorrear.*

— hacer las cosas gratis: *de gorra.*

gorrear Vivir a costa de los demás.

gorro Prenda que se pone a los niños para cubrirles la cabeza y que se asegura con cintas debajo de la barba. ☞ **gorra, cofia, casquete, bonete.**

— perder la paciencia, no aguantar más: *estar hasta el gorro.*

— beber con exceso: *ponerse hasta el gorro.*

gota 1. Parte muy pequeña de un líquido. ☞ **pinta, lágrima, glóbulo.**

—*Sirve el vino sin tirar una gota.*

2. Enfermedad que causa hinchazón muy dolorosa en ciertas articulaciones.

— *Por la gota no puedo caminar.*

— salpicado de gotas: *goteado.*

— no ver nada: *no ver ni gota.*

— límite de una situación: *la gota que derramó el vaso.*

— sufrir mucho para conseguir algo: *sudar la gota gorda.*

— dar o recibir una cosa poco a poco: *a cuentagotas.*

gotear 1. Caer un líquido gota a gota. ☞ **destilar.**

—*El techo gotea, pon un recipiente debajo.*

— avería en los techos que provoca goteo constante: *gotera.*

2. Comenzar a llover. ☞ **chispear, lloviznar.**

— *Ya empezó a gotear, no tarda en caer un aguacero.*

— efecto de gotear: *goteo.*

gótico, -ca 1. Referente al antiguo pueblo de los godos, establecido en Escan-

dinavia tres siglos antes de Jesucristo.

—*Los góticos fundaron los reinos de España e Italia.*

— lengua de los godos: *gótica.*

2. Arte que se desarrolló en la Europa occidental del siglo XII hasta el Renacimiento.

— *Los edificios góticos parece que desafían la gravedad.*

3. Tipo o estilo de letra impresa muy usual en el siglo pasado.

— *Las invitaciones se mandaron hacer en letras góticas.*

— letra angulosa y rectilínea: *gótica.*

gozar 1. Poseer una cosa de la que se saca ventaja, dignidad o renta. ☞ **disfrutar.** ❖ SUFRIR.

—*Goza de gran prestigio.*

2. Tener gusto por algo. ☞ **recrearse, deleitarse.**

—*Hay que gozar la música.*

3. Sentir placer o experimentar gratas emociones. ☞ **saborear.**

—*Goza yendo al cine.*

4. Placer derivado de tener relaciones sexuales.

— *Las parejas gozan amándose.*

— pasar un rato agradable: *gozarla.*

— estar feliz: *tener gozo.*

— estar sumamente feliz: *no caber en sí de gozo.*

— hay que disfrutar la vida: *el muerto al pozo y el vivo al gozo.*

gozne Herraje articulado con que se fijan las puertas y ventanas. ☞ **bisagra, charnela, gonce.**

grabar 1. Labrar con el buril dibujos o símbolos sobre una superficie de metal, piedra o madera. ☞ **celar, esculpir, tallar, labrar.**

—*En mi medalla de bautizo grabaron mi nombre.*

2. Registrar sonidos en un disco fonográfico o cinta magnética.

— *Grabé la canción que te gusta.*

3. Fijar en la memoria algo. ☞ **aprender, recordar.** ❖ OLVIDAR.

—*No me pude grabar el número telefónico que me diste.*

gracia 1. Don de Dios que eleva a las personas a la vida eterna. ☞ **perdón, indulto, piedad, misericordia, compasión.** ❖ CONDENAR.

—*Con la gracia de Dios se salvará su alma.*

2. Don natural que hace agradable a una persona. ☞ **simpatía, afabilidad.**

—*Tiene gracia para platicar.*

3. Atractivo que se advierte en las personas, independientemente de la belleza de sus facciones. ☞ **donaire, galanura, garbo.** ❖ SOSERA.

— *La mejor gracia que tiene es su amabilidad.*

4. Beneficio o favor que se hace sin esperar algo a cambio.

— *El maestro me concedió la gracia de aprobarme.*

5. Perdón o indulto de pena que se concede. ☞ **venia.**

— *Con la gracia del juez pudieron salir libres.*

6. Chiste, dicho discreto. ☞ **humor, jovialidad, chispa, ocurrencia.**

—*Hizo una gracia y todos comenzamos a reír.*

— perder la simpatía de alguien: *caer de su gracia.*

— agradar, complacer: *caer en gracia.*

— agradecer algo: *dar las gracias.*

— que tiene apariencia atractiva: *gracioso.*

— que es chistoso, que tiene gracia: *gracioso.*

— belleza, perfección: *graciosidad.*

— inclinado a hacer gracias: *graciable.*

grácil Delicado, fino, sutil. ❖ BURDO.

grada 1. Escalón corrido que se utiliza como asiento. ☞ **peldaño.**

—*Improvisaron unas gradas para el desfile.*

2. Conjunto de asientos en los teatros.

— *Únicamente hay boletos para las gradas.*

3. Plataforma de madera que se pone al pie de los altares.

— *El sacerdote continuará la ceremonia en las gradas.*

4. Conjunto de escalones que tienen los edificios grandes delante de la fachada. ☞ **escalinata.**

—*Te espero en las gradas de la puerta principal.*

5. Plano inclinado a orillas del mar, sobre el cual se construyen los barcos.

— *Las playas de Manzanillo tienen una antigua zona con gradas.*

6. Instrumento con el que se allana la tierra para sembrar.

—*Hay que empezar a pasar las gradas por este campo para que la siembra no se atrase.*

gradación Serie de cosas ordenadas por grados. ☞ **sucesión, escala, graduación.**

grado 1. Peldaño. ☞ **escalón.**

—*Van a cubrir de alfombra estos grados.*

2. Cada generación que marca el parentesco entre las personas.

— *Es su primo en tercer grado.*

3. Cada uno de los niveles que en relación de menor a mayor puede tener algo.

—*El grado de humedad en esta casa es alarmante.*

— con exceso: *en grado sumo.*

4. Título que se da al que se recibe en la universidad.

—*Obtuvo el grado de licenciatura.*

5. Sección en la que se agrupan los alumnos según sus conocimientos.

—*Estudia el cuarto grado de primaria.*

6. Cada uno de los estados, valores o cualidades que en relación de menor a mayor puede tener una cosa.

— *Tiene cuatro grados de alcohol.*

7. Jerarquía personal. ☞ **cargo, empleo**.

—*El intendente tiene un grado académico.*

8. Unidad de medida de una escala.

— *El termómetro marca tres grados.*

9. Cada una de las 360 partes iguales en que se considera dividido el círculo.

— *Tiene un ángulo de 45 grados.*

10. Unidad para medir la temperatura.

— *Los grados se calculan en centígrados, Fahrenheit y Celsius.*

— hacer las cosas con voluntad, con gusto, satisfacción: *de buen grado.*

gradual 1. Que está por grados o va de grado en grado. ☞ **escalonado, paulatino, progresivo.**

—*El cambio será gradual, no de golpe.*

2. Parte de la misa que se reza entre la epístola y el evangelio.

—*Hoy cantamos el salmo gradual mis amigos del coro y yo.*

graduar 1. Dar a una cosa el grado que le corresponde. ☞ **matizar, medir.**

—*Graduaron mis lentes pues mi astigmatismo ha aumentado.*

2. Conceder un grado.

— *El profesor graduó los exámenes del 1 al 10.*

3. Obtener un nivel académico. ☞ **licenciarse, doctorarse.**

—*Mañana se gradúan los alumnos de medicina.*

grafía Signo o conjunto de signos con que se representan sonidos o palabras. ☞ **escritura, letra, rasgo.**

gráfico, -ca 1. Que pertenece a la escritura y a la imprenta o se relaciona con ellas. ☞ **representación.**

— *Los trabajos gráficos son imprescindibles en una editorial.*

2. Que se representa con dibujos o signos. ☞ **esquema.**

—*La idea de paz se simboliza con el gráfico de una paloma blanca.*

3. Modo de hablar que describe las cosas con la misma claridad que un dibujo. ☞ **expresivo, claro.**

—*Su explicación gráfica nos permitió comprender mejor el tema.*

— representación de datos numéricos con ayuda de líneas: *gráfica.*

grafito 1. Mineral de color negro agrisado, compuesto a base de carbono, que se emplea en la elaboración de lapiceros, materiales refractarios e instrumentos industriales. ☞ **carboncillo,** mina, pizarrín.

— *Este lápiz tiene el grafito muy quebradizo.*

2. Dibujo hecho a mano en los monumentos.

— *Los antiguos dejaron testimonios* de su vida en grafitos de gran valor artístico.

grafología Estudio de la escritura de una persona para conocer sus características psicológicas.

— que pertenece a la grafología o se

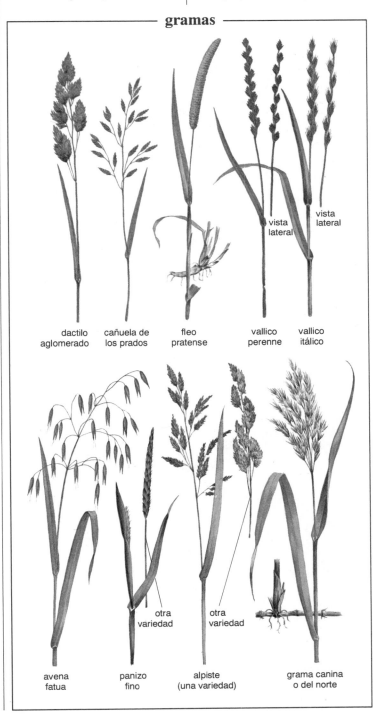

gramas

dactilo aglomerado

cañuela de los prados

fleo pratense

vallico perenne

vallico itálico

vista lateral

vista lateral

avena fatua

panizo fino

alpiste (una variedad)

grama canina o del norte

otra variedad

otra variedad

relaciona con ella: *grafológico*.
— que practica la grafología: *grafólogo*.
— adivinación del futuro por medio de la escritura: *grafomancia*.

gragea 1. Medicamento en forma de pequeña pastilla que se ingiere por la boca y suele estar cubierta de azúcar. ☞ **almendrilla, píldora, medicina, homeopatía.**
— *Muchos prefieren tomar grageas que ponerse inyecciones.*
2. Dulces muy pequeños de varios colores. ☞ **confite, chochito.**
— *Me gustan las grageas de chocolate.*
— que elabora grageas: *grageador.*

grajear (vea recuadro de voces animales) 1. Cantar o chillar de los cuervos. ☞ **graznar.**

GRAMÁTICA: Uso de abreviaturas

Una abreviatura consiste en la reducción gráfica de una palabra por medio de la supresión de algunas letras. La abreviatura se obtiene quitando letras al final o en medio del vocablo. Para indicar que una palabra se encuentra abreviada se coloca un punto seguido, aunque las abreviaturas de medidas de magnitud y de instituciones universalmente conocidas no llevan punto. La sigla es un tipo de abreviatura en la cual se suprime todas las letras de las palabras con excepción de la inicial. Habitualmente, el uso de abreviaturas se da en correspondencia comercial, en obras de consulta general como diccionarios y enciclopedias y en manuales de carácter científico.

MEDIDAS.

a Área.
A Amperio.
°C Grado centígrado.
cal Caloría.
cm³ Centímetro cúbico.
dl Decilitro.
Dl Decalitro.
dm Decímetro.
Dm Decámetro.
g o gr Gramo.
h Horas.
ha Hectárea.
hg Hectogramo.
hl Hectolitro.
hm Hectómetro.
Hz Hertzio.
kg Kilogramo.
km Kilómetro.
kW Kilovatio.
kWh Kilovatio-hora.
l Litro.
lib Libra.
m Metro, Minuto.
mg Miligramo.
min. Minuto.
mm Milímetro.
mmHg Milímetro de mercurio.
s Segundo.
ton Tonelada.

PROFESIONES.

Act. Actuario.
Biol. Biólogo.
C.P. Contador Público.
Dr., Dra. Doctor, Doctora.
Econom. Economista.
Farm. Farmacéutico.
Fis. Físico.
Gral. General.
Ing. Ingeniero.
Lic.,
Ldo., Lda. Licenciado, Licenciada.
Mtro.,
Mtra. Maestro, Maestra.
Quim. Químico.
Sociol. Sociólogo.

TÍTULOS RELIGIOSOS.

Arz. o
Arzbo. Arzobispo.

Em.a Eminencia.
Emmo. Eminentísimo.
Ilmo. Ilustrísimo.
I.N.R.I. Jesús Nazareno rey de los judíos.
J.C. Jesucristo.
Mons. Monseñor.
Na. Sa. Nuestra Señora.
N.S.J.C. Nuestro Señor Jesucristo.
Ob. o
Obp.o Obispo.
Pbro. Presbítero.
S. Santo.
S.S. Su Santidad.
SSmo. Santísimo.
Sta. Santa

MANERAS RESPETUOSAS DE DIRIGIRSE A LAS PERSONAS.

C. Ciudadano.
D., Da. Don, Doña.
Exc. Excelencia.
Excmo. Excelentísimo.
Mme. Madame.
Mlle. Mademoiselle.
M. Monsieur.
Mr. Mister.
Mrs. Mistress.
M.M. Messieurs.
S.A.R. Su Alteza Real.
S.M. Su Majestad.
Sr. Señor.
Sra. Señora.
Sres. Señores.
Srita. Señorita.
V.M. Vuestra Merced.

ACLARACIONES EN UN TEXTO.

B.O. Boletín Oficial.
cap. Capítulo.
cía. Compañía.
c/c Cuenta corriente.
c.c.p. Con copia para.
Cf., Cfe. *Confer.* Compárese.
dcha. Derecha.
dupdo. Duplicado.
etc. Etcétera.
ibíd., ib. Ibídem. En el mismo lugar.
id. Idem. Lo mismo.
izq., izqda. Izquierda.
loc. cit. Loco Citato. Citado en.
N.B. *Nota Bene.* Nótese.

no., num. Número.
pág. Página.
págs. Páginas.
Parágrafo. pgr.
P.D. Posdata.
p. ej. Por ejemplo.
P.O. Por orden.
s.e.u.o. Salvo error u omisión.
sgte. Siguiente.
s/n Sin número.
S.O.S. Petición de auxilio.
$ Peso, dólar o escudo.
Tel. Teléfono.
v.g.,
v. gr. Verbigracia.
vid., vide. Veáse.
Vo. Bo. Visto Bueno.
X Anónimo, Desconocido.
& Y.

SOCIEDADES MERCANTILES.

S.en C. Sociedad en Comandita.
S.de R.L. Sociedad de Responsabilidad Limitada.
S.A. Sociedad Anónima.
S.en C.
por A. Sociedad en Comandita por Acciones.
C.V. Capital Variable.

INDICACIONES TEMPORALES.

a.C.,
a. de J.C. Antés de Cristo.
a.m. *Ante Meridiem.* (Antes del mediodía).
d.C.,
d. de J.C. Después de Cristo.
p.m. *Post Meridiem.* (Después del mediodía).

FORMAS DE DESPEDIDA.

afmo. Afectísimo.
afto. Afecto.
atto. Atento.
B.L.M. Besa la mano.
D.m. Dios mediante.
q.e.g.e. Que en gloria esté.
q.e.p.d. Que en paz descanse.
R.I.P. *Requiéscat in pace.*
s.s.s. Su seguro servidor.

—*Los cuervos se acercaron grajeando.*
2. Sonido gutural que hace un niño cuando aún no sabe hablar.

grama (vea ilustración de la p. 333). Plantas herbáceas de tallo rastrero que echan raicillas por los nudos. ☞ **pasto.**

gramática 1. Parte de la lingüística que estudia la forma y el orden de las palabras.
—*La gramática más antigua que existe es la del idioma sánscrito, escrita por Panini hacia el año 350 a. de C.*
2. Arte de hablar y escribir correctamente una lengua.
—*Si no conoces la gramática es difícil que estructures bien un relato*
— que pertenece a la gramática: *gramatical.*
— conforme a las reglas de la gramática: *gramaticalmente.*
— experto en gramática: *gramático.*

gramófono Instrumento que reproduce las vibraciones del sonido grabadas de un disco. ☞ **fonógrafo.**

grana 1. Semilla pequeña de los vegetales.
—*La grana de elote es muy alimenticia.*
2. Tiempo en que se cuaja el grano de trigo, lino, cáñamo, etc.
— *Pasó la temporada de grana del trigo.*
3. Fruto de los árboles del monte.
— *Esa zona está sembrada de granas, bellotas y hayucos.*
4. Color rojo que se extrae del insecto llamado cochinilla.
—*Estaba tan avergonzado que se puso como la grana.*
— cochinilla: *grana.*
— paño fino de color rojo: *grana.*

granate 1. Piedra preciosa de color rojo oscuro. ☞ **gema, joyería.**
—*El granate es una de las joyas más bellas.*
2. Color rojo oscuro.
— *El abrigo tiene un tono granate.*

grande 1. Que excede en tamaño, importancia o intensidad a lo común. ☞ **considerable, amplio, colosal, descomunal, exagerado.** ❖ PEQUEÑO.
—*No había visto un portón tan grande.*
2. Persona de edad avanzada.
— *Está grande para trabajar.*
3. Persona de elevada jerarquía. ☞ **noble, magnate, prócer.**
—*Tu abuelo es uno de los grandes del pueblo.*
— vivir con lujo: *en grande.*
— cualidad de grande: *grandeza.*

grandilocuencia Talento muy amplio para hablar o escribir.
— estilo elegante y sublime: *grandilocuencia.*
— que habla con grandilocuencia: *grandilocuente.*

GRAMÁTICA: Reglas de acentuación

Se conoce como acento a la mayor intensidad acústica con que destacamos un sonido. Mediante el uso de los acentos regulamos la fuerza y duración de los sonidos. Todas las palabras poseen un acento que determina el ritmo del lenguaje (acento prosódico); sin embargo, solamente algunas se acentúan gráficamente con un signo llamado acento ortográfico o tilde.

De acuerdo al lugar de la sílaba donde recae el acento, comenzando por el final de las palabras, éstas se dividen en: **agudas** (primera sílaba), **graves o llanas** (segunda sílaba), **esdrújulas** (tercera sílaba) y **sobresdrújulas** (cuarta sílaba).

El uso del acento ortográfico o escrito en nuestra lengua se ajusta a las siguientes reglas:

1. Llevan tilde todas las palabras agudas terminadas en vocal, n y s.
Ejemplo: menú, corazón, aguarrás.
2. Todas las palabras graves se acentúan gráficamente con excepción de las que terminan en vocal, n y s.
Ejemplo: cárcel.
3. Todas las palabras esdrújulas y sobresdrújulas se acentúan gráficamente.
Ejemplo: pájaro, dándosele.
4. Cuando existan dos o más vocales que no formen diptongo, la tilde se coloca sobre la vocal que tenga el acento prosódico.
Ejemplo: María, veníais.
5. El acento diacrítico se usa para diferenciar dos palabras que se escriben de igual forma pero cuyo significado es distinto.
Ejemplo: sí (afirmación) y si (condicional y nota musical).

---

granear 1. Echar semilla sobre un terreno.
—*Ya es tiempo de granear la tierra.*
2. Convertir en grano la masa con la que se elabora la pólvora.
—*Hay que granear esta pólvora, pues la guerra ya ha estallado.*

granel Se aplica a las cosas menudas que están en montón y sin pesar.
— en abundancia: *a granel.*

granillo 1. Grano pequeño. ☞ **helero.**
—*En esta cosecha sólo se obtuvo granillo.*
2. Tumor que nace en la rabadilla de los canarios y jilgueros.
— *A los pajaritos les dio granillo.*

granizar 1. Caer agua congelada. ☞ **granizo.**
—*Procura taparte al salir, porque aún no termina de granizar.*
2. Caer cosas con abundancia. ☞ **apedrear.**
— *Durante la erupción el volcán granizaba ceniza.*

granja 1. Hacienda de campo con casa, ganado y dependencias para los trabajadores. ☞ **quinta, rancho.**
—*En la granja se producen naranjas de muy buena calidad.*
2. Establecimiento donde se venden productos hechos a base de leche. ☞ **cortijo, lechería.**
— *Los quesos más ricos los compré en la granja.*

granjear 1. Obtener ganancias traficando con animales u objetos.
—*Se dedica a granjear pollos y verdura.*
2. Adquirir o conseguir cualquier cosa.

☞ **obtener, alcanzar.**
—*Necesitamos granjear esas piezas para reparar el automóvil.*
3. Atraer la voluntad o simpatía de una persona al hacer buenas acciones. ☞ **captar, merecer.**
— *Te granjeaste el aprecio del maestro con tu simpatía.*
— persona que cuida una granja: *granjero.*

grano 1. Semilla y fruto de los cereales.
— *Los granos de elote tierno son un platillo delicioso.*
2. Semilla de varias plantas. ☞ **gránulo.**
—*Los granos de mostaza dieron buen sabor a la ensalada.*
3. Porción menuda de otras cosas.
—*Tengo granos de arena en los zapatos.*
4. Especie de tumorcillo que nace en la piel.
— *Tengo granos en la pierna.*
5. La cuarta parte de un quilate en las piedras preciosas.
— *Era un grano de diamante.*
— ayudar en forma mínima a una buena acción: *poner un grano de arena.*
— distinguir lo importante de lo que no lo es: *apartar el grano de la paja.*
— explicar algo sin rodeos: *ir al grano.*
— superficie con forma de granos: *granoso, granulado.*
— que tiene muchos granos: *granujiento.*

granuja 1. Uva separada de los racimos.
—*Sólo quedaron granujas en el plato.*
— grano de la uva: *granuja.*
2. Vagabundo, malviviente. ☞ **pícaro.**

—*Ese granuja no hace nada y se pasa el día borracho.*

— grupo de pillos. *granujería.*

granulado, -da Sustancia formada por granos pequeños.

granular 1. Que se relaciona con la erupción de granos en la piel.

—*Tiene una enfermedad granular.*

2. Tratamiento químico con el que se reduce a granillos una masa pastosa.

—*En el laboratorio se dedican a granular químicos.*

grao Playa que sirve de desembarcadero.

grapa 1. Pieza metálica con dos extremos en ángulo recto que se clavan para sujetar algo. ☞ **fijador, gafa.**

—*Pon una grapa a esos papeles para que no se confundan con los demás.*

— utensilio que sirve para poner grapas: *engrapadora.*

2. Gajo de la uva.

—*En algunas regiones se hace licor de grapa.*

grasa 1. Manteca, unto o sebo de un animal.

— *Comimos garnachas preparadas con grasa de cerdo.*

2. Suciedad que sale de la ropa por el contacto con el cuerpo. ☞ **mugre.**

—*Debes lavar bien esa camiseta, pues tiene sudor y grasa.*

3. Lubricante graso.

—*Les hace falta grasa a los amortiguadores.*

gratificar 1. Recompensar o premiar, principalmente con dinero. ☞ **remunerar, propina.**

— *Mi papá fue bien gratificado por su celo en el trabajo.*

2. Dar gusto, complacer.

—*El deporte gratifica física y mentalmente.*

— aguinaldo: *gratificación.*

gratinar Cocer al horno un comestible bañado con salsa, queso o pan rallado, con trocitos de mantequilla para conseguir una costra dorada.

gratis De gracia o de balde.

— que se da gratis: *gratisdato.*

— tener cosas gratis: *de oquis.*

gratitud Sentimiento que impulsa a agradecer un beneficio obtenido. ☞ **reconocimiento.** ❖ INGRATITUD.

grato, -ta Que es agradable, que causa gusto. ☞ **atrayente, amable, deseable, gustoso.** ❖ DESAGRADABLE.

gratuito 1. Que se obtiene sin pagar precio alguno. ☞ **libre, regalado.**

—*El espectáculo fue gratuito.*

2. Argumento infundado. ☞ **arbitrario, improcedente.**

—*Su acusación es gratuita.*

grava Piedra machacada empleada en la construcción. ☞ **cascajo, recobo,** balasto.

gravamen 1. Carga u obligación que lleva una persona.

— *Los asuntos del negocio son un gravamen difícil de afrontar.*

2. Carga impuesta a un inmueble. ☞ **impuesto.**

—*El gravamen de la casa debe liquidarse.*

gravar Imponer una carga. ☞ **pesar.**

grave 1. Cuerpo pesado. ☞ **enorme, pesante.** ❖ LIGERO.

—*Durante el terremoto cayeron los edificios más graves.*

2. Grande, de mucha importancia. ☞ **imponente, trascendental.**

—*El negocio que emprendió tuvo consecuencias graves.*

3. Que encierra peligro o es susceptible de consecuencias dañosas.

—*Es muy grave que faltes a la escuela.*

4. Persona que está enferma de cuidado.

—*La salud de la tía es grave.*

5. Serio, que causa respeto.

—*El maestro entró al salón con expresión grave.*

6. Sonidos y voces en tono bajo.

— *El cantante alcanzaba notas muy graves.*

7. Algo molesto, enfadoso, difícil.

— *Tener que ir a trabajar me resulta grave.*

8. Acento que recae en la penúltima sílaba.

— *"Esto" es una palabra grave que no se acentúa ortográficamente.*

gravedad 1. Fuerza de atracción que impulsa los cuerpos hacia el centro de la Tierra.

—*Los objetos lanzados al aire caen por la fuerza de gravedad.*

2. Seriedad. ☞ **decoro.**

—*El presidente entró a la cámara con aire de gravedad.*

3. Grandeza o importancia de una cosa.

—*Por la gravedad de su enfermedad se le debe hospitalizar.*

gravidez Embarazo de una hembra. ☞ **preñez, gestación.**

gravitar 1. Movimiento de dos cuerpos a causa de la atracción que ejerce la distancia entre las masas de ambos.

—*La luna gravita en torno a la Tierra.*

2. Ser una carga una persona o cosa.

—*Los ancianos gravitan en sus familiares, pues ya no pueden trabajar.*

gravoso 1. Molesto en exceso. ☞ **enfadoso, intolerante.**

—*El pleito fue más gravoso de lo que pensaba.*

2. Que ocasiona gastos. ☞ **caro, costoso, oneroso.**

—*El mantenimiento de la máquina es gravoso.*

graznar (vea recuadro de voces animales). Emitir graznidos algunas aves. ☞ **chirrido, grito.**

graznido Sonido que producen algunas aves, como el cuervo, el ganso, etc.

— canto desentonado que molesta al escucharlo: *graznido.*

greca Faja con elementos decorativos que se repiten. ☞ **ribete, borde.**

greda Arcilla arenosa que se usa para quitar la grasa de los paños y limpiar manchas.

gregario 1. El que está en un grupo sin distinguirse de los demás. ☞ **impersonal.**

—*El alce es un animal gregario.*

2. El que obedece iniciativas o ideas ajenas.

—*Realiza tus planes, no te inclines por actitudes gregarias.*

greguería 1. Gritería confusa de la gente. ☞ **algarabía, escándalo, confusión.**

—*La greguería no permitió que hablara el líder.*

2. Imagen aguda en prosa que expresa una muy particular visión de la realidad.

—*Ramón Gómez de la Serna era un maestro escribiendo greguerías.*

gremial 1. Que pertenece a un grupo, oficio o profesión.

—*La asociación gremial de la empresa ganó la elección.*

— que pertenece a un gremio o se relaciona con él: *gremial.*

2. Paño que utilizan los obispos en algunas ceremonias religiosas.

—*Cuando lo hicieron obispo, estrenó su gremial.*

gremio 1. Corporación de personas que tienen un mismo oficio, actividad o profesión. ☞ **asociación, sindicato, junta, corporación.**

—*El gremio azucarero comenzó una huelga.*

2. Unión de fieles de una congregación religiosa.

— *El gremio católico festejó a San Lucas el domingo.*

greña 1. Cabellera revuelta y mal peinada. ☞ **melena.**

—*Arréglate esa greña.*

2. Lo que está enredado y entretejido con otra cosa. ☞ **maraña.**

— *Los estambres estaban hechos greñas.*

3. Porción de cereal maduro que se pone en un terreno plano para separarlo de la paja.

— *Guardaron la greña del centeno en un silo.*

— tener problemas continuos: *andar a la greña.*

— que está sin purificar: *en greña.*

greñudo 1. Que tiene greñas.

—*¡Qué greñudo andas!*

2. Caballo que teme detenerse.

—*Este greñudo se va a desbocar.*

gres Pasta de arcilla que se emplea en alfarería para hacer recipientes resistentes, impermeables y refractarios. ☞ **arcilla, cerámica, alfarería.**

gresca 1. Riña, conflicto. ☞ **bulla, alboroto, bronca.**

—*La gresca se inició sin que nos diéramos cuenta y fuimos a dar a la cárcel.*

2. gritería que produce la gente.

—*Por la gresca que armaron era difícil escuchar al orador.*

grey 1. Rebaño de ganado menor. ☞ **manada, ganado.**

—*Sólo conseguimos alimento para la grey de borregos.*

— rebaño de ganado mayor: *grey.*

2. Congregación de los fieles cristianos.

—*La grey católica asistió a misa.*

3. Conjunto de personas que tienen características en común, como la raza, el lenguaje, etc.

—*La grey negra de África se ha extendido a otros países.*

grial En la poesía medieval, vaso que se supone sirvió para establecer el sacramento eucarístico y en el que José de Arimatea recogió la sangre que brotaba del costado de Cristo en la cruz.

grieta Abertura en la tierra o en la piel. ☞ **hendidura, raja, abertura.**

—*Le salieron grietas en las manos por trabajar sin guantes.*

— que tiene grietas: *agrietado.*

grifa Droga conocida como mariguana. ☞ **mariguana.**

grifo, -fa 1. Cabello abundante muy ondulado y enmarañado. ☞ **crespo, ensortijado.**

—*Tiene tan grifo el cabello que parece que anda despeinado.*

2. Persona de cabello ensortijado que indica mezcla de raza blanca y negra.

—*Aunque es blanco y barbado, por su pelo rizado sé que Ricardo desciende de africanos.*

3. Persona intoxicada con mariguana. ☞ **mariguano, drogadicto.**

—*En esa zona siempre hay grifos.*

4. Animal mitológico con el cuerpo mitad águila y mitad león.

—*En el escudo nobiliario se apreciaban dos grifos bellísimos.*

5. Llave de metal de las cañerías y calderas para regular el paso del agua.

—*El grifo del lavabo se rompió y el agua está tirándose.*

grillete 1. Arco de hierro que se coloca en los pies de los presos.

—*Los prisioneros morían con el grillete puesto.*

2. Cada trozo de una cadena con la que se tira el ancla.

—*Lanza los grilletes al mar para desembarcar en este puerto.*

grillo Insecto omnívoro de color verde o negro rojizo que produce un sonido agudo uniforme.

— lugar de confusión: *olla de grillos.*

grima Disgusto que provoca una cosa. ☞ **asco, enojo, horror.**

gringo, -ga 1. Extranjero que habla inglés.

—*Vinieron varios gringos a la fiesta.*

2. Lengua inglesa.

—*Me habló en gringo.*

gripe Enfermedad contagiosa aguda e infecciosa cuyos principales síntomas son fiebre y molestias nasales. ☞ **gripa, influenza.**

— *Tuve que guardar reposo por la gripe.*

gris 1. Color que resulta de la mezcla de negro o azul con blanco.

—*La escalera está pintada de gris.*

2. Sin definición, poco destacado. ☞ **ceniciento.**

—*El diseño no es bueno; lo siento un poco gris.*

3. Triste, apagado. ☞ **monótono, melancólico.**

—*De adolescente solía tener el humor gris.*

4. Ardilla común llamada petigrís en peletería.

— *Se confeccionó un saco con las grises que atrapó.*

— parecido al gris: *grisáceo.*

— ir tomando color gris: *grisear.*

grisú Gas inflamable de las minas de hulla que al contacto con el aire forma una mezcla explosiva.

gritar Levantar la voz más de lo normal. ☞ **chillido, clamor.**

griterío Confusión de voces altas. ☞ **alboroto.**

grito 1. Voz emitida con gran fuerza. ☞ **alarido, chillido, queja.**

—*Al ver una rata la mujer dio un grito agudo.*

2. Sonido que producen los hielos de los mares glaciales al romperse.

—*Debe ser imponente el grito de los icebergs.*

3. Manifestación vehemente del sentir general.

—*Los mexicanos damos el grito de independencia el 15 de septiembre.*

— quejarse por un dolor: *estar en un grito.*

— quejarse de una cosa: *poner el grito en el cielo.*

gritón, -na Que grita mucho.

grosella Baya del grosellero, jugosa, de color rojo y sabor agridulce, que se emplea para elaborar bebidas o jaleas.

grosería 1. Falta de atención grave, descortesía. ☞ **desatención, descaro.**

—*No pensé que me hiciera tal grosería, estoy muy enojada.*

2. Falta de delicadeza al hacer un trabajo manual. ☞ **tosquedad, rudeza.**

—*La vasija no gustaba a nadie, pues estaba elaborada con grosería.*

3. Falta de cultura, ignorancia.

—*El vecino se expresa con grosería.*

grosero, -ra 1. Sin arte, mal logrado. ☞ **burdo, vulgar, rudo.**

—*Esta pintura es grosera y ordinaria, su autor no tiene talento.*

2. Que no respeta las normas de urbanidad. ☞ **descortés, incivil, desatento, mal educado.**

—*Esa mujer es una grosera, se presenta inoportunamente a donde no la invitan.*

grosor Grueso de un cuerpo. ☞ **volumen, dimensión.**

grosso modo En general, a grandes rasgos.

grotesco, -ca 1. Que es ridículo o extravagante.

—*Era grotesca la forma en que vestía.*

2. De mal gusto. ☞ **grosero.**

—*Su forma de expresarse es grotesca.*

grúa 1. Máquina sobre un eje con una o dos poleas que sirve para levantar cosas pesadas.

—*Con la grúa sostuvieron el bloque de concreto.*

2. Vehículo con grúa para remolcar autos.

—*La grúa se llevó tu carro por dejarlo en un lugar prohibido.*

3. Aparato que lleva una cámara cinematográfica con posibilidades de avanzar y retroceder.

— *Con la grúa, el camarógrafo se acercó a la heroína de la película.*

grueso, -sa 1. Que excede de lo regular en espesor.

—*La lona es de una tela muy gruesa.*

2. Que es corpulento, abultado, voluminoso.

— *Los luchadores tienen el cuerpo grueso.*

3. Fuerte, duro y pesado. ☞ **resistente.**

— *El material debe ser grueso para que resista.*

4. Parte principal de un todo.

—*El grueso del ejército está preparado.*

5. Trazo muy amplio.

— *Con una línea gruesa destacas el título.*

6. Mar cuando hay marejada.

—*No queríamos embarcarnos con la mar gruesa.*

— en cantidades grandes: *en grueso.*

— ser difícil de comprender: *estar grueso.*

— ser audaz, atrevido, pendenciero: *ser grueso.*

grulla 1. Ave zancuda de gran pico que suele sostenerse en un pie.

— *La grulla es un ave de paso en España.*

2. Antigua máquina con la que se atacaban las plazas.

— *Para dispersar a la gente se empleaban grullas.*

grumete Aprendiz de marinero.

grumo 1. Parte de un líquido que adquiere una forma semisólida. ☞ **coágulo, terrón, cuajarón.**

— *Hay grumos de leche en el vaso.*

2. Conjunto de cosas apretadas entre sí. ☞ **manojo.**

— *Compra un grumo de espárragos.*

grumoso Que está lleno de grumos.

gruñido (vea recuadro de voces animales) 1. Voz de los animales cuando amenazan. ☞ **bufido, ronquido.**

— *El gruñido del perro me asustó.*

2. Sonidos roncos que hace una persona para mostrar mal humor. ☞ **murmullo, refunfuño, rezongo.**

— *No protestó, pero se la pasó gruñendo.*

3. Voz del cerdo.

— *No soporto los gruñidos del puerco pues me despierta muy temprano.*

gruñir 1. Murmurar para mostrar disgusto o rechazo por una cosa.

— *Deja de gruñir, todo va a salir bien.*

2. Dar gruñidos.

— *El perro gruñía a todos los gatos.*

3. Rechinar una cosa.

— *Ponle un poco de aceite a la puerta para que deje de gruñir.*

gruñón Que gruñe o refunfuña con facilidad. ☞ **protestón, descontento.**

grupa Anca del caballo.

grupo Conjunto de personas o cosas. ☞ **conglomerado, colección, montón.**

— conjunto de figuras pintadas o esculpidas: *grupo.*

— grupo de personas con poder político o financiero: *grupo de presión.*

— cada uno de los cuatro tipos en que se clasifica la sangre: *grupo sanguíneo.*

gruta Cueva natural o artificial en riscos o peñas. ☞ **estancia subterránea, cavidad, caverna, boca.**

— estancia subterránea: *gruta.*

guacamayo, -ya Ave, especie de papagayo grande, con pico fuerte, de plumaje verde, azul y rojo y cola muy larga.

guacamole Ensalada de aguacate.

guadaña Cuchilla curva de mango muy largo con la que se corta la hierba a ras del suelo. ☞ **hoz, segadora.**

guaje 1. Niño, muchacho.

— *No tardan en llegar los guajes dan-*

do gritos y corriendo.

2. Calabaza que una vez seca se utiliza como recipiente.

— *Puedes comprar los guajes en el mercado para llevar el pulque.*

— engañar, timar a uno: *hacerlo guaje.*

— desinteresarse de los problemas: *hacerse guaje.*

guajolote Ave mexicana comestible de gran plumaje negro y verde que puede alcanzar hasta 20 kilos de peso. ☞ **pavo.**

guanacaste Árbol leguminoso gigantesco, propio de tierra caliente.

guanaco Mamífero de los Andes parecido a la llama, con pelo suave y espeso de color amarillento en el lomo y gris en el vientre.

guangocho, -cha Ancho, muy holgado.

guano Abono formado con excremento de aves marinas.

guante Prenda para cubrir la mano, hecha de tela, hule, piel o hilo tejido. ☞ **manija, manopla, dedil.**

— *El médico usa los guantes para evitar infecciones.*

— desafiar a duelo: *arrojar el guante.*

— suave, fácil: *como un guante.*

— detener la ley a alguien: *echarle el guante.*

— aceptar un desafío: *recoger el guante.*

— lugar donde venden guantes: *guantería.*

— que vende guantes: *guantero.*

guapo, -pa 1. Que es bien parecido, atractivo. ☞ **galán, ostentoso.**

— *El actor de la obra es muy guapo.*

2. Que se luce en su manera de vestir y presentarse. ☞ **lucidor, fastuoso.**

— *En su trabajo siempre anda muy guapa.*

— valiente, arriesgado: *guapo.*

guaracha Baile de origen cubano semejante al zapateado.

guarache Sandalia descubierta hecha a base de tiras de cuero. ☞ **huarache.**

— tortilla de maíz en forma ovalada como la suela de guarache que se condimenta con salsa: *guarache.*

guarapo 1. Jugo de la caña que al vaporizarse produce azúcar.

— *El guarapo es la forma previa al azúcar.*

2. (vea recuadro de bebidas). Bebida fermentada hecha con jugo de caña.

— *En la fiesta dieron guarapo.*

— emborracharse: *ponerse una guarapeta.*

guarda 1. Que tiene a su cargo el cuidado y protección de una cosa. ☞ **gendarme.**

— *El guarda del palacio se quedó dormido y entraron los ladrones sin dificultad.*

— persona que no pierde de vista al que cuida: *guarda de vista.*

— ser divino que protege en la Tierra a los mortales: *ángel de la guarda.*

— el que manda a los guardas inferiores: *guarda mayor.*

— marinero que tiene a cargo el cuidado de las banderas: *guardabanderas.*

2. Acción de guardar.

— *Guarda bien el dinero.*

3. Monja encargada de que los visitantes conserven la compostura.

— *La guarda no nos dejó pasar al interior del convento.*

4. Hoja blanca que suele estar al inicio y final de un libro.

— *En las guardas no aparece ningún dato.*

guardabosque Persona destinada a cuidar un bosque.

guardacostas 1. Barco destinado a la persecución de contrabando o defensa de las costas.

guardaespaldas Guarda responsable de proteger la vida de una persona. ☞ **guarura.**

— *Llegó con cinco guardaespaldas.*

guardagujas Vigilante que tiene a su cargo las agujas de los ferrocarriles, para que cada tren viaje por la vía que le corresponde. ☞ **ferrocarril, tren, aguja.**

guardameta Jugador que actúa como portero en un equipo de futbol. ☞ **arquero.**

guardapelo Joya en forma de caja donde se guardan pelo, retratos, recuerdos, etc.

guardapolvo 1. Funda que se pone a una cosa para preservarla del polvo.

— *Cubrimos la máquina con un guardapolvo.*

2. Tejado voladizo que se construye sobre el balcón para desviar la lluvia.

— *Con el guardapolvo la lluvia no moja la ventana.*

3. Caja o tapa interior que tienen los relojes para protegerse del polvo.

— *El guardapolvo de mi reloj es de oro.*

4. Piezas de un marco que impiden que caiga polvo en el interior.

— *Gracias al guardapolvo la pintura no se ha estropeado.*

guardar 1. Cuidar o custodiar algo. ☞ **proteger.**

— *En el banco guardé mis joyas.*

2. Vigilar una cosa. ☞ **velar, custodiar.**

— *Tengo a mi cargo guardar los documentos confidenciales.*

3. Observar y cumplir lo obligado. ☞ **obedecer.**

— *Debes guardar disciplina en la escuela.*

4. Conservar o retener una cosa. ☞ **ate-**

sorar, almacenar.

—*Guardé los mejores bocadillos para mí.*

5. No gastar. ☞ **ahorrar**. ❖ DISPENDIO.

— *Guarda tu dinero, pero no seas tacaño.*

6. Impedir o evitar una situación. ☞ **prevenir, precaución.**

—*Guárdate de decir groserías.*

guardarropa 1. Lugar destinado a cuidar la ropa de los visitantes en los lugares públicos.

—*En el salón no había guardarropa y me quedé toda la fiesta con el abrigo puesto.*

2. Encargado de cuidar los vestidos de los actores en los teatros.

— *El guardarropa de la obra debe mandar los trajes a la tintorería.*

— conjunto de trajes y accesorios de un teatro: *guardarropía.*

3. Conjunto de ropa de una persona.

— *Tu guardarropa es muy variado.*

4. Armario donde se guarda la ropa. ☞ **ropero.**

—*Pásame el abrigo que está en el guardarropa.*

guardería Lugar en que se cuida a los niños mientras los padres trabajan.

guardia 1. Conjunto de gente armada que protege un lugar o a una persona. ☞ **vigía, centinela, sereno.**

— *El guardia del rey nos permitió pasar.*

— dedicada a perseguir delincuentes: *guardia civil.*

— cadete de la escuela naval: *guardia marina.*

— estar vigilando: *de guardia.*

2. Defensa, protección, custodia. ☞ **vigilancia.**

—*La guardia del banco fue planeada con inteligencia.*

— estar en actitud de defensa: *en guardia.*

guardián, -na 1. Que guarda una cosa. ☞ **custodio, vigilante.**

—*El guardián del faro decidió encenderlo a las seis.*

2. Contramaestre subalterno en el ejército armado.

— *El guardián dio la orden de arresto.*

3. Cabo fuerte para asegurar los barcos pequeños.

— *El guardián impide que los barcos vayan a la deriva.*

guarecer Acoger, dar refugio. ☞ **cobijar, refugiar.**

guarida 1. Cueva donde se protegen los animales. ☞ **albergue, madriguera, jaula.**

—*El oso no salió de su guarida.*

2. Refugio para ponerse a salvo. ☞ **amparo, abrigo.**

—*El faro es una buena guarida cuan-*

do hay tempestad.

3. Lugar donde se está con frecuencia. ☞ **descanso.**

— *Cada fin de semana voy a mi guarida en Cuernavaca.*

guarismo Cada una de las cifras arábigas que expresan cantidad. ☞ **número, cifra.**

— cantidad expresada por dos o más cifras: *guarismo.*

guarnición 1. Adorno que se pone en los vestidos. ☞ **accesorio, ornato.**

—*Con unas chaquiras de guarnición el vestido se verá mejor.*

2. Verduras o legumbres que acompañan al platillo principal. ☞ **aderezo.**

—*La guarnición del pollo estuvo deliciosa.*

3. Tropa que protege una plaza. ☞ **guardia.**

—*La guarnición estuvo pendiente de cualquier alboroto.*

— parte de un arma blanca que protege la mano: *guarnición.*

— engaste de las piedras preciosas: *guarnición.*

guaro (vea recuadro de bebidas) 1. Aguardiente de caña.

— *Mi hermano bebió mucho guaro ayer.*

2. Loro pequeño.

—*La vecina tiene guaros en una jaula.*

guarura Persona que protege la seguridad de otra. ☞ **guardaespaldas.**

— *Estaba rodeado de guaruras.*

guasa 1. Broma. burla, chiste, chacota.

— *Hizo la guasa de esconder la bolsa.*

2. Actitud que hace desagradable a una persona. ☞ **pesadez, sosera.**

—*Por sus constantes guasas nadie lo aguanta.*

guasón, -na Que hace bromas, burlón.

guata Manta de algodón sin procesar.

guateque Fiesta casera en que se baila. ☞ **jolgorio.**

guayaba Fruto de guayabo, de forma ovalada y color amarillo, con sabor dulce y aromático; es rica en vitaminas A, B y C y se utiliza para elaborar jaleas.

gubernamental 1. Que pertenece al gobierno de un Estado. ☞ **gubernativo, oficial.**

— *El edificio gubernamental se derrumbó con el temblor.*

2. Respetuoso del principio de autoridad.

— *Los abogados suelen ser gubernamentales.*

3. Partidario del gobierno.

—*Su posición ante el conflicto es gubernamental.*

gubia Herramienta parecida al cincel con la que el carpintero labra superfi-

cies curvas. ☞ **aguja, punzón, púa, formón.**

guedeja Cabellera larga. ☞ **cabellera, melena.**

— rizo del cabello: guedeja.

— melena de león: *guedeja.*

güero, -ra Que tiene el cabello rubio.

— vacío, sin sustancia: *güero, huero.*

guerra 1. Estado de lucha armada entre dos o más partidos o países. ☞ **pleito, hostilidad, pugna, beligerancia, batalla.** ❖ PAZ.

—*A pesar de las negociaciones, no se pudo evitar la guerra.*

— guerra sin límites: *guerra a muerte.*

— lucha entre los habitantes de un mismo pueblo: *guerra civil.*

— situación hostil sin llegar a las armas: *guerra fría.*

— lucha por motivos religiosos: *guerra santa.*

— causar molestias: *dar guerra.*

2. Especie de lucha material o verbal.

— *Su discusión era una verdadera guerra de nervios.*

— delegación de gobierno que rige las fuerzas armadas: *Secretaría de Guerra.*

guerrera Chaqueta ajustada del uniforme militar.

gueto Ver bajo ghetto.

guía 1. Persona que conduce y enseña el camino. ☞ **director, conductor.**

—*Sin el guía no hubiéramos llegado a la cumbre.*

2. Encargado de mostrar los sitios importantes de una ciudad.

— *El guía nos recomendó el restaurante.*

— que guía: *guiador.*

3. Que dirige o encamina.

—*La flecha es una guía segura hacia la salida.*

4. Mecha delgada con la que se encienden los fuegos artificiales.

— *Estos petardos tienen la guía muy corta.*

guiar 1. Mostrar el camino. ☞ **dirigir, orientar.**

— *Según la religión, Dios guía el camino.*

2. Conducir la pieza de un aparato para que se mueva hacia un lugar determinado.

—*El guardagujas guía los rieles para que el tren no descarrile.*

3. Poner varas o guías a las plantas para dirigir su crecimiento.

— *La bugambilia necesita que la guíen o invadirá el camino.*

guillotina 1. Máquina con la que decapitaban a los condenados a muerte en Francia. ☞ **degolladero, patíbulo.**

—*María Antonieta fue ejecutada en la guillotina.*

2. Aparato de forma cuadrada con una cuchilla en un extremo que se emplea para cortar papel.

—*Cortarás más rápido con la guillotina que con las tijeras.*

guinda 1. Fruta del guindo, de sabor ácido y color rojo o negro, con el que se preparan bebidas.

—*El licor de guinda es muy sabroso.*

— bebida hecha con guindas: *guindadura.*

2. Altura total de los palos de un barco.

—*La guinda de los barcos varía según su tamaño.*

guiñapo 1. Trapo roto o viejo. ☞ **andrajo, harapo.**

—*Guardé estos guiñapos para sacudir con ellos.*

2. Persona vestida con trapos o ropa vieja y descuidada.

—*El vagabundo es un guiñapo.*

— degradado, envilecido: *guiñapo.*

guiño Acción de cerrar un ojo por un momento dejando el otro abierto. ☞ **ojeada, seña.**

guiñol Teatro de títeres. ☞ **marioneta.**

—*La carpa presenta un espectáculo guiñol muy vistoso.*

— muñeco de este teatro que se acciona metiéndole una mano en el cuerpo: *guiñol.*

guión 1. Signo ortográfico.

— *Te faltó poner el guión entre la palabra político-sociales.*

2. Texto donde se exponen la información y detalles necesarios para realizar un programa de radio, televisión o cine. ☞ **argumento, sinopsis.**

— *El guión es muy dramático, creo que al público le gustará.*

3. Ave que va adelante de las de su grupo. ☞ **guía.**

—*El guión conduce a la parvada hacia el sur.*

4. Estandarte o cruz.

— *El guión va adelante de la procesión.*

guionista El que escribe guiones para radio, televisión o cine.

guirnalda Corona abierta hecha de flores, que se ciñe a la cabeza.

guisar Preparar alimentos al fuego. ☞ **cocinar, cocer, sazonar, aderezar.**

— que guisa: *cocinero.*

guiso Alimento preparado al fuego. ☞ **manjar, guisado.**

guitarra 1. Instrumento musical de madera con caja plana y seis cuerdas. ☞ **guitarrón.**

—*El concierto de guitarra ya comenzó.*

2. Instrumento para romper y moler yeso.

— *Hasta que tengan la guitarra podrán terminar la restauración.*

gula 1. Exceso en el comer o en el beber. ☞ **glotonería, tragonería, voracidad. ❖** TEMPLANZA.

—*Al terminar el banquete seguía comiendo pastel por gula.*

2. Lugar donde venden vino. ☞ **taberna.**

—*En la gula compré el vino de mesa.*

gusano (vea ilustración). 1. Animal invertebrado, de cuerpo blando y alargado, con patas pequeñas o sin ellas. ☞ **lombriz, oruga.**

— *Falta el gusano para preparar el anzuelo.*

2. Hombre humilde y triste.

—*Estaba triste, parecía un gusano.*

— remordimiento: *gusano de la conciencia.*

gusarapo Gusanillo que se cría en los líquidos.

gustar 1. Percibir con el paladar el sabor de las cosas. ☞ **saborear.**

—*Tienes que gustar esta fruta.*

2. Desear o disfrutar una actividad o cosa. ☞ **agradar.**

— *Me gusta esquiar en nieve.*

gusto 1. Sentido con el que se percibe el sabor de las cosas. ☞ **paladar.**

—*El gusto nos permite distinguir los sabores.*

2. Sabor que tienen las cosas o la mezcla de ellas.

—*La comida cantonesa tiene un gusto exótico.*

3. Placer que se experimenta por algún motivo. ☞ **agrado, deleite, satisfacción.**

—*Es un gusto viajar por mar.*

4. Facultad de apreciar lo bello o bueno.

—*Tiene buen gusto para vestir.*

— sentirse bien: *a gusto.*

— alimento preparado según cada preferencia: *al gusto.*

— hacer cosas sin obstáculos: *despacharse a su gusto.*

— aficionarse: *tomarle gusto a...*

gutapercha Goma transparente sólida y flexible que se obtiene de un árbol de la India y se utiliza para fabricar telas impermeables.

gutural 1. Que pertenece a la garganta o se relaciona con ella.

—*No podrá cantar, tiene un problema gutural.*

2. Sonido producido por la contracción de la faringe.

—*Produjo un sonido gutural escandaloso.*

3. Letras que representan ese sonido.

—*La g, j y k son guturales.*

— espasmo gutural: *guturotetania.*

---

gusano

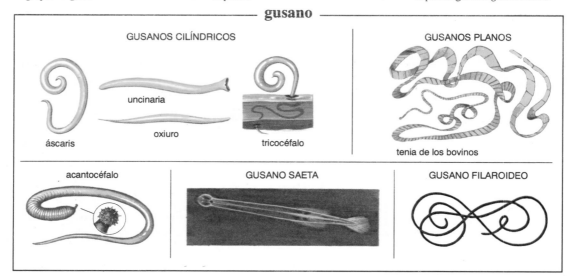

GUSANOS CILÍNDRICOS

áscaris

uncinaria

oxiuro

tricocéfalo

GUSANOS PLANOS

tenia de los bovinos

acantocéfalo

GUSANO SAETA

GUSANO FILAROIDEO

H

haber 1. Suceder, ocurrir, sobrevenir.
— *Ayer hubo un terremoto.*
2. Verificarse o efectuarse algo.
— *Hoy habrá una función de danza.*
3. Ser necesario, ser útil o conveniente.
— *Hay que alimentarse bien.*
4. Existir física o mentalmente, estar o ser.
— *Hay tres actores en el escenario.*
— de nada, por nada: *no hay de qué.*
— ser suficiente con, no quedar más que: *no hay más que.*
5. Se emplea para conjugar otros verbos en sus tiempos compuestos, como verbo auxiliar.
— *Él ha trabajado mucho.*
— no es verdad, no es cierto: *no hay tal.*
— bienes que posee alguien: *haberes.*

hábil Apto para realizar, con eficiencia, una o varias tareas. ☞ **competente.**
❖ TORPE, INHÁBIL, INEXPERTO.
— día de trabajo: *día hábil.*
— horas de trabajo: *horas hábiles.*
— destreza, talento para hacer algo: *habilidad.*
— que tiene habilidades para hacer algo: *habilidoso.*
— preparar a alguien o algo para que sea capaz o apto para algo: *habilitar.*

habitación 1. Vivienda o lugar donde se vive. ☞ **vivienda.**
— *Tiene un edificio de habitaciones y otro de oficinas.*
2. Cada uno de los cuartos en que está dividida una vivienda, especialmente aquel en donde se duerme. ☞ **cuarto, recámara, aposento.**
— *Esta casa tiene tres habitaciones, estancia, cocina y dos baños.*
— vivir una persona o animal en un lugar u ocupar un lugar para vivir: *habitar.*
— ser que vive en un lugar: *habitante.*
— que puede ser usado para vivir: *habitable.*

hábitat Conjunto de condiciones ambientales necesarias para la vida de una especie animal o vegetal. ☞ **biología.**

hábito 1. Manera de hacer algo o proceder de determinada forma, por costumbre o por constancia.

— *Los gatos tienen el hábito de lamerse el pelo.*
— acostumbrar a alguien a hacer algo: *habituar.*
— cotidiano, común y corriente, que se hace por costumbre: *habitual.*
— familiarizado, acostumbrado: *habituado.*
— acción y resultado de habituar o habituarse: *habituación.*
— abandonar los estudios o cualquier actividad a la cual se le ha dedicado mucho tiempo: *colgar los hábitos.*
— expresión que indica que la apariencia de una persona o su indumentaria no corresponde con lo que la persona es: *el hábito no hace al monje.*
2. Traje o vestido que usan los miembros de una orden religiosa.
— *El hábito de los franciscanos en Nueva España era azul.*
— incorporarse a la vida de una orden religiosa, o entregarse apasionadamente a alguna actividad: *tomar los hábitos.*
— ascenso de la tolerancia hacia un medicamento o droga: *habituación.*
3. Traje copiado de aquel que viste y que distingue a un santo o a una virgen y que una persona católica lleva como agradecimiento por un favor recibido o que espera recibir. ☞ **manda.**
— *Cornelio le prometió a San Martín vestir su hábito si su hermano volvía a caminar.*

hablar 1. Articular alguien palabras o emitir con la voz signos de una lengua. ❖ ENMUDECER, CALLAR.
— *Mi hijo comenzó a hablar al año.*
2. Expresar algo por medio de gestos, señas, símbolos, etc., que no son palabras o signos de la lengua.
— *Las cicatrices de las piernas le hablaron de su dolor.*
3. Manifestarse alguien en una lengua determinada.
— *Sabe hablar inglés y francés a la perfección.*
4. Platicar dos o más personas sobre algo, conversar, charlar. ❖ CALLAR.
— *Hablaron durante toda la tarde sobre la escuela.*
5. Hacer uso de la palabra ante un público, decir un discurso o dar una conferencia.

— *El rector hablará ante la comunidad universitaria mañana a las diez.*
6. Confesar o decir algo por coacción.
— *Los detuvieron y con amenazas lograron que hablaran.*
— tratar algún asunto o tema: *hablar de.*
— tener amistad con alguien: *hablarse con alguien.*
— no, sin más que decir: *ni hablar.*

hacendado, -da Individuo que posee una gran cantidad de tierras para el cultivo y cría de animales. ☞ **terrateniente.**
— conjunto de tierras propiedad de una persona o una familia: *hacienda.*
— conjunto de edificios de una hacienda: *casco de la hacienda.*
— conjunto de bienes o riquezas: *hacienda.*
— conjunto de los bienes, impuestos, etc., que administra el Estado: *hacienda pública.*

hacer 1. Producir o crear cosas materiales e intelectuales. ☞ **fabricar, crear, concebir.** ❖ DESHACER, DESTRUIR.
— *El carpintero hizo todos los muebles de la casa.*
— que produce o crea cosas: *hacedor.*
— cosa que existe: *hecho.*
2. Realizar una actividad, ejecutar una acción u ocuparse de algo. ☞ **ejecutar, practicar.**
— *Hizo la tarea mientras su mamá hacía la limpieza de la casa.*
— que es muy trabajador: *hacendoso.*
3. Obligar a que alguien realice algo o se comporte de cierta manera. ☞ **obligar.** ❖ PERMITIR, LIBERAR.
— *La maestra hizo que nos pusiéramos de pie.*
— realizar algo o cumplir un compromiso: *hacer bueno algo.*
— complicar un asunto: *hacer la vida de cuadritos.*
4. Causar o motivar algo o alguien determinada reacción, efecto o resultado. ☞ **ocasionar, causar.** ❖ OCURRIR.
— *Sus chistes la hacen reír.*
— transformarse alguien o cambiar algo: *hacerse.*
5. Acostumbrarse o habituarse a algo. ☞ **hábito, costumbre.** ❖ DESACOSTUMBRAR.

— *Se hizo al trabajo.*

6. Adquirir o ganar algo, conseguir o procurar algún resultado. ☞ **ganar, obtener.**

— *Hizo dinero después de años de trabajo.*

— obtener o conseguir algo: *hacerse de.*

— intentar o procurar algo: *hacer por.*

— suceder algo que uno desea: *hacérsele a uno.*

— alabar a alguien para conseguir un beneficio: *hacer la barba.*

— tener éxito en alguna actividad: *hacerla.*

7. Suceder u ocurrir algo relacionado con el clima o el tiempo.

— *Hace buen día a pesar de que hace un poco de frío.*

— suceso, acontecimiento: *hecho.*

8. Haber transcurrido cierto tiempo.

— *Hace tres horas que te espero.*

9. Tardar algo cierto tiempo en realizarse o suceder. ☞ **ocurrir.**

— *Hicimos cuatro horas en avión para llegar a Nueva York.*

10. Suponer alguien una cosa, imaginarse algo.

— *Los hacía en Acapulco y que me los voy encontrando en el examen extraordinario.*

11. Expulsar el cuerpo el excremento y la orina.

— *Vayan a hacer mientras su papá carga gasolina.*

— defecar: *hacer de vientre, hacer caca, hacer popó, hacer del dos.*

— orinar: *hacer de las aguas, hacer chis, hacer pipí, hacer del uno.*

12. Ante ciertos sustantivos, significa la acción expresada por ellos, como: *hacer gestos, gesticular; hacer daño, dañar; hacer bromas, bromear.*

— corresponder a insinuaciones amorosas: *hacerle caso.*

— coquetear: *hacer ojitos.*

hacia 1. Preposición que marca la dirección, tendencia o finalidad.

— *Se dirigía hacia el norte.*

2. Alrededor de determinado tiempo o cerca de algún lugar.

— *Sucedió hacia las seis de la tarde.*

3. Señala la orientación de algo o alguien en favor de otros o la actitud ante algo o alguien.

— *Sentía una antipatía hacia sus maestros.*

hacha 1. Herramienta que sirve para cortar, especialmente, la madera; se compone de una pala de acero con filo en un lado y en el otro un ojo que la une a un mango. ☞ **segur.**

— *Los leñadores hicieron pedazos el pino con sus hachas.*

— cortar con hacha: *hachar, hachear.*

— golpe de hacha: *hachazo.*

2. Vela grande y gruesa de cera, con varios pabilos; antorcha resistente al viento. ☞ **antorcha.**

— *Las damas iluminaron el salón con hachas.*

— manojo de ramas o leña encendido para alumbrar: *hacho.*

— brasero alto en donde se enciende algo que levanta llama: *hachón.*

— vela gruesa y corta: *hachote.*

— candelero que sostiene una hacha: *hachero.*

hada Ser imaginario con forma de mujer hermosa y poderes mágicos.

— mágico, encantado, prodigioso: *hadado.*

— encantar por arte de magia: *hadar.*

— narración breve dirigida a los niños en donde aparecen personajes imaginarios y elementos mágicos: *cuento de hadas.*

— mujer bondadosa que protege a un personaje en un cuento de hadas: *hada madrina, hada buena.*

— hada que se opone a la dicha del protagonista bueno de un cuento de hadas: *hada mala, bruja.*

— poseer habilidad manual para hacer cosas delicadas: *tener manos de hada.*

hagiografía Relato sobre temas santos o estudio de la vida de los santos. ☞ **santoral.**

— que se relaciona con la hagiografía o que pertenece a ella: *hagiográfico.*

— autor de cualquier libro bíblico: *hagiógrafo.*

— escritor de vidas de santos: *hagiógrafo.*

— libros hagiográficos de la biblia hebrea o judía: *Libros de los Salmos, Proverbios, Job, Cantar de los cantares, Ruth, Lamentaciones, Eclesiastés, Ester, Daniel, Esdras, Nehemías, Paralipómenos.*

halagüeño, -ña Que satisface, que da gusto, que complace, que adula, que es cariñoso. ☞ **satisfactorio.** ❖ DESDEÑOSO, DESATENTO.

— que adula, que agrada, que satisface: *halagador.*

— deleitar, adular, lisonjear, dar motivo de satisfacción y muestras de afecto: *halagar.*

— agasajo, lisonja, coba: *halago.*

halcón peregrino (vea ilustración de la p. 335). Ave de plumaje gris o pardo, de gran velocidad. Su captura inmoderada lo ha puesto en vías de extinción.

hálito Aliento que despide la boca de una persona o el hocico de un animal;

vapor que expele algo o soplo suave de aire. ☞ **vapor, vaho.**

— aliento de mal olor: *halitosis.*

hallar 1. Encontrar algo o a alguien sin buscarlo. ☞ **conocer.**

— *Hallé unas llaves sobre tu escritorio y te las guardé.*

2. Encontrar algo o a alguien que se buscaba. ☞ **descubrir.** ❖ PERDER.

— *Por más que hizo, no halló la forma de resolver el crucigrama.*

— estar en un lugar o en cierto estado: *hallarse.*

— sentirse bien en un sitio determinado: *hallarse.*

— cosa localizada, inventada, descubierta: *hallazgo.*

hamaca Red o tira rectangular de lona o de otros materiales, que se cuelga de los anillos de los extremos y se usa para dormir. ☞ **cama.**

— columpiar o mecer la hamaca: *hamacar, hamaquear.*

— persona que hace hamacas: *hamaquero.*

— gancho para colgar la hamaca: *hamaquero.*

hambre 1. Sensación que hace desear o necesitar comida, insatisfacción de la necesidad de comer por falta de alimento. ☞ **apetito.** ❖ DESGANA, INAPETENCIA.

— *A media noche me empezó a dar hambre.*

2. Deseo intenso de algo. ☞ **ambición.** ❖ DESPRECIO.

— *Tenían hambre de éxito.*

— ávido o deseoso de algo: *hambriento.*

hamburguesa 1. Torta de carne molida, condimentada con ajo, cebolla, pan molido, perejil, huevo, etc. y frita, que se sirve con diversas guarniciones.

— *Con esta carne se pueden preparar tres hamburguesas.*

2. Bollo relleno de carne, con rebanadas de jitomate, hojas de lechuga, mostaza, catsup, etc.

— *Compra hamburguesas y nos las comemos en el cine.*

hampa Organización de maleantes que se dedica a negocios ilícitos.

— persona que comete acciones delictivas e ilícitas: *hampón.*

— que pertenece al hampa o se relaciona con ella: *hampesco.*

hangar Edificio o cobertizo en donde se guardan aviones. ☞ **cobertizo.**

haraganear Estar de ocioso, no trabajar, holgazanear. ☞ **flojear.** ❖ TRABAJAR.

— que es perezoso, vago: *haragán.*

— ociosidad, pereza o falta de interés en el trabajo: *haraganería.*

harakiri (jaraquiri) Suicidio ritual japonés consistente en abrirse el vientre horizontalmente con una espada.

harapo Prenda de vestir vieja, rota o en mal estado. ☞ **trapo, andrajo.**

— vestido con harapos: *harapiento, haraposo.*

harén o harem 1. Sitio en las casas de los musulmanes en donde viven o vivían exclusivamente las mujeres. ☞ **serrallo, gineceo.**

2. Grupo de mujeres, entre los musulmanes, que viven en el sitio reservado para ellas, entre las cuales se hallan las concubinas del sultán. ☞ **serrallo.**

— *La favorita del harén se ocultó tras la celosía.*

harina Polvo que se obtiene de moler el trigo o alguna otra semilla o grano (arroz, maíz, etc.), o de ciertos tubérculos, legumbres, pescados o carnes secas.

— persona que se dedica al comercio de la harina: *harinero.*

— que pertenece a la harina o se relaciona con ella: *harinero.*

— harina que incluye el salvado o cascarilla del grano: *harina integral.*

hartar 1. Satisfacer excesivamente el hambre o la sed. ☞ **llenar.**

— *Los futbolistas se hartaron de agua cuando terminó el partido.*

— que ha comido o bebido excesivamente: *harto.*

— atracón, empacho: *hartura, hartazgo, hartazón, hartón.*

2. Saciar el deseo de algo.

— *Quería hartarse de oír música.*

— repetir excesivamente algo: *hartarse de.*

— logro de un deseo, abundancia: *hartura.*

— mucho, bastante, muy: *harto.*

3. Cansar, aburrir, molestar. ❖ GOZAR, DIVERTIR, AGRADAR.

— *Rosa estaba harta de planchar todos los días.*

— sensación de incomodidad, molestia o fastidio: *hartón.*

— fastidiado o cansado: *harto.*

hasta 1. Preposición que indica el término de una cosa. ❖ DESDE.

— *Tuvo que caminar hasta la esquina para tomar el camión.*

2. También, aun.

— *No sólo le regalaron el coche sino hasta una casa.*

— expresiones de despedida: *hasta luego, hasta mañana, hasta pronto, hasta la vista.*

hastío Fastidio, tedio, cansancio o repugnancia. ❖ GOCE, SATISFACCIÓN.

— fastidiar, aburrir, cansar o repugnar: *hastiar.*

— fastidiado, harto: *hastiado.*

hato 1. Conjunto pequeño de prendas de vestir y otros accesorios de uso personal; provisión de víveres. ☞ **ajuar.**

— *Hizo un hato con sus pertenencias y se fue sin decir nada.*

2. Rebaño, manada, ganado.

— *El hato pastaba junto al río.*

3. Sitio en el campo elegido por los pastores para cuidar el ganado. ☞ **majada.**

— *Pedro y Benito descansaban en el hato.*

4. Conjunto de gente despreciable.

— *Todos ellos eran un hato de imbéciles.*

haz 1. Lado derecho de una tela; cara superior de una hoja y de otras cosas. ❖ ENVÉS.

— *El haz de las hojas del nogal brillaba en la noche.*

2. Conjunto atado de cosas, en especial de ramas o leña. ☞ **brazada, brazado.**

— *Cada asno cargaba un haz de leña.*

3. Conjunto de rayos luminosos que tienen un mismo origen.

— *Un haz de luz iluminó su cara.*

4. Conjunto de líneas rectas que pasan por un mismo punto.

— *Todas las líneas deben proceder de un haz en el ángulo superior del triángulo.*

hazaña Acción realizada con gran valor o heroicidad. ☞ **esfuerzo, heroicidad, proeza.**

— que hace hazañas o que es heroica una acción: *hazañoso.*

hazmerreír Persona ridícula o que al hacer cosas ridículas provoca la risa de los demás. ☞ **bufón.**

hebilla Objeto de metal u otro material usado para sujetar y ajustar una correa, cinturón, etc., o como adorno en los zapatos.

hebra 1. Hilo o cualquier fibra animal o vegetal que semeje un hilo.

halcón peregrino

— *Quita esas hebras de grasa del salpicón.*

— que es fibroso o tiene muchas hebras: *hebroso, hebrudo.*

— separar las hebras de algo fibroso o sacar los hilos de una tela: *deshebrar.*

2. Porción de hilo necesario para colocarlo en la aguja y coser.

— *Pásame una hebra de hilo rojo.*

— pasar la hebra por el ojo de la aguja: *enhebrar.*

— sacar la hebra del ojo de la aguja: *desenhebrar.*

hecatombe 1. Gran matanza o mortandad de personas.

— *Las guerras provocan hecatombes.*

2. Desastre con elevado número de víctimas.

— *El desbordamiento del río fue una hecatombe.*

3. Sacrificio de cien bueyes en los rituales paganos de la antigüedad.

— *Había suficientes animales para la hecatombe.*

hechicería Conjunto de prácticas mágicas mediante las cuales se pretende dominar sobre sucesos y acontecimientos, someter la voluntad ajena, influir en el destino; cada una de estas prácticas. ☞ **brujería, magia, encantamiento, maleficio.**

— hombre o mujer que practica la magia: *hechicero, brujo, mago.*

— que atrae, que seduce o embelesa: *hechicero.*

— provocar admiración o practicar un maleficio: *hechizar.*

— práctica de magia o de brujería: *hechizo.*

— que sustituye a la pieza original, tratándose de aparatos, instrumentos, artefactos, etc.: *hechizo.*

— que sufre un encantamiento o un maleficio: *hechizado.*

— que siente seducción, atracción o embeleso por algo o alguien: *hechizado.*

hecho 1. Cosa que sucede o que existe o cosa real.

— *El eclipse fue un hecho inolvidable.*

— que es real, que existe: *de hecho.*

2. Acción, obra, hazaña ejecutada por alguien.

— *Los hechos de Alejandro Magno edificaron su fama.*

3. Que es o está maduro, terminado, perfecto.

— *Cuando lo conocí era un hombre hecho.*

— completo, perfecto: *hecho y derecho.*

— dar por confirmada una cosa: *ser un hecho.*

— efectivamente, en realidad: *de hecho.*

hedonismo Doctrina que persigue el placer como objetivo de la vida. Identifica el bien con el placer y desea evitar el dolor.

— persona ligada al hedonismo: *hedonista.*

— que pertenece al hedonismo o se relaciona con él: *hedonista.*

hedor Olor desagradable. ☞ **tufo, peste.**

— que despide olor fétido molesto y repugnante: *hediondo.*

— peste: *hediondez.*

hegemonía Predominio de una persona, Estado, pueblo o partido sobre otro. ☞ **supremacía.**

— que pertenece a la hegemonía o se relaciona con ella: *hegemónico.*

helar 1. Producir hielo o escarcha algo por el frío intenso; hacer un frío con temperaturas de menos cero grados. ☞ **congelar.** ❖ HERVIR, CALENTAR.

— *El clima heló las cosechas.*

— cubrirse de hielo algo o congelarse: *helarse.*

— aparato con el que se hacen helados: *heladera, heladora.*

2. Dejar a alguien muy sorprendido, pasmado. ☞ **paralizar.** ❖ ALENTAR.

— *El terror nos heló y no podíamos movernos.*

— asustado, sorprendido: *helado.*

— quedarse alguien muy sorprendido o asustado: *helársele la sangre.*

— dejar a alguien muy asustado o sorprendido: *helarle la sangre.*

helicóptero Aparato de aviación que se sostiene y vuela gracias al giro de una hélice horizontal.

helio Elemento químico en forma de gas que no tiene ninguna actividad química; por no ser inflamable y tener fuerza ascensional, entre muchas aplicaciones, se usa para inflar globos y dirigibles.

hematíe Glóbulo rojo de la sangre. ☞ **eritrocito.**

hematoma Protuberancia o tumor provocado por acumulación de la sangre que se sale de los vasos sanguíneos. ☞ **equimosis, cardenal, moretón, morete.**

hembra 1. Animal o planta que tiene la función de quedar fecundada; mujer. ❖ MACHO, HOMBRE, VARÓN.

— *La hembra del canario puso cuatro huevos.*

2. Pieza o parte de una pieza que tiene un hoyo para que se introduzca otra.

— *Sólo me falta coser la hembra de este broche.*

hemeroteca Sitio en donde se guardan, y generalmente se prestan al público, diarios, revistas y cualquier otra publicación periódica. ☞ **biblioteca.**

hemiciclo Semicírculo o espacio central de algún teatro o edificio similar rodeado de asientos que forman un semicírculo.

hemiplejia o hemiplejía Parálisis de un lado del cuerpo.

— que tiene paralizada una parte de su cuerpo: *hemipléjico.*

hemoglobina Sustancia de glóbulos rojos o hematíes que transporta el oxígeno a los tejidos del cuerpo.

hemorragia Flujo incontenido de sangre por rompimiento de un vaso sanguíneo. ☞ **sangrar.**

hemorroide Distensión varicosa de las venas anorrectales. ☞ **almorrana.**

henchir Llenar completamente algo que se va abultando conforme se va llenando. ☞ **inflar, colmar.** ❖ VACIAR.

hendidura Abertura alargada, angosta y poco profunda en un objeto o en la tierra. ☞ **grieta, rotura, fisura.**

— causar una abertura, agrietar: *hender.*

— que se puede hender: *hendible.*

— abierto: *hendido.*

— hendidura pequeña: *hendija.*

henequén Planta del género agave y fibra textil que se extrae de las pencas de esta planta, originaria de la zona oriental de la península de Yucatán.

heñir Amasar con los puños.

hepatitis Inflamación del hígado.

— que pertenece al hígado o se relaciona con este órgano: *hepático.*

herbolario 1. Tienda en donde se venden hierbas medicinales. ☞ **botica, hierba.**

— *En el herbolario de la esquina puedes comprar manzanilla.*

2. Persona que recoge o vende hierbas medicinales. ☞ **yerbero.**

— *El herbolario me recomendó tomar té de boldo.*

hercúleo, -lea Que tiene una fuerza física o una musculatura extraordinarias. ☞ **musculoso, mamado, fuerte.** ❖ DÉBIL, ENCLENQUE, FRÁGIL.

heredar 1. Otorgar bienes o derechos una persona, generalmente al morir; recibir estos bienes o derechos alguien.

— *Su familia le heredó el negocio.*

— adquirido o transmisible por herencia: *hereditario.*

— que ha heredado o heredará bienes o derechos: *heredero.*

2. Recibir de una persona algo que ésta había usado.

— *Mis hijos heredaban la ropa de sus primos.*

— patrimonio que se hereda: *herencia.*

— propiedad de tierra de una sola familia que se traspasa por generaciones: *heredad.*

3. Tener los hijos algunos rasgos de los padres o familiares mayores o adquirir alguien hábitos, comportamientos, etc. de sus ascendientes o de las personas con las que convive.

— *José heredó la picardía de su madre.*

— conjunto de rasgos de cualquier tipo que se trasmitidos a la descendencia: *herencia.*

herejía Posición ideológica contraria a principios dogmáticos, especialmente ideas que la Iglesia considera contrarias a la religión católica. ☞ **apostasía, sacrilegio.**

— persona que sostiene ideas contrarias a una doctrina: *hereje, apóstata, impío, infiel.*

— que está relacionado con la herejía o el hereje: *herético, heretical.*

herir Causar algo o alguien daño y dolor físico o emocional a una persona. ☞ **asestar, acribillar, acuchillar, lesionar, cortar, machucar, ofender, lastimar, insultar.**

— abertura en los tejidos de un organismo: *herida, arañazo, picadura, cortadura.*

— pena o dolor muy profundos: *herida.*

— que provoca heridas o daño: *hiriente, heridor.*

hermafrodita Que reúne en sí mismo órganos sexuales femeninos y masculinos. ☞ **bisexual.** ❖ UNISEXUAL.

— presencia de ambos sexos en un ser vivo: *hermafroditismo.*

hermano 1. Persona que, con relación a otra, tiene los mismos padres que ella.

— *Somos tres hermanas y dos hermanos de familia.*

— hermano por parte de uno de los dos padres: *medio hermano, hermanastro.*

— cada una de las personas nacidas en el mismo parto: *hermano gemelo o gemelo, mellizo, cuate, trillizo, etc.*

2. Persona que, con relación a otra, tiene o siente tener el mismo vínculo u origen espiritual que ella.

— *Los hermanos franciscanos se preocupaban por la alimentación y educación de los niños.*

— unión y buena correspondencia de devotos cuyo propósito común es ejercitarse en obras piadosas: *hermandad, cofradía, congregación.*

— persona piadosa y solícita hacia los demás: *hermana de la caridad.*

3. Cosa o ser vivo que, con relación a otro, tiene el mismo origen o los mismos padres que él.

— *Los países iberoamericanos son países hermanos.*

hermético, -ca Que está totalmente cerrado, que es impenetrable. ☞ **secreto, reservado.** ❖ ABIERTO.

— calidad de lo que es impenetrable o de difícil comprensión para los no familiarizados con aquello de que se trata: *hermetismo, hermeticidad.*

hermoso, -sa Que tiene belleza, que es espléndido o agradable, que gusta. ☞ **perfecto, precioso, bonito, sublime, lindo, guapo.** ❖ FEO, HORRIBLE, DESAGRADABLE.

héroe 1. Individuo que sobresale por su valor o por haber realizado una hazaña o un acto extraordinario. ☞ **campeón, caudillo.**

— *Fue considerado héroe después de salvar a dos personas del incendio.*

— mujer que sobresale por su valor o por haber hecho algo muy importante en favor de algo o por alguna hazaña: *heroína.*

2. Personaje principal de una obra de ficción que se distingue por vencer obstáculos o por sus cualidades extraordinarias. ☞ **protagonista.** ❖ ANTAGONISTA.

— *La heroína de esa película no logra salvarse de morir en la cámara de gases del campo de concentración.*

— personaje femenino principal de una obra de ficción: *heroína.*

— composición literaria de tono elevado, en donde se habla de sucesos gloriosos y memorables: *poema heroico, romance heroico, etc.*

3. Ser mitológico, hijo de una persona mortal y una divinidad.

— *Eneas es un héroe troyano, hijo de Anquises y de Afrodita, que llegó a Italia.*

herradura Pieza de metal en forma de arco que se clava en los cascos de las patas de ciertos animales cuadrúpedos para protegerlos del desgaste. ☞ **casquillo.**

— clavar herraduras a las caballerías: *herrar.*

— persona que tiene por oficio clavar herraduras a animales cuadrúpedos: *herrador.*

— acción de herrar: *herrado.*

herramienta Instrumento o conjunto de instrumentos de hierro o metálicos con los que se realiza un trabajo manual. ☞ **instrumento, útil.**

— bolsa o caja en donde se guardan

herramientas, conjunto de las herramientas usadas en un oficio determinado: *herramental.*

hervir 1. Calentar algún líquido hasta que entre en ebullición. ☞ **bullir, cocer.** ☞ CONGELAR.

— *El agua hirvió hasta que se consumió.*

2. Cocer algo en un líquido que está en ebullición.

— *Hay que hervir las verduras durante diez minutos.*

3. Estar lleno un sitio o un objeto con algo que se mueve.

— *El auditorio hervía de alumnos y maestros.*

4. Estar el ánimo muy alterado o estar irritable.

— *Roberta hervía de coraje.*

— fogosidad, viveza: *hervor.*

— fogoso, ardoroso, animoso: *hervoroso.*

heterodoxia Disconformidad con el dogma de una religión, con una doctrina, práctica moral u opinión admitida. ❖ ORTODOXIA.

— conformidad con el dogma de una religión, con una doctrina, práctica moral u opinión admitida: *ortodoxia.*

— que es contrario a la doctrina ortodoxa o que tiene opiniones contrarias a la ortodoxia: *heterodoxo.*

heterogéneo, -nea Que se compone de partes o elementos distintos entre sí. ☞ **diverso, híbrido, mezclado.** ❖ HOMOGÉNEO.

— mezcla de elementos diferentes en un todo: *heterogeneidad.*

heterosexual 1. Que tiene flores masculinas y femeninas, tratándose de una planta.

— *Están descritas las plantas heterosexuales en el capítulo tres de este libro de botánica.*

2. Que tiene relaciones sexuales, tratándose de una persona, con otra de sexo distinto al suyo. ❖ HOMOSEXUAL.

— *Ese muchacho es heterosexual.*

hez Sedimento perjudicial e impuro de ciertos líquidos; lo más despreciable de algo.

— conjunto de residuos de la digestión eliminados por vía rectal o excremento: *heces.*

hialino, -na Que es transparente como el vidrio o se parece a él.

— material duro, quebradizo y transparente, elaborado con silicio: *vidrio.*

hibernar Pasar el invierno en estado latente, como hacen algunos animales. ☞ **invernar.** ❖ VERANEAR.

— conjunto de fenómenos que provoca la llegada del invierno en ciertos animales y que causa que sus funciones metabólicas disminuyan considerablemente y caigan en un sueño profundo durante esa estación: *hibernación.*

híbrido, -da 1. Que procede del cruce de individuos de distinta especie, tratándose de animales o vegetales. ❖ PURO.

— *La mula es un animal híbrido, que nace de la cruza de burro con yegua.*

— producción de plantas o animales híbridos: *hibridación.*

— producir una planta híbridos: *hibridizar.*

2. Que procede de elementos de distinta naturaleza.

— *Se denominan palabras híbridas las formadas por dos o más elementos de lenguas diferentes.*

hidalgo Individuo de linaje noble y distinguido; persona generosa, digna y honesta. ❖ MEZQUINO.

hidra 1. Culebra acuática venenosa que suele encontrarse cerca de las costas del mar del Pacífico.

— *La cola de la hidra es apropiada para la natación.*

2. Pólipo de agua dulce, semejante a un tubo, cerrado por un extremo y con tentáculos en el otro.

— *Las hidras pueden ser verdes o pardas.*

3. Monstruo mitológico con cuerpo de serpiente y siete cabezas que crecían a medida que se las cortaban.

— *En la película se ve cómo Hércules logró matar a la hidra.*

hidráulico, -ca 1. Que se mueve por la fuerza del agua.

— *Están construyendo una presa hidráulica cerca de mi pueblo.*

— energía procedente del movimiento del agua de ríos, cascadas, arroyos, etc.: *fuerza hidráulica.*

2. Que pertenece a la hidráulica o se relaciona con ella.

— *Hay varias clases de máquinas hidráulicas.*

hidrocarburo Compuesto orgánico que contiene sólo átomos de carbono e hidrógeno.

hiel 1. Bilis o humor viscoso y amargo que despide el hígado de los vertebrados. ☞ **bilis.**

— *Con estos disgustos se le saldrá toda la hiel.*

2. Amargura, aspereza, mala intención. ❖ MIEL.

— *Me cae muy mal porque su sarcasmo encierra pura hiel.*

— disgustos, pesares: *hieles.*

hielo Agua solidificada por un frío intenso. ☞ **escarcha, granizo, nieve.**

— iniciar la conversación con alguien desconocido o hacer el ambiente más agradable en una reunión: *romper el hielo.*

— acuerdo entre varias personas para no hablar ni atender a otra: *ley del hielo.*

— recipiente para poner hielo: *hielera.*

hierático, -ca 1. Que se refiere a lo sagrado u oculto o a los sacerdotes. ☞ **sagrado.**

— *Esos hábitos hieráticos no son feos.*

— de rostro inmóvil, como de piedra: *hierático.*

2. Que mantiene una actitud rígida, solemne y serena sin manifestar ningún sentimiento, que es solemne y afectado. ❖ SENCILLO.

— *Me molesta su expresión hierática.*

hierba (vea ilustración de la p. 339). 1. Planta pequeña de tallo suave y no leñoso, conjunto de estas plantas o conjunto de plantas que crecen en un terreno sin que sean cultivadas. ☞ **yerba, maleza, herbolario.**

— *La hierba cubría ese lote baldío.*

— que pertenece a las hierbas o se relaciona con ellas: *herbolario.*

— persona que se dedica a la botánica; colección de plantas disecadas o de dibujos de ellas rotuladas y denominadas: *herbolario.*

— compuesto que impide el crecimiento de hierbas malas: *herbicida.*

2. Mancha de la esmeralda.

— *La hierba de la esmeralda embellecía la piedra.*

hierro 1. Metal maleable y dúctil, magnetizable y oxidable, de color gris azulado. Abunda en la naturaleza y se utiliza en la industria y en ciertas artes.

— *Los grilletes de los presos estaban hechos de hierro.*

— hierro procesado en altos hornos, con un alto contenido de carbón y que se rompe con facilidad: *hierro fundido o hierro colado.*

2. Cualquier varilla, instrumento o herramienta de este metal.

— *Las mejores flechas son las de hierro en la punta.*

3. Instrumento con una marca en el extremo, que calentada al rojo vivo sirve para marcar al ganado; marca en la piel del ganado obtenida con este procedimiento.

— *Esas vacas pertenecen al rancho San Luis por sus hierros.*

hígado Glándula de gran tamaño situada en la cavidad abdominal de los vertebrados, que realiza muchas funciones ya que interviene en la mayoría de los procesos metabólicos y de síntesis del organismo, fijando grasas, desin-

toxicando el organismo, produciendo la bilis que tiene gran importancia en la digestión, etc. ☞ **bilis.**

— pesado, antipático, chocante: *higadoso.*

— ser una persona chocante, desagradable, presuntuosa: *ser un hígado.*

— tener valor para enfrentar algo difícil o peligroso: *tener hígados.*

— hacer un esfuerzo por algo: *echar los hígados.*

higiene 1. Rama de las ciencias médicas que se ocupa de orientar precaviendo las enfermedades y mejorando el medio ambiente y las condiciones sanitarias. ☞ **profilaxis.**

— *Ella se especializa en higiene.*

— conjunto de los medios para conservar el funcionamiento psíquico normal: *higiene mental.*

2. Limpieza y salud del cuerpo o aseo de cualquier objeto o lugar.

— *La higiene de las manos, antes de comer, ayuda a evitar enfermedades gastrointestinales.*

— que se relaciona con la higiene: *higiénico.*

hijo, -ja 1. Individuo o animal con respecto a sus padres o a uno de ellos. ☞ **vástago, retoño.**

— *Telémaco era hijo de Ulises.*

— hijo de padres no unidos por el matrimonio: *hijo ilegítimo, hijo natural.*

— yerno, nuera: *hijo político, hija política.*

— hijo reconocido legalmente por padres que por naturaleza no son los suyos: *hijo adoptivo.*

— individuo con respecto al marido de su madre o la esposa de su padre: *hijastro.*

— primer hijo de un matrimonio o de una persona: *primogénito.*

— hijo menor: *benjamín, socoyote, xocoyote.*

— hijo de padre rico o influyente: *hijo de papá.*

— relativo al hijo: *filial.*

— cualquier persona: *hijo de vecino.*

— frase vulgar e insultante: *hijo de puta.*

— expresión con la que alguien manifiesta asombro, extrañeza, angustia o coraje ante lo inesperado de algo: *¡hijos!, ¡híjole!, ¡hijo!*

2. Individuo con respecto al lugar de nacimiento. ☞ **nativo, oriundo.**

— *García Lorca es hijo de España.*

3. Religioso en relación con el fundador de la orden de la que viste el hábito.

— *Motolinía fue hijo de San Francisco.*

hierbas aromáticas

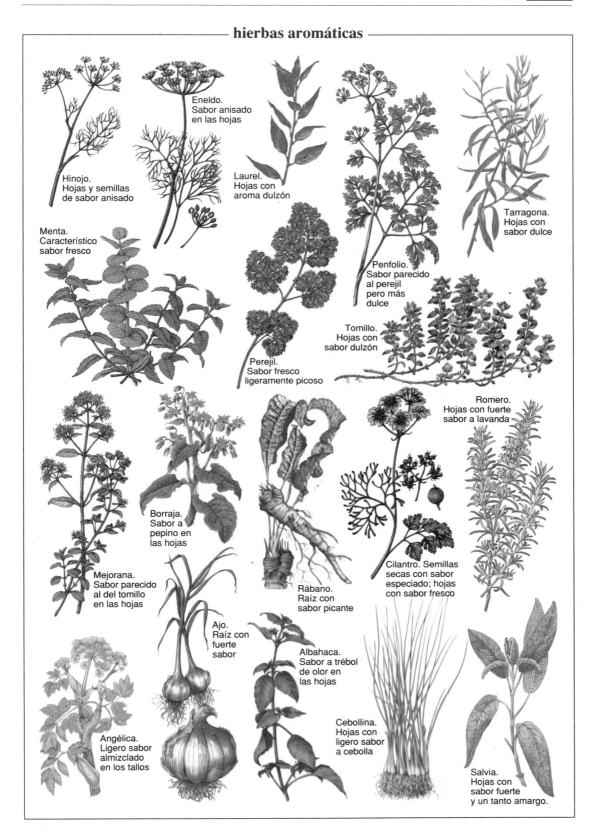

Hinojo.
Hojas y semillas
de sabor anisado

Eneldo.
Sabor anisado
en las hojas

Laurel.
Hojas con
aroma dulzón

Tarragona.
Hojas con
sabor dulce

Menta.
Característico
sabor fresco

Penfolio.
Sabor parecido
al perejil
pero más
dulce

Tomillo.
Hojas con
sabor dulzón

Perejil.
Sabor fresco
ligeramente picoso

Romero.
Hojas con fuerte
sabor a lavanda

Borraja.
Sabor a
pepino en
las hojas

Mejorana.
Sabor parecido
al del tomillo
en las hojas

Ajo.
Raíz con
fuerte
sabor

Rábano.
Raíz con
sabor picante

Cilantro. Semillas
secas con sabor
especiado; hojas
con sabor fresco

Albahaca.
Sabor a trébol
de olor en
las hojas

Angélica.
Ligero sabor
almizclado
en los tallos

Cebollina.
Hojas con
ligero sabor
a cebolla

Salvia.
Hojas con
sabor fuerte
y un tanto amargo.

4. Expresión afectuosa dirigida principalmente a los que necesitan protección.
— *La abuela llamaba hijos a sus nietos.*
5. Cualquier cosa que proviene de algo o es creación de alguien con respecto a aquello de donde proviene, al creador o autor.
— *Esta teoría es hija de mi maestro de filosofía.*
— retoño de una planta: *hijuelo.*
— echar la planta retoños: *ahijar, hijear.*

hilacho o hilacha Hilo que cuelga de una tela; prenda de vestir en muy mal estado. ☞ **hebra.**
— ropa vieja, raída y rota: *hilachos.*
— estar una persona muy cansada, muy demacrada: *estar hecha una hilacha.*
— que tiene muchas hilachas, andrajoso: *hilachoso, hilachudo, hilachento.*
— divertirse sin preocupaciones ni tapujos: *darle vuelo a la hilacha.*

hilaridad Risa duradera, alegría o algazara. ☞ **risibilidad, jocundidad.**
❖ TRISTEZA, DOLOR, LLANTO.
— que provoca risa: *hilarante.*

hilo 1. Hebra larga y delgada derivada de cualquier fibra textil retorcida.
— *Esta camisa tiene hilos de muchos colores.*
— convertir en hebras de gran longitud las fibras textiles: *hilar.*
2. Alambre o fibra metálica muy delgada y flexible o filamento de cualquier material flexible de cierta longitud.
— *Ese cable está formado por hilos de acero e hilos de aluminio.*
— conjunto de perlas ensartadas en un hilo: *hilo de perlas.*
3. Filamento segregado por los gusanos de seda y las arañas para hacer capullos o una especie de tela.
— *El insecto colgaba de un hilo de la telaraña.*
— voz muy débil: *hilo de voz.*
— estar en una situación difícil: *pender de un hilo.*
4. Chorro muy delgado de un líquido.
— *Un hilo de leche escurrió del borde de la jarra.*
5. Sucesión de elementos, sucesos, circunstancias o ideas que da continuidad y coherencia a algo.
— *A pesar de su edad, pudo seguir el hilo de la conversación.*
— no seguir el curso de un relato, conversación, pensamiento, etc.: *perder el hilo.*
— discurrir, cavilar: *hilar.*

himen Membrana muy fina que cubre la entrada de la vagina en las mujeres vírgenes. ☞ **virgen, partenoplastia.**
— que pertenece al himen o que se relaciona con él: *himeneal.*

himno 1. Composición poética de alabanza a un dios, a un hombre, a una nación, etc. o de celebración de sucesos considerados muy importantes.
— *Los jóvenes entonaron un himno a Apolo.*
2. Composición poético-musical de tono solemne, que se canta en coro y estimula el fervor patriótico, deportivo, religioso, etc. de los cantantes.
— *Francisco González Bocanegra escribió la letra del himno nacional mexicano y Jaime Nunó le puso la música.*

hincar Introducir con fuerza una cosa o la punta de algo en otra cosa; apoyar una cosa en otra. ☞ **empotrar, plantar.**
— arrodillarse: *hincarse.*

hincharse 1. Aumentar el volumen de una parte del cuerpo, por enfermedad, golpe, herida, etc. ☞ **tumor.**
❖ DESHINCHARSE.
— *Con lo frío se le hincha la mano.*
— efecto de hincharse: *hinchazón, hinchamiento.*
— inflar un objeto flexible con gas o líquido: *hinchar.*
— aumentar el volumen de agua de un río o algo similar: *hinchar.*
2. Llenarse o hartarse de comida.
— *El día de las carnitas se hinchó el perro con todas las sobras que le dieron.*
— ganar mucho dinero: *hincharse de dinero.*
3. Engreírse, ensoberbecerse.
— *Se hinchó desde que lo nombraron gerente.*

hipar 1. Tener hipo, dar hipo.
— *Mi prima empezó a hipar a mitad del baile.*
— contracción espasmódica del diafragma acompañada por el ruido que produce la salida violenta del aire de los pulmones: *hipo.*
— que tiene hipo o es propenso a tenerlo: *hiposo.*
2. Gimotear, sollozar.
— *La tía hipaba mientras contaba sus desventuras.*
— acción y resultado de hipar o gimotear: *hipido.*
3. Jadear los perros de caza cuando corren mucho tras la presa.
— *Tu perro hipaba con fuerza.*

hípico, -ca Que se relaciona con los ca-

ballos o pertenece a ellos, en especial lo relativo a los deportes con caballos. ☞ **ecuestre, caballar, equino.**
— deporte hípico que abarca las carreras de caballos, equitación, conducción de vehículos jalados por caballos, etc.: *hipismo.*
— algunos deportes hípicos: *carreras de caballos: lisas, en sulky, a peso por edad, handicap, de obstáculos (steeple-chase, cross-country); concursos hípicos: jumping, polo, raid.*

hipnosis Sueño no fisiológico provocado mediante procedimientos mecánicos, físicos o psíquicos, que da lugar a manifestaciones del subconsciente; estas manifestaciones y sueño no se recuerdan.
— medicamento que produce sueño: *hipnótico.*
— que pertenece a la hipnosis o se relaciona con ella: *hipnótico.*

hipocondría Tendencia patológica de un individuo a exagerar los signos de enfermedad que padece o cree padecer.
— *Lo que siente es producto de su hipocondría.*
— que se relaciona con la hipocondría o que la padece: *hipocondríaco.*

hipocresía Simulación o fingimiento de cualidades, emociones o sentimientos con el fin de mostrar disposición favorable hacia alguien con quien no se tiene, de modo natural, esta actitud. ☞ **fingido, mojigato.** ❖ FRANQUEZA, SINCERIDAD.
— que actúa con falsedad, que aparenta lo que no siente o lo que no es: *hipócrita.*

hipótesis Suposición de algo que se admite de modo provisional para sacar una consecuencia. ☞ **presunción, conjetura, supuesto.**
— suposición admitida como provisional y que sirve de punto de partida para una investigación científica: *hipótesis de trabajo.*
— basado en una hipótesis, supuesto: *hipotético.*
— de modo hipotético: *hipotéticamente.*

hirsuto, -ta Que es de pelo áspero, grueso, rígido o que tiene el pelo de esa forma. ☞ **híspido.** ❖ SUAVE, SEDOSO, DÓCIL.

hisopo 1. Utensilio compuesto por un mango de madera o metal que en uno de sus extremos tiene un manojo de cerdas o una bola hueca agujerada con una esponja dentro, la cual retiene el agua bendita. Se emplea para asperjar con agua bendita. ☞ **aspersario, guisopo.**

— *El obispo llevaba el hisopo en esa ceremonia litúrgica.*

— cada aspersión hecha con el hisopo: *hisopada, hisopazo.*

— esparcir agua con el hisopo: *hisopear, hisopar, asperjar.*

2. Material de curación consistente en un palillo con algodón en los extremos.

— *Compra una caja de cien hisopos no esterilizados.*

hispano, -na Español. Suele usarse como prefijo. ☞ **hispanense.**

— que pertenece a un país de América en donde se habla español o que se relaciona con él: *hispanoamericano.*

histeria o histerismo Tipo de neurosis crónica que se manifiesta por muy diversos síntomas funcionales y a veces convulsiones o estado pasajero de excitación nerviosa ante un hecho inesperado.

— que pertenece a la histeria, se relaciona con ella o padece histerismo: *histérico.*

historia 1. Estudio de los acontecimientos del pasado relacionados con el hombre y las sociedades humanas.

— *Desde hace años se dedica a la historia.*

— estudio de la historia de todos los pueblos y épocas: *historia universal.*

— individuo que tiene por profesión la historia: *historiador.*

— que se relaciona con la historia o que pertenece a ella: *histórico.*

— conjunto de las ciencias de la naturaleza: *historia natural.*

2. Conjunto de sucesos relacionados con el hombre y las sociedades humanas ocurridos en una época o lugar determinado, verificados y referidos por historiadores.

— *Me gusta la historia de México.*

— perder una noticia o acontecimiento su actualidad o su importancia: *pasar a la historia.*

3. Conjunto de hechos o acontecimientos relacionados con alguien o con algo y relación de esos hechos.

— *Ella nos contó la historia de su viaje.*

— ser algo digno de recordarse por su importancia: *pasar a la historia.*

— expresar las vicisitudes por las que ha pasado alguien o algo: *historiar.*

4. Narración o relato ficticio o inventado.

— *Por la noche escucharemos historias de brujas.*

— chismes, mentiras o pretextos: *historias.*

historieta Exposición o narración impresa e ilustrada de una historia, con diálogos entre los personajes. ☞ **cuento, pasquín, comics.**

histrión 1. Individuo que hace algo grotesco para divertir a otros. ☞ **bufón, payaso.**

— *Ya cansa el histrión de tercero de secundaria haciendo siempre lo mismo.*

2. Farsante o persona que sólo busca impresionar fuertemente a los demás.

— *Ese hombre es un histrión de la política.*

3. Actor, especialmente el de la tragedia antigua, o el que hacía malabarismos o acrobacias para divertir al público.

— *La obra se llevó a escena con buenos histriones.*

— que se relaciona con el histrión o que pertenece a él: *histriónico.*

— oficio de actor y conjunto de actores: *histrionismo.*

hito 1. Señal que sirve para marcar los límites de un terreno o poste que indica la dirección de una carretera o camino, las distancias, etc. ☞ **poste, señal.**

— *El hito nos indicó dar vuelta a la izquierda.*

2. Punto a donde se dirige la vista para acertar el tiro en el blanco o puntería.

— *Parece que te falla el hito cuando disparas el fusil.*

— comprender el punto de la dificultad: *dar en el hito.*

— observar algo o a alguien sin quitar la vista: *mirar de hito o mirar de hito en hito.*

3. Que es totalmente negro, que no tiene pelo de otro color que no sea el negro, tratándose de caballos.

— *Tiene en su rancho caballos hitos.*

hoatzín, hoasín u hoacín Especie de faisán americano, ave de la familia de los opistocómidos. ☞ **ave, hoacín.**

hocico 1. Parte de la cabeza de algunos animales en donde están la boca y la nariz.

— *La vaca se lastimó el hocico.*

2. Boca humana de labios abultados.

— *Lo más llamativo de su cara era el hocico.*

hogar 1. Lugar en donde vive una persona junto con su familia. ☞ **domicilio, vivienda.**

— *Este es mi hogar.*

— que se relaciona con el hogar o que pertence a él: *hogareño.*

— que le gusta su casa y la vida familiar: *hogareño.*

2. Casa donde se da asistencia a los desvalidos. ☞ **asilo.**

— *Hoy conocí un hogar de huérfanos.*

hogaza Barra o pieza grande de pan. ☞ **barra de pan, pan de caja.**

hoguera Fuego de abundante llama que se hace en el suelo y al aire libre.

hoja 1. Cada una de las partes, planas, delgadas, de simetría bilateral y generalmente de color verde, que nacen y crecen en los tallos tiernos y ramas de los vegetales. ☞ **planta.**

— *El fresno lucía miles de hojas.*

— conjunto de hojas que han caído de uno o varios árboles: *hojarasca.*

— echar hojas las plantas o mantenerse un animal de hojas: *hojear.*

— que tiene muchas hojas: *hojoso, hojudo.*

2. Cada una de las partes que forman la corola de la flor. ☞ **pétalo.**

— *Las hojas de esa margarita son blancas.*

3. Cada una de las partes delgadas de papel como las de un libro o cuaderno.

— *El libro tiene las hojas muy maltratadas.*

— pasar las hojas de un texto, periódico o cuaderno lentamente, leyendo sólo algunos fragmentos: *hojear.*

— documento que consigna los antecedentes personales y profesionales de un funcionario o empleado: *hoja de servicios.*

— cada una de las hojas de un texto mecanografiado: *cuartilla.*

— tamaños de hojas para escritura: *esquela, carta, oficio.*

4. Lámina delgada de cualquier material: madera, metal, vidrio, etc.

— *La caja está cubierta con una hoja de oro.*

— labrar metales reduciéndolos a láminas delgadas: *batir hoja.*

5. Cuchilla delgada y plana de las armas blancas y de algunas herramientas.

— *La hoja del cuchillo se oxidó.*

— cuchilla delgada y filosa de acero que se usa para rasurar o rasurarse: *hoja de rasurar, hoja de afeitar.*

6. Cada una de las partes más o menos delgadas y planas que abren o cierran de las ventanas, puertas, biombos, persianas, etc.

— *El biombo tiene tres hojas negras.*

— no poder ser de otra manera: *no tener vuelta de hoja.*

7. Cada una de las capas delgadas en que se puede dividir la masa cuando se hornea, como el hojaldre.

— *Las hojas del pastel se deshacían en la boca.*

hojalata Lámina delgada de acero o

hierro con revestimiento de estaño. ☞ **lata.**

— lugar donde se reparan carrocerías de vehículos de transporte, como automóviles, camionetas, etc.: *taller de hojalatería.*

— lugar en donde se hacen piezas de hojalata o tienda donde se venden: *hojalatería.*

— el que hace o vende piezas de hojalata: *hojalatero.*

hojaldre Masa compuesta básicamente con manteca o mantequilla y harina que cuando se cuece forma muchas hojas delgadas superpuestas. ☞ **pasta hojaldrada.**

— individuo que hace hojaldre: *hojaldrista, hojaldrero.*

— hacer hojaldre: *hojaldrar.*

hola Expresión usada para saludar.

holgado, -da 1. Que es amplio o ancho algo con respecto a lo que contiene. ❖ ESTRECHO, ANGOSTO.

— *El vestido tiene mangas holgadas.*

— anchura, amplitud: *holgura.*

2. Que vive con bienestar y desahogo económico. ❖ POBRE, MÍSERO.

— *No necesita trabajar para vivir de manera holgada.*

— desahogo o bienestar económico, comodidad: *holgura.*

holgazán, -na Que es perezoso, ocioso o flojo, que no quiere trabajar, tratándose de personas. ❖ TRABAJADOR.

— trabajar poco o nada por pereza: *holgazanear.*

— ociosidad, pereza, haraganería: *holgazanería.*

holocausto 1. Sacrificio religioso entre los judíos que consistía en la cremación total de un animal.

— *El cuarto día la celebración incluyó un holocausto.*

2. Acción de abnegación, renunciamiento, ofrenda o sacrificio.

— *A los 68 años, el trabajo era para él un holocausto.*

hollejo Cáscara delgada de algunas frutas y legumbres. ☞ **piel.**

hollín Sustancia espesa y negra que el humo deposita en la superficie de los cuerpos que alcanza. ☞ **tizne.**

— que quita el hollín de las chimeneas, dejándolas limpias: *deshollinador.*

— quitar el hollín: *deshollinar.*

— cubrir de hollín: *hollinar.*

hombre 1. Animal racional o animal mamífero *homo sapiens* y conjunto de estos seres. ☞ **individuo, humanidad.**

— *Las ciudades son producto del hombre.*

— que se relaciona con el hombre, que pertenece al hombre o que es propio de él: *humano.*

2. Ser humano de sexo masculino. ☞ **varón, macho.** ❖ MUJER.

— *Un hombre vendía pan en la esquina.*

— ser muy valiente: *ser muy hombre.*

— hombre valiente y fuerte: *hombre de pelo en pecho.*

3. Ser humano de sexo masculino que ha pasado la infancia y la adolescencia. ❖ NIÑO, JOVEN.

— *Tu hijo ya es un hombre.*

— desear un joven parecer hombre: *hombrear.*

— hombre honrado: *hombre de bien.*

4. Esposo, marido, amante.

— *Dicen que ella ya tiene un hombre.*

5. Expresión de sorpresa.

— *¡Hombre! No sabía que ya viven aquí.*

— individuo que lleva puesto un equipo de buceo: *hombre rana.*

hombro 1. Cada una de las dos regiones superiores y laterales del tronco humano en donde nace el brazo.

— *Quítame tu brazo del hombro, me pesa mucho.*

— soportar algo difícil o desagradable: *llevar sobre los hombros.*

— desdeñar a alguien, despreciar o mirar con desprecio: *mirar por encima del hombro.*

— ayudar a alguien: *arrimarle el hombro.*

— no importar, ser indiferente: *encogerse de hombros.*

— sobre los hombros: *en hombros, a hombros.*

2. Parte de las prendas de vestir que cubre la región superior y lateral del tronco humano.

— *Me falta coser los hombros y el cuello de tu blusa.*

homenaje Acto o serie de actos en honor de alguien o para demostrarle reconocimiento y admiración. ☞ **celebración, exaltación.**

— persona a la que se le rinde homenaje: *homenajeado.*

— rendir homenaje: *homenajear.*

homeopatía Método terapéutico que trata las enfermedades con sustancias similares a las que provocan la enfermedad, pero en dosis muy bajas.

— médico que ejerce la homeopatía: *homeópata.*

— que se relaciona con la homeopatía o que pertenece a ella: *homeopático.*

homicida 1. Que produce la muerte de una persona.

— *No se ha encontrado el arma*

homicida con la que mataron al plomero.

2. Persona que da muerte a otra voluntariamente. ☞ **asesino.**

— *El homicida huyó por la vereda.*

— muerte de alguien causada voluntariamente por una persona: *homicidio.*

homilía Plática o sermón dirigido a los creyentes mediante el cual se explica algún asunto religioso. ☞ **exégesis, sermón.**

homogéneo, -nea Que está constituido por elementos de la misma clase o con características semejantes. ☞ **semejante, uniforme.** ❖ HETEROGÉNEO.

— hacer homogéneo algo que antes no lo era: *homogeneizar.*

— calidad de homogéneo: *homogeneidad.*

homólogo, -ga Que se encuentra en condiciones similares de trabajo, de vida, etc., respecto de otro, tratándose de personas, o que se corresponden, son equivalentes, comparables, homogéneos o parecidos entre sí, tratándose de elementos y otras cosas.

homónimo, -ma 1. Que se pronuncia igual o que se escribe igual una palabra con respecto a otra u otras, pero tiene distinto significado, como: *as, has, haz* y *gato* ('animal') y *gato* ('herramienta').

— *La maestra explicó que cocer y coser son palabras homónimas en Hispanoamérica, pero no en gran parte de España.*

2. Que tiene igual nombre una ciudad, persona, etc. con respecto a otra u otras.

— *Conocí a una escritora homónima tuya.*

homosexual Que siente atracción sexual, tratándose de una persona, por las de su mismo sexo. ❖ HETEROSEXUAL.

— atracción sexual de una persona o animal por otro de su mismo sexo: *homosexualidad.*

— mujer homosexual: *lesbiana.*

— varón homosexual: *invertido, volteado, joto, puñal, marica, mariquita, mariposón, gay, loca, lilo, puto, cacha granizo.*

honda 1. Objeto con una tira de material flexible, como el cuero, que sirve para tirar piedras con fuerza.

— *Llevaban hondas para la batalla.*

— tiro de honda: *hondazo.*

— disparar la honda: *hondear.*

— soldado que usaba la honda en combate: *hondero.*

2. Tira empleada para suspender un objeto en el aire.

— *Una honda sujetaba la maceta.*

hondo, -da 1. Que es muy profunda una cosa. ❖ ELEVADO, ALTO.

— *En ese sitio el mar es muy hondo.*

2. Que es bajo, tratándose de un terreno con respecto a lo circundante. ☞ **hondonada, hondón, quebrada, depresión.** ❖ NIVELADO.

— *Los agricultores sembraron en lo hondo.*

— parte del terreno más baja que la que lo circunda: *hondonada, hondón.*

3. Que es muy íntimo, intenso o profundo un sentimiento o una emoción. ❖ SUPERFICIAL.

— *Sintió una alegría muy honda al verlo, después de trece años de ausencia.*

— examinar cuidadosamente lo más profundo u oculto de un asunto: *ahondar, meterse en honduras.*

— profundidad: *hondura.*

— desde el fondo, en el fondo: *desde lo hondo, en lo hondo.*

— con hondura o profundidad: *hondamente.*

hongo (vea ilustración). 1. Planta de cuerpo simple, sin tejidos ni órganos especializados, sin clorofila y de reproducción generalmente asexual, que vive a expensas de materias orgánicas en descomposición o como parásito de seres vivos.

— *El tronco del árbol estaba lleno de hongos.*

— ser molesto: *ser un hongo.*

2. Sombrero de copa baja y semiesférica.

— *El hombre dejó el hongo sobre la mesa.*

honor 1. Cualidad moral de alguien que determina un comportamiento responsable, honesto, honrado y de respeto hacia los demás y a sí mismo. ☞ **decoro.** ❖ DESHONOR.

— *Es una familia de honor.*

2. Buena opinión y fama de alguien con esta cualidad moral. ☞ **pundonor, honra.**

— *Defendió el honor de sus hijas puesto en peligro por la maledicencia de las chismosas del pueblo.*

— que da honor: *honorífico.*

— comportarse como lo que se es: *hacer honor a su nombre.*

3. Dignidad, cargo o privilegio que se concede a una persona.

— *Tiene el honor de representar a su nación en el extranjero.*

— que tiene la concesión de usar el título de un cargo alguien, pero no la responsabilidad de ese cargo: *honorífico.*

4. Demostración de estima y respeto hacia alguien.

— *Se organizó una recepción en honor de la bailarina.*

hora 1. Cada parte de las veinticuatro en que se divide el día solar medio y que equivale a 3600 segundos o 60 minutos, o medida de tiempo que marca el reloj.

— *Hace dos horas que te espero.*

— hora determinada por el curso aparente de un astro ficticio denominado sol medio alrededor de la Tierra describiendo una línea como la del ecuador y no una elíptica: *hora solar media, hora media.*

— distribución de las horas de escuela: *horario escolar, horario de clases.*

— hora que se dedica al trabajo fuera del horario normal de labores: *hora extra.*

— hora inactiva o desperdiciada entre dos periodos de trabajo: *hora ahorcada, hora muerta.*

2. Momento específico u oportuno para llevar a cabo algo.

— *¡Niños! Ya es la hora de cenar.*

— momento del día en que ocurre mayor aglomeración al desplazarse las personas en una ciudad, generalmente alrededor de las horas de entrada y salida del trabajo: *hora pico.*

— en un momento inoportuno, en el momento en que ya no hace falta: *en mala hora, ¡a buenas horas!*

— en el último momento: *a última hora.*

— en el momento crucial: *a la hora de la hora, a la hora de la verdad.*

— estar próximo a morir una persona: *tener sus horas contadas.*

horadar Agujerar un objeto de uno a otro lado. ☞ **perforar.**

— acción y resultado de horadar: *horadación.*

horca 1. Aparato en forma de escuadra constituido por tres vigas, una horizontal, sostenida por dos verticales, de la cual pende una cuerda usada para colgar a los condenados a muerte. ☞ **ahorcar.**

— *Murió en la horca.*

— en forma de horca: *horcado.*

2. Especie de instrumento de labranza formado por un mango largo y dos o más púas en uno de los extremos.

— *Levantaban la paja con la horca.*

— tronco o palo de madera resistente que remata en dos púas y que sirve para sostener vigas de techos o aleros de casas rústicas o jacales: *horcón.*

— conjunto de dos ramales de ajos o cebollas atados en un extremo: *horca de ajos, horca de cebollas.*

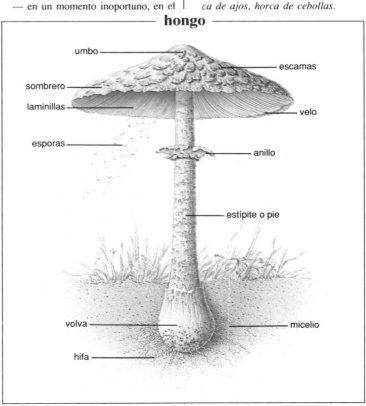

hongo

umbo
escamas
sombrero
laminillas
velo
esporas
anillo
estípite o pie
volva
micelio
hifa

horchata Bebida elaborada con arroz, azúcar y canela.
— persona que hace o vende horchata: *horchatero.*
— ser muy tranquilo: *tener horchata en la sangre.*

horda 1. Agrupación primitiva de nómadas cuya organización social estaba poco desarrollada.
— *La diferencia fundamental entre la tribu y la horda es la forma más avanzada de organización social de la primera.*
2. Conjunto de gente armada que actúa desorganizadamente. ☞ **turba, cuadrilla.**
— *El pueblo fue atacado por una horda de maleantes.*

horizonte 1. Línea aparente que alguien observa desde un determinado lugar y que parece separar el cielo de la Tierra. ☞ **confín, límite.**
— *Pudimos ver el Sol sobre el horizonte.*
— que es paralelo al horizonte o que es perpendicular a una vertical: *horizontal.*
2. Conjunto de acontecimientos o de hechos que abarca algo o alguien, perspectiva o posibilidad de desarrollo, de acción o de pensamiento.
— *El horizonte de los aztecas se vio truncado por la conquista de los españoles.*

horma 1. Molde con el que se fabrica un objeto.
— *Esas hormas ya no sirven*
— individuo que hace hormas, principalmente para sombreros o zapatos: *hormero.*
2. Instrumento que se introduce en el zapato para ensancharlo, alargarlo o para que no se deforme.
— *Tuvo que dejar los zapatos en la horma para que se ensancharan.*
— hallar alguien lo que es conveniente para él: *encontrar la horma de su zapato.*

hormigón Mezcla compuesta de grava, arena y cemento a la que se agrega agua para cohesionarla.
— hormigón de cal hidráulica: *hormigón hidráulico.*
— estructura de barras de hierro o acero rellena de hormigón hidráulico: *hormigón armado.*
— aparato para preparar la mezcla de hormigón: *hormigonera.*

hormiguero 1. Lugar en donde se crían y alojan las hormigas y conjunto de hormigas que viven en ese lugar.
— *Mira aquí, hay un hormiguero.*
— insecto himenóptero social de diferentes especies: *hormiga.*

— volverse una situación peligrosa o muy problemática: *ponerse color de hormiga.*
2. Aglomeración de personas o animales que están moviéndose.
— *La calle era un hormiguero.*
— estar en movimiento muchas personas o animales: *hormiguear.*
— cosquilleo o picazón molesta en una parte del cuerpo: *hormigueo.*
— sentir un hormigueo: *hormiguear.*

hormona Sustancia segregada por una glándula o tejido, animal o vegetal, y transportada por la sangre o los jugos vegetales para actuar de manera fundamental en diversos órganos y funciones de éstos, como en el sistema nervioso, en el reproductor, etc.
— que se relaciona con las hormonas o que pertenece a éstas: *hormonal.*
— hormona secretada por la hipófisis: *gonadotropina.*
— hormona secretada por la tiroides: *tiroxina.*
— hormona secretada por el páncreas: *insulina.*
— hormona sexual masculina: *testosterona.*
— hormona sexual femenina: *progesterona.*

horno 1. Aparato doméstico independiente o parte de la estufa donde se introducen alimentos para asarlos, cocerlos o calentarlos.
— *Hay que limpiar el horno.*
— asar o cocer un alimento: *hornear.*
— modo de cocinar un alimento usando este aparato: *al horno.*
— horno doméstico en donde el calor se produce con electricidad: *horno de microondas.*
2. Construcción hecha especialmente para producir y mantener un intenso calor y que sirve para caldear, fundir o cocer metales, cerámica, vidrio, etc.
— *Metan esas piezas de barro al horno y échenle más leña.*

horóscopo 1. Gráfico o tabla sinóptica que representa las doce casas celestes o signos del zodiaco, de acuerdo con la observación de la posición de los astros, y las predicciones del futuro que conllevan. ☞ **zodiaco, astrología.**
— *De una de las paredes colgaba un horóscopo.*
2. Predicción del futuro deducible de esa tabla sinóptica. ☞ **augurio, vaticinio, adivinación.**
— *Por la tarde leyó su horóscopo.*

horquilla 1. Pieza de cualquier material en forma de Y.

— *Haz una resortera con la horquilla.*
2. Pieza formada por un alambre o tira muy delgada de metal doblada a la mitad, de manera que en un extremo queden dos puntas separadas, y que se utiliza para sujetar el pelo. ☞ **pasador.**
— *Se hizo un chongo con los pasadores y horquillas de su hermana.*

horrible Que produce espanto, susto, desagrado, que es muy feo y repulsivo. ☞ **horrendo, monstruoso, horroroso.** ❖ ADMIRABLE, ESPLÉNDIDO.
— causar espanto: *horripilar, horrorizar.*
— sentir miedo o espanto: *horrorizarse.*
— miedo o temor producto de algo terrible: *horror.*
— atrocidad o monstruosidad: *horror.*

hortaliza Vegetal, legumbre o planta comestible, conjunto de estas plantas y huerto donde se cultivan.
— hortaliza cuya raíz es comestible: *betabel, papa, rábano, nabo, zanahoria.*
— hortaliza cuyo bulbo o tallo es comestible: *cebolla, ajo, poro, espárrago.*
— hortaliza cuyas hojas son comestibles: *col, lechuga, acelga, apio, espinaca, verdolaga.*
— hortaliza cuyos frutos son comestibles: *jitomate, chile, ejote, frijol, pepino, chayote, calabaza, berenjena, chícharo.*

hosco, -ca 1. Que es intratable, áspero, irritable. ☞ **arisco, huraño.** ❖ AMENO, TRATABLE.
— *Tu hijo es hosco.*
2. Color moreno muy oscuro.
— *Era un hombre de piel hosca.*

hospicio 1. Asilo, orfanato o casa en donde se mantiene y educa a niños pobres o huérfanos.
— *Ellos crecieron en un hospicio.*
— comer demasiado: *comer como pelón de hospicio.*
— expresión que indica que alguien fue mal educado o tiene mala educación: *parecer alguien educado en el hospicio.*
2. Casa en donde se da hospedaje a pobres y peregrinos.
— *Los recibieron en el hospicio.*
— individuo que ha vivido en un hospicio: *hospiciante, hospiciano.*

hospital Establecimiento en donde se atiende a los enfermos o se da asistencia preventiva y curativa médica.
— llevar a un enfermo a internarse en el hospital: *hospitalizar.*
— acción y resultado de hospitalizar: *hospitalización.*

— que es amable y acogedor con las visitas: *hospitalario*.

— cortesía, acogida amable o buen recibimiento que alguien da u ofrece a otra persona, en especial cuando es una visita: *hospitalidad*.

hostia Hoja delgada y redonda de harina y agua que, según los católicos, consagrada representa el cuerpo de Cristo y se ofrece en el sacrificio de la misa. ☞ **oblea.**

— caja en donde se guardan las hostias no consagradas: *hostiario, hostiero*.

— individuo que hace hostias: *hostiero*.

— hostia consagrada: *pan eucarístico, sagrada forma*.

hostigar 1. Molestar a alguien, perseguirlo. ☞ **acosar, fastidiar, atosigar.**

—*Los cobradores lo hostigaban constantemente.*

2. Golpear con una vara, látigo o cosa semejante.

— *En la película vimos como hostigaban a los negros.*

— golpe de látigo o semejante al latigazo: *hostigo*.

— golpe muy fuerte del agua o del viento: *hostigo*.

3. Empalagar un alimento.

— *La bebida de frutas me hostigó.*

— que hostiga: *hostigador*.

— acción de hostigar: *hostigamiento*.

hotel 1. Establecimiento público en donde se da alojamiento temporal a personas que viajan. ☞ **posada.**

— *Siempre vamos a un hotel a la playa, cuando salimos de vacaciones.*

2. Establecimiento público que ofrece y da hospedaje, comida y servicio de lavado de ropa a huéspedes permanentes.

— *Cuando enviudó vendió la casa y se fue a un hotel.*

— relacionado con el hotel: *hotelero*.

— individuo que tiene un hotel o que se encarga de manejar un hotel: *hotelero*.

hoy 1. En este día.

— *Hoy fuimos al mar.*

— desde este día, a partir de hoy: *de hoy en adelante*.

2. En el tiempo presente, en la actualidad.

— *Hoy es relativamente sencillo viajar.*

— actualmente: *hoy en día, hoy por hoy*.

— por ahora, provisionalmente: *por hoy*.

hoyo Cavidad natural o artificial de un terreno o agujero más o menos redondo en una superficie. ☞ **agujero, socavón, zanja.**

— concentración de masa en el espacio o cuerpo cósmico con un campo gravitacional tan intenso que no deja escapar ni siquiera la luz: *hoyo negro, agujero negro*.

— que tiene hoyos: *hoyoso*.

— pequeña hendidura en la barba o las mejillas: *hoyuelo*.

— hoyo en el pavimento de la calle o de la carretera o agujero de un camino: *bache*.

hoz Herramienta compuesta por un mango y una hoja curva acerada con filo. ☞ **segadora, segar.**

— *Ellos cortan el pasto con la hoz.*

— golpe de hoz: *hozada*.

— porción de hierba que se corta cada vez que se pasa la hoz: *hozada*.

huacal 1. Parte del cuerpo de las aves, especialmente del pollo, formada por las costillas y la columna vertebral. ☞ **guacal.**

— *Compró tres huacales y rabadillas para hacer un caldo de pollo.*

2. Caja parecida a una jaula rectangular hecha con tablas de madera, que se usa para transportar y proteger fruta, verdura, loza, etc.

— *Compró dos huacales de jitomates.*

huachinango Pez marino, comestible, de origen mexicano, de la familia de los litiánidos, de distintas especies y variedades. ☞ **guachinango.**

huapango 1. Baile popular típico de las Huastecas veracruzana, potosina, tamaulipeca e hidalguense, música y canciones que lo acompañan. ☞ **guapango.**

—*Ellos se sentaron después de bailar un huapango.*

2. Fiesta o celebración popular campesina del estado de Veracruz.

— *El huapango empieza el viernes y termina el sábado.*

huarache Calzado indígena mexicano, elaborado generalmente con tiras de cuero tejidas y suela de ese material o de hule. ☞ **guarache, sandalia.**

huauzontle Variedad de planta mexicana quenopodiácea. Sus flores pequeñísimas, de color verde, son comestibles. ☞ **guauzontle, huauzoncle, huauzontli.**

hueco, -ca 1. Que está vacío el interior de algo. ☞ **oquedad, cavidad.** ❖ LLENO.

—*Las paredes huecas dejan oír hasta los murmullos.*

2. Espacio vacío entre dos cosas o de una cosa.

— *El hueco de ese librero puede*

aprovecharse para ocuparlo con libros de bolsillo.

3. Tiempo libre o que no se ocupa en alguna actividad.

— *Puedo hacer un hueco en la tarde para ir a visitarla.*

4. Que no tiene importancia ni solidez, que es trivial, superficial o vano.

— *Fue un discurso exaltado pero hueco.*

5. Que retumba o es profundo, tratándose de sonidos.

—*Cuando cayó se oyó un golpe hueco.*

hucha Objeto hueco con una ranura que sirve para guardar dinero; dinero ahorrado. ☞ **alcancía.**

— *la niña guardó mil pesos en su hucha.*

huehuetl Tambor prehispánico, generalmente de madera. ☞ **zacatán.**

huelga Suspensión voluntaria del trabajo en una empresa, institución, etc., por parte de los trabajadores, con el fin de conseguir mejores condiciones de trabajo. ☞ **paro.**

— suspensión de labores mientras se permanece en el sitio de trabajo: *huelga de brazos caídos*.

— abstinencia de alimentos que se impone un individuo: *huelga de hambre*.

— huelga efectuada simultáneamente por trabajadores de distintas ramas en una o varias localidades: *huelga general*.

— individuo que toma parte en una huelga: *huelguista*.

— que pertenece a la huelga o que se relaciona con los huelguistas: *huelguístico*.

— individuo que realiza el trabajo abandonado por un huelguista: *esquirol*.

huella 1. Marca que queda en el suelo de la pisada de una persona, de un animal o la que deja la llanta de un vehículo. ☞ **pisada, rastro.**

— *Siguieron las huellas del elefante.*

— pisar algo con el pie: *hollar*.

— humillar, despreciar: *hollar*.

2. Parte del escalón en donde se apoya el pie.

— *En la huella del escalón había una mancha de aceite.*

3. Cualquier tipo de rastro, señal o marca que deja una cosa sobre otra al estar en contacto; impresión, rastro físico o emocional que deja en una persona un acontecimiento, una enseñanza, un esfuerzo o sentimiento.

— *En su texto hay huellas de su maestro.*

— impresión dejada por las yemas de

los dedos sobre una superficie: *huella dactilar.*

huérfano, -na 1. Que se le murió el padre o la madre, que se le murieron los padres, tratándose especialmente de un menor de edad.

— *Se quedó huérfano de padre a los dos años.*

— asilo o casa donde se mantiene y se educa a los huérfanos: *orfanato, hospicio.*

2. Que fue abandonado por sus padres al nacer.

— *Ese huérfano de ocho años fue reclamado por sus padres arrepentidos.*

3. Que está desamparado o le falta algo.

— *Vive muy triste, huérfano de ilusiones.*

huero, -ra Hueco, vacío o vano, superficial.

— huevo no fecundado o que no produce cría por alguna causa: *huevo huero.*

hueso 1. Cada una de las partes sólidas y más duras del esqueleto de un vertebrado.

— *Al caerse se rompió un hueso.*

— que se relaciona con los huesos o que pertenece a ellos: *óseo, huesoso.*

— que tiene muy marcados los huesos: *huesudo.*

— estar muy flaco: *estar en los huesos.*

— sentir algo intensamente una persona, llegarle a lo más profundo: *calar hasta los huesos.*

— estar muy cansado alguien: *no poder con sus huesos.*

— la muerte: *la huesuda.*

2. Parte más dura en el interior de algunos frutos. ☞ **semilla.**

— *Laura pisó un hueso de durazno.*

— ser una situación, un problema, etc., difícil de entender o solucionar o ser alguien difícil de convencer o conmover: *ser un hueso duro de roer.*

3. Puesto público o empleo oficial del que, sin trabajar, se puede sacar mucho provecho o poder y que se consigue con la ayuda o la influencia de un amigo o familiar.

— *Anda de lambiscón con el delegado para ver si le da un hueso.*

— incondicional o apasionado de una actividad, ideología, partido, etc.: *de hueso colorado.*

hueva 1. Masa formada por los huevecillos de algunos peces en el interior del cuerpo de éstos.

— *No le quites las huevas a esos pescados.*

2. Flojera o pereza que siente alguien.

— *Me da hueva ir al cine.*

huevo (vea ilustración). 1. Célula que proviene de la unión de los elementos masculinos y femeninos, que da origen a un nuevo individuo.

— *En las hembras de los mamíferos el huevo se implanta en el útero.*

2. Cuerpo de forma ovoide que producen las hembras de las aves, peces, reptiles o batracios y que contiene la célula que dará origen a un nuevo ser.

— *En el nido del canario hay tres huevos.*

— empezar las aves a poner huevos: *huevar.*

3. El de la gallina.

— *Compré una docena de huevos.*

— tienda en donde se venden huevos: *huevería.*

— especie de copa en donde se pone un huevo cocido o pasado por agua para servirlo en la mesa: *huevera.*

4. Testículo.

— *El traje de baño le quedaba chico y mientras nadaba se le salió un huevo.*

— *a fuerza: a huevo.*

— ser muy valiente: *tener huevos, tener muchos huevos.*

— flojera, pereza: *hueva.*

— perezoso, flojo: *huevón, huevetas.*

— expresión con la que alguien se niega a seguir una orden: *¡mis huevos!*

— con fuerza: *con huevos.*

— hacer algo con dificultad y dolor: *morderse un huevo.*

— hacer algo con mucho trabajo: *costar un huevo.*

huipil o hipil Prenda de vestir típica de las mujeres de los pueblos indios de México, generalmente es de algodón o manta blanca, suelta, escotada, que va desde los hombros hasta la cintura o los muslos.

huir 1. Alejarse rápidamente de un sitio para ponerse a salvo de un peligro.

— *Huyó cuando empezaron los disparos.*

2. Escaparse del sitio donde estaba prisionero.

— *Pudo huir del campo de concentración.*

3. Evitar a alguien o algo molesto.

— *Huía de la soledad de su casa.*

— acción y resultado de huir: *huida.*

— que huye o que intenta huir: *huidizo.*

huitlacoche Hongo parásito que nace en la mazorca tierna del maíz; es comestible cocido o guisado. ☞ **cuitlacoche.**

hule 1. Goma elástica o impermeable que se produce de manera sintética o a partir del jugo lechoso de algunas plantas.

— *Las llantas de los coches son de hule.*

— extraer el hule de los árboles: *hulear.*

— persona que trabaja en la explotación del hule: *hulero.*

2. Árbol americano de la familia de las moráceas del que se extrae esa goma o árbol americano de la familia de las euforbiáceas.

— *Tengo dos hules en mi jardín.*

humanidad 1. Conjunto de todos los animales racionales u hombres y de las características que los distinguen de los demás seres.

— *Esto forma parte de la historia de la humanidad.*

— que se relaciona con el hombre o con la humanidad, que pertenece a ellos: *humano.*

2. Bondad, compasión hacia los demás. ☞ **misericordia, piedad.**

— *Lo ayudó por humanidad.*

— que es bondadoso, compasivo y solidario con los demás: *humano, humanitario.*

— comportamiento o actitud en los que prevalecen los sentimientos humanitarios: *humanitarismo.*

3. Cuerpo de una persona, en particular el que es gordo.

— *Se sentó con toda su humanidad.*

húmedo 1. Que está levemente mojado algo o que tiene vapor de agua. ❖ SECO.

— *Esa planta se da en ambientes muy húmedos.*

— cantidad de vapor de agua contenido en la atmósfera: *humedad.*

— mojar algo ligeramente: *humedecer.*

2. Que tiene lluvias frecuentes, tratándose de regiones, localidades, países, o que es de clima lluvioso. ❖ SECO.

— *Es muy húmeda la región del norte de Hidalgo.*

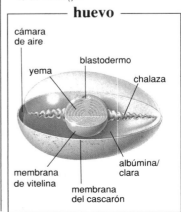

huevo

cámara de aire
yema
blastodermo
chalaza
membrana de vitelina
albúmina/clara
membrana del cascarón

— cantidad de agua que tiene algo: *humedad.*

— causar humedad algo: *humedecer, humectar.*

húmero Hueso del brazo articulado en uno de sus extremos con la escápula y, por el otro, con el cúbito y el radio.

— que se relaciona con el húmero o que pertenece a él: *humeral.*

— paño blanco que lleva el sacerdote al coger la custodia o el copón: *humeral.*

humildad 1. Comportamiento o actitud sencilla, modesta, sin presunción ni orgullo. ☞ **modestia, timidez.** ❖ SOBERBIA, VANIDAD, ORGULLO.

— *Reconoció el triunfo con humildad.*

— que tiene humildad o se comporta con humildad: *humilde.*

2. Condición social de quien padece cierta escasez de recursos económicos. ☞ **pobreza.** ❖ RIQUEZA.

— *Vive con humildad desde que se jubiló.*

— que tiene pocos recursos económicos: *humilde.*

humillar 1. Inclinar una parte del cuerpo como señal de sumisión o acatamiento.

— *Los súbditos se humillaron ante el rey.*

— echarse de rodillas o inclinar la cabeza ante alguien: *humillarse.*

2. Doblegar o disminuir el orgullo, la altivez o presunción de alguien, despreciar, hacer menos. ❖ ENALTECER, EXALTAR, ALABAR.

— *Acostumbraba humillarla frente a la familia.*

— perder alguien su dignidad por algún comportamiento o acción: *humillarse.*

— acción y resultado de humillar o humillarse: *humillación.*

— que humilla, que es denigrante o vergonzoso: *humillador, humillante.*

humo 1. Conjunto de gases, vapor y partículas muy tenues que se desprenden de un cuerpo en combustión.

— *El humo ensució el aire.*

— abundancia de humo: *humarada, humareda.*

2. Vapor que se desprende de algo que está en fermentación.

— *El humo de la sidra lo hacía llorar.*

— engreírse, presumir: *humear.*

— quitar a una persona su presunción: *bajarle los humos.*

— volverse una persona presumida o engreída: *subírsele los humos.*

humor 1. Cualquier líquido del cuerpo de un animal o del hombre.

— *La sangre es un humor.*

— líquido del ojo que se encuentra delante del cristalino: *humor acuoso.*

— líquido del ojo que se halla detrás del cristalino: *humor vítreo.*

— abundancia de humores: *humorosidad.*

2. Jovialidad, buena disposición de ánimo. ☞ **puntada.**

— *Es un viejo con humor.*

— actitud en la que predomina el humor o género de ironía en el que predomina el humor: *humorismo.*

— humorismo que nace de situaciones que normalmente causarían horror: *humor negro.*

— humorismo propio para los niños: *humor blanco.*

hundir 1. Hacer que algo se sumerja totalmente en el agua o en cualquier líquido, echarlo al fondo de una masa líquida.

— *El desertor hundió sus armas y uniforme en el río.*

— sumergirse totalmente algo o alguien, irse a pique una embarcación: *hundirse.*

— inmersión, naufragio: *hundimiento.*

2. Meter o introducir algo en una materia o masa blanda.

— *El globo se reventó porque le hundió un alfiler.*

3. Perjudicar mucho una cosa o una persona a alguien, arruinar, abatir o abrumarlo, derrumbar o destruir algo que fue construido.

— *La baja de la bolsa hundió a varios accionistas.*

— arruinarse o desmoronarse material o anímicamente: *hundirse.*

— baja, desplome, decaimiento, ruina: *hundimiento.*

huracán Tempestad muy violenta con fuertes lluvias, vientos que van a una velocidad de 115 km., por hora o más y marejadas. ☞ **ciclón, vendaval.**

— que tiene la fuerza del huracán: *huracanado.*

— tomar fuerza el viento hasta convertirse en huracán: *huracanarse.*

huraño, -ña Que se esconde de la gente, que evita el trato con ella. ☞ **arisco, esquivo, insociable, intratable.** ❖ SOCIABLE.

hurgar 1. Menear o remover una cosa sin cogerla. ☞ **revolver, manosear, sobar.**

— *El perro hurgó en el cajón.*

— que hurga: *hurgón, hurgador.*

— acción y resultado de hurgar: *hurgonada, hurgamiento.*

2. Hacer cosas que molestan a alguien, decir algo que disgusta.

— *El inspector no se cansaba de hurgar a los familiares del suicida.*

hurtar Apropiarse de algo, sin violencia, en contra de la voluntad del dueño. ☞ **robar, quitar, sustraer.**

— que hurta: *hurtador.*

— robo, despojo: *hurto.*

husmear 1. Indagar con disimulo algo que no le concierne.

— *Tu hermana husmeó respecto de lo que hiciste ayer.*

— que husmea: *husmeador.*

— investigación de algo que no le concierne, fiscalización: *husmeo.*

2. Seguir con el olfato alguna cosa o algo. ☞ **olfatear, rastrear, husmar.**

— *Husmeó hasta llegar a la cocina.*

— olfateo, rastreo: *husmeo.*

huso Instrumento que sirve para enrollar el hilo que se va formando o para unir y retorcer dos hilos o más. ☞ **rueca.**

— cada una de las 24 partes de 15 grados de amplitud en que se ha dividido la Tierra y que determina la hora que es en un país o región, de acuerdo con su localización en estas 24 partes: *huso horario.*

I

ibid o ibidem (vea recuadro de locuciones latinas). El mismo o lo mismo, se utiliza en notas o citas de impresos o manuscritos.

iceberg (aisber) Masa enorme de hielo que flota en el mar. Sólo una pequeña parte de la masa asoma sobre la superficie marina. ☞ **hielo, témpano.**

— no mostrar emociones: *ser un iceberg.*

ícono Imagen o representación devota de la iglesia ortodoxa.

— descripción de imágenes pictóricas, de monumentos, de esculturas, generalmente de carácter religioso: *iconografía.*

— hereje que negaba el culto a las imágenes sagradas: *iconoclasta.*

— que rechaza las normas, las creencias, los modelos: *iconoclasta.*

idea 1. Representación mental de un objeto real o imaginario.

— *La idea del bien lo motivaba.*

— que pertenece a las ideas o se relaciona con ellas: *ideal.*

— que no es real sino imaginario: *ideal.*

2. Noción general de algo.

— *No tenía idea de cómo armar el rompecabezas.*

3. Propósito de hacer algo, plan.

— *Viajó con la idea de gastar poco.*

4. Ocurrencia.

— *¡Sale con cada idea!*

5. Ingenio, habilidad para ejecutar algo.

— *Mi hijo tiene mucha idea para tocar la guitarra.*

6. Parte esencial de una doctrina, razonamiento.

— *La idea fundamental del cristianismo es el amor a un solo dios.*

— conjunto de ideas principales de un pensador, de una escuela, de una colectividad: *ideario.*

— que es excelente, perfecto: *ideal, idóneo.*

idem (vea recuadro de locuciones latinas). El mismo o lo mismo.

identidad Cualidad que tiene un objeto cuando posee sustancia y accidentes iguales a otro con el cual es comparado. ☞ **igualdad, equivalencia, parecido.** ❖ DISIMILITUD.

— documento que se emplea para reconocer a una persona: *cédula de identidad.*

— exacto, análogo, igual: *idéntico.*

identificación 1. Acción de hacer que dos o más cosas o personas distintas se consideren semejantes.

— *Gracias al maquillaje es posible la identificación entre dos personas.*

— que puede ser identificado: *identificable.*

— encontrar similitud entre dos cosas: *identificar.*

2. Acción de reconocer a una persona o cosa.

— *Ella ayudó a la identificación del ladrón.*

— reconocer algo o a alguien: *identificar.*

— dar una persona pruebas de su identidad: *identificarse.*

ideológico, -ca Que se relaciona con un cierto conjunto de ideas que es característico de una persona, una época o una colectividad.

— doctrina filosófica centrada en el estudio del origen de las ideas: *ideología.*

— individuo que sigue la doctrina filosófica de la ideología: *ideólogo.*

— sujeto que con sus ideas marca la conducta que debe seguir un grupo, una sociedad, una doctrina: *ideólogo.*

— conjunto de ideas propias de un sujeto, de una sociedad, de un periodo histórico, etc.: *ideología.*

— que pertenece a la ideología o se relaciona con ella: *ideológico.*

idilio 1. Relación entre enamorados. ☞ **romance, noviazgo, amor.**

— *El idilio no duró más de una semana.*

2. Composición poética de carácter amoroso bucólico.

— *Le gustaba recitar idilios.*

idiosincrasia Particularidad del temperamento, carácter de un individuo o colectividad.

— que pertenece a la idiosincrasia o se relaciona con ella: *idiosincrático.*

idiota 1. Que es necio, engreído. ☞ **estúpido, tonto, zoquete.**

— *Ese fulano es un idiota que a todos molesta.*

2. Que sufre deficiencia profunda de sus facultades mentales. ☞ **anormal, retrasado mental, deficiente mental.**

— *Temían que su hijo fuera idiota, pues no era capaz de comprender nada.*

— lo dicho o hecho por el idiota: *idiotez.*

— deficiencia mental excesiva: *idiocia.*

— carencia de ilustración: *idiotismo.*

ido, -da Que le falta el juicio, tratándose de personas. ☞ **atontado, distraído.**

— sentirse una persona ajena a lo que ocurre en su entorno inmediato: *estar ido.*

ídolo 1. Objeto al que se considera dotado de poderes sobrenaturales y al que se le rinde culto. ☞ **fetiche, efigie.**

— *Bailaban frente al ídolo para hacer llover.*

— disciplina que trata de los ídolos: *idología.*

2. Persona o cosa a la cual se le tiene veneración, admiración. ☞ **héroe.**

— *Hace años fue el ídolo de muchas jovencitas.*

— que adora ídolos: *idólatra.*

— admiración excesiva hacia una persona o cosa: *idolatría.*

— que pertenece a la idolatría o se relaciona con ella: *idolátrico.*

idóneo, -nea Que se ajusta perfectamente a algo. ☞ **apto, competente.**

— calidad de idóneo: *idoneidad.*

iglesia 1. (vea ilustración de la página 357). Conjunto de todos aquellos individuos que siguen una doctrina religiosa determinada, en particular la cristiana.

— *El sermón se dirigió a toda la iglesia.*

— conjunto de fieles cristianos vivos: *iglesia militante.*

— conjunto de fieles en el purgatorio: *iglesia purgante.*

— conjunto de fieles que están en la gloria: *iglesia triunfante.*

— congregación de fieles cristianos que reconoce al Papa como el vicario de Cristo en la tierra: *iglesia católica.*

— iglesia católica de Occidente: *iglesia latina.*

— iglesia católica de los países de Europa oriental y de Oriente próximo: *iglesia oriental.*

2. Estado eclesiástico.

— *Las relaciones entre la Iglesia y el Estado fueron difíciles.*

3. Templo cristiano.

— *Construyeron una iglesia junto a la escuela.*

— iglesia principal en donde reside el obispo: *catedral.*

— iglesia compuesta por el abad y los canónigos seculares: *iglesia colegial.*

— iglesia de un convento: *iglesia conventual.*

— iglesia compuesta por dos naves de igual longitud que se cruzan por su parte media: *iglesia en cruz griega.*

— iglesia compuesta por dos naves, una más larga que la otra, que se cruzan en escuadra: *iglesia en cruz latina.*

iglú (vea ilustración de la página 358). Habitación esquimal, en forma de cúpula, hecha con bloques de nieve endurecida. ☞ **casa, vivienda.**

ígneo, -nea 1. Que está relacionado con el fuego o con algunas de sus propiedades o características. ☞ **flamígero, llameante, fuego.**

— *Una masa ígnea salía de la boca del volcán.*

— que tiene fuego o lo arroja: *ignífero.*

— que protege contra un incendio: *ignífugo.*

— que tiene fuego: *ignito.*

— acción y resultado de estar un cuerpo encendido o enrojecido por el calor: *ignición.*

— acción de poner en marcha un motor: *ignición.*

2. Que proviene de la masa en fusión en el interior de la tierra, tratándose de rocas volcánicas.

— *La falda del volcán estaba cubierta de rocas ígneas.*

ignominia Afrenta pública que una persona padece. ☞ **oprobio, infamia.** ❖ HONOR.

— que causa una afrenta pública: *ignominioso.*

ignorar No saber, no tener conocimiento de algo. ☞ **desconocer.** ❖ CONOCER.

— que no ha recibido instrucción o no conoce algo: *ignorante.*

— falta de instrucción: *ignorancia.*

— no conocido o descubierto: *ignoto.*

igualar Hacer semejante una cosa o

iglesia

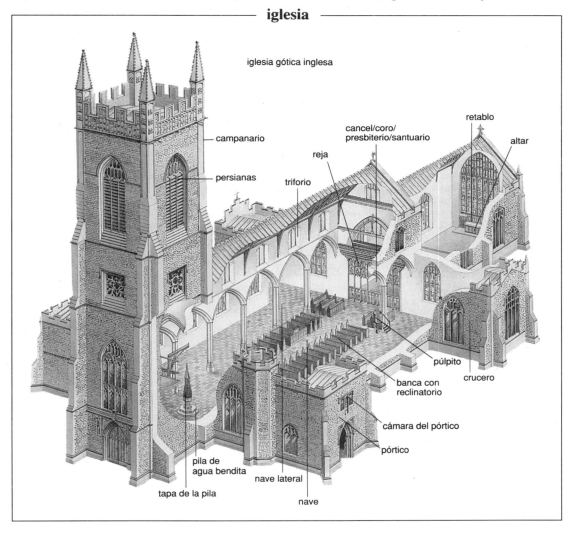

iglesia gótica inglesa

campanario

persianas

triforio

reja

cancel/coro/ presbiterio/santuario

retablo

altar

púlpito

crucero

banca con reclinatorio

cámara del pórtico

pórtico

pila de agua bendita

tapa de la pila

nave lateral

nave

persona a otra. ☞ **equiparar, hermanar.**

— que es de naturaleza, calidad o cantidad semejante a otra: *igual*.

— correspondencia y proporción de las partes de un todo: *igualdad*.

— con el mismo modo: *igualmente*.

— ajuste o pacto en los tratos: *iguala, igualación*.

— acción y resultado de igualar: *iguala, igualación*.

— que tiende a igualar: *igualatorio*.

— que ofende a otro al tratarlo como su igual, tratándose de personas: *igualado*.

— tendencia política que desea la desaparición de las clases sociales: *igualitarismo*.

— signo matemático que expresa equivalencia formado por dos pequeñas rayas paralelas (=): *igual*.

— que es único: *sin igual*.

iguana 1. Variedad de saurio americano. ☞ **reptil.**

— *La iguana trepó al árbol.*

2. Instrumento musical mexicano parecido a la guitarra que tiene cinco cuerdas dobles.

— *Esa pieza hay que tocarla con la iguana.*

ilegal Que va contra la ley. ☞ **ilícito.** ❖ LEGAL.

iletrado, -da Que no tiene instrucción. ☞ **iliterato, analfabeto, inculto, ignorante.** ❖ CULTO, SABIO, LETRADO.

ilícito, -ta Que no es permitido por la ley o la moral. ☞ **ilegal.** ❖ LEGAL.

— calidad de ilícito: *ilicitud*.

iluminación 1. Acción y resultado de arrojar luz. ☞ **claridad, luminosidad.**

— *Aquí hace falta mayor iluminación.*

— alumbrar: *iluminar*.

— que puede iluminar: *iluminativo*.

2. Adorno elaborado con luces.

— *La iluminación navideña fue estupenda.*

— adornar con luces: *iluminar*.

— luz que con motivo de una fiesta pública se coloca en un sitio público: *iluminaria*.

3. Diseño de las luces que alumbran un espectáculo escénico. ☞ **teatro.**

— *La iluminación maravilló a los espectadores.*

4. Especie de pintura al temple, por lo común realizada sobre vitela o papel. ☞ **pintura.**

— llenar de color un dibujo: *iluminar*.

— persona que adorna libros o estampas con colores: *iluminador*.

5. Conocimiento adquirido por intercesión de algo sobrenatural.

— *La muchacha hablaba así gracias a la iluminación.*

— proporcionar un ser sobrenatural a una persona algún tipo de conocimiento: *iluminar*.

— que ha recibido conocimiento sobrenatural: *iluminado*.

— hereje: *iluminado*.

— doctrina que se basa en la creencia en una iluminación inspirada por Dios: *iluminismo*.

— ayudar a comprender algo: *iluminar*.

— que ilumina: *iluminador*.

ilusión 1. Imagen, concepto irreal causado por la imaginación o por engaño de los sentidos.

— *Los magos trabajan con base en ilusiones ópticas.*

— que no tiene valor real: *ilusorio*.

— que puede engañar: *ilusorio*.

— tendencia a planear gastos atendiendo al valor monetario de los ingresos y no al real: *ilusión monetaria*.

— producir ilusión: *ilusionar*.

— prestidigitación: *ilusionismo*.

— prestidigitador: *ilusionista*.

2. Esperanza con poco fundamento en la realización de un deseo.

— *A los sesenta años tenía la ilusión de casarse.*

— producir ilusión: *ilusionar*.

— ansiar sin fundamento la realización de un deseo: *hacerse ilusiones*.

— que se ilusiona con facilidad: *iluso*.

ilustración 1. Cultura, instrucción, educación.

— *Ese hombre no ha recibido ilustración, pues no sabe escribir.*

— que es instruido: *ilustrado*.

— instruir, cultivar: *ilustrar*.

2. Dibujo, grabado o imagen que adorna una obra impresa. ☞ **grabado, lámina.**

— *La primera ilustración de ese libro es fascinante.*

— realizar dibujos para un texto: *ilustrar*.

— que ilustra: *ilustrador*

— ejemplificar: *ilustrar*.

— noble: *ilustre*.

— que destaca por su actividad: *ilustre*.

— tratamiento de respeto hacia ciertas dignidades: *ilustrísimo*.

— tratamiento de respeto que se le da a un obispo: *su ilustrísima*.

iglú

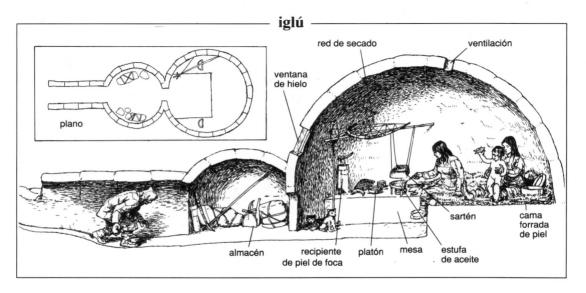

red de secado

ventilación

ventana de hielo

plano

sartén

cama forrada de piel

almacén

recipiente de piel de foca

platón

mesa

estufa de aceite

— movimiento cultural de origen europeo surgido a fines del s. XVIII: *Ilustración.*

imadi Unidad monetaria de Yemen.

imaginación 1. Facultad de recrear imágenes mentalmente.

— *Su imaginación lo hacía concebir monstruos terribles.*

— representación mental de algo: *imagen.*

— representarse en el pensamiento una imagen: *imaginar.*

— pensar, crear: *imaginar.*

— que existe sólo en la imaginación: *imaginario.*

— que pertenece a la imaginación o se relaciona con ella: *imaginativo.*

— que tiene gran capacidad de imaginación: *imaginativo.*

2. Facultad de inventar acontecimientos, seres u objetos.

— *Tiene imaginación para escribir guiones cinematográficos.*

— apariencia visible de algo o alguien: *imagen.*

— reproducción de la figura de algo sobre un espejo o pantalla: *imagen.*

— representación pictórica o escultórica de tipo religioso: *imagen.*

— igual a otro: *a imagen y semejanza.*

— que se puede imaginar: *imaginable.*

— individuo que elabora imágenes religiosas: *imaginero.*

— arte de los imagineros: *imaginería.*

— conjunto de imágenes, formas y expresiones empleadas por un sujeto, escuela, tendencia: *imaginería.*

— bordado que imita la pintura: *imaginería.*

— escuela de poetas británicos que deseaban comunicar la impresión directa de sus sentidos mediante el color y el ritmo: *imaginismo.*

— que pertenece a la escuela del imaginismo: *imaginista.*

imán 1. Cualquier sustancia que pueda atraer el hierro. ☞ **magnetita.**

— *El imán atrajo hacia sus extremos numerosos clavos.*

— comunicar al hierro o al acero las propiedades del imán: *imantar, imanar.*

— acción y efecto de imantar o imantarse: *imantación, imanación.*

2. Cualidad de una persona o cosa que atrae la voluntad. ☞ **hechizo, atractivo.** ❖ RECHAZO.

— *Su cabello era para mí un imán.*

3. Individuo que preside la oración pública musulmana.

— *Todos seguían los movimientos del imán.*

— cargo del imán: *imanato.*

impaciencia Calidad de quien no tiene tranquilidad ni calma para esperar a que algo suceda. ☞ **exasperación, irritación.** ❖ PACIENCIA.

— hacer que otro pierda la paciencia: *impacientarlo.*

— que no tiene paciencia: *impaciente.*

impar 1. Que no hay quien se le asemeje. ☞ **desigual, disparejo.** ❖ COMÚN.

— *Luchó con valor impar.*

2. Que no es divisible entre dos números enteros iguales. ❖ PAR.

— *El siete es un número impar.*

imparcial 1. Que juzga o actúa sin preferencias en favor de personas o cosas. ☞ **equitativo, justo, recto.**

— *Luchó por ser imparcial en su juicio.*

2. Independiente, que no pertenece a ningún partido.

— *No cuentes con ella, siempre ha sido imparcial.*

— calidad de imparcial: *imparcialidad.*

impartir Comunicar, repartir algo que se puede dar. ☞ **repartir.**

impasible Que no se altera o no expresa emoción o turbación. ☞ **inmutable, impertérrito, imperturbable.**

impedir Imposibilitar la realización de algo. ☞ **dificultar, estorbar, obstaculizar.**

— obstáculo, estorbo: *impedimento.*

— que dificulta o estorba: *impedidor.*

— conjunto de objetos que lleva la tropa y que imprime lentitud a las operaciones y la marcha: *impedimenta.*

— tullido, minusválido: *impedido.*

impenetrable Que no se puede llegar a su interior o que no se puede conocer su significado. ☞ **indescifrable, incomprensible.** ❖ PENETRAR.

— calidad de impenetrable: *impenetrabilidad.*

imperceptible Que no se puede sentir, y que apenas se nota. ☞ **insensible, indiscernible.** ❖ PERCEPTIBLE.

— calidad de imperceptible: *imperceptibilidad.*

imperecedero, - ra Que no muere, se destruye o descompone. ☞ **eterno.** ❖ MORTAL, PERECEDERO.

imperio 1. Acción de ordenar con autoridad.

— *Decidía con imperio las tareas a realizar.*

— persona que ordena con despotismo: *imperioso.*

2. Espacio de tiempo que dura el gobierno de un emperador.

— *Nació durante el imperio de Claudio.*

— relacionado con el emperador y el imperio: *imperial.*

— título de ciertos soberanos: *emperador.*

— esposa del emperador: *emperatriz.*

3. Estados sujetos a un emperador.

— *El imperio español en América fue extenso.*

4. Estado que impone su autoridad a otro.

— *Estas regiones se sometían al imperio del sur.*

— tendencia de un Estado a poner pueblos de cultura diversa bajo su autoridad y política: *imperialismo.*

— doctrina que justifica esta política: *imperialismo.*

— voluntad de expansión o dominación individual o colectiva: *imperialismo.*

— perteneciente al imperialismo: *imperialista.*

— estilo artístico francés de principios del s. XIX, caracterizado por el uso de motivos egipcios y romanos: *imperio.*

— que es necesario: *imperioso.*

— sarga de lana fina: *imperial.*

— piso superior de un carruaje, autobús, tranvía: *imperial.*

— as, rey, dama y valet del mismo palo, en las barajas: *imperial.*

impermeable 1. Que no puede ser traspasado por un líquido.

— *Ayer colocaron una capa impermeable en el techo de la cabaña.*

— hacer que algo no pueda ser atravesado por un líquido: *impermeabilizar.*

— sustancia que impermeabiliza: *impermeabilizante.*

— acción y resultado de impermeabilizar: *impermeabilización.*

— calidad de impermeable: *impermeabilidad.*

2. Prenda de vestir que se usa para protegerse de la lluvia. ☞ **gabardina.**

— *¡Está lloviendo! Préstame tu impermeable.*

impertinencia Calidad de lo que no es adecuado, oportuno o discreto. ☞ **inconveniencia, pesadez, inoportunidad.**

— inadecuado, inoportuno: *impertinente*

— anteojos con manija: *impertinentes.*

implantar 1. Establecer, poner en funcionamiento doctrinas, prácticas, costumbres nuevas. ☞ **instituir, fundar.**

— *Cuando llegó implantó hábitos alimenticios severos.*

2. Colocar en el cuerpo humano un objeto o un sustituto de algún órgano. ☞ **insertar, poner, meter.**

— *Le hicieron un implante capilar.*

— acción y resultado de implantar o implantarse: *implantación*

— que implanta: *implantador.*

implementar Poner en funcionamiento ciertas acciones, medidas, procesos.

— utensilio: *implemento.*

implicar 1. Enredar, envolver. ☞ **complicar.**

— *Aquel individuo resultó implicado en el robo.*

2. Significar, contener, llevar en sí. ☞ **expresar, sugerir.**

— *Aprender a nadar implica mojarse.*

— acción y resultado de implicar: *implicación.*

— oposición de dos términos entre sí: *implicación, implicancia.*

— que contiene contradicción: *implicatorio.*

— lo que se entiende que está incluido en otra cosa sin que se exprese directamente: *implícito.*

— de modo implícito, tácito: *implícitamente.*

implorar Solicitar algo con excesivos ruegos y lágrimas. ☞ **rogar, invocar, suplicar.**

— que implora: *implorante.*

— acción y efecto de implorar: *imploración.*

imponer 1. Asignar una obligación, carga o tarea. ☞ **obligar.**

— *Como castigo le impuso barrer el jardín.*

2. Atribuir falsamente, imputar. ☞ **calumniar.**

— *Le impusieron sin razón aparente ese texto.*

3. Infundir miedo, respeto, asombro. ☞ **amedrentar.**

— *La altura lo impone.*

4. Hacer valer una persona su poderío, autoridad, fuerza. ☞ **dominar.**

— *Con sus palabras se impuso ante el auditorio.*

— que impone: *imponente, imponedor, impositor.*

— grandeza, majestad: *imponencia.*

importancia Calidad de lo que es conveniente, relevante o necesario. ☞ **valor, consideración.**

— que es de importancia: *importante.*

— con importancia: *importantemente.*

— sentirse superior: *darse importancia.*

importar 1. Convenir, interesar. ❖ DESINTERESAR.

— *Ese pedazo de tierra no le importa a nadie.*

2. Valer, cuando se habla del precio de algo.

— *La pulsera importa una suma considerable.*

— precio, deuda, saldo: *importe.*

3. Meter a un país algo de origen extranjero.

— *Le gusta seguir modas importadas.*

— acción de introducir a un país objetos o costumbres de otro lugar: *importación.*

— conjunto de objetos importados: *importación.*

imposible 1. Que no se puede o es muy difícil llevar a cabo. ☞ **irrealizable.**

— *Es imposible, ¡el hombre no puede volar como un pájaro!*

— impedir que algo se realice: *imposibilitar.*

— que no puede hacer algo: *imposibilitado.*

— tullido, inválido: *imposibilitado.*

— carencia de posibilidad de hacer algo o de que exista una cosa: *imposibilidad.*

2. Inaguantable, intratable. ☞ **insufrible, enojoso.**

— *Los vecinos son imposibles.*

3. Figura retórica consistente en asegurar que antes de que suceda algo debe ocurrir algo no posible. ☞ **adínaton.**

El día que deje de salir el Sol,
y la Luna deje de alumbrar,
y las estrellas dejen de brillar,
ese día te dejaré de amar.
Luis Demetrio.

imposición Carga u obligación que se impone a alguien. ☞ **coacción, exigencia.**

— ceremonia religiosa cristiana en la que se transmite a alguien o a algo una cualidad espiritual o un poder: *imposición de manos.*

impostor, -ra Que finge o engaña. ☞ **farsante, tramposo, simulación.**

— falsedad, fingimiento, engaño: *impostura.*

impotencia 1. Falta de capacidad o fuerza para realizar algo. ☞ **incapacidad, carencia, insuficiencia.** ❖ APTITUD.

— *La impotencia defensiva de este país fue la causa de su derrota.*

— sin fuerza: *impotente.*

2. Incapacidad humana consistente en no poder realizar eficazmente la unión sexual.

— *Nunca tuvo hijos pues sufría impotencia.*

— que sufre impotencia: *impotente.*

imprecación 1. Acción de expresar oralmente el deseo de que alguien sufra algún mal o daño. ☞ **improperio.**

— *Después de proferir terribles imprecaciones se arrepintió.*

2. Figura retórica que consiste en desear males.

¡Oh Valencia, oh Valencia,
de mal fuego seas quemada!
Primero fuiste de moros
que de cristianos ganada.
Romancero español.

— desear que alguien reciba un daño: *imprecar.*

— que implica imprecación: *imprecatorio.*

impregnar Introducir moléculas de un cuerpo en otro sin que haya mezcla o combinación. ☞ **empapar, mojar, embeber.**

— acción y efecto de impregnar: *impregnación.*

— cuerpo capaz de ser impregnado: *impregnable.*

imprenta 1. Sitio o taller en donde se imprime algo.

— *Lleva este papel a la imprenta.*

2. Arte de imprimir.

— *La imprenta fue traída a América por los europeos.*

— acción y resultado de imprimir: *impresión.*

— forma o calidad de la letra con que algo está impreso: *impresión.*

— individuo que se encarga de imprimir: *impresor.*

— estampar, generalmente en papel, letras y otros signos por medio de la imprenta: *imprimir.*

3. Lo que se publica de manera impresa. ☞ **periódico.**

— *Lo leí en la imprenta.*

— obra impresa: *impresión.*

— cualquier hoja de papel que ha pasado por la imprenta: *impreso.*

4. Máquina para imprimir.

— *Metió las tarjetas en la imprenta.*

— licencia eclesiástica para imprimir un escrito: *imprimátur.*

imprescindible Aquello que es absolutamente necesario. ☞ **insustituible, necesario, obligatorio.** ❖ PRESCINDIBLE.

impresión 1. Señal, marca, huella que deja una cosa en otra.

— *En este negativo se ven impresiones de sus dedos.*

2. Acción y resultado de imprimir. ☞ **tirada, tiraje.**

— *Ayer se llevó a cabo la impresión de los catálogos.*

3. Obra impresa.

— *Todos las publicaciones a color de esa editorial están muy bien impresas.*

4. Efecto que causa algo en alguien.

— *Nos contó las impresiones de su viaje a China.*

— que se conmueve con facilidad: *impresionable.*

— calidad de impresionable: *impresionabilidad.*

— que causa una gran emoción: *impresionante.*

— exponer una superficie a vibraciones acústicas o luminosas para que se fijen en ella: *impresionar.*

— marca o huella de tipo moral: *impronta.*

impropio, -pia Que no es conveniente o adecuado. ❖ PROPIO.

improvisar Hacer de pronto algo que comúnmente debe prepararse de antemano. ☞ **preparar, organizar.**

— acción y resultado de improvisar: *improvisación.*

— ejercicio o composición artística que no ha sido previamente ensayada o ejecutada: *improvisación.*

— composición musical basada en la improvisación: *impromptu.*

— sin previsión o preparación: *improvisadamente.*

— que no se prevé o previene: *de improviso.*

imprudencia Falta de cuidado, atención o reflexión. ☞ **imprevisión, indiscreción, descuido.** ❖ PREVISIÓN, PRUDENCIA.

— que no tiene prudencia: *imprudente.*

impudicia Desvergüenza, descaro, falta de pudor. ☞ **impudencia, deshonestidad, impudor, obscenidad.**

— sin pudor: *impúdico, impudente.*

— actuar con descaro, sin recato: *impúdicamente.*

impuesto Suma extra que se paga comúnmente por la obtención de un bien o servicio, para cubrir gastos públicos. ☞ **tributo, carga, gravamen, fisco.**

impugnar Oponer, refutar, objetar, contradecir.

— que se puede impugnar: *impugnable.*

— acción y resultado de impugnar: *impugnación.*

— que refuta o contradice: *impugnador.*

— que sirve para objetar un argumento: *impugnativo.*

impulso 1. Acción y resultado de em-

pujar para producir movimiento. ☞ **empuje, impulsión.**

— *Al impulso del viento la vela movió el bote.*

— empujar para producir movimiento: *impulsar, impeler.*

— promover una acción: *impulsar.*

— que produce movimiento: *impulsivo.*

2. Arrebato, ímpetu.

— *Lo besó por impulso.*

— que hace algo sin reflexión: *impulsivo.*

impunidad Falta de castigo. ☞ **injusticia, inmunidad.** ❖ CASTIGO.

— que queda sin castigo: *impune.*

— con impunidad: *impunemente.*

impureza 1. Falta de castidad o de pureza. ☞ **impuridad.** ❖ PUREZA.

— *Algunos pueblos castigaban la impureza de las doncellas.*

2. Partícula ajena en un cuerpo o materia. ☞ **suciedad, mezcla, sedimento, residuo.**

— *La leche estaba llena de impurezas.*

— que no es puro, limpio: *impuro.*

— hacer impuro a alguien o algo: *impurificar.*

— con impureza: *impuramente.*

inaceptable Que no puede ser aceptado o admitido. ☞ **inadmisible.** ❖ ACEPTABLE.

inadaptado, -da Que no se ajusta o aviene a ciertas circunstancias o convenciones. ☞ **incompatible, rebelde.** ❖ ADAPTAR.

— no adaptable: *inadaptable.*

— calidad de inadaptable: *inadaptabilidad.*

— falta de adaptación: *inadaptación.*

inadecuado, -da No adecuado, propio o conveniente. ☞ **incorrecto.** ❖ ADECUAR.

— falta de adecuación: *inadecuación.*

inaugurar Iniciar algo con cierta celebración. ☞ **establecer, estrenar.**

— acto en el que se da principio a una cosa: *inauguración.*

— que inaugura: *inaugurador.*

— que pertenece a la inauguración o se relaciona con ella: *inaugural.*

inca 1. Antigua moneda de Perú.

— *Un inca equivalía a veinte soles.*

2. Que pertenece a los incas o se relaciona con ellos.

— *Este es un vaso inca.*

— habitante del Cuzco: *inca.*

3. Monarca inca.

— *Túpac Amaru fue el último inca.*

— pueblo amerindio que antes de la llegada de los españoles formó un imperio cuya extensión abarcaba el

territorio de las actuales repúblicas de Perú, Argentina, Bolivia y Chile: *inca.*

incalculable Que no se puede calcular. ☞ **inmenso, incontable, abundante.** ❖ CALCULAR.

incansable Que no se cansa o difícilmente lo hace. ☞ **infatigable, resistente, aguantador.** ❖ CANSAR.

incapacidad 1. Falta de capacidad, fuerza, talento o conocimiento para aprender o hacer algo. ☞ **ineptitud, incompetencia.** ❖ CAPAZ.

— *Demostró su incapacidad para hablar inglés.*

— individuo que sufre de alguna limitación en su entendimiento, física o de aprendizaje: *incapacitado.*

— que no tiene capacidad o aptitud para algo: *incapaz.*

2. Permiso para ausentarse de un empleo en caso de enfermedad.

— *Ayer le dieron su incapacidad, pues tenía tifoidea.*

— decretar falta de condiciones legales para que alguien ocupe un cargo público: *incapacitar.*

incasable Que no puede o no quiere unirse en matrimonio.

incasto, -ta Que no tiene castidad u honestidad. ☞ **deshonesto.** ❖ CASTO.

incauto Que carece de cautela, cuidado o malicia. ☞ **crédulo, inocente, ingenuo.** ❖ CAUTELOSO.

— sin cautela: *incautamente.*

incendiar Quemar algo que no está destinado a arder. ☞ **encender, inflamar, abrasar, achicharrar.**

— que quema o puede quemar algo: *incendiario.*

— escandaloso, subversivo, que perturba el orden: *incendiario.*

— fuego que abrasa lo que no debe arder: *incendio.*

incentivo Que excita a hacer o a desear algo. ☞ **estímulo, acicate, aliciente.**

incertidumbre Duda, perplejidad, falta de certeza. ☞ **sospecha.** ❖ CERTEZA, CERTIDUMBRE.

— con incertidumbre: *inciertamente.*

incesante Que no acaba, que no cesa. ☞ **incesable, continuo.**

— sin cesar: *incesantemente, incesablemente.*

— que no puede terminar: *incesable.*

incesto Relación sexual entre parientes en grados en que está prohibido el matrimonio a causa de su parentesco de sangre.

— que comete incesto: *incestuoso.*

— relativo al incesto: *incestuoso.*

incidente Acontecimiento que sobreviene en el curso de algún asunto y se relaciona con él. ☞ **incidencia.**

— por accidente o casualidad: *incidentemente, incidentalmente.*

incidir 1. Incurrir en un error o falta.

— *Incidieron en llegar tarde a la clase.*

2. Repercutir.

— *La sequía incidió en la escasez de trigo.*

3. Ocurrir, sobrevenir.

— *El día del viaje incidió la llegada de los abuelos.*

4. Hacer un corte o incisión.

— *El médico incidió en la parte baja del muslo.*

5. Caer sobre algo o alguien.

— *La viga incidió en una pila de costales llenos de harina.*

6. Grabar, inscribir.

— *El artesano con un punzón incidía sobre la madera.*

incienso Resina que al arder despide un olor aromático. ☞ **olíbano, orobias.**

— dirigir el humo del incienso hacia algo o alguien: *incensar.*

— alabar, halagar: *incensar.*

— brasero con tapa perforada y cadenas para balancearlo en el que se quema incienso: *incensario.*

— cada uno de los vaivenes del incensario cuando se mueve para incensar: *incensada.*

— acción y resultado de incensar: *incensación.*

incierto, -ta 1. Desconocido, ignorado. ☞ **incógnito.** ❖ CIERTO, CONOCIDO.

— *Su rumbo es incierto.*

2. No cierto o no verdadero. ❖ CIERTO, VERDADERO.

— *Esa afirmación es incierta.*

incinerar Quemar algo hasta reducirlo a cenizas.

— instalación o aparato propio para reducir a cenizas ciertas materias: *incinerador.*

— acción y efecto de incinerar: *incineración.*

incipiente Que se inicia, que empieza. ☞ **naciente, principio.** ❖ VETERANO.

incisivo 1. Mordaz, punzante, agudo.

— *Después de la fiesta gozó haciendo comentarios incisivos.*

2. Cada uno de los dientes anteriores y centrales de los mamíferos.

— *El hombre tiene ocho incisivos.*

3. Que puede abrir o cortar.

— *El bisturí es un instrumento incisivo.*

— hendidura que se hace con un instrumento cortante: *incisión.*

— fisura, cortadura: *incisura.*

incitar Estimular a alguien para que haga algo. ☞ **animar, excitar, impulsar, instigar, provocar.**

— acción y efecto de incitar: *incitación.*

— que incita: *incitador, incitante.*

— lo que incita: *incitamento, incitamiento.*

incivil Que no tiene o le falta civilidad, cultura o educación. ❖ CIVILIDAD.

inclasificable Que no puede ser clasificado u ordenado. ❖ CLASIFICAR.

inclaustración Ingreso en una orden monástica.

inclemencia 1. Falta de la virtud que modera el rigor y la justicia. ☞ **impiedad, rigor, crueldad.** ❖ CLEMENCIA.

— *El ladrón sufrió la inclemencia del juez.*

2. Rigor del clima de una estación, particularmente del invierno.

— *Este año se sintió con fuerza la inclemencia del invierno.*

— que no tiene piedad o clemencia: *inclemente.*

inclinar 1. Apartar algo de su posición vertical de modo que se acerque al plano horizontal. ☞ **desviar, torcer.**

— *Inclinó la jarra para servir el chocolate.*

2. Sentir atracción por hacer o pensar algo. ☞ **tender.**

— *Se inclinaba por el color azul.*

— atracción por algo: *inclinación.*

3. Persuadir a alguien a que haga o diga lo que dudaba hacer o decir.

— *La inclinaron a manifestar su desagrado.*

4. Flexionar el tronco o la cabeza.

— *Las figuras de los reyes en el nacimiento casi siempre están inclinadas hacia el niño.*

— reverencia que se hace con el cuerpo o la cabeza: *inclinación.*

— acción y resultado de inclinar: *inclinación.*

— que inclina: *inclinador, inclinativo.*

— que inclina o se inclina: *inclinante.*

incluir 1. Contener una cosa a otra. ☞ **excluir.**

— *El boleto de entrada incluía la cena.*

2. Poner una cosa dentro de otra.

— *Incluye en tu lista estos poemas.*

— acción y resultado de incluir: *inclusión.*

— con inclusión: *inclusive.*

— que incluye o puede incluir: *inclusivo.*

— aun, hasta: *incluso.*

incobrable Que no se puede cobrar o es de difícil cobranza. ❖ COBRAR.

incoercible Que no puede ser refrenado, contenido o sujetado. ❖ COERCER.

incógnito, -ta No conocido. ☞ **desconocido, ignorado.**

— ocultar la identidad: *ir de incógnito.*

incognoscible No susceptible de ser conocido. ❖ CONOCER.

incoherente Que carece de conexión adecuada entre sus partes. ☞ **discontinuo, incongruente.** ❖ COHERENTE.

— que no tiene coherencia: *incoherencia.*

íncola Habitante de un lugar o pueblo.

incoloro, -ra Que no tiene color. ☞ **transparente.**

incólume Que no tiene lesión o daño. ☞ **indemne, ileso, íntegro.** ❖ HERIDO.

— estado o calidad de incólume: *incolumidad.*

incombinable Que no se puede combinar o mezclar. ❖ COMBINAR.

incombustible Que no se puede quemar. ☞ **refractario.** ❖ COMBUSTIBLE.

incomible Que no se puede comer por estar mal condimentado. ☞ **incomestible.** ❖ COMER.

incomodar Causar falta de comodidad. ☞ **molestia, disgusto, enfado, enojo.** ❖ COMODIDAD.

— que molesta o fastidia: *incomodador.*

— con incomodidad: *incómodamente.*

— sin comodidad: *incómodo.*

— que no es cómodo: *incómodo.*

incomparable Que no tiene comparación. ☞ **incomparado, único, insuperable, excelente.**

— sin comparación: *incomparablemente.*

incompartible Que no se puede compartir, repartir o dividir.

incompasible Que es incapaz de sentir compasión. ☞ **incompasivo.** ❖ COMPASIVO.

incompatible Que no puede ser unido a otra cosa.

— rechazo recíproco de dos cosas o personas: *incompatibilidad.*

incompensable No compensable. ❖ COMPENSAR.

incompetente No competente, apto o idóneo. ☞ **inepto, incapaz, torpe.** ❖ COMPETENTE.

— falta de competencia o aptitud: *incompetencia.*

incomplejo, -ja Desunido, sin coherencia ni trabazón. ☞ **incoherente, incomplexo.** ❖ COHERENCIA.

incomponible Que no se puede conciliar o concordar una cosa con otra.

incomportable Que no se puede soportar o tolerar. ☞ **insoportable**.

incomprendido, -da 1. Que no ha sido comprendido, entendido.
— *La cuestión permaneció incomprendida.*
2. Persona cuyos méritos no han sido apreciados.
— *Fue un músico incomprendido.*
— falta de comprensión: *incomprensión*.
— que es reacio a comprender a los demás: *incomprensivo*.
— que no puede ser entendido: *incomprensible*.
— calidad de incomprensible: *incomprensibilidad*.
— de modo incomprensible: *incomprensiblemente*.

incompuesto No compuesto, desaseado, desaliñado. ❖ LIMPIO, ASEADO.

incomunicación Acción y resultado de privar de comunicación. ☞ **aislamiento**. ❖ COMUNICACIÓN.
— privar de comunicación a cosas o personas: *incomunicar*.
— no comunicable: *incomunicable*.
— calidad de incomunicable: *incomunicabilidad*.
— que no tiene comunicación: *incomunicado*.
— acción y resultado de incomunicar: *incomunicación*.

inconcebible Que no puede concebirse o comprenderse. ☞ **inaudito, increíble, absurdo, inexplicable**. ❖ CONCEBIBLE.

inconciliable Que no puede conciliarse. ❖ CONCILIAR.

inconcluso, -sa No acabado. ❖ CONCLUIR.

inconcreto, -ta Que no es concreto, que es vago, impreciso. ❖ CONCRETO.

inconcuso, -sa Sin duda ni contradicción. ☞ **firme**.

incondicional. 1. Sin restricción ni requisito, absoluto. ❖ LIMITADO.
— *Se entregó a la danza de modo incondicional.*
2. El adepto a una idea o persona sin limitación o condición alguna. ❖ LIMITADO.
— *Es un incondicional de su jefe.*

inconducente No conducente para un fin. ❖ CONDUCIR.

inconexo, -xa Que no tiene conexión con una cosa. ☞ **incoherente, incongruente**. ❖ CONECTAR.

inconfesable Lo que por vergonzoso no puede confesarse o comunicarse. ☞ **infame, bochornoso, vergonzoso**. ❖ CONFESAR.

inconfidencia Falta de confianza. ☞ **desconfianza**. ❖ CONFIANZA.

inconfundible No confundible. ☞ **peculiar, típico, particular**. ❖ CONFIANZA.

incongruente No apropiado o congruente. ☞ **incoherente, inconexo, impropio**. ❖ CONGRUENTE.
— falta de congruencia: *incongruencia, incongruidad*.
— con incongruencia: *incongruentemente*.

inconmensurabilidad Calidad de lo que no puede ser medido con la debida proporción. ☞ **extenso**. ❖ CONMENSURABLE.

inconmutable Que no puede ser sustituido, trocado o cambiado. ☞ **inmutable**. ❖ CONMUTAR.
— calidad de inconmutable: *inconmutabilidad*.

inconquistable 1. Que no se puede conquistar. ☞ **invulnerable, inexpugnable**. ❖ CONQUISTAR.
— *Los abismos marinos son inconquistables.*
2. Que no se doblega ante ruegos o dádivas.
— *Era una mujer inconquistable.*

inconsciente 1. Que es irresponsable, negligente. ☞ **insensato**.
— *¡Es un inconsciente! Dejó abierta la llave del agua toda la noche.*
2. Que es automático, involuntario, irreflexivo.
— *Mi profesor fuma cigarro tras cigarro durante la clase de modo inconsciente.*
3. Desfallecido, desvanecido.
— *Con el golpe quedó inconsciente.*
— comportamiento de quien no se da cuenta de lo que se dice o hace: *inconsciencia*.

inconsecuencia Falta de ilación en lo que se dice o hace. ❖ CONSECUENCIA.
— que no se sigue o deduce de otra cosa: *inconsecuente*.
— que actúa con inconsecuencia: *inconsecuente*.

inconsideración Falta de consideración y reflexión. ☞ **desatención, grosería**. ❖ CONSIDERACIÓN.
— que no considera ni reflexiona: *inconsiderado*.
— sin consideración: *inconsideradamente*.

inconsistencia Falta de duración, estabilidad o coherencia de una masa. ☞ **fragilidad, flojedad**. ❖ CONSISTENCIA.
— falto de consistencia: *inconsistente*.

inconsolable Que no puede ser reconfortado o difícilmente se consuela. ☞ **apurado, desesperado**. ❖ CONSOLAR.
— sin consuelo: *inconsolablemente*.

inconstante 1. No estable ni permanente. ☞ **inestable, mudable**.
— *En estos días el clima ha sido inconstante.*
2. Que cambia con frecuencia de pensamientos, aficiones, conducta. ☞ **voluble, veleidoso**.
— *Prefiero no salir con él, es un inconstante.*
— facilidad con la que se muda de opinión, pensamiento, amistades: *inconstancia*.
— con inconstancia: *inconstantemente*.
— falta de estabilidad y permanencia de algo: *inconstancia*.

inconstitucional No conforme a la Constitución del Estado. ☞ **antijurídico, ilegítimo, ilegal**. ❖ CONSTITUCIONAL.
— oposición de un decreto, una ley o un acto a lo señalado en la Constitución: *inconstitucionalidad*.

inconstruible Que no se puede fabricar, edificar o construir. ❖ CONSTRUIR.

inconsulto Que se hace sin consejo ni consideración. ❖ CONSULTAR.

inconsútil Sin costura. Se usa al hablar de la túnica de Jesucristo.

incontable Que no se puede contar. ☞ **numeroso, infinito, incalculable**. ❖ CONTAR.

incontaminado No contaminado, viciado o pervertido. ☞ **limpio, puro**. ❖ CONTAMINAR.

incontenible Que no puede ser contenido o refrenado. ☞ **invencible, irresistible**. ❖ CONTENER.

incontestable Que no puede ser impugnado, ni puede dudarse de ello con fundamento. ☞ **incontrastable**.

incontinencia Pasión sexual irrefrenable. ☞ **lujuria, desenfreno**. ❖ CONTINENCIA.
— enfermedad consistente en no poder retener la orina: *incontinencia de orina*.

incontinuo, -nua No continuo, interrumpido. ❖ CONTINUO.

incontrastable 1. Que no se puede vencer o conquistar.
— *Este país tenía un ejército incontrastable.*
2. Que no puede ser impugnado con razones ni argumentos sólidos.
— *La exposición del asunto fue incontrastable.*
3. Que no se deja convencer.
— *Su decisión de estudiar medicina fue incontrastable.*
— de modo incontrastable: *incontrastablemente*.

incontratable Que no se puede negociar, ajustar o contratar.

incontrolable Que no se puede controlar. ☞ **indisciplinado, rebelde.** ❖ CONTROLAR.

— que actúa sin control, orden o disciplina: *incontrolado.*

incontrovertible Que no admite disputa ni duda. ☞ **incontrastable.** ❖ CONTROVERSIA.

inconvencible Que no se deja convencer con razones. ❖ CONVENCER.

inconvenible No conveniente o convenible. ❖ CONVENIR.

— hecho o dicho fuera de sentido o razón: *inconveniencia.*

— no conveniente: *inconveniente.*

inconvertible No convertible.

incorporar 1. Unir más de dos cosas entre sí para que formen un todo. ☞ **mezclar, reunir, integrar.**

— *Incorporé varios aceites para hacer un ungüento.*

2. Sentar o reclinar su cuerpo el que estaba echado. ☞ **levantar, alzar, enderezar.**

— *Se incorporó después de dormir la siesta.*

3. Unirse una o más personas para formar un cuerpo. ☞ **inscribir, ingresar, alistar.**

— *Los jóvenes se incorporaron al cuerpo de auxilio.*

— acción y resultado de incorporar o incorporarse: *incorporación.*

incorpóreo, -rea No corpóreo. ☞ **inmaterial, incorporal, etéreo.**

— sin cuerpo: *incorporalmente.*

— calidad de incorpóreo: *incorporeidad.*

incorrecto, -ta No correcto. ❖ CORREGIR.

— calidad de incorrecto: *incorrección.*

— dicho o hecho inapropiado: *incorrección.*

— de modo incorrecto: *incorrectamente.*

incorregible 1. No corregible o reparable.

— *Las fallas del subsuelo son incorregibles.*

2. Que es terco, que no quiere enmendarse. ☞ **impertinente.**

— *Es una niña incorregible.*

— de modo obstinado e incorregible: *incorregiblemente.*

incorruptible 1. No corruptible. ❖ CORROMPER.

— *Es un metal incorruptible.*

2. Que no se puede o es muy difícil pervertir. ☞ **intachable, honesto, íntegro, insobornable.**

— *¡Este muchacho parece santo! Es incorruptible.*

— pureza de vida y costumbres: *incorrupción.*

— estado de algo que no se corrompe: *incorrupción.*

— sin corrupción: *incorruptamente.*

— calidad de incorruptible: *incorruptibilidad.*

— que está sin corromperse: *incorrupto.*

increado, -da No creado.

incrédulo, -la 1. Que no tiene fe ni creencia religiosa. ☞ **irreligioso, descreído, ateo.**

— *Se alejó de la religión y hoy es una incrédula.*

2. Que no cree en algo fácilmente. ☞ **receloso, suspicaz.**

— *Pecó de incrédulo, pero cumplieron las amenazas de echarlo de su casa.*

— dificultad en creer algo: *incredulidad.*

— con incredulidad: *incrédulamente.*

increíble Que no puede o es muy difícil creerse. ☞ **inverosímil, inaudito, asombroso.** ❖ CREER.

— de modo increíble: *increíblemente.*

incrementar Aumentar, engrandecer. ☞ **agrandar, desarrollar, acrecentar.** ❖ EMPEQUEÑECER.

— aumento de letras que llevan los aumentativos, diminutivos, despectivos, superlativos y otras voces derivadas: *incremento.*

— aumento gradual y progresivo: *incremento.*

increpar Reprender con severidad. ☞ **amonestar, regañar, reñir.**

— represión agria y dura: *increpación.*

— que increpa: *increpador.*

incriminar 1. Acusar insistentemente de crimen o delito. ☞ **imputar, acriminar.**

— *Fue incriminado de haber traicionado a su patria.*

2. Exagerar un delito o defecto como si se tratara de un crimen.

— *Lo incriminaba de haber bebido demasiado.*

— acción y resultado de incriminar: *incriminación.*

incruento, -ta No sangriento. ❖ CRUENTO.

— sin derramamiento de sangre: *incruentamente.*

incrustar 1. Meter en una superficie dura metales, piedras, maderas, conchas, formando dibujos. ☞ **taracear, embutir.**

— *El artesano incrustaba turquesas en la tapa de la caja.*

2. Cubrir una superficie con una costra.

— *Incrustó el vidrio con barnices de colores.*

3. Penetrar violentamente un cuerpo en otro.

— *Con el accidente, el automóvil quedó incrustado en la pared.*

incubadora 1. Lugar o aparato en donde se efectúa la incubación artificial.

— *Con frecuencia los huevos de gallina se ponen en incubadoras.*

2. Urna de cristal acondicionada, en donde se facilita a los bebés nacidos antes de tiempo, o en condiciones anormales, el desarrollo de sus funciones orgánicas.

— *La niña que está dentro de la incubadora duerme plácidamente.*

— acción y resultado de incubar o incubarse: *incubación.*

— desarrollo de una enfermedad desde que empieza hasta que manifiesta sus efectos: *incubación.*

— empollar el ave los huevos: *incubar.*

íncubo Según la creencia popular, espíritu, diablo o demonio que con apariencia de varón tiene relación carnal con una mujer.

incuestionable No cuestionable, dudoso o problemático. ☞ **indiscutible, evidente, innegable.** ❖ CUESTIONAR.

inculcar 1. Infundir con vehemencia una idea. ☞ **comunicar.**

— *Le inculcó el amor por las aves.*

2. Repetir muchas veces una cosa a uno o varios individuos.

— *Inculcaba que había que tener orden en los archivos.*

3. Apretar una cosa contra otra.

— *Inculcó la colilla en el cenicero.*

— juntar demasiado unas letras con otras: *inculcar la letra.*

— acción y resultado de inculcar: *inculcación.*

— que inculca: *inculcador.*

inculpar Acusar a alguien de algo. ☞ **incriminar, reprochar.**

— inocente: *inculpado.*

— que no tiene culpa o no puede ser acusado de algo: *inculpable.*

— exención de culpa: *inculpabilidad.*

incultivado, -da Que no puede cultivarse. ☞ **incultivable.** ❖ CULTIVAR.

inculto, -ta 1. Que no ha sido cultivado. ☞ **agreste, rústico.**

— *Se encontró con grandes extensiones de tierra incultas.*

2. Individuo o colectividad primitiva con poca instrucción. ☞ **ignorante, atrasado.**

— *De acuerdo con sus ideas aquél era un pueblo inculto.*

incumbencia Obligación de hacer una cosa.

— estar a cargo de una cosa: *incumbir.*

incumplir Dejar de cumplir. ☞ **quebrantar.** ❖ CUMPLIR.

— que no cumple con lo que promete o con sus obligaciones; que no paga lo que debe: *incumplido.*

— no cumplido: *incumplido.*

— falta de cumplimiento o puntualidad: *incumplimiento.*

incunable Cualquier edición hecha a partir de la invención de la imprenta y hasta el siglo XVI.

incurable 1. Que no se puede o es muy difícil de sanar o curar. ☞ **desahuciado.**

— *A la fecha el sida es una enfermedad incurable.*

2. Que no tiene remedio. ☞ **irremediable.**

— *Es un francófilo incurable.*

— calidad de incurable: *incurabilidad.*

incurrir 1. Seguido de la preposición *en* y un sustantivo que signifique culpa, error o castigo, efectuar la acción o merecer la pena expresada por el sustantivo. ☞ **caer en.**

— *Incurrió en el juego y perdió lo que tenía.*

2. Seguido de la preposición *en* y un sustantivo que exprese un sentimiento desfavorable, causarlo, atraerlo.

— *Incurrió en el desprecio de los demás.*

3. Hacer intromisiones en un quehacer. ☞ **incursionar.**

— *La inspección sanitaria incurría eventualmente en mi verdulería.*

— acción y resultado de incurrir: *incurrimiento.*

— acción de incurrir: *incursión.*

indagar Averiguar algo mediante conjeturas e indicios. ☞ **buscar, interrogar, investigar.**

— acción y resultado de indagar: *indagación.*

— que indaga: *indagador.*

— que tiende a indagar: *indagatorio.*

indebido, -da Ilícito, injusto. ☞ **inconveniente, inadecuado, impropio.** ❖ PERMITIDO.

— *Abandonaste el salón en forma indebida*

— sin deberse hacer: *indebidamente.*

— contra el derecho o la justicia: *indebidamente.*

indecente Que no es decente, indecoroso. ☞ **impúdico, deshonesto.** ❖ HONESTO, DECENTE.

— de modo indecente: *indecentemente.*

— falta de decencia: *indecencia.*

— dicho o hecho vergonzoso: *indecencia.*

indecible Que no se puede decir o explicar. ☞ **indescriptible.** ❖ DECIR.

indeciso, -sa 1. Que está perplejo, dudoso. ☞ **titubeante.**

— *Está indeciso sobre si acepta o no el empleo.*

— falta de resolución: *indecisión.*

2. Que aún no ha tenido resolución. ☞ **irresoluto.** ❖ DECIDIR.

— *La edición de ese volumen es un asunto indeciso.*

indeclarable Que no se puede declarar. ❖ **declarar**

indeclinable Que necesariamente ha de llevarse a cabo; que no se puede rehusar. ☞ **declinar.**

indecoroso, -sa Que no tiene decoro o lo ofende. ☞ **indecente, obsceno, grosero.** ❖ DECENTE.

— falta de decoro: *indecoro.*

— sin decoro: *indecorosamente.*

indefectible Que no puede dejar de ser o faltar. ☞ **infalible, inevitable, obligatorio.**

— de modo indefectible: *indefectiblemente.*

indefendible Que no puede ser defendido. ☞ **indefensible.**

indefenso, -sa Que carece de recursos para defenderse o que no tiene defensa. ☞ **inerme, desarmado, desamparado.**

— situación del indefenso: *indefensión.*

indefinible Que no se puede definir o explicar. ❖ DEFINIR.

indefinido, -da 1. Que no está definido. ☞ **indeterminado, ilimitado.**

— *Las líneas del boceto están indefinidas.*

2. Que no tiene término conocido o señalado.

— *Ocupó ese cargo por tiempo indefinido.*

— de modo indefinido: *indefinidamente.*

— artículos indefinidos: *un, una, unos, unas.*

indeleble Que no se puede borrar o quitar. ☞ **fijo, inalterable, imborrable.**

— de modo indeleble: *indeleblemente.*

indelegable Que no se puede delegar. ❖ DELEGAR.

indelicado, -da Que no tiene delicadeza. ☞ **grosero, tosco, incorrecto.** ❖ DELICADO.

— falta de cortesía: *indelicadeza.*

indemne Que esta libre de daño. ☞ **ileso, incólume.** ❖ VULNERABLE.

— situación de quien está exento de daño: *indemnidad.*

indemnizar Compensar un daño o perjuicio. ☞ **satisfacer, resarcir.**

— acción y resultado de indemnizar: *indemnización.*

— cosa con que se indemniza: *indemnización.*

indemorable Que no puede demorarse. ❖ DEMORAR.

indemostrable No demostrable. ❖ DEMOSTRAR.

independencia 1. Condición o calidad de independiente.

— *Es necesario que demuestres la independencia de ambos temas.*

2. Autonomía, libertad, generalmente la de un Estado que no está sujeto a otro. ☞ **soberanía, autonomía, emancipación.**

— *México alcanzó su independencia de España en el siglo XIX.*

3. Firmeza de carácter, entereza.

— *Me manejo con independencia.*

— partidario del independentismo: *independentista.*

— que es autónomo: *independiente.*

indescifrable Que no se puede descifrar o aclarar. ☞ **ininteligible, oscuro, incomprensible, enrevesado.** ❖ DESCIFRAR.

indescriptible Que no se puede describir. ☞ **inenarrable, inconcebible, extraordinario.** ❖ DESCRIBIR.

indeseable 1. Que no posee nada que lo haga deseable. ☞ **repugnante.** ❖ DESEAR.

— *Padecer hambre es verdaderamente indeseable.*

2. Extranjero cuya permanencia en un país se considera peligrosa para la paz pública.

— *A dos individuos del servicio exterior los echaron por indeseables.*

3. Individuo cuyo trato se evita. ☞ **intratable, vil, indeseado.**

— *Reflexiona sobre tu conducta, ¡no te hagas un indeseable!*

indesignable Que no se puede o es muy difícil de señalar o designar.

indestructible Que no se puede destruir. ☞ **invulnerable, resistente, inalterable.** ❖ DESTRUIR.

— calidad de indestructible: *indestructibilidad.*

indeterminado, -da 1. Que no está determinado. ☞ **incierto, impreciso, indefinido.** ❖ DETERMINADO.

— *Lo nombraron profesor por tiempo indeterminado.*

2. Que no puede o le es muy difícil decidir una cosa. ☞ **indeciso.**

— *No supo si quería o no ir al cine, ¡es un indeterminado!*

— falta de determinación en las cosas o de resolución en las personas: *indeterminación*.

— que no se puede determinar: *indeterminable*.

— que no se resuelve: *indeterminable*.

indevoción Falta de devoción o fervor religioso. ❖ DEVOCIÓN.

— falto de devoción: *indevoto*.

indicación Acción y resultado de indicar. ☞ **señalar**.

— que indica: *indicador, indicante*.

— dar a entender algo con indicios y señales: *indicar*.

— advertir, aconsejar: *indicar*.

— que sirve para indicar o indica: *indicativo*.

índice 1. Lista ordenada de capítulos, libros o cosas notables que contiene una obra.

— *Busca el número de capítulos del libro en el índice*.

— lista de libros prohibidos por la Iglesia Católica: *index*.

2. Catálogo de autores, títulos y materias de obras en una biblioteca.

— *Encontré una amplia bibliografía sobre Hernán Cortés en el índice de la biblioteca*.

3. Cada una de las agujas de un reloj o instrumento graduado. ☞ **manecilla, aguja**.

— *Los índices del reloj están flojos*.

4. Indicador de las horas en los relojes solares. ☞ **gnomon, nomon**.

— *La sombra del índice caía sobre la piedra*

5. Señal de algo.

— *La falta de concentración es índice de cansancio*.

— dedo que está junto al pulgar: *índice*.

— relación entre la anchura y la longitud máxima del cráneo: *índice cefálico*.

indicio 1. Fenómeno por el cual se conoce o infiere la existencia de otro no percibido. ☞ **señal, manifestación**.

— *Mostraba indicios de haberse desvelado*.

2. Cantidad pequeñísima de algo.

— *Buscaron indicios de pintura en la vasija desenterrada*.

— dar indicios de una cosa: *indiciar*.

indiestro, -tra No diestro ni hábil para algo. ☞ **inhábil**. ❖ DIESTRO.

indiferente 1. No inclinado a una cosa más que a otra; que no se decide entre varias posibilidades.

— *Le es indiferente que la camisa sea azul o amarilla*.

2. Que no demuestra interés por algo.

— *Es un tipo indiferente hacia su trabajo*.

— estado de ánimo en el que no se siente inclinación ni rechazo hacia algo: *indiferencia*.

— estado anímico en el cual se ve con indiferencia lo que rodea al individuo: *indiferentismo*.

— indistintamente, sin diferencia: *indiferentemente*.

indígena Originario del país o región de que se trata. ☞ **nativo, aborigen, natural**.

— estudio de los pueblos indios iberoamericanos: *indigenismo*.

— que pertenece al indigenismo o que se relaciona con él: *indigenista*.

indigencia Carencia de medios para poder alimentarse, vestirse, etc. ☞ **miseria, necesidad**.

indigestión Digestión que se realiza anormalmente.

— que no se puede o es muy difícil de digerir: *indigesto, indigestible*.

— que está sin digerir: *indigesto*.

— estilo confuso, obra literaria poco amena: *indigesto*.

— hosco, intratable: *indigesto*.

— no caer bien un alimento: *indigestarse*.

indignación Enojo ocasionado por algo injusto. ☞ **ira, cólera**.

— carencia de mérito o disposición para algo: *indignidad*.

— acción reprobable, impropia de quien la ejecuta: *indignidad*.

— con indignidad: *indignamente*.

— que indigna: *indignante*.

— irritar a uno: *indignar*.

— que no tiene mérito o disposición para algo: *indigno*.

indio, -dia 1. Natural de la India (Indias Orientales). ☞ **hindú**.

— *Las costumbres de los indios asombraron a los europeos*.

2. Natural de América (Indias Occidentales).

— *Cientos de indios presenciaron el encuentro entre Cortés y Moctezuma*.

— que protege a los indios: *indiófilo*.

— algunos pueblos indios de México, Centroamérica y el Caribe: *aztecas, toltecas, chichimecas, mayas, huastecos, zapotecos, mixtecos, caribes, quichés*.

3. Metal semejante al aluminio, más fusible y volátil.

— *El indio, en el espectroscopio, presenta una raya azul*.

indirecta Frase o actitud que se emplea para dar a entender algo sin expresarlo claramente. ☞ **insinuación, rodeo, alusión, ambigüedad**.

indiscernible Que no se puede discernir. ☞ **confundir**. ❖ DISCERNIR.

indisciplinado, -da Falto de disciplina. ☞ **desobediente, rebelde, desordenado**. ❖ DISCIPLINADO.

— incapaz de disciplina: *indisciplinable*.

— falta de disciplina: *indisciplina*.

— romper la disciplina: *indisciplinarse*.

indiscreción Falta de prudencia, de discreción. ☞ **imprudencia, chisme**. ❖ DELICADEZA.

— dicho o hecho impertinente: *indiscreción*.

— sin discreción ni prudencia: *indiscretamente*.

— que actúa sin discreción: *indiscreto*.

— que se efectúa sin discreción: *indiscreto*.

indisculpable Que no tiene disculpa. ❖ DISCULPAR.

indiscutible No discutible por ser evidente. ☞ **incuestionable, cierto, indudable**.

indisoluble Que no se puede disolver o desatar. ☞ **permanente, fuerte, perenne**. ❖ DISOLVER.

— de modo indisoluble: *indisolublemente*.

indispensable Que no se puede dispensar o excusar. ☞ **necesario, imprescindible, obligatorio**.

— que es necesario que suceda: *indispensable*.

— calidad de indispensable: *indispensabilidad*.

— forzosamente: *indispensablemente*.

indispuesto Que tiene alguna alteración en la salud. ☞ **descompuesto, enfermo, malo**.

— privar de la disposición necesaria para hacer una cosa: *indisponer*.

— enemistar: *indisponer*.

— experimentar falta de salud: *indisponerse*.

— falta de disposición y preparación para algo: *indisposición*.

— malestar físico leve: *indisposición*.

indisputable Que no admite disputa. ❖ DISPUTA, DISCUSIÓN.

— sin disputa: *indisputablemente*.

indistinguible Que no se puede o es muy difícil de distinguir. ☞ **borroso, confuso**. ❖ DISTINGUIR.

indistinto, -ta Que no se distingue de otra cosa. ☞ **indiferente, igual, similar**. ❖ DISTINTO.

— sin distinción: *indistintamente*.

individualismo 1. Aislamiento y egoísmo de una persona en sus relaciones con los demás.

— *Fue víctima de su individualismo*.

2. Sistema filosófico que tiene al individuo como fundamento y fin de todas las leyes y relaciones políticas y morales.
— *Sostiene una actitud propia del individualismo.*
— que practica el individualismo: *individualista.*
3. Tendencia a obrar según el propio albedrío y no en concordancia con la colectividad.
— *Su individualismo le permitió sobreponerse a las presiones laborales.*
— cada ser viviente respecto de la especie a que pertenece: *individuo.*

indivisible Que no puede ser dividido. ☞ **inseparable, unido, unitario.** ❖ DIVIDIR.
— calidad de indivisible: *indivisibilidad.*
— no separado o dividido en partes: *indiviso.*

indócil Que carece de docilidad. ☞ **desobediente, díscolo.** ❖ DÓCIL.
— falta de docilidad: *indocilidad.*

indocto, -ta Falto de instrucción. ☞ **ignorante, inculto, indoctrinado.** ❖ DOCTO.
— de forma que se advierte ignorancia: *indoctamente.*

indoctrinado, -da Que carece de doctrina o enseñanza. ☞ **indocto, inculto.**

indocumentado, -da 1. Que no tiene o no lleva consigo documento oficial de identificación.
— *Regresaron a varios indocumentados a su país.*
2. Que carece de prueba, de fundamento sólido.
— *Este trabajo no puede publicarse pues está indocumentado.*
3. Ignorante, inculto. ☞ **indocto.**
— *Verónica, por no haber ido a la universidad, era una indocumentada.*

índole Condición o naturaleza propia de las cosas o las personas. ☞ **carácter.**

indolente 1. Flojo, perezoso.
— *¡No se te ocurra pedirle que te ayude! Es un indolente.*
2. Que no siente dolor, insensible.
— *¡No temas! Con la anestesia el pie quedará indolente.*

indoloro, -ra Que no causa dolor. ❖ DOLOR.

indomable Que no puede ser domado, que no se somete. ☞ **indomeñable.** ❖ DOMAR.
— calidad de indomable: *indomabilidad.*
— no domado: *indómito, indomado.*
— que no se puede domar: *indómito.*

indomeñable Que no se puede domar. ☞ **indómito.**

indoméstico, -ca Que no ha sido domesticado. ☞ **salvaje.** ❖ DOMESTICAR.
— no domesticado: *indomesticado.*
— que no se puede domesticar: *indomesticable.*

indotado, -da Que está sin dotar. ❖ DOTAR.
— falta de dotación: *indotación.*

indubitable Que no puede dudarse. ☞ **indudable.** ❖ DUDAR.
— indudablemente: *indubitablemente.*
— cierto, sin duda: *indubitado.*
— ciertamente: *indubitadamente.*

inducción Acción y resultado de inducir. ☞ **incitación, inducimiento.** ❖ PACIFICACIÓN.
— acción de las cargas eléctricas, o de las corrientes, unas sobre otras o sobre otros cuerpos, provocando en ellos estados de imantación: *inducción eléctrica.*
— acción de los imanes, unos sobre otros: *inducción magnética.*
— mover, instigar: *inducir.*

indudable Que no admite duda. ☞ **indubitable.** ❖ DUDAR.
— de modo indudable: *indudablemente.*

indulgente Que fácilmente perdona, disimula las faltas o concede gracias. ☞ **benigno, benévolo.**
— facilidad en perdonar las culpas o conceder gracias: *indulgencia.*
— remisión que hace la Iglesia de las penas debidas a los pecados: *indulgencia.*

indultar Perdonar a un individuo el todo o parte de la pena que tiene impuesta, o cambiarla por otra menos grave. ☞ **remitir.** ❖ CONDENAR.
— privilegio concedido para hacer algo: *indulto.*
— gracia por la cual se perdona total o parcialmente una pena o se conmuta, o que exceptúa y exime a un individuo del cumplimiento de una ley o de cualquiera obligación: *indulto.*

indumentaria Vestido. ☞ **ropa, ajuar, ornamento, traje.**
— relativo al vestido: *indumentario.*
— vestidura: *indumento.*
— estudio histórico de los trajes: *indumentaria.*

industria 1. Destreza para hacer algo. ☞ **maña, artificio, habilidad.**
— *El camafeo fue producto de su industria.*
— que obra con industria: *industrioso.*
2. Conjunto de operaciones materiales que se realizan para la obtención, transformación o transporte de uno o varios productos naturales. ☞ **fabricación, manufactura.**
— *La industria del tabaco requiere que las hojas sean sometidas a procesos de humidificación.*
3. Instalación destinada al procesamiento de materias. ☞ **fábrica.**
— *En esa zona hay varias industrias.*
4. Suma y conjunto de industrias de uno o varios géneros.
— *La industria algodonera ha florecido en los últimos años.*
— que pertenece a la industria o se relaciona con ella: *industrial.*
— persona que vive del ejercicio de la industria: *industrial.*
— tendencia al predominio de intereses industriales o mercantiles: *industrialismo.*
— hacer algo que sea objeto de industria o elaboración: *industrializar.*
— conceder predominio a las industrias en la economía de un país: *industrializar.*
— acción y resultado de industrializar: *industrialización.*

inédito, -ta Escrito pero no publicado. ☞ **nuevo.** ❖ CONOCIDO, EDITADO.

ineducado, -da Que carece de educación o buenos modales. ☞ **inculto, ignorante, indocto.**
— falta de educación: *ineducación.*

inefable Que no se puede explicar con palabras. ☞ **inexplicable, inexpresable, indecible, inenarrable.**
— calidad de inefable: *inefabilidad.*

ineficacia Que carece de eficacia. ❖ EFICAZ.
— no eficaz: *ineficaz.*
— de forma ineficaz: *ineficazmente.*

inelegible Que no se puede elegir. ❖ ELEGIR.

ineluctable Aquello contra lo cual no se puede luchar. ☞ **inevitable.** ❖ LUCHAR

ineludible Que no se puede evitar o eludir. ☞ **inevitable, forzoso.** ❖ EVITAR.
— de modo ineludible: *ineludiblemente.*

inenarrable Sorprendente, admirable. ☞ **inefable, inexplicable, indecible.**

inepto, -ta 1. Que no es apto o propio para algo.
— *Es un joven inepto para las armas.*
2. Que es necio, incapaz.
— *¡Es una inepta! No entregó el encargo en donde debía.*
— calidad de necio: *inepcia.*
— hecho o dicho necio: *inepcia.*

— falta de habilidad o aptitud: *ineptitud.*

— de forma inhábil: *ineptamente.*

inequívoco, -ca Que no admite equivocación o duda. ☞ **indudable, indubitable.** ❖ EQUIVOCAR.

inercia 1. Inacción, flojedad. ❖ ACTIVIDAD.

— *La inercia impide el progreso en cualquier trabajo.*

2. Resistencia que los cuerpos, a causa de su masa, oponen al movimiento, o resistencia a cambiar las condiciones de movimiento, o cesar en él sin la aplicación de alguna fuerza.

— *El automóvil se detuvo por inercia.*

inerme Sin armas. ☞ **desarmado, indefenso.**

inerte Ineficaz, inactivo. ☞ **estéril, inútil.** ❖ ACTIVO, EFICAZ.

inescrutable Que no se puede conocer, saber, investigar.

inescudriñable Que no se puede averiguar con cuidado, examinar o escudriñar. ☞ **escrutar.**

inesperado, -da Que sucede sin esperarse. ☞ **imprevisto.** ❖ PREVISTO.

— que no es de esperar: *inesperable.*

— de forma que no se espera: *inesperadamente.*

inestable No estable. ☞ **inconstante, versátil.** ❖ ESTABLE.

— individuo de carácter voluble y caprichoso: *inestable.*

— falta de estabilidad: *inestabilidad.*

inestimable Que no puede ser estimado cabal y justamente. ☞ **inapreciable.** ❖ ESTIMAR.

— calidad de inestimable: *inestimabilidad.*

— que está sin estimar: *inestimado.*

— que no se estima como corresponde: *inestimado.*

inevitable Que no puede ser evitado. ☞ **ineludible.** ❖ EVITAR.

— de forma inevitable: *inevitablemente.*

inexacto, -ta Que no tiene exactitud. ☞ **erróneo, falso.**

— falta de exactitud: *inexactitud.*

inexcusable Que no se puede excusar. ☞ **imperdonable.** ❖ EXCUSAR.

— sin excusa: *inexcusablemente.*

inexistente Que no existe o que se considera nulo. ❖ EXISTIR.

inexorable Que no cede a los ruegos. ☞ **inflexible.** ❖ INDULGENTE.

— de modo inexorable: *inexorablemente.*

— calidad de inexorable: *inexorabilidad.*

inexperto, -ta Sin experiencia. ☞ **ingenuo, principiante, incipiente.** ❖ PERITO.

— falta de experiencia: *inexperiencia.*

inexplicable Que no tiene explicación. ☞ **extraño, misterioso.** ❖ EXPLICAR.

— de modo inexplicable: *inexplicablemente.*

— falto de explicación adecuada: *inexplicado.*

inexplorable Que no puede ser explorado. ☞ **desconocido.** ❖ EXPLORAR.

— no explorado: *inexplorado.*

inexpresivo Que no tiene expresión. ☞ **soso.** ❖ EXPRESAR.

inexpugnable 1. Que no se puede conquistar por la fuerza de las armas. ☞ **inconquistable.**

— *La ciudad estaba rodeada por un lago que la hacía inexpugnable.*

2. Que no se deja vencer o persuadir. ☞ **inflexible.**

— *¡Será imposible conseguir el permiso! Es un hombre inexpugnable.*

inextenso, -sa Que carece de extensión. ❖ EXTENSIÓN.

inextinguible 1. Que no se puede extinguir. ☞ **inagotable.**

— *La energía solar parece ser inextinguible.*

2. De larga o eterna duración. ☞ **duradero.**

— *Dijo que su amor era inextinguible.*

inextricable Muy difícil de desenredar, intrincado, confuso. ☞ **enmarañado, embrollado.**

infalible Que no se puede engañar o equivocar. ☞ **seguro, cierto, indefectible.**

— calidad de infalible: *infalibilidad.*

— de modo infalible: *infaliblemente.*

infalsificable Que no es posible falsificar. ❖ FALSIFICAR.

infame Que no tiene honra, crédito, estimación. ☞ **malo, vil, despreciable.**

— quitar la honra, la estimación, la fama a una persona: *infamar.*

— acción y resultado de infamar: *infamación.*

— que infama: *infamante, infamador, infamatorio.*

— vileza, maldad: *infamia.*

infancia 1. Periodo de la vida humana que va del nacimiento a los inicios de la adolescencia. ☞ **niñez.** ❖ VEJEZ.

— *Todos sus hijos están en la infancia.*

— niño menor de siete años: *infante.*

— que mata a un niño: *infanticida.*

— muerte dada a un niño: *infanticidio.*

— que pertenece a la infancia o se relaciona con ella: *infantil.*

— comportamiento infantil que se presenta fuera del periodo correspondiente: *infantilismo.*

2. Conjunto de niños que están en ese periodo.

— *La infancia es escasa en mi pueblo.*

— hijo varón legítimo, que no sea príncipe, de un rey en España: *infante.*

— esposa de un infante: *infanta.*

— territorio perteneciente a un infante o infanta: *infantado, infantazgo.*

— tropa que sirve a pie en la milicia: *infantería.*

infatigable Que muy difícilmente se cansa. ☞ **incansable.** ❖ CANSAR.

— de modo infatigable: *infatigablemente.*

infausto, -ta Infeliz, desgraciado. ❖ FELIZ.

infectar 1. Pasar un organismo a otro los gérmenes de una enfermedad. ☞ **inficionar, contagiar, contaminar, transmitir.**

— *Se infectó de fiebre tifoidea.*

— acción y resultado de infectar: *infección.*

— que es causa de infección: *infeccioso.*

2. Corromper con malos ejemplos o ideas. ☞ **inficionar.**

— *Decían que lo habían infectado con vicios terribles.*

infecundo, -da No fecundo. ☞ **estéril, improductivo.** ❖ FÉRTIL.

— falta de fecundidad: *infecundidad.*

infeliz Que no es feliz. ☞ **desdichado, desgraciado, infortunado.** ❖ FELIZ.

— desgracia, suerte adversa: *infelicidad.*

inferencia Acción y resultado de inferir. ☞ **razonamiento, consecuencia, deducción.**

— deducir una cosa de otra: *inferir.*

— causar ofensa, agravio, herida: *inferir.*

inferior 1. Que está abajo o más bajo que otra cosa. ❖ SUPERIOR.

— *Saca un pañuelo del cajón inferior.*

2. Que es menor que otra cosa en cantidad o calidad. ☞ **malo.**

— *Pienso que este poema es inferior al que se leyó la semana pasada.*

3. Persona sujeta o subordinada a otra. ☞ **subalterno, subordinado, dependiente.**

— *Envió un recado a su inferior.*

— calidad de inferior: *inferioridad.*

infernal 1. Relativo al infierno. ☞ **maligno, satánico, diabólico.**

— *En algunas pinturas del Bosco hay seres infernales.*

2. Muy malo, desagradable. ☞ **insoportable.**

— *Había un ruido infernal en la calle.*

— en el cristianismo, sitio en donde los malos reciben castigo eterno: *infierno.*

— estar un sitio demasiado lejos: *estar en el quinto infierno.*

infestar 1. Inficionar.

— *La tiña le infestó el cuero cabelludo y perdió su cabello.*

2. Causar daño con hostilidades. ☞ **devastar, saquear.**

— *Los campos fueron infestados durante la batalla.*

3. Causar daño los animales y las plantas en campos y casas. ☞ **invadir, propagarse.**

— *La hierba infestó los maizales.*

4. Llenar un lugar con muchas cosas o personas.

— *La oficina estaba infestada de carteles.*

— acción y resultado de infestar o infestarse: *infestación.*

inficionar Causar infección, corromper. ☞ **infectar.**

infidelidad 1. Falta de fidelidad. ☞ **deslealtad, traición.** ❖ FIDELIDAD.

— *La infidelidad conyugal es tema de muchos chistes.*

— falto de fidelidad, desleal: *infiel.*

2. Falta de la fe católica.

— *La infidelidad ha preocupado a la Iglesia Católica.*

— que no profesa la fe católica: *infiel.*

— que carece de puntualidad y exactitud: *infiel.*

infigurable Que no puede tener figura corporal ni ser representado mediante ella.

infiltrar 1. Introducir un líquido entre los poros de un sólido. ☞ **embeber, impregnar, mojar.**

— *Agua jabonosa se infiltró en la esponja.*

2. Infundir ideas, doctrinas. ☞ **inspirar, imbuir.**

— *El deseo de conocimiento infiltró su ánimo.*

3. Penetrar en un territorio ocupado por fuerzas enemigas, a través de las posiciones de estas últimas.

— *Un grupo de hombres se infiltró en el campo militar.*

4. Penetrar en algún grupo con el propósito de espionaje, sabotaje, propaganda, etc.

— *Alguien dentro del partido infiltró propaganda subversiva.*

— acción y resultado de infiltrar: *infiltración.*

ínfimo, -ma 1. En un orden de cosas

se dice de la que es la última y menos que las demás.

— *Esas cuentas ocupan un sitio ínfimo en la solución de tu problema económico.*

2. Lo más vil y despreciable. ☞ **malo, ruin, peor.**

— *Su ínfima educación la humillaba cada vez que hablaba.*

3. Muy bajo. ☞ **minúsculo, diminuto, insignificante.**

— *En esa solución se encontraron cantidades ínfimas de cal.*

infinitivo Forma verbal que expresa la acción en abstracto, sin especificar persona, número o tiempo. En español los infinitivos terminan en *ar*: jugar; *er*: correr; *ir*: escribir.

infinito, -ta 1. Que no tiene ni puede tener fin. ☞ **ilimitado, inmenso, infinible.**

— *El número de estrellas en el cielo parece infinito.*

2. Numeroso, grande, excesivo. ☞ **inmenso, incalculable, extenso.**

— *Las formas de la vida vegetal son infinitas.*

3. En matemáticas, signo en forma de ocho (∞) que expresa un valor mayor que cualquier cantidad asignable.

— *Agregó el signo de infinito a su ecuación.*

inflación 1. Acción y efecto de inflar o inflarse. ☞ **intumescencia, hinchazón.**

— *El golpe le provocó inflación abdominal.*

2. Exceso de moneda en circulación en relación con su cobertura, que produce un alza de precios. ☞ **encarecimiento.**

— *La inflación constante es consecuencia del desequilibrio económico.*

— que pertenece a la inflación monetaria o se relaciona con ella: *inflacionario, inflacionista.*

inflamación 1. Acción y resultado de inflamar o arder. ☞ **encender.**

— *La inflamación de desechos provoca humo tóxico.*

— encender algo que arde con facilidad: *inflamar.*

— que se enciende con facilidad: *inflamable.*

2. Trastorno del organismo caracterizado por alteración de la circulación sanguínea, aumento de calor, hinchazón y dolor. ☞ **hinchazón, tumefacción.**

— *La inflamación fue causada por los piquetes de mosquitos.*

— producirse inflamación en alguna parte del organismo: *inflamar.*

— enardecer, acalorarse las pasiones del ánimo: *inflamar.*

— que causa inflamación: *inflamatorio.*

inflar 1. Hinchar algo con aire o gas. ☞ **hinchar.**

— *Los niños inflaron globos para la fiesta.*

2. Exagerar una noticia o un acontecimiento.

— *Tus compañeros inflaron la noticia del accidente.*

3. Engreír, ensoberbecer. ☞ **infatuar.**

— *El discurso infló los méritos del deportista.*

inflexible 1. Que no puede torcerse o doblarse. ☞ **rígido.**

— *Esa resina seca es inflexible.*

2. Que por su constancia y firmeza de ánimo no se doblega ni desiste de sus propósitos. ☞ **tenaz, firme, inexorable.**

— *Su actitud inflexible le atrajo muchos amigos y muchos enemigos.*

— de modo inflexible: *inflexiblemente.*

infligir Imponer castigos y penas físicas y morales.

influencia 1. Acción y resultado de influir. ☞ **influjo.**

— *La preparación de los empleados tuvo gran influencia en el éxito del negocio.*

2. Autoridad, poder de una persona sobre otra. ☞ **influjo.**

— *La influencia de su padre fue decisiva en la elección de su carrera.*

— producir unas cosas sobre otras ciertos efectos: *influir.*

— persona destacada, prominente, con poder: *influyente.*

información 1. Acción y resultado de informar o dar la noticia de un suceso.

— *La información televisiva es más amena que la información impresa.*

2. Adquisición o comunicación de conocimientos que pueden ampliar o precisar los que se tienen sobre alguna materia

— *La bibliografía que me prestaste aumentó la información que tenía sobre el Romancero.*

3. Conocimientos comunicados o adquiridos.

— *Fue muy amable, me proporcionó la información pertinente para continuar mi trabajo.*

— sitio en donde se informa sobre algo: *módulo de información.*

— dictaminar sobre un asunto de su competencia un funcionario, un cuerpo consultivo o una persona perita: *informar.*

— que informa: *informador.*

— que informa o da noticia de algo: *informativo.*

— noticia sobre algo o alguien: *informe.*

— dar forma sustancial a la materia prima: *informar.*

informe 1. Acción de informar o dictaminar. ☞ **dictamen.**

— *Ayer recibió el informe de la lectura correspondiente.*

2. Noticia o instrucción que se da sobre un negocio, suceso o persona.

— *Le pidieron un informe sobre la salud del paciente.*

3. Que no tiene la forma o figura precisa.

— *Compró una especie de caracol informe de barro.*

4. De forma indeterminada y vaga.

— *Es un texto informe, muy confuso.*

infortunio 1. Fortuna adversa. ☞ **desdicha, desventura, desgracia.**

— *Los infortunios hacen fuerte al hombre.*

2. Acontecimiento desgraciado.

— *¡Qué infortunio haber perdido la cosecha!*

— sin suerte, sin fortuna: *infortunado.*

infracción Transgresión de una ley, de una norma moral, una doctrina, o de la lógica. ☞ **vulneración.** ❖ OBSERVANCIA.

— que quebranta una ley o precepto: *infractor.*

infraestructura 1. Parte de una construcción que está bajo el nivel del suelo. ☞ **base, cimiento.**

— *Durante el temblor se dañó la infraestructura del auditorio.*

2. Conjunto de servicios y elementos necesarios para el funcionamiento de cualquier organización.

— *No existe la infraestructura suficiente para soportar esa organización deportiva.*

in fraganti o infraganti Descubierto en el momento de estarse cometiendo una falta o delito. ☞ **en flagrante.**

infranqueable Muy difícil o imposible de apartar todo impedimento que estorbe el camino. ☞ **insalvable, insuperable.**

infrarrojo, -ja Radiación del espectro luminoso que está más allá del rojo visible y tiene mayor longitud de onda. Sus efectos caloríficos son característicos aunque carece de efectos luminosos o químicos. ☞ **rayos infrarrojos.**

infrecuente Que no es frecuente. ☞ raro, desusado, extraño. ❖ FRECUENTE, REGULAR.

— falta de frecuencia, rareza: *infrecuencia.*

— calidad de infrecuente: *infrecuencia.*

infringir Romper o violar leyes, órdenes o normas. ☞ **vulnerar, violar, transgredir.** ❖ OBEDECER.

infructífero, -ra 1. Que no produce fruto. ☞ **estéril, improductivo, infrugífero.** ❖ FRUCTÍFERO.

— *Las tierras que poseen son infructíferas.*

2. Que no produce utilidad ni provecho para el fin que se persigue. ☞ **inútil, ineficaz.** ❖ FRUCTÍFERO.

— *¡Cualquier argumento es infructífero si tratas de convencerlo!*

— ineficaz, insuficiente, inútil: *infructuoso.*

— calidad de infructuoso: *infructuosidad.*

— de modo infructuoso: *infructuosamente.*

ínfula 1. Vanidad, presunción. ☞ **fatuidad, engreimiento.**

— *Es un pedante, siempre se dirige a la gente con ínfulas de grandeza.*

2. Cada una de las dos cintas que penden de la parte posterior de la mitra episcopal.

— *Algunas veces las ínfulas llevan adornos de brocado o pedrería.*

3. Adorno a manera de venda con dos tiras caídas a los lados, que ceñía la cabeza de los sacerdotes gentiles y que se ponía sobre la cabeza de las víctimas.

— *Las ínfulas solían estar hechas de lana blanca.*

infumable 1. Tabaco de pésima calidad o elaboración.

— *Se tiraron kilos de infumable.*

2. Sin aprovechamiento posible, de mala calidad, inaceptable.

— *No compres ese jabón, es infumable.*

— individuo antipático, intratable: *infumable.*

infundado, -da Que no tiene fundamento racional o real. ☞ **falso, ilógico, indebido, erróneo.**

infundio Patraña, mentira, noticia falsa. ☞ **calumnia.**

— mentiroso: *infundioso.*

infusión 1. Acción y resultado de infundir.

— *Sus palabras fueron una infusión de cariño.*

2. Acción y resultado de echar el agua sobre quien se acoge al sacramento del bautismo.

— *Después de la infusión el bebé se puso a berrear.*

3. Cualquier bebida preparada con alguna hierba en agua hirviente. ☞ **té, tisana, brebaje.**

ingenio 1. Facultad humana para crear con facilidad y rapidez. ☞ **talento, iniciativa.**

— *Tiene ingenio para escribir canciones.*

— hecho o dicho con ingenio: *ingenioso.*

2. Individuo que posee esa facultad.

— *Un ingenio del pueblo compuso la marcha que se toca durante el desfile.*

— que tiene ingenio: *ingenioso.*

3. Maña, industria de un individuo para lograr lo que desea. ☞ **habilidad, destreza.**

— *Gracias a su ingenio organizó exitosamente la reunión.*

4. Máquina, mecanismo.

— *Leonardo da Vinci diseñó varios ingenios.*

— conjunto de máquinas y aparatos para moler la caña y obtener azúcar: *ingenio de azúcar, ingenio azucarero.*

— usar la inteligencia para resolver un problema o dificultad: *aguzar el ingenio.*

— de forma ingeniosa: *ingeniosamente.*

ingente Muy grande. ☞ **enorme, inmenso, colosal.** ❖ PEQUEÑO.

ingenuo, -nua Candoroso, inocente, sin doblez. ☞ **sincero, cándido, tonto.**

— sinceridad, candor: *ingenuidad.*

— de forma ingenua: *ingenuamente.*

ingerir Introducir en la boca y tragar comida, bebida o cualquier otra cosa. ☞ **comer, beber.**

— acción de ingerir: *ingestión.*

ingle Parte del cuerpo en donde se unen los muslos con el vientre. ☞ **pliegue, unión, bragadura.**

ingobernable Que no se puede gobernar. ☞ **díscolo, indisciplinado, independiente.** ❖ GOBERNABLE.

ingrato, -ta 1. Desagradecido, que no toma en cuenta los beneficios recibidos o no corresponde a ellos.

— *No seas ingrato con tu hermano después de todo lo que ha hecho por ti.*

— olvido o desprecio de favores recibidos: *ingratitud.*

— de forma ingrata: *ingratamente.*

2. Desagradable, ofensivo.

— *Un frío ingrato nos heló los huesos.*

ingrávido, -da Tenue, ligero, sin peso. ☞ **liviano, sutil.** ❖ PESADO.

— calidad de ingrávido: *ingravidez.*

ingrediente 1. Cualquier elemento que

junto con otros forma una bebida, guisado, remedio, etc. ☞ **componente.**

— *El azúcar es un ingrediente necesario en casi cualquier postre.*

2. Cualquier elemento que interviene en una situación.

— *Su enojo fue el ingrediente que arruinó todo.*

inhábil Que carece de talento, habilidad o instrucción para servir a un fin determinado. ☞ **torpe, desmañado, inepto.** ❖ HÁBIL.

— *Es un sujeto inhábil con sus manos.*

— día feriado en las oficinas públicas: *inhábil.*

— falta de habilidad, talento o instrucción: *inhabilidad.*

— declarar a un individuo inhábil para una tarea: *inhabilitar.*

— acción y resultado de inhabilitar: *inhabilitación.*

inhabitable Que no se puede habitar. ☞ **ruinoso, incómodo.** ❖ HABITABLE.

— no habitado: *inhabitado.*

inhalar Aspirar con fines terapéuticos ciertas sustancias. ☞ **aspirar, introducir.**

— acción de inhalar: *inhalación.*

— aparato para hacer inhalaciones: *inhalador.*

inherencia Unión de elementos inseparables por su naturaleza y sólo separables mentalmente por abstracción. ☞ **inhesión.**

— *Se habló de la inherencia entre el color y la forma.*

— que está unido a otra cosa de modo que no se le puede separar: *inherente.*

inhibición Acción y resultado de inhibir. ☞ **impedir, privar, evitar.** ❖ ACCIÓN.

— impedir que un juez continúe en el conocimiento de una causa: *inhibir.*

— decreto que inhibe al juez: *decreto inhibitorio.*

— estorbar, prohibir: *inhibir.*

— suspender temporalmente una actividad del organismo mediante la acción de un estímulo apropiado: *inhibir.*

inhonesto, -ta Falto de honestidad. ☞ **indecente, indecoroso.** ❖ DECENTE.

inhospedable 1. Que no ofrece seguridad ni abrigo. ☞ **inhóspito, inhospitable, inhospitalario.**

— *Nos dieron una habitación inhospedable.*

2. Cruel, inhumano. ☞ **inhospitalario.**

— *Todo mundo lo conocía como un hombre inhospedable.*

inhóspito, -ta Inhospedable. ☞ **inhospitable, inhospitalario.** ❖ HOSPITALARIO.

inhumación Acción y resultado de inhumar. ☞ **sepultar.**

— enterrar un cadáver: *inhumar.*

inhumano, -na Bárbaro, cruel, falto de humanidad. ☞ **desalmado, despiadado, salvaje.**

inicial Relativo al origen o principio de las cosas. ☞ **inaugural, primero, preliminar.**

— primera letra de cada palabra que compone un nombre propio: *inicial.*

iniciar 1. Comenzar, principiar una cosa. ☞ **empezar.** ❖ ACABAR.

— *El concierto se inició con una obra de Mozart.*

— que da principio a algo: *iniciativo.*

— comienzo, principio: *inicio.*

— cualidad de un individuo que propone o hace algo: *iniciativa.*

2. Instruir en conocimientos abstractos, en alta enseñanza. ☞ **enterar.**

— *Muy joven lo iniciaron en el arte de la escultura.*

3. Admitir a un individuo en una sociedad, ceremonia o culto secreto.

— *Un sacerdote era el encargado de iniciar a los recién llegados.*

— acto por el cual, mediante un rito religioso, un individuo pasa de una situación a otra: *iniciación.*

— que pertenece a la iniciación o se relaciona con ella: *iniciático.*

— que participa en el conocimiento de algo secreto: *iniciado.*

— propuesta: *iniciativa.*

— que inicia: *iniciador.*

inicuo, -cua Contrario a lo justo. ☞ **injusto, malvado.** ❖ JUSTO.

— maldad, gran injusticia: *iniquidad.*

— con iniquidad: *inicuamente.*

— muy inicuo: *iniquísimo.*

inigualado, -da Que no tiene igual, sin par. ☞ **único, excepcional.**

— que no se puede igualar: *inigualable.*

inimitable Que no puede ser imitado. ☞ **original, peculiar, característico, único.** ❖ IMITAR.

— de modo inimitable: *inimitablemente.*

ininteligible No entendible. ☞ **confuso, indescifrable, impenetrable, incomprensible.** ❖ INTELIGIBLE.

— calidad de ininteligible: *ininteligibilidad.*

ininterrumpido, -da Sin interrupción, continuo. ☞ **incesante, permanente.**

iniquidad Gran injusticia, maldad.

☞ **infamia, ignominia, inicuo.** ❖ JUSTICIA.

injerencia Acción y resultado de injerir o injerirse. ☞ **curiosidad, instrucción, intervención.**

— injertar plantas: *injerir.*

— meterse en un asunto: *injerirse.*

— introducir una cosa en otra: *injerir.*

— agregar en un texto una palabra, nota, etc.: *injerir.*

injertar 1. Injerir en el tronco o rama de un árbol una parte de otro en donde haya yema para que se produzca un brote.

— *Por la tarde se dedicó a injertar los naranjos.*

— planta injertada: *injerto.*

2. Insertar quirúrgicamente parte de un tejido o de un órgano del cuerpo en una zona distinta de la que procede para que se produzca una unión orgánica.

— parte de tejido orgánico que se injerta: *injerto.*

injundia Lo más importante y sustancioso de algo no material. ☞ **enjundia, meollo.**

injuria 1. Agravio de acción o palabra. ☞ **insulto, afrenta, ofensa.**

— *Su actitud fue una injuria para los miembros del consejo.*

2. Palabra u obra en contra de la razón o la justicia. ☞ **daño, perjuicio.**

— *La esclavitud es una injuria para la raza humana.*

— que injuria: *injuriador.*

— agraviar con palabras u obras: *injuriar.*

— dañar: *injuriar.*

— de forma injuriosa: *injuriosamente.*

— que injuria: *injurioso.*

injusticia 1. En contra de la justicia. ☞ **iniquidad, desafuero.** ❖ JUSTICIA.

— *No educar a esos niños es una injusticia.*

2. Carencia de justicia.

— *Muchas veces la injusticia provoca crímenes espantosos.*

— con injusticia, sin razón: *injustamente.*

— no justo: *injusto.*

injustificable Que no se puede justificar. ❖ JUSTIFICAR.

— no justificado: *injustificado.*

inmaculado, -da Puro, sin mancha. ☞ **irreprochable, perfecto, flamante.**

— la virgen María: *la inmaculada.*

— que está virgen: *inmaculado.*

inmaduro, -ra No maduro. ☞ **insuficiente, infantil, joven, inexperto, verde.** ❖ MADURO.

— falta de madurez; *inmadurez.*

inmanente Lo que es parte de un ser y va unido a su esencia de modo inseparable, aunque pueda ser distinguido de ella. ☞ **inherente, consustancial.**

— calidad de inmanente: *inmanencia.*

inmarcesible Que no puede marchitarse. ☞ **rozagante, fresco, lozano.** ❖ MARCHITAR.

— inmarchitable: *inmarcesible.*

inmaterial No material. ☞ **espiritual, abstracto, incorpóreo.**

— calidad de inmaterial: *inmaterialidad.*

inmediación Proximidad en torno de un lugar. ☞ **alrededor, cercanía, contorno.**

inmediato, -ta 1. Muy cercano o junto a otra cosa. ☞ **adyacente, contiguo, próximo.**

— *En el capítulo inmediato encontrarás la información que necesitas.*

2. Que ocurre en seguida, sin tardanza. ☞ **pronto, inminente, urgente.**

— *La respuesta a su pregunta fue inmediata.*

— al instante: *inmediatamente, de inmediato.*

— calidad de inmediato: *inmediatez, inmediación.*

inmedicable Que no se puede curar o remediar. ☞ **incurable, irremediable.**

inmejorable Que no puede ser mejorado. ☞ **excelente, magnífico, insuperable.**

— de forma inmejorable: *inmejorablemente.*

inmemorable Que no se sabe cuándo empezó u originó. ☞ **inmemorial.**

inmenso, -sa Que no tiene medida por su gran tamaño. ☞ **vasto, enorme, infinito, desmedido, ingente.** ❖ PEQUEÑO.

— de infinita extensión: *inmensidad.*

inmensurable Que no se puede o es difícil de medir. ☞ **inmenso.**

inmerecido, -da No merecido. ☞ **arbitrario, injusto.**

— de modo inmerecido: *inmerecidamente.*

inmeritorio, -ria No meritorio, no digno de premio. ❖ MERITORIO.

— de forma inmeritoria: *inméritamente.*

— inmerecido, injusto: *inmérito.*

inmerso, -sa Abismado, embebido, sumergido. ☞ **pensativo.**

— introducir o introducirse en un líquido: *inmersión.*

inmigrar Llegar un extranjero a otro país para establecerse en él.

— acción y resultado de inmigrar: *inmigración.*

— el que inmigra: *inmigrante.*

— que pertenece a la inmigración o se relaciona con ella: *inmigratorio.*

inminente Que está por suceder de un momento a otro. ☞ **próximo, apremiante, perentorio.**

— calidad de inminente: *inminencia.*

inmiscuir 1. Mezclarse en un asunto, tomar parte en él cuando no hay razón para ello. ☞ **entrometerse.**

— *Se inmiscuyó en un lío que sólo le produjo dolores de cabeza.*

2. Unir una sustancia a otra para que se haga una mezcla. ☞ **mezclar.**

— *En un pequeño laboratorio inmiscuía unas sustancias con otras.*

inmobiliario, -ria 1. Empresa que se ocupa de construir, rentar, administrar o vender casas o cualquier tipo de edificación.

— *La inmobiliaria se encargará de vender la casa.*

2. Relativo a los bienes inmuebles. ☞ **inmueble.**

— *Solicitó un crédito inmobiliario para comprar un departamento.*

inmoderado, -da Que carece de moderación. ☞ **desmedido, desenfrenado.** ❖ MODERACIÓN.

— falta de moderación: *inmoderación.*

inmodesto, -ta No modesto. ☞ **presumido, arrogante, pedante.** ❖ HUMILDE.

— falta de modestia: *inmodestia.*

— de forma inmodesta: *inmodestamente.*

inmolar 1. Sacrificar una víctima a la divinidad.

— *El oficiante inmolaba borregos o palomas en un sacrificio cruento.*

2. Ofrecer algo en reconocimiento de la divinidad.

— *Los jóvenes inmolaron trigo y vino.*

3. Dar la vida, los bienes o la tranquilidad por una persona o cosa.

— *No dudó en inmolar todo lo que tenía para salvar a su hermano.*

— que inmola: *inmolador.*

— acción y resultado de inmolar: *inmolación.*

inmoral Que se opone a la moral dominante. ☞ **deshonesto, escandaloso.** ❖ MORAL.

— falta de moralidad: *inmoralidad.*

inmortal Que no muere o no puede morir. ☞ **eterno, perpetuo, imperecedero.** ❖ MORTAL.

— calidad de lo que no muere: *inmortalidad.*

— perpetuar algo en la memoria del hombre: *inmortalizar.*

inmotivado, -da Que no tiene motivo. ☞ **infundado.**

— infundadamente: *inmotivadamente.*

inmovilizar 1. Hacer que algo no se mueva. ☞ **inactivar, fijar, establecer.** ❖ MOVER.

— *El miedo inmovilizó al ratón.*

2. Invertir en bienes de lenta o difícil realización.

— *Esa suma se encuentra inmovilizada en la bolsa de valores.*

— que no se mueve o no puede ser movido: *inmovible, inmóvil.*

— calidad de inmóvil: *inmovilidad.*

— tendencia a mantener inmóvil una situación cualquiera establecida: *inmovilismo.*

— partidario del inmovilismo: *inmovilista.*

— acción y resultado de inmovilizar o inmovilizarse: *inmovilización.*

inmudable No mudable. ☞ **inmutable, invariable, perdurable, inalterable.** ❖ MUDABLE.

inmueble Lo que no se puede mover, especialmente bienes raíces: edificios, fincas, terrenos. ☞ **inmobiliario.**

inmundo, -da Sucio, impuro, asqueroso. ☞ **limpio, puro.**

— basura, suciedad, porquería, impureza: *inmundicia.*

inmune 1. Libre de ciertos cargos, oficios, penas, gravámenes. ☞ **protegido, privilegiado.**

— *Su puesto lo hace inmune a un juicio común y corriente.*

— inmunidad que gozan los representantes diplomáticos de un gobierno: *inmunidad diplomática.*

2. Que no puede ser atacado por ciertos gérmenes. ☞ **inmunizado, inoculado.**

— *Es inmune a la hepatitis.*

— estado del organismo en que se está exento de contraer ciertas enfermedades: *inmunidad.*

— que pertenece a la inmunidad o se relaciona con ella: *inmunitario.*

— hacer inmune: *inmunizar.*

— acción y resultado de inmunizar: *inmunización.*

— conseguir inmunidad ante un agente infeccioso: *inmunización.*

— estado que se caracteriza por la disminución de las defensas inmunológicas del organismo: *síndrome de inmunodeficiencia adquirida (sida).*

inmutable Que no cambia, no mudable. ☞ **invariable, constante.**

— calidad de inmutable: *inmutabilidad.*

innavegable 1. No navegable.

— *Muchos ríos son innavegables.*

2. Embarcación en mal estado, de tal

forma que no se puede navegar en ella.

— *Se dedicaron a reparar las innavegables.*

innecesario, -ria No necesario. ☞ **superfluo, inútil, fútil.** ❖ NECESARIO.

innegable Que no se puede negar. ☞ **indiscutible, seguro, evidente.** ❖ DISCUTIBLE.

— de manera innegable: *innegablemente.*

innoble 1. Que no es noble.

— *Hizo una obra de arte con materiales innobles.*

2. Vil, despreciable, abyecto. ☞ **ruin, indigno.** ❖ NOBLE.

— *Esa actitud es innoble en un individuo de su calidad.*

innominable Que no puede ser nombrado.

— que no tiene un nombre especial: *innominado.*

innovar Cambiar algo mediante el empleo de novedades. ☞ **inventar, idear.** ❖ REPETIR.

— acción y resultado de innovar: *innovación, innovamiento.*

— que innova: *innovador.*

innumerable 1. Que no se puede o es muy difícil de reducir a un número.

— *Son innumerables las veces que he hecho cola en el banco para cobrar cheques.*

2. Muy abundante. ☞ **incontable, ilimitado, incalculable, numeroso.**

— *Las hojas de ese árbol son innumerables.*

inobediente No obediente. ☞ **rebelde, desobediente, indisciplinado.** ❖ OBEDECER.

— falta de obediencia: *inobediencia.*

inobservable Que no puede ser observado.

— falta de observancia: *inobservancia.*

— no observante: *inobservante.*

inocente 1. Sin culpa. ❖ CULPABLE.

— *Es inocente y, sin embargo, estuvo a punto de ir a la cárcel.*

— exención de culpa en un delito o mala acción: *inocencia.*

2. Cándido, sin malicia. ☞ **ingenuo.**

— *Es tan inocente que todo mundo se aprovecha de ella.*

3. Que no hace daño, que no es nocivo. ☞ **inofensivo, inocuo, suave.**

— *¡No te enojes! Fue una broma inocente.*

— cándido, muy inocente: *inocentón.*

— candor: *inocencia.*

— broma suave: *inocentada.*

— engaño en el que se cae por descuido o falta de malicia: *inocentada.*

inocular 1. Comunicar una enfermedad contagiosa por medios artificiales. ☞ **contagiar, transmitir.**

— *Le inocularon un virus al conejo para estudiar sus reacciones.*

2. Pervertir con malos ejemplos.

— *Lo inocularon con ideas extrañas.*

— que inocula: *inoculador.*

— acción y resultado de inocular: *inoculación.*

inocultable Que no puede ocultarse. ❖ OCULTAR.

inocuo, -cua Que no daña. ☞ **inofensivo, inocente, innocuo.**

— calidad de inocuo: *inocuidad.*

inodoro, -ra 1. Que no tiene olor.

— *El agua pura es inodora.*

2. Excusado. ☞ **baño.**

— *Un trozo de metal tapó el inodoro.*

inofensivo, -va Que no ofende o que no hace daño. ☞ **inocuo, inocente.**

inoficioso, -sa Que daña los derechos de herencia forzosa. Se aplica a los actos de última voluntad, a las dotes y a las donaciones.

— inútil, ocioso: *inoficioso.*

inolvidable Que no puede o debe olvidarse. ☞ **indeleble, imborrable.**

inoperable Enfermo que no puede ser operado o enfermedad en la que no procede operación quirúrgica.

inoperante Ineficaz, inactivo, nulo, inútil.

inopia Pobreza, indigencia, necesidad.

— no enterarse de algo que otros saben: *estar en la inopia.*

inopinable Que no puede ser defendido ni en pro y ni contra.

inopinadamente De modo inopinado.

— que sucede sin esperarlo o pensarlo: *inopinado.*

inoportuno, -na Fuera de tiempo, de propósito. ☞ **intempestivo, extemporáneo.**

— falta de oportunidad: *inoportunidad.*

— de modo inoportuno: *inoportunamente.*

inordenado, -da Desordenado, que no tiene orden.

inorgánico, -ca Cuerpo sin órganos para la vida, como los minerales.

— química que estudia los compuestos de todo elemento que no incluya el carbono: *química inorgánica.*

inoxidable Que no se oxida. ☞ **tratado, protegido, resistente.**

inquebrantable Que no se quebranta o doblega. ☞ **inalterable, irrompible.**

inquietar Quitar el sosiego, la quietud. ☞ **desasosegar, agitar.** ❖ TRANQUILIZAR.

— que inquieta: *inquietador, inquietante.*

— que no está quieto: *inquieto.*

— que sufre agitación del ánimo: *inquieto.*

— que no tiene quietud: *inquieto.*

— falta de quietud: *inquietud.*

— inclinación anímica hacia algo: *inquietud.*

— de forma inquieta: *inquietamente.*

inquilino, -na Individuo que renta una vivienda o parte de ella. ☞ **arrendatario, vecino, ocupante.**

inquina Mala voluntad, ojeriza. ☞ **aborrecimiento.**

inquirir Averiguar, examinar una cosa con cuidado. ☞ **preguntar, indagar, interrogar.**

inquisición 1. Acción y resultado de inquirir. ☞ **indagación, averiguación.**

— *La inquisición aportó datos muy interesantes.*

— que inquiere: *inquisitivo, inquisitorio.*

2. Tribunal eclesiástico creado para inquirir y castigar los delitos contra la fe católica. ☞ **Santo Oficio.**

— *La Inquisición fue abolida en España en 1834.*

— que pertenece a la Inquisición o se relaciona con ella: *inquisitorial.*

— procedimiento semejante a los de la Inquisición: *inquisitorial.*

— juez del tribunal de la Inquisición: *inquisidor.*

3. Casa en donde se reunía el tribunal de la Inquisición.

— *Se colocó una placa en el sitio en donde estuvo la Inquisición.*

4. Cárcel para los reos sometidos al tribunal de la Inquisición.

— *Muchos judíos pasaron por las cárceles de la Inquisición.*

inri Iniciales del rótulo latino de la cruz de Cristo: *Iesus Nazarenus Rex Iudaeorum.*

— burla o afrenta muy grande: *inri.*

insaciable Imposible o difícil de saciar. ☞ **glotón, comelón, insatisfecho.**

— calidad de insaciable: *insaciabilidad.*

insacular Meter en un saco, cántaro o urna boletas para sacar una de ellas al azar.

— que insacula: *insaculador.*

— acción y resultado de insacular: *insaculación.*

insalivar Mezclar en la boca los alimentos con la saliva.

— acción y resultado de insalivar: *insalivación.*

insalubre Malsano, que daña la salud. ☞ **pernicioso, nocivo.**

— falta de salubridad: *insalubridad.*

insano, -na 1. Loco, demente, maniático, perturbado.

— *Fue un insano quien cometió el crimen.*

2. Que no es higiénico y perjudica la salud.

— *Es insano emplear ese instrumento quirúrgico oxidado.*

insatisfacción Carencia de satisfacción. ❖ SATISFACCIÓN.

— que no produce satisfacción: *insatisfactorio.*

— no satisfecho: *insatisfecho.*

inscribir 1. Grabar letreros en piedra, metal o alguna materia.

— *En las paredes de esa torre los reos inscribían sus iniciales.*

2. Apuntar el nombre de una persona junto a los de otras con un fin determinado. ☞ **afiliarse, apuntarse.**

— *Me inscribí en el cuerpo de voluntarios de la Cruz Roja.*

3. Dibujar una figura dentro de otra de modo que ambas se toquen en varios puntos de sus perímetros. ☞ **delimitar, encerrar.**

— *Inscribió un círculo dentro del triángulo.*

— acción y resultado de inscribir: *inscripción.*

— escrito grabado en piedra o en alguna materia: *inscripción.*

— letrero rectilíneo en las monedas o medallas: *inscripción.*

insecable 1. Que no se puede o es muy difícil secar.

— *Esas plantas a la orilla del río son insecables.*

2. Que no se puede cortar o dividir.

— *Esa piedra parece insecable.*

insecto (vea ilustración). Animal perteneciente a la clase de los insectos, dividido en cabeza, tórax y abdomen; su reproducción sexual es, por lo general, hermafrodita.

— que mata insectos: *insecticida.*

— que se alimenta de insectos: *insectívoro.*

inseguridad Falta de seguridad. ☞ **riesgo, incertidumbre.**

— falto de seguridad: *inseguro.*

— de forma insegura: *inseguramente.*

inseminación Llegada del semen al óvulo después del coito. ☞ **fertilización, procreación.**

— producir la inseminación: *inseminar.*

— procedimiento no natural para fecundar al óvulo: *inseminación artificial.*

insensato, -ta Sin sentido, tonto. ☞ **absurdo, incoherente.**

— necedad, falta de razón: *insensatez.*

insensible 1. Que no tiene la facultad sensitiva.

— *El pelo de los mamíferos es insensible.*

2. Que temporalmente está privado del sentido, por accidente, dolencia u otra causa. ☞ **aletargado, anestesiado, inconsciente.**

— *Con la anestesia la encía quedó insensible por unas horas.*

3. Que no siente lo que causa dolor, pena o lástima. ☞ **inhumano, inflexible.**

— *Es una mujer insensible al dolor ajeno.*

— quitar la sensibilidad: *insensibilizar.*

— falta de sensibilidad: *insensibilidad.*

— falta de sentimiento: *insensibilidad.*

— de modo insensible: *insensiblemente.*

— que insensibiliza: *insensibilizador.*

— imperceptible: *insensible.*

— suave, leve: *insensible.*

inseparable Que no se puede o es muy difícil separar. ☞ **indivisible, unido, junto.**

— calidad de inseparable: *inseparabilidad.*

— con inseparabilidad: *inseparablemente.*

insepulto, -ta Que debiera estar sepultado y no lo está. ❖ SEPULTAR.

inserción Acción y resultado de insertar.

— incluir una cosa en otra, comúnmente un texto en otro: *insertar.*

— introducir un escrito en las columnas de un periódico: *insertar.*

inservible Que no sirve, que no es útil. ☞ **inútil, defectuoso, ineficaz.** ❖ SERVIR.

insidia Asechanza, engaño para dañar a otro. ☞ **intriga, perfidia.**

— poner asechanzas: *insidiar.*

— que insidia: *insidiador, insidioso.*

— que se hace con asechanzas: *insidioso.*

— malicioso pero de apariencia inofensiva: *insidioso.*

insigne Célebre, famoso, esclarecido, glorioso.

insignia 1. Señal, distintivo, divisa honorífica.

— *La Academia le otorgó una insignia por sus contribuciones a la ciencia.*

2. Estandarte o bandera de una legión romana.

— *En la lejanía brillaban las insignias del ejército.*

3. Pendón, estandarte, medalla de una hermandad o cofradía.

— *Durante la procesión todos los oficios portaban su insignia.*

4. Bandera que, puesta en uno de los mástiles de un buque, denota el grado del jefe que lo manda o que va en él.

— *Con el telescopio, el marinero distinguió claramente la insignia del buque que se acercaba.*

insignificante Pequeño, despreciable, inferior. ☞ **baladí.**

— pequeñez, insuficiencia, inutilidad: *insignificancia.*

insincero, -ra Disimulado, engañoso, falso. ☞ **hipócrita.**

— falta de sinceridad: *insinceridad.*

insinuar 1. Dar a entender algo indicándolo ligeramente. ☞ **sugerir.**

— *Me insinuó que quería quedarse solo.*

2. Introducirse sutilmente en el ánimo de alguien y ganar su afecto.

— *Los libros que me regaló me insinuaron su cariño.*

— que sirve para insinuar: *insinuativo.*

insecto

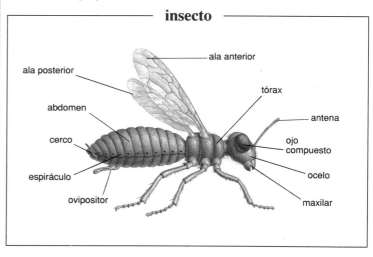

— que insinúa o se insinúa: *insinuante, insinuador.*

— acción y resultado de insinuar: *insinuación.*

— sugestivo, provocativo: *insinuante.*

insípido, -da 1. Que no tiene el sabor que debiera o pudiera tener. ☞ **desabrido.**

— *La naranja estaba insípida.*

2. Falto de espíritu, de gracia. ☞ **soso, insulso, insustancial.**

— *Vimos una película insípida.*

— calidad de insípido: *insipidez.*

insipiente Falto de juicio, de sabiduría.

— falta de sabiduría o juicio: *insipiencia.*

insistir Mantenerse firme en una cosa. ☞ **porfiar, obstinarse, perseverar.**

— reiteración, porfía en algo: *insistencia.*

— que insiste: *insistente.*

— con insistencia: *insistentemente.*

insobornable Que no puede ser sobornado. ☞ **incorruptible, íntegro.**

insolación 1. Malestar producto de una exposición excesiva a los rayos solares. ☞ **sofoco, acaloramiento.**

— *Tenía un fuerte dolor de cabeza a causa de la insolación.*

— exponer algo al sol para que se seque o fermente: *insolar.*

— asolearse hasta enfermar: *insolar.*

2. Tiempo durante el cual luce el Sol sin nubes.

— *La insolación permitió observar fácilmente el eclipse.*

insolencia Atrevimiento, descortesía, descaro.

— hacer a alguien insolente y atrevido: *insolentar.*

— que comete insolencias, grosero, imperioso: *insolente.*

insólito, -ta Extraordinario, desacostumbrado. ☞ **inusual, raro, extraño.**

insoluble 1. Que no puede ser disuelto ni diluido.

— *Esa pasta es insoluble.*

2. Que no se puede resolver o solucionar. ☞ **indescifrable, inexplicable.**

— *Ese acertijo parece insoluble.*

— calidad de insoluble: *insolubilidad.*

insolvente Que no puede solventar un gasto. ☞ **empobrecido, arruinado, irresponsable.** ❖ RICO.

— incapacidad para pagar una deuda: *insolvencia.*

insomnio Dificultad para dormir. ☞ **vigilia, desvelo.**

— que no duerme, desvelado: *insomne.*

insondable Que no puede ser averiguado a fondo. ☞ **impenetrable, recóndito, inexplicable.**

insoportable Intolerable, insufrible. ☞ **incómodo, molesto.**

insoslayable Que no puede eludirse o soslayarse. ☞ **inevitable, forzoso.**

insospechable Que no puede sospecharse o dudarse.

— no sospechado: *insospechado.*

insostenible 1. Que no se puede sostener. ☞ **inestable.**

— *Después del temblor esas paredes son insostenibles.*

2. Que no puede ser defendido con razones. ☞ **indefendible, inadmisible.**

— *Arguyó razones insostenibles para excusar su impuntualidad.*

inspección 1. Acción y resultado de inspeccionar.

— *Una vez terminada la inspección del sitio del asalto, se levantó un acta.*

2. Cargo que implica velar sobre una cosa.

— *Le encargaron por una semana la inspección de las tareas administrativas.*

— examinar atentamente algo: *inspeccionar.*

— empleado que tiene a su cargo la inspección y vigilancia del ramo a que pertenece: *inspector.*

inspiración 1. Atracción de aire a los pulmones. ☞ **respiración.**

— *Con la inspiración atrajo aire limpio y se sintió más descansado.*

— músculos que permiten la inspiración: *inspiradores.*

— atraer aire a los pulmones: *inspirar.*

2. Iluminación sobrenatural.

— *Según la tradición, los libros sagrados son producto de la inspiración divina.*

— iluminar la divinidad: *inspirar.*

3. Impulso creador.

— *Dejó atrás el momento de la inspiración y se puso a trabajar en el poema.*

— sugerir ideas para la creación artística: *inspirar.*

— acción y resultado de inspirar: *inspiración.*

— que inspira: *inspirador, inspirativo, inspirante.*

— de manera inspirada: *inspiradamente.*

— avivarse el ánimo con el recuerdo o la presencia de alguien o algo, o con el estudio de obras o ideas de otros: *inspirar.*

instalar 1. Poner en posesión de un cargo, empleo o beneficio.

— *Quedó instalado como director administrativo de la empresa.*

2. Colocar algo en el lugar debido. ☞ **situar.**

— *Instalaron el tinaco en la azotea de la casa.*

— acción y resultado de instalar: *instalación.*

— conjunto de cosas instaladas: *instalación.*

— que instala: *instalador.*

3. Establecerse, fijar residencia.

— *Hace años que se instaló en Chilpancingo.*

instantánea Impresión fotográfica obtenida instantáneamente. ☞ **fotografía.**

instante Porción muy breve de tiempo. ☞ **momento.**

— inmediatamente, sin tardanza: *instantáneamente.*

— que dura un instante: *instantáneo.*

— inmediatamente: *al instante.*

— frecuentemente: *a cada instante.*

instaurar Establecer, fundar. ☞ **implantar.** ❖ DEPONER.

— acción y resultado de instaurar: *instauración.*

— que instaura: *instaurador.*

— que puede instaurar: *instaurativo.*

instigar Incitar, inducir a alguien para que haga algo.

— acción y resultado de instigar: *instigación.*

— que instiga: *instigador.*

instinto Estímulo interno que provoca en los animales acciones no aprendidas. Actúa en todos los individuos de una misma especie y es el resultado de una adaptación evolutiva.

— por impulso, de modo natural: *por instinto.*

institución 1. Fundación, establecimiento de algo.

— *Contribuyó a la institución de nuevos principios artísticos.*

2. Cosa establecida o fundada.

— *Esa Academia es una institución muy antigua.*

3. Cada una de las organizaciones fundamentales de una nación, un Estado, una sociedad.

— *El matrimonio es una institución común en muchas sociedades.*

— tener gran prestigio en algo: *ser una institución.*

— que pertenece a una institución o se relaciona con ella: *institucional.*

— calidad de institucional: *institucionalidad.*

— convertir algo en institucional: *institucionalizar.*

— dar el carácter de institución: *institucionalizar.*

instituto 1. Regla que prescribe cierta forma de vida o de enseñanza.

— *Se le acusó de no seguir las normas del instituto.*

2. Corporación científica, literaria, artística.

— *Los miembros del instituto estuvieron presentes durante el homenaje al fundador.*

3. Edificio en donde funciona una institución.

— *No pudimos entrar al estacionamiento del instituto.*

— establecer algo, dar principio a una cosa: *instituir.*

— que instituye: *instituidor, institutor, instituyente.*

— profesor: *institutor.*

instrucción 1. Acción de instruir. ☞ **enseñanza, educación.**

— *Apenas recibió la instrucción suficiente para realizar su trabajo.*

— enseñar: *instruir.*

2. Conjunto de conocimientos adquiridos. ☞ **erudición, cultura.**

— *Se preocupó por profundizar su instrucción.*

— que tiene muchos conocimientos: *instruido.*

3. Conjunto de reglas o advertencias para algún fin.

— *Por no seguir las instrucciones conectó mal sus aparatos electrónicos.*

— manual de procedimientos: *instructivo.*

4. Órdenes dadas a los jefes de fuerzas militares o a agentes diplomáticos. ☞ **disposiciones.**

— *Las instrucciones indicaban detener el avance de la tropa.*

— de manera instructiva: *instructivamente.*

— que instruye: *instructivo, instructor.*

— dar a conocer el estado de una cosa: *instruir.*

instrumentar 1. Arreglar una composición musical para varios instrumentos.

— *Decidió instrumentar una canción que había oído cuando era niño.*

— estudio de los diferentes instrumentos musicales según sus características: *instrumentación.*

— música en donde no interviene la voz humana: *instrumental.*

— músico que se dedica a un solo instrumento: *instrumentista.*

2. Dotar a algo de los instrumentos necesarios para su realización.

— *Su tarea consistía en instrumentar durante la intervención quirúrgica.*

— profesional que proporciona el instrumental quirúrgico durante una operación: *instrumentista.*

— acción y resultado de instrumentar: *instrumentación.*

— que pertenece al instrumento o se relaciona con él: *instrumental.*

— conjunto de instrumentos destinados a un fin: *instrumental.*

— emplear algo o a alguien para conseguir sus propios fines: *instrumentalizar.*

— persona que fabrica instrumentos: *instrumentista.*

— utensilio, objeto destinado a servir a un fin determinado: *instrumento.*

— lo que sirve de medio para hacer una cosa o lograr un fin: *instrumento.*

insubordinado Que se opone a la subordinación. ☞ **rebelde, sublevación, sedición, desobediencia.**

— falta de subordinación: *insubordinación.*

— provocar insubordinación: *insubordinar.*

insuficiencia 1. Falta de suficiencia o inteligencia.

— *Tiene una gran insuficiencia para manejar conceptos abstractos.*

2. Escasez de una cosa.

— *La insuficiencia de granos fue consecuencia de la sequía.*

3. Incapacidad de un órgano para realizar sus funciones.

— *El diagnóstico reveló insuficiencia renal.*

— no suficiente: *insuficiente.*

— de manera insuficiente: *insuficientemente.*

insuflar 1. Inyectar en un órgano o cavidad un gas, líquido o sustancia pulverizada. ☞ **soplar, inflar.**

— *El médico insufló agua temperada para lavar el oído.*

— tubo que sirve para insuflar: *insuflador.*

2. Dar, proporcionar. ☞ **infundir.**

— *Le insufló ánimo cuando lo necesitaba.*

— acción y resultado de insuflar: *insuflación.*

insufrible Que no se puede sufrir, aguantar. ☞ **inaguantable, insoportable.**

— de modo insufrible: *insufriblemente.*

ínsula ☞ **isla.**

— isleño: *insulano, insular.*

insulso, -sa Insípido, tonto, pueril.

— calidad de insulso: *insulsez.*

— cosa o dicho insulso: *insulsez.*

— con insulsez: *insulsamente.*

insultar Ofender con palabras o acciones. ☞ **agraviar, injuriar, ultrajar.** ❖ ALABAR.

— que insulta: *insultador, insultante.*

— acción y resultado de insultar: *insulto.*

— dicho o hecho insultante: *insulto.*

insumable Que no se puede o es difícil de sumar. ☞ **exorbitante.**

insumergible No sumergible. ☞ **boyante, flotante.**

insuperable No superable. ☞ **inmejorable, inaccesible, insalvable.**

insurgente Sublevado contra la autoridad. ☞ **sedicioso, rebelde, insurrecto.**

— levantarse en contra de la autoridad, provocar una insurrección: *insurreccionar.*

— levantamiento, motín, rebelión: *insurrección.*

— que pertenece a la insurrección o se relaciona con ella: *insurreccional.*

— rebelde, insurgente: *insurrecto.*

insustancial De poca o ninguna sustancia. ☞ **insubstancial, soso, desabrido, trivial, pueril.**

— calidad de insustancial: *insustancialidad.*

— de manera insustancial: *insustancialmente.*

intacto, -ta 1. Sin alteración o deterioro. ☞ **íntegro, completo.** ❖ DAÑADO.

— *En la cueva encontraron pinturas rupestres intactas.*

2. Puro, sin mezcla.

— *Fue un pueblo que mantuvo intacta su raza durante siglos.*

intachable Que no merece o admite tacha. ☞ **irreprochable, respetable.**

intangible Que no puede o no debe ser tocado. ☞ **intocable, inmaterial, etéreo.**

— calidad de intangible: *intangibilidad.*

integral 1. Total, global. ❖ INCOMPLETO.

— *En esa escuela imparten una educación integral.*

— pan elaborado con harina que conserva todos los componentes del trigo: *pan integral.*

— que no le falta ninguna de sus partes: *íntegro.*

— de modo integral: *integralmente.*

— superlativo de íntegro: *integérrimo.*

2. Las partes que entran en la composición de un todo.

— *En filosofía las partes integrales se distinguen de las esenciales, sin las cuales no subsiste una cosa.*

— parte de las matemáticas que enseña a determinar las cantidades variables, conocidas sus diferencias infinitamente pequeñas: *cálculo integral.*

integrar 1. Completar un todo con sus partes integrantes. ☞ **componer, constituir, formar parte.**

— *El equipo se integró con alumnos de la facultad.*

2. Contribuir, entrar a formar parte de un conjunto.

— *La apatía le impidió integrarse al grupo de trabajo.*

— que se puede integrar: *integrable.*

— acción y resultado de integrar o integrarse: *integración.*

— con integridad: *íntegramente.*

— calidad de íntegro: *integridad.*

— que tiene todas sus partes: *íntegro.*

— decente, virtuoso: *íntegro.*

— que forma parte de algo: *integrante.*

— que integra: *integrante.*

intelecto Inteligencia, entendimiento.

— que pertenece al intelecto o se relaciona con él: *intelectual.*

— espiritual, sin cuerpo: *intelectual.*

— individuo que se dedica a las ciencias y a las letras: *intelectual.*

— acción y resultado de entender: *intelección.*

— facultad de entender: *intelectiva.*

— que tiene la virtud de entender: *intelectivo.*

— conjunto de intelectuales: *intelectualidad.*

— corriente de pensamiento que sitúa al entendimiento por encima de la sensibilidad y la voluntad: *intelectualismo.*

— que pertenece al intelectualismo o se relaciona con él: *intelectualista.*

— dar forma o contenido intelectual o racional a algo: *intelectualizar.*

— analizar intelectualmente: *intelectualizar.*

— acción y resultado de intelectualizar: *intelectualización.*

— de modo intelectual: *intelectualmente.*

inteligencia 1. Facultad de conocer.
☞ **entendimiento, mente.**

— *El hombre, gracias a su inteligencia, aprendió a servirse de los recursos naturales.*

2. Acto de entender, comprensión.

— *Puedes lograr la inteligencia del problema si profundizas tus conocimientos sobre la materia.*

3. Habilidad, experiencia, destreza.

— *Posee la inteligencia necesaria para guiar al grupo.*

— conjunto de técnicas que, mediante el empleo de computadoras, puede resolver algunos problemas, de modo semejante a como lo hace la inteligencia humana: *inteligencia artificial.*

— en el supuesto o en la suposición de que: *en la inteligencia de que.*

— enterado: *inteligenciado.*

— dotado de la facultad intelectiva: *inteligente.*

— de modo inteligente: *inteligentemente.*

inteligible 1. Que puede ser entendido.
☞ **comprensible, descifrable.**

— *Después de muchos esfuerzos logró exponer el problema de forma inteligible.*

2. Lo que es conocimiento puro, sin intervención de los sentidos.

— *Su formulación teórica fue un acto inteligible.*

3. Que se oye con claridad.

— *A pesar del rumor que había en el bosque, el canto del ruiseñor era inteligible.*

— de modo inteligible: *inteligiblemente.*

intemperante Falto de templanza. ☞ destemplanza.

— desenfreno, falta de templanza: *intemperancia.*

intemperie Destemplanza del tiempo atmosférico.

— a cielo descubierto: *a la intemperie.*

intempestivo, -va Fuera de tiempo.
☞ **inesperado, imprevisto, inoportuno, repentino.**

— de modo intempestivo: *intempestivamente.*

intención 1. Determinación de hacer algo. ☞ **propósito, empeño, voluntad.**

— *Tiene la intención de titularse el año entrante.*

2. Instinto dañino en un animal que se diferencia del comportamiento general de su especie.

— *Se enfrentó con un toro de intención.*

— modo de proceder franco y abierto, sin mucha reflexión: *primera intención.*

— modo de proceder doble, oculto: *segunda intención.*

— acción no definitiva: *de primera intención.*

— dirigirse a alguien sin dobleces: *tener buenas intenciones.*

— con intención: *intencionadamente.*

— que tiene alguna intención: *intencionado.*

— que pertenece a la intención o se relaciona con ella: *intencional.*

— deliberado: *intencional.*

intendencia 1. Cuidado, gobierno, dirección de una cosa.

— *La intendencia mandó hacer un puente sobre el río.*

2. Zona en donde ejerce su cargo el intendente.

— *No podían entrar cargamentos de tabaco a la intendencia.*

3. Empleo y oficina del intendente.

— *No quiso hacerse cargo de la in-*

tendencia por más que se lo pidieron.

— jefe administrativo o económico: *intendente.*

intensidad Grado de energía de una cualidad, de un objeto, de una expresión, de un agente natural o mecánico.
☞ **fuerza, viveza.**

— hacer más intenso algo: *intensar, intensificar.*

— acción de intensificar: *intensificación.*

— grado de energía de algo: *intensión.*

— con intensión: *intensamente, intensivamente.*

— que intensifica: *intensivo.*

— que tiene intensión: *intenso.*

— muy vehemente y vivo: *intenso.*

intentar 1. Procurar, pretender algo.

— *Intentó cambiar para mañana la cita con el dentista.*

2. Tener ánimo para hacer una cosa.
☞ **proponerse.**

— *Intenta continuar sus estudios universitarios.*

3. Iniciar la ejecución de algo.

— *Intentan competir en la caminata el año entrante y entrenan desde ahora.*

— propósito, intención: *intento.*

— intento temerario: *intentona.*

interacción Acción ejercida recíprocamente entre dos o más fuerzas o agentes.

— interacciones naturales: *gravitatoria, débil, fuerte y magnética.*

intercalar Poner una cosa entre otras.
☞ **insertar, interponer, alternar.**

— acción y resultado de intercalar: *intercalación, intercaladura.*

intercambio 1. Acción y resultado de cambiar algo mutuamente dos o más personas o entidades.

— *En el intercambio de regalos recibió un cinturón.*

2. Reciprocidad e igualdad de servicios y consideraciones entre corporaciones del mismo tipo de diversos países o del mismo país.

— *La exposición de esas pinturas se debe al intercambio cultural entre ambos países.*

— cambiar mutuamente: *intercambiar.*

— piezas similares de objetos iguales que se pueden cambiar entre sí: *intercambiables.*

interceder Entrar en favor de otro.
☞ **abogar.** ❖ ATACAR.

— acción y resultado de interceder: *intercesión.*

— que intercede: *intercesor.*

— con o por intercesión: *intercesoriamente.*

intercelular Que está entre las células.

interceptar Apoderarse de algo antes de que llegue a la persona o lugar de su destino. ☞ **detener, entorpecer, obstaculizar.**

— *Interceptaron el paquete cuando estaba por llegar al consulado.*

— acción y resultado de interceptar: *interceptación.*

— que intercepta: *interceptor.*

intercontinental Que llega a dos continentes. ☞ **internacional, mundial.**

interdental Sonido que se pronuncia colocando la punta de la lengua entre los bordes de los dientes incisivos.

interdependencia Dependencia recíproca. ☞ **correspondencia, dependencia.**

interdicción Acción y resultado de interdecir o prohibir. ☞ **privación, negativa, oposición.**

interés 1. Provecho, ganancia, utilidad. ☞ **lucro.**

— *Con los intereses generados por el préstamo para comprar una casa, te hubieras comprado dos.*

2. Valor que tiene una cosa en sí.

— *El interés por conservar su salud es prioritario.*

3. Inclinación del ánimo hacia algo. ☞ **atractivo.**

— *Tiene mucho interés en el cine.*

— codicioso, interesado: *interesable.*

— de manera interesada: *interesadamente.*

— que tiene interés en algo: *interesado.*

— que sólo lo mueve el interés: *interesado.*

— que interesa: *interesante.*

— cautivar la atención, el ánimo: *interesar.*

— inspirar afecto a una persona: *interesar.*

interestatal Relativo a las relaciones entre dos o más Estados.

interestelar Espacio entre dos o más astros.

interfecto, -ta 1. Persona muerta violentamente.

— *La ambulancia se llevó el cuerpo del interfecto.*

2. Persona de la cual se habla.

— *No se enteró de lo que hablábamos, pues desconocía al interfecto.*

interferencia 1. Acción y resultado de irrumpir en el curso de una cosa.

— *Había una gran interferencia en el discurso de un orador sobre el del otro.*

2. Mezcla de las señales de dos emisoras por la proximidad de sus longitudes de onda.

— *La interferencia no dejaba escu-*

char claramente ninguna de las dos estaciones de radio.

— que presenta el fenómeno de la interferencia: *interferente.*

interino, -na Que suple temporalmente a una persona o cosa. ☞ **transitorio, provisional, suplente.**

— desempeñar interinamente un cargo: *interinar.*

— tiempo que dura el desempeño interino de un cargo: *interinato, interinidad.*

— calidad de interino: *interinidad.*

interior 1. Que está en la parte de adentro.

— *En el interior de la cajita hay tres dulces.*

2. Sin vista a la calle.

— *El departamento interior está mal iluminado.*

3. Que sólo se siente en el alma. ☞ **anímico, interno.**

— *Algo se movía en su interior.*

4. Relativo a los asuntos domésticos de un país.

— *El secretario de Gobernación se ocupa de la política interior.*

5. Relativo a la parte central de un país respecto de sus fronteras.

— *Los estados del interior del país son más prósperos.*

— calidad de interior: *interioridad.*

— en lo interior: *interiormente.*

interjección Voz que expresa una impresión repentina de sorpresa, molestia, dolor, temor, etc.

— que pertenece a la interjección o se relaciona con ella: *interjectivo.*

interlineal 1. Entre dos líneas o renglones.

— *Se descubrió un ejemplar de su poesía con versos interlineales escritos por el mismo autor.*

2. Traducción de un texto, en donde cada línea traducida se encuentra inmediatamente junto a la original.

— *Esa versión interlineal de los poemas es muy útil.*

— espacio entre las líneas de un escrito: *interlínea.*

— conjunto de espacios en blanco que hay entre las líneas de un impreso o manuscrito: *interlineado.*

interlocutor, -ra Cada uno de los individuos que toman parte en un diálogo.

— diálogo entre dos o más personas: *interlocución.*

interludio Composición musical breve que se ejecuta a modo de intermedio.

intermedio, -dia 1. Que está en medio de los extremos.

— *Me inscribí en un curso intermedio de francés.*

2. Espacio que hay de un tiempo a

otro o de una acción a otra. ☞ **intervalo, descanso.**

— *En el intermedio las bailarinas continuaban ensayando.*

3. Espacio de tiempo durante el cual se interrumpe la representación o ejecución de un espectáculo.

— *La obra era tan mala que durante el intermedio mucha gente se salió del teatro.*

— existir una cosa en medio de otras: *intermediar.*

— que media entre el productor y el consumidor: *intermediario.*

intermitente Que se interrumpe y continúa alternadamente. ☞ **discontinuo.**

— luz que se prende y apaga alternadamente: *luz intermitente.*

— interrumpir: *intermitir.*

— interrupción: *intermisión.*

— interrumpido: *intermiso.*

internar 1. Conducir a una persona a un sanatorio, clínica, cárcel, etc.

— *Lo internaron de emergencia pues perdió mucha sangre por el accidente.*

2. Avanzar tierra adentro.

— *Se internó en la selva para estudiar el comportamiento de algunas especies animales.*

3. Introducirse en la amistad de alguien o en sus secretos o profundizar en una materia.

— *El grupo se internó en los estudios sobre los mayas.*

— alumno que vive en un establecimiento de enseñanza: *interno.*

— médico que estudia y trata las enfermedades de los órganos internos: *internista.*

— institución que alberga estudiantes: *internado.*

interpelar 1. Solicitar auxilio, amparo, protección.

— *El niño que se resbaló hacia la zanja interpeló a los paseantes.*

2. Preguntar a alguien para que dé explicaciones sobre un hecho cualquiera.

— *Interpelaba insistentemente sobre lo que el administrador había hecho esa mañana.*

— que interpela: *interpelante.*

— acción y resultado de interpelar: *interpelación.*

interplanetario, -ria Espacio existente entre dos o más planetas y cualquier cosa que ocurre o se desarrolla en este espacio.

interpolar 1. Intercalar palabras o frases en un texto ajeno.

— *Descubrió que las primeras frases de esa obra teatral eran interpolaciones del siglo XIX.*

2. Interrumpir la continuación de algo y luego proseguirla.

— *Mientras exponía en clase el tema del día, constantemente interpolaba en su discurso comentarios que divertían a los alumnos.*

— acción y resultado de interpolar: *interpolación.*

— que interpola: *interpolador.*

interponer 1. Poner una cosa entre otras. ☞ **interpolar, insertar, intercalar.**

— *Interpuso la solicitud de modo que fuera atendida antes que otras.*

2. Intervenir alguien como intercesor o medianero. ☞ **mediar.**

— *Le pedía que se interpusiera para impedir un pleito.*

— acción y resultado de interponer: *interposición.*

interpretar 1. Explicar el sentido de una cosa.

— *Necesitaba que alguien interpretara el significado de aquellos números sobre la tapa del cofre.*

2. Traducir de una lengua a otra, sobre todo cuando se hace oralmente.

— *La secretaria interpretó lo expresado por el presidente del consejo.*

3. Explicar de alguna manera cualquier hecho, dicho o suceso.

— *Interpretaste erróneamente su gesto cuando recibió tu regalo.*

4. Representar un personaje en una obra de teatro, película, serie de televisión, etc.

— *Interpretaron con inteligencia y talento a los personajes de esa obra de Ibsen.*

5. Ejecutar una pieza musical con cantos o instrumentos.

— *Ella interpreta a Ravel de forma extraordinaria.*

6. Ejecutar un baile en una coreografía.

— *Es necesario que interpreten la danza siguiendo las sugerencias del coreógrafo.*

— acción y resultado de interpretar: *interpretación.*

— que interpreta: *interpretador, intérprete.*

— que sirve para interpretar algo: *interpretativo.*

interregno Tiempo durante el cual un Estado carece de soberano.

interrogación 1. Pregunta. ☞ **interpelación.** ❖ RESPUESTA.

— *Nadie supo qué responder a la interrogación del profesor.*

— que interroga: *interrogante.*

— incógnita, problema no resuelto: *interrogante.*

— que implica interrogación: *interrogativo.*

— serie de preguntas: *interrogatorio.*

— documento que contiene una serie de preguntas: *interrogatorio.*

— acto de dirigir una serie de preguntas a quien se desea que las conteste: *interrogatorio.*

— signo que se escribe al principio y al final de una pregunta (¿?): *interrogación.*

2. Figura retórica que consiste en una pregunta o una serie de preguntas que no esperan respuesta necesariamente.
El mar, la mar.
El mar. ¡Sólo la mar!
¿Por qué me trajiste, padre, a la ciudad?
¿Por qué me desenterraste del mar?
Rafael Alberti.

interrumpir 1. Cortar la continuidad de una acción. ☞ **suspender, parar.** ❖ CONTINUAR.

— *La representación teatral fue interrumpida por la gritería del público.*

2. Intervenir uno con su palabra mientras otro habla.

— *Pidió que no lo interrumpieran mientras exponía sus razones.*

— con interrupción: *interrumpidamente.*

— acción y resultado de interrumpir: *interrupción.*

— que interrumpe: *interruptor.*

interruptor Mecanismo que corta o establece un circuito eléctrico.

intersección Punto en donde dos líneas se unen o cruzan.

— *Marcó las intersecciones de los círculos con un punto verde.*

intersexual Individuo, estado o constitución biológica en que claramente aparecen mezclados los caracteres masculinos y femeninos.

intersticio 1. Pequeño espacio que puede haber entre dos cuerpos o dos partes de un mismo cuerpo. ☞ **grieta, resquicio, rendija, hendidura.**

— *La luz penetró por un intersticio en el muro.*

2. Espacio o distancia entre un tiempo y otro o un lugar y otro. ☞ **intervalo.**

— *Aprovechó el intersticio para bajar a tomar agua.*

intertextualidad En literatura, empleo de un texto ajeno en uno propio, de modo que el resultado genere nuevos significados.

intervalo Espacio o distancia que hay entre un tiempo y otro o un lugar y otro. ☞ **pausa, lapso, espera, separación.**

intervenir 1. Participar en un asunto. ☞ **mezclarse.**

— *Tu hija intervino en los festejos de fin de año.*

2. Interponer un individuo o institución su autoridad.

— *Es necesario que intervengas para poner fin a la discusión.*

3. Suspender o limitar el ejercicio de actividades o funciones.

— *Las tareas del comité se encuentran intervenidas.*

4. Interferir en la comunicación privada.

— *Hablaba con cautela pues su teléfono estaba intervenido.*

5. Efectuar una operación quirúrgica. ☞ **operar.**

— *Lo intervinieron a causa de un mal hepático.*

— operación quirúrgica: *intervención.*

— acción y resultado de intervenir: *intervención.*

— injerencia de un Estado en los asuntos internos de otro: *intervencionismo.*

— sistema económico en que el Estado suple y dirige a la iniciativa privada: *intervencionismo.*

— que pertenece al intervencionismo o se relaciona con él: *intervencionista.*

— empleado que autoriza ciertas operaciones: *interventor.*

intervocálico, -ca Consonante que se encuentra entre dos vocales.

intestado, -da Individuo que muere sin hacer testamento legal.

— bienes dejados sin testamento: *intestado.*

intestino, -na 1. Interior, interno.

— *Las guerras intestinas empobrecieron al país.*

2. Conducto membranoso y de tejido muscular en donde se completa la digestión y se absorben las sustancias digeridas. En el hombre empieza en el estómago, por el orificio llamado píloro y termina en el ano. Mide aproximadamente ocho metros de largo; los primeros seis y medio forman el intestino delgado; el resto, el intestino grueso.

— partes del intestino delgado: *duodeno, yeyuno, íleon.*

— partes del intestino grueso: *ciego, colon, recto.*

— que pertenece a los intestinos o se relaciona con ellos: *intestinal.*

inti Unidad monetaria del Perú.

intimar 1. Comunicar una cosa con autoridad o fuerza para ser obedecido. ☞ **requerir.**

— *Lo intimó para que presentara su renuncia.*

— documento con que se intima un decreto u orden: *intimatorio*.

2. Penetrar en el afecto o ánimo de un individuo.

— *Intimaron casi desde que se conocieron.*

— amistad íntima: *intimidad*.

— con intimidad: *íntimamente*.

— zona reservada de una persona o un grupo: *intimidad*.

— interno, profundo, reservado: *íntimo*.

— que pertenece a la intimidad o se relaciona con ella: *íntimo*.

— artista que trata temas de la vida íntima, familiar: *intimista*.

— tendencia artística que se inclina por asuntos de la vida familiar o íntima: *intimismo*.

intimidar Causar miedo, amedrentar. ☞ **asustar**.

— acción y resultado de intimidar: *intimidación*.

intitular Dar título a un escrito, película, etc. ☞ **titular, llamar**.

intocable 1. Que no puede ser tocado o usado. ☞ **intangible**.

— *Esos mapas antiguos son intocables*.

2. Individuo, en la India, que pertenece a alguna de las castas que constituyen las clases inferiores de la sociedad y se hallan totalmente marginadas.

— *Aquella es una zona de intocables*.

— en algunas empresas, días de descanso durante los cuales el empleado no puede ser molestado: *intocables*.

intolerable Que no se puede tolerar. ☞ **inaguantable**. ❖ TOLERAR.

— falta de tolerancia: *intolerancia*.

— conjunto de reacciones opuestas a la acción de una sustancia: *intolerancia*.

— que no tiene tolerancia: *intolerante*.

— calidad de intolerante: *intolerabilidad*.

intoxicar Envenenar, emponzoñar. ☞ **dañar**.

— acción y resultado de intoxicar o intoxicarse: *intoxicación*.

intraducible Que es difícil o no se puede traducir de una lengua a otra.

— calidad de intraducible: *intraducibilidad*.

intramuros Dentro de un lugar, villa o ciudad. ☞ **interior, céntrico**.

intranquilizar Quitar la tranquilidad. ☞ **inquietar, desasosegar**. ❖ SERENAR.

— inquietud: *intranquilidad*.

— que intranquiliza: *intranquilizador*.

— inquieto, desasosegado: *intranquilo*.

intransigencia Condición de quien no cede a lo que es contrario a su manera de pensar, a sus gustos, hábitos, etc. ☞ **intolerable**. ❖ TRANSIGIR.

— que no transige: *intransigente*.

intransitable Lugar por donde no se puede transitar. ☞ **escabroso, accidentado**.

intransitivo, -va Verbo cuya acción no pasa de una persona o cosa a otra, como correr o nacer.

intrascendente Que no es trascendente. ☞ **trivial, insignificante**.

— calidad de intrascendente: *intrascendencia*.

— que no es trascendental: *intrascendental*.

intratable 1. No tratable ni manejable.

— *Esa piedra es intratable para emplearla en la escultura*.

2. Insociable, áspero. ☞ **huraño, arisco, hosco**.

— *¡Me atendió de mala manera! ¡Es intratable!*

intriga 1. Acción que se realiza con cautela, astuta y ocultamente, para lograr un fin. ☞ **complot, confabulación**.

— *Se armó una intriga para destronarlo*.

— que intriga: *intrigante*.

— usar intrigas: *intrigar*.

— causar mucha curiosidad una cosa: *intrigar*.

2. Enredo, embrollo.

— *Pensó muy bien la intriga de su próxima comedia*.

intrincado, -da Complicado, confuso, enredado.

— enredar los pormenores de un asunto: *intrincar*.

— acción y resultado de intrincar: *intrincamiento, intrincación*.

— que se puede intrincar: *intrincable*.

intríngulis Intención oculta que se entrevé o supone en una persona o acción. ☞ **intriga, enredo**.

intrínseco, -ca Esencial, íntimo, propio. ❖ EXTRÍNSECO.

— interiormente, esencialmente: *intrínsecamente*.

introducir 1. Ofrecer a un individuo la entrada en un lugar.

— *El capitán de meseros nos introdujo al salón principal*.

2. Hacer entrar, meter una cosa en otra.

— *El hombre introdujo su mano en la bolsa del pantalón*.

3. Hacer que un individuo sea admitido o recibido en un lugar, hacerle ganar el trato o la amistad de otra persona.

— *Luchó por introducir a su marido en su círculo de amistades*.

4. Crear un personaje para una obra de ficción.

— *Introdujo a un hombre y a una mujer que no hablan y sólo cruzan el escenario tomados de la mano*.

5. Poner en uso algo.

— *Introdujo los colores vivos en las camisas para hombre*.

6. Ocasionar, atraer.

— *No hizo más que introducir disciplina en el trabajo*.

— acción y resultado de introducir o introducirse: *introducción*.

— preámbulo de una obra literaria o científica: *introducción*.

— parte inicial de una obra musical o de cualquiera de sus tiempos: *introducción*.

— que introduce: *introductor*.

introito 1. En algunas piezas teatrales, prólogo que precedía el inicio de la obra.

— *El autor se negó a decir el introito*.

2. Lo primero que decía el sacerdote en el altar al iniciar la misa.

— *En la actualidad en lugar del introito se emplea la antífona de entrada*.

intromisión Acción y resultado de entrometerse. ☞ **intrusión, fisgonería, entrometimiento**.

introspectivo, -va Relativo a la introspección. ☞ **reflexivo**.

— observación de los estados y actitudes internos del individuo: *introspección*.

introvertido, -da Individuo cuya actividad síquica está dirigida más hacia sus propios pensamientos que hacia el mundo exterior. ☞ **tímido, modesto**. ❖ EXTROVERTIDO.

intruso, -sa 1. Que ejerce un cargo, oficio, jerarquía, etc., sin tener derecho a ello. ☞ **impostor**.

— *Lo consideraban un intruso en el poder*.

— acción de introducirse sin derecho en una propiedad, oficio, dignidad, etc.: *intrusión*.

— apropiarse de un cargo, jurisdicción, etc., sin derecho: *intrusarse*.

— por intrusión: *intrusamente*.

— ejercicio de actividades profesionales por un individuo no autorizado para ello: *intrusismo*.

2. Extraño, desconocido.

— *Dos intrusos se llevaron las joyas*.

intuición Conocimiento, percepción clara y rápida de una idea sin necesidad de razonamiento lógico.

— cualquier disciplina filosófica que admite la intuición como una forma primaria del conocimiento: *intuicionismo*.

— adquirir conocimiento por intuición: *intuir*.

— con intuición: *intuitivamente*.

— que pertenece a la intuición o se relaciona con ella: *intuitivo*.

intumescencia Efecto de hincharse. ☞ **hinchazón**.

— que se va hinchando: *intumescente*.

inundar 1. Cubrir el agua terrenos, poblaciones o cualquier sitio causando daño.

— *La ciudad de México se inundó varias veces durante el siglo XVII*.

2. Llenar excesivamente.

— *El escritorio estaba inundado de papeles*.

— que inunda: *inundante*.

— acción y resultado de inundar o inundarse: *inundación*.

— exceso de personas o cosas: *inundación*.

inusitado, -da Extraño, desacostumbrado, no usado. ☞ **insólito, inusual, raro**. ❖ HABITUAL.

— de modo inusitado: *inusitadamente*.

inútil No útil, nulo. ☞ **ineficaz, infructuoso, vano**. ❖ ÚTIL.

— calidad de inútil: *inutilidad*.

— acción y resultado de inutilizar: *inutilización*.

— hacer inútil una cosa: *inutilizar*.

— de forma inútil: *inútilmente*.

invadir 1. Entrar por la fuerza a algún lugar. ☞ **irrumpir, capturar, penetrar**.

— *Los perros invadieron la estancia*.

2. Realizar sin justificación funciones ajenas.

— *Sin proponérselo invadió las tareas del coordinador general*.

3. Apoderarse de alguien un estado de ánimo.

— *Lo invadió la alegría cuando vio a su hermana*.

— acción y resultado de invadir: *invasión*.

— que invade: *invasor*.

inválido, -da 1. Sin fuerza, vigor o justificación.

— *Leímos un texto hermoso literariamente, pero inválido como trabajo de investigación*.

— hacer nula o de ningún valor y efecto una cosa: *invalidar*.

— acción y resultado de invalidar: *invalidación*.

2. Individuo que tiene un defecto físico o mental que le impide realizar ciertas cosas.

— calidad de inválido: *invalidez, invalidación*.

— con invalidación: *inválidamente*.

invariable Que no sufre variación. ☞ **inalterable, permanente, fijo**.

— calidad de invariable: *invariabilidad*.

— de forma invariable: *invariablemente, invariadamente*.

— no variado: *invariado*.

invencible Que no puede ser vencido. ☞ **invicto**.

— calidad de invencible: *invencibilidad*.

— de modo invencible: *invenciblemente*.

invención 1. Acción y resultado de inventar. ☞ **creación, invento**.

— *Esa alarma casera es producto de su invención*.

— encontrar algo nuevo o no conocido: *inventar*.

2. Cosa inventada. ☞ **invento**.

— *Cada oficio elaboraba invenciones para lucirse durante la procesión*.

3. Engaño, ficción.

— *Nos entretuvo toda la tarde con sus invenciones*.

4. Selección y disposición de los elementos del discurso.

— *La invención fue lo que dio fuerza al cuento*.

— imaginar, crear: *inventar*.

— fingir: *inventar*.

— crear embustes: *inventar*.

— facultad y disposición para inventar: *inventiva*.

— que tiene facultad y disposición para inventar: *inventivo*.

— acción y resultado de inventar: *invento*.

— cosa inventada: *invento*.

— que inventa: *inventor*.

invernadero 1. Sitio en donde pasar el invierno.

— *Los conejos escogieron un tronco viejo como invernadero*.

2. Paraje para que paste el ganado en el invierno.

— *Llevaron las cabras al invernadero*.

— establo en los invernaderos: *invernal*.

3. Sitio protegido para que las plantas no padezcan los cambios de clima. ☞ **invernáculo**.

— *Sólo en el invernadero pudimos ver orquídeas*.

inverosímil Que no tiene apariencia de ser verdadero. ☞ **increíble, imposible**.

— calidad de inverosímil: *inverosimilitud*.

invertebrado Animal sin columna vertebral y, consiguientemente, sin esqueleto óseo o cartilaginoso.

invertir 1. Cambiar el orden de las cosas. ☞ **alterar, modificar**.

— *Invirtió el orden de los elementos de la oración*.

— en música, cambiar las notas de un acorde a una posición distinta a la normal: *inversión*.

— alterado, trastornado: *inverso*.

2. Gastar, emplear, ocupar bienes.

— *¡Invierte en la compra de esa casa!*

— compra de bienes: *inversión*.

— individuo que hace inversiones: *inversionista, inversor*.

3. Ocupar, emplear el tiempo. ☞ **dedicar**.

— *Invertimos dos horas en buscar el disco que nos pediste*.

— acción y resultado de invertir: *inversión*.

— homosexualidad: *inversión*.

— homosexual: *invertido*.

— al contrario, por el contrario: *a la inversa*.

investidura Acción y resultado de conferir un cargo o dignidad importante. ☞ **conceder**.

— conferir un cargo o dignidad: *investir*.

investigar 1. Indagar para descubrir una cosa. ☞ **averiguar, buscar, explorar**.

— *No paró de investigar hasta conocer el motivo de tu viaje*.

2. Estudiar y trabajar en cualquiera de las ramas de la ciencia para aclarar un hecho o descubrir alguna cosa.

— *Investigó las características del teatro del Hospital Real de Naturales*.

— que se puede investigar: *investigable*.

— acción y resultado de investigar: *investigación*.

— que se investiga: *investigador*.

invicto, -ta Siempre triunfante, no vencido. ☞ **victorioso, invencible, vencedor**.

invidente Ciego, sin vista, que no ve.

invierno Época más fría del año. En el hemisferio septentrional corresponde a los meses de diciembre, enero y febrero; en el austral, a los de junio, julio y agosto.

— relativo al invierno: *invernal, invernizo*.

— pasar el invierno en alguna parte: *invernar*.

— ser tiempo de invierno: *invernar*.

inviolable Que no se debe o no se puede violar o profanar. ☞ **invulnerable, hermético, secreto**.

— calidad de inviolable: *inviolabilidad*.

— con inviolabilidad: *inviolablemente*.

— sin falta, infaliblemente: *inviolablemente*.

— que conserva su integridad y pureza: *inviolado*.

invirtuoso, -sa Falto de virtud.

— falta de virtud: *invirtud.*

— falta contra la virtud: *invirtud.*

invisible Que no puede ser visto. ❖ VISIBLE.

— calidad de invisible: *invisibilidad.*

— de modo que no se ve: *invisiblemente.*

invitar 1. Llamar a alguien para asistir a algún sitio o acto.

— *Me invitó a su casa la semana entrante.*

— tarjeta con que se invita: *invitación.*

— persona que ha recibido invitación: *invitado.*

2. Incitar, estimular.

— *Lo invitó a tomar el sol en el jardín.*

— que invita: *invitador, invitante.*

3. Decir a alguien que haga algo.

— *Me invitó a acudir a la cita.*

— acción y resultado de invitar: *invitación.*

invocar 1. Llamar un individuo a otro para que lo auxilie.

— *Invocó a sus antepasados en el momento de la desgracia.*

2. Remitirse a una ley, costumbre o razón.

— *Invocaron vanamente a la tradición y buenas costumbres.*

— acción y resultado de invocar: *invocación.*

— parte de una plegaria en donde se invoca a la divinidad: *invocación.*

— que invoca: *invocador.*

— que sirve para invocar: *invocatorio.*

involución 1. Fase regresiva de un proceso biológico, modificación de un órgano. ☞ **regresión, disminución.**

— *El útero después del parto experimenta una involución.*

2. Detención y retroceso de una evolución política, cultural; económica, etc., que se considera positiva. ☞ **decadencia.**

— *Esa zona ha sufrido una involución económica a partir de la guerra.*

— relativo al involucionismo: *involucionista.*

— partidario de la involución económica, política, etc.: *involucionista.*

involucrar 1. Introducir a alguien en algún asunto, comprometerlo en él. ☞ **implicar.**

— *Dijo que no quería involucrarse en el lío de la herencia.*

2. Incluir, comprender, abarcar.

— *Este mapa involucra la zona fronteriza del país.*

3. Incluir en un texto o discurso asuntos ajenos al objetivo del mismo.

— *Nadie entendió por qué involucró el tema del héroe cuando hablaba de*

las características de la novela policiaca.

— acción y resultado de involucrar: *involucración.*

involuntario, -ria No voluntario, que no depende de la voluntad. ☞ **impensado, instintivo.**

— calidad de involuntario: *involuntariedad.*

— sin voluntad o consentimiento: *involuntariamente.*

invulnerable Que no puede ser herido. ☞ **invicto, vencedor, invencible.** ❖ VULNERABLE.

— calidad de invulnerable: *invulnerabilidad.*

inyectar Introducir a presión un líquido o un gas en el interior de un cuerpo o cavidad.

— acción y resultado de inyectar: *inyección.*

— fluido inyectado: *inyección.*

— en un motor diesel, proceso para llevar el combustible de gran presión al cilindro: *inyección.*

— sustancia para ser usada en inyecciones: *inyectable.*

— aparato que introduce agua en las calderas de vapor: *inyector.*

— aparato que introduce combustible en el cilindro de un motor diesel: *inyector.*

— instrumento para introducir sustancias inyectables en el cuerpo humano o animal: *jeringa.*

ion Molécula o grupo de moléculas que al perder electrones adquieren carga eléctrica.

— ion con carga positiva: *catión.*

— ion con carga negativa: *anión.*

— que pertenece a los iones o se relaciona con ellos: *iónico.*

— disociar una molécula en iones o convertir un átomo o molécula en ion: *ionizar.*

— acción y resultado de ionizar: *ionización.*

— conjunto de capas de la atmósfera con fuerte ionización causada por la radiación solar: *ionosfera.*

— que pertenece a la ionosfera o se relaciona con ella: *ionosférico.*

ipecacuana Variedad de planta rubiácea americana muy usada en medicina.

— droga que se extrae de la raíz de esta planta: *ipecacuana.*

ir 1. Moverse de un sitio a otro.

— *Fueron a las montañas el fin de semana.*

2. Combinar, acomodarse una cosa a otra, quedar.

— *El color verde bandera te va muy bien.*

3. Dirigirse.

— *Esta calle va hacia la fuente.*

4. Extenderse algo de un punto a otro.

— *Esta historia de la pintura va de los albores del siglo XIX a los inicios del XX.*

5. Intervenir en una obra de teatro.

— *Los que van en la puesta en escena son los actores de la misma compañía.*

6. Junto al gerundio de algunos verbos da a entender la ejecución actual de lo que los verbos significan: *vamos recogiendo la información,* o que la acción empieza a verificarse: *va amaneciendo.*

7. Con el participio pasivo de los verbos transitivos significa padecer su acción: *ir cortado*; con el de los reflexivos, ejecutarla: *ir lavado.*

8. Con la preposición *a* más un infinitivo significa disponerse para la acción del verbo en infinitivo.

— *Vamos a escuchar una ópera.*

9. Con la preposición *con,* tener o llevar lo que significa el sustantivo que lo acompaña.

— *Vete con cuidado.*

10. Con la preposición *para,* seguir una carrera.

— *Ella va para dentista.*

11. Con la preposición *por,* ir a traer una cosa.

— *¿Fuiste por las verduras?*

12. Con la preposición *de,* ir vestido o arreglado de cierta manera.

— *Fueron de etiqueta a la recepción.*

13. Decir o hacer algo involuntariamente.

— *Se le fueron dos o tres palabrotas.*

— expresión que denota poco interés en que algo esté bien hecho: *ahí se va.*

— estar distraído, loco, alelado: *estar ido.*

— hallarse uno en buen estado: *irle bien a uno.*

— hallarse en mal estado: *irle mal a uno.*

— estar de parte o en favor de alguien: *ir con.*

— expresión que denota que algo tardará en realizarse: *ir para largo.*

— expresión con que se indica que las cosas no van ni mejor ni peor: *irla pasando.*

— perseguir algo: *ir sobre una cosa.*

— hacer daño: *irse sobre algo o alguien.*

— no ser necesario buscar más ni usar más palabras o ejemplos: *sin ir más lejos.*

— expresión de incertidumbre acerca de algo: *ve tú a saber.*

ira Pasión anímica de indignación y enojo. ☞ **irritación, cólera, furia.**

— descargar la ira en un individuo o cosa: *desfogar la ira.*

— enojarse mucho, irritarse: *llenarse de ira.*

— propensión a la ira: *iracundia.*

— cólera, enojo: *iracundia.*

— poseído por la ira o propenso a ella: *iracundo.*

iris 1. Arco de colores que se forma cuando el Sol — o, en ocasiones, la Luna— a espaldas del observador refleja la luz en la lluvia o agua de cascadas o, en general, en cualquier pulverización de agua. ☞ **arco iris.**

— *Según una antigua leyenda, en uno de los extremos del iris se encuentra una olla con monedas de oro.*

— presentar un cuerpo franjas o reflejos de luz de todos los colores del arco iris o algunos de ellos: *irisar.*

— acción y resultado de irisar: *irisación.*

— tornasolado, irisado, resplandeciente: *iridiscente.*

2. Disco membranoso del ojo humano y del de muchos animales. Su color varía y en su centro está la pupila.

— *Al hablar del color de los ojos de una persona se habla del color del iris.*

— inflamación del iris del ojo: *iritis.*

ironía 1. Burla disimulada y fina. ☞ **agudeza, sutileza.**

— *Es incapaz de hablar con ironía.*

2. Figura retórica que consiste en manifestar una intención oculta en lo que se dice.

*Los canónigos, madre,
no tienen hijos;
los que tienen en casa
son sobrinos.
Ay, madre mía,
un canónigo quiero
para ser tía.*

Cancionero popular español.

irracional 1. Que carece de razón. ☞ **animal, bruto, bestia.**

— *Un gato es un animal irracional.*

2. Opuesto a la razón.

— *Cuando tu primo se enoja es irracional.*

— calidad de irracional: *irracionalidad.*

— doctrina filosófica que limita el papel de la razón en el conocimiento: *irracionalismo.*

— que pertenece al irracionalismo o se relaciona con él: *irracionalista.*

irradiar 1. Despedir rayos de luz, calor o cualquier tipo de energía. ☞ **difundir, esparcir.**

— *Ese foco no irradia la suficiente luz para poder leer.*

2. Someter un cuerpo a la acción de ciertos rayos.

— *Irradiaron los imanes antes de hacer el experimento.*

— acción y resultado de irradiar: *irradiación.*

— que irradia: *irradiador.*

irreal Falto de realidad, no real. ☞ **imaginario, ilusorio.**

— condición de lo que no es real: *irrealidad.*

irrebatible Que no se puede rebatir o refutar. ☞ **indiscutible, irrefutable.**

irreconciliable Que no encuentra punto de conciliación. ☞ **adverso, incompatible.**

irrecusable Que no se puede rechazar o recusar. ☞ **innegable, indiscutible.**

irredento, -ta Que está sin redimir; se dice especialmente del territorio que una nación intenta anexionarse por causas históricas, lingüísticas, raciales, etc.

— que no se puede redimir: *irredimible.*

irreductible Que no se puede reducir. ☞ **inflexible, obstinado.**

irreemplazable No reemplazable. ☞ **insustituible, indispensable.**

irreflexivo, -va 1. Que no reflexiona. ☞ **precipitado, impulsivo.**

— *¡Ojalá no te arrepientas de esa decisión irreflexiva!*

2. Que se hace o dice sin reflexión. ☞ **instintivo, inconsciente.**

— *Organizó su vida de modo irreflexivo.*

irrefrenable Que no se puede refrenar. ☞ **indomable, incontenible.**

irregular 1. Fuera de regla, contrario a ella. ☞ **anómalo, anormal.**

— *Se dedicó a estudiar los motivos del crecimiento irregular de esos tallos.*

2. Que no sucede comúnmente. ☞ **discontinuo, desigual.**

— *Hace ejercicio, pero de modo irregular.*

3. Cualquier palabra derivada de otra que no se ajusta al sistema de formación seguido por las de su clase (como las conjugaciones del verbo *ir*: fue, íbamos, voy, etc.).

— calidad de irregular: *irregularidad.*

— de modo irregular: *irregularmente.*

irreligioso, -sa 1. Falto de religión.

— *Difícilmente se encuentra un pueblo irreligioso.*

2. Opuesto al espíritu de la religión.

— *Lo echaron de la iglesia por su comportamiento irreligioso.*

— falta de religión: *irreligión.*

— de modo irreligioso: *irreligiosamente.*

— calidad de irreligioso: *irreligiosidad.*

irremediable Que no se puede remediar. ☞ **irreparable.** ❖ REPARABLE.

— sin remedio: *irremediablemente.*

irremisible Que no es posible remitir o perdonar. ❖ PERDONAR.

— sin perdón o remisión: *irremisiblemente.*

irrenunciable Aquello a lo que no se puede renunciar. ❖ RENUNCIAR.

irreparable Que no es posible reparar. ☞ **irremediable.** ❖ REPARAR.

— de modo irreparable: *irreparablemente.*

irreprensible Que no merece reprensión. ❖ REPRENDER.

— sin motivo de reprensión: *irreprensiblemente.*

irreprimible Que no es posible reprimir. ☞ **indomable, incontenible.**

irreprochable Que no puede ser reprochado. ❖ REPROCHAR.

— de modo irreprochable: *irreprochablemente.*

irresistible Que no se puede resistir. Generalmente se aplica a un individuo muy atractivo o simpático. ☞ **arrollador, intenso.**

— sin poderse resistir: *irresistiblemente.*

irresoluble Que no se puede resolver o determinar.

irrespirable Lo que no se puede respirar o difícilmente se respira.

— ambiente social en donde alguien se siente a disgusto: *irrespirable.*

irresponsable 1. Individuo que toma decisiones sin meditar. ☞ **negligente.** ❖ RESPONSABLE, SENSATO.

— *Es un irresponsable: se compró un coche y el mes que entra se quedará sin empleo.*

2. Acto resultante de la falta de previsión.

— *Una decisión irresponsable trae consecuencias funestas.*

— sin sentido de responsabilidad: *irresponsablemente.*

— calidad de irresponsable: *irresponsabilidad.*

irrestañable Que no se puede restañar o detener su curso. ❖ RESTAÑAR.

irreverencia Falta de reverencia, de respeto, de vergüenza.

— no tratar con reverencia: *irreverenciar.*

— contrario a la reverencia y el respeto: *irreverente.*

irreversible Que no es reversible. ☞ **fijo, inalterable.** ❖ REVERSIBLE.

— calidad de irreversible: *irreversibilidad.*

irrevocable Que no se puede revocar, dejar sin efecto o anular una concesión, mandato o resolución. ☞ **inevitable, obligatorio.**

— calidad de irrevocable: *irrevocabilidad.*

irrigar 1. Regar con un líquido alguna parte del cuerpo.

— *Este grupo de venas irriga los pulmones.*

2. Regar un terreno.

— *El mecanismo que irriga los jardines es muy efectivo.*

— instrumento para irrigar: *irrigador.*

— acción y resultado de irrigar: *irrigación.*

irrisión Burla a costa de algo o alguien. ☞ **broma, mofa.**

— que provoca risa y desprecio: *irrisible, irrisorio.*

— por irrisión: *irrisoriamente.*

irritable 1. Que puede irritarse.

— *El ojo es fácilmente irritable.*

— excitar un órgano o parte del cuerpo: *irritar.*

2. Que se irrita. ☞ **colérico, iracundo.**

— *¡No le pidas eso! Su carácter es irritable.*

— propensión a irritarse: *irritabilidad.*

— acción y resultado de irritar o irritarse: *irritación.*

— que irrita o provoca ira: *irritador, irritante.*

— hacer sentir ira: *irritar.*

irrupción Acción y resultado de entrar violentamente en un lugar. ☞ **invadir, atacar.**

— entrar con violencia en un lugar: *irrumpir.*

isabelino, -na 1. Relativo al periodo durante el cual reinaron Isabel I en Inglaterra o Isabel II en España.

— *Ésta es una edificación isabelina típica.*

2. Caballo de color perla o entre blanco y amarillo.

— *El isabelino es el más bronco de tus caballos.*

isagoge Exordio, introducción, preámbulo.

— que pertenece a la isagoge: *isagógico.*

isla 1. Porción de tierra rodeada de agua por todas partes. ☞ **ínsula, islote, isleta.**

— *En el centro de la isla se alza un volcán.*

— conjunto de islas: *archipiélago.*

— descripción de las islas pertenecientes a un mar, continente o nación: *islario.*

— mapa que representa islas: *islario.*

— que pertenece a una isla o se relaciona con ella: *isleño.*

— natural de una isla: *isleño.*

— isla pequeña junto a otra más grande: *isleo.*

— isla pequeña y despoblada: *islote.*

— peñasco grande rodeado de agua: *islote.*

2. Cualquier sitio claramente delimitado por una vía pública circundante.

— *En los pasillos del aeropuerto había islas en que se vendían diversos productos.*

islamismo Conjunto de dogmas que constituyen la religión de Mahoma.

— que profesa el islamismo: *islamita.*

— que pertenece al Islam o se relaciona con él: *islámico.*

— conjunto de pueblos que profesan el islamismo: *Islam.*

— difundir el islamismo: *islamizar.*

— adoptar prácticas islámicas: *islamizar.*

isocronismo Igualdad de duración en los movimientos de un cuerpo.

— movimiento que se hace en tiempos de igual duración: *isócrono.*

isofónico, -ca Sonidos que tienen igual sonoridad.

— igual de sonoridad: *isofonía.*

— del mismo sonido: *isófono.*

isósceles Triángulo que tiene dos lados iguales.

isosilábico Formas y sistemas de versificación que asignan un número fijo de sílabas a cada verso.

— calidad de isosilábico: *isosilabismo.*

isótopo Nucleido que posee el mismo número atómico que otro, cualquiera que sea su número másico.

— relativo a los isótopos: *isotópico.*

istmo Franja de tierra que une dos continentes o una península con un continente.

— que pertenece a un istmo o se relaciona con él: *ístmico.*

— juegos que se celebraban en Corinto, el segundo y cuarto año de cada olimpiada: *ístmicos.*

— relativo a un istmo: *istmeño.*

— natural de un istmo: *istmeño.*

iterar Repetir uno algo. ☞ **reiterar.**

— que se repite: *iterativo.*

— capaz de repetirse: *iterable.*

itinerario 1. Dirección y descripción de un camino con mención de los sitios, accidentes, posadas, etc., que existen a lo largo de él.

— *Conocemos un excelente itinerario para realizar nuestro viaje.*

2. Ruta, camino que se sigue para llegar a un lugar. ☞ **trayecto, recorrido.**

— *En nuestro itinerario no estaba incluido el parque nacional.*

— que va de un lugar a otro: *itinerante.*

ivernal Relativo al invierno. ☞ **invernal.**

izar Hacer subir algo jalando la cuerda de la que está colgado. ☞ **levantar, elevar.**

izquierdo, -da 1. Lo que está en el lado del cuerpo humano que aloja la mayor parte del corazón. ❖ DERECHO.

— *Tenía una cicatriz en la pierna izquierda.*

2. Lo que está situado hacia esa parte del cuerpo de un observador.

— *A la izquierda hay una ventana y a la derecha una puerta.*

3. Lo que referido a un objeto está hacia su parte izquierda.

— *El cajón que está a la izquierda del escritorio contiene mi testamento.*

4. Lo que está al lado izquierdo de una cosa, considerando el sentido de su avance.

— *Había un poblado al lado izquierdo del río.*

— partidos políticos no conservadores: *izquierdas.*

— individuo que participa de las ideas de la izquierda: *izquierdista, izquierdoso.*

J

jabón Pasta que combina un álcali con los ácidos del aceite o algún otro cuerpo grasoso y sirve para lavar. ☞ **detergente, limpiar, saponificar.** ❖ ENSUCIAR, MANCHA.

— jabón con potasa como álcali: *jabón blando.*

— jabón con sosa como álcali: *jabón duro.*

— poner jabón a lo que se va a lavar: *enjabonar, jabonar.*

— ponerse jabón al lavarse: *enjabonarse, jabonarse.*

— estuche donde se guarda el jabón: *jabonera.*

— lugar donde se vende o fabrica jabón: *jabonería.*

— resbaloso o que es como el jabón: *jabonoso.*

— aplicación de jabón sobre la ropa: *jabonadura.*

— acción y resultado de enjabonar o enjabonarse: *jabonadura, enjabonada, jabonada.*

— elementos componentes del jabón: *grasa, aceite, sosa, álcali, potasa, glicerina.*

— tipos de jabón: *de tocador o de olor, de lavar, medicinal.*

— jabón de tocador: *de coco, de glicerina, de tomate, de aceite de mink, de aguacate, de jojoba, de almendra.*

— jabón de lavar: *detergente granulado, en polvo, en escamas, en barra o pastilla, líquido.*

— jabón medicinal: *desinfectante, de azufre, fenicado, neutro, antipulgas.*

— líquido jabonoso que sirve para lavar el pelo: *champú.*

— líquido fuerte y desinfectante que se usa para lavar ropa: *lejía, blanqueador, clarasol.*

— formas del agua jabonosa agitada: *espuma, pompas, burbujas.*

— agua jabonosa: *jabonaduras.*

— pastilla de jabón duro con algún aroma para uso de tocador: *jaboncillo.*

— pastilla de esteatita blanca que usan los sastres: *jaboncillo de sastre, jabón de sastre, greda, tiza.*

— ejemplo de verbos relacionados con lavar con jabón: *humedecer, mojar, enjabonar, frotar, fregar, restregar, tallar, aclarar.*

jacal Choza hecha de adobe, carrizo u otros materiales semejantes y con techo de paja o de tejamanil. ☞ **choza.**

— persona que vive en un jacal: *jacalero.*

— andar de visita de casa en casa con chismes, murmuraciones y enredos: *jacalear.*

— inmueble destartalado: *jacalón.*

— galerón o cobertizo: *jacalón.*

— estar en la pobreza extrema: *no tener un jacal donde meterse.*

jacaranda Árbol bignoniáceo de origen americano.

jacarandoso, -sa Que es alegre y desenvuelto tratándose de personas. ☞ **alegrar, gracioso, chistoso.** ❖ SERIO, TRISTE, MELANCÓLICO.

jactarse Vanagloriarse o alabar uno sus méritos personales. ☞ **presumir, alarde, vanagloriar.** ❖ ANULARSE, HUMILLARSE.

jaculatoria Oración muy breve hecha con gran devoción. ☞ **orar, pedir, oración, rezo.**

jadear Respirar en forma agitada como resultado de haber hecho algún ejercicio fuerte. ☞ **respirar.**

— resoplido o respiración en intervalos breves y continuos: *jadeo.*

— que jadea: *jadeante.*

— forma de controlar el dolor en un parto psicoprofiláctico: *jadeo.*

jaez Cualquier adorno que se pone a las bestias, principalmente a los caballos para montarlos en un día de fiesta. ☞ **adornar, arrear, arreo, adorno.**

jaguar (vea ilustración de la p. 386). Variedad de félido americano.

jaiba Variedad de cangrejo americano.

— ser astuto o listo en los negocios: *ser un jaiba.*

— sopa de jaiba que se prepara en Veracruz: *chilpachole.*

jalar 1. Atraer o mover algo hacia sí con fuerza, cogiéndole de alguna de sus partes; atraer a alguien o tener influencia sobre una persona. ☞ **tirar, empujar.**

— *Jálese una silla y siéntese; vamos a platicar.*

— acción y resultado de estirar, arrancar o atraer hacia uno con violencia algo: *jalada, jalón.*

— que está dispuesto a cooperar: *jalador.*

— compartir de manera equitativa algo dos o más personas: *jalar parejo.*

— no compartir o cooperar con alguien: *no jalar con alguien o nunca jalar con alguien.*

2. Arrastrar a una persona, animal o cosa conduciéndola a otro lugar; irse alguien de un lugar a otro, tomar un rumbo determinado o aumentar la velocidad alguien o un vehículo. ☞ **arrastrar, rumbo, velocidad.**

— *Jálale al mercado y llévate el carrito para que lo jales con el mandado.*

— rápido, veloz: *jalado.*

— utensilio que sirve para jalar el agua o el jabón sobrante en la limpieza de pisos, ventanas o paredes de azulejo: *jalador.*

3. Ejecutar una persona o un motor una acción adecuadamente; funcionar una máquina o trabajar alguien. ☞ **funcionar, trabajar.**

— *Mi lavadora, aunque viejita, todavía jala.*

— exagerar, hacer o decir algo desmedido o disparatado: *jalársela.*

— exageración o tontería: *jalada.*

— regañar: *jalar las orejas.*

— descabellado, que no tiene orden ni fundamento: *jalado*

— difícil de creer: *jalado de los pelos.*

— borracho, ebrio: *jalado.*

jalmichi Variedad de pescado blanco lacustre mexicano.

jalonear Jalar, dar tirones. ☞ **empujar, jalar, tironear.**

— acción y resultado de arrancar o atraer hacia uno con violencia algo: *jalón, jalada.*

— regaño, llamada de atención: *jalón de orejas.*

— de una vez, sin detenerse: *de un jalón.*

— hacer el esfuerzo final para concluir alguna labor: *dar el último jalón.*

— trago de un licor fuerte: *jalón.*

— corresponder a insinuaciones amorosas: *dar jalón.*

jamaica Planta malvácea de origen mexicano. ☞ **bebida.**

— bebida refrescante hecha con los

cálices rojos de esta planta: *agua de jamaica.*

jamás Nunca, en ninguna ocasión.
❖ SIEMPRE, CON FRECUENCIA.

— para siempre: *por siempre jamás.*

— nunca: *jamás de los jamases.*

jamón Espaldilla o pierna salada, cocida o curada del cerdo. ☞ **pernil.**

— tipos de jamón: *serrano, crudo, de lomo, de espaldilla, ahumado, de pierna.*

— dulce de leche con pasta de diversas frutas o con pepitas molidas de calabaza: *jamoncillo.*

— carne curada: *fiambre.*

— entrada en años y de complexión robusta, tratándose de mujeres: *jamona.*

jaque En el ajedrez, aviso de que el rey o la reina de uno de los jugadores está amenazado por una de las piezas del contrincante. ☞ **lance.**

— concluir algún asunto: *darle jaque.*

— exigir demasiado: *traer en jaque.*

— impedir la realización de algo: *poner en jaque.*

jaqueca Intenso dolor de cabeza que ataca por intervalos, generalmente en una parte del cráneo. ☞ **dolor, migraña, neuralgia, hermicrania.**

— dolor concentrado en el ojo: *jaqueca oftálmica.*

— molestar una persona a otra con una charla pesada e insustancial: *darle jaqueca.*

— que molesta, irrita o fastidia: *jaquecoso.*

jarabe 1. Sustancia de consistencia un poco espesa que se hace a base de azúcar con agua a la que se agregan sustancias medicinales o jugos de frutas, quedando lista para beberse. ☞ **almíbar, bebida.** ❖ ACÍBAR.

— *¿Tomaste tu jarabe para la tos?*

— tomar jarabe con frecuencia: *jarabear.*

— jarabe para endulzar las bebidas: *granadilla.*

— jarabe para el estómago: *purga.*

— tipos de jarabe para la tos: *de gordolobo, de rábano yodado, de bugambilia, de eucalipto.*

2. Baile popular mexicano cuya característica principal es el zapateado, música de este baile y canto que lo acompaña. ☞ **baile, música, copla.**

— *Me gusta mucho bailar el jarabe.*

— modalidad típica del estado de Jalisco, el más popular de los jarabes: *jarabe tapatío.*

— persona que baila jarabes: *jarabero.*

— ser muy hablador o fanfarrón y que no cumple lo que promete: *ser puro jarabe de pico, ser jarabe de pico.*

jarana 1. Diversión bulliciosa popular. ☞ **juerga, parranda, alborotar, jolgorio.**

— *Hay quien se la vive de jarana en jarana y no trabaja.*

— parrandear: *jaranear*

— amigo de la parranda, juerguista: *jaranero.*

— escandalizar: *armar jarana.*

2. Instrumento musical parecido a una guitarra pequeña.

— *Le gusta cantar sin jarana en las fiestas.*

3. Baile y música popular típica del sureste de México.

— *En la jarana los cuerpos de los bailarines no se tocan.*

jarcia Cuerda en general y nombre de ciertos agaves de donde se extraen fibras para cuerdas y tejidos. ☞ **cuerda.**

— lugar donde se venden todo tipo de cestos, sombreros, escobas y demás objetos de carrizo, palma u otras fibras, y toda clase de cuerdas y zacates: *jarciería.*

jardín Extensión de tierra dedicada al cultivo de plantas y árboles ornamentales. ☞ **parque, cultivar, árbol.**

— persona que tiene como oficio el cultivo y cuidado de las plantas y árboles de un jardín: *jardinero.*

— conjunto de plantas ornamentales colocadas en el borde de un balcón, en la orilla de un patio o en un mueble especial para macetas, y este mueble: *jardinera.*

— oficio de cultivar y mantener bonitos los jardines: *jardinería.*

— persona dedicada al diseño y cuidado artístico de los jardines: *jardinista.*

— deseo fanático de cultivar y cuidar jardines: *jardinomanía.*

— herramientas de jardinería: *tijeras de podar, podadora, rastrillo, pala, azadón, escardillo, laya, hoz, carretilla, manguera, rociadora o aspersora, cortadora de pasto.*

jaguar

— verbos que designan actividades relacionadas con los jardines: *podar, sembrar, cortar, recortar, injertar, rastrillar, emparrar, rociar, regar, excavar, cavar, escardar, cultivar.*

— parte de un jardín de tierra labrada regularmente en forma cuadrangular: *cuadro.*

— conjunto de plantas de adorno que decoran los cuadros de un jardín: *macizo.*

— cercado de matas y arbustos, utilizado en ciertos jardines: *seto vivo.*

— cercado de flores, usado en algunos jardines: *seto de flores.*

— hierba menuda y tupida que cubre el suelo de muchos jardines: *pasto, césped, zacate.*

— parte del jardín con pasto, flores y anchos paseos: *parterre.*

— parte del jardín con un levantamiento de terreno donde se cultivan flores: *arriate.*

— camino entre los arriates: *platabanda.*

— tipos de jardín: *simétrico, regular o geométrico (jardín francés, jardín inglés o natural, jardín andaluz o sevillano, jardín árabe, jardín italiano), asimétrico o irregular (jardín chino, jardín japonés).*

— elementos decorativos que hay en ciertos jardines, además de las plantas y árboles ornamentales: *fuente, surtidor, alberca, estanque, laguna, terma, espejo de agua, gruta, estatua, templete, pérgola, escalinata, mosaico, azulejo.*

— terreno e instalación donde se cultivan plantas de todo tipo para realizar estudios botánicos y farmacológicos: *jardín botánico.*

— lugar cerrado con cristales o domos transparentes que protege a las plantas de las inclemencias del tiempo: *invernadero.*

— lugar público donde se reúnen y exhiben animales vivos de diferentes especies: *jardín zoológico, zoológico, parque zoológico.*

— escuela para niños en edad preescolar: *jardín de niños, kindergarden.*

— paraíso terrenal: *jardín del edén, jardín edénico, edén.*

jareta Dobladillo que se hace en una prenda de vestir, dejándolo hueco para poder introducir una cinta o resorte y así ceñirlo o atarlo al cuerpo. ☞ **coser, alforza.**

jaripeo Fiesta o espectáculo en el que se montan toros o caballos, conjunto de las actividades y suertes en el manejo y doma de caballos que practican los charros. ☞ **rodeo, montar, charro.**

— jinete con gran habilidad para manejar y domar caballos o montar toros: *charro.*

— fiesta en la que se hacen demostraciones charras: *charreada.*

— vestimenta característica del jinete mexicano: *traje de charro.*

— sombrero característico del charro: *sombrero charro, sombrero jarano.*

jarretera Liga que sujeta la media en la parte alta y carnosa de la pantorrilla con una hebilla. ☞ **liga.**

— parte alta y carnosa de la pantorrilla: *jarrete.*

jarra Recipiente con cuello y boca anchos, generalmente grande y de cerámica o vidrio, con una o más asas. ☞ **pichel, recipiente, vasija.**

— recipiente semejante a la jarra, de barro, loza, vidrio o metal, con una sola asa: *jarro.*

— recipiente o vasija de mayor tamaño que la jarra, que se usa como adorno o florero: *jarrón.*

— con las manos apoyadas a ambos lados de la cintura: *en jarras.*

— emborracharse: *agarrar la jarra.*

— quitar el entusiasmo o la esperanza que tiene alguien por algo: *echarle un jarro de agua fría.*

jaspeado Pintado o salpicado con manchas pequeñas de diversos colores. ☞ **veteado, salpicado.**

jauja Abundancia y prosperidad. ☞ **prosperidad, bienestar, exceder, bastar, colmar.** ❖ MALESTAR, DESVENTURA, INFORTUNIO.

jaula Caja hecha con listones o barras de diversos materiales, que se usa para encerrar animales; cárcel. ☞ **pájaro, huacal, pajarera.**

— encerrar en una jaula a un animal: *enjaular.*

— encerrar en una cárcel o prisión a alguien: *encarcelar, enjaular.*

— estar impaciente o desesperado alguien: *estar como león enjaulado.*

jauría Conjunto de perros que se utilizan para cazar.

jefe 1. Sujeto que manda o dirige a otro o a otros en un oficio o actividad determinada. ☞ **director, autoridad, autorizar.** ❖ SUBORDINADO, DEPENDIENTE.

— *La jefa del departamento de perfumería salió de vacaciones.*

— formas de designar al jefe: *superior, director, dueño, autoridad, amo, patrón.*

2. Adalid, caudillo o dirigente de un gremio, corporación, comunidad o partido. ☞ **gobernador, dirigente.** ❖ SÚBDITO, VASALLO.

— *Algunos jefes de Estado han sido buenos mandatarios.*

— formas de designar al adalid o jefe: *dirigente, paladín, campeón, jerarca, guía, principal, dictador, tirano, cacique, cabecilla, mandamás, autócrata, líder, autoridad, superior, presidente, regidor, cabeza, conductor, mandatario, soberano, gobernante, regente.*

— formas de designar a dirigentes políticos elegidos democráticamente: *presidente, vicepresidente, primer ministro, ministro, jefe de Estado, secretario de Estado, premier, gobernador, senador, diputado, alcalde, regente, delegado, alcaide.*

— formas de designar a algunos altos dirigentes de la nobleza: *emperador, káiser, rey, virrey, príncipe, archiduque, duque, marqués, conde, vizconde, barón.*

— formas de designar a algunos dirigentes orientales: *mikado (emperador del Japón), faraón (rey egipcio), mandarín (jefe chino), sátrapa (gobernador de las provincias persas), kan (jefe tártaro o persa), maharajá (rey entre los hindúes), rajá (rey hindú), nabab (gobernador hindú), sultán (emperador turco o príncipe mahometano), califa (príncipe sarraceno), jeque (gobernador musulmán), bey (gobernador turco), jerife (descendiente de Mahoma y príncipe árabe), emir (príncipe y jefe árabe), visir (ministro del rey musulmán), pachá o bajá (gobernador turco), sha (soberano de Persia).*

— formas de designar a gobernantes grecorromanos: *arconte (magistrado griego), dictador (magistrado romano), tirano (gobernante por usurpación o por régimen), césar (emperador romano), triunviro (uno de tres magistrados administrativos romanos), cónsul (magistrado de la república romana), tribuno (magistrado romano que defendía causas públicas), lictor (ministro romano de justicia), patricio (ciudadano romano descendiente de los senadores nombrados por Rómulo), pretor (magistrado romano), legado (delegado del emperador romano en las colonias), centurión (autoridad romana político-administrativa), tetrarca (uno de los cuatro emperadores romanos).*

— formas de designar a algunos dirigentes eclesiásticos: *papa, cardenal, arzobispo, obispo, arcipreste, archimandrita, pope.*

— formas de designar a algunos dirigentes militares: *general, coronel, te-*

niente, mayor, capitán.

— verbos que se relacionan con dirigir: *comandar, dirigir, mandar, acaudillar, guiar, gobernar, capitanear, encabezar, regir, conducir, llevar, arrastrar, abanderar, dominar.*

3. Padre, papá. ❖ HIJO.

— *Me va a regañar mi jefe por llegar tarde a casa.*

— madre: *jefa, jefecita.*

— padres: *jefes.*

Jehová Nombre que se le da a Dios entre los hebreos.

jerarquía Orden graduado que se establece entre miembros de una misma agrupación. ☞ **gradación, rango, escala, clase, grado, orden.**

— ordenación de la jerarquía militar de mayor a menor: *general de división, general de brigada, general brigadier, coronel, teniente coronel, mayor, capitán primero, capitán segundo, teniente, subteniente, sargento primero, sargento segundo, cabo, soldado de primera, soldado raso.*

— ordenación de las jerarquías eclesiásticas de mayor a menor: *papa o sumo pontífice, obispo, arzobispo, cardenal, presbítero, párroco y diácono.*

— ordenación de los coros de ángeles de mayor a menor: *serafín, querubín, trono, dominación, virtud, potencia, principado, arcángel y ángel.*

— ordenación de los demonios asociados a los pecados capitales: *Lucifer-orgullo, Mammón-avaricia, Asmodeo-lujuria, Satán-ira, Belcebú-glotonería, Leviatán-envidia, Belgefor-pereza.*

— descripción graduada de los puestos de una empresa o institución: *organigrama.*

— graduación de puestos de una institución: *escalafón.*

jerez (vea recuadro de bebidas). Vino blanco y seco, muy suave, que se produce en Jerez de la Frontera, España. ☞ **bebida.**

jerga 1. Tela corriente y burda que se usa especialmente para trapear los pisos. ☞ **tela.**

— *Pásame la jerga para trapear la cocina.*

2. Manera característica de hablar entre sí los integrantes de una profesión u oficio. ☞ **argot, caló, lengua, slang.**

— *La jerga de los doctores es difícil de entender por los que no tienen relación con la medicina.*

3. Lenguaje complicado y difícil de entender o jerigonza.

— *Yo no entiendo tu jerga, mejor háblame claro y sin rodeos.*

jeringa Instrumento compuesto por un tubo y una aguja que se utiliza para aplicar inyecciones, sacar sangre, etc., o para introducir o empujar materia muy blanda. ☞ **instrumento, aguja.**

— introducir sustancias medicinales con jeringa en el organismo: *inyectar.*

— molestar excesivamente: *jeringar, jeringuear.*

— persona que molesta excesivamente: *jeringueador, jeringón.*

jeroglífico Símbolo o figura gráfica con que ciertos pueblos representaban palabras, nombres o conceptos; conjunto de estos símbolos o figuras y sistema de escritura que constituyen. ☞ **papiro, escritura.**

— escribir con letra ilegible: *escribir con jeroglíficos.*

jeta 1. Boca prominente o labios muy abultados.

— *Fíjate qué jeta tiene, y para colmo se la pinta.*

— que tiene una boca prominente: *jetón, jetudo.*

2. Cara con mala expresión. ☞ **cara, rostro, mala cara.**

— de rostro adusto y enojado: *con jeta, de jeta.*

— dormido: *jetón.*

— dormirse: *jetearse.*

jícama Planta leguminosa americana y tubérculo comestible de esa planta. ☞ **fruta, comer.**

jícara Vasija de boca ancha que se hace con la corteza del jícaro. ☞ **artesanía.**

jícore Planta cactácea de origen mexicano. ☞ **peyote, hícori.**

jilote Espiga del maíz, todavía lechosa en el periodo en que comienza la formación de los granos del elote.

— empezar a desarrollarse la espiga del maíz que dará origen a la mazorca: *jilotear, estar en jilote.*

jinete Persona que se dedica a montar ganado caballar o mular. ☞ **cabalgar, cabalgador, equitación, jockey, jinete.**

— mujer que anda a caballo : *amazona.*

— montar a caballo: *jinetear.*

— recibir intereses o ganancias con dinero ajeno: *jinetear.*

jira Banquete campestre entre conocidos o excursión de un grupo de personas. ☞ **merienda, pic-nic.**

jiricaya, jericaya Dulce mexicano a base de azúcar, canela, vainilla, huevos y leche.

— estar en una situación difícil: *estar a dos fuegos, como la jiricaya.*

jirón Pedazo que se desgarra de cualquier ropa o tela. ☞ **trozo, pedazo, desgarrón.**

jitanjáfora Término utilizado por Alfonso Reyes con el que se denomina a aquellas palabras que tienen un encanto estético y sonoro pero no tienen sentido en el contexto en que se usan.

jitomate Planta solanácea americana que da un fruto de color rojo, muy usado para preparar variados platillos, ensaladas y salsas típicas mexicanas.

— ruborizarse: *ponerse como jitomate.*

joconostle Cactácea de origen americano que produce una tuna agria.

jocoque Alimento de sabor agridulce, hecho de leche cortada o que se ha dejado agriar.

— variedad de leche fermentada: *yogurt.*

jocoso, -sa Que es chistoso o divertido. ☞ **alegrar.** ❖ MUSTIO.

— gracia, chiste o humorismo: *jocosidad.*

joder 1. Molestar excesivamente a los demás, fastidiar, abusar, fornicar. ☞ **chingar, fregar.**

— *Su jefe siempre lo está jodiendo.*

— molestarse excesivamente o fastidiarse haciendo algo: *joderse.*

— molestia excesiva en una actividad o trabajo pesados: *joda.*

— que abusa de los demás, que molesta excesivamente o es muy pesado: *jodón.*

— exclamación de incredulidad y asombro: *¡no jodas!*

2. Estar en muy malas condiciones alguien o algo, descomponer o echar a perder un asunto, máquina o motor. ☞ **chingar, fregar.** ❖ COMPONER, ARREGLAR.

— *Ya jodió la televisión.*

— descomponerse un asunto, máquina o motor: *joderse.*

— que está en circunstancias desfavorables o en malas condiciones: *jodido.*

— listo, hábil, persistente: *jodón.*

jofaina Vasija muy ancha y no muy profunda, que se usa para lavarse las manos y la cara. ☞ **palangana, lavabo.**

jojoba Planta buxácea americana, de cuyo fruto se extrae un aceite de múltiples y variados usos.

jolgorio Reunión de varias personas que gritan y se divierten; fiesta, diversión, jarana. ☞ **celebración, alegrar.**

jornada 1. Tiempo de duración del trabajo diario de los obreros. ☞ **horario, día.**

— *La jornada generalmente es de ocho horas.*

— retribución de un día de trabajo: *jornal.*

— persona que cobra por el trabajo realizado en un día: *jornalero*.

2. Recorrido que se camina en un día de viaje. ☞ **caminar, camino, viaje, viajar, ruta.**

— *El pueblo está a dos jornadas.*

joroba Corcova, giba, joma.

— corcovado, giboso: *jorobado*.

— animal cuyas características físicas principales son sus dos jorobas: *camello*.

— molestar excesivamente: *jorobar*.

— que fastidia y molesta mucho: *jorobador*.

jorongo Prenda mexicana de abrigo que consiste en una manta rectangular, generalmente de lana, que tiene en el centro una abertura para que entre y salga la cabeza; cuelga de los hombros hasta las rodillas, dejando libres los brazos. ☞ **ropa, sarape.**

joven 1. Persona que está en la adolescencia o en los primeros años de la madurez. ☞ **muchacho, adolescente.** ❖ ANCIANO.

— *Los jóvenes se cuestionan mucho la vida o se enajenan con la televisión.*

— época de la vida entre la infancia y la madurez, y conjunto de características propias de esta época: *juventud*.

— conjunto de personas jóvenes: *juventud*.

— que se relaciona con la juventud o pertenece a ella: *juvenil*.

— cuando era muchacho: *de joven*.

— hacer sentir o dar a alguien la fortaleza y el vigor característico de la juventud: *rejuvenecer*.

— acción y resultado de rejuvenecer o rejuvenecerse: *rejuvenecimiento*.

— de aspecto joven: *juvenil, rozagante, lozano, flamante, fresco, sano, vigoroso, nuevo, hermoso, moderno, gallardo*.

— rejuvenecimiento: *remozamiento, robustecimiento, reanimación, vigorización, tonificación, mejora, vivificación*.

— algunas formas de designar al joven: *muchacho, chavo, galán, chico, adolescente, jovenzuelo, chaval, zagal, púber, pubescente, menor, jovencito, mozo, mozalbete, doncel, mancebo, efebo, mocetón, pollito, petimetre, caballerito, señorito*.

— algunas formas de designar a la joven: *muchacha, chava, chica, señorita, jovencita, chavala, pollita, damita, damisela, doncella, mozuela, moza*.

2. Que no ha alcanzado su completo desarrollo, que es de poca edad, reciente o actual. ❖ VIEJO.

— *Este canario es muy joven, igual que el limonero donde está la jaula.*

joya 1. Pieza hecha de algún metal o piedras preciosas que se usa como adorno personal. ☞ **alhaja, gema, aderezar, adornar.** ❖ BARATIJA, BISUTERÍA.

— *Esa actriz tiene una fortuna en joyas.*

— persona que hace o vende joyas: *joyero*.

— estuche o caja donde se guardan joyas: *joyero*.

— oficio de labrar joyas o de venderlas: *joyería*.

— taller en el que se fabrican joyas o tienda en la que se vende: *joyería*.

— joya pequeña: *joyel*.

— joya de imitación y sin valor: *bisutería, chuchería, baratija*.

— joyería de imitación: *bisutería*.

— lugar donde se guardan joyas: *joyero, cofre, arca, estuche, guardajoyas, arqueta, caja fuerte, escriño*.

— tipos de joyas: *anillo, aderezo, sortija, brazalete, esclava, arete, orejera, nariguera, aro, argolla, pulsera, cadena, collar, gargantilla, sarta de perlas, tiara, corona, diadema, pendiente, zarcillo, arracada, colgante, pendantif, broche, prendedor, pasador, fíbula, clip, alfiler, mancuernilla, cruz, crucifijo, colgante, medalla, dije, guardapelo, relicario, camafeo*.

— arte de trabajar los metales nobles: *orfebrería*.

— arte de trabajar la plata: *platería, argentería*.

— elementos que se usan en la confección de joyas: *oro, plata, platino, cobre, bronce, acero, perla, coral, jade, nácar, concha, ámbar, jaspe, esmalte, cristal, rubí, amatista, diamante, zafiro, ágata, esmeralda, aguamarina, ónix, ópalo, topacio, turquesa, granate, berilo, crisoberilo, cimofana, jacinto, lapislázuli, iris, azabache, corindón, brillante*.

— instrumentos del joyero: *martillo, cincel, lupa, estampador, alicates o pinzas, lima, dado, taladro, pulidora, sierra de orfebre, cizalla o tijeras para metal, punzonadora, compás*.

— algunos verbos que denotan actividades relacionadas con la joyería: *montar, engarzar, tallar, engastar, labrar, cincelar, facetar, punzonar, certificar, atornillar, soldar, esmaltar, abrillantar, bruñir, pulir, desengastar, alhajar, nielar*.

2. Persona o cosa que tiene o se le atribuye un gran valor.

— *El hijo mayor es una joya para sus padres.*

juanete Deformación del pie debida a que sobresale de manera exagerada el hueso del nacimiento del dedo gordo o pulgar. ☞ **callo.**

jubilar Declarar una empresa o institución que una persona puede retirarse de su trabajo por haber alcanzado cierta edad o por enfermedad, y recibir su pensión. ☞ **licenciar, eximir.**

— *Me van a jubilar el año que viene; ya tengo treinta años de trabajar como maestro.*

— retirarse una persona de su trabajo después de un número considerable de años de servicio: *jubilarse*.

— persona que se ha retirado de su trabajo por su edad o por enfermedad: *jubilado*.

— derecho del trabajador para dejar de laborar después de cierto número de años de servicio, y recibir una retribución mensual: *jubilación, pensión*.

judas Persona traicionera en quien no se puede confiar. ☞ **desleal.**

— sufrir una contrariedad o un descalabro: *llevárselo judas o llevárselo todos los diablos*.

— estar muy enojado o contrariado alguien: *estar que se lo lleva judas*.

— ser muy importuno, fastidioso y molesto: *ser como la piel de judas*.

— traicionar: *dar el beso de judas*.

— figura de distintas fisonomías y materiales que se acostumbra quemar durante la Semana Santa: *judas*.

judicial Que se relaciona con la administración de justicia, con los jueces o los juicios. ☞ **juicio, juez.**

— proceso legal en el que se analizan las causas de un delito: *juicio*.

— persona con facultades legales para juzgar un caso: *juez*.

— policía o agente que localiza, detiene y remite sospechosos ante la autoridad competente: *policía judicial, agente judicial, judicial*.

— credencial o identificación que utilizan los judiciales: *charola*.

— usar influencias para conseguir algo: *dar el charolazo*.

judío, -a 1. Que pertenece al actual estado de Israel o se relaciona con él.

— *El ejército judío continuamente se enfrenta a los árabes.*

2. Que profesa la religión monoteísta basada en el Torah y en la ley de Moisés.

— *Las bodas judías conservan ritos antiquísimos.*

— religión que sigue la ley de Moisés y el Torah: *judaísmo*.

3. Que desciende de cualquiera de las tribus de origen semita que fundaron

los reinos de Israel y Judea en la antigua Palestina.

— *Los judíos rusos, polacos y alemanes están estableciéndose en Israel.*

— judío español: *sefardita, sefardí.*

— judío alemán o polaco: *askenazi.*

— alimentos aprobados por la ley judía: *koscher.*

— templo de los judíos: *sinagoga.*

— lengua que hablan los judíos: *lengua hebrea o hebreo.*

— persona que anda de un lugar a otro continuamente: *judío errante.*

4. Que tiene mucho interés por el dinero, que es avaro, que obtiene muchas ganancias.

— *Son muy judíos en esta empresa, no quieren pagar buenos sueldos.*

juego Forma de pasar el tiempo realizando una actividad divertida e ingeniosa, generalmente sujeta a ciertas reglas, en la que unos ganan y otros pierden.

— realizar una actividad recreativa y divertida o participar en un juego: *jugar.*

— que tiene el vicio de jugar o que juega constantemente: *jugador.*

— partida o tirada en un juego: *jugada.*

— dicho o expresión en la que se combinan palabras de manera que puedan ser interpretadas de distintas formas y así conseguir resultados divertidos e ingeniosos: *juego de palabras.*

— juego que depende de la suerte y no de la habilidad de los jugadores: *juego de azar.*

— conjunto de juegos en los que se muestra la habilidad para mover rápidamente objetos con las manos, y a veces, cabeza y pies: *juegos malabares.*

juerga Fiesta, divertirse. ☞ **alborotar, diversión.**

— salir a divertirse: *irse de juerga.*

juglar Persona que antiguamente se dedicaba a divertir a la gente, bailaba, cantaba, recitaba o contaba historias por dinero. ☞ **trovador.**

— ademán característico de los juglares: *juglería, juglaría.*

— que se relaciona con el juglar o pertenece a él: *juglaresco.*

jugo 1. Líquido que se obtiene por la cocción, presión o destilación de ciertas sustancias vegetales o animales. ☞ **néctar, extracto.**

— *Prefiero el jugo de zanahoria.*

— conjunto de secreciones del estómago: *jugo gástrico.*

— sustancioso en jugo: *jugoso.*

— cualidad de ser jugoso: *jugosidad.*

2. Parte provechosa, útil, ventajosa o rica de cualquier cosa.

— *Saca todo el jugo a tu negocio.*

— provechoso, fructífero: *jugoso.*

juicio 1. Capacidad humana de razonar y de actuar con sensatez, prudencia e inteligencia o de emitir una opinión. ☞ **sentido, entendimiento, criterio.**

❖ IRREFLEXIÓN, INSENSATEZ, INCOMPRENSIÓN.

— *Yo confío en el juicio de los niños; los mayores lo perdemos con facilidad.*

— que tiene cordura y sensatez: *juicioso.*

2. Proceso legal que se desarrolla en un tribunal ante un juez, presentando pruebas y argumentos con respecto a un delito, y dictando una sentencia. ☞ **dictaminar, sentenciar.**

— persona a la que se le da autoridad para aplicar la ley y dictar sentencia en un proceso legal: *juez.*

jungla Extensión de tierra cubierta por vegetación muy espesa. ☞ **selva.**

❖ DESIERTO.

— ciudad sin espacios verdes: *jungla de asfalto.*

jumate Cuchara que se hace del epicarpo de cierta especie de calabaza. ☞ **cuchara, chumate, tuche.**

jumil Insecto comestible pentatómido de origen mexicano. ☞ **chinche de monte.**

junta 1. Reunión de varias personas para discutir algún asunto. ☞ **asamblea, congreso, mitin, sesión.**

— *Ayer hubo una junta con los padres de familia.*

— hacer que varias personas vayan al mismo lugar: *juntar.*

— reunirse varias personas en un lugar, tener amistad o mucho trato: *juntarse.*

— que está en el mismo lugar o que hace algo al mismo tiempo: *junto.*

— en compañía de: *junto con.*

2. Grupo de personas que dirige o administra algo.

— *La junta de gobierno de esa institución no apoya los nuevos proyectos.*

3. Unión que forman dos o más objetos o pieza que se pone entre dos o más objetos para unirlos con más solidez.

— *Hay que revisar las juntas de la tubería para saber si las tienen que sellar.*

— reunir cierta cantidad de algo o un conjunto de cosas similares: *juntar.*

— unirse o acercarse una cosa a otra: *juntarse.*

— al lado, cerca de: *junto a.*

jurar Afirmar o negar algo con solemnidad, poniendo como testigo o garantía algún ser sagrado o valioso, o alguna cosa de valor. ☞ **asegurar, afirmar.**

— prometer fidelidad a la patria: *jurar bandera.*

— prometer servir con honestidad y lealtad en un cargo público: *jurar el cargo.*

— mentir: *jurar en falso.*

— afirmación o promesa solemne de algo: *juramento.*

— acto solemne en el que se promete obediencia y lealtad a la patria o a un cargo: *jura.*

— que ha hecho un juramento: *jurado.*

— conjunto de personas elegidas para emitir un fallo en un proceso judicial y cada una de ellas: *jurado.*

— conjunto de personas encargadas de dar un fallo en un concurso y cada una de ellas: *jurado.*

jurisdicción 1. Poder o autoridad y dominio que se tiene para gobernar.

2. Territorio gobernado por una persona.

— *En la jurisdicción de Michoacán no aparece este lago.*

— que pertenece a una jurisdicción: *jurisdiccional.*

justicia 1. Principio moral o virtud que hace que las personas respeten a los demás, sean honestas y congruentes en sus acciones y reconozcan lo que toca o le pertenece a cada quien.

— *Esos maestros actuaron con justicia al señalarle al director su equivocación.*

— reconocer el valor, la libertad, los derechos y lo que le pertenece o le corresponde a cada quien y actuar de acuerdo con esto: *hacer justicia.*

— que observa y respeta la justicia y se comporta de acuerdo con esto: *justo.*

— que observa y hace observar estrictamente la justicia: *justiciero.*

— considerar válido y correcto el comportamiento de alguien: *justificar.*

2. Aplicación de este principio o virtud en las leyes y su administración por jueces e instituciones jurídicas.

— *Después de confesar su crimen quedó en manos de la justicia.*

— examinar un juez o una institución jurídica algún asunto o comportamiento de alguien en relación con las leyes: *juzgar.*

justipreciar Valorar o estimar el valor de algo.

— acción y resultado de justipreciar: *justipreciación.*

— tasación de una cosa: *justiprecio.*

K

káiser Título de mayor dignidad o emperador, usado en Alemania. ☞ **emperador, jefe.**

kan Príncipe o comandante persa o tártaro. ☞ **jefe.**

karma Principio causal del budismo y brahmanismo según el cual cada hombre es lo que hace o será, en cada una de sus sucesivas reencarnaciones, lo que esté de acuerdo con el conjunto de los hechos o acciones pasadas y, por lo tanto, el que hizo bien recibirá una retribución diferente a la de aquél que obró mal.

kayak Canoa esquimal para un solo tripulante.

kermés, kermesse Fiesta al aire libre organizada por un grupo de personas o institución con fines benéficos, en la que hay diversiones y juegos muy variados. ☞ **feria.**

kilo Apócope de kilogramo, mil gramos.
— primer elemento de varias palabras compuestas que significa mil: *kilo, kili.*
— mil áreas: *kiliárea.*

— mil calorías: *kilocaloría.*
— mil oscilaciones por segundo: *kilociclo.*
— mil gramos: *kilogramo.*
— mil hercios: *kilohercio.*
— mil litros: *kilolitro.*
— mil metros: *kilómetro.*
— mil vatios: *kilovatio.*
— mil voltios: *kilovoltio.*
— distancia medida en kilómetros: *kilometraje.*
— de muy larga duración: *kilométrico.*
— unidad que mide la carga nuclear: *kilotrón.*

kimono Túnica japonesa. ☞ **quimono.**

kindergarden Escuela para niños en edad preescolar. ☞ **jardín de niños, educación, preescolar.**
— abreviación de kindergarden, muy usada en lengua hablada: *kinder.*

kiosko 1. Edificio pequeño de estilo oriental, que suele hallarse en el corazón de las plazas de provincia. ☞ **quiosco, templete.**
— *Los domingos nos gusta dar vueltas al kiosko.*

2. Construcción pequeña de metal donde se venden periódicos y revistas. ☞ **puesto.**
— *Para enterarse de las noticias vespertinas, acude al kiosko de periódicos.*

kip Unidad monetaria de Laos.

kipá (pot) Casquete que usan los judíos para acudir a las sinagogas. ☞ **solideo, yarmulke.**

kirsch (vea recuadro de bebidas). Bebida alcohólica alemana.

kitsch De mal gusto. ☞ **cursi.** ❖ ELEGANTE, DISCRETO.

knock-out Victoria obtenida en el boxeo, después de haber derribado a golpes al contrincante y dejarlo tendido en el suelo por diez segundos o más. ☞ **nocaut.**

koljoz, kóljos Granja colectiva o cooperativa agrícola soviética. ☞ **ejido.**

koruna Unidad monetaria de Checoslovaquia.

kummel (vea recuadro de bebidas). Bebida alcohólica alemana y rusa.

kyat Unidad monetaria de Birmania.

L

la 1. Artículo que se antepone al nombre o sustantivo indicando que éste es femenino y singular, y que el objeto o persona designado por el nombre es conocido o designa al conjunto o clase a la que pertenece. ☞ **artículo.**
— *La puerta de la cocina tiene la perilla descompuesta.*
— artículo que se antepone al nombre o sustantivo e indica que éste es femenino y plural: *las.*
2. Pronombre de tercera persona, femenino, singular, que indica objeto directo. ☞ **pronombre.**
— *(Respondiendo a la pregunta: ¿Leíste la novela que te presté?) Sí, ya la leí.*
— pronombre de tercera persona femenino plural: *las.*
3. Sexta nota musical.
— *No recuerdo si la pieza está escrita en la mayor o en la menor.*

laberinto 1. Lugar hecho con entrecruzijadas para confundir al que está adentro y le sea muy difícil dar con la salida.
— *Ariadna ayudó a Teseo a escapar del laberinto.*
— que pertenece al laberinto o se relaciona con él: *laberíntico.*
2. Conjunto de órganos que constituyen el oído interno.
— *En el laberinto se encuentran: el caracol, el vestíbulo y los conductos semicirculares.*
— inflamación del oído interno: *laberintitis.*
3. Cosa confusa, muy enredada o enmarañada.
— *Este problema de física es un laberinto.*
— confuso, muy intrincado: *laberíntico.*

labio Cada uno de los dos bordes de tejido móvil que se encuentra en la boca; cada uno de los bordes de ciertas aberturas. ☞ **boca.**
— que se relaciona con los labios: *labial.*
— cosmético que se usa para pintar los labios: *lápiz labial, bilé.*
— labio hendido: *labio leporino.*
— habilidad para usar el lenguaje de manera persuasiva: *labia.*
— guardar silencio, callar: *cerrar los labios, no despegar los labios, sellar los labios.*
— pedir que se mantenga algo en secreto: *sellar los labios.*
— reprimir lo que se quiere hacer o decir: *morderse los labios.*

labor 1. Resultado de algún trabajo o actividad y la acción de trabajar; quehacer, ocupación. ☞ **trabajo, faena, laborío.** ❖ OCIO.
— *Hay que realizar varias labores este año.*
— que se puede trabajar: *laborable.*
— que pertenece al trabajo o se relaciona con él: *laboral.*
— trabajar, en particular los obreros y campesinos: *laborar.*
2. Trabajo o realizaciones cosidas, tejidas o bordadas.
— *Ha hecho muchas labores de macramé.*
3. Plantío de maíz, frijol, chile, etc.
— *En abril sembramos la labor.*

laboratorio 1. Local donde se realizan experimentos o investigaciones científicas en física, química, biología, etc. ☞ **química.**
— *Lleva tres años trabajando en el laboratorio del hospital.*
— persona que se dedica a trabajar en un laboratorio: *laboratorista.*
2. Lugar en el que se hacen trabajos técnicos y algunos experimentos con equipo especializado.
— *Está muy bien equipado el laboratorio de fotografía de la empresa en la que trabajas.*

labrar 1. Plantar un cultivo, cultivar la tierra, arar. ☞ **cultivar.**
— *Hay que preparar los terrenos de cultivo para poder labrar.*
— persona que labra la tierra: *campesino, labriego, labrador.*
— trabajo o cultivo del campo: *labranza.*
2. Trabajar determinado material, dándole alguna forma ☞ **grabar, esculpir.**
— *En Taxco labran la plata y la madera maravillosamente.*
3. Formar, causar o forjar.
— *Esa viuda ha sabido labrar la felicidad de sus hijos.*
— forjarse o causarse una persona algo: *labrarse.*

laca 1. Resina traslúcida de color oscuro que se saca de las ramas de algunos árboles. ☞ **barniz, resina.**
— *Las picaduras de ciertos insectos en las ramas de los árboles hacen fluir la laca.*
— pasta constituida por goma, laca y trementina que, derretida, se usa para cerrar y sellar cartas y documentos: *lacre.*
— sellar o cerrar con lacre: *lacrar.*
2. Barniz de color negro o rojo, hecho con esa resina y objeto con este barniz.
— *Los chinos y japoneses utilizan mucho la laca.*
— de color rojo: *lacre.*
— barnizar con este barniz: *laquear.*

lacio, -a Que el cabello no es rizado ni ondulado. ❖ RIZADO, CHINO.

lacónico, -ca Que es breve, conciso y parco el lenguaje, que habla o escribe en forma concisa, breve y grave. ☞ **escueto, conciso** ❖ FLORIDO, EXUBERANTE.
— brevedad, concisión, sobriedad: *laconismo.*

lacra 1. Defecto físico o vicio de una persona. ☞ **vicio, defecto.** ❖ VIRTUD.
— *La drogadicción es una de las lacras de la sociedad.*
2. Úlcera, llaga, señal o cicatriz de una enfermedad.
— *Aún se le notan algunas lacras en el brazo.*
— contagiar una enfermedad: *lacrar.*

ladino, -a 1. Astuto, hábil, sagaz. ☞ **astucia, taimado.** ❖ INCAUTO.
— *El zorro tiene fama de ladino.*
2. Blanco, mestizo o indio que vive de acuerdo con las costumbres occidentales y habla español.
— *En Chiapas, los ladinos no respetan a los indios que viven en la sierra.*

lado 1. Cada una de las regiones o zonas de un todo que están alrededor de su centro o que rodean algo o a alguien.
— *Miró a todos lados y no vio su coche.*
— quitar de enmedio algo: *hacer a un lado.*
— pendiente de una montaña: *ladera.*
2. Costado, franco o lateral de algo o alguien. ☞ **costado.**
— *Esa falda te cuelga de los lados.*

— hacia la derecha o hacia la izquierda: *de lado*.

— junto a, cerca de: *al lado de*.

3. Cada una de las dos caras de un objeto plano o casi plano, de un disco o de una cinta magnetofónica.

— *Escribe por los dos lados de la hoja*.

4. Aspecto, carácter, cualidad o consideración de algo o de alguien.

— *Todos tenemos un lado positivo y otro lado negativo*.

ladrillo Pieza utilizada en obras de albañilería, de forma prismática y compuesta básicamente por arcilla o piedra caliza cocidas. ☞ **tabique, block, construcción, casa**.

ladrón, -na 1. Individuo que roba. ☞ **bandido**.

— *En la cárcel hay muchos ladrones*.

— quitar a alguien algo que tiene o le pertenece con engaño o violentamente: *robar*.

— expresión que justifica robar a otro que a su vez ha robado: *ladrón que roba a ladrón tiene cien años de perdón*.

— inclinación desmedida a robar: *cleptomanía*.

2. Enchufe.

— *Enchufo mi computadora con un ladrón*.

lagaña Secreción sebácea que se cuaja en el borde de los párpados y en los ángulos del ojo. ☞ **legaña**.

— que tiene muchas lagañas: *lagañoso, legañoso*.

lagar Recipiente y lugar donde se pisa o prensa la uva para hacer vino, y lugar donde se prensa la aceituna para hacer aceite o la manzana para hacer sidra.

lagartón, -na Audaz, muy experimentado, listo y astuto.

lago Porción extensa de agua, rodeada de tierra.

— que pertenece a los lagos: *lacustre*.

— estudio de los lagos: *limnología*.

— persona dedicada al estudio de los lagos: *limnólogo*.

lágrima Gota de líquido salado y transparente que brota del ojo cuando se llora. ☞ **llorar**.

— órganos que secretan las lágrimas: *lagrimales*.

— derramar lágrimas: *lagrimear, lagrimar, llorar*.

— flujo de lágrimas: *lagrimeo*.

— que tiene los ojos siempre húmedos: *lagrimoso o lacrimoso*.

— llorar abundantemente: *deshacerse en lágrimas, llorar a lágrima viva*.

— lágrimas derramadas hipócrita y fingidamente: *lágrimas de cocodrilo*.

— llorar con intenso dolor: *llorar lágrimas de sangre*.

— llorar enternecido por algo: *salirse las lágrimas, saltarse las lágrimas*.

laico, -ca Que no forma parte del clero, que no toma en cuenta la formación o instrucción religiosa. ☞ **lego**. ❖ RELIGIOSO.

— doctrina que defiende la independencia de la sociedad y del Estado de toda influencia religiosa: *laicismo*.

lama 1. Lodo blando o musgo que suele hallarse en rocas o troncos húmedos, conjunto de plantas que crecen en superficies húmedas o en los lechos de los ríos y lagos u hongos casi microscópicos que aparecen sobre la materia orgánica en ambientes húmedos y son señal de descomposición de esta materia, principalmente de ciertos alimentos. ☞ **musgo, lodo, moho**.

— *No te resbales con la lama de las piedras al atravesar el río*.

— cubrirse de lama algo: *enlamarse*.

2. Sacerdote o monje de una secta religiosa derivada del budismo. ☞ **budismo, religión**.

— religión del Tibet y Asia Central, derivada del budismo: *lamaísmo*.

— líder religioso del lamaísmo: *Dalai Lama*.

lambiscón, -na Que halaga o trata de manera servil a alguien para conseguir algo, adulador o barbero. ☞ **servil**.

— adular o halagar hipócritamente: *lambisconear*.

lamentar Sentir dolor por algo, afligirse, apesadumbrarse. ☞ **deplorar**. ❖ LOAR.

— queja dolorosa: *lamento, lamentación*.

— lastimoso, triste, desolador: *lamentable*.

lamer Deslizar la lengua sobre algo reiteradamente. ☞ **lengüetear**.

— extremadamente acicalado y afectado: *relamido*.

— que come glotonamente y limpia el plato: *lameplatos*.

lámina 1. Plancha delgada o chapa de distintos materiales. ☞ **chapa**.

— *Hay que comprar unas charolas de lámina para el restorán*.

— hacer láminas una de estas máquinas: *laminar*.

— en forma de lámina: *laminar*.

2. Dibujo, pintura, fotografía, etc. que ilustra un libro. ☞ **grabado, ilustrar**.

— *El pintor tenía una nutrida colección de láminas*.

lámpara Objeto que sirve para alumbrar. ☞ **linterna, luz**.

— persona que hace, vende o arregla lámparas: *lamparero, lamparista, lampista*.

— lugar donde venden lámparas o taller en que las hacen: *lamparería*.

— mancha visible de grasa en la ropa: *lamparón*.

lana 1. Pelo del borrego y otros animales que se utiliza para elaborar tejidos e hilos; tela e hilo hechos con este pelo.

— *Las faldas escocesas son de lana*.

— conjunto de animales que tienen lana: *ganado lanar*.

— que pertenece a la lana o se relaciona con ella: *lanar*.

— que tiene mucha lana: *lanudo*.

— cortar el pelo al animal lanar: *trasquilar*.

2. ☞ **dinero**.

— *Antes de terminar la quincena se quedó sin lana*.

— que tiene mucho dinero: *lanudo*.

lángara Persona hipócrita que genera desconfianza. ☞ **hipócrita**. ❖ FRANCO, SINCERO.

lanzar 1. Arrojar algo con la mano o con algún dispositivo que permite el movimiento. ☞ **arrojar, aventar**. ❖ INMOVILIZAR, RETENER, DETENER.

— *Lanzó la jabalina con todas sus fuerzas*.

— iniciar una acción o dirigirse hacia un lugar con decisión y fuerza: *lanzarse*.

2. Dirigir una mirada con violencia o dejar salir con fuerza una exclamación o expresión. ❖ CALLAR, SUJETAR.

— *Me lanzó un grito terrible y se fue*.

— situación crítica o trance: *lance*.

3. Despedir o expulsar a alguien de algún lugar.

— *Lo lanzaron porque no pagó la renta*.

4. Dar a conocer algo o sacar a la venta un producto.

— *Están lanzando un nuevo perfume este año*.

lápida Losa en que se pone una inscripción. ☞ **tumba**.

— relativo a las inscripciones de las lápidas: *lapidario*.

— apedrear: *lapidar*.

— persona que labra y comercia con piedras preciosas: *lapidario*.

— convertir en piedra: *lapidificar*.

lápiz 1. Utensilio que sirve para escribir o dibujar sobre papel. ☞ **escritura**.

— *Aprendió primero a usar el lápiz y ahora empieza a escribir con pluma*

— tipos: *lápiz de grafito, de plomo, de taquigrafía, de carboncillo, de dibujo, indeleble, marcador, rojo, bicolor, de colores, crayola*.

2. Barra pequeña de pasta, contenida generalmente en un aparato con un mecanismo que sirve para empujarla y usarla, y después regresarla a su lugar.
— *Préstame tu lápiz labial.*

lapso Periodo de tiempo. ☞ **tiempo.**
— equivocación: *lapsus.*
— error de escritura: *lapsus cálami.*
— error al hablar: *lapsus linguae.*

largo, -a 1. Que tiene gran extensión o dura bastante tiempo. ❖ CORTO, BREVE.
— *Afortunadamente te queda un plazo largo para cortarte ese pelo largo.*
— demorar: *dar largas.*
— pasar sin percatarse de alguien o algo: *pasar o seguir de largo.*
— en última instancia: *a la larga.*
— durante o longitudinalmente: *a lo largo.*
— tener que abandonar un lugar: *largarse.*
2. Dimensión mayor en una figura de dos dimensiones o dimensión horizontal mayor en una figura de tres dimensiones. ❖ ANCHO, BAJO.
— *Tiene 30 m de largo por 10 de ancho.*

lascivia Propensión al deleite sexual. ☞ **lujuria.** ❖ CASTIDAD.
— que se relaciona con la lascivia o es lujurioso: *lascivo.*

láser Abreviatura en inglés de: amplificación de la luz mediante emisiones estimuladas por radiaciones.
— fuente que genera y transmite intensos rayos de luz: *rayo láser.*

lástima Resultado de sentir compasión o pesar, piedad, conmiseración. ☞ **compasión, conmiseración, misericordia.** ❖ CRUELDAD, INDIFERENCIA.
— dañado, perjudicado, agraviado: *lastimado.*
— dañar, perjudicar o agraviar: *lastimar.*
— doloroso, triste, lamentable: *lastimoso, lastimero.*

lastre 1. Peso de piedra, arena y otras cosas que lleva una embarcación para nivelar la navegación, o el que lleva un globo y que se va arrojando cuando necesita ascender con rapidez.
— *Las embarcaciones comerciales llevan lastre y carga.*
2. ☞ **estorbo, impedimento.**
— *Para algunos la edad es un lastre.*

lata 1. Envase y chapa de hojalata.
— *Me gusta el atún de lata.*
— introducir algo en envases de hojalata: *enlatar.*
2. Molestia que causa algo o alguien, cosa o persona que molesta o fastidia. ☞ **molestia, fastidio.** ❖ DIVERSIÓN.
— *Hay niños que dan mucha lata.*

— persona que molesta: *latoso.*

latifundio Propiedad o conjunto de propiedades rurales que tiene gran extensión y un solo dueño. ☞ **propiedad.** ❖ MINIFUNDIO.
— terrateniente: *latifundista.*

látigo 1. Objeto formado por una vara terminada en una correa o cuerda, que se usa para golpear. ☞ **fusta.**
— golpe y chasquido de un látigo: *latigazo.*
— golpear con el látigo: *dar latigazos o dar de latigazos.*
— producir chasquidos con el látigo: *latiguear.*
2. Juego de feria constituido por varios carros que giran a gran velocidad produciendo sacudidas fuertes y repetidas.
— *Me gusta subirme al látigo.*

latitud 1. Anchura o extensión de un territorio. ❖ LONGITUD.
— *El hombre vive en todas las latitudes.*
2. Coordenada geográfica con la que se define la posición de un punto determinado de la Tierra con respecto al ecuador, o coordenada astronómica que mide algún punto de un astro. ❖ LONGITUD.
— *La incógnita M es: 45 grados latitud norte.*

laudo Sentencia en el derecho laboral. ☞ **decidir.**

lava Materia mineral incandescente o fundida que expulsan los volcanes. ☞ **volcán.**

lavar 1. Limpiar algo generalmente con agua y jabón. ☞ **mojar, bañar.** ❖ ENSUCIAR.
— acción y resultado de lavar: *lavada.*
— pila donde se lava: *lavadero.*
— establecimiento donde una persona puede lavar su ropa: *lavandería.*
— aparato eléctrico que se usa para lavar ropa: *lavadora.*
— aparato eléctrico que se usa para lavar trastes: *lavavajillas, lavatrastes.*
— persona que se dedica a lavar ropa: *lavandera.*
— cuarto que en algunas casas se destina para lavar ropa: *cuarto de lavar, cuarto de lavado.*
2. Eliminar algún defecto o error.
— *Lavaron su honor en el campo de batalla.*

laxar Producir una medicina o alimento frecuentes evacuaciones intestinales o regularización del estreñimiento. ❖ CONSTIPAR, ESTREÑIR.
— que favorece o propicia la evacuación intestinal: *laxante, laxativo.*
— flojo, relajado, distendido: *laxo.*

— distensión, relajación: *laxitud.*

lazo 1. Nudo de cinta, tela o algo similar que se usa para adornar; cinta blanca adornada que une simbólicamente a los contrayentes durante el rito matrimonial católico o metodista.
— *El vestido tenía un lazo rojo.*
2. Soga para enlazar. ☞ **cuerda, mecate, soga.**
— *Ató su caballo con el lazo.*
— coger o sujetar algo después de lanzar el lazo: *lazar, enlazar.*
— lugar del campo destinado a lazar el ganado: *lazadero.*
— caer en la trampa: *caer en el lazo.*
3. ☞ **afinidad, ligadura, vínculo.**
— *Esa familia tiene fuertes lazos afectivos.*
— cortejar: *echar un lazo.*

le Pronombre de tercera persona, masculino o femenino, singular, que indica objeto indirecto. ☞ **pronombre.**
— pronombre de tercera persona, masculino o femenino, plural: *les.*

lealtad Actitud de una persona que es sincera, honrada y fiel. ☞ **fidelidad, nobleza.** ❖ TRAICIÓN, INFIDELIDAD, DESLEALTAD.
— que es sincero y franco: *leal.*
— que actúa con respeto y reconocimiento a sus compromisos y principios morales: *leal.*

leche Líquido blanco, opaco, bebestible que procede de los pechos de las hembras de los mamíferos o cualquier líquido similar que producen ciertas plantas.

lecho 1. Cama con colchón y ropa, lista para descansar. ☞ **cama, litera.**
— *No le gusta dormir en lecho ajeno.*
— estar en situación incómoda: *no estar en un lecho de rosas.*
2. Cauce de un río.
— *Por causa de la sequía se ve el lecho del río.*

leer 1. Percibir las letras o signos escritos o grabados, reproducirlos con la voz y comprender lo que significan.
— *Cuando perdió la vista tuvo que aprender a leer en el sistema Braille.*
— que lee: *lector, leedor.*
— que tiene cierta cultura: *leído, letrado.*
— acción de leer y cosa que se lee: *lectura.*
2. Dar una interpretación a ciertos signos o indicios, comprender los pensamientos o sentimientos de alguien por su apariencia exterior.
— *¿Acaso me lees la mente?*
— deducir algo no expresado: *leer entre líneas.*
— interpretación de ciertos indicios

o de uno de los sentidos de un texto: *lectura.*

legal Conforme a la ley. ☞ **lícito, legítimo.** ❖ ILEGAL, ILÍCITO, ILEGÍTIMO.
— conformidad con la ley, sometimiento a la ley: *legalidad.*
— certificar la autenticidad de algo, dar legalidad a algo: *legalizar, legitimar.*
— tendencia a respetar y cumplir minuciosamente con la ley: *legalismo.*
— que antepone a todo la aplicación literal de la ley: *legalista.*
— persona que ha estudiado leyes y está autorizada para defender en juicio los derechos de alguien o para dar un dictamen sobre asuntos legales: *abogado, licenciado.*
— persona que aparenta saber de leyes sin conocerlas: *leguleyo.*
— persona que sin ser abogado gestiona asuntos legales: *coyote.*
— conjunto de leyes: *legislación.*
— elaborar y discutir las leyes para dirigir un país: *legislar.*
— perteneciente o relativo a la ley o a la legislación: *legislativo.*
— órgano legislativo de un país: *cámaras de diputados y senadores, cuerpo legislativo, poder legislativo.*

legar Dejar una persona a otra alguna cosa como herencia. ☞ **heredar.**
— disposición hecha en un testamento en beneficio de una o varias personas: *legado.*
— persona que recibe un legado: *legatario.*
— enviado, representante, embajador, nuncio: *legado.*
— embajada: *legación.*

lego, -a 1. Que no tiene conocimientos o no sabe de cierta materia. ☞ **ignorante.** ❖ CONOCEDOR, EXPERTO, LEÍDO, LETRADO.
— *Soy lego en materia musical.*
2. Que no pertenece al clero, que pertenece a una congregación pero no ofrece la orden sacerdotal, entre los católicos.
— *En la misa había legos y sacerdotes.*

lengua 1. Órgano muscular, carnoso, largo y movible que se halla dentro de la boca de los animales vertebrados superiores y que sirve para gustar, deglutir y articular sonidos.
— *Los tartamudos tienen problemas fisiológicos con la lengua.*
— burlarse: *sacar la lengua.*
— mal hablado, descarado: *suelto de lengua, deslenguado, lenguaraz, lengüilargo.*
— estar a punto de decir algo: *tenerlo en la lengua.*

— tartamudear: *trabársele a uno la lengua.*
— callarse lo que se desearía decir: *morderse la lengua.*
— decir las cosas tal cual son: *no tener pelos en la lengua.*
— llamarada: *lengua de fuego.*
2. ☞ **idioma, lenguaje.**
— *El español es una lengua romance.*
— persona que habla muchas lenguas: *políglota.*
— persona que habla dos, tres, lenguas: *bilingüe, trilingüe.*
— lengua aprendida en la infancia y con la que normalmente se comunica alguien: *lengua materna.*
— lengua que ya no se habla: *lengua muerta.*
— lengua oficial y mayoritaria: *lengua dominante.*

lenitivo, -va 1. Que ablanda y suaviza algo. ☞ **suave, blando.** ❖ ÁSPERO, DURO.
— *Hay sustancias lenitivas en algunas pomadas.*
2. Calmante para padecimientos físicos o anímicos. ☞ **calmar.** ❖ EXACERBAR.
— *El nacimiento de su nieto fue un lenitivo para su viudez.*

lenocinio Promoción de la prostitución y prostíbulo. ☞ **burdel, prostíbulo, leonero, alcahuetear.**

lente 1. Armazón con cristales o plástico transparente que sirve para corregir problemas de la vista. ☞ **anteojos, gafas.**
— *Mis lentes necesitan nueva graduación.*
2. Cristales de aumento de los instrumentos ópticos.
— *La lente del telescopio es potente.*

lentitud Tardanza en la realización de un movimiento o en el desarrollo de una acción. ☞ **demora, tardanza.** ❖ PRONTITUD, RAPIDEZ.
— que tarda mucho en moverse, en irse de un lugar a otro, en desarrollarse o llevar a cabo algo: *lento.*
— despacio: *lento.*
— de manera pausada: *lentamente.*
— con fuego de baja llama: *a fuego lento.*

leño Pedazo del tronco de un árbol, sin ramas. ☞ **madera.**
— con la consistencia de la madera: *leñoso.*
— conjunto de troncos y ramas que, cortados en trozos, sirven para hacer fuego: *leña.*
— sitio donde se guarda la leña: *leñera.*
— persona que vende leña: *leñero.*

— persona que corta leña: *leñador.*
— herramienta que sirve para cortar leña: *hacha, sierra, serrucho.*
— cortar los árboles de un bosque: *talar.*
— incitar o incrementar una discusión o pelea: *echar leña al fuego.*
— expresión que indica que todos se aprovechan de alguien en desgracia: *del árbol caído todos hacen leña.*

lépero, -ra Que se comporta, con acciones y palabras, de manera grosera, procaz y ordinaria. ☞ **grosero, soez.** ❖ CORRECTO, EDUCADO.
— grosería: *leperada.*

lesbiana Mujer que tiene preferencia sexual por personas de su mismo sexo. ☞ **sáfica.** ❖ HETEROSEXUAL.
— amor homosexual entre mujeres: *lesbianismo, amor lesbiano.*

lesión 1. Daño en parte del cuerpo causado por una herida, golpe o enfermedad. ☞ **herida.**
— *Tiene una lesión cerebral.*
— causar un golpe o herida en alguna parte del cuerpo: *lesionar.*
— que causa daño: *lesionador.*
2. Daño, desgracia. ☞ **perjuicio.** ❖ BENEFICIO.
— *Mi economía ha sufrido una lesión con el nuevo valor cambiario del peso.*
— causar un daño: *lesionar.*

leso, -sa Que lesiona o atenta contra algo. ☞ **crimen.**
— magnicidio de un monarca: *crimen o delito de lesa majestad.*
— atentado contra el Estado: *crimen de lesa majestad.*
— acción contra los hombres en su conjunto: *crimen de lesa humanidad.*
— trastornado, fuera de sí: *leso demente, mente lesa.*

letra 1. Representación gráfica de los sonidos de una lengua. ☞ **signo, abecedario.**
— conjunto de las letras de una lengua: *alfabeto, abecedario.*
2. Texto de una composición musical.
— *Aprendió la letra del himno nacional a los cuatro años.*

leucocito Célula incolora presente en la sangre y en la linfa de los animales vertebrados e invertebrados. ☞ **glóbulo blanco.**

levantar 1. Mover algo o a alguien hacia arriba. ☞ **alzar, subir.** ❖ BAJAR.
— *Levantó la mano y contestó correctamente la pregunta.*
2. Poner a una persona o animal de pie o poner una cosa en posición vertical. ☞ **parar.** ❖ SENTAR, INCLINAR, TIRAR.
— *Se levantó del sofá y fue por un café.*

— despertarse, abandonar la cama: *levantarse*.

3. Construir una obra de albañilería, arquitectónica o escultural. ❖ DERRIBAR.

— *Están levantando un muro en la casa de la esquina.*

— estar situado en un lugar algo de una altura considerable: *levantarse*.

4. Separarse algo que está pegado con otra cosa o quitar algo del lugar sobre el que se apoya. ❖ DESCANSAR, APOYAR.

— *Con la humedad, se está levantando el yeso de la pared.*

— aparecer algo que abulta una superficie: *levantarse*.

5. Abandonar un lugar, trasladarse. ❖ ASENTARSE.

— *Levantaron el campamento la semana pasada y no sé dónde están.*

6. Ordenar las cosas usadas o tiradas. ❖ DESARREGLAR, TIRAR, REGAR.

— *Por favor, levanta tu cuarto y la cocina.*

7. Dar fuerza o más intensidad a algo. ❖ REBAJAR, REDUCIR.

— *Con sus palabras me levantó el ánimo.*

— gritar: *levantar la voz*.

8. Impulsar el surgimiento de algo, rebelar o amotinar.

— *Ciertos pueblos levantaron las armas contra los dictadores.*

9. Reunir datos de alguna situación; dejar constancia escrita de algo.

— *Juntos levantamos la encuesta.*

10. Dar por terminado un acto formal; suprimir un castigo o condena.

— *Levantaron la sesión después de tres horas de discusiones.*

— decir mentiras contra alguien: *levantar falsos*.

leve Que pesa poco o es ligero; que es insignificante o trivial. ☞ **ligero.** ❖ PESADO, IMPORTANTE.

levitación Elevación de un cuerpo o de objetos debido a poderes ocultos, según los espiritistas.

léxico Conjunto de palabras de una lengua, de un grupo social o profesional. ☞ **vocabulario.**

— arte y técnica de elaborar diccionarios: *lexicografía*.

— persona que ejerce la lexicografía: *lexicógrafo*.

— disciplina lingüística que estudia las palabras: *lexicología*.

ley 1. Regla invariable o norma de las cosas o fenómenos.

— *No se sabe si existen leyes naturales.*

— condición impuesta por el más fuer-

te o lo más violento: *ley del más fuerte, ley de la selva*.

2. Regla jurídica dictada por un tribunal o cuerpo legislativo.

— *La Constitución ha dictado leyes de protección social.*

— legislación especial dictada por el ejército para mantener el orden público cuando existe un caso de excepción o estado de guerra: *ley marcial*.

— con todo lo necesario, sin omisiones: *con todas las de la ley*.

— apreciar, experimentar afecto por: *tenerle a uno ley*.

3. Cantidad de oro o plata de una moneda.

— *La ley 0.720 la traen las monedas de plata.*

leyenda 1. Relación y composición de sucesos maravillosos o de vidas ejemplares exageradas y un tanto ficticias.

— *Me gustan las leyendas de los antiguos mayas quichés.*

— que pertenece a las leyendas o se relaciona con ellas: *legendario*.

2. Afirmaciones imaginarias acerca de algo o alguien.

— *Decir que México es la ciudad de los palacios actualmente es pura leyenda.*

3. Letrero, texto escrito en un objeto o al pie de una ilustración.

— *Las leyendas de los anuncios comerciales son breves.*

libertad 1. Capacidad de alguien de decidir y actuar en la vida. ☞ **permisión.** ❖ DEPENDENCIA.

— *La libertad reside en comprender el mundo y situarse en él con inteligencia.*

— conjunto de ideas y prácticas que apoyan y desarrollan la libertad de pensamiento y acción del individuo, la no injerencia del Estado en la vida social y económica, y el origen parlamentario de las leyes: *liberalismo*.

— que es partidario del liberalismo; que pertenece al liberalismo o se relaciona con él: *liberal*.

— practicar el liberalismo: *liberalizar*.

— desenfreno o falta de respeto hacia los demás: *libertinaje*.

— desenfrenado o inmoral: *libertino*.

2. Situación de no sufrir ningún impedimento o sujeción. ❖ ESCLAVITUD, SUJECIÓN.

— *Dejaron en libertad a los sospechosos del crimen.*

— poner en libertad algo o a alguien que estaba bajo el dominio de una persona: *liberar, libertar, librar*.

3. Soltura o naturalidad para desenvolverse en una situación, facilidad

para hacer algo o para tratar a las personas.

— *Se reían con toda libertad del jefe.*

— permitirse un trato de mucha confianza o familiaridad con alguien: *tomarse la libertad de, tener libertad de*.

— tomarse familiaridades inadecuadas con alguien o propasarse: *tomarse libertades*.

libido Deseo sexual o energía vital que origina las manifestaciones sexuales. ☞ **lujuria.**

— lujurioso, obsceno, lascivo: *libidinoso, lúbrico*.

libra 1. Unidad monetaria de Gran Bretaña.

— *La libra esterlina cotiza más alto que el dólar.*

2. Unidad de pesos y medidas.

— *Una libra equivale a 453.592 gramos.*

libro Conjunto de hojas de papel, encuadernadas en cartón o tela, que contienen letras impresas donde se expresa el conocimiento humano. ☞ **leer, ejemplar, tomo, volumen.**

— lugar donde se venden libros: *librería*.

— lugar donde se consultan libros: *biblioteca*.

— mueble donde se colocan libros: *librero*.

— persona que vende libros: *librero*.

licencia 1. Permiso o autorización, muchas veces formal o escrita, para que alguien haga algo. ☞ **autorizar, autorización.** ❖ PROHIBICIÓN, NEGACIÓN.

— *Nos vemos mañana, si Dios nos da licencia.*

— uso que hace un poeta o escritor de expresiones o figuras que se interpretan como una transgresión a las normas literarias o lingüísticas: *licencia poética*.

2. Autorización que se da a una persona para que deje de cumplir con una obligación temporalmente.

— *Existen licencias con goce y sin goce de sueldo.*

licencioso, -sa Que actúa de manera desenfrenada, libertina y disoluta, particularmente en asuntos sexuales. Libertino. ☞ **vicio.**

lícito, -ta Que se encuentra permitido y protegido por la ley; que es moral. ☞ **legal.** ❖ ILEGAL, ILÍCITO.

— subastar: *licitar*.

— legitimidad, legalidad: *licitud*.

licor (vea recuadro de bebidas). Bebida alcohólica en que se destilan hierbas, frutas o esencias.

— tienda donde se venden bebidas alcohólicas: *licorería*.

— persona que fabrica o vende licor: *licorista.*

— botella que contiene licor: *licorera.*

líder Persona que dirige un sindicato, un grupo político, social, religioso, un país o una competencia deportiva.

— mujer que encabeza un grupo de personas o una competencia deportiva: *lideresa o líder.*

lidiar 1. Realizar una acción combativa o lucha. ☞ **pelear, combatir, luchar.**

— *Los luchadores lidian por largas horas en los combates.*

— combate, pelea o controversia, discusión: *lid.*

— con medios adecuados o apropiados: *en buena lid.*

2. Realizar todo tipo de suertes en una corrida de toros. ☞ **torear.**

— *Supo lidiar maravillosamente al segundo toro.*

— conjunto de suertes que se practican con el toro: *lidia.*

— torero: *lidiador, matador.*

— torear a caballo: *rejonear.*

— verbos que se refieren a diferentes suertes de la lidia: *provocar, esperar, esquivar, atacar, acometer, torear, trastear, recibir, capotear, herir, banderillear, picar, rejonear, burlar, apoderar, matar, estoquear, descabellar, degollar, apuntillar, cambiar, muletear, ligar.*

3. Tratar con una o más personas que enfadan, molestan y que requieren toda nuestra atención.

— *Me cansa profundamente lidiar con los niños.*

lienzo 1. Tela de lino o algodón, o pedazo de ésta. ☞ **pintura, tela.**

— *Cuando hay fiebre se acostumbran los lienzos húmedos en la cabeza.*

2. Cuadro de pintura o tela sobre la que se pinta.

— *La ventaja de las pinturas en lienzo es que se pueden enrollar para trasladarlas.*

3. Corral donde se enlaza ganado vacuno o equino. ☞ **charro.**

— *Están construyendo un lienzo en esa hacienda.*

ligero, -ra 1. Que casi no pesa. ☞ **leve, liviano.** ❖ PESADO.

— *Este librero es muy ligero.*

2. Que es rápido o se mueve con facilidad. ❖ LENTO.

— *Ya tenemos un tren ligero en la ciudad de México.*

— rápidamente; superficialmente: *a la ligera.*

3. Que no es difícil; que tiene poca importancia o intensidad. ❖ IMPORTANTE.

— *Aunque la hemorragia fue ligera, me alarmé .*

— que es irreflexivo: *ligero.*

— descuido: *ligereza.*

— mujer fácil: *mujer de cascos ligeros.*

limar 1. Pulir o rebajar algo con una lima. ☞ **lijar.**

— *Siempre se está limando las uñas.*

— instrumento de acero que sirve para desgastar distintos materiales: *lima.*

— sobrantes que se desprendieron del hierro y otros metales al ser limados: *limadura.*

— acción y resultado de limar: *limadura.*

— arreglar desacuerdos: *limar asperezas.*

2. Corregir imperfecciones de un texto escrito; pulirlo.

— *No quiere releer su obra porque la va a limar de nuevo.*

limbo 1. Halo de un astro.

— *Cuando hay luna llena se suele ver el limbo.*

2. Lugar donde según la ortodoxia católica van los no bautizados.

— *Dante coloca a Virgilio en el limbo.*

— estar distraído: *estar en el limbo.*

límite 1. Final de una superficie o línea visible o imaginaria que separa dos cosas o territorios. ☞ **fin, término.** ❖ PRINCIPIO, ORIGEN.

— *El límite entre México y Estados Unidos lo constituye el río Bravo.*

— poner límites a una extensión: *limitar.*

— que colinda con algo: *limítrofe.*

2. Momento que indica el fin de un plazo o de una acción.

— *No hay un límite de edad para dejar de leer.*

— abreviar, acortar: *limitar.*

— restringirse: *limitarse.*

— restrictivo: *limitativo.*

limosna Lo que se da para socorrer a alguien necesitado. ☞ **dádiva.**

— mendigar: *pedir limosna, limosnear.*

— mendigo: *limosnero, pordiosero.*

— persona que no acepta favores pequeños sino que exige mucho: *limosnero y con garrote.*

— órdenes religiosas que vivían de la limosna: *mendicantes.*

— reunión de donativos con un fin caritativo: *colecta.*

limpiar 1. Eliminar la suciedad de algo ☞ **asear, higienizar.** ❖ ENSUCIAR, MANCHAR.

— *Acostumbra limpiar y sacudir cuidadosamente su casa.*

— acción y resultado de quitar la suciedad: *limpiada, limpia, limpieza, limpiadura.*

2. Quitar algo que daña o perjudica, ahuyentar o expulsar a quienes dañan. ☞ **purificar.** ❖ DEJAR.

— *Limpiaron la milpa antes de pizcar.*

— ahuyentar los malos espíritus de un individuo un brujo: *hacer una limpia.*

3. Triunfar en un juego de azar ganando las apuestas. ☞ **ganar.** ❖ PERDER.

— *En la partida de póker limpió a sus contrincantes.*

— sin dinero, por perderlo en el juego: *limpio.*

— ganancia en el juego: *limpia.*

linchar Ejecutar sin proceso a alguien. ☞ **castigo, liquidar.**

— acción de ejecutar sin proceso a alguien: *linchamiento.*

linde 1. Límite que indica el fin de algo o la separación de dos cosas. ☞ **límite.**

— *Estaba en la linde de su necedad.*

2. Línea que divide extensiones de tierra.

— *Los lindes de su terreno terminaban junto al río.*

— que limita con algo: *lindero.*

— estar una extensión de tierra junto a otra: *colindar.*

lindo,-da 1. Que es hermoso o agradable a la vista. ☞ **bello, bonito.** ❖ FEO, HORRIBLE.

— *Tiene una cara linda.*

— hermosura: *lindura, lindeza.*

— mucho: *de lo lindo.*

— primorosamente: *lindamente.*

2. Que es buena persona, que es agradable de carácter. ☞ **afable, bueno.**

— *Se portó muy lindo conmigo.*

— bondad, agradabilidad: *lindeza.*

línea 1. Sucesión de puntos continuos y trazo que los une. ☞ **raya, recta, trazo.**

— *Hay líneas rectas, curvas, quebradas, mixtas y onduladas.*

— que sigue una línea: *lineal.*

2. Extensión sucesiva de los puntos que rodean a un cuerpo y trazo alargado que se distingue principalmente en alguna parte del cuerpo humano

— *Dice que sabe leer las líneas de la mano.*

— bajar o mantener el peso: *perder o guardar la línea.*

3. Cada una de las series horizontales o verticales de un escrito.

— *Esta hoja tiene muy pocas líneas.*

— dar a entender algo sin expresarlo directamente: *decir algo entre líneas.*

— deducir algo no expresado en un escrito o discurso: *leer entre líneas.*

4. Transportación marítima, aérea o terrestre.

— *Esa línea férrea es muy eficiente.*

5. Sistema de comunicación telefónica, telegráfica o eléctrica y señal que permite el funcionamiento de un aparato de comunicación.

— *El teléfono tiene tres meses sin dar línea.*

6. Serie de objetos o elementos de un conjunto situados uno tras otro.

— *Durante el eclipse vimos la línea de planetas.*

— en fila, en orden: *en línea.*

— poner algo en fila: *alinear.*

— ponerse alguien en orden o en fila: *alinearse.*

— ascendencia o descendencia humana de la madre o del padre: *línea materna o línea paterna.*

— conjunto de aparatos y muebles de cocina o limpieza: *línea blanca.*

7. Tendencia o comportamiento que sigue una persona o conjunto de personas.

— *Su línea de conducta ha sido intachable.*

— de gran calidad: *de primera línea.*

— en su clase: *en su línea.*

— totalmente: *en toda la línea.*

— sin detallar: *en líneas generales.*

lingüística Ciencia de la lengua. ☞ **literatura, lengua, lenguaje.**

— sistema de signos con el que se comunican los miembros de una comunidad: *lengua.*

— que se relaciona con la lengua: *lingüístico.*

— utilización individual del sistema de la lengua: *habla.*

— capacidad que permite a los hablantes desarrollar una lengua: *competencia lingüística, lenguaje.*

— capacidad del hablante de utilizar su competencia lingüística: *realización o ejecución.*

— utilización de la lengua siguiendo un criterio de corrección y propiedad: *norma lingüística.*

— utilización de la lengua por los hablantes en su tiempo y espacio: *uso lingüístico.*

linterna Utensilio manual o portátil que sirve para iluminar. ☞ **lámpara, luz.**

lío 1. Embrollo, problema. ☞ **desorden.** ❖ ORDEN.

— *Después de las elecciones se metieron en un lío gordo.*

— comprometer a alguien, engañarlo: *liar.*

— enredarse dos personas con una finalidad deshonesta: *liarse.*

2. Bulto, hatillo. ☞ **paquete.**

— *Trajo un lío de ropa.*

— asegurar una envoltura, atarla o envolver algo: *liar.*

líquido 1. Estado intermedio de la materia entre lo sólido y lo gaseoso. ☞ **agua.** ❖ SÓLIDO, GASEOSO.

— *El agua en su estado líquido presenta moléculas de poca cohesión.*

— hacer líquida una sustancia sólida o gaseosa: *liquidar.*

— necesidad patológica de beber abundantemente: *polidipsia.*

2. Efectivo o dinero disponible después de pagar los descuentos de primas e impuestos.

— *No tengo líquido en este momento, sólo acciones.*

lira 1. Unidad monetaria de Italia.

— *La lira al cambio internacional vale menos que el dólar.*

2. Instrumento musical antiguo de cuerda.

— poesía que antiguamente se cantaba acompañada de lira: *lírica.*

lírica 1. Género poético en el que predomina la subjetividad de emociones, sentimientos e ideas del poeta.

2. Conjunto de obras líricas de una época, de un país o de una literatura.

— *Ahora estudiamos la lírica tradicional mexicana.*

lisiar Lesionar a alguien o producirle una herida en una parte del cuerpo. ☞ **invalidez, lesión.** ❖ CURAR, SANAR.

— que está inválida una persona o tiene alguna imperfección orgánica: *lisiado.*

liso, -sa Que no posee asperezas, que es parejo, sin relieves ni adornos; que es sencillo. ☞ **terso, suave, parejo.** ❖ RUGOSO, ÁSPERO, DESIGUAL.

— volver algo liso: *alisar.*

— suavidad, igualdad, tersura: *lisura.*

lisonja Alabanza, halago algo exagerado. ☞ **adulación, alabanza, zalamería.** ❖ DESAIRE.

— adular a alguien: *lisonjear.*

— envanecerse: *lisonjearse.*

— adulador, barbero: *lisonjero, lisonjeador.*

— que gusta o deleita: *lisonjero.*

lista 1. Enumeración, listado de nombres, cantidades o cifras.

— *Tenía una extensa lista de útiles que comprar.*

— leer los nombres de una lista o dar cuenta de algo: *pasar lista.*

— relación secreta de indeseables: *lista negra.*

— indeseable: *estar en la lista negra.*

2. Tira delgada de tela o papel, raya o banda de color en una superficie.

— *Tenía un vestido de listas negras y blancas.*

listo, -ta 1. Que comprende y asimila con rapidez e ingenio. ☞ **inteligente, agudo, sagaz.** ❖ TONTO, MENSO, TORPE, LENTO.

— *Es muy lista para las matemáticas.*

— aprovecharse de algo o alguien: *pasarse de listo.*

2. Que está en condiciones para usarse, que está preparado para hacer algo.

— *Ya está lista la cena.*

literatura Arte de utilizar la palabra oral o escrita en la composición estética. ☞ **libro, palabra, lírica, épica, poesía, novela.**

— que pertenece a la literatura o se relaciona con ella: *literario.*

— persona que se dedica a la literatura: *escritor, literato, novelista, poeta, dramaturgo, crítico, ensayista, humanista, hombre de letras.*

— que reproduce o traduce un libro palabra por palabra o se apega al sentido auténtico o exacto de algo: *literal.*

— géneros literarios según Aristóteles: *épica, lírica, dramática.*

litigar Entablar un pleito judicial o intervenir en él. ☞ **pleito.** ❖ AVENIRSE.

— pleito o disputa ante juez y tribunal: *litigio.*

— que interviene en un pleito judicial, en especial el abogado: *litigante.*

litografía 1. Grabado de letras, signos o dibujos que se hacía originalmente en piedra y que en la actualidad se hace en planchas metálicas. ☞ **imprenta.**

— *Tengo una colección de litografías valiosísimas.*

2. Arte de reproducir los dibujos trazados con material grasoso en una piedra caliza o en zinc por medio de la impresión.

— *La litografía surgió en 1796 con A. Senefelder.*

liturgia Conjunto de ritos y oraciones, determinados por una autoridad competente, que constituyen el culto divino de una comunidad religiosa. ☞ **iglesia.**

liviano, -na 1. Que no pesa mucho, que es ligero. ☞ **leve, ligero.** ❖ PESADO.

— característica de lo que no pesa: *liviandad.*

2. Inconstante, voluble, informal. ❖ VIRTUOSO.

— *Esas muchachas son muy livianas.*

lívido, -da Pálido, tratándose de personas; amoratado, tratándose de lo demás.

— volverse pálido o azuloso: *lividecer.*

— cualidad de lívido: *lividez, livor.*

— color morado: *livor.*

lo Pronombre de tercera persona masculino singular que indica objeto directo; artículo definido neutro. ☞ **pronombre, artículo.**

— pronombre de tercera persona masculino plural que indica objeto directo: *los.*

— artículo definido masculino plural: *los.*

lóbrego, -ga Que es oscuro y sombrío; triste, melancólico. ☞ **sombrío, oscuro, tenebroso.** ❖ CLARO, RADIANTE, ALEGRE.

— anochecer: *lobreguecer.*

— oscuridad sombría: *lobreguez.*

local 1. Que pertenece al lugar en que está o se desarrolla, que pertenece a una región, provincia o estado de un país. ❖ NACIONAL, GENERAL.

— *En la provincia hay que probar la comida local.*

— población: *localidad.*

— apego excesivo hacia una región: *localismo.*

2. Que afecta a una parte o región de un todo. ☞ **parcial.** ❖ TOTAL, COMPLETO.

— *Para sacarme la muela me pusieron anestesia local.*

— determinar el lugar preciso o un punto o región particular: *localizar.*

— lugar preciso o región determinada donde se encuentra algo o alguien: *localización.*

3. Edificio o lugar dedicado a cierta actividad.

— *En el nuevo edificio venden varios locales comerciales.*

— arrendatario: *locatario.*

— cada uno de los asientos en un local de espectáculos y boleto que le corresponde: *localidad.*

loco, -ca Que no tiene juicio o tiene problemas mentales, que actúa en forma irracional, extraña o poco común. ☞ **desquiciado, enfermo mental.** ❖ CUERDO, SANO.

— *Se quedó loco después de pasar cinco años en el campo de concentración.*

— privación del juicio o hecho irracional, extraño o poco común: *locura, loquera.*

— cometer o decir locuras: *loquear.*

— plantear hacer algo extraño, irracional o poco común: *darle la loquera de.*

— persona que por oficio cuida a los locos o médico que los atiende: *loquero.*

— que es irreflexivo y muy activo: *medio loco, alocado, loquesco.*

— sin pensar ni reflexionar, sin medir las consecuencias: *a lo loco, a tontas y a locas.*

— hacerse el distraído, el que no se entera o no entiende: *hacerse el loco.*

— homosexual: *loca.*

— expresión usada que indica que cada persona puede pensar como quiera: *cada loco con su tema.*

— no prestar atención, ignorar: *tirar a alguien de loco.*

— hospital para enfermos mentales: *manicomio.*

locución (vea recuadro). Construcción lingüística de dos o más palabras que tiene un significado unitario y diferente al de la suma de significados de cada una de las palabras que la constituyen, como: *el oro y el moro, hacerle lo que el viento a Juárez, no haber moros en la costa, no tener pelos en la lengua, creerse el muy muy, etc.*

locutor Persona que tiene como oficio o profesión hablar en radio, cine o televisión.

logia Lugar en que los masones celebran sus asambleas; ceremonia y secta de los masones. ☞ **masonería, secta.**

— conjunto o federación de logias masónicas de un solo rito: *gran logia.*

lógica 1. Parte de la filosofía que se ocupa de la estructura, fundamento y uso de las expresiones del conocimiento humano o de los razonamientos correctos.

— *Las falacias indican problemas lógicos.*

— que se relaciona con la lógica o se apega a sus principios: *lógico.*

— persona que tiene como profesión la lógica: *lógico*

— tipos de lógica: *aristotélica, silogística, formal, matemática, simbólica, material, dialéctica, conjuntista.*

2. Manera particular de discurrir o ra-

LOCUCIONES LATINAS CON **IN**

Las locuciones consisten en grupos de palabras cuyo valor gramatical y semántico se construye de una manera única. Su significación tiene más un carácter global que literal; esto es, depende más del modo en que se asocian los términos componentes que de cada palabra misma. Se suelen citar de modo completo dentro de otras oraciones.

in absentia = en ausencia de o faltando

in abstracto = en lo abstracto o en teoría

in actu = en acto o acción

in aeternum = para siempre o a perpetuidad

in albis = en blanco o sin entender palabra

in ambiguo = en la ambigüedad o sin determinación precisa

in anima nobili = en un ser noble o racional

in anima vili = en un ser vil o irracional

in articulo mortis = en el instante preciso de la muerte

in extenso = por entero o con toda la información posible

in extremis = en el último momento

in hoc signo vinces = por este signo vencerás o te ayudará a vencer

in illo tempore = en aquel tiempo o época

in limine = en el umbral o al principio de algo

in medias res = en medio de las cosas o en plena acción

in medio stat virtus = la virtud está en medio o se aleja de los extremos

in memoriam = en memoria de o para recordar algo

in naturalibus = de manera natural o al desnudo

in nomine = nominalmente

in pectore = en el pecho o para sus adentros

in perpetuum = de manera perpetua o por siempre

in praesenti = en el tiempo presente o en la actualidad

in promptu = al presente o de improviso

in rerum natura = en la naturaleza de las cosas

in sacris = en las cosas sagradas

in saecula saeculorum = por los siglos de los siglos o hasta la eternidad

in situ = en el mismo sitio

intelligenti, pauca = al inteligente pocas palabras

in tempora opportuno = en el tiempo necesario

inter nos = entre nosotros

in utroque jure = en ambos derechos: civil y canónico

in vino veritas = verdad en el vino o con el vino se dice la verdad

in vitro = en el vidrio o en probeta

---

zonar. ☞ **normal, coherente, congruente.** ❖ ILÓGICO, INCOHERENTE.

— Sus acciones están regidas por una cierta lógica.

— que es natural, razonable o coherente: lógico.

logos Palabra o principio fundamentado de las cosas, según la filosofía griega.

logotipo Conjunto de letras o diseño que sirve para identificar una institución, producto o partido político.

lograr Conseguir o alcanzar algo que se deseaba. ☞ **obtener, alcanzar.** ❖ MALOGRAR, PERDER.

— terminar felizmente algo, completarse un intento con buenos resultados: lograrse.

— frustrarse o terminarse algo con malos resultados: malograrse.

— objetivo alcanzado: logro.

longevo, -va Que ha alcanzado una edad avanzada, que ha vivido largo tiempo. ❖ EFÍMERO.

— prolongación de la vida hasta alcanzar edades avanzadas en cualquier ser vivo: longevidad.

longitud 1. Largo de una línea, la mayor dimensión de cosas de dos dimensiones o la horizontal mayor de cuerpos u objetos. ☞ **largo.** ❖ ANCHURA.

— Esa pieza de tela tiene una gran longitud.

2. Coordenada geográfica con la que se define la posición de un punto determinado de la Tierra con respecto al meridiano de Greenwich, o coordenada astronómica que mide algún punto de un astro. ❖ LATITUD.

— Las coordenadas de longitud de México son: 99 grados 10 minutos, Oeste.

lontananza Lo que se encuentra situado a más distancia del plano principal en un cuadro.

— a lo lejos, a gran distancia: en lontananza.

loor Alabanza, loa, elogio. ☞ **alabar.** ❖ CRÍTICA.

— alabar, elogiar, celebrar: loar.

lord Título nobiliario inglés o miembro de la cámara alta.

— nobles de Inglaterra: lores.

losa 1. Piedra grande y plana que se usa para cubrir el piso. ☞ **piso, baldosa.**

— La cocina tiene losas de color rojo.

2. Sepulcro o lápida. ☞ **monumento.**

— Las losas de los cementerios tienen inscripciones.

lotería 1. Juego de azar público, controlado por el Estado, en que se premian con diversas cantidades varios billetes. ☞ **tómbola.**

— Siempre compran billetes de lotería.

— ganar alguna cantidad en la lotería: sacarse la lotería.

— ganar el premio mayor: sacarse el gordo.

2. Juego de sobremesa, que consiste en ir señalando las casillas de un cartón que tiene un jugador conforme alguien grita las figuras que va sacando; gana el jugador que completa primero su cartón y grita ¡Lotería!

— Ganó la lotería cuando salió la figura del cantarito.

lozanía 1. Situación en que las plantas están verdes, vigorosas y frescas. ☞ **tersura.** ❖ EXTENUACIÓN, DEBILIDAD.

— La lozanía de las flores me hace sentir bien.

— frondoso, verde: lozano.

2. Situación de las personas o animales o algunas de sus partes que reflejan aspecto saludable y joven. ☞ **joven.** ❖ DECLIVE, DECREPITUD, DECAIMIENTO.

— Me encanta observar la lozanía de su cutis.

— vigoroso, jovial, animoso o sano: lozano.

— época de juventud: años lozanos.

lubricar Impregnar con una sustancia grasa o engrasar algún mecanismo o motor. ☞ **aceitar.**

— que sirve para engrasar: lubricativo.

— sustancia grasa que lubrica: lubricante.

— acción y resultado de aceitar o engrasar: lubricación, lubrificación.

lúbrico, -ca Que es propenso a la lascivia o lujuria, tratándose de personas. ☞ **libido, lujuria.** ❖ PÚDICO.

lúcido, -da 1. Que comprende con claridad las cosas, que es penetrante y sagaz. ☞ **perspicaz, agudo, cuerdo.** ❖ DESACERTADO, OBTUSO, TORPE.

— Mi primo es muy lúcido para la astronomía.

— perspicacia, inteligencia: lucidez.

2. Que es brillante, luminoso o resplandeciente. ☞ **luz.** ❖ OSCURO, TURBIO.

— ¡Qué cielo tan lúcido!

— claridad, resplandor: lucidez.

lucir 1. Manifestar alguien parte de su inteligencia o cuerpo en forma vistosa y atractiva; mostrar algo atractivo y vistoso. ❖ DISIMULAR, ESCONDER.

— Cómo luce el cuerpo esa mujer.

2. Brillar o arrojar luz alguna cosa, iluminar. ❖ DESLUCIR.

— ¡Qué bonito lucen las estrellas!

lucro Provecho o ganancia que se sigue en algo, principalmente en los

negocios. ☞ **beneficio, ganancia.** ❖ PÉRDIDA, DÉFICIT.

— conseguir o lograr algo: lucrar.

— sacar gran provecho o ganancia, particularmente en un negocio: lucrar.

— que proporciona provecho o utilidad: lucrativo.

luctuoso, -sa Lastimoso y triste. ☞ **penoso, triste.** ❖ ALEGRE, REGOCIJANTE.

lucha 1. Pelea o combate entre personas o animales para vencer. ☞ **pelear, combatir.** ❖ ACUERDO, PAZ, CONCORDIA.

— Cualquier país que entabla una lucha con otro desea dominarlo.

— individuo que practica la lucha: luchador.

2. Esfuerzo para conseguir algo, brega.

— Siempre siente que hay que hacer la lucha para obtener lo que se quiere.

— hacer esfuerzos para conseguir algo o solucionar una dificultad: luchar.

— proponerse realizar algo o trabajar por conseguirlo: hacer la lucha.

— que trabaja con tesón o lucha esforzadamente por ganar dinero: luchón.

— expresión que indica que se debe hacer un esfuerzo para conseguir lo que se desea: no hay peor lucha que la que no se hace.

lúdico, -ca Que se relaciona con el juego o que le pertenece.

luego 1. Pronto, sin tardanza, apenas. ☞ **pronto, enseguida.** ❖ LENTAMENTE, CALMADAMENTE.

— Acaba luego el examen, ya lo voy a recoger.

— ahorita, en seguida: luego, luego; para luego es tarde.

2. Después, más tarde. ❖ ANTES.

— Me tengo que ir; luego platicamos.

— ¡Después nos vemos!: ¡Hasta luego!

3. Más adelante, en un lugar inmediato o cercano.

— Primero está el parque, luego una panadería y lueguito la escuela.

4. Por lo tanto, por consiguiente, así que.

— No me encontraba allí, luego no pude saber qué pasó.

— por supuesto: desde luego.

lugar 1. Región o porción delimitada de espacio. ☞ **sitio, pueblo, zona, paraje, localidad.**

— Todo lo que te conté sucedió en un lugar de la provincia.

— perteneciente o relativo a un lugar: lugareño.

2. Sitio que ocupa alguien en un orden jerárquico o en una estructura o serie. ☞ **puesto.**

— *Obtuvo el primer lugar en su escuela.*

lúgubre Que inspira pesar y tristeza. ☞ **funesto, triste, lóbrego, sombrío.** ❖ ALEGRE, FESTIVO.

lujo Ostentación excesiva de riquezas y adornos. ☞ **opulencia, fastuosidad, esplendor, ostentación, boato.** ❖ CARENCIA, SOBRIEDAD, POBREZA.

— ostentoso, opulento: *lujoso.*

— lo mejor, de la mejor calidad: *de lujo.*

— permitirse algo extraordinario: *darse el lujo.*

lujuria Lascivia o deseo sexual intenso. ☞ **libido, lascivia.** ❖ CONTINENCIA, CASTIDAD.

— exuberante: *lujuriante.*

— que muestra lujuria, que es dado a la lujuria: *lujurioso.*

lumbre 1. Fuego o cualquier tipo de materia combustible encendida. ☞ **fuego, llama.**

— *El carbón sirve para hacer lumbre.*

— conjunto de pedernal, yesca y eslabón que se usa para encender: *lumbres.*

— cuerpo que despide luz: *lumbrera.*

— encender algo con cerillos o encendedor: *dar lumbre.*

2. Brillo, claridad, esplendor.

— *La lumbre del firmamento ha inspirado a muchos poetas.*

— persona de talento e inteligencia, sabio: *lumbrera.*

luminaria 1. Cada una de las luces que se ponen en diversos edificios, calles, etc., en señal de fiesta o celebración pública o las que tienen las iglesias ante el altar.

— *Me gustan las luminarias de Navidad.*

2. Estrella de cine.

— *María Félix es una luminaria.*

luna (vea ilustración). 1. Astro o satélite de los planetas, en particular el satélite de la Tierra.

— *Júpiter tiene 16 lunas.*

— que se relaciona con la luna: *lunar.*

— mancha redonda de la piel: *lunar.*

2. Cristal grueso con el que se hacen los espejos

— *Se rompió la luna de mi tocador.*

lustre 1. Brillo de algo, en especial de las cosas tersas o bruñidas. ☞ **brillo.** ❖ OPACIDAD, EMPAÑAMIENTO.

— *Ese metal conserva su lustre.*

— sacar brillo a algo frotándolo: *lustrar.*

— que saca brillo: *lustrador.*

— reluciente: *lustroso.*

2. Notoriedad o lucimiento de alguien o de algo. ❖ DESCRÉDITO, DESLUSTRE, DESLUCIMIENTO.

— *Todos participaron en programas culturales para conseguir el lucimiento de su escuela.*

lustro Periodo de cinco años.

luto Pena que causa la muerte de alguien querido, manifestaciones sociales de esta pena y tiempo que duran estas manifestaciones.

— ponerse ropa negra: *ponerse de luto.*

— estar triste: *estar de luto.*

luxación Dislocación de un hueso, salirse un hueso de su lugar a causa de un accidente. ☞ **dislocación.**

luz Radiación que produce la luminiscencia o incandescencia de algunos cuerpos, que ilumina y hace visibles los objetos. ☞ **luminosidad, claridad.** ❖ OSCURIDAD.

— *Tendremos que levantarnos muy temprano para poder trabajar con la luz del día y no con luz artificial.*

— alumbrar: *iluminar, aluzar.*

luna

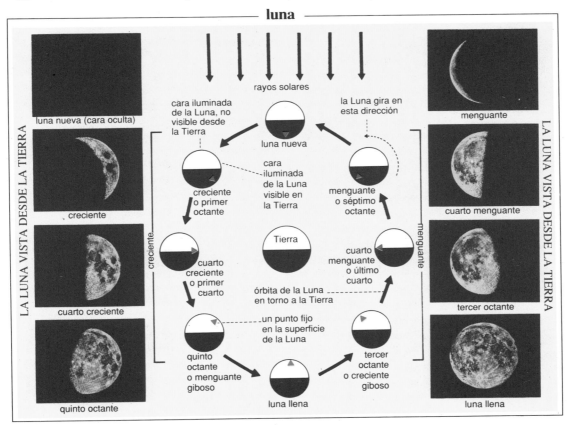

LA LUNA VISTA DESDE LA TIERRA

luna nueva (cara oculta)

creciente

cuarto creciente

quinto octante

rayos solares

cara iluminada de la Luna, no visible desde la Tierra

la Luna gira en esta dirección

luna nueva

cara iluminada de la Luna visible en la Tierra

creciente o primer octante

menguante o séptimo octante

cuarto creciente o primer cuarto

Tierra

cuarto menguante o último cuarto

órbita de la Luna en torno a la Tierra

un punto fijo en la superficie de la Luna

quinto octante o menguante giboso

tercer octante o creciente giboso

luna llena

menguante

cuarto menguante

tercer octante

luna llena

LA LUNA VISTA DESDE LA TIERRA

Ll

llaga Herida que se cierra con dificultad. ☞ **úlcera, herida, lesión.**
— tener llagas en una parte del cuerpo: *llagarse.*

llama 1. Masa gaseosa, encendida, luminosa y caliente que se desprende de los cuerpos en combustión. ☞ **fuego, flama, tea, luz.** ❖ RESCOLDO.
— *La llama de la fogata era azulada.*
— llama grande que se apaga pronto: *llamarada.*
— cosa que dura poco: *llamarada de petate.*
2. Ardor debido a una gran pasión o un fuerte deseo de alguien.
— *Él dijo que desde que conoció a Laura ha sentido la llama del amor.*
3. Variedad de mamífero rumiante americano.
— *Las llamas pertenecen a la familia de los camélidos y al género auquenia.*

llamar 1. Decir el nombre de un animal o persona o emitirles señales y ruidos para que presten atención. ❖ CALLAR.
— *Llamó al muchacho que vendía periódicos y le compró uno.*
— gesto o expresión usada para establecer comunicación: *llamada.*
2. Convocar, citar, pedir u ordenar a alguien que asista a un lugar. ☞ **convocar.** ❖ DESPEDIR.
— *Cuando estalló la guerra, llamaron a filas a los reservistas.*
— convocatoria, invitación, aviso: *llamada, llamado, llamamiento.*
3. Marcar un número telefónico, tocar una puerta, un timbre, una campana, un silbato o algo similar para establecer comunicación.
— *Llama por teléfono a tu mamá y le dices que te vamos a llevar al cine y después te dejamos en tu casa.*
4. Atraer a alguien, apetecer algo. ❖ APLACAR.
— *Los chocolates le llaman, pero no los dulces.*
— hacer que alguien le ponga atención: *llamar la atención de.*
— que llama la atención por peculiar o extravagante: *llamativo.*
— hacerle ver a alguien con firmeza o dureza su equivocación o su responsabilidad: *llamar la atención a.*
— regaño: *llamada de atención.*

5. Ponerle nombre a algo o a alguien.
— *Cuando nació mi hermana la llamaron Carmen.*
— tener por nombre: *llamarse.*

llano, -na 1. Que es liso, parejo o uniforme, que no tiene desniveles. ☞ **uniforme.** ❖ ACCIDENTADO, MONTAÑOSO.
— *La nueva autopista está construida en una superficie extensa y llana.*
2. Llanura o terreno plano, sin desniveles, ni barrancas ni montañas.
— *Guadalajara está situada sobre un llano.*
3. Que es sencillo y simple algo; que es afable, campechano y franco alguien. ❖ DIFÍCIL.
— *Aunque tiene tres carreras, es una persona llana y amable.*

llanta 1. Cubierta externa, habitualmente de goma, que rodea el rin de las ruedas de algunos vehículos. ☞ **rueda, neumático.**
— *Cuando regresaba de Toluca, se le ponchó una llanta al coche.*
— lugar donde venden llantas: *llantera.*
— lugar donde arreglan llantas: *vulcanizadora.*
2. Tubo circular de hule que inflado sirve de flotador en el agua.
— *Tiene miedo al mar y sólo se mete con llanta.*
3. Porción de grasa que se acumula alrededor de la cintura.
— *Tengo que ponerme a dieta porque ya tengo llantas.*

llanto Lloro, acompañado muchas veces de sollozos. ☞ **sollozo, lloro.** ❖ RISA.
— llorar mucho: *anegarse en llanto, deshacerse en llanto.*

llave 1. Objeto que se introduce en una cerradura para abrirla o cerrarla. ☞ **ganzúa, llavín.**
— llave que abre y cierra cerraduras diferentes: *llave maestra.*
— cerrar: *echar llave.*
— cerrado: *bajo llave.*
— muy resguardado: *bajo siete llaves.*
— utensilio donde se guardan o se llevan las llaves: *llavero.*
2. Dispositivo que cierra el paso de agua o de gas.
— *Cierra la llave, se está desperdiciando agua.*

3. Instrumento con el que se aprietan o aflojan tuercas o algo similar.
— *No pude cambiar la llanta ponchada porque no tenía llave de cruz ni gato.*
— llaves para realizar composturas: *inglesa, española, de cruz, de tuercas, perico, combinada, Steelson, Allen.*
4. Símbolo musical que se pone al principio del pentagrama; válvula de metal de los instrumentos de viento.
— *Esa pieza está en llave de sol.*
5. Forma de inmovilizar a alguien con el que se está peleando.
— *Ese luchador es experto en hacerles llaves alemanas a sus contrarios.*
6. Clave o medio que sirve para descubrir o lograr algo secreto u oculto.
— *Explícame el problema y así tendré la llave para resolver ese misterio.*

llegar 1. Empezar a estar en el sitio al que se dirigía algo o alguien, extenderse algo o alguien hasta cierto límite o empezar a suceder alguna cosa. ☞ **arribar, venir.** ❖ MARCHAR, PARTIR, DETENER.
— *Siempre llega puntual a la primera clase.*
— ascender: *llegar alto.*
2. Alcanzar el fin o la meta perseguidos, tener algo o alguien cierto límite de medida o crecimiento o tener algo o alguien la medida, la calidad o el talento para algo. ❖ PERDER, DESPERDIGAR.
— *Si sigue trabajando así llegará a ser un gran físico.*
— alcanzar un futuro prometedor: *llegar lejos.*
— tener alguien que enfrentarse a una situación muy difícil o morirse: *llegarle la hora.*
— acercarse una persona a otra o a alguna cosa: *allegarse.*
— coquetearle o enamorar a alguien: *llegarle.*

llenar 1. Poner o haber en un sitio gran cantidad de algo o reunir a muchas personas en un lugar. ☞ **inundar, colmar, saturar.** ❖ VACIAR, QUITAR, SACAR.
— *Ya llené el tanque de gasolina del coche.*
— quedar un lugar ocupado por completo o casi en su totalidad: *llenarse.*

— que está ocupado totalmente por personas o cosas: *lleno.*

— gran asistencia de espectadores en un local: *lleno total.*

— íntegramente: *de lleno.*

2. Satisfacer plenamente los deseos, aspiraciones o el hambre de alguien o colmarlo dándole cosas en abundancia; hartar a alguien de bebida o comida.

— *Sus besos y caricias lo llenaron de júbilo y alegría.*

— comer o beber hasta saciarse: *llenarse.*

— sentir alguien una sensación o emoción muy intensa: *llenarse.*

3. Cumplir o desempeñar algo o alguien ciertos compromisos u obligaciones; escribir en los blancos de un texto los datos que se requieren.

— *¿Llena usted los requisitos?*

llevar 1. Trasladar algo o a alguien de un sitio cercano a otro más alejado. ☞ **trasladar, transportar.** ❖ TRAER, DETENER, PARAR.

— *Llevó hasta el piano en la mudanza.*

— arrastrar algo o a alguien, arrancarlo o quitarlo de su lugar con violencia, robar: *llevarse.*

2. Servir algo de medio para llegar a determinado lugar; conducir, guiar o dirigir a alguien o algo en cierta dirección para alcanzar un objetivo.

— *Esta escalera lo llevará a la torre.*

— tener trato una persona con otra: *llevarse.*

— dejarse influir una persona por otra: *dejarse llevar.*

— generar alguien consecuencias negativas sobre otro: *llevarse por delante a, llevárselo entre las patas.*

— tener afinidad: *llevarse bien.*

3. Haber pasado alguien cierto tiempo en determinada situación u ocupar algo determinado tiempo o energía para su logro. ❖ FALTAR.

— *Llevan veinte años de casados.*

— efectuarse o realizarse algo: *llevarse a cabo o llevar a cabo, llevar adelante.*

— tardar: *llevar tiempo.*

— estar en desventaja: *llevar las de perder.*

—estar en ventaja: *llevar las de ganar.*

4. Tener alguien que dirigir o encargarse de un negocio o asunto.

— *Llevó la contabilidad de la fábrica durante toda su vida.*

5. Usar o tener puesta una prenda de vestir, un adorno o arreglo una persona, tener algo una cosa entre sus componentes.

— *Lleva el pelo largo, playera, pantalón azul y tenis blancos.*

— tener de nombre: *llevar el nombre de.*

—titularse algo: *llevar por título, llevar de título, llevar el título de.*

6. Tener una cosa o persona ventaja o mayor cantidad de algo.

— *Le lleva muchos años a su hermano.*

7. Seguir alguien una acción que se está desarrollando o tener cierta actitud sobre algo.

— *Llevaba la cuenta de las horas que pasaban desde que ella se fue.*

— obtener o recibir algo por haber hecho cierta cosa: *llevarse.*

llorar Derramar lágrimas los ojos de alguien. ☞ **sollozar, plañir.** ❖ REÍR.

— derramar muchas lágrimas: *llorar como una Magdalena, llorar a moco tendido, llorar a lágrima viva, deshacerse en llanto, deshacerse en lágrimas.*

— llorar con intenso pesar: *llorar lágrimas de sangre.*

— llorar desganada y débilmente: *lloriquear.*

— acción y resultado de lloriquear: *lloriqueo.*

— efusión de lágrimas: *lloro, llanto, lloriqueo, llorera, llorido.*

— que va a llorar o que acaba de llorar: *lloroso.*

— que llora mucho: *llorón.*

— gesto que precede al llanto: *puchero.*

— suplicar, rogar: *hacer la llorona.*

lluvia 1. Gotas de agua que caen de las nubes a la tierra. ☞ **aguacero, chubasco.** ❖ SEQUÍA.

— caer gotas de agua de las nubes: *llover.*

— llover abundantemente: *llover a cántaros, caer un chaparrón, caer un aguacero.*

— lluvia abundante y fuerte: *aguacero, chaparrón, chubasco, diluvio.*

— llover días y días sin parar: *diluviar.*

— que llueve mucho, tratándose de un lugar o del tiempo: *lluvioso, llovioso, pluvioso.*

— situación de continua lluvia en un lugar: *llovedera.*

— fenómeno atmosférico que incluye lluvia, descargas eléctricas, viento, y en ocasiones granizo: *tempestad.*

— tiempo de lluvia persistente: *temporal.*

— zona donde sólo llueve durante una estación: *tierra de temporal.*

— lluvia escasa: *chipi chipi, llovizna.*

— llover unas cuantas gotas: *chispear, lloviznar, caer un chipi chipi.*

— aparato para medir la lluvia: *pluviómetro, udómetro.*

— estar terriblemente mojado por la lluvia: *estar hecho una sopa, estar calado o empapado hasta los huesos.*

— protegerse de la lluvia: *guarecerse.*

— dejar de llover: *escampar, amainar.*

— objeto que protege de la lluvia: *paraguas.*

— que no lo penetra el agua: *impermeable.*

— ropa especial que protege de la lluvia: *impermeable.*

— cubrirse de agua algo: *inundarse.*

2. Conjunto de cosas que caen o llegan al mismo tiempo.

— *En navidad el bebé recibió una lluvia de regalos.*

— llegar a alguien cierta cosa en abundancia: *lloverle o llover.*

— repetirse alguna cosa desafortunada o molesta: *llover sobre mojado.*

— llegarle a alguien una racha de buena suerte: *lloverle en la milpita o estar lloviendo en la milpa.*

M

mabinga Estiércol.

maca 1. Magulladura que sufre cualquier clase de fruta al tratarse con descuido. ☞ **mancha.**
— *Esas uvas las venden a mitad de precio porque tienen maca.*
2. Pequeño daño que sufren las telas, cordones y otros objetos. ☞ **imperfección.**
— *Se nota que tu vestido tiene años de uso, sus macas se distinguen a simple vista.*
— magullar: *macar.*

macabro, -bra Que pertenece o se relaciona con los aspectos repulsivos de la muerte. ☞ **fúnebre, tétrico, lúgubre.**
— baile característico de la Edad Media a través del cual se disipaba el miedo a la muerte: *danza macabra.*

macadam Sistema de pavimentación, en el que piedras machacadas se comprimen con rodillos.
— pavimentar a base de piedras machacadas y a presión: *macadamizar.*

macana 1. Entre los indígenas precolombinos, arma de madera con filo de piedra.
— *Ante los cañones españoles los indígenas utilizaron macanas.*
2. Cualquier tipo de garrote grueso, especialmente los usados por la policía. ☞ **garrote.**
— *Los guardias dispersaron a los manifestantes amenazándolos con sus macanas.*
— golpe dado con una macana: *macanazo.*
— que utiliza una macana para agredir: *macaneador.*
— golpear con macana: *macanear.*

macarelo Nombre con que se le designa a quien gusta de armar pleitos. ☞ **pendenciero, macareno, bravucón.** ❖ PACÍFICO.

macarrón 1. Pasta alimenticia de harina de trigo en forma cilíndrica.
— *Los macarrones con salsa boloñesa son deliciosos.*
2. Dulce elaborado con azúcar, leche y frutas. ☞ **jamoncillo.**
— *En este pueblo se venden deliciosos macarrones de almendra.*

macear Dar golpe con un mazo. ☞ **golpear.** ❖ ACARICIAR.

— machacar: *macear.*
— que macea: *maceador.*

macerar 1. Ablandar una cosa golpeándola o estrujándola. ☞ **moler, machacar.**
— *Para que el pastel quede muy suave es necesario macerar los ingredientes.*
— máquina que sirve para extraer la parte líquida de la remolacha y la caña: *macerador.*
2. Mantener una sustancia sólida dentro de algún líquido para extraerle así las sustancias solubles que contiene.
— *El experimento consiste en macerar los minerales para obtener la sustancia deseada.*
3. Hacerse daño corporal en demostración de amor divino o por penitencia. ☞ **mortificar.**
— *En algunas órdenes religiosas, macerarse es una práctica común.*
— que ha sido golpeado o machacado: *macerado.*

macero Persona que porta la maza como símbolo de dignidad y va a la cabeza en actos públicos y procesiones o precediendo a algún dignatario. ☞ **maza.**

macetero Soporte o mueble de hierro en el que se colocan macetas.
— maceta grande: *macetón.*
— martillo corto de dos bocas, utilizado para golpear la punta o cincel de los canteros: *maceta.*
— martillo para clavar estacas o derribar obstáculos: *maceta.*
— golpear con una maceta: *macetear.*
— persona de piernas cortas y gordas: *macetuda.*
— cabeza: *maceta.*
— expresión que afirma que una persona no puede avanzar más allá de sus cualidades: *quien nace para maceta no pasa del corredor.*

macilento, -ta Flaco, débil, demacrado. ☞ **triste, desvaído, cadavérico, pálido, desencajado.**

macillo Cada uno de los pequeños mazos que, en un piano, se mueven al pulsarse las teclas, para de esta manera tañer las cuerdas.

macizo, -za 1. Sin huecos, compacto. ☞ **lleno.** ❖ HUECO, VACÍO.

— *Esta es la mejor dulcería porque vende chocolates macizos.*
2. Pesado. ☞ **sólido.** ❖ LIGERO, LIVIANO.
— *No podemos cargar esas tablas pues están muy macizas.*
3. Idea bien fundamentada.
— *Ganó el debate ya que sus argumentos siempre fueron macizos.*
4. Parte de una pared que se localiza entre dos huecos.
— *El arquitecto solucionó el problema, diseñando un macizo para la construcción.*
5. Conjunto de edificios.
— *Los urbanistas dividen la remodelación de la unidad habitacional por macizos.*
6. Conjunto de flores, arbustos y/o árboles en los jardines.
— *El parque se ve muy bonito con los macizos de dalias y begonias.*
7. Grupo de montañas.
— *El macizo central impide el paso de los vientos del Norte.*
— llenar lo hueco: *macizar.*
— que es fuerte y robusto: *macizo.*

macolla Conjunto de tallos, flores o espigas que nacen de un mismo pie. ☞ **macollo.**

macón Panal reseco y sin miel, de color verdoso o pardo obscuro.

macona Cesta grande.

macrobiótica Arte de vivir muchos años gracias a cuidados alimenticios y corporales especiales.
— entre los antiguos griegos, país mítico en el cual se vivían mil años de juventud: *macrobio.*
— longevidad: *macrobiosis, macrobiotia.*

macrocosmos 1. Algunas doctrinas filosóficas llaman así al universo y le atribuyen espíritu y vida propia. ❖ MICROCOSMOS.
— *Según los místicos, el individuo debe estar en armonía con el macrocosmos.*
2. El universo en lo general, en oposición a lo individual.
— *Los verdaderos profetas pueden comprender al macrocosmos en su totalidad.*

macroscópico Que es visible a simple vista. ❖ MICROSCÓPICO.

macruro, -ra 1. Grupo de crustáceos que tiene el abdomen alargado como una cola.
— *El cangrejo, el langostino y las langostas son macruros.*
2. Cualquier animal de cola prolongada o planta que tiene espigas muy largas.
— *Los botánicos se encuentran en la selva localizando plantas macruras para estudiarlas.*

macsura Es el lugar especial dentro de las mezquitas que se le reserva, durante las oraciones públicas, a las personas de importancia como el imán o el califa.

macuache 1. Indígena que no tiene educación formal alguna. ☞ **macuachi.**
— *Algunos escritores del siglo XIX se referían a los indígenas como macuaches.*
2. Tonto. ☞ **bruto, animal.** ❖ EDUCADO, INSTRUIDO, CULTO.
— *Aparenta mucha educación, pero cuando habla es un macuache.*

macuba 1. Tabaco de olor particular que se cultiva en la isla de Martinica.
— *Él sólo fuma puros de macuba, así que no le ofrezcas de otro tipo.*
2. Insecto de color verde brillante que despide un olor parecido al del tabaco macuba.
— *Se puede detectar fácilmente donde hay macubas, pues el olor que expelen los delata.*

macuca 1. Planta de flores blancas que crece en peñascos y montañas.
— *En algunas zonas de España abundan las macucas.*
2. Arbusto de fruta pequeña y sin sabor.
— *El jardinero poda las macucas para que crezcan frondosas.*

mácula 1. Señal que por descuido o suciedad queda en algún objeto. ☞ **mancha.** ❖ **impoluto.**
— *El inspector siempre revisa que los uniformes estén sin mácula.*
— ensuciar, manchar: *macular.*
2. Que afea o resta valor a algo.
— *La única mácula en la toma de posesión del rector fueron los gritos de sus oponentes.*
— impreso que sale defectuoso o borroneado: *maculatura.*
— acción y resultado de ensuciar: *maculación.*
3. Las manchas que se aprecian en el Sol y la Luna.
— *El astrónomo prepara los resultados de su investigación sobre las máculas solares.*

4. Estado anormal de la piel que presenta partes más oscuras que otras, sin que exista elevación o dolor de la misma. ☞ **mancha.**
— *La dermatóloga le recetó una pomada para borrar las máculas que tiene en el brazo.*

macuto Mochila o morral de tejido resistente que usan los soldados para transportar su equipo y alimentos. ☞ **zurrón, bolsa.**

macha Mujer de carácter fuerte y viril.
— *Cuando recibió la mala noticia se hizo la muy macha y no lloró.*

machacar 1. Golpear una cosa para ablandarla o triturarla. ☞ **macerar, moler.**
— *Debes machacar todas las nueces para preparar el panqué.*
— instrumento que sirve para moler o triturar: *machaca, machacador, machacadera.*
2. Insistir, porfiar. ☞ **repetir.**
— *Para que los alumnos no se quedaran con dudas, el maestro machacó los conceptos durante toda la clase.*
— máquina o instrumento para moler: *machacadora.*
— persona insistente, inoportuna o repetitiva: *machacona.*
— pesadez, insistencia inoportuna: *machaconería.*
— soldado que está al servicio de un sargento: *machacante.*

machada 1. Grupo de machos cabríos.
— *El pastor cuida muy bien a su machada.*
2. Acción que denota valor, arrojo.
— *Romper la ventana con su cuerpo para escapar del fuego fue una machada digna de recordarse.*
— hacha que sirve para cortar madera: *machada, machado.*

machar Moler. ☞ **machacar.**

machear Fecundar el macho a la hembra.
— engendrar los animales más machos que hembras: *machear.*

machero Se le llama así al árbol joven del alcornoque.

machete Arma blanca pesada, ancha y de un solo filo.
— golpe dado con un machete: *machetazo.*
— herida producida por un machete: *machetazo.*
— clavar estacas: *machetear.*
— trabajador del campo: *machetero.*
— estudiar con ahínco: *machetear.*
— estudiante poco brillante, pero muy cumplido: *machetero.*
— navaja grande: *machetona, macheta.*

machiega Abeja reina. ☞ **abeja, miel.**

machihembrar Embonar perfectamente dos piezas de madera. ☞ **encajar.**
— ensamblaje: *machihembrado.*

machina 1. Grúa que sirve para trabajos pesados y se usa sobre todo en los puertos.
— *Los estibadores del muelle no saben como manejar la nueva machina.*
2. Martillo mecánico que sirve para clavar estacas.
— *Para cercar el territorio se utilizará una machina.*

macho 1. Miembro de cualquier especie de sexo masculino. ☞ **varón.** ❖ HEMBRA, MUJER.
— *En la caballeriza sólo es necesario un macho para fecundar a todas las yeguas.*
2. Flor que sólo tiene estambres y fecunda a otras con su polen.
— *El clavel macho es muy escaso en el invernadero.*
3. Pieza que penetra, engancha o embona en otra de manera total o parcial.
— *Hay que cambiar los machos de las tuercas pues ya no sostienen al motor de la compresora.*
4. En las herrerías, se le llama así al mazo grande, al yunque cuadrado y al banco que sostiene el yunque.
— *Toda la tarde oímos el golpetear del macho en los nuevos herrajes.*
5. En los trajes de luces, borlas de la chaquetilla y cordones que sostienen el calzón por debajo de la rodilla.
— *Este traje es muy caro porque los machos son de oro.*
— hombre que hace alarde de sus características varoniles: *macho.*
— individuo muy brusco: *machote, machorrón.*
— mujer con características masculinas: *machona, machorra.*
— que pertenece al macho o se relaciona con él: *machuno.*
— conjunto de ideas que sitúan a la mujer en un plano inferior al del hombre: *machismo.*
— obstinarse neciamente: *montarse en su macho, subirse en su macho.*
— guiso preparado con intestinos de la res: *machitos.*

machón Pilar de alguna construcción, generalmente de fábricas.

machorra Hembra estéril. ☞ **infecunda.** ❖ FECUNDA.
— que no da frutos: *machorro.*

machote, -ta 1. Muy hombre. ☞ **viril.** ❖ AFEMINADO.
— *Para cruzar la selva hay que ser muy machote.*

— mujer con características hombrunas: *machota.*

— lesbiana: *machota.*

— alardear de ser muy masculino: *dárselas de machote, dárselas de macho.*

2. Modelo para realizar algo, en especial documentos y escritos. ☞ **patrón.**

— *Ya no tenemos que elaborar el contrato, usaremos los machotes que venden en la papelería.*

machucar 1. Desmenuzar. ☞ **machacar.** ❖ UNIR.

— *Te pedí nueces enteras, no machucadas.*

2. Golpear causando contusiones y/o heridas. ☞ **magullar.**

— *Las frutas llegaron todas machucadas debido al maltrato de los transportistas.*

— herida o contusión: *machucón.*

— acción y resultado de golpear algo: *machucón, machucadura, machucamiento.*

madeja Manojo de hilo o estambre enrollado en sí mismo. ☞ **rollo, ovillo.**

— cabellera: *madeja.*

madera (vea ilustración de la p. 407). 1. Parte sólida y leñosa que se encuentra debajo de la corteza de los árboles.

— *La madera de los pinos es muy resinosa.*

2. Sustancia sólida de los árboles cortada para diferentes usos. ☞ **tabla.**

— *Vamos a cubrir la terraza con esas maderas.*

— árbol cuya madera es útil al hombre: *maderable.*

— conjunto de maderas que se usan en una construcción: *maderaje, maderamen, maderación.*

— lugar donde se almacena y vende madera: *maderería.*

— sitio donde se construyen muebles y objetos con madera: *carpintería.*

— artesano que trabaja la madera: *tallador, carpintero.*

— comerciante en maderas: *maderero.*

— que pertenece a la madera o se relaciona con ella: *maderero.*

— madera para encender lumbre: *leño, leña.*

— tipos de madera según su uso: *tabla, tablón, viga, travesaño, plancha, estaca, palo, poste, puntal, soporte, entibo, mástil, taco, durmiente, pilote, columna.*

— clases de madera: *dura, blanda, preciosa, exótica, fina, blanca, tintórea y resinosa.*

— fragmentos de madera: *aserradu-*

ra, pedazo, recorte, astilla, esquirla, viruta.

— poseer facultades innatas para cierta actividad: *tener madera de.*

— ahuyentar la mala suerte: *tocar madera.*

madre 1. Hembra que ha parido. ☞ **mamá.** ❖ PAPÁ.

— *Esos niños son muy agresivos ya que su madre los abandonó.*

2. Origen, causa o raíz de algo.

— *La antigua Grecia es la madre de la cultura occidental.*

3. Título de ciertas religiosas.

— *Mi hermana es la madre superiora de este convento.*

— respecto de los hijos de un varón el nombre que recibe la mujer en segundo matrimonio: *madrastra.*

— estar muy borracho o muy drogado: *hasta la madre.*

— estar harto: *hasta la madre.*

— accidentarse seriamente: *darse en la madre.*

— expresión de asombro y sorpresa: *¡en la madre!*

— que es muy bueno: *a toda madre, de poca madre.*

— despreciable, poco valioso: *una madre.*

— estar en un sitio muy lleno: *hasta la madre.*

— Eva, mujer de Adán: *primera madre.*

— nodriza: *madre de leche.*

— lecho de un río: *salirse de madre.*

— idioma que da origen a otros: *lengua madre.*

— primer idioma de una persona: *lengua madre.*

— país que coloniza otras tierras dejando parte de sus características en ellas: *madre patria.*

— piezas centrales de madera de cualquier objeto, mecanismo o construcción: *madre.*

— nata del vinagre o el vino: *madre.*

— golpe muy fuerte: *madrazo.*

— golpearse, pelearse físicamente: *madrearse.*

— golpiza: *madriza.*

— objeto insignificante: *madrecita, madrolita.*

— mujer que regenta prostitutas y/o prostíbulos: *madrota.*

madreperla Molusco abundante en América y Asia del que se extraen las perlas y la concha nácar.

madrépora Organismo marino poroso que con el tiempo se expande y petrifica dando origen a escollos e islas en el océano Pacífico.

— tumor dental rugoso con orificios y/o depresiones: *madrepórico.*

madreselva Planta trepadora, silvestre o cultivada, cuyas flores son amarillentas o rosáceas y poseen un olor característico e intenso.

madrigal 1. Poesía breve donde se expresan sentimientos de manera refinada.

— *Gutierre de Cetina escribió el madrigal más famoso de la lengua española.*

2. Composición musical para voces sin acompañamiento de instrumentos, que por lo general se basa en textos poéticos.

— *En el recital los tenores interpretarán varios madrigales.*

— elegante, delicado: *madrigalesco.*

— compositor de madrigales: *madrigalista.*

— cantante de madrigales: *madrigalista.*

madriguera 1. Cueva donde habitan animales. ☞ **cubil.**

— *El perro olfateó la madriguera inmediatamente.*

2. Lugar donde se reúnen o esconden maleantes. ☞ **guarida, escondrijo.**

— *La policía encontró la madriguera de los raptores.*

madrina 1. Mujer que apoya y refrenda un acto de tipo religioso o civil.

— *Mi madrina de bautismo siempre me habla por teléfono.*

2. Mujer que con su presencia engalana y desea buena suerte en el inicio de alguna actividad o empresa.

— *No podemos inaugurar la tienda porque la madrina aún no ha llegado.*

3. Mujer que protege y ayuda a alguien en cierta actividad.

— *Esta actriz ha destacado rápidamente porque una mujer influyente le sirve de madrina.*

— título o cargo de madrina: *madrinazgo.*

madroño Arbusto de fruto comestible, parecido a la cereza.

— adorno en forma redondeada usado en vestidos y sombreros: *madroño.*

— sitio plantado con madroños: *madroñal, madroñera.*

madrugada 1. El tiempo que transcurre a partir de la medianoche hasta el amanecer.

— *Aunque debían levantarse temprano, siguieron de fiesta hasta la madrugada.*

2. Primeras horas de la mañana. ☞ **alba.**

— *Regresa a comer a su casa porque comienza sus labores de madrugada.*

— al amanecer: *de madrugada.*

— expresión que recomienda pacien-

madera

MADERAS BLANDAS

cedro rojo oriental

abeto Douglas

pinabete occidental

secoya

pino ponderosa

pino azucarero

pino blanco

picea sitka

Se llama "madera blanda" a la de las coníferas (perennes).

Se llama "madera dura" a la de los árboles angiospermos (caducifolios).

MADERAS DURAS

fresno blanco

álamo temblón

tilo americano

haya americana

abedul amarillo

cerezo negro

olmo

liquidámbar

casia

arce azucarero

roble rojo

roble blanco

plátano americano

tulípero

nogal negro

sauce negro

☞ sinónimos o referencias ❖ antónimos u opuestos afines

cia: *no por mucho madrugar amanece más temprano.*

— expresión que subraya las virtudes del trabajo: *al que madruga Dios lo ayuda.*

— que despierta temprano: *madrugador.*

— levantarse temprano: *madrugar.*

— ganar tiempo o posición en forma poco ética: *madrugar.*

madurar 1. Alcanzar su sazón los frutos. ❖ INMADURO, VERDE.

— *La recolección empieza cuando los manzanos están a punto de madurar.*

2. Reflexionar de manera detenida una idea o proyecto. ☞ **meditar.**

— *Por el momento no tenemos una respuesta, estamos madurando distintas ofertas.*

3. Lograr una persona juicio y prudencia a través de las experiencias. ☞ **crecer.**

— *Ya no hace tantas locuras pues ha madurado.*

— que ha desarrollado o posee todas las facultades: *maduro.*

— acción de madurar: *maduración.*

— estar presente en las buenas y en las malas temporadas: *en las duras y en las maduras.*

— periodo comprendido entre la juventud y la vejez: *madurez.*

4. Activar la supuración de abscesos y tumores.

— *El médico le recetó una medicina que maduró el absceso que tenía.*

maestranza Nombre que se le da al conjunto de obreros, herramientas y al local donde se construyen y reparan piezas de artillería.

— sociedad honorífica que en sus orígenes se creó para entrenar a sus miembros en el arte de la equitación: *maestranza.*

maestre Grado superior que ostentan ciertos militares en algunas órdenes del ejército.

— dignidad y territorio de un maestre: *maestrazgo.*

maestría 1. Habilidad para desempeñar cualquier labor. ☞ **destreza, aptitud, pericia.** ❖ INEXPERIENCIA, INEPTITUD, IGNORANCIA.

— *El pianista demostró su maestría al interpretar una dificilísima sonata.*

2. Título de maestro.

— *Todos los investigadores del instituto tienen por lo menos grado de maestría.*

maestro, -tra 1. Persona que enseña un arte, ciencia u oficio. ☞ **preceptor, profesor, instructor, catedrático.**

— *Ella es maestra de inglés en mi escuela.*

— profesor de pocos méritos: *maestrillo.*

2. Perito en alguna materia. ☞ **experto.** ❖ NEÓFITO, APRENDIZ, PRINCIPIANTE.

— *Pregúntale a él, es un maestro con el balero.*

3. Que posee mérito excepcional.

— *Este cuadro es una obra maestra dentro de la pintura contemporánea.*

4. Nombre que recibe el trabajador que conoce un oficio a fondo.

— *El maestro plomero arreglará todas las fugas de la tubería.*

— persona encargada de dirigir y coordinar una empresa, labor o acto: *maestro de ceremonias.*

5. Parte principal de algún mecanismo o construcción.

— *La máquina no puede funcionar porque el engranaje maestro se rompió.*

— llave que puede abrir todas las cerraduras de un local: *llave maestra.*

mafia 1. Organización secreta de maleantes. ☞ **pandilla, banda.**

— *Los narcotraficantes han formado una mafia indestructible.*

2. Cualquier grupo de personas que acaparan los puestos y actividades de alguna profesión u ocupación.

— *El ambiente teatral está dominado por una mafia que impide el surgimiento de nuevos grupos.*

— que pertenece a una mafia: *mafioso.*

— delincuente: *mafioso.*

magia 1. Arte que por medios misteriosos pretende producir cosas sobrenaturales. ☞ **hechicería, brujería, nigromancia.**

— *En las civilizaciones antiguas se realizaban actos de magia para propiciar las lluvias.*

— que pertenece a la magia o se relaciona con ella: *mágico.*

— maravilloso: *mágico.*

— que se dedica a la magia: *mago*

— arte de producir eventos maravillosos con elementos naturales: *magia blanca.*

— arte de provocar hechos extraordinarios invocando la ayuda del demonio: *magia negra.*

2. Poder de seducción de algo o de alguien. ☞ **encanto.**

— *Mis hijos quedaron atónitos ante la magia del espectáculo teatral.*

magín Imaginación. ☞ **talento.**

— imaginar: *magiar.*

magisterio 1. Profesión y cargo de maestro.

— *Desde muy joven decidió dedicarse al magisterio.*

2. Conjunto de profesores de una región o país. ☞ **profesorado.**

— *El magisterio pide un aumento salarial.*

— título o grado de profesor: *magisterio.*

— que pertenece al magisterio o se relaciona con él: *magisterial.*

magistrado Autoridad civil con poderes para juzgar. ☞ **juez, consejero.** ❖ REO, CULPADO.

— tribunal o consejo de justicia: *magistrado.*

magistral 1. Que pertenece al ejercicio del magisterio o se relaciona con él. ☞ **magisterio.**

— *El cambio de programa de estudios es un asunto magistral que hay que tratar cuidadosamente.*

2. Hecho a la perfección. ☞ **magnífico.**

— *El retrato está hecho con trazos magistrales.*

magistratura Oficio y dignidad de magistrado. ☞ **magistrado.**

— tiempo que dura el cargo de magistrado: *magistratura.*

— conjunto de jueces o consejeros en asuntos de justicia: *magistratura.*

magma 1. Masa mineral pastosa del interior de la tierra que al solidificarse da origen a diferentes rocas.

— *El pedregal de San Ángel se originó con la erupción de gran cantidad de magma hace muchos siglos.*

— magma volcánica: *lava.*

2. Residuo de cualquier substancia al ser exprimida.

— *En el experimento se utiliza sólo el magma de los ácidos.*

magnánimo, -ma Que se distingue por su bondad y generosidad. ☞ **noble, bienhechor.** ❖ VIL, RUIN, INFAME.

— generosidad: *magnanimidad.*

— de forma magnánima: *magnánimamente.*

magnate Persona de mucha importancia generalmente por su poder económico. ☞ **potentado.** ❖ DESCONOCIDO.

magnesio Metal de aspecto similar a la plata y que se utiliza en la elaboración de aleaciones ligeras.

— óxido de magnesio que sirve como purgante: *magnesia.*

magnetismo 1. Conjunto de fenómenos de atracción y repulsión en los imanes y corrientes eléctricas.

— *En el laboratorio se experimenta con el comportamiento de ciertos líquidos frente al magnetismo.*

2. Poder de atracción que ejercen

ciertas personas sobre alguien o algo. ☞ **fascinación.**

— *La novia dejó magnetizados a todos con su bello vestido.*

— transmitir la propiedad magnética: *magnetizar.*

— atraer, dominar algo o alguien: *magnetizar.*

— hipnotizar: *magnetizar.*

— susceptible de convertirse en magnético: *magnetizable.*

— acción de magnetizar: *magnetización.*

— imán: *magnetita.*

— fenómeno natural por el cual una aguja inmantada se orienta instatáneamente hacia el norte: *magnetismo terrestre.*

— hipnosis: *magnetismo animal.*

magneto Aparato generador de electricidad de alta potencia; se usa en los motores de ignición y en la telefonía. ☞ **transformador, bobina, generador.**

magnetófono Aparato que utilizando un electroimán reproduce y graba sonidos. ☞ **magnetofón.**

magnicidio Asesinato de una persona poderosa o ilustre.

— que comete un magnicidio: *magnicida.*

magnificar Engrandecer, enaltecer. ☞ **elogiar, glorificar, alabar.** ❖ HUMILLAR, REBAJAR.

magnificencia 1. Suntuosidad. ☞ **fastuosidad.** ❖ SENCILLEZ.

— *Se recibió al presidente con magnificencia.*

2. Generosidad. ☞ **esplendidez, liberalidad.** ❖ SOBRIEDAD.

— *Es tan rica que gasta con magnificencia cada vez que hace una fiesta.*

magnífico, -ca 1. Digno de admiración por ser rico, bello y suntuoso. ❖ SENCILLO, MODESTO.

— *Este cuadro renacentista es magnífico.*

2. Excelente, admirable en virtudes tanto espirituales como intelectuales.

— *Era natural que ganara la beca, es un magnífico alumno.*

— grande: *magno.*

magnitud 1. Tamaño de algo material o inmaterial. ☞ **dimensión, cantidad.**

— *Todavía no se ha considerado la magnitud de los desastres causados por el huracán.*

2. Importancia de una cosa. ☞ **trascendencia, alcance.**

— *Debemos asistir a la asamblea pues su magnitud es incalculable.*

magnolia Árbol americano de la familia de las magnoliáceas, cuyas flores

son blancas y despiden un agradable aroma; existen alrededor de treinta diferentes especies de ellos.

mago, -ga Persona que ejerce la magia. ☞ **magia.**

magro, -gra 1. Flaco. ☞ **enjuto.** ❖ GORDO.

— *Se ve magro debido a su enfermedad.*

2. Carne sin grasa.

— *Esta carne está muy buena porque es totalmente magra.*

— calidad de magro: *magrez, magrura.*

maguey Nombre que reciben varias especies de plantas de la subfamilia de las agavoideas cuyas hojas carnosas terminan en punta; de ella se extraen substancias para preparar bebidas embriagantes y objetos textiles. ☞ **agave.**

— plantío de magueyes: *magueyal, magueyera.*

magullar Contusionar un cuerpo golpeándolo o apretándolo.

— golpe, contusión, cardenal: *magulladura, magullamiento, magullón.*

mahometano, -na Que pertenece a la religión fundada por Mahoma o se relaciona con ella. ☞ **musulmán, islámico.**

maicena Harina fina de maíz. ☞ **fécula de maíz.**

maitre Encargado en jefe del servicio de un restaurante.

maíz Planta americana de la familia de las gramíneas cuyo fruto es una mazorca comestible. ☞ **elote.**

— grano de esta planta: *maíz.*

— mazorca sin granos: *olote.*

— sembradío de maíz: *maizal.*

— vendedor de maíz: *maicero.*

majada Sitio donde pasan la noche el ganado y los pastores. ☞ **encierro, aprisco, redil.**

— estiércol animal o humano: *majada.*

majadería Dicho o hecho imprudente, necio o molesto. ☞ **grosería.**

— que dice o hace imprudencias: *majadero.*

majar Triturar. ☞ **machacar, moler.**

— fastidiar a alguien: *majarlo.*

— que está triturado: *majado.*

majestad 1. Título que se da a Dios y a emperadores y reyes. ☞ **soberano, rey.**

— *Su majestad, la reina de Inglaterra, visitará las islas próximas.*

2. Grandeza que causa admiración y respeto. ☞ **suntuosidad, magnificencia.**

— *El panorama se abría ante nuestros ojos en toda su majestad.*

— calidad de admirable y respetable: *majestuosidad.*

— imponente: *majestuoso.*

mal 1. Abreviación de malo. ❖ BIEN, CORRECTO.

— *Todo el texto está mal redactado.*

2. Contrario al deber, la virtud y el bien. ☞ **impropio.** ❖ CORRECTO.

— *No debiste pasarte la luz de alto, está mal hecho.*

3. Daño moral o material. ☞ **perjuicio, estrago, deterioro.** ❖ BENEFICIO, PROVECHO.

— *Me hizo mal comer tantas tunas.*

4. Desgracia, calamidad.

— *Con tus confesiones me haces un gran mal.*

5. Enfermedad. ☞ **achaque, dolencia, padecimiento.**

— *Los médicos todavía no pronostican qué mal le aqueja.*

6. Insuficiente, carente.

— *Te equivocas en tus argumentos, tienes mal la información.*

7. Contrario a lo esperado.

— *Todo salió mal, no llegaron los invitados.*

— deteriorarse algo paulatinamente: *ir de mal en peor.*

— dícese de lo que sucede a pesar de las adversidades: *mal que bien.*

— expresión que recomienda conformidad: *mal de muchos, consuelo de tontos.*

— enfermedad que afecta a algunas personas en grandes alturas: *mal de montaña.*

— sífilis: *mal francés.*

— pasión no correspondida: *mal de amores.*

— perjudicar a alguien: *hacerle mal.*

— dañar con maleficios o magia: *hacer mal de ojo.*

— expresar aliento y esperanza ante los obstáculos: *no hay mal que por bien no venga.*

— echarse a perder algo o alguien: *acabar mal.*

— expresión que propone solucionar algo drásticamente: *a grandes males, grandes remedios.*

— perverso: *mal nacido.*

— perjudicial: *mal intencionado.*

— de sentimientos perversos: *de mal corazón.*

malabarismo Serie de ejercicios en que se demuestra habilidad y destreza verbal o física.

— que practica el malabarismo: *malabarista.*

malacate Máquina que se usa para extraer agua o minerales de la tierra. ☞ **cabrestante.**

malacostumbrado, -da Que tiene malos hábitos o que está demasiado mimado. ☞ **malcriado.**

malagradecido, -da Ingrato. ☞ **desagradecido.**

malandanza Contratiempo o mala suerte, infortunio. ☞ **desgracia, desdicha, desventura.** ❖ DICHA, BUENA SUERTE.

— desdichado: *malandante.*

malandrín, -na Maligno, perverso. ☞ **pícaro, bribón.**

malasangre Persona que actúa con malas intenciones.

malasombra Persona que no tiene atractivo y desagrada a los demás. ❖ CARISMÁTICO.

malaventurado, -da Infeliz. ☞ **desgraciado.** ❖ DICHOSO, FELIZ.

malbaratar 1. Vender algo a un precio menor del que realmente tiene. ☞ **malvender.**

— *Tenía que pagar la hipoteca; por eso malbarató sus joyas.*

2. Dilapidar alguna riqueza. ☞ **derrochar, malgastar.** ❖ AHORRAR.

— *No malbarates tu dinero, mejor inviértelo en acciones.*

malcriado, -da Que tiene malos hábitos debido a un excesivo mimo. ☞ **malacostumbrado, descortés.** ❖ EDUCADO.

maldad 1. Calidad de malo y perverso. ☞ **infamia.** ❖ BONDAD.

— *¡Cuánta maldad hay en tu corazón!*

2. Acción injusta, ilícita, mala.

— *Hay que vigilar al niño para que no haga maldades.*

maldecir 1. Insultar. ☞ **condenar, echar maldiciones.** ❖ BENDECIR.

— *Es tan malo que hasta maldijo a su madre.*

2. Hablar mal de alguien para desacreditarlo. ☞ **injuriar, ofender.** ❖ BENEFICIAR.

— *Se divorció pues su mujer siempre lo maldecía.*

3. Demostrar irritación o queja en contra de algo o alguien. ☞ **renegar, blasfemar.** ❖ BENDECIR.

— *Está muy amargado, maldice su propio destino.*

— imprecación: *maldición.*

— persona malintencionada: *maldecido, maldito.*

— perverso: *maldito.*

— condenado: *maldito.*

— detractor, difamador: *maldiciente.*

maleable 1. Propiedad de los metales que les permite ser batidos y extendidos a manera de láminas. ☞ **flexible.** ❖ RÍGIDO.

— *El oro es un metal muy maleable.*

2. Cualidad de algunas personas de

poder ajustarse a cualquier situación. ☞ **dócil, flexible.**

— *Él se adapta fácilmente a estos cambios, es muy maleable.*

maleante Persona que hace daño a la sociedad en que vive. ☞ **malvado.** ❖ BUENO.

— ladrón: *maleante.*

malear 1. Echar a perder algo. ☞ **corromper, dañar.**

— *No comas esa fruta pues ya se maleó.*

2. Pervertir a alguien. ☞ **viciar, corromper.** ❖ BENEFICIAR.

— *No te reúnas con esa gente, porque te van a malear.*

— tornar algo malo: *malearlo.*

— persona con maña y experiencia en alguna actividad: *maleado.*

malecón Muralla para defensa contra las aguas de ríos y mares. ☞ **rompeolas.**

maledicencia Acción de hablar mal de alguien. ☞ **maldecir.** ❖ ALABAR.

— maldiciente: *maledicente.*

maleficio Daño causado con hechicería. ☞ **encantamiento, sortilegio, embrujo.**

— hechicero que hace daño con maleficios: *maléfico.*

— persona perversa: *maléfico.*

malentendido Confusión o equivocación acerca de una situación o de algo que se ha dicho. ☞ **error, equívoco.**

malestar Estado anormal e indefinible del cuerpo o del espíritu de una persona. ☞ **inquietud, angustia.** ❖ BIENESTAR.

maleta Valija para guardar y transportar diversos objetos durante los viajes. ☞ **petaca, cofre.**

— maleta grande: *maletón, baúl.*

— conjunto de maletas: *equipaje.*

— persona que vende y/o hace maletas: *maletero.*

— mozo que transporta maletas: *maletero.*

— maleta pequeña propia de algunos profesionales: *maletín.*

— persona torpe en la actividad que desarrolla: *maleta.*

malevolencia Mala voluntad. ☞ **inquina, resentimiento, ojeriza.** ❖ BENEVOLENCIA.

— inclinado a hacer el mal: *malévolo.*

— que se dedica a dañar: *malévolo.*

maleza Abundancia de hierbas nocivas que invaden los sembrados.

malformación Deformidad congénita en la constitución de los órganos y partes del cuerpo. ☞ **anomalía.**

malgastar Desperdiciar el tiempo, el

dinero, la paciencia. ☞ **despilfarrar, dilapidar.** ❖ ALMACENAR.

malgenioso, -sa Que tiene mal carácter. ☞ **iracundo.**

malhablado, -da Grosero, vulgar al hablar. ☞ **maldecir, deslenguado.** ❖ CORRECTO.

malhadado, -da Desgraciado. ☞ **infeliz, desventurado.** ❖ DICHOSO.

malhecho, -cha 1. Cuerpo contrahecho o deforme.

— *Lo someterán a varias operaciones porque está muy malhecho.*

2. Que descuida su trabajo.

— *Estas cartas tienen muchos errores, la secretaria es muy malhecha.*

malhechor, -ra Criminal. ☞ **maleante, delincuente.** ❖ BENEFACTOR.

malherido, -da Herido de gravedad. ☞ **moribundo.** ❖ SANO.

— acción de herir gravemente a alguien: *malherir.*

malhumor Estado emocional de enfado o disgusto. ☞ **irritación.**

— enojado: *malhumorado.*

— hacer enojar a alguien: *malhumorar.*

maliciar 1. Sospechar. ☞ **recelar, desconfiar.** ❖ CONFIAR.

— *Ellos maliciaban algo extraño en el asunto.*

2. Echar a perder. ☞ **dañar.** ❖ BENEFICIAR.

— *Si descuidas a tus hijos los van a maliciar.*

— calidad de malo: *malicia.*

— maldad: *malicia.*

— proceder siempre con maldad: *malicia.*

— actuar con ventaja en alguna situación: *malicia.*

— interpretar algo de manera peculiar: *con malicia.*

— poder de sutileza y penetración: *malicia.*

— con malicia: *maliciosamente.*

malicioso, -sa 1. Que contiene maldad.

— *Lo ridiculizaste de una forma muy maliciosa.*

2. Que interpreta las cosas con doble intención, generalmente sexual. ☞ **malpensado.**

— *No le cuentes nada porque es muy malicioso en sus interpretaciones.*

— que es astuto e ingenioso: *malicioso.*

malo, -la 1. Falto de bondad o de alguna cualidad que debiera poseer. ☞ **defectuoso.** ❖ BUENO.

— *Esta fruta usualmente es muy jugosa pero salió mala.*

2. Contrario a la razón, la ley, las costumbres. ☞ **reprobable.** ❖ APROBADO.

— *Para la ley el adulterio es malo.*

3. Dañino para la salud. ☞ **nocivo.** ❖ BENÉFICO.

— *Fumar es malo.*

— estar enfermo: *estar malo.*

4. Molesto. ☞ **desagradable, difícil, arduo.** ❖ FÁCIL, GRATO.

— *La muerte de un familiar lo ha hecho pasar días muy malos.*

— que es travieso, inquieto: *malo.*

— que está propenso al mal: *malo.*

— sin talento en su actividad: *malo.*

— estar enojado: *andar de malas.*

— con mala intención: *a la mala.*

— expresión que recomienda conformarse con lo que se tiene: *más vale malo conocido que bueno por conocer.*

malograr 1. No aprovechar algo. ☞ **perder.** ❖ APROVECHAR.

— *Dejó que la gran oportunidad se malograra.*

2. No realizarse aquello que se tenía planeado. ☞ **frustrarse.**

— *Su carrera política se malogró a causa de un fraude.*

3. No desarrollarse o perfeccionarse una persona o cosa. ☞ **fallar.** ❖ TRIUNFO.

— *El feto se malogró, pues la madre fumaba en exceso*

— *Los planes de venta se malograron.*

4. No llegar algo a su pleno desarrollo. ☞ **fallar.** ❖ LOGRAR.

— *Los festejos se malograron a causa de la lluvia.*

maloliente Que despide mal olor. ☞ **pestilente, apestoso.**

malparado, -da Que ha sufrido un grave daño. ☞ **vencido.** ❖ TRIUNFANTE.

— dañar a alguien: *malparar.*

malparida Mujer que ha abortado.

— feto que nace antes de tiempo: *malparido.*

— persona digna de desprecio: *malparida.*

malpensado, -da Que suele pensar negativamente. ☞ **suspicaz, receloso, desconfiado.** ❖ CONFIADO.

malquerencia Aversión, antipatía, mala voluntad. ☞ **enemistad.**

— tener mala voluntad a alguien: *malquerer.*

malquistar Provocar enemistad entre las personas. ☞ **enemistar.**

— persona que se encuentra enemistada con otra: *malquisto.*

malsano, -na 1. Que no es benéfico para la salud. ☞ **nocivo, insalubre.** ❖ SALUDABLE.

— *No debería comer estas frutas porque son malsanas.*

2. Persona propensa a las enfermedades. ☞ **enfermizo.** ❖ SALUDABLE, SANO.

— *Ella no puede ir a lugares muy fríos, ya que inmediatamente se enferma, es muy malsana.*

malsonante 1. Que suena desagradablemente. ☞ **disonante.** ❖ CONSONANTE.

— *El intérprete se equivocó, los últimos acordes fueron malsonantes.*

2. Palabra o argumento que ofende. ☞ **grosero.**

— *Es tan puritana que no soporta las frases malsonantes bajo ninguna circunstancia.*

malta 1. Cebada germinada que se usa para producir cerveza y substancias nutritivas.

— *El secreto de una buena cerveza está en la calidad de la malta utilizada en su elaboración.*

2. Pez de los mares cálidos de América de cuerpo plano y hocico largo.

— *El pescador afirmó que la malta no es comestible.*

maltratar 1. Tratar mal a alguien de palabra o de obra. ☞ **dañar.**

— *Maltrata mucho a sus perros y por eso se han vuelto contra él.*

— que ha sufrido un grave daño o se encuentra en un estado físico delicado: *maltrecho.*

— injuriar: *maltratar.*

2. Echar a perder algo. ☞ **estropear, averiar.**

— *Si saltas en el sillón lo maltratas.*

— acción y resultado de dañar algo o perjudicar a alguien: *maltrato.*

malva Planta medicinal de la familia de las malváceas cuyas flores son de color morado pálido.

malvado, -da Perverso, que gusta de hacer el mal. ☞ **malo, malicioso.** ❖ BUENO.

malvavisco Planta perenne de la familia de las malváceas cuya raíz se usa como emoliente.

malvender Vender algo con poco o ningún margen de utilidad. ☞ **malbaratar.**

malversar Emplear indebidamente el dinero ajeno que uno administra. ☞ **desfalcar, defraudar.** ❖ ESCATIMAR.

— acción y resultado de malversar: *malversación.*

malviviente Delincuente. ☞ **maleante.**

— vivir en la pobreza y sufriendo penalidades: *malvivir.*

malla 1. Tejido formado por eslabones de tela o metal que sirve para cercar un terreno.

— *El coyote entró al gallinero porque la malla estaba rota.*

2. Traje ajustado y elástico que usan deportistas y artistas.

— *Los bailarines lucían espléndidos en sus mallas moradas.*

mama Teta de los mamíferos.

— chupar la leche que contienen las mamas: *mamar.*

— niño que se nutre de la leche materna: *mamón.*

— que es perjudicial, grosero, mal visto: *mamón.*

— que pertenece a los pechos o se relaciona con ellos: *mamario.*

— instrumento para extraer la leche de los pechos de las mujeres: *mamadera.*

— biberón: *mamadera, mamila.*

— chupón: *mamadera.*

mamá Madre. ☞ **progenitora.**

— mujer muy atractiva: *mamacita, mamasota.*

mamarrachada Acción ridícula, extravagante. ☞ **grotesco.** ❖ HERMOSO.

— que actúa ridículamente: *mamarracho.*

mameluco 1. Vestimenta en que la camiseta y el calzón forman una sola pieza.

— *El niño duerme con un mameluco de lana.*

— mestizo brasileño: *mameluco.*

— calzón bombacho: *mameluco.*

— necio, torpe, tonto: *mameluco.*

2. Integrante de la clase militar que gobernó en Egipto por 700 años.

— *Los mamelucos fueron aniquilados en 1811 por Mahomet Alí.*

mamey Árbol americano de la familia de las sapotáceas cuyo fruto, del mismo nombre, contiene una carne roja, dulce y aromática.

mamífero Se le llama así a los animales cuyas hembras dan de mamar a sus crías.

mamotreto Libro o escrito muy voluminoso.

mampara Armazón rectangular cubierta de tela que sirve para dividir habitaciones o para ocultar algo. ☞ **biombo, pantalla.**

— división metálica que se usa en el interior de los barcos: *mampara.*

mamporro Golpe, puñetazo. ☞ **sopapo.**

mampostería Obra de albañilería de piedras pequeñas unidas con argamasa.

— material que se utiliza en una obra de mampostería: *mampuesto.*

— parapeto: *mampuesto.*

mamut Especie de elefante de pelaje largo y espeso que vivió durante la era cuaternaria.

maná Según la Biblia, alimento, que

por mandato divino, descendió del cielo para dar sustento a los israelitas durante su peregrinaje por el desierto.

manada Grupo de animales de la misma especie que andan juntos. ☞ **rebaño**.

manager (mánayer) Representante o administrador de una empresa; de uno o varios artistas o de un deportista profesional. ☞ **gerente, apoderado**.

manantial 1. Lugar donde brota el agua. ☞ **fuente, pozo, venero**.
— *Los niños fueron a nadar al manantial*.
2. Origen de algo. ☞ **principio**.
— *Mi pareja es el manantial de todas mis dichas*.

manar 1. Brotar un líquido. ☞ **fluir**.
— *De la herida manaba mucha sangre*.
2. Abundar.
— *Este año el trigo mana en todas las granjas*.

manatí (vea ilustración). Mamífero acuático de hasta media tonelada de peso que habita en las zonas cercanas a la costa de Yucatán. Se encuentra en peligro de extinción debido a la destrucción de su medio ambiente y al hecho de que una hembra sólo puede engendrar una o dos crías cada dos años.

mancebo, -ba 1. Adolescente.
— *Pobres, son sólo mancebos y ya tienen que ir a la guerra*.
2. Concubina. ☞ **querida, amante**.
— *No puede heredar nada de él, pues sólo es su manceba*.

mancillar Afrentar, manchar. ☞ **ofender, vejar, deshonrar**. ❖ HONRAR.
— mujer virgen: *sin mancillar*.
— mujer que ha perdido la virginidad mediante violencia: *mancillada*.

manco, -ca Persona o animal que no tiene una mano o un brazo. ☞ **tullido, lisiado**.

mancomunar Unir intereses o personas para lograr un mismo fin. ☞ **asociar**.
— grupo de estados o naciones que se unen para llegar a las mismas metas: *mancomunidad*.

mancornar Derribar un novillo fijando sus cuernos en el suelo.

mancuerna Pareja de objetos o de animales.
— gemelos para sujetar los puños de una camisa. *mancuernas*.
— ser compatibles dos personas: *hacer buena mancuerna*.

manchar 1. Ensuciar algo. ☞ **tiznar**. ❖ LIMPIAR.

— *Se manchó mi abrigo con la tinta que chorreaba de la pluma*.
2. Desacreditar a alguien. ☞ **mancillar, deshonrar**.
— *Con tus chismes has manchado la reputación de la familia*.
— defecto, borrón, mácula, señas de suciedad: *mancha*.
— en una tela o piel, parte de coloración distinta a la general: *mancha*.
— deshonor: *mancha*.
— propenso a ensuciarse o a teñirse de otro color: *manchadizo*.
— estar marcado con manchas: *manchado*.

mandar 1. Obligar a la ejecución de algo. ☞ **ordenar, imponer**.
— *El comandante manda sus ejércitos a aquella zona*.
2. Enviar o remitir una cosa. ☞ **expedir, despachar**.
— *Le mandaré la cotización por fax*.
3. Gobernar, regir.
— *El rey manda en su territorio y debe ser respetado*.
— obligación, promesa, voto: *manda*.
— mensajero, recadero: *mandadero*.
— que se ordena en un sitio para que se realice en otro lugar: *mandado*.
— jefe: *mandamás*.
— ley, precepto, orden: *mandamiento*.
— conjunto de preceptos que deben observar los cristianos: *los diez mandamientos*.
— gobernante: *mandatario*.
— orden, encargo: *mandato*.
— dispositivo de algún aparato para controlar su funcionamiento: *mando*.
— autoridad superior: *mando*.
— que ordena más de lo que debe: *mandón*.

mandarín Funcionario público de la antigua China.
— gobierno despótico y arbitrario: *mandarinismo*.

manatí

412

mandarina Especie de naranja originaria de China.
— naranja china: *mandarina.*

mandarría Especie de martillo o maza que se usa en la construcción de embarcaciones.

mandíbula Cada una de las piezas óseas en que se encuentran los dientes en los animales vertebrados. ☞ **quijada.**
— reír mucho: *a mandíbula batiente.*

mandil Delantal que protege la ropa de la suciedad. ☞ **guardapolvo, bata.**
— hombre cobarde: *mandilón.*

mandoble Golpe o cuchillada que se da tomando el arma con ambas manos.
— espada grande. *mandoble.*
— represión o castigo: *mandoble.*

mandolina Instrumento musical similar al laúd, con 4 ó 6 cuerdas pandeadas cuya caja de resonancia es abombada. ☞ **bandolina.**

mandrágora Planta de la familia de las solanáceas, de hojas color verde oscuro, fruto en baya y flores color blanco o violeta; es fétida y venenosa.

mandril Pieza metálica en que se sujeta lo que se va a tornear.

manecilla Indicador que señala el tiempo en los relojes. ☞ **aguja, reloj.**
— mano pequeña: *manecilla.*

manejar 1. Manipular algo con las manos. ☞ **maniobrar.**
— *El esgrimista maneja muy bien el florete y la espada.*
2. Saber hacer uso de las ideas o información que se tiene.
— *El economista maneja las cifras de producción muy fácilmente.*
3. Gobernar. ☞ **dirigir, conducir.**
— *El presidente maneja el destino del país.*
4. Dominar. ☞ **someter.** ❖ LIBERAR.
— *Es un mandilón, está dominado por su mujer.*
5. Conducir un automotor.
— *Ella manejó la camioneta durante todo el viaje.*
6. Comportarse. ☞ **desenvolverse, moverse.**
— *Es muy sociable pues se sabe manejar muy bien en todo tipo de reuniones.*
— que se maneja con facilidad: *manejable.*
— que es sumiso: *manejable.*
— acción y resultado de manejar: *manejo.*

manera Modo de hacer algo. ☞ **procedimiento, método.**
— conjunto de hábitos y actitudes propias de una persona: *maneras.*
— semejante a: *a la manera.*
— de tal forma que: *de manera que.*

— en extremo: *sobre manera.*
— de cualquier modo: *de una u otra manera.*
— terminar algo desafortunadamente: *de mala manera.*

manga Parte de una vestimenta que cubre el brazo.

manganeso Metal grisáceo, más duro que el hierro, cuyo número atómico es 25; se utiliza en la elaboración del acero.

mango Parte de cualquier utensilio por la que se agarra el mismo. ☞ **empuñadura, manija, asidero, asa.**
— dominar alguna situación: *tener la sartén por el mango.*

mangonear 1. Entrometerse en lo que no le concierne. ☞ **inmiscuirse.**
— *Él no es miembro de la junta directiva, yo no sé por qué mangonea aquí.*
2. Mandar a alguien. ☞ **dominar. manejar.**
— *Ella no puede decidir por sí misma, su esposo la mangonea.*

manguera Tubo de plástico flexible para conducir agua.

maní Cacahuate. ☞ **cacahuate.**

manía 1. Alteración mental que consiste en cierta preocupación extravagante y caprichosa por una cosa determinada.
— *Mi tía tenía la manía de lavarse las manos constantemente.*
2. Costumbre poco usual. ☞ **rareza, obsesión.**
— *Tiene la manía de revisar todas las cartas que mecanografía su secretaria.*
— persona que padece trastornos psicológicos caracterizados por alguna manía: *maníaco, maniático.*
— tipos de manías: *megalomanía, ninfomanía, cleptomanía, dipsomanía, piromanía, erotomanía.*

manicomio Hospital donde se cuida y atiende a las personas que sufren trastornos mentales.

maniatar Atar las manos a alguien. ☞ **amarrar, esposar.** ❖ SOLTAR.

manicuro, -ra Persona que se dedica al cuidado y embellecimiento de las manos y las uñas.

manido, -da Que está muy usado o ya ha sido visto en algún arte u oficio. ☞ **trillado, sobado.** ❖ ORIGINAL.

manifestar 1. Dar a conocer una opinión, pensamiento, idea. ☞ **expresar.**
— *Los asambleístas manifestaron su oposición ante la nueva ley.*
2. Revelar una presencia desconocida. ☞ **aparecer, mostrarse, surgir.**
— *Este pintor empieza a manifestar-*

se como uno de los más originales de su generación.
— acto público generalmente al aire libre donde una o más personas expresan su opinión acerca de algo: *manifestación.*
— acción y resultado de manifestar: *manifestación.*
— que manifiesta algo o participa de una manifestación: *manifestante.*
— patente, claro: *manifiesto.*
— documento donde una persona o un grupo expresa opiniones y deseos: *manifiesto.*
— evidentemente: *manifiestamente.*
— hacer obvio algo: *ponerlo de manifiesto.*

manigua Terreno tropical abundante en vegetación. ☞ **selva.**

manija Abrazadera de metal con la que se sujetan diversos instrumentos, utensilios y herramientas. ☞ **mango, asa, manubrio, puño.**

manilla 1. Pulsera. ☞ **brazalete.**
— *Las gitanas usan muchas manillas.*
2. Cadena que los presos llevan en las muñecas. ☞ **esposa.**
— *A los prisioneros se les hinchan los brazos con las manillas.*
— cualquier tipo de manija: *manilla.*
— manecilla: *manilla.*

maniobra 1. Cualquier manejo de una máquina o vehículo.
— *Con la grúa se realizan maniobras de gran envergadura.*
2. Cualquier tipo de operación que se realiza en el ejército y la marina.
— *Desde muy temprano la armada enemiga comenzó sus maniobras.*
3. Operación comercial lícita o ilícita. ☞ **manejo.**
— *Esa maniobra le produjo grandes ganancias en la bolsa de valores.*
— que es fácil de manejar: *maniobrable.*

manipular Accionar algo con las manos. ☞ **emplear, manejar.**
— manejar uno la información a su modo: *manipular.*
— que engaña a otros y hace que actúen según sus deseos: *manipulador.*
— aparato que transmite la señal telegráfica: *manipulador.*

maniqueísmo Pensamiento fundado por el sabio persa Maniqueo en el siglo III, que consiste en creer que sólo existen dos principios creadores del universo: el bien y el mal.
— persona que se adhiere al maniqueísmo o que ve las cosas de forma demasiado simple: *maniqueo.*

maniquí Figura articulada en forma de

mano

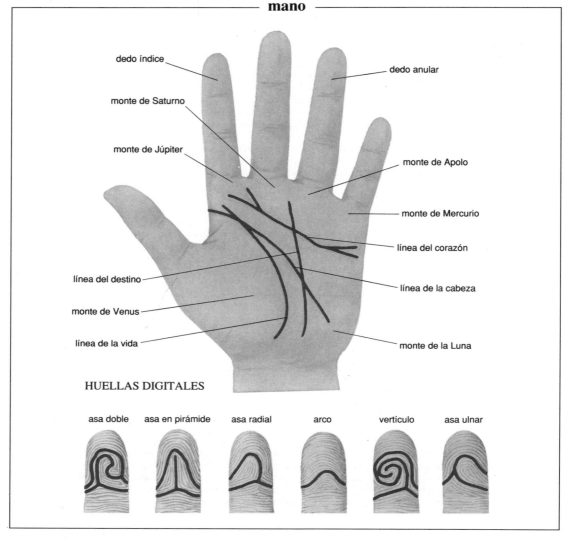

- dedo índice
- monte de Saturno
- monte de Júpiter
- dedo anular
- monte de Apolo
- monte de Mercurio
- línea del corazón
- línea del destino
- línea de la cabeza
- monte de Venus
- línea de la vida
- monte de la Luna

HUELLAS DIGITALES

asa doble　asa en pirámide　asa radial　arco　vertículo　asa ulnar

---

cuerpo humano que se usa para confeccionar y exhibir prendas de vestir.

manir Dejar reposar algunos alimentos para su mejor preparación. ☞ **ablandar, sazonar, condimentar.**

manirroto, -ta Que gasta desordenadamente. ☞ **despilfarrador, derrochador.**

manivela Pieza de cualquier mecanismo con que se genera un movimiento. ☞ **manubrio, palanca.**

manjar Cualquier comida, especialmente la que es delicada y sabrosa.

mano (vea ilustración). 1. Parte del cuerpo humano que va de la muñeca hasta los dedos.
— *A consecuencia del accidente le quedó la mano paralizada.*
— mano cerrada: *puño.*
— mano pequeña: *manita, manecita.*

— mano grande: *manota, manaza.*
— golpe: *manotazo.*
— amigo: *mano.*
2. Recubrimiento de pintura, barniz, etc. que se da a una cosa. ☞ **capa, baño.**
— *Es necesario darle una mano de pintura a la casa.*
3. Instrumento para triturar. ☞ **machacar.**
— *Con la mano del molcajete muele el jitomate con los chiles.*
4. Habilidad para realizar algo. ☞ **destreza, facilidad.** ❖ TORPEZA.
— *Tiene muy buena mano para guisar, el mole que hace es excelente.*
5. Lado en el que se encuentra una cosa. ☞ **flanco, costado, lugar.**
— *El monumento queda a mano derecha.*

— trabajo manual: *mano de obra.*
— trampa: *mano negra.*
— ser inocente: *tener las manos limpias.*
— quedarse sin dinero: *tener una mano atrás y otra adelante.*
— estar dominado por alguien: *estar en manos de.*
— excederse uno en algo: *írsele la mano.*
— perder lo que ya se tenía seguro: *escaparse de las manos.*
— ir a la delantera: *llevar la mano.*
— proponer matrimonio a una mujer: *pedir su mano.*
— ayudar: *dar una mano, echar una mano.*
— quedar dos partes en igualdad de circunstancias: *estar a mano.*

— tanto de barajas que se da a cada jugador: *mano.*

— nuevo, sin usar: *de primera mano.*

— que es usado: *de segunda mano.*

— conocer algo directamente: *de primera mano.*

— sorprender in fraganti: *con las manos en la masa.*

manojo Conjunto de objetos que se pueden coger con una mano. ☞ **haz, fajo.**

manómetro Instrumento utilizado para medir la tensión de los gases y la presión de los fluidos.

manopla 1. Guante de las antiguas armaduras y, en la actualidad, de ciertos trabajos.

— *Los obreros usan manoplas para transportar esa manquinaria.*

2. Guante de beisbol.

— *El pitcher atrapó la bola con la manopla.*

manosear Tocar algo incesantemente. ☞ **sobar, palpar.**

— acción de manosear: *manoseo.*

— que está gastado, usado: *manoseado.*

— tocar a una persona con intenciones sexuales: *manosearla.*

manotear 1. Mover las manos al hablar.

— *La mujer gritaba y manoteaba como loca.*

2. Golpear con las manos.

— *Muy enojado manoteaba la mesa pidiendo una explicación.*

— golpe dado con las manos: *manotada, manotazo.*

manquear Mostrar uno sus defectos o torpezas.

— defecto: *manquedad.*

— falta de un brazo o mano: *manquedad, manquera.*

mansalva Agresión que se hace sin ningún peligro para el atacante.

mansedumbre Calidad de manso, apacible o benigno. ☞ **sumisión.**

mansión Casa muy lujosa. ☞ **residencia, palacio.** ❖ CHOZA, CUCHITRIL.

manso, -sa 1. Que es benigno y dócil. ☞ **apacible.** ❖ FURIOSO.

— *El mar está muy manso hoy.*

2. Animal domesticado. ☞ **domado. amaestrado.** ❖ SALVAJE.

— *Acércate al tigre; es muy manso.*

manta 1. Prenda generalmente rectangular que sirve como ropa de cama para protegerse del frío. ☞ **frazada, cobija.**

— *En invierno se necesitan varias mantas para no pasar frío.*

2. Tela corriente hecha de algodón.

— *Es tan pobre que sólo usa camisas de manta.*

manteca Grasa de origen animal o vegetal. ☞ **sebo.**

— que tiene manteca: *mantecoso.*

— pastellillo dulce en forma rectangular: *mantecada.*

— helado hecho con leche: *mantecado.*

mantel Pieza de tela con que se cubre la mesa para comer o la mesa del altar en las iglesias.

— conjunto de manteles y servilletas: *mantelería.*

— festejar fastuosamente: *estar de manteles largos.*

mantener 1. Proveer alimento. ☞ **sustentar, sostener.**

— *El recién nacido se mantiene sólo de leche.*

2. Hacer que algo se conserve. ☞ **preservar.** ❖ DESTRUIR.

— *La comunidad mantiene las costumbres vivas.*

3. Sostener un objeto. ☞ **sujetar.** ❖ SOLTAR.

— *Al disparar mantén firme la escopeta.*

4. Continuar en lo que se lleva a cabo.

— *En la tienda mantienen los precios del año pasado.*

5. Afirmar y defender una idea, posición o concepto. ☞ **reafirmar.** ❖ NEGAR.

— *El jefe mantuvo su postura ante los empleados.*

6. Costear los gastos de una persona. ☞ **sostener, sustentar.**

— *No tiene dinero para él, porque todo lo gasta en mantener a su familia.*

— persona encargada de organizar y dirigir un acto: *mantenedor.*

— alimentos: *mantenimiento, manutención.*

— acción y resultado de mantener: *mantenimiento.*

— cuota fija que se paga periódicamente para preservar algo: *mantenimiento.*

— que vive a expensas de otro: *mantenido.*

mantequilla Grasa de la leche. ☞ **margarina.**

— recipiente especial para conservar la mantequilla: *mantequillera.*

mantilla Prenda con que se cubren la cabeza las mujeres hasta la cintura.

manto Prenda de vestir que cubre la cabeza y el cuerpo de las mujeres.

— capa que llevan los religiosos sobre la túnica: *manto.*

— vestidura de las imágenes religiosas: *manto.*

manual 1. Que se hace con las manos.

— *La carpintería es un trabajo manual.*

2. Pequeño libro donde se resume alguna materia en sus partes más importantes. ☞ **compendio, breviario.** ❖ TRATADO.

— *Para manejar la computadora debes consultar el manual de instrucciones.*

— fácil de utilizar: *manuable.*

— de forma manual: *manualmente.*

manubrio 1. Asa que sirve para hacer girar alguna rueda o mecanismo. ☞ **manija, manivela.**

— *Los autos antiguos se ponían en marcha con la ayuda de un manubrio.*

2. Volante de algunos transportes.

— *Sujeta con firmeza el manubrio de la bicicleta y no perderás el equilibrio.*

manufacturar Elaborar algo por medios mecánicos. ☞ **fabricar.**

— objeto elaborado con las manos: *manufactura.*

manuscrito Texto de cualquier extensión escrito a mano.

manutención Acción y resultado de costear el mantenimiento de alguien. ☞ **mantener.**

manzana 1. Fruto del manzano.

— *El pastel tiene manzanas y pasas.*

2. Conjunto de casas no separadas por ninguna calle. ☞ **cuadra, calle.**

— *El edificio que buscas está a tres manzanas de aquí.*

— árbol que da manzanas: *manzano.*

— tipo de plátano: *manzano.*

— símbolo de la tentación: *manzana de Adán y Eva.*

— motivo de pleito: *manzana de la discordia.*

— nuez de la garganta del hombre: *manzana de Adán.*

— jugo fermentado de manzanas: *sidra.*

manzanilla Planta de propiedades digestivas.

maña 1. Aptitud para realizar algo. ☞ **aptitud, habilidad.** ❖ TORPEZA.

— *Tiene mucha maña para arreglar autos descompuestos.*

2. Mala costumbre. ☞ **vicio.** ❖ VIRTUD.

— *No le hables, tiene maña de pedir prestado siempre.*

3. Trampa. ☞ **ardid.** ❖ HONESTIDAD.

— *Se hizo rico cuando estuvo en la gerencia haciendo mañas.*

— que se maneja con maña: *mañoso.*

— experto, capaz: *mañoso.*

— de forma hábil y diestra: *mañosamente.*

— expresión que significa que la habilidad es más potente que la fuerza física: *más vale maña que fuerza.*

— que es astuto, hábil: *mañoso.*

mañana 1. Tiempo que transcurre desde la medianoche hasta el mediodía. ☞ **madrugada.** ❖ DÍA.

— *La fiesta terminó a las cinco de la mañana.*

2. Día próximo inmediato al que se está viviendo.

— *Ya es muy tarde, mejor continuamos el trabajo mañana.*

3. Tiempo futuro. ☞ **porvenir.**

— *Debemos ahorrar un poco pensando en el mañana.*

— muy temprano, al amanecer: *muy de mañana, de mañana.*

— levantarse muy temprano: *mañanear.*

— que es madrugador: *mañanero.*

— chal que usan algunas mujeres al levantarse: *mañanita.*

— canción popular mexicana para festejar cumpleaños y santorales: *Las mañanitas.*

mapa (vea ilustración de la p. 417). Representación total o parcial de la Tierra a escala reducida. ☞ **cartografía, representación cartográfica.**

— mapa de la Tierra dividido en dos círculos contiguos: *mapamundi.*

— mapa del firmamento: *celeste.*

mapache Animal americano parecido al tejón, de piel grisácea, hocico aguzado y manchas blancas sobre los ojos, que lava lo que come.

maqueta Representación a escala de cualquier construcción. ☞ **modelo, proyecto.**

maquiavélico, -ca Que pertenece a la doctrina de Nicolás Maquiavelo o se relaciona con ella.

— obra en que Maquiavelo sostiene que los intereses del Estado son independientes de toda teoría ética: *El Príncipe.*

— forma de actuar astuta y pérfida: *maquiavélica.*

maquilar 1. Cobrar en especie la molienda de cualquier tipo de grano. ☞ **cobro, cuota.**

— *En este molino siempre hay clientes porque la maquila es más baja que en los demás.*

2. Producir objetos que otro venderá bajo su nombre y riesgo. ☞ **fabricar.**

— *Los jabones de esta compañía son maquilados en otra fábrica.*

maquillaje Conjunto de polvos, pinturas, afeites y cremas que se usan para embellecer el rostro o darle cierta caracterización con fines teatrales. ☞ **cosméticos.**

— acción de embellecer o caracterizar: *maquillar.*

— que se dedica a maquillar: *maquilladora, maquillador, maquillista.*

máquina Conjunto de piezas que sirve para aprovechar, conducir y/o regular una fuerza y su acción.

— locomotora de ferrocarril: *máquina.*

— tramoya de los teatros: *máquina.*

— tipos de máquinas: *simple, compuesta, de compresión, automática, de vapor, eléctrica, de escribir, de coser, electroestática, hidráulica, neumática.*

— que pertenece a la máquina o se relaciona con ella: *maquinal.*

— involuntario o espontáneo: *maquinal.*

maquinación Intriga, asechanza. ☞ **engaño.**

— que trama y ejecuta engaños: *maquinador.*

— intrigar: *maquinar.*

mar 1. La totalidad de agua salada, o cualquiera de sus porciones, que cubren gran parte de la Tierra y rodean a los continentes. ☞ **océano, piélago.** ❖ TIERRA.

— *Viajaron por el mar Adriático.*

2. Gran cantidad de algo. ☞ **abundancia.** ❖ ESCASEZ.

— *Estaba bañada en un mar de lágrimas.*

3. Nombre que reciben distintas regiones de la Luna.

— *Los astronautas caminaron en el Mar de la Tranquilidad.*

— porción de mar que está alejada de cualquier costa: *altamar.*

— viajar en barco: *hacerse a la mar.*

— hacer trabajo sin ningún provecho: *arar en el mar.*

— mar por encima de su nivel promedio: *marea alta.*

— mar cuando sus aguas están por abajo de su nivel promedio: *marea baja.*

maraca Instrumento musical de percusión compuesto de una esfera hueca con piedrecillas en su interior y una varilla por donde se la sostiene para agitarlo y producir sonidos.

maraña 1. Matorral. ☞ **maleza, breza.**

— *Los exploradores se internaron en la maraña de la selva llena de peligros.*

2. Enredo. ☞ **lío, embrollo.** ❖ CLARIDAD.

— *Todo es una maraña de acontecimientos que sólo el tiempo resolverá.*

3. Embuste. ☞ **engaño, mentira.** ❖ VERDAD.

— *Tú has desunido al grupo con tus marañas y chismes.*

— hilos o cabellos enredados: *maraña.*

— enredar: *enmarañar.*

marasmo Apatía. ☞ **inmovilidad, letargo.** ❖ DINAMISMO.

— enflaquecimiento extremo del cuerpo humano: *marasmo.*

maratón Carrera de resistencia donde se recorren 42.2 kms.

maravilla Que causa asombro, admiración.

— que es admirable: *maravilloso.*

— hablar bien de alguien: *contar maravillas.*

— realizar buenas cosas con pocos recursos: *hacer maravillas.*

— las siete maravillas de la antigüedad: *Pirámides de Egipto, jardines y murallas de Babilonia, sepulcro de Mausolo, templo de Diana, estatua de Júpiter Olímpico, coloso de Rodas, faro de Alejandría.*

— estupefacto, boquiabierto: *maravillado.*

marbete Papel engomado que se adhiere a cualquier bulto o paquete donde se indica el contenido, el destinatario o cualquier otro dato. ☞ **etiqueta, rótulo.**

marcar 1. Hacer señales en los objetos o personas para distinguirlos. ☞ **señalar, indicar, subrayar.** ❖ BORRAR.

— *Antiguamente se marcaba a los esclavos con hierros candentes.*

— señal de cualquier tipo: *marca.*

2. Herir dejando huella o señal.

— *El borracho la dejó marcada con su navaja.*

— cicatriz: *marca.*

— señalado, singular: *marcado.*

— de forma evidente: *marcadamente.*

— aparato que registra las anotaciones en un encuentro deportivo: *marcador.*

— persona que marca: *marcador.*

— anotar un tanto en un juego: *marcar.*

— límite alcanzado en alguna actividad, sobre todo en la deportiva: *marcar.*

— señalar la hora, el precio, el peso: *marcar.*

marcial Que pertenece a la guerra o se relaciona con ella. ☞ **bélico, castrense.**

— bravura: *marcialidad.*

marciano, -na Supuesto habitante del planeta Marte. ☞ **extraterrestre.** ❖ TERRÍCOLA.

— que se relaciona con el planeta Marte: *marciano.*

marco 1. Cerco donde encajan piezas

como puertas y ventanas. ☞ **perí-metro, quicio.** ❖ CENTRO.

— *Durante los temblores es recomendable colocarse bajo el marco de una puerta.*

2. Cerco que rodea ciertas cosas. ☞ **moldura, recuadro.** ❖ CENTRO.

— *La fotografía luce muy bien en ese marco de madera.*

3. Patrón. ☞ **modelo, molde.**

— *Para hacer la convocatoria hay que tomar como marco de referencia la del año pasado.*

4. Unidad monetaria de Alemania.

— *La abreviatura del marco alemán es DM.*

marchar 1. Andar, caminar. ☞ **avanzar, moverse, desplazarse.**

— *Si marchamos rápidamente llegaremos a tiempo.*

2. Abandonar, salir. ☞ **separar, encaminar.**

— *El muchacho se marchó ayer.*

3. Funcionar un artefacto. ☞ **andar.** ❖ DESCOMPONER.

— *La maquinaria no da problemas, marcha como habíamos esperado.*

— acción y resultado de marchar: *marcha.*

— desfile: *marcha.*

— pieza musical que regula el paso generalmente de los ejércitos: *marcha.*

— velocidad de un transporte: *marcha.*

— desenvolvimiento o desarrollo de algún acontecimiento: *marcha.*

— paseo, ruta, camino: *marcha.*

— atleta que compite en marchas: *marchista.*

— personas que marchan: *andarín, caminante, peregrino, trenseúnte, peatón, paseante.*

— retractarse: *dar marcha atrás.*

— improvisar: *ir sobre la marcha.*

— emprender una actividad: *ponerse en marcha.*

— hacer funcionar un aparato: *poner en marcha.*

— de forma rápida: *a toda marcha.*

marchante Persona que compra o vende algo. ☞ **comprador, vendedor, comerciante.**

marchitar 1. Hacer perder la energía, el vigor y el esplendor de algo. ☞ **ajar, arrugar.**

— *Con tanto sol las flores se van a marchitar.*

2. Desaparecer lo hermoso y sano de una persona. ☞ **enflaquecer, debilitar, consumir, enfermar.** ❖ VIGORIZAR.

— *Debido a la enfermedad se ha ido marchitando poco a poco.*

— viejo, seco: *marchito.*

— carente de los atributos que antes tenía: *marchito.*

marea Movimiento periódico de las aguas del mar producido por la atracción de la Luna y el Sol. ☞ **mar.**

— flujo: *pleamar, marea ascendente.*

— reflujo: *bajamar, marea descendente.*

— realizar algo a pesar de obstáculos: *contra viento y marea.*

marear 1. Experimentar malestar físico, mareo. ☞ **vértigo.**

— *Yo no me subo a la rueda de la fortuna porque me puedo marear.*

2. Aburrir, enfadar, molestar.

— *Me contó lo mismo varias veces hasta que me dejó mareado.*

3. Poner una nave en movimiento.

— *Marearon la embarcación al amanecer.*

— vómito y malestar producido por

mapamundi

La proyección homolográfica de Mollweide muestra los continentes en proporción correcta con su tamaño real.

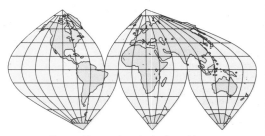

Proyección seccionada: la distorsión es reducida mediante la división en segmentos.

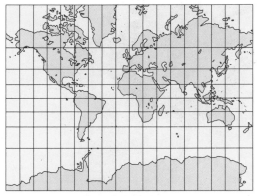

La proyección de Mercator muestra formas y orientaciones precisas pero las áreas de latitud elevada distorsionadas.

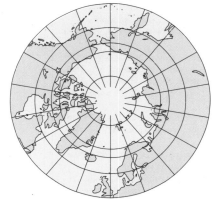

Proyección polar cenital: las orientaciones magnéticas aparecen precisas desde una perspectiva central.

el movimiento de un transporte: *mareo*.

marejada Movimiento impetuoso de las olas del mar. ☞ **tempestad, oleaje.**

— murmuración que manifiesta descontento social: *marejada*.

— movimiento descontrolado de un grupo de personas: *marejada*.

maremágnum Abundancia y confusión de cosa o personas. ☞ **mare mágnum, mare magno.** ❖ CALMA.

maremoto Terremoto en el fondo del mar que produce fuerte oleaje.

marfil Sustancia ósea de los vertebrados como los colmillos de elefante y la dentina humana.

— hecho de marfil: *marfileño, marfilado, ebúrneo*.

margarina Sustituto de la mantequilla elaborado con aceites vegetales y animales. ☞ **mantequilla.**

margarita Planta herbácea de flor pequeña blanca o amarillenta.

— especie pequeña de caracol marino: *margarita*.

margen 1. Orilla, borde de una cosa. ☞ **linde, canto.** ❖ CENTRO.

— *La barca está a las márgenes del río.*

2. Ocasión o motivo para que suceda algo. ☞ **oportunidad.**

— *La nueva ley dio margen a una ola de protestas.*

3. Facilidad o circunstancia.

— *Sé más rígido con los alumnos, no les des margen a sus alborotos.*

— espacio en blanco de un escrito o libro: *margen*.

— observación o nota complementaria: *al margen, marginal*.

— beneficio de una venta: *margen de utilidad*.

marica Hombre afeminado y/o cobarde. ☞ **homosexual, miedoso.** ❖ VARONIL, VALIENTE.

— marica: *maricón, mariquita*.

— acción propia de un marica: *mariconada*.

maridaje 1. Tipo de relación que existe en una pareja de casados. ☞ **vínculo, enlace.** ❖ DESAVENENCIA.

— *Tengo dos años de buen maridaje.*

2. Concordia entre dos cosas. ☞ **unificación, conjunción.** ❖ DISGREGACIÓN.

— *El maridaje entre los dos partidos dará buenos resultados.*

— hacer vida marital: *maridar*.

marido Hombre casado, esposo. ☞ **cónyuge, consorte.**

marihuana Hierba cuyas hojas secas se fuman y producen un efecto alu-

cinante. ☞ **mariguana, narcótico, estupefaciente.**

— que gusta fumar marihuana: *mariguano, grifo, pacheco, macizo*.

— idea disparatada: *mariguanada*.

marimacho Mujer con actitudes propias del hombre. ☞ **machorra, lesbiana.** ❖ FEMENINA.

marimba Instrumento musical de percusión propio del sur de México y de Centroamérica. ☞ **xilófono.**

marina 1. Conjunto de barcos que están al servicio de una nación. ☞ **armada, flota, escuadra.**

— *Hay dos tipos de marina: la mercante y la de guerra.*

2. Porción de tierra que se encuentra junto al mar. ☞ **playa, costa.**

— *El hotel se localiza en la marina.*

3. Conjunto de personas que trabajan en los barcos de guerra o mercantes. ☞ **tripulación.**

— *Él ha decidido ingresar a la marina, pues le gusta mucho el mar.*

marioneta Títere. ☞ **guiñol.**

mariposa Insecto del orden de los lepidópteros que se desarrolla a partir de una larva, posee alas y desarrolla actividades nocturnas o diurnas según su especie.

— luz flotante sobre un vaso con aceite: *mariposa*.

— tipo de llave o tuerca que tiene dos salientes para facilitar su utilización: *de mariposa*.

— hombre afeminado: *mariposón*.

mariposa coluda (vea ilustración). Insecto de origen americano, de alas muy prolongadas, en peligro de extinción debido a la destrucción de su hábitat. La característica principal de esta mariposa es tener muy prolongadas sus alas posteriores. Habita básicamente los bosques de montaña del estado de Oaxaca, pero la transformación o destrucción de estas zonas ha hecho desaparecer tanto su hogar como las plantas con que se

mariposa coluda

alimenta, y por ello está en peligro de desaparecer.

mariscal En algunos países es el grado máximo que puede ostentar un militar.

— oficial de alta categoría en la milicia antigua: *mariscal*.

— esposa del mariscal: *mariscala*.

marisco (vea ilustración). Cualquier molusco o crustáceo, especialmente los comestibles.

marisma Terreno que se inunda cuando suben las aguas de ríos o mares o terreno aledaño a las aguas que está siempre enfangado. ☞ **estero, pantano.**

marital Que pertenece al marido, a la vida conyugal o se relaciona con ellos. ☞ **matrimonial, conyugal.**

marítimo Que pertenece al mar o se relaciona con él. ☞ **mar, océano, marina.** ❖ TIERRA.

marmita Olla de metal con tapa hermética.

mármol Piedra caliza muy dura que se emplea en la construcción, y que pulida se usa para esculturas.

— taller donde se trabaja el mármol: *marmolería*.

maroma Marometa, pirueta, voltereta. ☞ **acrobacia.**

— que da maromas: *maromero*.

— acróbata: *maromero*.

— sorprender a alguien: *caerle en la maroma*.

marqués Título nobiliario intermedio entre conde y duque. ☞ **aristocracia.** ❖ PLEBEYO.

— antiguo señor de un territorio que estaba en la marca o frontera de un reino: *marqués*.

marquesina 1. Cobertizo que protege la entrada de un local o una terraza. ☞ **dosel, pabellón.**

— *Esa marquesina nos servirá para protegernos de la lluvia.*

2. Anuncio luminoso.

— *En la marquesina anunciaban el elenco de la obra.*

marquetería Trabajo artesanal que consiste en decorar piezas de madera con incrustaciones de piedras o de otras maderas. ☞ **ebanistería, taracea.**

marrano, -na 1. Cerdo. ☞ **cochino, puerco.**

— *Él tiene un criadero de marranos.*

2. Persona sucia o que actúa canallamente. ☞ **asqueroso, inmundo, vil.** ❖ PULCRO, DECENTE.

— *No me gusta comer con él porque es un marrano.*

marras Consabido. ☞ **anterior.** ❖ RECIENTE.

marisco

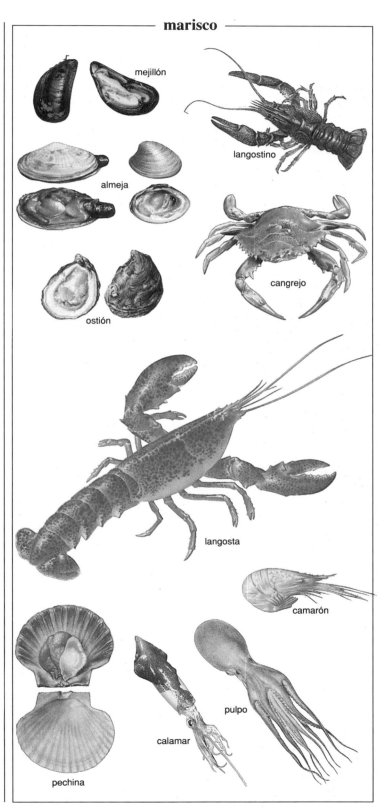

mejillón

langostino

almeja

cangrejo

ostión

langosta

camarón

pulpo

calamar

pechina

marro 1. Error. ☞ **equivocación, falta**.
— *El equipo perdió a causa de los múltiples marros que cometió un jugador.*
2. Mazo. ☞ **martillo**.
— *Es necesario usar marros para derribar el muro.*

marrón Color castaño. ☞ **pardo, rojizo**.

marrasquino (vea recuadro de bebidas). Licor elaborado a base de cerezas amargas.

marrullería Astucia para engañar a alguien.
— que hace marrullerías: *marrullero*.

marsopa Cetáceo parecido al delfín que habita en los mares. ☞ **marsopla**.

marsupial Tipo de mamíferos cuyas hembras están provistas de una bolsa delantera donde protegen a sus crías desde su nacimiento hasta su pleno desarrollo. ☞ **didelfo**.

Marte 1. Planeta que se localiza entre la Tierra y Júpiter; tiene dos satélites: Phobos y Deimos.
— *Marte es el cuarto planeta del sistema solar.*
2. Dios romano de la guerra y los soldados.
— *A los sacerdotes del templo de Marte se les llamaba salios.*

martes Día siguiente al lunes.

martillar Golpear con un martillo. ☞ **clavar**.
— herramienta con mango de madera y cabeza de hierro: *martillo, mazo, maza, clava.*

mártir 1. Persona que muere debido a sus ideas religiosas o de cualquier otro tipo. ☞ **sacrificado, víctima, atormentado**.
— *En el lago de Ginebra fueron ahogados los primeros mártires del protestantismo.*
2. Persona que sufre muchos trabajos y dolores. ☞ **sufrido, sacrificado, víctima**.
— *Es una mártir, enviudó y ha tenido que mantener a todos sus hijos.*

marzo Tercer mes del año civil.

mas Pero. ☞ **sino**.

más 1. Adición, exceso, superioridad.
— *Me debes diez pesos más cien de la vez pasada.*
2. Preferencia.
— *A mí me gusta más el tocino que el jamón.*
3. Aumento indeterminado.
— *La obra cumplió ya más de cien representaciones.*
— signo de suma (+): *más*.

— aproximadamente: *poco más o menos*.
— solamente: *no más de...*
— precisamente: *ni más ni menos*.
— sobrar: *estar de más*.
— estar una cosa a su máxima capacidad: *a más no poder*.
— la muerte: *el más allá*.

masa 1. Muchedumbre. ☞ **pueblo, vulgo**. ❖ INDIVIDUAL.
— *Las masas se dirigieron a la plaza para manifestar su descontento.*
2. Mezcla de harina y agua para elaborar pan. ☞ **pasta**.
— *Hay que colocar la masa en los moldes para hornear los pastelillos.*
3. Cantidad de materia existente en un cuerpo mensurable en gramos.
— *Deben conocer la masa de los sólidos que se utilizarán en el experimento.*
4. Conjunto o totalidad de las partes de algo.
— *Toda la masa de aficionados estaba en el estadio.*

masacre Asesinato en masa. ☞ **matanza, exterminio**.

masaje Frotamiento del cuerpo con fines curativos y de relajación. ☞ **friega, fricción**. ❖ CARICIA.
— dar masaje: *masajear*.
— que se dedica profesionalmente a masajear: *masajista*.

mascabado, -da Azúcar sin refinar.

mascar 1. Triturar los alimentos con los dientes. ☞ **masticar, mordisquear, desmenuzar**. ❖ TRAGAR.
— *Le gusta mascar pan duro.*
2. Hablar mal. ☞ **mascullar**.
— *Aunque estudió inglés muchos años, sólo lo masca.*

máscara 1. Figura hecha de cartón u otro material para ocultar o proteger el rostro. ☞ **antifaz, carátula, careta**.
— *Las máscaras que se usan en los carnavales son muy divertidas.*
2. Pretexto. ☞ **velo, disfraz**. ❖ VERDAD.
— *Su bondad era sólo una máscara para lograr sus objetivos.*

mascota Objeto, persona o animal que, se supone, atrae la buena suerte. ☞ **amuleto, fetiche, talismán**.

masculino, -na 1. Relativo o perteneciente al hombre. ☞ **varonil, viril**. ❖ FEMENINO.
— *Anteriormente la milicia era una actividad netamente masculina.*
— calidad de hombría: *masculinidad*.
— adoptar actitudes propias del hombre: *masculinizar*.
2. Se le llama así al ser que posee los órganos de fecundación.

— *El estambre es el órgano masculino de la flor.*
— macho de cualquier especie animal: *másculo*.

mascullar Pronunciar mal un idioma. ☞ **mascar**.

masivo, -va 1. Dosis máxima de un medicamento que resiste el organismo.
— *Le aplicaremos la inyección masiva contra el sarampión.*
2. Gran cantidad de cosas o personas. ☞ **abundante**. ❖ ESCASO.
— *Se efectuó un concierto donde la asistencia fue masiva.*

masonería (vea recuadro de masonería). Agrupación internacional y exclusiva cuyos miembros se ayudan mutuamente. ☞ **francmasonería**.
— miembro de la masonería: *masón*.

masoquismo Perversión del que experimenta placer al ser humillado, maltratado y golpeado por otro. ❖ SADISMO.
— que le gusta sufrir o ser maltratado: *masoquista*.

masticar Mascar. ☞ **mascar**.
— meditar un proyecto: *masticarlo*.

mástil 1. Palo de una embarcación. ❖ MASTELERO.
— *El barco está muy lejos, sólo se alcanza a ver el mástil mayor.*
2. Poste que sirve de soporte. ☞ **asta, pértiga**.
— *La bandera ondea en el mástil.*

mastín Perro grande y corpulento que sirve para protección.

mastodonte Mamífero de la época terciaria similar al elefante, pero mucho mayor y con cuatro colmillos. ☞ **paquidermo, mamut**.
— persona corpulenta: *mastodonte*.

mastuerzo Planta comestible trepadora con flores de diversas coloraciones.

masturbarse Procurarse goce sexual solitariamente. ☞ **onanismo**. ❖ ABSTINENCIA.
— dar placer sexual a otro con las manos: *masturbar*.

mata 1. Hierba de tallo leñoso, pequeño y ramificado. ☞ **arbusto, árbol**.
— *No pises ahí, las matas tienen espinas.*
2. Pie de cualquier planta.
— *Voy a plantar estas matas de girasol en la maceta.*
— nombre despectivo que se aplica a una mata: *matojo*.
— cabellera: *mata de pelo*.
— matorral, maleza: *matas*.

matachín 1. Hombre peleonero. ☞ **bravucón, buscapleitos**. ❖ TRANQUILO.
— *No te metas con él, es un matachín.*
2. Hombre vestido con el traje ca-

MASONERÍA

La masonería es una sociedad secreta que proviene aparentemente de un gremio de albañiles de la Edad Media. LOGIA, SECTA.

- jerarquía de los francmasones: *aprendiz, compañero y maestro.*
- jerarquía del rito escocés: *sistema de 33 grados.*
- asamblea de francmasones: *tenida.*
- presidente de la logia masónica: *venerable maestro.*
- logia fundada en 1717: *Gran Logia de Londres.*
- noción esencial de la francmasonería: *luz o conocimiento.*
- tercera de las grandes luces de la francmasonería, que designa a los justos límites: *compás.*
- segunda de las grandes luces de la francmasonería que designa a la rectitud moral y al perfeccionamiento del hombre: *escuadra.*
- emblema del trabajo de los masones: *mandil.*
- dirección de donde proviene la luz: *Gran Oriente.*
- expresión que designa a la masonería universal: *orden masónico.*
- símbolo de la autoridad del venerable: *mallete.*
- luces secundarias: *venerable maestro, primer vigilante, segundo vigilante, orador y secretario.*
- principios del orden masónico o landmarks: *creencia en Dios como gran arquitecto del universo, inmortalidad del alma y presencia de libros de ley sagrada o voluntad revelada de Dios.*

---

racterístico de ciertos bailes tradicionales.

— *Iremos al pueblo a disfrutar la danza de los matachines.*

— danzante: *matachín.*

matar 1. Dar la muerte a alguien o algo. ☞ **asesinar, ajusticiar, inmolar.** ❖ VITALIZAR.

— *Mató al insecto con la suela de su zapato.*

2. Trabajar demasiado. ☞ **esmerar, desvivir.**

— *Se mata elaborando las estadísticas y los balances.*

3. Restar fuerzas a un color, sensación o cualquier otro fenómeno.

— *El marco azul mata la intensidad del cuadro.*

— suicidarse: *matarse.*

match (mach) Encuentro deportivo. ☞ **competencia, contienda, choque.**

mate 1. Sin brillo. ☞ **deslustrado, descolorido, atenuado, apagado.** ❖ BRILLANTE.

— *No se distingue mucho la reja porque es verde mate.*

2. Hierba sudamericana de la cual se prepara un té del mismo nombre.

— *El mate se toma en un recipiente especial.*

— última jugada de ajedrez cuando el rey está por perderse a manos del contrincante: *jaque mate.*

matemática 1. Ciencia que estudia las cantidades y formas, sus propiedades y relaciones mediante el uso de números y símbolos. ☞ **matemáticas.**

— *Este problema de matemática es muy complicado.*

2. Exacto, preciso. ☞ **riguroso.** ❖ DESORDENADO.

— *Todo salió como lo planeamos: de una manera matemática.*

materia 1. Todo aquello que ocupa espacio, tiene masa y propiedades particulares. ☞ **elemento, masa, base, contenido.** ❖ ESPÍRITU.

— *Los estados de la materia son tres: sólido, líquido y gaseoso.*

2. Sustancia de las cosas.

— *Los huesos están compuestos por materia ósea.*

3. Asunto o negocio. ☞ **tema, objeto, punto.**

— *En materia de impuestos él es un experto.*

4. Conjunto de conocimientos sistematizados dentro de un programa de estudios. ☞ **asignatura, curso, clase.**

— *Este semestre sólo cursará dos materias.*

5. Causa de algo. ☞ **ocasión, motivo.** ❖ EFECTO.

— *La política siempre es materia de discusiones y pleitos.*

— que pertenece a la materia o se relaciona con ella: *material.*

maternidad Estado o calidad de madre. ☞ **madre, mamá.** ❖ PATERNIDAD.

— hospital donde se atiende a las mujeres que van a tener un hijo: *maternidad.*

— que pertenece a la maternidad o se relaciona con ella: *maternal, materno.*

— primer idioma que aprende alguien: *lengua materna.*

— cariño que siente una madre por sus hijos: *maternal.*

matinal Perteneciente a la mañana. ☞ **matutino, temprano, mañana.** ❖ VESPERTINO.

— espectáculo artístico que se realiza en la mañana: *matinés (matiné).*

matizar 1. Dar cierto tono a un color, o mezclar un color con otros. ☞ **rebajar.**

— *El cartel está demasiado brillante, matízalo un poco de negro.*

2. Hacer más detallada una idea, concepto o posición. ☞ **graduar, detallar.**

— *El análisis político de este investigador es tan matizado que resulta muy completo.*

3. Combinar.

— *Un buen actor matiza su voz para mantener el interés del público.*

— graduaciones a tono de un color: *matiz.*

— aspecto, carácter o diferencia de algo: *matiz.*

matorral Terreno sin cultivar donde abundan las plantas silvestres. ☞ **espesura.**

matraca Instrumento de percusión hecho de maderas y paletillas que produce mucho ruido al ser agitado.

matraz Recipiente de vidrio en forma cónica o esférica con el cuello largo que se usa en los laboratorios.

matrero, -ra Individuo con amplia experiencia en algo. ☞ **astuto, diestro, sagaz.** ❖ TORPE.

— engañoso, tramposo: *matrero.*

— desconfiado: *matrero.*

matriarcado Organización social y familiar donde la mujer, y más específicamente la madre, es la autoridad.

matricidio Asesinato de la madre a manos de un hijo.

— persona que mata a su madre: *matricida.*

matrícula Lista o documento donde se registran los nombres de las personas que se han integrado a un grupo o actividad. ☞ **registro, inscripción, admisión.**

— número de registro de un automóvil: *matrícula, placa.*

— acto de registrar en una matrícula: *matricular, apuntar, inscribir, registrar.*

— integrante de una matrícula: *matriculado.*

matrimonio Unión entre una mujer y un hombre conforme a las leyes civiles y/o religiosas vigentes en un lu-

---

gar. ☞ **casamiento, boda, nupcias.** ❖ SOLTERÍA.

— casarse: *contraer matrimonio, matrimoniarse.*

— los dos cónyuges: *matrimonio.*

— que pertenece al matrimonio o se relaciona con él: *matrimonial, conyugal, nupcial.*

matriz Órgano principal de las hembras de los mamíferos donde se aloja el óvulo fecundado y se desarrolla el feto hasta el momento de nacer. ☞ **útero.**

— establecimiento central de una cadena de tiendas o servicios: *matriz, casa matriz.*

matrona 1. Madre de familia que infunde respeto. ☞ **madre.** ❖ SOLTERONA.

— *Rodeada de sus once hijos parece toda una matrona.*

2. Partera. ☞ **comadrona.**

— *En el pueblo los partos son atendidos por una matrona.*

Matusalén Hombre de edad muy avanzada. ☞ **longevo, patriarca.** ❖ JOVEN.

matute Introducción ilegal de mercancías en un país sin pago de impuestos. ☞ **contrabando, tráfico ilegal.**

matutino, -na Que pertenece a la mañana o se relaciona con ella. ☞ **matinal, mañana.** ❖ VESPERTINO.

maullar (vea recuadro de voces animales). Emitir el gato su voz particular.

— sonido producido por un gato: *maullido.*

— que maulla mucho: *maullador.*

máuser Fusil de repetición que lleva el nombre de su inventor Guillermo Máuser. ☞ **fusil, escopeta, carabina.**

mausoleo Monumento funerario suntuoso. ☞ **tumba, cementerio, sepulcro.**

maxilar Que pertenece a las mandíbulas o se relaciona con ellas. ☞ **mandíbula.**

máxima Pensamiento corto que encierra una enseñanza, obligación o regla a seguir. ☞ **sentencia, principio, aforismo, designio.** ❖ GLOSA.

— principalmente, en primer lugar: *máximamente.*

maya 1. Persona perteneciente a la antigua civilización del sureste de México y parte de Centroamérica.

— *Los actuales pobladores de Yucatán son descendientes de los mayas.*

— lengua de los mayas: *maya.*

2. Planta americana espinosa y con frutos en racimo.

— *Algunas mayas son comestibles.*

mayo 1. Quinto mes del año civil.

— *En el mes de mayo florecen los árboles.*

2. Individuo perteneciente al grupo étnico de la familia uto-azteca que habita en la sierra de Sonora, México.

— *Los indígenas mayos habitan en Sonora.*

mayólica Tipo de cerámica que lleva una capa de esmalte metálico.

mayonesa Aderezo hecho a base de aceite, yema de huevo, sal y otros condimentos.

mayor Primero en edad, tamaño, cantidad, calidad, categoría. ☞ **adulto, supremo, principal.** ❖ MENOR.

— abuelos y antepasados: *mayores.*

— venta en grandes cantidades: *al por mayor, mayoreo.*

— comerciante al por mayor: *mayorista.*

— grado militar: *mayor.*

— individuo en ejercicio de sus derechos civiles: *mayor de edad.*

— parte más numerosa de los integrantes de un grupo: *mayoría.*

— partido que tiene el más numeroso grupo de representantes en un gobierno: *la mayoría.*

— más de la mitad de los votos en una elección: *mayoría absoluta.*

mayoral Jefe de un grupo de trabajadores del campo. ☞ **capataz.** ❖ PEÓN.

mayorazgo Costumbre que adjudicaba los bienes de una familia al primogénito.

— poseedor de los bienes de una familia: *mayorazgo.*

— conjunto de bienes familiares: *mayorazgo.*

mayordomo, -ma 1. Servidor principal de una casa o hacienda. ☞ **criado, sirviente.**

— *El mayordomo indica lo que se cocina diariamente.*

2. En algunas comunidades, grupos y asociaciones, el encargado de cuidar por el buen desarrollo de las actividades y del ingreso económico.

— *El mayordomo se encarga de organizar las fiestas del santo patrón del pueblo.*

mayúsculo, -la 1. Letra inicial más grande que las que le siguen; se usa generalmente en nombres, títulos y después de ciertos signos de puntuación. ☞ **capital.** ❖ MINÚSCULA.

— *Después de punto y seguido se debe escribir con letra mayúscula.*

2. Que excede el tamaño ordinario de algo. ☞ **inmenso, considerable.** ❖ MENOR.

— *No estudiar para el examen fue un error mayúsculo.*

maza Instrumento de madera con cabeza cilíndrica y mango sujetador

que sirve para golpear, apisonar, machacar. ☞ **porra, clava, martillo.**

— tipo de arma antigua: *maza.*

mazacote 1. Conjunto de cosas desordenadas. ☞ **bulto.**

— *Tomó su ropa, la hizo un mazacote y se largó.*

2. Comestible duro y seco que debería ser esponjoso.

— *No sabe cocinar; el pastel le quedó hecho un mazacote.*

mazapán Golosina elaborada con leche, azúcar, canela y almendra o cacahuate.

mazmorra Celda subterránea. ☞ **prisión, calabozo.**

— vivienda poco agradable: *mazmorra.*

mazorca Espiga apretada de frutos como la del elote. ☞ **elote.**

meandro Sinuosidad de un río o de un camino. ☞ **recodo, vuelta.**

— adorno arquitectónico ondulante: *meandro.*

mear Orinar. ☞ **orinar.**

— mingitorio: *meadero.*

— que se orina de una vez: *meada.*

— que está empapado de orina: *meado.*

— orines: *meados.*

meato 1. Intersticios que se encuentran en las células de las plantas.

— *A través del microscopio se pueden ver los meatos de este bambú.*

2. Orificios o conductos del organismo humano.

— *Por medio del meato urinario se expulsa la orina.*

Meca 1. Capital de Arabia Saudita y ciudad santa del Islam.

— *Todos los mahometanos quieren visitar La Meca.*

2. Máximo centro de cierta actividad.

— *Hollywood es la meca del cine.*

mecánico, -ca 1. Parte de la física que estudia el equilibrio, la fuerza y el movimiento de los cuerpos.

— *Existen diversos tipos de física: mecánica, dinámica, estática, celeste, ondulatoria.*

2. Trabajo que consiste en componer máquinas y automóviles.

— *Tomó un curso de mecánica y ahora él mismo arregla su coche.*

3. Procedimiento rutinario.

— *Conoces ya la mecánica, ahora puedes tú mismo maniobrar el aparato.*

mecanografía Procedimiento para escribir a máquina. ☞ **dactilografía.** ❖ MANUSCRITO.

— persona que tiene por trabajo la mecanografía: *mecanógrafo.*

mecapal Cinta de cuero que colocada

sobre la frente se ata a bultos y sacos para así cargarlos.

mecate Cuerda de fibra natural. ☞ **lazo, cuerda.**

mecedor, -ra Que mece o sirve para mecerse.

mecenas Persona adinerada que protege a intelectuales y artistas proporcionándoles lo necesario para que desarrollen su trabajo. ☞ **padrino.**

mecer Mover rítmicamente. ☞ **balancear, columpiar.**

meco, -ca 1. Animal cuya piel es roja con mezcla de negro.
— *Tengo un caballo blanco y uno meco.*
2. Nombre que se le da a los indígenas chichimecas y en general a cualquier indígena. ☞ **indígena, indio.**
— *Los mecos habitan en las zonas áridas del norte de México.*
— grosero: *meco.*

meconio Excremento de los recién nacidos. ☞ **excremento, caca, popó.**

mecha 1. Cuerda fácilmente inflamable que sirve para encender velas, cohetes, cartuchos y otros explosivos. ☞ **filamento, pábilo.**
— *El cohete no encendió porque tiene la mecha mojada.*
2. Trozo o tira de material comestible que se introduce en un cuerpo con fines culinarios.
— *Hay que hacer mechas de tocino para adobar el pavo.*
— cabellera: *mechas.*
— que va rápidamente: *a toda mecha.*
— introducir o rellenar aderezos en un alimento: *mechar.*
— nombre que reciben diversos aparatos que producen luz o calor: *mechero.*

mechón Conjunto de cabellos, listones, hebras o hilos. ☞ **copete, rizo.**

mechudo, -da Que tiene abundante cabellera. ☞ **pelo, cabello, melena.**
— trapeador: *mechudo.*

medalla Pieza metálica redondeada con inscripciones y/o símbolos que sirve para conmemorar o celebrar algún suceso.
— ganador de medallas en una justa deportiva: *medallista.*
— artesano que fabrica medallas: *medallista.*
— medalla grande: *medallón.*
— bajorrelieve redondo: *medallón.*
— joya redondeada en forma de estuche colgable y donde se pueden guardar rizos de pelo, fotografías: *medallón.*

médano 1. Banco de arena a la orilla del mar. ☞ **duna, desierto.**

— *Vamos a dar un paseo por los médanos para sentir la brisa marina.*
2. Montículo arenoso que tiene su base en el lecho marino y llega casi a la superficie.
— *El barco encalló en una zona de médanos.*

media Prenda de vestir que cubre el pie y la pierna hasta la rodilla. ☞ **calceta.**
— media transparente que cubre desde el pie hasta la cintura: *pantimedia.*

medialuna 1. Instrumento cortante semicircular con que se desangra al ganado.
— *Antes de ir al matadero hay que afilar bien la medialuna.*
2. Barrera protectora de algunas edificaciones.
— *Los castillos medievales tienen siempre una medialuna para su defensa.*
3. Pastelillo de hojaldre en forma de arco. ☞ **cuerno, pan, croissant.**
— *Vé a la pastelería a comprar donas y mediaslunas.*
4. Símbolo musulmán.
— *La bandera turca tiene una medialuna en el centro.*

mediano, -na 1. Intermedio en la clase, el estilo, el tamaño, la talla. ☞ **regular, promedio.** ❖ SUPERIOR.
— *Sus padres son chaparros, pero ella es de estatura mediana.*
2. Situado al centro. ☞ **en medio.**
— *De sus tres hijos el mediano es el más estudioso.*
— punto o término medio entre dos extremos: *medianía.*
— mediocridad: *medianía.*
— hecho a la mitad: *a medias.*

medianoche 1. Las doce de la noche. ☞ **cero horas.**
— *Esta muy cansado, pues trabajó hasta la medianoche.*
2. Pieza de pan que se rellena de carne, jamón, queso, etc. ☞ **torta, sandwich.**
— *Prepárame una medianoche de jamón y queso, por favor.*

mediante Que media.
— si Dios lo permite: *Dios mediante.*

mediar 1. Pasar la mitad de un espacio de tiempo. ☞ **transcurrir.** ❖ DETENER.
— *Entre la presentación del proyecto y su ejecución mediará más o menos un mes.*
2. Rogar en favor de alguien. ☞ **interceder, negociar, intervenir.** ❖ DESLIGARSE.

— *El abogado mediará ante el juez para que se reduzca la condena del acusado.*
3. Negociar entre dos partes en pugna. ☞ **terciar, resolver, negociar.** ❖ ABSTENERSE.
— *El ayuntamiento mediará entre las dos cooperativas que quieren la exclusividad en la explotación de los bosques.*
4. Hacer algo a la mitad.
— *Mediar en un trabajo es malograr el éxito.*

mediatizar Privar de su autonomía a un Estado manteniéndolo bajo el gobierno de otro.
— que está influido o manejado por otro: *mediatizado.*
— acción y resultado de mediatizar: *mediatización.*

mediato, -ta Que se relaciona con algo a través de un intermediario. ☞ **intermedio, intercalado.** ❖ INMEDIATO.

medicamento Sustancia que aplicada al cuerpo puede curarlo. ☞ **medicina, remedio, fármaco.**
— suceptible de curarse a través de medicinas: *medicable.*
— conjunto de medicamentos para sanar de un mal: *medicación.*

medicina Ciencia que se encarga de preservar la salud, evitando y curando las enfermedades.
— tipos de medicina: *alopatía, homeopatía, interna, preventiva, forense, naturista, del deporte, del trabajo.*
— que pertenece a la medicina o se relaciona con ella: *médico, medicinal.*
— recetar tratamientos médicos con medicamentos: *medicinar.*
— profesional de la medicina: *médico, doctor, galeno.*
— nombres despectivos que reciben los médicos: *medicucho, matasanos, mediquillo, medicastro.*

medida 1. Estimación de la cantidad o dimensión de algo, de manera comparada. ☞ **medir, evaluación.**
— *Fue a tomar la medida del terreno para hacer los planos de la casa.*
— tipos de medidas: *de longitud, de superficie, de volumen, de capacidad, de peso.*
2. Acción y resultado de medir.
— *La medida del vino se debe hacer antes de venderlo.*
3. Orden, disposición, prevención.
— *El gobierno recomendará las medidas necesarias para evitar la propagación de la enfermedad.*
4. Mesura, prudencia, cordura. ❖ INSENSATEZ.
— *Para no emborracharnos debemos tomar licor con medida.*

— de forma cuidadosa: *medidamente.*

— que es adecuado: *a la medida.*

— hasta cierto punto: *en cierta medida.*

— mucho: *en gran medida.*

— de forma exagerada: *sin medida.*

— conocer las mañas de alguien: *tomarle la medida.*

medieval Que pertenece a la Edad Media o se relaciona con ella.

— conjunto de los fenómenos culturales ocurridos durante la Edad Media: *medievalismo.*

— estudioso especializado en esta época: *medievalista.*

medio, -dia 1. Mitad de cualquier cosa. ☞ **parte.**

— *Se comió sólo medio bolillo.*

2. Que se encuentra a la misma distancia de dos extremos. ☞ **equidistante.** ❖ CERCA, LEJOS.

— *Estamos a medio camino entre la ciudad y el pueblo.*

3. Intermedio entre dos extremos.

— *No le gusta la carne ni cruda ni frita, sino término medio.*

4. Procedimiento para conseguir o lograr algo. ☞ **manera, forma, modo.**

— *El medio de tener éxito es perseverando en los ideales.*

— recursos para realizar algo: *medios.*

— cualquier ambiente profesional, especialmente el artístico: *el medio.*

5. Ambiente en que se desarrolla un humano, animal o vegetal. ☞ **ámbito, hábitat, elemento.**

— *Los pinos crecen en medios muy fríos.*

6. Parte central de algo. ☞ **núcleo, centro.** ❖ PERIFERIA.

— *Se le clavó una flecha en medio del corazón.*

7. Común. ☞ **promedio, estándar.**

— *El ciudadano medio no entiende la política.*

8. Parte mayoritaria de algo. ☞ **mayoría.**

— *A la fiesta asistió media escuela.*

9. Incompleto. ☞ **algo.** ❖ COMPLETO.

— *Estaba medio borracho cuando chocó.*

mediocridad Calidad intermedia de una cosa o persona. ☞ **mediano.** ❖ SOBRESALIENTE.

— persona que no destaca en sus actividades, pero tampoco fracasa: *mediocre.*

mediodía 1. Momento en que el Sol alcanza su mayor altura con respecto al horizonte. ☞ **cenit.**

— *Al mediodía hace mucho calor.*

2. Tiempo comprendido entre las doce del día y las dos de la tarde.

— *Nosotros comemos siempre al mediodía.*

3. Sur. ☞ **meridional.**

— *El mediodía francés es una zona vitivinícola.*

medir 1. Determinar la magnitud de cualquier objeto o fenómeno. ☞ **calcular, tasar.**

— *Los científicos miden la profundidad de este lago.*

2. Moderar. ☞ **contenerse.**

— *Ante el director es mejor que midas tus palabras.*

3. Comparar. ☞ **equipararse.**

— *No te metas con el niño, mejor mídete con uno de tu tamaño.*

4. Probarse una prenda de vestir antes de usarla o adquirirla.

— *Hoy va a ir a medirse su vestido de novia.*

— acción y resultado de medir: *medición.*

meditar Reflexionar silenciosamente sobre alguna cuestión para darle una salida. ☞ **pensar, cavilar.** ❖ ACTUAR.

— persona que medita: *meditabundo, meditativa.*

— acción y resultado de meditar: *meditación.*

— escrito que refleja la manera de opinar de alguien: *meditación.*

mediterráneo, -nea Que está rodeado de tierra.

— que está en el interior de un territorio: *mediterráneo.*

— habitante de esta zona: *mediterráneo.*

— que pertenece al mar Mediterráneo o se relaciona con él: *mediterráneo.*

médium Persona que tiene la capacidad de comunicarse con espíritus y fantasmas.

medrar 1. Desarrollo que experimenta un animal o vegetal. ☞ **crecer, desarrollar.** ❖ DISMINUIR.

— *El arrozal está medrando como lo esperábamos.*

2. Aumento en los bienes económicos de alguien. ☞ **enriquecer, prosperar, engordar.** ❖ EMPOBRECER.

— *Ha medrado gracias al éxito del negocio.*

— aumento de algo: *medra.*

medroso, -sa Individuo que fácilmente siente miedo. ☞ **temeroso, miedoso.** ❖ VALIENTE, ATREVIDO.

médula 1. Substancia que se encuentra en el interior de los huesos. ☞ **tuétano.**

— *Tomé caldo de médula de res.*

2. Substancia esponjosa que se halla en el interior del tronco de los vegetales. ☞ **pulpa.**

— *El medicamento tiene médula de varias plantas.*

3. Parte principal de algo. ☞ **núcleo, meollo, esencia.** ❖ ACCESORIO.

— *Debemos localizar la médula del problema para poder resolverlo.*

— tipos de médula: *espinal, dorsal, vertebral.*

— que pertenece a la médula o se relaciona con ella: *medular.*

— central: *medular.*

medusa 1. Animal marino de colores vistosos, con cuerpo en forma de campana, que tiene tentáculos largos; pertenece a la familia de los pólipos. ☞ **aguamala, aguamar.**

— *En esta playa no se puede nadar por la cantidad de medusas que hay.*

2. Ser mitológico que en lugar de cabellera tiene gran cantidad de serpientes.

— *Perseo cortó la cabeza a Medusa y con ella petrificó a sus enemigos.*

mefisto Diablo. ☞ **Satanás, Lucifer.**

— diablo: *Mefistófeles.*

— diabólico: *mefistofélico.*

mefítico, -ca Olor nocivo, dañino. ☞ **pestilente, maloliente, hediondo.** ❖ AROMÁTICO, PERFUMADO.

megáfono Aparato que sirve para reproducir la voz a mayor intensidad. ☞ **amplificador, bocina, altoparlante, altavoz.**

megalito Monumento prehistórico construido con grandes rocas sin labrar.

megalomanía Delirio de grandeza.

— persona que padece este transtorno mental: *megalómano.*

megaterio Mamífero herbívoro de grandes dimensiones que vivió en el pleistoceno.

megatón Fuerza equivalente a un millón de toneladas de TNT que se usa como unidad básica de las bombas atómicas.

mejilla Cada una de las prominencias localizables debajo de los ojos. ☞ **cachete, pómulo.**

mejillón Molusco comestible de concha oscura.

mejorar 1. Hacer que algo se supere en cualquier aspecto. ☞ **perfeccionar, superar, aventajar, adelantar.** ❖ EMPEORAR.

— *Si entrenas diariamente, mejorarás tu condición física.*

2. Restablecer la salud perdida. ☞ **recuperar, remediar.** ❖ AGRAVAR.

— *Gracias a la homeopatía mi organismo ha mejorado.*

3. Convertir algo en más bueno.

— *Las fresas son sabrosas, pero con crema mejoran.*

— más bueno, más bien, superior: *mejor.*

— aumento, adelanto, perfeccionamiento: *mejora, mejoría.*

— alivio: *mejora, mejoría.*

— recuperar un enfermo la salud: *mejorar.*

— que recobró la salud: *mejorado.*

mejorana Planta de flores blancas, que se usa como condimento.

mejunje 1. Mezcla de substancias que sirven para curar algún mal. ☞ **brebaje, menjurje.**

— *Su digestión se ha restablecido gracias a un mejunje de hierbas exóticas.*

2. Lío. ☞ **embrollo, problema. menjurje.** ❖ SOLUCIÓN.

— *No hagas amistad con ella o te meterá en sus mejunjes.*

melado, -da 1. Del aspecto o del color de la miel.

— *Tiene un perrito melado.*

2. Jarabe espeso que se obtiene de la caña de azúcar. ☞ **azúcar.**

— *El melado se utiliza para endulzar golosinas.*

— pan con miel o tipo de pastel: *melada, melado.*

melancolía Estado del carácter en el que el individuo experimenta tristeza, depresión y falta de ánimo para realizar cualquier actividad. ☞ **nostalgia, añoranza.** ❖ OPTIMISMO.

— persona triste: *melancólico.*

melaza Jarabe oscuro y muy dulce que se produce como residuo de la cristalización del azúcar. ☞ **azúcar.**

melcocha Miel que se ha compactado de tal manera que queda muy pegajosa.

— cualquier golosina muy dulce y pegajosa: *melcocha.*

melena Cabello largo y suelto. ☞ **cabellera.**

— crin de león: *melena.*

melifluo, -flua 1. Que mana, contiene o es parecido a la miel. ☞ **empalagoso, melcocha, pegajoso.** ❖ SECO.

— *Los pastellillos árabes son melifluos.*

2. Persona que con sus palabras y trato es tan dulce que llega a irritar. ☞ **empalagoso, dulce, tierno.**

— *Como desea el ascenso, anda muy melifluo con el jefe.*

— adulador: *melifluo.*

melindre Afectación, delicadeza exagerada. ☞ **cursilería.** ❖ SENCILLEZ.

— persona exageradamente delicada en cualquier aspecto: *melindroso.*

melocotón Fruto redondo de color amarillento de hueso duro y rugoso. ☞ **durazno.**

melodía 1. Dulzura y suavidad que tiene un instrumento musical, la voz o la palabra. ☞ **eufonía, armonía.** ❖ DISONANCIA.

— *Esos versos tienen una bella melodía.*

2. Idea musical básica que se desarrolla a lo largo de una composición y que se distingue del acompañamiento musical. ☞ **ritmo, cadencia.** ❖ CACOFONÍA.

— *La melodía de esta canción es muy pegajosa.*

3. Elección, número y sucesión de los sones que conforman los distintos periodos de una pieza musical. ☞ **armonía.** ❖ DISONANCIA.

— *La sonata contiene tres diferentes melodías, todas muy bien logradas.*

— que pertenece a la melodía o se relaciona con ella: *melódico.*

— que tiene melodía: *melodioso.*

— grato al oído: *melodioso.*

melodrama Versión popularizada del drama, donde los sentimientos se presentan exageradamente, y abunda la violencia y la acción; su propósito es despertar la curiosidad del espectador o del lector. ☞ **folletín.**

— drama musicalizado: *melodrama.*

melómano, -na Gran amante de la música. ☞ **musicómano.**

melón Nombre genérico que reciben un número de frutas similares de piel rugosa y dura, pulpa dulce y muchas semillas.

melopea 1. Arte de producir melodías. ☞ **melopeya.**

— *Es un gran compositor musical, su cualidad básica es su gran melopea.*

2. Entonación musical que se da a la recitación. ☞ **melopeya.**

— *Sus declamaciones son siempre bienvenidas pues la melopea que les imprime las hace muy gratas.*

— borrachera: *melopea.*

meloso, -sa ☞ **melifluo.**

mella 1. Rotura en el filo o borde de cualquier objeto, producida por un golpe o maltrato. ☞ **hendidura, muesca.**

— *Esta taza está muy vieja, tiene varias mellas.*

2. Disminución en algo. ☞ **menoscabo, merma.** ❖ AUMENTO.

— *En el último mes hubo una mella en la producción de arroz.*

3. Vacío, menoscabo provocado por la falta de algo. ☞ **hueco.** ❖ COMPLETO.

— *Tu ausencia me hace mella en el ánimo.*

— chimuelo: *mellado.*

— objeto deteriorado en sus bordes: *mellado.*

— deteriorar, disminuir, desgastar: *mellar.*

— causar efecto una recomendación: *hacer mella.*

mellizo, -za Hermano gemelo. ☞ **gemelo.**

membrana 1. Tejido orgánico flexible, elástico y delgado que recubre vísceras, conduce fluidos o separa diversas cavidades. ☞ **tegumento, pellejo.**

— *En la clase de biología estudiaremos varias membranas de tejido animal y vegetal.*

2. Lámina muy delgada de metal o alguna otra substancia que transforma la corriente eléctrica en oscilaciones sonoras.

— *Este aparato es muy delicado debido a que sus membranas se estropean con cualquier movimiento.*

membrete Datos del destinatario de un escrito que se ponen al principio o final del mismo. ☞ **rótulo, título.**

membrillo Fruto amarillento y un poco amargo que se come en conserva o en forma de dulce.

memela Tortilla pequeña y ovalada que se adereza con queso, salsa, frijoles, nopales, etc. ☞ **tortilla.**

memo, -ma Tonto, simple o insensato. ☞ **bobo, manso.** ❖ LISTO.

memoria 1. Facultad que tiene la mente de retener y recordar lo que ha sucedido. ❖ AMNESIA, OLVIDO.

— *Hacía tres años que no visitaba la ciudad, pero mi memoria reconoce estos sitios.*

2. Capacidad para recordar. ☞ **remembranza, reminiscencia.** ❖ OMISIÓN, OLVIDO.

— *No me queda memoria del altercado que tuvimos el otro día.*

3. Relación escrita de ciertos hechos, sucesos, motivos y opiniones sobre una materia. ☞ **acta.**

— *La memoria del congreso contiene todas las conferencias de los participantes.*

— recordar algo: *memorar.*

— digno de recordarse: *memorable.*

menaje Conjunto de muebles y utensilios domésticos.

mención Recuerdo de algo o alguien. ☞ **referencia.** ❖ OLVIDO.

mendicidad Estado y situación del mendigo.

— acción y resultado de mendigar: *mendicidad.*

mendigar 1. Pedir limosna. ☞ **limosnear, pordiosear.** ❖ EXIGIR.

— *Es muy triste ver niños mendigando por las calles.*

2. Solicitar algo humillándose. ☞ **implorar, suplicar, sablear.** ❖ OBLIGAR.

— *Este individuo siempre anda mendigando favores de sus amigos.*

— indigente, pordiosero, menesteroso, limosnero: *mendigo, mendicante.*

— tipo de orden religiosa que se susstenta de limosnas: *mendicante.*

mendrugo Trozo de pan duro que queda como sobrante o desecho.

menear Mover algo rítmicamente. ☞ **agitar, balancear.** ❖ FIJAR.

— acción y resultado de menear: *meneo.*

— movimiento, impulso, zarandeo: *meneo.*

menester 1. Carencia de algo. ☞ **falta.** ❖ ABUNDANCIA.

— *Es menester más atención para hacer este trabajo.*

2. Ocupación. ☞ **tarea, empleo.** ❖ INACTIVIDAD.

— *Basta de pláticas, cada quien a ocuparse de sus menesteres.*

— pordiosero: *menesteroso.*

mengano, -na Voz que sirve para nombrar a una persona indeterminada. ☞ **fulano, zutano, cualquiera.** ❖ ALGUIEN.

menguar 1. Disminuir algo en cualquier sentido. ☞ **reducir, mermar.**

— *El frío ha menguado la venta de helados.*

2. Decaer, venir a menos. ☞ **decrecer, consumir.** ❖ ELEVAR.

— *La televisión mengua la capacidad imaginativa de las personas.*

3. Faltar. ☞ **escasear.** ❖ ABUNDAR.

— *Está menguando el abasto de carne para la población.*

meningitis Inflamación de las membranas que envuelven al encéfalo y la médula espinal.

menisco 1. Vidrio con una cara cóncava y la otra convexa. ☞ **cóncavo, convexo.**

— *En óptica hay dos tipos de meniscos: divergente y convergente.*

2. Órgano delgado, fibroso y bicóncavo que se presenta entre dos articulaciones y permite el movimiento de las mismas.

— *Los jugadores de futbol se lastiman fácilmente los meniscos de las rodillas.*

menjurje Brebaje. ☞ **mejunje.**

menonita Miembro de la secta protestante que sigue las ideas reformistas del holandés Meno Simons, quien en el siglo XVI aboga por una vida campesina y tradicional.

menopausia Periodo en el que cesa la época de fertilidad en la mujer hacia los 40 ó 50 años de edad. ☞ **menstruación.**

menor 1. Que tiene menos tamaño que otra cosa. ☞ **pequeño, mínimo.** ❖ MAYOR.

— *El librero nuevo es menor que el de tu abuelo.*

2. Adolescente que no ha cumplido la mayoría de edad. ❖ ADULTO.

— *De acuerdo con las leyes, los menores no pueden ser encarcelados.*

3. Último en precio, peso, calidad, cantidad, prestigio. ☞ **mínimo.** ❖ MÁXIMO.

— *De todas las computadoras que me ofrecen, creo que voy a escoger la de menor precio.*

— explicar algo detalladamente: *al por menor.*

— detalles de algo: *los pormenores.*

— estar en ropa interior: *en paños menores.*

menos 1. Denota inferioridad de cualquier tipo: cantidad, calidad, valor, grado.

— *La conferencia de hoy es menos importante que la de ayer.*

2. Falta.

— *Hay menos galletas de las que dejé en la mañana.*

3. Disminución.

— *Cada año hay menos egresados de esta carrera.*

4. Restricción o limitación de una cantidad.

— *En la reunión había por lo menos cien asistentes.*

menoscabar 1. Disminuir. ☞ **reducir, acortar.** ❖ AUMENTAR.

— *La crisis ha menoscabado nuestras ventas.*

2. Desacreditar. ☞ **deshonrar.** ❖ HONRAR.

— *Su discurso ha menoscabado la buena reputación de que gozaba entre la juventud.*

3. Deteriorar. ☞ **deslustrar, deslucir.** ❖ EMBELLECER, CONSERVAR.

— *A pesar del maltrato, la mercancía no se menoscabó.*

— acción y resultado de menoscabar: *menoscabo.*

menospreciar 1. Darle a algo o a alguien un valor o importancia menor de la que en realidad tiene. ☞ **despreciar.** ❖ VALORAR.

— *Como no sabe de pintura menosprecia los cuadros que heredó.*

2. Desdeñar, despreciar.

— *Menospreció totalmente mis propuestas matrimoniales.*

— desdén, desaire, humillación: *menosprecio.*

mensaje 1. Cualquier tipo de información que se comunica de manera oral o escrita. ☞ **aviso, anuncio, misiva, carta.** ❖ SECRETO.

— *No te preocupes, no irá a ese sitio pues recibió tu mensaje a tiempo.*

2. Significado de una obra artística o literaria. ☞ **enseñanza, sentido.**

— *En los poemas de José Martí encontramos un mensaje de amor a la libertad.*

menstruación Sangre que periódicamente evacuan las mujeres en el transcurso de unos días si no ha ocurrido la concepción.

— acto de desalojar la menstruación: *menstruar.*

mensual 1. Que acontece cada mes.

— *Las reuniones de la mesa directiva son mensuales.*

2. Que dura un mes.

— *Los cursos de capacitación son mensuales.*

— pago que se da o salario que se recibe cada mes: *mensualidad.*

— mesada: *mensualidad.*

ménsula Pieza saliente en arquitectura que sirve de apoyo para una viga, balcón, bóveda; generalmente va adornada con motivos florales, figuras, capiteles.

— cualquier tipo de apoyo en construcciones o muebles: *ménsula.*

mensurable Susceptible de ser medido.

— medir: *mesurar.*

— hacer algo gradualmente: *mesuradamente.*

mentar Nombrar. ☞ **aludir, mencionar.** ❖ IGNORAR.

— persona famosa, célebre: *mentado.*

— persona o cosa que se ha mencionado: *mentado.*

mente 1. Estado o facultad en que se encuentra la inteligencia. ☞ **intelecto, entendimiento.**

— *Trabajo mejor por la mañana, porque tengo la mente despejada.*

2. Pensamiento. ☞ **memoria, recuerdo.** ❖ OLVIDO.

— *Se me fue de la mente la hora en que debíamos estar en la reunión.*

3. Voluntad. ☞ **disposición, intención, sentimiento.** ❖ HECHO.

— *Tengo en mente acabar este ensayo para la semana que entra.*

mentecato, -ta Tonto o necio. ☞ **memo.** ❖ INTELIGENTE.

mentir 1. Expresar una idea que se sabe es contraria a la verdad. ☞ **falsear, desvirtuar.**

— *No creas lo que dice este periódico, siempre miente acerca de los sucesos políticos.*

2. Disfrazar un hecho o idea con la

finalidad de que sea tomado por verdadero. ☞ **fingir, disimular.**

— *Les mintieron en el precio, el valor real del terreno es otro.*

— dicho o hecho contrario a la verdad: *mentira.*

— embuste, engaño, falsedad: *mentira.*

— que tiene por costumbre mentir: *mentiroso, engañoso, embustero, falso, impostor.*

mentís Hecho, acción o demostración que desmiente una posición expresada antes. ☞ **negativa, contradicción, desmentido.** ❖ AFIRMACIÓN.

mentol Alcohol que se extrae de la menta y de la hierbabuena y tiene propiedades analgésicas y antisépticas.

— que contiene alguna cantidad de mentol: *mentolado.*

mentón Prominencia de la mandíbula inferior. ☞ **mandíbula, maxilar, barbilla, barba.**

mentor Persona que orienta y enseña a otras. ☞ **guía, consejero, preceptor.** ❖ DISCÍPULO.

menú Conjunto de los guisos que componen una comida o lista de los diferentes platillos que se pueden ordenar en un restaurante. ☞ **minuta, carta.**

menudencia 1. Cosa pequeña e insignificante que en muchas ocasiones se menosprecia. ☞ **bagatela, nadería.**

— *No me voy a molestar por menudencias sin importancia.*

2. Detalle, esmero y escrupulosidad con que se efectúa alguna tarea. ☞ **minuciosidad.**

— *La talabartería es un trabajo que requiere de mucha menudencia.*

3. Vísceras comestibles de los animales, principalmente de las aves.

— *A él le gusta su caldo con menudencia.*

menudeo Vender cosas al por menor. ❖ MAYOREO.

menudo, -da 1. Cosa o persona pequeña y/o frágil. ☞ **chico, delgado, débil.** ❖ ROBUSTO.

— *De ese grupo de hombres, el más menudo es el jefe.*

2. Cosa no importante. ☞ **despreciable, detalle.** ❖ IMPORTANTE.

— *Llevamos dos horas hablando de las cosas menudas; yo quisiera tratar lo importante.*

— de forma frecuente: *menudamente, a menudo.*

— niños: *gente menuda.*

— guiso a base de panza de res: *menudo.*

meñique Dedos más pequeños de la mano y del pie.

— cosa pequeña: *meñique.*

meollo 1. Substancia del interior de los huesos. ☞ **médula, tuétano.**

— *Se necesita meollo de res para hacer las pruebas de laboratorio.*

2. Centro o interés de algo. ☞ **substancia, fondo.** ❖ SUPERFICIE.

— *Para solucionar este problema hay que llegar al meollo del conflicto.*

mequetrefe Que es ridículo y molesto, que no se le tiene respeto. ☞ **mamarracho, fantoche, botarate.**

meramente Solamente. ☞ **simplemente, puramente, absolutamente, únicamente.** ❖ GENERALMENTE.

mercachifle Comerciante de poca importancia.

mercado 1. Sitio donde se realizan labores de compra, venta y permuta de mercancías. ☞ **plaza.**

— *El mercado es muy ruidoso y pintoresco.*

2. Lugar que reviste una importancia especial en cualquier orden comercial.

— *Tu negocio de ferretería tendrá éxito, pues aquí el mercado es muy amplio.*

3. Actividad que se aprecia en la compra y venta de algo.

— *El mercado de valores sufrió una gran baja ayer.*

— mercancía: *mercadería.*

— comprar o vender: *mercadeo, mercadear.*

— comerciante: *mercader.*

— comprar: *mercar.*

— compra y venta ilícita de mercancías prohibidas: *mercado negro.*

mercancía Cualquier cosa que es susceptible de ser vendida o comprada. ☞ **producto, mercadería.**

— que pertenece a la mercancía, el comercio o los comerciantes o se relaciona con ellos: *mercantil.*

merced 1. Beneficio o recompensa que alguien recibe. ☞ **gracia, dádiva.**

— *El gobierno le dio una medalla como merced a sus servicios.*

2. Voluntad o arbitrio. ☞ **misericordia.** ❖ PERDÓN.

— *Está a merced de la justicia, no puede hacer nada.*

mercenario, -ria 1. Soldado que presta sus servicios a cualquier ejército mediante un salario.

— *En ciertos actos de sabotaje participan mercenarios.*

2. Se le llama así a cualquier persona que somete su trabajo y voluntad a otra, siempre y cuando reciba una buena remuneración.

— *Ese médico no tiene ética profesional, trata a cualquier paciente por hacer dinero; es un mercenario.*

3. Persona que ambiciona ganar mucho dinero. ☞ **codicioso.**

— *Es tan mercenario que todas sus amistades están fincadas en el interés monetario.*

mercería Negocio en que se venden pequeños objetos para la costura y el tejido.

Mercurio (vea ilustración de planetas)

1. Planeta más cercano al Sol, de aspecto amarillento con manchas grises y blancas, visible en la mañana y al atardecer. Se cree que no posee atmósfera y, por tanto, la vida ahí es poco probable.

— *Como Mercurio es visible a simple vista, también se le llama lucero matutino y vespertino.*

2. Único elemento químico cuyo estado natural a temperatura ambiente es líquido. ☞ **azogue, plata viva.**

— *Los barómetros y termómetros usan mercurio en sus escalas de medición.*

— dios griego del comercio, los viajes, los ladrones y la elocuencia: *Mercurio.*

merecer 1. Ser digno de algo bueno o malo. ☞ **ganar, beneficiarse, lograr.** ❖ DESMERECER.

— *Debido a sus cualidades este libro merece el premio.*

2. Lograr. ☞ **conseguir, obtener.** ❖ DESMERECER.

— *El equipo de natación mereció el primer lugar en la competencia.*

3. Tomar algo en cuenta o tenerle estimación. ❖ DESMERECER.

— *Este artículo merece mucha atención, hay que releerlo.*

— castigo que se aplica con razón y justicia: *merecido.*

— de forma digna: *merecidamente.*

— acción y resultado de merecer: *merecimiento.*

— mérito, reconocimiento, aprobación: *merecimiento.*

merendar Tomar una cena ligera en las primeras horas de la noche.

— alimentos que se toman al merendar: *merienda.*

— establecimiento donde se venden y consumen meriendas: *merendero, cenaduría, puesto.*

merengue 1. Dulce de claras de huevo batidas con azúcar y horneadas.

— *En las calles venden merengues y otras golosinas.*

2. Ritmo característico de la República Dominicana.

— *El merengue se baila moviendo muy rápidamente las caderas.*

— vendedor de merengues: *merenguero.*

meretriz Prostituta. ☞ **ramera, puta, mujer pública.** ❖ VIRGEN, SANTA.

meridiano, -na 1. Círculo imaginario máximo que pasa por los polos y divide a la tierra en dos hemisferios o semicírculos.
— *El meridiano de Greenwich es el más importante.*
2. Muy claro. ☞ **explícito, luminoso.** ❖ OSCURO.
— *No hay lugar a dudas, su respuesta fue de una elocuencia meridiana.*
— perteneciente al mediodía: *meridiano.*

meridional Que pertenece al sur de cualquier zona geográfica, en especial al área mediterránea. ☞ **mediodía, sur, sureño.** ❖ NORTE.

merino Nombre que recibe cierta clase de carneros y ovejas y la lana que producen, que es muy fina y apreciada.

mérito 1. Acción que hace a uno digno de premio o elogio. ☞ **merecimiento, estimación.** ❖ DEMÉRITO.
— *Su heroísmo lo hace acreedor al mérito del valor civil.*
2. Cualidad o circunstancia que le da valor a una cosa. ☞ **valor, valía.** ❖ DESMERECIMIENTO.
— *El mérito de su trabajo estriba en el resultado tan interesante del mismo.*
— de forma merecida: *meritoriamente.*
— comportarse zalameramente con alguien para conseguir algo: *hacer méritos.*
— que es notable, sobresaliente: *de mérito.*

merlín Soga delgada que sirve para coser o forrar cables; se usa sobre todo en los quehaceres marinos.

mermar Consumirse. ☞ **reducir.** ❖ MANTENER.
— disminución, mengua, desgaste: *merma.*
— pérdida: *merma.*

mermelada Dulce a base de fruta cocida con miel o azúcar. ☞ **jalea, confitura.**

mero, -ra 1. Sin mezcla. ☞ **puro, simple.** ❖ COMBINADO.
— *No traían nada más, sólo el mero paquete.*
2. Propio. ☞ **mismo.** ❖ DIFERENTE.
— *El mero presidente de la junta me lo dijo.*
3. Pronto. ☞ **casi.** ❖ TARDADO.
— *Ya mero está la comida, pon la mesa por favor.*
— que es el más importante: *el mero mero.*

merodeador, -ra Que anda vagando por algún sitio con malos fines. ☞ **curiosear, vagar, acechar, rondar.**
— persona que merodea: *merodeador.*

mes 1. Cada una de las doce partes en que se divide el año.
— *En el mes de agosto tomo mis vacaciones.*
2. Tiempo que transcurre entre dos fechas iguales de meses consecutivos.
— *La próxima reunión se celebrará dentro de un mes.*
3. Salario que se obtiene mensualmente.
— *Nada más me dan mi mes y renuncio.*

mesa 1. Mueble compuesto de una superficie plana que se sostiene con uno o más postes.
— *La mesa del comedor es para doce personas.*
— tipos de mesa según su función: *de altar, de noche, de operaciones, de juego, de trabajo, de redacción, de billar.*
2. Conjunto de personas que gobiernan una corporación, entidad, institución.
— *La mesa directiva decidirá sobre estos asuntos.*
— panel de expertos que debaten sobre un tema: *mesa redonda.*
3. Accidente geográfico donde se encuentra una gran porción de terreno elevado y llano rodeado de barrancas y/o valles. ☞ **meseta.**
— *La mesa central del país es una zona densamente poblada.*

mesada Mensualidad.

mesar Arrancar los cabellos o la barba con las manos.

mescolanza Mezcla de varias cosas. ☞ **revoltijo.** ❖ ORDEN.

meseta Llanura. ☞ **mesa.**

Mesías Ente real o imaginario en cuyos poderes se finca la solución de problemas sociales.
— nombre que los profetas dieron al futuro salvador y redentor del pueblo judío: *Mesías.*
— que pertenece al Mesías o se relaciona con él: *mesiánico.*
— movimiento religioso que cree en la próxima llegada del Mesías: *mesiánico, mesianismo.*
— creencia ferviente en un Mesías o en el poder desmedido que una persona puede tener en la solución de algún problema: *mesianismo.*

mesnada Ejército que en la antigüedad protegía a un noble; actualmente grupo de personas que apoyan a un individuo en cualquier actividad. ☞ **hueste, partida, tropa, compañía, junta, congregación.**

mesón Albergue donde se da hospedaje y alimentos a los viajeros. ☞ **venta, posada, fonda, parador, hostal.**
— que es dueño de un mesón: *mesonero.*

mestizaje Cruza de razas. ☞ **hibridación.** ❖ PUREZA.
— grupo de individuos que provienen de este cruzamiento: *mestizaje.*
— persona cuyos padres son de razas diferentes: *mestizo.*

mesura 1. Seriedad, prudencia. ☞ **gravedad, compostura, circunspección. sensatez.** ❖ DESMESURA, DESENFRENO.
— *Ante asuntos tan delicados hay que actuar con mucha mesura.*
2. Moderación, comedimiento.
— *Todos gustan de ir a su casa porque se comporta con mucha mesura frente a sus invitados.*
— que sucede de forma gradual: *mesuradamente.*
— persona modesta, moderada, parca: *mesurado.*
— moderar, restringir: *mesurar.*

meta 1. Final de una carrera. ☞ **término, fin.** ❖ COMIENZO, ARRANQUE.
— *Fue tan larga la carrera que sólo llegaron a la meta diez de los veinte corredores que la iniciaron.*
— portería o punto que deben alcanzar los deportistas: *meta, guardameta.*
2. Fin que persigue alguien según sus deseos y acciones. ☞ **blanco, propósito.** ❖ PRINCIPIO.
— *Su meta en la compañía es llegar a ser el jefe.*
3. Partícula que significa: además, después o más allá. Con ella se forman un sinnúmero de palabras.
— *La metáfrasis es la explicación del contenido profundo de una frase, más allá de su significado obvio.*

metabolismo Nombre que recibe el conjunto de procesos biológicos que experimenta un organismo.

metacarpo Conjunto de huesos largos que forman parte del esqueleto de los miembros anteriores de los batracios, reptiles y mamíferos.

metafísica 1. Parte de la filosofía que estudia los principios fundamentales y generales del universo. ☞ **espiritual.** ❖ CONCRETO.
— *La metafísica estudia todo aquello que no es palpable, pero que existe y rige la vida humana.*
2. Teoría abstracta, generalmente de difícil comprensión. ☞ **incomprensible.** ❖ SENCILLO.
— *Estos libros son demasiado com-*

plicados para mí porque contienen razonamientos metafísicos.

— que estudia y conoce de metafísica: *metafísico*.

— sutileza que tiene alguien en sus reflexiones y pensamientos: *metafísica*.

metáfora Figura retórica que consiste en que una palabra o grupo de palabras pierde su sentido original y adquiere otro figurado, lográndose así una comparación tácita. ☞ **símil, alegoría, alusión, semejanza.** ❖ LITERAL.

*Es mi amor como el oscuro
panal de sombra encarnada
que la hermética granada
labra en su cóncavo muro.*
"Soneto de la granada"
Xavier Villaurrutia.

metal Nombre genérico de ciertos cuerpos simples, conductores del calor y la electricidad, que tienen un brillo particular; todos, a excepción del mercurio, se encuentran en estado sólido a temperatura ambiente. Se clasifican según sus propiedades.

metalurgia Ciencia que estudia la composición, propiedades, extracción y aplicación de los metales.

— que pertenece a la metalurgia o se relaciona con ella: *metalúrgico*.

— que se dedica a la metalurgia: *metalúrgico, metalurgista*.

metamorfosis (vea ilustración). 1. Cam-

bio natural que sufren algunos seres vivos. ☞ **transmutación.**

— *Las crisálidas sufren una metamorfosis al convertirse en mariposas.*

2. Transformación de tipo fantástico o sobrenatural. ☞ **conversión.**

— *Según la leyenda, con un beso el sapo experimenta una metamorfosis y se vuelve príncipe.*

3. Cambio de cualquier tipo que experimenta una persona. ☞ **transformación.** ❖ CONTINUACIÓN.

— *A raíz de la detección de su enfermedad, él ha sufrido una metamorfosis en su carácter.*

metano Tipo de gas de los pantanos cuya fórmula química es CH_4 y tiene una densidad de 0.554, es inodoro, incoloro e inflamable; hace una mezcla detonante al contacto con el aire. ☞ **hidruro de metilo, grisú, hidrógeno protocarbonado, protileno.**

metástasis 1. Cambio del punto donde se originó una enfermedad, con o sin desaparición del foco infeccioso inicial, o aparición de focos secundarios posteriores al inicial.

— *En algunas casos el cáncer se propaga por metástasis.*

2. Figura retórica que consiste en imputar el orador a un tercero lo que no puede menos que confesar.

— *En estos versos encontramos metástasis muy ingeniosas.*

metatarso Parte del pie comprendida entre el tarso y los dedos, compuesta por cinco huesos similares entre sí que se conocen con el nombre de metatarsianos.

metate Piedra con cierta concavidad en su superficie que sirve para moler toda clase de granos con la ayuda de una mano del mismo material.

meteorito Cualquiera de los cuerpos que provienen del espacio sideral y penetran en la Tierra. ☞ **aerolito, bólido, estrella fugaz.**

meteoro Cualquier fenómeno atmosférico como la lluvia, el viento, el granizo, el rayo, el arcoiris y la aurora boreal.

— que pertenece al meteoro o se relaciona con él: *meteórico*.

meteorología Ciencia que se encarga del estudio de los fenómenos atmosféricos conocidos con el nombre general de meteoros.

— que pertenece a la meteorología o se relaciona con ella: *meteorológico*.

— que se dedica a la meteorología: *meteorólogo*.

meter 1. Colocar una cosa dentro de otra. ☞ **introducir, encerrar.** ❖ SACAR.

— *Mete los libros en la mochila.*

2. Producir una reacción de cualquier tipo. ☞ **causar, ocasionar.** ❖ EXTIRPAR.

— *Las protestas han metido mucho temor en la población.*

3. Intervenir en un asunto ajeno. ☞ **introducir, inmiscuir.** ❖ DESENTENDER.

— *El poder judicial se mete en asuntos que le competen al poder legislativo.*

4. Enredarse en asuntos que casi siempre acaban mal. ☞ **entrometer, inmiscuir.**

— *Se metió con traficantes de droga y ahora está en la cárcel.*

5. Inducir a alguien hacia algo. ☞ **infundir, inculcar.** ❖ SACAR.

— *Su padre lo está metiendo en el mundo de los negocios.*

6. Invertir dinero. ☞ **gastar.** ❖ EXTRAER.

— *Su tienda marcha muy bien pues le metieron varios millones en mercancía.*

7. Presentar una solicitud de cualquier tipo. ❖ EXTRAER.

— *Metió sus papeles para ver si obtiene la beca.*

8. Apretar muchas cosas en poco espacio. ☞ **intercalar, insertar.** ❖ ARRANCAR.

— *No metan tantos estudiantes en un*

metamorfosis

METAMORFOSIS COMPLETA

Los huevos del insecto empollan en larva, en este caso como gorgojos vermiformes.

Algunas larvas se alimentan de plantas; otras de organismos animales. A medida que crecen, mudan.

La etapa siguiente es la pupa, el estadio durante el cual desarrollan las alas y otros órganos adultos.

Las tres partes del insecto adulto se observan claramente aquí: cabeza, tórax y abdomen. Los adultos tienen seis patas.

METAMORFOSIS INCOMPLETA

Las libélulas depositan sus huevos en agua. Las larvas también son acuáticas.

La larva, llamada ninfa, se alimenta de pequeños animales acuáticos. Al igual que otras larvas de insectos, muda mientras crece.

Emergiendo desde el agua, la ninfa se separa de su piel.

Cuando las alas se secan y endurecen el insecto adulto echa a volar.

mismo salón, pues son incontrolables.

9. Poner. ☞ **colocar.** ❖ SACAR.

— *Mete esos libros en el librero de arriba.*

10. Dedicar mucho tiempo a algo. ☞ **emplear, destinar.** ❖ CHUPAR.

— *El acto salió muy bien ya que le metieron mucho tiempo y dedicación.*

11. Emprender una actividad o continuarla.

— *Se metió en cuestiones de economía y abandonó la contaduría.*

12. Estar muy concentrado y comprometido en una actividad. ☞ **inmiscuir, penetrar.** ❖ DESARRAIGAR.

— *No lo molestes, está muy metido en su lectura.*

13. Introducir clandestinamente algo. ☞ **contrabandear.**

— *En la prisión meten toda clase de drogas sin que las autoridades detecten cómo lo hacen.*

14. Ingresar en alguna institución. ☞ **entrar.** ❖ EXPULSAR.

— *Logró meterse en la escuela de teatro.*

15. Saber hacer buen uso de un instrumento. ☞ **manejar, manipular.**

— *Ese tablajero sabe meter el cuchillo en la carne.*

16. Acortar o estrechar una prenda de vestir. ☞ **achicar.**

— *Métele un poco a la blusa de tu hermana y parecerá que es tuya.*

17. Infligir golpes o dolor a alguien. ☞ **golpear, pegar.** ❖ PROTEGER.

— *Sus papás le metieron una buena paliza.*

meticulosidad Minuciosidad y cuidado extremo en el actuar. ☞ **escrupulosidad, orden.** ❖ DESORDEN.

— *que trabaja concienzuda y correctamente: meticuloso.*

metodista Miembro de la secta protestante conocida como metodismo, fundada por John Wesley en Inglaterra durante el s. XVIII, cuyos principios son muy rígidos.

método 1. Modo ordenado de proceder, hablar o comportarse. ☞ **sistema.**

— *No podemos hacer excepciones, todos los aspirantes deben seguir el mismo método para ingresar en la universidad.*

2. Orden que se sigue en diversas disciplinas para aprender una ciencia o doctrina. ☞ **procedimiento, técnica.**

— *En el laboratorio los estudiantes utilizan el método experimental para aprender muchas cosas.*

3. Obra que contiene los principios y

---

pasos a seguir para aprender algo. ☞ **manual, texto.**

— *Voy a comprar un método de alemán.*

metralla 1. Pedacería de hierro con que se cargaban piezas de artillería, proyectiles y bombas.

— *Tenía la pantorrilla herida por un trozo de metralla.*

— disparo de metralla: *metrallazo.*

2. Fragmentos de hierro colado que saltan fuera de los moldes.

— *El piso estaba cubierto de metralla, pues el herrero había forjado una reja.*

metro 1. Unidad longitudinal del sistema métrico decimal compuesta por cien centímetros; su símbolo es "m" o "mt.".

— *La carrera es de mil metros.*

— instrumento para medir con una longitud mínima de un metro: *metro, cinta métrica.*

— sistema de pesas y medidas cuya base es el metro longitudinal y se usa en la mayoría de los países: *métrico decimal.*

2. Combinación de sílabas y acentos que tienen los versos en una poesía.

— *El metro más usado en la poesía barroca es el endecasílabo.*

— arte de componer versos en metro, de medir el metro de los versos: *métrica.*

3. Ferrocarril urbano subterráneo, terrestre o volado, propio de las grandes ciudades.

— *El metro más antiguo es el de París.*

metrópoli 1. Ciudad que por su importancia o extensión se considera principal. ☞ **metrópolis, urbe, capital.** ❖ PUEBLO.

— *La ciudad de Nueva York es una gran metrópoli.*

2. País que gobierna otros territorios fuera de sus fronteras. ☞ **potencia.** ❖ COLONIA.

— *España fue la metrópoli de Hispanoamérica durante tres siglos.*

— que pertenece a una metrópoli o se relaciona con ella: *metropolitano.*

— poblador de una ciudad importante: *metropolitano.*

mexicano, -na (vea recuadro de gentilicios mexicanos). Que es originario de México o que ha adoptado esta nacionalidad.

mezcal (vea recuadro de bebidas). Tipo de aguardiente que se extrae del agave y del maguey.

mezclar 1. Incorporar substancias de distinta naturaleza o en diferentes

---

estados de la materia. ☞ **unir, juntar, combinar.** ❖ SEPARAR.

— *Para preparar el turrón mezcla los huevos, la canela y la leche.*

2. Poner cosas o personas de distinta índole en un mismo sitio. ☞ **conglomerar, revolver.**

— *Decidieron mezclar a los alumnos sin tomar en cuenta su nivel académico.*

3. Intervenir en una disputa ajena.

— *Por mezclarme en tus asuntos quedé enfadado con todos.*

4. Participar. ☞ **colaborar, involucrar.** ❖ APARTARSE.

— *Estos estudiantes se han mezclado mucho en los asuntos de la escuela.*

— acción y resultado de mezclar: *mezcla.*

— argamasa usada en las construcciones: *mezcla.*

— que mezcla una cosa con otra: *mezclador.*

mezclilla Tela de algodón muy resistente y durable que antes usaban exclusivamente los obreros en las fábricas; pero que actualmente se ha popularizado.

mezquindad 1. Pobreza. ☞ **humildad.** ❖ RIQUEZA.

— *No tiene ni para comer, vive en la mezquindad más absoluta.*

2. Avaricia. ☞ **tacañería, usura.** ❖ GENEROSIDAD.

— *Nunca les pidas algo prestado porque en esa casa impera la mezquindad.*

3. Pequeñez. ☞ **diminuto.** ❖ GRANDE.

— *Le pedí un préstamo considerable y me dio una mezquindad que no me saca de apuros.*

4. Carácter pérfido, digno de cualquier mala acción. ☞ **miserable, sin nobleza.** ❖ NOBLE.

— *Su traición no me sorprende, siempre mostró gran mezquindad de espíritu.*

— avaro, tacaño: *mezquino.*

— pobre: *mezquino.*

— desgraciado, desdichado, infeliz: *mezquino.*

— pequeño: *mezquino.*

— verruga: *mezquino.*

mezquita Templo de la religión islámica. ☞ **morabito, alminar.**

mezquite Árbol leguminoso americano semejante a la acacia, de cuya goma se extrae un líquido para tratar males de los ojos. ☞ **mezquicopal.**

— sitio poblado de mezquites: *mezquital.*

miasma Sustancia u olores que se desprenden de organismos enfermos o en

---

descomposición, así como de aguas estancadas.

micción Acción de orinar. ☞ **orinar, mear.**

mico Mono de cola larga, abundante en algunas zonas de América.

microbio Diminutos organismos animales o vegetales sólo visibles con la ayuda del microscopio. ☞ **bacilo, bacteria.**
— tipos de microbios: *inocuos, infecciosos, fermentadores.*

microcosmos 1. Término filosófico que considera al ser humano como resumen o espejo de todo lo existente en el universo. ☞ **microcosmo.** ❖ MACROCOSMOS.
— *Los filósofos estudian al hombre como un microcosmos.*
2. Ambiente donde alguien se desenvuelve. ☞ **atmósfera, medio.**
— *El microcosmos del ama de casa no siempre es gratificante.*

micrófono Dispositivo que convierte las vibraciones sonoras en oscilaciones eléctricas para transmitirlas.
— hablar mucho sin dejar intervenir a los demás: *no soltar el micrófono.*

microorganismo Microbio, organismo microscópico. ☞ **microbio.**

microscopio Instrumento dotado de juegos de lentes que permite observar objetos o seres que no son visibles a simple vista.

micho, -cha Nombre familiar que reciben los gatos. ☞ **gato, micifuz, minino.**

miedo 1. Perturbación del ánimo que produce angustia por la presencia de un peligro real o imaginario. ☞ **pavor, temor.** ❖ VALOR.
— *Él nunca viaja en avión porque le tiene miedo a las alturas.*
2. Sensación de que sucede lo contrario de lo que se desea. ☞ **temor.** ❖ CONFIANZA.
— *Tengo miedo de que no me acepten en la academia.*
— asustar: *meter miedo.*
— que tiene miedo: *miedoso.*
— que fácilmente tiene miedo: *miedoso, asustadizo.*
— expresiones que indican gran temor: *temblar, morir o cagarse de miedo.*

miel 1. Substancia espesa, amarillenta y dulce que producen las abejas cuando devuelven el néctar de las flores después de que lo han condensado en su estómago. ☞ **abeja, panal.**
— *La miel es más nutritiva y mejor edulcorante que el azúcar.*
2. Substancia espesa y dulce que se extrae de la caña de azúcar.

— *A la miel de caña también se le llama de caldera, prima o negra.*
— apicultor: *mielero.*
— miel pura: *miel virgen.*

miembro 1. Cada una de las extremidades del ser humano y de algunos animales. ☞ **apéndice.** ❖ TRONCO.
— *Después del accidente quedó inutilizado de todos sus miembros.*
— conjunto de la pierna, el pie y el muslo: *miembro inferior, miembro abdominal o miembro pélvico.*
— conjunto del brazo, antebrazo y mano: *miembro superior o miembro torácico.*
2. Integrante de una comunidad o de un todo. ☞ **participante, socio.** ❖ GRUPO.
— *Se incorporaron tres nuevos miembros al club de filatelia.*
— órgano reproductor del hombre y de algunos animales: *miembro.*

mientras Durante el tiempo en que, entre tanto.

miércoles Día que precede al martes y antecede al jueves.
— primer día de la cuaresma: *miércoles de ceniza.*
— miércoles de semana santa: *miércoles santo.*

mierda 1. Excremento humano y de los animales. ☞ **defecación, popó.**
— *Los veterinarios tomaron muestras de mierda de las vacas para detectar la presencia de microbios.*
2. Cualquier cosa sucia. ☞ **porquería, chiquero.**
— *No entres a ese cuarto; está hecho una mierda.*
3. Objeto o persona despreciables, sin valor alguno. ☞ **inutilidad, porquería.** ❖ VALIOSO.
— *No leas ese libro; es una verdadera mierda.*

mies Cereal maduro como el trigo o el centeno.
— tiempo de cosecha de los cereales: *mies.*
— sembradíos: *mieses.*

miga 1. Parte blanda e interior del pan. ☞ **migajón.**
— *Este pan es muy malo, la miga está tan dura como la corteza.*
2. Parte pequeña de algo. ☞ **migaja, fragmento, trozo.**
— *Del pastel quedan algunas migas.*
— sobras: *migajas.*
— entenderse o no una persona: *hacer buenas o malas migas.*
— no quedar nada: *ni una miga.*

migración Movimientos de grupos de personas que se trasladan de un país a otro de manera permanente o temporal.

migraña Dolor de cabeza muy persistente. ☞ **jaqueca.**

mil 1. Diez veces cien unidades. ☞ **millar.**
— *Préstame mil pesos.*
2. Número de una cantidad grande e indeterminada de algo. ☞ **mucho.** ❖ POCO.
— *En el viaje tuvimos mil aventuras.*

milagro 1. Hecho sobrenatural que acontece por poderes divinos. ☞ **prodigio.**
— *La resurrección de Lázaro fue un milagro.*
— que hace milagros: *milagroso, milagrero.*
2. Hecho que asombra por maravilloso, raro o extraordinario. ☞ **asombro, maravilla.**
— *Fue un milagro acabar la construcción antes de lo previsto.*

milamores Planta de flores rojas o blancas y fruto seco que crece en lugares pedregosos. ☞ **mil amores.**
— hacer algo con mucho gusto: *de mil amores.*

milenario, -ria 1. Que pertenece al número mil o que se relaciona con él.
— *Estas formaciones rocosas son milenarias.*
2. Muy antiguo. ☞ **ancestral, arcaico.** ❖ MODERNO.
— *Las costumbres de algunos pueblos son milenarias.*
3. Movimiento religioso de los que creían que el fin del mundo y el juicio final llegarían en el año mil de esta era y que Jesucristo gobernaría la Tierra durante mil años antes del juicio final.
— *Durante el siglo IX Europa vivió varios movimientos de milenarios.*
— movimiento religioso que fincaba sus principios en el arribo del año mil: *milenaristas, milenarismo.*
— mil años: *milenio.*

milicia 1. Servicio o profesión militar. ☞ **ejército, militar, pretoriano, castrense.** ❖ CIVIL.
— *Él ha elegido como profesión la milicia.*
— combatiente, guerrillero, soldado: *miliciano.*
2. Cuerpo armado compuesto por civiles. ☞ **guardia, reserva.** ❖ PAISANO.
— *El ejército va a tener que llamar a las milicias civiles para proteger las fronteras.*
3. Disciplina y arte de hacer la guerra y manejar los ejércitos.
— *La milicia es una actividad necesaria para defender un país.*
4. Cualquier grupo, armado o no, que

lucha por un ideal. ☞ **agrupación.** ❖ PARTICULAR.

— *Para defender la naturaleza se han formado verdaderas milicias de ecologistas.*

— coro de los ángeles: *milicia celestial.*

militar 1. Perteneciente o relativo a la guerra, los soldados y el ejército. ☞ **castrense, marcial.** ❖ CIVIL.

— *Por orden militar hay toque de queda desde las diez de la noche hasta las seis de la mañana.*

2. Individuo que forma parte o cumple servicio en el ejército. ☞ **soldado, miliciano.** ❖ CIVIL.

— *Su padre es un militar de alto rango.*

3. Participar activamente en una agrupación o partido político. ☞ **enrolarse, integrar.**

— *Desde hace años milita en un partido de derecha.*

— guerrero o partidario de un partido político: *militante.*

milpa Tierra destinada al cultivo de cereales, sobre todo del maíz. ☞ **parcela, sembradío.**

— que es dueño de una milpa o que cuida de ella: *milpero.*

— sembrar o cuidar una milpa: *milpear.*

milla Tipo de medida usada en los países anglosajones. Existen de dos tipos: la milla terrestre que equivale a 1,609.3 mts.; y la milla marina que equivale a 1.852 mts.

millar 1. Conjunto de mil unidades. ☞ **mil.**

— *Al rastro entran diariamente un millar de cabezas de ganado.*

2. Cantidad grande e indeterminada. ☞ **mil.**

— *En el concierto de rock había millares de fanáticos.*

millón 1. Mil millares.

— *Para abrir la cuenta de cheques se necesitan dos millones de pesos.*

2. Número muy grande e indeterminado. ☞ **mil, millar.**

— *Les mandaron un millón de besos y de abrazos.*

— que es adinerado: *millonario.*

mimar 1. Tratar a alguien con particular cariño y cuidado. ☞ **halagar, acariciar.** ❖ IGNORAR, RECHAZAR.

— *Se está dejando mimar porque está enfermo.*

2. Malcriar. ☞ **chiquear, consentir.** ❖ CASTIGAR, CRIAR.

— *A mí me mimaron mis abuelos.*

— que mima: *mimador.*

— niño malcriado: *mimado, chiqueado.*

— caricia, cuidado, atención, arrumaco: *mimo.*

mimbre Cada una de las varas del arbusto conocido como mimbrera. Por su longitud, elasticidad y resistencia estas varas se usan en la elaboración de muebles y cestos.

mimeógrafo Máquina que sirve para hacer copias de un escrito y/o dibujo que se ha hecho en un papel parafinado especial para esta labor.

mimesis Reproducción, con fines burlescos, de los gestos y actitudes de una persona. ☞ **imitación, remedo.**

mimetismo 1. Propiedad que tienen algunos animales de tomar otra apariencia para protegerse o atacar.

— *El mimetismo entre las serpientes consiste en tomar la coloración que impera en el medio ambiente.*

2. Carácter cambiante de algunas personas para adecuarse a una situación o persona y sacar provecho. ☞ **imitación, adaptación, acomodaticio.**

— *Cuando ella ve a su hermano se mimetiza totalmente: actúa igual que él.*

mímica Disciplina que consiste en comunicarse con gestos, ademanes y actitudes. ❖ COMUNICACIÓN ORAL, VERBAL, HABLADA.

— que pertenece a la mímica o se relaciona con ella: *mímico.*

— ejecutante de mímica: *mimo.*

mina 1. Sitio donde abundan minerales en estado bruto y excavación hecha para extraerlo.

— *En el estado de Zacatecas hay muchas minas de minerales como la plata y el estaño.*

— partes que componen una excavación para extraer mineral: *tiro, boca, galería, túnel, pozo maestro, pozo de ventilación, jaula de extracción, filones, vetas, fallas.*

2. Explosivos de distintos tipos.

— *No se puede pasar por ese terreno pues está lleno de minas.*

— tipos de minas: *acústica, área, submarina, flotante o a la deriva, terrestre o subterránea, ascensora, de antena, de presión, de contacto, magnética.*

— grafito o plumbagina que va en el interior de los lapiceros: *mina.*

minar 1. Abrir galerías en el subsuelo para extraer minerales. ☞ **excavar, socavar, zapar.** ❖ CERRAR.

— *Los ingenieros minan la zona ya que existen grandes yacimientos de cobalto.*

2. Colocar explosivos en tierra o agua.

— *Debido a los serios problemas,*

ambos países han minado totalmente sus fronteras.

3. Destruir algo o a alguien paulatinamente. ☞ **debilitar, consumir, desgastar.** ❖ FORTALECER.

— *Los conflictos con su pareja están minando su desempeño laboral.*

minarete Nombre que reciben las torres de las mezquitas. ☞ **alminar, mezquita.**

mineral Se le denomina así a las sustancias naturales inorgánicas que se encuentran en la superficie y subsuelo terrestres. ❖ ANIMAL, VEGETAL.

minería Industria de la explotación de minas de una región o país.

— persona que trabaja en la minería o es dueño de una mina: *minero.*

mingitorio Urinario en forma de columna y/o servicio sanitario público. ☞ **baño, micción, orinar.**

— que pertenece a la acción de orinar o se relaciona con ella: *mingitorio.*

miniatura 1. Reproducción de cualquier objeto a escala reducida, especialmente pinturas y objetos de arte. ☞ **reducción.** ❖ TAMAÑO NATURAL.

— *Compró un juego de té en miniatura.*

2. Cosa o persona pequeña e insignificante. ☞ **menudo, chico.** ❖ GRANDE.

— *Esta miniatura de abrigo no me queda.*

— artista que elabora miniaturas: *miniaturista.*

minimizar 1. Reducir. ☞ **achicar, acortar.** ❖ ENSANCHAR.

— *Para convivir más con sus hijos ha minimizado sus viajes.*

2. Restar importancia a algo o a alguien. ☞ **disminuir, menospreciar.** ❖ PONDERAR.

— *Este diario minimiza la importancia de los acontecimientos de ayer.*

mínimo, -ma 1. Lo más pequeño que puede haber o hacerse. ☞ **minúsculo, diminuto.** ❖ MÁXIMO, MAYOR.

— *Para adelgazar hay que consumir el mínimo de calorías.*

2. Límite inferior de algo. ❖ MÁXIMO, TOPE.

— *El mínimo para abrir una cuenta es de cien mil pesos.*

— al menos: *mínimamente.*

— por lo menos: *como mínimo.*

minino, -na Gato. ☞ **gato, micifuz, micho.**

ministerio 1. Nombre que se le da al conjunto y a cada una de las secciones en que se divide un gobierno para la buena administración de un país. ☞ **gabinete, cartera, puesto, secretaría.**

— *El Ministerio de Cultura remozará el monumento.*

2. Cargo y ocupación del jefe de un ministerio y tiempo que duran sus funciones. ☞ **mandato, dirección.**

— *Su ministerio duró poco. No pudo con tanta presión.*

3. Construcción donde se desempeñan las funciones de un departamento de Estado.

— *Los trámites deben hacerse en el Ministerio de Justicia.*

4. Misión de un profesional o uso de algo. ☞ **destino.**

— *El ministerio de los curas es ayudar a los necesitados.*

ministro 1. Jefe supremo de un ministerio o departamento de estado. ☞ **secretario, máxima autoridad.** ❖ BURÓCRATA, EMPLEADO.

— *El ministro de Educación firmó un convenio con otros países.*

2. Funcionario existente en muchas dependencias de gobierno e instituciones religiosas. ☞ **encargado.**

— *El primer ministro dirigirá la embajada mientras es nombrado el nuevo embajador.*

minoría 1. La sección más pequeña de algo como edad, tamaño, número. ❖ MAYORÍA.

— *Debido al día feriado sólo asistió una minoría de alumnos.*

2. Fracción menor que está en contra del resto en una comunidad, grupo o cuerpo legislativo. ☞ **oposición.** ❖ MAYORÍA, GENERALIDAD.

— *En la Cámara de Diputados la minoría votó en favor de la ley.*

— que representa a la minoría: *minoritario.*

— tienda y vendedor que comercia en pequeñas cantidades: *minorista.*

minucia Cosa insignificante. ☞ **bagatela, nadería, detalle.** ❖ TRASCENDENTE.

— calidad de minucioso: *minuciosidad.*

— que trabaja con extremo cuidado y detalle: *minucioso.*

minúsculo, -la 1. Letra pequeña en oposición a la mayúscula. ❖ MAYÚSCULA.

— *Hay un grave error en sus textos; escribe sólo con minúsculas.*

2. Pequeño. ☞ **diminuto, insignificante.**

— *Les pedimos un cartel grande y trajeron uno minúsculo.*

minuta 1. Borrador de cualquier documento que se archiva para conservarse como antecedente.

— *Ante el litigio del predio el abogado consultará la minuta de escrituras.*

2. Lista de platillos existentes en un restaurante. ☞ **menú, carta.**

— *El capitán ofreció la minuta a la dama.*

minutero Manecilla del reloj que marca los minutos. ☞ **reloj, aguja.**

minuto 1. Cada una de las sesenta partes iguales en que se divide el grado de un círculo.

— *En la pantalla aparece que el proyectil se desvía cuatro minutos de su destino original.*

2. Cada una de las sesenta fracciones iguales de tiempo que componen una hora.

— *Llegó en quince minutos.*

— de forma rápida: *sin perder un minuto, en un minuto, al minuto.*

mío, mía, míos, mías Pronombres posesivos de primera persona, en géneros masculino y femenino, singular y plural.

— nombre que se le da a familiares, allegados, amigos, simpatizantes: *los míos.*

— expresión con que se manifiesta simpatía o identificación con una o más personas: *es de los míos, de las mías.*

— expresión que significa gran oportunidad: *esta es la mía.*

miocardio Músculo del corazón que se encuentra entre el pericardio y el endocardio.

miopía Defecto de la vista producido por el exceso de refracción de luz en el ojo.

— que sufre de miopía: *miope.*

mira 1. En un instrumento o arma, pieza que sirve para dirigir la vista y la puntería o para realizar una medición.

— *Los ingenieros usan miras para nivelar el terreno donde estarán las nuevas construcciones.*

2. Intención. ☞ **propósito, designio, objetivo.**

— *Tiene en la mira comprar todo el edificio para rentar los departamentos.*

— con el objetivo de: *con miras a.*

— tener interés en algo: *poner la mira en.*

mirador, -ra Sitio natural o construido expresamente para apreciar los alrededores.

— balcón cerrado con cristales o ventanas: *mirador.*

— que mira: *mirador.*

miramiento 1. Acción de atender, observar o poner a consideración algo. ☞ **atención.** ❖ DESCUIDO.

— *Tus padres están poniendo mucho miramiento en lo que haces.*

2. Cuidado o respeto. ☞ **circunspección, atención, deferencia.** ❖ IGNORAR.

— *Como quieren aprovecharse de él, por ahora le tienen muchos miramientos.*

— sin privilegios: *sin miramiento.*

mirar 1. Detener la vista sobre algo o alguien para apreciarlo. ☞ **observar, ojear, contemplar.** ❖ CEGAR.

— *Ella mira los aparadores de las tiendas.*

2. Considerar. ☞ **pensar, reflexionar, tomar en cuenta.** ❖ IGNORAR.

— *Mira bien todas las posibilidades y después toma una decisión.*

3. Indagar. ☞ **buscar, inquirir.**

— *Anda mirando a ver si consigue un empleo.*

4. Atender. ☞ **amparar, cuidar.** ❖ DESATENDER.

— *Tiene que mirar por el bienestar de sus hijos.*

miríada Cantidad muy grande e indefinida de cualquier cosa. ☞ **multitud, infinitud.** ❖ ESCASO.

mirilla Pequeña abertura que sirve para observar. Se usa en puertas, paredes o instrumentos. ☞ **rejilla, ventanilla, agujero.**

miriñaque Armazón que se usa por debajo de la falda para darle volumen. ☞ **falda, armadura.**

mirlo Pequeño pájaro negro o pardo que se domestica y aprende a imitar la voz humana. ☞ **túrdido.**

mirra Resina aromática que se obtiene de una goma producida por un árbol árabe. ☞ **incienso, perfume.**

mirto Género de plantas, matas y arbustos con flores y frutos como bayas. Son originarias de los países cálidos y entre sus especies se encuentra el arrayán y el guayabo.

misa Ceremonia central de la religión católica en la que se recuerda la inmolación de Jesucristo cuyo cuerpo y sangre se representan a través del pan y el vino. ☞ **oficios divinos.**

— tipos de misas: *cantada, de cuerpo presente, de gallo, de difuntos, mayor, nueva, privada, solemne, gregoriana, negra, nupcial.*

— oficiar misa por primera vez un sacerdote: *cantar misa.*

— oficiar: *decir misa.*

— asistir a la iglesia: *oír misa.*

misantropía Aversión al trato con otros seres humanos y, por lo tanto, a la humanidad. ❖ FILANTROPÍA.

— insociable, huraño: *misántropo.*

misceláneo, -nea Mezcla de cosas de

diferente clase. ☞ **mezclado, variado, mixto.** ❖ UNIFORME.

— pequeña tienda donde se vende un poco de todo: *miscelánea.*

miseria 1. Desgracia, infortunio. ☞ **mala suerte.** ❖ BUENAVENTURA.

— *Está muy mal y ya me explicó las miserias que lo llevaron a esa situación.*

2. Estado de pobreza extrema. ☞ **estrechez, indigencia.** ❖ RIQUEZA.

— *Aquí vive gente en la miseria.*

— pobre, indigente: *miserable.*

3. Avaricia. ☞ **mezquindad, codicia.** ❖ GENEROSIDAD, DESPRENDIMIENTO.

— *La miseria es un defecto de la mayoría de los millonarios.*

— ˊ avaro, agarrado, mezquino: *miserable.*

4. Cosa pequeña y/o escasa. ☞ **nadería, pequeñez.** ❖ GRANDEZA.

— *Recibe una miseria de salario.*

— ínfimo: *miserable.*

— infeliz, desdichado, lamentable, lastimoso: *miserable.*

— vil, despreciable, perverso, canalla: *miserable.*

— miserable: *mísero.*

— estado superlativo de miserable: *misérrimo.*

misericordia 1. Sentimiento de compasión y solidaridad que se experimenta ante el dolor de los demás. ☞ **piedad, caridad, altruismo.** ❖ CRUELDAD.

— *Hay asociaciones que se dedican a obras de misericordia.*

2. Capacidad de perdón. ☞ **indulto, amnistía, clemencia.** ❖ CRUELDAD.

— *El asesino apela a la misericordia divina en sus oraciones.*

— que ejerce la misericordia: *misericordioso.*

misil Proyectil teledirigido. ☞ **proyectil, arma, trayectoria.**

misión 1. Poder que se otorga a alguien para que se realice cierta labor. ☞ **encargo, envío, cometido, comisión.**

— *Ya llegaron los enviados en misión diplomática.*

2. Viaje con un propósito específico, generalmente de estudio. ☞ **delegación, comisión, avanzada.**

— *La misión científica catalogará los especímenes animales de la zona.*

3. Predicación del cristianismo en tierras donde imperan otras creencias. ☞ **apostolado, evangelización.**

— *Se estableció una misión en plena selva amazónica.*

— evangelizador en tierras extrañas: *misionero.*

— territorio donde se han establecido evangelizadores: *misión.*

4. Deber que tiene una persona en su desempeño laboral. ☞ **apostolado, meta, comisión.**

— *La misión del maestro es enseñar.*

— que pertenece a la misión o se relaciona con ella: *misionero.*

misivo, -va Mensaje escrito. ☞ **carta, epístola.**

mismo, -ma 1. Lo que se ha visto o nombrado y no otra cosa diferente. ☞ **idéntico.** ❖ OTRO, DIFERENTE.

— *El muchacho que tú nombras es el mismo del que te hablé ayer.*

2. Similar. ☞ **semejante, igual.** ❖ DISTINTO.

— *El color de las camisas es el mismo, pero el material no.*

— mismamente: *mismo.*

— superlativo de mismo: *mismísimo.*

— a causa de ello, por esto, por esta razón: *por lo mismo.*

— también: *así mismo, asimismo.*

— no importa: *es lo mismo, me da lo mismo.*

— igual que, tanto como: *lo mismo que.*

misoginia Odio a las mujeres.

— que padece de misoginia: *misógino.*

misterio 1. Dentro del catolicismo, aquello que no es comprobable y se debe creer por fe. ☞ **dogma.**

— *La virginidad de María es un misterio.*

2. Cualquier cosa inexplicable. ☞ **enigma, incógnita.** ❖ VERDAD.

— *La vida está llena de misterios.*

3. Cualquier cosa secreta. ☞ **reservado.**

— *Las pláticas entre la guerrilla y el gobierno se realizan con mucho misterio.*

— cada una de las etapas de la vida, la pasión y la muerte de Cristo: *misterios.*

— representación teatral de algún pasaje bíblico: *misterios.*

— que contiene misterios en sí mismo: *misterioso.*

— que gusta de inventar misterios donde no los hay: *misterioso.*

misticismo Grupo de preceptos religiosos y filosóficos que preparan al individuo para una vida contemplativa y dedicada a Dios. ☞ **vida interior, vida contemplativa, ascetismo.**

— que pertenece al misticismo o se relaciona con él: *místico.*

— que guía su vida a través del misticismo: *místico.*

— misterioso: *místico.*

— parte de la teología que trata del misticismo: *mística.*

mistificación Acción y resultado de en-

gañar. ☞ **embaucar, mixtificación, trampa, burla.**

— engañar: *mistificar.*

mitad 1. Una de las dos partes iguales en que se divide algo. ☞ **medio.** ❖ DOBLE.

— *Dame la mitad del bizcocho.*

2. Parte central de algo. ☞ **núcleo, centro.**

— *No se le puede interrumpir, está a mitad de una junta.*

3. Punto más o menos equidistante de los extremos. ☞ **medio.** ❖ FIN.

— *Estamos a mitad del camino.*

— estar desamparado: *a mitad de la calle, a mitad del arroyo.*

mitigar Suavizar o atenuar el efecto de algo. ☞ **moderar.** ❖ EXACERBAR.

— que modera o suaviza: *mitigante.*

mitin Manifestación pública, generalmente de carácter político. ☞ **reunión.**

mito 1. Relato legendario de los tiempos heroicos. ☞ **leyenda, tradición.** ❖ HISTORIA.

— *Algunos escritores existencialistas tomaron el mito de Sísifo como uno de sus preferidos.*

— conjunto de las historias de los dioses, semidioses y héroes de civilizaciones antiguas: *mitología.*

2. Historia que estuvo basada en un hecho real, pero que no es posible comprobar. ☞ **leyenda, tradición.** ❖ CRÓNICA.

— *Las aventuras del Cid Campeador son un mito.*

— que pertenece al mito o se relaciona con él: *mítico.*

— fabuloso, increíble, inverosímil: *mítico.*

— referente a la mitología: *mitológico.*

mitote Escándalo o fiesta muy ruidosos. ☞ **relajo, fiestón, pachanga.**

— que arma relajo o hace chismes: *mitotero.*

mitra 1. Tipo de sombrero de los antiguos persas y actualmente de los obispos que lo usan como un símbolo de su categoría eclesiástica. ☞ **toca, adorno.**

— *Algunas mitras episcopales están bellamente adornadas.*

2. Dignidad de arzobispo u obispo.

— *A los setenta años se hizo cargo de la mitra.*

mixtificación Mistificación. ☞ **mistificación.**

mixto, -ta Mezclado con dos o más clases de cosas. ☞ **compuesto, heterogéneo.** ❖ HOMOGÉNEO.

mixtura Mezcla de varios objetos, ingredientes, tipos. ☞ **amalgama,**

mezcolanza, combinación. ❖ ORDE-
NACIÓN, AGRUPACIÓN.

mnemotecnia Método para acrecentar
la capacidad de memorización. ☞ **nemotecnia.**

mobiliario 1. Conjunto de muebles de
una habitación o casa.
— *El departamento se renta con todo y mobiliario.*
2. Bienes transferibles por medio de
un endoso o al portador.
— *Este plan de financiamiento sólo
incluye bienes mobiliarios.*

mocasín Se le llama así a dos tipos diferentes de calzado. Uno consiste en
zapatos de cuero crudo y es característico de los indígenas de América
del Norte. El otro es de tacón bajo,
cuero blando y sin agujetas.

mocedad Juventud. ☞ **pubertad, adolescencia.** ❖ VEJEZ.
— muchachillo: *mocete, mozalbete.*
— joven alto y fuerte: *mocetón.*

moción Propuesta que se somete a la
consideración de una junta o asamblea donde se toman decisiones.
☞ **proposición, petición, sugestión,
iniciativa.** ❖ APROBACIÓN.

moco 1. Secreción viscosa de las membranas mucosas, en especial la que
sale por los orificios nasales. ☞ **mucosidad.**
— *Debido a la gripe tiene la nariz
llena de mocos.*
2. Apéndice carnoso que le cuelga
del pico a los pavos y guajolotes.
— *Los pavos tienen el moco rojo y
morado.*
— chillar mucho: *llorar a moco tendido.*
— que está lleno de mocos: *mocoso.*
— niño malcriado: *mocoso.*
— joven insensato: *mocoso.*

mochila 1. Bolsa de lona que, sujeta a
la espalda, usan los soldados o excursionistas. ☞ **saco, zurrón, bolsa,
morral.**
— *El explorador lleva todo lo que
necesita en una gran mochila.*
2. Maleta de cuero o plástico donde
los niños llevan sus útiles escolares.
☞ **portafolios.**
— *Como ya entró en la primaria le
compraron una mochila para sus
cuadernos.*

mocho, -cha Objeto al cual le falta la
terminación debida.
— cortar, amputar, mutilar, quitar
indebidamente: *mochar.*
— católico muy ferviente: *mocho.*

moda Costumbres, comportamientos,
usos de una época determinada en
cualquier aspecto, en especial en el
del vestir. ☞ **boga, uso.** ❖ DESUSO.

— lo más nuevo en ropa: *última moda.*
— estar anticuado: *pasar de moda.*
— estilarse, usarse: *estar de moda, estar a la moda, ponerse de moda.*

modal Actitudes, gestos y ademanes
que muestra una persona cotidiana-
mente. ☞ **compostura, crianza,
educación.**
— que pertenece o se relaciona con
los modos: *modal.*

modalidad Manera o variante. ☞ **forma, modo, método.**

modelar Hacer figuras o adornos con
cualquier materia blanda como cera,
barro, yeso, plastilina. ☞ **formar.**
❖ DESTRUIR.
— acción de modelar: *modelaje.*
— acción y resultado de modelar:
modelado.
— profesional del modelaje: *modelo.*

modelo 1. Pieza original de algo que
sirve para hacer otras iguales o parecidas. ☞ **prototipo, ejemplo.** ❖ CO-
PIA.
— *El profesor dio el modelo que ha-
bríamos de copiar.*
2. Persona o actitud admirable y digna de imitarse. ☞ **ejemplar, ejemplo.**
— *Su bondad es un modelo que todos deben seguir.*
3. Reproducción en pequeño de algo
que en realidad es mucho mayor.
☞ **a escala, maqueta, muestra.**
— *El arquitecto presentará el modelo para la nueva construcción.*
4. Tipo o variante de algo. ☞ **estilo.**
❖ IMITACIÓN.
— *Compraron un modelo de lavadora.*
5. Perfecto entre los de su clase.
☞ **excelente, inigualable.** ❖ DESPRE-
CIABLE.
— *Ella afirma que tiene un modelo
de marido.*

moderación Virtud por la cual alguien
se mantiene lejos de los extremos de
cualquier actitud o situación. ☞ **equilibrio, mesura.** ❖ DESMESURA, EXCESO.
— que es equilibrado: *moderado.*
— menor intensidad de algo: *moderación.*
— cordura, sensatez, templanza, prudencia: *moderación.*

moderar Evitar el exceso en cualquier
situación o fenómeno. ☞ **contener,
medir.** ❖ AVIVAR.
— quien dirige un debate o mesa
redonda: *moderador.*

modernidad Calidad o carácter de moderno. ☞ **innovación, nuevo.** ❖ OB-
SOLETO.

modernismo 1. Apego desmedido a

las cosas actuales con menosprecio
de las pasadas. ☞ **actual, moda.**
— *Este museo se especializa en modernismo, no encontrarás pinturas
del siglo pasado.*
2. Escuela literaria hispanoamericana que inició el poeta nicaragüense
Rubén Darío.
— *En la poesía modernista la mu-
sicalidad del verso es lo más importante.*
— quien se adhiere al modernismo:
modernista.

modernizar Dar un aspecto actual a
algo antiguo. ☞ **renovar, actualizar.** ❖ CONSERVAR.

moderno, -na 1. Perteneciente a la época actual o en la cual se vive. ☞ **actual, contemporáneo.** ❖ ANTIGUO.
— *En estos tiempos modernos la vida transcurre muy rápidamente.*
2. Que existe hace poco tiempo.
☞ **reciente, nuevo.** ❖ ARCAICO,
ANTIGUO, VIEJO.
— *El que las muchachas salgan solas a la discoteque es una costumbre
muy moderna.*
3. Periodo histórico comprendido entre la Edad Media y la Edad Contemporánea.
— *El descubrimiento de América
marcó el inicio de la Época Moderna.*

modestia 1. Virtud de quien no siente
estimación desmedida de sí mismo.
☞ **humildad, sencillez.** ❖ VANIDAD.
— *Los verdaderos artistas se reconocen por su modestia.*
2. Sencillez en el arreglo o manera de
comportarse. ☞ **austeridad.** ❖ LUJO,
DERROCHE.
— *Sus ingresos sólo le dan para vivir con modestia.*
— humilde, sencillo, recatado, reservado: *modesto.*
— honesto, decente, pundoroso: *modesto.*

módico Escaso, limitado, mínimo.
☞ **económico, reducido, moderado.**
❖ EXAGERADO, EXORBITANTE.
— con limitaciones económicas: *mó-
dicamente.*

modificar 1. Cambiar el sentido, forma
o contenido de algo en su totalidad
o sólo en partes.
— *Se modificaron algunos puntos
del Código Penal.*
2. Transformar. ☞ **alterar, cambiar.**
❖ PERMANECER.
— *Es necesario que se modifique todo el sistema burocrático para agilizar cualquier tipo de trámite.*

modismo Palabra o frase que se usa en
una región y tiene un significado

particular, por lo general alejado de su sentido literal. ☞ **giro, locución.** ❖ LITERAL.

modisto, -ta Sastre que se dedica a confeccionar ropa femenina, exclusiva y de última moda.

modo 1. Manera de realizar algo. ☞ **forma, método, sistema.** ❖ INTUICIÓN.
— *Te explicaré el modo de llegar a las oficinas.*
2. Modales propios de alguien. ☞ **maneras, trato.**
— *Es imposible negociar con él, tiene un modo muy grosero.*
3. Forma en que se manifiesta el significado de un verbo.
— *En español existen cinco modos verbales: subjuntivo, infinitivo, indicativo, potencial e imperativo.*
— también: *de igual modo.*
— semejante a: *a modo de.*
— de todas formas: *de cualquier modo, de todos modos.*
— en absoluto: *de ningún modo.*
— diferente: *de otro modo.*
— de manera: *de modo.*
— de suerte que: *de modo que.*
— frase que sirve para expresar conformidad: *ni modo.*

modorra Sueño, somnolencia. ☞ **sopor, adormecimiento.** ❖ VIGILIA.

modoso, -sa Que se comporta con educación y cortesía. ☞ **formal.**

modular 1. Pasar melódicamente de un tono a otro en una pieza musical. ☞ **entonar.** ❖ DESENTONAR.
— *El virtuoso del piano sabe modular distintos registros y melodías.*
2. Variar el modo, tono e intensidad de la voz al cantar o al hablar. ☞ **vocalizar.** ❖ DESENTONAR.
— *En las clases de actuación se enseña a modular la voz.*
3. Cambiar la frecuencia de las ondas eléctricas, sobre todo las radiales. ☞ **amplificar.**
— *La estación está haciendo pruebas para modular su frecuencia y abarcar mayor público.*

módulo 1. Dimensión que se toma como unidad de medida. ☞ **unidad.**
— *Los arquitectos hacen cálculos de construcción con ayuda de módulos.*
2. Unidad de enseñanza-aprendizaje que se imparte en un tiempo determinado.
— *En algunas universidades no se enseña por materias, sino por módulos.*

mofar Burlarse públicamente de alguien con señas o palabras. ☞ **reírse, arremedar.** ❖ ADMIRAR.
— burla: *mofa.*

mohín Mueca. ☞ **gesto.**

moho 1. Pequeño hongo que se expande sobre algunos cuerpos orgánicos y propicia su descomposición.
— *Ya no se puede comer ese pan porque le salió moho.*
2. Alteración que sufre un cuerpo cuando se cubre de herrumbre, óxido, orín o verdete en su superficie.
— *Antes de usar esos fierros hay que pulirlos porque tienen mucho moho.*
— cuerpo con moho: *mohoso.*
— acción de llenarse algo de moho: *enmohecerse.*

mojar Humedecer con agua u otro líquido. ☞ **empapar, rociar, regar.** ❖ SECAR.
— húmedo, empapado: *mojado.*
— trabajador mexicano que ilegalmente labora en Estados Unidos: *mojado.*

mojarra Pez marino de piel oscura, y cuerpo ovalado cuya carne es muy sabrosa. ☞ **moharra.**

mojigatería Calidad de quien es hipócrita. ❖ FRANQUEZA.
— *Por medio de la mojigatería muchas personas quieren engañar a los demás.*
— que se admira o espanta de todo: *mojigato.*

mojo Salsa con la que se aderezan algunas carnes y pescados. ☞ **remojo.**

mojón 1. Señal que sirve para separar terrenos adyacentes o para guiar al viajante en una ruta. ☞ **poste, límite.**
— *Este mojón indica que hemos pasado de un estado a otro.*
— conjunto de señales de camino y sitio donde se ponen mojones: *mojonera.*
2. Porción de excremento humano.
— *Olía muy mal el camino, pues estaba cubierto de mojones.*
3. Persona que prueba los vinos para aquilatar su calidad. ☞ **catavinos.**
— *En esa compañía vitivinícola emplean a varios mojones para mantener la calidad de sus vinos.*

molar Cada uno de los dientes que siguen a los caninos y sirven para triturar los alimentos. ☞ **muela.**
— que pertenece a las muelas o se relaciona con ellas: *molar.*

molcajete Recipiente hondo de piedra con tres pies y dotado de una mano del mismo material que sirve para machacar alimentos.
— triturar en el molcajete: *molcajetear.*
— salsa o guiso hecho en el molcajete: *molcajeteado.*

molde 1. Pieza hueca que da su forma a la materia que se vacía en ella. ☞ **troquel, plantilla, modelo.**

— *Compraron un molde en forma de payasito para hacer un pastel de cumpleaños.*
2. Ejemplo a seguir para confeccionar prendas de vestir. ☞ **patrón, modelo.**
— *Ella misma se hará el vestido de novia con ayuda de un molde.*
— letra impresa: *de molde.*

moldear 1. Hacer figuras con ayuda de un molde. ☞ **vaciar, fundir.**
— *Los artesanos moldean figuras del Quijote en hierro y latón.*
2. Formar a una persona de una manera determinada. ☞ **criar, enseñar.**
— *El está moldeando a su hijo de acuerdo con los principios del liberalismo.*
— que está formado por medio de moldes: *moldeado.*
— susceptible de ser moldeado: *moldeable.*

moldura 1. Parte saliente y corrida, con un perfil uniforme usada en arquitectura o carpintería. ☞ **friso, resalto, adorno.**
— *La vitrina tiene molduras bellamente talladas.*
2. Partes plásticas de los vidrios y carrocería de un auto.
— *Hay que cambiar las molduras del parabrisas porque está suelto y se puede caer.*

mole 1. Salsa mexicana preparada con más de diez y ocho ingredientes como cacahuate, ajonjolí, chocolate y varios tipos de chile, con que se adereza el pollo o el guajolote.
— *A él le gusta comer el arroz con mole.*
2. Objeto o persona de grandes dimensiones. ☞ **grande, inmenso.** ❖ MENUDO.
— *Con la grúa transportarán una mole de mármol para esculpir una estatua.*

molécula Es la parte más pequeña de un cuerpo que puede existir independientemente, conservando las características químicas del conjunto al cual pertenece. ☞ **partícula.**
— perteneciente a las moléculas: *molecular.*

moler 1. Deshacer en pequeñas partes o hacer polvo algo. ☞ **triturar, pulverizar, aplastar.** ❖ UNIR.
— *Muele el cacahuate para espolvorearlo encima del platillo.*
2. Fastidiar. ☞ **aburrir, molestar, enfadar.** ❖ ENTRETENER.
— *Me ha estado moliendo con llamadas telefónicas todo el día.*
3. Maltratar. ☞ **pegar, golpear.** ❖ CONSENTIR, ACARICIAR.

— *Ve a ayudarlo porque lo están moliendo a golpes.*

molestar 1. Incomodar. ☞ **abrumar, importunar.** ❖ COMPLACER.

— *Me molesta que me pidan esa clase de favores.*

2. Fastidiar. ☞ **fatigar, enfadar, dificultar.** ❖ ENCANTAR.

— *Me molesta revisar tantos trabajos.*

3. Entorpecer la realización de algo, ya sea física o moralmente. ☞ **desazonar, desagradar, impedir.** ❖ GUSTAR.

— *Como tuve una fractura en el pie me molesta mucho caminar.*

— situación que molesta: *molestia.*

— que causa o siente molestia: *molesto.*

molicie Comodidad extrema que puede ser dañina. ☞ **apatía.** ❖ ENERGÍA.

molido, -da 1. Fatigado. ☞ **cansado.** ❖ DESCANSADO.

— *Después de tanto trabajo quedé molido.*

2. Objeto hecho pedazos o polvo.

— *Algunos pintores usan oro molido en sus pinturas.*

molinillo 1. Pequeño molino que sirve para triturar cantidades chicas de algo.

— *El café de su casa es delicioso porque utiliza su propio molinillo para molerlo.*

2. Utensilio de madera o metal para batir el chocolate o cualquier otra bebida caliente.

— *En los pueblos se prepara el chocolate con molinillo para dejarlo espumoso.*

molino Máquina o edificio donde se muelen ciertas materias como azúcar o granos.

— acción de moler: *molienda.*

— cantidad de un producto que se muele en una ocasión: *molienda.*

— molino: *molienda.*

— que tiene un molino o trabaja en él: *molinero.*

— encauzar uno las cosas hacia el beneficio propio: *llevar agua para su molino.*

molón, -na 1. Cualquier piedra grande; piedra que se va a labrar o piedra de molino.

— *La molienda no puede continuar porque un molón se ha roto.*

2. Molesto. ☞ **fastidioso, engorroso.** ❖ ENCANTADOR.

— *Hay que escondernos, ahí viene ese molón a dar la lata.*

molusco Animal invertebrado terrestre o acuático, de cuerpo blando que generalmente se protege con una concha

calcárea; su piel segrega mucosidades y tiene un medio de locomoción llamado pie.

mollera 1. Parte superior del cráneo. ☞ **sesera.**

— *Los bebés tienen la mollera muy blanda.*

2. Inteligencia. ☞ **seso, acierto.**

— *A los problemas de trigonometría hay que meterles mucha mollera.*

— conservador: *cerrado de la mollera.*

— poco inteligente: *duro de mollera.*

mollete Pan blanco que se parte por mitad y se unta de frijoles refritos y queso derretido.

momentáneo, -nea Que dura sólo unos instantes o un periodo corto. ☞ **breve, fugaz.**

— de forma provisional o transitoria: *momentáneamente.*

momento 1. Mínimo espacio de tiempo indeterminado. ☞ **instante.**

— *Estaré con ustedes en unos momentos.*

2. Ocasión. ☞ **oportunidad, coyuntura, circunstancia.**

— *Este es el momento de tomar unas vacaciones.*

3. Tiempo presente. ☞ **actualidad, moda.** ❖ ANTERIOR, PASADO.

— *En estos momentos se realizan las inscripciones.*

— de forma rápida: *al momento.*

— de forma repetida: *a cada momento.*

— a veces: *por momentos, a momentos.*

— de forma inesperada: *de un momento a otro, en el momento menos pensado.*

— ahorita: *por el momento, de momento.*

momia Cadáver que naturalmente o gracias a una serie de procesos artificiales se conserva sin pudrir.

— convertir en momia: *momificar.*

mona 1. Hembra del mono. ❖ MONO.

— *La mona tuvo sus crías.*

2. Borrachera. ☞ **guarapeta.**

— *Como bebió mucho ayer, hoy está durmiendo la mona.*

3. Considerada, atenta, gentil.

— *¡Ay qué mona, nos trajo chocolates!*

— ser ridícula una mujer: *parece una mona.*

— por mucho que se quiera ocultar la verdad, las apariencias no engañan: *aunque la mona se vista de seda, mona se queda.*

monacal Que pertenece a los monjes o se relaciona con ellos. ☞ **monje.**

monada 1. Acción propia de un mono.

— *Imitar a los seres humanos es una monada.*

2. Persona o cosa que agrada. ☞ **lindura, monería.** ❖ DESAGRADABLE.

— *Tu novia y sus hermanas son una monada.*

monaguillo Niño que ayuda al padre en la misa.

monarquía Sistema de gobierno donde el poder absoluto reside en una sola persona, a la cual se le llama monarca.

monasterio Casa donde habitan religiosos o religiosas. ☞ **convento.**

mondadientes Instrumento alargado y fino para limpiar los dientes. ☞ **palillo.**

mondar 1. Quitar lo superfluo o excesivo a una cosa.

— *Hay que mondar el árbol porque está demasiado tupido.*

2. Apalear, golpear. ☞ **azotar.**

— *El campesino mondó a la mula que no se quería mover.*

— acción y resultado de mondar: *mondadura.*

— despojos que quedan después de mondar algo: *mondaduras.*

mondongo Vísceras de la res o del cerdo.

moneda 1. Signo representativo del valor de las cosas vigente en un país para realizar acciones de compraventa. ☞ **dinero.**

— *Estos productos se pagan en moneda nacional, aquéllos en moneda extranjera.*

2. Pieza metálica que tiene un valor nominal asignado. ☞ **suelto, sencillo.**

— *Traer muchas monedas en el bolsillo es incómodo.*

— hacer monedas: *acuñarlas.*

— billetes: *papel moneda.*

— dinero sin valor real: *moneda falsa.*

— responder positiva o negativamente a las acciones de alguien: *pagar con buena o mala moneda.*

— vengarse, tratar a alguien como anteriormente se le ha tratado a uno: *pagar con la misma moneda.*

— bolso pequeño para guardar monedas: *monedero, portamonedas.*

monería Monada. ☞ **monada.**

monetario Que pertenece a las monedas o se relaciona con ellas.

mongólico, -ca 1. Perteneciente a la república de Mongolia. ☞ **mongol.**

— *Estas artesanías son mongólicas.*

2. Retraso mental congénito que se presenta en diferentes grados y se llama así pues los rasgos faciales de

quienes lo padecen semejan a los de los mongoles. ☞ **síndrome de Down.**

— *Su hijo tiene que ir a una escuela especial pues es mongólico.*

monigote 1. Persona de carácter débil que es fácil de manipular. ☞ **manipulable.** ❖ ENÉRGICO.

— *El jefe de esa asamblea no tiene problema, pues todos los asistentes son unos monigotes.*

2. Dibujo o figura mal hecha o las que hacen los niños. ☞ **adefesio.** ❖ MODELO.

— *Esa estatua quedó horrible, parece un monigote.*

3. Muñeco de trapo. ☞ **mono.**

— *En el taller se elaboran monigotes rellenos de algodón.*

monitor 1. Instructor que supervisa las tareas estipuladas por un maestro. ☞ **supervisor.**

— *El monitor no calificará los exámenes, sólo los aplicará.*

2. Dispositivo donde se comprueba la calidad de una transmisión televisiva o radial.

— *Los malos locutores no dejan de mirar al monitor para admirarse a sí mismos.*

monja Religiosa de una comunidad. ❖ CIVIL.

— que pertenece a la manera de vestir de las monjas o se relaciona con ella: *monjil.*

monje Religioso que habita en un monasterio. ☞ **fraile.** ❖ CIVIL.

— que vive aislado y dedicado a la oración y contemplación: *anacoreta, monje, ermitaño.*

mono, -na 1. Mamífero del orden de los primates cuya piel está cubierta por pelo casi totalmente; existen muchas especies de ellos.

— *En los circos hay monos amaestrados.*

2. Bonito, gracioso. ☞ **lindo.** ❖ FEO.

— *Su nueva casa está muy mona.*

3. Prefijo que significa único o uno y junto a otras palabras forma múltiples vocablos.

— *Monocelular significa organismo de una sola célula.*

— prenda de vestir para trabajo pesado: *overol, mono.*

— monigote: *mono.*

monocorde Que tiene una sola cuerda.

monóculo Lente para un solo ojo y que se sujeta apretando la ceja.

— que tiene un solo ojo: *monóculo.*

monografía Estudio concienzudo y profundo de un solo aspecto de una disciplina, arte o ciencia.

monolito Monumento de piedra hecho con una sola piedra.

monólogo 1. Obra de teatro donde sólo habla un personaje.

— *Para los actores el monólogo es una de las piezas más difíciles de representar.*

2. Pretendida conversación donde en realidad sólo habla una persona. ☞ **soliloquio.**

— *Esas juntas son verdaderos monólogos del jefe.*

— decir monólogos: *monologar.*

monomanía Locura del que tiene una idea fija.

monopolio Concesión exclusiva de una autoridad a una empresa para que explote los recursos de alguna industria o comercio.

— acaparar para su beneficio: *monopolizar.*

monosílabo, -ba Palabra compuesta por una sola sílaba.

monoteísmo Tipo de religión donde se adora a un solo dios, como en el cristianismo.

monotonía Falta de variedad en cualquier cosa o actividad.

— aburrido: *monótono.*

— rutinario: *monótono.*

monserga 1. Lenguaje enredado y confuso.

— *Este orador es muy malo, dice puras monsergas.*

2. Pesadez. ☞ **lata, molestia.**

— *Ya vete y no vuelvas con más monsergas.*

monseñor Dentro de la Iglesia Católica se le llama así a los religiosos de alto rango.

monstruo 1. Animal, ser humano o cosa que es diferente a las de su misma clase. ☞ **fenómeno.** ❖ NORMAL.

— *Debido al apareamiento de una cebra con una jirafa en el zoológico nació un monstruo.*

2. Ser fantástico de cualquier mitología.

— *El Minotauro es un monstruo que nació de la unión entre un toro y la reina Pasifae.*

3. Cualquier cosa, animal o persona excesivamente grande. ☞ **enorme, gigante.**

— *Ese monstruo de piano no va a caber en tu departamento.*

4. Perverso. ☞ **cruel, malvado.** ❖ BONDADOSO.

— *Ese dictador es un monstruo: manda asesinar a su propio pueblo.*

5. Cosa o persona especialmente fea. ☞ **adefesio.** ❖ BONITO.

— *Yo no sé como tiene tantos pretendientes si es un verdadero monstruo.*

— desorden grave o alteración del orden natural de algo: *monstruosidad.*

— fealdad máxima en lo espiritual o físico: *monstruosidad.*

montacargas Tipo de ascensor especial para transportar objetos muy voluminosos y pesados.

montaje 1. Acción y resultado de armar una máquina o instalarla en una fábrica. ☞ **ensamblaje.** ❖ DESARMAR.

— *La maquinaria de importación ya pasó la aduana, ahora viene la etapa de montaje.*

2. Combinación de las partes que componen un todo artístico, como una película o una obra de teatro.

— *Este director hizo un espléndido montaje teatral de Hamlet.*

3. Combinación de varias fotografías para producir una con fines publicitarios o para falsificar un hecho.

— *La foto del periódico no es verídica, se trata de un montaje para desvirtuar la verdad.*

montaña 1. Elevación grande de terreno formada con masas de roca y tierra. ☞ **cerro, monte, pico, prominencia.** ❖ LLANURA.

— *El pico de Orizaba es una de las montañas más elevadas del país.*

2. Montón de cualquier cosa.

— *Tengo una montaña de libros que leer.*

— terreno lleno de montañas: *montañoso.*

montañismo Conjunto de deportes que se practican en las montañas. ☞ **alpinismo.**

— aficionado al montañismo: *montañista.*

montar 1. Subir a un animal o a un medio de locomoción para transportarse. ☞ **cabalgar.**

— *Él monta a caballo muy bien.*

2. Subirse encima de algo o alguien. ☞ **encaramarse, empinarse.** ❖ BAJARSE, DESCENDER.

— *Se montó en la mesa y se puso a bailar.*

3. Armar un mecanismo o máquina. ☞ **ensamblar.** ❖ DESARMAR.

— *Vamos a montar el nuevo motor de la compresora.*

4. Poner un negocio. ☞ **establecer, instalar.**

— *Montaron un café y les va muy bien.*

5. Colocar una piedra preciosa en un armazón. ☞ **engastar, engarzar.**

— *El joyero puede montar el diamante en tu anillo de oro.*

6. Aparejar. ☞ **copular.**

— *El gallo ya montó a la gallina.*

montaraz 1. Originario de los montes o que habita en ellos. ☞ **montañés, montés.** ❖ LLANERO, COSTEÑO.

— *Es montaraz, ha vivido siempre en la sierra de Durango.*

2. Rudo, salvaje. ☞ **agreste, violento.** ❖ CAMPECHANO.

— *No se le puede ni hablar porque tiene un genio montaraz.*

monte 1. Montaña. ☞ **montaña, cerro, elevación.** ❖ LLANURA.

— *Para llegar a la cascada hay que subir ese monte.*

2. Terreno incultivado lleno de maleza. ☞ **espesura.** ❖ SEMBRADÍO.

— *Vive en una finca en medio del monte.*

montepío Institución de beneficencia que presta dinero y retiene ciertas pertenencias del beneficiado mientras éste paga su deuda. ☞ **monte de piedad.**

montera 1. Sombrero de torero.

— *Los toreros se quitan la montera al saludar a la afición taurina.*

2. Cubierta de cristales sobre una explanada o patio.

— *La terraza tiene una montera de cristales coloreados.*

montés Que vive o gusta de los montes. ☞ **montañés, montaraz.** ❖ LLANERO, COSTEÑO.

montículo Cerro muy pequeño, natural o artificial.

monto Suma. ☞ **monta.**

montón 1. Grupo de cosas desordenadas y encimadas unas sobre otras. ☞ **cúmulo.** ❖ NADA.

— *Busca tu expediente en ese montón.*

2. Cantidad grande e indeterminada de algo. ☞ **sinnúmero, infinidad.** ❖ NADA.

— *Tengo un montón de trabajo pendiente.*

— de forma abundante: *a montones.*

— grupo de jinetes: *montonera.*

— que sólo se atreve a pelear cuando está apoyado por otros: *montonero.*

— común, corriente: *del montón.*

montura 1. Arreos de caballería, especialmente la silla.

— *El charro compró una montura ribeteada en oro.*

2. Armazón de algunos instrumentos, lentes o joyas.

— *La montura del anillo no vale, pero los zafiros sí son valiosos.*

monumento 1. Obra escultórica que conmemora un hecho importante o heroico.

— *Sobre esta avenida hay varios monumentos dignos de visitarse.*

2. Sepultura suntuosa. ☞ **tumba, sepulcro.**

— *Sobre su tumba levantaremos un monumento de mármol.*

3. Obra excepcional entre las de su género. ☞ **obra maestra.**

— *Don Quijote de la Mancha es un monumento de las letras castellanas.*

— que pertenece al monumento o se relaciona con él: *monumental.*

— descomunal, muy grande: *monumental.*

— supremo entre los de su estilo: *monumental.*

monzón Viento que sopla en el océano Índico.

moño 1. Atado que se hace con cintas en el pelo.

— *Se hizo miles de moños en toda la cabeza.*

2. Adorno hecho con cintas de colores.

— *Al regalo le falta un moño grande.*

— pelearse: *agarrarse del moño.*

— ser remilgoso: *ponerse sus moños.*

moquete Golpe dado en el rostro, en especial en la nariz.

morado, -da 1. Color violeta oscuro.

— *La flor de jacaranda es color morado pálido.*

2. Casa o residencia temporal de alguien en un lugar. ☞ **domicilio, estancia, vivienda, dirección.**

— *María y José no encontraron morada al llegar a Belén.*

— que habita una casa o lugar: *morador.*

moral 1. Conjunto de principios y reglas que recomiendan lo bueno y rechazan lo malo. ☞ **ética, conciencia.** ❖ LIBERTINAJE.

— *La mayoría de los políticos no tienen moral.*

2. Grupo de las facultades intelectuales y espirituales que valora las acciones humanas. ☞ **costumbre, ética.** ❖ INMORAL.

— *Lo que hiciste es reprobado por la moral de esta sociedad.*

3. Confianza en sí mismo o ánimo. ☞ **espíritu, temple.** ❖ DESCONFIANZA, MIEDO.

— *A pesar de todos sus problemas tiene la moral muy alta.*

4. Juicio personal que no tiene que ver con lo jurídico. ☞ **escrúpulo, conciencia, íntimo.** ❖ SOCIAL, JURÍDICO.

— *Sólo tú puedes elegir, es una decisión moral que debes tomar.*

— que es decente, decoroso, honesto: *moral.*

— honestidad falsa que no se cree: *moralina.*

— que contraviene ciertas leyes sociales: *falta a la moral.*

— árbol que da las frutas llamadas moras o zarzamoras: *moral.*

moraleja Enseñanza que se deduce de un cuento, historia o evento. ☞ **lección, ejemplo.**

moralizar 1. Propagar las buenas costumbres o reformar las inadecuadas. ☞ **predicar, sermonear.** ❖ ENVICIAR.

— *Ese grupo de religiosos se dedica a moralizar entre la población marginada.*

2. Acto de enseñar moral o hacer reflexiones de tipo moral. ☞ **enseñar, predicar.** ❖ DESORIENTAR.

— *En esa escuela se moraliza constantemente a los alumnos.*

morar Habitar. ☞ **residir, vivir.**

moratoria Plazo que se concede al deudor para que cumpla sus compromisos económicos o fiscales. ☞ **prórroga, aplazamiento.**

morbidez Condición o calidad de enfermo delicado.

— que tiene o provoca enfermedad: *mórbido.*

— delicado o suave en extremo: *mórbido.*

morbilidad 1. Cantidad de enfermos que existen en un lugar y tiempo específicos, con respecto al número total de habitantes de dicha región. ☞ **morbilidad, estadística.**

— *Debido a las condiciones de desatención médica, la morbilidad ha crecido últimamente.*

2. Estado de enfermedad o cantidad de enfermedades contraídas en un lapso determinado.

— *Haga una evaluación de la morbilidad del paciente de nuevo ingreso.*

morboso, -sa 1. Que causa enfermedad. ☞ **insano, insalubre.** ❖ SANO, SALUDABLE.

— *La suciedad es una condición morbosa que puede producir múltiples enfermedades.*

— que está enfermo: *morboso.*

— que pertenece a la enfermedad o se relaciona con ella: *morboso.*

2. Que provoca reacciones moralmente insanas. ☞ **pernicioso, malsano, retorcido.**

— *Paola tiene una obsesión morbosa por la muerte.*

— carácter o calidad de morboso: *morbosidad.*

— enfermedad: *morbo.*

morcilla 1. Tripa de vaca, cerdo o carnero rellena de sangre y condimentada según la región en que se elabore. ☞ **moronga, rellena.**

— *La morcilla española lleva, entre otras cosas, piñones.*

2. Añadido que hace un actor a su parlamento con el fin de causar gracia.

— *Esa puesta en escena de La vida es sueño está muy desvirtuada porque los actores meten muchas morcillas.*

— que elabora y vende morcillas: *morcillero.*

— actor afecto a elaborar, fuera de lugar, chistes durante una representación teatral: *morcillero.*

mordaz 1. Que critica, murmura y ofende de manera incisiva y malintencionada. ☞ **virulento, cáustico, satírico.**

— *Me encanta leer este periódico porque sus editoriales son muy mordaces.*

2. Comentario acertado, pero hiriente. ☞ **corrosivo, áspero, picante.** ❖ CELEBRATORIO.

— *No le cuentes tus proyectos porque es muy mordaz, te puede destruir.*

3. Que conoce o tiene potencia corrosiva.

— *Cuidado, este ácido es muy mordaz, no lo toques.*

mordaza 1. Cualquier cosa que se introduce en la boca para impedir el habla.

— *Los delincuentes dejaron a la víctima golpeada y con una mordaza en la boca.*

2. Nombre que reciben un sinnúmero de instrumentos que se usan para apretar o sujetar cosas.

— *El tubo se cayó ya que se rompieron las mordazas que lo detenían.*

— acción de silenciar o acallar: *amordazar.*

— estar imposibilitado a hablar por sufrir amenazas: *amordazado.*

morder 1. Clavar los dientes en algo. ☞ **roer, desgarrar.**

— *El perro lo mordió en una pierna.*

2. Atrapar una máquina algo. ☞ **apachurrar.**

— *Los engranes le mordieron el dedo y hubo que amputárselo.*

— quien muerde: *mordedor.*

— policía que recibe sobornos o los propicia en su beneficio: *mordelón.*

— soborno: *mordida.*

— acción de morder: *mordedura.*

— daño que deja morder: *mordida, mordedura.*

— morder ligeramente algo: *mordisquear.*

— efecto de mordisquear: *mordisco, dentellada.*

— porción de lo que se ha obtenido mordiendo: *mordisco.*

— aguantarse las ganas de hablar: *morderse la lengua.*

— quedar derrotado: *morder el polvo.*

moreno, -na Color de piel menos blanca, o pelo negro. ☞ **prieto.**

— que tiene la piel cobriza: *moreno.*

moretón Oscurecimiento que queda en la piel como resultado de un golpe. ☞ **equimosis, cardenal, contusión.**

— que tiene moretones: *moreteado.*

morfina Sustancia sumamente tóxica que se extrae del opio y se utiliza en medicina como anestésico y soporífero.

— adicto a la morfina: *morfinómano.*

morfología 1. Parte de las ciencias naturales que investiga las formas de los organismos vivos y su evolución.

— *En clase de biología estudiamos la morfología del renacuajo hasta que se convierte en rana.*

2. Parte de la lingüística que estudia la composición de las palabras y los cambios que experimentan.

— *Por medio de la morfología se ha observado cómo las palabras latinas se transformaron en el español.*

— que pertenece a la forma de cualquier cosa o se relaciona con ella: *morfológico.*

morgue Depósito judicial de cadáveres. ☞ **necrocomio.**

moribundo Persona que está muriendo. ☞ **agonizante, deshauciado.** ❖ SANO, VIVO.

morir 1. Perder la vida. ☞ **expirar, fallecer.** ❖ NACER.

— *Mandó a llamar a sus hijos porque se sentía morir.*

2. Acabarse una actividad o movimiento de cualquier tipo. ☞ **fenecer, extinguirse, sucumbir.** ❖ FLORECER.

— *Las costumbres de esta zona se están muriendo por falta de interés de la población.*

3. Sentir fuertemente algo o desearlo. ☞ **sufrir, atormentarse.**

— *Me muero por ir a la playa.*

morisco, -ca Árabes españoles que permanecieron en la península ibérica, previo bautismo, después del decreto de expulsión ordenado por Felipe III. ☞ **moro.**

— que pertenece a los moros o se relaciona con ellos: *morisco.*

morisqueta Trampa. ☞ **engaño.** ❖ VERDAD.

morlaco Dinero. ☞ **peso.**

mormón, -na Miembro de la secta religiosa protestante fundada en Estados Unidos por Joe Smith en 1830; una de sus características básicas es que permite la poligamia entre sus miembros.

moro, -ra 1. Árabe del norte de África. ☞ **beréber.**

— *La mayoría de la población de Marruecos es mora.*

2. Nombre que recibían los árabes que vivieron y dominaron gran parte de España entre los siglos VIII y XV.

— *La región de Andalucía estaba dominada por los moros.*

3. Que profesa la religión islámica. ☞ **mahometano, musulmán.** ❖ CRISTIANO.

— *Al hacer sus oraciones los moros se inclinan hacia el Oriente, en dirección a la ciudad santa de La Meca.*

— baile donde se simula una riña entre árabes y españoles: *moros y cristianos.*

— platillo compuesto por arroz y frijoles: *moros con cristianos.*

morosidad Lentitud, demora en la realización de algo. ☞ **retraso, rezago.** ❖ ACTIVIDAD.

— que es lento: *moroso.*

— que debe dinero y no lo paga: *deudor moroso.*

morral Bolsa sin cierre que se lleva al hombro. ☞ **zurrón, saco.**

morralla Cantidad de dinero en monedas de baja denominación. ☞ **suelto, sencillo.** ❖ BILLETE.

morrón Se le llama así a un tipo de pimiento chato, grueso y dulce.

mortadela Tipo de salchichón grueso, que se elabora con carne de cerdo, tocino y se condimenta con especias.

mortaja 1. Tela en la que se envuelve un cadáver para enterrarlo. ☞ **sudario.**

— *Todavía no pueden enterrarlo porque no le han puesto la mortaja.*

2. Cavidad hecha en una madera para que ahí embone otra pieza.

— *Se cayó el librero porque las mortajas no estaban bien hechas.*

— preparar a un muerto para sepultarlo: *amortajarlo.*

— las cosas importantes de la vida llegan por sí solas: *matrimonio y mortaja del cielo bajan.*

mortal 1. Que va a morir. ☞ **perecedero, fugaz.** ❖ PERMANENTE.

— *Los hombres son mortales pero sus acciones permanecerán.*

2. Que puede causar la muerte. ☞ **nocivo, fatal.**

— *Si se ingiere, este veneno puede ser mortal.*

3. Excesivo. ☞ **grave, exagerado, abrumador, agotante.** ❖ LIGERO.

— *El examen fue mortal.*

— ser humano: *mortal.*

— la humanidad: *los mortales.*

— cadáver: *restos mortales.*

— pecado que condena definitivamente el alma: *mortal.*

— acrobacia, salto complicado: *mortal.*

— condición y calidad de mortal: *mortalidad.*

— cantidad de muertes en un lugar y tiempo específicos: *mortalidad.*

— conjunto de defunciones adjudicadas a una causa: *mortandad.*

mortecino, -na Que carece de vigor o entusiasmo. ☞ **apagado, tenue, gris.** ❖ VIGOROSO, VIVAZ.

mortero 1. Recipiente de boca ancha provisto de un manguito que se usa para triturar o machacar cosas.

— *Esta medicina se prepara mezclando los ingredientes en un mortero.*

2. Arma que sirve para lanzar proyectiles.

— *El mortero acertó a un objetivo muy distante.*

mortífero, -ra Que puede ocasionar la muerte. ☞ **mortal.**

mortificar 1. Afligir. ☞ **desazonar, inquietar.** ❖ DAR ÁNIMO.

— *La abuela se pasaba el día mortificando a todos con su enfermedad.*

2. Humillar. ❖ ACREDITAR.

— *Le pegó enfrente de sus amigos y sólo así consiguió mortificarlo.*

3. Flagelarse. ☞ **castigarse, pegarse.** ❖ CONSENTIR.

— *Algunos religiosos se mortifican el cuerpo por amor a Dios.*

— pena, preocupación: *mortificación.*

mortuorio Que pertenece al muerto o se relaciona a los servicios que se realizan en su memoria. ☞ **fúnebre.**

mosaico 1. Obra arquitectónica compuesta por diferentes piedras, dibujos y colores.

— *La alberca está recubierta de mosaicos griegos.*

2. Cualquier cosa donde abunda la variedad.

— *La convención fue un mosaico de razas y opiniones.*

mosca Insecto de 6 mm de largo, cuerpo negro, patas peludas y alas transparentes, con boca en forma de trompa por donde chupa las sustancias con que se alimenta y transmite enfermedades. ☞ **insecto, plaga.**

— transportarse sin pagar: *de mosca.*

— poner mucha atención o mostrar interés en algo: *estar como moscas en la miel.*

— ser negativo: *buscar la mosca en la sopa.*

— babosear: *papar moscas.*

— por si acaso: *por si las moscas.*

— taimado, engañoso: *mosquita muerta.*

mosquear 1. Ahuyentar las moscas. ❖ ATRAER.

— *Antes de irnos a dormir hay que mosquear la habitación.*

2. Pararse las moscas en algo y ensuciarlo.

— *No te comas esas galletas; están todas mosqueadas.*

3. Recelar, ofenderse alguien. ☞ **escamarse, sospechar.** ❖ CONFIAR.

— *No cree en tus propuestas porque está muy mosqueado.*

mosquete Arma antigua de mayor tamaño y más pesada que un fusil actual que para dispararse debía ser apoyada sobre una horquilla.

— soldado armado de mosquete: *mosquetero.*

mosquito Insecto de cuerpo cilíndrico, trompa con aguijón y alas transparentes. ☞ **insecto.**

— tela delgada que se coloca por encima y a los lados de una cama e impide el paso de los mosquitos: *mosquitero.*

mostacho Bigote. ☞ **bigote.**

mostaza Planta cuyas picantes semillas se emplean como condimento y en la elaboración de salsas.

— color café claro: *mostaza.*

mostrador Mueble donde se exhiben mercancías. ☞ **aparador, exhibidor, vitrina.**

mostrar 1. Exponer ante la vista de alguien algo. ☞ **exhibir, enseñar, presentar.** ❖ OCULTAR.

— *Muestra tu colección de timbres.*

2. Explicar. ☞ **detallar, enseñar.** ❖ CONFUNDIR.

— *Te mostraré cómo se maneja la máquina.*

3. Hacer patente algo. ☞ **dar a conocer.** ❖ OCULTAR.

— *Se mostró muy arrogante cuando le pedimos un favor.*

4. Conducirse. ☞ **portarse.**

— *Ante los ladrones, muéstrate sereno y sin miedo.*

mostrenco, -ca 1. Bienes que no tienen dueño o persona sin hogar. ☞ **vagabundo.**

— *En la llanura hay muchas reses mostrencas.*

2. Torpe. ☞ **ignorante, grosero.** ❖ EDUCADO.

— *No le hagas caso, es muy mostrenco ese muchacho.*

mota 1. Adorno redondo de las prendas de vestir. ☞ **lunar.**

— *El paraguas tiene motas blancas.*

2. Partícula de tejido apelmazado que se adhiere a la ropa. ☞ **pelusa, borra.**

— *Ese suéter necesita limpiarse porque está lleno de motas.*

3. Mancha. ☞ **señal.**

— *Al mantel le quedaron motitas violeta del vino que se derramó.*

— poner motas a algo: *motearlo, motear.*

— mariguana: *mota.*

mote 1. Frase breve con mucho significado para quien la usa. ☞ **lema, dicho.**

— *El mote de los deportistas es: mente sana en cuerpo sano.*

2. Apodo. ☞ **sobrenombre, alias.**

— *Su mote es "El Chanclas".*

motejar Poner apodos o sobrenombres. ☞ **apodar, insultar.**

motel Hotel situado a la salida de las ciudades y a lo largo del camino para que los viajantes puedan pasar la noche. ☞ **posada.**

motete Composición musical breve sobre temas bíblicos.

motín Rebelión de un grupo de personas en contra de la autoridad vigente. ☞ **sublevación, levantamiento, asonada, amotinamiento.** ❖ CONCORDIA.

motivar 1. Entusiasmar. ☞ **promover, agitar.** ❖ DESMOTIVAR.

— *El entrenador motiva a sus jugadores durante el partido lanzando gritos.*

2. Producir. ☞ **originar.** ❖ ACABAR.

— *La película ha motivado sentimientos muy contradictorios entre los espectadores.*

motivo 1. Causa o razón de algo. ☞ **móvil, fundamento.** ❖ EFECTO.

— *El motivo de su visita fue presentarnos a su prometido.*

2. Tema musical, adorno o tema literario que se repite a lo largo de la pieza artística que lo contiene. ☞ **materia, asunto.**

— *El marco de la pintura está lleno de motivos florales.*

— provocar: *dar motivo a, dar motivos para.*

— sin causa: *sin motivo.*

— en ocasión de: *con motivo de.*

— tener razones personales: *tener sus motivos.*

motocicleta Vehículo parecido a una bicicleta pero impulsado con un motor de gasolina.

MOVIMIENTOS ARTÍSTICOS DEL SIGLO XX

arte abstracto	Tendencia pictórica antinaturalista y no figurativa del siglo XX cuyos temas principales son líneas, puntos, manchas, colores y texturas.
art-decó	Estilo decorativo de los años veinte y treinta, caracterizado por usar formas geométricas resaltadas, así como materiales plásticos y acero.
bauhaus	Movimiento alemán del siglo XX que postuló la necesidad de diseñar cualquier objeto de acuerdo con su función.
constructivismo	Forma de arte geométrico alejada de todo motivo susceptible de representación, desarrollada en Rusia en los años veinte.
cubismo	Movimiento de principios del siglo XX que distorsionó la perspectiva e introdujo nuevos ángulos de visión.
dadaismo	Movimiento de principios del siglo XX que rechazó toda convección en favor de lo irracional.
de stijl	"El estilo", movimiento danés que llevó la abstracción hasta sus últimos extremos.
expresionismo	Movimiento pictórico de principios de siglo que rechazó al naturalismo para favorecer en cambio la expresión directa de los sentimientos del artista.
fauvismo	Estilo pictórico de principios de siglo que se caracteriza por el uso de colores brillantes y pinceladas atrevidas.
futurismo	Movimiento italiano de principios de siglo que refuta lo tradicional, y propone una visión cuyos puntos principales son la velocidad, la maquinaria y el dinamismo de la vida moderna.
muralismo	Movimiento plástico mexicano de los años treinta caracterizado por una pintura monumental cuya temática básica se centra en una recuperación de las raíces indígenas y una preeminencia por plasmar ideas político-sociales.
op art	Forma artística de los años sesenta que utiliza efectos ópticos para crear una impresión de movimiento.
pop art	Movimiento artístico de los años sesenta que representa aspectos de la vida cotidiana como los artículos de consumo o las tiras cómicas.
post impresionismo	Forma artística de principios del siglo XX que partió del impresionismo para llegar a plasmar formas sólidas en sus cuadros.
surrealismo	Tendencia artística de los años veinte y treinta, caracterizada por la preeminencia del inconsciente con sus deseos e instintos, que se manifiesta a través de los sueños y que puede generar un tipo de transformación radical revolucionaria.

— conductor de motocicleta: *motociclista*.
— afición a las carreras de motocicletas: *motociclismo*.
motor 1. Que produce o causa movimiento.
— *Este niño no camina bien porque tiene un defecto en su aparato motor*.
— la causa de algo: *el motor*.
— pieza de una máquina que recibe y transmite movimiento: *motriz*.
2. Máquina o aparato que produce movimiento.

— *El auto se desplaza gracias a un motor de combustión interna*.
— que maneja un transporte o máquina y cuida de su motor: *motorista*.
— aficionado a las carreras de autos: *motorista*.
— dotar a una máquina de motor: *motorizarlo*.
— proporcionar medio de transporte a una persona o a un grupo como la policía: *motorizarla*.
— que tiene motor: *motorizado*.
— deporte de las carreras de autos: *motorismo*.
— fuerza que produce movimiento: *motriz*.
motu proprio De forma voluntaria. ☞ **libremente.** ❖ FORZADAMENTE.
movedizo 1. Fácil de cambiar de lugar. ☞ **cambiable.** ❖ PERMANENTE.
— *La mesa es movediza porque trae ruedas*.
2. Que no está firme. ☞ **inseguro, inestable.**
— *No te subas en la tarima pues está movediza*.
mover 1. Cambiar una cosa de un sitio a otro. ☞ **remover, transportar.** ❖ INSTALAR.
— *Movieron las bancas para poder jugar*.
2. Hacer que suceda algo. ☞ **activar, obrar.**
— *Está moviendo sus influencias para que le den el puesto*.
3. Apurarse. ☞ **apresurarse.** ❖ DEMORARSE.
— *Muévete o llegarás tarde*.
4. Agitar. ☞ **menear.**
— *Mueve la leche para que no se derrame*.
5. Inducir. ☞ **empujar, inclinar, incitar, dar motivo.** ❖ DESMOTIVAR.
— *Mi amor por ustedes me mueve a decirles la verdad*.
6. Alterar. ☞ **conmover.**
— *Su discurso me ha movido mucho*.
— que puede moverse: *movible, móvil*.
— activo, dinámico: *movido*.
— trampa: *movida*.
movilizar 1. Poner cualquier cosa en actividad. ☞ **mover.** ❖ INUTILIZAR.
— *El partido político ha movilizado a sus militantes para una asamblea*.
2. Preparar un ejército para la guerra o llamar a sus filas a un civil. ☞ **militarizar, reclutar.** ❖ EXONERAR, FRANQUEAR.
— *Están movilizando a los jóvenes para el servicio militar*.
movimiento 1. Acción y resultado de mover o moverse algo por sí mismo.

— *Hubo un movimiento de tierra esta mañana.*

2. Animación en un lugar muy concurrido. ☞ **bullicio.** ❖ SILENCIO.

— *En la premier del film había gran movimiento.*

3. Ajetreo en un negocio. ☞ **trabajo.** ❖ DESCANSO.

— *Hubo mucho movimiento en la pastelería porque vinieron muchos clientes.*

4. Agitación o levantamiento en defensa o en rechazo de algo. ☞ **sublevación, protesta.** ❖ APATÍA.

— *Cada día crece más el movimiento ecologista.*

5. (vea recuadro de movimientos artísticos). Corriente artística. ☞ **escuela, estilo.**

— *El movimiento surrealista impactó a varias generaciones de artistas.*

6. Estado de un cuerpo que se mueve de manera continua o sucesiva con respecto a un punto fijo.

— *En geografía se estudiará el movimiento de rotación de la Tierra.*

— maniobras bursátiles y/o financieras: *movimientos.*

— sección de una composición musical extensa: *movimiento.*

— tipos de movimientos en física: *absoluto, acelerado, compuesto, continuo, curvilíneo, de rotación, de traslación, ondulatorio, rectilíneo, relativo, retardado, simple, uniforme, variado.*

mozo, -za 1. Joven. ☞ **adolescente, muchacho.** ❖ VIEJO.

— *Es demasiado mozo para ir a la guerra.*

2. Que trabaja como empleado doméstico. ☞ **criado, sirviente.**

— *El mozo se encarga de lavar los coches.*

— muchachillo: *mozalbete.*

— persona atractiva: *buena moza, buen mozo.*

mucamo, -ma Sirviente. ☞ **criado, mozo.**

mucosidad Materia viscosa que se produce en las membranas mucosas.

mucoso, -sa Membrana que recubre algunas cavidades del cuerpo y segrega una substancia llamada mucosidad o moco.

muchacho, -cha Adolescente. ☞ **joven.** ❖ VIEJO.

— grupo de muchachos: *muchachada.*

— acción propia de muchachos: *muchachada.*

muchedumbre Multitud. ☞ **gentío.**

mucho, -cha 1. Abundante, numeroso, extenso.

— *Los niños hicieron muchas travesuras.*

2. Bastante. ☞ **considerable, copioso.** ❖ ESCASO.

— *Se nota en tu mirada que ya bebiste mucho.*

— a lo más: *por lo mucho, por mucho.*

— muy bien: *¡mucho!.*

muda 1. Acción de cambiar la voz, los dientes los humanos o la piel o el plumaje los animales. ☞ **cambio.**

— *Jorge ya no puede cantar en el coro pues está en la muda de voz.*

2. Ropa limpia que se viste en un día.

— *Estaremos un fin de semana ahí, así que sólo trae una o dos mudas.*

— cambiante, variable: *mudable.*

mudanza Acción y resultado de mudar o mudarse. ☞ **menage.**

mudar 1. Transformar. ☞ **cambiar.** ❖ PERMANECER.

— *Ha decidido mudar de hábitos.*

2. Cambiar de domicilio.

— *Nos mudaremos al extranjero el mes entrante.*

— cambiar un animal su pelaje: *mudar.*

mudez 1. Imposibilidad física de hablar.

— *Existen diferentes grados de mudez según los científicos.*

2. Guardar silencio voluntaria o forzadamente. ☞ **mutismo.**

— *Ante el asesinato las autoridades guardan una absoluta mudez.*

— que padece de mudez: *mudo.*

— que casi no habla: *mudo.*

— letras que no se pronuncian pero se escriben: *mudas.*

mueble 1. Bien que se puede transferir o transportar como el dinero, las acciones o los bonos.

— *El embargo se aplica a los bienes muebles de la familia, mas no a los inmuebles.*

2. Cualquiera de los objetos para fines prácticos y/o de ornamento dentro de una habitación cualquiera.

— *Aquí sólo se venden muebles para oficina.*

mueca Gesto que expresa disgusto, burla, sorpresa. ☞ **carantoña.**

muela Nombre que reciben los dientes que se localizan detrás de los caninos y sirven para triturar los alimentos.

— persona molesta: *como un dolor de muelas.*

muelle 1. Construcción hecha en los puertos pluviales o marinos para el embarque y desembarque. ☞ **malecón, desembarcadero.**

— *La gente va al muelle para ver los barcos.*

2. Voluptuoso, blando, suave.

— *La vida agradable está llena de muelles placeres.*

3. Pieza de metal elástica que recibe y amortigua golpes o vibraciones. ☞ **resorte, amortiguador.**

— *Debes cambiar los muelles traseros de tu coche o seguirá golpeando cuando pase sobre los topes.*

muerte 1. Terminación de la vida. ☞ **fallecimiento, deceso, defunción.** ❖ NACIMIENTO.

— *Una complicación cardiaca causó la muerte a su abuelo.*

2. Asesinato. ☞ **homicidio.**

— *La policía investiga una extraña muerte.*

3. Destrucción de algo. ☞ **ruina.** ❖ INICIO.

— *El descuido ecológico puede significar la muerte del planeta.*

4. Figura del esqueleto humano. ☞ **calavera, esqueleto.**

— *Un símbolo de muerte es la calavera de dos fémures cruzados.*

— orgasmo: *muerte chiquita.*

— suspensión de los derechos de alguien: *muerte civil.*

— pena capital: *condena a muerte.*

muerto, -ta 1. Cadáver. ☞ **restos luctuosos.** ❖ VIVO.

— *No pases por esa calle porque hay un muerto.*

2. Se le nombra así a cualquier cosa sin energía. ☞ **apagado, marchito, inerte.** ❖ ALEGRE.

— *Esta fiesta está muerta, pongan un poco de música para animarla.*

— lenguas han dejado de hablarse: *lenguas muertas.*

— tener una grave responsabilidad: *cargar con el muerto.*

— inculpar o involucrar a alguien: *echarle el muerto.*

— ser muy pobre: *no tener donde caerse muerto, muerto de hambre.*

— estar muy conmovido por una emoción: *muerto de risa, muerto de miedo, muerto del susto.*

muesca 1. Hendidura que se hace en el borde de un objeto o en las orejas de los animales para poder identificarlos. ☞ **seña, mella, señal.** ❖ LISO.

— *Yo sé cuál es mi cuchara porque le hice una muesca en el mango.*

2. Hueco que se hace en una pieza para que encaje en otra. ☞ **ranura, concavidad.**

— *Los tablones ya traen una muesca para poder ser empotrados unos en otros.*

muestra 1. Pequeña cantidad de una mercancía que se da a conocer su calidad. ☞ **probada.**

— *En la tienda están regalando muestras de un nuevo jabón.*

2. Pieza que sirve de modelo para imitarla o copiarla. ☞ **ejemplo, prototipo.** ❖ ORIGINAL.

— *El profesor de dibujo puso de muestra unos jarrones para que los copiáramos.*

3. Prueba. ☞ **indicio, señal, evidencia.**

— *La parte acusatoria no ha traído muestras de la culpabilidad del reo.*

4. Exhibición. ☞ **exposición, certamen.**

— *Vamos a ir a una muestra gastronómica.*

— conjunto de muestras que se ponen a la consideración de un cliente: *muestrario.*

— manifestar: *dar muestras de.*

— sólo un ejemplo basta: *para muestra basta un botón.*

mugido (vea recuadro de voces animales). 1. Sonido que emiten las vacas, toros y bueyes.

— *Al atardecer se oye el mugido de las vacas en el campo.*

2. Sonido fuerte que producen algunos fenómenos meteorológicos.

— *En medio de la tormenta sólo se distinguen los mugidos de los vientos huracanados.*

— bramar una res: *mugir.*

mugre Suciedad acumulada en un sitio, una prenda de vestir o en el cuerpo humano. ☞ **suciedad, porquería, grasa, inmundicia.** ❖ LIMPIEZA.

— sucio, puerco, cochambroso: *mugriento.*

mujer 1. Ser humano del sexo femenino. ☞ **fémina, hembra.** ❖ HOMBRE.

— *En su familia son puras mujeres, ya que el papá murió.*

2. La casada con respecto de su marido. ☞ **señora, esposa.** ❖ ESPOSO, MARIDO.

— *Vive con su mujer desde hace año y medio.*

3. Niña que ha alcanzado la madurez fisiológica y muchas veces también la psicológica. ☞ **pubertad.**

— *No debes comportarte así, ya eres toda una mujer.*

— grupo grande de mujeres: *mujerío.*

— mujer corpulenta, grande: *mujerona, matrona.*

— señorita, mujer chiquita: *mujercita.*

— mujer que se dedica a la prostitución: *mujerzuela, fácil, pública, mundana, perdida, de la mala vida, de mal vivir, de la vida alegre, galante.*

— mujer atractiva y extravagante: *fatal.*

— ama de casa: *mujer de su casa.*

— despectivo de mujer: *mujercilla, mujeruca.*

— hombre que trata de conquistar a muchas mujeres constantemente: *mujeriego, don Juan.*

muladar Sitio donde se arrojan basura, desperdicios y estiércol; se le llama así también a cualquier lugar sucio y desarreglado.

mulato, -ta Persona que nace de la unión de una persona blanca con una persona negra.

muleta 1. Sostén ortopédico para quienes caminan mal temporal o permanentemente. ☞ **bastón.**

— *Como le enyesaron una pierna tuvo que andar en muletas.*

2. Palo con paño rojo que usan los toreros para engañar al toro.

— *El torero hizo un bello pase con la muleta.*

— sostén, soporte que necesita alguien para hacer algo: *muleta.*

muletilla Palabra o frase que repite constantemente una persona en su conversación por pobreza del lenguaje. ☞ **estribillo.**

— muleta del torero: *muletilla.*

mulo, -la Animal cuadrúpedo que nace del apareamiento entre caballo y burra; son más resistentes que cualquier animal, pero son estériles.

— que procede de manera vil: *mula.*

— acción malsana: *mulada.*

multa Castigo pecuniario provocado por una falta. ☞ **pena, sanción.**

— poner multas: *multar.*

multicolor Formado por varios colores. ☞ **polícromo.** ❖ UNIFORME.

multiforme Que tiene muchas formas. ☞ **poliforme.** ❖ UNIFORME.

multípara Se le llama así a la mujer que tiene varios hijos en un solo parto o a la mujer que ha tenido varios hijos en diferentes ocasiones.

múltiple Que comprende dos o más cosas. ☞ **variado, diverso, complejo.** ❖ SIMPLE.

multiplicar 1. Operación aritmética consistente en repetir un número, llamado multiplicando, tantas veces como lo indica otro, conocido como multiplicador.

— *Hay que multiplicar ocho por treinta para encontrar el resultado.*

2. Reproducir. ☞ **proliferar, aumentar.** ❖ DISMINUIR.

— *Se han multiplicado las enfermedades de ese tipo.*

3. Esforzarse. ☞ **afanarse.** ❖ DESPREOCUPARSE, DESATENDER.

— *Debemos multiplicar el trabajo para que la edición esté a tiempo.*

multiplicidad Multitud. ☞ **muchedumbre.** ❖ NADIE.

múltiplo Se le llama así al número que contiene varias veces otro de manera exacta.

multitud Muchedumbre. ☞ **gentío, multiplicidad.** ❖ NADIE.

mullido, -da Cualquier objeto cómodo por esponjoso y blando; se le nombra así usualmente a los asientos de cualquier clase. ☞ **confortable.** ❖ RÍGIDO.

mundano, -na 1. Perteneciente al mundo. ☞ **social, civil.** ❖ ESPIRITUAL.

— *La Iglesia no tiene injerencia en los asuntos mundanos.*

2. Persona muy preocupada por los placeres que la vida puede dar y por el trato social. ☞ **cosmopolita, sibarita, vividor.** ❖ ANACORETA, ERMITAÑO.

— *Tiene una vida muy mundana, se la pasa de fiesta en fiesta.*

mundial Que le concierne o le pertenece a todo el mundo. ☞ **universal, general.** ❖ PARTICULAR.

mundillo Ambiente de cierto tipo de personas donde se desarrollan relaciones de amistad y/o trabajo. ☞ **círculo, medio, grupo.**

mundo 1. Planeta Tierra. ☞ **universo.** ❖ REGIÓN.

— *El mundo corre el peligro de perder muchas especies animales y vegetales.*

2. Medio. ☞ **atmósfera, ambiente.** ❖ SOCIEDAD.

— *Él vive inmerso en el mundo de los libros.*

— muchedumbre: *un mundo, medio mundo, todo el mundo.*

— Asia, África, Europa: *el viejo mundo.*

— América: *el Nuevo Mundo.*

— vida después de la muerte: *el otro mundo.*

— adquirir experiencia: *tener mundo.*

— vivir: *ver el mundo, conocer el mundo.*

— lugar lejano: *el fin del mundo.*

— orden alterado: *el mundo al revés.*

— siempre: *desde que el mundo es mundo.*

— la alta sociedad: *el gran mundo.*

— la delincuencia, la mafia: *el bajo mundo.*

— cosmopolita: *hombre o mujer de mundo.*

— morir: *dejar o irse de este mundo.*

munición Enseres de guerra o balas. ☞ **pertrechos.**

— carga de un arma de fuego: *munición*.

municipalidad Territorio y habitantes de un ayuntamiento. ☞ **municipio**.

— habitante de una municipalidad: *munícipe*.

munificencia Generosidad extrema. ☞ **esplendidez, desinterés, liberalidad.** ❖ MEZQUINDAD.

muñeca 1. Parte del cuerpo que sirve de unión entre el brazo y la mano.

— *La gitana lleva las muñecas cubiertas por pulseras.*

2. Juguete para niños con figura de mujer. ☞ **mono, mona.**

— *Esta muñeca camina y habla.*

3. Mujer muy bella.

— *Su novia es una muñeca.*

muñón Miembro del cuerpo que no se desarrolló debidamente o parte de un miembro que queda mientras que el resto ha sido cortado. ☞ **amputación, mutilación.** ☞ PROTUBERANCIA.

mural 1. Que pertenece a un muro o se relaciona con él. ☞ **pared.**

— *Varios de los adornos murales deben restaurarse.*

2. Pintura que se hace sobre una gran pared. ☞ **pintura monumental.**

— *En los edificios públicos suele haber bellos murales.*

— que realiza murales: *muralista.*

muralla Pared muy alta y gruesa que sirve de defensa a una ciudad, fuerte o región. ☞ **muro, fortificación.**

murciélago (vea ilustración). Mamífero volador nocturno de alas membranosas que habita en las zonas tropicales y templadas.

murmullo Ruido suave que se produce, cuando se habla en voz baja, o algunos fenómenos naturales como el agua y el viento al correr. ☞ **rumor, susurro.** ❖ GRITO, ESCÁNDALO.

murmurar 1. Producir un sonido suave y repetido. ☞ **susurrar, rumorear.** ❖ GRITAR.

— *Las aguas del riachuelo murmuran alegremente.*

2. Quejarse casi sin pronunciar las palabras. ☞ **farfullar, mascullar, refunfuñar.** ❖ ALABAR.

— *Si tienes algo en contra no lo murmures, mejor dímelo.*

3. Criticar. ☞ **censurar, desacreditar.** ❖ ACREDITAR.

— *Por ahí andan murmurando acerca de tu posición política.*

— acción y resultado de murmurar: *murmuración.*

— calumniador: *murmurador.*

muro Pared. ☞ **tapia, muralla.** ❖ ABERTURA.

murria Tristeza. ☞ **melancolía, depresión.** ❖ ALEGRÍA.

musa 1. Nombre general que reciben las siete deidades griegas que protegen las artes.

— *La musa Euterpe protege y motiva la creación musical.*

2. Inspiración. ☞ **genio.** ❖ TRABAJO.

— *Cada artista llama a su musa a la hora de crear una obra.*

musaraña Animal pequeño e inofensivo en la mayoría de los casos. ☞ **bicho.**

— estar distraído: *pensar en las musarañas, ver las musarañas.*

músculo Cualquiera de los órganos fibrosos de los animales y el hombre que, contrayéndose y relajándose, realizan los movimientos del cuerpo.

— que pertenece al músculo o se relaciona con él: *muscular.*

— conjunto y disposición de los músculos de un cuerpo: *musculatura.*

— que tiene los músculos bien desarrollados, abultados: *musculoso.*

muselina Tela de algodón casi transparente. ☞ **gasa.**

museo Construcción destinada a albergar colecciones artísticas o científicas para su conservación, exhibición y estudio. ☞ **galería, pinacoteca, fundación.**

musgo Nombre genérico de varias plantas pequeñas que crecen expandiéndose por el suelo, los muros, las plantas, árboles y piedras.

— que está lleno de musgo: *musgoso.*

música 1. Arte de combinar los sonidos de instrumentos para expresar emociones o sentimientos.

— *Los estudiantes de música deben tomar materias como solfeo.*

2. Obra para ser ejecutada con instrumentos y/o voces. ☞ **composición.**

— *Esa música es muy bella.*

— profesional de la música: *músico, ejecutante, intérprete, instrumentista.*

— que pertenece a la música o se relaciona con ella: *musical.*

— disciplina que estudia la historia y características de los diferentes periodos musicales: *musicología.*

— profesional de la musicología: *musicólogo.*

— amante de la música: *musicómano, melómano.*

— mal músico: *musiquillo, musicastro, musiquero.*

murciélago

murciélago pardo

murciélago común

— ser hipócrita, tramposo: *ser música.*

musitar Hablar entre dientes. ☞ **susurrar.** ❖ GRITAR.

muslo Parte más carnosa de la pierna que empieza debajo de la cadera y llega hasta la rodilla.

mustio, -tia 1. Hipócrita. ☞ **falso.** ❖ SINCERO.

— *Se hacen los mustios, pero bien que echan relajo cuando no está el profesor.*

2. Marchito. ☞ **descolorido, triste.** ❖ VIVO.

— *Esas flores están mustias, necesitan agua.*

mutación 1. Transformación física o espiritual de un ser humano. ☞ **metamorfosis, cambio.** ❖ PERMANENCIA.

— *Después de esos sucesos ha sufrido una mutación increíble.*

2. Transformación biológica que experimentan los seres vivos de generación en generación. ☞ **meta-morfosis, cambio, modificación.** ❖ PERMANENCIA.

— *Estas plantas están sufriendo una serie de mutaciones para resistir los cambios de su medio ambiente.*

— cambiable: *mutable.*

— ser que atraviesa por mutaciones: *mutante.*

mutilar 1. Cortar un miembro a un cuerpo. ☞ **cercenar, amputar.**

— *Por las heridas de guerra le tuvieron que mutilar un brazo.*

2. Quitar una parte a un objeto. ☞ **cercenar, destruir, maltratar.** ❖ CONSERVAR.

— *En la biblioteca algunos usuarios han mutilado libros que eran bellísimos.*

— que ha sufrido una mutilación: *mutilado, tullido, lisiado.*

mutis Retirarse de escena un actor. ☞ **irse, desaparecer.** ❖ QUEDARSE.

mutuo, -tua 1. Relación recíproca entre dos o más personas o entre dos o más entidades. ☞ **correspondiente, solidario, equitativo.** ❖ DESIGUAL.

— *Ese matrimonio es muy bueno porque el cariño es mutuo.*

2. Serie de obligaciones que dos partes se comprometen a cumplir. ☞ **correspondiente, equitativo.** ❖ DESIGUAL.

— *Con este contrato los firmantes contraen responsabilidades mutuas.*

— calidad o condición de mutuo: *mutualidad.*

— asociación o corporación basada en la mutualidad: *mutualista.*

— doctrina que se finca en la solidaridad entre los seres humanos: *mutualismo.*

— miembro de alguna sociedad mutualista: *mutualista.*

muy Grado superlativo de cualquier fenómeno, sensación, situación. ☞ **sumo, sumamente, bastante, mucho, demasiado.** ❖ POCO.

— sentirse importante: *creerse el muy muy.*

nabab 1. Gobernador de un principado musulmán en la India.
— *Tuvo problemas con el nabab de Rajastán.*
2. Hombre de gran riqueza. ☞ **potencia, potentado, creso, Midas.** ❖ MISERABLE, POBRE.
— *Tiene tanto dinero que le dicen el nabab de la región.*

nácar Sustancia dura, blanca y brillante que se forma en la concha de muchos moluscos. ☞ **color, tornasol.**
— parecido al nácar: *nacarado, nacarino, anacarado, nacáreo.*
— perteneciente o relativo al nácar: *nacarino, nacáreo.*
— nácar corriente: *nacarón.*
— crema comercial usada para embellecer el cutis: *crema de concha nácar.*
— cutis terso y radiante: *cutis de nácar.*
— arcilla, caolín que al cristalizar se parece al nácar: *nacrita.*
— timbal antiguo usado en la caballería de un ejército: *nácara.*

nacer 1. Salir del vientre materno un nuevo ser. ☞ **salir, surgir, origen, originar.** ❖ MORIR, FALLECER.
— *Espero que mi hijo nazca a finales de junio.*
— salida de un nuevo ser del vientre materno: *nacimiento, venida al mundo, natividad, nacida.*
— documento legal que certifica el nacimiento de una persona: *acta de nacimiento, partida de nacimiento.*
— que se tiene desde el nacimiento: *de nacimiento, innato, nato.*
— que pertenece al nacimiento o se relaciona con él: *natal.*
— que pertenece al lugar en que uno ha nacido: *nativo.*
— originario de: *natal de, nativo de.*
— indígena de determinado lugar: *nativo.*
— proporción de nacimientos en una región determinada o en cierto lapso: *natalidad.*
— conjunto de métodos o procedimientos usados para modificar la natalidad: *control de natalidad.*
— día de nacimiento de una persona: *natalicio.*
— cada uno de los aniversarios del natalicio: *cumpleaños.*

— nacimiento de Jesús, la Virgen María y San Juan Bautista: *Natividad.*
— nacimiento de Jesús celebrado el 25 de diciembre: *Navidad, Natividad de Jesús.*
— representación católica tradicional de la Natividad de Jesucristo por medio de figuras de cerámica, barro, madera u otro material, que se acostumbra poner durante la época navideña: *nacimiento.*
— elementos de un nacimiento: *pesebre, Niño, Virgen María, San José, Reyes Magos, pastores, estrella de Belén, vaca, buey, oveja, cabra, palmeras, lago, patos.*
— que nace en una nave: *naonato.*
— que nace muerto: *mortinato.*
— que es extraído del vientre materno, que no nace naturalmente: *nonato.*
— que lleva viviendo por lo menos un día: *nacido, recién nacido.*
— niño desde que nace hasta que cumple tres semanas: *recién nacido.*
— que tiene buenos sentimientos o es de noble linaje, tratándose de personas: *bien nacido.*
— que es una persona malévola o mala: *mal nacido.*
— estado en que se encuentra una hembra que ha concebido un nuevo ser y lo lleva en su vientre: *embarazo, gravidez, preñez.*
— momento de expulsión del feto del vientre materno: *parto, parturición, alumbramiento.*
— que le disgusta caminar: *que nació en coche.*
— expresión que indica que alguien es afortunado: *nacer de pie.*
— expresión que indica que alguien está predestinado a fracasar: *nacido para perder.*
— expresión que indica que la suerte influye en la vida: *el que nació para tamal, del cielo le caen las hojas.*
— haberse salvado de un gran peligro o de la muerte: *volver a nacer.*
— reanimar, recobrar las fuerzas alguien decaído: *renacer, resucitar.*
— volver de la muerte a la vida: *resucitar.*
2. Salir del huevo un animal; brotar las hojas, flores, frutos, hojas y ramas de una planta. ❖ MORIR, FINAR.

— *Ya nacieron las tortugas.*
— lugar donde nace o brota algo: *nacimiento.*
3. Principiar o comenzar a formarse, tener principio u origen. ☞ **principio.** ❖ TERMINAR, ACABAR, FINALIZAR.
— *Con la publicación de su primer libro nació a la vida literaria.*
— aparecer una sensación o un sentimiento en alguien: *nacerle a uno.*
— oriente: *naciente.*
— reciente, principiante: *naciente.*
— origen, lugar o momento en que algo empieza a manifestarse: *nacimiento.*
— primera manifestación de algo: *brote, germen, semilla.*
— volver a nacer o manifestarse algo nuevamente: *renacer.*
— acción y resultado de renacer: *renacimiento.*

nación 1. Conjunto de habitantes de un país regidos por las mismas leyes y gobierno; territorio de este país. ☞ **patria, país, territorio.**
— *Hay mucha inquietud y descontento en esa nación.*
— que pertenece a una nación o se relaciona con ella: *nacional.*
— individuo nacido en una nación: *nacional.*
— condición jurídica del individuo nacido en una nación o del individuo que habiendo nacido en el extranjero la adquiere: *nacionalidad.*
— doctrina surgida de la Revolución mexicana que se opone al intervencionismo extranjero y se basa en la soberanía popular, la democracia, la separación de la Iglesia y el Estado, y el aprecio de los valores culturales de los diferentes grupos que forman la nación: *nacionalismo mexicano.*
— que es partidario del nacionalismo: *nacionalista.*
— otorgar a un extranjero la condición jurídica o nacionalidad de un país: *nacionalizar, naturalizar.*
— hacer que bienes o propiedades que pertenecían a extranjeros pasen a ser de la nación, o aquéllos que eran de empresas privadas pasen a poder del Estado: *nacionalizar.*
— adquirir un extranjero la naciona-

lidad de un país: *nacionalizarse, naturalizarse*.

— acción y resultado de nacionalizar algo: *nacionalización*.

— acción y resultado de nacionalizarse alguien: *nacionalización, naturalización*.

— persona que ama a su nación o le es leal: *nacionalista, patriota*.

— que presume excesivamente de ser patriota: *patriotero, chauvinista*.

— algunas instancias gubernamentales que rigen a la nación mexicana: *Cámara de Senadores, Cámara de Diputados, Presidencia de la República, gobiernos de los estados, Departamento del Distrito Federal, Procuraduría General de Justicia, Secretaría de Agricultura y Recursos Hidráulicos, Secretaría de Comercio y Fomento Industrial, Secretaría de Comunicaciones y Transportes, Secretaría de la Contraloría General de la Federación, Secretaría de la Defensa Nacional, Secretaría de Desarrollo Urbano y Ecología, Secretaría de Educación Pública, Secretaría de Energía, Minas e Industria Paraestatal, Secretaría de Gobernación, Secretaría de Hacienda y Crédito Público, Secretaría de Marina, Secretaría de Pesca, Secretaría de Programación y Presupuesto, Secretaría de la Reforma Agraria, Secretaría de Relaciones Exteriores, Secretaría de Salud, Secretaría de Trabajo y Previsión Social, Secretaría de Turismo*.

2. Conjunto de personas del mismo origen étnico, con la misma historia, lengua y constumbres o cultura.

— *El éxodo de la nación judía duró muchos años*.

— que se apega a las costumbres, cultura, etc., de su país o nación: *nacionalista*.

— que se apega a las costumbres de su región natal: *regionalista*.

— que detesta lo extranjero: *xenófobo*.

— que ama lo extranjero: *xenófilo*.

naco, -ca Que es vulgar, burdo y poco refinado, que carece de cultura y buena educación, tratándose de personas. Es término ofensivo. ☞ **ignorante, torpe, burdo.** ❖ REFINADO.

— acción burda, vulgar o indeseable: *nacada*.

— tomar características vulgares: *anacarse*.

— con apariencia de naco: *naconcio, naquillo*.

nada 1. Carencia o ausencia absoluta de cualquier cosa, lo que no existe, ninguna cosa. ☞ **vacío.** ❖ TODO, MUCHO.

— *El que nada tiene, nada come*.

— ninguna cosa de varias o entre varias: *nada de*.

— expresión que indica que no tiene importancia algo, y que se usa para responder a quien da las gracias: *de nada, por nada, no hay de qué*.

— por ninguna cosa, por ningún motivo: *por nada*.

— sin darle importancia, sin esfuerzo: *como si nada*.

— ninguna cosa mejor que: *nada como*.

— prioritariamente: *antes que nada, primero que nada*.

2. Cantidad mínima de algo, un poco, algo. ☞ **poco.** ❖ MUCHO, TODO.

— *Pásame una nadita de tequila*.

— cosa de poco valor o de poca importancia: *nadería, nonada*.

— únicamente, solamente: *nada más*.

— expresión que indica que no es muy importante lo que se manifiesta a continuación: *nada menos que*.

— expresión que indica el justo sentido de una apreciación de lo que se manifiesta a continuación: *nada más ni nada menos que*.

— haber pasado un lapso muy corto: *hace una nada*.

3. En absoluto, ni un poco.

— *No ha hecho nada para animarse y no le preocupa nada*.

— despojar: *dejar sin nada*.

— desconocer: *no saber nada*.

— ser inútil: *no servir para nada, no valer para nada*.

— ser insignificante: *no tener nada de particular*.

— no tener ninguna relación: *no tener nada que ver*.

— de ningún modo: *para nada*.

— ¡no hay!: *¡nada hay!, ¡nanay!*

nadar 1. Flotar y desplazarse en el agua una persona o animal impulsándose con un movimiento rítmico de sus extremidades. ☞ **flotar, bracear, deslizarse.** ❖ SUMERGIRSE, HUNDIRSE.

— *Vente a nadar en la playa*.

— acción y resultado de nadar: *nado, nadada*.

— espacio que se recorre al nadar: *nadada*.

— deporte que consiste en mantener el cuerpo sobre el agua impulsándolo a la mayor velocidad posible con el movimiento de brazos y piernas: *natación*.

— nadar: *echar una nadada*.

— persona que practica la natación o sabe nadar muy bien: *nadador*.

— que pertenece a la natación o se relaciona con ella, que sirve para nadar: *natatorio*.

— que es capaz de nadar y flotar: *natátil*.

— nadar alguien bajo la superficie del agua: *bucear*.

— acción de nadar bajo el agua: *buceo*.

— entrar al agua repentinamente: *echarse un chapuzón*.

— acción de echarse al agua desde cierta altura: *clavado, salto*.

— echarse alguien al agua: *echarse un clavado*.

— meterse bajo el agua una persona o animal: *zambullirse, sumergirse, hundirse*.

— salpicar agua manoteando y pataleando en ella: *chapotear*.

— estilos de natación: *braza de pecho, espalda, mariposa, marinera, crawl, crawl sobre espaldas, trudgeon, over, salvamento*.

— permanecer flotando en la superficie del agua boca arriba y sin moverse: *hacer de muertito, nadar de muertito*.

— deportes acuáticos: *natación, waterpolo, ballet acuático, pesca submarina, buceo, salvamento*.

— pruebas acuáticas: *de natación en alberca: relevo, estilo libre, estilos, braza de pecho, espalda, mariposa; de natación en el mar o travesía: de fondo, de medio fondo, de gran fondo*.

— persona que auxilia a los nadadores o bañistas en playas y albercas en caso de emergencia: *salvavidas*.

— auxilio acuático: *salvamento o socorrismo acuático*.

— lugares naturales en donde se puede nadar: *mar, río, laguna, lago, presa, manantial, riachuelo*.

— instalaciones especiales para nadar: *alberca, piscina, pileta, estanque, chapoteadero, poza*.

— ropa especial para nadar: *traje de baño, bikini, monokini y tanga, bañador*.

— aditamentos para nadar: *visor, flotador, salvavidas, cámara, boya, gorro, aletas, snorkel, goggles, tapones de oídos, chaleco salvavidas*.

— personas que intervienen en una competencia de natación: *competidor, vigilante, instructor, entrenador, cronometrador, juez de salida, juez de meta, juez de viraje, director de carrera, director de equipo*.

2. Flotar algo en cualquier líquido.

— *¡Hay tanta basura y animalejos nadando en esta alberca!*

— tener en abundancia: *nadar en*.

— quedar muy holgada una prenda de vestir: *nadarle*.

— estar en situación de ambivalencia: *nadar entre dos aguas*.

nadie Ninguna persona. ☞ **ninguno.**
❖ ALGUIEN, ALGUNO.
— ser alguien un individuo sin importancia, sin personalidad: *ser un don nadie.*

nadir Punto de la esfera celeste opuesto diametralmente al cenit de un punto o región determinada. ❖ CENIT.

nagual 1. Brujo o hechicero; entre los indígenas de origen azteca, hechicero con poderes para cambiar de forma.
— *Mi abuelo es el nagual del pueblo.*
— robar o mentir: *nagualear.*
2. Animal bajo cuya influencia se encuentra una persona, de acuerdo con el día de su nacimiento, según creencias de ciertos indígenas.
— *El nagual del octavo día del mes del calendario náhuatl es el conejo.*

nahuatlato Intérprete del náhuatl al español y viceversa.
— lengua de distintos grupos indígenas de México y Centroamérica: *náhuatl.*
— vocablo de la lengua náhuatl: *nahuatlismo.*
— que se dedica al estudio de la lengua o cultura náhuatl: *nahuatlista.*

naif Que es ingenuo, crédulo, sin afectación y muy natural. ☞ **cándido, confiado, ingenuo.** ❖ INCRÉDULO, DESCONFIADO, SAGAZ, ASTUTO.
— escuela pictórica en la que predomina la mirada simple, desafectada e infantil sobre la realidad: *arte naif.*

naipe Cada uno de los rectángulos de cartón o cartas de una baraja. ☞ **baraja, tarot, carta.**
— caja en la que se guardan los naipes: *naipero.*
— que pertenece a los naipes o que se relaciona con ellos: *naipero, naipesco.*
— ordenar las cartas de una baraja para hacer trampa: *florear el naipe.*
— conjunto de naipes o cartas: *baraja.*
— tipos de baraja: *española, francesa.*
— naipes de la baraja española: *as, dos, tres, cuatro, cinco, seis, siete, sota, caballo, rey de cada uno de los cuatro palos: oros, copas, espadas y bastos. Total: 40 cartas.*
— juegos con naipes de la baraja española: *brisca, tute, mus, tresillo, julepe, malilla, monte, siete y medio, solitario, cientos, cinquillo, rentoy, quinola, faraón, mona, rentilla, treinta y una, treinta y cuarenta, truco, arrastrado, baciga.*
— naipes de la baraja francesa: *as, dos, tres, cuatro, cinco, seis, siete, ocho, nueve, diez, valet o jota, dama, rey, comodín o joker de cada uno de los cuatro palos: corazones, tréboles,*
picas, rombos o diamantes. Total: 52 naipes.
— juegos con naipes de la baraja francesa: *póquer, bridge, canasta, pinacle, whist, bacará, ecarté, chemin de fer, boston, gin-rummy, faraón, treinta y una, treinta y cuarenta, veintiuna, solitario.*

nalga Cada una de las dos partes carnosas que constituyen el trasero del cuerpo humano; cada una de las partes superiores de las extremidades posteriores de ciertos animales. ☞ **pompas, posaderas, tafanario.**
— formas eufemísticas de decir nalga: *nacha, petaca, nailon, napa, asentadera.*
— golpe dado con la palma de la mano en la nalga: *nalgada.*
— golpe dado con las nalgas, especialmente al caerse alguien: *nalgazo.*
— golpear en las nalgas: *nalguear, dar de nalgadas.*
— acción y resultado de nalguear: *nalgueada, nalgueo, nalguiza.*
— que pertenece a las nalgas o se relaciona con ellas: *nalgar.*
— las dos nalgas: *nalgas, nalgatorio, silabario, atractivo.*
— que tiene nalgas grandes: *nalgón, nalgudo.*
— mover marcadamente las nalgas al andar: *contonearse.*

nana 1. Encargada o cuidadora de los niños. ☞ **niñera, nodriza, aya.**
— *Mi nana es de Oaxaca.*
2. Canción de cuna para dormir a los niños. ☞ **arrullar, arrullo.**
— *A mi mamá le gusta cantar nanas.*
3. Abuelita o mamá.
— *Tengo dos nanas, la de mi papá y la de mi mamá.*
— expresión que se usa para mostrar asombro, temor o sorpresa: *¡Ay nanita!*
— en tiempo muy antiguo: *en el año de la nana.*
4. Matriz de la hembra del puerco que se guisa para hacer tacos.
— *Hay tacos de ojo, nana, buche, nenepil, tripa y machitos.*

nanacate Hongo comestible.

nanche Variedad de arbusto malpigiáceo mexicano, propio de tierras calientes, y fruto de este arbusto que es pequeño y muy sabroso. ❖ NANCE, NANSE, NANCITE.
— plantío de árboles de nanche: *nanzal.*
— recoger nanches: *nancear.*
— barbilampiño: *cara de nanche, barba de nance.*
— bebidas alcohólicas cuyo principal componente es el nanche: *licor de nanche, torito de nanche, curado de nanche.*

nao Nave comercial antigua de gran tonelaje. ☞ **embarcación, barco.**
— patrón de un barco: *naochero.*
— quien nace en una nave: *naonato.*

napalm Sustancia inflamable compuesta de palmitato de sodio o de palmitato de aluminio, capaz de carbonizar todo en una gran zona y con la que se cargan lanzallamas, bombas aéreas y de mano, minas y otras armas.

napoleónico, - ca Que se relaciona con Napoleón o que pertenece a su dinastía, a su época, a su política, a su imperio, a su moda.

naraka Lugar de las tinieblas eternas de la mitología hindú. ☞ **infierno.**

naranjada Bebida hecha con naranja, agua y azúcar.
— árbol de la familia de las rutáceas: *naranjo.*
— fruta de este árbol, de color amarillo rojizo: *naranja.*
— que es del color de las naranjas: *anaranjado.*
— golpe dado con una naranja: *naranjazo.*
— que pertenece a la naranja o se relaciona con ella: *naranjero.*
— vendedor de naranjas: *naranjero.*
— tipos de naranja: *valenciana, mediterránea, sin semilla, de pulpa roja, de pulpa roja y blanca.*
— exclamación que expresa negación: *¡naranjas!, ¡naranjas de la China!*
— cónyuge: *media naranja.*

narcisismo Amor excesivo por uno mismo, admiración ante su propia imagen.
— persona que está satisfecha de su propia apariencia y que es presumido o vanidoso: *narciso.*

narcoanálisis Método siquiátrico utilizado para estudiar el subconsciente de un individuo mediante la inyección de un narcótico.

narcolepsia Tendencia irresistible al sueño.
— quien padece narcolepsia: *narcoléptico.*

narcótico Sustancia química que produce sueño e inhibe las principales funciones del cerebro y la médula. ☞ **droga, estupefaciente, somnífero, soporífero.** ❖ EXCITANTE.
— adicción a los narcóticos: *narcotismo, narcomanía.*
— sueño provocado por una dosis elevada de narcóticos: *narcotismo.*
— estado de somnolencia o inconsciencia producido por un narcótico: *narcosis.*
— producir somnolencia mediante narcóticos o suministrarlos: *narcotizar.*

— tomar soporíferos o narcóticos: *narcotizarse*.

— acción y resultado de narcotizar o narcotizarse: *narcotización*.

— persona que usa drogas para generar somnolencia: *narcotizador*.

— negocio de narcóticos: *narcotráfico*.

— persona que distribuye drogas: *narco, narcotraficante, pusher, contacto*.

— sobredosis de droga: *pasón*.

— tipos de narcóticos: *ayahuasa, beleño, cocaína, codeína, hachís, heroína, hipnal, mariguana, morfina, opio, sulfonal*.

nariz o narices 1. Prominencia facial situada entre la frente y la boca, en la que se halla el sentido del olfato, con dos orificios que comunican el aparato respiratorio con el exterior.

— *Con el golpe, le empezó a sangrar la nariz*.

— que se relaciona con la nariz o que pertenece a ella: *nasal*.

— que deja pasar total o parcialmente el aire por la nariz al pronunciarse, tratándose de sonidos o articulaciones fonéticas de vocales o consonantes: *nasal*.

— pronunciar un sonido haciendo pasar total o parcialmente el aire por la nariz: *nasalizar*.

— calidad de nasal: *nasalidad*.

— adorno que se coloca en alguna parte de la nariz: *nariguera*.

— que tiene la nariz grande: *narigón, narizudo, narigudo, narizotas*.

— partes y componentes de la nariz: *raíz, caballete, lóbulo, punta, aleta, ventana u orificio, fosa nasal, mucosa, tabique nasal, cornete, seno nasal, hueso etimoides, hueso vómer, hueso esfenoides, hueso nasal, nervio olfatorio, célula olfatoria, bulbo olfatorio*.

— formas de la nariz: *recta, griega, corta, chata, achatada, arremangada, respingada, recogida, larga, alargada, grande, chica, curva, aquilina o aguileña, encorvada, ganchuda, caída, hebrea, de pico de loro, borbónica*.

— sustancia espesa que fluye por la nariz: *moco, mocos, mucosidad*.

— limpiarse los mocos: *sonarse*.

— especialidad médica que se ocupa de la nariz, los oídos y la laringe: *otorrinolaringología*.

— rechazar a alguien: *darle en las narices*.

— sospechar de alguna cosa: *darle en la nariz algo, olerle algo*.

— toparse o dar o tropezarse con alguien golpeándose en la cara: *darse en las narices, darse de narices con*.

— golpear a alguien: *romperle las narices*.

— encontrar un obstáculo difícil de vencer: *darse de narices contra, darse de narices con, darse de narices en*.

— frente a mí, a ti, a él: *en mis, tus, sus narices*.

— estar harto o cansado de aguantar algo: *estar hasta las narices, estar hasta el gorro*.

— fisgonear, entrometerse: *meter las narices en, meter la nariz en*.

— ser cerrado o poco perspicaz: *no ver más allá de sus narices*.

— frustrar a alguien: *dejarlo con un palmo de narices*.

— expresión airada que significa negación: *¡narices!*

2. Sentido del olfato.

— *Tiene una nariz muy sensible a los malos olores*.

3. Parte protuberante del frente de ciertas cosas.

— *La nariz de ese avión está pintada de azul*.

narrar Referir o relatar algún suceso, anécdota o historia oralmente o por escrito. ☞ **discurrir, contar, decir, relatar, reseñar.** ❖ CALLAR.

— relato de un acontecimiento o una serie de acontecimientos: *narración*.

— que narra o cuenta algún suceso: *narrador*.

— que pertenece a la narración o que se relaciona con ella: *narrativo, narratorio*.

— que se puede contar o narrar: *narrable*.

— suceso increíble, difícil de explicar: *inenarrable*.

— algunos tipos de narraciones: *crónica, cronicón, anales, diario, historia, historieta, leyenda, mito, epopeya, épica, novela, cuento, fábula, conseja, anécdota, chascarrillo, chiste, informe, noticia, biografía, autobiografía, relato*.

— narración de sucesos penosos, molestos o llenos de aventuras: *odisea*.

— narración de un suceso ficticio cuya finalidad es la enseñanza moral: *parábola*.

nasa 1. Artefacto de pesca hecho con juncos entretejidos en forma de embudo.

— *Muy temprano tendieron las nasas*.

2. Canasta de boca estrecha a donde se echa la pesca.

— *Los pescadores se llevaron las nasas con pescado al mercado*.

3. Cesto o vasija en que se guarda pan, harina o granos.

— *No pasarán hambre; sus nasas están llenas*.

nata 1. Sustancia espesa, cremosa y blanca que se forma en la superficie de la leche después de hervida.

— *Unta mi pan con nata y azúcar*.

2. Película espesa que se forma en la superficie de cualquier líquido, debido a las sustancias que contiene.

— *Desde la playa se veía una gruesa nata de petróleo sobre el mar*.

— nata del vinagre: *madre*.

3. Rebaba de la fundición o escoria de metales o minerales después de purificarlos.

— lo selecto, escogido o principal de algo: *crema y nata, flor y nata*.

— ser alguien una nulidad para algo, ser aburrido: *ser una nata*.

natilla Dulce elaborado con leche, yemas de huevo y azúcar. ☞ **crema, manjar.**

NATO Siglas de North Atlantic Treaty Organization u Organización del Tratado del Atlántico Norte. (OTAN).

nato, -ta 1. Que se tiene desde el nacimiento, tratándose de características propias de una persona. ☞ **innato.** ❖ ADQUIRIDO, APRENDIDO.

— *Tiene un sentido musical nato*.

2. Que está unido o es propio a la persona que lo ejerce, tratándose de nombres de cargos o títulos.

— *El presidente es miembro nato del partido*.

3. Árbol americano cesalpiniáceo.

— *En este bosque crecen natos de madera blanca y roja*.

naturaleza 1. Conjunto de elementos y de todo lo que conforma el universo y que no ha sido creado o modificado por el hombre. ☞ **cosmos, creación.**

— *La naturaleza es bellísima, por eso la amo y la gozo*.

— que se ha producido o creado en la naturaleza sin intervención del hombre, que ocurre según las leyes de la naturaleza sin ser milagroso: *natural*.

— que pertenece a la naturaleza o se relaciona con ella: *natural*.

— persona que estudia las ciencias naturales: *naturalista*.

— que es genuino, que no ha sido elaborado ni modificado: *natural*.

— conjunto de doctrinas filosóficas que consideran que el principio de todo lo existente es la naturaleza: *naturalismo*.

— que es partidario del naturalismo: *naturalista*.

2. Conjunto de las características propias, esenciales y particulares de algo, de un género o especie, lo que no es adquirido o artificial.

— *No existen frutas de tal naturaleza; ninguna se mueve por sí sola.*

— que es normal, que se comporta, sucede o está de acuerdo con las características propias, esenciales y particulares de algo, que se tiene por naturaleza: *natural.*

— sencillez, franqueza, ingenuidad: *naturalidad.*

— sin artificio y sin adorno: *al natural.*

— conjunto de actividades que se basan en lo natural de la vida y de las cosas: *naturalismo.*

— aclimatar en una región especies vegetales o animales procedentes de otros lugares: *naturalizar.*

3. Conjunto de instintos, aptitudes o inclinaciones de una persona, manera de ser o carácter de un individuo. ☞ **temperamento, carácter.**

— *Su naturaleza dinámica lo impulsa a progresar.*

— corriente literaria del último tercio del s. XIX que, basada en la observación del comportamiento y temperamento de diferentes hombres, busca probar que el ser humano está determinado por factores hereditarios y por la influencia del medio ambiente en obras narrativas con un lenguaje realista: *naturalismo.*

— que pertenece al naturalismo o se relaciona con él: *naturalista.*

naturismo 1. Sistema de medicina preventiva y curativa que se basa en el principio de vivir de una manera natural, lo más cerca posible a la naturaleza y lejos de los convencionalismos de la civilización contemporánea. Postula la eficacia curativa de la higiene, el aire puro, los ejercicios físicos, la alimentación predominantemente vegetariana o de alimentos no muy elaborados ni condimentados, el uso de ropas delgadas y otras prácticas que secundan la tendencia del organismo a la curación espontánea.

— que practica el naturismo, que pertenece a él o se relaciona con él: *naturista.*

— régimen alimenticio que incluye huevos, lácteos y vegetales: *ovalactovegetarianismo.*

— régimen alimenticio que incluye vegetales o sustancias de origen vegetal: *vegetarianismo.*

— tratamiento curativo por medio del agua, empleado por naturistas: *hidroterapia.*

— tratamiento curativo por medio de ciertos reflejos sobre las terminaciones periféricas de los nervios centrípetos: *reflexoterapia.*

— tratamiento curativo por medio de las plantas o sustancias vegetales: *fitoterapia.*

— tratamiento curativo por la vista y el contacto corporal del enfermo con la luz de varios colores o de uno solo: *cromoterapia.*

— tratamiento curativo por la exposición del paciente a los efectos del clima: *climatoterapia.*

— tratamiento curativo por la exposición del cuerpo o parte de él a los rayos solares o baños de sol: *helioterapia.*

naufragar 1. Hundirse una embarcación, irse a pique con las personas que viajan en ella. ☞ **anegar, zozobrar.** ❖ FLOTAR.

— *El Titanic naufragó debido al choque con un iceberg.*

— hundimiento de una embarcación: *naufragio.*

— que ha naufragado: *náufrago.*

— comer vorazmente: *comer como náufrago.*

— expresión utilizada para avisar que alguien se ha lanzado al agua o ha caído en ella desde una embarcación: *hombre al agua.*

— buque u objeto abandonado en el mar: *derrelicto.*

— pedazo de una nave que ha naufragado o parte de lo que contiene: *pecio.*

2. Fracasar un asunto, un intento de hacer algo o arruinarse un negocio. ❖ LOGRAR.

— *No dejemos que naufrague nuestro amor.*

— ruina o fracaso material o moral: *naufragio.*

náusea 1. Sensación molesta o ansia de vomitar. ☞ **basca.**

— *Durante los primeros meses de embarazada tuve náuseas.*

— que provoca basca, que es propenso a vomitar: *nauseabundo, nauseoso, nauseativo.*

— tener náuseas: *nausear.*

— que tiene náuseas: *nauseante.*

— expulsar violentamente la comida: *vomitar, devolver, basquear, arrojar.*

— movimiento involuntario de la garganta al sentir asco: *arcada, arqueada.*

2. Aversión, rechazo, repugnancia moral o física que causa algo. ❖ ATRACCIÓN.

— *La guerra me da náuseas.*

nauyaca Variedad de serpiente crotálida venenosa mexicana. ☞ **nauyaque, nauyaqui, barba amarilla.**

nava Terreno llano y muy húmedo, a veces pantanoso.

— huerto cercano a los arenales de la playa: *navazo.*

— persona que cultiva los navazos: *navacero.*

— lugares cuyo nombre se debe a esta característica geográfica: *Nava de Arévalo, Nava de la Asunción, Nava de Ricomalillo, Nava de Santiago, Nava del Rey, Navacerrada, Navaconcejo, Navahermosa, Navalcarnero*

navaja 1. Cuchillo cuya hoja se puede doblar para que el filo quede entre las dos piezas que forman el mango. ☞ **cuchillo, daga, puñal, charrasca, filo.**

— *Fue herido con una navaja.*

— cuchillo plegable que se emplea para rasurar la barba o lámina pequeña, acerada, muy filosa, usada con este mismo fin: *navaja de afeitar o navaja de rasurar.*

— herida hecha con navaja: *navajazo, navajada.*

— trapo en que se limpia la navaja de afeitar: *navajero.*

— estuche en que se guardan las navajas de afeitar: *navajero.*

— provocar un pleito: *amarrar navajas.*

— tramposo, taimado: *navajudo.*

— que está armado con una navaja: *navajero.*

2. Molusco lamelibranquio marino cuyas valvas son casi rectangulares y muy alargadas.

— *Las navajas son comestibles.*

3. Colmillo del jabalí.

— *Ya muerto, le cortamos las navajas al jabalí.*

4. Aguijón cortante de algunos insectos.

— *Esos insectos, al defenderse, entierran sus navajas.*

5. Lengua de los murmuradores o maldicientes.

— *La navaja de su boca es más peligrosa que cualquier arma.*

nave 1. Embarcación o cualquier vehículo de transporte. ☞ **buque, navío, barco, avión, nao, bajel.**

— *Para cruzar el mar abordamos la nave.*

— vehículo aéreo: *nave aérea, aeronave.*

— vehículo espacial: *nave espacial.*

— que pertenece a una nave o a la navegación o se relaciona con ellas: *naviero.*

— tipos de naves: *nave de aviso, de carga, de transporte, de guerra, mercante o mercantil, de turismo.*

— naves pequeñas: *canoa, balsa, cayuco, coracle, kayak, lancha, panco,* catamarán, canoa doble, prao, bote, umiak.

— alquilar una nave o parte de ella: *fletar*.

— cargar con una pesada obligación, realizar un trabajo duro: *fletarse*.

— decidir algo irrevocable: *quemar las naves*.

2. Cada uno de los espacios divididos entre sí por muros o arcos, que se encuentran a lo largo de templos, fábricas o almacenes.

— *La iglesia de mi pueblo tiene tres naves.*

navegar 1. Ir una embarcación por el agua o ir en una embarcación por el agua; dirigir una embarcación de acuerdo con los conocimientos requeridos. ☞ **viajar, puerto.**

— *Su papá era marino y se pasaba diez meses al año navegando.*

— establecimiento de la ruta de una embarcación y manejo de la misma: *navegación*.

— tránsito de embarcaciones por cierta región: *navegación*.

— recorrido por ríos y canales: *navegación fluvial o interior*.

— travesía por mar: *navegación marítima o exterior*.

— recorrido que se hace sin perder de vista la costa: *navegación de cabotaje*.

— recorrido que se hace más allá de la línea de visión de las costas: *navegación de altura o astronómica*.

— documento que autoriza a un buque para navegar: *patente de navegación*.

— recorrido de una embarcación jalada por otra: *navegación a remolque*.

— recorrido de una embarcación de velas sin ellas: *navegación a palo seco*.

— instrumentos de navegación utilizados para saber el punto exacto en que se encuentra una embarcación: *sextante, cronómetro, carta marina, compás o aguja náutica, corredera, regla*.

— recorrido según una línea recta de las cartas marinas: *navegación laxodrómica*.

— navegación que se hace siguiendo un círculo máximo de la superficie del globo: *navegación por círculo máximo u ortodrómica*.

— tipos de navegación según el sistema de locomoción: *navegación a vela, a vapor, a remo, con motor*.

— libro en el que el capitán de una embarcación registra los incidentes de un viaje: *diario de navegación, bitácora*.

— que navega o se dedica a la navegación o persona que dirige la navegación de una embarcación: *navegante, nauta*.

— donde se puede navegar, tratándose de un río, lago, mar, etc.: *navegable*.

— embarcación: *nave*.

— embarcación de grandes dimensiones: *navío*.

— que pertenece a las naves o a la navegación o que se relaciona con ellas, en especial en la marina militar y las naves de guerra: *naval*.

— oficial de la marina que atiende en una embajada los asuntos de su competencia: *agregado naval*.

— que pertenece a la navegación o se relaciona con ella: *náutico*.

— deportes que se practican con una embarcación o en el agua dulce o el mar: *deportes náuticos*.

— ciencia y técnica de navegar: *náutica*.

— navegar a la vista de tierra: *navegar de costa a costa o con la costa en la mano*.

— acercarse a la costa: *navegar en demanda de tierra*.

— ir dos o más buques juntos: *navegar en conserva*.

— viajar juntos varios buques mercantes para evitar la acción de los submarinos: *navegar en convoy*.

— ir varios buques de guerra bajo las órdenes de un jefe: *navegar en escuadra*.

— distancia que abarca una nave en veinticuatro horas o intervalo de veinticuatro horas contadas desde el mediodía durante una travesía: *singladura*.

— rumbo o dirección de un barco: *derrota*.

— desvío de una nave de su rumbo verdadero: *deriva*.

— flotar una embarcación a merced de la corriente: *estar a la deriva*.

— apreciación de la situación de una nave por el rumbo y la distancia que lleva: *estima*.

— rumbo de un objeto en el mar con relación a otro: *demora*.

— ángulo que se forma con la visión de un astro y el rumbo que lleva una nave: *marcación*.

— inclinación violenta de una embarcación sobre un lado: *bandazo*.

— oscilación de una nave: *balanceo*.

— recorrido que hace una embarcación entre dos viradas: *bordada*.

— virar violentamente un buque a causa del mal tiempo: *dar guiñadas*.

— golpe de mar: *maretazo*.

— encallar una embarcación en la costa: *varar*.

— acción y resultado de encallar una embarcación en la costa: *varada*.

— subir y bajar alternadamente la proa y la popa de una nave: *cabecear*.

— dar vueltas una embarcación: *rolar*.

— llegar un buque, después de un viaje, a la vista de la costa o llegar el mar o el viento a cierto punto: *recalar*.

— puerto intermedio entre el de salida y el de llegada, que tocan las embarcaciones: *escala*.

— llegar la nave al puerto en que termina su travesía: *arribar*.

— arribar a tierra un buque, arrimar una embarcación a otra o a tierra: *atracar*.

— costa de profundidad suficiente para que una embarcación pueda atracar: *fondeadero*.

— asegurar una embarcación con anclas en el fondo de las aguas: *fondear*.

— partir una nave: *hacerse a la mar, zarpar, desatracar, levar anclas, poner rumbo a*.

— recorridos de navegación: *periplo, vuelta, circuito, crucero, circunnavegación, carrera, regata, desplazamiento*.

— maniobras de navegación: *avante, atrás, a toda avante, a toda máquina, a estribor, a babor*.

2. Volar un avión o una nave espacial o volar en estos vehículos; dirigir el vuelo de un avión o nave espacial.

— *Iban tres aviones navegando juntos por el cielo de Nueva York.*

— travesía de un aeroplano, hidroavión o aerostato, o recorrido en estas naves: *navegación aérea*.

— travesía de una nave espacial o recorrido en una nave espacial: *navegación espacial*.

— vehículo aéreo: *aeronave, nave aérea*.

— vehículo espacial: *nave espacial*.

— aparentar ser algo: *navegar con bandera de, viajar con bandera de*.

navideño, -ña Que pertenece a la Navidad o a las navidades o que se relaciona con ellas. ☞ **nochebuena, advenimiento, nadal.**

— nacimiento de Cristo: *Navidad*.

— día en que se celebra este nacimiento: *Navidad*.

— lapso entre el 24 de diciembre y el 6 de enero: *Navidad o navidades*.

— expresión usada para desearle a alguien que disfrute la temporada navideña: *¡feliz Navidad!*

— fiesta típica navideña mexicana y centroamericana que se celebra desde el 16 de diciembre hasta el 24: *posada.*

— adornos que se usan en ocasión de la Navidad: *árbol de Navidad, escarcha, campanas, esferas, luces, guirnaldas, pelo de ángel, coronas, velas.*

— personaje fantástico que hace regalos a los niños en la noche de Navidad: *Santa Claus, Santaclós, San Nicolás.*

— dulces típicos de Navidad: *turrón, colación, frutas secas, garapiñados, orejones de frutas.*

— cancioncilla de tema religioso que se canta en Navidad: *villancico.*

— pago extraordinario que se otorga en el último mes del año: *aguinaldo.*

nazareno, -na 1. Que pertenece a la ciudad de Nazaret, Galilea, que se relaciona con esta ciudad o que ha nacido en ella.

— *Los nazarenos son muy amables con los peregrinos extranjeros.*

2. Que se consagraba a Dios mediante el voto y ciertas abstinencias, entre los hebreos.

— *No se corta el pelo ni la barba; es un nazareno.*

— voto que comprometía a los israelitas a dedicarse a Dios, obligándolos a ciertas abstinencias, y tiempo durante el cual se cumple con este voto: *nazareato.*

3. Que está vestido con una túnica morada, tratándose de imágenes de Jesús; persona que viste una túnica morada y capirote, y va en las procesiones de Semana Santa.

— Hay muchos nazarenos en la procesión.

— estar malherido o afligido: *estar hecho un nazareno.*

4. Variedad de árbol americano de gran tamaño, de la familia de las cesalpiniáceas, cuya madera da un tinte amarillo muy duradero.

— *Esta mesa es de madera de nazareno.*

— corriente pictórica alemana de principios del s. XIX: *escuela nazarena.*

nazismo Doctrina extremista del Partido Nacional Socialista, llevada al poder por Adolfo Hitler, que mantenía ideas nacionales y racistas, y se caracterizaba por su autoritarismo antidemocrático, el totalitarismo de gobierno y el imperialismo en sus relaciones exteriores.

— que pertenece al nazismo o al nacionalsocialismo o que se relaciona con él o su ideología: *nazi, nacionalsocialista.*

N.B. Abreviatura de *nota bene* que se usa para aclarar o explicar algo.

nebulosa Masa de materia cósmica parecida a una nube, oscura o iluminada por la luz de estrellas cercanas. ☞ **galaxia, cúmulo estelar.**

— envuelto en nubes o niebla: *nebuloso.*

— presencia de nubes o de niebla: *nebulosidad, nubosidad.*

— turbio, oscuro, tétrico: *nebuloso.*

— sombra u oscuridad tenue: *nebulosidad.*

— confuso, problemático, difícil: *nebuloso.*

— que pertenece a las nebulosas o se relaciona con ellas: *nebular.*

— pulverizar un líquido: *nebulizar.*

— acción y resultado de nebulizar: *nebulización.*

— aparato que sirve para nebulizar: *nebulizador.*

necesario, -ria 1. Que no puede dejar de suceder o de existir. ☞ **inevitable, fatal.** ❖ CASUAL, CONTINGENTE, AZAROSO.

— *Su muerte fue una consecuencia necesaria de ese accidente.*

— característica de lo que existe o sucede de manera inevitable: *necesidad.*

— que es inevitable: *de necesidad.*

— causar que se tenga que insistir en una petición: *hacerse el necesario, hacerse del rogar.*

2. Que hace falta o se precisa para que algo o alguien exista, funcione o se desarrolle. ☞ **indispensable, forzoso.** ❖ PRESCINDIBLE, VOLUNTARIO, SUPERFLUO.

— *La existencia del Sol es necesaria para la vida.*

— falta o carencia que requiere forzosamente solucionarse para que alguien o algo exista, funcione o se desarrolle: *necesidad.*

— pobreza, estrechez o hambre muy intensa: *necesidad.*

— carecer de algo que es imprescindible o que se requiere forzosamente: *necesitar.*

— pobre, indigente: *necesitado.*

— de manera forzosa: *necesariamente.*

— actuar bajo la exigencia de las circunstancias: *obedecer a la necesidad.*

— lo elemental para vivir: *necesidades primarias o básicas.*

— urgencia de bautismo, penitencia u otra práctica religiosa indispensable para la salvación eterna: *necesidad de medio.*

— obligación religiosa, como la eucaristía o la extremaunción, cuyo acatamiento propicia la salvación eterna pero no la asegura: *necesidad de precepto.*

— riesgo de perder la vida eterna: *necesidad grave o espiritual.*

— aparentar que se realiza de buena gana algo que era preciso hacer: *hacer de la necesidad virtud.*

— situación menesterosa extrema que pudiera eximir de responsabilidad criminal a un individuo: *estado de necesidad.*

— orinar o evacuar el vientre: *hacer sus necesidades.*

3. Que es conveniente o provechoso. ❖ SUPERFLUO.

— *Son necesarias las vacaciones y la diversión.*

— carácter de lo que debe ser cumplido para favorecer algo o a alguien: *necesidad.*

neceser Estuche o caja que contiene objetos destinados a usos precisos, en especial los del cuidado y la apariencia personal.

— tipos de neceser: *neceser de tocador, de costura, de afeitar, de aseo, de pedicure, de manicure.*

necio, -cia 1. Que es ignorante, tonto o irreflexivo en lo que dice o hace. ☞ **tonto, presumido, impertinente.** ❖ SENSATO, LISTO, PRUDENTE, INTELIGENTE.

— *La sirvienta de tu vecina es muy necia.*

— estupidez o ignorancia de alguien: *necedad.*

2. Que es una tontería o estupidez, que es absurdo o disparatado lo dicho o hecho por alguien. ❖ ACERTADO.

— *Tu necia proposición no puede ser aceptada.*

— tontería, disparate, dicho o hecho tonto o necio: *necedad.*

— decir disparates o discutir obstinadamente sobre algo: *necear, decir necedades.*

necrófago, -ga Que se alimenta de cadáveres, tratándose de animales.

necrófilo, -la Que le atrae y gusta la muerte, que se relaciona con la afición por la muerte o que pertenece a ella. ☞ **muerte, defunción.**

— afición por la muerte o por alguno de sus aspectos: *necrofilia.*

— perversión del instinto sexual de quienes sienten atracción hacia los cadáveres: *necrofilia.*

— culto a los muertos: *necrolatría.*

— resumen de la vida y obra de una persona recientemente fallecida: *necrología, obituario.*

— anuncio en el periódico de los fallecimientos recientes o lista de nombres de personas muertas con la fecha del fallecimiento: *necrología, obituario.*

— examen de un cadáver: *necropsia o necroscopia*.

— cementerio importante donde existen monumentos fúnebres: *necrópolis*.

néctar 1. Jugo que tienen las flores en el fondo de su cáliz, que por ser azucarado es chupado por ciertos insectos y aves.

— *Las abejas liban el néctar de las flores*.

— que produce néctar: *nectarífero*.

— órgano que produce néctar: *nectario*.

— órgano que protege a un nectario: *nectarostegio*.

— señal de los órganos sexuales de una planta que orienta a los insectos hacia el néctar: *nectarostigma*.

— género de pajarillos muy pequeños, de pico largo y afilado, que chupan el néctar de las flores y habitan regiones tropicales: *nectarinia*.

2. Licor o bebida dulce y agradable al paladar.

— *Probaremos este delicioso néctar de mango*.

nefando, -da Que repugna y horroriza moralmente, execrable. ☞ **infame, abominar.**

— pecado de sodomía: *pecado nefando*.

— quen comete pecado nefando: *nefandario*.

— malvado, perverso, detestable o que va contra natura: *nefario, nefaria*.

— de forma abominable y vergonzante: *nefandamente*.

nefasto, -ta Funesto, que anuncia, acusa o acompaña a un suceso fatídico. ☞ **aciago, luctuoso, desgracia.** ❖ ALEGRE.

nefrítico, -ca 1. Que pertenece al riñón o se relaciona con él. ☞ **renal.**

— *Los padecimientos nefríticos más comunes son el cólico, las piedras o cálculos y la inflamación*.

— elemento inicial de palabras compuestas de la terminología científica que significa riñón: *nefr, nefro*.

— parte de la medicina que tiene como objetivo el estudio del riñón: *nefrología*.

— médico especialista en el riñón: *nefrólogo*.

— que se relaciona con el estudio médico del riñón: *nefrológico*.

— cualquier padecimiento del riñón: *nefropatía*.

— cálculo nefrítico: *nefrolito*.

— extracción de uno o más cálculos nefríticos: *nefrolitotomía*.

— caída del riñón de su posición normal: *riñón caído, nefroptosis*.

— operación para fijar el riñón en su posición normal: *nefropexia*.

— enfermedad por inflamación del riñón: *nefritis*.

2. Que padece nefritis, que se relaciona con esta enfermedad o que pertenece a ella.

— *Algunos nefríticos sufren de fiebre y dolores lumbares*.

negar 1. Decir que algo no existe o es falso, no admitir algo. ☞ **condenar.** ❖ AFIRMAR.

— *Negar los problemas es lo peor que podemos hacer*.

2. Responder negativamente a algo que se pide, dejar de conceder algo. ☞ **contradecir, oponerse, rehusar, rechazar.** ❖ APROBAR.

— *Les negaron la cantidad que pedían en el presupuesto*.

— oponerse a hacer cierta cosa que le piden: *negarse*.

— ocultarse o escabullirse ante alguien: *negársele*.

3. Desconocer una relación o rechazar a alguien. ☞ **renegar, esquivar, desentenderse.**

— *Mal hijo es el que niega a sus padres*.

— rechazar o renunciar uno a sus deseos: *negarse*.

4. Prohibir o impedir que se realice algo. ❖ PERMITIR.

— *Negaron la entrada a mujeres y niños*.

— que es incapaz e inepto: *negado*.

— que niega algo: *negador*.

— acción y resultado de negar: *negación, negativa*.

— que se puede negar: *negable*.

negativo, -va 1. Que contiene, expresa o presupone una negación u oposición, que es contrario u opuesto con respecto a otra cosa. ❖ POSITIVO.

— *Dio una respuesta negativa*.

— oponerse, condenar o rechazar algo o a alguien: *negar*.

— acción y resultado de negar algo: *negación*.

2. Que no existe o no hay algo.

— *Los resultados de la biopsia fueron negativos*.

3. Que pertenece a los números menores a cero o que se relaciona con ellos, que se refiere a una cantidad que se debe o no se tiene. ☞ **número.** ❖ POSITIVO.

— *El negocio cerró con un saldo negativo*.

4. Fotografía o dibujo en el que los colores blanco y negro se encuentran invertidos con respecto a la forma en que deben quedar.

— *He de revelar ocho negativos*.

negligé Prenda de vestir que se usa para estar en casa cómodamente antes de vestirse.

— de forma descuidada, desaliñada pero con cierta elegancia: *a la negligé*.

negligencia Falta del cuidado y la aplicación debidas. ☞ **descuido.** ❖ ATENCIÓN, DILIGENCIA.

— descuidado, desidioso o indolente: *negligente*.

— de forma descuidada y desatenta: *negligentemente*.

— no poner cuidado o interés en algo o en alguien: *negligir*.

— fórmula legal de derecho marítimo que sirve para que el asegurador de un barco se exonere, ante fletadores o cargadores, de toda responsabilidad por las faltas cometidas por cualquier miembro de la tripulación: *cláusula de negligencia*.

negociar 1. Comerciar, comprar y vender mercancías o valores con el objetivo de obtener ganancias. ☞ **traficar.**

— *Me dedico a negociar con telas*.

— actividad u operación comercial o económica con la que se busca obtener ganancias: *negocio*.

— establecimiento donde se lleva a cabo una actividad u operación económica: *negocio*.

— empresa o industria: *negociación*.

— obtener una ganancia económica negociando: *hacer negocio*.

— que se puede negociar: *negociable*.

— persona que se dedica a cierto negocio: *negociante*.

— operación comercial o económica que da grandes ganancias: *negocio redondo*.

— actividad u operación económica ilegal para obtener ganancias: *negocio sucio*.

2. Tratar un asunto, pacto o alianza por vía diplomática entre dos o más representantes de países.

— *En la ONU se va a negociar una alianza entre EU y la URSS*.

— serie de reuniones e intercambios entre dos o más representantes de países o de organizaciones nacionales e internacionales para llegar a un acuerdo: *negociación*.

— que negocia: *negociador*.

3. Intentar hacer que coincidan criterios diferentes, o resolver algo entre dos o más personas o agrupaciones para conseguir algo conveniente para todos.

— *Los estudiantes iban a negociar las dificultades universitarias con las autoridades*.

— serie de reuniones e intercambios entre dos o más personas o agrupaciones para conseguir acuerdos convenientes a todos: *negociación.*

— que negocia: *negociador.*

— asunto: *negocio.*

— asunto que tiene buenos resultados: *negocio redondo.*

negro, -gra 1. Que es del color más oscuro de todos, que es del color del cielo sin luna ni estrellas o del carbón o del azabache. ☞ **oscuro, color.**
❖ BLANCO.

— *La punta de este lápiz es negra.*

— ponerse negro: *ennegrecer, negrear, negrecer, negregar.*

— que tira a negro: *negruzco, negrizco, negral.*

— calidad de negro: *negrura, negror, negregura.*

— llevar luto: *estar de negro.*

— enfermedad de los dientes que hace que se pongan negros: *neguijón.*

2. Que es oscuro con respecto a otra cosa más clara.

— *Se desayunan café negro con pan negro.*

— letra que se distingue por estar más marcada que las demás: *negrita.*

3. Que es cruel, malo o impuro.

— *Hay personas que se dedican a la magia negra.*

— capacidad o aptitud de alguien para encontrar diversión en cosas o situaciones crueles o desafortunadas o circunstancia o situación que produce risa por la forma en que se presenta la crueldad o la mala fortuna: *humor negro.*

— movimiento cinematográfico basado en novelas policiacas que se caracteriza por sus temas criminales, la ausencia de personas moralmente positivas y por la utilización de ambientes sórdidos, de la violencia y del erotismo: *cine negro.*

4. Que es sombrío, triste, melancólico, que es desafortunado o infeliz.
❖ ALEGRE.

— *A ese huérfano le espera un negro porvenir.*

— estar en dificultades o pasar aprietos: *vérselas negras, pasarlas negras.*

— tener dificultades para hacer algo: *verse negro para hacer algo.*

5. Que pertenece a cualquier raza cuya piel es de color negro.

— *La mayoría de la población de África es negra.*

— que se dedicaba a la compra y venta de esclavos negros: *negrero.*

— que explota y trata con crueldad a sus subordinados: *negrero.*

— que tiene características de la cultura de los negros o atributos propios de la raza negra: *negroide.*

— tribus negras: *bantúes, sudaneses, nilóticos, bosquimanos, zulúes, hotentotes, watusis, mandingas, huasas, congoleños, guineanos, ugandeses, pigmeos o negrillos africanos, negritos asiáticos, abisinios, etíopes, senegaleses, drávidas o hindúes, australianos o melanesios.*

— que es de raza negra, hijo de mestizo y española: *cuarterón.*

— que es mestizo, hijo de blanco y cuarterona: *ochavón.*

— organización norteamericana racista antinegros: *Ku Klux Klan.*

6. Persona que trabaja anónimamente para que otro se luzca o utilice ese trabajo.

— *Eras un negro que le hacías las investigaciones a ese maestro de sociología para que él presentara ponencias y publicara libros con ellas.*

— trabajar sin descanso: *trabajar como un negro.*

— espada sin filo, con un botón en la punta, usada para entrenamiento: *espada negra.*

— figura musical que tiene una duración doble de la corchea y mitad de la blanca: *negra.*

— indignarse, encolerizarse: *ponerse negro de coraje.*

neja Tortilla de maíz de color ceniciento por el exceso de cal utilizado en su elaboración.

nejayote Agua con cal o ceniza en la que se ha cocido el maíz.

nemoroso, -sa Que pertenece al bosque o se relaciona con él; que es selvático o boscoso.

nemotécnico Que sirve para desarrollar la memoria, que pertenece a las técnicas usadas para mejorar la memoria o se relaciona con ellas..

— arte de mejorar la memoria: *nemotecnia, nemotécnica.*

nene Niño muy pequeño, desde recién nacido hasta de cinco años aproximadamente. ☞ **criatura, chiquitín.**

— mujer guapa: *nena.*

neocapitalismo Expresión que designa la etapa actual de la evolución del sistema capitalista en los países más desarrollados.

neocatolicismo Tendencia a introducir ideas modernas en el catolicismo.

neoclasicismo Corriente artística europea del s. XVIII que se inspiró en la antigüedad clásica y la tomó por modelo.

neofascismo Tendencia política de Italia basada en el nazismo alemán y el fascismo de Mussolini.

— que es partidario del neofascismo

o que pertenece a esta tendencia política: *neofascista.*

neófito, -ta 1. Persona que recientemente ha sido admitida a una causa o agrupación.

— *Los dos son neófitos en el deporte acuático.*

2. Persona que recientemente ha sido admitida en una orden religiosa o persona recién bautizada o convertida a una religión cristiana.

— *Eran neófitos en la orden de los jesuitas.*

neokantismo Movimiento filosófico surgido a finales del s. XIX en Alemania, que proponía el retorno de las teorías de Kant para el análisis crítico del conocimiento.

— que es partidario del neokantismo, que pertenece a este movimiento o se relaciona con él: *neokantiano.*

neologismo Innovación léxica, palabra, expresión o acepción nueva que se empieza a usar en una lengua.

neomenia Primer día de la luna nueva o del mes lunar.

neonato Recién nacido. ☞ **nacer.**

— que pertenece al recién nacido o que se relaciona con él: *neonatal.*

neoplatonismo Corriente filosófica que surgió en Alejandría en el s. III, inspirada en las doctrinas de Platón, y que durante tres siglos se enseñó en diversas escuelas.

— que es partidario de esta corriente, que pertenece al neoplatonismo o se relaciona con él: *neoplatónico.*

neorrealismo 1. Movimiento cinematográfico surgido en Italia después de la Segunda Guerra Mundial, que presenta temas cotidianos utilizando actores a veces no profesionales y escenarios naturales.

— que pertenece al neorrealismo o que se relaciona con él: *neorrealista.*

— cineastas neorrealistas: *Visconti, De Sica, Fellini, De Santis, Lattuada.*

— películas neorrealistas: *Arroz amargo; Roma, ciudad abierta; Sin piedad; Bellísima; Ladrón de bicicletas; Pan, amor y fantasía.*

— género de películas que surgen dentro del neorrealismo, pero que derivan hacia la comedia utilizando sólo algunos elementos reales: *neorrealismo rosa.*

2. Movimiento artístico iniciado en 1920 como reacción ante el impresionismo y el expresionismo.

neotomismo Doctrina modernizada de las ideas filosófico-teológicas de Santo Tomás de Aquino.

nepotismo Política que consiste en favorecer desmedidamente con cargos, títulos o privilegios de cualquier clase a parientes o amigos.

nerón Hombre cruel y malvado.

— que es cruel, sanguinario y despiadado: *neroniano*.

nervio 1. Cada una de las fibras o hilos que parten del cerebro y de la médula espinal y se difunden por todo el cuerpo transmitiendo sensaciones e impulsos.

— *Hay nervios sensitivos, nervios motores y nervios mixtos*.

— que pertenece a los nervios o se relaciona con ellos: *nervioso, nervoso*.

— sistema orgánico constituido por una red de nervios, el encéfalo, la médula espinal, los ganglios simpáticos y parasimpáticos: *sistema nervioso*.

— que pertenece a los nervios o al sistema nervioso o se relaciona con ellos: *nerval, nérveo, neural*.

— que es parecido o semejante a los nervios: *nérveo*.

— conjunto de nervios: *nervadura*.

— que tiene los nervios alterados o que se altera, inquieta, irrita, impresiona o excita con facilidad: *nervioso*.

— estado pasajero de pequeña alteración del sistema nervioso manifestada por intranquilidad, angustia, irritabilidad, excitación o desasosiego: *nerviosismo, nerviosidad, nervios*.

— padecer angustia, inquietud o excitación: *tener nervios, sentirse nervioso, tener los nervios alterados, ponérsele los nervios de punta*.

— alterar o excitar a alguien: *crisparle los nervios, ponerlo nervioso, atacarle los nervios*.

— nervio cuya función es la de recoger los impulsos nerviosos o sensaciones periféricas y conducirlas al sistema nervioso central: *nervios sensitivos*.

— nervios cuya función es la de transmitir del sistema central o encéfalo los impulsos nerviosos hacia los centros afectores: *nervios motores*.

— nervios que cumplen esas dos funciones: *nervios mixtos*.

— radical de palabras compuestas usadas en medicina y zoología, que significa nervio: *neuro, neur*.

— célula nerviosa que transmite el impulso nervioso: *neurona*.

— partes de la neurona: *núcleo, dendrita y axón*.

— especialidad de la medicina y biología que estudia el sistema nervioso y el tratamiento de sus enfermedades: *neurología*.

— persona que se dedica por profesión a la neurología: *neurólogo*.

— que pertenece a la neurología o al sistema nervioso o se relaciona con ellos: *neurológico*.

— especialidad de la cirugía médica que tiene como objetivo el tratamiento quirúrgico de las enfermedades del sistema nervioso: *neurocirugía*.

— persona que tiene por profesión la neurocirugía: *neurocirujano*.

— nombre genérico de las enfermedades nerviosas: *neuropatía*.

— que padece una enfermedad nerviosa: *neurópata*.

— dolor muy intenso que se localiza en el trayecto de un nervio: *neuralgia*.

— que pertenece a la neuralgia o se relaciona con ella: *neurálgico*.

— conjunto de alteraciones de la excitabilidad del sistema nervioso cuyas características más importantes son la mayor intensidad de fatigabilidad e hiperexcitabilidad, agotamiento, depresión y temor: *neurastenia*.

— que padece neurastenia o que pertenece a esta enfermedad o se relaciona con ella: *neurasténico*.

— estar muy alterado: *estar neurasténico, estar neuras*.

— conjunto de enfermedades mentales provenientes de conflictos psíquicos y alteración del sistema nervioso, en las que no se encuentran lesiones anatómicas demostrables: *neurosis*.

2. Tejido blanco, duro y resistente de la carne que se consume como alimento.

— *No me gusta ninguna carne, ni siquiera el jamón, cuando trae nervios*.

— que tiene los tendones, venas y arterias muy marcados y salidos, tratándose de personas: *nervudo*.

— carne dura, de mala calidad, que por su gran cantidad de tendones no se puede comer: *carne nervuda*.

3. Entusiasmo, vigor físico o mental, o brío con los que alguien realiza una actividad. ☞ **dinamismo, energía.** ❖ APATÍA, PEREZA.

— *Hay que tener mucho nervio para competir en el maratón*.

— enérgico, fuerte, vigoroso: *nervioso, nervudo*.

nesciencia Ignorancia, falta de ciencia o de instrucción. ❖ SABIDURÍA.

— ignorante, que no tiene instrucción: *nesciente*.

neto, -ta 1. Claro, transparente o diáfano, que es limpio y puro. ❖ EMPAÑADO, SUCIO.

— *Las netas siluetas de las montañas se dibujaban en el horizonte*.

2. Que resulta limpia después de haberle restado gastos o descuentos, tratándose de una cantidad. ❖ BRUTO.

— *Mi sueldo neto es bien bajito porque me descuentan un préstamo*.

— peso de algo después de restarle el peso del envase: *peso neto*.

— con el precio o valor de algo, descontados los gastos: *en neto*.

— verdad: *neta*.

— hablar con la verdad: *decir la neta*.

— ser lo máximo: *ser la neta*.

— ser sincero o digno de confianza: *ser muy neta, ser bien neta*.

neuma 1. Expresión por medio de señas, movimientos, interjecciones o voces de sentido imperfecto para indicar lo que quiere o siente alguien.

— *Los niños que aún no saben hablar se comunican por medio de neumas*.

2. Término filosófico que significa principio vital o espiritual que a partir del neoplatonismo y el cristianismo adquirió un sentido similar al del espíritu.

— *El neuma es el principio vital de todos los seres animados*.

3. Cada uno de los signos de la escritura musical del inicio de la Edad Media.

— *Las neumas se colocaban sobre las sílabas del texto musical*.

— que pertenece a los signos musicales colocados sobre sílabas de un texto o que se relaciona con ellos: *neumático*.

neumático, -ca 1. Que pertenece al aire o a los fluidos gaseosos, que se relaciona con ellos.

— *Necesitamos una máquina neumática para extraer el aire de este frasco*.

— elemento radical que significa soplo o aire usado en palabras compuestas: *neumato, neumo, neumat, neum*.

— maquinaria mediante la cual es posible crear el vacío en un recipiente: *maquinaria neumática*.

— tabique compacto al que se le ha extraído el aire durante su fabricación: *ladrillo neumático*.

2. Que está accionado por aire comprimido.

— *La velocidad de percusión del martillo neumático es muy grande*.

— herramientas que se accionan con aire comprimido: *arma neumática, martillo neumático, máquina de moldear neumática*.

3. Cubierta elástica de caucho o goma con forma de tubo redondo que, inflado con aire a presión, se coloca en la rueda de ciertos vehículos. ☞ **llanta.**

— *Los neumáticos de las bicicletas de*

carreras ofrecen poca resistencia al rodaje.

— conjunto de neumáticos de un vehículo: *juego de neumáticos.*

— hueso vacío que facilita el vuelo de las aves: *hueso neumático.*

— parte de la física que estudia las propiedades del aire y de los gases con respecto al movimiento: *neumática.*

neumonía Inflamación de los alvéolos pulmonares, bronquiolos respiratorios o del intersticio pulmonar causada generalmente por bacterias. ☞ **pulmonía.**

— que padece neumonía, que pertenece a esta enfermedad o se relaciona con ella: *neumónico.*

— microorganismo que produce neumonía o bronconeumonía: *neumococo.*

— inflamación de los bronquios y los pulmones: *bronconeumonía.*

— incisión quirúrgica del pulmón: *neumotomía.*

— presencia de aire o gas en la cavidad pleural: *neumotórax.*

— extirpación quirúrgica del pulmón: *neumonectomía.*

— rama de la medicina que se ocupa de la patología pulmonar: *neumología.*

— médico especializado en la neumología: *neumólogo.*

— que pertenece a la neumología o se relaciona con ella: *neumológico.*

neurosis Conjunto de enfermedades mentales provenientes de conflictos psíquicos y de la alteración del sistema nervioso, en las que no se encuentran lesiones anatómicas demostrables.

— que padece neurosis, que pertenece a la neurosis o se relaciona con ella: *neurótico, neurósico.*

— tipos de neurosis: *neurosis de angustia, neurosis fóbica, neurosis obsesiva, sicastenia, hipocondría, histeria.*

neutro, -tra Que no posee rasgos precisos, que es indeterminado o imparcial; que no presenta ni uno ni otro de dos caracteres opuestos. ☞ **ambiguo, impreciso.** ❖ DEFINIDO, PARCIAL.

— flor que al carecer de estambres y pistilos no tiene sexo determinado: *flor neutra.*

— animal que no tiene sexo: *animal neutro.*

— roca que se forma en el interior de la tierra y que por su contenido químico está entre las ácidas y las básicas: *roca neutra.*

— compuesto químico que no es ácido ni básico: *reacción neutra.*

— color que no pertenece al espectro cromático: *color neutro.*

— palabra susceptible de tener género, pero que no es de género masculino ni femenino: *palabra neutra, adjetivo neutro, sustantivo neutro, artículo neutro, pronombre neutro.*

— posición en la palanca de velocidades de un coche, en el que el auto puede estar encendido pero no avanza ni retrocede: *punto muerto, punto neutro o neutral.*

— que permanece imparcial, que no toma partido entre dos bandos contrarios: *neutral.*

— imparcialidad entre dos bandos o carácter de neutral: *neutralidad.*

— actitud de mantenerse al margen de dos bandos contrarios u opuestos, en especial la actitud política ante EU y la URSS: *neutralismo.*

— que favorece la neutralidad o que se inclina por el neutralismo: *neutralista.*

— declarar neutral un país, una región o un gobierno: *neutralizar.*

— contrarrestar o contraponer el resultado de una causa en una acción contraria u opuesta: *neutralizar.*

— acción y resultado de neutralizar: *neutralización.*

— que neutraliza: *neutralizador.*

— que se puede neutralizar o que es propio para neutralizar: *neutralizante.*

new wave 1. Estilo de rock que se opone al movimiento punk y se caracteriza por una gran búsqueda de las posibilidades de la música electrónica. ☞ **rock.**

— *Le gustan los compactos de new wave.*

2. Innovación en el dominio de la moda y el arte.

— *Su corte de pelo es new wave.*

nexo 1. Enlace, unión o vínculo entre dos o más elementos. ☞ **nudo, lazo, vínculo.**

— *Actualmente varios conjuntos de países están estableciendo nexos económicos.*

— elemento lingüístico que en el plano sintagmático enlaza a dos elementos: *nexo gramatical.*

— unir o agregar una cosa a otra de la que depende: *anexar, anexionar.*

— acción y resultado de anexar: *anexión.*

— que se ha unido o agregado a alguien o a algo: *anexo, anejo.*

2. Palabra utilizada para unir o relacionar enunciados u otras palabras entre sí.

— *Las preposiciones, las conjunciones y los verbos copulativos son nexos.*

nicotina Sustancia química o alcaloide venenoso que se encuentra en el tabaco.

— planta del tabaco: *nicociana.*

— intoxicación crónica ocasionada por el tabaco: *nicotismo, nicotinismo, tabaquismo.*

— que contiene nicotina: *nicotinoso.*

— que se le ha añadido nicotina: *nicotinado.*

— sustancia que resulta de la destilación de hojas de tabaco con agua: *nicotianina.*

— que pertenece a la nicotina o se relaciona con ella; que es causado por ella: *nicotínico.*

nicho 1. Cada una de las celdillas o concavidades de los muros de los cementerios donde se colocan los ataúdes o las urnas funerarias.

— *En ese panteón sólo quedan nichos; las tumbas están ocupadas.*

2. Hueco de la pared en que se colocan jarrones, estatuas o cualquier otro adorno. ☞ **hornacina.**

— *Tiene dos nichos en la sala con verdaderas obras de arte.*

— cavidad que se produce en el interior de un órgano: *nicho óseo, nicho estomacal.*

— depresión que se forma en una vertiente debida al exceso de agua por lluvias abundantes: *nicho de desprendimiento.*

— depresión que se forma en una vertiente debida al exceso de agua que resulta del desprendimiento de una masa grande de nieve: *nicho de nivación.*

3. Posición que ocupa dentro del ecosistema una especie determinada.

nido 1. Refugio cóncavo hecho con diversos materiales blandos que construyen las aves, para refugiarse y poner sus huevos.

— *¡Ojalá esta granizada no tire los nidos de los gorriones de aquel árbol!*

— conjunto de huevos o de crías en un nido: *nidada.*

— construir las aves su nido: *nidificar, anidar.*

— construcción del nido de las aves: *nidificación.*

— vivir las aves en el nido: *anidar.*

— que abandona el nido una vez que ha puesto en él sus huevos una ave: *nidífuga.*

— que no es capaz de abandonar el nido sino mucho después de que las crías han roto el cascarón, tratándose de las aves: *nidícola, nidófila.*

— materiales con que puede estar construido un nido: *plumas, plumón de ave, musgos, raíces, hierbas, tela de araña, pequeñas ramas, hojas de árbol, tierra, lodo, saliva.*

— lugar donde las aves domésticas, en especial la gallina, ponen sus huevos: *nidal.*

— huevo que se coloca en un lugar para que allí vayan a poner las gallinas u otras aves domésticas: *nidal.*

— cajón especial que sirve para atrapar a las gallinas cuando van a poner los huevos y así poder identificar el número de huevos puesto por cada una: *nido trampa.*

— glándula que secreta la sustancia necesaria para la formación de los huevos: *nidametaria.*

— implantación del huevo fecundado en la mucosa uterina: *nidación.*

— que tiene olor y sabor a huevo podrido: *nidoroso.*

2. Lugar que se construye o hueco donde algunos animales viven agrupados.

— *No encuentro el nido de los ratones que están destruyendo la milpa.*

3. Casa, hogar, refugio, cobijo de alguien.

— *Después de estas vacaciones, ya tengo ganas de llegar a nuestro nidito.*

— lugar donde tiene lugar un romance: *nido de amor.*

— lugar al que frecuentemente va una persona: *nidal.*

4. Lugar donde se reúne gente maleante.

— *Yo creo que esa casa es un nido de ladrones.*

— construcción que hacen los soldados y que sirve para protegerse y guardar las armas de infantería y dispararlas en caso necesario: *nido de ametralladoras.*

— figura que se borda sobre ciertas telas: *nido de abeja.*

— planta parásita de raíces gruesas con hojas escamosas y flores amarillo-rojizas: *nido de pájaro.*

niebla 1. Nube de color blanco o gris, compuesta por pequeñas gotas de agua líquida, que descansa sobre la superficie terrestre.

— *Hay que ir despacio porque con la niebla apenas se ven las curvas.*

— niebla espesa y baja que quita la visibilidad: *neblina.*

— que abunda en neblina: *neblinoso.*

— neblina que perjudica los sembrados y daño que causa: *nebladura.*

— quedar cubierto de niebla un lugar: *aneblarse, anieblarse.*

— oscurecido por la niebla o por las nubes: *nebuloso.*

— niebla que resulta del enfriamiento nocturno: *niebla de irradiación.*

— la que se produce cuando el aire húmedo pasa por una superficie fría: *niebla de advección, niebla de enfriamiento.*

— niebla formada por el aire frío que circula sobre una superficie cálida y húmeda: *niebla de evaporación.*

— niebla que se produce al revolverse dos masas de aire muy húmedas: *niebla de mezcla.*

— la que se compone de pequeñísimas gotas de agua que no llegan a ser llovizna: *niebla meona.*

— niebla ligera que se forma sobre el mar: *bruma.*

— cubrirse la atmósfera de niebla ligera: *abrumarse.*

2. Confusión, oscuridad o falta de claridad.

— *Para todos la vida es una niebla.*

— causar preocupación o confusión algo: *abrumar.*

3. Mancha blanquecina en la córnea.

— *Tiene niebla en el ojo izquierdo.*

nieto, -ta Hijo de un hijo suyo, con respecto a una persona.

— descendiente en línea directa a partir de la tercera generación: *nieto segundo.*

— respecto de una persona, hijo de un hijastro o hijastra suya: *nietastro.*

— hijo del nieto o nieta, con respecto a alguien: *bisnieto.*

— hijo del bisnieto o bisnieta, con respecto a alguien: *tataranieto, tarasnieto, transbisnieto.*

— ascendientes familiares de un individuo: *antepasados.*

— tercer nieto: *rebisnieto.*

— cuarto nieto: *cuadrinieto.*

— hijo del tataranieto: *chozno.*

— quinto nieto: *bichozno.*

nieve 1. Precipitación de agua congelada en forma de pequeñas estrellas o hexágonos que al agruparse se convierten en copos blancos.

— *El invierno cubre de nieve el campo.*

— caer nieve de las nubes: *nevar.*

— acción y resultado de nevar: *nevada, nevasca, nevazo, nieves.*

— cantidad de nieve que cayó de una vez y sin interrupción: *nevada.*

— temporal de nieve: *nevada, nevazón, nevasca, nevazo.*

— nevada de copos pequeños: *nevisca.*

— caer copos pequeños de nieve: *neviscar.*

— montaña o cumbre elevada cubierta siempre de nieve: *nevado.*

— que está cubierto de nieve: *nevado, nevoso, nivoso.*

— que parece que va a nevar, tratándose del tiempo: *nevoso, nivoso.*

— de nieve o parecido a ella: *níveo.*

— nieve compacta que no es hielo: *neviza.*

— nieve derretida: *aguanieve.*

— nieve que no se deshiela y permanece todo el año: *nieve perpetua, eterna o permanente.*

— anhídrido carbónico que se usa para extinguir incendios y en la refrigeración: *nieve carbónica, nieve seca, hielo seco.*

— pequeña extensión de nieve que no se funde durante el verano: *nevero.*

— parte superior de un glaciar donde se acumula la nieve que después se convierte en hielo: *nevero, nevé.*

— transporte de motor y hélice que se desliza sobre la nieve: *neveplano.*

— temporal de aire, agua y nieve: *cellisca.*

— remolino de lluvia y nieve: *torva.*

— ráfagas de viento y nieve: *ventisca, ventisco.*

— rocío congelado: *escarcha.*

— nieve menuda: *cinarra.*

— lluvia hecha hielo: *granizo.*

— agua convertida en cuerpo sólido y cristalino: *hielo.*

— gran masa de nieve que se desprende de los montes: *alud, avalancha, argayo, lurte.*

— deslizarse sobre la nieve con esquíes: *esquiar.*

— poner blanca una cosa pintándola o cubriéndola con cosas de ese color: *nevar.*

— blanco: *nevado.*

2. Dulce que se come congelado o helado hecho con agua o leche, azúcar y jugo de frutas o extracto de granos o semillas.

— *Me da dos nieves de limón, una de nuez y una de chocolate.*

— lugar donde se venden o se toman nieves, helados, malteadas y refrescos: *nevería.*

— persona que vende helados: *nevero.*

— especie de mueble donde se guarda o conserva nieve o hielo: *nevera.*

nietzscheano, -na Que pertenece a Nietzsche o a su doctrina; que se relaciona con él o con sus ideas.

— forma de pensar que propone la subversión de todos los valores y la vuelta al predominio de los instintos vitales sobre la razón: *filosofía nietzscheana.*

— el que realiza el ideal nietzscheano: *superhombre.*

niflheim Región subterránea de los muertos según la mitología escandinava.

night club Salón de fiestas, cabaret, club nocturno.
— divertirse frecuentando los centros nocturnos: *hacer night clubing.*

nigromancia Costumbre supersticiosa que consiste en adivinar el futuro invocando a los muertos. ☞ **necromancia, necromancía, magia negra o diabólica.**
— hechicero o brujo que evoca a los muertos para develar el porvenir: *nigromante.*
— que pertenece a la adivinación de este tipo o se relaciona con ella: *nigromántico.*

nigua Insecto americano parecido a la pulga, de cuerpo comprimido lateralmente, que tiene piezas bucales adaptadas para perforar y extremidades que le permiten grandes saltos.

nihilismo Doctrina o actitud que afirma el pesimismo absoluto ante cualquier realidad posible, con lo que niega la validez de los valores de cualquier principio político, moral, religioso o social.
— que es partidario del nihilismo, que pertenece a esta actitud o doctrina o se relaciona con ella: *nihilista.*
— carácter de no ser nada: *nihilidad.*

nimbo 1. Círculo luminoso que se coloca alrededor de la cabeza de las imágenes de los santos. ☞ **aureola, corona, diadema.**
— *Jesucristo se representa con un nimbo resplandeciente.*
— poner a una figura, imagen o efigie un círculo luminoso en la cabeza: *nimbar.*
— que es de un esmalte especial el nimbo que rodea las cabezas de los ángeles, los santos y el cordero Pascual: *nimbado.*
— aureola con una cruz dentro: *nimbo crucífero.*
2. Círculo luminoso que aparece algunas veces rodeando un astro, especialmente al Sol o a la Luna.
— *Hoy vimos el nimbo del Sol.*
3. Capa de nubes bajas y densas que producen granizo, nevadas o lluvia. ☞ **nimbus, nomboestrato, nimbustratus.**
— *Ese nimbo indica que va a nevar.*

nimio, -mia 1. Que es banal, insignificante o sin importancia. ☞ **trivial.** ❖ IMPORTANTE.
— *Seré breve y no me detendré en cuestiones nimias.*
— insignificancia o poquedad: *nimiedad.*

2. Escrupuloso, prolijo, minucioso.
— *Es riguroso y nimio en su trabajo.*
3. Que es amplio, dilatado o excesivo. ❖ CONCISO.
— *No existe consuelo para el nimio dolor de ser huérfano.*
— amplitud o exceso: *nimiedad.*

ninfa 1. Deidad femenina de la antigüedad que representaba la fecundidad de la naturaleza, los bosques, las selvas, las aguas y las montañas. ☞ **náyade.**
— *Nereida es una ninfa del mar.*
— antiguamente, lugar consagrado a las ninfas: *ninfeo.*
— ninfa de los ríos: *potámida.*
— ninfa de los ríos y las fuentes: *náyade.*
— ninfa del mar: *oceánida, nereida o nereide.*
— ninfa de las aguas: *ondina.*
— ninfa de los bosques: *dríade o dríada, hamadríade, napea.*
— ninfa del aire: *sílfide.*
— ninfa marina: *sirena.*
— labios menores de la vulva: *ninfas.*
2. Muchacha o mujer joven muy hermosa.
— *En esa preparatoria hay muchas ninfas.*
— hombre muy satisfecho de su apariencia exterior: *narciso, ninfo.*
— aumento patológico de necesidad sexual en mujeres y hembras de ciertos animales: *ninfomanía.*
— que pertenece a la ninfomanía o se relaciona con ella: *ninfomaniaco.*
3. Última metamorfosis del insecto que ha superado el estado de larva.
— *La ninfa de la mariposa es dorada.*
— periodo en que un insecto se encuentra en estado intermedio entre larva e insecto: *ninfosis.*

ninguno, -na Ni una cosa, ni una persona; denota negación total de lo expresado por el nombre al que se aplica. ☞ **nadie.**
— apócope de ninguno: *ningún.*
— tratar mal a alguien despreciándolo, faltándole al respeto o no teniéndole ninguna consideración: *ningunear.*
— que ha sido despreciado: *ninguneado.*
— ser negado excesivamente: *ser o estar muy ninguneado.*

niño, -ña 1. Persona desde que nace hasta la adolescencia. ☞ **infante, criatura, impúber.** ❖ ADULTO.
— *Cuando era niña jugaba mucho en el chapoteadero.*
— etapa o época de la vida humana que va desde el nacimiento a la adolescencia: *niñez, infancia.*
— primera época de la existencia de algo: *niñez.*

— que pertenece a los niños o se relaciona con ellos: *infantil, pueril.*
— acción o hecho propio de los niños; acción, hecho o dicho inadecuado en la edad adulta o de muy poca importancia: *niñería, niñada, niñeces, puerilidad.*
— hacer niñerías: *niñear.*
— que gusta de las niñerías o que le gustan los niños: *niñero.*
— sirvienta que se encarga de atender a los niños: *niñera, chacha, aya.*
— niño que se alimenta de leche materna: *niño de pecho.*
— niño pequeño que aún no camina: *niño de brazos.*
— niño que forma parte del coro en catedrales o monasterios: *niño de coro, niño cantor.*
— imagen que representa a Jesús de niño: *Niño Dios, Niño Jesús.*
— postre de masa untado con mermelada y enrollado: *niño envuelto.*
— pupila del ojo: *niña.*
— persona o cosa muy querida: *niña de mis ojos, niña de los ojos.*
— número quince en algunos juegos de azar: *niña bonita.*
— becerro que se encuentra en el vientre de la vaca cuando la matan: *niñato.*
— niño o niña desde recién nacido hasta que empieza a caminar: *bebé.*
— niño desde que sabe caminar hasta que es joven: *chamaco, chiquillo, chico, pequeño.*
— ciencia que estudia todo lo relacionado con la infancia y los niños: *paidología.*
— conjunto de principios y cuidados para el óptimo desarrollo físico y mental de los niños: *puericultura.*
— persona que se dedica a la puericultura: *puericultor.*
— medicina especializada en niños: *pediatría.*
— médico especialista en niños: *pediatra.*
— lugar donde se cuida a bebés y niños muy pequeños mientras sus padres trabajan: *guardería, sección maternal.*
— escuela que se dedica a los niños menores de siete años: *jardín de niños, kinder, kindergarden.*
— instrucción que se da a los niños antes de ingresar a la primaria: *preescolar.*
— institución en que se imparte la enseñanza primaria a los niños: *colegio de niños, escuela de niños, primaria.*
— niño que ayuda en la misa y otros menesteres de la iglesia: *monaguillo.*
— asunto sencillo: *juego de niños.*

— expresión que indica que no se puede remediar una desgracia después de que ha sucedido: *después del niño ahogado, tapar el pozo; después del niño ahogado, el pozo cegado.*

— expresión que indica que alguien está muy contento y satisfecho de algo: *estar como niño con zapatos nuevos.*

— expresión que alude a la sinceridad y franqueza: *los niños y los borrachos siempre dicen la verdad.*

— expresión con la que se rechaza alguna petición u oferta de alguien: *¡Ni qué niño muerto!*

— expresión que indica que es fácil de hacer algo deshonesto: *ser como quitarle un dulce a un niño.*

— personajes fantásticos con los que se amedrenta a los niños: *el coco, el hombre del costal.*

2. Hijo de poca edad.

— *Tiene tres niños y está esperando el cuarto.*

— primer hijo: *hijo o niño primogénito.*

— segundo hijo: *hijo o niño segundón.*

— hijo menor: *benjamín, socoyote.*

— hijo al que se prefiere y mima en exceso: *niño consentido.*

— niño que no tiene padres: *huérfano.*

— establecimiento dedicado al cuidado y educación de niños huérfanos: *orfanato, hospicio.*

3. Persona joven o adolescente.

— *Se casó con un niño rico e influyente.*

— que procede de una familia acomodada y ha recibido buena educación: *niño bonito.*

4. Forma de cortesía, respeto y cariño que se usa para referirse a una persona joven.

— *Cómpreme unas rosas, niño, para su novia.*

5. Que se comporta en forma ingenua, impulsiva, irreflexiva o despreocupada; inexperto, novato. ❖ REFLEXIVO, VETERANO, MADURO.

— *No seas niño y controla tus impulsos.*

— persona inmadura que actúa atropelladamente: *niñote.*

niquelar Revestir superficialmente una pieza metálica con un baño de níquel.

— metal blanco, maleable, conductor de electricidad y muy resistente, parecido al hierro: *níquel.*

— persona que se dedica a cubrir metales con níquel: *niquelador.*

— que pertenece al níquel o se relaciona con este metal: *niquélico.*

— minerales que contienen níquel: *niquelíferos.*

— combinaciones del níquel: *acero de níquel, vitriolo de níquel, níquel arsenical, níquel carbonillo, níquel tetracarbonillo.*

nirvana En el budismo, meta final de la vida humana y extinción del karma que libera de la transmigración.

— suma de los actos de las existencias pasadas que determinan la existencia presente de un hombre: *karma.*

— pasar un alma de un cuerpo a otro para vivir diferentes existencias: *transmigrar.*

níspero Arbusto espinoso silvestre de la familia de las rosáceas y fruto de esta planta, que es comestible.

nítido, -da Que es limpio, claro, transparente y preciso. ☞ **puro, resplandeciente.** ❖ CONFUSO, IMPRECISO, NEBULOSO.

— transparencia, pureza, diafanidad: *nitidez.*

nitratación Conversión del ácido nitroso o de nitritos en ácido nítrico o en nitratos.

— cualquier sal de ácido nítrico: *nitrato, nitro.*

— convertido en sal de ácido nítrico: *nitratado.*

— transformar en nitrato o incorporar un nitrato: *nitratar.*

— medicamento purgante o sudorífico: *nitrato sódico.*

— lugar en donde se encuentran nitratos o donde se procesa el nitro: *nitrería.*

— clases de nitratos: *potásico, sódico o de sosa, nitro de Chile.*

nitroso, -sa Que contiene nitrógeno.

— calidad de nitroso: *nitrosidad.*

nivel 1. Elevación que alcanza la superficie de un líquido, el plano horizontal de algo o una línea horizontal. ❖ DESNIVEL.

— *El suelo de mi casa está al mismo nivel que el de la calle.*

— a cierta altura con respecto a otra cosa que está en posición horizontal: *a nivel.*

— a la misma altura que: *al nivel de.*

— lugar en que el ferrocarril se cruza con un camino que tiene la misma altura: *paso a nivel.*

— altura que alcanza el petróleo bruto o el agua de un yacimiento a causa de su propia presión: *nivel hidrostático.*

— poner una superficie o plano en posición horizontal: *nivelar.*

— encontrar la diferencia de altura entre dos puntos o más de un terreno: *nivelar.*

— alterar el nivel de algo: *desnivelar.*

— diferencia de altura entre dos o más puntos: *desnivel.*

— puente elevado por encima de un camino o carretera: *paso a desnivel.*

— conjunto de operaciones seguidas para determinar la altitud de dos o más puntos de un terreno con respecto a una misma superficie horizontal: *nivelación.*

— hecho de poner las partes de un terreno a un mismo nivel: *nivelación de un terreno.*

— medida de la diferencia de niveles de ebullición del agua a distintas temperaturas: *nivelación hipsométrica.*

— marca colocada en la fachada de un edificio que indica exactamente a cuántos metros sobre el nivel del mar se encuentra éste: *placa de nivelación.*

— tipos de nivelación: *directa o geométrica, indirecta o a corta distancia, geodésica.*

2. Instrumento que sirve para dirigir visuales horizontales que permiten precisar la diferencia de altura de dos o más objetos, verificar la horizontalidad de un plano o una línea y para medir el grado de inclinación de un plano o línea con respecto al horizonte.

— *Ese albañil utiliza frecuentemente su nivel de burbuja.*

— medir con un nivel las diferencias de altura o la horizontalidad de un plano, superficie o línea: *nivelar.*

— nivel que se usa para tender y revisar los rieles: *nivel para carriles.*

— algunos tipos de niveles: *de escuadra, de pendientes, para revoques, de burbuja, de albañil, de anteojo.*

3. Grado o punto que se ha alcanzado en una jerarquía o escala vertical o igualdad de cualquier tipo entre dos o más elementos. ☞ **equivalencia.** ❖ DESEQUILIBRIO.

— *Su inteligencia y su capacidad de trabajo están al mismo nivel.*

— poner a un mismo nivel o grado dos o más cosas: *nivelar.*

— adecuarse a un principio de estricta igualdad con los demás de un conjunto: *nivelarse.*

— en el mismo punto que: *al nivel de.*

— acción y resultado de nivelar: *nivelación.*

— que nivela: *nivelador.*

— diferencias sociales en el uso de una lengua: *nivel de lengua.*

— grado de desarrollo intelectual de alguien: *nivel mental.*

— índice representativo de la elevación o descenso de los precios: *nivel de precios.*

— índice de la elevación de remuneración del trabajador con respecto a los bienes y servicios que puede adquirir con ella y al trabajo que desempeña: *nivel de salarios.*

— cantidad de bienes y servicios que permite adquirir el sueldo de los integrantes de un grupo social: *nivel de vida.*

— valor de la energía interna de un átomo: *nivel de energía.*

— fases o etapas del sistema educativo: *nivel de educación.*

— principales niveles de educación: *nivel primario, básico o elemental; nivel secundario, medio o medio básico; nivel medio superior; nivel superior técnico; nivel superior o universitario.*

nixtamal Granos de maíz cocidos en agua con cal o ceniza que se muelen y amasan para hacer las tortillas.

— que pertenece al nixtamal o se relaciona con él: *nixtamalero.*

— quien prepara esta masa: *nixtamalero.*

— olla de barro en que se cuece el maíz con agua y cal: *nixcómil, nixcón, nixcómel o nixcome.*

no Adverbio que niega el significado de la oración en que está incluido, niega o rechaza lo que se pregunta o se pide, refuerza a negaciones o propicia respuestas afirmativas cuando se usa en oraciones interrogativas. ☞ **negar, denegar.** ❖ sí.

— con respecto a algo, incredulidad, desafío o incitación: *a que no.*

— inmediatamente que, apenas: *no bien.*

— solamente: *no más, nomás.*

— basta de: *no más.*

— exclusivamente, simplemente: *nomás.*

— tan pronto como: *nomás que.*

— expresión que indica ponderación de algo: *no menos.*

— expresión que indica de manera irónica la afirmación de algo que se había negado: *¿no que no?*

— con: *no sin.*

— no sólo: *no ya.*

— expresión que indica que alguien sólo ve su conveniencia en cualquier asunto : *no dar salto sin huarache.*

— algunas formas de expresar negación: *en absoluto, ni por asomo, no es cierto, no por cierto, no hay tal cosa, te equivocas, no es eso, ¡ni hablar!, ¡ni imaginarlo!, ¡qué va!, de ninguna manera, ni mucho menos, de ningún modo, ¡nada!, ¡nada de eso!, ¡naranjas!, ¡narices!, ni pensarlo, ni remotamente, no señor, ni sombra, ni en sueños, ni a tiros, tampoco, no es verdad, ¡ni madres!*

nó Forma de teatro clásico japonés que mezcla poesía, prosa, danza y música.

noble 1. Que es generoso, fiel o leal, que tiene sentimientos elevados y es magnánimo, tratándose de personas o animales. ❖ INNOBLE.

— *Todos lo quieren por ser tan noble.*

— cualidad de ser generoso o magnánimo o de tener un comportamiento noble: *nobleza.*

— con generosidad: *noblemente.*

2. Que no hace daño, que su efecto es benéfico, que no se presta a engaño, tratándose de cosas. ❖ NOCIVO.

— *Se ha incrementado la noble campaña de vacunación en todo el país.*

— cualidad de no hacer daño y ser benéfico algo: *nobleza.*

— beneficiar algo: *ennoblecer.*

3. Que tiene calidad o es excelente, muy fino o delicado, que tiene distinción, señorío o es famoso e ilustre. ❖ DESPRECIABLE.

— *Me gusta mucho este gas noble.*

— realzar, dar fama o distinción: *ennoblecer.*

— ave que se puede adiestrar para la caza: *ave noble.*

— gas raro en la atmósfera: *gas noble.*

— metal que no posee compuestos oxigenados: *metal noble.*

— partes del cuerpo más sensibles o delicadas: *partes nobles.*

4. Persona que goza de ciertos privilegios y títulos reconocidos por una monarquía o que pertenece a una familia ilustre o de alto rango. ☞ **aristocracia, señor.** ❖ PLEBEYO.

— *Mis abuelos fueron nobles.*

— conjunto de personas nobles, consideradas como un grupo social privilegiado en una monarquía: *nobleza.*

— que pertenece a la nobleza o que se relaciona con ella: *nobiliario.*

— libro que reúne los datos genealógicos de los nobles y trata asuntos de la nobleza: *nobiliario.*

— la preposición *de* que antecede al apellido de los nobles: *partícula nobiliaria.*

— elevar a la nobleza a alguien: *ennoblecer.*

— abadía a la que exclusivamente ingresaban los nobles: *noble abadía.*

— descendencia que tiene un mismo apellido y origen: *casa noble.*

— títulos nobiliarios: *conde, condesa, duque, duquesa, marqués, marquesa, vizconde, vizcondesa, barón, baronesa.*

noción 1. Idea, concepto o representación mental de una cosa.

— *Su noción de amor es muy parecida a la mía.*

— que pertenece a la idea general de

algo o que se relaciona con ella: *nocional.*

— estar enterado: *tener noción de.*

2. Conocimiento elemental o inicial de algo.

— *Tiene algunas nociones de filosofía.*

— que pertenece al conocimiento elemental o rudimentario de una cosa o se relaciona con ella: *nocional.*

— propiedad por la que se distinguen, en la Santísima Trinidad, cada una de las personas que la componen: *noción divina.*

nocivo, -va Que causa daño o perjuicio. ☞ **perjudicial, pernicioso, ofensivo, nocible.** ❖ BENÉFICO, SALUDABLE.

— daño, perjuicio: *nocividad.*

— que puede ser perjudicial: *nocible.*

— de forma perjudicial: *nocivamente, nociblemente.*

— neurona que recibe los estímulos traumáticos o dañinos: *neurona nociceptora o nociceptiva.*

noche Tiempo de oscuridad comprendido entre la puesta y la salida del Sol. ☞ **oscuridad, tinieblas.** ❖ DÍA, CLARIDAD.

— que pertenece a la noche o se relaciona con ella: *nocturno, nocturnal.*

— comenzar a oscurecerse el día: *anochecer, hacerse de noche, entrar la noche, venirse o echarse la noche encima, caer la noche.*

— detenerse a dormir en alguna parte cuando se viaja: *hacer noche.*

— encontrarse alguien en cierto lugar, en determinada actividad o en cierta condición: *anochecer.*

— pasar la noche sin poder dormir: *pasar la noche en blanco, trasnochar.*

— oscurecerse completamente después del crepúsculo: *cerrar la noche.*

— pasear o divertirse durante la noche: *trasnochar, noctambular.*

— dormirse muy tarde: *trasnochar.*

— noche pasada en vela: *trasnochada.*

— que está desmejorado o demacrado alguien: *trasnochado.*

— tiempo en que anochece: *anochecida, anochecer.*

— que se desvela, que pasea o se divierte en las noches: *trasnochador, noctámbulo.*

— durante la noche: *de noche.*

— de repente: *de la noche a la mañana.*

— continuamente: *noche y día.*

— anteayer noche: *antenoche.*

— ayer noche: *anoche.*

— noche durante la cual se sufren molestias y fatigas: *noche de perros.*

— saludo o despedida que se da en la

noche o antes de dormir: *buenas noches*.

— la noche del 24 de diciembre de cada año: *nochebuena*.

— la noche del 31 de diciembre de cada año: *noche vieja*.

— las doce de la noche: *medianoche*.

— lugar en que por la noche se presentan espectáculos musicales, bailables o de divertimento: *centro nocturno*.

— flor que se abre durante la noche: *flor nocturna*.

— animal que busca su alimento durante la noche: *animal nocturno*.

— composición musical de carácter sentimental y melancólico: *nocturno*.

— traje elegante especial para fiestas: *traje de noche*.

— expresión que indica que en la oscuridad no se distinguen los defectos: *de noche todos los gatos son pardos*.

nodo 1. Cada uno de los dos puntos opuestos en los que la órbita de un astro corta el plano de la órbita de otro astro alrededor del cual el primero gravita.

— *Hay dos tipos de nodos, el ascendente y el descendente*.

2. Punto inmóvil de una cuerda en vibración.

— *El nodo es el punto de vibración cero*.

3. Nudosidad pequeña que se forma en una articulación, tendón o ligamento.

— *La gota se debe a nodos en las articulaciones*.

— nudosidad pequeña: *nódulo*.

— obstáculo que genera la aparición de un nodo en ciertas partes del cuerpo humano: *nodación*.

nodriza Mujer que se dedica a amamantar niños ajenos. ☞ **ama, ama de cría.**

— barco o avión cuya función es abastecer a otro: *buque nodriza o avión nodriza*.

nogada Salsa hecha de nueces y otros condimentos.

— chiles poblanos rellenos de carne y cubiertos de nueces molidas y granada roja: *chile en nogada*.

nómada Persona o conjunto de personas o animales que viven desplazándose constantemente de un lugar a otro y sin tener residencia fija; errante o ambulante. ❖ SEDENTARIO.

— modo de vida que se caracteriza por el desplazamiento constante y la falta de residencia fija: *nomadismo*.

— paso de la vida sedentaria a la errante: *nomadización*.

— operación militar que hace que grupos pequeños de soldados se desplacen durante varios días a través de una zona en que se supone hay enemigos para localizarlos: *nomadización*.

nombre 1. Palabra con que se designa a una persona, animal, planta u objeto para distinguirlo de otros o palabra que designa a un conjunto de seres o cosas. ☞ **apelativo.**

— *El nombre de ese cuadro de El Greco es "San Mateo"*.

— dar o poner nombre a algo o alguien: *nombrar*.

— llamarse: *nombrarse, tener por nombre, responder al nombre de*.

— citar o decir el nombre de alguien o de algo: *nombrar*.

— designar a una persona para que desempeñe cierta actividad o cargo: *nombrar, nominar*.

— elección de alguien como candidato para recibir un premio: *nominación*.

— elegir a alguien para recibir un premio: *nominar*.

— acción de nombrar a alguien para desempeñar un cargo o cierta actividad: *nombramiento, nominación*.

— documento que certifica la designación de alguien a un cargo: *nombramiento*.

— que nombra a alguien para un cargo: *nominador*.

— lista de personas o cosas: *nómina, nomenclatura*.

— que existe sólo de nombre, pero no en la realidad: *nominal*.

— que pertenece al nombre o se relaciona con él: *nominal*.

— conjunto de nombres particulares o propios de una especialidad: *nomenclatura*.

— que presenta el nombre de una persona y no es al portador, tratándose de un documento: *nominativo*.

— firma de una persona: *nombre*.

— palabra o conjunto de palabras que designan a una persona y la distinguen del resto de sus hermanos: *nombre de pila, primer nombre, nombre*.

— nombre de pila y los apellidos: *nombre completo*.

— apodo, alias: *sobrenombre*.

— seudónimo de artistas: *nombre artístico*.

— nombre que adopta quien ingresa a una orden religiosa: *nombre religioso*.

— que no tiene nombre de autor algo o autor de nombre desconocido: *anónimo*.

— nombre de un negocio o producto registrado: *nombre comercial*.

— en favor de alguien: *a nombre de*.

— en representación de alguien: *en nombre de*.

— bajo mi (tu, su…) responsabilidad: *en mi (tu, su…) nombre*.

— por: *en el nombre de*.

— ser algo indignante: *no tener nombre*.

— expresarse con franqueza: *llamar a las cosas por su nombre*.

— anunciarse: *dar su nombre*.

2. Prestigio o reputación de algo o de alguien. ❖ DESCONOCIMIENTO.

— *Con su trabajo en la pintura se está haciendo de nombre*.

— fama, reputación: *nombradía, renombre, buen nombre*.

— célebre, famoso: *nombrado, renombrado*.

3. Sustantivo o categoría gramatical con morfemas de género y número. ❖ VERBO.

— *Niño, animal, cosa son nombres y hacer, ir, venir son verbos*.

— clase de palabras que sustituyen al sustantivo o frases sustantivas: *pronombre*.

— nombre que designa a algo o a alguien distinguiéndolo de los demás de su especie y que debe escribirse con mayúscula: *nombre propio*.

— nombre que designa a todos los miembros de un grupo o elementos de una especie: *nombre común*.

— clase de palabras gramaticales que tienen morfemas de género y número y que la constituyen el adjetivo y sustantivo: *nominal*.

— que pertenece al sustantivo o al adjetivo o a ambos, que se relaciona con ellos: *nominal*.

— caso gramatical propio del sujeto o de la oración y que señala a sustantivos, adjetivos y pronombres: *nominativo*.

— conversión de una frase en un nombre o en una frase nominal: *nominalización*.

nominalismo Doctrina filosófica que niega la existencia objetiva de las ideas universales de género y especie y afirma que el concepto que tenemos de las cosas es una simple convención entre un nombre y una imagen individual.

— que es partidario del nominalismo, que pertenece a esta doctrina filosófica o se relaciona con ella: *nominalista*.

— teoría monetaria opuesta al metalismo que sostiene que la evaluación de la unidad monetaria radica sólo en el nombre que ésta tiene, y no en su valor material: *teoría nominalista*.

nomo 1. Ser fantástico, espíritu de la naturaleza, principalmente de la tierra y los montes, que se suponía custodiaba los tesoros escondidos o las minas. ☞ **gnomo, enano, duende.**

— *Se me apareció un nomo en el bosque y me dijo dónde había un tesoro.*

2. Poema griego que se cantaba en honor de Apolo.

— *Los nomos se acompañaban de flauta o cítara.*

— tipos de nomos: *frigios, eolios, dactílicos, yámbicos.*

3. División administrativa de Grecia en la actualidad o división territorial antigua en Egipto.

— *Grecia tiene 52 nomos.*

— jefe de una provincia del antiguo Egipto: *nomarca.*

non Impar, uno solo, que no tiene pareja y es indivisible por dos. ❖ PAR.

— *El 19 es un número non.*

— solo, sin pareja: *non.*

— juego infantil que consiste en buscar compañero cuando se da una señal, donde pierde quien se queda solo: *juego de pares y nones.*

— estar de más, sobrar algo o alguien en una determinada parte o situación: *estar de non.*

— no: *nones.*

— negarse: *decir nones.*

nopal Planta de la familia de las cactáceas formada por pencas o tallos gruesos, planos y ovalados cubiertos de espinas y cada una de estas pencas, que es comestible.

— terreno poblado de nopales: *nopalera.*

— fruto del nopal, que es comestible: *tuna.*

— el que tiene pocas espinas y se usa para criar cochinillas: *nopal de la cochinilla, nochesnopal o nopal de San Gabriel.*

— algunas clases diferentes de nopal: *bonda, cadillo, cardón, cardoso, castellano, real, común, colorado, cuixo, duraznillo, de goma, guilanchi, de lengüita, de liebre, de mantequilla, tapón, nochestli o de la cochinilla.*

— planta parecida al nopal pero de menor tamaño: *nopalillo.*

— expresión que indica que sólo se busca a alguien por conveniencia: *al nopal lo van a ver sólo cuando tiene tunas.*

noria 1. Máquina para sacar agua de los pozos, compuesta por un mecanismo de engranes que mueve una banda sin fin en la que están dispuestos una serie de cántaros.

— *El ruido de la noria me molesta.*

— estar muy aburrido: *estar como burro de noria.*

2. Pozo o cisterna.

— *Vete a la noria por agua, la necesito pronto.*

norma 1. Precepto, regla general o método que consigna la manera en que deben hacerse las cosas según una sociedad o grupo determinado. ☞ **modelo, patrón.** ❖ DESORDEN.

— *Las normas sociales antiguas ya no nos determinan en la actualidad.*

— que va de acuerdo con un precepto o regla: *normal.*

— establecer preceptos, reglas o sistemas a seguir: *normalizar.*

— acción y resultado de establecer preceptos: *normalización.*

— que sirve de precepto o regla: *normativo.*

— que se relaciona con el "deber ser" y no con el "ser" en filosofía: *normativo.*

— la que dicta el comportamiento de las personas en sociedad: *norma de conducta.*

— la que concierne a todos sin excepción: *norma general.*

— conjunto de criterios lingüísticos que indican lo que es correcto e incorrecto al hablar o escribir una lengua: *norma lingüística.*

— escuela en la que se preparan los futuros profesores o guías de la enseñanza: *normal, escuela normal.*

— que pertenece a la escuela normal o que se relaciona con ella; alumno de esta escuela: *normalista.*

2. Forma frecuente, usual o general de hacer algo, o costumbre o hábito. ❖ RAREZA.

— *La impuntualidad es una norma de los mexicanos.*

— que sucede en la mayoría de los casos, que es frecuente, usual o general: *normal.*

— que no es regular, general o acostumbrado: *anormal.*

— hacer que algo sea frecuente, usual y general: *normalizar.*

— condición de lo que se acostumbra o de lo que es frecuente y regular: *normalidad.*

— que hace posible la regularización o generalización de algo: *normalizador.*

— acción y resultado de regular, habituar o hacer frecuente algo: *normalización.*

nortear Considerar el norte para orientar una nave en un viaje, sobre todo si es por mar; dirigirse alguien o soplar el viento en esa dirección.

— punto del horizonte cuya perpendicular pasa por la estrella polar o que se encuentra a la izquierda de un observador que tiene al frente el oriente: *norte.*

— región de la tierra que, con respecto a otra, se halla situada en esa dirección: *norte.*

— temporal de lluvia y vientos huracanados provenientes de esa dirección que golpea la zona del Golfo de México de octubre a febrero: *norte.*

— despistado, desorientado, olvidadizo: *norteado.*

nos Pronombre de primera persona del plural que funciona como objeto directo o como objeto indirecto.

nosocomio Lugar en que se atiende y cuida a los enfermos. ☞ **hospital, enfermería.**

nosotros Pronombre masculino plural de primera persona que cumple todas las funciones del sustantivo y designa a un conjunto de personas, hombres u hombres y mujeres.

— pronombre plural de primera persona que cumple todas las funciones del sustantivo y designa a un conjunto de mujeres: *nosotras.*

nostalgia Tristeza por estar lejos de una persona o de un lugar queridos o que añora cierta época de su vida. ☞ **añoranza, extrañar.**

— que siente añoranza por su tierra, sus seres queridos o alguna época pasada: *nostálgico.*

— perteneciente o relativo a la añoranza: *nostálgico.*

nota 1. Señal o marca que se pone a alguna cosa para llamar la atención sobre ella. ☞ **acotar, anotar, acotación, anotación.**

— *La nota que me puso en este párrafo indica que debo corregirlo.*

— hacer destacar algo que se considera importante en un escrito: *anotar.*

— llamada que se hace en un libro al lector para que consulte otro documento o para informarle de algo: *nota de pie de página.*

— la que se coloca al lado de un escrito: *nota marginal, ladillo.*

— frase en latín que se usa para llamar la atención hacia alguna particularidad en un escrito: *nota bene.*

2. Escrito breve que sirve de base para recordar algo o desarrollarlo después. ☞ **apuntar, apunte.**

— *Las notas que tomé en la conferencia de hoy son para hacer mi artículo.*

— apunte: *anotación.*

— apuntar: *tomar nota.*

3. Escrito breve que informa, explica o comenta algo.

— *Mañana salen en ese periódico un artículo y dos notas mías.*

— sección del periódico en que se dan las noticias de crímenes y hechos violentos: *nota roja.*

— comunicación escrita sin firma y sin el formato oficial normal que, como observación, se dirigen entre sí los representantes extranjeros y el secretario o ministro de Relaciones Exteriores: *nota verbal.*

— comunicación diplomática que dirigen los diplomáticos al gobierno ante el que están acreditados: *nota diplomática.*

4. Cuenta o factura de gastos.

— *Necesito una nota para comprobar mi pago.*

— documento que consta la mercancía que se entrega: *nota de entrega.*

5. Calificación u observación que se pone en un examen o trabajo escolar. ☞ **evaluación.**

— *Este año tengo sólo buenas notas.*

— nota que acredita la mejor calificación: *nota de sobresaliente.*

— calificación inferior a la de sobresaliente: *nota o calificación de notable.*

6. Fama, reputación de una persona o establecimiento.

— *Quisiera ser un escritor de nota.*

— que se distingue, que es famoso: *notable.*

— ser motivo de murmuración: *caer en nota.*

— mujer de la vida fácil: *mujer de mala nota.*

7. Aspecto o detalle característico de una cosa o de una persona.

— *El rebuscamiento es la nota dominante de su forma de hablar.*

— reparar en algo que se distingue; percibir una sensación: *notar.*

8. Signo musical que representa un sonido.

— *Hay que saber leer las notas de una partitura para interpretar la música correctamente.*

— conjunto de notas musicales que permite escribir una composición musical: *notación.*

— escribir una pieza musical con las notas: *notar.*

— la que desentona en una composición musical: *nota discordante.*

— la que une dos notas reales de un acorde: *nota de paso.*

— quinta nota de una composición musical contando desde la que da el tono: *nota dominante.*

— la de una melodía que es parte integrante de los acordes del acompañamiento: *nota real.*

— la séptima nota: *nota sensible.*

— notas musicales: *do, re, mi, fa, sol, la, si.*

— sucesión de las siete notas musicales: *escala.*

— sostener un sonido por algún tiempo: *apoyarse sobre una nota.*

notable Que sobresale entre lo común, que es digno de ser tenido en cuenta por ser extraordinario o interesante. ☞ **ilustre, importante, distinguido.** ❖ INSIGNIFICANTE, INSUSTANCIAL, INTRASCENDENTE.

— condición de notable: *notabilidad.*

— persona ilustre: *notable.*

— calificación escolar inferior a sobresaliente y superior a la de bueno: *nota o calificación de notable.*

— en forma poco común y refinada: *notablemente.*

notación Sistema de signos que se usa en una ciencia o un arte. ☞ **anotación, anotar.**

— sistema de signos que se adoptan para expresar ciertos conceptos matemáticos: *notación matemática.*

— escritura musical: *notación musical.*

— sistema de representación de las especies químicas por símbolos y por fórmulas: *notación química.*

— método utilizado por los comerciantes que consiste en indicar en clave los precios de venta de las mercancías para que no puedan ser comprendidos por los clientes: *notación comercial.*

notario Funcionario público autorizado para atestiguar las decisiones personales y actos que se realizan ante él y que determinan obligaciones legales. ☞ **fedatario.**

— oficina donde atiende un notario: *notaría.*

— que está firmado por un notario y autorizado por él: *notariado.*

— que pertenece al notario o se relaciona con él: *notarial.*

noticia 1. Comunicación o información de un acontecimiento reciente. ☞ **nueva, novedad, mensaje.**

— *Este periódico fue el primero en dar la noticia del fin de la guerra.*

— publicación o información radiofónica, televisiva o cinematográfica que contiene noticias: *noticiero, noticiario.*

— dar noticias o informar sobre algo o alguien: *notificar.*

— acción y resultado de informar: *notificación.*

— noticia muy novedosa: *notición, noticia bomba.*

— tener información sobre algo o alguien: *tener noticia, tener noticias.*

— noticia que proviene directamente del lugar de los hechos: *de fuente fi-*

dedigna, noticia de primera mano, noticia de buena tinta.

— recuerdo poco claro de algo que ha sucedido: *noticia remota.*

— ignorar una información que todos ya tienen: *estar atrasado de noticias.*

— trabajo informativo periodístico, radiofónico o cinematográfico que se refiere a un suceso, tema o personaje determinado: *reportaje.*

— periodista que se dedica a buscar las noticias: *reportero.*

2. Conocimiento elemental que se tiene de alguna cosa. ☞ **noción, idea.**

— *Tengo noticias del teatro griego.*

notorio, -ria Que es evidente, que es del dominio público o conocido por todos. ☞ **manifiesto, visible público.** ❖ ENCUBIERTO, DESCONOCIDO, IGNORADO.

— fama, nombradía: *notoriedad.*

— el delito que se comete ante un juez o en presencia de varios testigos: *delito notorio.*

— medio por el cual se suponía supersticiosamente que con ayunos, confesiones y otras prácticas se podía adquirir la sabiduría en forma divina: *arte notoria.*

noúmeno Término filosófico que designa algo tal como es y no algo tal como lo percibimos.

nova Estrella que aumenta repentinamente de brillo a causa de un desprendimiento de energía nuclear, que hacía creer que surgía una nueva estrella.

novatada 1. Broma pesada que los alumnos antiguos de un colegio hacen a los de nuevo ingreso.

— *Cuando ingresábamos a la universidad nos hacían la novatada de raparnos.*

2. Dificultad o tropiezo que se sufre por inexperiencia.

— *Metí un autogol; fue mi novatada como futbolista.*

— experimentar algún perjuicio o daño en lo que se hace por primera vez: *pagar la novatada.*

— nuevo o principiante en cualquier actividad: *novato, novatón, novel, novicio, inexperto.*

novedad 1. Lo que acaba de aparecer o está recién hecho. ❖ TRADICIÓN.

— *Para nuestra generación la gran novedad fue que los hombres usaran un arete.*

— que constituye algo nuevo: *novedoso.*

2. Noticia, suceso reciente.

— *Encendamos la radio para oír las últimas novedades.*

3. Modificación o cambio en alguna cosa. ❖ FAMILIARIDAD.

— La última novedad contra la contaminación es la gasolina con bajo contenido de plomo.

— mercancías de moda: *novedades*.

— causar una cosa admiración o extrañeza: *innovar, hacer novedad*.

— expresión que se usa para indicar que una situación no se ha alterado: *sin novedad*.

novela 1. Obra literaria de ficción escrita en prosa, de extensión variable, que narra la vida, aventuras y pasiones de personajes reales o ficticios.

— Estoy escribiendo una novela muy emocionante.

— que pertenece a las novelas o se relaciona con ellas: *novelístico*.

— que es característico o propio de las novelas, que parece de novela o es extraordinario y fantástico: *novelesco*.

— el que se dedica a escribir historias de ficción o novelas: *novelista*.

— escribir novelas: *novelar, novelizar*.

— relatar algo como si fuera novela o contar chismes: *novelar*.

— afecto a las novelas, a las fantasías o a los chismes y habladurías: *novelero*.

— inconstante o de actitud variable: *novelero*.

— fantasía narrada: *novelería*.

— tratado literario acerca de las normas de la novela: *novelística*.

— novela muy extensa, de fuertes rasgos dramáticos y muy mal escrita: *novelón*.

— novela inspirada en los adelantos técnicos actuales que sitúa la acción en el espacio exterior: *novela de ciencia ficción*.

— novela que, mediante el argumento y la ficción, representa la postura ideológica del autor: *novela de tesis*.

— la que recrea hechos reales pretéritos o vidas de personajes importantes para evocar una época determinada: *novela histórica*.

— novela que, narrada en primera persona, trata de la vida y aventuras de un cínico malviviente y descarado: *novela picaresca*.

— relato cuyo punto máximo de interés se encuentra en la elucidación de un crimen: *novela policiaca*.

— la que se concentra en las audacias y peligros que un personaje experimenta: *novela de aventuras*.

— la que trata de crímenes y carece por completo de moral: *novela negra*.

— novela cuyo argumento y protagonistas principales (dos enamorados) son bastante previsibles y carecen de profundidad psicológica: *novela rosa*.

— tipo de novela española del siglo XVI que trata del análisis de los sentimientos amorosos de unos amantes cuyo final casi siempre es trágico: *novela sentimental*.

— relato cultivado en España en el siglo XVI en el que se presentan lances entre moros y cristianos: *novela morisca*.

— propia de los siglos XVI y XVII y que trataba de los amores entre pastores y pastoras: *novela pastoril*.

— la que aparecía periódicamente en los diarios durante el siglo XIX y parte del XX: *novela por entregas*.

— folletín de argumento muy pobre compuesto de nueve días dedicado a la vida: *fotonovela*.

— historia que dramatiza y que presenta la televisión por episodios: *telenovela*.

— chisme, rumor, habladuría: *novelería*.

2. Conjunto de obras literarias narrativas pertenecientes a una corriente literaria, a cierta época, país o región, a determinada temática o tipo de personajes.

— La novela hispanoamericana del siglo XX tiene fama universal.

novena 1. Cualquier ejercicio devoto entre católicos que se practique por espacio de nueve días y esté dirigido a Dios, la Virgen o los santos.

— Voy a hacer una novena de padrenuestros por la salud de mi padre.

— practicar frecuentemente este recurso piadoso: *andar novenas*.

— periodo de nueve días dedicado a la memoria de un difunto o de un santo: *novenario*.

— cualquier día del novenario que se celebra por un difunto: *novendial*.

2. Libro que contiene las oraciones para este ejercicio.

— Trataré de conseguir una novena.

noventayochista Perteneciente a la llamada generación del '98 (1898) cuyo principal objetivo era la reconsideración artística, económica, política y social de España.

— escritores noventayochistas: *Azorín, Pío Baroja, Unamuno, M. Machado, A. Machado, Valle-Inclán, Maeztu, Benavente*.

novicio, -cia 1. Quien encontrándose en una orden religiosa no ha profesado aún.

— Fue novicia durante seis meses, pero renunció y ya no quiso ser monja.

— tiempo en que una persona prueba la vida del claustro antes de profesar: *noviciado*.

— conjunto de novicios: *noviciado*.

— casa que habitan: *noviciado*.

2. Nuevo o principiante en cualquier actividad.

— Es novicio en la natación.

— tiempo que se emplea en aprender cualquier habilidad: *noviciado*.

— dificultad o tropiezo propio de un principiante: *novatada*.

novillada 1. Corrida taurina donde el lidiador no ha recibido la alternativa o autorización como matador de toros y torea novillos.

— Vamos a la novillada de Querétaro.

— toro de dos o tres años: *novillo*.

— lidiador de novillos: *novillero*.

2. Conjunto de toros o vacas de dos a tres años.

— el que tiene tres años: *novillo terzón*.

— el que cuida a los novillos cuando se separan de la vacada: *novillero*.

novio 1. Persona que, con respecto a otra, mantiene relaciones amorosas con ella, generalmente con intenciones de contraer matrimonio.

— Tiene 18 años y dice que ya es quedada porque no tiene novio.

— periodo durante el cual una pareja mantiene relaciones amorosas con intención de casarse: *noviazgo*.

— que le gusta tener muchas relaciones amorosas: *noviero*.

— novio informal y pasajero: *noviecillo*.

2. Persona que se casa ese día o acaba de hacerlo.

— Hay que felicitar a los novios ahora que termine la boda.

— solicitar el permiso de los padres para casarse con una muchacha: *pedir uno a la novia*.

— traje blanco muy adornado especial para el día de la boda: *vestido de novia*.

— expresión que indica que alguien se quedó esperando un suceso que parecía inminente y lo dejaron plantado: *quedarse como novia de rancho, vestida y alborotada*.

novocaína Clorhidrato de éter, derivado de la cocaína que se utiliza como anestésico local en curaciones dentales.

nube (vea ilustración de la p. 459). 1. Masa compuesta por partículas pequeñas de agua o hielo resultantes de la condensación del vapor de agua, que se sostiene en la atmósfera a causa de las corrientes de aire.

— No se ve ninguna nube en el cielo.

— cúbrirse el cielo de nubes, oscurecerse por las nubes que amenazan lluvia: *nublarse.*
— cubierto por nubes: *nublado, nebuloso, nuboso, nubloso.*
— estado del tiempo en que el cielo está cubierto de nubes: *nubosidad, nebulosidad.*
— lluvia repentina y corta: *nube de verano.*
— disturbio pasajero: *nube de verano.*

nubes

Cirros. Se aproxima mal tiempo.

Nimboestratos. Lluvia inminente.

Cirrocúmulos. Tiempo inestable.

Estratócúmulos. Tiempo seco pero nublado.

Cirroestratos. Chubascos.

Estratos.Lloviznas.

Altocúmulos. Periodos soleados.

Cúmulos. Con tiempo soleado.

Altoestratos. Nubes de lluvia.

Cumulonimbos. Lluvias y tormentas.

— repentinamente, de forma inesperada: *como caído de las nubes*.

— muy alto: *por las nubes*.

— alabar, ensalzar a alguien: *ponerlo por las nubes*.

— estar distraído, no enterarse de lo que pasa: *andar por las nubes, estar en las nubes*.

— ser soñador y despistado: *vivir en las nubes*.

2. Acumulación muy grande de partículas suspendidas en el aire.

— *La ciudad se vio envuelta en una nube gris de polvo, humo y suciedad*.

3. Acumulación muy grande de personas o cosas. ❖ ESCASEZ.

— *Una nube de periodistas y fotógrafos rodeaba a la actriz*.

4. Mancha pequeña y blanca que se forma en la córnea y oscurece la visión; mancha pequeña y oscura que aparece en las piedras preciosas y les quita brillo.

— *Tu abuelita tiene una nube en el ojo izquierdo*.

— empañar, oscurecer u opacar la visibilidad: *nublar*.

5. Elemento que ofusca o confunde.

— *Una nube sombría cruzó su mente y ya no pudo hablar*.

— confundir, ofuscar, perturbar: *nublar*.

— que es confuso o poco claro: *nebuloso*.

— adverso, contrario: *nubloso*.

núbil Que está en edad de contraer matrimonio.

— edad en la que se es apto para contraer nupcias: *nubilidad*.

núcleo 1. Parte principal, esencial o central de alguna cosa.

— *El núcleo de las reuniones era la conversación de Patricio*.

— que pertenece al núcleo o se relaciona con él: *nuclear*.

— que ocupa un lugar importante o central: *nuclear*.

2. Parte fundamental de las células animales y vegetales, que contiene los cromosomas, y lleva a cabo una función primordial en su crecimiento, nutrición y producción de nuevas células.

— *La posición del núcleo de las células generalmente es central*.

— que tiene núcleo: *nucleado*.

— que pertenece al núcleo de las células o se relaciona con él: *nuclear*.

— membrana formada por dos capas, que se encuentra en el interior del núcleo de las células: *membrana nuclear*.

— líquido incoloro de viscosidad variable que se encuentra en el interior

del núcleo celular: *jugo nuclear, nucleoplasma*.

— cuerpo diminuto, más o menos redondo, que se encuentra en el interior del núcleo de las células: *nucléolo*.

— que tiene nucléolos, tratándose del núcleo o de la célula: *nucleolado*.

3. Parte central del átomo, compuesta por protones y neutrones con carga positiva.

— *Las dimensiones del núcleo del átomo son pequeñísimas*.

— partícula atómica de carga eléctrica neutra: *neutrón*.

— partícula atómica de carga eléctrica positiva: *protón*.

— que pertenece o se relaciona con el núcleo atómico: *nuclear*.

— término que designa al neutrón y al protón, elementos constitutivos del átomo: *nucleón*.

— que pertenece al nucleón o se relaciona con él: *nucleónico*.

— división o ruptura del núcleo de un átomo al ser bombardeado con neutrones: *fisión*.

— instalación termoeléctrica de energía atómica basada en el proceso de fisión del átomo: *central nuclear*.

— que está almacenada en los núcleos atómicos y se libera por fisión o por unión de los núcleos ligeros: *energía nuclear o energía atómica*.

— fenómeno que consiste en que las partículas producidas por la fisión de los núcleos pesados induzcan a la fisión de nuevos núcleos propagándose este movimiento a toda la masa: *reacción nuclear o reacción en cadena*.

— dispositivo que permite provocar y controlar un proceso de reacciones nucleares o en cadena: *reactor nuclear*.

— reacción nuclear producida por la unión de dos núcleos ligeros que originan un núcleo más pesado del cual se desprende gran cantidad de energía: *fusión*.

nudismo Tendencia o doctrina que manifiesta la aceptación de ciertas actividades practicadas por hombres desnudos con base en principios higiénicos.

— que pertenece o se relaciona con el nudismo: *nudista*.

— que practica el nudismo: *nudista*.

— lugar en que se reúnen las personas que cultivan el nudismo para practicarlo: *campo nudista*.

— quitar los vestidos o parte de ellos: *desnudar*.

— calidad o estado de quien está desvestido: *desnudez*.

— sin ropa: *desnudo, encuerado*.

nudo (vea ilustración de la p. 461). 1. Atadura de dos o más materiales flexibles cuya unión es firme y difícil de deshacer y, por extensión, vínculo o lazo que une a las personas entre sí. ☞ **unión, vínculo, ligamen.**

— *Tengo muy apretado el nudo de la corbata*.

— trabazón de materias flexibles o atadura difícil de desatar: *nudosidad*.

— que tiene nudos: *nudoso*.

— nudo muy apretado y trabado, difícil de desatar: *nudo ciego*.

— el que puede deslizarse a lo largo de una cuerda y se aprieta más cuanto más se jala de su extremo: *nudo corredizo*.

— el que usan los bomberos en sus prácticas de rescate: *nudo de salvamento*.

— deshacer un nudo: *desanudar*.

— algunas clases de nudo: *nudo de ahorcaperro, as de guía, balso de calafate, balso por seno, de ajustar, de envergue o rizo, de eslabón, de gancho, de gancho doble, de margarita, llano, de driza, de rezón, de corbata, de barquero, de lasca, de boca de lobo, barrilete, de piña vuelta de braza*.

2. Punto o abultamiento del tallo de las ramas de las plantas de donde salen otras ramas, hojas o retoños, y que en la madera se aprecia como una señal más oscura y redondeada.

— *Córtame un pedazo de esa rama de teléfono que tenga nudos para ver si se me da al plantarla*.

— abultamiento en las raíces de las leguminosas: *nudosidad, nódulo*.

— nudo que se forma en una rama que no ha muerto: *nudo vivo*.

— el que se forma en los tejidos necrosados vegetales: *nudo muerto*.

— el de una rama cortada cubierto de callosidad y nuevas capas de crecimiento: *nudo encerrado*.

3. Engrosamiento o porción dura que se forma en músculos, tendones, huesos o en ciertos órganos debido a lastimaduras, enfermedades o fracturas; engrosamiento de células o de fibras con una función determinada.

— *Me tuvieron que operar porque tenía un nudo en los tendones de la mano que me impedía mover los dedos*.

— nudo o engrosamiento pequeño en alguna parte del cuerpo que se forma por causas patológicas o por causas naturales: *nódulo, nudosidad*.

— cada una de las articulaciones de las falanges de los dedos: *nudillo*.

— enfermedad de la piel que se manifiesta por la aparición de nudos o nódulos y que se relaciona, supuesta-mente, con una infección tuberculosa: *eritema nudoso.*

4. Punto en donde se unen o entrecru-zan varios elementos de algo.

— *Hay nudos de cadenas montañosas, hay nudos de líneas de corriente*

nudos

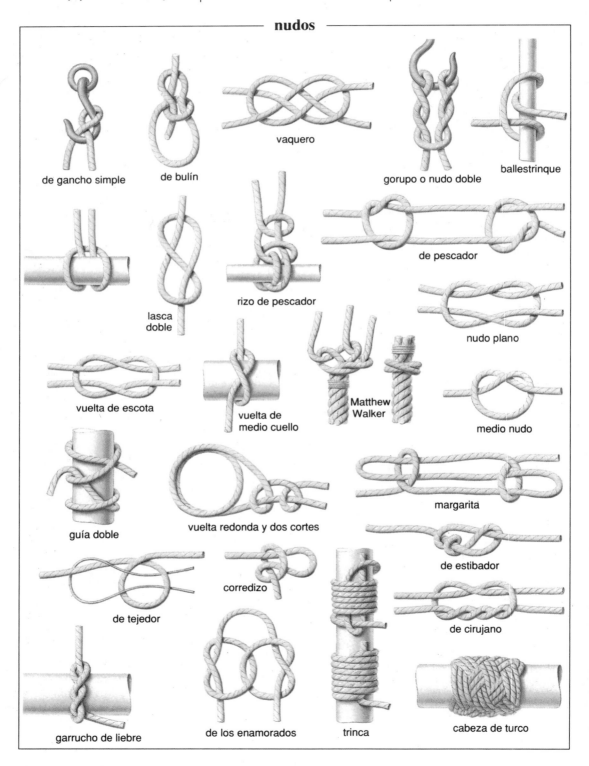

de gancho simple

de bulín

vaquero

gorupo o nudo doble

ballestrinque

de pescador

lasca doble

rizo de pescador

nudo plano

vuelta de escota

vuelta de medio cuello

Matthew Walker

medio nudo

guía doble

vuelta redonda y dos cortes

margarita

de estibador

de tejedor

corredizo

de cirujano

garrucho de liebre

de los enamorados

trinca

cabeza de turco

eléctrica y hay nudos de tuberías y de vigas.

— lugar donde se cruzan varias vías de comunicación: *nudo de comunicaciones.*

— unión muy fina hecha en el telar cuando se rompe uno de los hilos: *nudo de tejedor.*

— abultamiento que queda al unir tubos metálicos: *nudo de soldadura.*

— abultamiento que queda en los objetos de vidrio hechos artesanalmente: *nudo u ojo de buey.*

5. Punto fundamental y muy enredado de un problema, asunto o argumento que es necesario resolver.

— *El nudo de esa narración está complicadísimo, no puedo ni imaginar el desenlace.*

6. Unidad de velocidad de una embarcación que equivale a una milla marina por hora.

— *Esa lancha va a 10 nudos.*

— sentir una especie de ahogamiento por contracción de la garganta al tener una emoción muy fuerte: *sentir un nudo en la garganta, hacerse un nudo en la garganta, tener un nudo en la garganta.*

7. Desnudo, sin vestido o algo que lo cubra.

— *Nudas estatuas custodiaban la avenida.*

nuera Con respecto a los padres, mujer de su hijo. ☞ **hija política.**

— con respecto a los padres, marido de su hija: *yerno, hijo político.*

nuevo, -va 1. Que está recién hecho o acaba de construirse, que se percibe por primera vez o que se acaba de conocer. ☞ **reciente, joven, actual.** ❖ ANTIGUO, VIEJO, CONOCIDO.

— *Este edificio de departamentos es nuevo.*

— innovación, invención, creación: *novedad.*

— año que empieza o se inicia: *año nuevo.*

— información reciente o noticia: *nueva.*

— expresión usada para saber si hay novedades: *¿qué hay de nuevo?*

2. Que se añade o sustituye a un elemento de la misma clase.

— *Hay nuevas marcas mundiales en estas competencias de atletismo.*

— modificación introducida o surgida en algo: *novedad.*

— otra vez: *de nuevo, de nueva cuenta.*

— expresión usada para saber si algo ha cambiado: *¿qué hay de nuevo?*

3. Que se conserva muy bien, que no se ha descompuesto por el uso.

— *Mi lavadora tiene diez años y está nueva.*

4. Que es principiante o novato en cierta actividad o lugar. ❖ VETERANO.

— *Es nuevo en este oficio, habrá que ver si conoce las herramientas.*

— principiante: *novato, novel.*

— periodo durante el cual la Luna no se ve desde ningún lugar de la Tierra porque está en conjunción entre ésta y el Sol: *nueva.*

— parte del globo terráqueo en que está el continente americano: *Nuevo Mundo.*

— libro que contiene las obras canónicas posteriores al nacimiento de Jesucristo: *Nuevo Testamento.*

— evangelio de Jesucristo: *buena nueva.*

— insultar y golpear a una persona: *ponerlo como nuevo.*

— nombre de Jesucristo: *nuevo Adán.*

nulidad 1. Condición de lo que carece de valor, eficacia, capacidad, utilidad y aptitud. ❖ VALIDEZ, UTILIDAD.

— *La nulidad a la que han llegado esos drogadictos me deprime.*

— abolir, invalidar o cancelar algo: *anular.*

— que no tiene validez, que es ineficaz, que es ignorante, inepto física y moralmente o torpe: *nulo.*

2. Persona incapaz o nula para ciertas actividades. ❖ HÁBIL, EFICIENTE.

— *Esos jóvenes son una nulidad como deportistas.*

— ninguno: *nulo.*

numen Inspiración artística.

número 1. Lo que expresa la cantidad de elementos de un conjunto y palabra o signo que representa esa cantidad. ☞ **cifra.**

— *El número de casas de esta colonia sigue creciendo; el año pasado no llegaba a cincuenta (50), ahora parece que su número es de cien (100).*

— que puede ser representado por un número: *numerable.*

— que pertenece a los números o se relaciona con ellos: *numérico, numeral, numerario.*

— formado por números o ejecutado con ellos: *numérico.*

— que es miembro fijo de una corporación que tiene un número limitado de personas: *numerario, de número.*

— calcular una cantidad, calcular gastos y ganancias: *hacer números.*

— dar un número a cada uno de los elementos de un conjunto o clasificarlos según el orden de los números: *numerar.*

— que numera: *numerador.*

— acción y resultado de numerar: *numeración.*

— sistema de normas con el que se puede expresar un número cualquiera mediante una cantidad limitada de signos: *numeración.*

— sistema de combinaciones de siete letras, cada una equivalente a una cantidad, con la que se representa cualquier número: *numeración romana.*

— cada una de estas siete letras equivalentes a una cantidad: *número romano.*

— numeración que combina diez cifras: *numeración decimal o numeración arábiga.*

— cifra que pertenece a la numeración arábiga o decimal: *número arábigo o guarismo.*

— numeración que combina dos unidades: *numeración binaria.*

— que contiene muchos elementos: *numeroso, innumerable.*

— gran cantidad de elementos, abundancia, diversidad: *numerosidad.*

— cantidad indeterminada de algo: *un gran número de, un buen número de.*

— aparato metálico que sirve para imprimir números sucesivos: *numerador, foliador, máquina numeradora, numeradora.*

— serie numerada de las hojas de un impreso: *numeración consecutiva o foliación.*

— guarismo que señala el número de partes iguales de la unidad que contiene un quebrado o fracción: *numerador.*

— número que se puede dividir exactamente entre dos: *número par.*

— número cuya mitad es un número par: *número parmente par.*

— número que no se puede dividir exactamente entre dos: *número impar o número non.*

— número cuya mitad es un número impar: *número parmente impar.*

— número que es mayor que cero: *número positivo.*

— número que es menor que cero y por eso se representa precedido con el signo menos (-): *número negativo.*

— número que sólo es divisible entre él mismo o entre la unidad: *número primo.*

— número que expresa la unidad o cualquier suma de unidades: *número natural.*

— número que resulta de sumar o restar números naturales: *número entero.*

— número que expresa la cantidad de

partes iguales de una unidad: *número fraccionario.*

— número fraccionario cuyo denominador es 10 o un múltiplo de éste: *número decimal.*

— número compuesto de un entero y un quebrado: *número mixto.*

— número que expresa a otro de forma aproximada: *número redondo.*

— número que expresa una cantidad exacta: *número justo, cabal o número exacto.*

— número que expresa unidades de una serie, mediante números enteros: *número cardinal.*

— número que expresa orden o sucesión de los elementos de una serie: *número ordinal.*

— número que expresa parte de una unidad: *número partitivo.*

— número que resulta de multiplicarse por sí mismo: *número cuadrado.*

— número que resulta de multiplicarse otro número por sí mismo tres veces: *número cúbico.*

— número de cromosomas de un ser vivo: *número basal.*

— ley estadística de la frecuencia en que ocurre cierto hecho: *ley de los grandes números.*

— cada uno de los cuatro números que definen las características de cada uno de los electrones planetarios de un átomo: *número cuántico.*

— número de protones o de neutrones que estabiliza al núcleo: *número mágico.*

— número de protones del núcleo de un átomo: *número atómico.*

— número total de neutrones y protones del núcleo de un átomo: *número de masa.*

— número de vueltas de un eje, rueda o algo similar: *número de revoluciones.*

— número que mide las variaciones de una magnitud en el tiempo: *número índice.*

— ser el mejor en una actividad: *ser el número uno.*

2. Cada uno de los fascículos, volúmenes o cuadernos de una publicación periódica.

— *Aún no consigo los tres primeros números de esa revista de cocina.*

3. Cada una de las partes de un espectáculo o una función.

— *El mejor número de la obra fue el del mago.*

— comportarse de forma ridícula o extravagante: *hacer un numerito, dar un numerito.*

4. Boleto de una rifa o billete de lotería.

— *Dame los cachitos del número que compro siempre.*

5. Flexión gramatical que indica cuando se trata de uno y cuando se trata de dos o más elementos de un conjunto significado por sustantivos, adjetivos, pronombres o verbos.

— *Escriban el número y el género de los siguientes sustantivos: yegua, manos, vacas, toro, tijeras.*

— flexión gramatical que indica que es un solo elemento: *número singular.*

— flexión gramatical que indica que son dos o más elementos y que generalmente se expresa con las terminaciones *s* y *es*: *número plural.*

numismática Ciencia que trata del conocimiento e historia de las medallas y de las monedas. ☞ **dinero.**

— que pertenece a la numismática o se relaciona con ella: *numismático.*

— persona que se dedica a estudiar las monedas: *numismático.*

— moneda, pieza de metal: *numisma.*

— que parece moneda o tiene su forma: *numular.*

— medida que determina la mayor o menor pureza de una moneda: *ley.*

numulita Protozoos acuáticos con caparazón calcáreo semejante a una moneda, propios del periodo eoceno, que se juntan para producir extensas redes.

nunca En ningún tiempo; ni una sola vez o ninguna vez. ☞ **jamás.** ❖ SIEMPRE.

— expresión enfática de negación: *¡nunca jamás!*

— negación referida al futuro: *nunca más.*

— expresión que indica que es preferible lograr algo tardíamente a quedarse sin ello: *más vale tarde que nunca.*

— lo que es inaudito, inusual: *nunca visto.*

nuncio 1. Persona que lleva un mensaje en representación de otra. ☞ **enviado, legado.**

— *El nuncio apostólico visitó a las autoridades antes de visitar al Papa.*

— representante del Papa en lugares con población católica: *nuncio apostólico.*

— cargo de nuncio: *nunciatura.*

— el que está encargado de funciones temporales: *nuncio extraordinario.*

— aquél cuyas funciones son permanentes: *nuncio ordinario.*

2. Augurio, anuncio o aviso.

— *Para algunos el eclipse fue un nuncio terrible.*

nupcial Que pertenece a la boda, que se relaciona con ella. ☞ **marital, matrimonial, conyugal.**

— matrimonio, boda, esponsales: *nupcias.*

— estadística de casamientos: *nupcialidad.*

— composición musical solemne que se toca en las bodas: *marcha nupcial.*

— personas que forman el séquito de los novios: *cortejo nupcial.*

— casamiento por segunda vez: *segundas nupcias.*

— bendición de boda: *bendición nupcial.*

nutrición Introducción y asimilación de las sustancias energéticas necesarias para que un organismo pueda desarrollarse y conservar la vida. ❖ DESNUTRICIÓN.

— proporcionar las sustancias necesarias a un organismo para su desarrollo y conservación: *nutrir.*

— que nutre o proporciona a un organismo las sustancias necesarias para su desarrollo y conservación: *nutritivo, nutricio, nutrimental.*

— que ha aumentado de consistencia y se mantiene sano gracias a la alimentación: *nutrido.*

— cada una de las sustancias que conservan la vida y aseguran el crecimiento de un organismo: *nutriente, nutrimento, nutrimiento.*

— capacidad de una sustancia de alimentar y ser asimilada: *nutritividad.*

— conjunto de los sistemas de órganos que tienen que ver con la alimentación: *aparato de nutrición.*

nylon (náilon) Fibra sintética muy resistente y elástica hecha a base de resina poliamida empleada en la fabricación de hilos, telas, tejidos y cosas similares.

ñandú Variedad de avestruz americana.

ñango Que no tiene fuerzas, débil, flacucho. ☞ **débil, enclenque, flaco.**
❖ FUERTE, MUSCULOSO.

ñáñaras Sensación de angustia, susto o temor por algo. ☞ **miedo, susto, angustia.**
— dar angustia: *dar ñáñaras.*

ñato De nariz chata o roma. ☞ **chato.**
❖ NARIGÓN, NARIZÓN.

ñoño, -a 1. Que es excesivamente recatado, modesto o pudoroso, tratándose de personas; que es sosa y sin gracia o chiste una cosa. ☞ **apocamiento.**
❖ PRESUMIDO, PREPOTENTE, DECIDIDO, IMPORTANTE.
— *En las fiestas se pone ñoño.*

— recatamiento o prudencia exagerada, apocamiento: *ñoñería, ñoñez.*
2. Que está chocho, que empieza con manifestaciones de debilidad mental a consecuencia de la edad. ☞ **chocho.**
— *A medida que tiene más años, se vuelve más ñoño.*
— chochez: *ñoñez, ñoñería.*

O

oasis 1. Lugar con vegetación y, en ocasiones, con agua en la superficie, que se encuentra aislado en zonas desérticas.

— *Al viajar por el desierto de Gobi se visitan varios oasis.*

2. Momento de descanso o tregua entre los vaivenes de la vida. ☞ **refugio, consuelo, alivio.** ❖ TRABAJO.

— *Para algunos empleados la hora de comer es un oasis en medio de las labores cotidianas.*

obcecar Causar los prejuicios, la terquedad, etc., de alguien ceguera, deslumbramiento u ofuscación ante cierta situación. ☞ **obstinar, empeñar, ofuscar.**

— ofuscamiento tenaz: *obcecación.*

obedecer 1. Someterse a orden o voluntad ajena, hacer lo que alguien le manda u ordena. ☞ **acatar.** ❖ REBELARSE, DESOBEDECER.

— *La secretaria obedeció a su jefe.*

— que obedece, que es dócil o sumiso: *obediente.*

— acción de obedecer: *obediencia, obedecimiento.*

— acto por el cual un religioso se obliga a someterse a sus superiores: *voto de obediencia.*

2. Estar regido algo por alguna fuerza o razón, tener una cosa su origen en otra.

— *La demora en el despegue obedece a fallas técnicas.*

obelisco Pilar de cuatro caras iguales que termina en punta piramidal achatada, que sirve de adorno.

obenque Cada uno de los cabos que sujetan los masteleros o los palos de una embarcación.

obertura Pieza musical que puede iniciar una composición lírica: ópera, oratorio, etc. ☞ **música.**

obeso, -sa Que tiene exceso de grasa en el cuerpo, tratándose de personas. ☞ **gordo.** ❖ DELGADO, ESBELTO, FLACO.

— acumulación patológica de grasa, gordura: *obesidad.*

óbice Obstáculo, inconveniente o dificultad. ☞ **impedimento, estorbo, estorbar.** ❖ FACILIDAD.

obispo (vea ilustración). Encargado es-

piritual cristiano, de mayor jerarquía de una diócesis. ☞ **prelado.**

— territorio asignado al máximo encargado espiritual de una diócesis para llevar a cabo sus funciones: *obispado, obispalía.*

— dignidad del obispo: *obispado, obispalía.*

— residencia oficial de un obispo: *obispalía.*

— ser nombrado obispo por el Papa, en la Iglesia católica: *obispar.*

— prelado sin obispado propio que

asiste en sus funciones al obispo: *obispo auxiliar.*

— obispo que toma posesión de territorio ocupado por no cristianos: *obispo in pártibus infidélium, obispo titular.*

— obispo sin jurisdicción definida y que ejerce su ministerio donde sea necesario: *obispo regionario.*

óbito Fallecimiento o muerte de una persona. ☞ **defunción.** ❖ NACIMIENTO.

obituario 1. Libro parroquial donde se

obispo

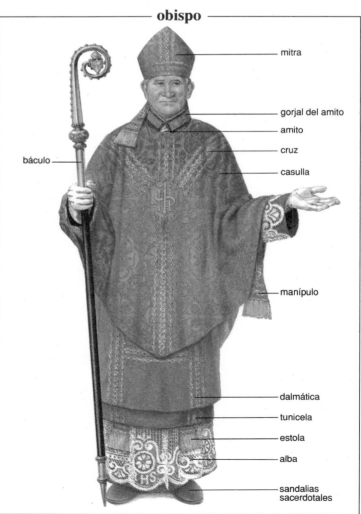

- mitra
- gorjal del amito
- amito
- cruz
- casulla
- báculo
- manípulo
- dalmática
- tunicela
- estola
- alba
- sandalias sacerdotales

registran los fallecimientos y entierros. ☞ **necrología.**
— *El párroco escribió el nombre del
difunto en el obituario.*
2. Sección del periódico donde se da
aviso de las defunciones.
— *Los ancianos suelen localizar más
fácilmente a sus amigos en los obi-
tuarios que en sus casas.*
objeción Impugnación, réplica o argumento que se esgrime en contra de
una propuesta, idea u opinión.
☞ **oposición, réplica, impugnación, refutación.** ❖ CONSENTIMIENTO,
APROBACIÓN.
— poner reparos o refutar algo o a
alguien: *objetar.*
— persona que se opone a algo o a
alguien: *objetante.*
— que objeta o contradice algo o a
alguien: *objetor.*
— el que se niega a servir militar-
mente por razones políticas o religiosas: *objetor de conciencia.*
— susceptible de ser cuestionado:
objetable.
objeto 1. Cualquier cosa que es percibida por los sentidos. ☞ **cosa.** ❖ ES-
PÍRITU, IDEA.
— *El museo está lleno de bellos objetos de arte.*
— que es real, que existe o sucede,
que es material: *objetivo.*
— que es imparcial, que está libre de
influencias: *objetivo.*
— condición de imparcialidad: *objetividad.*
— presentar una idea o sentimiento
con rasgos reales o materiales, o de
manera que pueda comprobarse independientemente de cada persona:
objetivar.
— acción y resultado de objetivar:
objetivación.
— calidad o condición de objetivo:
objetividad.
2. Lo que se intenta lograr, hacia donde se dirige la acción, finalidad o intento de algo. ☞ **objetivo, fin.**
— *Es mejor que nos entrevistemos
personalmente, con objeto de cono-
cernos mejor.*
— finalidad precisa a la que se dirige una acción: *objetivo.*
— sistema de lentes que se dirigen
hacia lo que se quiere mirar: *objetivo.*
— zona a donde se dirigen las acciones militares durante una batalla: *objetivo militar.*
3. Asunto o materia de una disciplina
de estudio.
— *El objeto de la antropología son
los grupos humanos.*

oblata 1. Dinero que se gasta en el vino, hostias, ornamentos, etc. utilizados durante la misa, entre los católicos.
— *El padre dio al sacristán la oblata para las misas de la semana próxima.*
2. El vino y la hostia antes de ser
consagrados, en las ceremonias católicas.
— *El padre tomó la oblata para con-
sagrarla.*
— ofrenda que, entre los católicos,
se hace a Dios, a los ángeles y a
los santos: *oblación.*
oblea Hoja fina hecha con agua y harina y que, en pedazos, se utiliza para
cerrar cartas, tomar medicinas, etc.
— recipiente donde se guardan las
obleas: *obleera.*
— persona que se dedica a la elaboración de obleas: *oblero.*
— oblea que se emplea para la comunión de los fieles cristianos: *hostia.*
oblicuo, -cua Que está inclinado con
respecto a la horizontal. ☞ **indirecto, inclinado, sesgado.** ❖ RECTO, DE-
RECHO.
— plano que surge del corte de dos líneas que no forman ángulo recto:
plano oblicuo.
— dirección al sesgo con inclinación: *oblicuidad.*
— dar a algo dirección oblicua con
relación a otra: *oblicuar.*
— que no es recto ninguno de sus ángulos, tratándose de figuras: *oblicuán-
gulo.*
obligar Forzar a alguien a realizar algo. ☞ **compeler.** ❖ LIBERAR, PERMI-
TIR.
— adquirir voluntariamente alguien
cierta responsabilidad o compromiso:
obligarse.
— compromiso familiar, laboral o
cívico, etc.: *obligación.*
— deber de hacer algo: *estar obligado a.*
— deber de hacer algo por alguien:
estar obligado con.
— calidad de obligatorio: *obligato-
riedad.*
— de manera forzosa: *obligatoriamente.*
— que obliga a su cumplimiento:
obligatorio, obligativo.
obliteración 1. Obstrucción de un conducto de cualquier organismo vivo.
— obstruir un conducto o cavidad de
un organismo vivo: *obliterar.*
2. Anular, borrar, tachar.
— *Esta idea oblitera la que se encuentra más adelante.*
— que anula algo: *obliterador.*

oblongo, -ga Que es más largo que ancho.
obnubilar Ofuscar o disminuir la capacidad mental, enceguecerse.
☞ **aturdirse.** ❖ LUCIDEZ, CLARIVIDEN-
CIA.
— ofuscación, obcecación: *obnubilación.*
— tener la vista borrosa por trastorno encefálico: *obnubilación.*
óbolo Cantidad reducida de dinero que
se dona con un fin benéfico. ☞ **limosna, caridad.**
obra 1. Cosa realizada o producida manualmente. ☞ **producto.** ❖ PLAN,
PROYECTO.
— *La mesa es obra de ese carpintero.*
— que pertenece a los obreros o se
relaciona con ellos: *obrero.*
— persona que realiza un trabajo manual y obtiene un pago por ello: *obrero.*
— persona que realiza un trabajo manual calificado: *obrero calificado.*
— tendencia o movimiento que busca
la dignificación de la clase obrera:
obrerismo.
— que pertenece al obrerismo o se
relaciona con él, que es partidario de
esta tendencia: *obrerista.*
— objeto de calidad excepcional en
su especie: *obra maestra.*
— hacer una cosa, trabajar en ella o
efectuarla: *obrar.*
— taller de obras manuales: *obraje,
obrador.*
— objeto hecho a mano o con una
máquina: *obraje.*
— prestación de trabajo que se imponía a los indios americanos: *obraje.*
2. Cualquier tipo de producción intelectual.
— *La obra de Luis Pasteur representó un gran avance para la ciencia.*
3. Producto literario o artístico.
— *Ese pintor prepara la obra que
expondrá el año entrante.*
4. Consecuencia del poder o la fuerza de algo.
— *El derrumbe de la escuela fue obra
del temblor.*
— *Desapareció por obra de magia.*
— a consecuencia de, en virtud de:
por obra de.
— defecar: *obrar.*
— acto con que se ayuda al necesitado: *obra de caridad, obra pía.*
5. Trabajo de albañilería, en especial
el de construcción o reparación de
edificios o casas.
— *Mi departamento tiene mucha tierra y polvo por la obra de enfrente.*
— en construcción, especialmente

cuando se habla de un edificio, casa, etc.: *en obra, en obra negra.*

— jefe de los obreros en una construcción: *maestro de obras.*

obrepción Falsa narración de un hecho para recuperar bien o posición.

— de manera falsa: *obrepticiamente.*

obsceno, -na Que va en contra del pudor y la decencia. ☞ **impúdico, indecente.** ❖ DECOROSO, DECENTE.

— calidad de obsceno: *obscenidad.*

— cosa obscena: *obscenidad.*

— de modo obsceno: *obscenamente.*

obscurantismo Movimiento que se opone totalmente a la difusión de la cultura. ☞ **ignorantismo.** ❖ ILUSTRACIÓN.

— que pertenece al obscurantismo o se relaciona con él, que es partidario de esta actitud o movimiento: *obscurantista.*

obsecración 1. Implorar o suplicar con insistencia el favor de la divinidad. ☞ **deprecación, ruego.**

2. Figura retórica con que se ruega o suplica. ☞ **deprecación.**

Un nuevo corazón, un hombre nuevo ha menester, Señor, la ánima mía; desnúdame de mí, que ser podría que a tu piedad pagase lo que debo.
"Salmo I"
Francisco de Quevedo.

obsequiar Atender con cortesía, respeto, regalos o invitaciones. ☞ **agasajar.** ❖ DESPRECIAR.

— regalo o presente: *obsequio.*

— que le gusta atender y dar regalos: *obsequioso.*

— calidad de obsequioso: *obsequiosidad.*

— que atiende con cortesía, cariño y respeto: *obsequiador, obsequiante.*

observar 1. Ver, examinar de manera cuidadosa.

— *Por la tarde observó los restos de la vasija recién desenterrada.*

— acción de observar: *observación.*

— situación en la cual se examina el desarrollo de un fenómeno: *estado de observación.*

2. Reflexionar sobre un asunto.

— *Observaba el modo en que se movía el agua.*

3. Llamar la atención sobre algo.

— *El maestro observó que todos los alumnos habían conjugado mal ese verbo.*

— llamada de atención sobre algo: *observación.*

4. Ejecutar o cumplir una orden, ley, precepto, etc.

— *Observaba rigurosamente el reglamento de tránsito.*

— cumplimiento de una ley, regla, etc.: *observancia.*

— respeto a las personas mayores de edad: *observancia.*

— que cumple un precepto: *observador.*

— asistir a una reunión, pero no participar en ella: *ir en calidad de observador.*

— sitio en donde se observan y estudian fenómenos meteorológicos, astronómicos, sísmicos, etc.: *observatorio.*

obsesión Idea fija que ocupa la mente de manera enfermiza. ☞ **manía, inquietud, perturbación.**

— causar obsesión: *obsesionar.*

— que obsesiona: *obsesivo:.*

— que es propenso a obsesionarse: *obsesivo.*

— que tiene una idea fija y recurrente: *obseso.*

obsidiana Piedra de origen volcánico de color negro o verde oscuro.

obsoleto, -ta Que ya no se usa porque está pasado de moda. ☞ **anticuado.** ❖ VIGENTE.

obstaculizar Entorpecer, dificultar la consecución de un propósito. ☞ **complicar, estorbar.** ❖ COOPERAR.

— estorbo: *obstáculo, freno, barrera.*

obstante Que estorba u obsta.

— oponer una cosa a otra, oponerse a algo: *obstar.*

— sin que perjudique el desarrollo normal de algo: *no obstante.*

— a pesar de, aunque: *no obstante.*

obstetricia Área de la medicina que estudia la gestación y el parto. ☞ **tocología.**

— que pertenece al estudio del embarazo y el parto o se relaciona con él: *obstétrico.*

— médico especializado en el estudio y atención del embarazo y el parto: *médico obstetra.*

obstinarse Mantenerse en una resolución fija con respecto a algo sin dejarse vencer por ningún tipo de razones. ☞ **empeñarse.**

— porfía, terquedad: *obstinación.*

— perseverante, tenaz: *obstinado.*

— con terquedad: *obstinadamente.*

obstrucción Acción y resultado de obstruir. ☞ **obturación.** ❖ ABERTURA, ORIFICIO.

— cerrar el paso de algo: *obstruir.*

— ejercicio o práctica de obstaculizar los acuerdos en una reunión política: *obstruccionismo.*

— que impide la realización de acuerdos: *obstruccionista.*

obtener Conseguir algo que se desea, solicita o merece, llegar a una solución matemática o al resultado de

una investigación. ☞ **alcanzar, lograr, tener.**

— acción y resultado de conseguir algo o de llegar a un resultado: *obtención.*

obturación Acción y resultado de obturar o de cerrar un conducto. ☞ **obstrucción, intercepción.** ❖ PERFORACIÓN.

— cerrar con un cuerpo extraño una abertura o conducto: *obturar.*

— mecanismo utilizado sobre todo en las cámaras fotográficas, que sirve para regular el paso de luz o el tiempo de exposición: *obturador.*

obtuso, -sa Tonto, lento para aprender. ❖ AGUDO, INTELIGENTE.

— ángulo más abierto que el recto: *ángulo obtuso.*

— triángulo que tiene un ángulo obtuso: *triángulo obtusángulo.*

obús Pieza de artillería de menor longitud que el cañón.

obvención Cantidad de dinero que se obtiene además del salario. ☞ **bonificación, prima, sobresueldo.**

obvio, -via Que es claro, visible o que no presenta dificultad alguna. ☞ **evidente.** ❖ ENREVESADO.

— evitar, quitar o apartar cualquier tipo de obstáculo: *obviar.*

ocasión 1. Momento propicio para realizar algo o circunstancia en la que ocurre algo. ☞ **oportunidad.**

— *Ésta es la ocasión de hacer buenos negocios.*

— que sucede de vez en cuando o accidentalmente: *ocasional, ocasionalmente.*

— algunas veces: *en ocasiones.*

— de oportunidad y bajo precio: *de ocasión.*

2. Causa por la que se realiza algo. ☞ **motivo.**

— *Se realizó un brindis en ocasión de la visita del presidente.*

— causar o motivar que algo suceda: *ocasionar.*

— que hace que algo ocurra: *ocasionador.*

— que causa disgustos y riñas: *ocasionado.*

ocaso 1. Puesta del Sol o de cualquier otro astro. ☞ **amanecer.**

— *Los ocasos sobre el océano son muy bellos.*

2. Occidente. ☞ **oeste, poniente.** ❖ ESTE, ORIENTE.

— *El ocaso en México es la zona que colinda con el mar Pacífico.*

3. Decadencia. ☞ **apogeo.**

— *El ocaso del Imperio Romano fue apurado con la llegada de los bárbaros.*

occidental Que se localiza en la dirección en que se pone el Sol, que pertenece al punto cardinal por donde se oculta el Sol o se relaciona con él.
— punto cardinal del horizonte por donde se oculta el Sol: *occidente*.

occipucio Parte inferior del cráneo que se une con las vértebras cervicales.
— que pertenece a la región del occipucio o se relaciona con él: *occipital*.
— parte del cráneo del área posterior de la cabeza: *occipital*.
— lóbulo posterior del cerebro que contiene los centros visuales: *lóbulo occipital*.

occisión Muerte violenta.
— muerto con violencia: *occiso*.

océano (vea ilustración). 1. Masa de agua salada que cubre las tres cuartas partes de la superficie de la Tierra. ☞ **mar.** ❖ TIERRA.
— *El océano atrae a los buscadores de aventuras.*
— que pertenece al océano o se relaciona con él: *oceánico*.
— ciencia que se dedica al estudio del mar: *oceanografía*.
— persona especialista en el estudio del mar: *oceanógrafo*.
2. Cada una de las distintas áreas de la extensión de agua salada que cubre la Tierra.
— *El Atlántico, el Pacífico, el Índico, el Ártico y el Antártico son océanos.*
3. Cantidad exagerada de algo.
— *Había un océano de jóvenes en el concierto.*

ocelo 1. Ojo simple y pequeño de ciertos animales por el cual perciben la luz pero no la imagen de los objetos.
— *En el microscopio se aprecian los múltiples ocelos de esta araña.*
— que tiene ocelos: *ocelado*.
2. Manchas redondeadas de dos colores que tienen las alas de algunos insectos o aves.
— *Los pavorreales lucen atractivos ocelos.*

ocelote Pequeño felino de pelaje leonado, suave y brillante, originario de América.

ocio 1. Tiempo libre que deja el trabajo a una persona y que lo ocupa en alguna distracción. ☞ **descanso.** ❖ LABOR.
— *En sus ratos de ocio, él lee novelas de misterio.*
— cada una de las cosas que se pueden hacer en el tiempo libre: *ociosidades*.
2. Condición de la persona que no trabaja. ☞ **desocupación.** ❖ TRABAJO.
— *Sólo los ricos se entregan al ocio y al placer.*
— que no realiza labor alguna: *ocioso*.
— no hacer nada: *ociosidad*.
— sin utilidad alguna, sin ocupación, sin necesidad: *ociosamente*.
— que no realiza ningún trabajo: *ocioso*.
— que es insignificante o inútil: *ocioso*.

oclusión Obstrucción o cierre de un conducto u orificio del cuerpo humano. ☞ **obliteración, cierre.** ❖ APERTURA.
— cerrar un conducto o abertura de tal forma que no se pueda abrir de modo natural: *ocluir*.
— que pertenece a la oclusión o se relaciona con ella: *oclusivo*.
— que produce oclusión: *oclusivo*.

ocote Especie de pino resinoso de distintas especies; su madera tiene muchos usos, principalmente de combustible; es originario de México.
— lugar donde abundan los ocotes: *ocotal*.
— meter cizaña o provocar situaciones difíciles: *echar ocote*.
— que causa desavenencias a propósito: *ocotero*.
— pequeño conflicto o discordia: *ocotito*.

ocozoal Especie de serpiente de cascabel originaria de México; puede medir hasta dos metros de longitud, su piel tiene coloraciones parda, amarilla y negra.

ocozol Árbol americano de la familia de las plantas hamamelidáceas, de tronco grueso y copa frondosa, llega a medir quince metros y tiene flores verdosas.

ocre 1. Mineral terroso y amarillento que se utiliza en pintura para preparar diferentes colores que van del amarillo al pardo oscuro.
— *El pintor mezcla ocre con todos los colores que utiliza en sus cuadros.*
2. Color amarillo oscuro tirando a café.
— *Algunos uniformes militares son de color ocre.*

octaedro Figura de ocho caras o planos triangulares.
— que tiene figura de octaedro: *octaédrico*.

octágono Figura geométrica de ocho ángulos y ocho lados.
— que tiene figura de octágono: *octagonal*.

océano

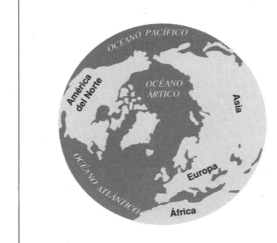

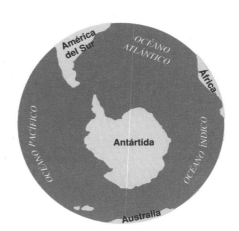

octava 1. Fiesta religiosa que se realiza durante ocho días. ☞ **octavario.**

— *En este pueblo, se realiza una octava en honor del santo patrono.*

— que es una de las ocho partes iguales en que se puede dividir un todo: *octavo.*

— que en orden sigue al séptimo lugar: *octavo.*

2. Cualquier estrofa compuesta por ocho versos.

Casacas y sotanas
dominan dondequiera;
los sabios de montera
felices nos harán.
Cangrejos, a compás,
marchemos para atrás.
¡Zis, zis, y zas!
Marchemos para atrás.
Guillermo Prieto.

— estrofa de ocho versos, cada uno de ellos compuesto por ocho sílabas o menos: *octavilla.*

— estrofa de ocho versos endecasílabos de rima consonante: *octava real.*

3. Intervalo musical que dura ocho tiempos.

— *El director de la orquesta hizo repetir varias octavas a la sección de cuerdas.*

— serie que incluye los siete sonidos de la escala musical y la repetición del primero: *octava.*

octogenario, -ria Que ha cumplido los ochenta años, pero que no rebasa la noventa. ☞ **ochentón.**

ocular Lente o sistema de lentes de cualquier aparato óptico que se coloca por donde mira el observador y que sirve para examinar la imagen suministrada por el objetivo. ☞ **objetivo.**

— evidente: *ocular.*

— lente que invierte la imagen de los objetos: *ocular celeste.*

— lente que endereza la imagen de los objetos: *ocular terrestre.*

— de modo ocular: *ocularmente.*

ocultar 1. Hacer que algo o alguien no se perciba o note. ☞ **esconder, tapar.** ❖ DESCUBRIR, MOSTRAR.

— *El criminal logró ocultar las huellas de su crimen.*

— escondido, secreto: *oculto.*

— acción y resultado de esconder algo o a alguien: *ocultación.*

— a escondidas, de modo oculto: *ocultamente.*

— con disimulo: *de ocultis.*

— en privado: *en oculto.*

2. Callar intencionadamente o disfrazar la verdad. ☞ **encubrir.**

— *El abogado ocultó el veredicto a su defendido por mucho tiempo.*

— que esconde o calla algo intencionadamente: *ocultador.*

— fenómeno astronómico que ocurre cuando un astro se interpone a otro y lo cubre totalmente: *ocultación.*

— misterioso o sobrenatural: *oculto.*

— conjunto de creencias y prácticas secretas que intentan manejar fuerzas o poderes sobrenaturales: *ciencias ocultas, ocultismo.*

— que pertenece al ocultismo o se relaciona con él; que practica el ocultismo: *ocultista.*

— ciencias ocultas: *alquimia, magia, nigromancia, astrología, cábala, etc.*

ocupar 1. Tener un puesto o cargo o tomar posesión de él.

— *Ocupo el puesto de secretaria de la gerencia desde el mes pasado.*

— trabajo, empleo, profesión, actividad: *ocupación.*

2. Llenar alguien o algo un espacio o lugar. ❖ VACIAR.

— *Los recipientes más resistentes ocupan el entrepaño inferior del mueble.*

3. Estar o entrar en un lugar para habitarlo o trabajar ahí.

— *Los artistas del festival ocupan todas las habitaciones del hotel.*

4. Utilizar algo o dar trabajo a alguien para hacer alguna cosa. ☞ **emplear, necesitar.**

— *El restaurante ocupa quince meseros diariamente.*

5. Entrar a un sitio y mantenerse en él por la fuerza.

— *Los republicanos ocuparon varias ciudades del norte.*

— situación en la cual un ejército extranjero ocupa un país e interviene en su vida interna: *ocupación.*

6. Dedicarse con ahínco a una actividad. ☞ **aplicarse.** ❖ HOLGAR.

— *No lo distraigas, se ocupa en estudiar una estela maya.*

7. Tener un sitio en una jerarquía, serie o enumeración.

— *Ese niño es un burro, ocupa el último lugar en la clase.*

— que ocupa: *ocupante, ocupador.*

ocurrir 1. Suceder algo en un momento y lugar.

— *El trayecto fue difícil porque ocurrieron varios accidentes.*

— cosa que sucede o hecho de ocurrir algo: *ocurrencia.*

— que sucede con periodicidad: *ocurrente.*

2. Surgirle repentinamente una idea a alguien.

— *Al jefe siempre se le ocurren las soluciones de los problemas más complicados.*

— idea original e ingeniosa: *ocurrencia.*

— chiste: *ocurrencia.*

— que tiene el ingenio muy agudo e ingenioso: *ocurrente.*

3. Acudir a algún lugar. ☞ **concurrir.**

— *Verdaderas masas de fanáticos ocurrieron al estadio.*

— exclamación de sorpresa ante un hecho insólito: *¡Qué ocurrencia!*

ochava Esquina de un edificio. ☞ **esquina.**

— que tiene forma octogonal: *ochavado.*

ochenta Ocho veces el número diez.

— persona que rebasa los setenta y nueve años de edad pero no pasa de noventa: *octogenario, ochentón.*

ocho Siete y uno.

ochocientos Ocho veces cien.

— que se adhiere a los modos de pensar y hacer propios del siglo XIX: *ochocentista.*

oda Cualquier composición lírica de tono exaltado y tema noble.

— oda que toca un tema religioso: *oda sagrada.*

— oda que enaltece a un personaje, generalmente a un guerrero o a un gobernante: *oda heroica.*

— oda que invita a la reflexión: *oda filosófica.*

— oda que elogia los placeres de la vida: *oda anacreóntica.*

— odas en honor de los triunfadores de los antiguos juegos olímpicos: *odas triunfales.*

odalisca 1. Esclava que servía a las mujeres del sultán.

— *Las odaliscas no cesan de cumplir los caprichos de sus amas.*

2. Mujeres pertenecientes a un harén.

— *Los escritores modernistas soñaban con palacios llenos de bellas odaliscas.*

odeón Sitio público de las antiguas ciudades griegas en donde se podía disfrutar del canto y la música.

odio Antipatía por persona o cosa al grado de desear su perjuicio. ☞ **aborrecimiento.** ❖ AMOR.

— tener antipatía por algo o por alguien de manera insoportable: *odiar.*

— digno de repudio: *odioso.*

— con odio: *odiosamente.*

— de modo odioso: *odiosamente.*

— aborrecer con fuerza y de manera absoluta: *odiar a muerte.*

— atraer hacia sí misma una persona, intencionadamente, la antipatía de los demás: *darse a odiar, hacerse odiar.*

odisea 1. Viaje largo con aventuras tanto adversas como favorables al viajero.

— *El primer viaje de Cristóbal Colón fue una verdadera odisea.*

2. Conjunto de hechos fuera de lo común que le suceden a alguien y que obstaculizan la realización de algo.

— *En el albergue los alpinistas contaron su odisea por las altas montañas.*

odómetro 1. Aparato que sirve para medir la distancia que se recorre a pie. ☞ **podómetro.**

— *En los entrenamientos los marchistas llevan un odómetro consigo.*

2. Instrumento que mide la distancia que recorre un auto, camión, etc. y, en los autos de alquiler, marca la cantidad que debe pagarse por un determinado tramo recorrido. ☞ **taxímetro.**

— *El pasajero, desconfiado, pregunta al chofer si su odómetro funciona.*

3. Instrumento utilizado en la física para contabilizar ciertos fenómenos.

— *Los estudiantes utilizarán un odómetro para contar las vueltas que dan las moléculas de los materiales.*

— especialidad científica que mide las distancias recorridas: *odometría.*

odontología Estudio de los dientes y tratamiento de las enfermedades que presentan.

— perteneciente o relativo al estudio de los dientes: *odontológico.*

— médico especializado en el estudio, cura y tratamiento de las enfermedades de los dientes: *odontólogo.*

— de forma similar a los dientes: *odontoideo, odontoides.*

— tumor que surge entre los dientes: *odontoma.*

— nombre general con que se conoce a las enfermedades de los dientes: *odontopatía.*

— dolor de muelas o dientes: *odontalgia.*

— que pertenece a, o se relaciona con, el dolor de muelas o dientes, o que sirve para combatir este dolor: *odontálgico.*

odorante Oloroso, fragante, grato de ser olido. ☞ **perfumado.** ❖ HEDIONDO.

— que emana buen olor, que es aromático: *odorífico.*

odre Cuero, por lo común de cabra, curtido y cosido de manera especial que puede contener líquidos, como vino o aceite. ☞ **bota, pellejo.**

— taller donde se fabrican los odres: *odrería.*

— tienda donde se venden los odres: *odrería.*

— odre de cuero de buey: *odrina.*

oeste 1. Punto del horizonte por donde se pone el Sol. ☞ **occidente, poniente.** ❖ ESTE, ORIENTE, LEVANTE.

— *Las puestas del Sol en Acapulco son espectaculares ya que este puerto se localiza al oeste de México.*

2. Vientos que provienen de esta dirección.

— *Los cultivos en esa zona son ricos gracias a las lluvias arrastradas por los vientos del oeste.*

3. Cualquier zona geográfica que, con respecto a otra, estaría más próxima al lugar por donde se pone el Sol.

— *Hasta el año de 1989 Alemania estuvo dividida en dos grandes zonas, una al este y otra al oeste.*

— punto del horizonte que se localiza a igual distancia del oeste como del sudoeste: *oesudoeste, oestesudoeste, oesudueste.*

— punto del horizonte que se localiza a distancias iguales entre el oeste y el noroeste: *oesnoroeste, oestenoroeste, oesnorueste.*

— película, novela, etc., que se ubica en el ambiente de la conquista y colonización del occidente de los Estados Unidos de América, tratándose de obras de ficción: *película del oeste, novela del lejano oeste, etc.*

ofender Causar daño o afrenta física o moral a alguien o algo. ☞ **maltratar, agredir, insultar, molestar, agraviar.** ❖ ENCOMIAR, PONDERAR.

— acción y resultado de ofender, injuriar o agraviar: *ofensa.*

— que ofende o puede ofender: *ofensivo.*

— que ofende: *ofensor, ofendedor.*

— que recibe una ofensa: *ofendido.*

— daño, perjuicio o mal provocado: *ofensión.*

— situación o estado del que ataca u ofende: *ofensiva.*

— iniciación de la batalla o batallas cuando se declara la guerra entre países, zonas o regiones: *ofensiva.*

— tomar la iniciativa o la delantera en alguna competencia deportiva: *ofensiva.*

oferta 1. Acto de ofrecer o proponer algo a alguien porque le puede ser útil, le hace falta, lo puede beneficiar.

— *Recibió una tentadora oferta de trabajo la semana pasada.*

2. Presentación de mercancías o servicios a la venta.

— *En las tiendas la oferta de piñatas en diciembre es mayor debido a las fiestas navideñas.*

— ofrecer en venta un producto: *ofertar.*

3. Conjunto de bienes o servicios a la venta en un momento determinado.

— *La oferta de paquetes vacacionales entre julio y agosto crece considerablemente.*

4. Conjunto de bienes o servicios y cada uno de ellos que se ofrecen a la venta con un descuento sobre el precio normal.

— *Es una buena oferta, los zapatos tienen el 50% de descuento.*

— a la venta con descuento: *en oferta.*

off (of) Palabra inglesa que significa apagado. ❖ ON, ENCENDIDO.

— estar fuera de su posición habitual, un jugador, dentro del campo de juego, tratándose de deportes: *estar en offside.*

offset Procedimiento de impresión mediante el cual los caracteres de una plancha de impresión son tomados por un cilindro de caucho, el cual puede ser usado en una máquina rotativa. Es un método común en la impresión de periódicos.

oficial 1. Que es de oficio, que proviene de la autoridad del Estado, que tiene autenticidad. En su defecto, que proviene de la autoridad correspondiente.

— *Recibirá un documento oficial en donde se le comunica que puede disfrutar de su año sabático.*

— legalizar: *oficializar.*

— de modo legal: *oficialmente.*

— dependencia u oficina pública: *oficialía.*

— conjunto de tendencias o fuerzas políticas que apoyan al gobierno: *oficialismo.*

— sin hacer uso del carácter legal que alguien o algo posee de manera oficial: *oficiosamente.*

— con carácter oficial: *de oficio.*

2. Persona que detenta una función pública y posee autoridad. ☞ **policía.**

— *Al entrar al banco nos detuvo un oficial.*

3. Cualquier militar con rango de alférez o superior, inclusive el rango de capitán.

— *En el club de oficiales no se admite a los soldados rasos.*

— conjunto de militares de cierto rango: *oficialidad.*

4. Obrero que ha terminado el aprendizaje de un oficio, pero todavía no tiene la experiencia suficiente para ser considerado maestro.

— *En el taller mecánico hay varios oficiales aptos para tomar el puesto de maestro.*

— calidad de oficial que adquiere un

artesano al terminar su aprendizaje: *oficialía.*

oficiar 1. Transmitir cierta información escrita de manera oficial.

— *El diario oficial ofició las nuevas leyes en materia de importaciones.*

2. En cualquier religión, celebrar un sacerdote los ritos de su religión o ayudar una persona en su ejecución.

— *El obispo oficiará el bautismo de estos niños.*

— persona que celebra los servicios religiosos en el altar: *oficiante.*

3. Obrar de una manera determinada durante un periodo específico.

— *El joven ofició de conciliador en la discusión entre los esposos.*

oficina Sitio donde se realiza algún tipo de trabajo, generalmente de tipo administrativo. ☞ **despacho.**

— persona empleada en las tareas de una oficina: *oficinista.*

— oficinista de pocas aptitudes o pretensiones: *tinterillo, chupatintas.*

— que pertenece a los asuntos de oficina o se relaciona con ellos: *oficinesco.*

— burocrático en sentido despectivo: *oficinesco.*

— lugar donde se realizan trámites relacionados con las actividades del gobierno: *oficina pública.*

oficio 1. Profesión que no requiere de estudios ni avanzados, ni especializados sino de la habilidad para hacer algo. ☞ **trabajo, labor, ocupación.**

— *Eligió el oficio de carpintero ya que le gusta mucho trabajar con la madera.*

— abogado designado por el Estado para defender al acusado que no tiene dinero: *defensor de oficio.*

— problemas inherentes a una actividad: *gajes del oficio.*

— expresiones para referirse a las prostitutas: *las del oficio, ser del oficio.*

— expresión para referirse a la prostitución: *el oficio más antiguo del mundo.*

— conocer bien su trabajo: *saber hacer bien su oficio.*

— obstaculizar algo o alguien la realización de un asunto que no le concierne: *hacer oficios.*

— realizar acciones que favorecen a alguien o algo: *hacer buenos oficios.*

2. Función de cualquier actividad laboral o función propia de alguna cosa. ☞ **objetivo.**

— *El oficio del médico es curar a los enfermos y el de un foco dar luz.*

— expresión que indica que alguien

o algo está ocioso, que no produce: *sin oficio ni beneficio.*

3. Noticia transmitida por escrito y con carácter oficial. ☞ **aviso.**

— *Nos llegó un oficio donde se especifican las nuevas tarifas del transporte.*

— noticia falsa: *noticia oficiosa.*

4. Oración, o serie de oraciones, que reza la comunidad católica, o parte de ella, con distintos motivos y en circunstancias diversas.

— *El oficio parvo es más breve que el oficio divino.*

— libro que contiene las obligaciones de los miembros de la Iglesia católica: *oficionario.*

— oficio que se reza en sufragio de un alma: *oficio de difuntos.*

— conjunto de oficios obligatorios para los que tienen órdenes mayores, también conocido como horas canónicas: *oficio divino.*

— oraciones de culto a la Virgen María: *oficio parvo.*

— organismo del Estado español que se encargaba de juzgar los actos en contra de la fe católica: *Santo Oficio.*

— que se esmera por ser útil y servicial, tratándose de personas: *oficioso.*

— expresión que se utiliza para terminar un altercado o discusión: *¡cada quien a su oficio!*

ofidio Serpiente, culebra.

— culto a las serpientes: *ofiolatría.*

— que rinde culto a las serpientes: *ofiólatra.*

— que se relaciona o pertenece a las culebras y serpientes: *ofiolátrico.*

— que teme, odia e inclusive mata serpientes: *ofiómaco.*

— sitio donde se crían serpientes y culebras: *ofiuco.*

— algunos ofidios: *boa, cobra, crótalo, pitón, áspid y serpiente toro.*

ofita Piedra que se utiliza con fines decorativos, por lo general de color verdoso con rayas amarillas. Se le conoce comúnmente como *serpentina.* ☞ **mineral.**

ofrecer 1. Poner a disposición de alguien o algo un objeto, una acción, actitud, etc., para que lo reciba si esa es su voluntad. ☞ **presentar.**

— *Después de la discusión, ella me ofreció chocolates.*

2. Prometer u obligarse una persona a dar, decir o hacer algo.

— *El juez ofreció revisar el caso.*

3. Proponer cierta cantidad de dinero como pago por algo.

— *El coleccionista de arte ofrece*

veinte millones de pesos por el dibujo de ese artista del siglo XIX.

4. Entregarse voluntariamente a alguien para hacer algo.

— *El mayordomo dijo: "me ofrezco para lo que necesiten".*

5. Presentar y dar voluntariamente algo.

— *En su cumpleaños, sus amigos le ofrecerán un banquete.*

6. Celebrar o efectuar un acto especial.

— *La semana que entra ofrecerá un recital con canciones de Schubert.*

7. Mostrar algo un determinado aspecto.

— *La pirámide ofrece una vista asombrosa cuando por la noche la iluminan.*

— que ofrece o se ofrece: *ofrecedor, ofreciente.*

— acción y resultado de ofrecer: *ofrecimiento.*

— objeto, actitud, tarea que se ofrece, entre los cristianos, a Dios, la Virgen, los santos, etc., para obtener su favor, o en señal de agradecimiento; en general, lo que se ofrece como muestra de afecto o reconocimiento: *ofrenda.*

— dinero o servicios que se ofrecen voluntariamente para contribuir a un fin, por lo común de tipo benéfico: *ofrenda.*

— ofrecer objetos, sacrificios, dinero, actitudes, etc.: *ofrendar.*

— expresión que indica entrometerse en asuntos ajenos o coquetear con descaro, una persona: *andar de ofrecido.*

oftalmología Rama de la medicina que se encarga del estudio de los ojos. ☞ **ojo, oftálmico, ocular.**

— médico especializado en el estudio y cuidado de los ojos: *oftalmólogo.*

— inflamación del ojo con supuración: *oftalmitis.*

— parálisis de los músculos oculares: *oftalmoplejía.*

— inflamación de los ojos: *oftalmía.*

— que pertenece a, o se relaciona con, la oftalmia, o los ojos: *oftálmico.*

— instrumento que sirve para explorar el interior del ojo; los hay de varios tipos según sus funciones: *oftalmoscopio.*

— oftalmoscopio mediante el cual el observador puede ver la función de los dos ojos de una persona: *oftalmoscopio binocular.*

— oftalmoscopio con espejo móvil y disco completo de lentes para observar la visión: *oftalmoscopio de Loring.*

— oftalmoscopio que mide los grados o posibles cambios de dirección en la vista: *oftalmoscopio de refracción.*

— exploración de las partes internas del ojo por medio de un oftalmoscopio: *oftalmoscopia.*

— descripción de las funciones del ojo: *oftalmografía.*

— perteneciente o relativo a los ojos y sus enfermedades: *oftalmográfico.*

— que en su configuración o decoración incluye motivos que refieren a o tienen la forma de ojo: *oftalmográfico.*

— parte de la medicina que estudia en conjunto las enfermedades de los ojos, la nariz, la garganta y los oídos: *oftalmotorrinolaringología.*

ofuscar 1. Turbarse la vista por un exceso de luz. ☞ **cegar.**

— *El resplandor del sol la ofuscó tanto que no vio pasar a su hijo en el desfile.*

2. Confundir, trastornar las ideas y el entendimiento. ☞ **perturbar, obnubilar.**

— *Tantos problemas lo ofuscaron en aquel momento.*

— turbación de la vista debida a un exceso de luz: *ofuscación, ofuscamiento.*

— confusión de las ideas por cansancio o falta de entendimiento: *ofuscación, ofuscamiento.*

— que ofusca, que confunde, que turba: *ofuscador.*

— de manera borrosa o confusa: *ofuscadamente.*

ogro 1. Bestia gigante que devora seres humanos según leyendas del norte de Europa. ☞ **bestia.**

— *Los niños estaban asustados pues en el cuento que leían aparecían varios ogros.*

2. Persona que es intratable y cruel con los demás. ☞ **animal, bruto.**

— *Yo no quiero trabajar en esta oficina; dicen que el jefe es un verdadero ogro.*

— expresión que indica que alguien come en demasía y suciamente: *come como un ogro.*

¡oh! Interjección que se utiliza para manifestar casi cualquier estado de ánimo, como sorpresa, pena, asombro o alegría.

oído (vea ilustración). 1. Sentido que realiza las tareas de audición y percepción de sonidos.

— *Afinen bien su oído pues van a escuchar la voz más bella que hayan conocido en años.*

— que puede o debe ser oído: *oíble, audible.*

— ministro que escuchaba las causas y pleitos y dictaba sentencia: *oidor.*

— cargo que tenía el juez que escuchaba y sentenciaba causas y pleitos: *oidoría.*

— persona que asiste a una clase sin

oído

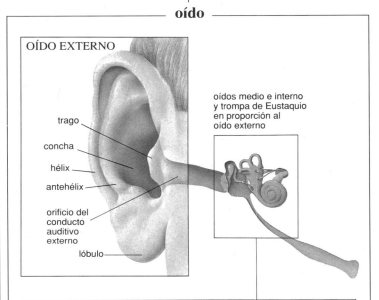

OÍDO EXTERNO

trago
concha
hélix
antehélix
orificio del conducto auditivo externo
lóbulo

oídos medio e interno y trompa de Eustaquio en proporción al oído externo

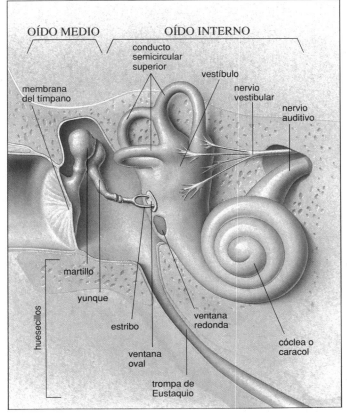

OÍDO MEDIO   OÍDO INTERNO

conducto semicircular superior
vestíbulo
nervio vestibular
nervio auditivo
membrana del tímpano
martillo
yunque
estribo
ventana oval
ventana redonda
cóclea o caracol
trompa de Eustaquio
huesecillos

☞ sinónimos o referencias   ❖ antónimos u opuestos afines

estar inscrito como alumno: *oyente.*

— tener aptitud natural para la apreciación o la ejercitación musical: *tener buen oído.*

— tocar un instrumento musical sin tener los estudios necesarios: *tocar de oído, tocar al oído.*

— expresión con que se indica que alguien puede estar escuchando o escucha algo que no debe oír: *las paredes oyen.*

— conocer algo de manera casi accidental: *llegarle de oídos.*

— no prestar atención a algo o alguien: *negar los oídos.*

2. Cada uno de los órganos que sirven para la audición. En los mamíferos y las aves consta de tres partes. ☞ **oír, oreja.**

— *En anatomía aprendimos que el oído también es el órgano responsable del equilibrio.*

— partes en que se divide el oído en los mamíferos y las aves : *oído externo (oreja o pabellón —sólo en los mamíferos— y el conducto auditivo externo); oído medio (caja del tímpano, tímpano y cadena de huesecillos); oído interno o laberinto (vestíbulo, nervio auditivo, caracol y los conductos semicirculares).*

— enfermedades propias del oído: *sordera, vértigo, zumbidos, rotura del tímpano.*

— secreción que se forma en el oído: *cerilla, cerumen, cera.*

— que no oye bien, o no oye: *sordo.*

— expresión que indica estar enterado de algo que se sabe de la propia fuente: *oír con los propios oídos.*

— expresión que significa escuchar con atención a alguien: *ser todo oídos.*

— poner cuidado y atención en lo que se escucha: *abrir los oídos, aguzar los oídos, alargar el oído.*

— frase que expresa el desinterés con que alguien escucha algo: *le entra por un oído y le sale por el otro.*

— negarse de manera obvia y rotunda a algo: *taparse los oídos.*

— pronunciar palabras de manera casi secreta: *decir al oído.*

— cortejar, seducir a alguien: *hablar al oído.*

— expresión popular que aconseja no escuchar ideas que no tienen provecho para quien escucha: *a palabras necias, oídos sordos.*

— expresión que indica que cuando se habla mal de alguien posiblemente ese alguien, ausente del sitio desde donde se habla, experimente una sen-

sación extraña en los oídos: *zumbarle los oídos.*

3. Orificio que tienen algunas armas de fuego en la recámara para comunicarla con la carga.

— *Durante el asalto, el policía no pudo defenderse porque el oído de su pistola estaba obstruido.*

4. Agujero para colocar la mecha en medio del material explosivo que compone un barreno.

— *El jefe de mineros indica la mejor manera de hacer el oído en los barrenos para realizar una explosión efectiva.*

oír 1. Percibir los sonidos. ☞ **escuchar.**

— *Nunca oyen el timbre de la casa, mejor toca la puerta.*

— acción y resultado de oír: *oída.*

— acción de oír: *oimiento.*

— no hacer caso de indicaciones o consejos: *desoír.*

— escuchar de manera accidental o imperfecta: *entreoír.*

— escuchar fragmentariamente algo: *oír a medias.*

2. Atender las peticiones, ruegos, súplicas de una o más personas.

— *Por fin nos oyeron, después de meses de pedirles que pusieran el vidrio del baño.*

— expresiones empleadas para llamar la atención de alguien, o que indican enojo, sorpresa, etc.: *¡oye!, ¡óigame!, ¡oigan!, ¡oiga!*

— persona que no puede oír muy bien: *sordo como una tapia.*

— expresiones que buscan refrendar la autenticidad de lo que se dice: *¡como lo oyes!, ¡lo que oyes!*

— expresión que manifiesta el deseo de que algo se cumpla, se realice, etc.: *Dios te oiga, espero que me oigan.*

ojal Agujero, ribeteado en los bordes, que se hace en la ropa para abrochar un botón o pasar a través de él cintas o cualquier adorno. ☞ **ojete, presilla.**

— persona que se dedica a hacer ojales: *ojalador, ojaladera, ojalero.*

— instrumento para hacer ojales: *ojalador.*

— hacer y formar ojales: *ojalar.*

— conjunto de ojales de una prenda de vestir: *ojaladura.*

— cobarde: *ojal, ojete.*

— forma vulgar de referirse al ano: *ojal, ojete.*

¡ojalá! Expresión que denota fuerte deseo o esperanza de que algo suceda.

ojival (vea recuadro de arquitectura).

1. Estructura compuesta por dos ar-

cos cruzados que forman un ángulo curvilíneo. ☞ **lanceolado.**

— *La parte frontal de un proyectil tiene forma ojival.*

— cabeza frontal de un proyectil: *ojiva.*

2. Estilo arquitectónico medieval que usa arcos en forma de ojiva. ☞ **gótico.**

— *La catedral de Chartres tiene arcos ojivales.*

— arco con figura de ojiva: *ojival.*

ojo (vea ilustración de la p. 481). 1. Órgano de la vista en el ser humano y todos los animales. ☞ **globo ocular, oftalmología, oftálmico.**

— *Algunas mujeres tienen los ojos claros y serenos.*

— que se relaciona con o pertenece a los ojos o que se efectúa por medio de ellos: *ocular.*

— parte de la medicina que trata de las enfermedades de los ojos: *oculística, oftalmología.*

— médico especialista en enfermedades de los ojos: *oculista, oftalmólogo.*

— persona que fabrica ojos artificiales: *ocularista.*

— persona que ha presenciado algún suceso: *testigo ocular.*

— reconocimiento o inspección realizada directamente sobre el objeto: *inspección ocular.*

— capas del globo ocular: *esclerótica, córnea, coroidea y retina.*

— partes exteriores del ojo: *ceja, pestaña, párpados, conjuntiva, lagrimal, carúncula, punto lagrimal, comisura.*

— partes del globo ocular: *córnea, cámara anterior, iris, pupila, cristalino, músculo ciliar; membrana del globo ocular: esclerótica o blanco, coroides y retina; humor vítreo, punto ciego y nervio óptico.*

— descripción del estado del ojo: *normal o emétrope, hipermétrope o présbita, miope, astígmata, estrábico, ciego o invidente, daltónico.*

— persona o animal cuyos ejes visuales no se dirigen al mismo objetivo por falta de paralelismo: *estrábica, bizca, bisoja.*

— persona que mide y revisa los defectos visuales: *optometrista.*

— mancha lívida, temporal o permanente, sobre el párpado inferior del ojo: *ojera.*

— mirar con cuidado algo o a alguien o dirigir la vista hacia algo: *ojear.*

— espantar a los animales por medio de ruidos para que se dirijan al sitio en donde están las trampas o los cazadores: *ojear.*

— acción de espantar a los animales para que se dirijan al sitio en donde serán cazados: *ojeo*.

— el que ojea: *ojeador*.

— mirar algo rápidamente: *echar una ojeada*.

— tener mala voluntad hacia alguien: *tener ojeriza*.

— que se distingue por su mala voluntad hacia otro u otros: *ojete*.

— acertar en algo: *tener buen ojo*.

— ser perspicaz: *tener ojo clínico*.

— percatarse de algo: *abrir los ojos*.

— desengañar a alguien: *hacer que abra los ojos*.

— observar con interés: *clavar el ojo*.

— tener precaución excesiva: *cuidar como los propios ojos*.

— cuidar de algo o a alguien mientras quien se encarga de esa tarea está ausente: *echarle el ojo, echar un ojo*.

— revisar: *echar un ojo*.

— sin reflexión: *a ojos cerrados*.

— de manera aproximada: *a ojo de buen cubero*.

— en actitud vigilante: *con los ojos abiertos*.

— permanecer insomne: *no pegar el ojo, no haber cerrado los ojos*.

— estar en actitud expectante: *dormir con los ojos abiertos*.

— ¡cuidado!: *¡mucho ojo!, ¡ojo con...!*

— hacer claro algo: *poner delante de los ojos*.

— que es evidente: *que salta a los ojos*.

— coquetear: *ser de ojo alegre, guiñar el ojo*.

— mostrar sorpresa y agrado ante algo o alguien: *alegrársele los ojos*.

— demostrar alegría: *bailar los ojos*.

— demostrar gusto excesivo por algo o alguien: *comérselo con los ojos*.

— expresión que indica el gusto de ver a alguien: *¡dichosos los ojos!*

— alabar algo para incitar a la compra o aceptación: *meter algo por los ojos*.

— mirar con aprobación o con desaprobación: *mirar con buenos o con malos ojos*.

— apreciar con exceso algo o a alguien: *querer como a las niñas de los ojos*.

— mirar con insistencia: *no quitar los ojos de encima*.

— concentrar la atención en una sola persona o cosa: *tener ojos sólo para..., no tener ojos más que para...*

— suplicar: *alzar los ojos al cielo*.

— estar a punto de llorar: *arrasárse los ojos de lágrimas*.

— avergonzarse: *bajar los ojos*.

— mostrar cansancio o deseos de dormir: *cerrarse los ojos*.

— pasar algo por alto: *cerrar los ojos*.

— con angustia, con miedo: *con los ojos desorbitados*.

— entristecerse, estar a punto de llorar: *nublar los ojos, empañar los ojos*.

— estar furioso: *echar fuego por los ojos*.

— hacer daño con la mirada, según creencia popular: *hacer mal de ojo*.

— costar algo un precio muy elevado: *costar un ojo de la cara*.

— manera despectiva de denominar a quien usa lentes: *cuatro ojos*.

— darse cuenta de que hay algo o alguien que puede cumplir con un propósito propio, con un deseo, gusto, etc.: *echarle el ojo a..., poner el ojo en...*

— rápidamente: *en un abrir y cerrar de ojos*.

— cambiar de idea sobre algo o alguien: *mirar con otros ojos*.

— querer hacer pasar algo de manera desapercibida sin lograrlo, querer engañar: *tapar el ojo al macho*.

— ventana pequeña redonda u oval: *ojo de buey*.

2. Orificio, agujero o boca de ciertos objetos.

— *Meta la llave por el ojo de la cerradura*.

— hacer algo casi imposible de realizar: *pasar por el ojo de una aguja*.

— centro de un huracán: *ojo del huracán*.

— manantial pequeño: *ojo de agua*.

ola 1. Onda que se produce en la superficie de los mares y lagos. ☞ **cresta**.

— *Los niños pueden nadar en esta playa sin peligro, ya que las olas son inofensivas*.

— sucesión de olas: *oleaje, olaje*.

— producir olas: *olear*.

— construcción que protege la tierra firme del movimiento natural del

ojo

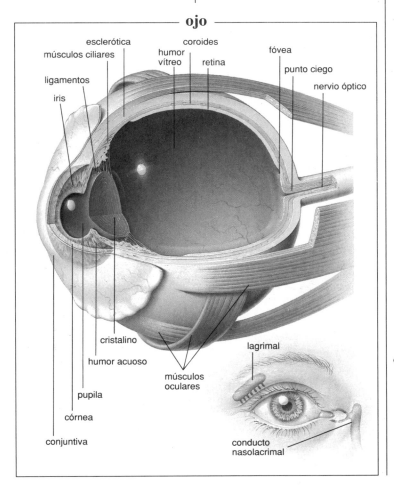

esclerótica
músculos ciliares
humor vítreo
coroides
retina
fóvea
punto ciego
nervio óptico
ligamentos
iris
cristalino
humor acuoso
músculos oculares
pupila
córnea
conjuntiva
lagrimal
conducto nasolacrimal

mar, de los lagos o de sus olas: *rom-peolas.*

— deshacerse la ola o las olas y dejar espuma: *quebrar las olas, romper las olas.*

2. Conjunto grande de personas que tienen algo en común.

— *Una ola de turistas llegó tarde al espectáculo folklórico.*

— movimiento de la gente apiñada: *oleada.*

— grupos grandes de personas o cosas: *oleadas de...*

3. Variación drástica y repentina en la temperatura. ☞ **onda.**

— *La sequía en la región se debe a que la afecta una ola de calor desde hace meses.*

4. Aparición súbita y encadenada de algo.

— *La noticia va a causar una ola de protestas.*

— producir polémica, cuestionar algo o a alguien: *hacer olas.*

— nueva moda: *nueva ola.*

¡ole! u ¡olé! En México, expresión que demuestra admiración, aprobación y entusiasmo ante las suertes del torero. ☞ **¡viva!, ¡bravo!, ¡hurra!**

óleo Sustancia grasa, líquida a temperatura ambiente, no soluble en agua. Su origen puede ser animal, vegetal, mineral o sintético. ☞ **aceite.**

— sustancia que poseen los aceites y las grasas: *oleína.*

— técnica por medio de la cual se mide la pureza y densidad de los aceites: *oleometría.*

— aparato que sirve para medir la densidad de los aceites: *oleómetro.*

— aceitoso: *oleaginoso.*

— calidad de oleaginoso: *oleaginosidad.*

— que contiene aceite, tratándose de plantas: *oleífero.*

— de naturaleza semejante a la del aceite: *oleiforme.*

— calidad de aceitoso: *oleoso, oleosidad.*

— aceite empleado al realizar la extremaunción: *santo óleo.*

— aplicar los santos óleos, entre los católicos, a una persona cercana a la muerte: *olear.*

— que ha recibido los santos óleos: *oleado.*

— recipiente en donde se guarda el santo óleo: *oliera.*

— pintura realizada con colores diluidos en aceite: *pintura al óleo, óleo.*

— cromo que imita los efectos de la pintura al óleo: *oleografía.*

— tubería equipada con bombas y otros aditamentos que sirve para des-

plazar, a través de grandes distancias, volúmenes industriales de petróleo, gas y sólidos pulverizados: *oleoducto.*

oler 1. Percibir cualquier olor con la nariz. ☞ **olfatear.**

— *Olía la ropa para saber si estaba limpia.*

— acción de oler: *olfacción.*

2. Exhalar alguien o algo un olor.

— *Algunos ácidos huelen muy fuerte.*

3. Sospechar algo oculto, raro, malo o dañino.

— *El jefe huele algo turbio en las labores de la cajera: las ganancias no corresponden al nivel de ventas de la tienda.*

— averiguar sobre la vida de una persona para obtener provecho personal: *oletear.*

4. Presentir o adivinar algo.

— *Él siempre huele los buenos negocios.*

olfato 1. Sentido mediante el cual se perciben los olores por la nariz.

— *Dice que siempre ha tenido mal olfato para reconocer los perfumes.*

— oler algo insistentemente: *olfatear.*

— averiguar con ahínco acerca de algo: *olfatear.*

— acción y resultado de olfatear: *olfateo.*

— que pertenece al olfato o se relaciona con él: *olfativo, olfatorio.*

— aparato para medir la capacidad del olfato: *olfatómetro.*

— técnicas y métodos que se aplican en el uso del olfatómetro: *olfatometría.*

2. Habilidad para darse cuenta de algo engañoso o no claro. ☞ **oler.**

— *Su olfato le avisó que ella le había mentido.*

— saber de antemano si alguien es eficiente o una cosa es útil para algo: *tener buen olfato.*

olíbano Resina que despide aroma agradable. ☞ **incienso.**

oligarquía 1. Forma de gobierno donde un reducido grupo de individuos toma las decisiones. ☞ **autocracia, tiranía, dictadura.** ❖ DEMOCRACIA.

— *En ese libro se desarrolla una fuerte crítica a la oligarquía.*

2. Conjunto de algunos pocos y poderosos comerciantes que se unen para que todos los negocios dependan de su mando; pequeño grupo de personas que toma decisiones sobre los intereses de una comunidad.

— *Esa zona estuvo gobernada por una oligarquía de azucareros.*

— cada uno de los miembros de un pequeño grupo gobernante que man-

da sobre una colectividad o individuo que simpatiza con la oligarquía: *oligarca.*

— que pertenece a la oligarquía o se relaciona con ella: *oligárquico.*

oligoceno, -na 1. Segundo de los cuatro periodos en que se divide la era terciaria o neozoica, duró 15 millones de años y en ella se formaron grandes yacimientos de sales, yeso, arcilla y arenilla.

— *Los fósiles que se han encontrado del oligoceno son, por lo general, de mamíferos.*

2. Que pertenece al oligoceno o se relaciona con él.

— *Éste es un fósil oligoceno.*

oligoelemento Elemento químico indispensable para el crecimiento y reproducción de plantas y animales.

olimpiada u olimpíada 1. Competencia deportiva internacional que se celebra cada cuatro años, inspirada en los juegos olímpicos de la antigua Grecia, con la finalidad de estrechar los lazos amistosos entre las naciones.

— *Las dos guerras mundiales impidieron la realización de las olimpiadas.*

2. Festividad religiosa que se realizaba cada cuatro años en la antigua ciudad griega de Olimpia. Ahí se llevaban a cabo pruebas de talento artístico, destreza y fuerza física.

— *Las olimpiadas ayudaban a mantener la paz en la antigua Grecia.*

— que pertenece a las celebraciones deportivo-religiosas de la antigua Grecia o a las competencias deportivas modernas internacionales, o que se relaciona con ellas: *olímpico.*

— soberbio, altanero: *olímpico.*

oliscar 1. Oler cuidadosamente algo. ☞ **oler, olfatear.**

— *El perro oliscó la carne antes de probarla.*

— olfato: *olisca.*

2. Inquirir, averiguar en asuntos ajenos para recabar información. ☞ **indagar, husmear.**

— *No permitan el paso a ese sujeto, olisca a ver qué ideas nos roba.*

— que husmea e inquiere en asuntos ajenos: *oliscoso.*

3. Iniciar a despedir malos olores un organismo en descomposición.

— *Desde ayer ese yogurt olisca, será mejor no comérselo.*

— que huele mal: *olisco.*

olivar Terreno plantado con olivos.

— árbol oleáceo que abunda en la zona mediterránea y cuyo fruto son las aceitunas: *olivo, olivera.*

— fruto del olivo: *oliva, aceituna.*

— sitio donde abundan los olivos: *olivífero, olivoso.*

— sitio donde se reúne la cosecha de un olivar antes de ser prensada: *olivero.*

— perteneciente al cultivo del olivo o que se relaciona con él: *olivarero.*

— que tiene el color de la aceituna verde: *oliváceo.*

— cortar las ramas bajas de los árboles para que se desarrolle bien la copa: *olivar.*

— sustancia grasosa que se extrae de las aceitunas: *aceite de oliva.*

— olivo silvestre: *acebuche, oleastro.*

— adorno que en las construcciones tiene la forma del fruto del olivar: *oliva.*

— símbolo de la cultura occidental, originariamente griego, que significa paz, sabiduría y gloria: *rama de olivo.*

— máxima presea alcanzada por los competidores de las olimpiadas en la antigua Grecia: *corona de olivos.*

olmedo Sitio plantado de olmos. ☞ **olmeda.**

— árbol de tronco muy robusto y flores blancorrojizas; su madera es muy apreciada ya que es resistente a la humedad, sólida, elástica y fibrosa al mismo tiempo: *olmo.*

— olmo muy grande, fuerte y frondoso: *olma.*

— planta americana, cuya corteza tiene cualidades estimulantes: *olmo de tres hojas.*

— expresión popular con la que se indica querer realizar algo imposible: *pedir peras al olmo.*

ológrafo, -fa 1. Que está escrito a mano por el testador, tratándose de testamentos. ☞ **hológrafo.**

— *El problema sobre la fortuna del difunto fue resuelto encontrando su testamento ológrafo en la caja fuerte.*

2. Cualquier texto escrito con el puño y letra de su autor. ☞ **autógrafo.**

— *Se completarán las obras del poeta, ya que fueron encontradas varias composiciones ológrafas desconocidas hasta hoy.*

olomina Variedad de pez americano de agua dulce, no comestible, que abunda en Costa Rica.

olopopo Variedad de tecolote americano, muy abundante en las costas del Pacífico, sobre todo en Costa Rica.

olor 1. Desprendimiento de ciertas sustancias químicas de los cuerpos, las cuales provocan una determinada impresión en el olfato. ☞ **aroma, fragancia, perfume, tufo, hedor.**

— *El olor a tierra húmeda me trae gratos recuerdos.*

2. Impresión que dejan en el olfato las emanaciones de cualquier cuerpo u objeto.

— *Las flores siempre traen buen olor a la casa.*

— que arroja olor: *oliente, oloroso, oledero.*

— que despide olor o lo percibe: *oledor.*

— olor desagradable: *hedor, pestilencia.*

— despedir olor muy desagradable: *heder, apestar.*

— que emana olor desagradable: *maloliente.*

— que exhala un grato olor: *bien oliente, odorífero, odorante.*

— dar o comunicar olores agradables a un lugar determinado: *olorizar, aromatizar, perfumar, sahumar.*

— expresión por la cual se indica que alguien vive o muere con fama de santo: *vivir o morir en olor de santidad.*

— condimentos o especias usadas al cocinar: *hierbas de olor.*

olote Mazorca del maíz sin granos que se usa para alimentar a los animales de corral, como los cerdos.

— expresión por la cual se indica que entre menos personas participen en algo, habrá mayores beneficios para los que sí se involucran: *entre menos burros más olotes.*

olvidar 1. Dejar de tener presente en la memoria algo o a alguien. ❖ RECORDAR.

— *Ya me olvidé del año en que ingresé a la universidad.*

2. Dejar por descuido, involuntariamente, algo en alguna parte. ☞ **extraviar.** ❖ HALLAR.

— *Olvidé las llaves del auto en la oficina.*

3. Dejar de cuidar o de atender algo o a alguien. ☞ **abandonar.**

— *Se le olvidó regar las plantas la semana pasada.*

— resultado de olvidar: *olvido.*

— descuido, negligencia: *olvido.*

— que no reconoce los favores y atenciones que se le han hecho: *olvidado, ingrato, desagradecido.*

— que se olvida de las cosas con mucha facilidad: *olvidadizo, desmemoriado.*

— no acordarse de algo o de alguien: *tenerlo en el olvido, tenerlo arrumbado, tenerlo en el descuido.*

— hacer mucho tiempo que pasó o que se hizo algo: *estar olvidado.*

— empezar a perderse la memoria de alguien o algo: *entrar en el olvido.*

— borrar la memoria de algo o alguien: *dar al olvido, poner en el olvi-*

do, echar en el olvido, caer en el olvido, enterrar en el olvido, hundir en el olvido.

— asumir las consecuencias de un olvido: *pagar caro un olvido.*

— dedicarse una persona a hacer algo con fervor, sin importarle lo que a ella misma le ocurra: *olvidarse de sí misma.*

— fingir no acordarse de algo o alguien: *hacerse el olvidadizo.*

— que siempre está en la memoria: *inolvidable.*

— pérdida de la memoria por causas psicológicas: *amnesia.*

— pequeño olvido causado por descuidos: *omisión.*

— estar continuamente olvidando las cosas: *estar ido.*

olla 1. Vasija de barro o metal con asas que sirve para cocinar. ☞ **cazuela, cacerola.**

— *El agua está hirviendo en la olla.*

— conjunto de varias ollas: *ollería, olliza.*

— lugar en donde se elaboran recipientes de barro: *ollería.*

— tienda donde se venden ollas: *ollería.*

— persona que se dedica a fabricar ollas: *ollero.*

— olla en que se cuecen los alimentos rápidamente, a presión: *olla de presión, olla exprés.*

— expresiones con que se designan ciertos alimentos preparados preferentemente en ollas de barro, lo que les da un sabor peculiar: *caldo de olla, café de olla, frijoles de la olla.*

— expresión popular que indica que alguien se fija en los defectos ajenos y no en los propios que son los mismos: *el comal le dijo a la olla.*

— que tiene orejas grandes y carnosas, semejantes a las agarraderas de una cazuela: *orejas de olla.*

2. Remolino que se forma en las aguas de un río, especialmente en los lugares profundos.

— *No naden cerca de la olla; es muy peligroso.*

ombligo 1. Cicatriz circular y arrugada que queda en medio del vientre de los mamíferos, después de que se ha cortado el cordón umbilical.

— *Ella tiene muchas cosquillas en el ombligo y partes aledañas.*

— que pertenece al ombligo o se relaciona con él: *ombliguero.*

— gasa que se coloca a los recién nacidos para que el ombligo cicatrice: *ombliguera, ombliguero.*

— parte correspondiente al ombligo en las pieles y cueros: *ombligada.*

— ser presa del miedo, amedrentarse ante algo: *encogérsele a uno el ombligo.*

2. Centro de cualquier cosa.

— *Él es un creído, se siente el ombligo del mundo.*

ombú Árbol fitolacáceo americano, de gran copa; no da frutos y su madera rugosa no sirve para construcción ni arde. Crece aisladamente en las pampas. ☞ **bellasombra.**

ombudsman Individuo investido de poderes legales especiales, debido a su honorabilidad e incorruptibilidad, que vela por los derechos humanos.

omega Última letra del alfabeto griego, que equivale al sonido de una "o" de pronunciación larga.

— símbolo del ohmio, resistencia que a cero grados de temperatura impide el paso de la corriente eléctrica: *omega mayúscula (Ω).*

— expresión que indica el principio y el fin de algo: *el alfa y el omega.*

omento Repliegue del peritoneo formado por un tejido que une el estómago y los intestinos con las paredes abdominales. En él se acumula una gran cantidad de células adiposas. ☞ **redaño, mesenterio.**

— que pertenece al omento o se relaciona con él: *omental.*

ómicron Decimoquinta letra del alfabeto griego, que equivale a una "o" de breve pronunciación.

ominar Predecir el futuro supersticiosamente. ☞ **agorar, predecir, presentir, adivinar.**

omitir Dejar de consignar, decir o hacer algo. ☞ **suprimir, prescindir, excluir.** ❖ INCLUIR.

— supresión: *omisión.*

— falta: *omisión.*

— descuido: *omisión.*

— flojo y descuidado: *omiso.*

— que se puede omitir: *omisible.*

— no tomar en cuenta advertencia o consejo: *hacer caso omiso.*

ómnibus Autotransporte público que puede llevar gran número de pasajeros. ☞ **camión, autobús.** ❖ AUTOMÓVIL, CARRO PRIVADO.

omnímodo, -da Que lo abarca y comprende todo. ☞ **total, absoluto.** ❖ RESTRINGIDO, SUBORDINADO.

— por completo, de todos modos: *omnímodamente.*

omnipotente 1. Que posee poder total; entre los cristianos es un atributo sólo de Dios. ☞ **todopoderoso.**

— *Sólo la voluntad omnipotente de Dios podrá salvarnos.*

2. Que tiene mucho poder. ☞ **absoluto.**

— *En esta compañía, ese hombre ejerce una autoridad omnipotente, todo debe ser aprobado por él.*

— poder absoluto: *omnipotencia.*

omnipresente 1. Que está presente en todas partes a la vez; entre los cristianos es atributo de Dios. ☞ **ubicuo.**

— *A Dios, por ser omnipresente, no se le escapa ninguna acción bondadosa.*

2. Que desea participar a la vez en múltiples actividades. ☞ **ubicuo.**

— *Parece loca, quiere hacerse omnipresente en cuatro asambleas a la vez.*

— presencia simultánea de Dios en todas partes a la vez, según la religión cristiana: *omnipresencia.*

omnisapiente Que tiene conocimiento de muchas cosas. ☞ **omnisciente, omniscio, sabio.** ❖ IGNORANTE.

— conocimiento de todo lo real y lo posible, atributo sólo de Dios, entre los cristianos: *omnisciencia.*

— conocimiento de muchas materias, ciencias, disciplinas: *omnisciencia.*

omnívoro Que come toda clase de alimentos.

omóplato Cada uno de los dos huesos de forma triangular, planos y que se localizan a ambos extremos de la espalda; en ellos se articulan los brazos. ☞ **paletilla, escápula.**

— región donde se localizan los omóplatos: *hombro.*

onanismo Masturbación. ❖ CONTINENCIA, ABSTINENCIA.

— que practica el onanismo: *onanista.*

— persona que realiza actividades sexuales solitariamente u obtiene gran placer en ellas: *onanista.*

once Diez y uno.

oncología Parte de la medicina que estudia y busca la manera de curar los tumores, especialmente los cancerosos. ☞ **cancerología.**

— que pertenece a los tumores o se relaciona con ellos: *oncológico.*

— que se dedica al estudio de los tumores: *oncólogo.*

— producción y desarrollo de tumores: *oncosis.*

onda 1. Cada una de las elevaciones que se forman al mover la superficie de un líquido. ☞ **ola.**

— *La niña se entretiene tirando piedras al estanque y viendo cómo se forman ondas en la superficie.*

— movimiento en ondas: *ondulación.*

— formación de ondas: *ondulación.*

— que produce ondas: *ondulante.*

2. Cualquier tipo de curva en cual-

quier objeto como el pelo, las telas, el papel, etc. ☞ **ondulación, rizo.**

— *El peinado que más le agrada a ella es uno con ondas en el fleco.*

— que tiene ondas: *ondeado.*

— moverse algo en el aire formando ondas: *ondear, ondular.*

— producir ondas: *ondear.*

— que ondea: *ondeante.*

— hacer ondas en el pelo: *ondular.*

— objeto que tiene muchas ondas o se mueve haciéndolas: *ondoso.*

3. Cualquier tipo de vibración concéntrica que se propaga desde un punto de origen por medios como el aire y el agua. De esta forma se difunde el calor, la electricidad, el sonido y la luz.

— *Las ondas sonoras de algunas radioemisoras son tan potentes que se escuchan incluso en los lugares más apartados.*

— que se propaga mediante ondulaciones: *ondulatorio.*

— vibraciones que se propagan por medio de sólidos, líquidos o gases: *ondas materiales.*

— ondas que se transmiten en olas esféricas a la velocidad de la luz: *ondas electromagnéticas.*

— tipos de ondas electromagnéticas: *rayos gamma, rayos X, rayos ultravioleta e infrarrojos.*

— onda que tiene una longitud de onda comprendida entre 100 y 10 m: *onda corta.*

— vibración de radio de una longitud de onda entre los 1000 y 20,000 metros y sirve para transmisiones transoceánicas: *onda larga.*

— movimiento vibratorio del éter originado por una chispa eléctrica y que se usa en la telegrafía inalámbrica: *onda hertziana.*

— onda que se origina de un cuerpo luminoso: *onda luminosa.*

— onda que transmite el sonido: *onda sonora, onda acústica.*

— ondulación a través de la Tierra que se da como consecuencia de un terremoto: *onda sísmica.*

— acción y resultado de ondular: *ondulación.*

— expresión de saludo, sorpresa o interrogación: *¡qué onda!*

— que complace, que gusta: *buena onda.*

— que desagrada, que disgusta, que molesta: *mala onda.*

— comportarse alguien de modo desagradable, ofensivo o agresivo: *echar mala onda, echar mala vibra.*

ondina Ser fantástico o espíritu de las aguas, según las mitologías germánica y escandinava. ☞ **sirena, náyade, nereida.**

oneroso, -sa 1. Molesto o difícil de sobrellevar. ☞ **desventajoso.** ❖ PROVECHOSO.

— *Los trámites burocráticos son siempre onerosos.*

2. Que causa gastos considerables. ☞ **costoso.** ❖ BARATO.

— *La escrituración del terreno es un trámite oneroso.*

ónice Piedra lisa del grupo de las ágatas, de varios colores, que se emplea en la elaboración de objetos de arte y decoración. ☞ **ónix, onique.**

— que es de ónice: *oniquino.*

onírico, -ca Que pertenece a los sueños o se relaciona con ellos.

— adivinación por medio de la interpretación de los sueños: *oniromancia.*

ónix ☞ **ónice, onique.**

onomancia u onomancía Método supersticioso por el cual se trata de adivinar el futuro de una persona por medio de su nombre.

onomatopeya 1. Palabra que se forma mediante la imitación del sonido de la cosa a la cual se refiere.

— *Guau, guau, es la onomatopeya del ladrido de los perros.*

2. Imitación del sonido característico de algo.

— *"De pronto ¡pum! explotó la bomba", aunque la onomatopeya puede ser también, ¡pom!, ¡bum!, etc.*

— que pertenece a la onomatopeya o se relaciona con ella: *onomatopéyico.*

— onomatopeyas que imitan sonidos de animales: *guau, miau, grrr, pío pío, meee.*

— onomatopeyas de sonidos de golpe o caída: *pum, pas, bum, pom, chas, cataplún, púmbatelas.*

— onomatopeyas de sonidos mecánicos: *tic tac, traca traca, chaca chaca, triqui triqui.*

— onomatopeyas de sonidos musicales: *tilín tilín, tarará, tururú, rataplán, talán.*

ontogenia Desarrollo individual, independiente de la especie a la cual pertenece, de cualquier ser vivo desde el momento de su concepción hasta alcanzar el grado máximo de formación. ☞ **ontogénesis.**

— que pertenece al desarrollo de cada ser vivo o se relaciona con este fenómeno: *ontogenético.*

ontología Parte de la metafísica que estudia las características y los atributos del ser en general.

— que pertenece a la ontología o se relaciona con ella: *ontológico.*

— persona que conoce y estudia la ontología: *ontólogo.*

onza Medida de peso equivalente a 28.7 gramos.

onzavo, -va Undécimo. ☞ **onceno, onceavo.**

opacar 1. Quitar brillo o luminosidad. ☞ **oscurecer.**

— *El pintor opacó la brillantez del cuadro al poner tanto negro en el fondo.*

— que no permite el paso de la luz, no la refleja o no tiene brillo: *opaco.*

— calidad de sombrío: *opaco.*

2. Restar importancia, relevancia o méritos a algo o alguien.

— *El éxito que obtuvo el ganador de la competencia opacó el esfuerzo de sus compañeros.*

— de manera oscura: *opacadamente.*

— a escondidas, secretamente: *opacadamente.*

— confuso: *opaco.*

— triste, deslucido, melancólico, sobre todo al hablar de personas o acontecimientos: *opaco.*

opado, -da 1. Presumido, tratándose de personas. ☞ **engreído.** ❖ HUMILDE.

— *Desde que se ganó el premio, se ha vuelto un opado.*

2. Afectado, cuando se habla del lenguaje. ❖ SENCILLO.

— *Es muy mal orador, usa un lenguaje opado.*

opalescente Que parece ópalo o está irisado como él. ☞ **iridiscente, tornasolado, opalino.**

— piedra muy usada en joyería, de lustre resinoso y de diversos colores: *ópalo.*

— que se relaciona con el ópalo: *opalino.*

— reflejo de ópalo o de cualquier objeto que semeja al ópalo: *opalescencia.*

— que parece de ópalo: *opalescente.*

— hacer que un objeto adquiera un aspecto opalino: *opalizar.*

— ópalo de reflejos rojizos y amarillentos: *ópalo de fuego.*

— ópalo azul claro o amarillo con coloración rojiza: *ópalo girasol.*

— ópalo casi transparente con coloraciones interiores diversas: *ópalo noble.*

opción 1. Libertad para elegir. ☞ **elección.** ❖ OBLIGACIÓN.

— *En las democracias los ciudadanos tienen la opción de escoger a sus gobernantes.*

2. Elección.

— *Había varias posibilidades, mi opción fue la que se presentó en último lugar.*

— relativo a la opción: *opcional.*

ópera Drama lírico acompañado de música cuyo texto es cantado en su totalidad. En la ópera intervienen todas las artes: la literatura, el teatro, la música, la danza y las artes plásticas.

— *Vestí de gala para ir a la ópera.*

— drama lírico ligero y alegre, con alguna parte declamada: *ópera bufa, ópera cómica.*

— drama lírico de origen francés, frívolo y divertido: *opereta.*

— drama lírico español, con partes declamadas: *zarzuela.*

— que pertenece a la ópera o se relaciona con ella: *operístico.*

operar 1. Realizar ciertas acciones o movimientos con algo o sobre algo buscando algún resultado o propósito. ☞ **obrar, ejecutar, producir.**

— *Para lograr mayor productividad operaron cambios básicos.*

— que obra y logra un efecto: *operativo.*

— acción y resultado de operar: *operación.*

— telegrafista: *operadora.*

2. Abrir, hacer una encisión en alguna parte del cuerpo humano o animal a fin de corregir el funcionamiento de un órgano o de un conjunto de órganos.

— *A este paciente lo operaron del corazón.*

— intervención quirúrgica: *operación.*

— que puede llevarse a cabo: *operable.*

— enfermo cuyo mal puede solucionarse por medio de una intervención quirúrgica: *operable.*

— enfermo que ha pasado por una operación médica: *operado.*

— obrero: *operador.*

— trabajador: *operario.*

— telefonista: *operadora.*

— persona que maneja una máquina cinematográfica: *operador, cácaro.*

— negociación con valores o mercancías: *operación mercantil, operación comercial, operación financiera.*

— conjunto de acciones bélicas para obtener un objetivo: *operación militar.*

— especulación con valores en las casas de bolsa: *operación de bolsa.*

— ejecución de un cálculo matemático: *operación matemática.*

— operaciones matemáticas fundamentales: *suma, resta, multiplicación y división.*

opereta Drama lírico en un solo acto, frívolo y divertido. ☞ **ópera.**

opiáceo, -a 1. Que en su composición se incluye el opio. ☞ **estupefaciente, droga.**

— *Las pruebas de laboratorio revelaron que los traficantes llevaban drogas opiáceas.*

2. Que calma, que tiene los mismos efectos que el opio.

— *El médico recetó opiáceos para los dolores del enfermo.*

— jugo que se extrae de las adormideras secas y se usa como narcótico: *opio.*

— hierbas secas de las adormideras que se mastican o fuman, provocando alucinaciones; su uso continuo causa adicción: *opio.*

— extracto de las adormideras que se usa en algunos tratamientos médicos como analgésico o somnífero: *opio.*

— adicción al opio: *opiomanía.*

— persona que no puede resistirse al consumo de opio: *opiómano.*

— compuesto con opio: *opiado.*

— compuesto farmacéutico que contiene opio: *opiata.*

— compuesto farmacéutico sin opio, pero que contiene otro tipo de sustancias además de mieles y jarabes: *opiata.*

opilación 1. Supresión del flujo natural de materias sólidas, líquidas o gaseosas a través de cualquier conducto del organismo. ☞ **obstrucción.**

— *Sufría de fuertes dolores de cabeza, debido a una opilación de los conductos que irrigan el cerebro.*

— que impide el flujo normal de materias líquidas, sólidas o gaseosas: *opilativo.*

2. Supresión del flujo menstrual. ☞ **amenorrea, clorosis.**

— *Tuvo que ir al ginecólogo debido a una persistente opilación.*

— contraer amenorrea, dejar de tener flujo menstrual: *opilar.*

3. Acumulación de flujo de textura cerosa en alguna cavidad del cuerpo o de los tejidos. ☞ **obstrucción.**

— *No oía bien, pues tenía una opilación en los oídos.*

— atascar, obstruir, cerrar el paso: *opilar.*

opinión Juicio o concepto que se tiene acerca de alguien o de algo. ☞ **pensamiento, dictamen, criterio.**

— pronunciar una idea sobre algo: *opinar.*

— conjeturar: *opinar.*

— que expresa sus ideas: *opinante.*

— que es discutible, que puede defenderse o atacarse: *opinable.*

— según el parecer de alguien: *en opinión de...*

— tener buena reputación entre un grupo de personas: *gozar de buena opinión.*

— expresión del sentir general de una comunidad: *opinión pública.*

— aferrarse a una idea: *casarse con una opinión.*

— tendencia hacia donde se dirige el sentir general de una comunidad: *corriente de opinión.*

— grupo de creyentes que se opuso al papado de Paulo II, ya que éste no observaba los votos de pobreza que la fe cristiana exige a sus servidores: *opinionistas.*

opíparo Abundante, espléndido o sabroso cuando se habla de comida. ☞ **suculento, pródigo.** ❖ POBRE, MALO.

— de manera opípara: *opíparamente.*

oploteca Museo o galería que conserva todo tipo de armas por su interés artístico, histórico o técnico. ☞ **armería.**

oponer 1. Enfrentar una cosa, situación o persona a otra, a fin de estorbar o impedir la acción de una a la otra. ☞ **obstaculizar.** ❖ PERMITIR.

— *Los partidos políticos se oponían a las propuestas de ley.*

— acción y resultado de oponer: *oposición.*

— que se opone: *opositor.*

2. Estar o poner una cosa frente a otra de modo que destaquen sus diferencias.

— *Mi piel blanca opuesta a la tuya se ve morena.*

3. Ser una cosa contraria a otra, enfrentar uno a alguien o impedir su acción. ☞ **estorbar.** ❖ COOPERAR.

— *Las leyes en contra del aborto se oponen a la libertad de las mujeres.*

— contradicción, resistencia: *oposición.*

— grupos o partidos que en un país se oponen a la política oficial: *oposición.*

— que pertenece a la oposición o se relaciona con ella: *oposicionista.*

— enfrentamiento por medio del cual una serie de candidatos compiten por un puesto académico: *concurso de oposición.*

— aspirante a un cargo o empleo por oposición o concurso: *opositor.*

— hacer oposiciones a un cargo o empleo: *opositar.*

— músculos del pulgar y del meñique que permiten su movimiento: *oponentes.*

— músculo que permite la flexibilidad del dedo menor del pie: *músculo oponente.*

oporto (vea recuadro de bebidas). Vino tinto oscuro y de sabor ligeramente dulce que se fabrica en la ciudad portuguesa del mismo nombre.

oportuno, -na 1. Que sucede en el tiempo y el lugar más favorables y adecuados. ☞ **correcto.** ❖ INOPORTUNO, INADECUADO.

— *La llegada de las lluvias fue lo más oportuno que pudo ocurrirle a la región.*

— conveniencia de tiempo y lugar: *oportunidad.*

— convenientemente, favorablemente: *oportunamente.*

2. Que es gracioso y ocurrente al hablar. ❖ INOPORTUNO, DESACERTADO.

— *Él es muy oportuno, siempre le mete cosas chistosas a la plática.*

— sistema económico o político que se adecua a las circunstancias imperantes para beneficiarse de ellas, sacrificando sus valores e ideales: *oportunismo.*

— que pertenece al oportunismo o se relaciona con él: *oportunista.*

— que se caracteriza por ser servicial, puntual, adecuado a las circunstancias, correcto, diligente: *oportuno.*

— que es muy oportuno: *como anillo al dedo, como pintado, ni mandado a hacer, como llovido del cielo.*

opoterapia Método curativo que consiste en la utilización de tejidos animales o de extractos de los mismos para combatir diversos males del organismo humano.

— que pertenece a la opoterapia o se relaciona con ella: *opoterápico.*

oprimir 1. Hacer presión sobre algo. ☞ **presionar, apretar.**

— *Oprimí el botón que no debía y ahora no sé cómo regresar la imagen a la televisión.*

— acción y resultado de oprimir: *opresión.*

2. Actuar sobre alguien con autoritarismo, con abuso de poder o de fuerza. ☞ **tiranizar.** ❖ LIBERTAR.

— *Pobre nación, ese general la oprime desde hace mucho tiempo.*

— que hace uso de la fuerza, generalmente con violencia y autoritarismo: *opresor.*

— que ejerce presión sobre algo o alguien: *opresivo.*

— abrumadoramente, pesadamente: *opresivamente.*

— que es víctima de la opresión: *oprimido, opreso.*

— sensación de peso sobre el tórax con dificultad para respirar: *opresión de pecho, opresión en el pecho.*

oprobio Ignominia, deshonra, afrenta.

☞ **vilipendio, afrenta.** ❖ HONRA, HONOR, DIGNIDAD.

— vilipendiar, causar infamia o afrenta: *oprobiar.*

— que causa oprobio: *oprobioso.*

— con desprecio e indignamente: *oprobiosamente.*

optación Figura retórica mediante la cual se expresa el deseo vehemente de lograr, o de que ocurra algo. ☞ **execración, imprecación.**

— seleccionar una cosa entre varias: *optar.*

— obtener algún puesto o nombramiento al que es merecedor: *optar.*

— oraciones que expresan deseos: *oraciones optativas.*

óptica 1. Parte de la física que estudia los fenómenos relacionados con la luz y la visión.

— *Se especializa en óptica desde hace tres años.*

— que pertenece a o se relaciona con el estudio de la luz y la visión: *óptico.*

— disciplina que estudia la propagación de los rayos catódicos: *óptica electrónica.*

— disciplina que estudia los movimientos ondulatorios de la luz: *óptica física.*

— disciplina que estudia los órganos de la visión: *óptica fisiológica.*

— ciencia que estudia la propagación rectilínea de la luz: *óptica geométrica.*

— que pertenece al ojo o se relaciona con él: *óptico, ocular.*

— nervio que une a un ojo con el encéfalo: *nervio óptico.*

— estudio de las imágenes permanentes en la retina: *optografía.*

— que pertenece a la optografía o se relaciona con ella: *optográfico.*

— aparato que transforma las ondas lumínicas en sonoras y permite de esta manera que los ciegos puedan distinguir entre la oscuridad y la luz: *optófono.*

— ciencia que estudia simultáneamente los fenómenos físicos y fisiológicos de la luz: *optometría.*

— especialista en optometría: *optómetra, optometrista.*

— aparato utilizado para medir la visión y detectar la dirección de los rayos luminosos del ojo: *optómetro.*

— impreso con letras de distintos tamaños empleado para determinar la calidad de visión de una persona: *optotipo.*

2. Local comercial especializado en la venta de lentes y revisión médica de los ojos.

— *Voy a ir a la óptica a recoger mis nuevos anteojos.*

3. Punto de vista, perspectiva.

— *Desde su óptica ¡todo es fácil!*

optimista 1. Que siempre encuentra el lado favorable a las cosas, que confía en la gente y en el buen resultado de lo que emprende. ❖ PESIMISTA.

— *Aunque tiene cáncer, sigue siendo el mismo optimista de siempre.*

— tendencia a encontrar lo positivo o lo favorable a todo: *optimismo.*

— que no puede ser mejor de lo que ya es: *óptimo.*

— con perfección: *óptimamente.*

2. Que se adhiere a las tesis filosóficas del optimismo.

— *Ella siempre analiza todo desde una posición optimista.*

— doctrina filosófica que postula que el mundo y el universo son una creación perfecta: *optimismo.*

opugnar 1. Oponerse con violencia a algo. ☞ **refutar, rechazar, contradecir.** ❖ ACEPTAR.

— *La asamblea opugnaba contra quienes censuraban la homosexualidad.*

— que se opone con violencia a algo: *opugnante, opugnador.*

— oposición violenta: *opugnación.*

— refutación por la fuerza de argumentos: *opugnación.*

2. Combatir un ejército o tratar de obtener un objetivo militar. ☞ **atacar.**

— *Los soldados opugnaban a los adversarios.*

opulencia 1. Abundancia de bienes materiales. ☞ **riqueza, prosperidad.** ❖ POBREZA, MISERIA.

— *Esa familia vive en la opulencia.*

2. Sobreabundancia de cualquier cosa. ☞ **desbordamiento, abundancia.** ❖ ESCASEZ.

— *Su generosidad y su cariño no conocen sino la opulencia.*

— que tiene exceso de riqueza o abundancia de algo: *opulento.*

— con opulencia: *opulentamente.*

opus Palabra latina que significa obra; se usa para catalogar, numéricamente, las obras de un compositor en el orden en que fueron creadas.

— agrupación religiosa que busca en sus miembros la perfección en todos los aspectos, no viven en comunidad y el celibato no es una regla observable; se dirige, básicamente, a los grupos intelectuales y adinerados; fue establecida por el español José María Escrivá, en 1928: *Opus Dei.*

opúsculo Obra breve de tipo científico o literario. ☞ **folleto, ensayo.**

— que pertenece al opúsculo o se relaciona con él: *opuscular.*

— conjunto de trabajos científicos o literarios breves: *opusculario.*

oquedad 1. Espacio vacío en un cuerpo sólido. ☞ **hueco, cavidad, depresión, abertura.**

— *Tengo que ir al dentista, porque tengo una oquedad en una muela.*

2. Insustancialidad de lo que se dice o se escribe.

— *Este escritor es muy malo, sus textos están llenos de oquedades.*

oquis (de oquis) Gratis, de balde.

ora 1. Aféresis de "ahora".

— *Ora se queda, ora chilla, ora quiere venir.*

2. Expresión popular que equivale a ¡cuidado!, ¡atención!, ¡qué pasó!, etc.

— *¡Ora! ¡No empujen!*

oración 1. Rezo dirigido a cualquier divinidad como súplica o alabanza. ☞ **letanía, plegaria.** ❖ BLASFEMIA.

— *Entonemos una oración para celebrar a la virgen María.*

— rezar: *orar.*

— libro que contiene una serie de oraciones o habla de ellas: *oracional.*

— iglesia: *casa de oración.*

2. Unidad de la lengua que tiene un significado completo; formalmente siempre tiene un verbo conjugado. ☞ **proposición, enunciado.** ❖ FRASE.

— *El complemento circunstancial puede ser parte del predicado de algunas oraciones.*

— que pertenece a la oración o se relaciona con ella: *oracional.*

— partes de la oración gramatical: *sujeto, verbo y predicado.*

oráculo 1. Respuesta que da directamente Dios o sus ministros a las peticiones y súplicas de los fieles cristianos. ☞ **predicción, profecía, designio.**

— *Los oráculos divinos son incuestionables.*

2. Respuesta que en la antigüedad daban los dioses a través de los adivinadores o sacerdotes. ☞ **predicción, adivinanza, designio.**

— *El rey Edipo consultó el oráculo en varias ocasiones.*

3. Persona sabia, cuyo parecer es casi irrebatible, generalmente se usa en sentido irónico. ☞ **sabio.** ❖ IGNORANTE.

— *Los alumnos decidieron consultar con su oráculo particular las cuestiones que los preocupaban.*

4. Lugar o estatua que representa a la divinidad a que se consulta o pide consejo.

— *En los dramas de la antigua Grecia, se consultaba generalmente el oráculo de Delfos.*

— que pertenece al oráculo o se relaciona con él: *oracular.*

— misterioso: *oracular.*

oral 1. Que pertenece a la boca o se relaciona con ella.

— *Esta medicina debe de tomarse por vía oral.*

2. Que se expresa verbalmente, que emplea la lengua hablada. ☞ **verbal.**

— *El director dio respuesta oral a nuestras peticiones.*

— verbalmente: *oralmente.*

— conjunto de leyendas y conocimientos que se transmiten de generación a generación de manera hablada: *tradición oral.*

orar 1. Hacer oración a Dios. ☞ **rezar.** ❖ BLASFEMAR.

— *En la iglesia oraron por el descanso del alma del difunto.*

2. Pronunciar en público un discurso o cualquier otra clase de texto.

— *En presencia de los representantes de los partidos políticos, esa mujer oró.*

— persona que pronuncia un discurso: *orador.*

— arte de saber hablar para deleitar, conmover o convencer por medio de la palabra: *oratoria.*

orario Especie de estola grande y ricamente adornada que usa el Papa.

orate 1. Persona que ha perdido la razón. ☞ **loco, demente, alienado.** ❖ CUERDO.

— *Un orate huyó de la clínica.*

2. Persona que no es muy juiciosa. ☞ **chiflado, tocado, imprudente, atolondrado.**

— *Déjalo, no le hagas caso, está medio orate.*

oratorio 1. Lugar para rezar y rendir culto a Dios, entre los cristianos. ☞ **iglesia, templo.**

— *Las monjas están de momento en el oratorio y no pueden ser interrumpidas.*

2. Capilla privada que había en algunas casas particulares.

— *En ese palacio hay un oratorio en donde antiguamente se decía la misa.*

3. Composición musical de temática religiosa.

— *La sinfónica tocará un oratorio este sábado.*

orbe 1. Redondez o círculo. ☞ **esfera.**

— *Dibujó varios orbes de distintos tamaños y colores.*

— redondo o circular: *orbicular.*

— circularmente: *orbicularmente.*

2. Conjunto de todo lo creado, mundo.

— *No hay nada en el orbe que iguale tu belleza ni mi cariño.*

3. Esfera celeste o terrestre.

— *Una gran cantidad de animales de diversas especies habitan el orbe terrestre.*

órbita 1. Trayectoria, generalmente elíptica, que recorre un cuerpo o partícula alrededor de un centro. ☞ **camino, trayectoria.**

— *La Tierra describe una órbita alrededor del Sol.*

2. Cada una de las dos cavidades formadas por los huesos de la cabeza en donde se encuentran los ojos. ☞ **cuenca.**

— *En esa calavera de azúcar pusieron flores en las órbitas.*

— parecer los ojos estar salidos de sus órbitas a causa del espanto, el enojo, la sorpresa, etc.: *tener los ojos desorbitados.*

3. Espacio en donde se expande la influencia de una persona, idea, situación, tendencia. ☞ **demarcación, terreno, sector, extensión, perímetro.** ❖ CENTRO, NÚCLEO, FOCO.

— *La música africana tomó órbita en el Caribe.*

— que pertenece a la órbita o se relaciona con ella: *orbital, orbitario.*

orcina Sustancia que se extrae de los líquenes y se combina con amoniaco y cal viva; sirve de colorante.

— orcina que se extrae de la orchilla: *orcina roja.*

— orcina extraída de la orcaneta: *orcanetina roja.*

— orcina extraída de la lecanora: *orchilla de Suecia.*

órdago (de) De excelente calidad. ☞ **superior, inmejorable.** ❖ MALO.

orden 1. Modo en que se arreglan o disponen varios elementos de acuerdo con un criterio determinado. ☞ **sucesión, arreglo.** ❖ DESORDEN.

— *Los libros se encuentran en orden alfabético por apellido de autor.*

— poner en orden algo: *ordenar.*

— susceptible de ponerse en orden: *ordenable.*

— disposición de acuerdo con un orden: *ordenación.*

— que pone en orden las cosas: *ordenador, ordenante.*

— acción y resultado de poner en orden algo: *ordenamiento.*

— como corresponde, en regla, como se debe: *en orden*

— según cierto criterio o regla: *en orden.*

— sucesión de asuntos por tratar en

una asamblea, reunión, etc.: *la orden del día, el orden del día.*

— que tiene orden, que hace las cosas con cuidado: *ordenado.*

2. Funcionamiento correcto de algo, comportamiento normal. ☞ **paz, disciplina.** ❖ CAOS, ALBOROTO.

— *Durante el concierto no hubo problemas, todo sucedió en orden.*

3. Posición normal o invariable entre los elementos de un conjunto.

— *Dijo los nombres de todos los planetas del sistema solar, empezó con Mercurio y siguió el orden que tienen respecto del Sol.*

4. Grado o nivel de importancia, calidad, magnitud, etc.

— *Se las da de gran artista, pero es de segundo o tercer orden.*

5. Clasificación biológica de los animales y las plantas que se encuentra entre la clase y la familia.

— *Los hombres pertenecemos al orden de los omínidos.*

6. Expresión de la voluntad de alguien con autoridad para que alguien haga algo o se comporte de determinada manera.

— *Tiene una manera de dictar órdenes que es muy desagradable.*

— pedir que algo se realice, mandar: *ordenar, dar órdenes.*

— hacer que se conozcan ciertos mandatos: *circular órdenes.*

— llamar la atención, solicitar disciplina, organizar: *meter en orden, llamar al orden, poner en orden.*

7. Grupo de personas, entre los católicos, que compone una institución religiosa, la cual observa ciertas reglas.

— *San Ignacio de Loyola fundó una orden de religiosos.*

— otorgar un grado religioso: *ordenar.*

— recibir un grado religioso: *ordenarse.*

— acción y resultado de ordenar u ordenarse: *ordenación.*

— persona que recibe los hábitos durante la ordenación: *ordenante, ordenado.*

— conjunto de los cargos que se dan a los miembros de la Iglesia católica: *orden sagrada.*

— nombramientos del orden sagrado: *ostiario, lector, exorcista, acólito, subdiácono, diácono y sacerdote.*

8. Honor que se confiere a una persona y mediante el cual se le hace miembro de un grupo selecto. ☞ **condecoración, distinción.**

— *Está muy contento ya que por sus escritos le han conferido la Orden Simón Bolívar.*

9. Pedido de los platillos que uno desea comer en un restaurante y cada porción de cada uno de ellos.

— *Me trae dos órdenes de pastel azteca.*

10. Documento mediante el cual alguien se obliga a cumplir algo o adquiere derechos para hacer algo.

— *Tengo que recoger la orden de pago para dársela a mi prima.*

— expresión de saludo entre militares, acompañada de cierto movimiento corporal y que puede expresar la situación de subordinación de quien la enuncia: *¡a la orden!*

— en situación de subordinación u obediencia respecto de alguien: *ponerse a las órdenes de...; estar bajo las órdenes de...*

— expresión de cortesía mediante la cual una persona se pone a disposición de alguien: *a sus órdenes, a tus órdenes.*

— estar a la moda, al uso: *estar al orden del día.*

— alborotar, causar disturbios sociales: *alterar el orden público.*

— persona que da órdenes: *ordenador, ordenante.*

— conjunto breve de leyes que se expiden sobre algún asunto: *ordenamiento.*

ordenanza 1. Método u orden con que se ejecutan las cosas. ☞ **disposición, precepto.**

— *Si seguimos las ordenanzas podremos irnos más rápido a casa.*

2. Conjunto de preceptos o reglamentos en relación con una materia. ☞ **estatuto, régimen, ley.**

— *El abogado piensa que es mejor seguir las ordenanzas del código penal para este caso.*

3. Soldado que está al servicio de un oficial.

— *El comandante tiene cuatro ordenanzas, quienes le organizan sus tareas cotidianas.*

— que sigue al pie de la letra las ordenanzas: *ordenancista.*

ordeñar Extraer la leche de las vacas y algunos otros mamíferos exprimiendo la ubre.

— acción y resultado de ordeñar: *ordeña.*

— persona que ordeña: *ordeñador.*

— instalación mecánica que ordeña vacas: *ordeñador.*

— vasija donde se recolecta la leche: *ordeñadero.*

— sitio en donde se ordeña: *ordeñadero.*

ordinal Que pertenece al orden o se relaciona con él; tratándose de núme-

ros, que indica el orden o la colocación en una serie.

ordinario, -ria 1. Que sucede con regularidad o que no tiene nada que lo haga especial. ☞ **común, regular, habitual, acostumbrado.** ❖ RARO, ESCASO, EXTRAORDINARIO.

— *Es ordinario que muchos turistas lleguen a este puerto.*

2. Vulgar, grosero, sin educación, cuando se habla de personas. ☞ **bajo, lépero.** ❖ EDUCADO, CULTO.

— *Es tan ordinario que no debería hablar en público.*

— groseramente: *ordinariamente.*

— individuo inculto y grosero: *ordinariote.*

3. Corriente, vulgar, cuando se habla de algo. ☞ **corriente.** ❖ SUPERIOR.

— *El corte del vestido es muy bueno, pero la tela es de lo más ordinario que hay.*

— situación, suceso, cosa vulgar: *ordinariez.*

— con frecuencia: *de ordinario.*

— frecuentemente: *ordinariamente.*

orear 1. Sacar algo al aire con el propósito de que se seque, se refresque o se le quiten los malos olores. ☞ **airear, ventilar.** ❖ CERRAR.

— *Abrió todas las puertas y ventanas y oreó su casa.*

2. Salir a tomar el aire.

— *¡Trabajas en este sótano! Oréate un poquito.*

— salir de paseo: *darse una oreada.*

oreja 1. Parte externa del órgano del oído. ☞ **oído.**

— *La oreja se compone de cuatro partes: hélice, trago, lóbulo y concha.*

— mover un animal las orejas: *orejear.*

— persona que tiene el pabellón de las orejas muy desarrollado: *orejón, orejudo.*

— cada una de las dos piezas de una gorra que sirven para cubrir las orejas: *orejeras.*

— especie de aretes que los indígenas se colocaban en los lóbulos de las orejas: *orejeras.*

— poner atención: *aguzar las orejas, parar las orejas.*

— reprimenda: *jalón de orejas.*

2. Agarradera, asa de una olla, de una vasija.

— *Esa cazuela está muy caliente, mejor agárrala por las orejas.*

3. Pieza de pan dulce, hecha con masa de hojaldre, de forma semejante a la de las orejas humanas. ☞ **orejón.**

— trozo de fruta secado al sol: *orejón.*

orfandad 1. Estado del que ya no tiene padre o madre o a ninguno de los dos.

— *Ha salido adelante, a pesar de que desde muy chico se quedó en la orfandad.*

2. Falta de ayuda en que se encuentra una persona, una causa o actividad. ☞ **abandono, desamparo.**

— *El sistema educativo ha dejado en la total orfandad a las escuelas rurales.*

— el que se encuentra en estado de orfandad: *huérfano.*

— casa para huérfanos: *orfanatorio, orfelinato.*

orfebre Persona que se dedica al trabajo artístico de la plata, el oro u otros metales preciosos y hace joyas con ellos.

— arte de hacer joyas a base de oro y de plata: *orfebrería.*

orfeón Sociedad de cantantes que se dedican a interpretar música coral, sin acompañamiento de instrumentos musicales.

— persona que es parte de un orfeón: *orfeonista.*

— que pertenece a un orfeón o se relaciona con él: *orfeónico.*

organdí Tela de algodón muy delgada y transparente, que se utiliza normalmente para confeccionar vestidos femeninos.

organicismo Doctrina médica que atribuye las enfermedades a la lesión material de un órgano.

— que se adhiere a esta doctrina: *organicista.*

orgánico, -ca 1. Que pertenece a o se relaciona con los seres vivos, animales o vegetales, y las partes que los componen. ☞ **biológico.** ❖ INORGÁNICO.

— *Está estudiando la constitución orgánica de los ocelotes, para conocer las causas de sus enfermedades.*

2. Que tiene una estructura interna formada por varias partes que funcionan en un todo. ☞ **organizado.** ❖ CAÓTICO, DESORDENADO, DESORGANIZADO.

— *La empresa trabaja muy bien, pues se conduce de manera orgánica.*

3. Que se especializa en los compuestos del carbono con otros elementos como el nitrógeno, hidrógeno, oxígeno, etc., tratándose de la química. ❖ INORGÁNICO.

— *Está realizando un posgrado en química orgánica..*

organigrama Representación gráfica de la estructura y organización de una empresa, corporación, institución educativa, etc.

organillero, -ra Persona que va por las calles ejecutando el organillo y por hacerlo solicita dinero a los transeúntes.

— especie de órgano portátil que se toca por medio de un manubrio: *organillo, pianola*.

organista Persona que ejerce el arte de tocar el órgano.

— individuo que construye, repara y afina órganos: *organero*.

— que pertenece al órgano o se relaciona con él: *organístico*.

organización 1. Acto de organizar algo para lograr un objetivo. ☞ **estructura, estructuración, coordinación.** ❖ DESORGANIZACIÓN, ANARQUÍA.

— *Los vecinos necesitan de una buena organización para poder defender sus derechos.*

— poner en orden, ejecutar o preparar algo: *organizar*.

— persona que prepara algún tipo de evento: *organizador*.

— sistemático y ordenado en sus tareas: *organizado*.

2. Conjunto de elementos que forman un todo y su funcionamiento. ☞ **ordenación.** ❖ DESORGANIZACIÓN, DESORDENADO.

— *Esta cafetería atiende muy bien a sus clientes, debido a la excelente organización.*

3. Conjunto de personas que tienen intereses similares o realizan una función en común. ☞ **sindicato, grupo, organismo.**

— *En la fábrica textil los obreros tienen una organización que defiende sus derechos.*

órgano 1. Parte de un ser viviente que cumple una función específica dentro del cuerpo.

— *El tallo, las hojas, la raíz son órganos de una planta.*

— conjunto de órganos de un cuerpo animal o vegetal: *organismo*.

— ser viviente: *organismo*.

— parte de la biología que estudia el desarrollo y formación de los órganos de los seres vivos: *organogenia*.

— sustancias que se producen de la actividad de los órganos: *sustancias organogénicas, sustancias organogenéticas*.

— biólogo que se especializa en el desarrollo y formación de los órganos: *organogenista*.

— que pertenece a o se relaciona con el estudio de los órganos: *organográfico*.

2. (vea ilustración de la p. 491). Instrumento musical de viento, produce sonidos por medio del aire que se comprime a través de varios tubos de distintos tamaños y tiene uno o varios pedales y teclados.

— persona que ejerce el arte de tocar el órgano: *organista*.

— individuo que construye, repara y afina órganos: *organero*.

— que pertenece al órgano o se relaciona con él: *organístico*.

3. Agrupación que realiza una actividad determinada. ☞ **organismo.**

— *Esa dependencia es un órgano del Estado.*

— conjunto de normas que rigen un cuerpo o institución: *organismo*.

— conjunto de dependencias que forman una institución: *organismo*.

4. Medio por el cual se comunica algo a alguien, como la televisión, la radio, el periódico. ☞ **medio.** ❖ ORGANISMO.

— *Este periódico es el órgano oficial de nuestra agrupación ecologista.*

— parte de la zoología y la botánica que describe los órganos de animales o vegetales: *organografía*.

orgasmo Grado máximo de excitación y placer durante el acto sexual. ☞ **clímax.**

orgía 1. Celebración donde se excede en el comer y el beber. ☞ **francachela, juerga, reventón.**

— *La noche de año nuevo fue una verdadera orgía: todos comimos y bebimos hasta más no poder.*

2. Satisfacción desenfrenada de cualquier deseo, apetito o pasión.

— *Sin pensarlo más se entregó a la orgía de mirar los ojos del amado.*

— que pertenece a la orgía o se relaciona con ella: *orgiástico*.

orgullo 1. Sentimiento de sobreestimación que tiene una persona de sí misma. ☞ **altivez, arrogancia, soberbia, vanidad.** ❖ HUMILDAD, SENCILLEZ, MODESTIA.

— *No creas ni la mitad de lo que dijo, tiene un orgullo tan grande que no acepta no haber tenido la razón.*

2. Sentimiento por el cual una persona o un grupo de personas, experimenta un alto grado de estimación propia a causa de lo que han realizado mediante el trabajo.

— *Su orgullo se basa en los logros que ha alcanzado en su desempeño profesional.*

— que tiene orgullo: *orgulloso*.

— razón o acción que causa honor y placer: *motivo de orgullo*.

— acrecentar el orgullo o tener motivos para estar orgulloso: *orgullecerse, enorgullecerse*.

oribe Artesano que trabaja el oro. ☞ **orífice.**

orientar 1. Colocar algo en una posición determinada con respecto a los puntos cardinales. ☞ **situar, emplazar.** ❖ DESORIENTAR.

— *El ingeniero orientó el edificio para que le dé suficiente luz.*

2. Determinar la posición de uno mismo, de una región o de una cosa respecto de algo. ❖ DESORIENTAR.

— *El explorador se orientó y así llegó al poblado más próximo.*

3. Dirigir algo o a alguien por cierta ruta o hacia un fin determinado. ☞ **guiar, llevar, encauzar.** ❖ CONFUNDIR.

— *El guía nos orientaba a través de la zona arqueológica.*

4. Informar para que se realice algo adecuadamente.

— *Los orientaron acerca de los requisitos para obtener la beca.*

— acción y resultado de orientar: *orientación*.

orificar Tapar con oro las cavidades, producto de las caries, en muelas y dientes.

— acción y resultado de orificar: *orificación*.

— susceptible de ser rellenado con oro: *orificable*.

— instrumento que se utiliza para orificar: *orificador*.

orificio 1. Cualquier agujero pequeño, natural o artificial, que atraviesa algo de un lado a otro. ☞ **abertura, boca, boquete, hueco.**

— *El aparato trae dos orificios para conectarlo al cableado eléctrico.*

2. Cualquier abertura de algunos conductos o cavidades del cuerpo.

— *Tuvieron que introducirle una sonda por los orificios de la nariz para que pudiera respirar.*

origen 1. Momento, lugar o fenómeno en que comienza a existir cualquier cosa o suceso. ☞ **inicio, génesis, comienzo, nacimiento.** ❖ FIN, TÉRMINO, CONCLUSIÓN, CONSUMACIÓN.

— *El pleito tuvo su origen en una cantina y continuó en la calle.*

2. Lugar de donde proviene algo o alguien. ❖ DESTINO, FIN.

— *Estos productos son de origen húngaro.*

3. Condición social de una persona. ☞ **estirpe, cuna, casta, linaje, extracción.**

— *A pesar de ser de un origen muy humilde, él se hizo millonario.*

4. Motivo o causa por la que sucede algo. ☞ **fundamento, cimiento, fuente.** ❖ EFECTO, REACCIÓN, CONSECUENCIA.

órgano

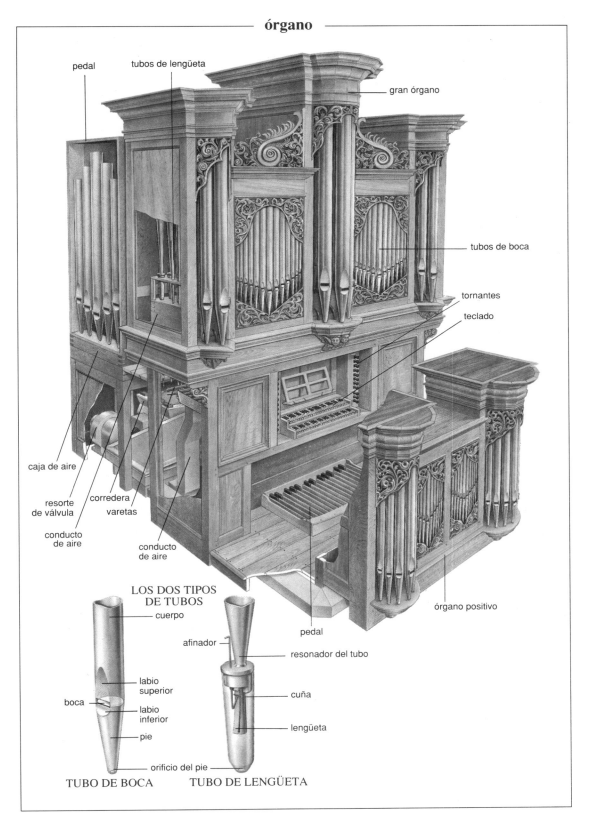

pedal

tubos de lengüeta

gran órgano

tubos de boca

tornantes

teclado

caja de aire

resorte de válvula

corredera

varetas

conducto de aire

conducto de aire

pedal

órgano positivo

LOS DOS TIPOS DE TUBOS

cuerpo

afinador

resonador del tubo

labio superior

boca

labio inferior

cuña

lengüeta

pie

orificio del pie

TUBO DE BOCA

TUBO DE LENGÜETA

— *En muchas ocasiones, la infideli-dad es el origen del divorcio.*

— dar inicio o causar algo: *originar.*

— que principia algún suceso o actividad: *originador.*

— que da origen a algo: *originario.*

— que tiene su origen en algún lugar: *originario, oriundo.*

— tener su principio, comienzo o causa en algo: *originarse.*

— inicialmente, al principio, desde su nacimiento: *originalmente.*

— que proviene de determinado momento o lugar, que es así desde su nacimiento: *de origen.*

original 1. Que se relaciona con el origen de algo, que existe desde su principio o nacimiento. ☞ **inicial, fundamental.** ❖ FINAL.

— *La torre es parte de la construcción original; pero otras partes del castillo fueron reconstruidas.*

2. Que es producto del ingenio humano y no imita algo anterior. ☞ **singular, inimitable.** ❖ COPIA, COMÚN.

— *La literatura de Juan Rulfo es totalmente original ya que no se asemeja a la de los demás escritores de su generación.*

3. Obra o producto que procede del ingenio de alguien y que no es copia ni imitación.

— *Esta pintura del Pico de Orizaba es bonita, aunque me gusta más el original.*

4. Que acontece con poca frecuencia, que no es común. ☞ **inusitado, raro, extraño, insólito, infrecuente.** ❖ RUTINARIO, COMÚN.

— *La perestroika es un hecho original, que ni los propios rusos se esperaban.*

— calidad de original: *originalidad.*

5. Documento o escrito del cual se sacan copias.

— *El dramaturgo nos facilitará el original de su nueva pieza para que saquemos copias y empecemos los ensayos.*

6. Texto que se da a una imprenta para su producción en serie. ❖ COPIA, EJEMPLAR.

— *El original de la novela ya está en la tipografía para su reproducción.*

7. Texto literario que se lee en la lengua en que fue escrita por su autor.

— *Nos tenemos que conformar con leer a Jean Genet en malas traducciones, mientras que tu esposa puede disfrutarlo en el original.*

orilla 1. Borde de cualquier cosa, línea que marca su límite. ☞ **extremo, costado, arista, límite.** ❖ CENTRO.

— *Las orillas de cristal están redondeadas para evitar cortaduras.*

2. Parte de tierra contigua a cualquier río, lago o mar. ❖ **ribera, litoral, playa.**

— *Navegamos toda la tarde por el río y en sus orillas vimos muchas casas de pescadores.*

— mover cualquier cosa al borde de algo: *orillar.*

— llevar a alguien o a algo a una situación extrema, y dejarlo sin posibilidad de hacer otra cosa: *orillar.*

orín Óxido rojizo que se produce en el hierro por la acción de la humedad. ☞ **óxido, herrumbre, moho.**

— que tiene orín y moho: *oriniento.*

orinar 1. Expulsar a través del aparato genitourinario la orina. ☞ **mear, hacer pipí, hacer pis, hacer del uno, evacuar.**

— *Cuando toma mucha cerveza, orina muy seguido.*

— líquido que se expulsa al orinar: *orina, orines, chis, pipí.*

— sistema del organismo que se encarga de expulsar la orina: *aparato genitourinario.*

— vasija pequeña que sirve para recoger la orina: *orinal, pato, bacinica.*

— mueble de baño, generalmente de cerámica, que sirve para recoger la orina: *mingitorio, excusado.*

— tener muchísimo miedo: *orinarse de miedo.*

— tener muchísima risa: *orinarse de risa.*

2. Expulsar cualquier otro líquido o secreciones por la uretra.

— *Se dio cuenta que estaba realmente enfermo cuando empezó a orinar sangre.*

orive Artesano que trabaja el oro. ☞ **oribe, orífice, orespe.**

orla 1. Orilla de cualquier tela o vestido que se remata de manera especial. ☞ **franja, ribete.**

— *El vestido es muy costoso porque todas las orlas están hechas a mano.*

2. Cualquier adorno que se pone en las orillas de un impreso, retrato, hoja de papel, etc. ☞ **marco, ribete.**

— *La fotografía de la graduación luce muy bien con esas orlas.*

3. Ribete en los escudos heráldicos. ☞ **franja.**

— *Comprobaron que el escudo era falsificado ya que carecía de la respectiva orla.*

— ribetear o adornar algo: *orlar.*

— que orla algo: *orlador.*

— conjunto de adornos que lleva algo: *orladura.*

ornamento 1. Cualquier cosa que sirve para hacer más bello o más atractivo algo. ☞ **adorno, decorado.**

— *El jarrón tiene ornamentos en oro finamente labrados.*

— engalanar o embellecer algo: *ornamentar, ornar.*

— acción y resultado de ornamentar algo: *ornamentación.*

— que se relaciona con el ornamento: *ornamental.*

2. Cualquiera de los objetos que adornan el altar de una iglesia, y también cualquier prenda de las vestiduras que usan los sacerdotes cristianos en el momento de la misa.

— *Los ornamentos del obispo llevaban los colores blanco y oro.*

ornato Adorno excesivo y suntuoso. ☞ **pompa, lujo.**

ornitología Parte de la zoología que se encarga del estudio de las aves.

oro Metal de color amarillo brillante, usado sobre todo en la elaboración de monedas y joyas. Es maleable, pesado, inalterable e inoxidable. Se encuentra de modo natural no mezclado con otros metales.

— artesanos que trabajan el oro: *orebce, oribe, orive, orfebre, orífice.*

— hilos de oro: *orofrés, orifrés, galones.*

— latón que imita al oro: *oropel.*

— cosa de poco valor, que intenta una gran apariencia: *oropel.*

— oro de baja ley: *oro de guañín, oro bajo.*

— oro que no está bruñido: *oro mate.*

— oro puro: *oro coronario, oro obrizo.*

— oro en finísimas hojas: *panes de oro, oro batido.*

— oro en aleación con níquel: *oro blanco.*

— aleación de cuatro partes de oro y una de plata: *oro verde o electro.*

— oro que se encuentra en el cauce de los ríos: *pepitas de oro.*

— mina de oro: *yacimiento aurífero.*

— que tiene mucho valor, que vale mucho o que ha logrado un gran desarrollo: *de oro.*

— petróleo: *oro negro.*

— riqueza maderera: *oro verde.*

— expresión que se usa para explicar que algo es económicamente rentable: *es una mina de oro.*

— aniversario número cincuenta: *aniversario de oro.*

— expresión que indica que una persona es muy estimada por sus cualidades: *vale su peso en oro.*

— expresión que indica que no es aconsejable dejarse llevar por las apariencias: *no todo lo que brilla es oro.*

orografía 1. Parte de la geografía física que se encarga de la descripción de las montañas.

— *El mes pasado me inscribí en un curso de orografía.*

— que pertenece a la orografía o se relaciona con ella: *orográfico.*

— persona especializada en la orografía: *orógrafo.*

— método para calcular la altura de las montañas: *orometría.*

— que pertenece a la orometría o se relaciona con ella: *orométrico.*

— barómetro que sirve para determinar la altitud aproximada del lugar desde donde se hace la medición: *orómetro.*

— parte de la geología que estudia la formación de las montañas: *orogenia.*

— que pertenece a la orogenia o se relaciona con ella: *orogénico.*

— estudio de la formación de montañas y rocas: *orognosia.*

— que pertenece a la orognosia o se relaciona con ella: *orognóstico.*

2. Conjunto de montes de un país, región, zona, etc.

— *La orografía de esta región ha dificultado la construcción de esa carretera.*

orondo, -da Que se siente muy satisfecho de sí mismo, tratándose de personas. ☞ **presumido.** ❖ SENCILLO, MODESTO.

orquesta (vea ilustración). 1. Conjunto de músicos que tocan diferentes instrumentos.

— *Vamos a escuchar la cuarta sinfonía de Anton Bruckner interpretada por la Orquesta Nacional.*

— arreglar una composición musical para ser interpretada por una orquesta: *orquestar.*

— acción y resultado de orquestar: *orquestación.*

— que hace una orquestación o que organiza algo: *orquestador.*

— pequeño conjunto musical parecido a una banda: *orquestina.*

— orquesta compleja que se origina en el siglo XIX: *orquesta sinfónica.*

— orquesta de mayores dimensiones que la sinfónica: *orquesta filarmónica.*

ortigal Terreno donde abundan las ortigas.

— planta cuyas hojas segregan un líquido que irrita la piel: *ortiga.*

orto Aparición de cualquier astro en el horizonte. ☞ **levante.**

ortodoncia Rama de la odontología que corrige las malformaciones e imperfecciones de la dentadura. ☞ **odontología, diente.**

— médico especializado en la ortodoncia: *ortodontólogo.*

— nombre científico de los dientes sanos y normales: *ortodontia.*

ortodoxo, -xa 1. Que sigue fielmente los postulados de la fe católica. ☞ **fiel, dogmático.** ❖ HETERODOXO.

— *Este padre es tan ortodoxo que todavía da la misa en latín.*

2. Que se apega estrictamente a los principios de cualquier doctrina filosófica, social o política.

— *En la actualidad los psicoanalis-*

tas ortodoxos siguen sin restricciones las ideas de Freud.

— calidad de ortodoxo: *ortodoxia.*

3. Que pertenece a las religiones cristianas europeas, no católicas, como la rusa y la griega, o se relaciona con ellas.

— *Ellos siguen los preceptos de la iglesia rusa ortodoxa.*

ortofonía Ciencia que estudia y corrige los vicios y defectos de la voz y la pronunciación.

— que pertenece a la ortofonía o se relaciona con ella: *ortofónico.*

— arte de pronunciar los vocablos correctamente: *ortoepia.*

ortogonal Que está en ángulo recto. ☞ **perpendicular, oblicuo.**

ortografía (vea recuadro de gramática). 1. Es la parte de la gramática que enseña la escritura correcta de las palabras y el uso adecuado de sus signos auxiliares.

— *En los cursos de redacción es frecuente encontrar problemas de ortografía, como es el del uso de la acentuación.*

— que pertenece a o se relaciona con la escritura correcta de las palabras: *ortográfico.*

2. Delineación del alzado de una construcción.

— *El ingeniero presentó la ortografía del proyecto del centro cultural.*

— proyección ortogonal de un plano vertical: *ortografía geométrica.*

— perspectiva lineal: *ortografía degradada, proyectada o en perspectiva.*

orujo Residuo de las uvas o las aceitu-

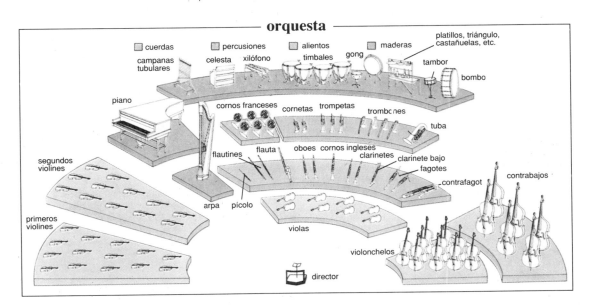

orquesta

nas después de que han sido exprimidas.

orza Recipiente de barro vidriado sin agarraderas.

orzuelo 1. Granillo que aparece en el borde de los párpados y es producido por una infección. ☞ **inflamación, hinchazón, perrilla, divieso.**
— *Tienes que ir al oftalmólogo para que te curen ese orzuelo.*
2. Trampa de caza.
— *El asustado venado no podía moverse pues había caído en un orzuelo.*

osadamente Con atrevimiento, con valor, o sin reflexión. ☞ **audazmente, valientemente, intrépidamente, temerariamente, bravuconamente.** ❖ COBARDEMENTE, TÍMIDAMENTE.

osamenta Conjunto de huesos que en los animales vertebrados componen el esqueleto o algún hueso de este esqueleto. ☞ **osambre.**

oscilar 1. Producir movimientos hacia ambos lados de igual amplitud desde un punto de equilibrio. ☞ **balancear, fluctuar.**
— *El péndulo del reloj oscila todo el tiempo.*
— acción y resultado de oscilar: *oscilación.*
— cada uno de los vaivenes del movimiento oscilatorio: *oscilación.*
— que pertenece a las oscilaciones o se relaciona con ellas: *oscilométrico.*
— movimiento de los cuerpos que oscilan: *movimiento oscilatorio.*
— que oscila: *oscilante.*
— registro gráfico de los movimientos oscilatorios: *oscilograma.*
— conjunto de técnicas para medir las oscilaciones: *oscilometría.*
— vacilación: *oscilación.*
— aparato que genera movimientos eléctricos o mecánicos: *oscilador.*
— aparato que registra las fluctuaciones de la electricidad: *oscilógrafo.*
— aparato que forma ondas eléctricas: *osciloscopio.*
2. Variar de posición, de precio, de valor, etc., dentro de ciertos límites o entre dos puntos. ☞ **fluctuar, variar, cambiar.** ❖ REGULAR, ESTABLECER.
— *En la actualidad el precio del barril de petróleo oscila entre los quince y veinte dólares.*

oscurecer u obscurecer 1. Privar de claridad y luz, anochecer. ☞ **ensombrecer.** ❖ ILUMINAR, ACLARAR, ALUMBRAR.
— *A pesar de que oscurece temprano, para poder apreciar mejor la película tuvo que oscurecer la sala.*
— nublarse el cielo: *oscurecerse.*

— falta de luz o claridad: *oscuridad.*
— que le falta luz o claridad: *oscuro.*
— que es de un color cercano al negro o que es de tono fuerte o no claro en la escala de un color: *oscuro.*
— sin claridad y sin luz: *a oscuras.*
2. Hacer poco entendible o claro algo. ☞ **confundir.** ❖ ACLARAR, PRECISAR.
— *La explicación del profesor sólo oscureció el concepto de logaritmo.*
— condición confusa o complicada de algo: *oscuridad.*
— confusión o falta de claridad: *oscuridad.*
— que es confuso o poco claro: *oscuro.*
— que es incierto o inseguro: *oscuro.*
— procedencia social o familiar desconocida: *origen oscuro.*
3. Desacreditar algo o a alguien. ☞ **desprestigiar.** ❖ VALORAR.
— *Las críticas tienen como propósito oscurecer los logros del gobierno.*
— que parece ilegal, indebido o incorrecto: *oscuro.*

óseo, -a Que pertenece a los huesos o se relaciona con ellos, que está hecho de hueso o formado de huesos.
— volverse algo hueso o adquirir su consistencia: *osificarse.*
— acción y resultado de osificarse: *osificación.*
— lugar en donde abundan los huesos de animales: *osario.*

osera Madriguera de los osos. ☞ **guarida, cueva.**
— hacer el ridículo: *hacer osos.*
— expresión de asombro: *¡qué oso!*

ósmosis 1. Corriente unilateral que se establece entre dos líquidos de diferentes densidades a través de una membrana semipermeable que los separa.
— *Los estudiantes se preparan para analizar el fenómeno de la ósmosis.*
— fuerza que produce la ósmosis: *presión osmótica.*
— ósmosis cuando se dirige de un vaso interior a uno exterior: *exósmosis.*
— ósmosis cuando se dirige de un vaso exterior a uno interior: *endósmosis.*
2. Influencia o penetración en forma figurada.
— *Se puso el libro en la cabeza para ver si los conocimientos le pasaban por ósmosis.*

ostentación 1. Acción y resultado de ostentar.

— *Con ese vestido no pudo hacer mayor ostentación de su mal gusto.*
— que muestra o exhibe algo: *ostentador, ostensivo.*
— que no oculta nada, que es claro, patente o evidente: *ostensible.*
2. Jactancia, vanagloria, presunción. ☞ **pompa, vanidad.**
— *Te fijaste con qué ostentación habló de los méritos de su hijo.*
3. Magnificencia externa y visible. ☞ **pompa, boato.**
— *¡Con qué lujo! ¡Con qué ostentación construyó su casa!*
— mostrar algo, generalmente presumiendo de ello: *ostentar.*
— suntuoso, aparatoso, magnífico: *ostentoso.*
— lujosamente, fastuosamente: *ostentosamente.*

osteología Parte de la anatomía que se dedica al estudio de los huesos. ☞ **óseo.**
— médico especializado en tratar las enfermedades de los huesos: *osteólogo.*
— que pertenece a la osteología o se relaciona con ella: *osteológico.*
— inflamación de los huesos: *osteítis.*
— tumor de naturaleza ósea: *osteoma.*
— enfermedad consistente en el reblandecimiento de los huesos: *osteomalacia.*
— inflamación de la médula ósea y de los huesos: *osteomielitis.*

ostracismo Aislamiento voluntario, o no, de una persona de las actividades públicas o de las relaciones sociales. ☞ **encierro, destierro, exilio.**

otalgia Dolor del oído o de los oídos. ☞ **oído.**

otate Bastón de mucha flexibilidad y resistencia.

otear 1. Observar con cuidado desde un sitio alto lo que está abajo. ☞ **avizorar.**
— *Desde este risco oteamos el cauce del río por el valle.*
2. Escudriñar.
— *Los vigilantes otean a todas las personas que entran aquí.*
— que otea: *oteador.*

otomana Sofá con cojines de estilo oriental. ☞ **canapé, diván.**

otoño Una de las cuatro estaciones del año, se le ubica después del verano y antes del invierno
— propio del otoño: *otoñal, otoñizo.*
— persona madura: *otoñal.*

otorgar 1. Conceder o dar algo a alguien como premio o reconocimiento. ☞ **dispensar, consentir, admitir.** ❖ DENEGAR, RECHAZAR, NEGAR.

— *Esa medalla se la otorgaron el año pasado por sus méritos científicos.*

2. Entregar o disponer con autoridad. ☞ **donar, ceder.** ❖ RECIBIR, ACEPTAR, ADMITIR.

— *El pintor otorgó sus bienes al pueblo.*

— que dispensa o entrega: *otorgador, otorgante.*

— que puede ser concedido o donado: *otorgable.*

— permiso o licencia para realizar algo: *otorgamiento.*

— acto mediante el cual se cede o realiza algún favor: *otorgamiento.*

— expresión popular que indica que con una actitud pasiva ante un hecho, en realidad se está de acuerdo con ese hecho: *quien calla otorga.*

otorrinolaringología Especialidad médica que estudia en conjunto las enfermedades del oído, la garganta y la nariz.

— médico especialista en otorrinolaringología: *otorrinolaringólogo.*

otosclerosis Obturación del oído interno y medio que puede desembocar en la sordera.

otro, -tra 1. Indica algo o alguien diferente de aquello de que se habla. ☞ **distinto, ajeno, nuevo.** ❖ IGUAL, SEMEJANTE.

— *Esta novela no me gusta, mejor dame otra.*

2. Uno más. ☞ **idéntico, semejante.** ❖ DIFERENTE, DISTINTO.

— *Esta niña es como su mamá: otra cabra loca.*

3. Siguiente, próximo.

— *La otra quincena le doy el abono que le debo.*

— el mundo de los muertos: *el otro mundo.*

— expresión mediante la cual se desea reducir la importancia de algo o alguien: *no es cosa del otro mundo.*

ovación Manifestación ruidosa de reconocimiento y agrado ante algo o alguien. ☞ **aclamación, aplauso.** ❖ RECHIFLA, RECHAZO.

— aplaudir, producir ovaciones: *ovacionar.*

ovado, -da De figura de huevo o de óvalo.

oval De figura de óvalo. ☞ **ovado, aovado.**

— figura o curva cerrada con forma de huevo o elipse: *óvalo.*

ovárico, -ca Que pertenece al ovario o se relaciona con él. ☞ **óvulo.**

— cada una de las dos glándulas reproductoras femeninas en donde se producen los óvulos: *ovario.*

— extirpación de uno o ambos ovarios: *ovariotomía.*

— inflamación de los ovarios: *ovaritis.*

ovejuno, -na Que pertenece a las ovejas o se relaciona con ellas.

— hembra del carnero: *oveja.*

— persona que cuida ovejas: *ovejero, pastor.*

— perro que cuida ovejas: *ovejero.*

— persona que actúa de manera contraria a la de su familia: *oveja negra.*

— persona que no sigue ciertas normas del grupo social, religioso, etc., al cual pertenece y por esta razón se hace notar: *oveja descarriada.*

— expresión que indica que cada persona debe de tratar o buscar alguien afín a ella, trátese de fines sociales o amorosos: *cada oveja con su pareja.*

overol Prenda de vestir que se usa sobre la ropa que se trae puesta o que está compuesta por pantalones con pechera. ☞ **mono.**

ovillo 1. Bola de hilo devanado. ☞ **madeja, rollo.**

— *El gato juega con los ovillos de estambre.*

2. Cosa enredada. ☞ **embrollo, enredo.**

— *Ese profesor no sirve: sus explicaciones son puros ovillos.*

— hacer ovillos: *ovillar.*

— acurrucarse: *hacerse uno un ovillo.*

ovoide De forma similar a la de un huevo. ☞ **oval, ovado, ovoideo.**

— balón de futbol americano: *ovoide.*

ovovivíparo Tratándose de animales, que pone huevos en los que se desarrolla el embrión hasta su nacimiento.

óvulo 1. Célula reproductora femenina tanto animal como vegetal, que al ser fecundada da origen a un nuevo ser. ☞ **cigoto, huevo.** ❖ OOSFERA.

— *El óvulo al ser fecundado forma el embrión.*

— que pertenece al óvulo o se relaciona con él: *ovular.*

— producir óvulos la hembra: *ovular.*

— que tiene forma de huevo: *ovular.*

— proceso por el que el óvulo se forma y se desprende de los ovarios para llegar a la matriz: *ovulación.*

2. Medicamento que se emplea como desinfectante o anticonceptivo y que se administra por vía vaginal.

— *Me dijo que hace años que no usa óvulos.*

oxidar 1. Producir el oxígeno, el agua o la humedad una capa de óxido rojizo en la superficie de un metal, especialmente sobre el hierro.

— *La humedad de la tierra oxidó las palas.*

— mohoso, herrumbroso: *oxidado.*

— fuera de uso: *oxidado.*

— que puede oxidarse: *oxidable.*

— que ejerce oxidación: *oxidante.*

— que no se altera al contacto con el oxígeno o el agua: *inoxidable.*

— quitar la herrumbre: *desoxidar.*

2. Fenómeno que se produce cuando el oxígeno entra en combinación con otro cuerpo.

— *Los estudiantes de química oxidaron esas dos sustancias.*

oxigenar 1. Combinar el oxígeno con otros elementos.

— *El químico oxigena el ácido.*

2. Respirar el aire libre.

— *Vamos al bosque; nos oxigena los pulmones.*

— cuerpo gaseoso, elemento esencial del aire: *oxígeno.*

— que contiene oxígeno: *oxigenado.*

— decolorado con oxígeno: *oxigenado.*

— cambiar de ambiente una persona: *oxigenarse.*

oxímoron Figura retórica que consiste en combinar palabras que se contradicen mutuamente. ☞ **paradoja.** ❖ ANTILOGÍA, PARADOJISMO.

oxítono, -na Que lleva el acento prosódico en la última sílaba. ☞ **agudo.**

oxiuro Gusano parasitario que se aloja en el intestino humano y en el de ciertos animales; cuando se encuentran en el ano causan picazón.

— enfermedad causada por los oxiuros: *oxiurosis.*

oyamel Especie de abeto originario de México.

ozomate Undécimo día del calendario azteca.

ozonómetro Reactivo químico que se prepara para determinar la cantidad de ozono en el aire.

— forma alotrópica y muy oxidante del oxígeno: *ozono.*

— zona de la atmósfera que se caracteriza por la presencia del ozono: *ozonosfera.*

P

pabellón 1. Tienda de campaña de forma cónica sostenida en su interior por un poste o palo sujeto en el suelo y, en el exterior, por cuerdas y estacas; construcción prefabricada desmontable similar en la forma a esta tienda. ☞ **carpa, tienda de campaña.**
— *Pusieron un pabellón para presentar un circo.*
2. Edificio adosado o contiguo a otro mayor. ☞ **ala.**
— *El pabellón de los turberculosos estaba separado del edificio del hospital.*
3. Cada uno de los edificios que forman un conjunto.
— *El pabellón de exposición de México en la Feria Internacional fue muy original.*
4. Parte exterior del oído. ☞ **oreja.**
— *Tenía los pabellones muy salientes, por lo que se le veía la cara chistosa.*
5. Parte ensanchada en que terminan algunos instrumentos musicales de viento.
— *El pabellón del clarinete se podía quitar para limpiarlo.*
6. Velo de tela ligera que cubre o adorna camas, cunas o altares y que cuelga de una parte alta. ☞ **dosel, velo, cortina.**
— *El pabellón del moisés evitaba que al bebé lo picaran los moscos.*
7. Bandera de un país. ☞ **bandera.**
— *El pabellón nacional ondeaba al viento.*
8. Forma piramidal posterior del facetado de algunas piedras preciosas.
— *El tallado del pabellón del brillante mostraba un trabajo muy fino.*

pabilo Hilo o cordón que se encuentra en el interior de las velas y que sirve de mecha. ☞ **vela.**
— que tiene mucho pabilo quemado, y alumbra poco: *pabiloso.*
— sección que se carboniza del pabilo o de algún cuerpo en combustión: *pavesa.*
— quitar la pavesa: *espabilar, despabilar.*
— bien despierto: *espabilado, despabilado.*

pábulo Alimento o lo que genera o alimenta algo. ☞ **fomentar, fomento.**

paca 1. Variedad de roedor mexicano; pertenece a la familia de los cávidos.
— *Ese animal que parece liebre es una paca.*
2. Mamífero doméstico propio de Perú y Bolivia, estimado por su carne y lana. ☞ **alpaca.**
— *La paca tiene un largo pelaje rojizo con manchas blancas.*
3. Atado o fardo de algún material. ☞ **atar, fardo.**
— *Vendió varios kilos de pacas de algodón y de henequén.*

pacana 1. Variedad de árbol juglandáceo americano. ☞ **pacanero.**
— *La palabra pacana proviene de la lengua de los algonquinos.*
— pacana: *pacanero, pacano.*
2. Fruto del mismo árbol. ☞ **nuez.**
— *El sabor de las pacanas se parece al de las nueces.*

¡pácatelas! Expresión que señala asombro o que enfatiza algo.

pacer Dar alimento al ganado o comer el ganado la hierba del campo. ☞ **pastar, apacentar.**
— que tiene pastos para que el ganado se alimente: *pacedero.*
— acción de pacer o apacentar: *pacedura.*

paciencia Capacidad de soportar con calma y tranquilidad lo malo o desagradable; resignación, calma o tranquilidad para esperar, hacer algo que no gusta o tratar con personas molestas. ☞ **resignar, conformar, resignación, conformidad.** ❖ IMPACIENCIA.
— tolerante, que tiene actitud resignada: *paciente.*
— que tiene mucha paciencia: *pacienzudo.*
— enfermo: *paciente.*
— que recibe la acción del agente en la oración pasiva, tratándose de sujetos de la oración: *paciente.*

pacificar 1. Tranquilizar a alguien. ☞ **calmar, apaciguar.** ❖ INTRANQUILIZAR, ALTERAR, ENOJAR.
— *Se metió entre sus amigos, que discutían acaloradamente, y los pacificó.*
— quedarse en calma quien estaba alterado: *pacificarse.*

— persona que procura la paz: *pacificador.*
— que pacifica: *pacificador.*
— que está tranquilo: *pacífico.*
— tranquilidad, armonía, sosiego o calma: *paz, pacificación.*
— acción y resultado de pacificar o pacificarse: *pacificación.*
— momento en que se firma la paz: *pacificación.*
— tendencia política en favor de la paz y contra la guerra: *pacifismo.*
— persona que sostiene el pacifismo: *pacifista.*
2. Restablecer la paz y tranquilidad en una población o país. ❖ LUCHAR, PELEAR, SUBLEVAR.
— *Está durando muchos años pacificar a todos los países del continente.*

pacota o pacotilla Mercadería que la tripulación de una embarcación puede llevar sin pagar flete
— objeto de mala calidad: *de pacota, de pacotilla.*

pactar Comprometerse a realizar determinada acción acordada o tomar cierta actitud según un convenio dos o más personas o entidades. ☞ **acordar, convenir.** ❖ INCUMPLIR, FALLAR.
— convenio, acuerdo entre dos o más personas o partes: *pacto.*
— acción y resultado de pactar: *pacto.*

pachá Autoridad turca. ☞ **bajá.**
— vivir en la opulencia: *vivir como un pachá.*

pachanga Fiesta bulliciosa o relajo. ☞ **guateque, fiesta.**
— ser algo un relajo o dificultoso: *ser una pachanga.*

pachiche 1. Que está seco, pasado, arrugado o que no creció ni se desarrolló debidamente, tratándose de frutos. ☞ **pachichi.** ❖ LISO, LOZANO, FRESCO.
— *Este mango ya está pachiche, dame otro.*
2. Que está arrugada y vieja una persona.
— *¡Qué pachiche está el que fue maestro mío en la primaria!*

pachón, -na Que tiene pelo largo y tupido, que es lanudo.

pachorra Indolencia, lentitud. ☞ **cal-**

mar. ☞ APRESURAMIENTO, ACTIVIDAD, DILIGENCIA.

— que tiene pachorra o es excesivamente calmudo: *pachorrudo*.

pachuco Joven de origen mexicano que, en los años cuarenta, vivía en Estados Unidos o en la frontera de México con ese país y que se caracterizaba especialmente por usar ropa muy holgada y extravagante, por emplear un lenguaje propio, mezcla de inglés y español, por su comportamiento sectario y su actitud agresiva y desafiante. ☞ **payo.**

padecer Sufrir o soportar alguna calamidad. ☞ **aguantar, sufrir.** ❖ DISFRUTAR.

— daño, enfermedad o dolor: *padecimiento*.

— acción de padecer: *padecimiento*.

padre 1. Hombre respecto de sus hijos, animal macho respecto de sus crías. ☞ **papá, progenitor, jefe.** ❖ MADRE.

— *Mi padre es un hombre inteligente y discreto.*

2. Hombre que es reconocido como la figura principal de algo por haberlo creado, fundado o impulsado.

— *Hidalgo es el padre de la patria por haber iniciado la lucha de Independencia.*

3. Sacerdote de las distintas órdenes católicas. ☞ **monje.**

— *El padre de mi parroquia es agustino.*

— Dios: *Padre Eterno.*

— confesor: *padre espiritual.*

— Papa: *Santo Padre.*

— Adán y Eva: *primeros padres.*

— primeros doctores de la Iglesia católica: *padres de la Iglesia.*

— oración cristiana que saluda a Dios: *padrenuestro, paternoster.*

4. Que es estupendo, agradable, bonito o maravilloso. ❖ HORROROSO, HORRIBLE.

— *¡Qué padre coche tienes!*

padrón Lista o relación nominal de un conjunto de personas. ☞ **lista.**

— listado de votantes en unos comicios: *padrón electoral.*

— registrarse en una lista oficial: *empadronarse.*

— registro: *empadronamiento.*

pagano, -na Que es característico, propio o relativo del politeísmo o de las creencias religiosas anteriores al cristianismo, o que es consecuencia del politeísmo o pertenece a él. ☞ **impío, idólatra.** ❖ CRISTIANO, JUDÍO.

— politeísmo o estado religioso anterior a la evangelización cristiana: *paganismo.*

— introducir el paganismo o algunas de sus características, volver idólatra algo: *paganizar.*

— el que paga, especialmente por abuso de los demás o el que paga culpas ajenas: *pagano.*

pagar 1. Darle a alguien dinero o algo a cambio de mercancías, trabajo realizado o por un servicio. ☞ **retribuir.** ❖ DEBER, COBRAR.

— *Hay que pagarle al mecánico que me arregló el coche.*

2. Corresponder a una actitud, afecto o beneficio recibido.

— *Le pagó muy mal después de todo lo que hizo por él.*

— hacerse cargo de algo que no le corresponde: *pagar los platos rotos, pagar el pato.*

— portarse de manera equivalente a la de otra persona: *pagar con la misma moneda.*

3. Expiar un delito, una falta o un error con la pena o el castigo que le corresponda.

— *Pagó con la cárcel su crimen.*

— acción de expiar y castigo con que se paga una culpa: *paga.*

— castigo mayúsculo: *pagarlas todas juntas.*

página 1. Cada una de las dos caras de una hoja de papel de un libro, revista o cuaderno y lo escrito o impreso en ella. ☞ **libro, hoja.**

— *Tengo que revisar diariamente diez páginas de este libro.*

— ordenar numéricamente las páginas: *paginar.*

— acción y resultado de paginar: *paginación.*

— numeración de las páginas: *paginación.*

2. Suceso o lance en la historia de alguien o de algo.

— *Hay héroes que con su sangre han escrito las páginas más hermosas de la historia.*

pagoda Templo budista del Extremo Oriente o de otra región. ☞ **budismo.**

paguay Hierba que se usa para los baños de temazcal. ☞ **temazcal.**

pahua o pagua Variedad de aguacate grande mexicano. ☞ **aguacate.**

país 1. Territorio o nación que está unificada política y geográficamente. ☞ **nación.**

— *Los países de América del Norte son Canadá, Estados Unidos y México.*

— lugar donde uno nace: *país de origen o natal.*

— persona que nació en el mismo país que otra con respecto a ella: *paisano.*

— campesino: *paisano.*

2. Espacio geográfico con determinadas características nacionales comunes. ☞ **región.**

— *San Sebastián se encuentra en el país vasco.*

paisaje 1. Extensión de terreno que puede verse como unidad desde el punto de vista de un observador, en particular, el del campo y la naturaleza.

— *Los paisajes desérticos son desoladores.*

2. Pintura o fotografía cuyo tema principal es una imagen de la naturaleza.

— *Los volcanes han sido tema de los paisajistas mexicanos.*

— pintor de paisajes: *paisajista.*

— pintura con temas acuáticos: *marina.*

paja 1. Tallo seco y amarillento de las gramíneas, como el trigo, la cebada, el centeno, el maíz, etc.

— *La paja del trigo tiene un color dorado.*

— sitio donde se vende paja: *pajería.*

— parecido a la paja: *pajizo, pajado.*

— tipos de paja: *paja cebadaza, paja centenaza, paja trigaza, paja esquinanto, paja pelaza, paja brava.*

2. Conjunto de esos tallos que cortados se utilizan para tejer sombreros, sopladores, cestos, canastas, etc., o que triturados sirven de alimento para el ganado.

— *Los hatos de paja eran gigantescos.*

— lugar donde se guarda la paja: *pajar.*

3. Cosa que tiene poca importancia o es insustancial y sólo sirve de relleno.

— *Ese artículo tiene mucha paja, habrá que sintetizarlo.*

— por algo intrascendente: *por quítame allá esas pajas.*

— inocente: *libre de polvo y paja.*

— buscar lo imposible: *buscar una aguja en un pajar.*

pájaro Cualquier variedad de ave de pequeño tamaño y voladora. ☞ **ave.**

paje 1. Criado que servía antiguamente en las faenas domésticas a sus amos. ☞ **ayudar, ayudante.**

— *Los príncipes tenían muchos pajes.*

2. Niño que acompaña la ceremonia religiosa de un matrimonio.

— *Los pajes de la boda llevaban ropa de terciopelo.*

pala 1. Herramienta compuesta por un mango generalmente de madera y, en el otro extremo, una lámina más o menos rectangular, algo cóncava y afilada, generalmente de metal, usada para cavar en la tierra o para remover o mover materiales sólidos o pastosos.

— *Échale tierra con esa pala a ese agujero en el suelo.*

2. Utensilio de cocina de forma similar a la herramienta anterior, que sirve para mezclar, servir o sacar ciertos alimentos del sartén o de otro recipiente.

— *Pásame la pala para servirte los huevos fritos.*

3. Parte más plana y ancha de ciertas cosas.

— *No metas el remo al agua con la pala hacia abajo, sino de lado.*

— golpe del remo: *palada.*

— parecer algo: *dar la pala.*

palabra 1. Unidad significativa completa del vocabulario de una lengua. ☞ **sintagma, vocablo, expresar, expresión.**

— *¿Cuántas palabras tendrá la lengua española?*

— palabra peculiar o rara: *palabreja.*

— palabra grosera: *palabrota, mala palabra, palabra gruesa, palabrada.*

— término más importante de un texto: *palabra clave.*

— situación muy importante o decisión importante: *palabras mayores.*

2. Capacidad de expresar el pensamiento mediante un lenguaje articulado y realización de esta capacidad.

— *Sólo los seres humanos tienen el don de la palabra.*

— conjunto de palabras sin sentido: *palabrería, palabrero.*

3. Promesa basada en el honor de alguien y fidelidad hacia las promesas.

— *Cumplirá su palabra y llegará mañana al atardecer.*

— concertar de palabra dos o más personas algo: *apalabrarse.*

— promesa o compromiso de comportarse de determinada manera o de asegurar lo que se afirma es verdad: *palabra de honor.*

— prometer condicionalmente algo: *empeñar la palabra.*

— con la promesa o el compromiso de hacer algo: *bajo palabra.*

— promesa de casamiento: *palabra de matrimonio.*

palacio Residencia elegante y suntuosa que servía de residencia a reyes, nobles o ricos y que actualmente sirve de morada a jefes de Estado, altos funcionarios o constituye un museo o edificio público destacado. ☞ **residencia, mansión, casa, castillo, alcázar.** ❖ TUGURIO, CUCHITRIL, CHOZA, JACAL.

paladar 1. Parte superior e interna de la boca. ☞ **boca.**

— *Al paladar que tiene una fisura congénita se le llama hendido.*

— que pertenece al paladar o se relaciona con él: *palatal, palatino, paladial.*

— que se pronuncia apoyando el anverso de la lengua en el paladar, tratándose de fonemas o sonidos: *palatal.*

2. Sensibilidad para degustar los alimentos. ☞ **gusto.**

— *Tiene un excelente paladar para los vinos.*

— alimento o bebida exquisita: *regalo al paladar.*

— saborear o degustar algo: *paladear.*

— acción de saborear: *paladeo.*

paladín Sujeto que defiende causas nobles o a ciertas personas. ☞ **adalid.** ❖ FACINEROSO.

— público, claro y sin reservas: *paladino.*

palanca 1. Artefacto rígido en forma de barra que se mueve sobre un apoyo y se usa para levantar, transportar o mover objetos pesados.

— *Hay que hacer palanca para levantar más de 50 kilos.*

2. Control o manija que permite poner en movimiento algunas máquinas.

— *La palanca de velocidades sirve para accionar un vehículo.*

3. Persona influyente que ayuda a alguien conocido al logro de algo.

— *Piensa que sus problemas los va a resolver con palancas.*

palancacoate Variedad de serpiente venenosa mexicana que despide un olor fétido.

palancapatle Hierba medicinal mexicana que se emplea para curar heridas.

palangana Utensilio en forma de plato grande que sirve para contener líquidos. ☞ **jofaina, aguamanil.**

— armazón que soporta a la palangana: *palanganero.*

palanqueta Dulce mexicano elaborado con caramelo, nueces, cacahuates o pepitas de calabaza.

palanquín Especie de silla manual o litera usada en el Lejano Oriente para transportar personas.

palatinado Territorio y dignidad del antiguo príncipe elector palatino de Europa Central.

— príncipe laico o religioso que formaba parte del conjunto de candidatos posibles a la corona del Sacro Imperio Romano Germánico: *elector, príncipe elector.*

palco Pequeña habitación con un cierto

número de butacas que hay en los teatros y estadios. ☞ **teatro, estadio.**

palenque Terreno cercado con una valla de madera donde se realizan diversos espectáculos, especialmente peleas de gallos.

paleolítico Edad de la piedra tallada o periodo entre la aparición del hombre y el término de las glaciaciones cuaternarias. (vea recuadro de arqueología).

palestesia Especial sensibilidad a las vibraciones. ☞ **sonido.**

palestra Lugar donde se realizan competencias públicas, especialmente literarias, y antiguamente, combates o deportes.

— persona que se ejercitaba en una palestra: *palestrita.*

— que pertenece a la palestra o se relaciona con ella: *paléstrico.*

paleta 1. Pequeño palo que sostiene un trozo de caramelo, helado o hielo de sabores.

— *El pirulí es una paleta cónica.*

— heladería: *paletería.*

— persona que elabora o vende paletas de dulce o helado: *paletero.*

— pequeño utensilio de madera o plástico en forma de pala, que sirve de cuchara para tomar un helado: *paletita.*

— paleta grande de malvavisco cubierto con chocolate: *paletón.*

2. Pequeña tabla de madera o de porcelana con un agujero donde el pintor introduce el dedo pulgar y puede sujetarla para colocar y mezclar en ella sus pinturas.

— *La paleta curva del pintor tenía varios colores.*

3. Instrumento triangular de metal con mango de madera que usan los albañiles en la construcción. ☞ **cuchara.**

— *Con la paleta se hacen las mezclas de cemento.*

— porción que cada vez agarra el albañil de la mezcla con la paleta y aplica sobre una superficie: *paletada.*

paliacate Pañuelo grande de algodón de colores diversos y vistosos, muy usado por la gente del campo. ☞ **mascada, paño.**

— vendedor o fabricante de paliacates: *paliacatero.*

paliar 1. Mitigar un mal físico o moral, aliviar una pena o hacerla más soportable. ☞ **enfermar, dolor, sufrir.** ❖ SANAR, CURAR.

— *Logró paliar su melancolía con algunas atenciones especiales.*

— medicina o modalidad para mitigar los dolores físicos o morales: *paliativo.*

2. Encubrir o disimular malas acciones; disculpar o justificar cierto hecho.

— *Estaba dispuesto a paliar delitos que no fueran abominables.*

— que es susceptible de disimulo: *paliatorio, paliativo.*

palicinesia Repetición involuntaria y espontánea de un mismo movimiento. ☞ **tic, mover.** ❖ INMOVILIDAD.

pálido, -da De color más tenue que el habitual o, tratándose de colores, de tono poco intenso. ☞ **empalidecer, desvaído.** ❖ LOZANO, INTENSO, SUBIDO.

— perder color o brillo: *palidecer.*

— estado o condición de pálido: *palidez.*

— que está amarillento o pálido: *paliducho.*

palíndromo, -ma Que puede leerse de derecha a izquierda y de izquierda a derecha, tratándose de escritos. ☞ **capicúa.**

— oración palíndroma: *Anita lava la tina.*

palio 1. Manto que cubría los hombros en los trajes griegos y romanos.

— *El palio se añadía a la túnica por medio de una hebilla o broche sujeta al pecho.*

2. Banda especial que, como insignia pontifical, da el Papa a obispos y arzobispos. ☞ **iglesia**

— *El palio de los obispos es una banda blanca con seis cruces negras.*

3. Especie de dosel colocado sobre cuatro palos bajo el cual a veces camina el Papa, cierto prelado o algún jefe de Estado. ☞ **dosel.**

— *En las visitas oficiales suele ir bajo el palio.*

— cortina que se pone delante del sagrario: *palia.*

palique Charla menor. ☞ **charlatanería.**

— charlar: *paliquear.*

paliza Tunda o conjunto de golpes dados a una persona o a ciertos animales en determinada ocasión. ☞ **zurra, azotar, azotaina.** ❖ CARICIA.

— distintas maneras de referirse a una serie de golpes: *zurra, golpiza, tunda, azotaina, vapuleo, zumba, zurribanda, madriza.*

palma 1. Lado anterior de la mano, ligeramente cóncavo. ☞ **mano, quiromancia.**

— *Las líneas de vida de las palmas de las manos son diferentes en cada persona.*

— aplausos: *palmas.*

— aplaudir: *batir las palmas, palmear, palmotear.*

— sobresalir una persona en algo y

merecer el aplauso general por eso: *llevarse las palmas.*

— golpe de palmas: *palmada.*

— dar palmadas: *palmear, palmotear.*

2. Planta angiosperma de clima cálido, de diversas especies, caracterizada por un penacho de hojas muy grandes en forma de abanico.

— *Las palmas son árboles monocotiledóneos.*

— palma: *palmera.*

— bosque de palmeras: *palmeral, palmar.*

palo 1. Pedazo de madera en forma de lanza o pértiga. ☞ **lanza, viga, estaca.**

— *¿Tienes un palo para ver si puedo bajar la pelota de ese árbol?*

— serie de golpes dados con un palo: *palos.*

— golpear fuertemente a alguien: *moler a palos.*

— mondadientes: *palillos.*

2. Trazo vertical de ciertas letras o números.

— *La b, d, p, j y el 1, 9, son algunas de las letras y números que tienen palos.*

3. Cada serie de las cuatro en que se divide la baraja.

— *Los palos de la baraja española son: oros, bastos, copas y espadas.*

palpar Tocar algo o a alguien con los dedos o con las manos para examinar algo. ☞ **tentar, tocar.**

— que puede tocarse con las manos, que es tangible o evidente: *palpable.*

— acción y resultado de palpar o palparse: *palpadura, palpamiento, palpación.*

palpitar 1. Contraerse y dilatarse rítmicamente el corazón. ☞ **corazón.**

— *El corazón del adulto palpita más lentamente que el de un bebé.*

— que palpita: *palpitante.*

— latido normal o anormal del corazón: *palpitación.*

— acción de palpitar el corazón: *palpitadero.*

2. Aumentar la contracción y dilatación del corazón a causa de una emoción y manifestar con las palabras o acciones esa emoción o afecto.

— *Cada vez que lo veía le palpitaba el corazón.*

— vivo, manifiesto: *palpitante.*

— corazonada: *pálpito.*

palúdico 1. Que pertenece al paludismo o se relaciona con esta enfermedad.

— *Las personas que habitan regiones pantanosas pueden sufrir fiebres palúdicas.*

— enfermedad febril e infecciosa causada por el parásito plasmodio y

transmitida por el mosquito anófeles: *paludismo.*

2. Que pertenece a los pantanos. ☞ **pantano, palustre.**

— *Las regiones palúdicas son insalubres.*

— palúdico: *palustre.*

palurdo, -da Persona rústica y sin educación ni cultura. ☞ **tosco.** ❖ EDUCADO, CORRECTO, FINO, URBANO.

pambazo Especie de torta pequeña de masa de trigo que se rellena y se le agregan distintas salsas.

— algunos hongos comestibles: *pambazos.*

— cara regordeta y cachetona: *cara de pambazo.*

pampa Terreno amplio y llano. ☞ **llanura.**

— que pertenece a la pampa o se relaciona con ella: *pampero.*

— recorrer la pampa: *pampear.*

— persona que se dedica a la ganadería en las pampas: *gaucho.*

pámpano 1. Variedad de pez carangidae americano.

— *Los pámpanos se encuentran en el Golfo de México y el Mar Caribe.*

2. Sarmiento de la vid. ☞ **vid, uva.**

— *El jugo de los pámpanos de la vid es una bebida ácida pero refrescante.*

— hoja de la vid: *pámpana.*

pan 1. (vea ilustración de la p. 500). Alimento hecho de harina de trigo, agua, levadura y sal, que se hornea en piezas de diferentes formas y tamaños. ☞ **harina.**

— tipos de pan dulce: *concha, oreja, polvorón, dona, rol, corbata, cuerno, ocho, bizcocho, panqué, garibaldi, hojaldra, chorreada, alamar, novia, chilindrina, mamón, bisquet, banderilla, gendarme, campechana, empanada, trenza, semita, rehilete, huesito, churro, volcán, mármol, rosca, pan de muerto, ladrillo, beso, borracho, cocol, buñuelo, tepopozte, ticuta, cocuyo, pucha, piedra, tartaleta, mantecada, monja, chivo, carlota, rebanada de mantequilla, huarache, fruta de horno.*

— bolillos con frijoles y queso: *molletes.*

— bolillos o teleras preparados con diversos rellenos: *tortas.*

— pan de caja preparado con diversos rellenos: *sandwiches.*

2. Cualquier alimento.

— *Hay que ganarse el pan de cada día.*

— a dieta o sin variedad de comida: *a pan y agua.*

— hablar clara y directamente, sin

tapujos: *llamar al pan pan y al vino vino.*

— expresión que indica la indiferencia de una persona ante lo que le ocurre a otra: *con su pan se lo coma.*

panacea Remedio general para todos los males; medicina que se suponía curaba múltiples enfermedades.

panal Lugar formado por pequeñas celdillas donde las abejas y las avispas depositan la cera y fabrican la miel. ☞ **miel, colmena.**

pancarta Cartel portátil con dibujos, emblemas y leyendas destinado a todo público. ☞ **cartel.**

páncreas Glándula abdominal del hombre y animales vertebrados que elabora el jugo pancreático y produce la hormona llamada insulina.

— que pertenece al páncreas o se relaciona con él: *pancreático, pancrático.*

— extirpación parcial o total del páncreas: *pancreatectomía.*

— inflamación del páncreas: *pancreatitis.*

pancromático, -ca Que es sensible a todos los colores, tratándose de placas y películas fotográficas. ☞ **color, fotografía.**

pandear Deformarse o torcerse por el medio ciertas piezas longitudinales, como las paredes, puertas, columnas, etc. ☞ **torcer, combar.**

— acción y resultado de pandear o pandearse: *pandeo.*

— que se pandea, curvo o curvado: *pando, pandeado.*

pandemia Epidemia extendida en una vasta región. ☞ **epidemia.**

— que pertenece a la pandemia o se relaciona con ella: *pandémico.*

pandilla Conjunto de personas que se reúnen para pasar el rato o realizar actividades comunes de esparcimiento o para hacer daño. ☞ **banda.**

— joven que forma parte de una pandilla, generalmente de vagos o delincuentes: *pandillero.*

— poder o influencia de una pandilla para realizar desmanes o atacar gente: *pandillaje.*

pandit Título honorífico del erudito hindú en literatura sánscrita o del brahmán de Cachemira. ☞ **sabio, hinduismo.**

panegírico Discurso que se elabora para alabar o encomiar a alguien, elogio de una persona. ☞ **alabar, encomiar, apología.** ❖ CENSURA, VILIPENDIO.

— hacer elogios o discursos de alabanza: *panegirizar.*

— persona que elogia a otra o elabora discursos encomiásticos: *panegirista.*

panel 1. Técnica grupal que consiste en interrogar a varias personas, generalmente especialistas, sobre un tema o problema. ☞ **grupo, dinámica.**

pan

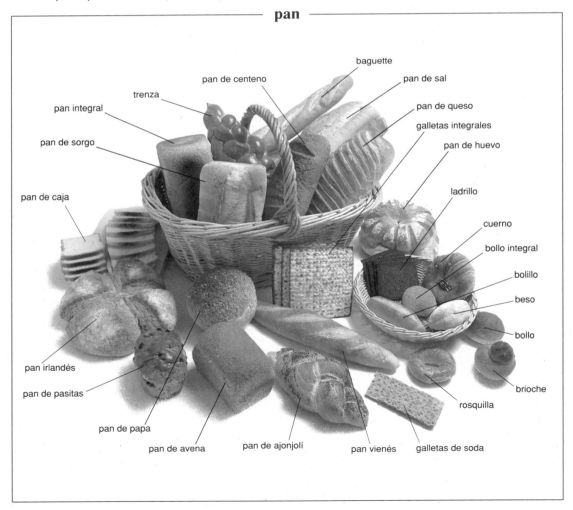

pan integral · pan de sorgo · pan de centeno · trenza · baguette · pan de sal · pan de queso · galletas integrales · pan de huevo · pan de caja · ladrillo · cuerno · bollo integral · bolillo · beso · pan irlandés · bollo · pan de pasitas · brioche · rosquilla · pan de papa · pan de avena · pan de ajonjolí · pan vienés · galletas de soda

— *Algunas discusiones teóricas se resuelven con un buen panel.*

2. Tablero de metal o madera.

— *Pusieron varios paneles en la remodelación del edificio.*

panela Variedad de queso fresco mexicano.

pánfilo, -la Que es lento o muy pausado alguien; que es ingenuo o bobo. ☞ **lento, bobo.** ❖ ÁGIL, DILIGENTE, ABUSADO.

panfleto Volante o escrito subversivo que propaga ideas políticas, sociales o religiosas. ☞ **volante.**

— que manifiesta ideas políticas dogmáticas o esquemáticas: *panfletario.*

— autor de panfletos: *panfletista.*

panga Plataforma flotante grande sobre la que se transportan vehículos y personas de una orilla a otra de un río o lago.

pangelín Variedad de nogal americano de la familia de las papilionáceas.

pangénesis Teoría darwiniana que supuso la existencia de gémulas para explicar algunos rasgos de la herencia.

— partícula que se supone contienen las células, responsable de la transmisión de caracteres hereditarios: *gémula.*

pangue Variedad de planta haloragácea americana.

pánico Miedo o temor por algo, generalmente colectivo. ☞ **terror.**

panocha 1. Variedad de mascabado o melcocha oscura preparada en piezas de forma cónica. ☞ **azúcar.**

— *La panocha es una variedad del piloncillo.*

2. Organo genital femenino; se considera término vulgar. ☞ **vagina.**

— *En la película salen unas viejas encueradas enseñando las panochas.*

panoplia 1. Conjunto de armas dispuestas en forma de colección. ☞ **arma.**

— *Tiene una panoplia en la sala de su casa.*

2. Estudio de las armaduras antiguas. ☞ **armadura.**

— *Se dedica a la panoplia después de haber estudiado arqueología.*

panorama 1. Conjunto de todas las cosas que se alcanzan a ver desde un lugar, especialmente las de un espacio abierto.

— *Desde esa carretera, el panorama de los volcanes es muy bello.*

2. Visión de las cosas que configuran una situación o conocimiento amplio y general de algo.

— *Ese libro te da un panorama preciso de la Revolución Mexicana.*

— que pertenece al panorama o se relaciona con él: *panorámico.*

pantagruélico, -ca Que tiene muchos manjares, tratándose de comidas. ☞ **comida, opíparo.** ❖ AYUNO, ABSTINENCIA.

pantaleta o pantaletas Prenda interior que usan mujeres y niñas y que cubre desde la cintura hasta el nacimiento de las piernas. ☞ **calzón.**

pantalón o pantalones Prenda de vestir que empieza en la cintura y cubre ambas piernas separadamente.

pantalla 1. Protección de papel, tela o plástico que se pone en las lámparas. ☞ **lámpara.**

— *La pantalla de mi lámpara es de color azul.*

2. Superficie blanca sobre la que se proyectan películas o cuadro luminoso donde se percibe la imagen de televisión, radar o rayos x. ☞ **cine.**

— *La pantalla de mi televisión es de 17 pulgadas.*

3. Persona o cosa que atrae la atención para ocultar lo que otra persona está haciendo.

— *La tintorería es la pantalla de sus verdaderos negocios.*

4. Apariencia de una persona o cosa.

— *La bondad que muestra es pura pantalla.*

pantano Terreno bajo, cubierto de lodo y aguas estancadas, de fondo movedizo. ☞ **paludismo, ciénaga.**

— encharcado, cenagoso: *pantanoso.*

— difícil, complicado, embrollado: *pantanoso.*

panteísmo 1. Doctrina filosófica que sostiene que todo lo existente, el mundo, puede ser identificado con Dios.

— *Spinoza sostiene el panteísmo.*

— que es partidario de esta doctrina: *panteísta.*

2. Actitud de ver la naturaleza como una unidad viva y consciente en la que se manifiesta Dios.

— *Hay pasajes de ese cuento que muestran el panteísmo de su autor.*

— que pertenece al panteísmo o se relaciona con él: *panteístico, panteísta.*

panteón 1. Camposanto o lugar donde se entierra a las personas muertas. ☞ **cementerio, ataúd.**

— *El cempasúchitl es una flor de panteón.*

2. Conjunto de los dioses que componen las religiones politeístas. ☞ **politeísmo.**

— *El panteón romano era amplio y variado.*

3. Monumento funerario. ☞ **cripta, sepulcro.**

— *Mi panteón familiar tiene tres tumbas.*

pantógrafo Instrumento que permite copiar en el mismo tamaño o en otro, mayor o menor, un dibujo o plano. ☞ **dibujo.**

pantimedia Media elástica de diversos colores que cubre desde la cintura hasta los pies. ☞ **media, tobimedia.**

pantómetra o pantómetro Instrumento topográfico que se usa para medir ángulos. ☞ **ángulo.**

— que pertenece al pantómetro o se relaciona con él: *pantométrico.*

pantomima 1. Arte que consiste en expresar sentimientos y actitudes por medio de gestos y movimientos, eliminando el uso de la palabra, y representación teatral con estas características. ☞ **mimo, gesto, arte, pierrot.**

— *La pantomima nació en Roma.*

— que pertenece a la pantomima o se relaciona con ella: *pantomímico.*

— persona que ejecuta la pantomima: *mimo, pantomimo.*

2. Acción simulada o lo que se finge.

— *Es pura pantomima lo que hace tu hijo para que le prestes el coche.*

pantorrilla Sección abultada de la parte posterior de la pierna, que se encuentra entre el tobillo y la rodilla. ☞ **chamorro.**

— persona con pantorrillas robustas: *pantorrilluda.*

pants Prenda exterior de vestir compuesta por una pieza completa o dos secciones de colores afines y que se utiliza para hacer ejercicio. ☞ **deporte.**

pantoscopio Tipo de lente bifocal. ☞ **óptica.**

pantufla Zapatilla generalmente de tela y forrada de peluche, franela o algodón que se usa para andar en casa. ☞ **zapato.**

— golpe dado con una pantufla: *pantuflazo.*

panucho Tortilla de maíz rellena de frijoles y carne, generalmente cubierta con cebolla morada en escabeche.

panza 1. Barriga del hombre y de los demás animales vertebrados, especialmente si es prominente. ☞ **vientre, abdomen.**

— *Me duele la panza.*

— que tiene mucha panza: *panzudo, panzón.*

2. Una de las cuatro cavidades estomacales de los rumiantes.

— *La primera cavidad del estómago de la vaca es la panza.*

3. Platillo mexicano preparado de distintas formas con el estómago de una res.

papalote

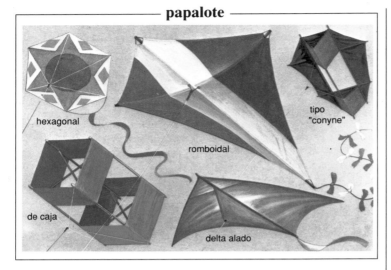

hexagonal

romboidal

tipo "conyne"

de caja

delta alado

— *Hoy nos sirvieron pancita de guisado.*

pañal Pieza de tela de algodón de forma cuadrada que se dobla ajustándola a la cintura con un seguro y se pone a los niños pequeños hasta que controlan sus esfínteres. ☞ **bebé.**
— maletín de tela donde se guarda la ropa y pañales del bebé: *pañalera.*
— pieza de algodón y plástico que se usa para los mismos fines: *pañal desechable.*
— saber poco de algo: *estar en pañales, andar en pañales.*

paño 1. Cualquier pedazo de tela. ☞ **tela.**
— pedazo de tela pequeño y cuadrado usado especialmente para sonarse: *pañuelo.*
2. Tipo de tela especial, como el usado para forrar mesas de billar.
3. Mancha oscura que aparece en el rostro debido a diversas causas.

papa 1. Variedad de tubérculo de origen americano y planta herbácea de la familia de las solanáceas que da este tubérculo. ☞ **patata.**
— *Me gusta el puré de papas.*
— alimento infantil en forma de puré: *papa, papilla.*
— ser un inútil o tonto, no tener habilidad para una cosa: *ser una papa.*
— no estar informado: *no saber ni papa.*
2. Alimento.
— *Hay que trabajar para ganar la papa de cada día.*

Papa Máxima autoridad de la Iglesia católica. ☞ **catolicismo, iglesia.** ❖ ANTIPAPA.

papá Voz familiar para referirse al padre. ☞ **padre, progenitor.**

— padre y madre: *papás.*
— diminutivo de papá: *papi, papacito, papito, papaíto.*

papada Protuberancia carnosa situada entre la barba y el cuello. ☞ **gordura, abultamiento.**

papagayo Ave prensora americana de la familia de los sitácidos. ☞ **ave.**
— platicar excesivamente: *hablar como un papagayo.*

papalina Borrachera, embriaguez. ☞ **emborrachar.**

papalote (vea ilustración). Juguete de papel tensado, con un armazón liviana y con una larga cola, que se hace volar con la fuerza del viento sujetándolo por medio de un hilo. ☞ **cometa.**
— estar distraído sin poner atención en algo: *estar papaloteando.*

papamoscas Persona bobalicona o papanatas. ☞ **bobo, papanatas.** ❖ INTELIGENTE, SAGAZ.

papanatas Persona excesivamente crédula, simple y cándida. ☞ **bobo.** ❖ INTELIGENTE, ASTUTO, SAGAZ.

papandujo, -ja Que se pasa de maduro, que está pasado. ☞ **madurar.** ❖ VERDE, LOZANO.

papar Comer guisos blandos y en especial purés. ☞ **masticar, moler.**
— tener la boca abierta o estar distraído: *estar papando moscas.*
— date cuenta de...: *¡pápate esa!*

paparote Simple, tonto. ☞ **papanatas, bobo.** ❖ LISTO, ASTUTO.

paparrabias Persona enojona y de mal genio. ☞ **cascarrabias.**

paparrucha o paparruchada Falso aviso o noticia de algo, cosa dicha o escrita sin valor. ☞ **borrego, rumor.**

papasal Algo que tiene poco valor o sir-

ve de mero entretenimiento. ☞ **bagatela, chuchería.**

papayo Planta caricácea de origen americano.
— fruto del papayo: *papaya.*
— enzima del papayo: *papaína.*
— alcaloide de las hojas del papayo: *carpaína.*

papel 1. Hoja delgada que se fabrica por un proceso donde diversas sustancias vegetales, que sirve para escribir, imprimir, envolver, tapizar, limpiar, secar, filtrar, liar cigarros, etc. ☞ **libro.**
— *El papel tiene distintas coloraciones.*
— trámite burocrático: *papeleo.*
— conjunto de documentos oficiales que identifican a una persona o cosa: *papeles.*
2. Representación teatral de un personaje. ☞ **teatro.**
— *Siempre le toca a ese actor el papel de villano.*
3. Cometido o tarea. ☞ **función.**
— *El papel de la mujer en la sociedad moderna ha sufrido grandes modificaciones.*
— hacer el ridículo: *hacer un papelón, hacer mal papel, hacer el papelazo.*
— hacer lo contrario de lo esperado: *invertir papeles.*
— realizar algo bien y exitosamente: *hacer buen papel.*
— llevar a cabo su función de manera adecuada: *hacer su papel.*
— ser parte de sus funciones: *estar en su papel.*

paperas Enfermedad contagiosa de la niñez consistente en abultamiento e hinchazón de las glándulas parótidas. ☞ **parotiditis.**

papila Pequeña protuberancia cónica de tejido blando que se forma sobre la piel y en algunas mucosas.
— que pertenece a las papilas o se relaciona con ellas: *papilar.*
— prominencia del nervio óptico en la retina: *papila.*
— en forma de papila: *papiliforme.*
— que tiene muchas papilas: *papiloso.*
— tumor en forma de papila: *papiloma.*

papilla Comida machacada mezclada con agua o leche, que tiene una consistencia pastosa y que generalmente se da a los niños pequeños. ☞ **papa.**
— quedar rota o destrozada una cosa: *quedar hecho papilla.*

papiro Lámina sacada de una variedad de ciperácea oriental, que se usaba de manera semejante al papel en la antigüedad. ☞ **papel, libro.**

papirote 1. Golpe en la cabeza. ☞ **cabeza**.

— *Recibió un papirote por su mala conducta.*

— golpe en la cabeza: *papirotazo, papirotada, capirotazo.*

2. Tonto, bobo. ☞ **papanatas, bobo**.

— *Siempre muestra que es un papirote.*

papisa Mujer Papa.

papo Buche de las aves. ☞ **ave**.

— que tiene crecido el buche: *papudo.*

— de mucha pluma y carne en el papo, tratándose de aves: *papujado.*

pápula Tumor que aparece en la piel.

— que pertenece a las pápulas o se relaciona con ellas: *papuloso.*

paquete 1. Bulto o envoltorio que se hace de una o varias cosas afines o disímbolas, cubierto habitualmente con papel. ☞ **papel, bulto**.

— *Lleva esos paquetes a tu casa, los recogeré en una semana.*

— lugar de un establecimiento donde se guardan bultos, atados o paquetes: *paquetería.*

— lugar desde donde se envían paquetes: *paquetería.*

— persona que hace paquetes: *paquetero.*

2. Situación difícil de resolver o que representa una carga para alguien.

— *Se echó un paquete encima al aceptar tanto trabajo.*

— hacerse cargo de algo difícil y complicado de hacer: *cargar con el paquete.*

— presumir algo: *darse paquete.*

paquidermia Engrosamiento de la piel. ☞ **espesar, abultar, espesamiento, abultamiento**.

— mamífero de piel dura y gruesa: *paquidermo.*

par 1. Conjunto de dos miembros. ☞ **duplo, pareja, dos**. ❖ UNO.

— *Cómprame tres pares de zapatos.*

— número que puede dividirse entre dos: *número par.*

— de dos en dos: *por pares.*

2. Que es igual a otro. ☞ **semejanza, igual, igualdad**. ❖ DIFERENCIA, DISTINCIÓN, DESEMEJANZA.

— *Hay nobles que se sienten pares de los reyes.*

— al mismo tiempo, sin distinguir: *a la par.*

— que es una cosa o persona única: *sin par.*

— completamente abierto: *de par en par.*

— igualdad, semejanza: *paridad.*

— semejanza en el valor de las monedas de dos países: *paridad cambiaria.*

para 1. Preposición que marca finalidad o término de una acción.

— *Ahorro para disponer de más dinero en el futuro.*

2. Marca un lugar preciso o abstracto como fin.

— *Me gusta ir para mi tierra cada vez que puedo.*

3. Marca un plazo preciso.

— *Saldré de vacaciones para fines de abril.*

4. Señala la persona a la que se le destina algo.

— *Es un libro para niños.*

5. Marca la función de una cosa o el objetivo que se busca.

— *Hay que comprar alimentos para perro.*

6. Marca aquello que combate o evita.

— *Tomó un analgésico para el dolor de cabeza.*

7. Marca el modo en que se considera o juzga algo, en general o en determinada situación.

— *Para ser tan joven sus decisiones son muy sabias.*

8. Marca el resultado o consecuencia de algo.

— *Para acabarla de arruinar, nos llovió.*

9. Muestra que se tiene capacidad para hacer algo.

— *Tiene gracia para la danza.*

— ser alguien semejante o equivalente a otro: *ser tal para cual.*

— tener mucho: *tener como para dar y regalar.*

— estar alterado, furioso: *estar como agua para chocolate.*

— la razón de la acción: *el para qué.*

parabién Enhorabuena o plácemes. ☞ **felicitación, enhorabuena**. ❖ CONDOLENCIA.

parábola 1. Tipo de comparación de la que se desprende una enseñanza vital o moral. ☞ **fábula**.

— *En la Biblia aparecen muchas parábolas.*

— persona que escribe o habla parábolas: *parabolano.*

2. Línea curva formada por una recta fija denominada directriz y por una serie de puntos equidistantes de otro llamado foco. ☞ **curva**.

— *La parábola es una cónica que puede ser construida por medio de un punto, su eje y su vértice.*

— que pertenece a la parábola o se relaciona con ella: *parabólico.*

parabrisas Cristal que se encuentra en la parte de adelante de los vehículos de transporte.

— dispositivo que sirve para limpiar

el parabrisas cuando llueve o hay niebla: *limpiador.*

— sección del limpiador que es ahulada: *pluma, plumilla.*

paracaídas Artefacto de tela en forma de capota o paraguas que, al abrirse, sirve para amortiguar en el aire la velocidad de la caída de una persona u objeto en la atmósfera.

paracleto, paráclito Manera de referirse al Espíritu Santo. ☞ **iglesia**.

paracronismo Ubicación de un suceso histórico en tiempo histórico posterior al que le corresponde. ☞ **tiempo**.

paracusia Percepción defectuosa de los sonidos. ☞ **sonido**.

parachispas Parapeto que protege una habitación del fuego, chispas o cenizas que arroja una chimenea. ☞ **chimenea**.

paradiástole Figura retórica que consiste en separar o distinguir cosas semejantes o matices semánticos en ideas afines.

paradigma 1. Reunión de formas conjugadas de los verbos, especialmente los que fungen como modelos. ☞ **modelo, ejemplo**.

— *En cuanto sepas conjugar el verbo amar, conocerás el paradigma verbal regular de los verbos terminados en ar.*

— que funciona como modelo: *paradigmático.*

2. Conjunto de signos lingüísticos que se construyen por algún tipo de relación: de significado, analogía, oposición o entorno. ☞ **lingüística**.

— *En el paradigma "eso es rico", "eso" puede sustituirse por cualquier sustantivo a cuyo predicado le pueda corresponder significativamente la palabra rico.*

3. Ejemplo o modelo que se ha de imitar.

— *Pareto propone el establecimiento de paradigmas sobre bases matemáticas para la economía.*

paradoja 1. Afirmación o sentencia opuesta a la opinión común o a lo que se considera la verdad. ☞ **contradecir, contradicción**.

— *Sería paradójico confiar en la debilidad de mi fuerza.*

2. Argumento del que derivan conclusiones aparentemente contradictorias de premisas aceptables. ☞ **lógica, antinomia**.

— *La afirmación de Epigménides, el cretense, de que "Todos los cretenses son mentirosos" es una paradoja.*

3. Figura retórica que consiste en presentar dos palabras opuestas o contradictorias en un enunciado de

manera que signifiquen algo verdadero. ☞ **oxímoron, lítote, hipérbole, énfasis, quiasmo, zeugma.**

— de naturaleza aparentemente contradictoria o absurda: *paradójico, paradojal.*

paraestatal Que apoyan al Estado y cooperan con sus objetivos sin formar parte de él, tratándose de organismos o entidades. ☞ **Estado.**

parafasia Tipo de trastorno lingüístico que consiste en decir unas palabras en lugar de las que guardan relación lógica con el discurso que en ese momento se enuncia, por la similitud de sonidos. ☞ **afasia.**

parafina Sustancia blanca, inodora e insípida, mezcla de hidrocarburos saturados o alcanos. ☞ **petróleo, hidrocarburo.**

— que contiene parafina o algo semejante: *parafinado, parafinoso.*

— untar o impregnar algo con parafina: *parafinar.*

— máquina de parafinar: *parafinadora.*

parafonía Alteración en los tonos de voz. ☞ **afonía, voz.**

— cambio de voz en los varones durante la adolescencia: *parafonía puberum.*

paráfrasis Traducción o interpretación de lo que dice un texto aumentándolo y dándole mayor precisión.

— realizar una interpretación ampliada de un texto: *parafrasear.*

— persona que realiza paráfrasis o parafrasea: *parafraste, parafraseador.*

— que pertenece a la paráfrasis o se relaciona con ella: *parafrástico.*

parageusia Distorsión del sentido del gusto. ☞ **gusto.**

paragoge Agregado de algún sonido al final de una palabra, como sole por sol, lugare por lugar.

— que se agrega en forma de paragoge: *paragógico.*

parágrafo 1. Sección de texto en prosa que reúne un conjunto de oraciones relacionadas. ☞ **párrafo.**

— *El punto y aparte indica que ha terminado un parágrafo.*

2. Composición o nota de carácter breve con un sentido completo en sí mismo.

— *La Lógica, libro de Hegel, se encuentra escrito en forma de parágrafos.*

3. Signo que sirve para marcar párrafos separados de un texto. (§)

— *Del § 21 al 30 el autor desarrolla la idea principal.*

paraguas Armazón plegable cubierta de tela impermeable sujeta a una especie de bastón que sirve para protegerse de la lluvia. ☞ **sombrilla, lluvia.**

— lugar donde se venden y arreglan paraguas: *paragüería.*

— sitio en donde se guardan paraguas: *paragüero.*

— persona que vende, arregla o hace paraguas: *paragüero.*

— golpe dado con un paraguas: *paraguazo.*

paraíso 1. Jardín celestial donde, según los cristianos, vivieron Adán y Eva. ☞ **edén.** ❖ INFIERNO.

— *El paraíso es el lugar donde van los justos después de la muerte.*

— de acuerdo con la Biblia, árbol cuyo fruto tenían prohibido comer Adán y Eva: *árbol del paraíso, árbol de la ciencia del bien y del mal.*

2. Cualquier lugar placentero y agradable.

— *La selva del Amazonas está considerada como un paraíso.*

— que pertenece a un lugar confortable y maravilloso o se relaciona con él: *paradisiaco, paradisíaco.*

— país o lugar que otorga facilidades fiscales y financieras a los inversionistas: *paraíso fiscal.*

paraje Lugar o sitio, generalmente apartado y aislado. ☞ **sitio, lugar.**

paralelepípedo Poliedro de seis caras o paralelogramos. ☞ **poliedro.**

paralelo, -la 1. Que corren en la misma dirección sin llegar a encontrarse, tratándose de líneas sobre una superficie. ☞ **línea.** ❖ PERPENDICULAR.

— *Las vías son dos líneas paralelas por donde circula el ferrocarril.*

— situación de igualdad en distancia entre planos o líneas: *paralelismo.*

— aparato de gimnasia formado por dos barras paralelas: *paralelas.*

2. Que sucede o se desarrolla de forma semejante o correspondiente a otra cosa. ❖ DIVERGENTE.

— *Esos hermanos gemelos tuvieron también vidas paralelas.*

3. Cada círculo imaginario perpendicular al meridiano de Greenwich, con el que se determina la latitud de cualquier lugar de nuestro planeta.

— *La ciudad de México está junto al paralelo 20.*

paralelogramo Cuadrilátero cuyos lados opuestos se encuentran en paralelo. ☞ **cuadrado.**

paralenguaje Conjunto de maneras de comunicación natural que sin ser parte del sistema lingüístico lo complementan, como gestos, ademanes, modulaciones, tonos, etc. ☞ **lingüística.**

paralipse Figura retórica que consiste en enfatizar un pensamiento omitiéndolo provisionalmente para retomarlo posteriormente. ☞ **preterición.**

— *No te voy a decir lo que pasó, pero fíjate que...*

parálisis 1. Imposibilidad o disminución del movimiento voluntario o de sensibilidad en una parte del cuerpo. ☞ **invalidez.**

— *Cuando se lesiona el nervio de un músculo hay probabilidad de parálisis.*

2. Inmovilidad o incapacidad de acción. ☞ **detener, detención.**

— *Hay parálisis de la producción por ser una época de crisis económica.*

— detener, entorpecer u obstruir la realización de una actividad o dejar inmóvil a alguien una fuerte impresión: *paralizar.*

— que paraliza: *paralizador.*

paralogismo Razonamiento que por su forma detectamos que es falaz o falso. ☞ **lógica, falacia.**

— persuadir con razones falsas o dudosas: *paralogizar.*

paramédico, -ca Que está vinculado de manera indirecta con la medicina, que aplica los primeros auxilios. ☞ **medicina.**

paramentar Cubrir o adornar algo. ☞ **ataviar.** ❖ DESNUDAR, DESCUBRIR, DESTAPAR.

— atavío con que se cubre algo, como un tejado, pared, etc.: *paramento.*

— mantilla que se pone bajo la silla del caballo: *paramento.*

— vestidura o adorno para la misa: *paramentos sacerdotales.*

parámetro 1. Cifra o valor constante en una expresión o en una ecuación. ☞ **curva.**

— *El parámetro de una cónica es la cuerda perpendicular al eje mayor, trazada desde un foco de la curva.*

2. Cualquier conjunto de propiedades físicas o abstractas cuyos valores determinan las características o conducta constante de algo o alguien. ☞ **comparar.**

— *Para juzgar la conducta humana no todos usamos los mismos parámetros.*

paramnesia Alteración de la memoria que provoca la distorsión o el invento de recuerdos. ☞ **memoria, amnesia.** ❖ OLVIDO.

páramo Paraje yermo y desolado. ☞ **yermo, infértil.** ❖ PARAÍSO.

— conjunto de páramos: *paramera.*

parangón Paralelo o composición entre dos elementos. ☞ **comparar, asemejar, comparación, semejanza.**

— incomparable, único: *sin parangón.*

— comparar: *parangonar.*

paranoia Psicosis que se caracteriza principalmente por ideas fijas relacionadas con el delirio de grandeza y el de persecución. ☞ **psicosis, delirio, esquizofrenia.**

— que pertenece a la paranoia o se relaciona con ella; que padece esta enfermedad: *paranoico.*

— que es semejante a la paranoia: *paranoide.*

parapeto 1. Pared o barandal en puentes, escaleras o balcones. ☞ **barandal.**

— *Hay puentes cuyos parapetos son muy altos.*

2. Protección que tienen los soldados en acciones bélicas. ☞ **trinchera.**

— *La barricada les sirvió de parapeto.*

— protegerse: *parapetarse.*

parapsicología Estudio de los fenómenos psíquicos no científicos tales como la clarividencia, psicosinesis, precognición, percepción extrasensorial, telepatía, etc. ☞ **adivinación.**

— que pertenece a la parapsicología o se relaciona con ella: *parapsicológico.*

— persona que estudia los fenómenos parapsicológicos: *parapsicólogo.*

parar 1. Detener o hacer un alto algo o alguien en movimiento, inmovilizar, o impedir que algo siga moviéndose, funcionando o actuando. ☞ **detener.** ❖ CONTINUAR, PROSEGUIR PROMOVER.

— *El coche de adelante se paró sorpresivamente.*

2. Impedir que algo continúe en acción.

— *Paró un golpe que le daban por la espalda.*

3. Pasar alguien cierto tiempo en algún lugar cuando está de viaje.

— *Pararon en Guadalajara una noche.*

4. Poner algo o a alguien verticalmente.

— *Paré los vidrios contra la pared.*

— de pie: *parado.*

— que está hacia arriba o en posición vertical: *parado.*

— ponerse de pie, levantarse: *pararse.*

pararrayos o pararrayo Instrumento que sirve para proteger los edificios de las descargas eléctricas o efectos del rayo. ☞ **electricidad.**

parasimpático Que estimula o inhibe la actividad de los órganos, tratándose del componente del sistema nervioso autónomo o vegetativo. ☞ **simpático.**

parásito 1. Cualquier organismo que vive a expensas de otro.

— *Parece que está anémico porque tiene parásitos en el intestino.*

2. Persona o conjunto de personas que viven de otra u otras sin cumplir ninguna obligación o aportar algún beneficio.

— *Los drogadictos se han convertido en parásitos sociales.*

parasol Quitasol o sombrilla. ☞ **sombrilla.**

parataxis Modalidad de yuxtaposición de tipo coordinante. ☞ **yuxtaposición, coordinar.**

paratifoidea Tipo de infección intestinal parecida a la tifoidea pero generada por un microbio distinto. ☞ **tifoidea.**

— que pertenece a la paratifoidea o se relaciona con ella; que padece esta enfermedad: *paratífico.*

paratiroides Cada una de las pequeñas glándulas de secreción interna alojadas alrededor de la tiroides. ☞ **tiroides.**

— extirpación de una o más glándulas de la tiroides: *paratiroidectomía.*

parcela Pequeña porción de tierra, generalmente resultante de una división territorial de otra mayor, o terreno agrícola que mide entre una y tres hectáreas. ☞ **agrario.**

— medir o dividir en parcelas: *parcelar.*

— acción y resultado de dividir en parcelas: *parcelación.*

— que pertenece a las parcelas o se relaciona con ellas: *parcelario.*

parcial 1. Que comprende o abarca una parte, un fragmento o sección de un todo. ☞ **parte.** ❖ TODO, COMPLETO.

— *Por conteos parciales hizo mejor tiempo que en su marca total.*

— fragmentar o dividir algo: *parcializar.*

— fragmentariedad: *parcialidad.*

2. Que juzga o procede de manera injusta, mostrando preferencias, que no es equitativa. ☞ **arbitrario.** ❖ IMPARCIAL.

— *Es de lo más parcial en sus opiniones sobre política.*

— opinión arbitraria o actitud en la que se muestra una preferencia o rechazo por algo o alguien, falta de neutralidad: *parcialidad.*

— sin equidad: *parcialmente.*

parco, -ca 1. Que es sobrio o moderado.

☞ **austeridad, austero.** ❖ DESENFRENADO, INMODERADO.

— *Los franciscanos son de hábitos parcos.*

— moderación, sobriedad: *parquedad.*

2. Que es exiguo, escaso, corto o insuficiente. ☞ **escasez.** ❖ ABUNDANTE.

— *Hay individuos muy parcos de léxico.*

— cortedad en cualquier situación: *parquedad.*

parche 1. Lienzo que se aplica sobre algún cuerpo o superficie.

— *Tenía un gran parche cubriendo su herida.*

2. Cualquier pedazo de tela, cuero, papel o plástico que se pone sobre alguna superficie. ☞ **retazo, remendar, remiendo.**

— *Sus pantalones tienen parches en las rodillas.*

— pegar un parche: *parchar, emparchar.*

— evadirse de algo: *sacarle al parche.*

pardo, -da Que es del color de las nubes en día nublado, que es oscuro o sombrío.

— que tiene color pardo: *pardusco, pardejón.*

— resaltar el color pardo, especialmente antes del ocaso: *pardear.*

— expresión que indica que en la oscuridad no se distingue nada con la vista: *en la noche todos los gatos son pardos.*

parear Poner juntos dos elementos o formar una pareja. ☞ **aparear, emparejar, pareja.** ❖ DESEMPAREJAR.

— que riman entre sí dos versos: *pareado.*

— acción y resultado de unir dos elementos: *pareo.*

parecer 1. Tener algo o alguien un aspecto determinado. ☞ **aparentar.**

— *Cuando una persona se encuentra demacrada parece enferma.*

— aspecto externo y general de algo o alguien: *apariencia.*

— de aspecto físico agradable: *bien parecido, de buen parecer.*

— aspecto físico desagradable: *mal parecido.*

— por lo que se observa o se ve: *al parecer, según parece, a lo que parece, parece que.*

2. Ser una cosa similar a algo o a alguien por el aspecto o la apariencia. ☞ **asemejar.** ❖ DESEMEJAR.

— *Habitualmente los hijos se parecen a los padres.*

— tener un aspecto similar al de otra cosa o persona: *parecerse.*

— semejanza: *parecido.*

3. Evaluación o juicio sobre determinado asunto. ☞ **opinión.**

— *Después de la junta, el parecer general fue de aprobación.*

pared 1. Plancha de diversos materiales que elevada de manera vertical limita un espacio o sostiene un techo. ☞ **muro.** ❖ TECHO.

— *La pared lateral de la galería en una mina se llama hastial.*

2. Cualquier división de una cavidad o tejido que bordea una estructura orgánica. ☞ **anatomía, órgano.**

— *Cuando hay una herida en la pared abdominal se produce una úlcera.*

pareja 1. Reunión de dos personas o cosas que presentan algún elemento de relación entre sí. ☞ **par.** ❖ DISPAR.

— *La vida de pareja puede ser excesivamente tensa.*

— de dos en dos: *por parejas.*

— igual o semejante: *parejo.*

— equitativo o justo: *parejo.*

2. Cada uno de los miembros de un conjunto de dos que se complementan, respecto del otro miembro.

— *Mi pareja en canasta juega excelentemente.*

— igualdad o parecido con otro: *parejura.*

paremia Proverbio o sentencia. ☞ **refrán, adagio,**

— tratado de los refranes: *paremiología.*

— el que reúne refranes en un tratado: *paremiólogo.*

— que pertenece a la paremiología o se relaciona con ella: *paremiológico.*

parénesis Alocución o texto de carácter persuasivo. ☞ **exhortación, amonestar.**

— que pertenece a la parénesis o se relaciona con ella: *parenético.*

paréntesis 1. Signo de puntuación que sirve para introducir oraciones incidentales.

— *Los paréntesis y los guiones mayores son sintácticamente equivalentes.*

— indicar la apertura y cierre en forma gráfica de una incidentalidad en el sintagma: *abrir y cerrar paréntesis.*

2. Figura retórica que consiste en intercalar una oración que funciona como una explicación, referencia o digresión del contenido general del texto.

— *Ese escritor utiliza muchos paréntesis.*

3. Detención o interrupción de una temporalidad lineal.

— *Durante la sesión de trabajo se hizo un pequeño paréntesis para tomar café.*

— dejar pendiente algo: *poner entre paréntesis.*

parhelio o paraelio Fenómeno luminoso que produce el Sol debido a la refracción de la luz al pasar por las nubes. ☞ **meteoro, sol, parhelia.**

paria 1. Persona rechazada e ignorada por los demás.

— *Cuando alguien no se adapta en determinado lugar suele sentirse como un paria.*

2. Individuo que en la India ocupa el nivel más bajo dentro del sistema de castas. ☞ **hinduismo, casta.**

— *Los parias se encuentran excluidos de los derechos sociales y religiosos de su sociedad.*

parián Antigua construcción que albergaba a la vez bodega y tienda. ☞ **almacén.**

paridad 1. Estado de igualdad y equivalencia. ☞ **parear.** ❖ DISPARIDAD, DESIGUALDAD.

— *La paridad de criterios hizo que se llegara a una decisión justa.*

2. Operación que se realiza para establecer la equivalencia de una divisa extranjera con respecto a la nacional. ☞ **divisa, cambiar, equivaler.**

— *La paridad del dólar con respecto al peso siempre está fluctuando.*

pariente Miembro de una misma familia con respecto a otro. ☞ **allegado.** ❖ DESCONOCIDO.

— conjunto de allegados o parientes de alguien: *parentela.*

— relación entre miembros de una misma familia: *parentesco.*

parificar Ampliar una explicación por medio de un ejemplo. ☞ **ejemplo, paridad.**

— argumentación por medio de ejemplos: *parificación.*

parihuela Plataforma o cama portátil donde se transporta algo. ☞ **angarillas, cama, camilla.**

parir Dar a luz o producir el nacimiento de un ser determinadas hembras. ☞ **alumbrar, aliviar, embarazar, dar a luz, embarazo.** ❖ ABORTAR.

paritario Que está integrado por el mismo número de representantes patronales y de representantes obreros para resolver sus conflictos o mejorar relaciones, tratándose de organismos o entidades laborales. ☞ **laboral.**

parlamento 1. En algunos países, la institución encargada de elaborar las leyes y el lugar donde está establecida. ☞ **diputado, senador, legislativo, cámara de diputados y cámara de senadores.**

— *En Francia, a la Asamblea Nacio-*

nal y al Senado se les conoce como *Parlamento.*

2. Cada uno de los textos que dice un actor o actriz en una representación teatral. ☞ **actuar.**

— *Algunos actores encuentran difícil aprenderse todos sus parlamentos.*

3. Charla o plática de carácter conciliatorio. ☞ **charlar.** ❖ CALLAR.

— *Cuando existe alguna diferencia entre diversas naciones se envían emisarios que parlamentan sobre los problemas.*

— conversar, conferenciar, pactar: *parlamentar.*

parnaso Conjunto de los poetas de una corriente o generación, de un lugar o época determinada. ☞ **poesía.**

— movimiento poético francés que reaccionó en contra del romanticismo del s. XIX: *parnasianismo.*

— que pertenece al parnasianismo o se relaciona con él, poeta que perteneció al parnasianismo: *parnasiano.*

parodia 1. Reproducción burlesca y satírica de una obra literaria. ☞ **pastiche.**

— *Habitualmente las parodias captan el sentido general de un texto.*

— hacer una parodia: *parodiar.*

— autor de parodias: *parodista.*

2. Imitación grotesca de algo, en especial de una situación seria y formal. ☞ **farsa.** ❖ REALIDAD.

— *La noche del baile fue una parodia.*

— imitar ridiculizando algo: *parodiar.*

— que pertenece a la parodia o se relaciona con ella: *paródico.*

parótida Glándula salival voluminosa situada en la parte más lateral y posterior de la boca. ☞ **glándula, saliva.**

— que pertenece a la parótida o se relaciona con ella: *parotídeo.*

— extirpación de la glándula parótida: *parotidectomía.*

— inflamación de la parótida: *parotiditis.*

paroxismo 1. Acceso visible y violento de una enfermedad. ☞ **exacerbar, exacerbación.** ❖ ATENUAR.

— *Tuvo un paroxismo después de dos días de operado y lo llevaron a terapia intensiva.*

2. Exaltación violenta de un sentimiento o pasión.

— *Se impresionó tanto con su muerte que no podía articular palabra en el paroxismo de su dolor.*

— que pertenece al paroxismo o se relaciona con él: *paroxísmico, paroxístico, paroxismal.*

paroxítono, -na (vea recuadro de gramática). Que lleva el acento en la penúltima sílaba, tratándose de palabras. ☞ **grave, llana.**

párpado Cada una de las dos membranas que cubren y resguardan el ojo. ☞ **palpebra.**
— abrir y cerrar los párpados: *parpadear, pestañear.*

parpar (vea recuadro de voces animales). Emitir voces o graznidos los patos.

parque 1. Terreno cubierto de árboles y jardines.
— *Le gusta pasear por el parque.*
— terreno destinado a salvaguardar la flora y fauna de una región: *parque nacional.*
2. Conjunto de municiones y balas, principalmente de un ejército.
— *Perdieron la batalla por falta de parque.*

parqué Tipo de entarimado formado por varias tablas angostas que se usa para cubrir el suelo. ☞ **madera, parquet.**

párrafo Fragmento de un texto que contiene una idea completa, inicia con mayúscula y se termina con un punto y aparte. ☞ **parágrafo, texto.**
— decir un discurso vehemente: *echar una parrafada.*
— conversar de manera confidencial: *parrafear.*

parranda Fiesta ruidosa y alegre. ☞ **juerga, jolgorio, francachela.**
— andar de fiesta en fiesta: *parrandear, irse de parranda.*
— acción y resultado de parrandear: *parrandeo, parrandeada.*
— persona que gusta de andar de fiesta en fiesta: *parrandera, parrandista.*

parrar Extender mucho sus ramas una planta o árbol. ☞ **árbol, rama.**

parresia Figura retórica que consiste en halagar a una persona fingiendo audacia y atrevimiento en el discurso.

parricidio Delito de quien le quita la vida a uno de los padres o a cualquier ascendiente, a un hijo o a cualquier descendiente o al cónyuge. ☞ **asesinar, homicidio.**
— individuo que comete parricidio: *parricida.*
— individuo que mata a un hermano: *fratricida.*

parrilla 1. Armazón con varillas de hierro que se coloca sobre la lumbre. ☞ **horno, reja, hornilla, enrejado.**
— *Algunas estufas tienen cuatro parrillas.*
— utensilio eléctrico que produce

calor y es similar en la forma a una parrilla: *parrilla eléctrica.*
2. Rejilla frontal que protege el radiador de los automóviles.
— *Cuando dos automóviles chocan de frente, usualmente lo único que se avería es la parrilla.*

parroquia 1. Templo a cargo de un sacerdote donde se ofrecen servicios religiosos. ☞ **templo, iglesia.**
— *Uno se debe casar en la parroquia más cercana al domicilio actual.*
— sacerdote que tiene a su cargo una parroquia: *párroco.*
— pertenencia a una iglesia determinada: *parroquialidad.*
— que pertenece a la parroquia o se relaciona con ella: *parroquial.*
2. Conjunto de personas que acuden al mismo templo y que se encuentran bajo la jurisdicción espiritual de un cura de almas. ☞ **feligrés, feligresía.**
— *Gracias a las actividades promocionales de la parroquia se reunió el dinero necesario para el asilo.*
— que pertenece a una determinada parroquia o se relaciona con ella: *parroquiano.*
— realizar las actividades encomendadas por la Iglesia: *cumplir con la parroquia.*
3. Conjunto de clientes habituales de un establecimiento comercial. ☞ **cliente, clientela.** ❖ VENDEDOR.
— *Debido al buen pozole que hacen, el restaurante tiene mucha parroquia.*
— persona que habitualmente compra en el mismo lugar: *parroquiano.*

parsimonia 1. Mesura y sobriedad en algo. ☞ **ahorrar, parquedad.** ❖ DISPENDIO, INMODERACIÓN, EXAGERACIÓN.
— *La parsimonia de algunas personas les impide gastar en lo que consideran lujos.*
— persona austera en sus hábitos: *parsimonioso.*
2. Calma y lentitud al realizar alguna actividad. ☞ **pachorra.** ❖ RAPIDEZ.
— *Al no tener prisa, caminaba con mucha parsimonia.*
— persona tranquila y calmada: *parsimonioso.*

parte 1. Porción o cantidad de un todo. ☞ **pedazo.** ❖ ENTERO, TODO.
— *En los aguinaldos se paga la parte proporcional del salario por el trabajo realizado.*
2. Región, zona, sitio o punto determinado del universo o de nuestro planeta. ☞ **lugar, ubicar, ubicación.**
— *En las partes altas de las montañas hace mucho frío.*

— de un sitio a otro: *de parte en parte.*
— coincidencia de un fenómeno en cualquier lugar: *en todas partes se cuecen habas.*
— no tener una meta determinada: *no ir a ninguna parte.*
3. Fase de un proceso. ☞ **etapa, momento.**
— *Es necesario ejercer un estricto control de calidad en la parte final de la elaboración de un producto.*
— a partir de determinado momento: *de un tiempo a esta parte.*
4. Determinado aspecto, matiz, lado o característica de una cosa o persona.
— de modo incompleto: *en parte.*
— poco a poco, en orden y considerando todos los aspectos: *parte por parte.*
— por separado: *por partes.*
5. Integrante de un conjunto o de un todo, principalmente de un artefacto o máquina. ☞ **miembro, participar, participante.**
— *El actor forma parte de la compañía de teatro.*
— pertenecer alguien a un conjunto mayor o grupo: *ser parte de.*
6. Cada uno de los grupos o personas que participan en algo común, especialmente en un acuerdo o en una discusión. ☞ **querella, litigio, querellante.**
— *En un juicio de divorcio se procura que las partes lleguen a un acuerdo.*
7. Escrito con el cual se informa de determinada situación a quien corresponde saberlo. ☞ **anunciar, avisar.**
— *Recibió un parte médico con el que podía justificar la ausencia de ese trabajador.*
— informar de algo a quien le corresponde para que actúe: *dar parte.*

parteluz Columna divisoria en el hueco de una ventana. ☞ **mainel, ventana.**

partenogénesis Tipo de reproducción de ciertos animales y plantas que no requiere de fecundación ya que la célula femenina se divide sin la intervención de espermatozoides. ☞ **reproducir, reproducción.**
— que pertenece a la partenogénesis o se relaciona con ella: *partenogenético.*
— desarrollo de animales a partir de factores químicos: *partenogénesis artificial o experimental.*

partenoplastia Operación quirúrgica reconstructora del himen. ☞ **himen, virgen, virginidad.**

participar 1. Colaborar en una actividad. ☞ **intervenir.**

— *Todos participaron en el evento.*

— acción y resultado de participar: *participación.*

— que forma parte de algo: *participante, partícipe.*

2. Tener una persona algo en común con otra.

— *Participan de la misma opinión que sus socios.*

3. Informar y dar parte de algo, comunicar. ❖ IGNORAR.

— *Se me participó que la junta había sido cancelada.*

— notificación de un evento: *participación.*

participio Forma no personal del verbo que funciona como verbo, adjetivo y, a veces, como sustantivo.

— participio que se forma con las terminaciones ado, ido, to, so o cho: *participio pasado o pretérito o participio pasivo.*

— participio que se forma con la terminación ante o iente: *participio activo o participio presente.*

— que pertenece al participio o se relaciona con él: *participial.*

partícula 1. Porción insignificante y diminuta de algo. ☞ **átomo.** ❖ CONJUNTO, TODO.

— *Cuando uno barre, las partículas de polvo se levantan.*

2. Elemento invariable y breve en una oración, en especial la conjunción y la preposición. ☞ **párrafo, oración.**

— *Se consideran partículas gramaticales las preposiciones, las conjunciones, y como partículas inseparables los prefijos y los sufijos.*

particular 1. Que es singular o extraño, que es único y no tiene las características propias de la clase o género al que pertenece. ☞ **peculiar, carácter, característico.** ❖ GENERAL, TOTAL.

— *Habla de manera muy particular.*

— peculiaridad, originalidad o singularidad: *particularidad.*

— distinguir o caracterizar algo o a alguien: *particularizar.*

— sobresalir en alguna actividad: *particularizarse.*

2. Que pertenece y es exclusivo de una persona o de un determinado sector. ☞ **privado.** ❖ PÚBLICO.

— *Los vehículos particulares tienen que pagar una cuota anual por concepto de placas y tenencia.*

3. Que es específico o determinado. ☞ **tema.** ❖ CORRIENTE.

— *Necesitamos hablar sobre este asunto particular.*

— referirse a un caso determinado o específico: *particularizar.*

4. Tema, asunto o cuestión del que se trata.

— *Sobre el particular no quiero oír nada más.*

— pormenorizar un escrito o discurso: *particularizar.*

partida 1. Alejamiento de un punto determinado. ☞ **partir.** ❖ LLEGADA.

— *La hora de la partida no se sabía a ciencia cierta.*

2. Documento que registra ciertos actos cívicos. ☞ **acta.**

— *Para obtener una fe de bautismo se necesita conocer el número de partida en la parroquia.*

3. Conjunto de personas pertenecientes a la misma clase, oficio o actividad. ☞ **gremio.**

— *Una partida de rufianes atacó a la muchacha.*

4. Remesa de mercancías. ☞ **enviar, envío.** ❖ ENTREGA.

— *La partida de latas de conservas ya fue embarcada.*

5. Cada una de las jugadas en un deporte o juego de cartas.

— *El "continental" tiene ocho partidas.*

— causarle daño a alguien: *jugarle una mala partida.*

partido 1. Agrupación de personas que comparten ideas políticas y sociales comunes. ☞ **grupo, asociar.** ❖ INDIVIDUO.

— *Un partido político es una agrupación de ciudadanos que legalmente aspira al poder estatal.*

— organización y grupo de personas que comparten la misma ideología y valores políticos: *partido político.*

— que pertenece a un partido político o se relaciona con él: *partidario.*

2. Cada una de las competencias o de ciertos juegos que llevan a cabo los participantes de acuerdo con una regla. ☞ **deporte, set, carrera.**

— *Un partido de futbol dura noventa minutos.*

partiquino Cantante secundario en una ópera. ☞ **ópera, cantar.**

partir 1. Dividir y cortar algo en fragmentos o partes. ☞ **romper, separar.** ❖ UNIR, PEGAR, JUNTAR.

— *Habrá que partir el pastel antes de servirlo en la mesa.*

— acción y resultado de partir algo: *partición.*

2. Abrir algún fruto de cáscara dura o abrir en pedazos alguna cosa con un objeto o golpe violento.

— *No puede partir este coco pero sí esas nueces.*

— golpear de manera violenta y agresiva a alguien: *partirle la madre.*

— tener relación amistosa y sincera: *estar a partir un piñón.*

3. Levantar una parte de la baraja y ponerla debajo del resto para iniciar la repartición de cartas, en algunos juegos de baraja. ☞ **cortar.**

— *Te toca partir y a mí, repartir.*

4. Dirigirse a un lugar desde otro. ☞ **marchar, ir.** ❖ LLEGAR.

— *Partió para rumbos lejanos.*

— llevarse a cabo el paseíllo de cuadrillas antes de iniciar un festejo taurino: *partir plaza.*

— llegar a un lugar de manera presuntuosa y exhibicionista: *partir plaza.*

5. Tener algo su inicio o principio en un determinado tiempo.

— *Este proyecto partió hace cinco años y está a punto de concluirse.*

— desde: *a partir de.*

6. Tomar un suceso, acontecimiento o hecho como base para algo.

— *Hay que partir de este libro para tratar el conflicto.*

partitura Conjunto de pentagramas donde se establece la notación de una obra musical. ☞ **pauta, nota, pentagrama.**

párulis Absceso en las encías. ☞ **encía.**

parvada 1. Conjunto de polluelos. ☞ **ave.**

— *La parvada está hambrienta.*

2. Conjunto de aves que vuelan.

— *Mira qué parvada de pelícanos se acerca al mar.*

parvo, -va Que es escaso y pequeño. ☞ **poco.** ❖ ABUNDANTE.

— insignificancia y escasez: *parvedad, parvidad, parvificencia.*

— disminuir la importancia, la cantidad o el tamaño de algo: *parvificar.*

— que es tacaño o miserable: *parvífico.*

párvulo, -la Que es de muy corta edad, tratándose de niños. ☞ **niño, infante.** ❖ MADURO, ADULTO.

— candor, inocencia, pequeñez: *parvulez.*

pasado, -da 1. Que ha sucedido, que es anterior a lo actual o tiempo anterior al presente. ☞ **tiempo.** ❖ PRESENTE, ACTUAL.

— *Hay quien dice que el pasado siempre fue mejor, porque las experiencias pasadas se idealizan en los recuerdos.*

2. Que está echado a perder, que ha perdido su consistencia o está rancio, tratándose especialmente de alimentos. ☞ **podrido.** ❖ MADURO, BUENO.

— *La fruta se dejó fuera del refrigerador y ya está pasada.*

pasador 1. Alfiler diseñado especialmente para sujetar el cabello y las corbatas, y también usado como adorno. ☞ **broche, prendedor, alfiler.**

— *Actualmente, hay en el mercado una amplia variedad de pasadores para el pelo.*

2. Barra de metal que sirve para asegurar las puertas. ☞ **pestillo, seguro.**

— *Hay que correr el pasador para que nadie pueda entrar sin avisar.*

pasaje 1. Conjunto de personas que viaja en algún medio de transporte.

— *El pasaje del barco tuvo contratiempos.*

— usuario de un medio de transporte: *pasajero.*

— documento que expide una autoridad a una persona para que pueda viajar al extranjero: *pasaporte.*

2. Tarifa que se paga por viajar en un medio de transporte. ☞ **cuota.**

— *El pasaje de los autobuses en la ciudad es muy barato.*

3. Pasadizo que va de un sitio a otro o que comunica dos calles, dos cuartos, dos islas, etc., por donde es posible atravesar. ☞ **estrecho.**

— *En el centro de la ciudad todavía hay muchos pasajes comerciales.*

— que su presencia es breve, que tiene poca duración: *pasajero.*

4. Fragmento o parte de un texto, una película o una composición musical.

— *Interpretar pasajes de Chopin y Beethoven.*

pasamontañas Gorra que protege toda la cabeza y la cara con excepción de la nariz y los ojos. ☞ **gorra.**

pasaporte Registro de identidad que todo ciudadano necesita portar cuando viaja al extranjero. ☞ **salvoconducto.**

pasar 1. Ocurrir o acontecer algo o haber terminado de ocurrir algo o de realizarse una cosa. ☞ **ocurrir.**

— *A veces se tiene el presentimiento de que algo va a pasar.*

— que ha sucedido o que ya terminó: *pasado.*

2. Hacer que algo o alguien deje de estar en una situación o lugar para estar en otra.

— *Pásate a esta silla y así podemos estar sentados todos.*

— acto de pasar: *paso.*

— sin detenerse mucho: *de pasada, de paso.*

3. Hacer llegar algo a alguien.

— *Dígale al mesero que me pase la cuenta.*

— encargar algo a alguien aprovechando la ocasión: *de pasada.*

4. Atravesar algo o alguien de un lu-

gar a otro o ir alguien o algo a través de una cosa. ☞ **cruzar, atravesar.**

— *Si quieres que pase al otro carril avísame cuando no vengan coches, antes de que pasemos por ese túnel.*

— cruce: *paso, pasada.*

— lugar por donde pueden atravesar los peatones: *paso de peatones.*

— remover obstáculos: *abrirse paso.*

5. Tragar algo por la boca, especialmente los alimentos. ☞ **deglutir.** ❖ DEVOLVER, EXPULSAR.

— *Desde ayer no puedo pasar nada, ni la medicina, porque me duele la garganta.*

6. Introducir, acompañar o dirigir a una persona hacia determinado lugar.

— *¡Buenos días! Pase usted, por favor, en seguida la atiendo.*

— documento que permite la entrada a un lugar: *pase.*

— entrada abierta: *paso franco.*

— posibilidad de entrar o ir a un lugar: *paso.*

7. Introducir una cosa o una persona a determinado lugar estando prohibido.

— *Los expulsaron porque estaban pasando bebida alcohólica a la escuela.*

— no detenerse ante nada para lograr un objetivo: *pasar por encima de.*

— consumir algún tipo de droga: *darse un pasón, estar en el pasón, estar pasado.*

8. Hacer que algo recorra una superficie o lugar.

— *Le pasaba la mano por la frente para tranquilizar su delirio.*

— arreglar rápidamente algo: *dar una pasada.*

9. Copiar un texto o traducirlo a otro idioma.

— *Voy a pasar en limpio todos mis apuntes.*

10. Mover una hoja de papel o algo similar para ver la siguiente.

— *No le pases de hoja, todavía no acabo de leer.*

11. Transcurrir el tiempo.

— *Han pasado como cinco años desde que nos vimos la última vez.*

— no tener la edad adecuada para realizar algo: *pasarse de tueste.*

— echarse a perder un alimento: *pasarse.*

— que está echado a perder por haber pasado el tiempo: *pasado.*

12. Transmitir un programa, una película o algo similar.

— *La comedia del ciego la pasan de lunes a viernes a las nueve de la noche.*

13. Transmitir o contagiar una enfermedad.

— *Su novia le pasó la hepatitis.*

14. Aprobar un ciclo escolar o una materia o cumplir alguien o algo con los requisitos necesarios para ser aprobado. ☞ **aprobar.** ❖ REPROBAR.

— *Mi amigo pasó de año con buenas calificaciones.*

— persona que ya terminó sus estudios profesionales pero aún no está titulada: *pasante.*

— ayudantía en un despacho, consultorio o cierta empresa: *pasantía.*

— ir más allá de lo permitido o lo aprobado: *pasarse de la raya.*

— comprobar que se encuentran todos los asistentes: *pasar la lista, pasar revista.*

15. No echar cartas en una jugada, no jugar o no apostar en el turno que le corresponde, en ciertos juegos de baraja o en el dominó.

— *Como tengo todas las cartas que necesito, paso en esta jugada.*

16. Rebasar algo o alguien a otra cosa o persona.

— *Ya le pasa a su hermano mayor en estatura.*

— permanecer ignorado: *pasar inadvertido.*

— evitar mencionar algo o no tomarla en cuenta: *pasar por alto.*

— abusar de alguien o de algo: *pasársele a uno la mano.*

pasarela Tarima que se coloca entre el muelle y los barcos para que circulen los pasajeros o tarima en una exhibición de modas por donde pasan las modelos. ☞ **tarima.**

pasatiempo Actividad que sirve como recreo y diversión. ☞ **divertir, diversión.** ❖ TRABAJO.

pascal Unidad de medida de presión equivalente a la presión de una fuerza de un newton sobre un metro cuadrado. ☞ **presión.**

pascua 1. Fiesta que celebra la resurrección de Cristo en la religión católica.

— *La celebración de la pascua puede caer entre el 22 de marzo y el 25 de abril.*

2. Festividad judía que conmemora la liberación del pueblo hebreo de los egipcios.

— *En la celebración de la pascua se come pan sin levadura.*

— que pertenece a la pascua o se relaciona con ella: *pascual.*

pasear 1. Ir de un lugar a otro sin otro objeto que la distracción o la recreación. ☞ **deambular, viajar.**

— *La gente suele salir a pasear los domingos.*

— lugar por donde se puede pasear: *paseo, paseadero, paseador.*

— persona que gusta de desplazarse para distraerse: *paseante, paseandera.*

— acción y resultado de pasear: *paseo.*

— desfile de los toreros al inicio de la corrida: *paseíllo.*

2. Llevar algo de un lugar a otro. ☞ **transportar.**

— *Sólo ando paseando los papeles y no encuentro a la persona que me los va a recibir.*

— rechazar a alguien: *mandar a paseo.*

pasible Capaz de padecer. ☞ **padecer.** ❖ GOZAR.

— capacidad de sufrimiento o condición de pasible: *pasibilidad.*

pasillo Corredor largo y angosto que comunica distintas alas o cuartos en una casa o edificio. ☞ **correr, corredor, hall.**

pasión 1. Sentimiento fuerte y vehemente hacia algo o alguien. ☞ **apasionar, afecto, inclinar, inclinación.** ❖ DESAPEGO, INDIFERENCIA, DESINTERÉS.

— *Su pasión son los automóviles.*

— emocionar, excitar o aficionar: *apasionar.*

— emocionante: *apasionante.*

— entusiasta o fanático: *apasionado.*

— enamorarse o encapricharse: *apasionarse.*

— sentimiento amoroso ferviente y violento: *pasión volcánica.*

— emociones violentas e innobles: *bajas pasiones.*

2. Padecimiento y sufrimiento. ☞ **sufrir, padecer.** ❖ GOZAR.

— *La pasión es el relato de los sufrimientos de Cristo en la cruz.*

— libro de cantos que tratan de la pasión de Cristo: *pasionario.*

— el que narra la pasión en los oficios religiosos: *pasionero, pasionista.*

pasivo, -va Que sufre la acción de los demás, que no participa activamente. ☞ **abulia, indiferencia, abúlico.** ❖ ACTIVO, INTERESADO.

— inactividad, inacción, inercia o desinterés: *pasividad.*

pasmar 1. Causar asombro y sorpresa. ☞ **asombrar, sorprender.** ❖ INDIFERENCIA.

— *Lo pasmó la noticia del accidente.*

— asombro: *pasmo.*

— que produce asombro: *pasmoso.*

— que está asombrado o distraído: *pasmado.*

— que parece estar siempre asombrado: *pasmón.*

2. Enfriar súbita y bruscamente o helarse las plantas. ☞ **frío, enfriar.** ❖ CALENTARSE.

— *Cuando las plantas se pasman quedan abrasadas y secas.*

pasta (vea ilustración) 1. Masa de harina de trigo y agua con la que se preparan sopas, panes y pasteles.

— *La pasta hojaldrada es difícil de preparar.*

— conjunto de alimentos preparados con harina de trigo, como los fideos o tallarines: *pastas.*

— tipos de pasta: *coditos, municiones, letras, plumitas, caracolitos, conchitas, fideos, pipirín, corbatitas, rueditas, estrellitas.*

— pasta italiana: *spaghetti, spaghettini, vermicelli, macarroni, rigatoni, lasagna, linguini, fusilli, riccioline, farfalloni.*

— pasta que está todavía firme al morderla: *pasta al dente.*

— pasta muy suave al morderla: *pasta tierna.*

— conjunto de galletas o panecillos dulces que se preparan con harina de trigo: *pastas.*

2. Cualquier tipo de mezcla moldeable. ☞ **crema, masa.**

— *La pasta de dientes generalmente es de color blanco, azul o verde.*

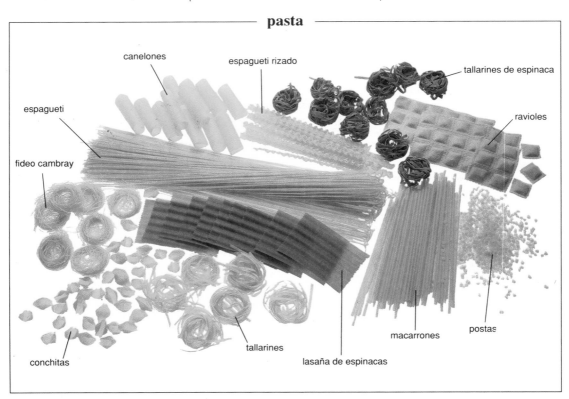

pasta

- canelones
- espagueti rizado
- tallarines de espinaca
- espagueti
- ravioles
- fideo cambray
- macarrones
- postas
- conchitas
- tallarines
- lasaña de espinacas

— que es suave y blando al tacto: *pastoso.*

— ser de naturaleza noble, tener buen trato o personalidad: *tener buena pasta, ser de buena pasta.*

— voz sin resonancias metálicas: *voz pastosa.*

3. Cubierta de un libro. ☞ **tapa.**

— *Habitualmente la pasta de los libros es de tela o piel.*

pastel 1. Postre que se hace con harina de trigo horneado y mezclado con crema, fruta, helado y mermeladas. ☞ **postre, bizcocho, torta, confitería.**

— *Los pasteles son tradicionales en una celebración de cumpleaños.*

— lugar donde se elaboran y se venden pasteles: *pastelería.*

— persona que elabora pasteles: *maestro pastelero, repostero.*

— persona que vende pasteles: *pastelero.*

2. Crayón colorante amasado con agua de goma que produce tonos opacos y tenues, y obra pictórica hecha con estos crayones.

— *Me pidieron que hiciera un dibujo con pasteles y copié un pastel que tenía mi mamá.*

— color tenue, pálido y opaco: *color pastel.*

pasteurizar Someter un alimento líquido a altas temperaturas sin llegar al punto de ebullición para destruir las bacterias, sin afectar sus elementos vitamínicos ni otros bioquímicos. ☞ **esterilizar, pasterizar.** ❖ INFECTAR.

— aparato esterilizador de líquidos: *pasteurizador.*

— proceso de esterilización de los líquidos: *pasteurización.*

pastiche Obra en la que se imitan o mezclan los estilos y motivos de un artista. ☞ **plagio, popurrí.**

pastilla 1. Pequeña porción de pasta sólida medicinal, aromática, de chocolate o de caramelo. ☞ **chocho, píldora, medicina, dulce.**

— caramelo que se usa para quitar el mal olor de la boca: *pastilla refrescante.*

— gránulos de azúcar a los que se agregan dosis mínimas de medicina: *pastillas homeopáticas, chochos.*

— píldora que impide la ovulación: *pastilla anticonceptiva.*

— máquina que fabrica pastillas: *pastilladora.*

2. Laminilla que contiene microscópicos circuitos integrados.

— *¿Cuántas pastillas o chips tiene esa computadora?*

pasto 1. Planta de la familia de las gramíneas que crece en los jardines o cualquier hierba que crece en el campo y come el ganado. ☞ **pienso, heno, hierba.**

— *Es preferible comprar el pasto de alfombra para los jardines.*

— extensa porción de terreno llena de pasto: *pastizal.*

— llevar el ganado al pastizal: *pastorear, pastar.*

— acción y resultado de pastorear: *pastoreo, pastoría.*

— dar de comer al ganado: *apacentar.*

2. Cualquier cosa que sirve como alimento o sustento. ☞ **alimentar.** ❖ HAMBRE.

— *Su situación fue pasto de las murmuraciones.*

— abundancia de algo: *a pasto.*

pastorela Composición teatral festiva cuyo tema principal es el nacimiento de Jesús. ☞ **teatro, obra.**

pata Pie o pierna de los animales, del hombre y de los muebles. ☞ **pierna, pie.**

— golpe dado con el pie o la pata: *patada, puntapié.*

— pisotear, golpear con las patas: *patear.*

— que tiene las extremidades inferiores muy grandes: *patón.*

— que tiene las piernas dormidas y entumecidas: *patitieso.*

— sorprendido, pasmado: *patidifuso, patitieso.*

— que tiene las piernas torcidas: *patituerto.*

pataca Unidad monetaria de Macao y de otros países del Extremo Oriente. ☞ **moneda, dinero.**

paté Pasta de hígado picado o molido de pato, pollo o puerco.

patena 1. Bandeja donde se coloca la hostia durante la celebración de la misa, entre los católicos. ☞ **misa, hostia.**

— *La patena generalmente es de oro o plata.*

2. Medalla con una imagen grabada. ☞ **medalla.**

— *Las campesinas acostumbran usar una patena con el santo de su devoción grabado.*

patente 1. Que es claro, palpable y evidente. ☞ **obvio.** ❖ OSCURO, CRÍPTICO, DUDOSO, INCIERTO.

— *Es patente el desagrado que le inspiran los insectos.*

— hacer evidente algo: *patentizar, hacer patente.*

2. Documento que certifica la existencia de un invento o la capacidad

para ejercer una profesión. ☞ **cédula, licencia, permitir, permiso.**

— *Las patentes en México están reguladas por la Ley de Invenciones y Marcas.*

— registrar un invento o una marca: *patentar.*

patético, -ca Que produce una emoción intensa y dolorosa, que conmueve, tratándose de palabras, gestos, actitudes, comportamientos. ☞ **melodrama, melodramático.** ❖ AGRADABLE.

— condición o calidad de patético: *patetismo.*

patíbulo Tarima o lugar donde se ejecuta la pena de muerte. ☞ **cadalso, horca.**

— que pertenece al patíbulo o se relaciona con él: *patibulario.*

— que produce terror debido a un aspecto repugnante y maligno: *patibulario.*

patilla 1. Franja de pelo que bordea las mejillas

— *En los sesenta las patillas estaban de moda.*

— que tiene patillas abundantes: *patilludo.*

2. Cada una de las dos varillas de los anteojos que se apoyan en las orejas.

— *Las patillas deben estar bien ajustadas para que no se caigan los anteojos.*

pátina Capa verdosa que se forma en el bronce con el paso del tiempo o aspecto que toman ciertos objetos con el tiempo. ☞ **bronceado, bronce.**

patinar 1. Deslizarse sobre patines. ☞ **esquiar.** ❖ CAMINAR.

— *Cuando se patina sobre una pista de hielo en lugar de ruedas se usan cuchillas.*

— zapatos con ruedas o con una cuchilla que sirven para deslizarse sobre superficies lisas y planas: *patines.*

2. Trastabillar al caminar sobre una superficie lisa o que las ruedas de un coche se deslicen sin rodar por un frenazo. ☞ **resbalar.**

— *La carretera estaba muy resbalosa y el coche se patinó.*

patio Espacio al aire libre en el interior de las casas o edificios. ☞ **jardín.**

patogénesis Estudio de los orígenes de las enfermedades. ☞ **enfermar.**

patógeno Cualquier organismo que produce una enfermedad. ☞ **enfermar.**

patognomia Reconocimiento de los síntomas de una enfermedad. ☞ **medicina.**

patología Rama de la medicina que estudia los trastornos en el organismo. ☞ **medicina.**

— que pertenece a la patología o se relaciona con ella: *patológico*.

— especialista en el estudio de la patología: *patólogo*.

— estudio de los trastornos mentales y conductuales: *psicopatología*.

patraña Noticia inventada. ☞ **embuste, mentira.** ❖ VERDAD.

— que suele contar mentiras: *patrañero*.

patria Lugar de nacimiento de alguien. ☞ **nación, país.**

— que pertenece a la patria o se relaciona con ella: *patrio*.

— que ama y respeta a su país: *patriota*.

— persona que ha nacido en el mismo país que uno: *compatriota, coterráneo*.

— condición o calidad de patriota: *patriotismo*.

patriarca 1. Persona que por su avanzada edad y experiencia ejerce cierta autoridad dentro de su grupo familiar o comunidad. ☞ **jerarquía, jerarca.**

— *El otoño del patriarca es una novela de García Márquez.*

— clan o familia donde la figura masculina es considerada como autoridad: *patriarcado*.

— que pertenece al patriarca o se relaciona con él: *patriarcal*.

2. Cada uno de los principales personajes hebreos o jefes religiosos del Antiguo Testamento. ☞ **biblia.**

— *Abraham, Isaac y Jacob fueron patriarcas que dieron origen al pueblo judío.*

3. Alto dignatario de la Iglesia católica ortodoxa. ☞ **ortodoxo.**

— *Hubo patriarcas en Alejandría, Jerusalén y Constantinopla.*

patricio, -cia 1. Que pertenece a los nobles o aristócratas, que se relaciona con ellos. ❖ PLEBEYO.

— *Su actitud patricia la salvó de ser atacada.*

2. Alguien o algo digno y respetable. ☞ **noble, hidalgo.** ❖ VULGAR, ORDINARIO.

— *La dignidad del patricio venía después de la imperial.*

— condición honorífica que se expedía en Roma a ciertos nobles: *patriciado*.

patrocinar 1. Apoyar una empresa, institución o persona a alguien o favorecer la realización de un proyecto. ☞ **respaldar, apoyar.** ❖ DESPROTEGER, RECHAZAR.

— *Algunas empresas patrocinan a equipos deportivos.*

— auxilio o ayuda: *patrocinio*.

— que aporta el capital necesario para la ejecución de un proyecto: *patrocinador*.

2. Pagar una empresa o institución la transmisión de un programa de radio o televisión por ser anunciada durante el mismo.

— *La empresa donde trabajo patrocina varios programas de televisión.*

— acción de patrocinar un programa de radio o televisión: *patrocinio*.

patrón, - na 1. Propietario de un lugar con respecto a los que trabajan ahí. ☞ **dueño.** ❖ EMPLEADO.

— *El patrón de la hacienda era muy autoritario.*

— que pertenece al dueño de un lugar o a quien manda en alguna cosa, que se relaciona con él: *patronal*.

— grupo de personas que vigilan los bienes de una institución no lucrativa: *patronato*.

— asociación dedicada a obras pías: *patronato, patronazgo*.

2. Santo que ampara y protege, entre los católicos. ☞ **amparar.** ❖ ABANDONAR.

— *Cada pueblo en México tiene un santo patrón.*

— santo bajo cuya protección se acoge un católico: *patrono*.

— dignidad que otorga la Iglesia católica a determinados santos como protectores de una comunidad: *patronato*.

— iglesias que veneran el mismo santo patrón: *patronado*.

3. Molde a partir del cual se sacan los componentes o las piezas de un determinado diseño. ☞ **modelo, muestra.**

— *Hacer un buen patrón es necesario para que un vestido quede bien cortado.*

patronímico Que es el apellido y no el nombre de pila. ☞ **apellido.**

— *Los nombres patronímicos más comunes son Martínez, Pérez, Sánchez, etc.*

patrulla 1. Partida de personas encargada de vigilar y proteger. ☞ **cuadrilla, destacamento.**

— *Esa patrulla de soldados ayuda a los damnificados del terremoto.*

— recorrer los lugares para vigilarlos: *patrullar*.

— persona que vigila: *patrullero*.

2. Vehículo que utiliza la policía. ☞ **policía.**

— *La patrulla chocó al ir en persecución de los asaltantes.*

— persona que maneja una patrulla o su acompañante: *patrullero*.

paulatino, -na Que es lento y pausado. ☞ **gradual.** ❖ ACELERADO.

pauperismo Presencia permanente de un gran número de pobres en una región. ☞ **pobreza, miseria.** ❖ RIQUEZA.

— muy pobre: *paupérrimo*.

— empobrecer: *pauperizar*.

— acción y resultado de pauperizar: *pauperización*.

— temor patológico a volverse pobre: *peniafobia*.

pausa 1. Interrupción momentánea de una acción. ☞ **intervalo.** ❖ CONTINUIDAD.

— *Tuvimos una pausa antes de continuar con la sesión.*

— interrumpir o retardar una acción: *pausar*.

— con lentitud al realizar una acción: *con pausa, con toda pausa*.

— que es calmoso o lento: *pausado*.

2. Intervalo de silencio durante el que se deja de cantar o tocar un instrumento musical y signo con que se representa en la notación musical.

— *El pianista no tomó en cuenta dos pausas en su interpretación de Chopin.*

pauta 1. Conjunto de líneas paralelas y equidistantes que funcionan como guía para escribir sobre ellas.

— *El papel rayado con pautas se llama papel pautado.*

— el que hace pautas: *pautador*.

— rayar el papel con pautas: *pautar*.

2. Norma o modelo a seguir. ☞ **regla, patrón.**

— *Si en este proyecto no hay una pauta se va a suscitar la anarquía.*

— imponer normas: *pautar*.

pavada Conjunto de pavos. ☞ **manada.**

— cuidador de pavos: *pavero*.

pavesa Residuo de ceniza de una materia inflamable. ☞ **ceniza, chispa, despabilar.** ❖ ENCENDER.

— retirar las cenizas al soplar: *despavesar*.

pavimentar Recubrir el suelo de las calles y caminos con una capa dura especial. ☞ **asfalto, piso, solar, pavimento.** ❖ TERRACERÍA.

— revestimiento del suelo de calles y caminos para facilitar el tránsito de vehículos y personas: *pavimento*.

— acción y resultado de pavimentar: *pavimentación*.

— suelo pavimentado: *pavimento*.

— recubrir el suelo con adoquines: *adoquinar*.

— recubrir con grava las carreteras: *afirmar*.

— recubrir las carreteras con grava y alquitrán: *alquitranar*.

— cubrir de asfalto las carreteras: *asfaltar*.

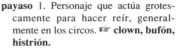

— cubrir el suelo con pequeñas láminas de piedra o baldosas: *embaldosar*.

— revestir el suelo con piedras: *empedrar*.

— cubrir el suelo con tablas de madera ensambladas: *entarimar*.

— orilla del pavimento: *encintado*.

— capa de cascajo apisonado sobre las carreteras: *encachado*.

pavo Ave gallinácea de origen americano. ☞ **guajolote.**

— ruborizarse: *ponerse hecho un pavo*.

— la adolescencia: *la edad del pavo*.

pavón (vea ilustración). 1. Ave similar al guajolote que se identifica por su peculiar "casco" brillante, de color rojo. También se le conoce como "gran cornudo" y habita exclusivamente en alturas mayores a los 1800 metros, en la sierra madre de Chiapas. Actualmente peligra su supervivencia por la destrucción de su hábitat y por la caza inmoderada de que es víctima.
2. Barniz de color azul que protege de la oxidación al acero.

— recubrir con pavón el hierro o el acero: *pavonar, empavonar*.

— pavón: *pavonado*.

— que es de color azulado oscuro: *pavonado*.

— peróxido de hierro de color rojo oscuro utilizado en las pinturas al fresco: *pavonazo*.

pavonear Alardear y jactarse de algo. ☞ **fanfarronear, presumir.** ❖ MODESTIA.

— envanecerse, exhibirse o vanagloriarse: *pavonearse*.

— ostentación o jactancia: *pavoneo, pavonada*.

pavor Miedo extremo o espanto. ☞ **pánico, terror, pavura.** ❖ VALENTÍA.

— lleno de pavor: *pavorido, despavorido, pávido*.

— que provoca espanto: *pavoroso*.

— pavor: *pavura, pavidez*.

pavón

payaso 1. Personaje que actúa grotescamente para hacer reír, generalmente en los circos. ☞ **clown, bufón, histrión.**

— *Los payasos habitualmente se pintan una bocota y se ponen una nariz roja y redonda.*

— acción o dicho propio de los payasos: *payasada*.
2. Persona necia y fanfarrona. ☞ **mequetrefe.**

— *Él es un payaso habituado a hacer bromas pesadas.*

— acción ridícula o de mal gusto: *payasada*.

— hacer actos poco serios o ridículos: *payasear, hacer payasadas*.

paz 1. Situación en un país o entre dos o más países en la cual no hay guerra. ☞ **concordia, armonía.** ❖ GUERRA.

— *El mundo ha estado en relativa paz desde la Segunda Guerra Mundial.*

— restablecer la paz: *apaciguar, pacificar*.

— acción y resultado de dar fin a un conflicto: *pacificación*.

— que procura la armonía y la paz: *pacificador*.

— doctrina en favor de la paz: *pacifismo*.

— que aboga y defiende la concordia o que es partidario del pacifismo: *pacifista*.

— documento que certifica el fin de una guerra: *tratado de paz*.

— hablar para ajustar la paz: *parlamentar*.

— símbolos de la paz: *paloma blanca, ramo de olivo*.
2. Situación de sosiego, calma y tranquilidad en la vida de las personas y en su trato social. ☞ **apaciguar, quietud, placidez.** ❖ PLEITO, DISCORDIA.

— *La paz de la vida campirana es reconfortante.*

— que le gusta estar en paz con los demás, que es tranquilo o amistoso: *pacífico*.

— dejar de molestar o terminar con algo enojoso: *dejar en paz*.

— dejar de moverse o de molestar: *estar en paz*.

— morirse: *descansar en paz*.

— impedir la tranquilidad: *no dar paz*.

pazguato, -ta Que es lento para comprender o actuar, que se pasma ante cualquier cosa. ☞ **bobo, tonto.** ❖ LISTO, INTELIGENTE.

— lentitud y simpleza al actuar: *pazguatería*.

pazote Planta quenopodiácea aromática de origen americano.

peaje Derecho que se paga por determinadas vías de comunicación, como autopistas, puentes, etc. ☞ **tránsito.**

— recaudador del peaje: *peajero.*

peana Tarima que sostiene algo. ☞ **pedestal, base, grada.**

— expresión que indica que obsequiar a una persona sirve para ganarse la voluntad de alguien cercano a ella: *ganarse al santo por la peana.*

peatón, -na El que anda a pie por la calle o por un camino. ☞ **transeúnte.** ❖ CONDUCTOR.

— puente que permite que el transeúnte atraviese una calle que no tiene semáforo: *paso peatonal.*

pebetero Recipiente para quemar perfumes o algo aromático. ☞ **sahumar, sahumador.**

pebuco Calcetín que sólo cubre el pie. ☞ **calcetín.**

peca Mancha pequeña de color café que aparece en la piel. ☞ **efélide.**

pecar Faltar a todo aquello que es lo debido y lo justo. ☞ **quebrantar, desobedecer.** ❖ SER VIRTUOSO.

— transgresión voluntaria de algún precepto moral o religioso: *pecado.*

— pequeña omisión o falta leve: *pecadillo, peccata minuta.*

— que no obra de acuerdo con los preceptos: *pecador, pecante.*

— que fácilmente incurre en pecado: *pecador.*

— que se trata de algo que se puede transgredir: *pecable.*

— que pertenece al pecado o al pecador, o que se relaciona con ellos: *pecaminoso.*

pécari Mamífero tayasuido americano semejante al jabalí. ☞ **jabalí.**

pecera Recipiente transparente lleno de agua donde se mantiene a los peces en cautiverio. ☞ **pez, acuario.**

pecina Cieno que se forma en el fondo de los charcos, que puede servir de abono. ☞ **moho.**

— pequeña laguna de aguas estancadas que tiene pecina: *pecinal.*

pecio Fragmento de un naufragio o de cualquier objeto que flota abandonado en el mar. ☞ **naufragar, nave.**

peciolo Rabillo de la hoja por el que se une con el tallo. ☞ **hoja.**

pectina Glúcido de las plantas que se manifiesta en los jugos de las frutas. ☞ **fruto, azúcar, pectosa.**

pectosa Sustancia insoluble en el agua obtenida de los frutos sin madurar. ☞ **pectina, fruto.**

pecuario Que pertenece a la ganadería o se relaciona con el ganado. ☞ **ganado.**

peculado Robo del dinero del erario público por un empleado o administrador del mismo. ☞ **concusión, exacción, malversación.**

peculiar Característica distintiva de algo o alguien. ☞ **distinguir, distintivo.** ❖ COMÚN.

— algo distintivo: *peculiaridad.*

— elemento raro y poco común: *peculiaridad.*

— inclinación a enfatizar lo poco común: *peculiarismo.*

peculio Dinero y bienes que cada quien tiene. ☞ **fortuna.**

pecuniario, -ria Que se encuentra relacionado con el dinero. ☞ **dinero, moneda, billete.**

— moneda: *pecunia.*

pecho 1. Parte anterior del cuerpo de ciertos animales y del hombre que va del cuello a la cintura, y que sirve de cavidad que resguarda el corazón y los pulmones. ☞ **tórax, pectoral.**

— *El pecho está protegido por las costillas.*

— que pertenece al pecho o se relaciona con él: *pectoral.*

— expresión que indica la necesidad de afrontar las consecuencias de los actos cometidos: *a lo hecho, pecho.*

2. Cada una de las mamas de la mujer. ☞ **seno, busto, pechuga, espetera.**

— *Cuando las mujeres amamantan a sus bebés se dice que están dando pecho.*

— conjunto de los senos de la mujer: *pechuga.*

— que tiene senos grandes: *pechugona.*

— descubrirse los senos una mujer: *despechugarse.*

pedagogía Ciencia de la enseñanza y educación de los niños y jóvenes. ☞ **educar, enseñanza.** ❖ APRENDIZAJE.

— que pertenece a la pedagogía o se relaciona con ella: *pedagógico.*

— persona especialista en educación: *pedagogo.*

— que va en contra de todas las normas de la correcta enseñanza: *antipedagógico.*

— alguien que enseña: *maestro.*

— labor o cargo de maestro: *magisterio.*

— persona que imparte una materia determinada: *profesora.*

pedal Palanca que mediante la presión o el movimiento de un pie acciona un mecanismo. ☞ **palanca.**

— accionar un mecanismo mediante el continuo movimiento rotatorio de los pies: *pedalear.*

pedante Que se jacta de manera pretenciosa y afectada de sus conocimientos y habilidades, tratándose de personas. ☞ **presumir, sangre, presuntuoso, sangrón, sabelotodo.** ❖ MODESTO, SENCILLO.

— erudición vana y afectada: *pedantería, pedantismo.*

— que pertenece al pedante o se relaciona con él: *pedantesco.*

— alardear de erudición: *pedantear.*

pedazo Fragmento o parte separada de un todo. ☞ **parte, trozo.** ❖ COMPLETO.

— partir algo en trozos: *despedazar, trozar, fragmentar.*

— alguien muy torpe: *pedazo de alcornoque.*

— encontrarse destrozado: *estar hecho pedazos.*

— estar algo en un estado deteriorado y viejo: *caerse a pedazos.*

— deshacerse algo: *estallar en pedazos.*

pederasta Persona que abusa sexualmente de un infante. ☞ **sexo, sodomía.**

— coito anal con un niño o un joven: *pederastia.*

— deseo sexual experimentado hacia los niños: *pederosis.*

pedernal Mineral traslúcido amarillento o grisáceo con el cual se obtiene fuego. ☞ **piedra.**

— que es de pedernal o tiene algunas de sus propiedades: *pedernalino.*

pedestal Estructura maciza y fuerte sobre la cual se apoya algo. ☞ **base, zócalo.** ❖ COLUMNA.

— valorar muy bien a alguien: *tenerlo en un pedestal, ponerlo en un pedestal.*

pedestre 1. Que se hace a pie o que anda a pie.

— *Los deportes pedestres son las carreras atléticas.*

— condición de pedestre: *pedestrismo.*

— prueba atlética en la que se camina o se corre: *pedestrismo.*

2. Que es vulgar, común y ordinario. ☞ **ramplón.** ❖ SINGULAR.

— *La obra de teatro pretendía ser original pero en realidad era pedestre.*

pediatría Rama de la medicina dedicada al estudio, prevención y tratamiento de las enfermedades infantiles. ☞ **medicina, puericultura.**

— médico especialista en infantes: *pediatra.*

pedicuro, -ra Persona que se dedica al cuidado de los pies. ☞ **pie, pedicurista.**

pedigree (pedigrí) Árbol genealógico

que señala la raza de los animales. ☞ **animal.**

pedir Solicitar algo que se requiere, se necesita o se desea. ☞ **demandar, requerir.** ❖ DAR, OTORGAR.
— que pide: *pedidor.*
— requerimiento o solicitud de algo: *pedido, petición, pedimento, pedidura.*
— solicitud formal de la mano de alguien para casarse: *petición, pedida.*
— solicitud de determinadas mercancías a un vendedor: *pedido.*
— alguien que continuamente pide: *pedinche, pediche, pedigüeño.*

pedo 1. Gas expelido por el ano; este término se considera vulgar. ☞ **ventosidad, flatulencia.**
— *Ese niño se está echando muchos pedos.*
— expeler ventosidades: *pederse, peerse.*
— continua expulsión de flatos: *pedorrera.*
— que expulsa flatos: *pedorro, pedorrero.*
2. Borrachera.
— *El día de su aniversario de bodas traía un pedo que no podía caminar.*
— emborracharse: *empedarse.*
3. Problema, dificultad o situación conflictiva.
— *Con tanto dinero que gana, no tiene ningún pedo.*
— crear problemas o exagerar una situación: *hacerla de pedo, armarla de pedo.*
— ponerse violento o agresivo con alguien: *ponerse al pedo.*
— ni modo: *ni pedo.*
— ¿qué ocurre?, ¿de qué se trata?: *¿qué pedo?*
— panecillo dulce de harina: *pedo de monja.*

pedogénesis Estudio del origen y evolución de los suelos.
— que pertenece a la pedogénesis o se relaciona con ella: *pedogenético.*
— rampa de erosión del suelo: *pedimento.*
— condiciones óptimas de un suelo: *pedoclímax.*
— suelo propio de los climas húmedos: *pedalfer.*
— suelo propio de los climas secos: *pedocal.*

pegar 1. Adherir o unir algo con otra cosa de manera que quede fija. ☞ **fijar, juntar.** ❖ DESPEGAR.
— *Los parches de la ropa se pueden pegar con la plancha.*
— dos cosas adheridas entre sí: *pegadura.*
— acción y resultado de pegar dos

cosas: *pegamiento, pegadura.*
— susceptible de adherirse: *pegadizo, pegajoso.*
— condición o calidad de pegajoso: *pegajosidad.*
— sustancia que sirve para pegar: *pegamento.*
— haber sido incapaz de levantarse a tiempo de la cama: *pegársele a uno las sábanas.*
2. Acercar una cosa a otra de manera que estén en contacto. ☞ SEPARAR, DESUNIR.
— *Pega la mesa a la puerta para que no puedan entrar.*
3. Dar de golpes a algo o a alguien. ☞ **golpear, castigar, propinar.** ❖ ACARICIAR.
— *En lugar de pegarle a la pelota le pegó a su hermano.*
4. Combinar una cosa con otra.
— *Esa blusa no pega con la falda azul de rayas.*
5. Tener éxito alguien o algo. ❖ FRACASAR.
— *Sus canciones no pegaron entre los jóvenes.*
— alcanzar el éxito en algo: *pegarla.*
— resultar atractivo o agradable a alguien o conquistarlo amorosamente: *pegar su chicle.*

peinar Pasar el peine por el cabello para desenredarlo y arreglarlo. ☞ **cepillar, pelo.** ❖ ENREDAR.
— utensilio con pequeñas cerdas que sirve para desenmarañar y arreglar el cabello: *peine.*
— pasar el peine rápidamente por el cabello: *darse un peinazo.*
— modo en que está acomodado y dispuesto el pelo: *peinado.*
— que peina: *peinador.*

pelado, -da 1. Que se encuentra sin su cubierta natural o sin adorno. ☞ **desnudo, lampiño, gastado.** ❖ PELUDO, VELLOSO.
— *Los militares tienen pelado el pelo.*
2. Que es vulgar, grosero y maleducado alguien. ☞ **grosería, pelafustán, grosero, peladusco.** ❖ CORTÉS, EDUCADO, RESPETUOSO, FINO.
— *Ese individuo es un pelado: dice groserías a cada rato.*
— grosería, palabrota: *peladez.*
— acción de una persona con la que demuestra su falta de cortesía, buenas costumbres o educación: *peladez.*
— persona despreciable, ordinaria y soez: *pelafustán.*

pelaire Cardador de telas. ☞ **cardar.**
— oficio de preparación del hilado para la elaboración de telas: *pelairía.*

pelar 1. Cortar el pelo de la cabeza a alguien o desplumar un ave. ☞ **rapar, cortar, pelo.**
— *Lo pelaron para ver si así le salía más pelo.*
— caérsele a alguien el pelo: *pelarse.*
— acción y resultado de pelar o pelarse: *pelada.*
— caída de pelo: *peladela, calvicie, alopecia.*
— sin pelo: *pelón.*
— ser algo difícil o complicado, ser poco probable que algo suceda: *estar pelón.*
— lugar donde se les quita el pelo a ciertos animales o las plumas de las aves: *peladero.*
— cambiar de pelo o pluma los animales: *pelechar.*
2. Quitar la cubierta o la cáscara de algo. ☞ **mondar, descortezar.**
— *Es difícil pelar la cáscara de la nuez de Castilla.*
— que pela o que se usa para pelar ciertas frutas o verduras: *pelador.*
— residuo que queda al pelar algo: *peladura, monda, pellejo, cáscara.*
3. Hacer caso a alguien o prestarle atención. ❖ IGNORAR, DESATENDER.
— *No lo peles, está borracho.*
— huir de algún lugar, irse o morirse: *pelarse, pelar gallo.*
— escaparse la oportunidad de lograr algo: *pelársele.*
— mostrar los dientes al sonreír con afectación: *pelar los dientes.*
— abrir los ojos mucho por asombro o mirar con mucha atención: *pelar los ojos.*
— la muerte: *pelona.*

peldaño Escalón de una escalera. ☞ **grada.**

pelde Tañido de una campana antes del amanecer. ☞ **campana, tocar, tañir.**

pelear 1. Enfrentar un animal o alguien a un contrincante o esforzarse por alcanzar algo venciendo obstáculos. ☞ **luchar, batallar.** ❖ CONCORDAR.
— *Los contrincantes en el box pelean con guantes.*
— combate: *pelea.*
— que lucha: *peleador, peleante.*
— que tiene frecuentes altercados: *peleonero, peleador, pendenciero.*
2. Discutir y enemistarse con alguien. ☞ **reñir, altercado.** ❖ HACER AMIGOS, AMISTAR.
— *Ya no son novios porque pelearon.*

pelele 1. Muñeco de paja o trapo. ☞ **espantapájaros.**
— *Los peleles son figuras humanas de trapo que generalmente se exhiben en los desfiles o en el carnaval.*

☞ sinónimos o referencias ❖ antónimos u opuestos afines

2. Persona débil de carácter. ☞ **pelmazo.**

— *Es un pelele, incapaz de tener iniciativa.*

peletería Oficio de preparar las pieles para emplearlas como prendas de vestir o adornos. ☞ **manguitería, piel.**

— el que conoce y trabaja las pieles: *peletero.*

— taller donde se curten pieles: *tenería.*

— máquina con mazos que golpea la piel y la desengrasa: *batán.*

— preparar la piel de modo que se torne flexible y se puedan fabricar diversas prendas: *curtir.*

— aplicar a la piel diversas sustancias que la curten: *adobar, aderezar.*

peliagudo, -da 1. Que es de pelo largo y fino. ☞ **pelo.**

— *El gato es un animal peliagudo.*

2. Que es de resolución difícil o complicada, tratándose de asuntos o negocios. ☞ **difícil, complicar, complicado, enrevesado.** ❖ FÁCIL, SENCILLO.

— *La propuesta es peliaguda en estos tiempos tan difíciles.*

película 1. Membrana o capa sólida o líquida que cubre la superficie de algo. ☞ **capa, nata.**

— *La mesa tiene una película de polvo en la que se puede escribir.*

2. Laminilla sensible a la luz donde se plasman imágenes. ☞ **fotografía, cine.**

— *La base de una película es el acetato de celulosa.*

— resultante de la acción del ácido acético sobre la celulosa del algodón en presencia de catalizadores: *acetato de celulosa.*

— grabar una imagen o sonido en una placa fotográfica o cinta magnetofónica: *impresionar.*

3. Secuencia de imágenes fotográficas impresa en esa laminilla que conforman una historia o una unidad. ☞ **cinta, film, largometraje.**

— *La India es el mayor productor de películas del mundo.*

— que pertenece a la película o se relaciona con ella: *peliculero.*

— persona aficionada a ver películas: *peliculero.*

— filme bien realizado: *peliculón.*

— que gusta mucho del cine: *cinéfilo.*

— producir y realizar una película: *filmar, rodar.*

— fotografiar una escena en una película: *filmar, tomar.*

— longitud de una cinta de cine: *metraje.*

— procedimiento por el cual al tomar

las imágenes de una película se deforman para que a la hora de proyectarlas en pantallas gigantes produzcan una sensación de realidad: *cinemascope.*

peligrar Encontrarse algo o alguien en situación insegura y correr un riesgo. ☞ **contingencia, riesgo.**

— posibilidad de que ocurra una desgracia: *peligro.*

— situación que puede provocar un deceso: *peligro de muerte.*

— que causa daño o que es temible o alarmante: *peligroso.*

— condición o calidad de peligroso: *peligrosidad.*

— expresión que indica que aquel que propicia circunstancias riesgosas se puede meter en problemas: *quien busca la ocasión busca el peligro.*

pelmazo 1. Algo muy apretado y compacto. ☞ **mazacote, apelmazar.**

— *El arroz, si no se prepara correctamente, queda hecho un pelmazo.*

2. Persona desagradable e inoportuna. ☞ **pelele.** ❖ SIMPÁTICO, AMABLE.

— *El que siempre interrumpe la conversación es un pelmazo.*

pelo 1. Cualquier clase de filamento delgado, flexible y de naturaleza córnea que cubre la piel de algunos mamíferos y otros animales, conjunto de estos filamentos. ☞ **cabello, hebra, vello.**

— *Se cepilla el pelo a cada rato.*

— local donde se corta y arregla el pelo: *peluquería, salón de belleza, estética.*

— especialista en el arreglo y tratamiento del pelo: *peluquero.*

— cabellera postiza: *peluca.*

— peluca pequeña: *peluquín.*

— a la medida, oportunamente: *al pelo.*

— de poca calidad, de poco valor: *de medio pelo.*

— fuerte, valiente, serio: *de pelo en pecho.*

— nada: *ni un pelo.*

— a punto de: *por un pelo de rana calva.*

— hacer tonto a alguien, engañarlo: *tomarle el pelo, tomar el pelo.*

— causar miedo o terror algo a alguien: *ponerle los pelos de punta.*

— estar desesperado: *tirarse de los pelos, jalarse de los pelos.*

— decir las cosas con franqueza y sin tapujos: *no tener pelos en la lengua.*

— montar un caballo sin silla: *montar a pelo.*

2. Cada uno de los filamentos que nacen en las hojas, tallos o frutos de ciertas plantas y conjunto de estos filamentos.

— *Los pelos de elote son diuréticos y recomendables para ciertas afecciones de los niños.*

pelota Esfera de diversos materiales que, inflada con aire, sirve para jugar o practicar ciertos deportes. ☞ **balón, bola.**

— jugador de pelota, especialmente en el beisbol: *pelotero.*

— jugar a la pelota: *pelotear.*

— conjunto de pelotas: *pelotería.*

— golpe dado con una pelota: *pelotazo.*

— hacer responsable a otra persona de algo que no ha hecho: *echarle la pelota.*

— evadir una situación: *pasarse la pelota.*

— confundirse: *hacerse pelotas.*

— deportes de pelota: *futbol, tenis, baloncesto, volibol, rugby, waterpolo, pelota vasca, ping-pong, futbol americano, frontón, polo, cricket, boliche, billar, beisbol, golf, hockey.*

pelotón Grupo menor de soldados al mando del cual se encuentra un cabo o sargento. ☞ **ejército.**

— juntarse varias personas desordenadamente: *apelotonarse.*

peltre Aleación de cinc, plomo y estaño. ☞ **batería.**

— el que trabaja y vende peltre: *peltrero.*

pelvis Armazón ósea que se encuentra en la parte inferior del tronco del cuerpo humano y de algunos primates. ☞ **hueso.**

— que pertenece a la pelvis o se relaciona con ella: *pelviano.*

— instrumento que mide el ancho de la pelvis: *pelvímetro.*

pellejo 1. Capa exterior de la piel de los animales o de ciertas frutas. ☞ **piel, cáscara.**

— *El pellejo de las semillas se llama ollejo.*

— que tiene la piel flácida y arrugada, tratándose de personas y animales: *pellejuda.*

— que tiene muchos nervios, tratándose de un pedazo de carne para comer: *pellejuda.*

— tienda de pieles: *pellejería, peletería.*

— persona que trata pieles: *pellejero, peletero, pellijero.*

— proteger la vida: *salvar el pellejo.*

2. Bota para guardar vino. ☞ **odre.**

— *Hay gente que toma directamente el vino del pellejo.*

pelliza Chaqueta habitualmente forrada de piel. ☞ **chaqueta.**

pellizcar 1. Agarrar y apretar algo de carne o piel entre los dedos, retor-

ciéndolo. ☞ **pinchar, retorcer.**
❖ ACARICIAR.
— *Mi abuela me pellizcaba cuando me portaba mal.*
— acción de pellizcar y marca que queda en la piel o carne: *pellizco.*
2. Probar pequeñas cantidades de alimentos. ☞ **pilinquear.** ❖ COMER.
— *Tenía poco apetito: nada más pellizcó la comida.*
— pequeña porción de algo que cabe entre los dedos: *pellizco.*

pena 1. Timidez o vergüenza que siente alguien ante algo.
— *Fue tanta su pena que ni siquiera pudo hablar.*
— tímido: *penoso.*
— turbarse, avergonzarse: *apenarse.*
2. Esfuerzo o dificultad que implica lograr algo.
— *Pasamos muchas penas para pagar la operación de mi papá.*
— hacer algo dificultoso: *tomarse la pena.*
— con esfuerzo: *a duras penas, a penas.*
— dificultad: *penalidad.*
3. Sufrimiento o tristeza producido por un problema o circunstancia adversa. ☞ **angustia, congoja.** ❖ PLACER, FELICIDAD, ALEGRÍA.
— *Todavía no se recupera de la pena que sufrió al perder a su esposo.*
— que padece tristeza: *penoso.*
— sufrir un dolor o una pena: *penar.*
4. Castigo impuesto al delincuente o infractor. ☞ **crimen, penitencia, castigo, penalidad.** ❖ PREMIO, RECOMPENSA.
— *La pena de muerte no existe en México.*
— bajo el castigo de: *so pena de.*
— que pertenece a los delitos o faltas y a las sanciones o penas que se le aplican o se relacionan con ellos: *penal.*
— lugar donde los delincuentes cumplen sus penas o condenas: *penal.*
— castigo a morir decretado en un juicio a un criminal: *pena de muerte, pena capital.*
— señalar un castigo: *penar, penalizar.*
— conjunto de disposiciones que definen los delitos y sus penas: *código penal.*
— conjunto de normas y leyes que determinan los delitos y los castigos y ciencia que las estudia: *derecho penal.*
— abogado dedicado al derecho penal: *abogado penalista.*
— máxima sanción a un equipo de futbol cuando comete una falta contra el equipo contrario dentro de su propia área de gol: *penalty, penal.*

penacho 1. Adorno formado por un conjunto de plumas de colores sobre un sombrero o sujeto a la cabeza. ☞ **pluma.**
— *Tiene un sombrero con un penacho tan grande que casi no se le ve la cara.*
2. Conjunto de plumas que tienen ciertas aves sobre la cabeza.
— *Las cacatúas tienen penachos muy vistosos.*

penca Hoja aplanada y carnosa de algunas plantas. ☞ **hoja.**
— golpe dado con una penca: *pencazo.*
— que está lleno de pencas: *pencudo.*

pendejo 1. Vello púbico. ☞ **pelo.**
— *El pendejo es un vello que cubre los genitales y las ingles.*
2. Persona torpe y estúpida. ☞ **apendejar, tonto.** ❖ INTELIGENTE, LISTO.
— *Él es un pendejo: todo le sale mal.*
— situación o acción torpe y errónea, tontería o estupidez: *pendejada.*
— realizar algo sin ningún provecho o actuar como un pendejo: *pendejear.*
— hacer mal las cosas, actuar equivocadamente: *pendejearla.*
— estar uno equivocado o actuar como tonto: *estar pendejo.*
— condición o calidad de pendejo: *pendejez.*
— fingir que no se conoce un asunto determinado: *hacerse el pendejo.*

pendenciero, -ra Que es propenso a reñir y tener altercados. ☞ **pelear, reñir, peleonero.** ❖ PACIFISTA, ECUÁNIME.
— altercado, riña o acción de reñir: *pendencia.*
— pelear: *pendenciar.*

pendentif Adorno que cuelga del cuello. ☞ **dije.**

pendiente 1. Que está suspendido en el aire o cuelga. ❖ FIRME.
— *No me gusta pasar por abajo de esos candiles colgantes.*
— estar algo suspendido en el aire o colgando: *pender.*
2. Adorno que cuelga de las orejas. ☞ **arete, zarcillo.**
— *Los pendientes que lleva son de diseño exclusivo.*
3. Que se encuentra por resolver o por realizarse. ☞ **diferir, demorar.** ❖ CONCLUIDO.
— *Mi calificación está pendiente.*
— estar por resolverse o realizarse algo: *pender.*
— juicio que todavía no se ha resuelto: *pendencia.*

4. Preocupación por algo o por alguien.
— *Tiene el pendiente de su examen profesional.*
— poner interés en, poner atención en: *estar al pendiente de.*
— estar preocupado por algo o alguien: *estar al pendiente de.*
5. Inclinación de algo respecto a su horizontal. ☞ **declive.** ❖ PLANO.
— *Se llama pendiente al declive calculado en milímetros de una línea de ferrocarril.*
6. Tangente del ángulo de una línea con su proyección horizontal. ☞ **línea.**
— *El cociente que resulta de dividir la distancia entre dos puntos de una recta por su proyección horizontal es la pendiente.*

pendil Prenda de vestir femenina que cubre la espalda. ☞ **manto, pañoleta.**

péndola 1. Pluma de ave utilizada para escribir. ☞ **pluma, péñola.**
— *Las péndolas se remojaban en tinta para poder escribir con ellas.*
— persona que tiene buena caligrafía: *pendolista, pendolario.*
2. Varilla que, sostenida de un punto fijo, oscila regulando el movimiento de los relojes. ☞ **péndulo.**
— *Los relojes de pared antiguos tienen péndola.*
— oscilación de la péndola del reloj: *pendolada.*
— resorte de acero de la espiral del reloj: *pendolita.*
3. Barra vertical que sostiene el piso de un puente colgante. ☞ **puente.**
— *La péndola se fija a las cuerdas del puente.*

pendón Estandarte rematado en punta. ☞ **pabellón, insignia, bandera.**
— que lleva el pendón en las procesiones: *pendonista.*
— estandarte pequeño: *pendoneta.*

péndulo Cuerpo que, suspendido de un punto determinado, realizan movimientos oscilatorios. ☞ **péndola.**
— que pertenece al péndulo o se relaciona con él: *pendular.*

pene Órgano eréctil, alargado y cilíndrico con el que realiza la cópula el hombre y algunos animales. ☞ **miembro, falo, verga.**
— parte extrema del pene: *glande.*
— pliegue de piel a modo de capuchón protege el glande: *prepucio.*
— alargamiento del prepucio que impide descubrir el glande: *fimosis.*
— erección dolorosa, involuntaria y permanente del pene: *priapismo.*
— operación quirúrgica por medio

de la cual se escinde parcial o totalmente el prepucio: *circuncisión*.

— atrapamiento del pene dentro de la vagina durante el coito: *pene cautivo*.

— curvatura del pene erecto hacia el escroto: *pene en maza*.

peneque Tortilla alargada y capeada con huevo que se rellena de queso o carne y se sirve en caldillo de jitomate. ☞ **antojar, antojito.**

penetrar 1. Entrar en un lugar. ☞ **pasar.** ❖ QUEDAR, SALIR.

— *El sujeto penetró en el lugar sin estar autorizado a ello.*

2. Introducirse profundamente algo dentro de la materia de otro elemento. ☞ **introducir.** ❖ SACAR.

— *El cuchillo penetró en sus entrañas.*

— que entra de modo profundo: *penetrante, penetrativo*.

— agudo y molesto, tratándose de sonidos: *penetrante*.

— que tiene la capacidad de introducirse: *penetrativo, penetrante*.

— que es susceptible de ser penetrado: *penetrable*.

— introducción, entrada: *penetración*.

— acción y resultado de penetrar: *penetración*.

3. Afectar la intensidad de algo los sentidos o los sentimientos.

— *Los gritos de la niña le penetraban en los oídos.*

— intenso, subido, fuerte o desgarrador: *penetrante*.

4. Entender algo o tener capacidad de análisis y deducción. ☞ **captar, entender, profundizar.**

— *Se le dificulta mucho penetrar en el pensamiento oriental.*

— capacidad de entender algo difícil: *penetración*.

— comprensible, inteligible: *penetrable*.

— inteligente, perspicaz o sutil: *penetrante, penetrador*.

penicilina Cada una de las sustancias antimicrobianas que tienen propiedades antibióticas que impiden que los microbios o bacterias formen paredes celulares. ☞ **antibiótico.**

— tipos de penicilina: *penicilina G, penicilina G benzantina, ampicilina, amoxicilina, carbenicilina, tircacilina, penicilinas resistentes a la penicilinasa*.

penígero, -ra Que tiene alas o plumas. ☞ **pluma, ala.**

península Tierra rodeada de agua por todos lados menos por uno que la mantiene unida a tierra firme. ☞ **geografía.** ❖ ISLA.

— que pertenece a una península o se relaciona con ella: *peninsular*.

penitencia Obligación voluntaria o impuesta por motivos religiosos. ☞ **castigo, mortificar.** ❖ PREMIO.

pensar 1. Reflexionar y elaborar ideas en la mente. ☞ **meditar, concebir, cavilar.** ❖ ACTUAR.

— *Pensar detenidamente en el proyecto nos asegura su éxito.*

— que tiene la capacidad de pensar o que piensa: *pensante*.

— que se dedica a cuestiones filosóficas profundas: *pensador*.

— que está absorto o analizando, estructurando o relacionando ideas: *pensativo*.

— capacidad de estructurar, analizar y relacionar ideas y su resultado: *pensamiento*.

— lugar supuesto en el que se practica la capacidad de estructurar, analizar y relacionar ideas: *pensamiento*.

— pensamiento caracterizado por el uso de abstracciones y generalizaciones: *pensamiento abstracto*.

— proceso mediante el cual el individuo se aleja de la realidad y se concentra en sí mismo: *pensamiento autista*.

2. Opinar sobre determinado asunto, llegar a una conclusión a propósito de algo. ☞ **creer, conjeturar.** ❖ TENER LA CERTEZA.

— *Yo pienso que la situación es delicada.*

— posibilidad de creer en lo que se quiera: *libertad de pensamiento*.

— tener una opinión positiva de alguien o algo: *pensar bien de*.

— tener una opinión negativa de alguien o algo: *pensar mal de*.

— cambiando de opinión: *pensándolo bien*.

— discrepar: *pensar de distinto modo*.

3. Recordar a una persona, situación u objeto. ☞ **rememorar, evocar.** ❖ OLVIDAR.

— *Pensar en su muerte es doloroso.*

— de modo inesperado: *cuando menos se piensa*.

— no, nunca, jamás: *ni pensarlo*.

— producir algo o alguien inquietud en una persona: *dar qué pensar*.

— expresión que indica que hay que ser de naturaleza desconfiada y recelosa: *piensa mal y acertarás*.

pensil Jardín paradisíaco. ☞ **vergel.** ❖ DESIERTO.

pensión 1. Cuota que se paga periódicamente por un servicio. ☞ **renta.**

— *La pensión que mi padre paga en el asilo es excesiva.*

— persona que paga una pensión: *pensionario, pensionista*.

— imponer un pago o pensión: *pensionar*.

2. Cantidad mensual que recibe un trabajador desde el momento en que se jubila o cuando, debido a un accidente, se incapacita para trabajar. ☞ **subsidiar.**

— *Gracias al Seguro Social, los trabajadores pueden recibir la pensión a los 65 años en México.*

— otorgar una pensión a una persona: *pensionar*.

— beneficiario de una pensión: *pensionista*.

3. Casa que aloja temporalmente a varias personas mediante el pago de una cuota y precio que se paga. ☞ **hotel, casa de huéspedes.**

— *Los estudiantes de provincia generalmente se alojan en pensiones.*

— persona que se aloja en una casa de huéspedes: *pensionista*.

— institución educativa, establecimiento o casa donde el estudiante se queda a dormir: *pensionado, internado*.

4. Lugar donde, mediante el pago de una cantidad mensual, se tiene derecho a guardar el coche. ☞ **estacionar, estacionamiento.**

— *Guardo mi coche todas las noches en la pensión.*

pentaedro Cuerpo de cinco caras. ☞ **geometría.**

pentágono Polígono de cinco lados y cinco ángulos. ☞ **polígono.**

— que tiene cinco ángulos: *pentagonal*.

pentagrama Conjunto de cinco líneas paralelas y equidistantes donde se escribe la notación musical. ☞ **pauta, música.**

pentarquía Régimen gubernamental constituido por cinco personas. ☞ **gobierno.**

pentatlón Competencia atlética consistente en la combinación de cinco competencias: carreras de 200 y 1500 metros, salto de longitud y lanzamientos de disco y jabalina. ☞ **atleta.**

pentodo Especie de lámpara amplificadora de cinco electrodos. ☞ **lámpara.**

penúltimo, -ma Que se encuentra en la posición anterior al último lugar. ☞ **último.**

penumbra 1. Superficie iluminada parcialmente debido a que un cuerpo opaco intercepta los rayos de luz que caen sobre ella; sombra poco oscura. ☞ **sombra, media luz.** ❖ LUZ, OSCURIDAD.

— *El crepúsculo es el momento de la penumbra.*

— que es sombrío y lóbrego o que está en la penumbra: *penumbroso.*

2. Espacio intermedio entre las partes oscuras y las que se encuentran completamente iluminadas durante un eclipse. ☞ **eclipse.**

— *En un eclipse parcial de luna, la duración de la entrada en la penumbra puede durar dos horas.*

penuria Carencia de lo indispensable. ☞ **pobreza, escasez.** ❖ JAUJA, RIQUEZA.

peña 1. Roca grande que sobresale de la superficie del mar o de la tierra. ☞ **peñasco.**

— *No te vayas a subir a esa peña, se ve resbaladiza.*

— piedra grande y escarpada: *peñasco.*

— terreno con muchos peñascos: *peñascal.*

— que tiene muchos peñascos, tratándose de un monte o terreno: *peñascoso.*

— monte con muchos peñascos: *peñón.*

2. Lugar donde la gente se reúne para platicar de cierto tema o para cantar música folclórica, beber y comer. ☞ **bar.**

— *Las peñas proliferaron en las grandes urbes del país durante los años setenta.*

3. Conjunto de personas o grupo de amigos que se reúnen para platicar de cierto tema u oír una música determinada.

— *Forma parte de una peña taurina que se ve los sábados por la tarde.*

peón 1. Jornalero que trabaja en algo no especializado bajo la dirección o el mando de alguien. ☞ **jornal, jornalero.**

— *Los peones trabajaban antiguamente en las haciendas.*

— trabajo u obra diaria hecha por un peón: *peonada.*

— tierra que labra o trabaja un peón en un día: *peonería.*

— grupo de trabajadores o peones: *peonada, peonaje.*

2. Pieza menor en el juego de ajedrez y en el de damas. ☞ **ajedrez, damas.**

— *Se deben colocar ocho peones de cada lado del tablero de ajedrez.*

peonza Juguete de madera de forma cónica que al ser lanzado gira sobre su propio eje. ☞ **trompo.**

peor De modo inferior y de más baja calidad con respecto a lo que se compara. ☞ **deficiente.** ❖ MEJOR, SUPERIOR.

— degenerar una situación mala o medio aceptable: *empeorar.*

— acción y resultado de empeorar: *empeoramiento, peoría.*

— situación negativa y no conveniente: *peoría.*

— estar cada vez más mal: *ir de mal en peor, ir de Guatemala a guatepeor.*

— expresión que indica que es mejor intentar hacer algo que quedarse inactivo: *no hay peor lucha que la que no se hace.*

pepenar 1. Recoger con la mano lo que está esparcido por el suelo. ☞ **recoger.** ❖ TIRAR.

— *Cerca de los grandes tiraderos hay mucha gente que se dedica a pepenar basura.*

— persona que en los grandes tiraderos se dedica a recoger desechos que pueden volver a utilizarse o que se pueden reciclar, para comerciar con ellos: *pepenador.*

— acción de recoger: *pepenar.*

— hijo adoptivo: *hijo pepenado.*

2. Asir algo con la mano. ☞ **agarrar.** ❖ SOLTAR.

— *Logró pepenarlo por el brazo antes de que pudiera huir.*

3. Sorprender a alguien cometiendo algo indebido o un delito.

— *Lo pepenó la policía cuando robaba un coche.*

pepita 1. Semilla plana y alargada de algunas frutas. ☞ **semilla.**

— *Quítale las pepitas al melón.*

— que tiene muchas semillas o pepitas: *pepitoso.*

2. Semilla de la calabaza que se come seca y tostada, aderezada con sal.

— *Voy a comprar pepitas y cacahuates para los niños.*

— dulce de semilla de calabaza con piloncillo: *pepitoria.*

peplo Prenda exterior de vestir que a manera de túnica se usaba en Grecia y Roma. ☞ **túnica.**

pepsina Enzima del jugo gástrico catalizadora de moléculas proteínicas. ☞ **digerir.**

— que pertenece a la digestión o a la pepsina o se relaciona con ellas: *péptico, pépsico.*

— proenzima de las células principales del estómago que se transforma en pepsina: *pepsinógeno.*

— derivado proteínico formado durante la digestión por la acción de la pepsina: *peptona.*

pequeño, -ña 1. Que tiene poco tamaño, poca cantidad, poca importancia, etc. ☞ **diminuto.** ❖ GRANDE.

— *Es difícil encontrar zapatos para pies pequeños.*

— insignificancia, intrascendencia o nadería: *pequeñez.*

— condición de pequeño: *pequeñez.*

2. Que es de corta edad. ❖ GRANDE, VIEJO.

— *Los niños pequeños son habitualmente muy inquietos.*

— infancia: *pequeñez.*

— apelativos cariñosos para designar a un niño pequeño: *pequeñín, pequeñuelo, peque.*

peraltar Realzar una pendiente transversal en cada borde exterior de una carretera, en una curva, o entre dos carriles de una vía, en una curva de ferrocarril.

— desnivel en las curvas de las vías férreas y en las carreteras: *peralte.*

— área que sobresale al semicírculo de un arco, una bóveda o armadura: *peralte.*

percal Tela de algodón y tafetán. ☞ **calicó.**

— tela usada para hacer forros, más fina que el percal: *percalina.*

percance Situación imprevista que entorpece la marcha de un asunto. ☞ **incidente, contratiempo.**

percatar Tener la capacidad de percibir y notar algo, en especial lo que no es evidente. ☞ **identificar, reparar.** ❖ IGNORAR, PASAR POR ALTO.

percibir 1. Recibir una cantidad de dinero a cambio de los servicios prestados. ☞ **recaudar, ganar.** ❖ PAGAR.

— *El salario que percibo es suficiente para los gastos de la casa.*

— ingreso monetario: *percepción.*

2. Entender o darse cuenta de algo, compenetrarse en un conocimiento determinado. ☞ **comprender.** ❖ DESCONOCER, IGNORAR.

— *Puedo percibir que te cueste trabajo; pero deberías ser más cuidadoso.*

— inteligencia, penetración o discernimiento: *percepción.*

— que tiene la capacidad de captar todo aquello que no es obvio ni palpable: *perceptivo, perceptor.*

3. Captar algo por medio de los sentidos. ☞ **sentir.**

— *No percibía el frío hasta que abriste la ventana.*

— sensación u obtención de información exterior a través de los sentidos: *percepción.*

— susceptible de captarse por medio de los sentidos: *perceptible.*

percocería Objeto pequeño de plata martillado y labrado. ☞ **orfebrería.**

percudir Disminuir el aspecto de nuevo o ensuciar la ropa de tal modo que aunque se lave quede manchada, dura y ajada. ☞ **retestinar, deslucir.** ❖ LIMPIAR, SUAVIZAR.

percutir 1. Dar varios golpes. ☞ **pegar, chocar.**

— *Antes de escribir percute el lápiz en la mesa dos o tres veces.*

— acción y resultado de percutir: *percusión.*

— que golpea: *percusor.*

— parte de un arma de fuego que choca con el fulminante para provocar la explosión: *percusor, percutor.*

— instrumento musical productor de sonidos mediante el continuo golpeteo de sus partes: *instrumento de percusión.*

2. Examinar a un enfermo golpeándole determinadas regiones del cuerpo de acuerdo con algunas normas o reglas.

— *La doctora percutió al niño en el abdomen, pecho y espalda.*

— método utilizado en la medicina para determinar partes enfermas al golpear repetidamente distintas regiones del cuerpo: *percusión.*

percha 1. Pieza saliente de madera, hierro o plástico que sirve para colgar una prenda de vestir. ☞ **alcándara.**

— *El perchero es un mueble que tiene varias perchas para colgar los abrigos y colocar los paraguas.*

— ser una persona a quien le sienta bien la ropa: *tener percha, ser percha.*

2. Palo donde se posan los halcones amaestrados. ☞ **alcándara.**

— *Las aves de cetrería tienen una percha.*

— que está colocado en una rama, tratándose de aves: *perchado.*

perder 1. Dejar de tener algo o no saber dónde está. ☞ **extraviar.** ❖ ENCONTRAR, RECUPERAR.

— *A cada rato pierde las llaves de la casa.*

— extraviarse algo o desorientarse y extraviarse alguien: *perderse.*

— acción de perder o perderse: *pérdida.*

— cosa que se ha perdido y ya no se tiene: *pérdida.*

— acción reiterada de extraviar cosas: *perdedera.*

— que se pierde: *perdedizo.*

— que deja de poseer lo que tenía: *perdedor.*

— que habitualmente extravía objetos: *perdulario.*

— hacer desaparecer algo fingiendo que se ha perdido: *hacerlo perdedizo.*

2. Desperdiciar algo que se tiene por emplearlo mal o dejar de tener bienes o dinero por haberlos apostado. ❖ GANAR.

— *No sólo pierde el tiempo sino también su dinero en el hipódromo.*

— desperdicio: *pérdida.*

3. Resultar derrotado en un juego, competencia o en una guerra o dejar de tener algo que se esperaba o merecía. ❖ GANAR.

— *Perdió en el campeonato nacional de natación y, de esta forma, perdió la oportunidad de conocer Las Vegas.*

— acción de perder: *pérdida.*

— que resulta derrotado, que no gana: *perdedor.*

4. Dejar de percibir con los sentidos o dejar de tener dominio sobre sí mismo alguien debido a un golpe, emoción o enfermedad. ❖ RECUPERAR.

— *Al verlo herido perdió el habla y, en seguida, perdió el sentido; cuando volvió en sí, nos dimos cuenta que había perdido la memoria del accidente.*

— distraerse, no percibir el curso o desarrollo de algo o abandonarlo antes de que finalice: *perderse.*

— privación o carencia: *pérdida.*

5. Aminorar la cantidad o calidad de algo. ❖ AUMENTAR, INTENSIFICAR.

— *Desde que se puso a dieta ha perdido diez kilos.*

— al menos, por lo menos: *de perdida.*

6. Causar un daño o perjuicio a alguien. ❖ BENEFICIAR.

— *Las malas amistades y el vicio lo perdieron.*

— prostituirse una mujer o seguir una vida disipada: *perderse.*

— anhelar mucho algo o estar muy enamorado: *perderse.*

— que es un vicioso, que no tiene oficio ni beneficio: *perdido, perdulario.*

— acción y resultado de perderse una persona por un delito o pasión: *perdición.*

— vicio o desarreglo de las buenas costumbres: *perdición.*

— prostituta: *perdida.*

— estropear algo: *echarlo a perder.*

perdigón Munición de plomo para la escopeta. ☞ **bala, proyectil.**

— tiro de perdigones: *perdigonada.*

— herida producida por un perdigón: *perdigonada.*

— morral donde se llevan los perdigones: *perdigonera.*

perdonar 1. Desistir alguien de castigar una falta. ☞ **absolver.**

— *Es difícil perdonar cuando la falta es grave.*

— indulgencia, disculpa, indulto o piedad: *perdón.*

— susceptible de ser disculpado o que merece una disculpa: *perdonable.*

— que perdona: *perdonador.*

— individuo fanfarrón y fantoche: *perdonavidas.*

— frase de disculpa: *con perdón de.*

2. Permitir que otra persona no cumpla con una obligación contraída. ☞ **condonar.** ❖ FORZAR, OBLIGAR.

— *Me perdonaron el trabajo que todavía me faltaba por hacer.*

— no poder estar sin algo a lo que se es afecto: *no perdonarlo.*

perdurar Subsistir algo mucho tiempo o mantenerse firme en una actitud. ☞ **durar, permanecer.** ❖ FENECER, AGOTAR, TERMINAR, PERECER.

— cualidad que permite que algo subsista: *perdurabilidad.*

— acción y resultado de perdurar: *perduración.*

— perpetuo, continuo: *perdurable.*

— que perdura: *perdurante.*

perecer Dejar de existir alguien o extinguirse algo. ☞ **fenecer, morir.** ❖ VIVIR, PERDURAR.

— que es efímero, pasajero o fugaz: *perecedero.*

— fallecimiento, acción de terminar o extinguirse: *perecimiento.*

— que se termina, que perece: *pereciente.*

— desear intensamente algo o padecer una pasión: *perecerse.*

peregrinar 1. Recorrer distintos lugares o viajar continuamente. ☞ **deambular, viajar.**

— *Es un viajero de hueso colorado: ha peregrinado por todo el mundo.*

— que deambula por el mundo: *peregrino.*

— recorrido por varios lugares: *peregrinaje.*

— extraño, singular o poco común: *peregrino.*

— rareza: *peregrinidad.*

— bello: *peregrino.*

2. Visitar un santuario. ☞ **romería.**

— *El 12 de diciembre la gente de provincia peregrina a La Villa.*

— viaje que se realiza a un templo donde se venera a algún santo: *peregrinación.*

— conjunto de personas que efectúan juntas este viaje: *peregrinación.*

— que visita un santuario por motivos religiosos: *peregrino.*

perengano, -na Una persona cualquiera, alguien del cual no se sabe su nombre. ☞ **fulano, zutano.**

perenne Que no tiene fin, que dura mucho o es incesante. ☞ **eterno, perenne.** ❖ PERECEDERO.

— incesantemente: *perennemente*.

— perdurabilidad o perpetuidad: *perennidad*.

perentorio, -ria Que implica una pronta y eficaz resolución, que es urgente o apremiante o que es decisivo y concluyente. ☞ **urgente, improrrogable.** ❖ POSTERGABLE, DILATORIO, INDEFINIDO.

— urgencia: *perentoriedad*.

pereza Carencia de voluntad para realizar algo que supone un esfuerzo; lentitud en movimientos o hechos. ☞ **flojera, haraganería.** ❖ PRESTEZA, ACTIVIDAD, DILIGENCIA.

— que tiene pereza, que es flojo o lento: *perezoso*.

— postergar la realización de algo a causa de la flojera o pereza: *perecear*.

perfeccionar Mejorar algo haciéndolo perfecto. ☞ **progresar, superar.** ❖ EMPEORAR.

— que ha logrado la condición de insuperable: *perfecto*.

— que posee todas las cualidades deseadas o que tiene el mayor grado de calidad o valor: *perfecto*.

— excelencia o mejoramiento: *perfección*.

— sin errores ni faltas: *a la perfección*.

— acción y resultado de perfeccionar: *perfeccionamiento*.

— susceptible de ser mejorado: *perfectible*.

— condición de perfectible: *perfectibilidad*.

— afán por alcanzar la perfección: *perfeccionismo*.

— persona que intenta que todo salga perfecto: *perfeccionista*.

— que otorga mejoría: *perfectivo*.

perfidia Traición y mala fe o falsedad al actuar. ☞ **insidia.** ❖ LEALTAD.

— traidor, falso, desleal o infiel: *pérfido*.

perfil 1. Silueta de algo visto desde uno de sus lados o contorno que muestra el borde o la orilla de algo. ☞ **contorno, ángulo lateral, perfiladura.**

— *El perfil de una construcción es el corte vertical de la misma.*

— que es delgado y alargado el rostro de alguien: *perfilado*.

— delinear algo o determinar su perfil: *perfilar*.

— esquema o acción de delinear algo: *perfiladura*.

— de lado: *de perfil*.

— perfil de nariz recta: *perfil griego*.

2. Conjunto de las características

generales de una cosa o persona o caracterización de algo o alguien. ☞ **tipo.**

— *Tiene el perfil adecuado para desempeñar el puesto vacante.*

— planear y describir cuidadosamente algo: *perfilar*.

— mostrar alguien sus características o comenzar algo a hacerse reconocible: *perfilarse*.

perforar Agujerear algo. ☞ **horadar.**

— que horada algo: *perforante, perforador*.

— acción y resultado de perforar, agujero, horadación: *perforación*.

— utensilio que hace agujeros: *perforadora*.

perfume Olor agradable, especialmente el de las flores, o sustancia que emana un olor agradable. ☞ **esencia, aroma.** ❖ PESTE, HEDOR.

— aromático, oloroso: *perfumado*.

— aromatizar con una sustancia de olor agradable: *perfumar, perfumear*.

— despedir un olor agradable: *perfumar*.

— establecimiento donde se producen o venden sustancias de olor agradable: *perfumería*.

— persona que hace o vende perfumes: *perfumero, perfumista*.

— conjunto de utensilios para quemar y esparcir los perfumes: *perfumador, perfumadero*.

— vaso que sirve para quemar sustancias aromáticas: *perfumadero, pebetero*.

— extracto concentrado de un material aromático o perfume: *esencia*.

— perfume que contiene alcohol y esencias aromáticas: *agua de colonia, colonia*.

— olor agradable de cosas naturales: *fragancia*.

perfusión 1. Baño en tina, irrigación o untura. ☞ **bañar, inmersión.**

— *En ciertas religiones el ritual del bautismo consiste en una perfusión.*

2. Inyección de una sustancia en el sistema circulatorio. ☞ **transfusión, inyectar.**

— *La perfusión es una forma de inyección intraarterial que manda altas concentraciones de un fármaco a determinado órgano.*

pergamino Trozo de piel restirada y preparada que se utilizaba para escribir. ☞ **manuscrito.**

— adquirir la consistencia correosa y estirada de un pergamino: *apergaminarse*.

— envejecido: *apergaminado*.

— tener títulos nobiliarios: *tener pergaminos*.

pergeñar Realizar algo con poca habilidad o planear y organizar de manera muy imprecisa y general algo. ☞ **planear, disponer.** ❖ EJECUTAR.

— esbozo de alguien o algo: *pergeño*.

pérgola Galería de columnas con un enrejado por donde trepan plantas y flores. ☞ **veranda.**

pericardio Bolsa fibroserosa que rodea al corazón. ☞ **corazón.**

— que pertenece al pericardio o se relaciona con él: *pericardial*.

— punción quirúrgica del pericardio: *pericardiotomía*.

— inflamación del pericardio: *pericarditis*.

pericarpio Parte exterior de un fruto. ☞ **fruto.**

— capa interior del pericarpio: *endocarpio*.

— parte intermedia de los frutos o pulpa: *mesocarpio*.

— mesocarpio carnoso de algunos frutos: *sarcocarpio*.

— cáscara: *epicarpio*.

pericia Conocimiento y habilidad para realizar determinada actividad. ☞ **destreza, hábil, habilidad.** ❖ INHABILIDAD, IMPERICIA.

— que es experto o que posee los conocimientos técnicos necesarios en cierta rama: *perito*.

— que pertenece al experto sobre determinada materia o se relaciona con él: *pericial*.

— dictamen de un perito: *peritaje, peritación*.

periclitar 1. Encontrarse en situación de riesgo. ☞ **peligrar.** ❖ SEGURIDAD.

— *El proyecto periclita debido a la falta de planeación.*

2. Declinar o estar algo a punto de alcanzar su caída final. ☞ **decaer, declinar.** ❖ TRIUNFAR.

— *Su música periclita ante tantas innovaciones.*

pericráneo Membrana fibrosa que cubre y protege la superficie de los huesos del cráneo. ☞ **periostio.**

— inflamación del pericráneo: *pericranitis*.

perieco, -ca Persona que con respecto a otra se encuentra en el mismo paralelo pero en el punto opuesto. ☞ **paralelo.**

periferia Borde, orilla o zona que rodea un determinado núcleo. ☞ **perímetro, contorno.** ❖ CENTRO.

— que circunda algo o que pertenece a la periferia o se relaciona con ella: *periférico*.

perífrasis Figura retórica que consiste en expresar con varias palabras lo que se puede decir con una sola, como "voy a ir al cine" por "iré al cine". ☞ **circunlocución, pronominación.**

— que pertenece a la perífrasis o se relaciona con ella, que tiene muchas perífrasis: *perifrástico.*

perigeo Punto de menor distancia entre cualquier astro, satélite artificial o natural y la Tierra. ❖ APOGEO.

perihelio Punto en que un planeta se encuentra a menor distancia del Sol. ❖ AFELIO.

perilla Dispositivo en forma de pera incorporado a un aparato o a una puerta que sirve para jalar o sostener el mismo o para mantenerla cerrada. ☞ **picaporte.**

— parte de abajo de la oreja, no cartilaginosa y en forma de pera: *perilla de la oreja.*

perímetro Contorno lineal de una figura geométrica o de cualquier espacio y medida de ese contorno. ☞ **silueta.** ❖ ÁREA.

perínclito Que tiene mucho prestigio, que es heroico. ☞ **insigne, preclaro, prestigio.** ❖ MEDIOCRE, ANÓNIMO.

perineo Área en forma de rombo que comprende la parte inferior de la pelvis y el ano.

— que pertenece al perineo o se relaciona con él: *perineal.*

— hernia perineal: *perineocele.*

— instrumento medidor de las contracciones musculares del perineo: *perineómetro.*

— cirugía plástica del perineo: *perineoplastia.*

— sutura del perineo: *perineorrafia.*

— que pertenece al perineo y al escroto o se relaciona con ellos: *perineoescrotal.*

— que pertenece al perineo y la vagina o se relaciona con ellos: *perineovaginal.*

— incisión quirúrgica del perineo: *perineotomía.*

periodismo Actividad profesional consistente en la investigación y redacción de noticias que se publican o transmiten en medios masivos de comunicación. ☞ **prensa, noticia, día, diario.**

— que pertenece al periodismo o se relaciona con esta actividad: *periodístico.*

— publicación que sale diaria o regularmente con acontecimientos actuales y noticias de interés general: *periódico.*

— que sucede, aparece o se repite regularmente: *periódico.*

— persona que tiene como profesión el periodismo: *periodista.*

— persona que investiga y redacta noticias: *reportero, periodista.*

— persona que vende periódicos y revistas: *voceador.*

— denominación de la actividad periodística: *cuarto poder.*

período o periodo 1. Lapso durante el cual sucede algo o espacio de tiempo de carácter cíclico y de duración determinada. ☞ **era, fase.**

— *El período de gestación en el ser humano es de nueve meses.*

— que se repite de modo regular o cada determinado tiempo: *periódico.*

— sucesión regular en tiempos regulares de algo: *periodicidad.*

2. Conjunto de oraciones ligadas entre sí y que forman un todo coherente en un texto. ☞ **párrafo.**

— *Las oraciones de un período se unen mediante un punto, punto y coma o dos puntos.*

3. Flujo sanguíneo que sale de la matriz de una mujer mensualmente o de las hembras de los mamíferos regularmente. ☞ **menstruación, regla.**

— *Habitualmente el período en las mujeres dura de tres a seis días por mes.*

periostio Membrana fibrosa que cubre y protege los huesos. ☞ **hueso.**

— que pertenece al periostio o se relaciona con él: *perióstico.*

— sección quirúrgica del periostio: *periosteotomía.*

— instrumento que despega el periostio: *periosteótomo.*

— inflamación del periostio: *periostitis.*

peripuesto, -ta Que está arreglado y vestido de forma elegante y cuidadosa. ☞ **elegante.** ❖ DESARRAPADO.

periscopio Instrumento óptico que permite ver algo no visible directamente.

— que pertenece al periscopio o se relaciona con él: *periscópico.*

— que tiene una cara cóncava y otra convexa y da mayor amplitud de visión, tratándose de cristales o lentes: *periscópico.*

perisología Empleo de palabras innecesarias y repetitivas del concepto en el discurso. ☞ **discurso.**

peristalsis o peristaltismo Movimiento muscular de algunos órganos tubulares que provoca que su contenido se dirija a determinado punto. ☞ **intestino.**

— que pertenece a la peristalsis o se relaciona con el peristaltismo: *peristáltico.*

— contracción de las paredes del estómago para adaptarse al contenido alimenticio que le llega: *perístole.*

peristilo Lugar cercado interiormente de columnas y conjunto de columnas de la fachada de un monumento. ☞ **columna.**

peritoneo Membrana serosa que recubre las paredes abdominales y los órganos contenidos en la cavidad abdominal.

— que pertenece al peritoneo o se relaciona con él: *peritoneal.*

— dolor en el peritoneo: *peritonealgia.*

— inflamación del peritoneo: *peritonitis.*

— corte quirúrgico del peritoneo: *peritoneotomía.*

— examen de la cavidad peritoneal: *peritoneoscopía.*

perjudicar Ocasionar algún daño a alguien o a algo. ☞ **dañar, lesionar.** ❖ BENEFICIAR, FAVORECER.

— daño producido a algo o a alguien: *perjuicio.*

— que causa un perjuicio o puede causarlo: *perjudicial, perjudiciable.*

— que perjudica: *perjudicador.*

— en contra de, dañando a: *en perjuicio de.*

perjurio Promesa falsa o incumplimiento de un juramento. ☞ **jurar, prometer.**

— que quebranta un juramento o jura en falso: *perjuro.*

— incumplir una promesa o jurar en falso: *perjurar.*

— jurar en demasía sin ánimo de cumplir: *perjurar.*

perla 1. Esfera nacarada formada en algunos moluscos, muy apreciada como joya.

— *El peso, la regularidad de su forma, el brillo y el colorido son factores determinantes para fijar el precio de una perla.*

— conjunto de perlas: *perlería.*

— que pertenece a las perlas o se relaciona con ellas: *perlero.*

— que tiene el color de la perla: *perlino.*

— que tiene la textura o el brillo de una perla: *perlado.*

— tener mucho valor: *ser una perla.*

— de maravilla, oportunamente: *de perlas.*

2. Píldora redonda que contiene alguna sustancia, muy empleada como medicamento.

— *Algunas vitaminas se toman en perlas.*

permanecer Estar en un mismo lugar, estado o situación. ☞ **perdurar.** ❖ CAMBIAR, PARTIR, IR.

— que es estable o se conserva, que no cambia: *permanente, permaneciente.*

— ondulación artificial del cabello: *permanente, base.*

— estabilidad en una situación, persistencia, duración o invariabilidad: *permanencia, permansión.*

permeable Que es susceptible de ser atravesado por un fluido, radiación o campo electromagnético; que permite la filtración de un fluido, tratándose de ciertos materiales. ☞ **impregnar.** ❖ IMPERMEABLE.

— propiedad de la materia de dejar filtrar un fluido: *permeabilidad.*

pérmico Último periodo de la era paleozoica. ☞ **era.**

permitir Conceder la posibilidad a alguien para que realice algo o se comporte de cierta forma. ☞ **autorizar, admitir.** ❖ PROHIBIR.

— atreverse a hacer o decir cosas prohibidas o no aceptadas: *permitirse.*

— que tiene facultad para concederse: *permisible, permitidero.*

— que autoriza hacer algo sin necesidad de establecer normas: *permisivo.*

— autorización para que alguien haga algo o se comporte de cierta manera: *permiso.*

— licencia o escrito que permite realizar algo: *permiso.*

— persona a la que se le ha otorgado un permiso oficial para desempeñar una actividad, especialmente un servicio público: *permisionario.*

— que autoriza o permite: *permisor, permitidor.*

— licencia que permite realizar algo: *permiso.*

— expresión usada para que alguien permita el paso a otro lugar o intervenir en una plática: *con permiso.*

permisión Figura retórica que consiste en pretender el emisor que el oyente tenga la libertad para hacer algo que el emisor considera que no debe hacerse. ☞ **epítrope.**

*Pero si te da miedo, sigue de ángel
y no llores.*
Gilberto Owen.

permutar Intercambiar una cosa o situación por otra o cambiar el orden de dos o más cosas. ☞ **trocar, canjear.**

— canje de un objeto o puesto, o acción y resultado de permutar: *permuta, permutación.*

— susceptible de ser intercambiado: *permutable.*

— factor que puede ser cambiado de lugar en una operación matemática sin que se altere el producto: *permutable.*

— condición o cualidad de permutable: *permutabilidad.*

— que cambia: *permutante.*

— aparato que transforma la corriente alterna en continua: *permutador.*

pernear Mover con fuerza y rápidamente las piernas. ☞ **pierna, pata, patalear.**

— que tiene mucha fuerza en las piernas o que camina mucho: *perneador.*

— golpe que se da con una pierna o movimiento violento con ella: *pernada.*

— parte del pantalón que cubre el muslo: *pernera.*

— anca y muslo de un animal: *pernil.*

— romper una pierna: *perniquebrar.*

— que tiene torcidas las piernas: *pernituerto.*

— que tiene las piernas abiertas: *perniabierto.*

pernicioso, -sa Que es muy dañoso y causa mucho perjuicio. ☞ **perjudicar, perjudicial.** ❖ BENEFICIOSO, FAVORABLE.

pernio Gozne que se coloca en puertas y ventanas a modo de bisagra. ☞ **bisagra, gozne.**

perno Pieza cilíndrica metálica semejante a un clavo en cuyo extremo se enrosca una tuerca. ☞ **clavo, tornillo, herramienta.**

pernoctar Pasar la noche en un lugar que no es el propio. ☞ **albergar, hospedar, pernochar.**

pero 1. Justificación, impedimento, contradicción, oposición, atenuación o compensación a la frase dicha inmediatamente antes.

— *Quería ir a la fiesta, pero se presentó un imprevisto y tuve que faltar.*
2. Objeción o defecto en alguien o algo. ☞ **tacha, defecto.** ❖ CUALIDAD.

— *Ese vestido no tiene peros.*

perogrullada Afirmación que por obvia y bien conocida es una necedad mencionarla. ☞ **tonto, tontería.**

— que es absurdo y tonto: *perogrullesco.*

— lugar común: *verdad de perogrullo.*

perol Cacerola semiesférica de metal grande en la que se cuecen grandes cantidades de alimento. ☞ **vasija.**

— cacerola metálica, semiesférica y pequeña: *perola.*

peroné Hueso largo ubicado en la parte externa de la pierna detrás de la tibia. ☞ **fíbula.**

— que pertenece al peroné o se relaciona con él: *peroneo.*

perorar Pronunciar un discurso o hablar con afectación. ☞ **arengar, hablar.** ❖ CALLAR.

— discurso largo, tedioso e inoportuno: *perorata.*

— acción y resultado de perorar: *peroración.*

— epílogo de un discurso o conclusión: *peroración.*

perpendicular Que forma un ángulo de noventa grados con otra línea o plano. ☞ **línea, recta.** ❖ PARALELO.

perpetrar Cometer un crimen o un delito muy grave. ☞ **ejecutar, consumar.** ❖ RESPETAR.

— criminal: *perpetrador.*

— acción y resultado de realizar un crimen o un delito muy grave: *perpetración.*

perpetuar Lograr que algo tenga larga duración o se eternice. ☞ **mantener, preservar, perdurar.** ❖ ACORTAR, TERMINAR.

— duración larga e incesante, perdurabilidad o eternidad: *perpetuidad, perpetuación.*

— acción y resultado de perpetuar algo o perpetuarse: *perpetuación.*

— para siempre: *perpetuamente.*

— que no tiene fin, que dura siempre o por tiempo ilimitado: *perpetuo.*

— cargo vitalicio: *cargo perpetuo.*

perplejo, -ja Que causa duda, confusión y asombro. ☞ **estupefacto.** ❖ SEGURO.

— confusión con respecto a una serie de posibilidades; vacilación, indecisión o titubeo: *perplejidad.*

perquirir Indagar algo. ☞ **investigar, cuestionar.** ❖ RESPONDER.

— investigación o indagación: *perquisición, pesquisa.*

perro (vea ilustración de las p. 524 y 525). Mamífero doméstico cánido que se caracteriza por su ladrido y fidelidad a sus amos.

— sitio donde se encierra a los perros: *perrera.*

— conjunto de perros: *perrada, perrería, jauría.*

— afecto a los perros o que tiene a su cuidado los perros: *perrero.*

— que pertenece a los perros o se relaciona con ellos: *perruno.*

— ser alguien persistente y bravo para algo: *ser un perro.*

— ser una persona maldita: *ser una perra.*

— acción traicionera y poco recomendable: *perrada, perrería.*

perseguir 1. Seguir algo o a alguien que huye con la intención de alcanzarlo o buscarlo insistentemente. ☞ **acosar, seguir.** ❖ ALCANZAR, ABANDONAR, DEJAR.

— *La policía persiguió a los asaltantes durante dos horas y terminó perdiéndolos.*

— que acosa: *persecutorio, perseguidor.*

— acoso, búsqueda o seguimiento: *persecución, persecución.*

perros

DE MUESTRA

cocker
spaniel

pointer

FALDERILLOS

terrier enano

chihuahua de pelo fino

chihuahua de pelo largo

SABUESOS

borzoi

baset de pelo largo
(dachshund)

baset miniatura
de pelo largo
(dachshund)

baset enano
de pelo fino (dachshund)

DE GUARDA

buldog

púdel

TERRIERS

bull terrier

kerry

DE PASTOREO

pembroke

pastor escocés

DE TRABAJO

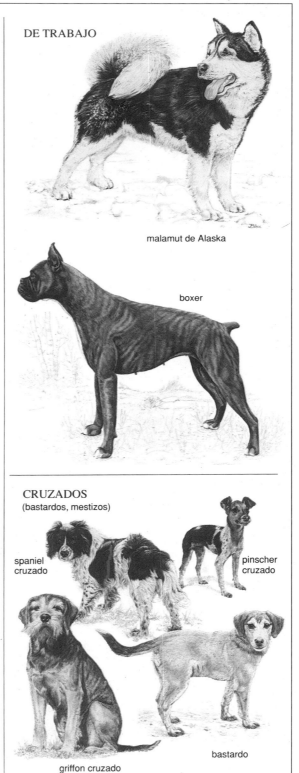

malamut de Alaska

boxer

CRUZADOS
(bastardos, mestizos)

spaniel
cruzado

pinscher
cruzado

bastardo

griffon cruzado

— que debe ser perseguido: *perseguible.*

2. Atormentar o importunar algo o alguien continuamente a una persona.

— *Lo persiguieron los remordimientos hasta que murió.*

perseverar Mantener un esfuerzo continuado para obtener algo, mantenerse firme en un comportamiento, idea, opinión o algo similar. ☞ **persistir.** ❖ DESISTIR, RENUNCIAR, ABANDONAR.

— constancia o tesón en la realización de un propósito o firmeza y apego en una actitud: *perseverancia, persistencia.*

— que continúa firmemente con un propósito o actitud: *perseverante.*

persiana Conjunto de varillas que se pueden reunir o enrollar, regulando el paso de la luz por las ventanas. ☞ **celosía, postigo.**

persignar Hacer la señal de la cruz. ☞ **santiguar.**

persistir Perdurar una situación, perseverar alguien o mantenerse firme en una actitud. ☞ **perdurar, subsistir.** ❖ TERMINAR.

— constancia en la realización de una actividad o perduración y permanencia de una situación o actitud: *persistencia.*

— continuo, firme o constante: *persistente.*

persona 1. Hombre o mujer. ☞ **individuo, sujeto.**

— *Una persona pregunta por ti.*

— que pertenece a la persona o se relaciona con una sola persona: *personal.*

— conjunto de individuos que forman una sociedad u organismo con personalidad jurídica diferente a la de cada uno de sus miembros: *persona moral.*

2. Flexión o terminación de pronombres y verbos que indica cada uno de los que participan en una comunicación. ☞ **pronombre, verbo.**

— *La primera persona es la que habla, la segunda persona es aquella a quien se habla y la tercera persona es de quien se habla.*

personaje 1. Individuo notable, ilustre o importante. ☞ **carácter, celebrar, celebridad.**

— *Los personajes históricos a veces son figuras míticas.*

2. Cada una de las personas o animales, reales o ficticios, que interviene en una obra literaria, dramática o cinematográfica. ☞ **rol.**

— *El personaje protagónico de* La vida es sueño *es Segismundo.*

perspectiva 1. Representación de un objeto calculando el volumen, la posición y la distancia desde donde se mira. ☞ **proyectar, proyección.**

— *Hizo un dibujo con una perspectiva muy original, como visto desde arriba.*

— que representa algo en perspectiva: *perspectivo.*

2. Apariencia o visión de las cosas enfocadas desde un punto de vista determinado. ☞ **panorama, panorámica.**

— *La perspectiva que se contempla desde el mirador es bellísima.*

3. Punto de vista desde el que se plantea algo.

— *Analizó esta obra desde una perspectiva cristiana.*

— doctrina filosófica según la cual el conocimiento depende de un determinado punto de vista: *perspectivismo.*

— que pertenece al perspectivismo o se relaciona con él, que es partidario del perspectivismo: *perspectivista.*

4. Posibilidad favorable o desfavorable en una situación determinada. ☞ **circunstancia.**

— *La perspectiva de desarrollo del país es amplia.*

— en proyecto: *en perspectiva.*

perspicacia Capacidad de ver o sentir lo que se encuentra a gran distancia, oculto, profundo o que no es claro. ☞ **agudo, sagaz.**

— inteligente, sagaz, penetrante, sutil o agudo: *perspicaz.*

— que ve a gran distancia: *perspicaz.*

perspicuo, -cua Que es claro y transparente. ☞ **diáfano.** ❖ BRUMOSO, OSCURO.

— transparencia, claridad o nitidez: *perspicuidad.*

persuadir Convencer a alguien de que actúe o piense de un modo determinado o crea algo. ☞ **inducir, sugestionar.** ❖ DISUADIR.

— acción y resultado de convencer a alguien de algo: *persuasión.*

— proceso mediante el cual alguien queda convencido de algo en lo cual no creía: *persuasión.*

— que tiene elementos para convencer: *persuasible.*

— que es hábil para convencer de algo: *persuasivo, persuasorio, persuasor.*

— capacidad para convencer: *persuasiva.*

— creer firmemente en algo: *estar persuadido.*

pertenecer 1. Tener dos o más elemen-

tos una relación de correspondencia, incumbir o formar parte de algo. ☞ **referir, concernir.** ❖ SEPARAR, DISOCIAR.

— *Los problemas de finanzas no pertenecen a servicios generales.*

— acción de atañer, corresponder o ser parte de algo: *pertenencia.*

— que tiene que ver con algo, que viene al caso o que atañe a algo: *pertinente.*

— condición o cualidad de pertinente: *pertinencia.*

2. Ser algo propiedad de alguien. ☞ **depender, poseer.** ❖ DESPOSEER.

— *Esa casa ha pertenecido a la familia por generaciones.*

— cosas que son propiedad de alguien: *pertenencias.*

pértiga Palo largo y angosto. ☞ **vara.**

— prueba atlética donde una persona salta a determinada altura un listón con la ayuda de una vara: *salto de pértiga.*

pertinaz Que es duradero o persistente, que es obstinado o terco. ☞ **tenaz, constante.** ❖ ESPORÁDICO, EFÍMERO, INCONSTANTE, VOLUBLE.

— tenacidad, obstinación o terquedad: *pertinencia.*

pertrechar 1. Suministrar municiones y armas. ☞ **abastecer.**

— *Dado lo inminente del ataque, es necesario pertrechar el fuerte.*

— conjunto de armas y municiones: *pertrechos.*

2. Conseguir todos los elementos necesarios para la realización de una cosa. ☞ **disponer.**

— *Nos pertrechamos tan bien en el campamento, que no había modo de sentir frío.*

— instrumentos o cosas necesarias para algo: *pertrechos.*

perturbar Alterar la tranquilidad, el orden o estado normal de alguien o algo. ☞ **trastornar, conmocionar.** ❖ TRANQUILIZAR, CONCERTAR, ORDENAR.

— desequilibrio en una situación o alteración de alguien: *perturbación.*

— desviación en la aguja magnética por la presencia de hierro: *perturbación.*

— alteración o yuxtaposición en la información de un mensaje: *perturbación.*

— que causa inquietud y desazón: *perturbador.*

— susceptible de ser trastornado: *perturbable.*

— enfermo mental: *perturbado.*

perulero Vasija de barro. ☞ **perol, ánfora.**

perverso, -sa Que es maligno, que causa daño premeditadamente. ☞ **vil, mal, malévolo.** ❖ BUENO, FAVORABLE, VIRTUOSO, INOCENTE.

— condición del que ejecuta acciones malas, anormales o antisociales: *perversidad.*

— hacer que alguien ejecute acciones malas, anormales o antisociales: *pervertir.*

— que degrada o causa daño: *pervertidor.*

— acción de pervertir o pervertirse: *perversión.*

— comportamiento prohibido: *perversión.*

— conducta sexual que se aleja de los cánones establecidos por determinada cultura: *perversión, desviación sexual.*

pervigilio Falta de sueño. ☞ **vigilia, insomnio.**

pervivir Vivir a pesar de los problemas o el paso del tiempo, continuar viviendo. ☞ **sobrevivir.**

— supervivencia: *pervivencia.*

pervulgar Difundir una información. ☞ **divulgar.** ❖ SILENCIAR.

pesa Pieza que sirve para equilibrar el peso en una balanza. ☞ **contrapeso, balanza.**

— instrumento consistente en dos esferas de metal unidas por una barra de hierro que sirve para hacer ejercicio: *pesas.*

— balanza para pesar bebés: *pesabebés.*

— balanza para pesar sobres: *pesacartas.*

pesadilla Sueño en el que se experimentan situaciones que producen angustia y temor. ☞ **sueño.**

pesadumbre 1. Motivo de inquietud, desazón, tristeza o nostalgia. ☞ **apesadumbrar, angustia, preocupar, preocupación.** ❖ SATISFACCIÓN.

— *Su gran presadumbre era que no lograra ser enfermera.*

2. Sentimiento de tristeza, nostalgia o angustia. ❖ ALEGRÍA, TRANQUILIDAD.

— *Sentía pesadumbre y no sabía de qué.*

— aflicción o pena: *pesar.*

— que siente pesar o pesadumbre o que muestra arrepentimiento: *pesaroso.*

pésame Expresión de solidaridad y afecto cuando alguien sufre una pena. ☞ **condoler, condolencia.**

pesario Aparato que se introduce en la vagina para corregir los desplazamientos del útero. ☞ **vagina.**

pescante 1. Asiento delantero desde donde se maneja un vehículo.

— *El pescante es un asiento exterior en los carruajes.*

2. Grúa utilizada en los teatros para subir o bajar a las personas o figuras. ☞ **tramoya.**

— *El pescante no funciona, habrá que suspender el ensayo de hoy.*

3. Barra adosada a un sitio para colocar o sostener algo. ☞ **repisa.**

— *Agárrate del pescante, no te vayas a caer.*

pescar 1. Sacar del agua peces o mariscos mediante diversos procedimientos. ☞ **cazar.**

— *Fueron a pescar truchas el fin de semana.*

— pez comestible sacado del agua: *pescado.*

— lugar donde se venden pescados y mariscos: *pescadería.*

2. Alcanzar algo o a alguien o detenerlo, generalmente cuando está en movimiento o a punto de irse.

— *Pescaron un taxi después de media hora de espera.*

— conseguir pareja: *pescar novio, pescar novia, pescar marido, pescar mujer.*

3. Sorprender a alguien haciendo algo en secreto o algo indebido.

— *Lo pescó usando su máquina de escribir.*

— sorprender a alguien en el momento de realizar una acción indebida: *pescar in fraganti.*

4. Contraer una enfermedad.

— *Pesqué una gripa de la cual no puedo salir.*

pescuezo Cuello de los animales y, por extensión, cuello de las personas. ☞ **cuello.**

— golpe dado con la mano en el cuello o la cabeza de un animal: *pescozón, pescozada.*

— dar de golpes en la cabeza: *pescocear, pescozonear.*

— asir por el cuello a una persona: *pescocear.*

— que tiene muy grueso el pescuezo: *pescozudo.*

pesebre 1. Recipiente o instalación donde el ganado come. ☞ **establo.**

— *Lleva el caballo a comer en el pesebre.*

— conjunto de pesebres en una cuadra o establo u orden de los pesebres: *pesebrera.*

2. Nacimiento que se coloca en las casas en la época navideña. ☞ **nacer, nacimiento.**

— *Puso el pesebre a principios de diciembre.*

peseta Unidad monetaria de España. ☞ **moneda, dinero.**

pésimo, -ma Que es muy malo, que no puede ser peor. ☞ **atroz, malísimo.** ❖ MAGNÍFICO, MEJOR.

— actitud negativa ante la vida: *pesimismo.*

— conjunto de tendencias filosóficas que afirman el predominio del mal en el mundo: *pesimismo.*

— que pertenece al pesimismo o se relaciona con él, que es partidario de esas doctrinas filosóficas: *pesimista.*

— persona que habitualmente sólo ve el aspecto negativo de las situaciones: *pesimista.*

peso 1. Magnitud de la fuerza de atracción que ejerce la gravedad de la Tierra sobre los cuerpos, que aumenta en la misma medida que la masa de éstos, y medida de esta propiedad de los cuerpos. ☞ **kilo, masa.**

— *Creo que mi peso no ha variado en estos últimos meses.*

2. Unidad monetaria de Colombia, Cuba, Chile, Filipinas, Guinea-Bissau, México, República Dominicana y Uruguay.

— *El peso como unidad monetaria ya no existe ni en Argentina ni en Chile.*

— coche, camioneta o microbús de transporte público que cubre rutas fijas: *pesero.*

pespunte Puntada de costura que se hace clavando la aguja en el mismo lugar del que se sacó antes y sacarla un poco más adelante, de manera que se vea como una línea continua. ☞ **coser.**

— coser en forma continua y en línea recta: *pespuntar, pespuntear.*

pesquisa Investigación de algo para determinar la verdad. ☞ **indagar, indagación.**

— averiguar algo o hacer pesquisas: *pesquisar.*

— investigador: *pesquisidor.*

— perspicacia, ingenio o talento: *pesquis.*

pestaña 1. Cada uno de los pelos que bordean los párpados. ☞ **pelo.**

— *No te pongas tanto rímel en las pestañas.*

— mover los párpados: *pestañear.*

— acción de pestañear: *pestañeo.*

— que tiene pestañas largas y tupidas: *pestañoso, pestañudo.*

— que tiene filamentos adheridos a su estructura: *pestañoso.*

— rápidamente: *en un pestañeo.*

— dormir un momentito: *dar una pestañada, dar una pestañadita, dar un pestañazo.*

— no poder dormir: *no pegar pestaña.*

— enojarse: *pararse de pestañas.*

— estudiar mucho o realizar un trabajo pesado en el que se fuerza la vista: *quemarse las pestañas.*

— estar atento: *no mover pestaña.*

— atentamente: *sin pestañear.*

2. Borde que sobresale de cualquier cosa. ☞ **salir, saliente.**

— *Cuando dos telas se sobreponen se deja una pestaña para poder unirlas.*

peste 1. Enfermedad muy contagiosa que provoca muchas víctimas y, por extensión, cualquier epidemia que origina gran mortalidad. ☞ **plaga.**

— *En la Edad Media, la peste arrasaba con poblaciones enteras.*

— que pertenece a la peste o a una epidemia o que se relaciona con ellas: *pestilente.*

— que puede provocar una epidemia o mucho daño: *pestífero, pestilencial, pestilente.*

2. Olor desagradable. ☞ **hedor, apestar.** ❖ PERFUME.

— *Había peste en el cuarto debido a la humedad y al encierro.*

— oler mal: *apestar.*

— hablar mal de alguien o de algo: *echar pestes.*

— olor desagradable: *pestilencia.*

— que tiene mal olor: *pestilente, pestífero, pestilenciar.*

pestillo Pasador o parte de una cerradura con que se asegura una puerta. ☞ **puerta.**

pesuño Dedo ungulado de los animales de pata hendida. ☞ **pezuña.**

petaca Maleta o baúl portátil de diversos materiales para llevar cosas en un viaje. ☞ **maleta.**

— lugar donde se fabrican o venden maletas: *petaquería.*

— caderas, nalgas: *petacas.*

— que tiene caderas anchas y prominentes: *petacudo, petacón.*

pétalo Cada una de las hojas coloreadas o blancas de la corola de una flor. ☞ **flor, corola.**

— que se parece a un pétalo: *petaloide.*

— flor de pétalos irregulares: *flor anisopétala.*

— flor sin pétalos: *flor apétala.*

— flor con dos pétalos: *flor dipétala.*

— frase que propugna el respeto a la mujer: *no tocarás a la mujer ni con el pétalo de una rosa.*

petardo Cañuto de cartón relleno de pólvora que prendiéndole fuego produce una detonación. ☞ **cohete.**

— disparar petardos: *petardear.*

— persona que dispara petardos: *petardero.*

petate Especie de tapete tejido con hojas de palma. ☞ **estera.**

— conjunto de petates: *petatal, petatera.*

— que pertenece a los petates o se relaciona con ellos: *petatero.*

— que hace o vende petates: *petatero.*

— golpe dado con un petate: *petatazo.*

— lugar donde se fabrican o venden petates: *petatería.*

— morirse: *petatearse.*

— la muerte o el hecho de morirse: *petateada.*

— surgir algo inesperado: *salirle a uno con el petate del muerto.*

— estar muy pobre: *no tener uno ni un petate en qué caerse muerto.*

petimetre Joven elegante, presumido y afectado. ☞ **figura, figurín.**

peto Armadura con que se protege el pecho. ☞ **corazón, coraza.**

petrificar 1. Transformar algo en piedra. ☞ **piedra, sólido, solidificar.** ❖ ABLANDAR.

— *Con el paso del tiempo, la madera puede llegar a petrificarse.*

— que tiene la facultad de petrificar: *petrífico.*

— solidificación: *petrificación.*

— que petrifica: *petrificante.*

— parte de la geología que estudia las rocas: *petrología.*

— clasificación y descripción de las rocas: *petrografía*

— que pertenece a la petrografía o se relaciona con ella: *petrográfico.*

— estudio de la formación de las rocas: *petrogénesis.*

2. Dejar a alguien atónito o paralizado por asombro o terror. ☞ **sorprender, aturdir.** ❖ CALMAR.

— *La noticia de su próxima boda lo petrificó.*

— acción y resultado de petrificar o petrificarse: *petrificación.*

petróleo (vea ilustración). Aceite mineral espeso, amarillento, negruzco, resultado de una combinación de hidrocarburos. ☞ **hidrocarburo, nafta, combustible.**

— que pertenece al petróleo o se relaciona con él: *petrolero.*

— que contiene petróleo, tratándose de zonas o rocas: *petrolífero.*

— abastecer de petróleo o aplicar capas de petróleo a algo: *petrolear.*

— parte de la química dedicada al tratamiento y estudio de los derivados del petróleo: *petroquímica.*

— buque especialmente diseñado para la obtención y transporte del petróleo: *buque petrolero.*

— conducto donde se transporta el petróleo desde el sitio de producción a distintos sitios: *gasoducto, oleoducto.*

— composición del petróleo: *carbo-*

---

petróleo

FORMACIÓN DE UN MANTO PETROLÍFERO

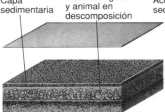

Capa sedimentaria

Materia vegetal y animal en descomposición

Acumulación de capas sedimentarias y orgánicas

El aumento de la presión produce petróleo y gas

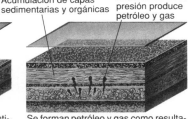

En la superficie de la plataforma continental se acumulan organismos marinos muertos que son desintegrados por bacterias y cubiertos por sedimentos de origen fluvial

Se forman petróleo y gas como resultado de cambios químicos que ocurren a las altas temperaturas a que son sometidos los depósitos orgánicos bajo capas sucesivas de sedimento

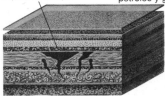

Roca impermeable impide el escape

Se acumulan petróleo y gas

El plegamiento de la corteza terrestre forma domos

Con la posible ayuda de la presión de agua, el petróleo y gas ascienden desde su lecho de lutita. Cuando un estrato plano de roca impide su escape, se extienden en una delgada capa

Cuando las presiones en la corteza terrestre hacen que una capa impermeable se eleve en forma de domo, el petróleo y el gas ascienden a éste y constituyen un yacimiento petrolero

pez

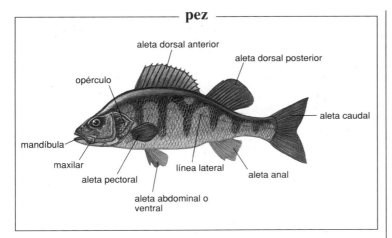

aleta dorsal anterior

aleta dorsal posterior

opérculo

aleta caudal

mandíbula

maxilar

línea lateral

aleta pectoral

aleta anal

aleta abdominal o
ventral

no, hidrógeno, azufre, oxígeno, nitrógeno, cloruro y otras sales.

— derivados del petróleo: *gasolina, bencina, nafta, queroseno, gasóleo, aceite, benzol, gas natural, butano, propano, parafina, vaselina, lubricantes, productos volátiles, disolventes, polipropileno, polivinilo, poliéster, nylon, brea, alquitrán, asfalto, coque.*

— lugar donde se realiza la depuración del petróleo: *refinería.*

— conjunto de operaciones mediante las cuales se obtienen derivados del petróleo: *refino.*

petulancia Sentimiento pedante y fatuo, vanidad, presunción o insolencia. ☞ **presumir, presunción.** ❖ HUMILDAD, MODESTIA.

— que es pedante, presuntuoso o engreído: *petulante.*

peyorativo, -va Que tiene un sentido, desdeñoso, tratándose de palabras o expresiones. ☞ **despectivo, ofensa, ofensivo.**

pez (vea ilustración) 1. Animal vertebrado acuático. ☞ **pesca, piscicultura.**

— *El pez está cubierto de escamas y tiene aletas para nadar.*

— encontrarse en un medio que se conoce y, por lo tanto, se sabe como actuar: *estar como pez en el agua.*

— persona influyente y conocida: *pez gordo.*

— expresión que indica que hablar en demasía y ser indiscreto no conviene: *el pez por su boca muere.*

2. Sustancia pegajosa producto de una mezcla de resinas. ☞ **trementina.**

— *Los zapateros dan la pez a los hilos con que cosen los zapatos.*

— resina de abeto: *pez amarilla.*

— sustancia que contiene humo negro: *pez negra.*

pezón Prominencia eréctil y carnosa situada en el centro de los senos. ☞ **seno, mama.**

— círculo rojizo que rodea el pezón: *areola.*

pezuña Conjunto de los pesuños de la pata hendida de los animales. ☞ **pesuño, pata.**

ph Índice del grado de acidez o alcalinidad de una sustancia. ☞ **ácido, alcalino.**

pi Símbolo matemático que representa la relación entre la longitud de la circunferencia y su diámetro, cuyo número aproximado es 3.141592 (π) ☞ **matemática.**

piadoso, -sa 1. Que siente conmiseración por los demás. ☞ **benigno, misericordia, misericordioso.** ❖ INMISERICORDE.

— *Se comporta de manera piadosa con los desvalidos.*

— con misericordia: *piadosamente.*

2. Que sigue las leyes religiosas con devoción. ☞ **piedad, religión, religioso.** ❖ IMPÍO.

— *Asiste regularmente a la iglesia y es muy piadoso.*

— de manera devota: *piadosamente, píamente.*

piafar Moverse el caballo levantando y bajando las patas delanteras, dando patadas o rascando el suelo.

— que piafa o tiene el hábito de piafar: *piafador.*

pialar Lazar un animal de sus extremidades anteriores o manos para atraparlo. ☞ **lazar, apealar.** ❖ LIBERAR.

— cuerda o lazo con el que se enlazan las patas anteriores: *pial.*

— conjunto de piales: *pialero.*

— acción y resultado de pialar: *pialada.*

pianista Persona que toca el piano.

— instrumento musical de cuerda y percusión que se toca presionando con los dedos ciertas teclas: *piano, pianoforte.*

— piano que se toca mecánicamente: *pianola.*

— suavemente, dulcemente: *piano.*

— con lentitud, paso a paso: *pian, pianito* o *pian, piano.*

piar (vea recuadro de voces animales). Emitir las aves su sonido característico. ☞ **cantar, piolar, pipiar.**

— acción o forma de piar: *piada.*

— que canta o pía mucho: *piador.*

— voz que representa el sonido que emiten las aves: *pío.*

— no tener intención de hablar: *no decir ni pío.*

piara Conjunto de cerdos, yeguas o mulas. ☞ **manada.**

— que tiene manadas de cerdos, yeguas o mulas: *piariego.*

pibil Que ha sido asado en horno bajo tierra. ☞ **barbacoa.**

— platillo típico yucateco elaborado fundamentalmente con carne de puerco: *cochinita pibil.*

— asado de pollo al horno o en barbacoa: *pibipollo, mucbipollo.*

— elote asado o en barbacoa: *pibinal.*

pica 1. Especie de lanza de extremo agudo y de hierro. ☞ **lanzar, lanza.**

— *Los soldados de antaño se defendían con picas.*

— uno de los cuatro palos de la baraja francesa que se representa con la figura de la punta de esta lanza en color negro: *picas.*

— unidad tipográfica: *pica.*

2. Lanza de madera con punta de acero que usan los picadores en la fiesta taurina. ☞ **garrocha.**

— *En la fiesta brava se hiere al toro con una pica para quebrantar su fuerza*

— torero de a caballo que pica a los toros en el ruedo: *picador.*

— persona que doma y adiestra caballos: *picador.*

— lugar para que los picadores adiestren a los caballos: *picadero.*

picaporte Artefacto que se utiliza para cerrar mecánicamente las puertas. ☞ **aldaba.**

picar 1. Herir superficialmente con algo puntiagudo o hacer agujeros con la punta de algo. ☞ **horadar.**

— *Le gusta picar el hielo.*

— agujerarse la madera, ropa y ciertos metales por el clima o los insectos: *picarse.*

— acción de picar y señal o agujerito que queda: *picada, piquete.*

piano

PIANO VERTICAL

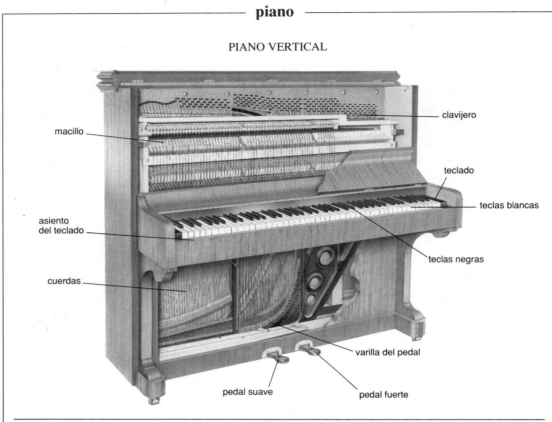

clavijero

macillo

teclado

teclas blancas

asiento
del teclado

teclas negras

cuerdas

varilla del pedal

pedal suave

pedal fuerte

MECANISMO DEL SONIDO

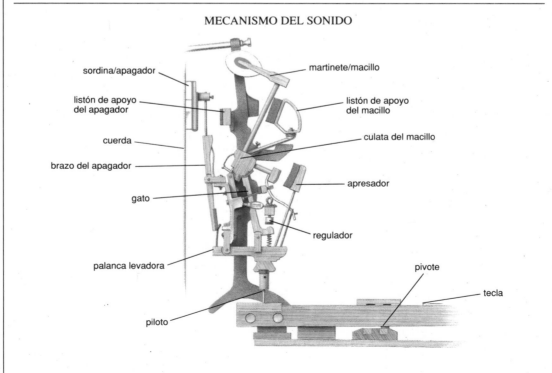

sordina/apagador

martinete/macillo

listón de apoyo
del apagador

listón de apoyo
del macillo

cuerda

culata del macillo

brazo del apagador

apresador

gato

regulador

palanca levadora

pivote

tecla

piloto

2. Morder o herir a una persona o animal, las aves con el pico, los insectos con el aguijón o las víboras con sus colmillos. ☞ **morder, aguijonear.**

— *Durante la noche lo picaron los moscos.*

— herida provocada por una ave o mordedura de un insecto o reptil: *picadura, picotazo, picada, piquete.*

— que presenta señales de piquetes, picaduras o picotazos: *picado.*

3. Morder un pez el anzuelo. ☞ **atrapar.**

— *En ese atolón pican mucho los peces.*

— dejarse engañar por algo o alguien: *picar el anzuelo.*

4. Producir algo comezón o ardor en parte del cuerpo de una persona o animal, sentir comezón o escozor en alguna parte del cuerpo.

— *No puedo usar ropa de lana porque me pica el cuerpo.*

— comezón, ardor: *picazón, picor.*

— sustancia que produce comezón: *picapica.*

5. Producir ardor o quemazón en la boca o paladar ciertos alimentos. ☞ **arder.**

— *Después de comer chile le picaba mucho la boca.*

— que produce ardor o pica: *picante, picoso.*

— chile o salsa preparada con éste: *picante.*

— ardor o comezón: *picor, picazón.*

— que tiene una gracia maliciosa o que trata asuntos propios para adultos: *picante.*

6. Cortar algo en pedazos pequeños. ☞ **cortar, cercenar.**

— *En la receta se pide picar finito el jitomate.*

— platillo a base de carne u otros ingredientes picados: *picadillo.*

— despedazar o destrozar: *hacer picadillo.*

7. Comer una persona poca cantidad de un alimento o coger las aves con el pico su alimento. ☞ **botanear.**

— *Le gusta picar entre comidas.*

8. Hacer que alguien se estimule o sienta interés en algo o alguien.

— *Siempre está tratando de picar a los demás.*

— que está muy interesado o concentrado en algo: *picado.*

9. Espolear un caballo, burro o mula. ☞ **espolear.**

— *El jinete picó con las espuelas a su potro.*

10. Golpear una pelota de arriba hacia abajo con fuerza o violencia. ☞ **caída.**

— *Ganaron porque picaban mucho la pelota en el partido de volibol.*

— caer verticalmente o de arriba a abajo: *caer en picada.*

11. Golpear un material duro para labrarlo.

— *Ese escultor pica la piedra dándole forma de mujer*

— producirse un gran oleaje en el mar, lago o laguna debido al viento: *picarse, estar picado.*

pícaro, -ra 1. Que tiene malicia generalmente graciosa, que engaña con habilidad y simpatía. ☞ **taimado.**

— *El muy pícaro se quedó con mi cambio.*

— pillería o forma de obrar maliciosa: *picardía.*

— travieso, malicioso: *picarón, picaruelo.*

— chiste subido de color: *picardía.*

2. Personaje de las novelas picarescas que saca partido de los demás y vive a sus costillas.

— *El pícaro típico aparece en el Lazarillo de Tormes.*

— que pertenece a los pícaros o se relaciona con ellos: *picaresco.*

— cada una de las novelas que narran las aventuras del pícaro, principal protagonista, y así critican el orden social de la época en que se escribieron: *novela picaresca.*

picnic Comida campestre. ☞ **comer.**

pick up (picóp) Camioneta. ☞ **automóvil.**

pico 1. Parte de la cabeza de las aves que les sirve para comer y defenderse. ☞ **ave.**

— *Los cuervos tienen un diente en la parte superior del pico.*

— herir o golpear con el pico: *picotear.*

— tipos de picos de ave: *conirrostro (corto y cónico), dentirrostro (con un diente la parte superior del pico), fisirrostro (profundamente hendido), leptorrino (delgado y muy saliente), tenuirrostro (largo y delgado).*

— expresión que indica que vivir o comer del prójimo permite ahorrar: *te hace rico quien te mantiene el pico.*

2. Extremo sobresaliente y en forma de punta de ciertos objetos.

— *Algunas iglesias góticas terminan en pico.*

3. Saliente de algunas jarras o vasijas.

— *No ladees la jarra y sirve el agua por el pico.*

4. Herramienta que sirve para cultivar o cortar y triturar piedras.

— *El pico tiene dos puntas incrustadas a un mango largo de madera.*

5. Montaña cuya cima es puntiaguda. ☞ **picacho.**

— *El Pico de Orizaba es la montaña más alta de México.*

— pico muy agudo de un monte: *picacho.*

— más una cantidad pequeña de algo: *y pico.*

picota Columna donde eran expuestas las cabezas de los ajusticiados. ☞ **rollo.**

pictograma Diseño figurativo o simbólico que reproduce el contenido de un mensaje sin utilizar formas lingüísticas. ☞ **escribir.**

— escritura a base de dibujos que representan al objeto: *pictografía.*

pichicatería Actitud mezquina o avariciosa. ☞ **avaricia, mezquindad.**

— avaro, tacaño o que da muy poco de lo que tiene: *pichicato, pichicatero.*

pie 1. Cada una de las extremidades inferiores de los hombres y algunos animales y que les sirven para desplazarse. ☞ **pata, pierna, mano, casco, garra, puntapié.**

— *Como tiene pie plano se cansa mucho al caminar.*

— pie pequeño: *piecito, piececito.*

— cojín para poner los pies: *piecero.*

— parte opuesta a la cabecera de la cama: *pies de la cama, piecera.*

— tropezón, tropiezo o resbalón: *traspié.*

— golpe dado con la punta del pie: *puntapié.*

— caminando: *a pie.*

— parado: *de pie.*

— por entero: *de pies a cabeza.*

— persona que camina: *peatón.*

— que anda a pie o se hace a pie: *pedestre.*

— andar a gatas: *andar a cuatro pies.*

— quitar el polvo de la suela de los zapatos: *limpiarse los pies.*

— partes del pie: *planta, dedos, dedo gordo, talón o calcañar, tobillo, empeine, dorso, garganta, arco plantar o bóveda.*

— médico experto en pies: *podólogo.*

— baño de pies: *pediluvio.*

— clasificación de los animales por número de pies o patas: *de dos pies: bípedo, de cuatro pies: cuadrúpedo, de ocho pies octópodo, de diez pies: decápodo.*

— inmovilizar a alguien: *atarlo de pies y manos.*

— bajar del caballo: *echar pie a tierra.*

— estar nuevamente levantado y caminando después de enfermarse: *estar en pie.*

— ir por propia voluntad: *ir por su propio pie.*

— con excesivo respeto: *besando los pies, a los pies de.*

☞ **sinónimos o referencias**   ❖ **antónimos u opuestos afines**

— realizar mal algo: *hacerlo con los pies.*

— equivocarse alguien por completo o no darse cuenta de algo: *írsele los pies, no dar pie con bola.*

— ser algo complicado o incoherente: *no tener ni pies ni cabeza.*

— inquietar a alguien: *hacerle levantar los pies del suelo.*

— hacer tropezar física o psicológicamente a alguien: *meterle el pie.*

— probar la capacidad de alguien: *ponerle un buscapiés.*

— despreciar o humillar a alguien: *tratarlo con el pie.*

— someter a alguien: *ponerle el pie encima.*

— conocer los defectos de alguien: *saber de qué pie cojea.*

— tener el mismo defecto que otra persona: *cojear del mismo pie.*

— permitir algo: *dar pie a.*

— de manera prudente y cuidadosa: *con pies de plomo.*

— empeñarse en algo difícil o imposible: *buscar tres o cinco pies al gato.*

— adelantarse a algo: *tener un pie por delante.*

— listo para combatir: *en pie de guerra.*

— cuidar algo, vigilar o cumplir con el deber: *estar al pie del cañón.*

— ser válido aún, durar, existir: *estar en pie algo.*

— caminar rápido: *tener pies ligeros.*

— hacer algo con excesiva lentitud: *pedir permiso o licencia a un pie para mover el otro.*

— estar débil y cansado: *no poder sostenerse en pie.*

— estar próximo a partir: *estar con el pie en el estribo.*

— estar próximo a viajar por avión: *estar con un pie en el aire.*

— huir: *poner pies en polvorosa.*

— con mala suerte: *con el pie izquierdo, con pie izquierdo.*

— con buena suerte: *con el pie derecho, con pie derecho.*

— haber nacido con suerte: *nacer de pie.*

— tocar el fondo del mar, río, alberca o algo similar: *hacer pie.*

— hundirse o dejar de tocar el fondo del mar, de un río o de una alberca: *perder pie.*

— persona que fue modelo de alguien y lo desilusionó: *ídolo con los pies de barro.*

— ser travieso y desordenado: *ser el pie de Judas.*

— cerca de la muerte: *con un pie en el hoyo, tumba o sepultura.*

— llevarlo a enterrar: *sacar a alguien con los pies por delante.*

2. Parte inferior de algo o base de algunos objetos. ☞ **zócalo, soporte.**

— *Las escalinatas que nacen al pie de la columna son muy bellas.*

— cerca de algo: *al pie de.*

— hacer algo idéntico a lo que se manda: *al pie de la letra.*

— creer sin dudar: *creer a pie juntillas.*

— última hoja de un texto con la información sobre la imprenta: *pie de imprenta o colofón.*

— parte inferior de una fotografía: *pie de foto.*

3. Tallo de mata o planta, en especial el que se emplea para sembrar o como injerto.

— *Tu pie de violeta ya prendió.*

— tallo o tronco de una planta que sostiene a otra, especialmente a injertos: *pie.*

4. Razón o fundamento de algo. ☞ **causa.**

— *Evita dar pie a murmuraciones.*

5. Medida de longitud anglosajona que equivale a 0.3048 metros y a 12 pulgadas. ☞ **medir.**

— *Mide 5 pies 6 pulgadas.*

— 0.09203 metros cuadrados: *pie cuadrado.*

— 0.027 metros cúbicos: *pie cúbico.*

— estar sepultado: *yacer bajo siete pies de tierra.*

6. Unidad rítmica en los versos que no puede dividirse.

— *Los poetas antiguos tomaban en cuenta el pie de sus poemas.*

— verso de cuatro o cinco sílabas combinado con versos más largos: *pie quebrado.*

piedad 1. Actitud cristiana de abnegación y devoción por las cosas divinas y humanas. ☞ **devoción, religión.** ❖ IMPIEDAD.

— *Las acciones de los santos son piadosas.*

2. Conmiseración frente a algo o alguien. ☞ **lástima, misericordia.** ❖ DESPRECIO, REPULSA.

— *Siente piedad por los menesterosos.*

3. Representación pictórica o escultórica de la virgen María sosteniendo el cuerpo de Jesús al pie de la cruz. ☞ **pintura, escultura.**

— *La Piedad fue un gran tema para los pintores renacentistas.*

piedra 1. Sustancia mineral dura, sólida y compacta. ☞ **peñasco, risco, roca, cantera, fósil.**

— *Los terrenos secos tienen muchas piedras.*

— que tiene muchas piedras: *pedregoso, pedrizo.*

— lugar que tiene piedras sueltas o restos fósiles de erupción volcánica: *pedregal, pedriscal.*

— piedra grande suelta: *pedrejón, roca.*

— cantera donde se pica y se sacan piedras: *pedrera.*

— persona que labra o extrae piedra: *pedrero.*

— de piedra: *pétreo.*

— convertir algo en piedra: *petrificar.*

— fragmento de animal o vegetal petrificado: *piedra fósil.*

— que pertenece a la piedra o se relaciona con ella: *lítico.*

— poner piedras en un terreno: *empedrar.*

— quitar piedras y limpiar un terreno: *desempedrar, despedrar, despedregar.*

— arrojar piedras a alguien: *apedrear.*

— dar un golpe con una piedra: *pedrada.*

— acción de apedrear y lucha en que lanzan piedras: *pedrea.*

— roca tallada para construcción: *piedra sillar.*

— roca que forma la esquina de una construcción: *piedra angular.*

— parte más importante o fundamental de algo: *piedra angular.*

— primera piedra de un edificio: *piedra fundamental.*

— piedra que sirve para cubrir techos: *piedra de tejar.*

— persona o suceso que genera murmuraciones: *piedra de escándalo.*

— agente transmutador que permitía convertir cualquier metal en oro o plata: *piedra filosofal.*

— roca de asperón que se emplea para aguzar instrumentos cortantes: *piedra de afilar o aguzadera.*

— piedra que se usa para hacer muelas de molino: *piedra moledera.*

— roca no fragmentada: *piedra viva.*

— roca cuyo equilibrio depende de otra subyacente: *piedra oscilante o piedra caballera.*

— fragmentos de roca: *canto, grava, guijarro.*

— nitrato de plata: *piedra infernal.*

— mármol arcilloso que permite grabar: *piedra litográfica.*

— peñasco que se desprendió de una altura y se alisó al caer: *piedra rodada o canto rodado.*

— masa mineral que proviene del espacio exterior: *piedra del aire o aerolito.*

— destruir todo: *no dejar piedra sobre piedra.*

— expresión que indica una actitud hipócrita: *tirar la piedra y esconder la mano.*

— sin posibilidad de recuperar algo: *como piedra en pozo.*

— obtener más de un resultado con la misma acción: *matar dos pájaros de un tiro, matar varios pájaros con la misma piedra o de una pedrada.*

— con un ajuste a las circunstancias: *según el sapo es la pedrada.*

2. Concreción de colestina que se forma en órganos como la vesícula y el riñón. ☞ **cálculo.**

— *Tiene una piedra en el riñón derecho.*

3. Gema o tipo de mineral que se usa en joyería. ☞ **gema.**

— *Me encanta la piedra de tu anillo.*

— gema: *piedra preciosa.*

— conjunto o adorno de piedras preciosas: *pedrería.*

— cuarzo jaspeado cuyo color oscila del pardo al gris azulino: *ágata.*

— ágata de color rojo oscuro: *cornalina.*

— ágata fina de rayas paralelas: *ónix.*

— alúmina cristalizada de color rojo vivo: *rubí.*

— rubí de color rojo vivo: *espinela.*

— tipo de rubí: *carbúnculo, carbunlio.*

— silicato de alúmina y glucina de color verde: *esmeralda.*

— esmeralda clara de color verde azulado: *aguamarina.*

— resina fósil de color pardo amarillento: *ámbar.*

— lignito brillante negro y duro: *azabache.*

— sílice cristalino y anhidra: *calcedonia.*

— calcedonia roja: *jaspe.*

— calcedonia verde: *crisopasa.*

— aluminato de glucina de color térreo: *cimofarma.*

— silicato de circomo de color amarillo rojizo: *circón.*

— celentéreo antozoo de colores blanco, rosado y rojo: *coral.*

— alúmina cristalizada y dura de distintos colores: *corindón.*

— carbono cristalizado brillante y duro de distintos colores: *diamante.*

— jaspe duro y opaco de distintos colores: *diaspro.*

— circón de color azulado: *jacinto.*

— silicato de alúmina, cal y sosa de color azul: *lapislázuli.*

— sílice hidratado de color tornasolado: *ópalo.*

— cuerpo duro, brillante, nacarado y redondo que se forma en el interior de ciertas conchas: *perla.*

— silicato de metales bi o trivalentes que toman coloraciones diversas: rojo, negro, verde, amarillo, violáceo y anaranjado: *granate.*

— variedad de granate negro: *melanita.*

— variedad de granate verde: *demantoide, grosularia.*

— variedad de granate rojo: *piropo, espesartita, almandina, escarculo.*

— fosfato de alúmina de color azul verdoso: *turquesa.*

— cuarzo amarillento con laminitas de mica dorada: *venturina.*

— corindón de color azul: *zafiro.*

— piedra vítrea volcánica de color negro o verde: *obsidiana.*

— carbonato hidratado natural de cobre de color verde veteado: *malaquita.*

— variedad de cuarzo hialino de color blanco azulino: *iris.*

— silicato de magnesio hidratado de color verde: *serpentina.*

— calcedonia transparente de color pardo rojizo: *sardónice.*

— calcedonia azul: *sardónice.*

— silicato de calcio y magnesio de color blanquecino: *jade.*

— silicato aluminicosódico de color blanco verdoso: *jadeíta.*

piel (vea ilustración de la p. 534). 1. Membrana que cubre el cuerpo de animales y seres humanos. ☞ **tegumento, membrana.**

— *La piel está constituida por dos capas: dermis y epidermis.*

— aborigen norteamericano: *piel roja.*

— ser travieso: *ser la piel de Judas.*

2. Cuero curtido de algunos animales. ☞ **cuero, pellejo.**

— *Hay pieles de zorro de colores claros y oscuros.*

— el que compra y comercia con pieles: *peletero.*

— lugar donde se venden artículos de piel: *peletería.*

— piel aromatizada con esencia de abedul: *piel de Rusia.*

— recipiente de piel o cuero que sirve para contener líquidos: *pielgo, piezgo.*

3. Primera capa o membrana de algunas frutas. ☞ **cáscara.**

— *La piel del durazno tiene consistencia aterciopelada.*

piélago Zona marítima distante de la tierra. ☞ **mar, océano.**

pienso Alimento seco que se ofrece como ración al ganado. ☞ **provisión.**

pierna Cada una de las extremidades inferiores de los bípedos, cuadrúpedos y aves. ☞ **pata, zanca, canilla.**

— *De todas las piezas de pollo, prefiere las piernas.*

— que tiene extremidades robustas y bien formadas: *piernudo.*

— pasear a pie: *estirar las piernas.*

— practicar la gimnasia o algún otro ejercicio para robustecer las extremidades inferiores: *hacer pierna.*

— ser de extremidades inferiores bellas y torneadas: *ser de buena pierna.*

— dormir despreocupadamente: *dormir a pierna suelta.*

pierrot Personaje de la pantomima francesa de rostro enharinado y mameluco blanco. ☞ **pantomima, mimo, arte.**

pietismo Variedad extremadamente ascética del protestantismo. ☞ **protestante.**

— que pertenece al pietismo o se relaciona con él; persona que profesa el pietismo: *pietista.*

pieza 1. Cada parte, sección o pedazo de un todo o conjunto. ☞ **parte, pedazo.**

— *Mi rompecabezas tiene 5,000 piezas.*

— conjunto de prendas que se dan para lavar: *piezas de ropa.*

2. Cada una de las habitaciones de una vivienda. ☞ **cuarto.**

— *Tiene una mansión de 25 piezas.*

3. Cada uno de los animales que se cazan o pescan. ☞ **presa.**

— *Sus mejores piezas las cobró en las selvas de Chiapas.*

4. Pequeña obra dramática o composición musical vocal o instrumental.

— *Disfruto más las piezas cortas que las largas.*

— quedar asombrado o sorprendido: *quedar hecho una pieza o quedar de una pieza.*

— honrado, firme y recto: *de una pieza.*

— ser alguien hábil o tener mucho talento para algo: *ser mucha pieza.*

— ser alguien de mucho mérito o superior a otro: *ser mucha pieza.*

— ser de cuidado o ser una ficha: *ser una pieza.*

piezoelectricidad Aparición de cargas eléctricas producidas al presionar o comprimir dos cuerpos o conjunto de fenómenos eléctricos que se producen al someter a presión diversos cuerpos.

— que pertenece a la piezoelectricidad o se relaciona con ella: *piezoeléctrico.*

— aparato que mide las presiones o fuerzas vibratorias: *piezógrafo.*

piezometría Sistema para medir presiones normales y elevadas.

— que pertenece a la piezometría o se relaciona con ella: *piezométrico.*

— instrumento para medir la compresión de los líquidos: *piezómetro.*

piel

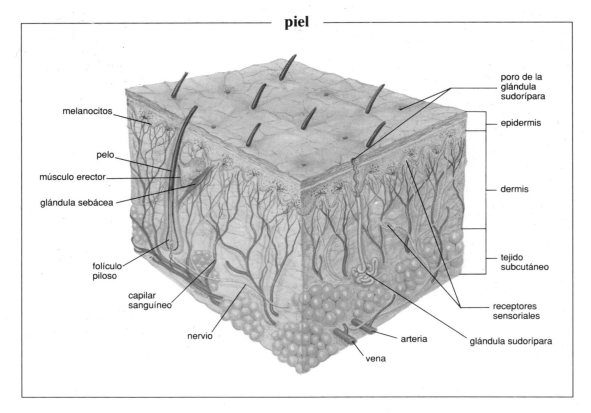

- melanocitos
- pelo
- músculo erector
- glándula sebácea
- folículo piloso
- capilar sanguíneo
- nervio
- vena
- arteria
- glándula sudorípara
- receptores sensoriales
- tejido subcutáneo
- dermis
- epidermis
- poro de la glándula sudorípara

pifiar Rechiflar a alguien para burlarse.
— burla: *pifia*.
— acción inoportuna: *pifia*.

pigmalionismo Estado psicopático del individuo que se enamora de su propia obra.

pigmento 1. Materia colorante que se encuentra en el citoplasma de las células animales y vegetales. ☞ **coloración.**
—*La melanina es un pigmento que da color a la piel.*
— presencia o acumulación de pigmentos en la piel: *pigmentación*.
— que pertenece al pigmento o se relaciona con él: *pigmentario*.
— dar color: *pigmentar*.
2. Sustancia pulverizada que se agrega a una base para darle color o hacerla opaca.
— *Los pigmentos proporcionan opacidad a las pinturas.*
— tipos de pigmentos: *óxidos metálicos (de cinc, cobalto, cromo, hierro, titanio, etc.), metales pulverizados (aluminio, hierro), cromatos de plomo, tierras (ocres, tierra de Siena) y artificiales.*

pigmeo, -mea Que es pequeño o de muy baja estatura, tratándose de animales o personas. ☞ **enano.** ❖ GIGANTE.

pignorar Dejar en empeño o prenda algo. ☞ **empeñar.**

pijama Prenda de vestir para dormir compuesta de una camisa y un pantalón de telas diversas. ☞ **ropa, dormir, negligé.**

pijije Variedad de ave zancuda escolopácida americana. ☞ **ave.**

pila 1. Recipiente metálico que funciona como generador para convertir la energía química en energía eléctrica. ☞ **batería, acumulador.**
— *Los radios de transistores pueden funcionar a base de pilas.*
— reactor nuclear que en sus bloques de grafito contiene barras de uranio: *pila nuclear o atómica*.
2. Recipiente de diversos materiales que se usa para contener líquidos, efectuar mezclas, bañar con ciertas sustancias algo, etc. ☞ **cubeta, balde.**
— *Llenaron una pila de agua cuando les avisaron que no servía la bomba.*
— pieza cóncava de piedra o mármol donde se deposita agua bendita para bautizar a los católicos: *pila bautismal*.
— nombre propio de las personas: *nombre de pila*.
— chapoteadero o estanque pequeño: *pileta*.
3. Conjunto o montón de cosas. ☞ **acumular, montón.**
— *Para arreglar la biblioteca hubo que poner pilas de libros en el suelo.*

pilar 1. Especie de tronco vertical que sostiene una cubierta, bóveda u otra carga en un edificio y que puede ser o no cilíndrico. ☞ **puntal.**
— *Después del temblor, pusieron pilares en esa casa para que no se derrumbara el techo.*
2. Persona que es importante soporte de algo.
— *Desde que murió su padre, él ha sido el pilar de la familia manteniendo a sus hermanos.*

píldora Pequeño comprimido sólido ingerible que mezcla sustancias medicinales con un excipiente. ☞ **gragea, pastilla.**
— aparato que sirve para elaborar píldoras: *pildorero*.
— suavizar una noticia: *dorar la píldora*.
— dejarse engañar: *tragar la píldora*.

pilón 1. Porción extra que se da en la compra de algún artículo o mercancía. ☞ **adehala.**
—*Le falta darme mi pilón.*

— por añadidura: *de pilón.*

2. Pesa movible de la báscula romana.

— *Para que sea un kilo hay que mover el pilón más a la derecha.*

3. Mortero de madera o metal que sirve para moler granos. ☞ **molcajete.**

— *Hay que majar el trigo en ese pilón.*

4. Piloncillo en forma de cono.

— *Hay que echarle un pilón a ese postre.*

piloncillo Pan de azúcar morena de figura cónica. ☞ **azúcar.**

píloro Sección final del estómago en forma de abertura que comunica con los intestinos. ☞ **portanario.**

— que pertenece al píloro o se relaciona con él: *pilórico.*

piloso, -sa Que tiene mucho pelo. ☞ **pelo, peludo.** ❖ LAMPIÑO.

pilote Madero o pieza de metal o de hormigón armado en forma vertical, cilíndrica o de prisma que sirve para fundar los cimientos en una construcción. ☞ **arquitectura.**

pilotear o pilotar Dirigir un vehículo, nave o embarcación. ☞ **conducir, guiar.**

— conjunto de acciones relacionadas con guiar o conducir: *pilotaje.*

— persona que dirige o gobierna un vehículo, nave o embarcación: *piloto.*

piltrafa 1. Pedazo de carne que tiene sobre todo nervios o hueso.

— *La comida para perros a veces es pura piltrafa.*

2. Resto o trozo de algo que es casi inutilizable.

— *Durante la mudanza dejaron en la basura simples piltrafas.*

pillo, -lla 1. Que engaña ingenuamente, tratándose de niños, que es un pícaro.

— *Es un pillo con su hermanito.*

— acción donde privan los engaños sin mala intención: *pillería, pillada.*

— pillo: *pillín, pilluelo, pillastre, pillastrón.*

2. Que no tiene escrúpulos o que es aprovechado y astuto. ☞ **granuja, sinvergüenza.**

— *Ten cuidado con él pues es un pillo.*

— estafa, saqueo o despojo: *pillaje.*

pimpollo 1. Brote pequeño de los árboles y plantas.

— *Hay que ver qué pimpollos tienen esos árboles.*

— brotar vástagos: *pimpollecer, pimpollear.*

— sitio lleno de vástagos: *pimpollar.*

2. Capullo de las rosas.

— *Le regalaron un ramo de pimpollos.*

3. Persona joven y bonita.

— *Oye, preséntame a esos pimpollos.*

pinacate Variedad de escarabajo de la

familia de los tenebriónidos, de origen mexicano.

— *Los subterráneos tienen pinacates.*

— conjunto de pinacates: *pinacatada.*

2. Persona fea, generalmente muy morena y chaparra; es término ofensivo.

— *Es insoportable el pinacate que va contigo a la escuela.*

pinacoteca Museo dedicado especialmente a exhibir pinturas.

pináculo 1. Parte más alta de un edificio o el remate de una construcción gótica.

— *Algunos templos romanos tenían pináculos piramidales.*

2. La parte más álgida o en la cumbre o auge de algo.

— *Ese pintor está en el pináculo de la fama.*

pincel 1. Instrumento alargado y cuya punta, de pelos de animales o materiales afines, sirve para aplicar color.

— *Hay pinceles con puntas de distinto grosor.*

2. Persona que pinta, obra pintada o manera de pintar de alguien.

— *Rivera es un pincel muy diestro.*

— cada uno de los trazos que da el pintor con el pincel: *pincelada.*

— toque de algo: *pincelada.*

— concluir una obra exitosamente: *dar las últimas pinceladas.*

— caja para guardar pinceles: *pincelero.*

— pintar: *pincelar.*

pinchar Picar o perforar algo. ☞ **perforar.**

— agujero que se hace al picar algo: *pinchazo.*

— punta aguda o espina filosa: *pincho.*

— que tiene púas: *pinchudo.*

pinche 1. Mozo o ayudante de cocina. ☞ **galopín.**

— *El restaurante tiene un excelente pinche de cocina.*

2. Despreciable, vil, de poco valor; es término ofensivo. ☞ **ruin.**

— *No tengo un pinche peso.*

— portarse con tacañería: *ser muy pinche.*

pinga Miembro viril. ☞ **pene, picha, pija.**

pingo 1. Diablo. ☞ **demonio.**

— *Dicen que en las noches se aparece un pingo por las afueras del pueblo.*

2. Niño travieso.

— *Esos pingos ya rompieron el espejo.*

pingorotudo, -da Que está alto o en un lugar empinado.

pingüe 1. Que tiene excesiva grasa. ❖ MAGRO.

— *Los de cuerpo pingüe deben ponerse a dieta rigurosa.*

— mantecoso, gordo: *pingüedinoso.*

2. Abundante, copioso. ❖ ESCASO.

— *Obtuvo pingües beneficios en la transacción.*

ping pong o pin pon Tenis de mesa que se juega entre dos contrincantes con raquetas, red y pelota. ☞ **tenis, juego.**

pininos 1. Primeros pasos que da un niño.

— *Ya hace sus pininos mi hija.*

2. Primeras experiencias en el desempeño de una actividad.

— *Está haciendo sus pininos en la televisión como locutora.*

pino Nombre genérico de diversas variedades de abietáceas, algunas de origen americano.

— sitio poblado de pinos: *pinar, pinatar, pineda, pinedo.*

— que pertenece al pino o se relaciona con él: *pinariego.*

— hoja de pino: *pinocha.*

pinole o pinol Harina de maíz tostado a la que se agrega azúcar, cacao y canela, y bebida preparada con estos elementos.

— beber pinole: *pinolear.*

— recipiente donde se guarda el pinole: *pinolera.*

— el más diestro realiza mejor las cosas: *el que tiene más saliva traga más pinole.*

— no poder hacer dos cosas al mismo tiempo: *no poder silbar y tragar pinole.*

pinolillo 1. Variedad de ácaro o larva de una garrapata.

— *Los piquetes de alacranes, jejenes y pinolillos son muy peligrosos.*

2. Harina o polvo de maíz y bebida preparada con estos elementos. ☞ **pinole.**

— *Le gusta beber pinolillo caliente.*

pintar 1. Combinar colores, líneas y formas sobre un lienzo o un muro de manera que se represente a alguien o algo en un lenguaje visual bidimensional. ☞ **pintura.**

— *Le gusta pintar arte figurativo.*

— persona que colorea artísticamente lienzos o cuadros: *pintor.*

2. Cubrir la superficie de distintos objetos con color. ❖ DESPINTAR.

— *Pintó todos los muebles y las paredes de su casa de azul.*

— maquillarse excesivamente: *pintarrajearse.*

3. Describir algo por medio de palabras.

— *Pinta vívidamente toda la situación.*

4. Empezar a notarse en algo o al-

guien su tendencia o el desarrollo que tendrá.

— *El muchacho pinta para actor.*

pintoresco, -ca 1. Lugar susceptible de ser pintado.

— *El campo mexicano es muy pintoresco.*

2. Que indica peculiaridad.

pintura 1. Arte de pintar o combinar líneas, formas o colores estéticamente en un lienzo, papel o muro. ☞ **pintar.**

— *Se dedica a la pintura desde que era adolescente.*

— artista que se dedica a la pintura: *pintor.*

— que pertenece a la pintura o se relaciona con ella: *pictórico.*

— que tiene características que propician que sea pintado: *pictórico.*

2. Obra que resulta del arte de pintar. ☞ **pintar.**

— *Me gusta esa pintura abstracta de Picasso.*

3. Sustancia, tinte, lápiz de color, pasta, etc., que sirve para colorear algo.

— *No pudo comprar pintura blanca y no terminará de retocar ese cuadro.*

pinza 1. Prolongación prensil que se encuentra en el último artejo de la pata de ciertos artrópodos.

— *Las pinzas del cangrejo son rosáceas.*

2. Fruncido o pliegue cosido en prendas de ropa para que ajusten mejor.

— *Le gustan los vestidos con pinzas.*

3. Instrumento en forma de tenaza que sirve para usos variados. ☞ **tenaza.**

— tratar algo o a alguien con diplomacia: *tratar con pinzas.*

piña 1. Planta bromeliácea liliflora de origen americano. ☞ **ananás.**

— *Tiene un limonero y una piña en su casa de Veracruz.*

— plantío de piñas: *piñal.*

2. Fruto comestible de esa planta.

— *Compré una rebanada de piña en aquel puesto y estaba riquísima.*

3. Fruto del pino.

— *Recojamos piñas secas para hacer una fogata.*

— almendra comestible del pino piñonero: *piñón.*

— estar unido y en buena relación con alguien: *estar a partir un piñón.*

— especie de segunda ala de un halcón: *piñón.*

pío (vea recuadro de voces animales). Voz que representa el sonido emitido por las aves.

— no expresar nada: *no decir ni pío.*

piocha Barba que se deja crecer úni-

camente en el área de la barbilla. ☞ **perilla.**

— ser hábil o bueno para alguna actividad: *ser muy piocha.*

piogenia Formación de pus en alguna parte del organismo.

— que puede producir pus: *piógeno.*

piojoso, -sa 1. Que tiene piojos.

— *Los vagabundos desaseados suelen ser piojosos.*

— insecto hemíptero parásito del hombre y los animales: *piojo.*

— que pertenece a los piojos o se relaciona con ellos: *piojento.*

— rascar cariñosamente la cabeza a alguien: *hacer piojito.*

2. Mezquino, avaro. ☞ **tacaño.**

— *Cuando se trata de dinero es un piojoso.*

piolar (vea recuadro de voces animales). Emitir las aves su sonido característico. ☞ **pipiar, piar.**

— que pía mucho: *pión.*

pionero, -ra 1. Persona que empieza la exploración de territorios desconocidos.

— *Los pioneros norteamericanos del siglo XVIII colonizaron California.*

2. Persona que inicia alguna actividad.

— *Es un pionero en el campo de la microbiología.*

piorrea Formación y flujo de pus en las encías.

pipa 1. Artefacto con una boquilla en un extremo, un tubo delgado horizontal y un receptáculo ovoide en el otro extremo donde se deposita tabaco para fumar. ☞ **fumar.**

— *A mi padre le gusta fumar pipa con tabaco aromático.*

— fumar en pipa: *pipar.*

— fumada de una pipa o de un cigarro: *pipada.*

— conjunto de pipas: *pipería.*

2. Barrica donde se deposita preferentemente un líquido o un gas. ☞ **tonel.**

— *Algunos licores se añejan en pipas de roble blanco.*

— tonel pequeño: *pipote.*

— estar borracho: *estar pipa.*

3. Camión con un depósito especial para transportar grandes cantidades de algún líquido o gas.

— *Chocó una pipa de gasolina en la carretera.*

pipeta Tubo de cristal de laboratorio, ancho en su parte media y abierto por sus extremos.

pipí Orina.

— orinar: *hacer pipí.*

pipián Guiso de pepitas de calabaza,

maíz, chile y achiote al que se agrega carne de res, de cerdo, o de ave.

pípila Hembra del pavo o guajolote.

— guajolote pequeño o pavipollo: *pípilo.*

pipiolo, -la Que es de corta edad, que tiene entre dos y ocho años, tratándose de niños.

— reunión de niños pequeños: *pipiolera, pipiolaje, pipiolería, pipiolería.*

pique 1. Resentimiento por algo.

— *Entre gente razonable no debe haber pique.*

2. Rivalidad entre dos personas.

— *En su trabajo los dos traen mucho pique.*

— estar enojado, disgustado o estar de pleito: *estar de pique.*

— fracasar algo: *irse a pique.*

— hundirse una embarcación: *irse a pique.*

piqué Tela de algodón con algún diseño o labrado.

piquera 1. Abertura por donde entran y salen las abejas de la colmena.

— *Cuando visites un apiario ten cuidado con la piquera.*

2. Agujero que tienen los toneles y alambiques de vinos y licores. ☞ **vino.**

— *Sirvió la muestra de vino de la piquera del tonel.*

piqueta Herramienta que se usa para cavar. ☞ **zapapico.**

piquete 1. Chorro de bebida alcohólica que se agrega a otra bebida.

— *Le gusta el café con piquete.*

2. Picotazo o herida dolorosa.

— *Le dolían y ardían mucho los piquetes de mosco.*

— piquete fuerte y doloroso: *piquetazo.*

piquín Variedad de chile rojo mexicano muy picante. ☞ **picar.**

pira Hoguera donde se inmolaban individuos para fines ceremoniales o de castigo.

pirar Huir o escapar de algo. ☞ **huir.**

piragua Embarcación primitiva movida por remos o vela.

— marinero que maneja la piragua: *piragüero, piragüista*

— deporte náutico: *piragüismo.*

pirámide 1. Sólido de base poligonal y caras triangulares que se juntan en un punto llamado vértice.

— *Para obtener la superficie lateral de una pirámide se multiplica el perímetro de su base por la mitad de su apotema.*

— pirámide cuyo vértice es un polígono igual pero menor al de su base: *pirámide truncada.*

— pirámide que tiene por base un polígono regular y la altura se sitúa sobre el centro de dicha base: *pirámide regular*.

— clasificación de las pirámides según el tipo de polígono base: *pirámide cuadrangular, pirámide pentagonal, pirámide hexagonal, pirámide heptagonal, pirámide octagonal*.

2. Cualquier objeto con forma de sólido poligonal.

— *Formaron una pirámide humana*.

— representación gráfica de la distribución por edad, sexo y nivel sociocultural de un conjunto de personas de una población: *pirámide poblacional*.

— *Los resultados de la pirámide poblacional fueron sorpresivos*.

3. Construcción arqueológica en esa forma.

— *La pirámide de Teotihuacan es imponente*.

piraña Variedad de pez carnívoro americano muy pequeño.

pirata 1. Navegante que intercepta otros navíos para robar. ☞ **bucanero**.

— *Los piratas atacaron numerosas carabelas en sus viajes al Nuevo Mundo*.

— acciones violentas sobre una nave, su tripulación, pasajeros o cargamento: *piratería*.

— robo que hacían los piratas: *piratería*.

— que pertenece a la piratería o se relaciona con ella: *pirático*.

2. Persona que roba, traiciona o saca ventaja de los demás.

— *Hay individuos que son verdaderos piratas en su profesión*.

— acción y resultado de sacar ventaja de los demás o apropiarse de bienes ajenos: *piratería*.

— robar o dejar de pagar algo: *piratear*.

— secuestrar un avión: *piratear*.

— individuo que secuestra un avión: *aeropirata*.

3. Que pertenece a la piratería o se relaciona con ella.

— *Los ingleses tuvieron muchos barcos piratas*.

— edición o grabación que no paga los derechos de autor que debería pagar: *edición pirata, grabación pirata*.

piretología Estudio de las fiebres más conocidas.

— fiebre: *pirexia*.

— terapia mediante el aumento de temperatura o fiebre en el paciente: *piretoterapia*.

pirex Utensilio o recipiente de vidrio

altamente resistente al calor. ☞ **vidrio**.

pírico, -ca Que pertenece al fuego o a los fuegos artificiales, que se relaciona con ellos. ☞ **fuego**.

pirinola o perinola 1. Trompo o peonza pequeña,

— *Le gusta jugar con la pirinola*.

— andar muy activo: *andar como pirinola*.

2. Pene de un niño.

— *Algunas personas llaman pirinola al pene de los niños*.

piritoso, -sa Que contiene sulfuro de hierro o de cobre.

— sulfuro de hierro o cobre con destellos dorados: *pirita*.

pirofilacio Caverna llena de fuego que la tradición ubica en el interior de la tierra.

piróforo Sustancia que se inflama en contacto con el aire.

pirograbado Técnica pictórica aplicada al grabar madera, cuero, vidrio, etc., por medio de una punta metálica incandescente. ☞ **pintura**.

— decorar con pirograbado: *pirograbar*.

— persona que se dedica al pirograbado: *pirograbador*.

pirómetro Aparato que sirve para medir altas temperaturas. ☞ **temperatura**.

piropear Decir algo lisonjero a alguien. ☞ **requebrar**. ❖ INSULTAR.

— requiebro, alabanza o lisonja: *piropo*.

piroscopio Aparato para medir la reflexión y radiación del calor. ☞ **termómetro**.

pirosis Sensación de quemadura o ardor en el estómago.

pirotecnia Arte de construir artefactos que se iluminan con explosivos y fuegos artificiales.

— que pertenece a la pirotecnia o se relaciona con ella: *pirotécnico*.

pírrico, -ca Que es estéril, tratándose de un triunfo o victoria.

pirroniano, -na Que descree de todo, que es escéptico o partidario del pirronismo. ☞ **escéptico**.

— escuela escéptica de Pirrón: *pirronismo*.

— escéptico: *pirrónico*.

pirueta Rápido giro corporal o maroma. ☞ **mover**.

— hacer rápidos giros o movimientos corporales: *piruetear*.

piruja Mujer de vida alegre. ☞ **prostituta**.

pirul Variedad de árbol americano.

pirulí Paleta de caramelo de forma cónica. ☞ **caramelo, dulce**.

— que vende pirulís: *pirulero*.

— juego infantil: *Juan pirulero*.

pisapapeles Objeto habitualmente pesado, que se usa para sujetar los papeles.

pisar 1. Colocar el pie sobre algo. ☞ **hollar**.

— *Pisó el billete que se le había caído para que no se volara*.

— colocar reiteradamente el pie sobre algo maltratándolo: *pisotear*.

— fuerte pisada sobre el pie de otro: *pisotón*.

— huella o señal de pies: *pisada*.

— imitar a alguien: *seguir las pisadas*.

— estar libre de culpa: *no tener cola que le pisen*.

2. Colocar alternativamente los pies sobre la superficie por donde se camina.

— *Cuando entremos al hospital no pises fuerte para no hacer ruido*.

— superficie por donde se camina, particularmente la de edificios o casas: *piso*.

— cada uno de los niveles de un edificio o casa: *piso*.

— acción y resultado de pisar al caminar: *pisada*.

3. Humillar a alguien. ❖ ENALTECER.

— *Es tan poderoso y corrupto que pisa a quien puede*.

— humillar o ultrajar a alguien: *pisotear*.

4. Dejar la tierra pareja con golpes de pisón o maza. ☞ **apisonar**.

— *Antes de plantar hay que pisar la tierra*.

5. Tocar las cuerdas o teclas de un instrumento, apretándolas con los dedos.

— *Pisa demasiado suave las cuerdas y su sonoridad es apagada*.

— posición que se oprime en los instrumentos de cuerdas: *pisada*.

6. Cruzarse el macho con la hembra, tratándose de aves.

— *El palomo pisó a la hembra dos veces*.

— coito: *pisada*.

— fornicar: *pisar*.

piscicultura Disciplina encargada de la crianza y multiplicación de los peces. ☞ **pesca, pez**.

— animal acuático, vertebrado, ovíparo, de cuerpo fusiforme: *pez*.

— persona que se encarga de criar peces: *piscicultor*.

— lugar donde se usan técnicas de crianza de peces: *piscifactoría*.

— que pertenece a la crianza de peces y su desarrollo o se relaciona con ello: *piscícola*.

— que se alimenta de peces: *piscívoro, ictiófago.*

— lugar donde se pueden observar peces en captura: *acuario.*

— recipiente para conservar peces: *pecera.*

piscina 1. Estanque o fuente de ornato que tiene peces.

— *En los jardines del restaurant tenían una piscina llena de peces dorados.*

2. Alberca para bañarse o nadar. ☞ **alberca, bañar.**

— *El clavadista se zambulló elegantemente en la piscina.*

3. Pila donde se purifican materias sacramentales.

— *En la piscina se limpiaron los lienzos de los óleos.*

piscis Último signo del zodiaco. ☞ **zodiaco.**

pisco (vea recuadro de bebidas). Bebida alcohólica sudamericana semejante al aguardiente.

piscolabis Entremés, tentempié, merienda o aperitivo.

pisón Herramienta que sirve para nivelar y apretar piedras y tierra.

— apretar la tierra y rocas con un pisón: *pisonear.*

pistache Fruto semejante a la almendra, de una planta anacardiácea de origen mexicano.

pista 1. Conjunto de señales o datos que sirven para desentrañar algún problema o enigma, para averiguar un suceso o descubrir una cosa.

— *Había pocas pistas para desentrañar el asesinato.*

— conocer bien los movimientos o actividades de alguien, seguirle el rastro: *seguirle la pista.*

2. Lugar donde se juegan carreras.

— *La pista del velódromo era modernísima.*

3. Terreno donde despegan y aterrizan aviones.

— *El avión fue elevándose de la pista a gran velocidad.*

4. Lugar que sirve para patinar o bailar.

— *La pista de baile era espaciosa y bien iluminada.*

5. Huella de animales o personas.

— *En las cacerías los perros suelen seguir pistas.*

6. Línea circular continua en la que se graba información.

— *Los cassettes, los discos, los discos compactos y las cintas de calculadoras tienen pistas.*

pistero Jarra pequeña o taza con asa y pico para dar de beber líquidos a los enfermos que no pueden incorporarse.

pistilo Órgano femenino de la flor que se encuentra en su centro. ☞ **flor.**

pisto 1. Jugo de la carne de ave.

— *Recuperó fuerzas con el tazón de pisto.*

2. Copa o trago de una bebida alcohólica.

— *Después de comer le gusta echarse su pisto.*

— sueño corto, siesta: *pistito.*

pistola 1. Arma de fuego individual y pequeña. ☞ **revólver.**

— *Lo golpeó con la culata de su pistola.*

— funda de la pistola: *pistolera.*

— sujeto que usa la pistola para asaltar o asesinar: *pistolero.*

— conjunto de acciones vandálicas y de ataque de los pistoleros: *pistolerismo.*

— tiro de pistola: *pistoletazo.*

— arma pequeña que se lleva en la cintura: *pistola de cinto.*

2. Instrumento que expele líquido al exterior por un proceso de aire comprimido que pulveriza pinturas y barnices.

— *Pintó íntegra la casa con su pistola de aire.*

pistón 1. Émbolo de distintas máquinas y motores.

— *Los motores de los coches tienen varios pistones.*

2. Llave de ciertos instrumentos musicales de viento.

— *El pistón del corno permite regular el paso del aire por las válvulas.*

pita 1. Variedad de amarilidácea de origen mexicano. ☞ **maguey.**

— *Pita es uno de los nombres del maguey.*

2. Hilaza o fibra que se extrae de las plantas amarilidáceas.

— *Usaron pita para amarrar los bultos.*

pitagórico, -ca Que es seguidor de la secta hermética fundada por Pitágoras, que pertenece a la doctrina de Pitágoras o se relaciona con ella.

— doctrina mística y científica de Pitágoras: *pitagorismo.*

— teorema en el cual el área del cuadrado construido sobre la hipotenusa del triángulo rectángulo es igual a la suma del área de los dos cuadrados construidos sobre los catetos: *teorema de Pitágoras.*

pitahaya 1. Variedad de cactácea americana.

— *La pitahaya tiene el tallo sin hojas como el nopal.*

2. Fruto de la cactácea del mismo nombre.

— *La pitahaya es acidulada y tiene semillas negras y brillantes.*

pitanza Cada ración que resulta del reparto de víveres dado con fines de caridad a los pobres o desamparados.

pitecántropo Restos fósiles de un ser intermedio entre el hombre y el mono.

pitillo Cigarro o cigarrillo. ☞ **cigarro.**

pitiriasis Enfermedad cutánea en que la piel forma escamas menudas.

pito 1. Instrumento pequeño de sonido agudo que se toca soplando.

— *Tenía una colección de pitos a cual más agudo.*

— tocar el silbato o pito: *pitar.*

— arbitrar un juego deportivo: *pitar.*

— abuchear con silbidos a alguien: *pitar.*

— información que se da secreta o anónimamente a alguien de un hecho que le afecta, particularmente la que se da a la policía para denunciar algún delito o a un delincuente: *pitazo.*

— por esta razón o por esta otra: *por pitos o flautas.*

2. Instrumento indígena semejante a una flauta.

— *El pito se suele acompañar con el teponaxli o el tuncul.*

3. Órgano sexual masculino. ☞ **pene.**

— *Pito es uno de los eufemismos para el miembro viril.*

— no importar, tener algo o alguien sin cuidado a uno: *importarle un pito, valerle un pito.*

— no tener que ver con algo: *no tocar pito en algo.*

pitón 1. Cuerno naciente de algunos animales y punta del cuerno del toro.

— *Los banderilleros deben cuidarse del pitón del toro.*

— cornada del toro: *pitonazo.*

2. Botón, renuevo o retoño de una planta.

— *Ese árbol tiene muchos pitones.*

pitonisa Mujer dotada del don de la adivinación. ☞ **profeta.**

pitorrearse Burlarse de alguien o algo. ☞ **burlar, bromear.**

— chanza, broma: *pitorreo.*

pituitario, -ria Que segrega un humor viscoso por las mucosas.

— mucosa de la nariz: *mucosa pituitaria.*

piular (vea recuadro de voces animales). Emitir su sonido característico las aves. ☞ **piar, pipiar.**

pivotante Tipo de raíz que se introduce verticalmente sobre la tierra.

pivote Extremo de un eje o pieza que gira sobre un soporte.

— girar sobre un pivote: *pivotar, pivotear.*

— que pivota: *pivotante.*

píxide Caja pequeña en que se guardaba el Santísimo Sacramento.

piyama Ropa que se usa para dormir. ☞ **pijama, dormir, ropa.**

pizarra Piedra blanda y azulada que se usa en la construcción de techos y lápices.

— persona que labra la pizarra: *pizarrero.*

pizarrón Tablón grande pintado de negro o verde donde se pinta con gis o tiza. ☞ **pizarra, encerado.**

pizca 1. Cantidad mínima de algo. ☞ **pedazo, porción.**

— *Agregar una pizca de sal a la comida.*

2. Cosecha de productos del campo, particularmente del maíz.

— *La pizca empezaba en el verano.*

— cosechar productos del campo, particularmente el maíz: *pizcar.*

pizpireta Que es muy alegre, desenvuelta y coqueta, tratándose de mujeres. ❖ TONTA, BOBA.

pizza Tipo de masa de harina de trigo en forma de tortilla que se hornea cubierta con queso y distintos aderezos.

— lugar donde se preparan y venden pizzas: *pizzería.*

pizzicato Técnica de ejecución musical mediante la cual se pellizcan las cuerdas de los instrumentos de arco y cuerda.

placa 1. Hoja delgada y tiesa de cualquier material duro. ☞ **lámina.**

— *Hay que comprar una placa de plástico.*

— lámina de cristal sensible a la luz: *placa fotográfica.*

— grabado para imprimir: *placa offset.*

— cada uno de los los electrodos de un acumulador eléctrico: *placa de desviación.*

— plataforma circular que dirige la dirección de las vías de los ferrocarriles: *placa giratoria.*

2. Lámina de metal con números y letras grabadas que identifican a los automóviles o que sirve de distintivo que acredita la pertenencia a determinada organización.

— *Se me perdió una placa en la carretera.*

placebo Sustancia sin efectos medicinales que solamente obra en el paciente por sugestión.

placenta Órgano de consistencia blanda y esponjosa que rodea al embrión dentro del útero.

— que pertenece a la placenta o se relaciona con ella: *placentario.*

placer 1. Sensación de agrado y deleite. ☞ **gustar, complacer, gusto, com-**

placencia. ❖ DISGUSTO, DESAGRADO, INCOMODIDAD, ABURRIMIENTO.

— *El placer de estar con ella en el campo no lo cambia por nada.*

— agradable, disfrutable o sereno: *placentero, plácido, placible, apacible.*

— estado confortable y calmo: *placidez.*

— que produce sensaciones agradables: *placiente.*

— enhorabuena, felicitación: *pláceme.*

— sensación confortable: *placentería.*

— en la medida que produce placer: *a placer.*

2. Causar satisfacción, agrado y deleite.

— *Le place invitarte a bailar.*

plafón Superficie inferior de alguna saliente o cielo raso. ☞ **sofito.**

plaga (vea ilustración de la p. 540). Conjunto de animales o plantas que atacan y dañan los cultivos y, por extensión, cantidad grande de una cosa nociva o de cualquier cosa. ☞ **peste.** ❖ ESCASEZ.

— cubrir o llenar algo con gran cantidad de algo: *plagar.*

— lleno: *plagado.*

plagio 1. Imitación, copia, reproducción o apropiación de algo ajeno. ☞ **copiar, imitar, copia, imitación.** ❖ AUTÉNTICO, ORIGINAL.

— *El verdadero autor de la obra acusó al embustero por plagio.*

— copiar una obra presentándola como propia: *plagiar.*

— imitador fraudulento: *plagiario.*

2. Apoderamiento de alguien para pedir rescate. ☞ **secuestrar, raptar, secuestro, rapto.**

— *El plagio del industrial causó gran impacto.*

— secuestrar: *plagiar.*

— secuestrador: *plagiario.*

plana Cada uno de los dos lados de una hoja de papel. ☞ **página, folio.**

— cada uno de los bandos o grupos que propone una lista de candidatos para ocupar los puestos de dirigencia de un sindicato, gremio, etc., durante las elecciones: *planilla.*

— conjunto de las personas más renombradas dentro de cierto ambiente: *plana mayor.*

— noticia tan importante que ocupa la primera página de un periódico o la totalidad de ella: *noticia en primera plana, noticia a toda plana.*

— modificar los errores: *corregir o enmendar la plana.*

plancton Conjunto de seres microscópi-

cos que se encuentran suspendidos y viviendo en las aguas marinas y dulces. ☞ **mar, río, lago.**

plancha 1. Placa de metal. ☞ **placa, lámina.**

— *Las planchas sujetan y alisan el pergamino.*

— cubrir algo con láminas de metal: *planchear.*

2. Aparato electrodoméstico que alisa la ropa.

— *Gracias a las planchas de vapor, no es necesario rociar la ropa.*

— conjunto de ropa por alisar o alisada con la plancha: *planchado.*

— alisar la ropa: *planchar.*

— aplicación de la plancha sobre algo: *planchazo.*

— persona que se dedica a planchar: *planchador.*

— lugar donde se plancha la ropa: *planchaduría.*

— ser alguien o algo muy aburrido: *ser una plancha.*

— dejar plantado a alguien: *darle plancha.*

— tener una sorpresa desagradable: *pegarse plancha.*

planear 1. Organizar y disponer todo para la ejecución de algo. ☞ **organizar, proyectar.** ❖ IMPROVISAR.

— *Hay que planear la fiesta del sábado para que sea divertida.*

— programa de actividades que se pretenden realizar: *plan.*

— organizar algo conforme a un programa preestablecido: *planificar.*

— establecimiento de un programa con objetivos determinados de antemano: *planificación.*

— en actitud: *en plan.*

2. Mantenerse en el aire o descender suavemente un ave o un avión, sin mover las alas o con el motor apagado, aprovechando las acciones aerodinámicas de la atmósfera.

— *Las gaviotas planean cerca del mar.*

— aeroplano que vuela sin motor impulsado por las corrientes aéreas: *planeador.*

— vuelo sin usar las alas o sin usar el motor: *planeo.*

planeta (vea ilustración de la p. 541). Cuerpo celeste que gravita alrededor de una estrella y no emite luz. ☞ **astro.**

— supuesto habitante de otro planeta: *planetícola.*

— que pertenece a los planetas o se relaciona con ellos: *planetario.*

— conjunto formado por todos los planetas que giran alrededor de una misma estrella: *sistema planetario.*

— proyector o lugar que representa la bóveda celeste: *planetario*.

— coordenadas de un planeta: *planetográfico*.

— aparato lanzado por el hombre que describe una órbita alrededor del Sol: *planetoide artificial*.

— estudio de los planetas: *planetología*.

— planetas del sistema solar: *Mercurio, Venus, Tierra, Marte, Júpiter, Saturno, Urano, Neptuno, Plutón*.

— planetas de naturaleza rocosa (telúricos): *Mercurio, Venus, Tierra, Marte*.

— planetas esencialmente compuestos de gases y con grandes dimensiones (jovianos): *Júpiter, Urano, Neptuno, Plutón*.

— pequeños planetas que gravitan entre las órbitas de Marte y de Júpiter: *asteroides*.

— punto de un planeta en que se encuentra más cercano al Sol: *perihelio*.

— punto de un planeta en que se encuentra más alejado del Sol: *afelio*.

— cada uno de los cuatro aspectos que presenta el disco de un planeta al observador: *fase*.

— movimiento de un planeta alrededor del Sol: *traslación*.

— movimiento trazado por un cuerpo en el cual vuelve a su posición inicial: *revolución*.

— revolución en la cual un planeta se encuentra en la misma dirección con respecto a las estrellas: *revolución sideral*.

— revolución al cabo de la cual el astro presenta su fase inicial: *revolución sinódica*.

planicie Llanura de grandes dimensiones. ☞ **llano.** ❖ MONTAÑA, CORDILLERA.

planisferio Representación gráfica de toda la superficie terrestre en un mismo plano. ☞ **mapa, mapamundi.**

plano, -na 1. Que es liso, parejo o nivelado. ☞ **llano, raso, uniforme.** ❖ RUGOSO, ÁSPERO.

— *En la ciudad de Guanajuato hay muy pocas calles planas.*

— parte de la geometría que estudia las superficies planas: *planimetría*.

— instrumentos para medir áreas de superficies planas: *planímetro*.

2. Representación gráfica del corte horizontal de un edificio, de las características de un terreno, ciudad, máquina, etc.

— *Llévate planos de las ciudades que vas a visitar para que te orientes mejor.*

— aparato que copia planos a esca-

las distintas de los originales: *planígrafo*.

3. Cada una de las superficies imaginarias verticales que representan las distintas profundidades o distancias de una perspectiva o escena real.

— *Lo pusieron en segundo plano por ser muy alto.*

— sin duda, definitivamente: *de plano*.

planta 1. Parte inferior del pie. ☞ **pie.** ❖ PALMA.

— *La planta del pie es una de las partes más sensibles del cuerpo.*

— pieza de diversos materiales que tiene la forma de la planta del pie para ajustar zapatos que no están a la medida: *plantilla*.

— que al caminar coloca toda la plan-

ta del pie en el suelo, tratándose de animales: *plantígrado*.

2. Cada uno de los pisos de una casa o edificio, o división horizontal de una construcción. ☞ **piso, nivel.**

— *La mayoría de las casas en la ciudad son de dos plantas.*

3. Lugar donde se realizan actividades industriales. ☞ **fábrica.**

— *La planta de la compañía galletera está fuera de la ciudad.*

4. Conjunto de trabajadores relativamente fijos con que cuenta una institución o negocio.

— *Habría que saber si esa nueva escuela ya tiene toda su planta de maestros.*

— con carácter fijo: *de planta*.

5. Organismo autótrofo, con membrana celulosa y poca capacidad de

plagas

PLAGA	HÁBITAT	PLAGA	HÁBITAT
gorgojo o polilla de la harina	harina, granos, alimento para peces y pájaros	hormiga carpintera	anida en madera fresca o podrida
mosca	alimentos, basura y materia orgánica en descomposición como estiércol o pasto cortado y apilado	hormiga doméstica	es atraída de sus nidos por alimentos dulces o grasosos
mosquito	agua estancada	chinche	colchones, grietas en paredes y pisos, muebles, papel tapiz
lepisma	sitios húmedos y fríos como sótanos	piojo de los libros	áreas tibias y húmedas
araña	teje su nido en esquinas y hendiduras	escarabajo de las alfombras	alfombras, plumas, pieles, pelo, seda, muebles, lana
abeja/avispa	áticos, cobertizos, aleros, techos, agujeros en el suelo	cucaracha	áreas húmedas, tibias y oscuras

desplazamiento. ☞ **vegetal, botánica.**

— *La diferencia entre las plantas y los animales en los seres de evolución inferior no siempre es tangible o clara.*

— meter en la tierra una semilla o planta para que eche raíces y se desarrolle: *plantar.*

plantear Proponer y sugerir la realización de algo, exponer las características de algún asunto para discutirlo y solucionarlo. ☞ **recomendar, proponer.**

— acción y resultado de plantear o establecimiento de una propuesta: *planteamiento, planteo.*

plantilla 1. Molde a partir del cual se elaboran ciertas piezas. ☞ **patrón.**

— *En las papelerías venden plantillas de distintos tipos de letras para elaborar todo tipo de carteles.*

2. Conjunto de personas que laboran en una misma empresa. ☞ **planta, staff.**

— *La plantilla de forjadores se declaró en huelga.*

plañir Llorar y clamar una pena. ☞ **gemir.** ❖ REÍR.

— quejido o llanto: *plañido.*

— acción y resultado de gemir y clamar: *plañimiento.*

— que llora y gime, lastimero: *plañidero.*

— mujer que llora y grita en los entierros: *plañidera.*

plaqué Laminilla de oro o plata que cubre un objeto de metal. ☞ **chapa.**

plaqueta Elemento más pequeño de los constituyentes de la sangre, de enorme importancia en la coagulación. ☞ **trombocito, sangre.**

plasmar Moldear y dar forma a algo. ☞ **cristal, crear, cristalizar.** ❖ ABORTAR.

— que moldea o crea: *plasmante, plasmador.*

— parte líquida de la sangre y de la linfa: *plasma.*

— que pertenece al plasma o se relaciona con él: *plasmático.*

plasta Sustancia blanda y susceptible de ser moldeada. ☞ **masa.**

— arte de todas las actividades relacionadas con la formación de moldes y figuras: *plástica.*

— masa de yeso y agua de cola con que se llenan agujeros: *plaste.*

— rellenar agujeros con plaste: *plastecer.*

plástico, -ca 1. Que es susceptible de ser moldeado, tratándose de materiales blandos.

— *La arcilla y la cera son materiales plásticos.*

— capacidad de adquirir una forma distinta gracias a la influencia de una fuerza externa: *plasticidad.*

— producto que se incorpora a una materia para incrementar su plasticidad: *plastificante.*

— agregar plastificante a una materia: *plastificar.*

— recubrir algo con material plástico: *plastificar.*

— estudio y fabricación de material plástico: *plastoquímica.*

— materias plásticas: *galalita, lanital, celuloide, celofana, rayón, viscosa, rilsán, barnices, ebonita, caucho, poliéster, poliestireno, elastómeros o caucho sintético, resinas formofenólicas, resinas gliceroftálicas, resinas acrílicas, acetato de celulosa, polivinilo, neopreno, plexiglás, fibras textiles: orlón, dacrón, terileno, perlón, nylon, tergal, etc.*

2. Material sintético de resinas artificiales moldeable bajo presión o altas temperaturas. ☞ **polímero.**

— *Los plásticos son el resultado de la polimerización de numerosos grupos de átomos que repiten la misma fórmula.*

— unión de múltiples moléculas pequeñas que forman moléculas mayores o macromoléculas: *polimerización.*

— compuesto químico de varias moléculas idénticas: *polímero.*

— ciencia y técnica de la transformación del plástico y sus aplicaciones: *plasturgia.*

plastrón Corbata ancha muy usada a principios de siglo. ☞ **corbata, pecho, pechera.**

plataforma 1. Entablado horizontal ele-

---

planetas

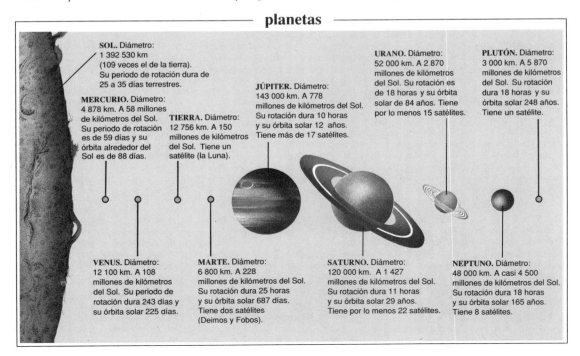

SOL. Diámetro: 1 392 530 km (109 veces el de la tierra). Su periodo de rotación dura de 25 a 35 días terrestres.

MERCURIO. Diámetro: 4 878 km. A 58 millones de kilómetros del Sol. Su periodo de rotación es de 59 días y su órbita alrededor del Sol es de 88 días.

TIERRA. Diámetro: 12 756 km. A 150 millones de kilómetros del Sol. Tiene un satélite (la Luna).

JÚPITER. Diámetro: 143 000 km. A 778 millones de kilómetros del Sol. Su rotación dura 10 horas y su órbita solar 12 años. Tiene más de 17 satélites.

URANO. Diámetro: 52 000 km. A 2 870 millones de kilómetros del Sol. Su rotación es de 18 horas y su órbita solar de 84 años. Tiene por lo menos 15 satélites.

PLUTÓN. Diámetro: 3 000 km. A 5 870 millones de kilómetros del Sol. Su rotación dura 18 horas y su órbita solar 248 años. Tiene un satélite.

VENUS. Diámetro: 12 100 km. A 108 millones de kilómetros del Sol. Su periodo de rotación dura 243 días y su órbita solar 225 días.

MARTE. Diámetro: 6 800 km. A 228 millones de kilómetros del Sol. Su rotación dura 25 horas y su órbita solar 687 días. Tiene dos satélites (Deimos y Fobos).

SATURNO. Diámetro: 120 000 km. A 1 427 millones de kilómetros del Sol. Su rotación dura 11 horas y su órbita solar 29 años. Tiene por lo menos 22 satélites.

NEPTUNO. Diámetro: 48 000 km. A casi 4 500 millones de kilómetros del Sol. Su rotación dura 18 horas y su órbita solar 165 años. Tiene 8 satélites.

☞ sinónimos o referencias ❖ antónimos u opuestos afines

vado sobre el suelo u otra superficie y que sirve de base para algo. ☞ **tarima.**

— *Sólo he visto en películas las plataformas de lanzamiento de naves espaciales.*

— construcción metálica sobre el mar que sirve de base para extraer petróleo: *plataforma petrolera.*

— base situada en el espacio extraterrestre: *plataforma espacial.*

2. Vagón descubierto del tren utilizado para transportar carga.

— *En esas plataformas trajeron sacos de harina.*

3. Terreno con poco declive y cierta elevación.

— *Después de la inundación se fueron a vivir sobre la plataforma cercana a la montaña.*

— meseta de poco declive que extiende los continentes bajo el mar: *plataforma continental.*

— superficie plana que constituye el fondo de las cuencas marinas: *plataforma submarina.*

plateado, -da Revestido de plata o que muestra semejanza con la plata. ☞ **metal, argentado.`**

— metal precioso de color blanco y brillante: *plata.*

— revestir con plata o algo que se le parezca un objeto: *platear.*

— artesano que labra y trabaja la plata: *platero.*

— arte u oficio del platero: *platería.*

— lugar donde se trabaja y vende plata: *platería.*

— aleación de cobre, níquel y cinc: *plata nueva.*

platicar 1. Hablar o conversar dos o más personas. ☞ **conversar, hablar.** ❖ CALLAR.

— *Vamos a un lugar donde podamos platicar a gusto.*

— conversación: *plática.*

— capacidad que tiene una persona para hablar amenamente sobre muchos asuntos: *plática.*

— que gusta de conversar mucho: *platicador.*

2. Contar o relatar algo.

— *Les voy a platicar un cuento.*

— conferencia que da alguien sobre determinado asunto: *plática.*

platillo 1. Pieza redonda, pequeña y plana en forma de plato. ☞ **plato.**

— *Están flojos los platillos de esa máquina.*

— objeto plano o nave que supuestamente se ve en el cielo: *platillo volador.*

2. Comida o guiso preparado de determinado modo.

— *El olor de ese platillo me despertó el apetito.*

3. Instrumento musical de percusión consistente en dos platos que se golpean. ☞ **címbalo.**

— *Los platillos son de metal.*

— con mucha alharaca: *a bombo y platillo.*

platinado Acción y resultado de recubrir con platino la superficie de un objeto.

— metal precioso de color blanco grisáceo y brillante: *platino.*

— cubrir de platino algo: *platinar.*

— persona que platina: *platinador.*

— que contiene platino: *platinífero.*

— cada uno de los seis metales de la familia del platino: *platinoide.*

— obtención de positivos fotográficos utilizando platino: *platinotipia.*

platirrinia Anchura excesiva de la nariz. ☞ **nariz.**

plato 1. Pieza de vajilla en forma de disco que sirve para colocar la comida. ☞ **cubierto, escudilla.**

— *Pon los platos sobre la mesa.*

— recipiente para sopas: *plato hondo.*

— recipiente grande y extendido: *platón.*

— recipiente para guisados: *plato plano.*

2. Comida o guiso servido en un plato.

— *Dame un plato de pulpos en su tinta.*

3. Comida o guiso.

— *Cocina unos platos exquisitos.*

— tener una relación profunda y cercana con alguien: *comer en el mismo plato.*

— expresión que indica que a alguien no le gusta ser el segundo de algo o sustituto de alguien cuando no está: *no ser plato de segunda mesa.*

plató Escenario cinematográfico. ☞ **estudio, estrado.**

plausible 1. Que es digno de elogio y aplauso. ☞ **aplaudir, aplaudible.** ❖ CENSURABLE.

— *El haber salvado a la anciana es un hecho plausible.*

— que aplaude: *plausivo.*

— aprobación entusiasta: *aplauso.*

2. Que puede admitirse como cierto o posible, que se justifica. ☞ **aceptar, aceptable.** ❖ INADMISIBLE, INACEPTABLE.

— *No es plausible que no se haya entregado el trabajo a tiempo.*

— aceptabilidad: *plausibilidad.*

playa Franja de arena a la orilla del mar. ☞ **costa.** ❖ TIERRA ADENTRO.

— que tiene playa, tratándose del mar, río o lago: *playado.*

— prenda de vestir que cubre el tórax,

los hombros y el principio de los brazos y que es adecuada para usarse en la playa: *playera.*

— que son de playa, tratándose de prendas de vestir: *playeras.*

— playa grande y larga: *playazo.*

play back Grabación del sonido realizada con anterioridad a un evento o a la impresión de la imagen. ☞ **pista.**

plaza 1. Lugar espacioso y abierto dentro de una población. ☞ **explanada.**

— *El Museo de la Revolución se encuentra en la Plaza de la República.*

— lugar donde se realizan corridas de toros: *plaza de toros.*

— lugar destinado a ejercicios militares: *plaza de armas.*

— glorieta pequeña: *plazoleta, plazuela.*

— llegar de manera notoria a un lugar: *partir plaza.*

2. Lugar amplio donde se venden distintas mercancías o centro comercial. ☞ **mercado.**

— *Acaban de inaugurar una plaza en mi colonia.*

3. Puesto de trabajo disponible. ☞ **emplear, empleo.**

— *Las plazas para maestros están muy solicitadas.*

4. Lugar disponible para ser ocupado por personas en un vehículo de transporte.

— *Ese tren dispone de trescientas plazas.*

plazo 1. Período de tiempo previamente establecido. ☞ **término.**

— *El plazo que acordamos se vence la próxima semana.*

2. Cada una de las partes de una cantidad total de dinero que se paga en fichas previamente establecidas.

— *Sólo nos falta pagar dos plazos de la casa.*

— en pagos periódicos: *a plazos.*

pleamar Marea a su máxima altura y tiempo que dura. ☞ **marea, plenamar.** ❖ BAJAMAR.

plebe Conjunto de personas vulgares y groseras o que pertenecen a las clases socioculturales más bajas. ☞ **pueblo, chusma, turba.**

— que es grosero o vulgar: *plebeyo.*

— persona del pueblo: *plebeyo.*

— persona que no tiene título de nobleza: *plebeyo.*

— calidad de plebeyo: *plebeyez, plebeyismo.*

plebiscito Consulta general, mediante una votación, sobre una cuestión determinada en un país. ☞ **referéndum.**

— que pertenece al plebiscito o se relaciona con él: *plebiscitario.*

— confirmar algo mediante un plebiscito: *plebiscitar.*

plegar 1. Hacer dobleces en cualquier tipo de material flexible. ☞ **fruncir, tablear.** ❖ ALISAR.
— Hay que plegar un poco la tela para que la falda caiga bien.
— someterse: *plegarse.*

plegaria Súplica o petición fervorosa; señal que se hace con las campanas para que los católicos acudan a la iglesia a orar. ☞ **rezar, rezo.**

pleistoceno Parte de la época cuaternaria antigua. ☞ **era, época glacial.**

pleitesía Actitud cortés y reverente hacia alguien. ☞ **reverenciar, reverencia, sumisión.** ❖ FALTA DE RESPETO, INDIFERENCIA.

pleito 1. Disputa o conflicto entre dos o más personas. ☞ **contender, altercado.** ❖ ACUERDO.
— Tuve un pleito con mi novio, pero ya nos reconciliamos.
— que gusta de pelear: *pleitista, pleiteador.*
2. Conflicto entre dos partes que se somete a un juez para que lo resuelva conforme a la ley.
— Se resolvió el pleito a favor de los trabajadores.
— litigar por vía judicial una diferencia de intereses: *pleitear, irse a pleito.*
— que pleitea: *pleiteante.*

plenilunio Luna llena. ☞ **luna.**

pleno, -na 1. Que se encuentra lleno o completo, que está en toda su intensidad. ☞ **colmar, colmado.** ❖ VACÍO, DESOCUPADO.
— Era pleno día cuando llegó a la casa.
— estado de abundancia, mayor intensidad o totalidad: *plenitud.*
— que está completo o tiene todos sus elementos: *plenario.*
2. Sesión en la que participan todos los miembros de un conjunto. ☞ **juntar, junta, quórum.**
— La Cámara en pleno aprobó la ley.

plenipotenciario, -ria Enviado diplomático de algún personaje con poder absoluto de decisión. ☞ **embajada, embajador.**
— facultad para decidir en nombre de otra persona con plenos poderes: *plenipotencia.*

pleon Abdomen segmentado de los crustáceos. ☞ **crustáceo.**

pleonasmo Figura retórica consistente en repetir un mismo significado en una oración con distintas palabras. ☞ **tautología.**
— Tiene que subir arriba.
— que pertenece al pleonasmo o se relaciona con él: *pleonástico.*

plesímetro Instrumento médico sobre el cual se golpea para examinar por percusión alguna cavidad natural del enfermo. ☞ **percutir.**

plétora 1. Exceso de cualquiera de los líquidos del organismo.
— La plétora se presenta en casi todas las cardiopatías crónicas.
— aumento de la cantidad de agua en la sangre: *plétora hidrémica.*
2. Exceso de algo. ☞ **abundar, abundancia.** ❖ CARENCIA, AUSENCIA.
— En México hay plétora de flora y fauna.
— que tiene algo en abundancia: *pletórico.*
— que pertenece a la plétora o se relaciona con ella: *pletórico.*

pleura Membrana serosa que recubre los pulmones. ☞ **pulmón.**
— que pertenece a la pleura o se relaciona con ella: *pleural.*
— dolor en la pleura: *pleurodinia, pleuralgia.*
— extirpación de una parte de la pleura: *pleurectomía.*
— incisión de la pared torácica y la pleura: *pleuracotomía.*
— inflamación de la pleura: *pleuresía, pleuritis.*

plexiglás Resina sintética transparente, incolora y flexible. ☞ **plástico.**

plexo Entrecruzamiento de nervios, venas y vasos linfáticos. ☞ **rama, ramificación.**

pléyade Conjunto de personas sobresalientes en una actividad y en determinada época. ☞ **cenáculo.**

plica Sobre cerrado que guarda un documento que sólo se conoce hasta determinado momento. ☞ **lacrar.**

plinto Base cuadrada sobre la cual se asienta una columna. ☞ **columna.**

plioceno Último período de la era terciaria. ☞ **era.**

plisar Doblar una tela de tal manera que se formen pliegues uniformes a lo largo o a lo ancho de ella. ☞ **plegar, tablear.** ❖ ALISAR.
— persona que se dedica a plisar: *plisador.*
— máquina que plisa telas: *plisadora.*

plomero, -ra Persona que coloca y arregla todo tipo de conductos e instalaciones de gas y agua. ☞ **fontanero.**
— oficio del plomero: *plomería.*
— lugar donde trabaja el plomero: *plomería.*
— metal blando y pesado de color gris azulino y pieza o trozo de este metal: *plomo.*
— tienda donde venden artículos de plomo: *plomería.*

— que tiene plomo: *plomizo, emplomado, plomoso.*
— del color del plomo: *aplomado, plomizo, plúmbeo.*
— pesa metálica que sirve para comprobar la verticalidad de una construcción: *plomada.*
— caer libre y pesadamente: *caer a plomo.*
— ser muy pesado y aburrido alguien: *ser un plomo.*
— bala o conjunto de balas de un arma de fuego: *plomo.*
— balazo de pistola o rifle: *plomazo.*
— disparar: *echar plomo.*

pluma (vea ilustración de la p. 544).
1. Varilla guarnecida de barbillas con que está cubierto el cuerpo de las aves. ☞ **péndola.**
— Las plumas del ñandú, avestruz, garza real y ave del paraíso son muy empleadas en la ornamentación de prendas de vestir.
— pluma muy suave y pequeña que tienen las aves debajo de las alas: *plumón.*
— que tiene plumas: *plumífero, plumado.*
— conjunto de plumas: *plumaje, plumazón.*
— conjunto de plumajes: *plumajería.*
— utensilio que sirve para quitar el polvo, formado por un conjunto de plumas atadas a un palo: *plumero.*
— conjunto de plumas preparadas para que las traguen los halcones: *plumada.*
2. Instrumento de metal o de plástico con un tubo lleno de tinta que sirve para escribir. ☞ **estilográfica.**
— En la actualidad, las plumas son desechables.
— pluma con punta acolchonada: *plumón, plumín.*
— bolígrafo: *pluma atómica.*
— la que está provista de un depósito recargable: *pluma fuente o pluma estilográfica.*
— escribir de manera correcta y de modo atractivo: *tener buena pluma.*
— escribir de modo espontáneo: *dejar correr la pluma.*
— de una sola vez: *de un plumazo.*
— pintar líneas con una pluma o lápiz para sombrear: *plumear.*
— sombreado: *plumeado.*
3. Barra horizontal de metal o madera usada para evitar el paso a un lugar; se levanta manual o mecánicamente cuando se permite el paso.
— Vivo en ese condominio horinzontal que tiene una pluma en la entrada.
4. Brazo de una grúa.

— *Hay que bajar la pluma para enganchar el automóvil y llevarlo a reparar.*

5. Parte de los limpiadores de los vehículos de transporte en que va colocada la goma.

— *Se torció la pluma del limpiador izquierdo.*

— categoría de los boxeadores profesionales que no pasan de los cincuenta y ocho kilos: *peso pluma.*

plural 1. Que es variado, que tiene más de un elemento. ☞ **número, múltiple.** ❖ SINGULAR.

— situación en donde hay más de un elemento; abundancia de algo: *pluralidad.*

— generalizar: *pluralizar.*

2. Número gramatical que tienen los sustantivos, adjetivos, artículos, pronombres y verbos cuando se refieren a más de uno.

— *El plural de mesa es mesas y de mi es mis.*

— poner en plural una palabra: *pluralizar.*

plus Algo complementario que se otorga además de lo que corresponde.

— como complemento: *de plus.*

pluscuamperfecto Tiempo verbal que equivale al pospretérito.

plus ultra Más allá. ☞ **superior, mejor.**

plusvalía Aumento del valor de un bien. ☞ **valor, ganar, ganancia.** ❖ PÉRDIDA.

plúteo Cajón o repisa de un librero. ☞ **estante.**

plutocracia Preponderancia de los ricos en el poder o gobierno de un Estado. ☞ **gobierno.**

— individuo rico de la plutocracia: *plutócrata.*

— que pertenece a la plutocracia o se relaciona con ella: *plutocrático.*

plutonismo Teoría que sostenía que el globo terráqueo se formó debido a la acción del fuego central. ☞ **geología.** ❖ NEPTUNISMO.

— que pertenece al plutonismo o se relaciona con él; que es partidario de esta teoría: *plutónico, plutoniano.*

— elemento metálico radiactivo artificial: *plutonio.*

— noveno planeta del sistema solar: *Plutón.*

pluviómetro Instrumento que mide la cantidad de lluvia precipitada por la atmósfera. ☞ **lluvia.**

— que pertenece a la lluvia o se relaciona con ella: *pluvial.*

— rama de la meteorología que estudia las precipitaciones acuosas: *pluviometría, pluvimetría.*

— que pertenece a la pluviometría o se relaciona con ella: *pluviométrico.*

— pluviómetro registrador: *pluviógrafo, hietógrafo.*

— altura en milímetros del agua recogida en un pluviómetro: *nivel pluviométrico.*

— abundancia de lluvias en términos de milímetros o de días en que llueve: *pluviosidad.*

— lluvioso: *pluvioso.*

— situación de ser alimentado un río principalmente por aguas de lluvia: *régimen pluvial.*

poblar 1. Establecerse y ocupar permanentemente un lugar. ☞ **habitar, demografía, nativo, colonizar.** ❖ ABANDONAR, DESHABITAR.

— *Los aztecas poblaron Tenochtitlan en el siglo XIII.*

— conjunto de personas que habitan en un determinado lugar: *población, pueblo.*

— lugar habitado: *población, poblado, pueblo.*

— acción de poblar: *población.*

— que está ocupado por determinada cantidad de cosas o seres: *poblado.*

— que pertenece a la población o se relaciona con ella: *poblacional.*

— lugareño: *poblano.*

— fundador o habitante de determinado lugar: *poblador.*

2. Haber algo en grandes cantidades.

— *El cielo se pobló de nubes negras en unos minutos.*

pobre 1. Que le falta lo necesario para vivir. ☞ **menesteroso, paupérrimo.** ❖ RICO, MILLONARIO.

— *La gente pobre apenas cuenta con lo necesario para vivir.*

— conjunto de pobres: *pobrería, pobretería.*

— carencia de lo necesario: *pobreza.*

— mendigar: *pobretear.*

2. Que es insuficiente y escaso. ☞ **exiguo.** ❖ ABUNDANTE, EXCESIVO.

— *El resultado de la colecta fue muy pobre.*

— no dar el dinero suficiente para la compra de algo necesario: *pobretear, pichicatear.*

— escasez en algo: *pobretería.*

3. Que es infeliz, que sufre por algo o causa lástima. ❖ FELIZ, AFORTUNADO.

— *Pobre gente, ahora tienen enferma a su abuelita.*

pocilga 1. Lugar donde se guardan los cerdos. ☞ **chiquero.**

— *Tiene un rancho muy grande con varios establos y pocilgas.*

2. Lugar sucio y desordenado. ☞ **cuchitril.**

— *Su departamento era una verdadera pocilga.*

pocillo Pequeño recipiente de hojalata, peltre o zinc, similar a una taza. ☞ **vasija, jarro.**

pócima Líquido medicinal. ☞ **brebaje.**

poción Líquido que se bebe. ☞ **infusión.**

poco, -ca 1. Que es menor su cantidad que lo normal, que es más insuficiente y escaso que de costumbre. ☞ **exiguo.** ❖ MUCHO.

— *Ya queda poca leche en el refrigerador.*

— calidad de poco, escasez y cortedad: *poquedad.*

— una cantidad mínima: *un poco de.*

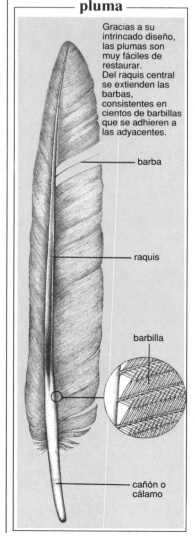

pluma

Gracias a su intrincado diseño, las plumas son muy fáciles de restaurar. Del raquis central se extienden las barbas, consistentes en cientos de barbillas que se adhieren a las adyacentes.

barba

raquis

barbilla

cañón o cálamo

2. En menor cantidad o duración, con menos intensidad. ❖ MUCHO.

— *Estudia muy poco, no creo que pase los exámenes.*

— de manera gradual: *poco a poco.*

— aproximadamente: *poco más o menos.*

— acto seguido de: *a poco de, poco después.*

— próximamente: *dentro de poco.*

— recientemente: *hace poco.*

— casi: *por poco.*

— expresión de incredulidad o asombro: *¿a poco?*

pocho, -cha Que parece extranjero, en especial que está influenciado por la forma de hablar, los hábitos y las costumbres de los estadounidenses. ☞ **malinchista.** ❖ CHAUVINISTA.

— anglicismo: *pochismo.*

podar Quitar la parte superflua de las ramas de las plantas, para que se renueven con más fuerza. ☞ **desmochar, talar.**

— que poda o corta las plantas: *podador.*

— artefacto mecánico o eléctrico que sirve para cortar plantas o pasto: *podadora.*

— acción y resultado de podar: *poda.*

— temporada en que se podan o cortan las ramas: *poda, podazón.*

poder 1. Tener la capacidad, derecho, fuerza, influencia o permiso para realizar una determinada acción. ☞ **capaz, tener la capacidad.** ❖ INCAPACITAR.

— *El que quiere, puede.*

— con el máximo vigor o esfuerzo: *a más no poder.*

— ser incapaz de dejar de comportarse de una forma: *no poder menos que.*

— no aguantar algo: *no poder con, no poder más con.*

— ser algo doloroso para alguien: *poderle.*

— estar alguien muy cansado: *no poder ni con la propia alma.*

2. Estar en posibilidad de que algo ocurra o encontrar alguien la oportunidad de hacer algo. ☞ **probable, posible.** ❖ IMPROBABLE, IMPOSIBLE.

— *Puede llegar mañana o dentro de un año.*

— es posible que: *puede que.*

3. Autoridad, capacidad, derecho o fuerza para dominar algo o alguien. ☞ **dominar, autorizar, dominio, autoridad.** ❖ IMPOTENCIA.

— *El poder de Luis XIV era absoluto.*

— dominio o influencia que se tiene o se ejerce: *poderío.*

— que tiene mucho poder o poderío: *poderoso.*

— que es rico o vigoroso y fuerte: *poderoso.*

— capacidad de un gobernante o monarca de ejercer su autoridad sin cortapisas: *poder absoluto.*

4. Facultad de acción que se le otorga a una persona en representación de otra. ☞ **apoderar.** ❖ DESAUTORIZACIÓN.

— *Para que una persona pueda representar a otra se necesita una carta poder.*

— documento que autoriza a alguien para algo en representación de otro: *carta poder.*

— persona que otorga un poder a alguien: *poderdante.*

— persona que tiene el poder de otra para realizar algo en su nombre: *poderhabiente.*

5. Cada uno de los aspectos de mando en el gobierno de un Estado. ☞ **democracia, república, estado.**

— *En México hay tres poderes: Legislativo, Ejecutivo y Judicial.*

— parte del Estado que propone y aprueba leyes: *Poder Legislativo.*

— depositario del Poder Legislativo en México: *Congreso General.*

— componentes del Congreso General: *Cámara de Diputados y Cámara de Senadores.*

podestá Persona que ejercía el poder en algunas ciudades italianas. ☞ **jefe.** ❖ SÚBDITO, SUBORDINADO.

podio Pedestal o plataforma donde se asientan varias columnas. ☞ **estrado, base.**

podología Parte de la medicina especializada en las características y afecciones de los pies. ☞ **pie.**

— médico especialista en enfermedades de los pies: *podólogo, podiatra.*

— que pertenece a la podología o se relaciona con ella: *podológico.*

— aparato que mide la distancia recorrida y el número de pasos de alguien : *podómetro, odómetro.*

podrido, -da Que está putrefacto, contaminado, infectado o descompuesto. ☞ **putrefacto, pasado.** ❖ FRESCO, NUEVO, SANO.

— descomponerse y estropearse: *podrirse, pudrirse, podrecerse.*

— acción y resultado de podrir, pudrir o pudrirse: *putrefacción, pudrición, pudrimiento, podredura, podrimiento, podrecimiento.*

— condición de lo que está podrido: *podredumbre, podredura.*

poesía Uso artístico de la lengua cuyo valor estético-significativo depende, tanto de la manera en que aparecen físicamente ubicados los términos que

lo componen, como de la asociación sonora y rítmica de los mismos. ☞ **arte, literatura, verso, métrica.**

— persona dotada y capaz de componer obras poéticas: *poeta.*

— mujer que compone obras poéticas: *poetisa.*

— versificador y mal poeta: *poetastro.*

— que pertenece a la poesía o se relaciona con ella: *poético.*

— obra en verso perteneciente a la esfera de la poesía: *poema.*

— componer obras poéticas: *poetizar.*

— embellecer algo con la gracia de la poesía: *poetizar.*

— composición de la poesía: *poetización.*

— igualdad o semejanza de sonidos a partir de la última vocal tónica en un verso: *rima.*

— identidad de sonidos finales sólo entre las vocales: *rima asonante.*

— identidad de sonidos finales entre consonantes y vocales: *rima consonante.*

— repetición a intervalos regulares de un fenómeno dentro de un poema: *ritmo.*

— medida silábica a la que se sujeta la organización del poema: *metro, métrica.*

— conjunto de palabras dispuestas en una línea conforme a ciertas reglas de ritmo y metro: *verso.*

— conjunto de versos: *estrofa.*

— mitades generalmente iguales dentro de un verso: *hemistiquios.*

— pausa dentro del verso de un poema: *cesura.*

— género literario o poético que expresa las hazañas de un héroe, pueblo, etc., ante las cuales el poeta trata de ser objetivo: *épica.*

— género literario o poético que expresa los sentimientos o ideas de su autor subjetivamente: *lírica.*

— género literario que combina la objetividad de la épica y la subjetividad de la lírica, expresándose mediante los diálogos y la intervención directa de los protagonistas de los hechos que presenta: *dramática.*

— conjunto de hazañas de un héroe relatadas en un poema: *poema épico, cantar de gesta.*

— composición poética destinada a ser cantada: *cantiga.*

— composición poética breve para ser cantada: *cantilena, tonada.*

— composición poética de cuatro versos destinada a ser cantada: *copla.*

— composición poética dentro de la

cual la vida campestre es reflejada: *égloga*.

— composición poética en la cual se lamenta la muerte de alguien: *elegía*.

— composición literaria sobre asuntos agrícolas: *geórgica*.

— composición poética en honor de una boda: *epitalamio, himeneo*.

— composición poética breve de carácter amoroso: *madrigal*

— composición poética de alabanza a Dios: *salmo*.

— composición poética donde la combinación de las letras iniciales de los versos forman un nombre: *acróstico*.

polaina Prenda de vestir que cubre las pantorrillas. ☞ **sobrebota, pierna.**

polarizar 1. Establecer una resistencia opuesta a la fuerza electromotriz que engendra una corriente. ☞ **electricidad.**

— *Cuando los electrodos se polarizan se dificulta el paso de la corriente.*

— que presenta dos polos de naturaleza diferente, tratándose de aparatos electromotrices: *polarizado*.

— aparato que mide la corriente que circula entre dos electrodos: *polarógrafo*.

2. Provocar que la luz vibre en direcciones perpendiculares a un plano determinado. ☞ **luz, óptica.**

— *El cuarzo tiene la propiedad de hacer girar el plano de polarización de la luz.*

— fenómeno que permite que la luz sólo vibre en una dirección determinada: *polarización*.

— que ha experimentado la polarización: *polarizado*.

— análisis de la luz para determinar la índole y el grado de polarización: *polarimetría*.

— instrumento que mide el valor angular de la rotación de un plano de polarización: *polarímetro*.

3. Dirigir la atención de alguien hacia una situación o persona determinada. ☞ **atraer, concentrar.** ❖ INDIFERENCIA.

— *La presencia del candidato polarizó el auditorio.*

pólder Terreno ganado al mar para cultivar, como el de ciertas regiones de los Países Bajos. ☞ **chinampa, mar.**

polea Rueda móvil de canto acanalado por la que corre una cuerda. ☞ **trocla, mecánica.**

— conjunto de poleas para una o más embarcaciones: *poleame*.

polémica Controversia o intercambio de ideas donde se defienden y atacan posiciones. ☞ **discutir, debate, controversia.** ❖ ACUERDO.

— sostener una discusión: *polemizar*.

— persona aficionada a establecer polémicas o que polemiza: *polemista*.

— que pertenece a la polémica o se relaciona con ella: *polémico*.

— que causa diferencias de opinión: *polémico*.

polen Polvo amarillento que contiene las células reproductoras masculinas de las flores. ☞ **flor.**

— paso del polen al estigma donde se halla el ovario de las flores y donde ocurre la fecundación: *polinización*.

— principales agentes de la polinización: *viento e insectos*.

— realizar la fecundación de las plantas: *polinizar*.

— que poliniza: *polinizador*.

poliarquía Gobierno de muchas personas. ☞ **gobernar.** ❖ MONARQUÍA.

— que pertenece a la poliarquía o se relaciona con ella: *poliárquico*.

policía Organismo dependiente del gobierno encargado de hacer respetar la ley y proteger a la ciudadanía, y miembro de este organismo. ☞ **judicial, crimen, detective.**

— que pertenece a la policía o se relaciona con ella: *policial, policíaco o policiaco*.

— conjunto de agentes que cuidan el orden en una comunidad y cada uno de ellos: *policía preventiva*.

— camión donde se transporta a los detenidos: *julia, jaula*.

— cárcel: *tambo, bote*.

— agente de tránsito: *tamarindo*.

— algunas otras denominaciones de policía: *chota, tira, tecolotiza, jenízaros, azules*.

policlínica Institución médica con distintas especialidades. ☞ **hospital, clínica.**

policopia Cada procedimiento utilizado para sacar copias. ☞ **copiar.**

policromo, -ma Que tiene varios colores. ☞ **color, pintar, pintado.** ❖ MONOCROMO.

— condición de un cuerpo que tiene varios colores: *policromía*.

— poner diversos colores a algo: *policromar*.

— propiedad de algunos minerales de presentar distintos colores de acuerdo al ángulo desde el cual se miren: *policroísmo*.

polichinela Títere con una joroba adelante y otra atrás o personaje burlesco de la comedia italiana. ☞ **comedia.**

polidipsia Urgencia de beber con asiduidad. ☞ **agua.** ❖ ANADIPSIA.

poliedro Cuerpo sólido formado por caras planas. ☞ **geometría.**

— ángulo formado por varios planos que se cortan y se encuentran en un mismo vértice o punto: *ángulo poliedro*.

— cada una de las caras planas de un poliedro: *polígono*.

polifagia Deseo vehemente de ingerir alimentos. ☞ **voracidad.**

— que tiene polifagia: *polífago*.

polifonía Conjunto de partes musicales distintas, generalmente en contrapunto. ☞ **sonido, música.** ❖ MONODIA.

poligamia Situación donde el hombre tiene varias esposas o la mujer varios esposos al mismo tiempo. ☞ **matrimonio, adulterio.** ❖ MONOGAMIA.

— situación en la que una sola mujer tiene varios maridos: *poliandria*.

— situación en la que un solo hombre tiene varias esposas: *poliginia*.

— hombre que tiene al mismo tiempo muchas esposas: *polígamo*.

— mujer que tiene al mismo tiempo muchos esposos: *políagama*.

— que pertenece a la poligamia o se relaciona con ella: *poligámico*.

polígloto, -ta Que conoce o habla varias lenguas, que está escrito en varias lenguas. ☞ **lengua, idioma.** ❖ MONOLINGÜE.

— dominio de varios idiomas: *poliglotismo*.

— conocimiento práctico de varios idiomas: *poliglotía*.

polígono Superficie plana limitada o cerrada por líneas rectas o curvas. ☞ **geometría, figura.** ❖ MULTILÁTERO.

— que pertenece a un polígono o se relaciona con él: *poligonal*.

— parte de la superficie de una esfera limitada por arcos de círculos mayores: *polígono esférico*.

— polígono que tiene todos sus ángulos y lados iguales: *polígono regular*.

poligrafía Arte de escribir sobre distintas materias.

— experto en poligrafía: *polígrafo*.

— que pertenece a la poligrafía o a la industria del libro o se relaciona con ellas: *poligráfico*.

polimatía Conocimiento de materias diversas. ☞ **conocer, sabio, sabiduría.**

polimetría Distintos metros en una misma composición poética. ☞ **poesía.**

— que está escrito con distintos metros, tratándose de una composición poética: *polimétrico*.

polímito, -ta Que está compuesta con fibras de varios colores, tratándose de ropa o telas. ☞ **ropa.**

polimórfico, -ca Que, sin que cambie

su composición química, tiene la capacidad de adquirir varias formas, tratándose de cuerpos. ☞ **forma, polimorfia.**

— propiedad que hace que algunas sustancias o cuerpos adquieran varias formas diferentes, sin que varíe su composición: *polimorfismo.*

— que puede tener formas diferentes: *polimorfo.*

polinomio Expresión algebraica que consta de dos o más términos ligados que se suman o se restan. ☞ **álgebra.** ❖ MONOMIO.

poliomielitis Inflamación de la sustancia gris de la médula espinal, que constituye una enfermedad contagiosa. ☞ **médula.**

— que pertenece a la poliomielitis o se relaciona con ella; que padece de esta enfermedad: *poliomielítico.*

pólipo Formación pediculada o sésil, o tumor que se forma en las superficies mucosas o cutáneas. ☞ **tumor.**

— que pertenece a los pólipos o se relaciona con ellos: *polipoideo.*

— que semeja un pólipo: *polipoide.*

poliptotón Figura retórica que consiste en utilizar varias veces una palabra cambiando ligeramente su terminación morfológica o función dentro de una oración.

Bésame, por eso, ahora,
bésame, Besadora...
Pablo Neruda.

polisarcia Gordura exagerada en una persona. ☞ **gordura, obesidad.** ❖ DELGADEZ.

polisemia Condición de una palabra de tener diversos significados. ☞ **significado, anfibología, dilogía.**

— que pertenece a la polisemia o se relaciona con ella: *polisémico.*

polisíndeton Figura retórica que consiste en repetir conjunciones innecesarias en una frase, pero que le dan más fuerza. ☞ **conjunción.**

polisón Almohadilla con armazón que se colocaban las mujeres debajo de las faldas para ahuecarlas. ☞ **vestir, miriñaque, crinolina.**

politécnico 1. Institución educativa a nivel superior que abarca distintas disciplinas técnicas y científicas. ☞ **universidad, educación.**

— *Mi hermana estudia en el politécnico y yo en la universidad.*

— institución de enseñanza media superior que depende del Politécnico Nacional: *Vocacional.*

— nombre con que se les designa a los estudiantes del politécnico: *politos.*

2. Que abarca conocimientos de diversas ciencias o artes.

— *Hace años las carreras eran politécnicas, ahora son más especializadas.*

politeísmo Creencia en la existencia de muchos dioses. ☞ **dioses, religión.** ❖ MONOTEÍSMO.

— que pertenece al politeísmo o se relaciona con él; que es partidario del politeísmo o cree en la existencia de muchos dioses: *politeísta.*

política 1. Manera de gobernar un país o ciertas actividades de una sociedad o forma de dirigir, organizar y administrar las actividades de un país y conjunto de procedimientos que se siguen para esto. ☞ **gobierno.**

— *La política internacional de México es digna de admiración mundial.*

— que pertenece a la política o se relaciona con ella: *político.*

— persona que forma parte del gobierno de un país o de una de sus regiones: *político.*

— agrupación de personas que comparten ideas políticas y sociales comunes: *partido político.*

— expresión coloquial para designar a la política: *polaca.*

2. Conjunto de acciones que llevan a cabo ciertos ciudadanos, organizados en partidos o agrupaciones para convencer a los demás, derrotar a los opositores y conseguir el poder de un Estado.

— *Mi prima renunció a la dirección de una escuela para dedicarse íntegramente a la política.*

— que es hábil para tratar a la gente en situaciones difíciles y conseguir lo que quiere: *político.*

— intervenir en la política: *politiquear.*

— parentesco que se adquiere, al casarse, con la familia del cónyuge: *parentesco político.*

póliza Documento que asegura a alguna persona o negociación. ☞ **contratar, seguro, contrato.**

polizón Persona que se embarca en cualquier medio de transporte de manera clandestina. ☞ **viajar.**

polo 1. Cada uno de los dos extremos opuestos del eje de rotación de un astro. ☞ **astro.**

— *Los polos son las partes más frías de nuestro planeta.*

— que pertenece a uno de los polos o se relaciona con él: *polar.*

2. Punto donde entra o sale la corriente eléctrica en un generador. ☞ **electricidad.**

— *En los polos se conectan los conductores exteriores de la electricidad.*

— punto por donde vuelve y entra la corriente eléctrica: *polo negativo.*

— punto por donde sale la corriente eléctrica: *polo positivo.*

3. Punto, sitio o centro que con respecto a otro ocupa un lugar diametralmente opuesto o que tiene características contrarias.

— *Él es el polo opuesto a su hermano, en lugar de estudiar se la pasa de pachanga en pachanga.*

4. Punto, sitio o centro de mayor importancia con respecto a otros o desde el cual se irradia algo.

— *Esa ciudad es el polo de crecimiento del país.*

5. Juego de pelota que se realiza a caballo. ☞ **juego.**

— *El polo es un juego considerado como elitista y caro.*

— especie de volibol que se juega en una alberca: *polo acuático o waterpolo.*

poltrón, -na Que es perezoso, holgazán o que le gusta la comodidad. ☞ **apoltronarse, mueble.** ❖ ACTIVO, DILIGENTE.

— silla baja de brazos, amplia y cómoda: *poltrona.*

polvo Cualquier sustancia molida en partículas muy finas. ☞ **tolvanera, pulverizar.**

— conjunto de tierra o polvo que se levanta debido a la acción del viento: *polvareda, polverío.*

— reducir a polvo algo: *pulverizar, polvificar.*

— esparcir polvo: *polvorear, espolvorear, pulverizar.*

— dispersar un líquido en el aire en gotas pequeñas: *pulverizar.*

— cubierto de polvo: *polvoriento, polvoroso.*

— cubrirse de polvo: *empolvarse.*

— remolino de polvo: *tolvanera.*

— mezcla molida de sustancias minerales utilizada como cosmético: *polvos.*

— estuche de los polvos usados como cosmético: *polvera.*

— estudio científico del polvo, de su influencia y sus efectos: *coniología.*

— fragmentos de lana utilizados como abono: *polvo de lana.*

— pasta que se utiliza para pulir mármol: *polvo de esmeril.*

— granos sólidos y muy finos de grafito, silicato, hielo y otras sustancias que se encuentran suspendidos en el universo: *polvo interestelar.*

— arruinar o perjudicar a alguien: *hacerlo polvo.*

— obligar a una persona a reconocer

sus errores o a que se rinda: *hacer morder el polvo.*

— perder de vista a alguien que se va alejando rápidamente de uno: *no verle ni el polvo.*

— cantidad neta que uno recibe: *limpio de polvo y paja.*

— estar sin culpa alguna: *estar limpio de polvo y paja.*

— huir apresuradamente de un lugar: *poner pies en polvorosa.*

pólvora Cualquier mezcla explosiva sólida. ☞ **explosión, dinamita.**

— lugar donde se guardan materias explosivas: *polvorín.*

— mezcla explosiva que engendra muy altas temperaturas: *pólvora caliente.*

— pólvora cuya explosión produce temperaturas muy bajas: *pólvora fría.*

— pólvora a base de nitrocelulosa: *pólvora sin humo.*

— pólvora que no produce humo: *pólvora coloidal.*

— pólvora que contiene salitre, carbón de leña y azufre: *pólvora negra.*

— pólvora negra prensada en grandes bloques: *pólvora comprimida.*

— pólvora cuyo volumen de gases y fuerza propulsiva disminuye paulatinamente: *pólvora degresiva.*

polvorón Pasta dulce de harina, manteca y azúcar que se deshace en polvo al comerse. ☞ **pan.**

pollero, -ra Persona que cuida o vende pollos o que es propietaria de una pollería.

— lugar donde se venden pollos: *pollería.*

— cría de las gallinas: *pollo.*

— persona joven y atractiva: *pollo.*

— persona que se dedica a introducir clandestinamente trabajadores indocumentados a Estados Unidos: *pollero.*

pomada Mezcla de alguna sustancia grasa con otros ingredientes, que se utiliza como cosmético o medicina al untarla en alguna parte del cuerpo. ☞ **ungüento.**

— encontrarse en muy mala condición física o moral: *estar hecho pomada.*

pomo 1. Frasco que contiene líquidos, especialmente vino o licor. ☞ **botella.**

— *Ya casi está vacío ese pomo.*

— tomar mucho, tratándose de bebidas alcohólicas: *entrarle al pomo.*

2. Pieza de madera o metal, de forma redondeada de algunos objetos. ☞ **remate, puerta, puño, agarradera.**

— *El cajón de ese escritorio tiene dos pomos para que al jalarlos se abra.*

pompa 1. Esfera o burbuja de ciertas sustancias líquidas, especialmente del jabón. ☞ **burbuja, jabón.**

— *Las pompas de jabón se pueden formar soplando un aro impregnado de agua jabonosa.*

— cada una de las dos partes carnosas y redondeadas que se encuentran en la parte trasera y superior de los muslos: *pompa, nalga.*

— caminar moviendo las caderas en forma presuntuosa: *pomponearse, pavonearse.*

2. Acompañamiento suntuoso y solemne de ciertos acontecimientos. ☞ **boato, esplendor.** ❖ SENCILLEZ.

— *Las ceremonias religiosas habitualmente se revisten de cierta pompa.*

— establecimiento donde se vela a los difuntos: *pompas fúnebres, velatorio, funeraria.*

— hacer ostentación de algo: *pompear, hacer pompa, hacer gala.*

— ostentoso: *pomposo, pompático.*

— ostentación: *pomposidad.*

pompón Borla de tela o estambre, que sirve de adorno en cortinas, manteles, colchas, y ciertas prendas de vestir. ☞ **borla.**

pómulo Cada uno de los dos huesos de la cara que forman las salientes óseas de las mejillas. ☞ **cara, mejilla.**

ponchar 1. Reventar un cuerpo lleno de aire, particularmente las llantas de un vehículo. ☞ **pinchar, aire.**

— *Le poncharon dos llantas por estacionarse en una entrada.*

— acción y resultado de ponchar o poncharse algo: *ponchada, ponchadura.*

— agujero que resulta de un pinchazo: *ponchada, ponchadura.*

2. Sacar de la jugada el lanzador al bateador por fallar tres veces al intentar pegarle a la bola, en el juego de beisbol.

— *Ponchó al último bateador.*

ponche (vea recuadro de bebidas). Bebida dulce y caliente de frutas, agua y ron.

— recipiente grande donde se prepara y se almacena el ponche: *ponchera.*

poncho Capa larga de lana o alpaca. ☞ **ruana, jorongo, sarape.**

ponderar 1. Alabar algo o a alguien. ☞ **encarecer, encomiar.** ❖ CRITICAR, REBAJAR.

— *Hay que ponderar su heroico comportamiento.*

— acción de ponderar a alguien o algo: *ponderación.*

— alabanza de algo o alguien: *ponderación.*

— que alaba: *ponderador.*

— que pondera exageradamente: *ponderativo*

— digno de alabanza: *ponderable.*

— ser tan de buena calidad que es difícil de exaltar: *ser imponderable.*

2. Evaluar algo considerando sus aspectos negativos y positivos.

— *Hay que ponderar bien el trabajo de los alumnos y así calificarlos más justamente.*

— acción de considerar los aspectos negativos y positivos de algo o alguien para apreciarlo en su justa medida: *ponderación*

— susceptible de ser evaluado o pesado: *ponderable.*

— bien equilibrado o que actúa o se comporta con mesura: *ponderado.*

— pesado o circunspecto: *ponderoso.*

ponencia Informe o propuesta sobre un tema específico presentada ante una asamblea. ☞ **dictamen, dinámica.**

— persona que presenta determinada comunicación a una audiencia: *ponente.*

poner 1. Colocar a alguien o algo en un sitio determinado en cierta posición o circunstancia. ☞ **situar.** ❖ QUITAR, SACAR.

— *Ha puesto las cosas en su sitio.*

— quedar algo o alguien en cierta posición, circunstancia o sitio: *ponerse.*

— lugar que ocupa una cosa o persona: *puesto.*

2. Aplicar o dar algo que uno tiene a algo o alguien.

— *Puso su trabajo al servicio de la humanidad.*

— mostrarse con disposición a cooperar: *poner de su parte.*

3. Preparar o disponer algo para cumplir un objetivo.

— *Puso la mesa antes de que llegaran los invitados.*

4. Representar un espectáculo en el teatro, exhibir una película en el cine o televisión, o presentar un programa en radio o televisión.

— *Pondrán un programa de gimnasia a las ocho de la mañana en televisión.*

5. Dar un nombre a alguien o algo o darles cierta característica o función.

— *Le pusieron Julián a su hijo.*

6. Colocarse las prendas de ropa sobre el cuerpo. ☞ **vestir.** ❖ QUITAR, DESVESTIR.

— *Ponte el suéter para que no te enfríes.*

7. Soltar huevos la gallina, las tortugas, etc.

— *Todas las mañanas recoge los huevos que pusieron las gallinas.*

— gallina que pone los huevos: *gallina ponedora.*

— nidal: *ponedero.*

— ocultarse un astro en el horizonte: *ponerse.*

— ocultarse el Sol: *ponerse el Sol.*

— ocaso: *poniente.*

— acción y resultado de poner o ponerse: *puesta.*

poniente Lugar del horizonte por donde se oculta el Sol. ☞ **punto cardinal, occidente, oeste.** ❖ ORIENTE, ESTE.

— viento continuo del occidente: *ponientada.*

— que proviene del poniente u occidente: *ponentisco, ponentino.*

ponofobia Temor morboso a trabajar en exceso. ☞ **fobia, trabajo.**

pontificar 1. Celebrar ritos pontificales. ☞ **misa.**

— *Cuando se pontifica se obtiene la dignidad pontifical.*

— magistrado sacerdotal: *pontífice.*

— el Papa: *Sumo Pontífice.*

— tiempo en que el Papa ejerce sus funciones: *pontificado.*

— dignidad de pontífice: *pontificado.*

— que pertenece al pontífice o se relaciona con él: *pontificio, pontifical.*

2. Hablar de manera dogmática y pretenciosa. ☞ **discurso, discursear.**

— *Cuando se pone a pontificar acerca de todo es difícil platicar con él.*

ponzoña 1. Sustancia nociva a la salud. ☞ **veneno.**

— *La ponzoña de esa víbora es mortal.*

— envenenar: *ponzoñar, emponzoñar.*

— que causa daño: *ponzoñoso.*

2. Aquello que perjudica el espíritu o a la sociedad.

— *La peor ponzoña de ese individuo es su maledicencia.*

popa Parte posterior de las embarcaciones donde se coloca el timón. ☞ **barco.** ❖ PROA.

pope Dignidad eclesiástica de la Iglesia ortodoxa. ☞ **sacerdote, pastor.**

poplíteo, -a Que pertenece a la parte posterior de la rodilla o se relaciona con ella. ☞ **corva, rodilla.**

— corva: *pople.*

popó Materia fecal. ☞ **excremento, caca.**

popote Varilla delgada y hueca de papel o plástico por medio de la cual se sorben los líquidos. ☞ **sorber.**

— flaco: *popote.*

— tallo hueco y delgado de algunas plantas: *popotillo.*

— sitio donde crece el popotillo: *popotal.*

popular 1. Que pertenece al pueblo o

se relaciona con él. ☞ **pueblo, populista.**

— *La opinión popular cuenta mucho en ciertos casos.*

— tendencia o doctrina política que se propone defender las aspiraciones del pueblo: *populismo.*

— que pertenece al populismo o se relaciona con él, que es partidario de esa tendencia: *populista.*

— que tiene muchos habitantes, tratándose de un lugar: *populoso.*

— el pueblo en masa: *populacho.*

— que agrada al populacho: *populachero.*

— que es propio del populacho: *populachero.*

2. Que es del agrado de la mayoría o tiene fama. ☞ **fama, famoso.**

— *Los artistas de moda son muy populares.*

— aceptación del público: *popularidad.*

— provocar que el público acepte determinado producto: *popularizar.*

— acción y resultado de popularizar: *popularización.*

popurrí Composición musical conformada por fragmentos de distintas obras que están relacionados por temas o que son de un mismo autor. ☞ **miscelánea.**

poquedad 1. Escasez y cortedad. ☞ **miseria.** ❖ ABUNDANCIA.

— *La poquedad de sus alimentos hace que sea una persona enjuta.*

2. Cortedad de ánimo. ☞ **timidez.** ❖ VALENTÍA.

— *La poquedad de su espíritu le impide ser un hombre de acción.*

póquer o póker Juego de naipes.

por 1. Indica el medio o el modo en que se realiza una acción o el agente que la lleva a cabo.

— *Hace por gusto fotonovelas con fotografías hechas por un amigo suyo.*

2. Indica el lugar por el que se pasa o la región en la que se realiza una acción.

— *Caminaba por debajo del puente.*

3. Indica aproximación a determinada fecha, proporción de algo con respecto al total, repartición entre varios, intercambio de dos elementos, o el precio o la cantidad de algo.

— *Vendió su coche por muy poco dinero y no le entregarán el nuevo por ahora.*

4. Denomina al signo de la operación matemática de la multiplicación (x) e indica esta operación.

— *Cinco por cuatro igual a veinte se representa así: 5 x 4 = 20.*

5. Indica una acción que debe finalizar.

— *El trabajo está por acabarse.*

6. Indica sustitución o confusión respecto del papel, lugar o desempeño de algo o alguien.

— *Lo tomó por valiente y era un cobarde.*

— compraventa engañosa: *gato por liebre.*

porcelana 1. Cerámica transparente y lustrosa usada en la elaboración de vasijas o vajillas y pieza así elaborada. ☞ **mayólica, esmalte, cerámica.**

— *Es muy bonita esa porcelana.*

2. Material preparado con arcilla y cuarzo principalmente, con el que se fabrican piezas de aislamiento eléctrico como las bujías de los vehículos de transporte.

— *Hay un pedido de utensilios para un laboratorio que va a requerir mucha porcelana.*

porcentaje Proporción de algo estimado en relación con cien de la misma especie de ese algo. ☞ **tanto por ciento.**

— signo que indica por ciento: %.

porcino, -na Que pertenece al puerco o se relaciona con él. ☞ **pocilga.**

— lugar donde se crían puercos: *pocilga, porqueriza, chiquero.*

— guardián de puercos: *porquerizo.*

— lugar donde habitan los jabalíes en el monte: *porquera.*

porción Fracción separada de una totalidad. ☞ **parte.** ❖ TOTAL.

— el que tiene derecho a una parte o acción: *porcionista.*

porche Espacio techado y rodeado de un barandal que se encuentra a la entrada de las casas o templos. ☞ **cobertizo, atrio, zaguán.**

pordiosero, ra Que solicita limosna en las calles. ☞ **mendigo, limosna, limosnero.** ❖ DADIVOSO.

— mendigar: *pordiosear.*

— acción de mendigar: *pordiosería, pordioseo.*

porfía Empeño e insistencia en realizar algo. ☞ **obstinación.** ❖ DESIDIA.

— discutir neciamente: *porfiar.*

— empeñarse en algo: *porfiar.*

— testarudo o terco: *porfiado, porfiador, porfioso.*

— que porfía mucho: *porfiador.*

porfolio Conjunto de láminas o fotografías encuadernadas. ☞ **álbum.**

poriomanía Manía de vagar sin rumbo fijo que a veces se caracteriza por periodos amnésicos. ☞ **manía.**

pormenor Circunstancia particular y mínima que forma parte de una situación determinada. ☞ **detalle, dato.**

— al detalle: *pormenorizadamente.*

pornografía Obra literaria o artística de carácter obsceno o texto que trata sobre la prostitución. ☞ **obsceno, sicalipsis.**

— que es obsceno: *pornográfico.*

— deseo excesivo de escribir cartas obscenas: *pornografomanía.*

— autor de obras obscenas o que tratan sobre la prostitución: *pornógrafo.*

poro 1. Hueco que hay entre las moléculas de ciertos cuerpos. ☞ **intersticio.**

— *Los tejidos vegetales y animales tienen poros.*

— que tiene poros: *poroso.*

— roca permeable o que se embebe de líquidos: *roca porosa.*

— condición o cualidad de poroso: *porosidad.*

2. Planta liliácea de bulbo alargado y comestible.

— *Sirvieron sopa de poro y papa.*

porque Por razón de que o debido a que, pues. ☞ **razón, conjunción.**

por qué Causa, razón o motivo de algo. ☞ **causa, motivo.** ❖ CONSECUENCIA.

porquería 1. Materia sucia o inmunda. ☞ **basura.**

— *Los chiqueros están llenos de porquería.*

— que es sucio o está sucio: *puerco, cochino, marrano.*

— suciedad, inmundicia o porquería: *puercada.*

2. Acción vil, grosera o sucia. ☞ **trastada, villanía.**

— *Su traición es una porquería.*

— que es grosero o vil: *puerco.*

— indecencia, grosería: *puercada.*

3. Cosa de poco valor.

— *Ese platillo es una porquería y no alimenta nada.*

porra 1. Palo cuyo grosor aumenta desde la empuñadura al extremo opuesto. ☞ **macana, cachiporra, bat.**

— *Con una porra asustó a los asaltantes.*

— golpe dado con un palo grande: *porrazo, porrada.*

— golpe fuerte: *porrazo.*

— golpear: *aporrear, porracear, dar de porrazos.*

— de pronto: *de golpe y porrazo.*

2. Conjunto de personas que admiran, animan y apoyan determinado equipo, evento o persona.

— *En los partidos de futbol siempre están presentes dos porras apoyando a sus equipos respectivos.*

— persona que forma parte de una porra: *porrista.*

3. Cualquier frase, estrofa, canto o grito con los que se anima a alguien.

— *¡Una porra para el maestro!*

— animar y apoyar efusivamente algo o a alguien con porras: *echar porras.*

porro Persona contratada para iniciar o incitar a la violencia en determinados actos de carácter público. ☞ **mercenario.**

porta Cada una de las aberturas rectangulares de los costados de las embarcaciones. ☞ **ventana, portilla.**

portada 1. Tapa de un libro, revista, etc., que generalmente tiene impreso el título. ☞ **libro.**

— *Me gusta la portada de ese libro.*

2. Página de un libro donde aparecen consignados el título, autor y editor.

— *Busca la portada y dime el número de la edición y la editorial de ese texto.*

— portada: *portadilla.*

3. Fachada o parte frontal de un edificio, especialmente de una iglesia. ☞ **fachada.**

— *¡Qué bonita es la portada de la catedral!*

portal 1. Primera pieza de una casa o construcción donde está la entrada principal. ☞ **porche, zaguán.**

— *Generalmente el portero hace la limpieza del portal.*

2. Corredor amplio y cubierto que tiene columnas o arcadas y que generalmente rodean una plaza.

— *Los portales de Morelia no lucen con tantos puestos de comidas.*

portañuela Tira de tela que cubre la bragueta. ☞ **cierre, bragueta.**

portar Traer consigo algo. ☞ **transportar, llevar.**

— acción de traer alguien algo consigo: *portación.*

— que lleva o trae algo: *portador.*

— que es fácil de transportar: *portátil.*

portarse Seguir una conducta determinada. ☞ **comportar, conducir.**

— conducta o forma de comportarse alguien: *porte.*

— aspecto de alguien en cuanto a su forma de vestirse o arreglarse, su forma de comportarse o de ser: *porte.*

portavoz Aquel que expresa la opinión general de aquellos a los que representa. ☞ **emisario.**

portento Alguien o algo que causa asombro y admiración por sus dotes. ☞ **prodigio, maravilla.**

— asombroso, maravilloso o extraordinario: *portentoso.*

portería 1. Lugar donde viven los guardianes de un edificio o pieza en don-

de está el guardián a la entrada del edificio. ☞ **conserje, conserjería.**

— *La portería de mi edificio es muy pequeña.*

— el que cuida la entrada de un edificio y se encarga de ciertos aspectos de su mantenimiento: *portero, conserje.*

— que pertenece al portero o se relaciona con él: *porteril.*

2. Espacio delimitado por una red y dos postes por donde entra el balón que marca un tanto en algunos juegos de pelota. ☞ **futbol.**

— *En el futbol hay una portería en cada extremo de la cancha.*

— el que cuida que el balón no entre a la portería: *portero, guardameta.*

pórtico Serie de arcos a lo largo de una pared o patio. ☞ **atrio.**

portilla Cada una de las aberturas circulares de los costados de las embarcaciones. ☞ **porta.**

— abertura en las paredes: *portillo.*

— cada una de las aberturas rectangulares de los costados de las embarcaciones: *porta.*

porvenir Acontecimiento futuro o tiempo futuro. ☞ **mañana, destino, futuro.** ❖ PASADO.

pos, en pos de Detrás de algo o alguien.

posada Lugar para albergarse. ☞ **mesón, hostal, posadería.**

— encargado de una posada: *posadero.*

posaderas Nalgas o conjunto de partes que apoya alguien al sentarse. ☞ **trasero, nalgas, asentar, asentaderas.**

posar 1. Detenerse para descansar alguien o las aves o los insectos después del vuelo. ☞ **parar, pararse.**

— *Los colibríes se posan sobre las flores para chupar el néctar.*

— descanso, quietud: *poso.*

2. Adoptar una persona determinadas posiciones o actitudes sirviendo de modelo. ☞ **fingir, modelo, modelar.**

— *Las fotografías para las cuales posaste salieron muy bien.*

— postura del cuerpo afectada y fingida: *pose.*

— manera de ser o de comportarse afectada y fingida: *pose.*

3. Colocar suavemente o poner algo sobre otra cosa. ☞ **poner, dejar.** ❖ QUITAR.

— *Posó sus manos sobre su regazo.*

— depositarse el material sólido de un líquido en el fondo de un envase: *posarse.*

— residuo de un líquido depositado en

el fondo de un envase o recipiente: *poso.*

posdata Todo aquello que se añade a una carta después de la despedida y firma. ☞ **carta, anotar, anotación.**

poseer 1. Tener una persona algo en su poder de lo cual puede disponer. ☞ **detentar.** ❖ DESPOSEER.
— *Poseo varios bienes que aseguran mi tranquilidad económica futura.*
— bien en poder de alguien: *posesión.*
— que posee algo: *poseedor, posesor, poseyente.*
2. Tener relación sexual con una mujer. ☞ **cohabitar, fornicar.**
— *Romeo nunca poseyó a Julieta.*
— coito: *posesión.*

posguerra Época inmediatamente posterior a la guerra. ☞ **guerra.** ❖ PREGUERRA.

posible Que puede ocurrir, existir o ser cierto algo. ☞ **factible, probable.** ❖ IMPOSIBLE.
— circunstancia probable: *posibilidad.*
— capacidad que tiene algo o alguien para funcionar o comportarse de determinada manera o realizar algo: *posibilidad.*
— quitar los obstáculos de manera que una acción sea posible de realizar: *posibilitar.*

posición 1. Lugar determinado de algo o alguien con respecto a otras cosas o personas. ☞ **situación, emplazar, emplazamiento.**
— *No se conocía ni se sabía la posición del barco.*
— lugar que un astro aparenta tener sin tomar en cuenta los factores que producen tal ilusión: *posición aparente.*
— lugar de un astro determinado por el telescopio: *posición óptica.*
— lugar de un astro determinado por el radiotelescopio: *posición radio.*
— texto que indica las coordenadas de los cuerpos celestes: *catálogo de posición.*
— aparato que determina donde se colocan las piezas que se sueldan o labran: *posicionador.*
2. Actitud ante determinada situación. ☞ **postura.**
— *La posición de los padres ante la educación de los hijos es variable.*
3. Postura o forma de estar colocado algo o alguien.
— *Ponlo en posición vertical.*
4. Situación de alguien con respecto a otros en una jerarquía, particularmente la social. ☞ **clase, status, clase social.**

— *Es una persona de posición acomodada.*

positivo, -va 1. Que es verdadero, cierto, real o seguro. ☞ **cierto.** ❖ FALSO, DUDOSO.
— *Es un hecho positivo que se casan el próximo mes.*
2. Que es útil, provechoso, efectivo o que se sustenta en la experiencia. ☞ **empírico.** ❖ IDEAL, INÚTIL.
— *Son muy positivas esas medidas para combatir la contaminación.*
3. Que se inclina por el lado optimista de las situaciones. ☞ **optimista.** ❖ PESIMISTA, NEGATIVO.
— *Tiene una actitud tan positiva ante la vida que nos alienta a todos.*
4. Que pertenece a los números o cantidades mayores que cero o se relaciona con ellos. ☞ **número.** ❖ NEGATIVO.
— *El signo más en las cantidades o números positivos se sobrentiende.*
5. Prueba que reproduce los claros y oscuros del original fotográfico. ☞ **fotografía.** ❖ NEGATIVO.
— *El positivo se obtiene al poner en contacto el negativo con papel sensible a la luz.*
— revelado de un negativo fotográfico: *positivado.*
— revelar un negativo: *positivar.*
— aparato que sirve para revelar negativos: *positivadora.*

pósito Depósito de granos. ☞ **alhóndiga.**

positrón o positón Electrón positivo. ☞ **electrón.** ❖ NEGATRÓN, NEGATÓN.

posología Rama de la medicina que determina las dosis adecuadas de los medicamentos y sus vías de administración. ☞ **dosis.**

posponer Aplazar la realización de algo. ☞ **demorar.** ❖ ADELANTAR.
— acción de retrasar algo: *pospocisión.*

posta Caballería situada antiguamente en diversos puntos de un camino para facilitar y acelerar un viaje. ☞ **carruaje.**
— carruaje en que se viajaba antiguamente: *silla de posta.*

postal Que pertenece al correo o se relaciona con él. ☞ **correo.**
— franqueo gratuito de la correspondencia: *franquicia postal.*
— casilla en correos destinada a recibir correspondencia particular: *apartado postal.*
— cartulina ilustrada por un lado que se manda sin sobre por correo: *tarjeta postal.*
— traslación de fondos a través de la oficina de correos: *giro postal.*

poste Palo o columna colocado verticalmente que sostiene algo. ☞ **mástil, pértiga.**

postema Acumulación de pus en alguna parte del cuerpo, especialmente en un tejido. ☞ **absceso.**
— absceso que sale en la boca, principalmente en las encías: *postemilla.*
— instrumento para remover abscesos: *postemero.*

postergar 1. Retrasar la realización de una actividad. ☞ **posponer.** ❖ ADELANTAR.
— *No postergues por más tiempo tu decisión.*
— acción y resultado de posponer: *postergación.*
2. Relegar a un segundo plano a alguien o algo. ☞ **desdeñar, olvidar, arrinconar.** ❖ RECORDAR.
— olvido: *postergación.*

posteridad 1. Época o generación futura. ☞ **renombre póstumo, fama.**
— *Dejemos la colonización de los planetas a la posteridad.*
2. Fama póstuma.
— *Cervantes pasó a la posteridad.*

posterior Que está situado en la parte de atrás, que sucede después de algo. ☞ **atrás.** ❖ DELANTE.
— cualidad de posterior: *posterioridad.*

postigo Puertecilla que protege las ventanas. ☞ **puerta, puertaventanas.**

postilar Hacer anotaciones a un texto. ☞ **acotar.**
— anotación: *postila.*
— acción de anotar: *postilación.*
— anotador: *postilador.*

postilla Costra de una llaga, herida o grano. ☞ **escara, pústula.**

postín Presunción u ostentación. ☞ **boato.** ❖ SENCILLEZ.
— que alardea de algo ostentosamente: *postinero.*

postizo, -za 1. Que es fingido, artificial o añadido. ☞ **falso.** ❖ NATURAL.
— *Usa dientes postizos desde que cumplió cincuenta años.*
2. Peluca.
— *Todos los actores de esta obra de teatro llevan postizos.*

postor El que hace una oferta de compra en una operación comercial. ☞ **licitar, comprar, comprador, licitador.** ❖ VENDEDOR, SUBASTADOR.

postrar Debilitar física o moralmente a alguien o inclinarlo hacia el suelo. ☞ **abatir.** ❖ FORTALECER.
— abatimiento físico o anímico: *postración.*
— que postra: *postrador.*
— acción y resultado de arrodillarse

o debilitar física y moralmente a alguien: *postración.*

— arrodillarse ante alguien: *postrarse.*

— tarima para arrodillarse: *postrador.*

postre Platillo dulce o fruta servida al final de la comida. ☞ **golosina, dulce, sobrecomida.**

— para colmo: *para postre.*

— después de todo: *a la postre.*

— que es último: *postrero, postrimero, postremero.*

— parte final en la duración o tiempo de algo: *postrimería.*

— momentos finales de la vida de una persona: *postrimerías.*

— finalmente: *postreramente.*

postular 1. Plantear o establecer una cosa.

— *Se exigió respeto a los principios que postula el reglamento.*

2. Proponer a alguien como candidato para ocupar un puesto o para la realización de algo.

— el que promueve la beatificación y canonización de alguien: *postulador.*

— candidato, aspirante o solicitante: *postulante.*

— persona que solicita ser admitida dentro de una congregación religiosa: *postulante.*

— acción de proponer a alguien como candidato: *postulación.*

— solicitud de algo: *postulación.*

póstumo, -ma Que se da a conocer después de la muerte del autor o del padre. ☞ **ulterior.**

postura 1. Actitud corporal de una persona o animal en determinado momento. ☞ **posición.**

— *La silla provocaba que uno estuviera en una postura muy incómoda.*

2. Actitud, manera de pensar o de actuar ante determinada situación. ☞ **posición.**

— *La postura de la gente ante cuestiones políticas es, a veces, radical.*

3. Ofrecimiento de precio en un acto de compraventa. ☞ **licitar, licitación.**

— *La postura del comprador indica que la venta se va a realizar.*

potable 1. Que se puede beber sin que cause daño. ☞ **agua, depurar.** ❖ CONTAMINAR.

— *Obtener agua potable en el desierto es una tarea de titanes.*

— depurar el agua para que se pueda beber: *potabilizar.*

— que depura el agua: *potabilizador.*

— condición de potable: *potabilidad.*

2. Que es aceptable o agradable. ☞ **apuesto, bueno.** ❖ DESAGRADABLE.

— *Ese hombre está potable.*

potaje Bebida que contiene varios ingredientes o guiso de legumbres, verduras y otros ingredientes. ☞ **puchero, brebaje.**

— beber: *potar.*

— conjunto de legumbres secas: *potajería.*

potala Piedra para fondear buques. ☞ **ancla, pota.**

potamología Ciencia que estudia el curso de las corrientes acuáticas. ☞ **río.**

— temor morboso a los ríos: *potamofobia.*

— estudio de los caudales y de los regímenes acuáticos: *hidrología fluvial.*

— estudio de las corrientes fluviales para considerar el transporte de objetos: *dinámica fluvial.*

potencia 1. Capacidad de algo o alguien para llevar a cabo una acción o función. ☞ **fuerza.**

— *El coche tiene la potencia suficiente para subir la cuesta.*

— que tiene capacidad para entrar en acción o realizar algo: *potencial.*

— que tiene potencia: *potente.*

— con capacidad de suceder o de llegar a ser: *en potencia.*

— que tiene la posibilidad de llegar a ser: *potencial.*

2. Capacidad de un país de influir sobre otros y llegar a imponer su autoridad. ☞ **nación.**

— *Las potencias mundiales deciden el destino de los demás países.*

— que es poderoso: *potente.*

— persona con fuerza, poder: *potentado.*

— dar fuerza a algo o impulsarlo: *potenciar.*

3. Resultado de multiplicar una cantidad por sí misma determinado número de veces.

— *La potencia se expresa como "a" elevada a la "x" potencia.*

4. Capacidad del varón de realizar el acto sexual. ☞ **viril.** ❖ IMPOTENCIA.

— *La potencia sexual no tiene por qué perderse con la edad.*

— que es capaz de tener hijos, tratándose de hombres: *potente.*

potestad Capacidad de decidir y disponer sobre algo o alguien. ☞ **jurisdicción.**

— autoridad que ejercen los padres sobre los hijos no emancipados: *patria potestad.*

— que es voluntario o que está en poder de uno: *potestativo.*

potingue Brebaje compuesto de diversos ingredientes medicinales o con mal sabor o aspecto. ☞ **potaje.**

potrada Conjunto de potros. ☞ **manada.**

— caballo o yegua joven: *potro o potra.*

— potro menor de tres años: *potranco.*

— sitio cercado, destinado principalmente a la cría de caballos: *potrero.*

— cuidador de potros: *potrero.*

— silla de tortura: *potro.*

— aparato gimnástico: *potro.*

poyo Banco de piedra o material similar adherido a una pared. ☞ **banca.**

— poyo revestido de azulejos: *alhamí.*

pozo Hoyo profundo en la tierra por donde se obtiene agua o sustancias del subsuelo. ☞ **foso, noria.**

— especie de estanque natural en un río, de aguas profundas que corren lentamente: *poza.*

— cubeta para sacar agua del pozo: *pozal.*

— antepecho que circunda la boca del pozo: *brocal, pozal.*

— pozo en que el agua brota por efecto de la presión de la capa acuífera: *pozo artesiano.*

pozole Guiso a base de carne de puerco, granos de maíz cacahuazintle y chile.

practicar 1. Repetir algo de modo que se llegue a dominar. ☞ **ejercitar, entrenar.**

— *Para dominar el piano se requiere practicarlo mucho.*

— destreza adquirida mediante el continuo ejercicio: *práctica.*

— que pertenece a la práctica o se relaciona con ella: *práctico.*

— susceptible de llevarse a cabo: *practicable.*

— que sabe sacar provecho de las circunstancias: *práctico.*

2. Ejercer una profesión o conocimiento, una actividad, una habilidad o una costumbre. ☞ **usar.** ❖ ESTAR EN LA BANCA.

— *Ha practicado la medicina desde que se recibió.*

— aprendizaje directo de algo: *práctica.*

prado Terreno donde crece el pasto. ☞ **pasto, pastizal.**

— conjunto de prados: *pradera, pradería.*

— que pertenece al prado o se relaciona con él: *pradeño, pratense.*

— extensión pequeña de prado: *pradejón.*

— prado grande: *pradal.*

— rama de la agricultura que estudia el cultivo de los prados: *praticultura.*

pragmatismo Escuela filosófica que mantiene la validez de las verdades en función de sus aplicaciones reales y de su funcionamiento. ☞ **práctica.**

— que considera toda situación de acuerdo con los resultados obtenidos: *pragmático.*

— que pertenece al pragmatismo o se relaciona con él, que es partidario del pragmatismo: *pragmático, pragmatista.*

prao Embarcación malaya, larga, estrecha y veloz. ☞ **barco.**

pravo, -va Que es muy malo, perverso y depravado. ☞ **corrupto, depravado.** ❖ DECENTE, VIRTUOSO.

— depravación, perversidad o maldad: *pravedad.*

praxis Conjunto de acciones destinadas a transformar el mundo, en la filosofía marxista. ☞ **marxismo.**

preámbulo Explicación que se da antes de iniciar un discurso o una narración. ☞ **exordio, prefacio, proemio.** ❖ EPÍLOGO.

— sin rodeos: *sin preámbulos.*

prebenda 1. Renta o beneficio que se obtiene sin esfuerzo y debido a una situación especial.

— *Le otorgaron la prebenda de cobrar su salario mientras prepara su tesis del doctorado.*

2. Renta de ciertas dignidades eclesiásticas católicas. ☞ **canonjía.**

— *La catedral ya no tiene tantas prebendas como antes.*

— cada una de las cuatro canonjías (doctoral, magistral, lectoral, penitenciaria): *prebenda de oficio.*

3. Dote obsequiada a una mujer para que case o tome los hábitos religiosos, dentro del catolicismo. ☞ **dote.**

— *Le dieron su prebenda al hacerse monja.*

— conferir u obtener prebenda: *prebendar.*

preboste Persona que encabeza y gobierna una comunidad. ☞ **regir, dirigir.** ❖ SUBALTERNO.

— cargo o jurisdicción del preboste: *prebostazgo.*

— que pertenece al preboste o se relaciona con él: *prebostal.*

precario, -ria Que es inseguro, incierto, frágil o transitorio. ☞ **inestable.** ❖ SEGURO, ESTABLE, IMPERECEDERO.

precaución Cuidado que se tiene para evitar posibles riesgos al llevar a cabo algo. ☞ **cautela.** ❖ IMPREVISIÓN.

— precaverse: *precaucionarse.*

— evitar riesgos: *precautelar.*

— que previene o que evita riesgos: *precautorio.*

precavido, -da Que se anticipa a los riesgos y los evita, que es cauto. ☞ **precaución, cautela.** ❖ CONFIADO, IMPRUDENTE.

— evitar de antemano un riesgo o remediarlo: *precaver.*

preceder 1. Estar o ir antes o delante de otra cosa o persona. ☞ **antecedente.** ❖ SEGUIR.

— *La policía de seguridad precedía a los embajadores.*

— circunstancia que ya ha sucedido y sirve como base para juzgar un hecho actual: *precedente, antecedente.*

— que va o está antes o que ya ha sucedido: *precedente.*

2. Estar alguien en el lugar superior o dominante de una jerarquía. ☞ **secundar, suceder.**

— *Precedió a todos en la empresa.*

— prioridad o antelación en el orden: *precedencia.*

— primacía o predominio en una jerarquía: *precedencia.*

— estar algo como modelo o ejemplo de algo: *sentar un precedente.*

precepto Mandato o regla a seguir. ☞ **norma, regla.**

— que encierra normas: *preceptivo.*

— conjunto de principios aplicables a cierta materia: *preceptiva.*

— que enseña reglas o preceptos: *preceptista.*

— maestro: *preceptor.*

— que es propio de un maestro: *preceptoril.*

— dar o dictar preceptos: *preceptuar.*

preces 1. Demandas, súplicas y ruegos.

— *Dirigían sus preces al doctor.*

2. Oraciones a Dios, la Virgen o los santos para pedir socorro, entre católicos. ☞ **plegaria, rogar, suplicar.**

— *Suplicaba con preces a la Virgen que la ayudara con su hijo.*

preciado, -da Que es excelente o valioso algo, que se cree valioso y presume de eso alguien. ☞ **apreciar.**

— estimar o valorar algo: *preciar.*

— que estima o valora algo: *preciador.*

precintar Asegurar un paquete colocándole una cinta y sello para que no pueda abrirse sin dejar indicios. ☞ **lacrar, sellar.**

— tira o fleje que sella particularmente paquetes: *precinta, precinto.*

precio 1. Valor monetario en que se estima un bien. ☞ **importe, monto.**

— *El precio del petróleo fluctúa de acuerdo con la producción internacional que haya.*

— monto tan alto de un objeto que es prácticamente imposible comprarlo: *precio prohibitivo.*

2. Valor estimativo de alguien o algo. ☞ **importante, importancia.**

— *Es una persona de gran precio.*

— a fuerza de: *al precio de.*

— a costa de lo que sea: *a cualquier precio.*

— valer mucho algo: *no tener precio.*

precioso, -sa 1. Que es magnífico, bello, bonito o delicioso. ❖ FEO.

— *¡Qué preciosa mujer!*

— persona u objeto bonito y hermoso: *preciosura.*

— cosa magnífica o bonita: *preciosidad.*

— afición o inclinación al refinamiento en la expresión de sentimientos en la literatura: *preciosismo.*

2. Que tiene mucho valor, que es importante o estimado. ☞ **valor, invaluable.** ❖ ORDINARIO.

— *La vida es lo más precioso que tenemos.*

— objeto valioso: *preciosidad.*

— calidad de precioso: *preciosidad.*

precipitar 1. Realizar o decir algo sin haber pensado previamente en las consecuencias de la acción o apresurar el desarrollo de algo. ☞ **abalanzar, apresurar.**

— *No hay por qué precipitar la boda de nuestro hijo.*

— realizarse algo irreflexivamente o apresuradamente: *precipitarse.*

— premura o irreflexión con la que se hace algo: *precipitación.*

— atropellado al actuar: *precipitoso.*

2. Provocar que se separen las partículas de una sustancia durante una reacción química. ☞ **sedimentar.**

— *El elemento que precipita una sustancia se conoce como precipitante.*

— acción o resultado de precipitar: *precipitación.*

precipuo, -pua Que es principal, notable o destacado. ☞ **destacar.** ❖ INSIGNIFICANTE.

— principalmente: *precipuamente.*

precisar 1. Especificar las condiciones o características de algo. ☞ **fijar, estipular.**

— *Tiene que precisar las condiciones del contrato para que no haya lugar a dudas.*

— exactitud: *precisión.*

— exacto: *preciso.*

— con exactitud o eficacia: *de precisión.*

2. Tener necesidad de algo o de alguien. ☞ **carecer.** ❖ TENER.

— *Preciso de dinero para pagar mis deudas.*

— necesidad: *precisión.*

— ser una cosa necesaria: *ser preciso.*

preclaro, -ra Que es notable, célebre, famoso o sobresaliente. ☞ **ilustre, insigne.** ❖ DESCONOCIDO, INSIGNIFICANTE, ANÓNIMO.

precognición Conocimiento de un acontecimiento futuro sin que intervengan elementos racionales en él. ☞ **parapsicología, presciencia.**

precolombino, -na Que pertenece a la época anterior al descubrimiento de América o se relaciona con esa época. ☞ **prehispánico.**

— algunas culturas precolombinas: *azteca, maya, inca, olmeca, mixteca, zapoteca, tolteca, chichimeca.*

preconcebir Planear algo de modo anticipado. ☞ **premeditar.**

— pensado de antemano sin contar con elementos reales para juzgar adecuadamente una situación: *preconcebido.*

preconizar Patrocinar o auspiciar una idea o proyecto, elogiar, alabar o ensalzar a una persona. ☞ **recomendar.**

— acción y resultado de preconizar: *preconización.*

— que preconiza: *preconizador.*

precordial Que pertenece a la región anterior al tórax o se relaciona con ella. ☞ **corazón.**

precoz Que sucede o se desarrolla antes de lo habitual. ☞ **prematuro.**

— condición de precoz o desarrollo temprano: *precocidad.*

— precocidad sexual: *proyocia.*

— niño cuyo desarrollo físico o mental es superior a lo que se considera normal para su edad: *niño precoz.*

precursor, -ra Que inicia algo que va a llegar a su completo desarrollo posteriormente, que está o va antes o delante de otro. ☞ **pionero, fundador.**

predecesor, -ra 1. Persona que ha ocupado un determinado puesto con anterioridad al que ahora lo ocupa. ☞ **antecedente, antecesor.**

— *El predecesor de nuestro director tuvo un desempeño brillante.*

2. Familiar que ha vivido en época anterior. ☞ **antepasado.** ❖ DESCENDIENTE.

— *Los predecesores sentaron las bases para la fortuna familiar.*

predecir Aseverar las características futuras de un acontecimiento o fenómeno. ☞ **vaticinar, profeta, profetizar.**

— vaticinio del futuro: *predicción.*

predestinar Determinar de antemano el futuro de alguien o de algo. ☞ **preelegir, predeterminar.**

— acción y resultado de predestinar: *predestinación.*

— voluntad divina por medio de la cual algunos seres lograrán la gloria, entre los católicos: *predestinación.*

— que tiene que terminar fatalmente de cierto modo: *predestinado.*

— que dispone acontecimientos futuros de antemano: *predestinante.*

predeterminar Resolver un acontecimiento de manera anticipada. ☞ **predestinar.**

— acción y resultado de predeterminar: *predeterminación.*

— forma mediante la cual Dios, según algunos teólogos, establece el destino humano: *predeterminación.*

predicar 1. Dar consejos de carácter moral o religioso a alguien. ☞ **arengar, amonestar.**

— *Ese maestro predica con palabras y con hechos.*

— sermón o discurso moralizante: *prédica.*

— acción y resultado de predicar: *predicación.*

— que predica: *predicador, predicante.*

— orador que proclama la palabra de Dios: *predicador.*

— que es digno de ser conocido por todos: *predicable.*

— púlpito: *predicadera.*

2. Decir un sermón un sacerdote o pastor. ☞ **púlpito.**

— *Ese padre predica en favor de la pobreza y la caridad.*

— lo que se afirma o niega del sujeto en una proposición, de acuerdo con la lógica aristotélica: *predicado.*

— parte de la oración que aporta información sobre el sujeto: *predicado.*

— establecerse una función del predicado al término o sujeto de una oración, de forma que exprese una característica suya, en lógica o gramática: *predicarse.*

— que pertenece al predicado o se relaciona con él: *predicativo.*

— parte del predicado que modifica al núcleo del sujeto o del predicado en ciertas oraciones: *predicativo.*

predicamento 1. Situación complicada o que produce perplejidad. ☞ **dilema.**

— *Estoy en un predicamento: no sé qué decisión tomar.*

2. Clasificación, categoría o carácter indicado por asignación de características o predicación, en la lógica escolástica.

— *Un predicamento de la sustancia es que tenga ser.*

— que pertenece al predicamento o se relaciona con él: *predicamental.*

predilecto, -ta Que es el preferido, el favorecido o el escogido. ☞ **favorito.** ❖ EXECRADO, ODIADO.

— preferencia o cariño especial profesado a determinada persona u objeto: *predilección.*

predio Cualquier posesión de tipo inmueble. ☞ **heredad, terreno.**

— que pertenece al predio o se relaciona con él: *predial.*

— contribución fiscal por concepto de heredad, tierra, hacienda, terreno o construcción: *impuesto predial.*

— comprobante de pago del impuesto predial: *boleta predial.*

predisponer Inclinar o preparar el ánimo de una persona a favor o en contra de alguien o algo. ☞ **influir, persuadir.**

— acción y resultado de predisponer o predisponerse: *predisposición.*

predominar Prevalecer una cosa a un nivel superior con respecto de otra, sobresalir o resaltar. ☞ **destacar, sobresalir.**

— superioridad o poder: *predominio.*

— acción y resultado de sobresalir o predominar: *predominancia, predominación.*

— que sobresale: *predominante.*

preelegir Escoger de antemano. ☞ **predestinar.**

preeminente Que se encuentra en una posición notable con respecto a otro u otros, que es superior. ☞ **predominar.**

— ventaja, superioridad o importancia: *preeminencia.*

preestablecido, -da Que ya se ha determinado con anterioridad. ☞ **preconcebir, preconcebido.**

prefabricado, -da Que se ensambla con elementos elaborados de antemano, especialmente casas o construcciones. ☞ **preconstruido.**

— construir de antemano: *prefabricar.*

— proceso mediante el cual se producen por separado los diversos elementos que posteriormente serán ensamblados y su resultado: *prefabricación.*

prefacio Introducción a un texto. ☞ **prólogo, prolegómenos.** ❖ EPÍLOGO.

prefecto, -ta Persona encargada del buen funcionamiento de determinadas actividades o cargos dentro de una institución o agrupación. ☞ **inspector.**

— cargo de prefecto o su oficina: *prefectura.*

preferir Elegir entre varias opciones o personas la que más gusta o la que se considera más eficiente o adecuada. ☞ **seleccionar, favor.** ❖ MENOSPRECIAR.

— acción de preferir algo o a alguien: *preferencia*.

— predilección, privilegio o favor: *preferencia*.

— que se prefiere o se ha elegido: *preferente*.

— que es lo más conveniente: *preferible*.

— que es favorito: *preferido*.

prefigurar Imaginar, describir o representar de antemano algo. ☞ **preconcebir.**

— acción de prefigurar y muestra anticipada de algo: *prefiguración*.

prefijo (vea recuadro de prefijos). Partícula antepuesta a una palabra y que modifica su significado. ☞ **afijo.** ❖ SUFIJO.

— colocar un prefijo a una palabra: *prefijar*.

prefinir Establecer con anterioridad el plazo para la realización de algo. ☞ **fijar.**

— acción de prefinir: *prefinición*.

prefulgente Que brilla mucho. ☞ **resplandeciente.** ❖ OPACO.

pregonar 1. Hacer público un dato o un acontecimiento. ☞ **divulgar, propa-** gar. ❖ CALLAR.

— *Pregonar información confidencial es una indiscreción.*

— divulgación de algo: *pregón*.

— que hace público o divulga algo: *pregonero*.

— práctica o ejercicio del pregonero: *pregonería*.

2. Anunciar las cualidades de alguien o algo. ☞ **alabar, demostrar.** ❖ CRITICAR.

— *Las acciones positivas de Juan pregonan su manera de ser*

preguntar Demandar algo en forma interrogativa a alguien esperando una respuesta. ☞ **inquirir, interrogar.** ❖ CONTESTAR, RESPONDER.

— manifestación de lo que una persona quiere saber o interrogación: *pregunta*.

— que hace muchas preguntas: *preguntón, preguntador*.

— que inquiere: *preguntante, preguntador*.

— acción y resultado de preguntar: *pregunta, pregunteo*.

— dudar acerca de algo: *preguntarse, interrogarse, cuestionarse*.

pregustar Probar alguien los alimentos de altos dignatarios para evitar posibles envenenamientos.

— acción y resultado de pregustar: *pregustación*.

prehistoria 1. Periodo de la historia universal o de la humanidad anterior a la invención de la escritura. ❖ HISTORIA.

— *La prehistoria americana fue establecida en el siglo XX debido a los hallazgos en Nuevo México.*

— que pertenece a la prehistoria o se relaciona con ella: *prehistórico*.

— periodización tradicional de la prehistoria: *paleolítico, neolítico y edad de los metales*.

2. Ciencia que estudia esa época.

— *Muy pocos se dedican a la prehistoria.*

prejuzgar Opinar y evaluar determinado asunto sin contar con todos los elementos o conocimientos para hacerlo. ☞ **enjuiciar, preconcebir.** ❖ JUZGAR.

— idea preconcebida que se aleja de un juicio ecuánime: *prejuicio*.

prelación Situación de estar en una posición preferente o anterior con respecto a otra. ☞ **preferir, primacía.**

prelado Eclesiástico de jerarquía superior. ☞ **mitrado.**

— dignidad de prelado: *prelatura, prelacía*.

— madre abadesa: *prelada*.

PREFIJOS

DE ORIGEN GRIEGO

a, -an privado de: acéfalo, anencéfalo.
ana contra, sobre o separación: anacrónico.
anti contra: antirreumático.
apo fuera de, alejado: apóstata.
archi el más, el primero: archimillonario.
cata hacia abajo o por entero: catatumba, catástrofe.
di (a) a tráves de: diagonal, diacrítico.
dis con dificultad: dismenorrea.
ecto fuera de: ectoplasma.
en dentro: encefálico.
endo internamente: endospermio.
epi sobre: epidermis.
eu bien: eufonía.
exo fuera: éxodo.
hemi medio: hemiciclo.
hiper exceso: hipertensión.
hipo debajo: hipotiroideo.
met (a) más allá: metafísico.
pali (m) de nuevo: palimpsesto.
para junto a o contra: paralelo, paradoja.
peri alrededor: perímetro.
pro adelante: prólogo.
si (m), (n) con: simpático, sinónimo.

DE ORIGEN LATINO

a, -ad proximidad: acuñar, adverbio.
ab, -abs separar, evitar: abdicar, abstener.
ante delante: antediluviano.
bi, -bis dos: bicicleta, bisabuelo.
circun alrededor, en torno: circunvecino.

co, -col, -con, -com unión, colaboración: coautor, colindante, convivio, comadre.
cuadr (i), -cuatri, -cuadru cuatro: cuadragésimo, cuatrienio, cuadrúpedo.
de énfasis, profusión: demarcar.
deci diez: decilitro.
di, -dis que se opone: difamar, disgustar.
e, -es, -ex fuera de: emanación, exangüe.
ex que ha dejado de ser: exministro.
extra que rebasa: extramuros.
i, -im, -in, -ir que no es: ilegal, impuro, inodoro, irresoluble.
infra por debajo de: infravaloración.
inter enmedio, entre: interlocución.
intra dentro: intravenoso.
multi numeroso: multifamiliar.
octa, -octo de ocho: octágono, octosílabo.
omni que abarca todo: omnipotente.
pen casi: península.
pos (t) después: posponer.
pre que antecede: precursor.
pro en lugar de, por: procónsul.
quinqu de cinco: quinquagenario.
re otra vez: remendar.
retro hacia atrás: retrospectiva.
sobr más allá de: sobreactuar.
sub bajo: subalimentado.
super, -supra por encima de: supernumerario, supranatural.
trans, -tras más allá: transportar, trastienda.
tri de tres: tricornio.
ulter, ultra que rebasa: ulterior, ultramar.
uni de uno: unicelular.
vi(z), vice en lugar de: virrey, vizconde, vicepresidente.
yuxta junto a: yuxtalineal.

☞ sinónimos o referencias ❖ antónimos u opuestos afines

— que pertenece al prelado o se relaciona con él: *prelaticio*.

— superior de un convento nombrado por la asamblea de cardenales papales: *prelado consistorial*.

— canónigo familiar del Papa: *prelado doméstico*.

preliminar Que sirve como inicio o introducción a un asunto o a un texto escrito. ☞ **introducir.** ❖ FINAL, SUBSIGUIENTE.

— como preparación: *preliminarmente*.

preludio 1. Lo que precede o es preliminar a la realización de algo. ☞ **preparar, introducir.** ❖ FIN, EPÍLOGO, CONCLUSIÓN.

— *Los esponsales son el preludio de la boda*.

— introducción de un discurso o tratado: *prelusión*.

— preparar o empezar algo: *preludiar*.

2. Composición musical que se toca antes del inicio formal de una obra.

— *Los preludios generalmente son de corta duración*.

— practicar algunos compases antes de iniciar la ejecución de una obra musical: *preludiar*.

prematrimonial Que se realiza antes del matrimonio y que está relacionado con él. ☞ **matrimonio, antenupcial, prenupcial.** ❖ NUPCIAL, MATRIMONIAL.

prematuro, -ra Que sucede antes de tiempo y por lo tanto no se encuentra suficientemente maduro. ☞ **precoz.** ❖ MADURO.

— niño nacido antes del tiempo debido o con muy poco peso: *niño prematuro*.

— condición de prematuro en los niños: *prematuridad*.

premeditar Planear cuidadosamente algo antes de realizarlo. ☞ **anticipar, proyectar.** ❖ ACTUAR INCONSCIENTEMENTE.

— acción de premeditar: *premeditación*.

— circunstancia agravante en el delito de homicidio y lesiones: *premeditación*.

— conciencia y reflexión del delito a cometerse por el sujeto: *premeditación*.

— de modo deliberado: *premeditadamente*.

— deliberado: *premeditado*.

premiar Otorgar un galardón o recompensar. ☞ **recompensar, laurear, galardón, galardonar.** ❖ CASTIGAR.

— galardón, distinción o retribución: *premio*.

— que premia: *premiador*.

— galardonado: *premiado*.

— premio de mayor monto de la lotería: *premio gordo*.

— premio otorgado después de haber concedido el premio principal: *premio de consolación*.

premidera Listón que funciona como pedal de telar. ☞ **cárcola.**

premioso, -sa Que se hace con dificultad, apretada o aceleradamente, que urge o apremia, que es estricto o riguroso. ☞ **torpe.** ❖ FLEXIBLE.

— apuro, torpeza o urgencia: *premiosidad*.

premisa 1. Base, fundamento o antecedente para realizar algo o tratarlo. ☞ **postulado, presuposición.**

— *La premisa de su posible despido es correcta*.

— enviado o propuesto con anticipación: *premiso*.

2. Cada una de las dos proposiciones del silogismo, de donde se infiere y saca la conclusión, de acuerdo con la lógica aristotélica. ☞ **silogismo.**

— *Hay dos premisas dentro del silogismo: la más general o mayor y la menor*.

premolar Diente situado delante de un molar. ☞ **molar, diente.**

premonición Sensación de que algo determinado va a ocurrir, sin tener fundamento para ello. ☞ **presentir, presentimiento.**

— que presagia algo: *premonitorio*.

— síntoma que se anticipa a una enfermedad: *premonitorio*.

premorir Morir alguien antes que otro. ☞ **morir.**

— muerte que precede a otra: *premoriencia*.

— que muere antes que otro: *premoriente*.

premura Escasez de tiempo o urgencia para algo, escasez de algo. ☞ **apremio, prisa.** ❖ CALMA, LENTITUD.

prenatal Que ocurre antes del nacimiento. ☞ **nacer.** ❖ POSNATAL.

prenda 1. Bien que se otorga como garantía para el cumplimiento de una obligación o como prueba de afecto. ☞ **fianza, garantía.**

— *Al no tener dinero para pagar la cuenta, dejé mi reloj en prenda*.

— aceptar algo como garantía: *prendar*.

— que toma algo como garantía de algo: *prendador*.

— que pertenece a la prenda o se relaciona con ella: *prendario*.

— como garantía de pago o de cumplimiento: *en prenda*.

2. Pieza de vestir. ☞ **vestir, vestimenta.**

— *Las prendas que trae no son de buen gusto*.

— tienda de ropa usada: *prendería, ropavejería*.

— vendedor de ropa usada: *prendero, ropavejero*.

3. Cosa o persona muy querida o cualidad de alguien. ☞ **virtud, cualidad.** ❖ DEFECTO.

— *Su abuelito es la prenda más querida que tiene*.

— enamorarse o entusiasmarse por algo o alguien: *prendarse*.

— agradar mucho a alguien: *prendarse*.

— decir algo de carácter confidencial: *soltar prenda*.

prender 1. Capturar a alguien por haber cometido un delito. ☞ **aprehender, apresar.** ❖ LIBERAR.

— *Lo prendieron como al "Tigre de Santa Julia"*.

— captura: *prendimiento*.

2. Sostener o sujetar algo con alguna cosa. ☞ **agarrar, afianzar.** ❖ SOLTAR.

— *Préndele alfileres para que se sostenga mientras tanto*.

— adorno que sujeta una parte de la ropa o se sujeta a ella: *prendedor*.

3. Empezar a arder el fuego. ☞ **encender, inflamar.** ❖ APAGAR.

— *Después de muchos esfuerzos, por fin logramos que prendiera la chimenea*.

4. Poner a funcionar una máquina, aparato o mecanismo que generalmente requiere electricidad, gas o gasolina.

— *Prende la televisión que ya van a dar las noticias*.

5. Lograr algo un buen resultado, surtir efecto o propagarse.

— *La noticia prendió entre los maestros inconformes*.

6. Arraigar una planta. ☞ **dar, darse.**

— *En ese rincón tan oscuro y húmedo es poco probable que prenda el rosal*.

prensa 1. Máquina que comprime algo mediante dos láminas que se van acercando paulatinamente. ☞ **aplanar, aplanadora, compresora.**

— *La prensa de la uva ya no funciona*.

— apretar algo: *prensar*.

— acción de prensar: *prensadura, prensado*.

— que prensa: *prensador*.

2. Máquina con la que se imprime o estampa algo.

— *Hay que parar las prensas y corregir un artículo.*

— persona que trabaja en la prensa de una imprenta: *prensista.*

— imprimir y publicar una obra: *dar a la prensa.*

3. Medio de comunicación escrita que difunde información y opiniones de interés público. ☞ **periodismo.**

— *A la prensa se le conoce como el cuarto poder debido a su gran capacidad para influir en las masas.*

preñado, -da Que ha sido fecundada y va a tener un hijo, tratándose de las hembras; que está lleno o cargado de algo. ☞ **embarazar, cargar.** ❖ ESTÉRIL, VACÍO, VACUO.

— fecundar a una hembra: *preñar.*

— llenar o cargar algo: *preñar.*

— estado de la hembra embarazada: *preñez.*

— feto del vientre materno: *preñado.*

preocupar Sentir inquietud y ansiedad por algo o alguien. ☞ **inquietar.** ❖ TRANQUILIZAR.

— inquietud: *preocupación.*

— poner atención, cuidado o dedicación a algo o alguien por responsabilidad: *preocuparse.*

— atención, cuidado o dedicación a algo o alguien: *preocupación.*

preordinar Haber dispuesto Dios las cosas de manera que ocurran cuando tienen que ocurrir. ☞ **predeterminar.**

— acción y resultado de preordinar: *preordinación.*

preparar Disponer y hacer todo lo necesario para cumplir la realización de determinada actividad o para alcanzar un objetivo. ☞ **aprestar.** ❖ EFECTUAR, IMPROVISAR.

— disponerse de la mejor manera a realizar algo: *prepararse.*

— acción y resultado de preparar o prepararse: *preparación, preparamento, preparamiento.*

— que sirve de antecedente para la realización de algo: *preparatorio, preparativo.*

preponderar Ser algo o alguien de mayor fuerza, influencia o dominio que los otros. ☞ **sobresalir, destacar.** ❖ PASAR DESAPERCIBIDO, SER INFERIOR.

— preeminente, destacado: *preponderante.*

— condición o calidad de preponderante o superioridad: *preponderancia.*

preposición Partícula gramatical invariable cuya función es servir de nexo entre un elemento de la oración y un complemento y concretar el significado de la palabra que le sigue en relación con la que le precede.

— que tiene características de las preposiciones: *prepositivo, preposicional.*

— que pertenece a la preposición o se relaciona con ella: *preposicional.*

— preposiciones: *a, ante, bajo, cabe, con, contra, de, desde, en, entre, hacia, hasta, para, por, según, sin, so, sobre, tras.*

prepósito Superior de una organización o agrupación. ☞ **jefe.**

— dignidad de prepósito: *prepositura.*

preposterar Alterar el orden o la organización de algo, colocando después lo que tiene que estar antes. ☞ **revés, alrevesar.** ❖ ORDENAR.

— invertido, revuelto o trastocado: *prepóstero.*

— acción y resultado de preposterar o desorden: *preposteración.*

prepotente Que es más poderoso que otra persona o cosa, que se comporta de modo dominante. ☞ **déspota, dictadura, dictatorial.** ❖ AMABLE.

— condición de prepotente: *prepotencia.*

prepucio Pliegue de la piel del pene que cubre el glande y se repliega si el pene está erecto. ☞ **pene, capullo.**

— pliegue mucoso formado por los labios menores que cubre el clítoris: *prepucio del clítoris.*

— que pertenece al prepucio o se relaciona con él: *prepucial.*

— extirpación parcial del prepucio o incisión: *circuncisión, prepuciotomía, postetomía.*

prerrogativa Situación de estar en una posición ventajosa o privilegiada con respecto a los otros, ventaja o excepción que goza alguien. ☞ **ventaja, privilegio, canonjía.**

presa 1. Depósito artificial de agua para retenerla y posteriormente conducirla a otros lados. ☞ **dique, embalse.**

— *Las presas tienen grandes muros.*

— persona encargada de maniobrar una presa: *presero.*

2. Animal que se caza o se captura, persona que se prende o se captura. ☞ **víctima, botín, apresar.** ❖ APRESOR.

— *Las aves de presa se alimentan de los animales que capturan con sus garras.*

— capturar: *apresar.*

— perro de caza: *perro de presa.*

— asir y asegurar algo o a alguien: *hacer presa de.*

presagiar Predecir por indicios o señales un acontecimiento futuro. ☞ **pronosticar, augurar, anunciar.**

— señal que pronostica algo futuro: *presagio.*

— adivinación de algo futuro por ciertas señales: *presagio.*

— que anuncia o adivina algo: *presagioso, présago, presago.*

presbiatría Rama de la medicina que trata la vejez. ☞ **geriatría.** ❖ PEDIATRÍA.

presbicia o **presbiopía** Disminución de la capacidad visual que impide ver de cerca, debido a la edad avanzada. ☞ **hipermetropía, presbiopía, vista cansada.**

— persona que padece presbicia: *présbita, presbítico, presbíope, présbite.*

— que pertenece a la presbicia o se relaciona con ella: *presbítico.*

presbítero Hombre que ha recibido las órdenes religiosas de manera que puede decir misa. ☞ **padre, sacerdote, cura.**

— zona del altar mayor en un templo católico: *presbiterio.*

— que pertenece a los presbíteros o se relaciona con ella: *presbiteral.*

— sacerdocio: *presbiterado, presbiterato.*

— rama o sistema eclesiástico del protestantismo que preconizó Calvino: *presbiterianismo.*

— que pertenece al presbiterianismo o se relaciona con él, que es miembro de este sistema: *presbiteriano.*

presciencia Conocimiento de Dios sobre todo, incluso de futuros sucesos. ☞ **precognición.**

prescindir Decidir privarse de algo u omitir algo. ☞ **omitir, excluir, descartar.** ❖ CONSIDERAR.

— que es innecesario o que se puede prescindir de ello, tratándose de cosas o personas: *prescindible.*

— que es necesario, que no puede omitirse: *imprescindible.*

— acción y resultado de prescindir: *prescindencia.*

prescribir 1. Ordenar o indicar cierta cosa. ☞ **disponer, indicar.**

— *Los médicos prescriben que en caso de gripa lo mejor es el reposo.*

— recomendado: *prescrito, prescripto.*

— acción y resultado de indicar o mandar algo: *prescripción.*

— receta médica: *prescripción.*

— recomendación: *prescripción.*

2. Extinguirse los derechos u obligaciones después de haber pasado el tiempo establecido legalmente o per-

der efectividad algo inmaterial o corporal. ☞ **caducar.**

— *El billete de lotería prescribe al año.*

— extinción de un derecho u obligación: *prescripción.*

— susceptible de prescribir o de ser prescrito: *prescriptible.*

— caduco: *prescripto, prescrito.*

presea Objeto precioso y valioso. ☞ **alhaja, joya, medalla.** ❖ BAGATELA.

presencia 1. Apariencia física de alguien. ☞ **traza, facha.**

— *Es de presencia agradable y a todos les cae bien.*

— tener alguien personalidad atractiva o que llama la atención: *tener presencia.*

— serenidad o control ante una situación complicada o peligrosa: *presencia de ánimo.*

2. Condición de estar en un lugar. ☞ **comparecer, comparecencia.** ❖ AUSENCIA.

— *Es necesaria su presencia para que los trámites se lleven a cabo.*

— asistir a un suceso: *presenciar.*

— que pertenece a la presencia o se relaciona con ella: *presencial.*

— personalmente: *presencialmente.*

— frente a: *en presencia de.*

presentar 1. Exponer para ser visto algo o a alguien. ☞ **mostrar.** ❖ OCULTAR.

— *Presentó a la opinión pública su último descubrimiento.*

— aparecer una persona de improviso o en un momento inesperado ante alguien: *presentarse.*

— acción y resultado de exhibir algo o a alguien: *presentación.*

2. Tener una cosa o persona cierto aspecto o características.

— *Presenta síntomas de varicela este niño.*

— apariencia de algo o alguien: *presentación.*

— surgir o aparecer cierta enfermedad: *presentarse.*

3. Dar a conocer una o más personas a otra.

— *Estoy interesada en conocer a tu amigo, ¿podrías presentármelo?*

presente 1. Momento o época actual. ❖ PASADO, FUTURO.

— *La computación se ha desarrollado en el presente.*

2. Que algo o alguien se encuentra en un lugar o época determinada. ❖ AUSENTE.

— *Siempre está presente en las conferencias de astronomía.*

— recordar algo: *tener presente.*

— hacer que se recuerde algo: *hacer presente.*

3. Algo que se da en muestra de agradecimiento o aprecio. ☞ **regalo, obsequiar, obsequio.**

— *Recibió una joya como presente el día de su cumpleaños.*

presentir Tener la sensación de que algo determinado va a ocurrir. ☞ **barruntar, presagiar.**

— sensación de que algo va a ocurrir: *presentimiento.*

preservar Proteger algo o a alguien de cualquier posible daño. ☞ **servar, resguardar.** ❖ DESPROTEGER, ARRIESGAR, EXPONER.

— acción de preservar o preservarse: *preservación.*

— conservación: *preservación.*

— que protege: *preservador.*

— que sirve para proteger: *preservativo.*

— cubierta de goma para el pene que sirve para evitar la posibilidad de contagio de alguna enfermedad o de la fecundación: *preservativo.*

presidente El que es cabeza o superior de algún organismo, asociación o institución, el que dirige el gobierno o el poder ejecutivo del Estado. ☞ **director, jefe, mandar, mandatario, primer ministro.** ❖ SUBORDINADO, SUBALTERNO.

— que pertenece al presidente o se relaciona con él: *presidencial.*

— regir o dirigir una institución, empresa o Estado: *presidir.*

presidio Lugar donde los reos cumplen su sentencia. ☞ **cárcel, penitenciaria, prisión, cereso (centro de readaptación social).**

— que podría estar en prisión: *presidiable.*

— preso: *presidiario.*

— persona encargada de vigilar a los presos en prisión: *custodio.*

presionar 1. Apretar y oprimir algo. ☞ **apelmazar.** ❖ EXTENDER.

— *La camisa le queda tan chica que le presiona el cuello.*

— fuerza que ejerce algo o alguien sobre la superficie de un cuerpo y que produce el resultado de comprimirlo o apretarlo: *presión.*

— que recibe o ejerce presión: *a presión.*

2. Ejercer coacción sobre alguien. ☞ **forzar, obligar.** ❖ CONVENCER.

— *Me están presionando para que venda la casa.*

prestancia Aspecto distinguido y elegante o excelencia. ☞ **donaire, garbo.** ❖ VULGARIDAD.

— que es distinguido: *prestante.*

prestar 1. Dar alguien dinero u otros bienes temporalmente a una persona

teniendo esta última la obligación de devolverlos. ☞ **proporcionar.** ❖ PEDIR PRESTADO, ADEUDAR.

— *Prestar dinero a un desconocido implica algo de riesgo.*

2. Contribuir con trabajo y atención a la realización de una actividad de otra persona o para ayudar a alguien. ☞ **servir, asistir, participar.**

— *Prestar el servicio social es una obligación de los estudiantes que cursan una carrera profesional.*

preste Sacerdote que oficia la misa cantada. ☞ **misa.**

presteza Prontitud o velocidad en hacer o decir algo. ☞ **rapidez, presuroso.** ❖ LENTITUD.

— pronto, veloz o diligente al hacer o decir algo: *presto, presuroso o apresurado.*

— con presteza: *prestamente, de presto.*

prestidigitación Habilidad o ingenio para hacer malabarismos o producir resultados maravillosos, mágicos o inexplicables. ☞ **ilusionismo, magia.**

— maravilla realizada por medio de artes mágicas: *prestigio.*

— que ejerce la prestidigitación: *prestidigitador.*

— persona hábil o ingeniosa que engaña a la gente: *prestidigitador.*

prestigio Renombre o buena fama de la que goza alguien. ☞ **fama, renombre.** ❖ DESPRESTIGIO.

— que goza de buena fama: *prestigioso.*

— acreditar una actividad o negocio o dar fama a alguien: *prestigiar, dar prestigio.*

presumir 1. Inferir algo teniendo indicios o fundamentos para hacerlo. ☞ **sospechar, suponer.** ❖ SABER, TENER LA CERTEZA.

— *Presumo por tu cara que conseguiste el trabajo.*

— que puede inferirse fácilmente: *presumible, presuntivo.*

— suposición: *presunción.*

2. Alardear de algo que se tiene o se ha hecho. ☞ **jactar, vanagloriar.** ❖ MODESTIA.

— *Presume de lo que ni siquiera tiene.*

presuponer 1. Conjeturar de manera anticipada algo o considerar algo como un hecho. ☞ **inferir, deducir.**

— *Este trabajo presupone dedicación y sentido común.*

— deducción anticipada o suposición: *presuposición, presupuesto.*

2. Calcular los ingresos y egresos que supuestamente resultarán en una institución o empresa.

— *Presupuso menos egresos que los que tenemos.*

— cálculo anticipado del costo o gasto global de algo: *presupuesto.*

— hacer un presupuesto o inscribir en el presupuesto: *presupuestar.*

— que pertenece al presupuesto, especialmente el del Estado, o se relaciona con él: *presupuestario.*

presuroso, -sa Que actúa o se mueve de manera ligera y veloz. ☞ **pronto, diligente.** ❖ LENTO.

— ligereza: *presura.*

pretal Correa que sujeta a los caballos por la parte frontal. ☞ **arreo, jaez.**

pretender 1. Intentar conseguir algo porque lo merece o porque aspira a que se lo concedan. ☞ **desear, ansia.** ❖ RENUNCIAR, CEDER.

— *Pretende el puesto de gerente general de la fábrica.*

— que aspira a obtener algo: *pretendiente, pretensor.*

— acción y resultado de pretender algo: *pretensión, pretendencia.*

— tener aspiraciones desmedidas: *tener muchas pretensiones.*

2. Aspirar a ser novio o esposo de alguien haciéndoselo notar.

— *Pretende a mi hermana desde hace una semana.*

— persona que aspira a establecer una relación de noviazgo o matrimonio con alguien: *pretendiente.*

— persona que es solicitada: *pretendida.*

3. Afirmar algo de cuya realidad se duda.

— *Pretende ser más hábil que yo.*

preterición Figura retórica que consiste en pretender callar una idea que sí se expresa muy claramente. ☞ **pretermisión.**

— *No quiero hablar mal de ella, pero, fíjate que es floja, chismosa e hipócrita.*

— omitir algo o prescindir de alguien: *preterir, pretermitir.*

pretextar Valerse de una excusa para disculparse o no hacer algo. ☞ **disculpar, justificar, excusar.**

— motivo simulado o inventado para no hacer algo o disculparse por algo: *pretexto.*

pretil Barandal a lo largo de un puente. ☞ **balaustrada.**

pretina Parte de las prendas de vestir que rodea la cintura. ☞ **tira, banda.**

— persona que hace cinturones: *pretinero.*

— cintarazo: *pretinazo.*

— fajilla guarnecida de pedrería que se usaba antiguamente: *pretinilla.*

prevalecer Lograr que algo o alguien

predomine en contraposición a otros. ☞ **preponderar, imponer.**

— que prevalece: *prevaleciente.*

prevaricar Actuar alguien, en especial un funcionario público, en contra del derecho en el ejercicio de sus funciones, a sabiendas; delinquir o incumplir. ☞ **abusar.** ❖ CUMPLIR, OBEDECER.

— acción y resultado de prevaricar: *prevaricación, prevaricato.*

— que prevarica o es corrupto: *prevaricador.*

prevenir 1. Advertir a alguien o predisponerlo de cierta manera. ☞ **notificar, avisar.**

— *Te prevengo de que cometas semejante tontería.*

— acción y resultado de advertir a alguien sobre una cosa o persona: *prevención.*

— prejuicio o recelo de alguien: *prevención.*

2. Anticiparse a algo de modo que no ocurra. ☞ **evitar, impedir.** ❖ OCURRIR.

— *Se previno tomando vitaminas para evitar contraer la gripa.*

— preparativo para que algo no ocurra: *prevención.*

— que previene: *preventivo.*

prever Anticipar lo que va a ocurrir o actuar adelantándose a posibles riesgos. ☞ **prevenir.**

— que puede ser anticipadamente calculado o previsto: *previsible.*

— acción y resultado de prever algo: *previsión.*

— disposición de todo aquello que se ha contemplado que puede suceder: *previsión.*

— que se adelanta y actúa conforme a lo que puede pasar: *previsor, precavido.*

— que anticipa algo o sirve de preparación a algo: *previo.*

— con objeto de prever algo: *en previsión de.*

— anticipadamente: *previamente.*

prez Honor adquirido gracias a una acción digna de encomio. ☞ **fama, prestigio, gloria.**

priapismo Erección dolorosa y permanente del pene sin estar acompañada de deseo sexual. ☞ **pene.**

— inflamación del pene: *priapitis, falitis.*

prieto, -ta Que es de color muy oscuro. ❖ CLARO, RUBIO, GÜERO.

prima 1. Cantidad que se paga como recompensa, premio o incentivo de algo. ☞ **pagar, gratificar.**

— *Me pagan el cinco por ciento de mi salario como prima de antigüedad.*

2. Cantidad que se paga como garan-

tía de un contrato o pago proporcional de un seguro.

— *Pago el diez por ciento como prima del seguro de vida.*

primacía Situación o cualidad de estar en el lugar prioritario o primero de algo. ☞ **supremacía, superioridad.** ❖ INFERIORIDAD, SER EL ÚLTIMO.

— que pertenece a la primacía o se relaciona con ella: *primacial.*

— posición superior o ventajosa que algo o alguien tiene con respecto a otro: *primado.*

— eclesiástico con la jerarquía más alta en un país: *primado.*

— dignidad eclesiástica de primado: *primazgo.*

prima donna Cantante principal en una ópera. ☞ **ópera, cantar, cantante.**

primavera Estación anual siguiente al invierno y precedente al verano, que se caracteriza porque florecen las plantas. ☞ **estación.** ❖ OTOÑO.

— que pertenece a la primavera o se relaciona con ella: *primaveral.*

— ligero, juvenil: *primaveral.*

— momento del año en que el día y la noche tienen la misma duración: *equinoccio de primavera.*

primero, -ra Que precede en tiempo, importancia, orden, lugar, clase o jerarquía a otro. ☞ **inicial, original, principal.** ❖ ÚLTIMO.

— apócope de primero: *primer.*

— principiante o que hace por primera vez algo: *primerizo.*

— que es el mejor en su especialidad, que es superior o el primero: *primicerio.*

— que es primordial: *primario.*

— que ocupa un primer lugar: *primario.*

— educación elemental: *primaria.*

primevo, -va Que tiene más edad con respecto a otras, tratándose de personas. ☞ **anciano, viejo.** ❖ JOVEN.

primípara Hembra que da a luz por vez primera. ☞ **parir.**

primitivo, -va 1. Que pertenece al origen de algo o se relaciona con el comienzo de algo. ☞ **antiguo, original.** ❖ CONTEMPORÁNEO.

— *Me gustó el documental sobre el arte primitivo en el mundo.*

— que se remonta a los orígenes: *primigenio.*

— originario: *prístino.*

2. Que es salvaje, incivilizado o rudo.

— *Ese muchacho tiene modales muy primitivos.*

primo, -ma Hijo o hija de su tío o su tía, con respecto a alguien. ☞ **pariente.**

— parentesco que tienen entre sí los primos: *primazgo*.

— primo que es hijo de un hermano o hermana de su padre o madre, con respecto a alguien: *primo hermano o primo carnal*.

— primo que es hijo de un primo de su madre o de su padre, con respecto a alguien: *primo segundo*.

— número que únicamente es divisible entre sí mismo y la unidad: *número primo*.

primogénito, -ta Que es el hijo o la hija que nació primero. ☞ **hijo, sucesor.** ❖ BENJAMÍN.

— condición o estado del primogénito: *primogenitura, progenitura*.

primor Delicadeza, esmero o maestría con que algo está hecho y cosa así hecha. ☞ **cuidar.** ❖ TOSCO.

— delicada y diestramente: *primorosamente*.

— que es exquisito o está hecho con primor: *primoroso*.

— hacer las cosas de manera delicada y cuidadosa: *primorear*.

primordial Que es necesario o básico. ☞ **fundamento, fundamental.** ❖ ACCESORIO.

principal 1. Que es más importante o se considera primero. ☞ **primor-** dial, esencial. ❖ SECUNDARIO.

— *La causa principal de su enfermedad es el exceso de trabajo.*

— especialmente: *principalmente*.

2. Persona que tiene la más alta dignidad en una comunidad o es el jefe.

— *El principal de esa comunidad indígena era el más viejo.*

— calidad de principal: *principalidad*.

— gubernatura en algunos lugares: *principalía*.

príncipe Soberano de algún país o título de los hijos del rey, en especial del primogénito. ☞ **infante, monarca, rey.** ❖ SÚBDITO.

— hijo primogénito del rey: *príncipe heredero*.

— hija de reyes: *princesa*.

— que es propio o parece característico de un príncipe: *principesco*.

— título o dignidad del príncipe: *principado*.

— territorio gobernado por un príncipe: *principado*.

principiar Iniciar alguien una acción o tener su inicio algo. ☞ **comenzar, empezar.** ❖ FINALIZAR.

— primer momento de existencia de algo: *principio*.

— lugar de donde parte o surge algo: *principio*.

— que inicia una actividad y por lo mismo desconoce todo lo relativo a ella: *principiante, principiador*.

— comenzar algo: *dar principio a*.

— en el primer momento: *al principio, a principios de*.

— norma moral que guía los actos de cada quien: *principio*.

— ley general cuya consecuencia rige toda una parte de la física: *principio*.

— cuerpo que forma parte de la composición de una mezcla natural: *principio*.

— que actúa conforme a sus convicciones morales: *de principios*.

— que no sigue una conducta de acuerdo con los valores morales: *sin principios*.

pringoso, -sa Que está lleno de grasa, de algo pegajoso o de suciedad. ☞ **sucio, cochambre, cochambroso.** ❖ LIMPIO, ASEADO.

— grasa o suciedad que se pega: *pringue*.

— untar con grasa: *pringar*.

— ensuciar: *pringar*.

— sucio: *pringón*.

— mancha de grasa: *pringón*.

prioridad Superioridad o importancia de algo con respecto a otras cosas, situación de encontrarse algo en lugar

primates

gorila

chimpancé

mono langur

anterior a otro. ☞ **primacía, preferir, preferencia.** ❖ POSTERIORIDAD.

— superior de un monasterio: *prior*.

— dignidad y cargo de prior: *priorato, priorazgo*.

— territorio o jurisdicción del prior: *priorato*.

— que pertenece al prior o al priorato o se relaciona con ellos: *prioral*.

prisa Apresuramiento para hacer algo. ☞ **rapidez, premura.** ❖ CALMA, LENTITUD.

— rápidamente: *a prisa, de prisa, de prisa y corriendo*.

— urgir a alguien para que haga algo con rapidez: *dar prisa, meter prisa*.

— necesitar hacer algo urgentemente: *tener prisa*.

priscal Lugar donde se guarda el ganado en las noches. ☞ **aprisco.**

prisión Lugar donde se encuentran recluidas las personas a las que se les ha privado de su libertad por haber cometido un delito. ☞ **cárcel, presidio, recluir, reclusorio.**

— persona que se encuentra presa en una cárcel o que está en poder del enemigo: *prisionero, preso*.

prisma 1. Cuerpo geométrico limitado por dos polígonos iguales y paralelos y por los paralelogramos que forman sus caras. ☞ **geometría.**

— *Tienes que medir la altura de esos prismas.*

— de figura de prisma: *prismático*.

2. Sistema óptico formado por uno o varios cristales de forma prismática.

— *Hay varios tipos de prismas en aparatos ópticos.*

— placa de cristal óptico que obtiene imágenes monocromáticas: *prisma objetivo*.

— filtro fotográfico de color gris para reducir la intensidad de un haz luminoso: *prisma sensitométrico*.

prístino, -na Tal y como fue en el momento que tuvo su origen. ☞ **puro, primigenio.**

privar 1. Dejar a alguien o algo sin determinada cosa, o quitarle o prohibirle a una persona algo que estaba habituado a hacer o le gustaba. ☞ **quitar.** ❖ OTORGAR, DEVOLVER.

— *Al dictarse la sentencia, lo privaron de su libertad.*

— dejar de hacer algo o de tener algo una persona de manera voluntaria: *privarse*.

2. Predominar algo en el gusto de la gente. ☞ **moda, estar de moda, estar "in".** ❖ DESVANECER, PERDER.

— *En el otoño privan los colores ocres.*

— que es propio o característico de algo o alguien: *privativo*.

3. Provocar un desmayo o un shock. ☞ **desmayar.**

— *Se privó al oír la noticia.*

privilegio Prebenda o permiso especial que se concede a alguien. ☞ **prerrogativa, canonjía.**

— distinguir a alguien otorgándole prerrogativas: *privilegiar*.

— que incluye en sí privilegio: *privilegiativo*.

— que tiene muchas cualidades: *privilegiado*.

— que le han sido otorgados algunos privilegios: *privilegiado*.

— expresión cortés para agradecer la presencia de alguien o tener el honor de algo: *tener el privilegio de o ser un privilegio*.

pro A favor de. ❖ VERSUS, EN CONTRA DE.

proa Parte delantera de las embarcaciones. ☞ **barco.** ❖ POPA.

— que pertenece a la proa o se relaciona con ella: *proal*.

— que está más cerca de la proa, tratándose de los elementos de una embarcación: *proel*.

probar 1. Demostrar la certeza de un hecho o la verdad de algo. ☞ **justificar, evidencia, evidenciar.**

— *Tienes que probar tu aseveración.*

— demostración, testimonio o verificación: *prueba, probanza*.

— examen escolar: *prueba*.

— que sirve para mostrar la verdad de algo: *probatorio*.

— que es susceptible de ser probado o de que sea verdadero: *probable*.

— posibilidad o verosimilitud: *probabilidad*.

— demostrado o experimentado: *probado*.

2. Someter algo o a alguien a varias situaciones examinando sus cualidades y limitaciones. ☞ **ensayar, experimento, experimentar.**

— *Cuando se compra un coche, hay que probar la máquina y ver qué tal funciona.*

— muestra de algo para examinarlo y conocer sus características: *prueba*.

3. Tomar un poco de alimento para ver cómo sabe. ☞ **catar, gustar.** ❖ HASTIAR.

— *Prueba el guisado, te va a gustar.*

— colocarse una prenda de ropa para ver cómo queda: *probarse*.

— cubículo donde la gente se prueba la ropa en una tienda: *probador*.

4. Resultar algo bueno o adecuado para una cosa o persona.

— *No le prueba la humedad de esa casa.*

probeta Tubo de cristal graduado que se utiliza en diversos experimentos o análisis químicos. ☞ **laboratorio.**

probidad Integridad de alguien en su comportamiento y sus acciones. ☞ **rectitud, honradez.** ❖ IMPROBIDAD, DESHONESTIDAD.

— íntegro, honrado o recto: *probo*.

problema Cuestión dudosa, difícil o de solución desconocida. ☞ **conflicto, dilema.** ❖ SOLUCIÓN.

— que supone una dificultad: *problemático*.

— conjunto de problemas relacionados con determinada actividad o circunstancia: *problemática*.

probóscide Boca o nariz en forma tubular o trompa que tienen algunos animales. ☞ **trompa.**

procaz Que atenta contra el pudor, que es desvergonzado o indecente. ☞ **obsceno, grosero.** ❖ HONESTO, DECENTE.

— dicho o acción desvergonzada: *procacidad*.

proceder 1. Emanar de algo o tener su origen o punto de partida en cierto lugar o en otra cosa. ☞ **origen, derivar.** ❖ CAUSAR, ORIGINAR.

— *Los tulipanes proceden de Holanda.*

— que es originario de determinado sitio o de otra cosa: *procedente*.

— origen o punto de partida del que procede algo o alguien: *procedencia*.

— acción de proceder una cosa de otra: *procesión*.

2. Comportarse de cierto modo como consecuencia de una situación determinada. ☞ **actuar, obrar.** ❖ DETENERSE.

— *La manera en que estás procediendo con respecto a tu esposa no es correcta.*

— manera de actuar: *procedimiento*.

3. Estar algo conforme con determinado principio, ley o conveniencia. ☞ **convenir.**

— *Tus argumentos no proceden: son totalmente absurdos.*

— que es oportuno o procede conforme a ciertas normas: *procedente*.

— conformidad con algún razonamiento, alguna ley moral o legal: *procedencia*.

4. Poner en acción algo para lo que se hicieron preparativos previamente.

— *Después del curso, procederemos a evaluar los resultados obtenidos.*

— serie de fases y operaciones que se siguen para llevar a cabo algo: *procedimiento*.

procela Forma poética de referirse a

una tormenta. ☞ **borrasca.** ❖ SERE-
NIDAD, PLACIDEZ.

— borrascoso o tormentoso: *proce-
loso.*

prócer Persona que se ha distinguido
por sus acciones. ☞ **héroe.** ❖ INFE-
RIOR.

— condición de prócer: *procerato.*

— que se ha distinguido: *prócero.*

— distinción, eminencia o altura: *pro-
ceridad.*

procesión Serie de personas que avanza en orden por algún sitio llevando imágenes religiosas y, por extensión, sucesión ordenada de personas
o animales que avanzan en hilera.
☞ **desfile.**

— que pertenece a la procesión o se
relaciona con ella, que está ordenado
como procesión: *procesional.*

— libro de rezos que se dicen en las
procesiones: *procesionario.*

— expresión que indica que es imposible hacer más de una cosa a la
vez: *no se puede decir misa y andar
en la procesión.*

proceso 1. Transcurso de fases y cambios en el desarrollo de un fenómeno
o de una cosa. ☞ **desarrollo, evolución.**

— *El proceso mental está sujeto a
continuos estudios.*

— sujetar algo a un conjunto de actividades para cambiarlo: *procesar.*

— en elaboración: *en proceso.*

2. Conjunto de actuaciones y escritos producidos en una causa judicial.
☞ **juicio, pleito.**

— *El proceso judicial determina de
manera sistemática y formal el modo
en que los tribunales juzgan derechos
y obligaciones conforme a la ley.*

— formarle causa judicial a alguien:
procesar.

— que pertenece al proceso o se relaciona con él: *procesal.*

— persona sujeta a juicio: *procesado.*

— derecho que se relaciona con todo
lo que tenga que ver con un juicio y
sus procedimientos: *procesal.*

3. Conjunto seriado de acciones elementales que permiten a un sistema
informático obtener el mismo resultado que se obtendrá mediante la acción principal de cuya descomposición resultan. ☞ **informática.**

— lugar en el que hay una o varias
computadoras y un equipo auxiliar:
centro de proceso.

— parte de una computadora que lee
la información contenida en la memoria y realiza las operaciones solicitadas: *unidad central de proceso (CPU
o UCP).*

proclamar 1. Anunciar algo de modo
solemne. ☞ **divulgar.**

— *Hidalgo proclamó la Independencia de México el 15 de septiembre de
1810.*

— publicación solemne de algo: *proclamación.*

— alocución política o militar: *proclama.*

— notificación en la iglesia católica
de las amonestaciones para los que
van a ordenarse o casarse: *proclamas
matrimoniales.*

2. Conferir a alguien o a algo un título o cierta dignidad. ☞ **designar,
nombrar, otorgar.** ❖ DEPONER.

— *Proclamaron al príncipe heredero
como rey, después de la muerte de su
padre.*

— alabanza pública: *proclamación.*

proclive Que se inclina o tiende hacia
algo, particularmente algo reprobable. ☞ **propenso.**

— condición o calidad de proclive:
proclividad.

procónsul Gobernador de una provincia o cónsul saliente, en la antigua
Roma. ☞ **pretor, magistrado.**

— dignidad de procónsul: *procon-
sulado.*

— tiempo que dura un procónsul en
el ejercicio de sus funciones: *procon-
sulado.*

— que pertenece al procónsul o se
relaciona con él: *proconsular.*

procrear Engendrar o dar vida. ☞ **engendrar, multiplicar.**

— fecundación y generación de un
ser: *procreación.*

— que procrea, engendra, fructifica o
genera: *procreador, procreante.*

proctología Rama de la medicina que
estudia las enfermedades del recto y
el ano. ☞ **recto, ano.**

— médico especialista en recto y
ano: *proctólogo.*

— que deriva del ano o del recto:
proctógeno.

procurar 1. Esforzarse en la obtención
o la realización de algo. ☞ **intentar, tratar.** ❖ DESISTIR.

— *Por más que lo procuro nunca
lograré cocinar bien.*

— cuidado al realizar algo: *procuración.*

2. Dar u ofrecer los medios necesarios para que alguien obtenga un beneficio o bienestar. ☞ **proporcionar.**

— *Mi amiga nos procurará alojamiento en Italia.*

— poder que se da a alguien: *procura, procuración.*

3. Ejercer la función de procurador.

— *Los procuradores en México se eligen por designación presidencial.*

— funcionario encargado de vigilar el
cumplimiento de la ley: *procurador.*

— cargo de procurador: *procuraduría.*

— despacho del procurador: *procuraduría.*

— institución oficial encargada de hacer cumplir la ley en el ámbito federal: *Procuraduría General de la República.*

— institución encargada de promover
y proteger los derechos e intereses de
los consumidores: *Procuraduría Federal del Consumidor.*

— institución encargada de vigilar el
cumplimiento de la ley en el Distrito
Federal: *Procuraduría de Justicia del
Distrito Federal.*

— institución encargada de velar por
los derechos de los menores: *Procuraduría para la Defensa del Menor y
la Familia.*

procurrente Gran extensión de tierra
que se adentra en el mar. ☞ **península.**

prodición Acción desleal o traición.
☞ **alevosía, traición.**

prodigar Colmar o dar mucho de algo,
despilfarrar o malgastar. ☞ **gastar,
dilapidar.** ❖ AHORRAR, ECONOMIZAR.

— abundancia o exuberancia de algo:
prodigalidad.

— que da sin reservas por generosidad: *pródigo.*

— generosidad: *prodigalidad.*

— que malgasta o despilfarra: *pródigo.*

— despilfarro, gasto excesivo: *prodigalidad.*

— actuar sin egoísmo o excederse en
la exhibición personal: *prodigarse.*

prodigio Acontecimiento único, milagroso o maravilloso; persona o cosa
con características extraordinarias.
☞ **milagro, portento.** ❖ BANALIDAD.

— que es maravilloso o milagroso:
prodigioso.

— que es exquisito, primoroso o
excelente: *prodigioso.*

— condición de prodigioso: *prodi-
giosidad.*

pródromo Síntoma o fase inicial de
una enfermedad. ☞ **síntoma, enfermar, enfermedad.**

— que pertenece a la fase inicial de
una enfermedad o se relaciona con
ella: *prodrómico.*

producir 1. Engendrar o procrear, ser
causa natural u origen de algo o de
alguien. ☞ **engendrar, ocasión, origen, ocasionar, originar.** ❖ MORIR.

— *Los chabacanos producen su fruto en verano.*

— acción y resultado de producir: *producción*.

— fecundo: *productivo*.

— que produce: *productor*.

2. Elaborar algo o fabricar objetos o mercancías. ☞ **manufactura, fábrica, manufacturar, fabricar.** ❖ DE-SECHAR.

— *Desde que el hombre empezó a producir máquinas, la industria se desarrolló con gran rapidez*.

— total de los bienes manufacturados: *producción*.

3. Dar una ganancia el dinero invertido. ☞ **redituar, ganar.** ❖ PERDER.

— *Hay épocas en que el dinero en el banco produce más intereses*.

4. Causar un efecto en el cuerpo o ánimo de alguien.

— *La muerte de su amigo le produjo gran pesar y dolor*.

— acontecer algo como efecto de cierta situación: *producirse*.

proejar Remar contra corriente o viento. ☞ **remar.**

proemio Parte introductoria de un libro o discurso. ☞ **prólogo, prefacio.** ❖ EPÍLOGO, CONCLUSIÓN.

— que pertenece al proemio o se relaciona con él: *proemial*.

proeza Acción valerosa o heroica. ☞ **hazaña, gesta.** ❖ COBARDÍA.

profanar Atentar contra algo que se considera sagrado o respetable. ☞ **desdorar, violar, envilecer.** ❖ REVERENCIAR, RESPETAR.

— que es irreverente o que atenta contra lo sagrado: *profano*.

— que no es sagrado: *profano*.

— que no está familiarizado con determinada materia: *profano*.

— cualidad de profano: *profanidad*.

— acción y resultado de profanar: *profanación, profanamiento*.

profecía Predicción inspirada en una divinidad o en ciertos indicios o señales. ☞ **augurio, presagio, oráculo.**

— persona que anuncia acontecimientos futuros con base en señales, indicios o conjeturas: *profeta*.

— persona que, inspirada por un espíritu celestial, transmite un mensaje divino: *profeta*.

— mujer que tiene el don de la profecía: *profetisa*.

— que pertenece al profeta o a la profecía o se relaciona con ellos: *profético, profetal*.

— conjeturar acerca de algo o predecir el futuro debido a ciertos signos que se han observado: *profetizar*.

— divulgar un mensaje divino: *profetizar*.

— cada uno de los varones inspirados por Dios, según la tradición judeo-cristiana, cuyas predicciones están consignadas en el Antiguo Testamento: *profeta*.

— profetas mayores: *Isaías, Jeremías, Ezequiel y Daniel*.

— profetas menores: *Oseas, Joel, Amós, Abdías, Miqueas, Jonás, Nahum, Habacuc, Sofonías, Ageo, Zacarías y Malaquías*.

— libro canónico del Antiguo Testamento que contiene los escritos de los doce profetas menores: *Libro de los profetas*.

proferir Articular palabras o emitir sonidos. ☞ **pronunciar, prorrumpir.** ❖ CALLAR.

— que profiere: *proferente*.

profesar 1. Ingresar y prometer solemnemente cumplir los votos correspondientes a una orden religiosa católica. ☞ **monja, ingresar, velo, tomar el velo.**

— *Un novicio es la persona que ha tomado el hábito religioso pero todavía no ha profesado*.

— acción de jurar solemnemente los votos religiosos: *profesión*.

2. Practicar y actuar conforme a determinada creencia. ☞ **seguir, creer.** ❖ ABOMINAR, ABJURAR.

— *La mayor parte de la población en México profesa el catolicismo*.

— acción de declararse seguidor de ciertas doctrinas o creencias: *profesión de fe*.

3. Ejercer o dedicarse a una actividad que requiere estudios universitarios y licencia para practicarla. ☞ **practicar, ejercer.**

— *Mi padre profesa la medicina*.

— actividad u ocupación que requiere de estudios universitarios y licencia para practicarla: *profesión*.

— que pertenece a una profesión o se relaciona con ella: *profesional*.

profesor,- ra Persona que enseña determinada ciencia o arte. ☞ **maestro, enseñar, instruir.** ❖ ALUMNO, ESTUDIANTE, DISCÍPULO.

— conjunto de profesores en una institución: *profesorado*.

— cargo de profesor: *profesorado*.

profilaxis Conjunto de procedimientos dirigidos a prevenir las enfermedades. ☞ **medicina, medicina preventiva.**

— que previene enfermedades, que pertenece a la profilaxis o se relaciona con ella: *profiláctico*.

— remedio utilizado para evitar una enfermedad: *profiláctico, diafiláctico*.

— eliminación de la causa de una enfermedad: *profilaxis causal*.

— administración de medicamentos para evitar epidemias: *profilaxis química*.

— prevención de infecciones en un sujeto: *profilaxis individual*.

prófugo, -ga Que huye de la persecución de alguna autoridad, de la justicia o de alguna prisión. ☞ **fugitivo, desertor.**

profundizar Llegar hasta la parte más honda o al fondo de una cosa, hacer algo hondo. ☞ **ahondar, profundar.** ❖ SURGIR, EMERGER.

— distancia que hay entre el fondo y la superficie de algo: *profundidad*.

— parte más profunda o escondida de algo: *profundidad*.

— que es extremadamente hondo: *profundo*.

— que penetra o está en la parte más interna de algo o más íntima de alguien, que no es superficial: *profundo*.

— espacio anterior y posterior al plano focal dentro del cual se obtienen imágenes claras: *profundidad del foco*.

— parte del campo de un instrumento óptico que se encuentra entre dos límites dentro de los cuales los objetos dan una imagen neta: *profundidad de campo*.

profuso, -sa Que es muy abundante. ☞ **exceso.** ❖ ESCASO, RALO, PARCO.

— abundancia: *profusión*.

progenie 1. Familia de la cual uno desciende. ☞ **casta.** ❖ HEREDEROS, DESCENDIENTES.

— *La progenie de una dinastía se conoce hasta tiempos ancestrales*.

— padre: *progenitor*.

— madre: *progenitora*.

— padres: *progenitores*.

— pariente en línea recta ascendente con respecto a alguien: *progenitor*.

2. Conjunto de hijos de alguien. ☞ **descender, descendencia.**

— *Tuvo una progenie pequeña: dos hijos*.

progesterona Hormona sexual femenina que favorece la anidación del óvulo en caso de fecundación. ☞ **hormona, estrógeno.** ❖ TESTOSTERONA.

prognatismo Proyección anormal hacia delante de uno o ambos maxilares. ☞ **maxilar, mandíbula.**

— que tiene mandíbula prominente: *prógnato*.

prognosis Diagnóstico anticipado del tiempo o de algún acontecimiento. ☞ **clima, tiempo.**

programa 1. Plan detallado de una serie de actividades y del orden en que se han de realizar, y folleto de los actos de un espectáculo. ☞ **proyecto, guión.**

— *El programa del concierto no está definido todavía.*

— planear algo o establecer la distribución y el orden de sus partes o elementos: *programar*

— acción de programar: *programación.*

— establecimiento de un proyecto: *programación.*

2. Serie por televisión, radio o cine. ☞ **serie, televisión.**

— *Los programas de la televisión se anuncian diariamente en periódicos y revistas.*

— horarios en que se proyectan en la televisión los programas: *programación.*

3. Conjunto de instrucciones perfectamente detalladas, organizadas y ordenadas que permiten que un aparato electrónico pueda cumplir ciertos objetivos. ☞ **informática, cibernética, computación.**

— *¿En qué programa trabajas en esa computadora?*

progresar Desarrollarse algo positivamente o mejorar la vida o cierto aspecto de una persona. ☞ **adelantar, superar.** ❖ RETROCEDER, EMPEORAR, REGRESAR.

— adelanto: *progreso.*

— perfeccionamiento: *progreso.*

— idea del desarrollo gradual e ilimitado de la civilización humana: *progreso.*

— que es gradual o que progresa: *progresivo.*

— conjunto de ideas y tendencias partidarias del progreso en todos los aspectos de la humanidad, particularmente en el social: *progresismo.*

— que se manifiesta en favor del progreso: *progresista.*

— acción de avanzar en algo: *progresión.*

— evolución de un fenómeno o de una magnitud: *progresión.*

— serie de números que se suceden con arreglo a una magnitud constante que se va sumando: *progresión aritmética.*

— sucesión de números con arreglo a una magnitud constante que se va multiplicando: *progresión geométrica.*

prohibir Impedir la realización de algo o su uso. ☞ **vedar, vetar.** ❖ PERMITIR, AUTORIZAR.

— que prohíbe o sirve para prohibir: *prohibitorio.*

— acción y resultado de prohibir o impedimento: *prohibición.*

— vedado, denegado: *prohibido.*

— que por su alto precio no se encuentra al alcance de la mayoría de la población, tratándose de artículos o mercancías: *prohibitivo.*

prohijar Adoptar un hijo, una idea o una doctrina que no es propia. ☞ **proteger, apadrinar.**

— adopción: *prohijación, prohijamiento.*

— adoptante: *prohijador.*

prohombre Varón afamado. ☞ **personaje.**

prójimo Una persona cualquiera con respecto a otra. ☞ **semejante.**

prolapso Caída de un órgano, especialmente su aparición en un orificio natural. ☞ **órgano.**

prole Conjunto de descendientes de alguien. ☞ **progenie.**

prolegómeno Resumen preliminar en que se establecen los fundamentos generales de la materia que se va a tratar. ☞ **preámbulo.**

prolepsis Figura retórica que consiste en refutar de antemano una posible objeción.

proletariado Clase social constituida por los trabajadores que viven de un salario percibido a cambio de su trabajo. ☞ **marxismo, obrero, salario.** ❖ BURGUESÍA.

— acción de tener cada vez menos recursos y tener que vender la fuerza de trabajo: *proletarización.*

— que pertenece a la clase trabajadora o se relaciona con ella: *proletario.*

proliferar Generarse por reproducción de células similares. ☞ **multiplicar, engendrar.**

— multiplicación de algo: *proliferación.*

— que tiene virtud y capacidad de engendrar o reproducirse intensamente: *prolífico, prolígero.*

prolijo, -ja Que es detallado, largo o que es esmerado. ☞ **minucioso.** ❖ CONCISO, DESCUIDADO.

— condición o cualidad de prolijo: *prolijidad.*

prólogo 1. Parte introductoria de un libro o escrito. ☞ **proemio.** ❖ EPÍLOGO.

— *Lo que más me gustó fue el prólogo y la segunda parte de ese libro.*

— escribir el prólogo o la introducción de un texto escrito: *prologar.*

— autor del prólogo de una obra: *prologuista.*

— que pertenece al prólogo o se relaciona con él: *prologal.*

2. Cosa que presenta y antecede a otra.

— *Su malhumor fue el prólogo a su divorcio.*

prolongar Alargar la longitud o duración de algo. ☞ **dilatar, extender.** ❖ ACORTAR, ABREVIAR.

— parte alargada de algo o parte que se añade para prolongarlo: *prolongación.*

— que es susceptible de extenderse o ampliarse: *prolongable.*

— acción de prolongar: *prolongamiento, prolongación.*

— que prolonga o alarga: *prolongador.*

promediar Calcular la media aritmética. ☞ **media.**

— resultado de la división de la suma de varias cantidades entre el número de las mismas: *promedio, media.*

— en general, como término medio: *en promedio.*

prometer 1. Asegurar alguien que va a hacer o dar algo determinado. ☞ **comprometer.**

— *Ella prometió que tendría listo todo en la fecha acordada.*

— manifestación por la que alguien asegura que va a hacer o dar algo: *promesa, prometimiento, promisión.*

— que encierra una promesa: *promisorio.*

— que promete: *prometedor.*

— declararse formalmente en futuro matrimonio: *prometerse.*

— novia futura: *prometida.*

— futuro novio: *prometido.*

2. Dar muestra de capacidad algo o alguien.

— *Esa bailarina promete.*

prominente Que sobresale de lo habitual en el contexto del cual forma parte. ☞ **descollar, destacar, descollante, destacado.** ❖ ANODINO, COMPRIMIDO.

— protuberancia: *prominencia.*

— superioridad: *prominencia.*

promiscuo, -cua Que se encuentra revuelto y mezclado. ☞ **confuso.** ❖ SEPARADO, DIVIDIDO.

— mezcla confusa de algo: *promiscuidad.*

— realizar acciones que son moralmente incompatibles o participar en cosas opuestas: *promiscuar.*

— acción de promiscuar: *promiscuación.*

promontorio 1. Elevación de rocas sobre el mar o elevación en un terreno. ☞ **peñasco, monte.**

— *Desde este promontorio la vista de la bahía es fabulosa.*

2. Amontonamiento de algo sobre una superficie plana. ☞ **pila.**

— *Esos libros forman un promontorio sobre la mesa.*

promover 1. Suscitar o impulsar la realización de algo. ❖ TERMINAR, DETENER.

— *Ya se ha promovido el juicio.*

— acción de promover o impulso: *promoción.*

— animador u organizador de algo: *promotor, promovedor.*

2. Otorgar un ascenso en determinado puesto o función. ☞ **ascender.**

— *Me promovieron en mi trabajo.*

— ascenso: *promoción.*

— otorgar un ascenso en determinado puesto o función o hacer que algo mejore: *promocionar.*

— generación de egresados de algún centro de estudios: *promoción.*

— realizar una serie de acciones encaminadas a aumentar la venta de un producto: *promocionar.*

— técnica para aumentar el volumen de ventas de un producto: *promoción.*

promulgar 1. Publicar algo de manera oficial. ☞ **decretar.**

— *Promulgaron la Ley para la protección de los no fumadores en el área metropolitana en 1990.*

— acción de promulgar: *promulgación.*

2. Propalar determinada información. ☞ **divulgar.** ❖ CALLAR.

— *El chisme se ha promulgado por toda la oficina.*

prono, -na 1. Que tiene tendencia o inclinación por algo. ☞ **propenso.**

— *Ella es prona a comer demasiado.*

2. Que está colocado hacia abajo, tumbado sobre el abdomen. ☞ **posición, boca abajo.** ❖ BOCA ARRIBA.

— *Para hacer lagartijas se necesita estar en posición prona.*

pronombre Cada una de las palabras que sustituye al nombre o sustantivo. ☞ **sustantivo.**

— que pertenece al pronombre o se relaciona con él, que participa de la función del pronombre: *pronominal.*

— pronombre que designa alguna de las tres personas gramaticales: *pronombre personal.*

— personas gramaticales: *primera persona: yo* (la que habla); *segunda persona: tú, usted* (a quien se habla); *tercera persona: él, ella* (de quien se habla).

— plural de "yo": *nosotros, nosotras.*

— plural de "tú" o "usted": *ustedes, vosotros, vosotras.*

— plural de "él, ella": *ellos, ellas.*

— formas del pronombre de la primera persona del singular, de acuerdo con la función que desempeña en la oración: *yo, me, mí, conmigo.*

— formas del pronombre de la primera persona del plural, de acuerdo con la función que desempeña en la oración: *nosotros, nosotras, nos.*

— formas del pronombre de la segunda persona del singular de acuerdo con la función que desempeña en la oración: *tú, te, ti, contigo.*

— formas del pronombre de la segunda persona del plural de acuerdo con la función que desempeña en la oración: *ustedes, vosotros, vosotras, vos.*

pronosticar Anunciar lo que va a ocurrir. ☞ **vaticinar.**

— señal que indica que algo va a ocurrir: *pronóstico.*

— que anuncia un acontecimiento futuro: *pronosticador.*

— acción y resultado de pronosticar: *pronóstico, pronosticación.*

— valoración que hace el médico de una enfermedad: *pronóstico.*

pronto, -ta 1. Que se encuentra preparado o listo para realizar algo. ☞ **presto, listo.** ❖ INDOLENTE, DESCUIDADO.

— *Estoy pronto para la travesía por el Oriente.*

2. Que es veloz, que ocurre de manera rápida. ☞ **inmediato.** ❖ TARDADO, LENTO, TARDO.

— *Exigían la pronta recuperación de sus bienes.*

— celeridad, velocidad o apresuramiento: *pronteza, prontitud.*

3. En poco tiempo, en seguida. ☞ **temprano.**

— *Las lluvias han llegado muy pronto este año.*

— de inmediato: *al pronto.*

— de repente: *de pronto.*

— por el momento: *por lo pronto.*

— enseguida de: *tan pronto como.*

prontuario Compendio de datos de una materia determinada. ☞ **manual.**

prónuba Forma poética de referirse a la madrina de boda. ☞ **madrina, boda.**

pronunciar 1. Articular los sonidos que constituyen el lenguaje para hablar. ☞ **fonética, modular, articular.** ❖ CALLAR.

— *Pronunciar una segunda lengua es difícil.*

— acción y resultado de articular los sonidos al hablar: *pronunciación.*

2. Dictar sentencia o decir algo solemne y públicamente. ☞ **sentenciar.**

— *El juez pronunció el fallo a favor del demandante.*

— sentencia judicial: *pronunciamiento.*

— declararse en determinado sentido o en favor o en contra de algo o alguien: *pronunciarse.*

— sublevarse: *pronunciarse.*

— sublevación encaminada a derribar un gobierno: *pronunciamiento.*

propagar 1. Aumentar el número de una especie. ☞ **reproducir, multiplicar.** ❖ EXTINGUIR.

— *Según la Biblia, después del diluvio las especies animales se propagaron por la Tierra.*

— acción y resultado de propagar: *propagación.*

2. Difundir o extender algo. ❖ LIMITAR, RESTRINGIR, FRENAR, EXTINGUIR.

— *El fuego se propagó por todo el bosque.*

— que tiene la característica de propagar: *propagativo.*

3. Difundir una idea o información. ☞ **divulgar.** ❖ OCULTAR, CONTENER, CALLAR.

— *Los chismes se propagan como pólvora.*

— difusión de algo o de una información: *propagación, propaganda.*

— conjunto de cosas empleadas para difundir determinadas ideas políticas: *propaganda.*

— inclinación o tendencia a hacer propaganda de ideas políticas, sociales o religiosas: *propagandismo.*

— que hace propaganda, especialmente de ideas políticas, sociales o religiosas: *propagandista.*

— que pertenece a la difusión de ideas o se relaciona con ella: *propagandístico.*

— que propaga: *propagador, propagante.*

propalar Divulgar un secreto. ☞ **difundir.** ❖ OCULTAR, CALLAR.

— chismoso o divulgador de secretos: *propalador.*

propano Gas que se emplea como combustible. ☞ **hidrocarburo.**

propasarse Actuar en forma indebida. ☞ **abusar, extralimitarse.** ❖ HACER LO CORRECTO.

— pasar más adelante de lo debido: *propasar.*

propedéutica Preparación que antecede al estudio formal de alguna disciplina.

— que pertenece a la preparación para el estudio de algo o se relaciona con ella: *propedéutico.*

propenso, -sa Que se inclina o tiende hacia algo. ☞ **proclive.** ❖ CONTRARIO, AJENO.
— tender o estar inclinado hacia algo: *propender*.
— inclinación o afición a algo: *propensión*.

propiciar Volver algo o a alguien favorable y positivo. ☞ **favor, benigno, favorecer.**
— que es bueno o favorable para cierta cosa: *propicio*.
— acción de propiciar: *propiciación*.
— sacrificio para atraer el favor divino: *propiciación*.
— favorablemente: *propiciamente*.
— que sirve para favorecer: *propiciatorio*.
— reclinatorio: *propiciatorio*.

propiedad 1. Derecho de gozar y disponer de algo para sí mismo. ☞ **poseer.** ❖ POBREZA.
— *De acuerdo con el Código Civil, hay ciertos bienes que la ley declara irreductibles a propiedad particular.*
2. Cosa que es objeto del dominio de alguien. ☞ **bien, dominio.**
— *De acuerdo con el Código Civil, todo propietario tiene derecho a deslindar su propiedad.*
— que tiene un poder de derecho y dominio sobre un bien determinado: *propietario*.
— que ejerce cierto empleo como titular y no como suplente: *propietario*.
3. Comportamiento considerado socialmente adecuado. ☞ **correcto, corrección.** ❖ IMPROPIEDAD.
— *En los velorios es necesario conducirse con propiedad.*
— bien educado: *propio*.

propileo Vestíbulo de un templo. ☞ **peristilo, atrio, iglesia, abadía.**

propina Retribución con que se recompensa un servicio. ☞ **gratificar, gratificación.**
— dar dinero a alguien como muestra de agradecimiento por sus servicios: *propinar*.
— dar una paliza, gritos o algo que el otro no recibirá gustosamente: *propinar una paliza, propinar gritos, propinar (algo no favorable)*.
— acción y resultado de propinar: *propinación*.

propincuo, -cua Que se encuentra próximo. ☞ **cercano.** ❖ LEJANO, EXTRAÑO.
— cercanía o condición de cercano: *propincuidad*.

propóleos Revestimiento céreo con que las abejas bañan las colmenas antes de producir la miel. ☞ **tanque, colmena.**

proponer Plantear determinadas opciones o proyectos a alguien. ☞ **sugerir, recomendar.** ❖ DESACONSEJAR, DISUADIR.
— tener la intención de hacer algo: *proponerse*.

proporción 1. Relación entre las formas y las dimensiones de las distintas partes de un todo. ☞ **armonía, módulo.** ❖ DESPROPORCIÓN, DESEQUILIBRIO.
— *Gracias a la modulación se guardan las proporciones en una edificación.*
— establecer determinadas relaciones entre las distintas partes de un todo: *proporcionar*.
— armonía de las partes con el todo: *proporcionalidad*.
2. Igualdad de dos razones. ☞ **igualdad, razón.**
— *Hay dos tipos de proporciones: aritmética y geométrica.*

propugnar Defender el desarrollo o la realización de algo, o favorecer una idea o tendencia. ☞ **apoyar.** ❖ AGREDIR, ATACAR, IMPUGNAR.
— acción y resultado de defender algo o a alguien: *propugnación*.
— que propugna: *propugnador*.

propulsar Fomentar el desarrollo de algo o alguien. ☞ **impulsar, impeler.** ❖ FRENAR.
— impulsión: *propulsa*.
— que fomenta e impulsa algo: *propulsor*.
— acción y resultado de propulsar: *propulsión*.
— expulsión de un chorro de vapor o líquido en sentido opuesto al del avance de un avión: *propulsión a chorro*.

prorratear Repartir el pago de algo entre varios de manera proporcional. ☞ **contribuir.**
— cantidad que a cada quien le corresponde cuando se comparten proporcionalmente los gastos: *prorrata*.
— acción y resultado de repartir entre varios cierta cantidad de dinero: *prorrateo*.

prorrogar Extender la duración de algo, continuarlo, proseguirlo. ☞ **aplazar, demorar.** ❖ ABREVIAR, ADELANTAR.
— acción y resultado de extender o prolongar algo: *prórroga, prorrogación*.
— aplazamiento o dilación de algo: *prórroga, prorrogación*.
— que prorroga: *prorrogativo*.

— que puede extenderse: *prorrogable*.

prorrumpir Salir con fuerza o emitir un grito, suspiro o algo bruscamente. ☞ **estallar.** ❖ DESTILAR.

prosa Forma habitual de expresarse o de hablar y escribir, que no es en verso. ❖ POESÍA.
— que pertenece a la prosa o se relaciona con ella: *prosaico*.
— que pertenece a la prosa literaria o se relaciona con ella: *prosístico*.
— autor de obras en prosa: *prosista, prosador*.
— verter en prosa un texto poético: *prosificar*.
— que prosifica: *prosificador*.
— que se encuentra en prosa: *prosado*.
— que es común y ordinario: *prosaico*.
— vulgaridad o cualidad de prosaico: *prosaísmo*.

prosapia Ascendencia ilustre de una persona. ☞ **abolengo, linaje.**

proscenio Parte situada entre el escenario y los bastidores primeros. ☞ **teatro.**

proscribir 1. Excluir el uso de algo. ☞ **impedir.** ❖ PERMITIR.
— *La administración de talidomida en mujeres gestantes se proscribió debido a sus efectos negativos.*
— acción y resultado de proscribir o prohibición: *proscripción*.
2. Desterrar a alguien. ☞ **deportar, expulsar.** ❖ ACOGER.
— *Romeo fue proscrito de Verona cuando mató a un miembro de los Capuleto.*
— desterrado: *proscripto, proscrito*.
— que proscribe: *proscriptor*.

proseguir Continuar con lo que se ha comenzado a hacer o decir. ☞ **persistir.** ❖ INTERRUMPIR, DESISTIR.
— continuación o seguimiento de algo: *proseguimiento, prosecución*.
— que se puede seguir haciendo: *proseguible*.

proselitismo Afán por ganar adeptos a determinada causa. ☞ **sectarismo, partido, partidismo.**
— adepto a una doctrina o grupo: *prosélito*.
— orientado a la consecución de adeptos a una causa determinada: *proselitista*.

prosodia Estudio de todos los elementos que contribuyen a un efecto acústico y rítmico en el lenguaje. ☞ **pronunciar, poesía, retórica.**
— que pertenece a la prosodia o se relaciona con ella: *prosódico*.

— rasgos prosódicos: *acento, tono, entonación.*

— intensificación de la voz que hace resaltar una sílaba entre otras: *acento.*

prosopografía Descripción física de una persona o animal. ☞ **describir.** ❖ ESBOZAR.

prosopopeya Figura retórica que consiste en adjudicar cualidades animadas o propias del hombre a seres inanimados o animales. ☞ **metáfora.**
— *El zapato habló con voz de profeta.*

prospección Estudios geológicos del subsuelo, en particular aquellos para determinar la presencia de yacimientos petrolíferos o acuíferos. ☞ **petróleo.**
— explorar el terreno en busca de yacimientos acuíferos o petrolíferos: *prospectar.*

prospecto 1. Hoja impresa que da las indicaciones pertinentes del uso de un producto, como una medicina, máquina o aparato; impreso que anuncia un espectáculo.
— *Por ir leyendo el prospecto de las inyecciones, me caí.*
2. Candidato.
— *El único prospecto para gerente general de la compañía es el subgerente.*

prosperar Mejorar la situación de algo o de alguien. ☞ **progresar.** ❖ RETROCEDER, EMPEORAR, ATRASARSE.
— situación de lo que mejora o alcanza éxito y bonanza: *prosperidad.*
— que se desarrolla favorablemente o mejora: *próspero.*

prospermia Eyaculación precoz. ☞ **eyacular.**

próstata Glándula masculina de los mamíferos que rodea el cuello de la vejiga y el de la uretra y cuya secreción se mezcla con el semen al eyacular. ☞ **eyacular, pene.**
— que pertenece a la próstata o se relaciona con esta glándula: *prostático.*
— hombre que padece de la próstata: *prostático.*
— inflamación de la próstata: *prostatitis.*

prosternación Postración profunda en señal de respeto. ☞ **arrodillar, postrar.**
— inclinarse en señal de respeto: *prosternarse.*

prostituta Mujer que sostiene relaciones sexuales con alguien a cambio de dinero o de favores. ☞ **puta.**
— hacer que alguien tenga relacio-

nes sexuales con otra por dinero o favores: *prostituir.*
— sostener una persona relaciones sexuales con otra a cambio de dinero o de favores: *prostituirse.*
— acción y resultado de prostituir o prostituirse: *prostitución.*
— casa donde están las prostitutas: *prostíbulo, burdel, lupanar, casa de citas, casa pública, casa de lenocinio, lugar de mala nota.*
— que pertenece al prostíbulo o se relaciona con él: *prostibulario.*

protagonizar Representar el papel principal de una obra de teatro, cine, televisión o literaria o ser la persona o cosa más importante de un acontecimiento. ☞ **desempeñar, estar en primera plana.** ❖ SECUNDAR.
— personaje principal de una obra o persona o cosa más importante de un acontecimiento: *protagonista.*
— que pertenece al protagonista o se relaciona con él: *protagónico.*

proteger Resguardar algo o a alguien para que no sufra algún daño, ayudar a alguien. ☞ **defender, cubrir.** ❖ DESPROTEGER.
— objeto con el que se protege algo o a alguien: *protección.*
— acción de proteger: *protección.*
— que pertenece a la protección o se relaciona con ella: *protectorio.*
— favorito, favorecido o ayudado: *protegido.*
— que resguarda, defiende o protege: *protector.*

proteico, -ca Que es versátil, que cambia constantemente de ideas. ☞ **versátil, mutable, voluble.** ❖ CONSTANTE.

proteína Compuesto orgánico integrado por carbono, hidrógeno, oxígeno, nitrógeno y, a veces, hierro, fósforo y azufre, básico para la vida celular. ☞ **albúmina.**
— que pertenece a las proteínas o se relaciona con ellas: *proteínico, proteico.*
— tratamiento por inyección de proteínas: *proteinoterapia.*
— proteína de casi todos los tejidos animales y vegetales, soluble en el agua y coagulable al calor: *albúmina.*
— que genera proteínas: *proteinógeno.*

protervo, -va Que es malvado, obstinado o soberbio. ☞ **maldad, malo, perverso.** ❖ BUENO, BONDADOSO, HUMILDE.
— condición o calidad de protervo: *protervia, protervidad.*

prótesis 1. Aparato que sustituye un

órgano con su forma y función dentro de lo posible. ☞ **ortopedia.**
— *El adelanto de la medicina ha hecho que cada día las prótesis sean más efectivas y menos aparatosas.*
— dentadura artificial: *prótesis dental.*
— especialista en la elaboración de dientes artificiales: *mecánico dental.*
2. Rama de la terapéutica quirúrgica que tiene como fin sustituir un miembro por otro artificial.
— *La prótesis llamada interna reconstruye con materiales inertes al organismo.*
— que pertenece a la prótesis o se relaciona con ella: *protético, prostético.*
3. Figura de dicción consistente en la adición de un fonema al inicio de una palabra. ☞ **afijo.**
— *Hay gente que dice "enfrenar" en lugar de "frenar", o "ahoy" "por hoy"*

protestantismo Conjunto de iglesias cristianas que desconocen la autoridad universal del Papa; creen que la gracia divina se obtiene por medio de la fe, en la supremacía de la Biblia como única fuente de doctrina y que todo creyente puede ser clérigo. ☞ **cristianismo, religión.**
— que pertenece al protestantismo o se relaciona con él, que es practicante de cualquier rama del protestantismo: *protestante.*

protestar 1. Manifestarse en contra de algo que se considera indebido o injusto, rechazarlo o repudiarlo. ☞ **reclamar, demandar.** ❖ ADMITIR, ACEPTAR.
— *El público protestó por la mala calidad de la puesta en escena.*
— reclamación: *protesta.*
— acción de protestar: *protesta.*
2. Declarar algo formalmente. ☞ **manifestar.** ❖ CALLAR.
— *Protestó decir la verdad el testigo.*
— declaración formal de algo: *protesta.*
— que rinde una declaración o que da testimonio de algo: *protestativo.*
— acción y resultado de protestar: *protestación, protesta, protesto.*
— comprometerse formalmente a cumplir con sus obligaciones en un cargo: *rendir protesta.*

protocolo 1. Conjunto de las reglas de cortesía para cierta ceremonia. ☞ **etiqueta.**
— *En la Cámara de Diputados, el protocolo exige que sea el presidente de la sesión el que otorgue la palabra a quienquiera que la solicite.*

— que se realiza con gran solemnidad: *protocolario*.

— que pertenece al protocolo o se relaciona con él: *protocolar, protocolario*.

2. Documentos que avalan un acuerdo diplomático.

— *El acuerdo quedó asentado en el protocolo*.

3. Registro ordenado de todos los documentos en poder de un notario. ☞ **notaría**.

— *Cada notaría está obligada a guardar un protocolo*.

— incorporar al protocolo algún documento: *protocolizar, protocolar*.

— acción y resultado de protocolizar: *protocolización*.

protón Partícula elemental con carga positiva eléctrica del núcleo del átomo. ☞ **partícula, átomo**.

— que pertenece al protón o se relaciona con él: *protónico*.

protoplasma Sustancia coloidal más o menos líquida, formada por sustancias orgánicas e inorgánicas vitales para la célula. ☞ **célula**.

— que pertenece al protoplasma o se relaciona con él: *protoplasmático*.

— sustancia coloidal del núcleo de las células: *nucleoplasma*.

— sustancia coloidal del resto de la célula: *citoplasma*.

prototipo Persona que reúne las características principales o sobresalientes de algo; primer ejemplar o modelo de algo. ☞ **tipo, modelo**.

protozoario o protozoo Animal unicelular y móvil. ☞ **animal**.

— ciencia de la zoología que se dedica al estudio de los protozoos: *protozoología*.

— biólogo especializado en protozoología: *protozoólogo*.

— enfermedad producida por protozoos: *protozoosis*.

— destructor de protozoos: *protozoacida*.

protráctil Que puede proyectarse a mucha distancia, tratándose de la lengua de algunos animales.

protuberancia Abultamiento que sobresale de una superficie plana. ☞ **prominencia**.

— prominente: *protuberante*.

provecto, -ta Que está adelantado y maduro, que aprovecha el aprendizaje. ☞ **adelante, adelantado**. ❖ RETRASADO, NUEVO.

provecho Beneficio, ganancia o utilidad obtenida a partir de algo o alguien. ☞ **fruto, ventaja**. ❖ PÉRDIDA.

— que causa utilidad, beneficio o ganancia: *provechoso*.

— sacar beneficio o ventaja de algo: *aprovechar*.

— abusar de algo o de alguien: *aprovecharse*.

— que es responsable, honrado y trabajador: *de provecho*.

— frase de cortesía para el que se encuentra comiendo: *buen provecho*.

— en beneficio de: *en provecho de*.

— en beneficio del que realiza algo: *en provecho propio*.

proveer Suministrar lo indispensable para lograr algo. ☞ **aprovisionar**. ❖ PRIVAR, SUSTRAER.

— acción y resultado de proveer: *provisión*.

— acción de proveer: *proveimiento*.

— persona que suministra un bien: *proveedor, provisor, aprovisionador*.

— conjunto de víveres para cualquier emergencia: *provisión*.

— establecimiento donde se guardan las provisiones: *proveeduría*.

provenir Ser originario de determinado lugar, proceder de alguien o de algo. ☞ **proceder**.

— que proviene: *proveniente*.

— origen de algo: *proveniencia*.

proverbio Dicho en el que se expresa un pensamiento de sabiduría popular. ☞ **refrán, adagio, apotegma**.

— que pertenece al proverbio o se relaciona con él: *proverbial*.

— que es conocido por todos: *proverbial*.

— abusar de los proverbios: *proverbiar*.

— coleccionista de proverbios o aficionado a decirlos: *proverbista*.

— libro bíblico que contiene las sentencias de Salomón: *Libro de los Proverbios*.

provicero Persona que vaticina. ☞ **adivinación, adivino**.

provincia División territorial de un país o estado. ☞ **estado, municipio**.

— que pertenece a la provincia o se relaciona con ella: *provincial*.

— habitante de una provincia o lugar que no es una capital o gran ciudad: *provinciano*.

— que está poco acostumbrado a la vida de una capital: *provinciano*.

— tendencia a afirmar las prerrogativas políticas de las provincias con respecto a la capital o exaltación de la vida de provincia: *provincialismo*.

— superior de los conventos que conforman una provincia: *provincial*.

— dignidad de provincial: *provincialato*.

provocar 1. Hacer que suceda algo como reacción o consecuencia de alguna cosa.

— *El olvido de sus lentes provocó que chocáramos contra la barda*.

— que provoca algo como consecuencia de cierta cosa: *provocante, provocador*.

2. Incitar a alguien para que actúe precipitada o violentamente. ☞ **incitar**. ❖ SOSEGAR, TRANQUILIZAR.

— *El adversario lo provocaba con palabras groseras*.

— que incita: *provocador, provocante*.

— que irrita: *provocativo*.

— acción y resultado de provocar la violencia o precipitarla: *provocación*.

3. Producir cierto sentimiento o reacción. ☞ **mover**.

— *Sus respuestas y actitudes provocan ternura*.

— acción y resultado de provocar: *provocación*.

— que excita: *provocativo*.

proxeneta Persona que favorece las relaciones sexuales ilícitas. ☞ **alcahuete**.

— que pertenece al proxeneta o se relaciona con él: *proxenético*.

— oficio de proxeneta: *proxenetismo*.

próximo, -ma Que se encuentra cerca, que es el siguiente en el tiempo o en el espacio. ☞ **contiguo, cerca**. ❖ LEJANO.

— cercanía, inmediación o contigüidad: *proximidad*.

— alrededores o contornos: *proximidades*.

— en un futuro cercano: *próximamente*.

proyectar 1. Planear hacer algo. ☞ **planear**.

— *Ellos proyectan casarse el próximo año*.

— plan, finalidad o propósito: *proyecto*.

2. Dirigir algo hacia adelante o arrojarlo en determinada dirección. ☞ **arrojar**.

— *Preparó la resortera y proyectó la piedra contra un pajarito*.

— cuerpo u objeto lanzado por un arma a altas velocidades para que haga impacto en el blanco: *proyectil*.

— acción y resultado de arrojar algo: *proyección*.

3. Hacer visible la figura o el contorno de alguien o de algo sobre una superficie.

— *La sombra de las nubes se proyectaba sobre sus cabezas.*

4. Trazar líneas rectas sobre un papel que corresponden al corte de la figura de un objeto. ☞ **perspectiva.**

— *Las figuras geométricas se pueden proyectar en esa cartulina.*

— que está representado en perspectiva: *proyecto.*

prudente Que es cauteloso, sensato o cauto. ☞ **moderado.** ❖ IMPRUDENTE, IMPULSIVO, INSENSATO.

— cautela, reflexión, buen juicio o circunspección: *prudencia.*

— que pertenece a la prudencia o se relaciona con ella: *prudencial.*

prurigo Conjunto de las afecciones de la piel caracterizadas por un picor o prurito intenso. ☞ **prurito.**

prurito 1. Sensación de picazón que obliga a rascarse. ☞ **comezón.**

— *Ciertas sustancias causan prurito en la piel.*

2. Afán de lograr algo de la manera más perfecta posible. ☞ **anhelo.**

— *Tiene el prurito de conseguir la beca.*

psicalgia Dolor sin que exista una causa orgánica. ☞ **dolor.**

psicoanálisis Disciplina con base en los postulados y técnicas desarrolladas por Freud, que estudia los procesos mentales no conscientes y sus trastornos y aplica las técnicas desarrolladas para su tratamiento. ☞ **psicología, mente.**

— que practica el psicoanálisis: *psicoanalista.*

psicocinesis Capacidad supuesta de una persona de influir en la condición y movilización de objetos. ☞ **parapsicología.**

psicología 1. Ciencia que estudia la conducta humana, los procesos mentales, las sensaciones o percepciones del hombre y ciertos animales superiores en relación con el medio ambiente. ☞ **psiquiatría.**

— *No pudo terminar la preparatoria porque no aprobó el examen de matemáticas ni el de psicología.*

— especialista en psicología: *psicólogo.*

— que pertenece a la psicología o se relaciona con ella: *psicológico.*

— estudio de los trastornos mentales y conductuales: *psicopatología.*

2. Conjunto de las normas de conducirse una persona o un grupo y sus sentimientos más característicos.

— *Hay varios libros que analizan la psicología femenina.*

psicosis Cada uno de los trastornos mentales que interfieren profundamente en la capacidad del individuo para desenvolverse en todos los ámbitos que lo rodean. ☞ **mente.**

— que pertenece a la psicosis o se relaciona con ella, que padece psicosis: *psicótico.*

psiquiatría Medicina especializada en el diagnóstico y tratamiento de los trastornos mentales mediante el empleo de métodos físicos, químicos o psicológicos. ☞ **medicina, psicología.**

— médico especialista en el tratamiento de los trastornos mentales: *psiquiatra.*

psíquico, -ca Que pertenece a la mente o se relaciona con ella. ☞ **mente.**

— mente: *psique, psiquis.*

ptialismo Secreción excesiva de saliva. ☞ **saliva, salivación, saliorrea.**

— cálculo salival: *ptialito.*

— quiste salival: *ptialocele.*

— incisión de una glándula salival: *ptialolitotomía.*

púa 1. Cuerpo delgado y rígido, terminado en punta aguda. ☞ **pincho.**

— *Hay púas tremendamente filosas.*

— que tiene púas: *puado.*

2. Cada uno de los dientes del peine.

— *Usaba un peine de púas anchas para peinarse los chinos.*

— conjunto de púas de un peine: *puado.*

3. Cada una de las agujas o pinchos de algunos animales.

— *Los puerco espines tienen púas.*

— conjunto de las púas de un animal: *puado.*

4. Chapa de forma triangular de diversos materiales, que se usa para tocar algunos instrumentos de cuerdas.

— *Toca la vihuela con una púa.*

5. Vástago de un árbol que sirve para injerto.

— *En el huerto de árboles frutales hay varios perales con púas.*

púber, -ra Que está llegando a la adolescencia, tratándose de personas. ☞ **adolescente.** ❖ IMPÚBER.

— época de la vida en que tiene lugar una serie de cambios morfológicos y fisiológicos que hacen posible el inicio de las funciones sexuales: *pubertad, pubescencia.*

— que está en la pubertad: *pubescente.*

— llegar a la pubertad: *pubescer.*

pubis Parte inferior del vientre que en la adolescencia se cubre de vello.

— que pertenece a la parte inferior del vientre o pubis, o se relaciona con ella: *pubiano.*

publicar 1. Hacer del conocimiento público o de todos algo. ❖ OCULTAR, CALLAR.

— *Terminado el juicio se publicó la sentencia.*

— que pertenece o que interesa a todos: *público.*

— acción de hacer público algo: *publicación.*

2. Revelar algo que originalmente era secreto. ❖ OCULTAR, CALLAR.

— *Mantuvo oculto su nuevo casamiento y finalmente tuvo que publicarlo.*

3. Editar e imprimir un escrito para difundirlo.

— *Esa editorial publica seis títulos al año.*

— obra editada e impresa que se ha dado a conocer: *publicación.*

— acción de editar e imprimir un texto para difundirlo: *publicación.*

4. Leer las amonestaciones de un matrimonio o de las órdenes sagradas.

— *Se publicaron las amonestaciones con la debida anticipación.*

publicidad 1. Situación de hacer o ser público algo.

— *La publicidad de ese problema laboral ha empeorado las cosas.*

— persona que escribe para el público, generalmente en publicaciones periódicas: *publicista, cronista.*

2. Conjunto de acciones por las cuales se extiende la difusión de una noticia, un hecho o se da a conocer algo llamando la atención del público. ☞ **propaganda, anunciar.**

— *Hay muchas maneras nuevas de hacer publicidad a los productos.*

— que pertenece a la publicidad o se relaciona con ella: *publicitario.*

público, -ca 1. Que es notorio y evidente, que es del conocimiento de todos. ☞ **manifiesto.** ❖ RESERVADO, SECRETO.

— *Es público su rechazo a los regímenes dictatoriales.*

2. Que es para el uso y aprovechamiento de todos, que es contrario a lo privado. ❖ PRIVADO, RESERVADO.

— *En una ciudad todas las vías son públicas.*

3. Que pertenece o se refiere al Estado o gobierno de un país. ☞ **oficial.** ❖ PARTICULAR, PRIVADO.

— *Toda su vida fue funcionario público.*

4. Conjunto de asistentes a un evento o conjunto de personas a quienes se les dirige una información. ☞ **audición.**

— *Es un espectáculo para público de todas las edades.*

— *a la vista de todos: en público.*

puchero 1. Guisado con sopa aguada y verduras. ☞ **sopa.**

— *Le gusta el puchero de res.*

2. Vasija de barro u otro material donde se cuece la comida. ☞ **olla.**

— *Tiene muchos pucheros en su cocina.*

— gestos de los niños cuando empiezan a llorar: *pucheros.*

pudelar Antiguo proceso por el cual se convierte el hierro colado en acero o hierro dulce quemando su carbono.

pudiente Que es poderoso o rico. ❖ POBRE, MISERABLE, DESVALIDO.

pudor 1. Sentimiento de recato hacia las manifestaciones o dichos sexuales. ❖ IMPUDOR.

— *Es tan exagerado su pudor que no quiere escuchar chistes subidos de color.*

— casto, recatado o que refleja pudor: *pudoroso, púdico, pudibundo.*

— virtud religiosa de ser honesto de palabra y obra: *pudicicia.*

— órganos de la reproducción: *partes pudendas.*

— exageración del recato: *pudibundez.*

2. Sentimiento de vergüenza, timidez o pena.

— *A veces le da pudor hablar ante muchas personas.*

— que es vergonzoso: *pudendo.*

pudrirse Descomponerse o dañarse algo.

— acción y resultado de pudrirse: *pudrimiento, pudrición, putrefacción.*

— proceso de corrupción o descomposición: *putrefacción, pudrimiento, pudrición.*

— basurero: *pudridero.*

pueblo 1. Población pequeña o de pocos habitantes.

— *En la ruta del Bajío encuentra uno muchos pueblos.*

2. Conjunto de individuos de un lugar, región o país.

— *El pueblo yucateco tiene fama de separatista.*

3. Conjunto indiferenciado de personas en un lugar determinado.

— *Sonar la boca al comer es mala costumbre del pueblo.*

puente 1. Construcción u objeto de piedra, madera o metal que se usa como vía de comunicación entre dos lugares separados, generalmente por un accidente geográfico.

— *Hay puentes que conectan zonas continentales con islas.*

2. Plataforma de algunas embarcaciones.

— *En ciertos barcos el puente es una plataforma estrecha y con baranda que puede divisarse desde cualquier punto de la cubierta.*

3. Pieza de metal que los dentistas usan para adherir dientes artificiales a los naturales.

— *Los puentes muy ajustados pueden lastimar las encías.*

4. Unión de un fin de semana con un día o dos festivos, incluyendo aquel o aquellos en que se debe trabajar, para tomarlos como asueto.

— *Va a haber un puente la próxima semana y hay que aprovecharlo para irnos de vacaciones.*

— tomarse días extras de asueto cuando hay un festivo intermedio: *hacer puente.*

5. Tablilla que levanta las cuerdas en un instrumento musical.

— *Los puentes de los violines son más angostos que los de las guitarras.*

pueril 1. Que pertenece a la infancia o se relaciona con ella. ❖ MADURO, SENIL.

— *A los quince años rechazabas los juegos pueriles.*

2. Ingenuo, superficial o infundado. ❖ MALICIOSO, PERVERSO.

— *Me pareció pueril su respuesta.*

puerperio Etapa que va desde el parto hasta que los órganos genitales recuperan sus funciones y forma normal anterior al parto.

— mujer recién parida: *puérpera.*

— que pertenece al puerperio o se relaciona con él: *puerperal.*

— enfermedad infecciosa que daba a las parturientas por falta de asepsia médica: *fiebre puerperal.*

puerta 1. Espacio abierto en muros y construcciones por donde uno tiene acceso del exterior al interior de las habitaciones o a otros espacios.

— *Los patios sevillanos suelen tener muchas puertas que convergen en un punto central presidido por una fuente.*

— zaguán o vestíbulo de una casa: *portal.*

— corredor cubierto y amplio con columnas o arcadas: *portal.*

2. Hoja rectangular o superficie de madera, metal u otro material que se pone para cubrir los vanos de los espacios en muros y construcciones.

— *Las puertas de mi casa están pintadas de blanco.*

— persona que cuida puertas de casas o de edificios: *portero.*

— lugar donde habita el portero: *portería.*

3. Entrada, inicio de algo.

— *Está ante las puertas de la felicidad.*

puerto 1. Lugar de la costa del mar o la orilla de un río donde los barcos suelen atracar, tomar combustible, descargar pasajeros y mercancía o refugiarse. ☞ **mar, barco.**

— *Los puertos comerciales suelen tener gran movimiento de mercancías y pasajeros.*

— que pertenece al puerto o se relaciona con él: *portuario.*

— zona de un puerto para carga y descarga de los barcos: *muelle.*

2. Lugar situado entre dos cerros por donde pasa un camino en alto.

— *En ese puerto hay un refugio para excursionistas.*

3. Lugar, circunstancia o persona que sirve de refugio a alguien.

— *Mis amigos siempre constituyen un puerto para mí.*

pues 1. Dado que, en razón o por causa de.

— *Sufre las consecuencias, pues fuiste quien cometió el error.*

2. Entonces, por lo tanto.

— *¿No te gusta escucharme? Pues te arrepentirás.*

3. Reafirma lo que se dice o escribe.

— *Pues claro, así tenía que acabar.*

puesto, -ta 1. Lugar o sitio que ocupa algo o alguien.

— *Siempre le gusta ocupar el primer puesto.*

2. Empleo.

— *La compañía tiene muchos puestos para los nuevos egresados.*

3. Tienda ambulante.

— *Hay muchos puestos de tacos en La Merced.*

— vendedor de un puesto: *puestero.*

— poner un puesto o negociar en un puesto: *puestear.*

4. Lugar, generalmente temporal, donde se encuentra el personal que supervisa la acción de algo.

— *En el camino hay varios puestos de vigilancia.*

5. Lugar donde se oculta el cazador para cobrar presa.

— *Disparó desde un puesto excelente.*

6. Acción y resultado de poner o ponerse algo. ☞ **poner.**

— *Las puestas de sol en Acapulco son muy bellas.*

— acción de poner a funcionar algo: *puesta en marcha.*

púgil 1. Boxeador. ☞ **luchar.**

— *La condición física de los púgiles es muy importante.*

— contienda boxística: *pugilato.*

— que pertenece al boxeo o se relaciona con él: *pugilístico.*

— conjunto de las técnicas del deporte del boxeo: *pugilismo.*

— boxeador: *pugilista.*

2. Luchador que combatía con puñal. ☞ **gladiador, luchar.**

— *Era impresionante observar la destreza de los púgiles romanos.*

pugna Combate, lucha, disputa u oposición entre personas, agrupaciones o países.

— belicosidad: *pugnacidad.*

— pelear, batallar o porfiar por algo: *pugnar.*

— que es peleonero, agresivo o belicoso: *pugnaz.*

— que pugna: *pugnante.*

— que es enemigo o contrario: *pugnante.*

pujamen Tercio u orilla inferior de una vela. ☞ **vela.**

pujar 1. Aumentar el precio de algo en una subasta. ☞ **aumentar.** ❖ DISMINUIR.

— *A medida que avanzaba la subasta todos pujaban más.*

— que aumenta o está en alza: *pujante.*

— persona que va subiendo el precio en una subasta: *pujador.*

2. Hacer fuerza o empeñarse en la realización de algo. ☞ **pugna, pugnar.**

— *Se debe pujar fuerte cuando se desea algo.*

— fuerza, vigor: *pujanza.*

— aspiración intensa de ser cierta cosa: *pujo.*

— sensación fuerte y falsa de evacuar el cuerpo: *pujo.*

— aguantar algo sin demostrarlo: *pujar para adentro.*

3. Tener dificultad de expresión o tambalearse en la realización de algo.

— *Puja mucho al hablar en público porque se pone nervioso.*

4. Emitir los quejidos que preceden, acompañan o siguen al llanto, especialmente los niños. ☞ **llorar, berrear.**

— *Lloró y pujó cuanto pudo pero no le compraron el juguete.*

— ganas de estallar en llanto o risa: *pujo.*

— lamento, queja: *pujido, pujo.*

pulcro, -cra 1. Limpio, aseado. ☞ **limpiar, asear.** ❖ SUCIO, DESASEADO.

— *Es tan excesivamente pulcra que se lava las manos cada vez que regresa de la calle.*

— aseo: *pulcritud.*

2. Que es fino, cuidadoso o esmerado. ❖ DESCUIDADO.

— *Es un trabajo muy pulcro el que entregaste ayer.*

— delicadeza o cuidado: *pulcritud.*

pulgada 1. Medida equivalente a 25.4 milímetros en el sistema métrico decimal. ☞ **medir.**

— *Esa cinta métrica trae pulgadas por un lado y centímetros por el otro.*

2. Medida inglesa de longitud equivalente a 25.4 mm. ☞ **medir.**

— *La pulgada es la duodécima parte de un pie.*

pulgar 1. El dedo más grueso de la mano.

— *A su edad se sigue chupando el pulgar.*

— cantidad o porción agarrada con dos dedos: *pulgarada.*

— golpe que se da apretando el pulgar: *pulgarada.*

2. Sección de un sarmiento que permite nuevos brotes en una planta.

— *De un pulgar de dos yemas pueden brotar vástagos de las vides.*

pulgoso, -sa Que tiene pulgas, desaseado. ☞ **sucio.** ❖ LIMPIO, PULCRO.

— insecto díptero que pica: *pulga.*

— irritación cutánea causada por las pulgas: *pulicosis.*

— lugar que tiene muchas pulgas: *pulguero, pulgueral.*

— lleno de pulgas: *pulguiento.*

— generar preocupación o desazón a alguien: *echarle una pulga detrás de la oreja.*

— rechazar ofensas: *sacudirse las pulgas.*

— ser de mal genio o muy quisquilloso: *tener malas pulgas o ser de pocas pulgas.*

— saber qué conviene hacer en cada caso: *tener manera propia de matar pulgas.*

— expresión que indica que no se es merecedor de algo: *esas pulgas no brincan o saltan en mi petate.*

pulir 1. Abrillantar o volver terso algo tallándolo para quitarle lo opaco o áspero. ☞ **bruñir, pulimentar.** ❖ EMPAÑAR, OPACAR.

— *Los pisos de madera necesitan pulirse con cierta regularidad.*

— que sirve para lustrar y frotar: *pulidor.*

— proceso de frotación que abrillanta superficies u objetos: *pulido, pulimentación.*

— máquina eléctrica que sirve para abrillantar pisos: *pulidora.*

— abrillantar: *pulimentar.*

2. Refinar o quitarle lo rústico a alguien, perfeccionar o mejorar algo. ☞ **educar.**

— *Tiene modos tan rudos que habrá que pulirlo antes de presentarlo con sus superiores.*

— de manera cortés: *pulidamente.*

— cuidado, atildado: *pulido.*

— llamar la atención con algo muy bien hecho: *pulirse.*

pulman o pullman Sección de los trenes donde los asientos se convierten en camas. ☞ **tren, ferrocarril, coche-dormitorio.**

pulmonar Que pertenece al pulmón o se relaciona con él. ☞ **respirar, inspirar, expirar.**

— órgano del sistema respiratorio de los moluscos, arácnidos, vertebrados y seres humanos: *pulmón.*

pulpa 1. Parte blanda, jugosa y carnosa del interior de algunos vegetales y frutas, así como del tejido orgánico de ciertas partes de los animales. ☞ **molla.**

— *Compra un kilo de pulpa en la carnicería.*

2. Médula de las plantas leñosas.

— *La pulpa de madera se usa en la fabricación de papel.*

3. Masa triturada de ciertas frutas y verduras con azúcar o piloncillo.

— *Dame un poco de pulpa de tamarindo.*

púlpito Zona especial de la iglesia, habitualmente en lugar alto, desde donde se dirige a los fieles el predicador. ☞ **estrado, iglesia, predicar.**

pulque (vea recuadro de bebidas). Bebida alcohólica de origen mexicano que se produce al fermentar el aguamiel del maguey. ☞ **maguey, agave.**

— beber pulque: *pulquear.*

— que pertenece al pulque o se relaciona con él: *pulquero.*

— persona que vende o elabora pulque: *pulquero.*

— pulque que se elabora agregando frutas ácidas: *pulque curado.*

— lugar donde se vende y consume pulque: *pulquería.*

— tener el abdomen muy prominente: *tener panza de pulquero.*

pulsar 1. Tocar o rasgar las cuerdas de un instrumento musical con los dedos o con un mecanismo especial. ☞ **tañer, rasguear.**

— *Pulsó de manera vibrante las cuerdas de su guitarra.*

— acción de rasgar las cuerdas de un instrumento musical: *pulsación.*

2. Registrar las pulsaciones o latidos de un enfermo. ☞ **palpitar.**

— *Su pulso era extremadamente débil.*

— cada una de las palpitaciones de algo: *pulsación.*

3. Tantear un asunto para saber cómo tratarlo. ☞ **considerar.**

— *Tuvo que pulsar la gravedad de la situación.*

4. Objeto cósmico que emite señales regulares de luz, ondas de radio, rayos X y rayos gamma.

— *Actualmente se cree que un pulsar es una estrella de neutrones.*

— fluctuación periódica de la luz de una estrella variable: *pulsación.*

— expulsión periódica de gases, agua y vapores de un géiser: *pulsación.*

— erupción intermitente de un volcán: *pulsación volcánica.*

— interruptor que mantiene cerrado un circuito: *pulsador.*

— motor con funcionamiento intermitente: *pulsorreactor.*

pultáceo, -cea 1. Que es blando o tiene consistencia de pulpa.

— *El mastique puesto al sol queda pultáceo.*

2. Que tiene apariencia de podrido o descompuesto. ☞ **corromper, podrir.**

— *Los desechos biodegradables son pultáceos.*

pulular 1. Haber muchas personas moviéndose en un lugar, haber muchas cosas en un sitio. ☞ **bullir.**

— *En las competencias deportivas pululan los espectadores buscando buenos lugares.*

2. Abundar en un lugar insectos o sabandijas. ☞ **proliferar, bullir.**

— *Pululaban las abejas cerca de las flores.*

3. Brotar los vástagos de un vegetal.

— *En los campos hay que ver cómo pululan los sarmientos de las vides.*

pulverizar 1. Volver polvo una sustancia sólida. ☞ **polvo, rociar, desmenuzar.**

— *Pulverizaron el gis para hacerle una broma al maestro.*

— que pulveriza: *pulverizador.*

— aparato para volver polvo un sólido o para reducir a gotas un líquido: *pulverizador.*

— acción y resultado de pulverizar: *pulverización.*

— que se puede pulverizar: *pulverizable.*

— polvoriento: *pulverulento.*

2. Destruir algo de manera real o figurada.

— *Lo pulverizó con su mirada.*

pulla Dicho o burla con que se ridiculiza a alguien. ☞ **bromear, burlar.**

— persona que zahiere a alguien: *pullero, pullista.*

puma Variedad de mamífero carnicero americano parecido al tigre.

puncionar Abrir un tejido con un instrumento filoso. ☞ **pinchar, punzada.**

— que punciona o punza: *punzante.*

— operación de introducir en un órgano un instrumento punzante: *punción.*

— dolor breve e intenso: *punzada, punción.*

pundonor Sentimiento que impulsa a alguien a mantener su prestigio u honra. ☞ **honor, honra, dignidad.** ❖ DESHONOR.

— que defiende su honra: *pundonoroso.*

pungir Hacer padecer a alguien una pena o herir con algo afilado o puntiagudo. ☞ **punzar.**

— que punza o hiere: *pungitivo.*

— acción y resultado de pungir: *pungimiento.*

— puntiagudo o punzante: *pungente.*

punible Susceptible de ser castigado. ☞ **castigar.** ❖ ABSOLVER.

— castigar a un culpable: *punir.*

— castigo: *punición.*

— que pertenece al castigo o se relaciona con él: *punitivo.*

punta 1. Extremo agudo y delgado de algo o punto en que termina; cada uno de los extremos de algo alargado y muy delgado. ❖ LISO, ROMO, CHATO.

— *Las lanzas suelen tener puntas muy filosas.*

2. Extremo más alto o alejado de cualquier cosa o parte delantera. ☞ **tope, polo, culminación.**

— *Compitió por alcanzar la punta en la competencia de motos.*

3. Asta del toro. ☞ **cuerno.**

— *Lo embistió con la punta.*

— herida pequeña realizada con el cuerno: *puntazo.*

4. Pequeña extensión de tierra que penetra al mar. ☞ **cabo.**

— *Durante la tormenta, la punta se vio severamente expuesta al embate de las olas y al viento.*

5. Número no determinado de personas con alguna característica negativa en común.

— *Esa sección de la compañía es una punta de flojos.*

6. Porción de ganado que se separa del hato.

— *Encontré una punta de cabras cerca del riachuelo.*

7. Primera tina en la destilación del pulque.

— *En la punta se corta la semilla.*

8. Sabor ácido o agrio en un vino o en algo que empieza a agriarse.

— *Este vino sabe a punta.*

— por medio de: *a punta de.*

— bien vestido o arreglado: *de punta en blanco.*

— con cortesía: *de punta y talón.*

puntear 1. Marcar, señalar, pintar o grabar puntos en algo.

— *Punteó todo su dibujo para poderlo pirograbar.*

2. Coser.

— *Punteó la orilla del mantel.*

— cada uno de los agujeros hechos con la aguja al coser, espacio entre dos de éstos o porción de hilo que queda cosido en ese espacio: *puntada.*

3. Tocar un instrumento musical ejerciendo presión intensa con un dedo en cada cuerda.

— *Punteó la guitarra un ratito.*

puntera Refuerzo delantero en los zapatos, calcetines o medias. ☞ **punta.**

— calzado de punta angosta: *puntiagudo.*

puntería Facultad de alcanzar con arma de fuego o arrojadiza un blanco. ☞ **tino, pulso, habilidad, acertar.** ❖ FALLAR.

— *Logró dar en el blanco gracias a su buena puntería.*

puntilla 1. Encaje muy fino que se añade a la orilla de las prendas de vestir como remate. ☞ **bordado, encaje.**

— *El ropón del bebé llevaba un remate de puntilla.*

2. Cuchillo sin mango de punta redonda para hacer trazos sobre vidrio.

— *Los vidrieros tienen mucha experiencia con la puntilla.*

3. Puñal corto para rematar a las reses.

— *En el rastro ocupan la puntilla para sacrificar al ganado.*

— rematar un toro después de la lidia: *dar la puntilla.*

puntillo 1. Detalle en el que una persona pundonorosa hace recaer el honor. ☞ **honra, puntilloso, recatado.**

— *Con el puntillo que lo caracteriza, no quiso ir a la fiesta.*

2. Signo musical que, colocado a la derecha de una nota, significa prolongar su sonido.

— *Hoy comenzamos a estudiar el uso del puntillo en la clase de solfeo.*

punto 1. Signo ortográfico empleado para finalizar una idea, después de una abreviatura, y combinado, según el caso, con coma o con otro u otros puntos.

— *El Sr. López murió a las seis; era una tarde de lluvia.*

— forma de marcar una pausa sin salir de la idea: *puntos suspensivos.*

— *No debería decírtelo pero... tu marido te engaña.*

2. Signo matemático que, según su colocación, hace variar los valores numéricos.

— *25x3=75, pero 2.5x.3=0.75*

3. Referencia geográfica. ☞ **lugar, zona.**

— *Cuetzalan es un punto muy escondido de Puebla.*

— división de la Tierra respecto del movimiento de rotación: *puntos cardinales.*

— *El Sol se oculta por el poniente.*

4. En química y física, el momento o lugar preciso de un experimento.

— *El vapor se libera cuando un líquido está en el punto de ebullición.*

5. En costura y tejido, cada una de las partículas que forman el hilo o el estambre. ☞ **puntada, tejido.**

— *Teje la bufanda alternando tres puntos derechos y tres reveses.*

6. Cada una de las partes que constituyen un análisis, discurso, proyecto, etc.

— *Estudiaremos los presupuestos en el punto cuatro.*

puntuación 1. Todos los signos y reglas empleados en un escrito.

— *El contenido de la carta era confuso porque no tenía puntos ni comas.*

2. Forma de medir el desempeño en una actividad. ☞ **calificación.**

— *La puntuación del equipo era baja.*

puntual 1. Cumplidor en sus compromisos. ❖ IMPUNTUAL.

— *Juanito es muy puntual para entregar la tarea.*

— calidad de puntual: *puntualidad.*

2. Preciso, sin rodeos. ❖ IMPRECISO, VAGO.

— *El secretario dio un informe puntual sobre la economía del país.*

puntualizar Especificar todos y cada uno de los detalles. ☞ **concretar, precisar.**

punzada Dolor agudo que se hace sentir como piquete en alguna parte del cuerpo. ☞ **cólico, espasmo.**

— calificación que se da a la etapa de la preadolescencia: *edad de la punzada.*

punzón Herramienta de punta afilada para hacer agujeros. ☞ **púa.**

puñal Cuchillo de mediano tamaño. ☞ **arma blanca, navaja.**

puñalada Herida producida con puñal. ☞ **navajazo.**

puñeta Forma vulgar de llamar a la masturbación masculina. ☞ **paja.**

— golpe con mano cerrada y apretada: *puñetazo.*

pupila Centro más oscuro del ojo. ☞ **niña, ojo.**

pupilo, -la Alumno interno o pensionado. ☞ **huésped.**

— aprendiz en un prostíbulo: *pupila.*

pupitre Escritorio escolar. ☞ **mesa.**

puré Papilla preparada con verduras o frutas cocidas. ☞ **alimento.**

purga Sustancia química o natural empleada como laxante fuerte. ☞ **laxante, purgante.**

— manera de referirse a alguien insoportable: *"me purga".*

purgar 1. Limpiar, quitar residuos. ☞ **evacuar.**

— *El niño está estreñido; convendría purgarlo.*

2. En política, quitar elementos nocivos.

— *El partido realizó una purga.*

3. Expiar o pagar un delito.

— *El delincuente purgará una condena de diez años.*

purgatorio En la religión católica, el sitio a donde van las almas pecadoras antes de alcanzar el cielo.

puritanismo Doctrina religiosa derivada del protestantismo en Inglaterra, en el s. XVII, sumamente rígida en sus postulados.

— que profesa el puritanismo: *puritano.*

— de costumbres morales muy rígidas: *puritano.*

puro, -ra 1. Que se encuentra en un

estado libre de mezcla o contaminación. ☞ **limpio, nítido, prístino.** ❖ IMPURO.

— *Para quitar la sed no hay como el agua pura.*

— calidad de puro: *pureza.*

— que se expresa con pureza: *purista.*

— volver algo puro: *purificar.*

— acción y efecto de purificar: *purificación.*

2. Que preserva la castidad. ☞ **casto, virgen**

— *Los sacerdotes y monjas se deben conservar puros.*

3. Cigarro forjado con hojas enteras de tabaco. ☞ **habanero, tabaco.**

— *Los puros cubanos son famosos internacionalmente.*

púrpura Color rojo muy subido, casi violeta, antiguamente extraído de la tinta de un molusco de igual nombre.

— de tono púrpura: *purpúreo, purpurino.*

purpurado Cardenal de la Iglesia romana.

pus Secreción de los tejidos infectados.

pusilánime Que carece de valor para enfrentar los acontecimientos, y de iniciativa para emprender nuevos retos. ☞ **cobardía.** ❖ VALENTÍA.

pústula Vejiga que se levanta en la piel y se llena de pus.

puta Prostituta, mujer pública. ☞ **meretriz, ramera.**

putañero Dado a ir con prostitutas. ☞ **putero.**

putativo, -va Tenido por padre, madre, hermano, etc., sin serlo.

— *José es el padre putativo de Jesús.*

puto Homosexual masculino. ☞ **maricón, lilo, marica, invertido, loca.**

putrefacto Que se ha descompuesto hasta pudrirse. ☞ **podrido, pútrido.** ❖ FRESCO.

puya Punta de acero en las varas que emplean los picadores y vaqueros para azuzar a las reses. ☞ **púa, puntillo, punzón.**

Q

quan Variedad de tortuga pequeña de origen mexicano.

quasar Cuerpos celestes, de color azul, lejanos y brillantes, recientemente descubiertos por la astrofísica.

que 1. Pronombre que introduce oraciones subordinadas y en ellas sustituye a la frase nominal que le sirve de antecedente. ☞ **pronombre relativo.**

— *La señorita que vino ayer preguntó por la secretaria.*

— ser como cualquier otro: *ser como el que más.*

2. Elemento de relación entre oraciones principales y subordinadas o sólo entre principales; forma parte de construcciones adverbiales y con los adverbios *más* y *menos* forma el grado de comparación de los adjetivos. ☞ **conjunción.**

— *Pudiera ser que vuelva a subir el dólar.*

— alguno, ciertos entre muchos: *uno que otro.*

qué 1. Pronombre y adjetivo interrogativo que sirve para preguntar por un sustantivo, frase nominal o un atributo del sujeto. ☞ **pronombre, adjetivo.**

— *¿Qué me dijiste?*

— pues no importa: *¿y qué?*

— crítica anónima de la gente: *el qué dirán.*

— expresión de saludo: *¿qué tal?, ¿qué cuentas?, ¿qué hubo?, ¿qué hay?*

— sin referencia precisa: *a santo de qué...*

2. Elemento para enfatizar lo que significa una oración exclamativa.

— *¡Qué bonita te ves!*

— ¡cuánta!, ¡cuánto!: *¡qué de!*

quebrar 1. Romper algo o hacerlo pedazos; machacar algo. ☞ **romper, resquebrajar.**

—*Con el pelotazo se quebró el jarrón.*

— frágil, que se puede romper: *quebradizo.*

— grieta: *quebradura, quiebra.*

— roto: *quebrado.*

— reflexionar excesivamente: *quebrarse la cabeza.*

— hablar con voz débil o entrecortada: *quebrársele la voz.*

— expresión utilizada para indicar que alguien es inofensivo aparentemente: *parece que no quiebra un plato.*

2. Girar o dar vuelta para dirigirse a algún lugar. ☞ **torcer, doblar.** ❖ ENDEREZAR.

— *Para llegar a la casa, quiebra a la derecha.*

— pelo ondulado: *pelo quebrado.*

3. Fracasar económicamente un negocio. ☞ **arruinarse, arruinar, hundir.** ❖ SOLVENTAR.

— *Mi negocio quebró.*

— darse por vencido: *quebrarse.*

— fracaso económico, bancarrota: *quiebra.*

— estar sin dinero alguien: *estar quebrado, estar en la quiebra.*

quechol Variedad de ave zancuda americana. ☞ **flamenco, ave.**

quedar 1. Restar, subsistir, permanecer después de haber quitado una parte de algo. ❖ PRESCINDIR, PERDER, FALTAR.

— *Hay que comprar fruta, sólo quedan tres naranjas.*

— no pagar todo el precio o monto de algo: *quedar a deber.*

— conservar alguien una cosa en su poder en vez de devolverla: *quedarse con.*

2. Haber algo todavía como único resultado o posibilidad para una situación determinada o estar cierta cosa por hacerse después de que las otras ya se hicieron.

— *Después de la muerte de sus familiares sólo le queda la resignación de continuar viviendo.*

— haber una única alternativa: *no quedar de otra, no quedar otra.*

— estar algo pendiente: *quedar algo en veremos.*

— llegar alguien a estar sin lo que esperaba: *quedar en nada.*

3. Pasar algo o alguien a cierta situación como resultado de algún acontecimiento o de determinado hecho, terminar, acabar. ❖ CONTINUAR, COMENZAR.

— *Por ver durante mucho tiempo el eclipse quedó ciego.*

— convenir dos o más personas en algo: *quedar de, quedar en.*

— tener algo un resultado bueno o malo: *quedar bien o quedar mal algo.*

— producir buena o mala impresión a alguien: *quedar bien con o quedar mal con.*

— mantener un compromiso o responsabilidad: *quedar en pie.*

— estar muy triste y deprimido por algo o estar una cosa destruida: *quedar hecho trizas.*

— estar golpeado, debilitado o vencido por algo o alguien: *quedar dado al catre.*

— estar asustado o temeroso: *quedarse haciendo cruces.*

— resignarse: *quedarse con las ganas.*

— no intervenir en un acontecimiento o situación: *quedarse con los brazos cruzados.*

— no contestar lo que debería decir: *quedarse chiquito.*

— no entender nada: *quedarse en blanco.*

— estar sereno tras haber cometido una mala acción: *quedarse como si nada, quedarse tan fresco, quedarse como si tal cosa.*

— ponerse en ridículo: *quedar al descubierto y en despoblado, quedar bailando en la cuerda.*

— estar avergonzado: *quedar chato.*

— perder lo que uno tiene o estar sin dinero: *quedar en paños menores, quedarse en cueros, quedarse sin un quinto.*

— asombrarse o sorprenderse por algo: *quedarse con la boca abierta, quedarse de a seis, quedarse de a ocho.*

— desconcertarse de susto o de miedo: *quedarse petrificado, quedarse patidifuso, quedarse helado o frío.*

— esperar inútilmente que suceda algo o que venga alguien para hacer algo: *quedar colgado, quedarse vestido y alborotado.*

— no casarse: *quedarse, quedarse para vestir santos.*

— solterona: *quedada.*

— expresión que alude a una mujer embarazada y abandonada: *quedar como escopeta de pueblo, cargada y arrinconada.*

4. Llegar un vehículo, un animal o persona a un lugar y no poder continuar, haber todavía una distancia por recorrer o cierto periodo de tiempo por pasar para que suceda algo. ❖ CONTINUAR.

— *Quedan dos horas de camino para llegar a Veracruz, y nos tenemos que quedar en Córdoba porque ya no hay autobuses.*

— detenerse en algún lugar durante cierto tiempo: *quedarse.*

5. Permanecer algo en un lugar o a cierta distancia de otra cosa. ☞ **mantenerse.** ❖ MOVER, DESPLAZAR.

— *Esa dirección queda a tres cuadras de aquí.*

— permanecer una persona en un lugar: *quedarse.*

quehacer Labor que se realiza. ☞ **trabajo, faena, ocupación, negocio.**

— causar molestias: *dar quehacer.*

queja 1. Lamento que manifiesta dolor, pena o molestia. ☞ **lamento, jeremiada, lamentación.**

— *Del cementerio llegan las quejas y ayes de los deudos.*

— expresar alguien un sentimiento de dolor, pena o molestia: *quejarse.*

— voz lastimosa o lamento por un dolor o pena: *quejido, quejadora.*

— que se lamenta de cualquier cosa, sin gran motivo o por costumbre: *quejoso, quejica, quejumbroso, quejón.*

— lamento frecuente y sin motivo: *quejumbre.*

2. Protesta o reclamación por inconformidad con alguien o algo. ☞ **protesta, descontento.**

— *Sólo tenía quejas cuando hablaba de su familia.*

— manifestar alguien su enojo, inconformidad o reclamación: *quejarse.*

— disgustado, descontento u ofendido: *quejoso.*

quemar 1. Consumir el fuego algo. ☞ **incendiar, fuego, arder.**

— *Quemaron todos los documentos que los comprometían.*

— incendio, fuego, combustión: *quema, quemada, quemazón.*

— reducir a cenizas algo: *incinerar.*

— quemar un cadáver: *incinerar.*

— acción y resultado de quemar: *quema, cremación, combustión.*

2. Producir algo excesivamente caliente, el fuego o una sustancia cáustica, una herida en el cuerpo o en alguna de sus partes; estar algo excesivamente caliente. ❖ HELAR.

— *La sopa quema; ten cuidado al probarla, no te vaya a quemar la lengua.*

— que quema: *quemante.*

— herida que produce el fuego o una cosa muy caliente: *quemadura.*

— calor excesivo: *quemazón.*

3. Secar el excesivo calor o frío una planta.

— *Las heladas quemaron la milpa.*

— decaimiento de las hojas y otras

partes de la planta debido a cambios excesivos de temperatura: *quemadura.*

4. Producir el sol, una cosa cáustica, el fuego, algo muy caliente u otra cosa una sensación de ardor y dolor. ☞ **arder.**

— *No me echen alcohol en la raspada de la pierna porque me quema.*

— sensación de ardor: *quemazón.*

5. Gastar o consumir alguna cosa.

— *Los niños queman muchas calorías al jugar.*

— quedar mal con alguien: *darse un ligero quemón.*

— desazonar alguien a otro o generar una mala imagen: *quemarse.*

— leer o estudiar mucho: *quemarse las pestañas.*

— decidir algo sin posibilidad de arrepentimiento: *quemar las naves.*

quena Instrumento musical de viento que se construye con caña o carrizo. ☞ **flauta americana.**

querella 1. Queja, reclamación o acusación.

— *Las querellas ante el juez por poco lo conducen a la cárcel.*

— manifestar una persona el resentimiento que tiene de otro, quejarse: *querellarse.*

— quejoso: *querelloso, querellante.*

2. Disputa, pleito o discordia por algo o contra alguien. ☞ **riña, disputa, pleito.**

— *Después de la huelga se dieron querellas con el líder sindical.*

querer 1. Sentir cariño o amor por alguien o por algo. ☞ **cariño, afecto.** ❖ ODIAR, DETESTAR.

— *Quiere profundamente a sus amistades y se desvive por ellas.*

— estimado, amigo, adorado, amado: *querido.*

— amor, cariño, afecto, estimación, ternura: *querer, querencia.*

— tendencia a volver al lugar donde están las personas y cosas queridas: *querencia.*

— que quiere regresar o regresa al lugar donde fue criado, tratándose de animales: *querencioso.*

— que se encariña fácilmente: *querendón.*

— expresión que indica que la persona que realmente quiere, advierte y señala no sólo lo bueno sino también los defectos o errores: *quien bien te quiere, te hará llorar.*

2. Sentir ambición o deseo por obtener algo o ser alguien mejor. ☞ **ambicionar, anhelar.** ❖ RECHAZAR, MENOSPRECIAR.

— *Siempre quiso ser artista de cine.*

— involuntariamente: *sin querer.*

— disimuladamente: *como quien no quiere la cosa.*

— apenarse, avergonzarse: *querer morirse.*

— se desee o no: *quieras que no, quiera que no.*

— expresión que indica que lo que ha logrado alguien es todo lo que podía desear y más que suficiente: *¿Qué más quieres?*

— expresión que indica que los deseos cuestan sacrificios: *el que quiera azul celeste, que le cueste.*

3. Procurar o intentar hacer o lograr algo una persona; necesitar algo una cosa.

— *Quiero llevar a cabo estos nuevos proyectos.*

4. Pedir u ordenar algo.

— *Quiero que vayas a la oficina y recojas los libros de la contabilidad.*

5. Pedir una cantidad precisa de dinero por algo.

— *¿Cuánto quiere por su coche?*

6. Estar algo a punto de ocurrir, estar a punto de funcionar algún mecanismo que fallaba.

— *Ya quiere anochecer y las luces de mi coche no quieren encender.*

— significar: *querer decir.*

— de cualquier modo: *como quiera que sea.*

queso (vea ilustración de la p. 561). Producto comestible sólido que se obtiene después de cuajar la leche y quitarle lo líquido. ☞ **requesón, cuajada.**

— que vende quesos; que le gusta el queso: *quesero.*

— molde para hacer quesos o recipiente para servirlos: *quesera.*

— que pertenece al queso, se relaciona con él o es semejante: *caseoso.*

quetzal (vea ilustración de la p. 562). Variedad de ave trepadora americana, de fino y colorido plumaje. ☞ **ave.**

quexquémil Prenda de vestir exterior femenina en forma de v, habitualmente bordada. ☞ **quisquémil, quesquémel.**

quiasmo Figura retórica que consiste en una doble antítesis, cuyos términos se cruzan. ☞ **paradoja, lítote, zeugma, antología.**

— *El que espera, desespera, pero el que se desespera no espera.*

quien Pronombre relativo masculino o femenino, que sustituye al sujeto cuando se trata de una persona o se refiere a él.

quién 1. Pronombre interrogativo masculino y femenino, utilizado para preguntar por una persona.

— *¿Quién de todos ustedes lo hizo?*

2. Forma genérica de exclamar refiriéndose a una persona.

— *¡Quién lo hubiera dicho!*

— una persona… otra: *quién... quién.*

quieto, -ta 1. Que se encuentra detenido o inmóvil. ☞ **detener, parar. ❖** MÓVIL, ACTIVO.

— *Después de correr se quedó quieto para tomar aliento y descansar.*

— inmovilidad, firmeza: *quietud, quietismo.*

2. Que es calmado, tranquilo o sosegado. ☞ **reposado, silencioso. ❖** INQUIETO, INTRANQUILO.

— *Era un hombre quieto y apacible.*

— calma, sosiego, serenidad, reposo: *quietud.*

— reposar: *aquietarse.*

— de manera pacífica o tranquila: *quietamente.*

quijotesco, -ca 1. Que actúa de modo exageradamente caballeroso o altruista. ☞ **generoso, altruista, idealista. ❖** MEZQUINO, MATERIALISTA.

— *Se portó francamente quijotesco con su herencia.*

— exaltación de la caballerosidad y el idealismo: *quijotismo.*

2. Que actúa con vanidad y orgullo. ☞ **presuntuoso, presumido.**

— *Por andar de quijotesco con su familia política, ya no lo aguantan.*

— forma de proceder exageradamente presuntuosa: *quijotería.*

quilla Pieza de hierro o de madera de un barco, situada en la parte inferior y a la que se sujeta todo el armazón por ir de proa a popa. ☞ **barco.**

quimera 1. Animal fantástico de la mitología griega, con cabeza de león, cuerpo de cabra y cola de dragón.

— *Los héroes griegos luchaban contra las quimeras.*

2. Fantasía o sueño posible, pero no real. ☞ **ilusión, fantasía, sueño. ❖** REALIDAD, VERDAD.

— *El hombre, a veces, vive de quimeras.*

— imaginado, fabuloso: *quimérico.*

— amigo de ficciones y quimeras: *quimerista.*

química Ciencia que estudia las propiedades, composición y estructura de las sustancias o materia y sus transformaciones al combinarse entre sí.

— persona que tiene por profesión la química: *químico.*

— relativo o perteneciente a la química: *químico.*

— minipartícula de materia, invisible a simple vista: *átomo.*

— sustancia formada por átomos de distintos elementos: *compuesto.*

— partícula compuesta de átomos: *molécula.*

— peso del átomo-gramo de un elemento: *peso atómico.*

— peso de una molécula-gramo de un cuerpo: *peso molecular.*

— el que contiene un solo elemento químico: *cuerpo simple.*

queso

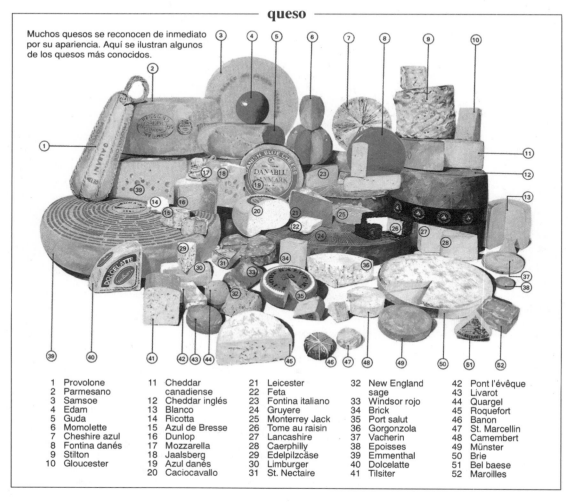

Muchos quesos se reconocen de inmediato por su apariencia. Aquí se ilustran algunos de los quesos más conocidos.

1 Provolone	11 Cheddar canadiense	21 Leicester	32 New England sage	42 Pont l'évêque
2 Parmesano	12 Cheddar inglés	22 Feta	33 Windsor rojo	43 Livarot
3 Samsoe	13 Blanco	23 Fontina italiano	34 Brick	44 Quargel
4 Edam	14 Ricotta	24 Gruyere	35 Port salut	45 Roquefort
5 Guda	15 Azul de Bresse	25 Monterrey Jack	36 Gorgonzola	46 Banon
6 Momolette	16 Dunlop	26 Tome au raisin	37 Vacherin	47 St. Marcellin
7 Cheshire azul	17 Mozzarella	27 Lancashire	38 Epoisses	48 Camembert
8 Fontina danés	18 Jaalsberg	28 Caerphilly	39 Emmenthal	49 Münster
9 Stilton	19 Azul danés	29 Edelpilzcäse	40 Dolcelatte	50 Brie
10 Gloucester	20 Caciocavallo	30 Limburger	41 Tilsiter	51 Bel baese
		31 St. Nectaire		52 Maroilles

— aquél que está constituido por varios elementos químicos: *cuerpo compuesto.*

— ser algo artificial o no natural: *ser pura química.*

— empatía: *química.*

quimono Túnica de seda o algodón, de origen japonés. ☞ **kimono.**

quinquenio Periodo de cinco años. ☞ **año, lustro.**

quintaesencia Lo más puro o refinado de algo; pureza o refinamiento de una cosa.

quiosco 1. Construcción pequeña, abierta a los lados, generalmente con terminados de hierro, situada en medio de los parques o plazas. ☞ **kiosko.**

— *Camina los domingos alrededor del quiosco.*

2. Construcción muy pequeña de metal o puesto de madera donde se venden periódicos y revistas. ☞ **puesto.**

— *Compro mis revistas cada lunes en el quiosco.*

quiromancia Predicción por medio de las líneas de la mano. ☞ **adivinación, buenaventura.**

— individuo que lee las líneas de las manos: *quiromántico.*

— leer el futuro: *predecir, augurar, adivinar.*

— persona que predice el futuro: *adivino, gitano, brujo, agorero, cabalista, zahorí.*

— creencia o fe en causas o efectos sobrenaturales: *superstición.*

— presagio o indicio de acontecimientos futuros: *augurio, agüero.*

quiste Especie de tejido membranoso que se forma en alguna parte del cuerpo. ☞ **tumor.**

quitar 1. Sacar algo o a alguien del lugar en que estaba o alejarlo de quien lo tenía. ☞ **sacar, extraer, alzar, levantar, alejar, apartar.** ❖ PONER, METER, DEJAR, ENTREGAR.

— *Le quitó la cáscara a la mandarina.*

— separar de sí algo que traía puesto o separarse de un lugar: *quitarse.*

— irse: *quitarse, quitarse de enmedio.*

2. Arrebatar o despojar a alguien de algo que le pertenecía. ☞ **arrebatar, despojar, robar.** ❖ DEVOLVER.

— *Sus parientes le quitaron la herencia.*

— matar: *quitar la vida, quitar de enmedio.*

3. Hacer que desaparezca algo dañino, estorboso o malo. ☞ **impedir, obstruir, evitar.** ❖ PROPORCIONAR, DAR.

— *El tratamiento médico ayudó al paciente a quitarse la enfermedad.*

— hacer que una persona deje de tener una inquietud: *quitar un peso de encima.*

— dejar de inquietarse por algo: *quitarse algo de la cabeza.*

4. Hacer alguien o algo que desaparezca un sentimiento o emoción en una persona.

— *Su divorcio le quitó todas las ilusiones y ganas de vivir.*

5. Suprimir algún derecho.

— *Le quitaron la libertad durante tres años.*

— vigilar: *no quitar el ojo de encima.*

— con excepción de: *quitando a.*

6. Impedir la manifestación, acción o funcionamiento de algo. ☞ **privar, estorbar.**

— *Los edificios de enfrente me quitan la luz.*

— dejar de manifestarse algo: *quitarse.*

— mantenerse en lo dicho: *no quitar el dedo del renglón.*

— coincidir: *quitar las palabras de la boca.*

— por cualquier cosa: *por un quítame de allí esas pajas.*

— preocupar: *quitar el sueño.*

— reconocer: *quitarse el sombrero.*

— con suerte: *quien quita y...*

quizás. Tal vez, acaso. ☞ **nunca, jamás.**

quórum Número de miembros necesarios para tomar un acuerdo en una asamblea o junta. ☞ **asamblea.**

quetzal

R

rabada Cuarto trasero en el despiece de las reses.

rabadán Pastor que tiene a su cargo un número considerable de hatos de ganado. ☞ **mayoral.**

rabadilla Extremo distal de la columna vertebral formado por el cóccix y el sacro.

rabanera Mujer que vende rábanos.

rábano Planta herbácea de la familia crucífera, de raíz gruesa y comestible de sabor picante.

rabia 1. Enfermedad infecciosa que ataca a algunos animales como perros y gatos; se transmite al hombre generalmente por mordedura. ☞ **hidrofobia.**
— *El perro de mi vecina murió de rabia.*
2. Coraje, enojo, ira, furia. ☞ **berrinche, pataleta.**
—*Las contrariedades le dan rabia.*
— enojarse con razón o sin ella: *rabiar.*
— enfadarse sin causa aparente: *hacer una rabieta.*

rabillo Prolongación de cualquier cosa que adquiere forma de rabo. ☞ **apéndice.**

rabino Maestro hebreo capaz de transmitir la religión y las leyes judías. ☞ **sacerdote.**

rabión Parte de los ríos donde la corriente es muy violenta o impetuosa debido a la estrechez o inclinación del cauce. ☞ **torrente, río, ribera, rápido.**

rabo Cola de los mamíferos; en los peces sirve como órgano de propulsión.

rabón, -na 1. Que tiene la cola corta, tratándose de animales.
— *El perro de María está muy rabón.*
2. Corto o más pequeño que su tamaño normal.
— *Felipe siempre trae los pantalones rabones.*

racimo Conjunto de flores o frutos que nacen sujetas a un mismo tallo, y que forman a su vez ramas más pequeñas. ☞ **manojo.**

racionar Someter los artículos de primera necesidad, en caso de escasez, a una distribución establecida por la autoridad.
— acción y resultado de racionar: *racionamiento.*
— porción que sale del racionamiento: *ración.*

racha 1. Ráfaga de aire.
— *Una racha hizo volar el techo de palma de la cabaña.*
2. Periodo breve de ventura o desventura. ☞ **periodo, tiempo, lapso.**
—*Tuve una mala racha en el póker.*
3. Raja o astilla grande de madera.
— *Sostén la puerta con una racha.*

rada Puerto natural en donde las naves están a salvo del viento. ☞ **fondeadero, ensenada, bahía.**

radar Aparato electrónico que detecta la presencia, distancia y dirección del movimiento de un objeto, mediante la emisión de ondas de alta frecuencia que se reflejan en él y, si encuentran un obstáculo, regresan al punto de partida.

radiación 1. Acción y resultado de emitir energía. ☞ **rayo, luminiscencia, irradiación.**
— *Mediante la radiación es posible tomar radiografías.*
2. Conjunto de rayos emitidos de un mismo centro.
—*La radiación solar afectó la piel de la niña.*

radiactividad Propiedad de ciertos cuerpos o sustancias, como el uranio, que al desintegrarse emiten partículas alfa, entre otras.
— cuerpo que emite espontáneamente partículas atómicas: *radiactivo.*

radiador 1. Aparato de calefacción compuesto por uno o varios cuerpos huecos.
— *Hay que comprar un radiador para calentar la casa en invierno.*
2. Conjunto de tubos por los que circula agua caliente o vapor, con el fin de mantener la temperatura en ciertos motores. ☞ **automóvil.**
— *Mi auto se descompuso del radiador.*

radial Que pertenece a o se relaciona con el radio. ☞ **onda, radio, segmento.**

radiante 1. Que radia o es irradiado. ☞ **brillante, resplandeciente.**
❖ OPACO.
—*El sol posee una energía radiante.*
2. Que da muestras de alegría o efusividad. ☞ **animado, contento.** ❖ TRISTE.
—*Los enamorados lucen siempre radiantes.*

radiar 1. Emitir radiaciones. ☞ **resplandecer, brillar.**
— *El sol irradia calor y rayos ultravioleta.*
2. Emitir algo por radiotelefonía o radiotelegrafía.
— *El noticiario será radiado a las seis.*
3. Tratamiento médico mediante la utilización de radiaciones.
— *El médico ordenó radiar al paciente con la esperanza de salvar su vida.*

radicalismo Conjunto de ideas encaminadas a transformar de manera radical el orden de cosas existentes. ☞ **extremismo.** ❖ ECLECTICISMO.
— que profesa el radicalismo: *radical, radicalista.*

radicar 1. Echar raíces. ☞ **arraigar. raíz, enraizar, residir.**
— *Marcela desea radicar en España durante un tiempo.*
2. Encontrar ciertas cosas en un determinado sitio.
—*Al mosquito que transmite el paludismo le es posible radicar oculto en los pantanos.*

radio 1. Segmento de una recta que une el centro de una circunferencia con cualquiera de sus puntos.
— *Las piezas que unen el cubo de la rueda con la llanta de una bicicleta se llaman radios.*
2. Apócope de radiodifusión, estación radiodifusora y aparato receptor. ☞ **radiodifusión.**
— *Escuché cantar a Jorge Negrete, ayer, por la radio.*
3. En geometría, distancia entre el centro del círculo y cualquier punto de la circunferencia. ☞ **vector.**
—*Ese círculo tiene 14 centímetros de radio.*
4. El hueso más corto de los dos que forman el antebrazo. ☞ **hueso, esqueleto.**
— *Los huesos del antebrazo son el radio y el cúbito.*
5. Elemento metálico radiactivo; su símbolo es Ra y su peso atómico 88.
— *El radio se encuentra en los minerales del uranio.*
— espacio limitado por una circunferencia trazada a cierta distancia de las últimas casas de una población: *radio de población.*
— extensión o zona donde puede realizarse una acción: *radio de acción.*

— conjunto de emisiones radiotelefónicas o radiotelegráficas: *radiodifusión.*

— que practica la radiodifusión: *radioaficionado.*

— aparato que emite señales radiofónicas: *radioemisor.*

— aparato que recibe señales o mensajes: *radiorreceptor.*

— que escucha las emisiones radiofónicas: *radioescucha, radioyente.*

radiofaro Instalación que emite ondas por medio de las cuales es posible el aterrizaje de aviones o el arribo de barcos a los puertos en condiciones de poca o nula visibilidad. ☞ **faro, proyector.**

radiofonía Sistema de emisión y recepción de señales. ☞ **radiotelefonía, transmisión.**

radiografía 1. Procedimiento para obtener fotografías del interior del cuerpo por medio de rayos X.

— *Rubén aprendió con mucha facilidad a usar el aparato para tomar radiografías.*

2. Imagen obtenida mediante dicho procedimiento.

— *El doctor observó con detenimiento las radiografías de los pulmones de su paciente.*

radiología Parte de la medicina que estudia las radiaciones, en especial los rayos X, para el diagnóstico y el tratamiento de enfermedades.

— relativo a la radiología: *radiológico.*

— que practica la radiología: *radiólogo.*

radiotelegrafía Sistema de comunicación a larga distancia que utiliza un código propio. ☞ **telegrafía, telégrafo.**

— que pertenece a la radiotelegrafía: *radiotelegráfico.*

— que envía mensajes y se ocupa de la instalación, conservación y servicio de las plantas radiotelegráficas: *radiotelegrafista*

radioterapia Tratamiento de enfermedades por medio de la emisión de radiaciones que actúan sobre los tejidos. ☞ **terapia.**

— que se refiere a la radioterapia: *radioterapéutico.*

— especialista en radioterapia: *radioterapeuta.*

raer Raspar con un instrumento cortante para quitar algo que se encuentra adherido a una superficie. ☞ **raspar, rasar, limar, rallar.**

ráfaga 1. Corriente de aire de corta duración. ☞ **viento, ventarrón, huracán, tornado, racha.**

— *Una repentina ráfaga de aire nos refrescó del pesado calor.*

2. Luz que aparece y desaparece de manera súbita.

— *Una ráfaga en el cielo nos hizo pensar que se avecinaba una tormenta.*

3. Conjunto de proyectiles lanzados hacia todas direcciones, a pequeños intervalos, por un arma de fuego. ☞ **disparo, arma, tiro, proyectil.**

— *Ráfagas de metralleta acribillaron a cientos de personas.*

raíz (vea ilustración). 1. Parte interna de algo que le sirve de sostén.

— *Ese diente está muy firme; tiene una raíz muy profunda.*

2. Parte de las plantas que se desarrolla bajo la tierra, cuya función es absorber los nutrientes necesarios para su desarrollo.

raíz

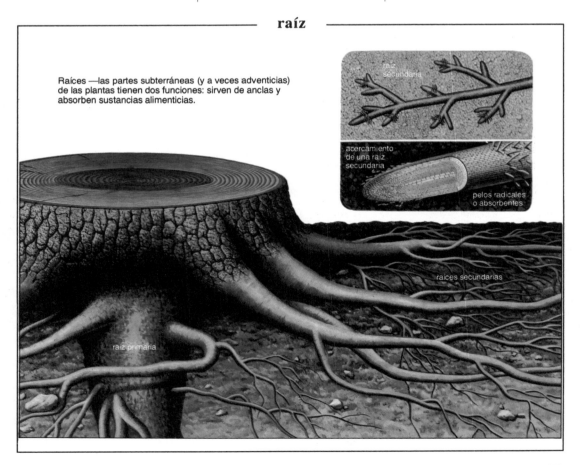

Raíces —las partes subterráneas (y a veces adventicias) de las plantas tienen dos funciones: sirven de anclas y absorben sustancias alimenticias.

raíz secundaria

acercamiento de una raíz secundaria

pelos radicales o absorbentes

raíces secundarias

raíz primaria

— La zanahoria y el betabel son raíces comestibles.

3. Operación que consiste en multiplicar por sí misma una cifra tantas veces como lo indique la potencia a la que está elevada. ☞ **aritmética, número.**

— La raíz cuadrada es una operación que se enseña en secundaria.

4. Parte esencial de una palabra, una vez despojada de los prefijos, sufijos y desinencias. ☞ **lexema, gramática.**

— La raíz de kilómetro es metro.

— entero, desde el principio hasta el fin: *de raíz.*

— que pertenece a la raíz o se relaciona con ella: *radical.*

— raíz dental que permanece incrustada después de la pérdida de la corona: *raigón.*

— conjunto de raíces de las plantas: *raigambre.*

— enraizar en las costumbres o lugares, tratándose de personas: *echar raigambre.*

raja 1. Fragmento de un leño que se obtiene al cortarlo con algún instrumento.

— Con rajas de madera prendimos una fogata.

2. Hendedura o resquebrajadura en una cosa. ☞ **grieta, fisura, corte, tajada.**

— El jarrón tiene una raja en la base.

3. Pedazo que se corta de una fruta o de otros comestibles.

— Carlos se veía chistoso comiendo una raja de sandía.

rajar 1. Extraer rajas.

— Mamá rajó los chiles para el guisado.

2. Partir, abrir.

— Al caerse, la caja se rajó entera.

3. Acobardarse, desistir.

—Pepe se rajó en la pelea.

rajatabla (a) Pase lo que pase, cabalmente, sin contemplaciones.

ralea 1. Especie, género o calidad de una cosa.

—Estos muebles son de baja ralea.

2. En lo que se refiere a personas, clase. ☞ **calaña, raza, casta.**

—Andrés siempre está con gente de su ralea.

ralear Hacerse rala una cosa al perder algunas o todas las cualidades que poseía.

— acción y resultado de ralear: *ralo.*

rallador, -ra Aparato de cocina útil para extraer rajas y desmenuzar ciertos alimentos.

ralladura Surco menudo.

rallar 1. Desmenuzar una cosa restregándola con un rallador.

—Rallamos zanahorias para la ensalada.

2. Molestar con pesadez.

— ¡No ralles!

3. Raer los restos de comida que permanecen adheridos en una olla o plato. ☞ **tallar.**

— Ralla bien ese sartén; está muy cochambroso.

— acción y resultado de rallar: *ralladura.*

rama 1. Parte que nace del tronco o tallo de una planta, de donde dependen las hojas, los frutos y las flores. ☞ **árbol, planta.**

—La crisálida anidó en una rama del rosal.

2. Conjunto de personas que poseen el mismo origen familiar.

—Aunque se apellidan distinto, ambos pertenecen a la misma rama.

3. Parte secundaria de una cosa, que se origina de otra principal.

—La botánica es la rama de la biología que se ocupa del estudio de las plantas.

ramaje Conjunto de ramas. ☞ **manojo.**

ramal 1. Nombre con el que se designa el cabo de una cuerda.

— Se aseguró al barco con fuertes ramales.

2. Camino, arroyo, vía de ferrocarril, etc., que arranca de uno principal.

— Un ramal del tren a Michoacán pasa por Champotón.

3. Tramos de una escalera, comprendidos en la misma meseta.

— Jaime se fracturó la pierna en el ramal que va del segundo al tercer piso.

ramalazo 1. Golpe que se da con el ramal. ☞ **trancazo, golpe.**

— Se enojó tanto que dio de ramalazos contra el suelo.

2. Marca visible en el cuerpo, producida por un golpe o por alguna enfermedad.

— Después del accidente le quedaron varios ramalazos en las piernas.

3. Dolor agudo que repentinamente sufre cualquier parte del cuerpo.

—A media noche sintió el ramalazo del cólico.

rambla 1. Lecho que se forma como producto de las lluvias copiosas para albergar el agua. ☞ **charco.**

— El vecindario acondicionó una rambla para evitar inundaciones.

2. En algunas ciudades españolas, calle ancha y arbolada que generalmente posee un camellón.

— Muchas avenidas en México son similares a las ramblas españolas.

ramera Mujer que se gana la vida sosteniendo relaciones sexuales. ☞ **meretriz, puta, prostituta.**

ramificar Derivar una cosa principal en otras, no necesariamente más pequeñas o menos importantes.

ramo 1. Rama que se origina en el tronco principal.

—Esos árboles están llenos de ramos.

2. Nombre con el que se designa a las ramas ya cortadas de los árboles.

— Hay que juntar ramos secos para una fogata.

3. Conjunto de flores, ramas o hierbas, ya sean naturales o artificiales. ☞ **manojo.**

— Mamá recibió varios ramos de flores en su cumpleaños.

4. Cada una de las partes en que se encuentra dividida una ciencia, arte, etc.

— Rocío es bióloga en el ramo de la ecología.

— ramo pequeño: *ramillete.*

ramonear 1. Cortar las puntas de las ramas de los árboles. ☞ **podar.**

—Haré ramonear los árboles del jardín.

2. Expresión que se utiliza para indicar que los animales se comen las puntas de los árboles, ya sea directamente o cortadas con anterioridad. ☞ **apacentar.**

—Las jirafas ramonean las frondas de los árboles.

— acción y resultado de ramonear: *ramoneo.*

rampa 1. Terreno inclinado. ☞ **cuesta.**

—Los niños jugaron a resbalarse en la rampa.

2. Superficie creada o dispuesta en pendiente, destinada para el deslizamiento o acarreo de materiales diversos.

— Creo que será más fácil bajar el refrigerador con una rampa.

ramplón Vulgar, deficiente.

rana (vea ilustración de la p. 581). Batracio de la orden de los anuros, que llega a medir de ocho a quince centímetros. ☞ **batracio.**

rancio, -cia 1. Alimento graso que con el tiempo adquiere un sabor más fuerte, indicador de mejoría o de haberse echado a perder. ❖ FRESCO.

—En la fiesta sirvieron rancios vinos.

2. Nombre que se da a las cosas antiguas y a las personas apegadas a ellas. ❖ MODERNO.

— Siempre nos gustó el gusto rancio de la casa de los abuelos.

rancho 1. Comida que generalmente consta de un solo platillo y se prepara para mucha gente, como la que ingieren los soldados y los presos.

—La pelea entre los presos comenzó a la hora del rancho.

2. Terreno que además de constituir el lugar de residencia de una familia, es su lugar de trabajo con la tierra o con animales.

— *El tío Miguel tiene un bonito rancho cerca de Toluca.*

— que pertenece a o se relaciona con el rancho: *ranchero.*

rango Categoría social de calidad elevada. ☞ **nivel, abolengo.**

ranura Abertura estrecha y larga que se forma en ciertos materiales, accidental o naturalmente, con diversos fines.

rapacidad Condición del que se dedica a robar. ☞ **rapacería.**

rapar 1. Afeitar las barbas. ☞ **rasurar.**

— *Actualmente casi nadie se rapa la barba en la barbería.*

2. Cortar el pelo al rape. ☞ **peluquería.**

— *En el ejército rapan a los soldados rasos.*

3. Robar con violencia.

— *El hijo de los Pérez se junta con una banda de rapadores.*

— que rapa: *rapador.*

rapaz, -za 1. Inclinado al robo. ☞ **hurto, robo.**

— *El rapaz se llevó las carteras de todos los invitados.*

2. Nombre con el que se designa a ciertas aves, también llamadas de rapiña, que poseen pico córneo o encorvado, garras en los pies y se alimentan de carne.

— *El ganado muerto fue botín de aves rapaces.*

— robo en despoblado: *rapacería.*

rapé Tabaco que, absorbido por la nariz, se empleaba antiguamente como estimulante.

rapidez Movimiento acelerado. ❖ LENTITUD.

— que se desplaza pronto, con ímpetu: *rápido.*

— río o torrente que cae con violencia: *rápido.*

rapiña Robo que se lleva a cabo mediante el uso de la violencia. ☞ **rapacería.**

rapsodia 1. Fragmento de un poema, especialmente de Homero. ☞ **poesía.**

— *Escasos poetas escriben rapsodias hoy día.*

2. Pieza musical que se compone de fragmentos de otras piezas.

— *Las caricaturas infantiles a veces son musicalizadas con rapsodias.*

raptar Secuestrar a una persona mediante la violencia o el engaño.

— acción y resultado de raptar: *rapto.*

— que comete un secuestro: *raptor.*

raqueta Bastidor de madera con mango, utilizado para ciertos juegos de pelota.

raquis Eje de las espigas y de las plumas de las aves. ☞ **pluma.**

— perteneciente al raquis: *raquídeo.*

— parte integrante de la cabeza: *bulbo raquídeo.*

raquitismo Enfermedad crónica, generalmente padecida por los niños, que se manifiesta en la deformación de los huesos debido a la carencia de calcio.

rareza Calidad de raro. ☞ **raridad.**

— extraordinario, fuera de lo común: *raro.*

— escaso o poco común: *raro.*

ras 1. Igualdad en la superficie o altura de las cosas.

— *Los vasos fueron llenados al ras.*

2. Que algo casi toca o roza algún objeto.

— *El avión voló casi a ras de suelo.*

— igualar superficies: *rasar.*

rascacielos Edificio muy alto.

rascar 1. Frotar la piel, generalmente con las uñas.

— *Debido a la varicela, Martita se rasca todo el día.*

2. Herir con las uñas. ☞ **rasguñar.**

— *El gato rascó tanto la pata de la mesa que le hizo surcos.*

3. Limpiar alguna cosa mediante el frotamiento.

— *Tuve que rascarle a la olla para que quedara bien limpia.*

4. Producir sonido en un instrumento con arco.

— *Rascó tan fuerte el violín, que se rompió una cuerda.*

— instrumento útil para rascar: *rascador.*

— sentir picazón constante: *tener rasquiña.*

rasgar Romperse una cosa débil, como el papel o la tela, tirando de una parte de ella. ☞ **desgarrar.**

rasgo 1. Adorno que suele utilizarse en las letras al escribir.

— *La letra estilo gótico tiene unos rasgos muy acentuados.*

2. Cada uno de los dibujos y líneas hechos con un pincel.

— *La pintura de Jorge tiene ciertos rasgos que no me gustan.*

3. Facción del rostro.

— *La cara de Gabriela es de rasgos finos.*

— de modo general: *a grandes rasgos.*

rasguear 1. Tocar la guitarra u otro instrumento con las puntas de los dedos o con una púa.

— *Cuando Juan rasguea la guitarra es señal de que está alegre.*

2. Hacer rasgos con la pluma. ☞ **garabatear, garrapato.**

— *Con la mano izquierda apenas si puedo rasguear sobre el papel.*

rasguñar Arañar o rascar con las uñas, o con algún instrumento fabricado.

raso 1. Que no tiene protuberancias ni salientes. ☞ **plano, liso.** ❖ IRREGULAR.

— *Sobre el terreno raso se improvisó la pista de baile.*

2. Persona que carece de título u otra cosa similar que la distinga.

— *A los soldados sin rango se les denomina rasos.*

3. Se aplica a la atmósfera cuando carece de nubes.

— *El cielo raso invita a hacer un día de campo.*

raspa 1. Filamento presente en pocas gramíneas, como el trigo, formado por el tallo y los pedúnculos, una vez separados los granos.

— *La raspa de los cereales se usa como alimento para el ganado.*

2. En algunos frutos, zurrón. ☞ **cáscara, raspadura.**

— *Algunas esencias frutales las fabrican con la raspa.*

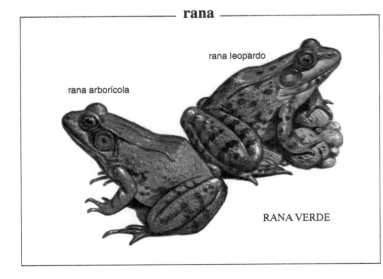

rana

rana leopardo

rana arborícola

RANA VERDE

3. Gente alborotadora y de mal gusto.

— *Esta colonia es de gente muy raspa.*

— baile infantil: *la raspa.*

raspar 1. Raer una cosa para quitarle alguna adherencia superficial. ☞ **lijar.**

— *El ebanista raspó bien la mesa antes de barnizarla.*

2. Sensación que provocan ciertos licores o alimentos de sabor fuerte al picar el paladar.

— *No bebo tequila porque me raspa el paladar.*

— lo que se obtiene de raspar o raer: *raspadura.*

raspón Herida leve en la piel.

rasquiña Afección cutánea que produce comezón intensa. ☞ **picazón, prurito.**

rastrear 1. Buscar algo o a alguien siguiendo los indicios que deja.

— *Van a rastrear la zona en busca de los ladrones.*

2. Indagar, averiguar sobre determinada cosa mediante conjeturas. ☞ **sondear, averiguar.**

— *El coleccionista rastreó el origen de la estatua antes de comprarla.*

3. Desplazarse por el aire casi tocando el suelo.

— *Los helicópteros rastrearon la sierra en busca del avión accidentado.*

— acción y resultado de rastrear: *rastreo.*

— que rastrea: *rastreador.*

— huella: *rastro.*

rastrillo 1. Utensilio formado por una tabla con dientes de metal, que se utiliza para separar la maleza en los sembrados.

— *Removieron las hojas secas del jardín con un rastrillo.*

2. Utensilio provisto de navaja para afeitar. ☞ **rasuradora.**

— *La navaja de mi rastrillo ya no tiene filo.*

rastro 1. Vestigio, señal que deja una cosa. ☞ **huella.**

— *Los ladrones huyeron sin dejar rastro.*

2. Lugar donde se mata el ganado para satisfacer el consumo de carne de una población. ☞ **matadero.**

— *El rastro de la ciudad ya es insuficiente para el abasto de carne.*

rastrojo Residuo que queda de la caña, una vez cortada.

rasurar Raer el pelo, especialmente de la barba y del bigote.

— aparato creado para rasurar: *rasuradora.*

rata 1. Mamífero roedor que llega a medir hasta treinta y seis centímetros desde la punta del hocico hasta la extremidad de la cola.

— *El subsuelo de la ciudad de México está lleno de ratas.*

2. Persona que vive del hurto. ☞ **ratero, ladrón.**

— *El autobús donde viajaba fue asaltado por unos ratas.*

ratería 1. Robo de cosas poco valiosas.

— *Atraparon a una banda de menores que se dedicaba a la ratería.*

2. Vileza o bajeza en los negocios.

— *La venta prenavideña resultó una ratería.*

ratero Persona que roba cosas de poco valor con maña y cautela.

rataplán Forma de referirse al sonido del tambor. ☞ **redoble.**

ratificar Aprobar una cosa, dándola por cierta. ☞ **confirmar.** ❖ INVALIDAR.

rato Lapso generalmente corto.

ratón Mamífero roedor, que mide unos centímetros desde la punta del hocico hasta la extremidad de la cola.

ratonera 1. Trampa para atrapar ratones.

— *Pusimos ratoneras en la cocina y en el patio.*

2. Agujero construido por los ratones para entrar y salir por él. ☞ **madriguera.**

— *Hay que bloquear esa ratonera con cemento.*

raudal 1. Cantidad de agua que corre violentamente. ☞ **rauda.**

— *Las lluvias de mayo formaron un raudal.*

2. Conjunto de cosas que concurren o se derraman de golpe.

— *En el terremoto los libros cayeron a raudales de los estantes.*

raudo -da Veloz, violento. ❖ LENTO.

ravioles Comida hecha a base de trozos de pasta que se rellenan de carne o verduras.

raya 1. Señal larga y estrecha que por combinación de un color con otro, por un pliegue o por una hendedura poco profunda, se produce en forma natural o artificial en un cuerpo cualquiera y con cualquier propósito.

— *Con una raya delimitaron el campo de juego.*

2. Señal o marca que se hace en la cabeza con un peine, a fin de dividir la orientación de los cabellos en el peinado.

— *Dicen que peinarse de raya enmedio es señal de misticismo.*

rayano Situado en la raya que divide dos territorios.

rayar Hacer rayas.

rayo 1. Línea que parte del centro de una circunferencia hacia cualquier punto del perímetro.

— *Con la lluvia de antier se oxidaron los rayos de mi bicicleta.*

2. Línea de luz producida por un cuerpo luminoso.

— *Los rayos del sol se filtraban por el tragaluz.*

3. Chispa eléctrica de gran intensidad que se produce por una descarga entre dos nubes, o entre una de éstas y la tierra. ☞ **relámpago.**

rayón Filamento textil creado artificialmente, muy similar a la seda, y tela producida con él.

rayos X Rayos constituidos por ondas de pequeñísima longitud, que pasan fácilmente a través de muchos cuerpos; producen impresiones fotográficas, y por lo mismo son empleados en medicina como medio de investigación y como tratamiento.

rayuela Juego que consiste en arrojar monedas a una raya dibujada en el suelo, en el que resulta ganador el que más se aproxima a ella.

raza 1. Grupo en que se dividen ciertas especies zoológicas, cuyos caracteres se perpetúan a través de la herencia.

— *Los caballos "pura sangre" son de raza fina, sin mezclas.*

2. Grupo de seres humanos que se distinguen por sus rasgos físicos, el color de la piel, cabello, etc. ☞ **etnia.**

— *Existen, fundamentalmente, tres razas humanas: la blanca, la negra y la asiática.*

— que pertenece a o se relaciona con la raza: *racial.*

— afirmación de la superioridad de una raza sobre otra: *racismo.*

— adepto al racismo: *racista.*

razón 1. Facultad de reflexionar. ☞ **entendimiento, juicio, raciocinio.**

— *Estaba tan enojado que se le nubló la razón.*

2. Argumento o afirmación utilizado para apoyar o demostrar algo. ☞ **causa, motivo.** ❖ SINRAZÓN.

— *Con evidente razón demostró que era inocente.*

— nombre y firma con los que se conoce una compañía: *razón social.*

— reconocer que se está equivocado: *entrar en razón.*

— aceptar que alguien obra o piensa con fundamentos apropiados: *dar la razón.*

— que vale más la práctica que los argumentos: *amores son obras y no buenas razones.*

razonar Discurrir por medio de razones con el fin de probar una cosa. ☞ **argumentar, distinguir, inferir, reflexionar.**

— acción y resultado de razonar: *razonamiento.*

— que se vale del razonamiento: *razón*.

— que se ajusta a la razón: *razonable*.

— dotado de razón: *racional*.

— reducir a conceptos racionales: *racionalizar*.

— doctrina que se basa en la razón: *racionalismo*.

razzia 1. Expedición guerrera de los musulmanes contra los infieles con el fin de destruir, mas no de establecerse de manera permanente.

— *En cada razzia, los musulmanes intimidaban a poblaciones para saquearlas*.

2. Incursión policial violenta contra grupos minoritarios. ☞ **redada.**

— *La policía realizó una razzia sabatina en varias colonias de la ciudad*.

re (vea recuadro de prefijos) 1. Partícula que antepuesta a ciertas palabras significa oposición, negación o repetición.

— *La palabra reabrir se compone del prefijo re y el verbo abrir*.

2. Segunda nota de la escala musical.

— *Manuel interpretó una melodía al piano en re*.

reabrir Volver a abrir lo que estaba ya cerrado.

— acción y resultado de reabrir: *reapertura*.

reaccionar Cambiar las actitudes, disposiciones y respuestas motivadas por un agente externo.

— acción y resultado de reaccionar: *reacción*.

— reacción que genera otras en sucesión: *reacción en cadena*.

— que se opone a cambiar lo establecido y se aferra a viejas ideas, tratándose de personas: *reaccionario*.

reacio, -cia Que muestra resistencia a obedecer, a secundar una acción, o a permitir que ésta ejerza algún tipo de influencia sobre él. ☞ **desobediente, rebelde, terco.** ❖ PRESTO.

reactivar Poner de nuevo en funcionamiento algo que dejó de estarlo.

— que puede producir reacción: *reactivo*.

reactor Motor destinado a producir y regular las reacciones nucleares.

reafirmar Afirmar nuevamente. ☞ **asegurar, ratificar, confirmar.** ❖ RECTIFICAR.

— acción y resultado de reafirmar: *reafirmación*.

reagravar Volver a agravarse o agravarse más.

— acción y resultado de reagravar: *reagravamiento*.

reagrupar Agrupar de nuevo, de manera distinta, lo que estaba ya agrupado.

— acción y resultado de reagrupar: *reagrupación, reagrupamiento*.

reajustar Volver a ajustar o revisar el ajuste. ☞ **reacomodar, conformar, compaginar.**

— acción y resultado de reajustar: *reajuste*.

real 1. Que pertenece o es relativo a los reyes o a la nobleza. ❖ PLEBEYO.

— *Los navíos fueron identificados por el estandarte real colocado en el mástil mayor*.

— dignidad o soberanía, tratándose de reyes: *realeza*.

2. Que tiene existencia verdadera. ☞ **auténtico, cierto, verdadero.** ❖ IRREAL.

— *Héctor escribió un cuento basado en un hecho de la vida real*.

— existencia efectiva: *realidad*.

— sin duda, en efecto: *en realidad, realmente*.

realizar Hacer real una cosa. ☞ **armar, componer, construir, hacer, efectuar.** ❖ ABSTENER, INCUMPLIR.

— que se puede realizar: *realizable*.

— acción y resultado de realizar o realizarse: *realización*.

— encargado de realizar algo: *realizador*.

— corriente basada en la existencia objetiva de la realidad: *realismo*.

— que profesa el realismo: *realista*.

realzar 1. Levantar una cosa por encima de donde estaba.

— *En algunas esculturas de madera, el artífice debe realzar los puntos más interesantes del modelo*.

2. Ilustrar o engrandecer.

— *Es necesario realzar las cualidades de la pintura mexicana*.

— acción y resultado de realzar: *realce*.

reanimar Restablecer la fuerza. ☞ **alentar, animar, reforzar, confortar.** ❖ DESALENTAR.

— acción y resultado de reanimar: *reanimación*.

reanudar Volver, después de un intervalo, a lo que se había estado haciendo. ☞ **continuar, proseguir, renovar.** ❖ CANCELAR.

— acción y resultado de reanudar: *reanudación*.

reaparecer Aparecer o mostrarse de nuevo.

— acción y resultado de reaparecer: *reaparición, reaparecimiento*.

rearme Aumento del arsenal militar existente.

reasumir Volver a tomar el puesto, cargo o funciones que se habían abandonado. ☞ **reinicio.** ❖ ABANDONAR.

rebaba Materia sobrante que se forma en los bordes o en la superficie de un objeto.

rebajar 1. Hacer más bajo el nivel o superficie horizontal de un objeto. ☞ **escatimar, menguar, reducir.** ❖ AUMENTAR, INCREMENTAR.

— *Rebajamos un poco el nivel de la mesa porque estaba muy alta*.

2. Humillar o humillarse.

— *Su amor por Héctor la hacía rebajarse ante él*.

— acción y resultado de rebajar: *rebaja*.

— disminución, reducción o descuento: *rebaja*.

rebanar Cortar en rebanadas; dividir una pieza en porciones.

— acción y resultado de rebanar: *rebanada*.

rebaño 1. Hato de ganado, en especial el lanar. ☞ **grey.**

— *En el rancho del tío Miguel hay un gran rebaño de ovejas*.

2. Congregación de fieles adscritos a una iglesia y un guía espiritual.

— *El sacerdote se refirió a los feligreses como el rebaño del señor*.

rebasar Exceder un límite. ☞ **colmar, derramar, exceder, sobrepasar.** ❖ CONTENER.

rebatir Rechazar o contrarrestar una fuerza. ☞ **reforzar, vencer.** ❖ ACEPTAR.

rebato Convocación de aldeanos para defenderse de un suceso inesperado.

rebelarse Levantarse oponiéndose a la obediencia. ☞ **alzarse, indignarse, protestar, sublevarse.** ❖ SOMETERSE.

— oponer resistencia: *rebelarse*.

— acción y resultado de rebelarse: *rebelión*.

— que se alza contra lo establecido: *rebelde*.

reblandecer Ablandar una cosa, enternecerla. ☞ **enternecer, macerar.** ❖ ENDURECER.

— acción y resultado de reblandecer: *reblandecimiento*.

reborde Línea delgada que sobresale a lo largo del borde de alguna cosa. ☞ **cornisa, saliente.**

rebosar Que rebosa. ☞ **derramar, desbordar, fluir.**

— que se derrama por encima del borde: *rebosante*.

rebotar 1. Cualidad de los cuerpos elásticos para botar en forma repetida.

— *Esta pelota de esponja rebota espectacularmente*.

2. Rechazar o cambiar la dirección un cuerpo en movimiento al haber chocado contra un obstáculo que lo obliga a retroceder.

— *Me caí de sentón después de rebotar en el árbol*.

2. Embotar, entorpecer.

— *Cuando trabajo en exceso, siento que me rebota la cabeza*.

— acción y resultado de rebotar: *rebote*.

rebozo 1. Modo de llevar la capa cubriendo parte del rostro. ☞ **embozado**.

— *Su rebozo impedía verle la cara*.

2. Manto rectangular utilizado por las mujeres. ☞ **chal**.

— *En el pueblo de Cuetzalan todas las mujeres usan rebozo*.

rebrote 1. Nuevo brote de las plantas. ☞ **retoño, aliño**.

— *Los rosales amanecieron llenos de rebrotes*.

2. Aparición o resurgimiento de cosas que se habían amortiguado.

— *Para sorpresa de los médicos, hubo un rebrote de hepatitis en una colonia de escasos recursos*.

rebumbio Ruido retumbante.

rebuscado, -da 1. Que se refiere a lo amanerado, afectado.

— *Como es actor, sus maneras parecen rebuscadas*.

2. Lenguaje o expresión que da señas de preciosismo.

— *A Alberto le gusta escribir en forma muy rebuscada*.

— calidad de rebuscado: *rebuscamiento*.

rebuznar (vea recuadro de voces animales) Voz del asno.

recabar 1. Conseguir por cualquier medio lo que se desea obtener. ☞ **alcanzar, lograr**.

— *Como cantante, Elmer ha recabado experiencia*.

2. Recoger y guardar. ☞ **recaudar**.

— *Los trabajadores de la fábrica van a recabar firmas para presentar sus protestas por escrito*.

recado Mensaje o respuesta de palabra o por escrito que una persona envía a otra. ☞ **aviso**.

— que se dedica a llevar y traer mensajes: *recadero*.

recaer 1. Volver a caer. ☞ **reincidir, reiterar**.

— *Sara recayó en su manía de fumar*.

2. Enfermar nuevamente cuando ya se había sanado.

— *Si no me hubiera cuidado el resfriado, hubiera recaído*.

3. Venir a caer o parar en uno beneficios o gravámenes.

— *La economía del hogar recae en el jefe de familia*.

— acción y resultado de recaer: *recaída*.

recalar 1. Penetrar un buque o cualquier embarcación a la bahía. ☞ **anclar, arribar, entrar, llegar**.

— *Debido a la marea, el barco recaló con dificultades*.

2. Llegar el viento o el mar al sitio donde se halla un buque o cualquier embarcación.

— *Al recalar el oleaje contra la lancha afectó al motor*.

recalcar 1. Apretar mucho una cosa con otra. ☞ **prensar, acentuar, insistir, subrayar**.

2. Apretar el contenido dentro de un recipiente a fin de verter más sobre él. **atiborrar, comprimir**.

— *Si recalcas más la maleta, reventará*.

3. Pronunciar una serie de palabras con lentitud y mayor énfasis de lo normal, con objeto de no despertar alguna duda sobre lo dicho.

— *Mamá recalcó que debíamos llegar temprano a casa*.

recalcitrante Que se muestra obstinado o se resiste ante algo. ☞ **terco, necio, rebelde, obstinado**.

recalentar Volver a calentar o calentar en demasía.

— acción y resultado de recalentar o recalentarse: *recalentamiento*.

recámara 1. Habitación destinada para guardar los vestidos o alhajas. ☞ **vestidor**.

— *Tu traje nuevo está en la recámara de tu hermana*.

2. Lugar donde se guardan los explosivos en el interior de una mina. ☞ **depósito, hornillo, reserva**.

— *La mina explotó debido a que en la recámara se encontraban los explosivos sin ninguna protección*.

2. Parte de un arma de fuego donde se coloca el cartucho.

— *Si no das mantenimiento a ese rifle, se oxidará la recámara*.

3. Alcoba o aposento.

— *Cada una de las Corcuera tiene su propia recámara*.

recambio Acción y resultado de volver a cambiar.

recapacitar Recoger el pensamiento, refrescando la memoria y meditando sobre determinado tópico. ☞ **reflexionar, recordar**.

— acción y resultado de recapacitar: *recapacitación*.

recapitular Retomar lo que se había expresado con abundancia antes.

— acción y resultado de recapitular: *recapitulación*.

recargar 1. Volver a cargar o aumentar la carga. ☞ **abrumar, agravar**. ❖ ALIGERAR, DISMINUIR, SUAVIZAR.

— *Recargué la canasta y se desfondó*.

2. Incrementar una cantidad que se adeuda o se impone.

— *La Secretaría de Hacienda recargó las tasas de impuestos*.

3. Adornar con exceso.

— *El vestido de la quinceañera estaba recargado de lentejuelas*.

— calidad de recargar: *recargado*.

— que no es sencillo: *recargado*.

— nueva carga o aumento de ella, tratándose de dinero: *recargo*.

recato Cautela, reserva. ❖ DESPARPAJO, DESVERGÜENZA, INMODESTIA.

— que tiende a ser prudente: *recatado*.

recaudar Cobrar o percibir caudales. ☞ **embolsar, exigir, percibir, recolectar**.

— encargado de cobrar impuestos: *recaudador*.

— bien guardado, seguro, bien custodiado: *tener o poner a buen recaudo*.

recelar Desconfiar, temer. ☞ **sospechar, dudar, maliciar**.

— acción y resultado de recelar: *recelo*.

— que tiene recelo: *receloso*.

recepción 1. Acción y resultado de recibir. ☞ **aceptación, admisión, ingreso**.

— *La Cancillería dio una cálida recepción a los presidentes invitados*.

2. Reunión de carácter festivo celebrada en una casa particular.

— *Ojalá puedas venir esta noche a la recepción que daré en mi casa*.

receptáculo Cavidad capaz de contener algo.

receptor, -ra Que recibe o recepta. ☞ **oyente**. ❖ EMISOR.

recesión Depresión en las actividades industriales y comerciales; disminución de las actividades económicas.

receso 1. Separación, apartamiento. ☞ **escisión**.

— *Por discrepancias, el grupo ecologista se declaró en receso de la junta sobre medio ambiente*.

2. Suspensión pasajera.

— *Los niños en la escuela tienen un receso de treinta minutos cada día*.

recetar Prescribir el médico una medicina, su dosis y la manera de prepararla. ☞ **formular, ordenar**.

— acción y resultado de recetar: *receta*.

— libro donde el médico anota las medicinas que prescribe al paciente: *recetario*.

— libro de cocina: *recetario*.

recibidor Pieza que da entrada a una casa, oficina, hotel, consultorio, etc. ☞ **antesala, vestíbulo**.

recibir 1. Apoderarse alguien de lo que le dan o envían. ☞ **obtener**. ❖ DAR.

— *Con gusto recibió sus regalos de aniversario*.

2. Sustentar un cuerpo u objeto. ☞ **sostener**.

— *El cátcher recibió la bola distraídamente*.

3. Hacerse cargo uno de algo que le han enviado.

— *El jefe recibió un telegrama de felicitación de sus empleados*.

4. Admitir dentro de sí. ☞ **aceptar**.

— *Recibió los alimentos con agrado después de días de inapetencia.*

5. Salir a encontrarse con alguien que viene de fuera. ☞ **acoger.** ❖ RECHAZAR.

— *Nos recibieron con descortesía en el aeropuerto de Chicago.*

— acogida que viene de fuera: *recibimiento.*

6. Admitir la investidura o el título para ejercer una profesión.

—*Karina se recibió de secretaria.*

recibo Escrito o resguardo firmado en el que se declara haber recibido dinero u otro bien material.

reciente Nuevo, fresco, acabado de hacer o de hacerse. ☞ **actual, moderno.** ❖ ANTERIOR, ANTIGUO.

recinto Espacio delimitado. ☞ **ámbito, espacio, cuarto.**

recio, -cia 1. Fuerte, vigoroso. ☞ **robusto, áspero, duro.** ❖ DÉBIL.

—*Los deportistas forjan músculos recios.*

2. Veloz, impetuoso.

—*El choque se produjo porque ambos vehículos iban muy recio.*

— calidad de recio: *reciedumbre.*

recipiente Cavidad que recibe líquidos o sólidos. ☞ **envase, receptáculo.**

recíproco, -ca Que tiende a corresponder. ☞ **mutuo.** ❖ UNILATERAL.

— calidad de recíproco: *reciprocidad.*

recital Concierto a cargo de un solista o grupo musical.

recitar Pronunciar en voz alta y con ademanes propios versos, discursos, poemas, etc. ☞ **declamar, entonar.**

— acción y resultado de recitar: *recitación.*

— que recita: *recitador.*

reclamar 1. Oponerse a una cosa verbalmente o por escrito. ☞ **exigir, quejarse, pedir.** ❖ ACEPTAR.

— *La junta de vecinos reclamó a la delegación por la falta de agua en la zona.*

2. Solicitud vehemente.

—*El bebé llora reclamando atención.*

— acción y resultado de reclamar: *reclamación, reclamo.*

— que reclama: *reclamador.*

reclamo (vea recuadro de voces animales) Voz con que el ave atrae a las demás.

reclinar Inclinar el cuerpo o alguna cosa con apoyo de otra. ☞ **apoyar, recostar.**

— acción y resultado de reclinar: *reclinación.*

— que es útil para reclinarse: *reclinatorio.*

— silla que se inclina a gusto del usuario: *reclinatoria.*

recluir Poner en aislamiento, voluntaria o forzadamente. ☞ **encerrar, aprisionar, encarcelar.** ❖ LIBERAR.

— acción y resultado de recluir: *reclusión.*

— lugar de reclusión: *reclusorio.*

reclutar 1. Alistar soldados. ☞ **enganchar, enrolar.**

—*El ejército recluta cada año nuevos elementos para sus filas.*

2. Buscar o congregar adeptos para un propósito determinado.

—*Para el maratón se reclutó a numerosos corredores.*

— acción y efecto de reclutar: *reclutamiento.*

— conjunto de reclutas: *reclutamiento.*

— voluntario del ejército: *recluta.*

recobrar Volver a tener lo que se poseía antes. ☞ **recuperar.** ❖ PERDER.

recocer 1. Volver a cocer.

—*La carne está cruda; hay que recocerla.*

2. Cocer en demasía.

—*Estas verduras se recocieron; están muy blandas.*

3. Calentar los metales con objeto de que recobren el temple y la ductilidad originales.

— *Marcos se encarga de recocer el acero en la fundidora donde trabaja.*

— acción y resultado de recocer: *recocimiento.*

recodo Cambio de dirección en las calles y en la corriente de los ríos. ☞ **ángulo, esquina.**

recoger 1. Reunir cosas dispersas. ☞ **acopiar, acumular, juntar.** ❖ DISPERSAR.

— *Me gusta recoger mis cabellos en un chongo.*

2. Levantar las cosechas. ☞ **recolectar.**

—*Mayo es la época de recoger el algodón.*

3. Levantar y guardar una cosa.

—*Recoge todos los juguetes que tiraste.*

4. Dar asilo o retirarse voluntariamente. ☞ **acoger, recluirse.**

—*Al quedar huérfanos, los niños fueron recogidos por sus tíos.*

— acción y resultado de recoger: *recogimiento.*

— que vive aisladamente: *recogido.*

— menor bajo tutelaje: *recogido.*

recolectar Juntar. ☞ **alzar, cosechar, recoger.**

— acción y resultado de recolectar: *recolección.*

— encargado de recolectar: *recolector.*

recomendable Que es digno de ser recomendado. ☞ **estimable.**

recomendado, -da Persona de la que se ha hecho una recomendación.

recomendación 1. Acción y resultado de recomendar o recomendarse. ☞ **alabanza, comisión.**

— *Se hicieron recomendaciones al personal sobre qué hacer en caso de ocurrir un temblor*

2. Encargo que se hace a otro. ☞ **favor.**

— *Te recomiendo mucho a mi gato mientras estoy fuera.*

recomendar Pedir a una persona que se haga cargo de una tercera, o de un negocio. ☞ **encomienda, favor.**

— acción y resultado de recomendar: *recomendación.*

recomenzar Comenzar de nuevo. ☞ **reinicio.**

— acción y resultado de recomenzar: *recomienzo.*

recompensar Remunerar un servicio recibido. ☞ **premiar, compensar.**

— acción y resultado de recompensar: *recompensa.*

recomponer Componer otra vez. ☞ **reparar.**

— acción y resultado de recomponer: *recomposición.*

reconciliar Volver a frecuentar las amistades. ☞ **contentar, perdonar.**

— acción y resultado de reconciliar: *reconciliación.*

reconcomio Deseo ferviente. ☞ **gana.**

recóndito, -ta Que está muy oculto. ☞ **escondido, hondo, profundo.** ❖ SUPERFICIAL.

reconfortar Confortar de nuevo o hacerlo con eficacia y energía.

reconocer 1. Examinar con detenimiento a una persona, cosa o lugar, a fin de establecer su identidad y naturaleza, para ratificar el juicio acerca de ella.

— *Antes de acampar, los scouts reconocieron la zona.*

2. Examinar a un enfermo con objeto de diagnosticar su padecimiento.

—*Tras reconocer al paciente, el médico le recetó la medicina adecuada.*

3. Declarar ser culpable de cometer algún error o falta.

—*El acusado reconoció haber sido el autor del robo.*

—calidad de reconocer: *reconocido.*

— acción y resultado de reconocer: *reconocimiento.*

reconquistar 1. Volver a conquistar un territorio. ☞ **recobrar, recuperar.**

— *Tras un periodo de repliegue, la tropa reconquistó la plaza.*

2. Recuperar el afecto de alguien.

—*El marido de Marta trata de reconquistarla con flores.*

— acción y resultado de reconquistar: *reconquista.*

reconsiderar Considerar de nuevo. ☞ **reflexión.** ❖ DESCARTAR.

— acción y resultado de reconsiderar: *reconsideración*.

reconstituir Devolver a un organismo sus condiciones normales de salud.

— acción y resultado de reconstituir: *reconstitución*.

— medicamento que devuelve al organismo la salud: *reconstituyente*.

reconstruir 1. Volver a construir. ☞ **reedificar, rehacer.**

— *Van a reconstruir el monumento a los héroes*

2. Traer a la mente cada uno de los sucesos ocurridos dentro de una situación determinada.

— *Como testigo, tuvo que esforzarse por reconstruir el suceso del robo.*

— acción y resultado de reconstruir: *reconstrucción*.

reconvenir Censurar o reprender a alguien por su actitud, o por su manera de expresarse. ☞ **amonestar, recriminar, regañar, sermonear.**

recopilar Reunir en un compendio. ☞ **coleccionar, compilar, resumir.** ❖ DISPERSAR.

— acción y resultado de recopilar: *recopilación*.

— quien realiza la recopilación: *recopilador*.

recordar Traer algo a la memoria. ☞ **acordarse, evocar, memorar.** ❖ OLVIDAR.

— acción y resultado de recordar: *recuerdo*.

— regalo traído de un viaje: *recuerdo*.

— medio para hacer recordar una cosa: *recordatorio*.

recorrer Transitar por determinado lugar de extremo a extremo. ☞ **ruta, itinerario.**

— acción y resultado de recorrer: *recorrido*.

recortar Eliminar lo que sobra de algo. ☞ **cortar, guillotinar, rebanar.**

— acción y resultado de recortar: *recorte*.

— sobrante de lo que se recorta: *recorte*.

— hablar mal del prójimo: *recortar*.

recostar Reclinar la parte superior del cuerpo o inclinar una cosa sobre otra.

recoveco 1. Vuelta y revuelta que da una calle, un callejón, un río, un arroyo, etc. ☞ **rodeo.**

— *La calle de la que te hablo está llena de recovecos.*

2. Artimaña de la que alguien se vale para obtener un fin.

— *Déjate de recovecos y ve al grano.*

recrear 1. Producir de nuevo una cosa. ☞ **generar.**

— *El testigo recreó la escena con lujo de detalles.*

2. Divertir o alegrar a alguien. ☞ **deleitar, entretener.**

— *Contratamos payasos para recrear a los niños en su fiesta.*

— acción y resultado de recrear: *recreo*.

recriminar Contestar a las acusaciones con otras más graves. ☞ **acusar, regañar, reprochar.** ❖ FELICITAR, EXCULPAR.

— acción y resultado de recriminar: *recriminación*.

recrudecer Crecer la gravedad; incrementar el daño moral, un afecto o una enfermedad, una vez que ya había comenzado a ceder. ☞ **avivar, incrementar.** ❖ DISMINUIR, MEJORAR.

— acción y resultado de recrudecer: *recrudecimiento*.

rectificar 1. Enmendar algo para que sea exacto.

— *Luis rectificó su camino y se apartó del vicio.*

2. Retractarse ante los demás de una opinión, actitud, etc.

— *El maestro rectificó su posición y permitió la entrada de los alumnos retardados.*

— acción y resultado de rectificar: *rectificación*.

rectitud Calidad de recto. ☞ **dignidad, integridad, justicia.**

recto, -ta 1. Que no tiene ángulos ni curvas.

— *El camino más recto a tu casa es por Insurgentes.*

2. Honesto y justo en sus resoluciones.

— *Contra lo que pensábamos, la vecina es una persona muy recta.*

3. Porción final del intestino grueso que se extiende hasta terminar en el ano.

— *De tanto estar sentado, comenzó a dolerle el recto.*

rector, -ra 1. Persona a cuyo cargo está el mando de una comunidad, colegio, institución, etc. ☞ **director, superior, presidente.**

— *El rector de la Universidad pidió una prórroga para realizar el Congreso Universitario.*

2. Párroco o cura de una localidad. ☞ **prior.**

— *En su calidad de rector, negó la entrada a la iglesia a los herejes.*

— cargo del rector: *rectoría*.

— que pertenece a o se relaciona con el rector: *rectoral*.

recua Conjunto de animales de carga, usados como medio de transporte. ☞ **rebaño, hato.**

recuadro División en forma de cuadro, sobre una superficie cualquiera. ☞ **encuadrado.** ❖ CÍRCULO.

recubrir Volver a cubrir. ☞ **empapelar,** enlatar, forrar, revestir. ❖ DESPOJAR, DESTAPAR.

— acción y resultado de recubrir: *recubrimiento*.

recuento Segunda numeración o cuenta que se hace de algo. ☞ **inventario.**

recular Retroceder. ☞ **desandar, retirarse.** ❖ AVANZAR.

recuperar 1. Obtener de nuevo lo que se poseía con anterioridad. ☞ **recobrar, restaurar.** ❖ PERDER.

— *Gracias a Dios recuperé mi automóvil pronto.*

2. Volver en sí, luego de un desvanecimiento.

— *Después del accidente tardó mucho en recuperarse.*

— que puede o debe recuperarse: *recuperable*.

— acción y resultado de recobrar o recobrarse: *recuperación*.

recurrir 1. Dirigirse a una autoridad para solicitar su ayuda. ☞ **acogerse, acudir.**

— *Gabriel recurrió a su padre para obtener el préstamo*

2. Volver al lugar de origen.

— *Mis abuelos recurrieron a su tierra natal.*

— acción y resultado de recurrir: *recurso*.

— que recurre: *recurrente*.

— calidad de recurrente: *recurrencia*.

recusar Rechazar con razón una cosa.

— acción y resultado de recusar: *recusación*.

— que se puede o se debe recusar: *recusable*.

— que recusa: *recusante*.

rechazar 1. Repeler un cuerpo a otro, forzándolo a retroceder en su movimiento. ☞ **apartar, despedir, rehusar** ❖ ACEPTAR, ATRAER, ESTIMAR.

— *A veces los niños rechazan los arrumacos de los adultos.*

2. Resistir un ataque enemigo.

— *El ejército rechazó durante varias horas a las tropas rebeldes.*

3. Contradecir lo que otro expresa, o bien no admitir lo que propone u ofrece.

— *Fernando rechazó uno a uno los argumentos de su mujer.*

— acción y resultado de rechazar: *rechazo*.

— que rechaza: *rechazante*.

rechiflar Silbar con insistencia para mostrar disgusto o inconformidad. ☞ **abuchear, burlarse, mofarse.** ❖ APLAUDIR, ELOGIAR.

— acción y resultado de rechiflar: *rechifla*.

rechinar Producir un ruido desagradable al rozar una cosa con otra. ☞ **crujir, chirriar.**

— acción y resultado de rechinar: *rechino, rechinido.*

rechoncho, -cha Persona que tiende a ser gruesa y de baja estatura. ☞ **gordura, obesidad.**

rechupete (de) Suculento, de sabor agradable. ☞ **exquisito.**

red 1. Aparejo hecho con hilos, cuerdas o alambres trabados a manera de malla, útil para pescar, cazar, sujetar, cercar, etc.
— *A Lupita le gusta cazar mariposas con una red.*
2. Tejido de malla.
— *Las redes de los pescadores son muy grandes.*
3. Conjunto de calles, canales, carreteras y vías de ferrocarril que concurren en un mismo lugar.
— *En Veracruz se comenzó una nueva red de carreteras.*
4. Conjunto de vías de comunicación, líneas y aparatos.
— *La red telefónica se descompuso a causa del terremoto.*

redactar Expresar por escrito una idea o una serie de hechos acordados con anterioridad. ☞ **componer, consignar, estilar, expedir, extender.**
— acción y resultado de redactar: *redacción.*
— escritores en un periódico: *redacción.*
— que pertenece a o se relaciona con la redacción: *redactor.*

redada Conjunto de personas, cosas o peces que se capturan de una vez. ☞ **razzia.**

rededor (en) Contorno. ☞ **alrededor.**

redil Porción de terreno cercado por estacas y redes. ☞ **corral, encerradero.**

redimir Rescatar de la esclavitud a un cautivo pagando un precio. ☞ **liberar, sacar, salvar, soltar.**
— acción y resultado de redimir: *redención.*
— el cielo, tratándose de religión: *redención.*
— que redime: *redentor.*

redituar Producir una utilidad periódica o renovable.
— acción y resultado de redituar: *rédito.*
— que produce una ganancia periódica o constante: *redituable.*

redivivo, -va Aparecido. ☞ **resucitado.**

redoblar Aumentar una cosa otro tanto o el doble de lo que era con anterioridad.
— acción y resultado de redoblar: *redoble.*
— toque de tambor, fuerte y sostenido: *redoble.*

redomado, -da Que tiende a ser muy cauteloso y astuto. ☞ **taimado.** ❖ BOBO, INGENUO.

redondear 1. Dar forma circular a algo. ☞ **tornear.**
— *Con la sierra eléctrica redondeó esa tabla e hizo una mesa..*
2. Deshacerse de restos menores en una cantidad para hacerla exacta.
— *Para evitarse moneda suelta, hay que redondear las sumas.*
— acción y resultado de redondear: *redondeo.*

redondel 1. Circunferencia y superficie contenida dentro de ella. ☞ **círculo, anillo.**
— *Los niñitos bailaron en redondel.*
2. Terreno circular destinado a la lidia de toros. ☞ **ruedo, tauromaquia.**
— *El torero se paseó por el redondel.*

redondo, -da Que tiene forma circular o semejante a ella. ☞ **esférico.**
— calidad de redondo: *redondez.*

reducir 1. Volver una cosa a su estado original. ☞ **achicar, menguar, debilitar, rebajar, resumir, someter.** ❖ AMPLIAR, AGRANDAR, PROGRESIÓN.
— *Cuando se desinfló, el globo se redujo a su tamaño.*
2. Disminuir de tamaño, volumen, intensidad, etc.
— *Reduje este vestido porque me quedaba grande.*
3. Resumir un texto.
— *Por falta de espacio, redujimos el artículo.*
4. Sujetar a una persona a una obligación.
— *Los europeos redujeron a los negros a la esclavitud.*
— acción y resultado de reducir: *reducción.*

reducto Fortificación, lugar cerrado para resguardar algo.

redundar Resultar una cosa en beneficio o daño de alguien. ☞ **influir, repercutir, reiterar.**
— acción y resultado de redundar: *redundancia.*
— excesivo: *redundante.*

reedificar Volver a construir.
— acción y resultado de reedificar: *reedificación.*

reeditar Volver a editar.
— acción y resultado de reeditar: *reedición.*

reelegir Elegir otra vez.
— acción y resultado de reelegir: *reelección.*

reembarcar Embarcar de nuevo.
— acción y resultado de reembarcar: *reembarco.*

reembolsar Devolver una cantidad a quien la había desembolsado.
— acción y resultado de reembolsar: *reembolso.*

reemplazar 1. Sustituir una cosa por otra. ☞ **suplir, cambiar.**
— *Reemplazaron todos los focos del edificio.*
2. Suceder a alguien en un empleo, definitiva o temporalmente.
— *Durante su viaje a Europa, Antonio fue reemplazado por Gilda.*
— acción y resultado de reemplazar: *reemplazo.*
— que reemplaza: *reemplazante.*

reencarnación Creencia religiosa y filosófica que afirma que el alma humana se traslada a otro cuerpo al morir el anterior.

reencuadernar Encuadernar otra vez.
— acción y resultado de reencuadernar: *reencuadernación.*

reencontrar Volverse a encontrar o enfrentar dos personas o cosas.
— acción y resultado de reencontrar o reencontrarse: *reencuentro.*

reenganchar Volver a enganchar.
— acción y resultado de reenganchar o reengancharse: *reenganche.*

reestrenar Estrenar de nuevo.
— acción y resultado de reestrenar: *reestreno.*

reestructurar Organizar de nuevo.
— acción y resultado de reestructurar: *reestructuración.*

refacción Compostura o reparación.
— pieza que se usa para cambiar otra que ha dejado de servir: *refacción.*
— tienda que vende refacciones: *refaccionaria.*

refajo Falda interior femenina usada para abrigarse. ☞ **fondo.**

refectorio Comedor de seminarios, colegios o conventos. ☞ **iglesia, abadía.**

referéndum Mecanismo que consiste en someter a la opinión pública una acción del gobierno. ☞ **encuesta, plebiscito.**

réferi Arbitro de algunos juegos deportivos.

referir Dar a conocer un hecho, pensamiento, etc., en forma oral o escrita. ☞ **contar, platicar.**
— acción y resultado de referir: *referencia.*
— que refiere o se relaciona con referir: *referente.*

refilón (de) De soslayo, de pasada.

refinar Hacer más pura una cosa.
— acción y resultado de refinar: *refinación.*
— que es delicado y selecto: *refinado.*
— calidad de refinado: *refinamiento.*

refinería Complejo petroquímico donde se obtienen los derivados del petróleo. ☞ **petróleo, gas, gasolina.**

reflejar 1. Proyectar algo devolviendo la imagen, la luz, el sonido, etc.

— Cuando te miras al espejo, éste devuelve tu imagen.

2. Mostrar una cosa, hacer patente algo. *—Berta refleja en su cara el dolor que la embarga.*

— acción y resultado de reflejar: *reflejo.*

— que es capaz de reflejar: *reflector.*

— movimiento involuntario producido en respuesta a un estímulo: *acto reflejo.*

reflexionar Pensar con detenimiento. ❖ IRREFLEXIVO.

— que pertenece a la reflexión o se relaciona con ella: *reflexivo.*

reflujo Descenso de la marea.

reforestar Volver a plantar árboles para reponer los que han sido cortados. ☞ **replantar.**

— acción y resultado de reforestar: *reforestación.*

reformar Volver a dar forma. ☞ **rehacer.**

— acción y resultado de reformar: *reforma.*

— conjunto de medidas destinadas a cambiar el orden de cosas: *reforma.*

— que es partidario o ejecutor de reformas: *reformista.*

—lugar diseñado para encauzar jóvenes descarriados: *reformatorio.*

reforzar 1. Hacer o hacerse más fuerte algo o alguien. *—Hay que reforzar las patas de esta silla.*

2. Animar. ☞ **alentar, apoyar.** *— La madre reforzó al hijo en sus ideas.*

— acción y resultado de reforzar: *reforzamiento.*

— que refuerza: *refuerzo.*

— aplicación que se añade a algo: *refuerzo.*

— argumento que se emplea para afirmar algo: *refuerzo.*

— elementos humanos de apoyo: *refuerzos.*

refracción Cambio de dirección que experimenta un rayo de luz, una onda sonora, etc.

refractario, -ria 1. Que se opone a aceptar una idea, opinión o costumbre. ☞ **reacio.** *—Mi hermano siempre se ha mostrado refractario a las opiniones de los demás.*

2. Cuerpo que resiste la acción de un fenómeno, agente o enfermedad. *— Los moldes refractarios soportan altas temperaturas.*

refrán Expresión popular, tradicional y anónima. ☞ **dicho.**

refregar 1. Estregar una cosa con otra. *— Hay que refregar los puños de las camisas.*

2. Reprochar a alguien con insistencia, haciendo hincapié en una cosa en particular, para ofender o avergonzar. *— Santiago se divierte refregando a Toño.*

— acción y resultado de refregar: *refriega.*

— combate: *refriega.*

refrenar Dominar al caballo con el freno y retener el trote.

refrendar 1. Autorizar un documento por medio de la firma o sello de una autoridad. *— La cámara de senadores refrendó los resultados electorales.*

2. Revisar un pasaporte o cualquier documento legal y ponerle el sello o visado. *— Pepe fue a refrendar su cartilla militar.*

— acción y resultado de refrendar: *refrendo.*

3. Afirmar o corroborar algo. *— El político refrendó sus posiciones ante la prensa.*

refrescar 1. Disminuir la temperatura o el calor de algo que está muy caliente. *— El aire acondicionado refrescará las habitaciones.*

2. Enfriar el día, perder su calor. *—Conforme se va ocultando el sol, la temperatura refresca.*

— acción y resultado de refrescar: *refresco.*

— calidad de refresco: *refrescante.*

— bebida refrescante: *refresco.*

refrigerar Enfriar productos para su conservación. ☞ **congelar.**

— acción y resultado de refrigerar: *refrigeración.*

— que sirve para refrigerar: *refrigerador.*

— alimento moderado: *refrigerio.*

refrito, -ta 1. Que está frito o de nuevo aderezado. *—Desayuné huevos con frijoles refritos.*

2. Copia y revoltura de estilos literarios. ☞ **galimatías.** *— Esta novela es un refrito de Cortázar y Paz.*

refugiar Brindar refugio, asilo o protección a alguien. ☞ **amparar.**

— lugar para refugiar o refugiarse: *refugio.*

— que ha recibido refugio: *refugiado.*

— exiliado: *refugiado.*

refulgir Emitir fulgor. ☞ **resplandecer, brillar.**

— acción y resultado de refulgir: *refulgencia.*

refundir 1. Volver a fundir o liquidar los metales. ☞ **derretir.**

— Cuando le entregaron la pieza, el escultor pidió que la refundieran.

2. Dar nueva apariencia a una obra literaria, a fin de mejorarla o modernizarla. ☞ **modificar, transformar.** *—Las grandes obras han sido refundidas muchas veces.*

— arrinconar o confinar: *refundir.*

— acción y resultado de refundir: *refundido.*

refunfuñar Emitir palabras mal articuladas o sonidos indescifrables, en señal de enojo, malestar o desagrado. ☞ **mascullar.**

refutar Contradecir mediante argumentos lo que otros dicen. ☞ **rebatir, rechazar, rehusar.** ❖ ACEPTAR.

— acción y resultado de refutar: *refutación.*

— que puede refutarse o es fácil de refutar: *refutable.*

regalar 1. Dar a alguien una cosa, con ánimo de agasajarlo. *— En mi cumpleaños, mi padre me regaló muchas cosas.*

2. Halagar, acariciar, brindar expresiones de afecto y benevolencia. *—El artista nos regaló con su presencia en la fiesta.*

3. Recrear, deleitar. *—Ese bosque nos regala su aire y sus flores.*

—acción y resultado de regalar: *regalo.*

— que algo es sencillo: *regalado.*

— niño mimado o consentido: *regalón.*

regalía 1. Prerrogativa que poseen algunos gobernantes dentro de sus territorios. ☞ **privilegio.** *—Los señores feudales permitían como regalía a los jefes que no pagaran impuestos.*

2. Excepción que tiene uno en cualquier ámbito. *—Como regalía le permitían descansar los viernes.*

3. Utilidades que perciben ciertos empleados además de su sueldo. ☞ **prestaciones.** *—Las regalías otorgadas por la empresa son altas.*

4.Utilidades que perciben los escritores por la venta de sus libros. *— Por muy bueno que sea un escritor, difícilmente vive de sus regalías.*

regañadientes (a) Hacer una cosa con disgusto o repugnancia.

regañar Reconvenir, reprender con dureza o con enojo. ☞ **reprender.**

— acción y resultado de regañar: *regaño.*

— que regaña por cualquier cosa: *regañón.*

regar 1. Esparcir agua sobre una superficie determinada para beneficiarla o refrescarla. ☞ **irrigar.**

—*Riega el patio para no levantar la tierra.*

2. Atravesar un río o canal una comarca o territorio.

—*El Suchiate riega la selva fronteriza.*

3. Desparramar alguna cosa menuda. ☞ **esparcir.**

—*Regó el maíz para que comieran las gallinas.*

— lo que sirve para regar: *regadera.*

— acción y resultado de regar: *riego.*

— terreno que se fertiliza por medio de riego: *regadío.*

regata 1. Surco que conduce el agua en huertas o jardines.

—*La regata conduce el agua a las hortalizas.*

2. Competición entre dos o más lanchas o buques ligeros.

—*Son harto conocidas las regatas del río Balsas.*

regatear 1. Debatir, comprador y vendedor, sobre el precio de una cosa. ☞ **trapichear.**

—*Mamá siempre regatea en el mercado.*

2. Compartir algo lo menos posible. ☞ **tacañería.**

—*Regatea los favores que se le piden y siempre da de menos.*

3. Rebajar los méritos de alguien.

—*No regateo su belleza, pero le falta inteligencia.*

— acción y resultado de regatear: *regateo.*

regazo 1. Enfaldo que se forma entre la cintura y las rodillas de una persona sentada.

— *Su hijo le puso en el regazo las flores que cortó.*

2. Parte del cuerpo correspondiente aunque no tenga falda.

—*Acunó al niño en su regazo.*

3. Cosa que acoge a otra, dándole amparo, gozo o consuelo.

—*La tierra lo recibió en su regazo.*

regencia 1. Acción y resultado de regir.

— *Tiene ante sí la regencia del lugar.*

2. Empleo de regente.

—*A mi tío le dieron la regencia de su pueblo.*

3. Gobierno de un Estado durante la menor edad, ausencia o incapacidad de su legítimo soberano.

—*Ocupó la regencia mientras el príncipe alcanzaba la mayoría de edad.*

4. Tiempo que dura un gobierno.

—*Su regencia durará seis años.*

— que rige o gobierna: *regente.*

regenerar Otorgar nueva consistencia o nuevo ser a una cosa que degeneró.

❖ DEGENERAR.

— acción y resultado de regenerar o regenerarse: *regeneración.*

regentear o **regentar** Desempeñar un cargo ostentando superioridad.

— acción y resultado de regentear: *regenteo.*

regicidio Asesinato del monarca, su consorte, el príncipe heredero o el regente.

regidor 1. Funcionario público que rige o gobierna un municipio o un ayuntamiento. ☞ **concejal.**

—*Mi tío es el regidor del ayuntamiento de su pueblo.*

2. Persona que en el bastidor de la escena indica al actor su salida y le da las primeras palabras. ☞ **traspunte.**

— *Se equivocó de escena por culpa del regidor.*

régimen 1. Conjunto de características de una forma de gobierno, sociedad o Estado.

— *La mayor parte de países en el mundo tienen régimen capitalista.*

2. Conjunto de leyes por las que funciona algo. ☞ **regla, ley, legislación.**

— *Hay que atenerse al régimen legal imperante.*

3. Conjunto de prescripciones que guían el cuidado de la salud.

—*Los diabéticos tienen que soportar regímenes muy severos en su alimentación.*

regimiento Unidad orgánica de soldados, que tiene por jefe a un coronel o un general de brigada.

regio, -gia 1. Que pertenece a la realeza. ☞ **realeza.**

— *La silla regia lleva adornos en pedrería y oro.*

2. Suntuoso, grande, magnífico. ☞ **excelente.**

—*La muestra de cine estuvo regia.*

— con grandeza real, ostentación, lujo o suntuosidad: *regiamente.*

región 1. Porción extensa de territorio determinada por caracteres étnicos o circunstancias especiales como la economía, el clima, la topografía, etc.

—*La región de los Andes es muy fría.*

2. Partes de un organismo o de un órgano.

—*Sufre dolores en la región lumbar.*

— que pertenece a o se relaciona con una región: *regional.*

— doctrina política según la cual el gobierno de un país debe prestar especial atención al modo de ser y aspiraciones de cada región: *regionalismo.*

regir 1. Determinar la manera en que deben comportarse los miembros de una sociedad. ☞ **dirigir, gobernar, mandar.**

— *México se rige por un estado de derecho*

2. Determinar algo la manera en que debe ocurrir una cosa.

—*El Universo se rige por sus propias leyes cósmicas.*

3. Determinar una palabra la relación en que debe estar con ella otra palabra de la oración.

— *El sujeto rige la conjugación del verbo.*

4. Estar vigente una ley o una obligación.

—*En nuestros días aún rige la constitución proclamada en 1917.*

5. Apegarse a determinado principio.

—*Los chinos se rigen por sus costumbres.*

registrar 1. Revisar una cosa con detenimiento y cuidado para descubrir lo que hay en ella. ☞ **mirar, examinar.**

—*Al llegar al aeropuerto, el aduanero registró nuestras maletas.*

2. Poner de manifiesto mercaderías, géneros o bienes para que sean examinados o anotados.

— *Antes de guardar mis bienes en la caja fuerte, el empleado bancario los registró en la bitácora.*

3. Anotar las resoluciones de la autoridad o los actos jurídicos de los particulares.

—*Al casarnos, nos registraron en una instancia de lo civil.*

4. Escribir alguna indicación, testimonio o informe en un libro o en un cuaderno. ☞ **anotar, señalar.**

—*Registró con cuidado todos los pasos del experimento.*

5. Marcar un aparato o un instrumento determinada señal.

—*El detector registró la existencia de uranio en esta zona.*

6. Presentarse y matricularse en un lugar determinado.

— *Se registró en la universidad por segunda vez.*

registro 1. Acción y resultado de registrar.

— *La secretaria lleva el registro de alumnos en la escuela.*

2. Oficina en donde se registran o guardan estos documentos.

—*El registro público de la propiedad lleva los asuntos por computación.*

3. Abertura con su tapa o cubierta para examinar, conservar o reparar lo que está subterráneo o empotrado en un muro, etc.

— *El registro telefónico sufrió un atentado dinamitero.*

4. Padrón, matrícula o cédula.

—*El número de registro de la farmacia estaba equivocado.*

5. Libro donde se anotan noticias o datos. ☞ **bitácora.**

☞ **sinónimos o referencias** ❖ **antónimos u opuestos afines**

—Investigamos sus antecedentes en el registro notarial.

6. Pieza movible del órgano y otros instrumentos de teclado, que se utiliza para modificar el timbre y la intensidad de los sonidos. ☞ **diapasón.**

— Vinieron a reparar el registro del piano.

7. Nombre con el que se designa a cada rango que alcanza una voz humana o un instrumento musical.

— La voz de Plácido Domingo tiene un registro muy profundo.

regla 1. Instrumento delgado hecho con distintos materiales, que se utiliza para medir o trazar líneas rectas. ☞ **geometría.**

— Al niño le encargaron una regla para hacer sus dibujos escolares.

2. Juicio que sirve de parámetro para llevar a cabo las acciones con el fin de que resulten correctas. ☞ **norma.**

—Las reglas que nos rigen hoy día son muy distintas a las del siglo XII.

3. Precepto, principio que señala cómo se debe hacer algo.

—Una de las reglas de la medicina es nunca darse por vencido en la lucha contra la muerte.

4. Regulación de la frecuencia con que ocurre un suceso.

—Según la regla, después de un terremoto ocurre otro de menor intensidad.

5. Armonía que de manera invariable observan las cosas naturales. ☞ **concierto.** ❖ DESORDEN.

— Las reglas de la naturaleza anuncian la primavera después del invierno.

6. Nombre con el que familiarmente se designa a la menstruación.

—Cada vez que se le presenta la regla, el humor se le altera.

reglar 1.Que pertenece a una regla o instituto religioso.

—La hostia es un pan reglar.

2. Dibujar líneas rectas con ayuda de una regla o cualquier otro instrumento.

—De tarea, se les pidió a los niños de primer grado que reglaran sobre cartulina blanca.

3. Medirse, templarse, reducirse o reformarse. ❖ DESMEDIRSE.

—Después de mucha insistencia, Pedro terminó por reglarse al comer.

4. Presentarse la menstruación.

—En las regiones costeras las niñas reglan más temprano que en las zonas frías.

— conjunto ordenado de reglas o preceptos que una autoridad capacitada emite para ejecutar una ley o para regir una corporación, una dependencia o un servicio: *reglamento.*

— conjunto de reglas: *reglamentación.*

— someter a reglamento un instituto o asunto determinados: *reglamentar.*

— por virtud de o de acuerdo con los reglamentos: *reglamentariamente.*

— de acuerdo al reglamento o demandado por una disposición obligatoria: *reglamentario.*

regocijar 1. Provocar alegría, gusto o placer. ☞ **alborozar.** ❖ ENTRISTECER.

—La cercanía de la Navidad regocija a los niños.

2. Recibir gozo interior.

—Las monjas se regocijan al contemplar la imagen de Cristo.

regodearse Deleitarse o complacerse en algo que causa gusto o gozo, deteniéndose en ello. ☞ **saborear.**

regordete, -ta Que es pequeño y grueso. ☞ **gordo, rechoncho.** ❖ DELGADO.

regresar Volver al punto de partida. ☞ **retornar.** ❖ IRSE.

regresión Acción de ir hacia atrás. ☞ **retroceso.** ❖ AVANCE.

— que hace volver hacia atrás: *regresivo.*

regreso Acción y resultado de regresar. ☞ **retorno.** ❖ IDA.

reguero 1. Aflujo, semejante a un chorro o arroyo pequeño, que se hace de un líquido.

— Los niños hicieron un reguero de agua.

2. Línea o rastro que queda de un líquido que se ha vertido.

—Pudimos encontrar el camión gracias al reguero de gasolina que dejó.

regulación Acción y resultado de regular. ☞ **reglamentación.**

regulador, ra 1. Que regula. ☞ **reglamentador.**

— La Constitución es reguladora de la sociedad.

2. Dispositivo útil para regir el movimiento o los defectos de una máquina o de sus piezas.

—La perforación del pozo no se hizo porque el regulador de la barrena dejó de funcionar.

regular 1. Hacer que algo funcione ajustándolo conforme a la regla. ☞ **norma, ley.**

— Es necesario regular las relaciones entre los países.

2. Que tiene una cantidad, calidad o tamaño medio.

—Pepito es de estatura regular.

3. Persona que vive bajo las reglas de cierta agrupación. ☞ **seglar.**

— Un "carmelita descalzo" es una persona del clero regular.

4. Habitual. ❖ IRREGULAR.

—Por lo regular, salgo del trabajo a las cinco de la tarde.

regularidad Calidad de ajustado o conforme a las reglas. ❖ IRREGULARIDAD.

regularizar Ajustar o poner en orden una cosa. ☞ **regular.**

regurgitar Lanzar por la boca sin esfuerzo o sacudida de vómito una sustancia contenida en el estómago o en el esófago. ☞ **eructar, expeler.**

regusto Sabor que deja la comida o bebida. ☞ **resabio.**

rehabilitar Volver a habilitar o devolver a una persona o cosa a su estado anterior. ☞ **restituir.** ❖ DESTITUIR.

rehacer 1. Volver a hacer una cosa que se había deshecho. ☞ **reconstruir.** ❖ DESTRUIR.

—Corrigió tanto su texto, que tuvo que rehacerlo.

2. Reponer, reparar o restablecer algo dañado o disminuido. ☞ **reformar.**

—No fue fácil para la mujer rehacer su vida después del divorcio.

rehén 1. Persona que el enemigo toma como prenda.

—Durante la guerra del Golfo Pérsico, en 1991, el gobierno iraquí tomó como rehenes a unos periodistas estadounidenses.

2. Cualquier otra cosa que queda a modo de fianza o seguro. ☞ **prenda, garantía.**

—Me hicieron un préstamo bancario y quedó mi casa como rehén.

rehilete 1. Flecha pequeña con aguja en uno de los extremos y papel o plumas en el otro, que se lanza por diversión para incrustarla en un blanco. ☞ **dardo, banderilla.**

—Lanzar rehiletes en las ferias era el entretenimiento favorito de Ángel.

2. Juguete formado por una varita de madera y pétalos hechos de papel que gira con el aire. ☞ **reguilete.**

— El bebé estaba maravillado con el rehilete dando giros.

rehuir 1. Alejar una cosa de un riesgo con cierto temor, sospecha o recelo.

—Le rehúyo a caminar sola por las noches.

2. Rehusar o excusar el admitir algo. ☞ **eludir.** ❖ AFRONTAR.

—No sólo no hizo la tarea, sino que rehuyó presentarse a la escuela.

rehusar No querer o no aceptar una cosa. ☞ **rechazar.** ❖ ACEPTAR.

reimprimir Repetir la impresión de un escrito, cartel, etc.

reina 1. Esposa de un rey.

—La reina Sofía es la esposa del rey Juan Carlos de España.

2. Mujer que ejerce la potestad real por derecho propio.

—La reina Isabel de Inglaterra fue hija de Enrique VIII.

3. En ajedrez, pieza segunda en impor-

tancia, que puede moverse como todas las demás piezas, salvo el caballo.
—*Cuando se pierde la reina, es más difícil ganar una partida de ajedrez.*
4. Carta de la baraja.
—*Gané la mano de póquer con una tercia de reinas.*
5. Hembra fértil entre los insectos que viven en enjambre.* ☞ **abeja.**
—*Casi todo el panal está al servicio de la abeja reina en la elaboración de la miel.*
6. Mujer, hembra o cosa del género femenino que debido a sus excelsas cualidades se distingue de las demás de su clase o especie.
—*Paola era considerada la reina de las modelos.*
7. Expresión de afecto.
—*El papá le dice "mi reina" a su hijita.*

reinado 1. Tiempo en que gobierna un rey o reina.
—*El reinado de Luis XVI en Francia se distinguió por su despotismo.*
2. Por extensión, tiempo en que una cosa está en auge o predomina.
—*En la actualidad vivimos el reinado de la informática.*

reinar 1. Gobernar un rey o príncipe un Estado.
—*No todos los monarcas reinan con justicia.*
2. Predominar una persona o cosa sobre otra.
—*En los cuadros de Van Gogh reina la luminosidad.*
3. Prevalecer algo, prolongándose o propagándose.
—*El cólera ha reinado en Latinoamérica durante años.*

reincidir Incurrir de nuevo en un error, falta o delito. ☞ **recaer.**

reincorporar Incorporar o unir de nuevo a un cuerpo político o moral lo que se había separado de él. ☞ **restituir.**

reingresar Volver a ingresar. ☞ **reincorporar.**

reino 1. Territorio o Estado cuyos habitantes están sujetos a un rey.
—*Luxemburgo es actualmente un reino.*
2. Espacio, real o imaginario, en el que algo material o inmaterial actúa.
—*Los seres fantásticos existen en el reino de la imaginación.*
3. Cada uno de los grupos en que se dividen los seres naturales tomando como base las características que poseen en común: animal, vegetal, mineral.
—*El hombre pertenece al reino animal.*

reinstalar Instalar de nuevo.

reintegrar Restituir o satisfacer una cosa de manera íntegra.

— que un boleto de lotería vale para la compra de otro en función de su número: *reintegro.*
— que dos o más elementos vuelven a unirse: *reintegrarse.*
— acción y resultado de reintegrar: *reintegración.*

reír 1. Expresar alegría y regocijo mediante la expresión de la mirada, ensanchando la boca y produciendo sonidos con el diafragma. ❖ LLORAR.
—*Silvia es una boba; se ríe de todo.*
2. Burlarse.
—*No te rías de los sentimientos de un niño pues podrías afectarlo para toda la vida.*
— acción y resultado de reír: *risa.*
— que es capaz de reírse o que produce risa: *risible.*
— que ríe con facilidad: *risueño.*
— risa estrepitosa: *risotada.*
— burla: *risión.*

reiterar Decir o ejecutar algo de nuevo. ☞ **repetir.**
— acción y resultado de reiterar o reiterarse: *reiteración.*
— que posee la facultad de reiterarse: *reiterativo.*
— que reitera: *reiterante.*
— con reiteración: *reiteradamente.*

reivindicar Recobrar una persona lo que es de su pertenencia por razón de dominio u otro motivo. ☞ **vindicar.**
— acción y resultado de reivindicar: *reivindicación.*
— que es susceptible de ser reivindicado: *reivindicable.*
— que es útil para reivindicar o relativo a la reivindicación: *reivindicatorio.*

reja 1. Conjunto de barrotes de hierro, de figuras y formas variadas, enlazados entre sí, que se colocan en las ventanas o aberturas de los muros. ☞ **verja.**
—*Pusimos rejas en las ventanas para evitar robos.*
2. Parte del arado, de hierro, útil para abrir y revolver la tierra.
—*Con la reja se hacen los surcos, donde luego se colocan las semillas.*
3. Vuelta que se da a la tierra con el arado.
—*Después de muchas rejas, el campesino quedó exhausto.*

rejilla 1. Celosía fija o movible de alambre o de tela metálica que se coloca en las ventanillas de los confesionarios, en las puertas exteriores de las casas, etc. para seguridad o por recato. ☞ **miriñaque.**
—*No podía ver la cara del padre tras la rejilla.*
2. Tejido claro hecho con tiras de los tallos flexibles, elásticos y resistentes

de ciertas plantas que, entre otros usos, sirve como respaldo de una silla.☞ **bejuco, palma.**
—*Las rejillas de algunos muebles son de bejuco.*
3. Armazón de tiras de hierro que sostiene el combustible de las máquinas de vapor, hornillas, etc.
—*La rejilla se venció con el peso de los fardos de carbón.*
4. Red que se pone en la parte trasera de los asientos de los ferrocarriles o autobuses para guardar cosas pequeñas y de poco peso durante el viaje.
—*En la rejilla se coloca el equipaje.*
5. En radiodifusión, pantalla a modo de parrilla de alambre que se pone entre el cátodo y el ánodo con el fin de regular el flujo electrónico.
—*La rejilla regula el sonido.*

rejonear En el toreo a caballo, lastimar al toro con el rejón, quebrándolo dentro de él por la ranura que tiene cerca de la punta. ☞ **aguijonear, pica, puntilla.**

rejoneo Acción y resultado de rejonear.
— persona que rejonea: *rejoneador.*

rejuvenecer 1. Proporcionar a una persona la fortaleza y vigor, como los que se suele poseer durante la juventud. ☞ **remozar.** ❖ ENVEJECER.
—*La relación con esa joven lo rejuveneció.*
2. Renovar, modernizar o actualizar una cosa en desuso, olvidada o postergada. ☞ **remozar.**
—*Pintaron el edificio y rejuveneció la fachada.*

relación 1. Circunstancia de existir entre dos o más personas, cosas o fenómenos algo que los une y les permite considerar en uno las características del otro.
— *Las relaciones humanas son muy complicadas.*
2. Comparación, punto de referencia. ☞ **respecto**
—*En relación con el año pasado, el actual ha sido más difícil.*
3. Cada forma de conexión, correspondencia, influencia, trato o comunicación entre personas, elementos, objetos. ☞ **secuencia.**
—*Las ruedas están colocadas de mayor a menor tamaño.*
4. En el poema dramático, parlamento que un personaje dice para contar o narrar algo o con cualquier otra finalidad.
—*La relación de Segismundo en La vida es sueño es hermosa.*
5. Narración de lo sustancial de un proceso o de algún acontecimiento con fines históricos o jurídicos.

☞ sinónimos o referencias ❖ antónimos u opuestos afines

591

—*La historia de la conquista de México se conoce, entre otras cosas, por las cartas de relación de los cronistas.*

6. Conexión entre dos términos de una misma oración.

—*El sujeto en singular se relaciona con un verbo en singular.*

relacionar Establecer relación entre personas, elementos, objetos. ☞ **conectar.**

relajar 1. Aflojar, laxar o ablandar. ❖ TENSAR.

—*Después de tanto correr, se relajó hasta dormirse.*

2. Recrear o divertir el ánimo con un descanso. ☞ **recreo.**

—*Los niños quisieron relajarse visitando Chapultepec.*

3. Volver menos estricta la observancia de una ley, estatuto, etc. ❖ RIGIDEZ.

—*Los estatutos fueron relajados al comprobarse que eran injustos.*

4. Liberar de un voto, juramento u obligación.

—*Le permitieron relajar la orden.*

5. Hacer menor la pena o el castigo a una persona.

—*Relajaron la condena del reo por buena conducta.*

6. Viciarse, distraerse o estragarse en las costumbres.

—*Desde que sale con ese muchacho, Luisa ha relajado mucho su disciplina.*

— divertirse: *echar relajo.*

— acción y resultado de relajar: *relajación.*

— con relajación: *relajadamente.*

— que relaja: *relajador.*

— medicamento que sirve para relajar: *relajante.*

— faltar al decoro o al respeto: *relajar.*

relamer 1. Lamer de nuevo.

—*El chico relamía su paleta de dulce.*

2. Lamerse los labios una vez o más.

—*El perro se relamía sólo con el olor de la carne.*

3. Jactarse de lo que se ha realizado, demostrando el gusto por haberlo llevado a cabo. ☞ **pavonearse.**

—*Se la pasó relamiéndose por sus hazañas de peleonero.*

relamido, -da Afectado, demasiado pulcro. ☞ **repulido.** ❖ NATURAL.

—*Se puso tanta brillantina que se veía relamido.*

relámpago (vea ilustración). 1. Resplandor intenso y momentáneo producido en las nubes debido a una descarga eléctrica. ☞ **rayo, trueno.**

—*El relámpago iluminó por momentos el cielo.*

2. Cualquier cosa que dura poco.

—*Pasó el tiempo como un relámpago.*

3. Cualquier cosa pronta, ligera.

—*Jorgito corre como un relámpago.*

relampaguear 1. Haber relámpagos.

—*Toda la tarde ha relampagueado.*

2. Lanzar luz o brillar mucho de modo intermitente. ☞ **resplandecer.**

—*Las lentejuelas relampaguean con la luz.*

relatar Narrar una historia o un hecho. ☞ **contar.**

relativo, -va 1. Que no es absoluto, que depende de su relación con otras cosas.

—*Que no se puede vivir sin amor es algo relativo.*

2. Por lo que toca, en relación con. ☞ **respecto, sobre.**

—*En lo relativo a mi vida personal, será mejor que no te metas.*

relato 1. Acto de relatar.

—*Publiqué un relato sobre el eclipse.*

2. Narración breve. ☞ **cuento.**

—*Cuando era pequeña, me gustaba escuchar los relatos que mi padre me contaba.*

relator, -ra 1. Que cuenta o refiere algo.

—*Luisa se convirtió en la relatora de las aventuras con sus hermanos.*

2. Letrado cuyo oficio es hacer relación de los autos o expedientes en los tribunales superiores. ☞ **refrendario.**

—*El relator se encargó de hacer el resumen del juicio.*

releer Volver a leer.

relegar 1. Desterrar a un ciudadano entre los antiguos romanos, pero sin quitarle sus derechos.

—*En la obra de Shakespeare, Romeo fue relegado al destierro.*

2. Apartar, postergar, posponer.

—*Los libros de caballerías han sido relegados al olvido.*

relente 1. Humedad que en las noches tranquilas puede notarse en la atmósfera.

—*El relente daba al bosque un aspecto fantasmagórico.*

2. Sorna, frescura.

—*Una sonrisa relente se le dibujó al verlo aparecer.*

relevante Que se sitúa por encima de lo demás. ☞ **sobresaliente, excelente.**

relámpago

El rayo corrige el desequilibrio eléctrico

En una nube de tormenta las cargas positivas y negativas se separan, pero se siguen atrayendo como si se tratara de un imán, aunque no llegan a tocarse porque el aire actúa como aislante.

Cuando la diferencia entre las cargas eléctricas de las nubes y de la tierra llega a ser más fuerte que la barrera aislante del aire, las cargas entran en contacto y producen un efecto óptico brillante: el relámpago.

Centro con cargas positivas

Centro con cargas negativas

-9° C

0° C

El rayo redistribuye las cargas

relevar 1. Poner algo de relieve. ☞ **ponderar.**
— *La mamá releva a sus hijos por sobre todas las cosas.*
2. Eximir de un peso, gravamen, así como de un empleo o cargo. ☞ **sustituir.**
— *Carlos no ha encontrado quien lo releve como subdirector.*
3. Absolver, perdonar o excusar.
— *En 1990, el presidente de México relevó 30 indígenas que se encontraban en prisión.*
4. Pintar una cosa de modo tal que aparente proyectarse hacia fuera o estar abultada.
— *Van Gogh relevaba ciertos colores para dar efectos de volumen a sus pinturas.*

relevo 1. Acción y resultado de cambiar la guardia. ☞ **sustitución.**
— *El relevo se efectuó a las ocho en punto.*
2. Soldado o cuerpo que releva.
— *A todos asombró que el relevo nunca llegara.*

relicario Lugar donde se guardan reliquias. ☞ **caja, estuche.**
— *Llevaba en el relicario un trozo de su cabello.*

relieve 1. Configuración de una superficie que tiene partes que sobresalen del plano.
— *En medio del camino nos topamos con un relieve que hizo brincar al auto.*
2. Obra escultórica que se hace sobre una superficie, tallando parte del bulto.
— *Las pirámides teotihuacanas están labradas en relieve.*
3. Mérito, renombre.
— *La obra de Gandhi alcanzó gran relieve.*
4. Poner de relieve, resaltar.
— *Puso de relieve la importancia de que la obra se lleve a cabo.*

religión 1. Conjunto de creencias o dogmas acerca de las divinidades, de la veneración a ellas, los rituales, la oración y el sacrificio para brindarles culto.
— *En algunos países, la religión sigue desempeñando un papel importante.*
2. Sistemas, normas y prácticas de una creencia a la que se adhieren las personas.
— *Ciñe su conducta a los dictados de su religión.*
— hacer una cosa con obligación de conciencia y cumplimiento de un deber: *religiosamente.*
— que pertenece a la religión: *religioso.*
— persona que profesa una orden religiosa: *religioso.*
— sectario del protestantismo: *religionario.*
— que pertenece a una misma fe o doctrina: *correligionario.*

relinchar (vea recuadro de voces animales). Emitir el caballo su voz con fuerza.

relincho Voz del caballo.

reliquia 1. Residuo que perdura de un todo. ☞ **vestigio.**
— *Estas reliquias las encontramos en una tienda de antigüedades.*
2. Vestigios de cosas pasadas. ☞ **resto.**
— *Las pirámides quedan como reliquia de antiguas civilizaciones.*

reloj Mecanismo dotado de movimiento uniforme que sirve para medir el tiempo. ☞ **Cronos, aguja, manecilla.**
— persona que vende, hace o repara relojes: *relojero.*
— reloj que se pone en la muñeca: *de pulsera.*
— reloj grande que adorna habitaciones: *de pared.*
— reloj de alarma: *despertador.*
— reloj que calcula hasta fracciones de segundo: *cronómetro.*
— agujas que de acuerdo a su calibre miden las horas, minutos y segundos en el mecanismo del reloj: *horario, minutero y segundero.*
— antecesor del reloj moderno: *reloj de arena.*

relucir 1. Arrojar o reflejar luz algo. ☞ **brillo.**
— *Los vidrios relucen cuando están limpios.*
2. Resplandecer.
— *La espada relució a la luz cuando el príncipe la blandió.*
3. Resplandecer una persona debido a una cualidad excelente o a hechos loables.
— *Han relucido los literatos latinoamericanos.*

reluctante Reacio, renuente. ❖ DÓCIL.

relumbrar Emitir algo luz intensa o alumbrar en exceso.
— calidad de relumbrar: *relumbrante.*

relumbrón 1. Rayo de luz intenso y momentáneo.
— *El relumbrón de los rayos sobre el asfalto impidió al conductor ver el automóvil que venía de frente.*
2. Cosa relumbrante pero de escaso valor. ☞ **gatazo.**
— *Su abrigo daba el relumbrón, pero era de peluche.*

rellano 1. Parte horizontal en que finaliza cada tramo de escalera.☞ **descanso.**
— *Mamá fuma tanto, que se detiene a tomar aire en cada rellano.*
2. Llano que interrumpe el declive de un suelo.
— *Los alpinistas se detienen en los rellanos a descansar.*

rellenar 1. Volver a llenar algo.
— *Ayer rellené estos cojines con borra.*
2. Llenar por completo.
— *Rellené la almohada con plumas de pato.*
3. Llenar de carne picada u otros ingredientes un ave, una tripa, etc.
— *La abuela se pasó la mañana rellenando el pavo de Navidad.*
4. Comer hasta el hartazgo.
— *Se rellenó hasta casi reventar.*

relleno 1. Pasta hecha con carne, hierbas, etc., picadas finamente, con la que se llenan aves, tripas, etc.
— *El relleno de los chiles quedó estupendo.*
2. Acción y resultado de rellenar o rellenarse.
— *El relleno del chocolate tenía licor.*
3. Parte poco importante que sólo alarga una oración o un texto.
— *Escribir de relleno es no comprometerse a decir cosas de importancia.*

remachar 1. Machacar la cabeza o punta de un clavo, una vez incrustado, con el fin de dar mayor firmeza. ☞ **martillo.**
— *Remacha ese clavo o no resistirá el peso de la maceta.*
2. Repetir, acentuar, afianzar, insistir en algo dicho o hecho. ☞ **recalcar.**
— *La mamá les remachó que llegaran temprano.*

remache 1. Acción y resultado de remachar. ☞ **refuerzo.**
— *Los remaches de esta silla están muy salidos.*
2. Clavo cuya punta se remacha una vez atravesada.
— *Las maderas pesadas requieren ser sujetadas con remaches.*
3. En billar, suerte en la que la bola golpeada por el taco pega contra una pegada a la banda y hace carambola con la tercera.
— *Mi primo es muy bueno para lograr remaches en el juego de billar.*

remanente Restos de una cosa. ☞ **residuo.**

remangar Recoger hacia arriba las mangas o la ropa.

remanso 1. Suspensión de una corriente de agua u otro líquido.
— *Los venados bajan a beber al remanso.*
2. Apatía, lentitud. ☞ **flema.** ❖ ACTIVIDAD.
— *Tiene tanta fiebre que está en un remanso.*

remar 1. Mover con el remo para impulsar una embarcación en el agua.
— *De jóvenes remábamos en el canal de Cuemanco.*

2. Trabajar en algo con cansancio continuo y mucho afán.

—*Los albañiles reman como el que más.*

— persona cuyo oficio es remar: *remero*.

remarcar Marcar de nuevo. ☞ **recalcar, remachar.**

rematadamente En conclusión, de manera total o absoluta. ☞ **totalmente.**

rematado, -da Que se encuentra en tan mal estado que es prácticamente imposible su alivio.

rematar 1. Dar fin a una cosa con algo que la realce.

—*Remató la danza con un zapateado.*

2. Dar fin a la vida de una persona o de un animal que está en trance de muerte; en cacería, dejar la pieza por completo muerta de un tiro.

— *Rematamos al perrito que atropellaron frente a la casa.*

3. En algunos deportes, terminar la jugada dando un golpe fuerte a la pelota para que el contrario no pueda contestarla.

—*Remató espectacularmente el balón y metió gol.*

4. En costura, asegurar la última puntada, dando otra sobre ella o haciendo un nudo especial. ☞ **refuerzo.**

— *Remata bien ese dobladillo; luego andas con la falda toda descosida.*

5. Vender una cosa, subastándola.

— *Los aduaneros remataron toda la mercancía incautada.*

— acción y resultado de rematar: *remate.*

remedar 1. Imitar una cosa a otra. ☞ **copiar.**

—*Los monos remedan a las personas.*

2. Especie de burla consistente en hacer los mismos gestos, visajes o acciones que otra persona hace. ☞ **burla.**

—*Los niños gustan de remedarse unos a los otros.*

— acción y resultado de remedar: *remedo.*

remediar Reparar un daño; corregir o enmendar algo. ☞ **enmendar, reparar.**

— que no tiene solución: *sin remedio.*

remembranza Recuerdo. ❖ OLVIDO.

rememorar Traer a la memoria. ❖ OLVIDAR.

remendar Reparar con remiendos lo roto o viejo. ☞ **parche.**

— pedazo de tela con que se repara lo roto o viejo: *remiendo.*

— persona cuyo oficio es remendar, en especial el sastre y zapatero de viejo: *remendón.*

remesa 1. Envío de una cosa de un lugar a otro.

—*La remesa de alimentos fue hecha por barco.*

2. La cosa enviada.

—*La remesa llegó a su destino en buenas condiciones.*

remilgo Delicadeza exagerada que se manifiesta con gestos expresivos.

— que hace remilgos: *remilgoso.*

reminiscencia 1. Acción de volver a la memoria la especie de un hecho pasado. ☞ **recuerdo, memoria.**

—*La colonia Condesa es reminiscencia de una época inolvidable.*

2. En literatura y música, lo que es muy similar a lo compuesto con anterioridad por otro autor. ☞ **influencia.**

—*De la mayoría de los autores se dice que tienen reminiscencias de otros.*

remisión 1. Acción y resultado de remitir o remitirse. ☞ **argumentar.**

—*El maestro hizo una remisión histórica para probar sus afirmaciones.*

2. Indicación dentro de un mismo escrito o sobre otro texto al que se envía al lector. ☞ **comprobante, acotación.**

— *Las notas de remisión consignan todos los productos que compraste.*

remiso, -sa Que es flojo o irresoluto.

remitente Que remite.

remitir 1. Enviar algo a determinada persona de un lugar a otro, de una situación a otra. ☞ **carta, giro, correo.**

—*Remitió el paquete por correo.*

2. Atenerse a lo dicho o hecho, a lo que ha de decirse o hacerse, ya sea por uno mismo u otra persona, de palabra o por escrito.

—*Se remitió al diccionario para probar que tenía razón.*

remo 1. Instrumento de madera, en forma de pala larga y estrecha, útil para impeler las embarcaciones ejerciendo fuerza en el agua.

— *Su lancha quedó a la deriva porque se le cayeron los remos.*

2. Brazo o pierna en el hombre y en los cuadrúpedos.

— *El galgo corrió todo lo aprisa que le permitieron sus remos.*

3. Castigo de remar en las galeras.

—*Los ingleses condenaban a los galeotes al remo.*

remoción Acción y resultado de remover o removerse.

remojar 1. Impregnar de o sumergir en un líquido una cosa.

—*Remoja el pan en la leche para que se ablande.*

2. Invitar a beber a los amigos para celebrar el estreno de algo recién adquirido o un suceso feliz para el que invita.

— *Mis papás remojaron la casa que acaban de construir.*

remojo Acción y resultado de remojar.

remolacha Raíz o planta herbácea comestible, de la cual se extrae azúcar. ☞ **betabel, tubérculo, camote.**

remolcador, -ra Que remolca.

remolcar 1. Jalar con una cuerda o cabo una embarcación u otra cosa sobre el agua.

—*Al que esquía en agua lo remolca una lancha de motor.*

2. Por semejanza, llevar por tierra un carro a otro.

—*Papá remolcó las bicicletas sujetas al carro.*

— cuerda o cabo que sirve para remolcar: *remolque.*

remolino 1. Movimiento rápido en círculos del viento, agua, polvo, etc. ☞ **torbellino, tornado.**

— *Los remolinos en el río son muy peligrosos.*

2. Retorcimiento en redondo del pelo o vello que se le forma al hombre o al animal.

—*Como tiene varios remolinos en la cabeza es muy difícil peinarla.*

3. Disturbio, inquietud, alteración.

—*La vida de Van Gogh transcurrió en un remolino.*

remolón, -na Que es perezoso, pesado y que rehúye el trabajo maliciosamente.

remontar 1. Retirarse la presa, en cacería, a lo oculto y montuoso, al sentirse acosada y perseguida.

—*El jabalí remontó río abajo.*

2. Encumbrar, elevar, sublimar.

—*Remontarse a la aristocracia siempre fue la ambición de Pepe.*

3. Elevar en el aire un papalote.

— *El papalote remontó el cielo con gran soltura.*

4. Volar las aves muy alto. ☞ **surcar.**

— *Las gaviotas remontaron el horizonte.*

5. Llegar hasta el origen de algo.

— *Para entender al mexicano hay que remontarse a la Conquista española.*

rémora 1. Pez que posee un disco oval encima de la cabeza con el cual se adhiere fuertemente a los objetos flotantes.

—*Al atracar el barco, varias rémoras estaban adheridas a la quilla.*

2. Cualquier cosa que paraliza o suspende.

—*La ansiedad suele ser una rémora para muchas personas.*

remordimiento Sentimiento de culpa que subsiste después de realizada una mala acción.

remoto , -ta 1. Distante. ❖ CERCANÍA.

—*Plutón es el planeta más distante de nuestro Sistema Solar.*

2. Que es poco factible de suceder. ❖ PROBABLE.

—*Es remoto ver un ovni.*

remover 1. Pasar o trasladar algo de un lugar a otro.

—*El gobierno removió los escombros después del terremoto.*

2. Quitar, apartar u obviar un inconveniente. ☞ **superar.**

— *Es importante que remuevas tus prejuicios.*

3. Revolver alguna cosa o asunto.

—*Revuelve la limonada para que se disuelva el azúcar.*

4. Destituir a una persona de su empleo o apartarla de su destino.

—*Lucio fue removido como secretario particular del jefe.*

remozar Proporcionar una especie de robustez y lozanía características de la juventud.

remuneración 1. Acción y resultado de remunerar.

— *Es tan servicial que se merece una remuneración.*

2. Lo que se otorga en calidad de remuneración.

—*Por toda remuneración le dieron 20 pesos.*

remunerar Retribuir o pagar un servicio. ☞ **premiar, galardonar.**

remunerativo, -va Que remunera o provoca recompensa o provecho.

renacer Volver a nacer.

renacimiento 1. Acción y resultado de renacer.

—*Estuvo tan grave que prácticamente vive un renacimiento.*

2. Época que inicia a mediados del siglo XV, en la que Occidente se interesa vivamente por el estudio de la antigüedad clásica griega y latina.

—*Leonardo Da Vinci fue un pintor del Renacimiento.*

renacuajo 1. Larva de la rana o de cualquier batracio que tiene cola, carece de patas y respira por branquias. ☞ **anfibio, ajolote.**

—*El estanque está lleno de renacuajos.*

2. Nombre con el que familiarmente se llama a los muchachos enclenques y antipáticos o molestos.

—*Es un tonto renacuajo.*

rencilla Pelea de la que queda algún rencor.

— que tiene inclinación a rencillas: *rencilloso.*

renco, -ca Cojo por lesión en la cadera.

rendija Abertura larga y angosta que se produce, de modo natural, en un cuerpo sólido, como una pared, tabla, etc., y lo traspasa por completo, permitiendo ver a través de ella. ☞ **grieta, rotura, ruptura.**

rendimiento 1. Fatiga, cansancio.

—*Este rendimiento me ha hecho hasta perder peso*

2. Sumisión, subordinación, humildad. ☞ **sometimiento, sujeción.**

—*El rendimiento de María a su marido es inaudito.*

3. Obsequiosa expresión del constreñimiento a la voluntad de otra persona en orden a servirla o complacerla.

—*El rendimiento de la mujer al hombre es una idea del siglo pasado.*

4. Utilidad que una cosa proporciona.

—*El rendimiento de esta transacción fue alto.*

— sumiso, obsequioso, galante: *rendido.*

rendir 1. Obligar al enemigo a que se entregue.

—*Las fuerzas aliadas rindieron a las tropas de Irak.*

2. Someter algo al dominio de uno.

— *Rindió su adicción con fuerza de voluntad.*

3. Dar a alguien lo que le corresponde.

— *La academia rindió homenaje a Bolívar.*

4. Junto a algunos nombres, adquiere la significación del que se le agrega.

—*Los fieles rinden tributo a la iglesia.*

5. Dar, entregar.

— *El secretario rindió el informe a tiempo.*

6. Hacer pasar una cosa a la custodia de otra persona.

—*El soldado rindió la guardia a media noche.*

7. Hacer con ciertas cosas actos de sumisión y respeto.

— *Rendimos honores a la bandera muy temprano.*

renegar 1. Negar con vehemencia algo.

— *Georgina reniega de su pasado hispánico.*

2. Cambiar de religión o culto.

— *Algunas personas reniegan de su religión.*

3. Blasfemar. ☞ **renegado.**

—*Al verse perdido, renegó de Dios.*

4. Ofender a una persona.

—*Renegó de su madre.*

renegrido, -da Que es de color oscuro, en especial la piel.

renglón 1. Sucesión de caracteres o palabras, escritos o impresos, horizontalmente.

—*Su nombre es tan largo que ocupa un renglón.*

2. Parte de utilidad que una persona tiene.

—*Su principal renglón es la mercancía.*

3. Parte del gasto que se hace.

—*El renglón más costoso para un país es la educación.*

rengo, -ga Renco. ☞ **cojo.**

reno Ciervo de los países septentrionales, de astas muy ramosas y pelaje espeso; de color rojo pardusco en verano y rubio blanquecino en invierno.

renombrado, -da Gloria o fama que una persona adquiere debido a sus actos o por haber dado muestras de talento o erudición. ☞ **célebre, famoso.**

renombre Apellido propio.

renovación Acción y resultado de renovar o renovarse.

renovador, -ra Que renueva.

renovar 1. Volver una cosa a su estado inicial.

— *Se renovarán los frescos que están en la Catedral.*

2. Restablecer o reanudar una relación que se había suspendido.

— *Estados Unidos y Cuba no han renovado relaciones diplomáticas.*

3. Cambiar una cosa vieja, que ya fue utilizada, por una nueva.

— *Renovaremos mobiliario cuando nos cambiemos de domicilio.*

renquear Caminar como renco, moviéndose a un lado y a otro. ☞ **cojear.**

—indeciso: *renco.*

renta 1. Utilidad que da anualmente una cosa o lo que se cobra de ella. ☞ **utilidad, regalía.**

— *Sus propiedades le dejan buenas rentas.*

2. Pago de un arrendatario en dinero o en frutos.

— *El casero me aumentó la renta un cien por ciento.*

3. Deuda del Estado o títulos que la representan.

—*La renta del Estado es muy grande.*

rentabilidad Calidad de rentable.

rentable Que produce buena ganancia.

rentar Dar, producir, rendir utilidad o beneficio anualmente una cosa.

rentista 1. Que tiene conocimiento o práctica en el campo de la hacienda pública.

— *Como buen rentista, mi tío fue contratado por el Ayuntamiento.*

2. Que vive principalmente de sus rentas.

— *Dora no sufre penurias, es rentista.*

renuente Indócil, reacio. ❖ DÓCIL.

renuevo Retoño que le brota al árbol después de podado o cortado.

renuncia 1. Acción y resultado de renunciar.

— *El desfalco que cometió le valió su renuncia.*

2. Documento por medio del cual se dimite de un cargo, empleo, etc.

— *Debido a los bajos sueldos los empleados están por presentar su renuncia.*

renunciar 1. Dejar, dimitir o apartarse por voluntad propia de una cosa que se posee, o del derecho y acción que puede tenerse sobre ella.

—*John Lennon renunció a la condecoración que la reina de Inglaterra le ofreció.*

2. No querer admitir o aceptar una cosa. ☞ **privarse.**

—*Los religiosos renuncian a la vida mundana.*

3. Despreciar o abandonar.

—*Luisa renunció a la maternidad.*

— acción y resultado de renunciar: *renunciación.*

reñido, -da Que está enemistado con otro. ☞ **peleado.**

reñir 1. Pelear o altercar de obra o de palabra.

— *Reñí con el maestro porque me trató injustamente.*

2. Luchar con armas.

—*Parece que los países sólo pueden arreglar sus diferencias riñendo.*

3. Desavenirse, enemistarse.

—*Los equipos de futbol riñeron entre sí.*

4. Reprender a una persona con rigor o alguna amenaza.

— *El padre riñe al hijo cuando le desobedece.*

5. En el terreno bélico, ejecutar o llevar a cabo desafíos, batallas, etc.

— *Francia e Inglaterra riñeron la Guerra de los cien años.*

reo 1. El demandado en un juicio civil.

—*El reo se puso de pie frente al juez para pagar la multa.*

2. Persona que es castigada por haber cometido un delito.

—*El reo fue condenado a prisión.*

3. Trucha que llega al mar desde el río y se adapta a las aguas saladas, adquiriendo la apariencia de los salmones.

— *Los reos se confunden con los salmones.*

reojo (mirar de) Ver por encima del hombro con disimulo.

reorganización Acción y resultado de reorganizar.

reorganizar Organizar una cosa de nuevo.

repantingarse Ensancharse en un asiento abriendo las piernas para mayor comodidad.

reparable Que se puede reparar.

reparador, -ra 1. Que repara o mejora una cosa. ☞ **restaurar.**

—*Mandé con el reparador mi aspiradora.*

2. Que proporciona nuevas fuerzas y da aliento o vigor.

—*Un reparador sueño me caería muy bien.*

3. Caballería que tiende a hacer reparadas.

— *Un caballo cimarrón es reparador en extremo.*

reparar 1. Componer o arreglar el deterioro que ha sufrido una cosa.

—*Mi primo Pancho reparó mi coche.*

2. Mirar con detenimiento; notar una cosa, darse cuenta, advertir algo.

— *Repararé en tu ausencia hasta la medianoche.*

3. Atender, pensar, considerar, reflexionar.

—*No repararon en gastos el día de su boda.*

4. Enmendar, desagraviar, corregir o remediar.

— *El padre le pidió que repare la honra de la muchacha.*

5. Dar aliento, fuerzas o vigor otra vez.

—*Este jarabe ha reparado mis fuerzas.*

6. Dar saltos los animales de montar cuando se asustan o para defenderse.

—*El caballo reparó y yo fui a dar al suelo.*

— acción y resultado de reparar: *reparación.*

— queja: *reparo.*

— encabritarse los caballos: *reparar.*

repartido, -da Que es distribuido.

repartidor, -ra 1. Que distribuye o reparte.

—*La tienda es surtida por repartidores ambulantes.*

2. Parte del sistema de riego en que se reparten las aguas.

— *La repartidora de agua debe ser equitativa.*

repartir 1. Partir, dividir dando a cada uno una porción.

—*María repartió los dulces.*

2. Otorgar a cada cosa su colocación adecuada.

— *Luisito repartió los lugares a los niños que invitó a su fiesta.*

3. Entregar a alguien una cosa que se separa del resto para hacerla llegar a su destino.

— *El camión repartió los refrescos muy tarde.*

reparto Acción y resultado de repartir.

repasar 1. Pasar de nuevo por un lugar.

— *Repasé dos veces el camino para conocerlo bien.*

2. Esponjar y limpiar la lana con el fin de prepararla para el hilado, una vez teñida.

—*Antes de tejer, las hilanderas repasaron la lana.*

3. Volver a examinar o mirar una cosa.

—*Repasa tu lección de solfeo.*

4. Explicar una clase de nuevo.

—*El maestro nos repasó la lección de matemáticas.*

5. Revisar muy superficialmente un escrito, pasando la vista con rapidez. ☞ **ojear.**

— *Sólo repasé el periódico y no me enteré bien de la noticia.*

repaso Acción y resultado de repasar.

repatriar Hacer que una persona vuelva a su patria.

repelente 1. Que repele, arroja o aleja de sí con fuerza o violencia una cosa.

— *Ponle a los niños repelente de insectos.*

2. Repulsivo o repugnante.

—*Es una mujer muy repelente e insoportable.*

repeler Arrojar, alejar de sí con fuerza o violencia una cosa. ☞ **rechazar.**

— acción y resultado de repeler: *repulsión.*

repente (de) Movimiento súbito e inesperado de algo o alguien.

repentinamente De pronto, de repente, sin discurrir o pensar.

repentino, -na Pronto, impensado, no prevenido o esperado.

repercusión Acción y resultado de repercutir.

repercutir 1. Retroceder o cambiar de dirección un cuerpo al chocar contra otro.

—*La pelota repercutió en la pared.*

2. Producir eco.

—*El grito repercutió en la cueva.*

3. Trascender.

—*Su fama repercutió por toda América.*

repertorio 1. Escrito que menciona, de modo sucinto, hechos o cosas notables y que remite a otros donde se abordan con más detalle. ☞ **bitácora.**

— *Elige del repertorio los libros que más necesites.*

2. Copia de obras dramáticas o musicales que de manera habitual representa o ejecuta un artista.

— *Es la canción más bonita de su repertorio.*

3. Conjunto de actores en las obras llevadas a escena.

— *El repertorio de la obra que va a ponerse es magnífico.*

repetición 1. Acción y resultado de repetir.

—*El canal 11 pasa puras repeticiones.*

2. Mecanismo por el que ciertos aparatos repiten una acción útil.

—*Necesito un reloj de repetición que me indique la hora de tomar la medicina.*

3. Figura retórica consistente en repetir a propósito palabras o conceptos.

—*"Vivo sin vivir en mí/ y tan alta vida espero/ que muero porque no muero".* (Santa Teresa de Jesús).

repetir 1. Decir o hacer de nuevo lo ya dicho o hecho.
—*Repitieron la muestra de cine anterior.*
2. Hacer lo que otra persona ya hizo antes.
— *Repite como perico lo que dice el hermano.*
3. Venir a la boca el sabor de lo que se ha comido o bebido.
— *El bebé repitió y se le quitó el cólico.*
4. Suceder algo en la misma forma que antes.
—*Dicen que la historia se repite.*
— con repetición: *repetidamente.*
— que repite: *repetidor.*

repicar Sonar repetida y acompasadamente las campanas u otros instrumentos.
— acción y resultado de repicar: *repique.*

repintar Pintar sobre lo ya pintado, sea para reparar un cuadro en mal estado o para perfeccionar una pintura ya terminada. ☞ **reparar, restaurar.**

repiquetear Repicar con viveza un instrumento sonoro.
— acción y resultado de repiquetear: *repiqueteo.*

repisa Tipo de ménsula, más larga que ancha, útil para colocar sobre ella objetos, o bien como piso de un balcón.

replantar Volver a plantar en el suelo o maceta donde ya se había plantado.

replantear Trazar en el terreno o el plano la planta de una obra ya estudiada y proyectada.

replegarse Retraerse en orden algo o alguien.
— acción y resultado de replegarse las tropas: *repliegue.*

repleto, -ta Que está demasiado lleno.

replicar 1. Refutar una idea o argumento.
—*No repliques y haz lo que tu padre dice.*
2. Responder oponiendo argumentos a lo que se dice o manda.
—*Replicó que era injusto el mandato presidencial.*
— expresión, argumento o discurso con el cual se replica: *réplica.*

repoblar Poblar otra vez.
— acción y resultado de repoblar: *repoblación.*

repollo 1. Especie de col, de hojas firmes, comprimidas y abrazadas estrechamente, en forma de cabeza.
—*El repollo es un alimento común en México.*
2. Cabeza más o menos redonda que se forma cuando las hojas de algunas plantas se aprietan unas contra otras.
—*La lombarda forma repollos.*

reponer 1. Volver a colocar a una perso-

na o cosa en el empleo o en el lugar donde se hallaba con anterioridad.
— *Repusieron al velador en su empleo.*
2. Suplir lo que falta o lo que se había sacado de alguna parte.
— *Repuse el espejo que se le rompió al coche el otro día.*
3. Volver a poner en escena una obra de teatro.
—*Repondrán Hamlet en Bellas Artes.*
4. Recuperar la salud. ☞ **sobreponer.**
—*No me he repuesto del catarro.*
— acción y resultado de reponer: *reposición.*
— que sirve para reponer: *repuesto.*

reportaje Trabajo periodístico de carácter informativo.
— que se dedica a hacer reportajes: *reportero.*

reportar 1. Reprimir una pasión o a quien la tiene.
—*Reporta esa cólera.*
2. Alcanzar, conseguir, lograr u obtener.
—*La renta de la casa le ha reportado buenas ganancias.*
3. Retribuir, pagar o recompensar.
—*No se reporta justamente a los trabajadores.*

reposado, -da Que es sosegado, tranquilo. ☞ **sereno.** ❖ INTRANQUILO.

reposar 1. Descansar.
—*Necesito reposar unos días.*
2. Dormir un sueño breve.
—*Reposa la comida antes de bañarte.*
3. Permanecer en paz y tranquilidad una persona o cosa.
—*Dejar reposar la ensalada antes de servirla.*
4. Estar enterrado.
—*Aquí reposan los restos de mis ancestros.*
5. Posarse los líquidos.
—*Un buen vino es aquél que ha reposado muchos años.*
— acción y resultado de reposar: *reposo.*

repostería 1. Arte y oficio del repostero.
— *Obtuvo su diploma en repostería.*
2. Productos de este arte.
—*Francia es famosa por su repostería.*
3. Lugar donde se hacen y venden dulces y pasteles. ☞ **pastelería, panadería, bombonería.**
—*Te compré tu pastel en la repostería de la esquina.*

repostero, -ra Persona cuyo oficio es hacer pastas, dulces y algunas bebidas.

reprender Corregir a alguien con cierto rigor por desaprobar lo que ha dicho o hecho.
— que reprende: *reprendedor, reprensor.*
— que merece ser reprendido: *reprensible.*

— expresión o razonamiento con el cual se reprende: *reprensión.*

represalia Acción que emprende alguien para causar un daño mayor o igual al que le ocasionó otro.

representar 1. Reproducir por medio de una gráfica las características de algo o alguien.
— *Representó a su padre como un árbol.*
2. Ejecutar en público una obra dramática.
—*Este año mi hermano representará Hamlet.*
3. Sustituir una persona a otra por ausencia, muerte o incapacidad legal.
—*Su madre representa al menor para las cuestiones legales.*
4. Ser imagen o símbolo de algo o imitarlo a la perfección.
—*La cruz representa el cristianismo.*
5. Aparentar una persona cierta edad.
—*Representa menos edad de la que tiene.*
— acción y resultado de representar: *representación.*
— que representa a alguien, a un cuerpo o una comunidad: *representante.*
— que es representante: *representativo.*

reprimir Contener, refrenar, templar o moderar.
— que reprime: *represivo, represor.*
— acción y resultado de reprimir o reprimirse: *represión.*

reprobar Dar por malo o no satisfactorio algo o a alguien.
— acción y resultado de reprobar: *reprobación.*

réprobo, -ba Que es condenado a las penas eternas del infierno, tratándose de religión.

reprochar Reconvenir o echar en cara.
— acción y resultado de reprochar: *reproche.*

reproducir 1. Producir de nuevo.
—*El científico reprodujo el ambiente de los pájaros para su conservación.*
2. Hacer copia de una obra de arte, objeto arqueológico, etc.
—*La Gioconda ha sido reproducida infinidad de veces.*
3. Producir un ser viviente otros semejantes a sí mismo.
—*Las especies se reproducen para la supervivencia.*
— acción y resultado de reproducir: *reproducción.*
— que sirve para la reproducción: *reproductor.*

reptar 1. Andar un reptil rozando la tierra.
—*La culebra reptaba amenazante hacia el ganado.*

3. Arrastrarse como algunos reptiles. ☞ **arrastrar.**

— *El soldado reptó para que no lo descubriera el enemigo.*

reptil Animal del orden de los vertebrados, que por carecer de pies o tenerlos muy cortos, camina rozando la tierra con el vientre.

república Forma de gobierno en el que el poder reside en el pueblo, representado este último por un jefe supremo llamado presidente. ❖ DICTADURA.

repudiar 1. Repeler a la mujer propia.

— *Nunca la perdonó y vivió repudiándola.*

2. Renunciar. ☞ **rechazar.**

— *Repudio tener que trabajar.*

— acción y resultado de repudiar: *repudio.*

repugnancia Acción y resultado de repugnar.

repujar Labrar una obra a cincel y martillo para adornarla.

— acción y resultado de repujar: *repujado.*

repuntar 1. Empezar la marea a crecer o a menguar.

— *En invierno las mareas repuntan más temprano.*

2. Empezar a manifestarse algo. ☞ **inicio.**

— *Repunta el día y los gallos cantan.*

— acción y resultado de repuntar: *repunte.*

reputación Opinión que se tiene acerca de algo o de alguien, de acuerdo con sus características.

requerir 1. Necesitar algo o alguien que se le dedique cierta atención.

— *Esta construcción requiere una mano de pintura.*

2. Necesitar la presencia de una persona, principalmente la autoridad.

— *En la junta se requirió la presencia del presidente.*

3. Pretender el amor de una persona.

— *Te requiero a mi lado.*

requesón Pasta blanca y grasosa que se forma al quitarle el suero a la leche.

requete Que no deja duda de su calidad o cantidad extrema. ☞ **muy.**

requiebro Halago. ☞ **piropo.**

réquiem Composición musical cantada con el texto litúrgico de la misa de difuntos. ☞ **misa.**

requinto Guitarra pequeña que se toca rozando las cuerdas de arriba a abajo y viceversa, con el dedo índice o el mayor.

requisar Hacer recuento y embargo de objetos el Estado para el servicio militar o con otros fines.

requisito Condición indispensable para conseguir algo.

res (vea ilustración). Cualquier animal cuadrúpedo perteneciente a la clase de los bovinos. ☞ **toro, vaca, ganado.**

resabio 1. Sabor desagradable que deja en el paladar un alimento o una bebida.

— *Tengo resabio de la sopa de ajo del mediodía.*

2. Por extensión, restos de cualquier otra cosa o sentimiento.

— *Quedan resabios de civilizaciones antiguas.*

resaca 1. Retroceso de las olas una vez que han llegado a la orilla.

— *La resaca se llevó mis sandalias al mar.*

2. Malestar posterior a la ingesta excesiva de bebidas alcohólicas. ☞ **cruda.**

— *Bebí mucho tequila y amanecí con una resaca espantosa.*

resaltar Destacar algo o alguien por su importancia. ☞ **sobresalir.**

resanar 1. Cubrir con oro las partes defectuosas de un dorado, tratándose de iglesias. ☞ **restaurar.**

— *Resanaron la Catedral y quedó preciosa.*

2. Corregir los defectos de una superficie. ☞ **reparar.**

— *Mandé a resanar los muebles de la sala.*

resarcir Reparar un daño, perjuicio o agravio.

resbalar 1. Escurrirse o deslizarse.

— *Se me resbaló el jarrón y se rompió al caer al suelo.*

2. Incurrir en una falta. ☞ **caída.**

— *La hija de mi vecina resbaló y ahora tendrá que casarse.*

— que resbala: *resbaloso, resbaladizo.*

— coqueta: *resbalosa.*

— tener una caída: *resbalón.*

— juego infantil para deslizarse: *resbaladilla.*

rescatar 1. Recuperar, volver a poseer lo que se había perdido.

— *La autoridad portuaria rescató un buque perdido en el fondo del mar.*

2. Libertar.

— *Tras una lucha denodada, la familia rescató a sus parientes presos.*

rescindir Dejar sin efecto. ☞ **finiquitar.**

rescoldo 1. Brasa pequeña cubierta por la ceniza. ☞ **carbón.**

— *Aprovecha los rescoldos para volver a encender la fogata.*

2. Recelo, escozor o escrúpulo. ☞ **prejuicio.**

— *Un rescoldo de desconfianza lo hizo terminar la relación.*

resecar Secar en demasía.

resentir 1. Empezar a menguar o sentirse una cosa.

— *Su hígado ya resiente tanto alcohol.*

res

bistec de costilla
costilla para asar
chuleta
chuleta para asado
diezmillo

entrecot
rosbif
tibón
agujas

filete
punta de filete
sirloin
costillitas
bola

espaldilla
costillar
lomo alto
lomo bajo
cadera y pierna

pecho delantero y pierna
pecho trasero
falda

bistec de falda diagonal y suadero

bistec de espaldilla
planchuela
paletilla
antepecho
cuello

bistec de pecho

chambarete
panza del pecho
centro del pecho

bola
cuete
aguayón
pierna
codillo

2. Experimentar sentimiento, pesar o enojo por algo.

—*Está resentido por las críticas que le hicimos.*

— acción y resultado de resentir: *resentimiento.*

— que sufre o está apesadumbrado: *resentido.*

reseñar 1. Llevar a efecto una revista de la tropa.

—*El ordenanza reseñó a los soldados muy temprano.*

2. Analizar una obra literaria, dramática, etc., y escribir una nota crítica sobre ella.

—*Me gustaría que reseñaras mi libro de cuentos.*

— acción y resultado de reseñar: *reseña.*

reservar 1. Guardar algo para el futuro. ☞ **previsión.** ❖ DILAPIDAR.

— *La abuela reservaba maíz y trigo para el invierno.*

3. Posponer, aplazar o diferir.

— *La ópera se reservó hasta nuevo aviso.*

3. Destinar un lugar o cosa para uso exclusivo de personas determinadas.

—*Reservé la mejor mesa para ver el espectáculo.*

4. Conservar algo de lo que se distribuye, sea para sí mismo o para otra persona. ☞ **guardar.**

—*Reservó un poco de comida para su esposo ausente.*

5. Callar una cosa. ☞ **secreto.**

— *Laura siempre se reserva su vida personal.*

6. Irse preparando para cada ocasión. ☞ **conservarse.**

— *Reservo mis ganas de bailar para cuando llegue el carnaval.*

7. No confiar en alguien. ❖ ABRIRSE.

—*Me reservo de hablar con Irene; es muy indiscreta.*

— acción y resultado de reservar: *reserva.*

— militar que no se encuentra en servicio activo: *reservista.*

resfriado Trastorno leve del cuerpo ocasionado por el frío y la humedad que manifiesta los mismos síntomas del catarro común. ☞ **gripe, resfrío, catarro.**

resguardar 1. Defender o reparar.

—*Los soldados resguardaron la seguridad de la Ciudadela.*

2. Prevenirse contra un daño.

— *Nos resguardamos del frío en el refugio.*

— acción y resultado de resguardar: *resguardo.*

— guardia que se aposta para defender o cuidar un lugar: *resguardo.*

— garantía que por escrito se hace en las deudas o contratos: *resguardo bancario.*

— custodia que se hace de un litoral, frontera, etc.: *resguardo aduanal.*

residencia 1. Acción y resultado de residir o estar establecido en un lugar. ☞ **asentamiento.**

—*Ahora tiene su residencia en España.*

2. Casa donde se vive, en especial si es lujosa. ☞ **palacete.** ❖ POCILGA.

— *Vive en una enorme residencia.*

3. Entrenamiento que realizan los estudiantes de medicina al formar parte del cuerpo médico de un hospital y residir en él.

—*Está haciendo su residencia y el año que entra se recibirá.*

4. Tiempo que debe residir el eclesiástico católico en la diócesis que le corresponde. ☞ **claustro.**

— *Efectuó su residencia en verano.*

5. Permiso que conceden algunos países a los extranjeros para que puedan permanecer en él. ☞ **asilo.**

—*Tuvo que salir del país porque no le dieron la residencia.*

— juicio que se entabla a funcionarios públicos: *juicio de residencia.*

residual Que pertenece o se relaciona con el residuo.

resignarse 1. Conformarse, someterse, entregar la voluntad o condescender.

— *La mujer se resignó en cuerpo y alma al marido.*

2. Mantener conformidad, tolerancia y paciencia en las adversidades.

— *Nos resignamos a la destrucción que sembró el terremoto.*

—acción y resultado de resignarse: *resignación.*

— que se conforma: *resignado.*

resina Sustancia sólida o de consistencia pastosa, soluble en el alcohol, capaz de arder al contacto del aire, que produce la savia de algunas plantas y que se obtiene principalmente de la familia de las coníferas.

resistir 1. Oponerse algo o alguien a la acción de una fuerza. ❖ DESFALLECER.

—*El barco resistió la tormenta durante toda la noche.*

2. Resistir con valor al daño.

— *La Gioconda ha resistido el paso del tiempo.*

3. Repugnar, contrariar, rechazar, contradecir al enemigo.

—*El presidente no resistió los ataques y tuvo que renunciar.*

4. Durar algo o alguien por mucho tiempo con la capacidad de tolerar, soportar, aguantar o sufrir.

—*Cuando no resistió más el dolor, se tomó un analgésico.*

5. Combatir los deseos, pasiones, etc. ☞ **sucumbir.** ❖ IRRESISTIBLE.

—*Tienes que resistirte a sus deseos.*

— acción y resultado de resistir: *resistencia.*

— elemento electrónico para evitar el paso de calor o corriente: *resistencia.*

resolano, -na Sitio donde se toma el sol sin que dé el viento.

resolver 1. Llegar a una determinación decisiva. ☞ **decisión.** ❖ TITUBEAR.

—*Resolví no volver a fumar.*

2. Dar o hallar la solución a una duda o a un problema.

— *No he resuelto el cambio de domicilio.*

3. Dividir física o mentalmente una cosa en sus partes o componentes para analizar uno por uno.

—*Los niños no resolvieron sus problemas de aritmética.*

— acción y resultado de resolver: *resolución.*

resollar Absorber y expeler el aire por el sistema respiratorio. ☞ **respirar, jadear, bufar.**

— respirar ruidosamente: *resollar.*

— respiración ruidosa y violenta: *resuello.*

resonar Producir sonido por repercusión.

— acción y resultado de resonar: *resonancia.*

resoplar Dar fuertes resuellos. ☞ **resollar.**

resorte Pieza elástica que puede recuperar su posición inicial.

respaldo 1. Parte del asiento donde se apoya la espalda.

—*El respaldo de la silla está roto.*

2. Apoyo que se recibe de alguien. ☞ **sostén.**

—*Tu hijo necesita respaldo.*

respectivo, -va Que corresponde a una persona o cosa determinada. ☞ **sendo.**

respecto Razón, proporción o relación de una cosa con otra.

respetar Apreciar, venerar, acatar.

— acción y resultado de respetar: *respeto.*

respingar Sacudirse y brincar un caballo por algo que le molesta.

—acción y resultado de respingar: *respingo.*

respirar 1. Absorber el aire por los pulmones, branquias, etc., tomando parte de las sustancias que lo componen, y arrojarlo modificado.

— *Respiró agitadamente durante la noche.*

2. Expeler de sí un olor.

—*Este aceite respira un olor a rancio.*

3. Tener comunicación un fluido encerrado con el aire externo o libre.

—*El agua de este tinaco no respira y por eso huele mal.*

4. Aliviarse o cobrar aliento del trabajo o de la opresión.

—*Respiré tranquilo cuando acabé el trabajo.*

— acción y resultado de respirar: *respiración.*

— respiración: *respiro.*

— orificio por donde entra y sale aire: *respiradero.*

resplandecer 1. Despedir rayos de luz. ☞ **brillo, destellar, alumbrar.** ❖ OPACO.

—*El sol resplandece cada mañana.*

2. Distinguirse de entre los demás miembros de una clase. ☞ **aventajar.**

—*María resplandece por su belleza.*

— luz muy clara que despide un cuerpo luminoso: *resplandor.*

responder Contestar a lo que se pregunta o propone. ☞ **replicar, contestación.** ❖ PREGUNTAR, INTERROGAR.

— acción y resultado de responder: *respuesta.*

— que responde de manera irrespetuosa: *respondón.*

responsabilizarse Tomar o asumir la responsabilidad de una cosa.

— acción y resultado de responsabilizar o responsabilizarse: *responsabilidad, responsabilización.*

responso Preces y versículos que se dicen por los difuntos, tratándose de religión. ☞ **misa, novenario.**

resquebrajar Hender de modo ligero y a veces superficial algunos cuerpos duros.

— hendedura, abertura, grieta: *resquebrajadura.*

resquemor Resentimiento. ☞ **rencor.**

resquicio Ranura que hay entre el quicio y la puerta o cualquier ranura pequeña.

restablecer 1. Colocar una cosa en su sitio original.

—*Restablecieron la estatua en Reforma, después de repararla.*

2. Recobrar la salud o reponerse de algún daño o menoscabo. ❖ AGRAVAR.

—*Mi madre se restablece de una larga enfermedad.*

— acción y resultado de restablecer o restablecerse: *restablecimiento.*

restallar Chasquear ciertos objetos, como látigo, honda, etc. cuando se sacuden en el aire con violencia. ☞ **crujir.**

restañar Cubrir de nuevo con estaño una cosa.

restar 1. Quitar una cosa de otra para hallar el residuo. ❖ SUMAR.

—*Si le resto cuatro a siete, quedan tres.*

2. Disminuir, rebajar.

—*Restó importancia al hecho.*

3. Faltar o quedar.

— *Sólo resta apagar las luces para poder retirarme.*

— acción y resultado de restar: *resta.*

— operación aritmética que consiste en quitar cantidades a otras: *resta.*

— lo que queda: *resto, restante.*

restaurante o **restorán** Lugar donde sirven alimentos.

restaurar 1. Recuperar o recobrar.

—*Restauró las fuerzas perdidas con unas buenas vacaciones.*

2. Enmendar, reparar, renovar una cosa. ☞ **remozar, reparar.**

—*Restauraron la Catedral como cada año.*

3. Volver a poner una persona o cosa en el estado o estimación que tenía con anterioridad.

—*Restauraron a Laura como editora.*

— acción y resultado de restaurar: *restauración.*

— relacionado con o perteneciente a la restauración: *restaurador.*

restituir Devolver algo a quien lo poseía anteriormente.

— acción y resultado de restituir: *restitución.*

restregar Tallar, frotar mucho y con fuerza.

restringir Circunscribir a límites más estrechos. ☞ **limitar, constreñir.**

— acción y resultado de restringir: *restricción.*

— que restringe: *restrictivo.*

resucitar Volver a la vida. ☞ **revivir.**

— acción y resultado de resucitar: *resurrección.*

resuelto, -ta Que es determinado, decidido, audaz, arrojado o libre.

resultar Terminar o venir a parar una cosa en provecho o daño de algo o alguien.

— acción y efecto de resultar: *resultado.*

— consecuencia de un hecho, operación o deliberación: *resultado.*

— como resultado: *a resultas.*

resumir Reducir a términos breves y precisos un asunto. ☞ **abreviar, sinopsis, reseña.**

— acción y resultado de resumir: *resumen.*

— exposición breve y precisa de un asunto o materia: *resumen.*

resurgir Volver a surgir o aparecer.

retablo Conjunto de figuras que representan en serie un suceso.

retaguardia Cuerpo de tropa que se sitúa en la parte de atrás y cubre las marchas y movimientos de un ejército. ❖ VANGUARDIA.

retahíla Serie de muchas cosas que están, suceden o se mencionan unas detrás de otras.

retar Desafiar, provocar un duelo o contienda.

— acción y resultado de retar: *reto.*

— que desafía o reta: *retador.*

retardar 1. Diferir o aplazar.

—*Retardaron la temporada de ópera.*

2. Demorar, tardar, dilatar. ☞ **retraso.**

—*El avión llegó retardado.*

— acción y resultado de retardar: *retardo.*

— que es detenido u obstaculizado: *retardado.*

retazo Pedazo restante de una cosa, en específico de una tela. ☞ **retal, trozo, porción.**

rete Que aumenta o pondera una cualidad.

retén Tropa empleada para reforzar un puesto militar.

retener 1. Detener o guardar en sí. ☞ **contener, reprimir.**

—*Retuve la náusea hasta llegar a la casa.*

2. Conservar en la memoria una cosa.

— *El abuelo ya no retiene las cosas que lee.*

3. Conservar el empleo cuando se pasa a otro.

—*Retuve mi puesto hasta que llegó un nuevo director.*

4. Suspender total o parcialmente el sueldo u otro haber devengado para pagar con esa cantidad alguna deuda. ☞ **impuesto.**

—*Me retienen el 30 por ciento de mi salario en impuestos.*

5. Imponer prisión preventiva.

—*Lo retuvieron en la delegación hasta las 12 de la noche.*

— acción y resultado de retener: *retención.*

retentiva Facultad de recordar. ☞ **memoria.**

reticencia Acción de insinuar una cosa, dando a entender que se oculta o se calla algo que pudiera o debiera decirse. ☞ **tinte.**

— que habla con reticencia: *reticente.*

retículo, -la Tejido en forma de red. ☞ **ojo, ocular.**

retina Membrana interior del ojo en la cual se reciben las impresiones luminosas y se representan las imágenes de los objetos. ☞ **ojo, ocular.**

retintín Sonido que dejan los cuerpos sonoros en el oído. ☞ **repiqueteo.**

retinto, -ta Que es de color castaño oscuro.

retirar 1. Separar o rechazar a una persona o cosa de otra o de un lugar.

—*Me retiré de la fiesta a las doce.*

2. Ocultar una cosa.

—*¡Retira a ese animal de mi vista!*

3. Apartarse del trato, comunicación o amistad. ☞ **finiquito.**

—*Le retiraron el contrato por falta de mérito.*

— acción y resultado de retirar o retirarse: *retirada.*

— retroceso militar del campo de acción: *retirada.*

— lugar apartado del bullicio y la concurrencia: *retiro.*

retobar Mostrar displicencia o reserva excesiva.

— acción y resultado de retobar: *retobo.*

— indómito, obstinado: *retobado.*

retocar Dar a un dibujo, pintura o superficie ciertos toques para quitarle los defectos.

— acción y resultado de retocar: *retoque.*

retoñar Echar vástagos la planta otra vez.

— vástago que echa de nuevo la planta: *retoño.*

retorcer 1. Torcer mucho una cosa dándole vueltas.

—*Retuerce el alambre en los clavos para que quede bien sujeto.*

2. Malinterpretar una cosa. ☞ **tergiversar.**

—*Luis retorció todo lo que le dije y lo contó a su manera.*

— acción y resultado de retorcer: *retorcimiento.*

— retorcimiento de alguna parte del cuerpo que ocasiona dolor: *retorcijón o retortijón.*

— persona de intención sinuosa: *retorcido.*

retórica 1. Arte de dar al lenguaje la suficiente eficacia como para deleitar, persuadir o conmover.

—*Platón practicaba la retórica.*

2. Uso impropio de este arte.

—*Un artículo retórico es un artículo poco creíble.*

— que pertenece a o se relaciona con la retórica: *retórico.*

retornar Volver algo o alguien al sitio que tenía antes. ☞ **restituir.**

— acción y resultado de retornar: *retorno.*

retozar Saltar, brincar alegremente los niños o animales.

— acción y resultado de retozar: *retozo.*

— que tiene tendencia a retozar o lo hace a menudo: *retozón.*

retractarse Retirar expresamente lo dicho. ☞ **desdecirse.**

retraer 1. Hacer que algo vuelva a su posición.

— *Su vientre se retrajo después del parto.*

2. Retirarse una persona a una vida aislada. ☞ **refugiarse, guarecerse.**

— *Decidió retraerse en su casa después del accidente.*

— acción y resultado de retraer o retraerse: *retraimiento, retracción.*

— cualidad de retraer o retraerse: *retráctil.*

— que no expresa sus emociones fácilmente: *retraído.*

retransmitir Transmitir de nuevo.

— acción y efecto de retransmitir: *retransmisión.*

retrasar Atrasar, diferir o suspender la ejecución de una cosa. ☞ **atraso, zaga.** ❖ AVANCE, ADELANTAR.

— acción y resultado de retrasar: *retraso.*

— que se retrasa: *retrasado.*

— que sufre retraso en el desarrollo propio de su edad: *retrasado.*

— que ocurre tarde: *retrasadamente.*

retratar 1. Dibujar o fotografiar a una persona.

— *El testigo retrató al asesino de la calle Morgue describiendo sus rasgos físicos.*

2. Imitar, asemejarse.

—*El niño retrató a su padre en todo.*

— dibujo, fotografía, pintura, etc.: *retrato.*

— persona que hace retratos: *retratista.*

retrete Lugar para orinar y evacuar el vientre. ☞ **excusado, baño.**

retribuir 1. Pagar un servicio, favor, etc.

—*Papá retribuyó con creces al doctor que le salvó la vida.*

2. Corresponder uno al favor u obsequio que se recibe.

—*Para retribuir sus favores le hizo un regalo.*

— acción y resultado de retribuir: *retribución.*

retroactivo, -va Que obra o tiene fuerza sobre lo pasado.

— calidad de retroactivo: *retroactividad.*

retroceder Volver hacia atrás.

— acción y resultado de retroceder: *retroceso.*

retrógado, -da Partidario de instituciones políticas o sociales vigentes en tiempos pasados. ☞ **anticuado.** ❖ VANGUARDIA.

retrospectivo, -va Que se refiere a tiempo pasado. ❖ PROSPECTIVO, FUTURISMO.

retrovisor Espejo pequeño que permite al conductor de un vehículo ver lo que viene detrás de él.

retumbar Hacer estruendo una cosa.

— acción y resultado de retumbar: *retumbo.*

reumatismo Enfermedad que se manifiesta por lo general por inflamaciones dolorosas de las partes musculares y fibrosas del cuerpo.

— acumulación de humores en cualquier órgano que producen dolor: *reuma.*

— que padece reuma: *reumático.*

reunir 1. Volver a unir. ☞ **juntar.** ❖ SEPARAR.

—*Al fin la familia se reunió en Navidad.*

2. Juntar. ☞ **congregar, amontonar.**

—*El autor reunió sus poemas en un libro muy bonito.*

— acción y resultado de reunir: *reunión.*

revalidar Otorgar de nuevo valor y firmeza a una cosa. ☞ **ratificar.**

revalorizar Volver a dar a una cosa el valor o estimación que había perdido. ☞ **revaluar, revalorar.**

— acción y resultado de revalorar: *revaloración.*

revancha Iniciar los vencidos la guerra de nuevo. ☞ **desquite.**

revelar 1. Decir lo ignorado o secreto.

—*Al fin el marido le reveló su pasado a la esposa.*

2. Hacer visible la imagen latente en la placa fotográfica.

—*Las fotografías se deben revelar en un cuarto oscuro.*

— acción y resultado de revelar: *revelación.*

— manifestación divina: *revelación.*

— conjunto de los pasos necesarios para revelar una imagen fotográfica: *revelado.*

revender Vender de nuevo lo que se ha comprado.

— acción y resultado de revender: *reventa.*

— que se dedica a la reventa: *revendedor.*

reventar 1. Abrirse una cosa por la fuerza interior. ☞ **explotar.**

—*El globo reventó por exceso de aire.*

2. Deshacerse en espuma las olas del mar. ☞ **romper.**

—*Las olas van a reventar en la playa.*

3. Brotar, nacer o salir impetuosamente.

—*El botón de la rosa reventó al alba.*

4. Tener deseo vehemente de una cosa.

—*Reviento por llegar a mi casa.*

5. Estallar una pasión con violencia.

—*Su odio lo hizo reventar y le pegó.*

6. Aplastar una cosa con violencia deshaciéndola.

—*Reventó el globo de un pisotón.*

7. Hacer enfermar o matar a un caballo por exceso en la carrera.

—*Reventó al caballo por hacerlo correr de más.*

8. Fatigar mucho a uno con exceso de trabajo.

—*Aquí trabajo hasta reventar.*

9. Molestar.

—*Me revienta tener que verlo todos los días.*

10. Ocasionar gran daño a una persona.
— *Lo reventó al quitarle todos sus bienes.*
11. Morir violentamente.
—*El conductor también reventó en el accidente.*
— acción y resultado de reventar: *reventón.*

reverberar Reflejarse la luz en un cuerpo bruñido.
— acción y resultado de reverberar: *reverberación.*

reverenciar Respetar o venerar. ☞ **loar.**
— acción y resultado de reverenciar: *reverencia.*
— movimiento del cuerpo en señal de respeto o veneración: *reverencia.*

reverdecer Cobrar verdor de nuevo los campos o plantíos que se habían secado. ☞ **retoñar.**

reverendo, -da Tratamiento que se aplica a las dignidades eclesiásticas y a los prelados y graduados de las religiones.

reversible Que puede volver a su estado anterior. ❖ IRREVERSIBLE.

reverso Parte opuesta al frente de algo. ☞ **revés.** ❖ ANVERSO.

revés 1. Parte posterior o espalda de una cosa. ❖ DERECHO.
— *Te pusiste el suéter al revés.*
2. Golpe que se da con el dorso de la mano.
—*Fue injusto el revés que me dio mi padre.*
3. Infortunio, desgracia o contratiempo.
—*La vida le dio un revés al quedarse en la ruina.*
— una de las dos puntadas básicas del tejido: *revés.*

revesar Devolver lo que se tiene en el estómago. ☞ **vomitar.**

revestir 1. Cubrir una cosa con otra para protegerla.
— *Hay que revestir este sillón con plástico para que no se ensucie.*
2. Adornar lo dicho o escrito con galas retóricas. ☞ **disimular.**
—*Revistió sus argumentos con palabras bonitas pero incomprensibles.*
3. Fingir, en especial con el rostro, un sentimiento o pasión.
—*Revistió su enojo con sonrisas amables.*
4. Presentar una cosa determinado aspecto, cualidad o carácter.
—*El duelo revistió gran solemnidad.*
— acción y resultado de revestir: *revestimiento.*

revisar 1. Ver atenta y cuidadosamente.
— *Revisa tus palabras antes de responderme.*
2. Someter de nuevo a examen una cosa con el fin de perfeccionarla.

— *Revisé dos veces mi examen antes de entregarlo al profesor.*
— acción y resultado de revisar: *revisión.*
— que examina con cuidado y atención una cosa: *revisor.*

revista 1. Publicación periódica en forma de cuaderno en la que aparecen artículos que abordan varios temas.
— *Un grupo de intelectuales va a lanzar una nueva revista.*
2. Inspección que una autoridad hace de las personas o cosas bajo su cargo.
— *El coronel Aurelio Buendía pasó revista a sus soldados.*
— espectáculo teatral que consiste en una serie de cuadros en los que hay música, canciones y bailes: *revista musical.*

revivir 1. Volver a la vida. ☞ **resucitar, resurrección, redivivo.**
— *El médico revivió al paciente al aplicarle electrochoques.*
2. Volver en sí, recuperar la conciencia.
— *Revivió del desmayo después de varias horas.*
3. Renovarse, reproducirse una cosa.
—*Los humanos reviven en sus hijos.*

revocar Dejar sin efecto un mandato, una concesión o resolución. ☞ **anular.**

revolcar 1. Derribar a una persona o animal y maltratarlo.
—*El toro revolcó al lidiador.*
2. Vencer de modo rotundo al adversario. ☞ **derrotar.**
—*El equipo alemán revolcó al inglés.*
3. Reprobar un examen.
—*Lo revolcaron en la materia porque no sabía nada.*
4. Echarse sobre una cosa, restregándose en ella.
—*Para apagarle el fuego lo revolcaron en la arena.*
— acción y resultado de revolcar: *revuelco.*
— derrota espectacular: *revolcón.*

revolotear 1. Volar dando vueltas en poco espacio.
—*Las moscas revoloteaban sobre el pastel.*
2. Venir una cosa por el aire dando vueltas.
— *Los papeles revoloteaban por el aire.*
— acción y resultado de revolotear: *revoloteo.*

revoltijo 1. Conjunto o compuesto de muchas cosas sin orden ni método.
—*El cuarto de los niños es un revoltijo.*
2. Trenza o conjunto de tripas de una res.
— *Guisó el revoltijo en sabrosa forma.*
3. Confusión o enredo.

—*Por hablar aprisa, le salió un revoltijo de palabras.*

revoltoso, -sa Sedicioso. ☞ **rebelde, travieso.**

revolucionar 1. Ocasionar un estado de revolución.
—*La computadora ha revolucionado todos los aspectos del conocimiento.*
2. Hacer dar más o menos revoluciones a un cuerpo que gira o al mecanismo que provoca el movimiento.
—*Se debe revolucionar el motor para que marche mejor.*
— acción y resultado de revolucionar: *revolución.*
— cambio violento en las instituciones políticas de un país y en el estado de las cosas: *revolución.*
— que se relaciona con o es partidario de la revolución: *revolucionario.*

revolver 1. Sacudir una cosa de un lado a otro y de arriba a abajo.
— *Revolvió su malteada en la licuadora.*
2. Volver la cara al contrario para arremeterle.
—*El toro revolvió al torero.*
3. Separar en desorden unas cosas de otras.
—*El policía revolvió la habitación en busca del arma homicida.*
4. Causar disturbios, mover sediciones.
—*Los sindicalistas revolvieron a los obreros.*
5. Meditar las cosas, reflexionándolas.
—*La idea de abandonar el hogar se revolvió en su mente.*
6. Volver al caballo el jinete en un terreno pequeño y con rapidez.
— *Revolvió el caballo para lucir su destreza.*
7. Andar de nueva cuenta lo andado.
—*Juan revolvió camino a casa.*
— acción y resultado de revolver: *revuelta.*

revólver Pistola de recámara múltiple dispuesta en un cilindro giratorio, que puede ser de un solo cañón o de varios.

revuelo 1. Vuelta y revuelta del vuelo de las aves.
— *En un revuelo la golondrina llegó al balcón.*
2. Movimiento de desconcierto de las cosas o agitación entre las personas. ☞ **turbación.**
— *La noticia de su nuevo divorcio causó revuelo en la prensa.*
3. Salto del gallo en la pelea asestando el espolón al contrario, sin uso del pico.
— *El gallo mató a su contrario en un revuelo.*

rey 1. Monarca o príncipe soberano de un reino, que por nacimiento o elección lo gobierna. ☞ **soberano.**

— *Algunos países de Europa todavía tienen reyes.*

2. Hombre o animal macho o cosa del género masculino que por sus cualidades excelsas sobresale de entre los demás de su especie.

—*El león es el rey de la selva.*

3. Pieza principal del juego de ajedrez.

— *La partida de ajedrez la gana el primero en aplicar jaque mate al rey.*

4. Carta del juego de naipes con la figura de un rey dibujada. ☞ **baraja, naipe, tarot.**

—*Gané en los naipes con una tercia de reyes.*

reyerta Pelea. ☞ **contienda, disputa, pleito.**

rezagar 1. Dejar atrás o quedarse atrás con respecto de algo.

—*En la carrera los menos aptos quedaron rezagados.*

2. Suspender por un tiempo la realización de algo. ☞ **atrasar.** ❖ ADELANTAR.

—*Mientras estuvo enfermo el trabajo quedó rezagado sobre su mesa.*

— acción y resultado de rezagar: *rezago.*

— atraso o residuo de una cosa: *rezago.*

— que permanece atrasado: *rezagado.*

rezar 1. Decir oraciones a la divinidad para alabarla, pedirle gracia o perdón.

—*Fui a la iglesia a rezar por la salud de mi mamá.*

2. Estar dicho algo en ciertos términos.

—*"Al mal tiempo, buena cara", reza el dicho.*

3. Estar de acuerdo o en desacuerdo con algo.

—*No reza conmigo cantar en público.*

— acción y resultado de rezar: *rezo.*

— que reza mucho: *rezandero.*

rezongar Replicar de mala manera, mostrando enfado y repugnancia. ☞ **gruñir, refunfuñar.**

— que rezonga con frecuencia por cualquier motivo: *rezongón.*

rezumar Dejar filtrar un líquido a través de los poros de un recipiente.

riachuelo Río pequeño y de poco caudal.

riada Inundación. ☞ **creciente.**

ribera 1. Margen y orilla del mar o río.

—*Atracaron la lancha en la ribera.*

2. Extensión de tierra próxima a los ríos, aun cuando no esté a su margen.

— *Mi tío levantó un ranchito en la ribera del Bravo.*

3. Casa de campo próxima a la orilla de un río o cercana a la capital.

—*Mis padres tienen una ribera en el río Papaloapan.*

— que pertenece a o se relaciona con la ribera: *ribereño.*

ribete Cinta o cosa similar con la cual se refuerza la orilla del vestido, calzado, etc.

— que lleva ribetes: *ribeteado.*

— poner ribetes: *ribetear.*

rico, -ca 1. Adinerado. ☞ **acaudalado.**

—*Se volvió rico cuando se sacó la lotería.*

2. Abundante, opulento. ❖ MAGRO.

—*La fruta es rica en calorías.*

3. Sabroso, que tiene buen sabor.

—*La abuela guisa muy rico.*

4. Expresión de cariño que se dice a las personas.

—*La vecina tiene un bebé rico.*

— calidad de rico: *riqueza.*

— persona rica aunque de humilde procedencia: *ricachón.*

rictus Contracción de los labios que da a la boca aspecto de risa o llanto. ☞ **gesto.**

ridiculizar Burlarse de una persona, resaltando las extravagancias o defectos que tiene o se le atribuyen.

— burla o menosprecio: *ridículo.*

— dicho o hecho extravagante o raro: *ridiculez.*

riel 1. Barra pequeña de metal en bruto.

—*El acero se almacena en rieles.*

2. Carril de una vía férrea.

—*El tren se desliza por los rieles.*

rienda 1. Cinta unida a la cama del freno que sirve para gobernar un caballo.

—*No pude controlar al caballo porque la rienda era muy larga.*

2. Gobierno, dirección de una cosa. ☞ **control.**

—*El trabajo le resultó tan difícil que ya no puede llevar las riendas.*

riesgo 1. Proximidad de un peligro o daño. ❖. SEGURIDAD.

—*El transporte de explosivos entraña grandes riesgos.*

2. Contingencia que puede ser objeto de un contrato de seguro.

—*Aseguré el coche contra riesgo de robo.*

— susceptible de riesgo: *riesgoso.*

rinoceronte

rinoceronte de la India

rinoceronte sumatrino

rifar 1. Sortear algo en rifa.
— *Los patrones hicieron una rifa de fin de año para los empleados.*
2. Reñir, contender o enemistarse con una persona.
— *En una pelea callejera me la rifé con un karateca.*
3. Romperse o descoserse una vela.
— *La vela del barco se rifó por el fuerte viento.*
— acción y resultado de rifar: *rifa.*
— sorteo de una cosa entre varias personas mediante cédulas de corto valor: *rifa.*

rifle Fusil rayado. ☞ **arma.**

rígido Que no es flexible. ☞ **duro.**
❖ MALEABLE.
— calidad de rígido: *rigidez.*

rigor 1. Severidad escrupulosa. ❖ DESCUIDO.
— *El rigor es básico en una disciplina.*
2. Dureza en el genio o trato. ☞ **inflexibilidad.** ❖ AMABILIDAD.
— *El rigor de mi padre siempre me afectó.*
3. Intensidad. ☞ **extremo.**
— *El rigor del invierno causó la muerte de numerosas aves.*
4. Propiedad y precisión o exactitud.
— *El documento debe estudiarse con rigor para no cometer errores.*
5. Rigidez de los músculos.

— *El rigor muscular sobreviene a la muerte.*
—áspero y acre: *riguroso*
— persona en extremo severa: *rigorista, rigurosa.*
— intenso, duro de soportar: *riguroso.*

rijoso, -sa 1. Dispuesto o pronto a reñir.
☞ **pendenciero.**
— *Suspendieron una semana a los niños rijosos de la escuela.*
2. Inquieto y alborotado en presencia de la hembra.
— *Los animales se ponen rijosos ante las hembras en brama.*
— que es lujurioso: *rijoso.*

rima Verso cuyas terminaciones son consonantes. ☞ **poesía.** ❖ PROSA.

rimbombante Que es ostentoso o llamativo.

rímel Sustancia que se aplican las mujeres en las pestañas para embellecerse.

rincón 1. Ángulo entrante en el encuentro de dos superficies planas.
— *La araña tejió su nido en el rincón.*
2. Lugar retirado. ☞ **escondrijo.**
— *Al jubilarse, los abuelos eligieron un rincón del bosque para construir su casa.*
3. Espacio pequeño.
— *Coloqué un buró en un rincón del cuarto.*

4. Domicilio o habitación en la cual se aleja una persona del trato de la gente.
— *La choza en el campo era su rincón preferido.*
5. Resto o residuo de alguna cosa que queda fuera de la vista.
— *Hurgó en todos los rincones de la alacena en busca de galletas.*
— mesita o estante pequeño que se coloca en un rincón: *rinconera.*
— ángulo entrante en la unión de dos casas, calles, caminos, etc.: *rinconada.*

ring Espacio delimitado para pruebas deportivas, en especial para peleas de boxeo. ☞ **arena, cuadrilátero.**
— redondel: *ring.*

rinoceronte (vea ilustración de la p. 603) Mamífero paquidermo, de gran tamaño, patas cortas terminadas en tres pezuñas, cabeza estrecha y hocico puntiagudo, y uno o dos cuernos cortos y encorvados.

riña Pleito. ☞ **pendencia, disputa, pelea.**

riñón Glándula par secretora de la orina, localizada en la región lumbar.

río (vea ilustración). 1. Corriente de agua que nace en la tierra y fluye de manera continua hasta desembocar en otra, o en el mar.

— **río** —

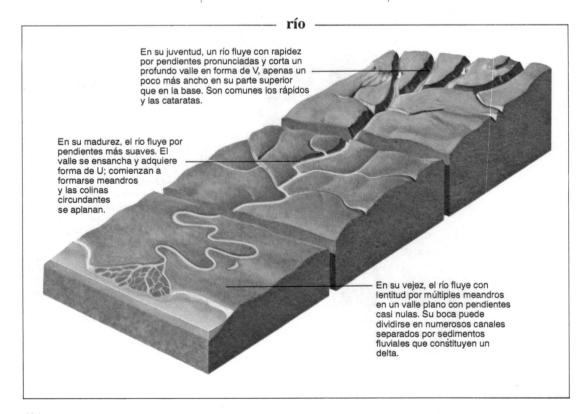

En su juventud, un río fluye con rapidez por pendientes pronunciadas y corta un profundo valle en forma de V, apenas un poco más ancho en su parte superior que en la base. Son comunes los rápidos y las cataratas.

En su madurez, el río fluye por pendientes más suaves. El valle se ensancha y adquiere forma de U; comienzan a formarse meandros y las colinas circundantes se aplanan.

En su vejez, el río fluye con lentitud por múltiples meandros en un valle plano con pendientes casi nulas. Su boca puede dividirse en numerosos canales separados por sedimentos fluviales que constituyen un delta.

— *La corriente del río arrastró a los bañistas.*

2. Abundancia de una cosa.

— *He gastado ríos de papel en esta carta de presentación .*

risco Peñasco alto y escarpado.

ritmo 1. Sucesión armoniosa de sonidos, notas musicales, etc. ☞ **baile.**

— *La música del trópico tiene un ritmo muy sensual.*

2. Orden acompasado en el acontecimiento de las cosas.

— *Los acontecimientos históricos marcan el ritmo del desarrollo de la humanidad.*

rito Ceremonia.

rivalizar Competir.

— el que aspira a obtener algo a la vez que otro: *rival.*

— oposición entre dos o más personas que aspiran a obtener lo mismo: *rivalidad.*

rizar 1. Formar en el cabello de modo artificial anillos, bucles, etc.

— *Algunas mujeres van al salón de belleza a que les ricen el cabello.*

2. Mover el viento la mar, formando pequeñas olas.

—*El viento riza las aguas de la laguna.*

3. Hacer pliegues menudos en las telas, papel, etc.

— *Las piñatas se revisten con papel rizado.*

— mechón de pelo en forma de bucle o sortija: *rizo.*

— cabello ensortijado o hecho rizos: *rizado.*

robar 1. Tomar lo ajeno para sí. ☞ **hurtar.**

— *Un hombre se robó mi bolsa en el autobús.*

2. Llevarse los ríos parte de la ribera.

—*Cada vez que el río se inunda, roba algo de tierra.*

— acción y resultado de robar: *robo.*

— tomar cartas o fichas en el juego de naipes o de dominó: *robar.*

roble 1. Árbol cupilífero de madera dura, compacta y muy apreciada.

— *Los muebles de roble ya casi no se fabrican.*

2. Persona de gran resistencia o fuerza.

—*Mi abuelo es un roble a sus 80 años.*

robot Mecanismo electrónico que a control remoto puede ejecutar acciones muy diversas, siendo capaz incluso de responder preguntas en forma oral.

— arte de diseñar robots: *robótica.*

robustecer Proporcionar o adquirir fortaleza. ❖ DEBILITAR.

— fuerte, vigoroso, firme: *robusto.*

— calidad de robusto: *robustez.*

roca 1. Terreno compuesto por piedra dura.

— *El Pedregal de San Angel se llama así por ser una zona de roca.*

2. Risco que se levanta sobre la tierra o el mar.

— *Los chicos se tomaron fotografías trepados en una gran roca.*

3. Bloque duro y por lo general grande.

— *Esta escultura fue hecha en una roca de una sola pieza.*

4. Compuesto de materias minerales que forma porción importante de la masa terrestre.

—*Entre las capas de la tierra hay una que es de roca.*

— abundante en rocas: *rocoso.*

— conjunto de piedrecillas que se desprenden de las rocas: *rocalla.*

— abundante en rocalla: *rocalloso.*

rociar 1. Caer el rocío o la lluvia fina.

— *La lluvia roció el jardín durante la noche.*

2. Esparcir sobre una superficie un líquido en gotas menudas.

— *Rocía agua en el patio antes de barrer.*

3. Lanzar cosas de manera tal que caigan dispersas, diseminadas.

—*Roció maíz a las gallinas.*

— acción y resultado de rociar: *rociada.*

— instrumento para rociar: *rociador.*

rocín Caballo de mala traza o de trabajo.

rocío 1. Vapor de agua condensado en gotas muy finas que aparecen en la madrugada sobre la superficie de las plantas.

— *Las flores amanecen cubiertas de rocío.*

2. Lluvia breve.

—*No llovió; sólo cayó rocío.*

rock Música popular originaria de Estados Unidos que se ha universalizado, al ser interpretada, apreciada o adaptada en casi todos los rincones del mundo. ☞ **rocanrol, new wave.**

rococó Estilo de ornamentación barroco predominante en Francia en el tiempo de Luis XV.

rodada Pieza redonda y plana.

rodaje 1. Conjunto de ruedas.

—*El rodaje de este reloj está oxidado.*

2. Acción de rodar una película cinematográfica. ☞ **cinematografía**

—*El rodaje de **Hamlet** costó mucho dinero.*

— tiempo necesario de ajuste de un coche nuevo: *rodaje.*

rodamiento Cojinete formado por dos cilindros concéntricos, entre los cuales se intercala una corona de bolas o rodillos que pueden girar con libertad.

rodar 1. Dar vueltas un cuerpo en torno a su eje, ya permanezca en su lugar o cambie de sitio. ☞ **girar, rotación.**

— *Los planetas ruedan sobre su eje.*

2. Moverse una cosa por medio de ruedas.

—*El viejo automóvil rueda muy lentamente.*

3. Caer dando vueltas por una pendiente, escalera, etc.

—*Dio mal el paso y rodó por la escalera.*

4. No tener una cosa colocación permanente.

— *Los juguetes de mis hijos andan rodando por toda la casa.*

5. No tener una persona lugar de residencia permanente. ☞ **vagar.**

—*Rueda por el mundo como un vagabundo.*

rodear 1. Andar alrededor.

— *Rodeaba la manzana antes de llegar a casa, a modo de ejercicio.*

2. Ir por un camino más largo que el ordinario.

— *El cazador rodeó el bosque por miedo a encontrarse con el lobo.*

3. Emplear circunloquios o rodeos al hablar o escribir.

— *Como no estudiaron, los alumnos estuvieron rodeando los temas del examen.*

4. Poner una cosa o varias alrededor de otra.

—*Rodeamos de flores la casa.*

— acción de rodear: *rodeo.*

rodete 1. Rosca que con las trenzas del cabello se hacen las mujeres para mantenerlo recogido.

— *De niña me disgustaba que me peinaran de rodetes.*

2. Rosca de tela u otro material similar que se coloca sobre la cabeza para llevar sobre ella una carga.

—*En provincia, los panaderos suelen usar rodetes para cargar las canastas de pan.*

3. Chapa circular fija en el interior de la cerradura para que pueda girar sólo la llave.

—*Se descompuso el rodete de la cerradura y no podía abrir la puerta.*

rodilla Parte del cuerpo en donde se unen el muslo y la pierna.

— colchón que se coloca sobre la rodilla para protegerla: *rodillera.*

—con las rodillas apoyadas en el suelo: *de rodillas.*

rodillo 1. Madero redondo y resistente que rueda para mover grandes pesos.

— *Para el almacenaje del acero se emplean mecanismos de rodillos.*

2. Cilindro de piedra o de hierro, muy pesado, que se emplea para aplanar la tierra o para consolidar el firme de las carreteras, haciéndolo rodar sobre ellas.

—*Con el rodillo apisonan la tierra.*

3. Cilindro utilizado para dar tinta en las imprentas, litografías, etc.

—*En litografía se emplea un rodillo entintado.*

— cilindro de madera u otro material para extender la masa de harina: *rodillo*.

roedor, -ra (vea ilustración). Mamífero dotado de un solo par de incisivos aptos para roer. ☞ **ratón, rata.**

roer 1. Hacer menuzas con los dientes una cosa.

—*Este queso fue roído por un ratón.*

2. Quitar poco a poco con los dientes la carne pegada a un hueso.

—*Los perros roen los huesos.*

3. Afligir en el interior. ☞ **atormentar.**

—*El recuerdo de haberla ofendido le roía la conciencia.*

rogar 1. Pedir con amabilidad una cosa. ☞ **solicitar, pedir.** ❖ NEGAR.

— *Te ruego que cuides a mis gatos en mi ausencia.*

2. Insistir con súplicas.

—*El novio le rogó que volviera con él.*

— pedir a Dios: *rogar.*

— acción y resultado de rogar: *ruego.*

rojo Color encarnado muy intenso.

— que tira a rojo: *rojizo.*

— calidad de rojo: *rojez.*

— afeite de color rojo: *rojete.*

— metal incandescente: *al rojo vivo.*

rol Lista o catálogo.

roldana Rodaja o garrucha. ☞ **rondana.**

rollizo, -za Redondo, robusto o grueso. ☞ **gordo.** ❖ DELGADO, ESBELTEZ.

rollo 1. Objeto con forma cilíndrica.

—*Los niños formaron figuras con rollos de cartón.*

2. Madero redondo sin labrar.

—*La madera en rollo se lleva al aserradero para ser cortada.*

3. Película fotográfica enrollada en forma cilíndrica.

—*En Acapulco saqué varios rollos de fotos.*

— dar un discurso largo, tedioso y poco relevante: *tirar un rollo.*

romance 1. Cada una de las lenguas modernas que se derivaron del latín.

—*El español, el italiano y el francés son lenguas romances.*

2. Combinación métrica cuya rima es la asonancia de los versos pares.

—*Los romances se escribían en España durante la Edad Media.*

3. Amorío.

— *La quinceañera está viviendo un tórrido romance con el novio.*

— que canta romances o los colecciona: *romancero.*

— libro que recopila romances: *romancero.*

romanticismo 1. Escuela literaria de fines del siglo XVIII y de la primera mitad del siglo XIX que prescindía de las reglas o preceptos de los clásicos y exaltaba al hombre.

—*Cumbres borrascosas* de E. Brontë es una novela del género del romanticismo.

2. Inclinación por lo sentimental o novelesco.

— *Es un romanticismo creer todavía en la justicia y bondad del ser humano.*

— perteneciente al romanticismo o que participa de sus cualidades: *romántico.*

rombo Paralelogramo de lados iguales y ángulos oblicuos. ☞ **prisma, geometría.**

romería 1. Viaje que se realiza en peregrinación a un santuario.

— *La anciana murió en una romería al pueblo de Talpa.*

2. Fiesta popular celebrada en el campo inmediato a una ermita o santuario el día de la festividad religiosa propia del lugar.

—*Cada año se organiza la romería de San Francisco en Puebla.*

3. Concurrencia abundante de gente a un lugar.

— *Es impresionante la romería que visita la catedral de San Pablo.*

romero Planta aromática. ☞ **herbolaria.**

romero, -ra Peregrino que va en romería con bordón y esclavina.

romo, -ma 1. Sin punta. ☞ **obtuso.**

— *Esta aguja no sirve; tiene la punta roma.*

2. De nariz pequeña y poco puntiaguda. ☞ **chato.** ❖ NARIZÓN.

— *Lo más me gusta de Lucía es su nariz roma.*

rompecabezas 1. Problema de difícil solución.

— *Esta ecuación de álgebra es un verdadero rompecabezas.*

2. Juego que consiste en volver a armar una figura que ha sido cortada en pedacitos de madera o cartón.

—*Alejandrito es muy listo para armar rompecabezas.*

rompeolas Dique colocado mar adentro para proteger un puerto o bahía.

romper 1. Deshacer con mayor o menor violencia la unión de un todo.

—*El espejo se rompió en mil pedazos.*

2. Deshacer un cuerpo de gente armada.

— *Los aliados rompieron las formaciones enemigas.*

3. Separar por breve lapso la continuidad de un fluido, al atravesarlo.

—*Un barco rompe las aguas del mar.*

4. Interrumpir la continuidad de algo no material.

—*Su visita rompió la monotonía.*

5. Vencer con claridad un astro el obstáculo que lo ocultaba.

—*La luz solar rompió las tinieblas.*

6. Quebrantar la observancia de una ley o de un acuerdo.

—*Los obreros rompieron los acuerdos del contrato.*

7. Traspasar un límite o término previo.

roedores

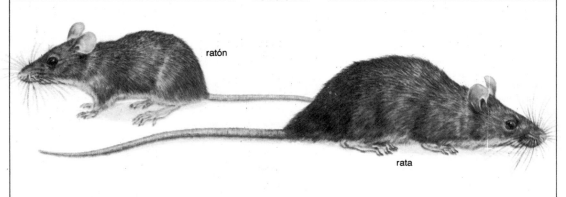

ratón

rata

—El atleta rompió la marca impuesta.
8. Golpear violentamente una cosa.
—Las olas del mar rompen en el acantilado.
9. Principiar.
—El día rompe muy tarde en invierno.
10. Abrirse las flores.
—Las flores rompen en la primavera.
— acción y resultado de romper o romperse: *rompimiento, ruptura.*
— que rompe: *rompiente.*
— pensar o preocuparse mucho: *romperse la cabeza.*

rompope Bebida hecha con licor, leche, huevos, azúcar y canela, también llamada rompopo.

ron (vea recuadro de bebidas). Licor obtenido por destilación de una mezcla fermentada de melazas y zumo de caña de azúcar.

roncar 1. Hacer ruido bronco la respiración cuando se duerme.
— Papá ronca toda la noche.
2. (vea recuadro de voces animales). Llamar el gamo en celo a la hembra.
—Desde la cabaña se escuchaba a los gamos roncar en el campo.
3. Hacer un ruido bronco ciertas cosas como el mar, el viento, etc.
—El remolino roncaba amenazadoramente.
— acción y resultado de roncar: *ronquido.*

ronco, -ca 1. Que padece ronquera. ☞ **afonía.**
— Quedé ronca de tanto cantar.
2. Voz o sonido áspero y bronco o sordo.
—El saxofón tiene un sonido medio ronco.
— afección de la laringe que cambia la voz, haciéndola bronca y poco sonora: *ronquera.*

roncha Inflamación de una parte de la piel en forma de haba.

rondalla Ronda de jóvenes.

rondana Rodaja, por lo general hecha de plomo, con un agujero en el centro que se utiliza para asiento de una tuerca o cabeza de tornillo. ☞ **roldana.**

rondar 1. Recorrer de noche una población para impedir los desórdenes y vigilar ciertos servicios el que tiene este oficio.
—El vigilante ronda la colonia cada noche.
2. Pasear de noche por las calles.
—Rondaban mirando las estrellas.
3. Pasar los jóvenes por las calles donde viven las muchachas a quienes galantean.
—Los jóvenes rondaron las casas de sus novias.

4. Dar vueltas en torno de una cosa. ☞ **rodear.**
—Los insectos rondan la luz.
5. Amenazar el sueño, una enfermedad, etc.
—En esta casa ronda la muerte.
6. Seguir a una persona con insistencia para conseguir de ella una cosa.
—Lo rondó durante días para que le prestara dinero.
—acción y resultado de rondar: *ronda.*
— que ronda: *rondador.*

ronronear (vea recuadro de voces animales). Emitir el gato una especie de ronquido en señal de contento.

roña 1. Sarna del ganado lanar.
— Habrá que rapar a los borregos; están invadidos de roña.
2. Suciedad pegada fuertemente.
— No se ha bañado en años; tiene roña.
3. Moho de los metales.
—A la intemperie los metales se llenan de roña.
4. Corteza del pino.
—La roña del pino es inflamable.
5. Mezquindad.
— El muy roñoso no comparte sus cosas.
— persona tacaña: *roñoso.*
— juego de niños: *roña.*

ropa Prenda, por lo general de tela, hecha para vestir.
— ropa de bautizo del bebé: *ropón.*
— mueble para guardar la ropa: *ropero.*
— que se dedica a vender ropa vieja, así como baratijas y cosas usadas: *ropavejero.*

rorro, -rra Niño. ☞ **bebé.**

rosa 1. Flor del rosal.
—Le gusta regalarle rosas a su novia.
2. Color semejante al de la rosa carmín pálido.
— Me quiero comprar un vestido color de rosa.
— color de rosa: *rosado.*
— lugar donde hay muchos rosales: *rosaleda, rosedal.*
— figura en forma de estrella que marca los puntos cardinales: *rosa de los vientos.*
— que se empeña en considerar todo muy agradable: *ver la vida color de rosa.*

rosario 1. Rezo católico con el que se recuerdan los quince misterios de la vida de Jesucristo y de la asunción y coronación de la Virgen, compuesto por padrenuestro, avesmarías y gloria.
— Lupita ya se sabe el rosario de memoria.
2. Sarta de cuentas utilizadas para este rezo.

—A mi tía le traje un rosario de Roma.
3. Sarta. ☞ **serie, hilera, sucesión.**
—Declaró un rosario de mentiras.

rosbif Carne de vaca poco asada.

rosca 1. Pan en forma circular con el centro vacío. ☞ **rosquilla, dona.**
—La rosca de reyes se come tradicionalmente el 6 de enero.
2. Vueltas en espiral.
—Las serpientes se colocan en rosca.
3. Cuerda de un tornillo o tuerca.
—La rosca de este tornillo está oxidada.
— hacerse tonto: *hacerse rosca.*

rostro Cara, semblante de las personas.

rotar 1. Dar vueltas un cuerpo sobre su propio eje.
—Los planetas rotan y además giran en torno del Sol.
2. Cambiar periódicamente de posición los elementos de un conjunto.
—La mesa directiva de la escuela rota con periodicidad.
— acción y efecto de rotar: *rotación.*
— que tiene movimiento circular: *rotatorio.*
— movimiento de los planetas: *movimiento de rotación.*

rotativa Máquina provista de grandes rodillos que con movimiento continuo y a gran velocidad imprime los ejemplares de un periódico.
— impreso con una rotativa: *rotativo.*

roto, -ta Andrajoso.

rotonda Sala de planta circular.

rotor Parte giratoria de una máquina electromagnética.

rótula 1. Trocito en que se divide una masa medicinal. ☞ **trocisco.**
—Esta medicina viene presentada en rótulas.
2. Hueso en la parte anterior de la articulación de la tibia con el fémur.
— La fractura que sufrí en la rótula no soldó bien y me duele.
— que pertenece a o se relaciona con la rótula: *rotular.*

rótulo 1. Título, por lo general en un periódico. ☞ **encabezado.**
2. Cartel que se coloca en lugar público para dar la noticia o aviso sobre algo, o para publicidad.
—Vi anunciado tu perfume en un gran rótulo.
— poner rótulos: *rotular.*
— que rotula o es útil para rotular: *rotulador.*

rotundo, -da 1. Redondo. ☞ **rotonda.** ❖ CUADRADO.
— La glorieta del Soldado es casi rotunda.
2. Completo y terminante.
—Su negativa fue rotunda.

rotura 1. Acción y resultado de romperse algo. ☞ **quebrar.**

— El terremoto produjo la rotura de las tuberías.

2. Hendidura, agujero, grieta que hay en una superficie que ha sido rota.

— El agua del tinaco se escapa por una rotura.

3. Interrupción en el desarrollo de algo. ☞ **ruptura.**

— La rotura de su matrimonio es irremediable.

roturar Arar por vez primera la tierra para ponerla en cultivo.

round Periodo de tiempo en el que se divide el combate en el boxeo.

roya 1. Hongo pequeño parásito de diversos cereales.

— La roya atacó los cultivos de maíz.

2. Enfermedad de algunos árboles en los que el corazón del tronco se vuelve un polvo rojo negruzco. ☞ **tabaco.**

— Hay que talar estos árboles; la roya está muy avanzada.

rozagante Ufano, satisfecho. ❖ ALICAÍDO.

rozar 1. Retirar de la tierra las matas y hierbas antes de labrarla. ☞ **limpiar, despejar.**

— Dejaron rozado el terreno para la labranza.

2. Cortar leña menuda.

— Roza ese tronco para que se facilite prender la fogata.

3. Cortar los animales la hierba con los dientes. ☞ **ramonear.**

— Las ardillas hacen un ruidito cuando rozan el pasto.

4. Pasar una cosa tocando ligeramente la superficie de otra. ☞ **rasar.**

— El avión pasó rozando las copas de los árboles.

5. Tener trato entre sí dos o más personas. ☞ **familiaridad, confianza, roce.**

— Mi hermano no se roza con mis amigos; no le caen bien.

— acción y resultado de rozar: *roce.*

— herida superficial por exceso de roce: *rozadura.*

ruana Tejido de lana. ☞ **gabán, jorongo.**

rubí Mineral compuesto de alúmina y magnesia, más duro que el acero, de color rojo y brillo intenso. ☞ **gema, joya.**

rubio, -bia 1. Que es de color rojo claro, semejante al oro.

— Los nórdicos son por lo general rubios.

— rubio que tira a rojo: *rubicundo.*

2. Centro de la cruz en el lomo del toro.

— Los matadores se guían por el rubio del toro para dar la estocada.

rublo Unidad monetaria de Rusia.

rubor Color rojo encendido que adquiere el rostro debido a cambios emocionales.

rúbrica Rasgo o rasgos que forman parte de la firma individual.

ruco, -ca Viejo e inútil. ☞ **carcamán.**

ruda Planta perenne, de la familia de las rutáceas, de olor fuerte, usada como infusión en medicina.

rudeza Que carece de delicadeza. ☞ **descortés, violento.** ❖ SUAVIDAD.

— que actúa con rudeza: *rudo.*

rudimentario, -ria Poco elaborado.

rueca 1. Instrumento para hilar. ☞ **telar.**

— En el Estado de México los tejedores enmadejan la lana con ruecas.

2. Vuelta, torcimiento o curvatura de una cosa.

— Las patas de esta mesa están llenas de ruecas.

rueda 1. Instrumento elemental, de forma circular, capaz de girar sobre su eje.

— La invención de la rueda contribuyó al desarrollo de la humanidad.

2. Círculo formado por personas en reunión.

— Únete a la rueda para bailar con los amigos.

3. Despliegue en forma de abanico que con las plumas de la cola hace el pavorreal.

— El pavorreal hace la rueda para cortejar a la hembra.

— máquina formada de una a tres ruedas de las que cuelgan canastillas en los parques de diversión: *rueda de la fortuna.*

ruedo 1. Acción y resultado de rodar.

— Ruedo por la colina como cuando era niño.

2. Parte colocada alrededor de una cosa.

— Le puse un ruedo de palitos al rosal para que los niños no lo estropeen.

3. Círculo o circunferencia de una cosa.

— Los sombreros huicholes llevan plumas de adorno en el ruedo.

4. Contorno, límite, término. ☞ **valla.**

— Delimitaron el terreno de la casa con un ruedo de piedra.

5. Redondel de la plaza de toros.

— Orgulloso, el torero se paseó por todo el ruedo.

rufián El que comercia prostituyendo mujeres. ☞ **padrote.**

— que tiene un comportamiento despreciable: *rufián.*

rugir (vea recuadro de voces animales).

1. Bramar el león.

— El bebé lloró cuando oyó rugir al león en el zoológico.

— voz del león: *rugido.*

2. Bramar una persona cuando está enojada. ☞ **encolerizar, ira.**

— El jefe rugía de furia ante la rebeldía de los empleados.

3. Hacer ruido fuerte. ☞ **estruendo.**

— Con la tormenta, el mar comenzó a rugir.

— que ruge: *rugiente, rugidor.*

rugoso Que tiene arrugas. ☞ **arrugado.** ❖ LISO, LLANO, PLANO.

— calidad de rugoso: *rugosidad.*

ruido 1. Sonido inarticulado, confuso y desagradable más o menos fuerte. ❖ SILENCIO.

— El ruido de la calle perturba el sueño del bebé.

2. Apariencia grande en las cosas que, de hecho, son insignificantes.

— ¿Por qué haces tanto ruido por un simple comentario?

3. Contienda, alboroto. ☞ **escándalo.**

— El público hizo un gran ruido cuando apareció el cantante en el estrado.

4. Interferencia.

— Sintoniza el radio; se oye mucho ruido.

— que hace mucho ruido: *ruidoso.*

ruin 1. Persona vil y despreciable.

— El muy ruin abandonó a sus hijos.

2. Pequeño, desmedrado. ☞ **ínfimo.**

— El tamaño de estas manzanas es ruin.

— calidad de ruin: *ruindad.*

ruina 1. Parte de una construcción que se ha destruido.

— Algunas casonas del centro están en ruinas.

2. Pérdida cuantiosa de los bienes de fortuna.

— El juego lo llevó a la ruina.

3. Decadencia, venida a menos de una civilización o cultura. ☞ **arqueología.**

— Las ruinas de la civilización maya nos hablan de su grandeza.

4. La perdición de algo o alguien.

— La ruina del poderoso es su propia ansia de poder.

— que está en ruinas: *arruinado.*

— que empieza a arruinarse: *ruinoso.*

ruiseñor Ave canora común en España, de plumaje pardo rojizo.

ruleta Aparato para el juego de azar del mismo nombre que consiste en una rueda horizontal, giratoria, dividida en 36 casillas, pintadas alternativamente de rojo y negro y numeradas, y de una bolita que se arroja sobre dicha rueda.

— suicidio azaroso que consiste en colocar una sola bala en la recámara de una pistola: *ruleta rusa.*

ruletero -ra Dueño o explotador de una flotilla de autos de alquiler. ☞ **chofer, taxista.**

rulo Rodillo para allanar un suelo de tierra. ☞ **rodillo.**

rumba Danza popular de Cuba y música del mismo nombre.

rumbo 1. Dirección considerada o traza-

da en el plano del horizonte. ❖ ERRÁ-
TICO.

—*Abordamos el tren rumbo a Champotón.*

2. Método que una persona se propone
seguir con fines determinados.

—*Aún es muy joven y no sabe qué
rumbo tomar.*

rumiante 1. Mamífero vivíparo pati-
hendido, que se alimenta de vegetales,
carece de dientes incisivos en la
mandíbula superior y tiene el estómago compuesto por cuatro cavidades.

rumiar 1. Masticar por segunda vez,
volviendo a la boca el alimento.

— *Las vacas rumian varias veces la
pastura que comen, debido a su peculiar digestión.*

2. Considerar despacio y pensar con
reflexión y madurez una cosa.

—*Rumió la idea de casarse otra vez.*

rumor 1. Voz que corre entre el público.

—*El rumor de que te sacaste la lotería
llegó a mis oídos.*

2. Ruido confuso de voces.

—*Desde aquí sólo se oye el rumor de
sus voces.*

3. Ruido vago, sordo y continuado.

—*El rumor del mar nos arrulló toda
la noche.*

— nombre con el que familiarmente se
denomina al rumor: *runrún.*

— correr un rumor entre la gente: *ru-
morar.*

— que causa rumor: *rumoroso.*

runfla Conjunto de cosas o personas de
una misma especie. ☞ **banda.**

rupestre Que pertenece a las rocas y
peñascos; se aplica en especial a
las pinturas y dibujos prehistóricos
que existen en algunas rocas o cavernas.

rupia Moneda de oro de Persia y del
Indostán.

ruptura Desavenencia, rompimiento de relaciones entre las personas.
☞ **enemistad, rotura.** ❖ RECONCI-
LIACIÓN.

rural Que pertenece al campo. ☞ **campestre, rupestre.**

rústico, -ca 1. Que es propio del campo.

—*Mi hijo pinta cuadros con motivos
rústicos.*

2. Tosco, grosero. ❖ FINURA.

—*La vecina aún conserva sus modales rústicos.*

3. Encuadernación sencilla.

— *Como no tengo dinero, adquirí el
libro de texto en versión rústica.*

ruta 1. Dirección para seguir un viaje.
☞ **rumbo.**

—*El chofer se desvió de la ruta para
ponerle gasolina al autobús.*

2. Itinerario de un viaje.

— *La ruta que seguimos era la más
corta a nuestro destino.*

rutilar brillar como el oro o despedir
rayos de luz. ☞ **resplandor.**

— que rutila: *rutilante.*

rutina Hábito de hacer las cosas por me-
ra práctica y sin razonarlas.

—*Adquirió la rutina de caminar por
las mañanas.*

— que se hace o practica por rutina:
rutinario.

— serie de ejercicios gimnásticos pre-
establecidos: *rutina.*

S

sábado Séptimo día de la semana; sigue al viernes y está antes del domingo.
— sábado que sigue al Viernes Santo en la Semana de Pasión: *Sábado Santo, Sábado de Gloria.*
— que pertenece al sábado o se relaciona con él: *sabatino, sabático.*
— año durante el cual, en algunas universidades o instituciones docentes, el personal académico se dedica en exclusiva a su mejoramiento profesional y se le libera el tiempo y las actividades laborales cotidianas: *año sabático.*
— año, cada siete, durante el cual los judíos dejaban descansar sus tierras: *sabático.*

sabana Llanura de gran extensión en la selva tropical, cuya vegetación se compone de pastos altos y plantas herbáceas. ☞ **planicie, páramo.**
— que pertenece a la sabana o se relaciona con ella: *sabanero.*

sábana Pieza de tela que se coloca sobre la cama. Normalmente se usan dos: una que cubre el colchón, sobre la cual uno se acuesta, y otra sobre esta última, abajo de la cobija.
— levantarse tarde por la mañana: *pegársele las sábanas.*
— sábana en la que envolvieron a Jesucristo para ponerlo en el sepulcro: *sábana santa.*

sabandija 1. Animalillo pequeño y molesto, especialmente tratándose de insectos.
—*El cuarto de servicio estaba sucio y lleno de sabandijas.*
2. Persona despreciable moral o físicamente: *sabandija.*
—*Ese tipo siempre ha sido una sabandija.*

sabañón Inflamación rojiza o ulceración en la piel, principalmente la de las manos, los pies y las orejas, con mucha picazón y ardor, normalmente causada por exceso de frío.

saber 1. Poseer ideas, juicios y conocimientos bien formados en relación con una materia. ☞ **conocer.** ❖ IGNORAR.
—*Ese maestro sabe mucho de física.*
2. Tener noticia sobre alguien o algo, darse cuenta de algo.
— *Sé que me quiere, pues hace lo imposible por demostrármelo.*

3. Tener la instrucción, habilidad y práctica necesarias para la ejecución de cierta tarea.
— *Todavía no sabe manejar ese programa en la computadora.*
4. Ser alguien capaz de hacer algo.
—*Sabemos perfectamente cómo llegar desde aquí a tu casa, no te preocupes.*
5. Conjunto de conocimientos en torno a algo.
—*Su enorme saber le ha permitido resolver los problemas administrativos.*
6. Tener algún alimento o cualquier cosa un sabor determinado.
—*Esa salsa sabe mejor con un chorrito de vinagre de piña.*
7. Producir algo en alguien una determinada sensación o gusto.
—*Me supo de maravilla que me visitaras esta mañana.*
— frase que se emplea para introducir una enumeración: *a saber.*
— que sabe, que tiene conocimientos de algo: *sabedor, sabiente.*
— que presume un gran saber: *sabelotodo, sabihondo, sabiondo.*
— que tiene conocimientos profundos de algo: *sabio.*
— que tiene conocimiento de la vida, del entorno social y cultural en que vive, que es prudente y de buen juicio: *sabio.*
— conjunto de conocimientos acerca de la vida en general que permite elaborar juicios claros, generosos y prudentes: *sabiduría.*
— de modo cierto, a ciencia cierta: *a sabiendas.*

sablazo 1. Acto de pedir prestado dinero sin intención de devolverlo, o acto de comer, vivir o divertirse a costa de otro.
—*En unos minutos decidió a quién le daría el otro sablazo.*
— pedir dinero prestado a alguien: *sablear.*
— persona que sablea: *sablista.*
— persona hábil para sacar dinero a otra: *sableador.*
2. Golpe dado con un sable, o herida causada con él. ☞ **dar, pegar.**
— *En esa película, los guerreros se herían a sablazos.*
— arma blanca de un solo corte: *sable.*
— color heráldico que en dibujo o

grabado se expresa con el negro: *sable.*
— arenal a orillas del mar o de un río: *sable.*
— arena gruesa: *sablón.*
— arenal: *sablera.*
— con arena: *sabuloso.*

sabor 1. Sensación que producen algunas sustancias en la lengua.
—*Hace poco tiempo que aprendí a disfrutar el sabor del tequila.*
— percibir el sabor de algo, sobre todo cuando es agradable: *saborear.*
— que es agradable al sentido del gusto, que es rico en sabor: *sabroso.*
2. Gusto o impresión que produce en uno algún suceso, alguna emoción o cosa.
— *Cantó unas coplas con un fuerte sabor vernáculo.*
— percibir con placer y gusto algo: *saborear.*
— que produce una sensación agradable: *sabroso.*

sabotaje Oposición y destrucción de órdenes, proyectos, actividades, etc., de una empresa, del Estado o de cualquier entidad, a fin de conseguir un beneficio individual o de grupo. ☞ **daño, deterioro, desperfecto, perjuicio.**

sabueso, -sa Detective o policía que investiga a quienes cometen actos ilícitos.

sacacorchos Utensilio para sacar los tapones de corcho de las botellas. ☞ **sacatapón, tirabuzón, descorchador.**

sacapuntas Instrumento para sacar punta a los lápices o afilarlos.

sacar 1. Tomar una cosa de donde estaba guardada, metida u oculta y ponerla en un lugar visible. ☞ **quitar, extraer, apartar, separar.** ❖ METER, PONER, LLENAR.
— *Sacó una pluma negra de la bolsa de su saco.*
2. Hacer que salga una sustancia de algún cuerpo, haciendo presión sobre él o sometiéndolo a determinado proceso.
—*Exprimió muy bien las naranjas y les sacó todo el jugo.*
3. Apartar a alguna persona o una cosa del sitio o situación en donde se encontraba.
—*Sacó a sus hijos de ese kínder pues estaba muy lejos de su casa.*

4. Encontrar la solución a un problema a partir de ciertos datos, señales o indicios.

—*Sacó las cuentas y cada uno le debía lo doble de lo que ganaba en un mes.*

5. Lograr mediante cierto esfuerzo que alguien regale, acepte o conceda algo.

—*Le sacamos el permiso para entregarle el trabajo la semana entrante.*

6. Realizar los trámites necesarios para obtener algún documento.

—*Hoy en la mañana sacó su licencia para manejar.*

7. Ganar algo en un juego, competencia o concurso.

—*Un grupo de amigos se sacó la lotería.*

8. Obtener cierto resultado después de esforzarse por lograrlo.

—*Este semestre saqué mejores calificaciones en la escuela que el semestre pasado.*

9. Invitar una persona a otra a bailar.

—*Me extendió la mano y me sacó a bailar.*

10. Agrandar alguna cosa.

—*Le sacó a la falda y de esa manera la arregló para que le quedara a tu tía la gordita.*

11. Heredar una persona o animal ciertos rasgos de sus ascendientes.

—*No sacó nada de su padre, ni las pestañas.*

12. Poner en juego la pelota al iniciar o reiniciar el partido en algún deporte.

—*El portero sacó la pelota violentamente.*

13. Hacer que sobresalga algo de una línea, límite o cuerpo.

—*El clavadista sacó la cabeza del agua.*

14. Dar a conocer algo, hacerlo visible.

—*Sacó un nuevo libro la semana pasada, después de años de no escribir.*

15. Crear o inventar algo y darlo a conocer.

—*Este año sacaron chamarras en colores pastel.*

sacerdote Hombre dedicado a realizar la celebración de mitos y ceremonias religiosas en cualquier religión; entre los católicos, quien ha recibido las órdenes necesarias para oficiar la misa. El femenino de sacerdote es sacerdotisa. ☞ **padre, abate, cura, clérigo.**

— dignidad y estado de sacerdote: *sacerdocio.*

— ejercicio y ministerio propios del sacerdote: *sacerdocio.*

— dedicación activa y total al desempeño de una función: *sacerdocio.*

— que pertenece al sacerdote o se relaciona con él: *sacerdotal.*

saciar Satisfacer por completo una necesidad como comer o beber o satisfacer un deseo. ☞ **hartar, llenar, atiborrar.** ❖ CARECER, VACIAR.

saco 1. Prenda de vestir que cubre el tórax desde el cuello hasta la cadera, tiene mangas largas y puede ser de una tela gruesa; los hombres pueden usarlo sobre la camisa y las mujeres sobre una blusa o el vestido, etc.

—*Traía un elegante saco con los puños volteados hacia afuera.*

2. Costal.

—*Compraron dos sacos de papas para la comida de dos semanas.*

3. Bolsa grande de tela u otro material similar.

—*Guardó todo su equipaje en un saco de cuero.*

sacramento Entre los cristianos acto religioso por el que Jesucristo le confiere la gracia santificante al alma; para los católicos son siete: bautismo, confirmación, eucaristía, penitencia, extremaunción, orden sacerdotal y matrimonio.

— que pertenece a los sacramentos o se relaciona con ellos: *sacramental.*

— consagrado con la ley y la costumbre: *sacramental.*

— eucaristía: *sacramento del altar, sacramento eucarístico, santo sacramento.*

— Cristo sacramentado en la hostia, según la religión católica: *Santísimo Sacramento.*

sacrificar 1. Ofrecer algo, por lo común la vida de un animal, a la divinidad como petición de algo, como homenaje o en arrepentimiento de algo. ☞ **inmolar.**

—*Sacrificó dos palomas durante el rito.*

— ofrecimiento de algún animal o cosa a la divinidad: *sacrificio.*

2. Hacer que alguien cumpla con cierta tarea o esfuerzo para proporcionar a otros o a sí mismo un bienestar.

—*Él nunca se sacrificó, lo que hizo lo hizo gustoso.*

— esfuerzo o tarea para conseguir un beneficio personal o para otros: *sacrificio.*

3. Renunciar a cierta cosa o disminuir su valor a fin de obtener otra que interesa más.

—*Sacrificó su éxito personal en favor del bienestar de su familia.*

4. Matar animales en el rastro.

—*Sacrificaron once reses esta mañana.*

— matanza de animales en el rastro: *sacrificio.*

sacrilegio Profanación u ofensa en contra de algo sagrado. ☞ **blasfemia.**

— que está relacionado con el sacrilegio: *sacrílego.*

sacristán Hombre que se emplea en las iglesias, que ayuda a veces al sacerdote en el altar, cuida de los ornamentos del culto y de la limpieza del templo.

— esposa del sacristán: *sacristana.*

sacristía Lugar en las iglesias en el que se visten los sacerdotes y se guardan los ornamentos del culto.

sacrosanto Que reúne las cualidades de sacro y santo.

sacudir 1. Mover o moverse una cosa bruscamente. ☞ **mover, zarandear, agitar.** ❖ AQUIETAR.

—*El tren se sacudió y empezó a caminar.*

2. Quitar el polvo de una cosa o golpear con un utensilio adecuado, con un palo o la mano, alguna cosa para quitarle el polvo.

—*Por la tarde sacudiré el polvo del librero.*

—acción y resultado de sacudir: *sacudida.*

sadismo Crueldad refinada, con placer de quien la ejecuta, especialmente en las relaciones sexuales.

— que pertenece al sadismo, se relaciona con él o le gusta: *sádico.*

saeta Dardo o flecha que se dispara con el arco, consistente en un asta delgada y ligera con la punta afilada.

safari Excursión para cazar animales mayores, la cual se realiza especialmente en África.

saga 1. Cada una de las leyendas poéticas contenidas en dos colecciones antiguas sobre tradiciones heroicas y mitológicas de Escandinavia: los *Eddas* y los *Skald.*

—*Cantó una historia que tiene como origen una saga.*

2. Historia de una familia a través de varias generaciones.

—*Esa película es la saga de la familia Lasso.*

3. En hechicería, mujer adivina que hace encantos y maleficios.

— *Las leyendas cuentan que allí se reunían las sagas.*

sagacidad Cualidad de sagaz o astuto. ☞ **astucia, perspicacia.** ❖ INGENUIDAD, BOBERíA.

— astuto y prudente, que previene las cosas: *sagaz.*

sagitario Noveno signo o parte del zodíaco que comprende del 23 de noviembre al 22 de diciembre.

sagrado , -da Que tiene como fin el culto a la divinidad o pertenece o se relaciona con ella o que inspira veneración. ☞ **sacro.**

— hueso situado en la parte inferior del espinazo: *hueso sacro, sacro.*

sagrario 1. Parte interior de una iglesia; lugar u objeto en el cual se guardan las cosas sagradas, por ejemplo, las reliquias.

—*La visitas a la catedral incluían admirar las pinturas del sagrario.*

2. En algunas catedrales, capilla que sirve de parroquia.

—*Iban a misa de siete en el sagrario.*

sahumar Quemar alguna sustancia aromática para perfumar algo. ☞ **perfumar, incensar, aromatizar.**

— acción y resultado de sahumar: *sahumerio.*

— humo de la sustancia aromática y quemada: *sahumerio.*

— sustancia que se quema para dar perfume: *sahumerio.*

— recipiente para quemar perfumes: *sahumador.*

sainete Pieza teatral breve y jocosa de carácter popular, que puede acompañarse con música.

— el que escribe sainetes: *sainetero, sainetista.*

— armar un escándalo: *armar un sainete.*

sala 1. Habitación de una casa en la cual se recibe a las visitas. ☞ **salón, aposento, pieza.**

— *Pasen a la sala, ahí estarán más cómodos.*

2. Conjunto de sillones, generalmente tres, que se colocan en la sala.

—*Su sala la compró en abonos.*

3. Lugar lo suficientemente grande para albergar a un nutrido grupo de personas que asisten a escuchar un concierto, ver una película, etc.

—*Llegaron tarde y no pudieron entrar a la sala de conciertos.*

salar 1. Poner sal a un alimento para mejorar su sabor o para conservarlo durante largo tiempo, o poner sal en exceso a un alimento de modo que sea desagradable comerlo. ☞ **sazonar, conservar, acecinar.**

—*La cocinera saló demasiado la sopa.*

2. Desgraciar, echar a perder o traer mala suerte.

—*No se te ocurra decirme eso porque me salo.*

salario Paga fija y regular de dinero que recibe una persona que presta un servicio. ☞ **sueldo, quincena, mensualidad, jornal.**

— relativo al salario: *salarial.*

— señalar salario a alguien: *asalariar, salariar.*

— que percibe un salario por su trabajo: *asalariado.*

— salario más bajo que por ley se debe dar a un trabajador: *salario mínimo.*

salaz Inclinado a la lujuria. ☞ **lascivo, libidinoso, cachondo, lujurioso.**

salchicha 1. Embutido de carne de cerdo o de ternera, que se sazona de diversas maneras y normalmente tiene forma cilíndrica.

—*En el menú de hoy incluyeron salchichas.*

— lugar en donde venden salchichas y otros embutidos: *salchichonería, salchichería.*

— el que hace o vende algún tipo de embutido: *salchichero.*

— embutido de jamón, pimienta y tocino, prensado y curado, que se conserva en buen estado mucho tiempo y se come crudo: *salchichón.*

2. Cilindro de tela largo delgado, lleno de pólvora, que sirve para dar fuego a las minas.

—*Colocaron varias salchichas en el campo de batalla.*

3. Globo dirigible que el ejército francés usó durante la guerra de 1914 a 1918.

— *Por un defecto de fabricación la salchicha explotó en el aire.*

saldar 1. Liquidar por completo una cuenta. ☞ **abonar, liquidar, finiquitar, pagar.** ❖ DEBER.

—*La próxima semana saldaré todo lo que debo.*

2. Vender a bajo precio una mercancía para deshacerse pronto de ella.

—*Saldarán todos los zapatos porque ya están pasados de moda.*

saldo 1. Cantidad que en una cuenta resulta entre lo que se tiene y lo que debe pagarse. ☞ **pago, remate, resto.**

—*Estaba muy contenta porque tenía un saldo a favor en su cuenta.*

2. Resultado o conclusión a favor o en contra que se obtiene de algo que sucede o se considera.

—*El saldo del derrumbe fue de seis heridos.*

3. Sobrante de mercancía que se considera de poco valor en una tienda, después de haber vendido o seleccionado lo mejor.

—*En el saldo de blusas había unas muy buenas y bonitas.*

salir 1. Pasar algo o alguien de adentro hacia afuera o de la parte interior de algo a la exterior.

—*Salió del baño hace un momento.*

2. Ir alguien o trasladar algo de un lugar a otro.

—*La semana entrante saldremos de la Ciudad de México a Mérida.*

3. Sacar alguna cosa del sitio donde estaba metida o puesta.

—*El anillo no le salía del dedo.*

4. Dejar de estar en una situación de-

sagradable, o dejar de tener una dificultad o molestia.

—*Cuando pagó salió del apuro.*

5. Dejar de asistir a algún lugar al que se iba con frecuencia, o en donde se ha pasado cierto tiempo; o dejar de hacer una actividad en la que se ha invertido mucho tiempo.

—*Salieron de la preparatoria hace un año y sí entraron a la universidad.*

6. Llegar una calle, la circulación de una cosa, etc., a un lugar o punto determinado.

—*Esta calle sale a la universidad.*

7. Ser el primero en ciertos juegos que se ejecutan entre varios.

—*Sale el que tiene el as.*

8. Manifestarse o dejarse ver algo en un determinado momento o lugar.

—*Le salieron canas cerca de las sienes.*

9. Brotar alguna cosa de algo.

—*Le salieron hojas al naranjo a pesar de que lo fumigaron en exceso.*

10. Ir a divertirse o a pasear.

— *¿Cuándo salimos de vacaciones?*

11. Tener algún parecido con un antepasado.

— *El niño salió a la familia de la mamá, la niña a la del papá.*

12. Obtener algún resultado en una operación o como efecto de otra cosa.

— *Les salió muy bien la fiesta de la boda.*

13. Manifestarse una característica particular de alguien en un determinado momento.

— *Salió a relucir su mal humor cuando se negaron a acompañarla.*

14. Decir algo que parece no tener sentido o explicación.

—*Me salió con que los estudios no le gustan.*

15. Llegar una oportunidad o asunto inesperadamente.

—*Les salió un muy buen trabajo ahora que más lo necesitaban.*

16. Representar un personaje en una obra de teatro, en el cine, en la televisión, etc.

— *En la representación del cuento de **La bella durmiente**, ella salía de la princesa.*

17. Costar algo una determinada cantidad de dinero.

—*Nos salió carísimo pintar la casa.*

18. Apartarse algo o alguien de un comportamiento, acción o funcionamiento.

—*El maestro, en cuanto se emociona, se sale del tema.*

19. Rebasar un líquido la capacidad del recipiente que lo contiene.

—*Se salió el agua de la alberca.*

— abandonar con rapidez un lugar,

una tarea o un compromiso: *salir disparado, salir pitando, salir hecho la raya, salir hecho la cochinilla.*
— encontrarse con alguien o algo de modo inesperado: *salir al paso.*
— acción y resultado de salir: *salida.*
— sitio por donde algo o alguien sale: *salida.*
— sitio en donde se inicia una carrera o competencia: *salida.*
— pretexto, recurso: *salida.*
— frase ingeniosa con que se evade algo: *salida.*
— bata que se usa cuando alguien sale de la alberca o el mar: *salida de baño.*
— que le gusta salir a pasear, a divertirse: *salidor.*
— parte que sobresale en una cosa: *saliente.*

salitre Cualquier sustancia salina, especialmente la que provoca manchas y humedad en las paredes de un edificio. ☞ **nitro, nitrato**.
— relativo al salitre: *salitrero.*
— que tiene salitre: *salitroso.*

saliva Líquido viscoso segregado por las glándulas de la boca. ☞ **baba.**
— acción y resultado de producir saliva: *salivación.*
— relativo a la saliva: *salival.*
— hablar tratando de convencer a alguien sin lograrlo: *gastar saliva.*
— aguantarse algún enojo: *tragar saliva.*

salmo Canto religioso compuesto para alabar a Dios.
— cantar o rezar salmos: *salmear.*
— el que compone salmos: *salmista.*
— manera de cantar los salmos: *salmodia.*
— cantar salmodias: *salmodiar.*
— decir algo con una cadencia monótona: *salmodiar.*

salón Espacio cerrado dentro de una casa, o cualquier edificio, diseñado para ciertas actividades para las cuales se reúnen varias personas.
— establecimiento comercial para dar tratamientos especiales como el del cuidado del pelo, las uñas, la piel, etc.: *salón de belleza, estética.*

salpicar 1. Lanzar con un movimiento brusco algún líquido, esparciéndolo en gotitas, o mojar o ensuciar con gotas algo.
— *Te va a salpicar el aceite caliente si te caen esas gotas de agua.*
2. Esparcir alguna cosa sobre una superficie o cosa.
— *Salpicó de lentejuelas tu vestido.*

salpullido Erupción leve en la piel formada por muchos granitos o ronchas.

salsa 1. Mezcla de diversas sustancias comestibles con la que se condimentan ciertos platillos. ☞ **caldillo, adobo**.
— *Le gustan los huevos estrellados con salsa verde.*
— recipiente para guardar o servir salsa: *salsera.*
2. Música y baile popular de origen antillano.
— *Anoche fueron a bailar salsa.*
— envanecerse: *creerse muy salsa.*

saltar 1. Levantarse con fuerza una persona, animal o cosa, ya sea para caer en el mismo lugar o en otro. ☞ **brincar, botar**.
— *Por la tarde los niños saltaron la cuerda.*
2. Tirarse un animal o persona desde cierta altura.
— *El clavadista saltó desde el trampolín a la alberca.*
3. Salir algo con fuerza hacia arriba y de modo repentino.
— *Al abrir la caja saltó un muñeco del interior gracias a un resorte.*
4. Pasar encima de algo sin tocarlo, trasladándose así de un sitio a otro.
— *El perro saltó el charco que había en el jardín.*
5. Levantarse de un lugar de manera brusca y repentina.
— *Saltó de la cama cuando sonó el despertador.*
6. Hacerse notar algo o alguien.
— *Salta a la vista que es un codo.*
7. Pasar algo o alguien de un puesto o lugar a otro sin tocar o estar en los intermedios.
— *De secretaria saltó a gerente de esa sucursal del banco.*
8. Omitir alguna parte al leer o copiar un escrito.
— *No entendió el texto pues se saltó un párrafo importante.*
9. Romperse algo repentinamente y con fuerza a causa de alguna presión o golpe.
— *Con el pelotazo sobre la ventana saltaron los vidrios.*
10. Recordar algo repentinamente.
— *Me saltó a la memoria el poema que nos recitaba la maestra.*
11. Desprenderse algo del lugar en el que estaba puesto o del que formaba parte.
— *Con tanto movimiento saltaron los tornillos de la bisagra de la puerta.*

salteador, -dora Ladrón que roba en despoblados o caminos. ☞ **bandido, ladrón, malhechor**.
— robar a los caminantes o viajeros: *saltear, asaltar.*
— hacer algo sin continuidad o sin seguir un curso natural, dejando de hacer algo: *saltear.*
— sofreír un alimento a fuego alto en aceite o manteca: *saltear.*

salterio 1. Libro de coro que contiene salmos.
— *Leyeron los versos con un salterio antiguo.*
2. Parte de un breviario que contiene las horas canónicas de toda la semana.
— *¡Revise, hermano, su salterio!*

saltimbanqui Acróbata, equilibrista o artista relacionado con estas tareas y que va de un lugar a otro. ☞ **payaso**.

saludar 1. Dirigir a alguien al encontrarlo, palabras o acciones de cortesía o respeto. ❖ DESPEDIR.
— *Todos los días se saludaban cariñosamente.*
2. Realizar los soldados algunos actos en señal de respeto o en honor de algo o alguien.
— *Los soldados saludaron a la bandera.*
— acción y resultado de saludar: *saludo.*
— palabra, ademán o fórmula para saludar: *saludo.*
— que saluda: *saludador.*
— saludo que se hace con armas de fuego: *salva.*

salvaguardia Custodia, amparo, garantía.

salvaje 1. Que ha permanecido sin contacto con la cultura y civilización humanas, que no ha sido domesticado.
— *Se enfrentó a un toro salvaje.*
2. Que pertenece a una cultura considerada primitiva.
— *Creyeron, al principio, que estaban ante un pueblo salvaje.*
— estado, condición o costumbres de los salvajes: *salvajismo.*
3. Que es violento, irracional, cruel, agresivo.
— *Es un salvaje cuando maneja su automóvil.*
— actitud o carácter de quienes actúan con violencia y crueldad: *salvajismo.*

salvar 1. Librar o librarse a alguien o algo de un peligro o de un daño. ☞ **proteger, defender**.
— *Él lo salvó cuando estaba a punto de ahogarse.*
2. Entre los cristianos, disfrutar de la gloria eterna al morir.
— *¡Salva tu alma, hijo mío!, nos decía un sacerdote viejito.*

salvo 1. Con a excepción de, excluyendo a, sin incluir a, fuera de.
— *Salvo a la hora de la comida, el resto del tiempo estuve trabajando.*
— a menos que: *salvo que.*
2. Que se ha salvado, que no ha sufrido daño.
— *Llegó por su propio pie sano y salvo.*
— fuera de peligro: *a salvo.*

salvoconducto Documento emitido por una autoridad a un sujeto para transitar libremente, sin riesgo, por donde se reconoce a dicha autoridad. ☞ **pase, pasaporte, permiso.**

samba Música y baile brasileños.

san Apócope de santo; se usa antes de los nombres propios de santos, a excepción de algunos como Tomás, Toribio, Santiago o Domingo.

sanar Recobrar alguien la salud. ☞ **curar, reponerse, mejorar, recobrarse.** ❖ ENFERMAR.

sancionar 1. Aplicar autoridad o fuerza a una ley, norma, uso o costumbre. ☞ **penar, punir.** ❖ PERDONAR, RECOMPENSAR.
— *Sancionaron la ley que prohíbe fumar en los recintos de esa institución.*
2. Imponer una sanción a un delito. ☞ **castigar.**
— *Lo sancionaron por aumentar ilícitamente el precio de la leche.*

sandalia Calzado simple de una suela sujeta por correas o cualquier zapato ligero y abierto. ☞ **guarache.**

sandez Dicho o acción propios de una persona necia. ☞ **tontería, bobería.**

sanear 1. Proporcionar condiciones de salubridad a un terreno o edificio. ☞ **limpiar, higienizar.** ❖ ENSUCIAR.
— *Durante el mes pasado saneó las paredes llenas de humedad de la casa.*
2. Liberar a un medio social o a una institución de vicios y malas costumbres; poner remedio a una mala situación. ☞ **reparar, remediar.** ❖ DESCOMPONER.
— *El nuevo director saneó rápidamente los conflictos entre los empleados.*

sangre 1. Líquido ligeramente espeso, de color rojo, que circula en las venas y arterias del hombre y de algunos animales.
— *Se cortó un dedo y le salió sangre.*
2. Raza o parentesco.
— *Se sentía unido fuertemente a los de su misma sangre.*
— salir sangre: *sangrar.*
— sacar sangre de una vena: *sangrar.*
— robar parte de un todo: *sangrar.*
— comenzar la primera línea de un párrafo más adentro que las siguientes: *sangrar.*
— acción y resultado de sangrar: *sangría.*
— bebida que se prepara con agua, limón, azúcar, vino tinto y frutas: *sangría.*
— que echa sangre: *sangriento, sanguinolento.*
— teñido en sangre o mezclado con sangre: *sangriento, sanguinolento.*

— cruento: *sangriento, sanguinario.*
— que pertenece a la sangre o se relaciona con ella: *sanguíneo.*
— que contiene sangre o que tiene su color: *sanguíneo.*
— lápiz rojo oscuro hecho con hematites o dibujo hecho con este lápiz: *sanguina.*
— hacer que se críe sangre: *sanguificar.*
— que contiene o lleva sangre: *sanguífero.*
— ser de ascendencia noble o de la aristocracia: *ser de sangre azul.*
— tener por naturaleza o herencia alguna característica particular: *llevar en la sangre.*
— enojarse, encolerizarse: *subírsele la sangre a la cabeza.*
— estar uno muy enojado: *hervirle la sangre.*
— tener calma y tranquilidad, no tener remordimiento por el mal que se haya hecho a otros: *tener sangre fría.*
— tener mucho miedo: *helarse la sangre.*
— ser una persona calmada: *tener sangre de atole.*
— ser una persona simpática: *tener la sangre ligera.*
— ser antipático: *tener sangre pesada.*
— ser una persona mala: *tener mala sangre.*
— hacer que alguien se la pase mal: *chuparle la sangre.*
— pasar alguien penurias: *sudar sangre.*
— haber muertos y heridos en un pleito: *correr la sangre.*
— atormentarse o preocuparse por algo: *hacerse mala sangre.*
— caballo de raza pura: *caballo de pura sangre.*

sanitario, -ria 1. Que se relaciona con la protección de la salud pública.
— *Clausuraron ese restaurante porque no tenía la licencia sanitaria correspondiente.*
2. Baño.
— *Disculpe, ¿en dónde está el sanitario?*
3. Mueble de baño en donde se evacuan la orina y los excrementos. ☞ **excusado, retrete.**
— *Ese sanitario necesita una buena limpieza.*

santiamén (en un) En un instante, en un momento. ☞ **en un tris.**

santo, -ta 1. Según el cristianismo, que es perfecto y está libre de todo pecado.
— *Ese hombre es todo menos un santo.*
— hipócritamente santo: *santurrón.*
2. Persona a la cual por sus cualidades, en vida, la iglesia cristiana le otorga este título.

— *Este templo está dedicado a Santo Domingo de Silos.*

saña Crueldad, enojo ciego. ☞ **rencor, ira.** ❖ AMISTAD, PIEDAD.
— que tiene saña: *sañoso, sañudo.*
— propenso a la saña: *sañudo.*

sapiencia Sabiduría. ❖ IGNORANCIA.
— sabio: *sapiente.*
— relativo a la sabiduría: *sapiencial.*

saponificación Acción y resultado de saponificar.
— convertir en jabón un cuerpo graso: *saponificar.*
— de naturaleza o aspecto de jabón: *saponáceo.*

saquear Entrar en un lugar y robar o apoderarse de todo o casi todo. ☞ **saltear, atracar.**
— acción y resultado de saquear: *saqueo, saqueamiento.*
— que saquea: *saqueador.*

sarampión Enfermedad contagiosa, propia de los niños, que se manifiesta con erupciones de manchas rojas y pequeñas en la piel.

sarape Manta de lana o algodón, que se usa como colcha y, a veces, las que tienen una abertura en el centro para meter la cabeza, como abrigo.

sarcasmo Burla o ironía cruel. ☞ **mordacidad.** ❖ ADULACIÓN.
— que denota sarcasmo o se relaciona con él, o persona que usa el sarcasmo: *sarcástico.*

sarcófago Sepulcro de piedra, metal o madera en el cual se deposita un cadáver.

sargento Individuo de una tropa militar con rango superior al de cabo e inferior al de teniente.
— hacer el oficio de sargento: *sargentear.*

sarro 1. Sedimento que dejan en las vasijas algunos líquidos que llevan sustancias en suspensión o disueltas.
— *El bote de aluminio tiene sarro dejado por el café.*
2. Sustancia calcárea de color amarillento que se adhiere al esmalte de los dientes.
— *El dentista le quitó el sarro.*
3. Capa de suciedad que se forma en la lengua.
— *Tenía la lengua llena de sarro.*
— que tiene sarro: *sarroso.*

sarta 1. Diversas cosas o cuentas metidas en un hilo o cuerda. ☞ **retahíla, ristra, sartal.**
— *Le gusta llevar en el cuello una sarta de dijes.*
2. Serie de cosas no materiales o sucesos que van uno tras otro. ☞ **retahíla, letanía.**
— *Le dijo una sarta de mentiras.*

sartén Utensilio circular de cocina, más

ancho que hondo, que sirve especialmente para freír.

— tener el poder o la autoridad en una situación específica: *tener la sartén por el mango.*

sastre Hombre que por oficio corta y cose trajes para caballero. ☞ **costurero, alfayate.**

— oficio de sastre: *sastrería.*

— local en donde trabaja el sastre: *sastrería.*

satánico, -ca 1. Que pertenece a Satanás o se relaciona con él. ☞ **diabólico, infernal.**

— *Los cuernos forman parte de las imágenes satánicas.*

— el demonio, el diablo: *Satanás.*

— culto a Satanás: *satanismo.*

2. Muy malo o perverso.

— *El cuento dice que la bruja empezó a reír de modo satánico.*

— maldad satánica, perversidad: *satanismo.*

satélite 1. Astro sin luz propia que gira alrededor de un planeta.

— *La Luna es el satélite de la Tierra.*

— aparato que gira alrededor de la Tierra y que cumple funciones científicas o de comunicación y está regido por las mismas leyes que rigen el movimiento de la Luna: *satélite artificial.*

2. Persona o cosa que depende de otra para subsistir.

— *Esta es una ciudad satélite de la capital.*

satén Tela brillante de seda o algodón.

satín Madera parecida a la del nogal.

— dar al papel o a la tela lustre y tersura: *satinar.*

sátira Obra literaria que censura o ridiculiza algo o a alguien. ☞ **crítica, diatriba, panfleto, pasquín.**

satiriasis o satirismo Exaltación del sentido sexual, con carácter patológico, propia del hombre.

satisfacción 1. Acción o resultado de satisfacer.

— *Obtuvo una gran satisfacción al beber agua.*

2. Placer que resulta de un deseo o necesidad cumplidos.

— *Sintió la satisfacción de ver su obra en escena.*

sátrapa Hombre ladino que actúa con astucia.

saturar 1. Hartar, llenar, saciar. ❖ VACIAR.

— *¡No lo satures de trabajo, no tiene tiempo!*

2. Impregnar con un cuerpo un fluido hasta el mayor punto de concentración.

— *Saturamos el agua con sal.*

savia 1. Jugo de algunas plantas que contiene azúcares, sustancias orgánicas y sales minerales. ☞ **jugo, sanguaza.**

— *Cortamos el tallo de esa planta y salió la savia.*

2. Lo que da energía o vitalidad a alguna cosa. ☞ **fuerza, vigor.**

— *A este negocio le hace falta savia.*

sazón 1. Punto en que algo alcanza su estado de madurez, o está en su estado más pleno.

— *Cortaron la fruta cuando estaba en sazón.*

— llegar las frutas a su madurez: *sazonar.*

2. Buen sabor que se les da a los alimentos al cocinarlos. ☞ **punto.**

— *La mejorana es lo que le da el sazón a esta salsa.*

sebo Grasa sólida y dura de origen animal que tiene varios usos, entre ellos la elaboración de velas y jabones.

secano Tierra de cultivo sin riego.

secar 1. Quitar a algo la humedad o el agua. ☞ **desecar, enjutar.** ❖ MOJAR.

— *El sol secó rápidamente la ropa.*

— que no tiene jugo o humedad o agua: *seco.*

2. Perder una planta la savia y por ello morir.

— *Las bugambilias del jardín se secaron.*

— falto de verdor y lozanía: *seco.*

3. Quedarse sin agua un río.

— *Aquí corría un caudaloso arroyo, pero se secó.*

sección 1. Corte que se hace en un cuerpo sólido, normalmente en sentido transversal al de la dirección de su fibra. ☞ **división, fracción.**

— *Vamos a analizar esta sección de uno de los huesos del brazo.*

2. Cada una de las partes de un todo o de un conjunto.

— *Por favor, coloca los libros en esta sección del estante.*

— dividir en partes o secciones, fraccionar: *seccionar.*

secesión Acto de separarse de una colectividad, pueblo o territorio al que se pertenecía. ❖ UNIÓN.

secreción Acción y resultado de secretar.

— salir de las glándulas del organismo las materias por ellas elaboradas: *secretar.*

— que secreta: *secretor, secretorio.*

secretario, -ria 1. Persona encargada de los documentos, correspondencia, archivo, etc., de un empleado superior, en una oficina.

— *Desde hace años tiene una excelente secretaria.*

2. Persona encargada de establecer la correspondencia, redactar actas, dar fe de acuerdos y registros, etc., de una asociación, sindicato, etc.

— *Él es el secretario del consejo académico.*

secreto 1. Conocimiento de algo que se mantiene oculto o que es compartido por un núcleo reducido de gente; lo que no se hace público ni se quiere revelar. ☞ **misterio, clave, enigma.**

— *Prometió guardar el secreto de lo que le dirían.*

2. Procedimiento más o menos oculto, fundamental para la elaboración o realización de algo.

— *El secreto de su armonía interior está en su optimismo.*

secta Grupo de personas que siguen una misma parcialidad religiosa o ideológica; doctrina religiosa o ideológica que es adoptada por un grupo.

sector 1. En geometría, parte del círculo que está comprendida entre dos radios y el arco que la delimitan.

— *Dividió el círculo en varios sectores.*

2. Parte de un grupo de la sociedad que tiene una actividad o posición política semejante.

— *Hace años que lucha por el mejor nivel de vida del sector campesino.*

secuaz Adepto o partidario de la doctrina u opinión de otra persona; suele usarse en sentido despectivo.

secuela Consecuencia de cierta cosa. ☞ **efecto.**

secuencia 1. Disposición o serie ordenada de ciertas cosas que se siguen unas a otras guardando una relación, unidad y orden entre sí.

— *Me parece apropiada la secuencia de actividades para el año entrante.*

2. Conjunto de operaciones ordenadas para que cada una determine la siguiente.

— *Hay un error en la secuencia, pues el resultado final no coincide con el que aparece en la hoja de respuestas.*

— relativo a la secuencia: *secuencial.*

— establecer una serie o sucesión de cosas que tienen relación entre sí: *secuenciar.*

secuestrar Aprehender a una persona y exigir dinero para liberarla. ☞ **raptar.**

— *Secuestraron a la única hija de ese industrial.*

— acción y resultado de secuestrar: *secuestro.*

— que secuestra: *secuestrador.*

secular Que existe desde hace siglos o desde mucho tiempo atrás.

secundar Ayudar a alguien a que realice sus propósitos. ☞ **asistir, colaborar, ayudar.**

sed 1. Necesidad y ganas de beber. ☞ **sequedad**.
— *Después de caminar por la tarde, teníamos mucha sed.*
2. Deseo intenso de algo.
— *Tenía sed de verse en sus ojos.*
— que tiene sed o que desea algo intensamente: *sediento*.

seda 1. Líquido viscoso que secretan ciertas glándulas de algunos artrópodos como las arañas y las orugas, y que sale del cuerpo formando hilos finos y flexibles que se solidifican al contacto con el aire.
— *Al caminar en el bosque, la seda de una araña se le pegó en la cara.*
2. Hilo o tela suave y brillante elaborado con las hebras que producen los gusanos de seda.
— *Se compró una camisa de seda de color azul eléctrico.*

sedante Que calma; se dice especialmente de los fármacos que disminuyen la agitación nerviosa e inducen al sueño. ☞ **sedativo, calmante**.
— *Le pusieron un sedante para el dolor.*
— calmar, sosegar, apaciguar: *sedar*.

sede 1. Lugar donde tiene su domicilio un organismo o institución importante, o sitio en donde se lleva a cabo una actividad importante.
— *Aquí fue la sede del festival.*
2. Para los católicos, jurisdicción de algún prelado y lugar en que tiene capital su diócesis.
— *El año pasado ocupó la sede arzobispal.*
— lugar de residencia del Papa: *Santa Sede*.
— con domicilio, capital o residencia en: *con sede en*.

sedentario, -ria 1. Que no requiere un gran esfuerzo físico, particularmente cuando se habla de las actividades de una persona o un grupo de personas y de la vida que llevan.
— *Esa vida tan sedentaria lo ha puesto gordo y quejoso.*
2. Que viven y se desarrollan en el lugar en que han nacido, cuando se habla de grupos humanos o de especies animales.
— *Fue un pueblo sedentario, lo que le permitió levantar construcciones más permanentes.*

sedición Acción masiva y sin armas emprendida en contra de una autoridad para obligarla a actuar de cierto modo. ☞ **levantamiento, insurrección, rebelión**.
— que promueve o toma parte en una sedición, o que se relaciona con ella: *sedicioso*.

sedimento Materia que habiendo estado suspensa en un líquido o en el aire cae al fondo o se asienta.
— depositar sedimento un líquido: *sedimentar*.
— formar sedimento las materias suspendidas en un líquido o en el aire: *sedimentar*.

seductor, -ra Que seduce. ☞ **engañador, seductivo, cautivador, engolosinador**.
— engañar o persuadir a alguien con mañas de modo suave: *seducir*.
— cautivar la atención o el afecto de alguien: *seducir*.
— acción y resultado de atraer, de seducir o de cautivar: *seducción*.

sefardí o sefardita Judío oriundo de España y dialecto judeo-español.

segar 1. Cortar algo con algún instrumento, de modo que se separe de su cuerpo la parte cortada. ☞ **cercenar**.
— *Segaron la hierba que cubría el terreno.*
— acción y resultado de segar: *segazón, siega*.
— que siega: *segador*.
— máquina que siega la hierba o planta de un terreno: *segadora*.
— hoz para segar: *segadora*.
2. Impedir el desarrollo de algo.
— *El accidente segó las esperanzas de que él fuera campeón olímpico.*

segmento Parte o porción determinada de una cosa.
— dividir algo, hacer segmentos: *segmentar*.

segregar 1. Separar de un conjunto algunos de los elementos que lo constituyen. ❖ UNIR, SUMAR.
— *Segregaron a los integrantes del equipo de futbol.*
2. Echar fuera de sí un objeto u organismo, alguna sustancia que se produce en su interior. ☞ **secretar, gotear**.
— *Segregué mucha saliva al chupar el limón.*
— acción y resultado de segregar: *segregación*.
— que es partidario de la segregación racial: *segregacionista*.

segueta Sierra de marquetería.

seguir 1. Ir detrás de algo o alguien por el mismo camino o dirección.
— *Yo te sigo después, no te apures.*
2. Recorrer un camino o trayectoria sin salirse de él.
— *Sigue por el pasillo principal y llegarás a su oficina.*
3. Estar algo o alguien inmediatamente después de otra cosa o persona, generalmente dentro de un orden o jerarquía. ☞ **suceder**.

— *Por favor, que pase el paciente que sigue.*
4. Estar ocurriendo algo sin haberse interrumpido; continuar en un mismo estado o situación.
— *¡Todavía sigue ese programa de televisión!*
5. Tomar algo como modelo o base para hacer alguna cosa.
— *Esta ópera sigue de cerca a las de la última producción de Verdi.*
6. Estar atento y enterado del desarrollo de algo.
— *He seguido con interés los debates de este partido político.*
7. Cursar algún tipo de enseñanza.
— *Sigue un curso de historia de la literatura francesa para obtener una especialización.*
— frecuentemente: *seguido*.
— acción y resultado de seguir: *seguimiento*.

según 1. De acuerdo con, conforme o con arreglo a.
— *Según el reglamento no se puede jugar a la pelota en este patio.*
2. De acuerdo con algún autor o escrito.
— *Según Aristóteles la tragedia tendría las características de que hablamos.*
3. Tan rápido como, al mismo tiempo que.
— *Los apuntaban en la lista según iban llegando.*

seguro, -ra 1. Que no corre ningún riesgo, que es o está libre de peligro. ☞ **firme, fijo, invulnerable**.
— *Los niños pensaron que ese era un sitio seguro para esconderse.*
2. De manera infalible, cierta o verdadera.
— *Es un método muy seguro para evitar el embarazo.*
3. Que tiene certeza y confianza en sus afirmaciones y actitudes, que sabe lo que dice y hace. ❖ INSEGURO.
— *Es un hombre seguro de sus conocimientos.*
4. Contrato mediante el cual una compañía especializada se compromete a cubrir los gastos ocasionados por accidente, robo, incendio, etc., a cambio de una cuota sujeta al valor de lo asegurado o a los riesgos a que esté expuesto.
— *Adquirió un seguro médico hace poco tiempo.*

seleccionar Elegir o escoger ciertas cosas de entre las que forman un conjunto. ☞ **optar**.

selenita 1. Habitante imaginario de la Luna.
— *En esa novela los selenitas se alimentaban de luz.*
2. Yeso cristalizado.

—La luz brillaba en las láminas de la selenita.

selva Terreno extenso e inculto con mucha vegetación.

— que pertenece a la selva o se relaciona con ella: *selvático.*

— calidad de selvático: *selvatiquez.*

— que tiene muchas selvas, tratándose de un terreno: *selvoso.*

sellar 1. Poner un sello. ☞ **estampar, estampillar, timbrar.**

—Cuando termines de pasar las cartas a máquina, séllalas.

2. Comunicar a una cosa un determinado carácter.

— Selló esa cantata por el modo en que empleó la voz humana.

3. Cerrar.

—Sellaron la puerta de la cripta con yeso.

4. Dar una cuestión por terminada.

—Sellaron sus diferencias y prometieron respetarse mutuamente.

semáforo Aparato eléctrico con tres luces: verde, amarilla y roja, que controla el tráfico vehicular.

semana 1. Serie de siete días consecutivos que pueden ir de domingo a sábado o de lunes a domingo.

—La semana del 21 al 27 de octubre se fue de vacaciones.

2. Cualquier conjunto de siete días.

— Hace dos semanas que llegó de Pátzcuaro.

— que sucede o se repite cada semana: *semanal, semanario.*

— periódico que se publica semanalmente: *semanario.*

— sábado y domingo, días durante los cuales algunas personas no trabajan y descansan: *fin de semana.*

— en cualquier día que no sea sábado o domingo: *entre semana.*

— semana entre el domingo de Ramos y el de Pascua o Resurección, entre cristianos: *Semana Santa o Semana Mayor.*

— periodo de ocho horas de trabajo, de lunes a viernes y con descanso el sábado: *semana inglesa.*

3. Pago o salario ganado en una semana o dinero para gastar durante una semana. ☞ **sueldo, jornal.**

—Le entregó la semana incompleta a su madre.

semántico, -ca Relativo al significado de las palabras.

— parte de la lingüística y de la lógica cuyo objeto de estudio es el significado de las palabras o de las expresiones lingüísticas: *semántica.*

semblante 1. Rostro humano o representación de alguna emoción en él. ☞ **cara, faz.**

semilla

SEMILLAS QUE DISPERSA EL VIENTO

arce — clemátide — diente de león

SEMILLAS QUE DISPERSAN LOS ANIMALES

cariofilata — frambuesa — muérdago

SEMILLAS DISPERSADAS POR OTRAS VÍAS

geranio silvestre — lirio acuático — amapola

—Tenía el semblante cargado de alegría.

2. Aspecto de las cosas. ☞ **cara.**

—Esa chuleta tiene un semblante y un olor que no me gustan.

— mirar a alguien para conocer sus intenciones: *semblantear.*

— indagar con disimulo: *semblantear.*

semblanza Bosquejo biográfico.

sembradío Terreno en el que se siembra. ☞ **plantío, siembra.**

semejante 1. Que se parece a otra cosa o persona. ☞ **parecido, similar.**

—Tu casa tiene una distribución semejante a la de la mía.

— cualidad o carácter de tener alguien o algo rasgos, maneras, etc., que también tiene otra persona o cosa: *semejanza.*

— de manera parecida: *a semejanza.*

— parecerse una cosa o persona a otra: *semejar.*

2. Que es de gran volumen, tamaño o nivel.

—Era un toro enorme y, sin embargo, el torero se enfrentó a semejante animal.

3. Que es o se considera malo, despreciable o insuficiente.

—No haré el viaje en semejantes condiciones.

4. Persona, prójimo, congénere.

— Le gusta ayudar a sus semejantes.

semen Líquido blanquecino y viscoso, en el cual están los espermatozoides, segregado por los órganos reproductores masculinos. ☞ **esperma, espermatozoide.**

semestral Que dura un semestre o que ocurre o se repite cada semestre.

— lapso de seis meses: *semestre.*

semicírculo Cada una de las dos mitades de un círculo separadas por un diámetro.

semifinal Cada una de las dos penúltimas competencias de un campeonato o concurso.

— que participa en una semifinal: *semifinalista.*

semilla (vea ilustración) Parte del fruto que es capaz de germinar y originar una nueva planta de la misma especie. ☞ **simiente.**

—Este terreno está sembrado de semillas de sandía.

— relativo a la semilla: *seminario.*

— sitio en el cual se siembran y cuidan las plantas para después trasplantarlas: *semillero, vivero.*

2. Causa u origen de algo.

— Su ambición sembró la semilla del odio entre los hermanos.

— origen o principio de alguna situación o cosa: *semillero.*

seminario, -ria 1. Relativo a la semilla.
—*El embrión y el cotiledón son partes seminarias.*
2. Lugar donde se educan los jóvenes que se dedican al estado eclesiástico.
—*Todas las navidades ponen en el seminario un espectacular nacimiento.*
— alumno de un seminario: *seminarista.*
3. Curso universitario para realizar una investigación.
—*Asistimos a un excelente seminario el semestre pasado.*

semitono Cada una de las dos mitades desiguales en que se divide el intervalo de un tono en la escala musical.

sémola 1. Trigo sin cáscara.
—*Por la mañana tomó una porción de sémola y un vaso con leche.*
2. Pasta de harina que se usa para hacer sopa.
—*Sabe preparar una exquisita sopa de sémola.*

sempiterno, -na 1. Eterno, perpetuo, que durará siempre. ☞ **inmortal, infinito, duradero.** ❖ MORTAL, FINITO.

sen Moneda japonesa que vale la centésima parte de un yen.

senado 1. Institución política de un Estado democrático conformada por los representantes de las distintas colectividades territoriales del país; forma parte del poder legislativo.
— *En México, el Senado está constituido por dos miembros de cada estado de la federación y dos del Distrito Federal.*
2. Edificio donde se reúne la Cámara de Senadores.
—*Por esta calle se llega al senado.*
—miembro del senado: *senador.*

sencillo, -lla 1. Que es natural, que no tiene complicaciones. ☞ **simple, inocente, ingenuo.**
—*Dirigió unas sencillas palabras de bienvenida a la concurrencia.*
2. Que se presenta en su forma original, sin adornos o complicaciones.
—*Preparó una sencilla sopa de pasta para la cena.*
3. Que está constituido por uno solo de los elementos que pueden formarlo.
— *Compró un helado sencillo para comérselo camino a la escuela.*

senda 1. Camino angosto. ☞ **atajo, sendero.**
—*Por esta senda llegaremos pronto a la vía principal.*
2. Procedimiento o medio para hacer algo o lograrlo.
—*Por esa senda jamás llegarás a viejo.*

sendos, -das Uno o una de ciertas cosas que corresponden a cada cual de dos o más personas o cosas. ☞ **respectivos.**

senectud Edad senil, ancianidad. ☞ **vejez, vetustez.** ❖ JUVENTUD.

senil Relativo a la vejez o a las personas ancianas.
— vejez: *senilidad.*

seno 1. Cada una de las protuberancias o glándulas mamarias situadas en la parte delantera del tórax de las mujeres. ☞ **pecho, teta, mama, chichi.**
—*Se sometió a una auscultación de los senos.*
2. Cavidad en cualquier sitio. ☞ **hueco, concavidad.**
—*Estudió con cuidado la conformación del seno maxilar.*
3. Cavidad de la matriz en donde la hembra de los mamíferos lleva al crío antes del parto. ☞ **útero.**
— *Por un problema en el seno no podía tener hijos.*

sensación Impresión que las cosas, los acontecimientos, las noticias, etc., producen en los sentidos o en el ánimo. ☞ **sentimiento.**
—*Fue una sensación horrible la que tuve cuando me subí a la rueda de la fortuna.*

sensatez Calidad de sensato. ☞ **discreción, cordura.** ❖ IMPRUDENCIA, IRREFLEXIÓN, INSENSATEZ.
—*Tiene mucha sensatez lo que dice.*
— que obra y se expresa de manera acertada, que es prudente, cuerdo o de buen juicio: *sensato.*

sensible 1. Que es capaz de sentir, experimentar o percibir sensaciones física o moralmente. ☞ **sensitivo.**
— *El ojo humano es muy sensible a la luz.*
2. Que puede ser conocido por medio de alguno o varios de los sentidos.
— *Le taparon los ojos y le dieron a probar una serie de sustancias sensibles al gusto.*
— calidad de las cosas sensibles: *sensibilidad.*
3. Que se deja llevar fácilmente por los sentimientos.
—*Es muy sensible, llora en todas las bodas a las que asiste.*

sensual Que provoca placer, que satisface a los sentidos o que le gusta satisfacer sus sentidos, tratándose de personas.

sentar 1. Poner o ponerse alguien en una silla, banco, etc., de manera que se apoye sobre sus nalgas. ☞ **tomar asiento, arranarse, arrodajarse, posarse.**
—*Durante la conferencia nos sentamos en la última hilera de sillas.*
2. Colocar una cosa sobre otra, o al lado de otra, de manera que una se apoye en la otra o se apoyen mutua-

mente. ☞ **asentar, allanar, aplanar, igualar.**
—*Sentaron este muro sobre un gran bloque de piedra.*
3. Hacer que algo sirva de punto de partida o inicio, punto de apoyo para proceder a otra cosa. ☞ **anotar, inscribir, registrar.**
—*Es un hombre hábil, sentó las bases para el tratado entre ambas empresas.*
4. Producir algo cierto efecto en una persona, en el organismo o en su apariencia.
—*Le sentó mal la comida después de haber hecho tantos corajes.*

sentenciar 1. Condenar un juez a una persona o recibir un determinado castigo alguien después de que se le ha encontrado culpable de un delito.
—*Lo sentenciaron a cuarenta años de cárcel.*
2. Expresar una resolución o un juicio sobre algo serio y grave. ☞ **destinar, advertir.**
—*El médico sentenció que debe usted dejar de fumar.*

sentido 1. Cada una de las capacidades que tiene el ser humano y los animales para percibir acontecimientos y estímulos físicos.
—*Agudizó todos sus sentidos en el momento en que debía salir a escena.*
2. Capacidad humana para comprender, apreciar o razonar algo; en los animales, capacidad para percibir o apreciar algo. ☞ **entendimiento, discernimiento.**
—*Nunca sabe en dónde está, no tiene el menor sentido de orientación.*
3. Comprensión que se tiene de algo que se comunica, se manifiesta o expresa.
—*¿Qué sentido tiene que continúes buscando su cariño, si no te hace caso?*

sentimiento 1. Estado mental producido por la percepción de alguna cosa alegre, triste, molesta, etc., en la persona que lo experimenta.
—*Se dio cuenta que debía frenar su sentimiento de gusto y entusiasmo por esa persona.*
2. Capacidad para mostrar estos estados mentales.
—*Se expresaba con tanto sentimiento que nadie permanecía ajeno a lo que decía.*

sentir 1. Percibir algo por medio de los sentidos y experimentar en el cuerpo y la mente su efecto. ☞ **percibir, advertir.**
—*Sintió hambre cuando olió la sopa.*
2. Tener alguien la sensación o idea de que algo le sucede o afecta.

—*Se sintió libre en cuanto pudo decir lo que quería.*

3. Tener por triste o doloroso algún suceso.

— *Sentí muchísimo la muerte de tu abuelo.*

4. Tener determinada opinión según el modo en que ha percibido o experimentado uno algo.

—*Siento que no te gustó el modo en que él te habló.*

señal 1. Marca que se pone en algo para separarlo o distinguirlo de otras cosas. ☞ **indicación, denotación.**

—*Dejé una señal amarilla en el poste que está por caerse.*

2. Indicación o aviso de algún suceso que se toma como tal, de acuerdo con la experiencia que se ha tenido al observarlo.

—*Esas nubes negras son señal segura de tormenta.*

3. Dibujo, representación, gesto, trazo, etc., que, según una convención específica, sirve como indicación de otra cosa.

—*Quedamos en que la señal para que él empezara a hablar consistiría en que yo guiñara un ojo.*

4. Marca, indicio o huella que queda de algún acontecimiento.

—*Esos platos sucios en el fregadero son señal de que alguien estuvo aquí.*

5. Cada uno de los estímulos eléctricos, luminosos, de radio, etc., y el conjunto de todos ellos, con que se envía un mensaje de acuerdo con un código.

— *Este aparato de radio no capta ninguna señal.*

señero, -ra Solitario, solo o único.

señor, -ra 1. Persona adulta.

— *La señora del departamento de abajo es amable.*

2. Tratamiento de cortesía que se da a una persona adulta.

—*El señor Pérez es mi sastre.*

3. Dueño de algo o que tiene poder o dominio sobre alguien o algo. ☞ **amo.** ❖ SIERVO.

—*El señor de estas tierras recibió a los peregrinos.*

4. Dios.

— *Entonaron cantos para alabar al Señor de Israel.*

5. Que es de mucha calidad, muy bueno o de gran tamaño.

— *Me compró un señor anillo como regalo.*

señuelo Cualquier cosa que sirve para atraer o persuadir a alguien de algo. ☞ **cebo.**

separar 1. Tomar elementos de un conjunto y deshacer su unidad. ☞ **desunir.**

— *Separaron la raíz del tallo para hacer un brebaje.*

2. Quitar alguna cosa de entre otras para lograr cierto resultado.

— *¿Separaste la ropa limpia de la sucia?*

3. Alejar o alejarse dos cosas o personas a fin de evitar algún inconveniente.

— *En la guardería separaron a los niños sanos de los enfermos para que no se contagiaran.*

sepelio Ceremonia para sepultar a alguien. ☞ **entierro.**

sepia Materia colorante que se saca de la jibia; se emplea en pintura.

septentrional Que se relaciona con el norte; que está al norte.

séptico Que produce descomposición o que tiene gérmenes patógenos. ☞ **putrefacto.**

— género de enfermedades contagiosas y graves producidas por gérmenes patógenos que entran a la sangre y ahí se multiplican: *septicemia.*

septiembre Noveno mes del año, que tiene treinta días. Está después de agosto y antes de octubre.

sepulcro Construcción que se destina para sepultar a uno o más muertos. ☞ **fosa, tumba.**

— relativo al sepulcro: *sepulcral.*

sepultar Enterrar el cuerpo de un difunto.

séquito Grupo de personas que acompañan y sirven a otra. ☞ **comitiva, corte, servicio.**

ser 1. Afirmar la existencia de algo o de alguien, de su naturaleza o de una parte de ella o de su identidad.

— *Él es un hombre muy prudente y sincero.*

2. Formar parte de algo o pertenecer a algo o a alguien.

— *Ésta es mi oficina desde hace un año.*

3. Juzgar o considerar algo o a alguien de cierta manera.

—*Es muy fácil llegar a su casa.*

4. Existir algo o alguien en sí o por sí mismo.

—*Dios es.*

5. Tener algo o alguien determinada característica, o cierta forma de presentarse, o determinado objetivo.

—*Éste es un club privado.*

6. Efectuarse o suceder algo.

— *La boda será pasado mañana.*

7. Valer algo determinada cantidad.

— *¿Cuánto es lo que le debo?*

8. Como verbo auxiliar forma oraciones pasivas con el participio de los verbos transitivos.

—*Ese artesano es admirado por todo el pueblo.*

— de cualquier manera: *como sea.*

9. Lo que tiene existencia en sí mismo, con naturaleza y características que le pertenecen o se le atribuyen.

—*Sus novelas están pobladas de seres imaginarios.*

10. Naturaleza de alguien y conciencia que se tiene de ello.

—*Le habló desde lo más íntimo de su ser.*

11. Carácter esencial o fundamental de algo o alguien.

—*Discutieron sobre el ser de sus actividades.*

serenar 1. Tranquilizar, apaciguar o sosegar a alguien o algo. ☞ **calmar, sosegar, aquietar.** ❖ AGITARSE, IRRITARSE.

—*Los ánimos del público se serenaron en cuanto apareció la artista.*

— apacible, tranquilo: *sereno.*

— calidad de sereno: *serenidad.*

2. Sacar alguna cosa a la intemperie durante la noche.

—*Serenaron el agua que bebieron por la mañana.*

— humedad que durante la noche impregna el aire: *sereno.*

3. Aclararse un licor que está turbio. ☞ **posarse, sedimentarse.**

—*El vino se serenó antes de ser servido.*

— claro, despejado: *sereno.*

serenata 1. Música que se interpreta en la calle, durante la noche, para festejar o enamorar a una persona. ☞ **romanza, nocturno, rondalla.**

—*Se le ocurrió llevarle serenata a su esposa.*

2. Música que se compone para este fin. ☞ **cantata, canción.**

—*Esa serenata la hace llorar de alegría.*

serie 1. Conjunto de cosas relacionadas entre sí y que están puestas, aparecen o suceden una después de otra. ☞ **orden, curso, sucesión, ciclo.** ❖ AISLAMIENTO, DISCONTINUIDAD.

—*Escribió una serie de artículos sobre la cultura popular.*

2. Sucesión de cantidades que se derivan unas de otras según una ley determinada.

— *Se pusieron a estudiar esa serie estadística.*

— uno tras otro: *en serie.*

— poco común, extraordinario: *fuera de serie.*

seriedad 1. Actitud de responsabilidad, reflexión y atención que manifiesta un individuo. ☞ **gravedad.**

—*El profesor habló con seriedad de los problemas de la escuela.*

— que actúa o se comporta con cuidado, reflexión, responsabilidad y atención: *serio.*

2. Actitud de rigidez para expresar alguien sus sentimientos.

—*No me mires con tanta seriedad.*

sermón 1. Discurso de contenido religioso que generalmente dirige un sacerdote a los feligreses cristianos. ☞ **hòmilía, doctrina, prédica**.

—*El padre perdió varias veces el hilo del sermón.*

2. Discurso paternalista con el objeto de dar consejos o recomendaciones que generalmente resulta largo y aburrido.

— *Su madre se echó dos sermones: uno en la mañana y otro en la noche.*

— predicar: *sermonear.*

— regañar: *sermonear.*

serpiente (vea ilustración) Reptil escamoso que pertenece al suborden de los ofidios.

— museo donde se exhiben serpientes: *serpentario.*

— dar vueltas como serpiente: *serpentear.*

serrallo Lugar en donde los mahometanos tienen a sus mujeres. ☞ **harén.**

serranía Espacio de tierra montañoso. ☞ **sierra, cordillera.**

serranilla Composición poética para alabar la belleza campesina o hablar de asuntos del campo.

serrar Cortar con una sierra. ☞ **aserrar, cortar, aserruchar.**

— taller para aserrar maderas: *aserradero, serrería.*

— polvo de madera: *serrín, aserrín.*

— que tiene dientes como la sierra: *serrado.*

— sierra de hoja ancha y dentada generalmente con un solo mango: *serrucho.*

servidumbre 1. Conjunto de los sirvientes de una casa.

—*Tuvo que despedir a la servidumbre cuando se quedó en la ruina.*

2. Condición del que está privado de su independencia o condición de siervo. ☞ **esclavitud, sumisión.**

— *El pueblo estaba cansado de la servidumbre.*

servilleta Pieza de tela o papel que se usa para limpiarse la boca.

servir 1. Estar alguien o algo bajo la voluntad, el mandato o los deseos de algo o alguien.

— *Sirve a la corona desde hace más de veinte años.*

— actividad, trabajo o esfuerzo que realiza alguien que está sometido a la voluntad de otra persona: *servicio.*

— conjunto de personas que están sometidas a la voluntad de otra persona: *servicio.*

— bajo las órdenes de, para satisfacer los deseos de: *al servicio de.*

— que pertenece a siervos y criados: *servil.*

2. Poner alguien su trabajo, esfuerzo o capacidad a las órdenes de algo o alguien.

—*Esa mujer sirve en esa casa desde hace poco tiempo.*

— conjunto de actividades que realiza alguien, voluntariamente, para otra persona y conjunto de personas que las realizan: *servicio.*

— criado, sirviente: *servidor.*

serpiente

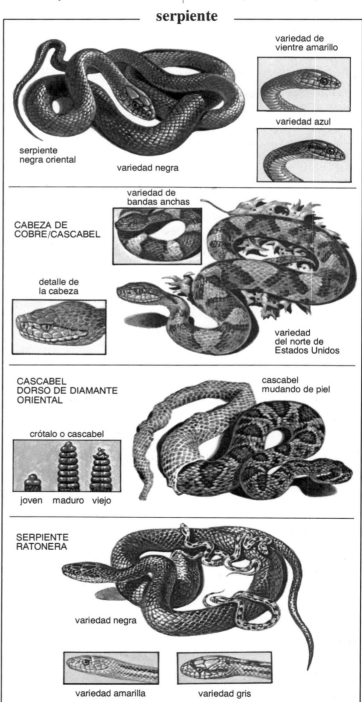

variedad de vientre amarillo

variedad azul

serpiente negra oriental

variedad negra

variedad de bandas anchas

CABEZA DE COBRE/CASCABEL

detalle de la cabeza

variedad del norte de Estados Unidos

CASCABEL DORSO DE DIAMANTE ORIENTAL

cascabel mudando de piel

crótalo o cascabel

joven   maduro   viejo

SERPIENTE RATONERA

variedad negra

variedad amarilla   variedad gris

3. Trabajar para el público.

— *Mi hermana y yo servimos en esa dependencia de gobierno.*

4. Poner algún alimento en el plato, vaso, taza, etc., de una persona.

— *Sirvió la comida a las tres de la tarde en punto.*

— vajilla y utensilios empleados para servir comida: *servicio.*

5. Ser algo o alguien útil para realizar algo.

— *Este cuchillo me servirá de desarmador.*

— rendimiento, calidad de trabajo de alguien o algo: *servicio.*

6. Hacer uso alguien de algo para lograr cierta finalidad.

— *Se sirvió de la sábana para hacer una cortina.*

7. Estar algo en condiciones de uso, de funcionamiento, de capacidad para algo.

— *Esta estufa ya no sirve para hornear.*

— preparado para funcionar, en funcionamiento: *en servicio.*

sesgo Cortado o situado oblicuamente.

— *Corten la tela al sesgo para aprovecharla mejor.*

2. Rumbo que toma un asunto o problema.

— *No saben qué sesgo tomará el negocio.*

seto Cerca hecha con palos y ramas o con plantas. ☞ **valla, cerco, barda.**

seudónimo Nombre empleado por un escritor o artista en vez del suyo propio. ☞ **sobrenombre.**

severidad 1. Actitud del que se exige o exige a los demás un estricto apego a las normas y no tolera errores. ☞ **rigor, dureza.**

— *Regañaste con demasiada severidad a tu hija.*

2. Propiedad de lo que es duro, estricto, rígido, o de lo que no tiene atenuantes.

— *El médico se asustó por la severidad de los problemas respiratorios de su padre.*

— que resulta muy duro, estricto o rígido: *severo.*

sexo 1. Condición orgánica de animales y plantas que divide las funciones de la reproducción entre machos y hembras. ☞ **género, sexualidad.**

— *Entre los mamíferos los individuos de sexo femenino se encargan de la gestación.*

2. Conjunto de todos los hombres o de todas las mujeres.

— *Dicen que las mujeres forman el sexo débil y los hombres el sexo fuerte.*

3. Cada uno de los órganos externos de la reproducción.

— *Cubrieron el sexo de las estatuas que decoraban el pasillo.*

si 1. Introduce la condición, la suposición o la hipótesis en una oración condicional.

— *Iré a tu casa, si antes me acompañas a la tienda.*

2. Subraya la contradicción existente entre dos acciones o acontecimientos sucesivos.

— *Si no me avisaste de la fiesta, ¿cómo querías que fuera?*

3. Enfatiza la expresión de una duda, deseo o afirmación.

— *¡Si hubiera aprovechado mejor el tiempo!*

4. Manifiesta la ignorancia de uno con respecto a algo.

— *A ver si encuentras el libro que necesitamos.*

5. Introduce una oración interrogativa directa.

— *Pregúntale que si quiere acompañarnos al cine.*

6. Séptima nota de la escala musical de do mayor.

— *Las notas de la escala son: do, re, mi, fa, sol, la y si.*

sí 1. Forma reflexiva del pronombre de tercera persona, singular y plural, masculino y femenino, cuando sigue a una preposición.

— *Decidió estudiar por sí mismo.*

— sin tomar en cuenta otra cosa, por sí solo: *de por sí.*

2. Manifiesta una respuesta afirmativa a una pregunta.

— *¿Quieres escuchar este disco? Sí.*

3. Enfatiza una afirmación.

— *Ahora sí me quedó bien el pastel.*

4. Permiso o aceptación.

— *Logró el sí del jefe para ausentarse una semana.*

— conceder algo, permitirlo: *dar el sí.*

— sin causa justificada, aparentemente, por capricho: *porque sí.*

siamés, -sa Cada uno de los hermanos gemelos que nacen unidos por alguna parte de sus cuerpos.

sicología Psicología.

sideral Que pertenece o se relaciona con los astros y las estrellas. ☞ **sidéreo, astral.**

siderurgia 1. Conjunto de técnicas relacionadas con la extracción y explotación del hierro, con la producción del acero y las aleaciones ferrosas.

— *Los avances de la siderurgia han favorecido la obtención del hierro.*

2. Industria dedicada a la obtención y aprovechamiento del hierro y aleaciones ferrosas.

— *La siderurgia es primitiva en esa zona del país.*

sidra (vea recuadro de bebidas). Bebida alcohólica que se obtiene de la fermentación del jugo de la manzana.

siempre 1. En cualquier tiempo u ocasión.

— *Ese árbol siempre está verde.*

2. Cada vez.

— *Siempre que te busco, no estás.*

3. Cuando menos, en todo caso, de todas maneras.

— *Aunque no vengas, siempre podrás avisarme antes.*

4. Por fin, de modo definitivo, sobre todo cuando se cambia o corrobora una decisión.

— *Siempre sí quiso que viajáramos juntos.*

sien Cada uno de los lados de la cabeza, comprendidos entre la frente, la oreja y la mejilla.

sierra 1. Herramienta manual o eléctrica que sirve para cortar cosas duras, como madera, piedra o metal.

— *¿Dónde dejé la sierra que usé en la mañana?*

2. Cadena de montañas. ☞ **cordillera.**

— *Cruzamos la sierra para llegar al mar.*

siervo Persona que tiene un amo al cual obedece. ☞ **esclavo.** ❖ PATRÓN.

siesta Tiempo destinado a dormir después de comer y acto de dormir después de comer. ☞ **sueño, reposo.**

sifón 1. Tubo doblado que sirve para sacar un líquido del recipiente que lo contiene.

— *Hicieron un sifón para extraer la gasolina del tanque.*

2. Botella con agua gaseosa cerrada herméticamente con un mecanismo de llave para abrir o cerrar el paso del agua.

— *Abrió repentinamente el sifón y me mojó.*

sigilo Secreto que se guarda de una noticia. ☞ **reserva, secreto, silencio.**

— callar, ocultar algo: *sigilar.*

sigla Letra inicial empleada como abreviatura.

siglo 1. Periodo de cien años.

— *Estos son los poetas más importantes del siglo XVI.*

3. Espacio muy largo de tiempo.

— *Hace siglos que terminé la tarea.*

signar 1. Imprimir o hacer un signo o señal.

— *Lo signó con la señal de la cruz.*

— señal de números y letras que se pone a un libro o documento para indicar su colocación en un archivo o biblioteca: *signatura.*

2. Firmar.

— *Signó los documentos que lo hacían propietario de la casa.*

— que firma: *signatario.*

signo Objeto, fenómeno o forma que representa otra cosa ya sea por la experiencia de una persona, por tradición o por convención social.

—*Su compañía no es sino signo de su cariño.*

— idea o conjunto de ideas a las que remite una persona, una expresión o un hecho: *significación.*

— importancia o valor de algo: *significación.*

— objeto, acción, relación, emoción o idea al que se remite cierta expresión lingüística: *significado.*

— que puede significar o significa algo: *significante.*

— indicar alguna cosa, representar determinada relación, manifestar cierta idea o cuestión por medio de alguna señal, símbolo o signo: *significar.*

— equivaler una acción a otra o tener algo cierta importancia para alguien: *significar.*

siguiente Que está o que va inmediatamente después de algo.

sílaba Sonido o sonidos que constituyen un solo núcleo fónico que se produce en una sola emisión de voz.

— libro con sílabas sueltas y palabras divididas en sílabas que sirve para enseñar a leer: *silabario.*

— ir pronunciando separadamente cada sílaba: *silabear.*

silbar Producir o dar silbos o silbidos. ☞ **pitar, chiflar, rechiflar.**

— sonido agudo que hace el aire o que se produce al pasar con fuerza el aire por la boca con los labios fruncidos: *silbo.*

— acción y resultado de silbar: *silbido.*

— instrumento pequeño y hueco que produce silbos cuando se sopla en su interior con fuerza: *silbato, pito.*

silencio 1. Hecho de no escucharse ningún sonido o ruido. ☞ **insonoridad, taciturnidad.** ❖ VOZ, RUIDO, ESTRUENDO.

—*Decían que sólo a determinada hora de la mañana había silencio.*

2. Circunstancia de permanecer alguien callado sin hacer ningún ruido. ☞ **mutismo, afonía.**

—*Escuchó en silencio y con atención el cuento que le contaban.*

3. Hecho de no hablar de algo, o de evitar ciertos temas.

—*Su silencio en torno a la situación de su empresa es alarmante.*

4. Expresión que se utiliza para callar a alguien o pedirle que deje de hacer ruido.

— *¡Silencio, niños!, ya va a empezar la película.*

— pedir a alguien que no haga ruido;

colaborar para que no haga ruido: *silenciar.*

— matar a una persona: *silenciar.*

— mantener o mantenerse alguien sin hablar o hacer ruido: *guardar silencio.*

— dispositivo que se coloca en los escapes de vehículos automotores o aparatos que hacen mucho ruido para disminuir el sonido: *silenciador.*

silo Lugar destinado al almacenamiento de granos y forrajes. ☞ **granero.**

silueta 1. Dibujo que sigue los contornos de un objeto.

— *Me mostró varias siluetas de la máquina.*

2. Forma que presenta a la vista el cuerpo de un objeto más oscuro que el fondo sobre el cual se proyecta.

— *Sólo puedo ver la silueta de un barco pero no te puedo decir de qué color es.*

3. Perfil de una figura.

—*Realizó un collage con siluetas.*

silvestre Que vive o se ha criado de manera natural, sin cultivo.

silla Asiento con patas, respaldo y, generalmente, sin brazos. ☞ **silleta, sillón.**

— silla que ocupan diputados y senadores en las cámaras: *curul.*

sillón Asiento con brazos, normalmente acojinado para que resulte cómodo.

sima Abismo, grieta muy profunda en la tierra.

simbiosis Asociación de organismos de distintas especies, en la que el desarrollo de cada uno de ellos se favorece por su relación común.

símbolo 1. Objeto, animal, imagen o cualquier cosa que está en lugar de otro, al cual evoca por tener con él alguna relación, por convención, asociación o cualquier mecanismo, especialmente lo que constituye un signo visible que representa una abstracción. ☞ **imagen, figura, emblema.**

—*El símbolo del cristianismo es una cruz.*

2. Cualquier signo convencional y arbitrario mediante el cual se pueden expresar valor, duración, posición, etc.

—*Hoy nos enseñaron en la clase algunos símbolos matemáticos.*

simetría Relación de equilibrio, correspondencia o igualdad entre la forma, color, tamaño, etc., de dos o más partes de un todo. ☞ **armonía, ritmo, equilibrio.** ❖ IRREGULARIDAD.

— que tiene simetría: *simétrico.*

simiente Semilla.

simiesco, -ca Que tiene parecido con el simio.

— mono, chango: *simio.*

similar Que tiene parecido o semejanza

con una cosa. ☞ **semejante, análogo.** ❖ OPUESTO.

— semejante: *símil.*

—figura retórica que consiste en comparar una cosa con otra: *símil.*

— cualidad de tener una cosa o persona características parecidas a las de otra: *similitud.*

simpatía 1. Sentimiento de agrado o afinidad que una persona experimenta por algo o alguien y actitud con la que manifiesta este sentimiento. ☞ **inclinación, atracción.** ❖ ANTIPATÍA, DESAGRADO.

—*Siento gran simpatía por tus amigos.*

— que inspira simpatía: *simpático.*

— sentir simpatía: *simpatizar.*

2. Manera de ser natural, espontánea, amigable y graciosa de una persona, de modo que su compañía es agradable y provoca gusto.

— *Tiene tanta simpatía que no hay individuo a quien no le caiga bien.*

simple 1. Que está constituido por una sola sustancia. ☞ **elemental, sencillo, natural, llano.**

—*Por la tarde nos dedicamos a analizar varios gases simples.*

2. Que en su naturaleza o conformación intervienen pocos elementos.

—*Era una mesa simple de buena madera, con cuatro patas.*

— calidad de ser sin composición: *simplicidad.*

3. Que es poco complicado e implica poca dificultad.

— *No compliques un problema tan simple.*

— hacer más sencilla, más fácil o menos complicada una cosa: *simplificar.*

— acción y resultado de simplificar: *simplificación.*

4. Que es bobo o tonto.

—*Pepe se ríe de todo, es un simple.*

— sencillez, candor: *simplicidad.*

simposio Conferencia o reunión para examinar o discutir un tema determinado. ☞ **junta, congreso.**

simular Representar una cosa, fingiendo o imitando lo que no es. ☞ **fingir, imitar, falsear.** ❖ ACLARAR.

— acción de simular: *simulación.*

— ficción, imitación, fingimiento: *simulacro.*

simultáneo Que se hace u ocurre al mismo tiempo que otra cosa. ☞ **coexistente, coetáneo, concurrente.**

sin 1. Expresa falta o carencia de algo.

—*Sin mi abrigo siento frío.*

2. Fuera de, además de, aparte de.

—*Llevo mucha ropa para lavar, sin contar las sábanas.*

3. Seguida de infinitivo niega la acción del verbo.

—Quería manejar toda la noche, sin dormir.

sinceridad Cualidad del que es o de lo que es sincero. ❖ HIPOCRESÍA.

— veraz y sin doblez, que obedece a lo que siente o piensa: *sincero.*

— justificar la inculpabilidad de uno: *sincerar.*

síncope 1. Pérdida del conocimiento y la sensibilidad, debida a la suspensión súbita y momentánea de la acción del corazón. ☞ **desvanecimiento, desfallecimiento, vahído.**

sincretismo Sistema filosófico que trata de conciliar doctrinas diferentes.

sincronía Coincidencia de hechos o fenómenos en el tiempo.

— que ocurre al mismo tiempo: *sincrónico.*

— circunstancia de ocurrir, suceder o verificarse una o más cosas a un mismo tiempo: *sincronismo.*

— hacer que coincidan en el tiempo dos o más movimientos o fenómenos: *sincronizar.*

— acción y resultado de sincronizar: *sincronización.*

— platillo hecho con una rebanada de jamón y una de queso entre dos tortillas extendidas: *sincronizada.*

sindicato Organización formada por los trabajadores de una empresa o por quienes ejercen la misma profesión para defensa de sus intereses comunes. ☞ **asociación, sociedad.** ❖ DESUNIÓN.

— que pertenece a un sindicato o se relaciona con él: *sindical.*

— movimiento laboral y político que llevan a cabo los sindicatos o que realizan los trabajadores para organizarse en sindicatos: *sindicalismo.*

— hacer que uno o varios trabajadores formen un sindicato o se incorporen a él: *sindicalizar.*

— que pertenece al sindicalismo o se relaciona con él: *sindicalista.*

síndico Persona elegida por una corporación para que defienda sus intereses. ☞ **administrador, procurador, apoderado, delegado.**

síndrome Conjunto de síntomas que caracterizan una enfermedad. ☞ **signos.**

sinergia Concurso activo y concertado de varios órganos para realizar una función.

— que pertenece a la sinergia o se relaciona con ella: *sinérgico.*

sinestesia Sensación que se produce en una parte del cuerpo a consecuencia de un estímulo aplicado en otra parte del mismo.

sinfín Infinidad, sin número. ☞ **abundante, infinito.** ❖ FINITUD.

sinfonía 1. Composición musical para orquesta, que generalmente, consta de tres o cuatro movimientos.

—Le encanta la Novena Sinfonía de Beethoven.

2. Reunión armónica de gran cantidad de elementos.

—Ese ballet es una sinfonía de movimiento, de luz y de color.

singular 1. Que es único, raro, extraordinario.

—Decoró el pastel de modo singular.

— calidad de singular: *singularidad.*

— distinguirse, particularizarse, apartarse de lo común: *singularizar.*

2. Número que tienen los sustantivos, adjetivos, pronombres y artículos cuando se refieren a un solo objeto o persona, y los verbos cuando su sujeto es una sola persona o cosa.

—El singular del sustantivo bocas es boca.

siniestra La mano izquierda.

— a la derecha o a la izquierda, o a todos lados: *a diestra y siniestra.*

siniestro, -tra 1. Maligno. ☞ **perverso.** ❖ BENÉVOLO.

—Fue siniestro el asesinato.

sistema nervioso

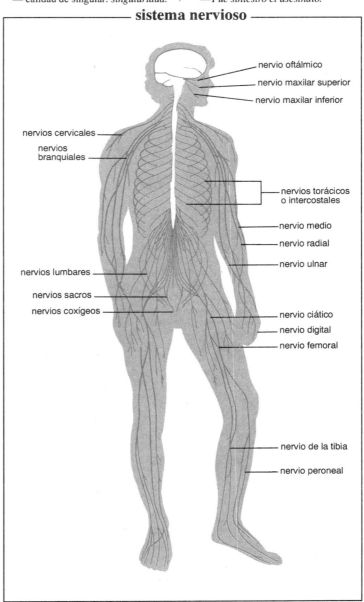

nervio oftálmico
nervio maxilar superior
nervio maxilar inferior
nervios cervicales
nervios branquiales
nervios torácicos o intercostales
nervio medio
nervio radial
nervio ulnar
nervios lumbares
nervios sacros
nervios coxígeos
nervio ciático
nervio digital
nervio femoral
nervio de la tibia
nervio peroneal

2. Desgracia. ☞ **mal, accidente.**

— *Un incendio es un siniestro que se puede evitar.*

sinnúmero Número incalculable de personas o cosas. ☞ **infinidad, multitud.**

sino 1. Destino. ☞ **fatalidad.**

— *Su sino consistió en llorar la muerte de su esposo el resto de su vida.*

2. Niega una expresión afirmando una contraria.

—*No iré hoy, sino mañana.*

3. Exclusivamente, tan sólo, excepto.

—*No seré feliz, sino contigo.*

sinónimo Que tiene el mismo significado que otra de significante distinto, tratándose de palabras. ☞ **semejante.** ❖ CONTRARIO, ANTÓNIMO.

sinopsis Visión general, esencial y breve de un asunto. ☞ **resumen, esquema, paradigma.**

sinrazón Acción hecha sin justicia y fuera de la razón. ☞ **injusticia, arbitrariedad, abuso.** ❖ JUICIO, JUSTICIA.

sinsabor Desazón moral. ☞ **pesar, disgusto, pena.**

sintaxis Parte de la gramática que estudia las combinaciones de palabras, las funciones que desempeñan en la oración y el modo en que se relacionan las oraciones entre sí. ☞ **concordancia.** ❖ INCOHERENCIA.

síntesis 1. Formación de una unidad o un elemento con características propias y distintas de los elementos combinados para formarlas. ☞**abreviación, sumario, sinopsis.**

—*Su pintura fue la síntesis de las tendencias artísticas que la precedieron.*

2. Exposición abreviada, pero completa, del tema o contenido de una materia.

— *Nos hizo el favor de hacer una síntesis de lo tratado durante el curso.*

síntoma Fenómeno, hecho o circunstancia que permite suponer la presencia de algo. ☞ **señal, signo, manifestación, síndrome.**

— estudio de los síntomas de las enfermedades: *sintomatología.*

— relativo a los síntomas: *sintomático.*

sintonizador Sistema mediante el cual se aumenta o disminuye la longitud de onda de un aparato receptor. ☞ **radio, onda.**

sinuoso 1. Que tiene ondulaciones o recovecos; que no es plano o recto, que es escabroso. ☞ **tortuoso, serpenteado.** ❖ DIRECTO, RECTO.

—*El camino es largo y sinuoso.*

2. Que intenta ocultar el propósito o fin al que se dirige, tratándose de acciones.

—*Escogió la vía más sinuosa para poder lograr esa entrevista.*

siquiera Por lo menos, tan sólo, cuando menos.

—*Dame siquiera una probada de tu dulce.*

sirena Pito que se oye a una gran distancia y que los buques, automóviles, ambulancias, etc., emplean para avisar que se acercan a un sitio determinado. ☞ **silbato, alarma.**

sirviente, -ta Persona que sirve a otra o que se encarga de realizar el aseo de una casa a cambio de un salario. ☞ **muchacha, mozo, criado.** ❖ AMO.

sisear Emitir repetidamente el sonido de la S o la CH, por lo general, para manifestar desaprobación. ☞ **chistar, silbar.**

— acción y resultado de sisear: *siseo.*

sismo Sacudida violenta de una gran extensión de tierra. ☞ **terremoto, temblor, movimiento telúrico.**

sistema Conjunto de elementos, reglas o partes relacionadas entre sí, que tienen un fin en común y sirven para algo o producen un resultado. ☞ **conjunto, método, regla, plan, régimen.**

sistema nervioso (vea ilustración de la p. 623). Conjunto de órganos que regulan los procesos de relación de los organismos con su medio. ☞ **cerebro, neurona, nervio, tropismo.**

sistema solar (vea recuadro) Conjunto formado por el Sol y los cuerpos

---

SISTEMA SOLAR

aberración de la luz estelar Variación de la posición real de un astro.

acimut Una de las dos coordenadas horizontales que sirven para ubicar algún astro en el cielo.

afelio Punto en el cual un objeto en la órbita solar está en su posición más alejada del Sol.

apogeo Punto en el cual un objeto que gira en órbita está en la posición más alejada de la Tierra.

cenit Punto del hemisferio celeste que se encuentra directamente encima del observador.

conjunción Momento en que dos astros observados desde un tercero se alínean en una misma longitud.

cuasar Objeto muy brillante que se supone es núcleo de una galaxia.

declinación Medida angular de un astro con respecto al Ecuador.

eclipse Invisibilidad total o parcial de un cuerpo celeste cuando otro se coloca frente a él o cuando un tercero proyecta su sombra entre el cuerpo celeste y la estrella de donde recibe su luz.

eclíptica Círculo de la esfera celeste que representa el aparente camino anual del Sol en relación con las estrellas.

efecto Doppler-Fizeau Modalidad que permite saber si un astro se aleja (corrimiento hacia el rojo) o acerca (corrimiento hacia el violeta) a la Tierra e indica la velocidad por radio de ese movimiento relativo.

equinoccio Cada uno de los dos instantes en que el Sol se coloca directamente encima del Ecuador.

equinoccio de primavera 20 a 21 de marzo.

equinoccio de otoño 22 a 23 de septiembre.

esfera celeste Esfera imaginaria alrededor de la Tierra sobre la cual se supone están los cuerpos celestes.

estrella binaria Par de estrellas cuyas luminosidades se entremezclan debido a la corta distancia que media entre ellas.

galaxia Concentración de estrellas, planetas, satélites, cometas y materia interestelar con forma definida.

gran explosión Enorme detonación estelar generada por una alta concentración de la materia con la que aparentemente dio principio la expansión del Universo.

hoyo negro Estrella invisible cuyo volumen es dos veces superior al del Sol, contraída indefinidamente, lo que da como resultado un volumen nulo y una densidad infinita.

magnitud Medida que sirve para determinar el brillo de un cuerpo celeste.

meteorito Pequeño cuerpo celeste lo suficientemente grande para atravesar la atmósfera de un planeta sin consumirse y llegar a la superficie.

nadir Punto del cielo diametralmente opuesto al cenit, directamente debajo del observador.

nebulosa Nube de polvo y gases de contornos indefinidos en una galaxia.

nova Estrella que sólo es perceptible cuando estalla en súbita luminosidad.

planetario Proyector múltiple que permite reproducir el aspecto de los cuerpos celestes y su movimiento sobre una pantalla en forma de cúpula.

pulsar Estrella que gira con rapidez enviando regularmente un destello de radiación.

sicigia Punto en la órbita de un cuerpo celeste que se encuentra en oposición o conjunción con el Sol.

solsticio Cada uno de los dos instantes del año en el que el Sol se encuentra a mayor distancia del Ecuador.

solsticio de verano 21 de junio.

solsticio de invierno 22 de diciembre.

supernova Estrella cuyo brillo se incrementa de manera constante hasta explotar.

celestes que giran a su alrededor. ☞ **sol, planeta, astro.**

sitiar Cercar, rodear o asediar algo o a alguien con el fin de rendirlo. ☞ **bloquear, acosar.**

— cerco que se tiende en torno a algo o a alguien para rendirlo: *sitio.*

situación 1. Lugar que ocupa algo o alguien en relación con otra persona o cosa. ☞ **posición, postura, colocación.**

—*Buscaron que la situación del hotel, respecto de los centros de diversión, fuera la ideal.*

— lugar que ocupa o puede ocupar alguien o algo: *sitio.*

— lugar que le corresponde a algo o alguien entre los de su clase o especie: *sitio.*

2. Estado momentáneo de algo o alguien en relación con otros anteriores o posteriores. ☞ **disposición, estado, actitud.**

—*Hace un año pasó por una pésima situación económica.*

sobaco Hueco que se forma en la parte inferior de la conexión entre el brazo y el cuerpo. ☞ **axila.**

sobar 1. Castigar dando golpes. ☞ **sonar, pegar.**

— *¡Se lo sobó por haber llegado tan tarde y sin avisar!*

— acción y resultado de golpear: *soba.*

— lata, dificultad, problema: *soba.*

2. Palpar, manosear algo o a alguien.

— *¡No sobes el libro con las manos sucias! Lo vas a manchar.*

3. Oprimir y manejar algo hasta que se ablande o suavice. ☞ **amasar.**

—*Soba la masa para las tortillas.*

— ajar una cosa, manosear, palpar: *sobajar.*

soberano Que ejerce la máxima autoridad y no está sometido a otro.

soberbia Orgullo desmedido o deseo intenso de ser preferido a otros. ☞ **altivez, altanería, arrogancia.** ❖ HUMILDAD, MODESTIA.

— que tiene soberbia: *soberbio.*

— fuerte, magnífico: *soberbio.*

sobornar Ofrecer dinero o algo valioso con el fin de obtener algo que una ley, norma o precepto prohíbe.

— acción y resultado de sobornar: *soborno.*

— dinero, objeto o acto con que se soborna: *soborno.*

sobra Lo que queda de algo, desperdicio o desecho. ☞ **sobrante.**

— abundantemente; por demás; sin necesidad: *de sobra.*

— hacer más de lo necesario y quedar parte de lo que se usó o consumió: *sobrar.*

— estar de más: *sobrar, salir sobrando.*

sobre 1. Indica la posición de una cosa a mayor altura que otra o de algo que se apoya en ella por su parte de arriba.

—*Colocaron el florero sobre el piano.*

2. Expresa aumento o añadido de alguna cosa a otra ya existente.

— *Le piden que trabaje cinco horas más a la semana sobre lo convenido.*

3. Indica que algo o alguien está situado en un nivel superior al de otra persona o cosa.

— *Él manda sobre ese grupo de empleados.*

4. Introduce el tema o el asunto de que trata algo.

—*Hablamos sobre su matrimonio.*

5. Señala el objeto que tiene alguna relación financiera.

— *Le hicieron un préstamo sobre el valor de su edificio.*

6. Cubierta o especie de bolsa, por lo general de papel, en donde se meten cartas u otros documentos.

—*El sobre venía rotulado a mi nombre.*

sobrealimentar Dar a alguien más alimento del que necesita.

sobrecama Colcha o pieza de tela que se pone arriba de las sábanas y cobijas que cubren una cama.

sobrecoger Impresionar con fuerza algo a alguien.

—*La tragedia nos sobrecogió a todos.*

— que sobrecoge: *sobrecogedor.*

sobregiro Giro que excede de los créditos o fondos disponibles.

sobrehumano Que excede a lo humano.

sobrellevar Llevar a cuestas o con dificultad una carga, un peso, una enfermedad, un problema, etc. ☞ **tolerar, ayudar, aguantar.** ❖ RENUNCIAR.

sobremanera En extremo, a más no poder.

sobremesa 1. Carpeta que se pone encima de la mesa. ☞ **carpeta, mantel, adorno.**

—*Compré una sobremesa roja para el comedor.*

2. Tiempo en que se permanece en la mesa después de comer.

— *La sobremesa duró más de una hora.*

sobrenatural Que va más allá de lo natural o de la naturaleza. ☞ **divino, inmaterial, prodigioso.** ❖ NATURAL, HUMANO, NORMAL, EXPLICABLE.

sobrenombre Apodo. ☞ **calificativo, alias.**

—*Le pusieron de sobrenombre de "El Flaco".*

sobrentender Entender algo por deducción. ☞ **implícito, tácito, virtual.**

sobreponer 1. Poner una cosa encima de la otra. ☞ **superponer.** ❖ QUITAR.

— *Habrá que sobreponer los libros*

nuevos a los viejos, pues ya no caben en el estante.

2. Dominar los impulsos o las emociones. ☞ **dominarse, contenerse.**

—*Se pudo sobreponer al dolor.*

sobreprecio Recargo en el precio ordinario. ☞ **aumento.** ❖ DESCUENTO.

sobresaltar Asustar o turbar algo o alguien a otra cosa o persona de repente. ☞ **angustiar, turbar.** ❖ AQUIETAR.

sobrevenir Suceder algo además de o inmediatamente después de otra cosa. ☞ **acontecer, acaecer, devenir, suceder.**

sobrevivir 1. Seguir con vida después de haber pasado por un trance que anunciaba la muerte.

—*Este grupo de alpinistas sobrevivió.*

— individuo vivo después de un desastre en donde mucha gente muere: *sobreviviente.*

2. Continuar alguien con vida después de la muerte de otro u otros.

—*Sobrevivió veinte años a la muerte de su esposo.*

sobrevolar Volar sobre un lugar, ciudad, territorio, etc. ☞ **planear, volar.**

sobriedad Cualidad de sobrio. ☞ **moderación, mesura, abstinencia, parquedad.** ❖ APETENCIA, INMODERACIÓN, GULA, BORRACHERA, EBRIEDAD.

— moderado, especialmente en el comer y beber: *sobrio.*

— que no está ebrio: *sobrio.*

— que no tiene excesos, que se reduce a lo fundamental: *sobrio.*

sobrino, -na Respecto de una persona, hijo o hija de su hermano o hermana, o de su primo o prima.

socavar Excavar por debajo alguna cosa, dejándola con un soporte falso o endeble. ☞ **minar.**

— cueva excavada en la ladera de un monte: *socavón.*

— hundimiento del suelo por haberse producido una oquedad subterránea: *socavón.*

social 1. Que pertenece a, o se relaciona con las sociedades humanas o animales.

—*Gran parte de sus escritos se pueden ubicar dentro de las ciencias sociales.*

— sistema de organización social, política y económica que busca los beneficios de la colectividad y no los de los intereses individuales: *socialismo.*

— sistema político, económico y social que se basa en estas ideas: *socialismo marxista, socialismo de Estado.*

— pasar a ser propiedad del Estado, o de algún organismo colectivo, las propiedades, industrias, etc., particulares: *socializar.*

— que se relaciona con el socialismo,

que comparte sus ideas o pertenece a sus partidos: *socialista*.

2. Que pertenece a, o se relaciona con las agrupaciones mercantiles o financieras.

— *Disculpe, ¿cuál es la razón social de este negocio?*

3. Que pertenece a, o se relaciona con las actividades que la gente organiza para convivir, como las fiestas, las visitas, etc.

— *Sus actividades sociales han aumentado desde que trabaja en el departamento de relaciones públicas.*

— introducir a una persona a las formas de la vida social de la sociedad de la que forma parte: *socializar*.

— que le gusta el trato social: *sociable*.

sociedad 1. Conjunto de personas que conviven entre sí, se organizan para cumplir ciertas tareas y desarrollan una cultura determinada. ☞ **humanidad, país, nación, Estado.** ❖ INDIVIDUO.

— *La sociedad de principios de siglo vivía de manera diferente a la actual.*

2. Conjunto de personas que se reúnen para realizar cierta actividad común.

— *La sociedad de padres de familia se encargó de pintar todo el edificio de la escuela.*

3. Conjunto de personas que reúnen su capital, propiedades o trabajo para producir algo, ofrecer algún servicio y obtener dinero de ello.

— *Varios miembros de esa empresa se agruparon para fundar una sociedad anónima.*

4. Grupo de personas de alto nivel económico. ☞ **alta sociedad.**

— *Por más que la invitaron no quiso ir a ese baile de sociedad.*

5. Conjunto de animales de la misma especie que conviven en el mismo espacio.

— *La sociedad de las hormigas posee rasgos muy peculiares.*

socio, -cia 1. En relación con una persona, otra que se le une para formar una empresa, negocio, etc., en común. ☞ **asociado.**

— *Por la mañana se reunirán los socios para decidir sobre la venta de acciones.*

2. Miembro de una asociación.

— *En esa agrupación hay distintos tipos de socios.*

socorrer Ayudar en caso de peligro o necesidad. ☞ **acoger, asistir, auxiliar.** ❖ DESAMPARAR.

— *Ellos lo socorrieron cuando tuvo el accidente.*

sodomita El que realiza actos de sodomía. ☞ **invertido, pederasta, joto,**

---

marica, maricón. ❖ HETEROSEXUAL.

— relación sexual entre varones: *sodomía*.

soez Que es grosero, indecente, ofensivo o indigno. ☞ **infame, rudo, ordinario.** ❖ DELICADO.

sofá Asiento para una o varias personas, con respaldo, brazos, acojinado y tapizado. ☞ **diván, canapé, sillón.**

— sofá que tiene un sistema que lo acondiciona como cama: *sofá cama*.

sofisma Argumento válido sólo en apariencia. ☞ **artificio.** ❖ RAZONAMIENTO, VERDAD.

sofisticado Refinado, complejo o falto de naturalidad. ☞ **artificial, complicado.**

sofocante Que produce sensación de ahogo. ☞ **bochornoso, canicular, caluroso, ardiente, asfixiante, tórrido.** ❖ REFRESCANTE.

sofocar 1. Ahogar, impedir la respiración. ☞ **asfixiar.**

— *La sofocó el humo de la chimenea.*

2. Apagar, extinguir. ☞ **reprimir.** ❖ ESTIMULAR.

— *Los bomberos sofocaron el fuego.*

— acción y resultado de sofocar: *sofocación*.

— disgusto que sofoca o aturde: *sofocón*.

soga Cuerda gruesa hecha con fibra u otro material trenzado y torcido. ☞ **cable, cuerda, mecate.**

— encontrarse amenazado por una situación seria o peligrosa: *tener la soga al cuello*.

sojuzgar Dominar o mandar con violencia. ☞ **subyugar, someter, dominar, avasallar.** ❖ LIBERAR.

Sol 1. Estrella alrededor de la cual giran la Tierra y otros planetas que forman parte del mismo sistema. ☞ **astro.** ❖ LUNA.

— que pertenece al Sol o se relaciona con él: *solar*.

2. Conjunto de radiaciones que en forma de luz y calor recibe la Tierra de esta estrella. ☞ **día, luz.**

— *Salimos a la calle a que nos diera un poco el sol.*

solapa 1. Parte de un saco o vestido a la altura del pecho que va doblada hacia afuera. ☞ **cuello, camisa, saco.**

— *En la solapa del abrigo llevaba un clavel.*

2. Prolongación de la sobrecubierta o de la cubierta de un libro que se dobla hacia dentro y que suele llevar cierta información.

— *Leímos la biografía del autor en la solapa.*

— ocultar con cautela y malicia la verdad o la intención: *solapar*.

---

soldado 1. Persona que sirve en el ejército. ☞ **recluta, cuartelero, guerrero, veterano, voluntario.** ❖ CIVIL.

— *El soldado entregó la bandera al presidente durante la ceremonia.*

2. Militar sin graduación.

— *Los soldados esperaban el llamado del capitán.*

— conjunto de soldados: *soldadesca*.

— tropa indisciplinada: *soldadesca*.

soldar Unir sólidamente dos cosas, comúnmente con una sustancia semejante a ellas. ☞ **pegar, estañar, adherir.**

solecismo Falta de la sintaxis.

solemne Que se celebra con formalidad y según ciertas reglas. ☞ **majestuoso.**

solera 1. Madero sobre el que descansan o se ensamblan otros.

— *El gallo cantó parado sobre la solera.*

2. Carácter tradicional de las costumbres, usos, etc.

— *¡Con qué solera entonó ese poema!*

solicitar 1. Pedir algo o una cosa con cuidado y de acuerdo con determinados procedimientos. ☞ **requerir, buscar.**

— *La empresa solicita obreros.*

2. Buscar la atención, la compañía o amistad de una persona. ☞ **aspirar.**

— *La solicitaba tanto que acabó casándose con él.*

— diligencia o cuidado: *solicitud*.

— que solicita: *solicitante*.

— que es rápido, cuidadoso y diligente: *solícito*.

— documento en que se solicita algo: *solicitud*.

solidaridad Comunidad de intereses, sentimientos y aspiraciones. ☞ **complicidad, concordia, hermandad, mutualidad.** ❖ DESAVENENCIA, DISCORDIA, DISCREPANCIA, DISPARIDAD.

solidario, -ria Adherido a la causa de otro. ☞ **asociado, fraterno, unido, incorporado.**

solidez Calidad de sólido. ☞ **resistencia, firmeza, fortaleza, vigor.**

solidificar Pasar del estado líquido al sólido una sustancia o elemento. ☞ **endurecer, comprimir, robustecer, helar.**

sólido, -da 1. Firme. ☞ **macizo, denso, fuerte, compacto, apretado.** ❖ DELICADO, ENDEBLE, BLANDENGUE.

— *Este edificio está aún sólido, no hay por qué tirarlo.*

2. Que tiene mayor cohesión entre sus moléculas que la que tienen los líquidos, tratándose de cuerpos.

— *Compró una brillantina sólida pues la líquida se le caía continuamente.*

3. Asentado firmemente. ☞ **macizo, firme.**

—*Tenían una amistad sólida a pesar de las diferencias de carácter.*

soliloquio Habla de una persona que no dirige a otro la palabra. ☞ **monólogo.** ❖ DIÁLOGO.

solo, -la 1. Que es único, que no está junto a otro de su misma especie. ☞ **exclusivo, singular.**

—*Hay una sola hoja tamaño carta en el cajón.*

— diamante que se engasta solo en una joya: *solitario.*

2. Que no tiene compañía, que está sin gente a su alrededor.

—*Es una persona muy sola, no tiene familiares ni amigos.*

— carencia de compañía: *soledad.*

— que ama la soledad o vive en ella: *solitario.*

— dolor que se siente por la ausencia de alguien o algo: *soledad.*

— lugar desierto o tierra sin habitar: *soledad.*

— desamparado o desierto: *solitario.*

3. Paso de baile que se lleva a cabo sin pareja.

—*Durante el solo ambos bailarines se lucieron.*

— juego que ejecuta una sola persona: *solitario.*

4. Pieza o parte de una pieza que se toca o canta sin acompañamiento. ☞ **solista.**

—*La concertista ejecutó un hermoso solo de piano.*

— persona que ejecuta un solo de una pieza vocal o instrumental: *solista.*

sólo Únicamente, solamente. ☞ **tan sólo.**

solsticio Época en la cual el Sol se encuentra en uno de los dos trópicos, lo cual ocurre del 21 al 22 de junio para el de Cáncer, y del 21 al 22 de diciembre para el de Capricornio.

soltar 1. Dejar de sostener algo en las manos.

—*Soltó la taza por querer mostrarme el saco que traía puesto.*

2. Desatar algo que estaba sujeto o permitir que algo deje de estar fijo o sostenido en otra cosa. ☞ **desasir, desanudar, desamarrar.** ❖ AMARRAR, ASIR, ATAR.

—*Se soltó el pelo antes de dormir.*

3. Dejar en libertad al que estaba preso, encerrado o encarcelado. ☞ **libertar, liberar, redimir.**

—*Soltaron al sospechoso cuando confirmaron su inocencia.*

4. Dejar que algo que estaba detenido o interrumpido siga su curso.

—*Abrieron la presa y soltaron la corriente del río.*

5. Dejar de ejercer presión sobre algo o alguien.

—*Hablaba y hablaba, no me soltó en toda la tarde.*

6. Evacuar frecuentemente el estómago por indigestión o enfermedad.

—*Quién sabe qué comió que se soltó.*

7. Dejar salir alguna manifestación emocional, alguna expresión o algún ruido.

—*Soltó un grito de alegría al ver a su hijo.*

8. Echar algo fuera de sí alguna cosa.

—*El guisado soltó un agradable olor a mejorana.*

9. Adquirir desenvoltura y facilidad para hacer algo. ☞ **arrancar, despegar.** ❖ DETENER.

—*Pronto el bebé se soltó caminando.*

— desenvoltura en la forma de conducirse o hacer algo: *soltura.*

10. Hacer algo de manera brusca y repentina.

—*Soltamos unas carcajadas que por poco nos sacan del restaurante.*

— decir algo que es confidencial y secreto: *soltar la lengua.*

— comenzar algo a hervir: *soltar el hervor.*

soltero, -ra Que no está casado. ☞ **célibe, doncel, mancebo.** ❖ CASADO.

— estado de soltero: *soltería.*

— soltero mayor de edad: *solterón.*

solución 1. Respuesta que se encuentra a un problema. ☞ **satisfacción, remedio, recurso.**

—*¿Crees que el dinero es la solución a tus problemas?*

2. Mezcla de dos o más sustancias disueltas en un líquido.

—*Le dieron a tomar una solución con fuerte sabor a menta.*

sollozar Producir por un movimiento convulsivo un conjunto de varias aspiraciones bruscas seguidas de una espiración; este fenómeno suele acompañar al llanto. ☞ **lloriquear, gemir, gimotear.** ❖ REÍR.

— acción y resultado de sollozar: *sollozo.*

soma Totalidad de la materia corporal del organismo. ☞ **cuerpo.**

— que es material o corpóreo en un ser vivo: *somático.*

— transformar una afección síquica en orgánica: *somatizar.*

sombra 1. Lugar o zona a donde no llega la luz. ☞ **tinieblas, opacidad, noche.** ❖ LUZ.

—*Colocó la planta en la sombra porque le dijeron que se marchitaba con la luz del sol.*

— que tiene poca luz y en donde con

frecuencia hay sombra, tratándose de lugares: *sombrío.*

— tétrico, melancólico: *sombrío.*

2. Zona oscura que sobre una superficie proyecta el contorno de un cuerpo, del lado contrario a aquél de donde proviene la fuente de luz.

—*Mi sombra hace los mismos movimientos que yo.*

— dar o producir sombra: *sombrear.*

sombrilla Utensilio portátil que resguarda de la luz del sol o del agua de lluvia. Se compone de un bastón y un varillaje con tela que puede extenderse o plegarse. ☞ **paraguas, parasol, pantalla.**

somero, -ra Resumido, ligero o superficial. ☞ **breve, compendiado, rápido, sucinto.**

someter 1. Imponer alguien o algo su voluntad a una persona o a un grupo de personas. ☞ **subyugar, dominar, vencer, subordinar.** ❖ LIBERAR.

—*Los vándalos sometieron a todo el pueblo.*

2. Poner a la consideración y juicio de alguna autoridad alguna cosa. ☞ **proponer, exponer, formular.**

—*Sometió a dictamen la edición del libro.*

3. Hacer que alguna persona o cosa reciba la acción de algo.

—*Sometió a un tratamiento muy costoso a su hijo para que bajara de peso.*

4. Aceptar uno las circunstancias o la decisión de otras personas.

—*Se sometió a los deseos de su hermano.*

— acción y resultado de someter: *sometimiento.*

son Composición musical y baile comunes en Cuba, México, Centroamérica y Venezuela, en que normalmente intervienen un solista y un coro.

—*Amenizaron la fiesta con sones jarochos.*

— con la intención de, en actitud de: *en son de.*

— ¿por qué razón?, ¿con qué motivo?: *¿a son de qué?*

— adaptarse a las circunstancias: *bailar al son que tocan.*

— sin sentido, a lo loco: *sin ton ni son.*

sonaja Originalmente, chapas de metal que se colocan en juguetes o instrumentos para que suenen al agitarlas; en la actualidad cualquier objeto hecho con semillas o piezas pequeñas de cualquier material en su interior que producen ruido al agitarlo.

sonambulismo Estado de una persona que durante el sueño realiza actos inconscientes, como levantarse, andar y hablar.

— que padece de sonambulismo: *sonámbulo*.

sonar 1. Producir ruido o sonido alguna cosa.

—*No sonó el teléfono mientras estuve en la casa.*

2. Pronunciarse las letras.

—*En el español de México la C, la S y la Z suenan igual.*

3. Parecer o tener algo cierta apariencia.

—*Su nombre me sonó familiar.*

4. Limpiar de mocos la nariz, expulsándolos bruscamente.

— *¡Suena al niño, no puede ni respirar!*

5. Tocar un instrumento musical o hacer que algún objeto produzca ruido.

—*Hizo sonar sus pasos en el corredor.*

sonata Pieza de música instrumental que consta de tres o cuatro movimientos. ☞ **música, pieza.**

sonda 1. Cuerda con un peso de plomo que sirve para medir la profundidad de las aguas y para explorar la naturaleza del fondo. ☞ **plomada, plomo.**

— *Con una sonda determinaron la profundidad del lago.*

— introducir la sonda al agua: *sondear, sondar.*

2. Instrumento para penetrar en un conducto del cuerpo con fines médicos. ☞ **catéter.**

—*Cuando estaba muy enfermo lo alimentaban mediante una sonda.*

soneto Composición poética de catorce versos endecasílabos distribuidos en dos cuartetos y dos tercetos. ☞ **verso, poesía, poema.**

sonido Sensación producida en el oído como resultado de la vibración producida por un cuerpo, como la voz humana o el ladrido de un perro. ☞ **ruido, resonancia, son.**

sonoro, -ra 1. Que puede producir sonido o que va acompañado de sonido. ☞ **voz.**

— *Esa fue la primera película con banda sonora que se hizo en México.*

2. Que produce un sonido intenso o vibrante. ☞ **ruidoso, estruendoso, resonante.**

— *¡Qué sonoro es ese fagot!*

3. Que hace o permite que el sonido se difunda y se oiga bien.

—*Ese salón es grande y sonoro.*

sonreír Reírse levemente y sin ruido. ☞ **alegrarse, iluminarse.** ❖ LLORAR.

— acción y resultado de sonreír: *sonrisa.*

— gesto del rostro que muestra satisfacción, burla o ironía: *sonrisa.*

sonrojar Hacer salir los colores al rostro por vergüenza. ☞ **ruborizarse, avergonzarse, abochornarse, enrojecer.**

— acción y resultado de sonrojar: *sonrojo.*

sonsacar 1. Conseguir con maña que alguien diga o descubra lo que sabe. ☞ **inquirir, averiguar, sondear, tantear, engatusar.**

— *Lo sonsacó para saber en dónde había pasado la noche.*

2. Persuadir a alguien para que haga algo.

—*La sonsacó para que fueran al cine.*

soñar 1. Representar en la imaginación o en el inconsciente hechos que se perciben como reales mientras se duerme.

— *Soñó que era un pez que volaba.*

— representación inconsciente de imágenes mientras se duerme: *sueño.*

2. Imaginar que pueden ocurrir cosas que se desean. ☞ **fantasear, divagar, desear.**

—*Soñaba con que algún día viajaría por todo el mundo.*

sopesar 1. Levantar una cosa para calcular el peso que tiene. ☞ **apreciar, sostener.**

—*Sopesó la maleta y pensó que pesaría como 40 kilos.*

2. Examinar con atención los pros y los contras de un asunto.

— *Sopesó lo que le había dicho y decidió ser más atento con ella.*

sopetón (de) De improviso. ☞ **inesperadamente, repentinamente.**

soplar 1. Despedir aire por la boca juntando los labios y echándolos hacia adelante o con un fuelle. ☞ **exhalar, aventar, echar, arrojar.**

—*Sopló sobre el escritorio para limpiarlo de la ceniza del cigarro.*

2. Correr el viento haciéndose sentir.

—*Cuando salimos a caminar soplaba un viento cálido.*

3. Decirle a alguien, con disimulo, la respuesta de una pregunta.

—*Le sopló mal la respuesta y los dos reprobaron.*

4. Soportar algo aburrido o desagradable.

—*Se sopló toda la película.*

— acción y resultado de soplar: *soplo, soplido, sopladura.*

— instante breve de tiempo: *soplo.*

— que acusa en secreto: *soplón.*

— aparato para cortar o soldar metales mediante una llama de alto potencial calórico: *soplete.*

soponcio Desmayo. ☞ **síncope, patatús, vahído, desfallecimiento, ataque.**

sopor Adormecimiento, somnolencia. ☞ **letargo, torpeza, modorra.**

— que mueve al sueño: *soporífero.*

— que es aburrido: *soporífero.*

soportar 1. Sostener el peso de algo, aguantar. ☞ **sustentar, mantener.**

— acción y resultado de sonrojar: *sonrojo.*

— *Es una maravilla arquitectónica, una columna soporta el peso de todo el edificio.*

2. Sufrir. ☞ **tolerar, resistir, sobrellevar.**

—*No soportaba que le levantaran la voz.*

— apoyo o sostén: *soporte.*

soprano La voz más aguda de entre las voces humanas, generalmente la poseen las mujeres. ☞ **tiple, cantante, diva, intérprete.** ❖ CONTRALTO.

sor Tratamiento que se da a algunas monjas. ☞ **hermana, religiosa, novicia, profesa.**

sorber 1. Beber aspirando. ☞ **absorber, chupar, mamar.**

—*Sorbía con el popote y hacía mucho ruido.*

2. Chupar cosas aunque no sean líquidos.

—*Le gusta sorber su helado de fresa.*

sordidez Calidad de sórdido. ☞ **cicatería, avaricia, tacañería, mezquindad, ruindad.** ❖ GENEROSIDAD, RIQUEZA, DECENCIA.

— indecente o escandaloso: *sórdido.*

— mezquino, avariento: *sórdido.*

sordina Pieza que se ajusta en el puente a los instrumentos de cuerda y arco para atenuar el sonido. ☞ **música.**

sordomudo, -da Que es mudo por ser sordo de nacimiento. ☞ **sordo.**

sorna 1. Lentitud con que se hace una cosa. ☞ **cachaza, calma, pausa.**

— *¡Caminó con una sorna que llegó una hora después a la cita!*

2. Disimulo. ☞ **bellaquería, socarronería, tapujo.**

— *Con sorna estuvo bebiendo toda la noche.*

3. Ironía.

—*Hizo el comentario con su acostumbrada sorna.*

sorpresa 1. Reacción emocional espontánea que produce en alguien algún suceso inesperado. ☞ **extrañeza, asombro, admiración, estupor.**

— *Con gran sorpresa lo vio bajarse del tren.*

2. Acontecimiento, acción u objeto que produce esa clase de reacción.

—*Fue una sorpresa encontrarlo trabajando tan tarde.*

3. Que es inesperado, que sucede sin previo aviso.

—*Le hicieron una fiesta sorpresa.*

sortear 1. Someter algo a la suerte. ☞ **rifar.**

—*Son muchos empleados, por lo que sortearán los regalos entre todos.*

— acción de sortear: *sorteo.*

2. Evitar con maña una dificultad. ☞ **eludir, rehuir, escabullir, salvar.**

—*Sorteó sus compromisos y dificultades con astucia.*

sortija Anillo que se lleva en los dedos de la mano. ☞ **alianza, argolla, joya, gema.**
— *Su sortija de matrimonio es de oro.*

sortilegio Adivinación por medio de suertes supersticiosas. ☞ **hechizo, encantamiento, pronóstico, revelación.**

sosegado, -da Tranquilo. ☞ **pacífico, sereno, reposado, calmo.**
— aplacar, pacificar: *sosegar.*
— descansar, aquietarse: *sosegarse.*

soslayar Evitar una dificultad pasándola por alto. ☞ **rehuir, esquivar, sortear, eludir.** ❖ ENFRENTAR.
— *No soslayó el hecho de que no le había pagado el precio justo por el vestido.*
— de largo, de pasada, esquivando un hecho: *de soslayo.*
— oblicuamente, de lado: *de soslayo.*

soso, -sa 1. Lo que no tiene sal o que tiene poca.
— *La comida del restaurante estuvo muy sosa.*
2. Que no tiene gracia. ☞ **zonzo, anodino.**
— *La chica es guapa y baila bien, pero es muy sosa.*

sospechar 1. Aprehender o imaginar algo por conjeturas. ☞ **imaginar, maliciar, suponer, dudar, celar.**
— *La mujer sospechó siempre que su marido la engañaba.*
2. Desconfiar. ☞ **recelar.**
— *Cuida lo que haces o sospecharán de ti.*

sostener 1. Retener algo o a alguien con la manos para que no se caiga.
— *El soldado sostenía la bandera con garbo.*
2. Afirmar alguien alguna cosa en contra de quienes la niegan o contradicen.
— *Sostuvimos nuestro punto de vista ante el director.*
3. Apoyar a alguien en su actitud, compromisos o dificultades.
— *Lo sostuvo cuando lo necesitó a pesar de la indiferencia que había mostrado en los últimos meses.*
4. Continuar alguien haciendo un esfuerzo, o continuar desarrollándose cierto acontecimiento.
— *Sostuvieron un ritmo de trabajo agotador, esperando lograr buenos resultados.*
5. Dar económicamente lo necesario para la manutención de alguien. ☞ **alimentar.**
— *El hombre no sostenía a su ex-mujer ni a su hija.*
— persona o cosa que sostiene: *sostén.*
6. Realizar varias personas durante cierto tiempo entrevistas, conversaciones, etc.

— *Sostuvo pláticas con el líder obrero.*

sotana Vestidura de los sacerdotes. ☞ **taladura.**

sótano Lugar subterráneo entre los cimientos de una casa o de un edificio. ☞ **bóveda, cueva, subsuelo, cripta.**

soterrar Ocultar una cosa. ☞ **esconder, encerrar.**
— *Soterró el recuerdo e intentó olvidar la desgracia.*

sotol (vea recuadro de bebidas). Licor embriagante que se extrae del tronco de la planta del mismo nombre, de consumo principalmente en el estado de Chihuahua.

suave 1. Liso y blando al tacto. ☞ **aterciopelado, fino.** ❖ HIRSUTO.
— *El pelaje de mi gato es suave.*
2. Grato a los sentidos. ☞ **delicado.**
— *Me gusta la música suave.*
3. Lento. ☞ **moderado.**
— *El movimiento suave de sus manos acompañaba sus palabras.*
4. Dócil. ☞ **apacible, flexible.**
— *Tiene un carácter muy suave.*
— hacer suave: *suavizar.*
— calidad de suave: *suavidad.*

subalterno 1. Inferior. ☞ **subordinado, dependiente.**
— *Es un asunto subalterno, no pierdas el tiempo en él.*
2. Empleado de categoría inferior. ☞ **jerarquía.**
— *La secretaria es subalterna del director.*

subarrendar Rentar una cosa no del dueño ni del administrador, sino del arrendatario de la misma.

subasta Venta pública de bienes que se hace al mejor postor. ☞ **licitación, almoneda.**
— *Fuimos a una subasta a comprar obras de arte.*
— vender bienes o contratar servicios en pública subasta: *subastar.*

subconsciente Que se refiere a la instancia síquica donde se alojan vivencias y conocimientos que, sin llegar a estar en la conciencia, acceden a ésta mediante el ejercicio del recuerdo o la evocación. ☞ **inconsciente.** ❖ CONCIENCIA.
— estado inferior de la conciencia sicológica: *subconsciencia o subconciencia.*

subcutáneo Que se introduce o está bajo la piel.

subdesarrollo 1. Por debajo del desarrollo normal o natural.
— *El subdesarrollo de algunos niños se debe a la desnutrición.*
2. Categoría sociológica que se aplica a los países cuyo nivel de industrialización y desarrollo es inferior al que disfrutan otras naciones.

— *Los países del tercer mundo son considerados como subdesarrollados.*

subdirector, -ra Persona cuyo puesto laboral se sitúa inmediatamente por debajo del director y lo sustituye en sus funciones cuando está ausente.

subestimar Estimar una cosa o persona por debajo de su valor. ☞ **menospreciar, minimizar.**

subir 1. Pasar de un lugar a otro superior. ☞ **ascender, trepar.**
— *Subimos a lo alto de la torre por una escalera de caracol.*
2. Llevar alguna cosa o persona de un sitio a otro más alto y ponerla en ese lugar.
— *Suban ese escritorio al tercer piso.*
3. Hacer más alta una cosa o aumentarla hacia arriba.
— *Durante la semana subió la pila de papeles que tiene que revisar.*
4. Aumentar la cantidad, la intensidad, la calidad, etc., de algo.
— *Sube el volumen para que se oiga mejor esa canción.*
5. Aumentar algo o alguien la altura o jerarquía en que se desempeña o mueve.
— *Subió de maestro a director de la escuela en unas semanas.*

súbito Repentino o precipitado. ☞ **rápido, inmediato.**
— de repente: *de súbito.*

subjetivo Que pertenece al sujeto o se relaciona con él, o depende de su conciencia; que es personal o que no toma en cuenta el mundo real u objetivo.

sublevar 1. Hacer que una persona o un grupo de personas se rebele en contra de alguna autoridad. ☞ **levantar.**
— *Las pésimas condiciones económicas sublevaron a la masa.*
2. Ponerse abiertamente en contra de una autoridad. ☞ **rebelarse, insurreccionarse.**
— *Se sublevaron para conseguir mejores condiciones laborales.*

sublimar 1. Llevar algo a su estado óptimo o a su mayor grandeza. ☞ **ensalzar, exaltar, glorificar.** ❖ HUMILLAR, DENIGRAR.
— *Sublimó sus ideas en un tratado de exquisita factura.*
2. Transformar la energía sexual o los impulsos agresivos en actividades de provecho para la sociedad, el arte, el intelecto.
— *Sublimó sus deseos en la composición de espléndidas sinfonías.*
— excelente, con un grado de belleza o de bondad insuperable: *sublime.*
3. Pasar la materia de un estado sólido a uno gaseoso sin pasar por el estado líquido.

submarino

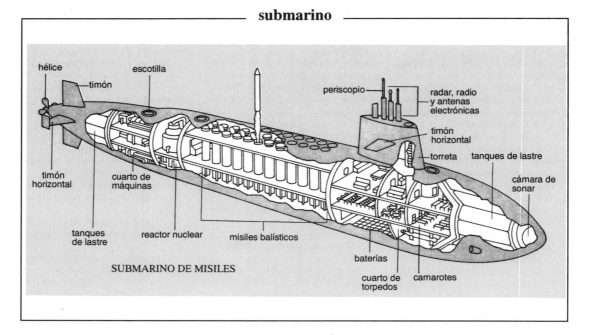

hélice
escotilla
timón
periscopio
radar, radio y antenas electrónicas
timón horizontal
torreta
tanques de lastre
timón horizontal
cuarto de máquinas
cámara de sonar
tanques de lastre
reactor nuclear
misiles balísticos
baterías
cuarto de torpedos
camarotes

SUBMARINO DE MISILES

—*El hielo y la nieve se subliman con un viento seco.*

submarino (vea ilustración) 1. Que está debajo de la superficie del mar.

—*Es interesante observar la vida submarina.*

2. Buque capaz de navegar sobre o debajo de la superficie del mar.

—*El submarino del capitán Nemo fue el primero en navegar bajo el agua.*

subnormal Inferior a lo normal. ☞ **anormal, retrasado.** ❖ GENIAL.

suboficial Categoría militar comprendida entre las de oficial y sargento.

subordinar 1. Poner una cosa o a una persona en relación de dependencia respecto de otra.

—*Subordinaron sus propios intereses a los de la comunidad.*

2. Seguir una orden, mandato o ley fielmente. ❖ SUBLEVAR.

—*Los soldados se subordinan a los altos mandos del ejército.*

subrayar 1. Poner una raya bajo algo escrito.

—*Antes de elaborar un resumen subrayen las ideas más importantes.*

2. Destacar o hacer énfasis en una palabra o frase al decirla o hacer hincapié en algo.

—*El maestro subrayó que los alumnos debían ser puntuales.*

subrepticio Que se hace ocultamente. ☞ **furtivo, ilícito, tortuoso.**

— acción oculta y a escondidas: *subrepción.*

subrogar Sustituir. ☞ **reemplazar, relevar.**

subsanar 1. Disculpar un error. ☞ **excusar, ratificar.**

—*Subsanó la tardanza y le hizo prometer que llegaría temprano.*

2. Reparar un daño. ☞ **corregir, rectificar, remediar, resarcir, enmendar.** ❖ REITERAR.

—*Subsanaré con mi actitud todos los problemas que te he causado.*

subsecuente Que sigue inmediatamente después del anterior. ☞ **subsiguiente, suceder.**

subsidiar Dar subsidio. ☞ **ayudar, auxiliar, socorrer, subvencionar.**

— auxilio extraordinario de carácter económico: *subsidio.*

subsistir 1. Permanecer. ☞ **durar, conservarse, perdurar, persistir, continuar.**

—*Los indios del Amazonas subsisten a pesar de las penalidades por las que pasan.*

— permanencia o conservación de las cosas: *subsistencia.*

2. Mantener la vida, seguir viviendo. ☞ **existir.** ❖ MORIR.

—*Todos los pasajeros subsistieron a pesar del terrible accidente por el que pasaron.*

— conjunto de elementos indispensables para la vida humana: *subsistencia.*

subsuelo 1. Terreno debajo de la superficie de la Tierra. ☞ **subterráneo.**

—*Hay una gran cantidad de piedra en esta parte del subsuelo.*

2. Parte profunda del terreno.

—*Perforaron el subsuelo buscando ríos subterráneos.*

subterfugio Evasiva o excusa. ☞ **refugio, pretexto, excusa.**

subterráneo Que está debajo de la tierra. ☞ **subsuelo, cueva, caverna.**

subtítulo 1. Título secundario y puesto después del principal.

—*El subtítulo de este libro explica mejor su contenido.*

2. Escrito que aparece en la pantalla cinematográfica, al mismo tiempo que las imágenes, y que es una traducción de lo que dicen los actores a la lengua del país en donde se distribuye la película.

—*Los subtítulos no traducían todo el texto de la película.*

suburbano 1. Que está cercano a la ciudad, tratándose de edificios, terrenos, etc. ☞ **suburbio.**

— *Vive en la parte suburbana de la ciudad, a media hora del centro.*

2. Que pertenece al suburbio o se relaciona con él.

—*Ese tren es suburbano, no llega al centro de la ciudad.*

— zona habitada en los alrededores de una ciudad: *suburbio.*

subvencionar Favorecer con una subvención. ☞ **ayudar, amparar, auxiliar, socorrer.** ❖ DESAMPARAR.

subvertir Trastornar ☞ **revolver, destruir, trastocar, perturbar.**

subyacente Que yace o está debajo de otra cosa.

subyugar Dominar. ☞ **avasallar, sujetar, someter, conquistar.** ❖ REBELAR, LIBERTAR.

succionar Chupar o extraer un líquido

de algo con los labios. ☞ **sorber, chupetear, mamar.**
— acción de succionar: *succión.*
sucedáneo Que puede sustituir a otra cosa. ☞ **reemplazar.**
suceder 1. Seguir una persona a otra en algún puesto, o una cosa a otra en una serie. ☞ **reemplazar.** ❖ PRECEDER.
—*El nuevo director sucederá al anterior.*
— acto de suceder: *sucesión.*
— serie de cosas o personas unas después de otras: *sucesión.*
— transmisión legal a un heredero de los bienes de una persona muerta: *sucesión.*
— que sucede o sigue a otra cosa: *sucesivo.*
— el que sucede a otro: *sucesor.*
2. Efectuarse o tener lugar un hecho. ☞ **acaecer, acontecer, ocurrir, pasar.**
—*Estoy seguro que este año sucederá lo que tanto hemos esperado.*
— acontecimiento, hecho: *suceso.*
suciedad 1. Calidad de sucio. ☞ **porquería, inmundicia, cochinada.**
—*Los baldíos siempre están llenos de suciedad.*
2. Dicho o hecho deshonesto.
—*Es una suciedad que digas tantas mentiras.*
sucinto Breve. ☞ **lacónico, resumido, conciso.**
sucio, -cia 1. Que tiene manchas, mugre o polvo, que no está limpio. ☞ **manchado, puerco, cochino, desaseado, mugriento.** ❖ LIMPIO.
—*Tengo mucha ropa sucia que lavar.*
2. Que pierde la limpieza con facilidad.
—*No seas una niña tan sucia, cuida tu ropa un poco más.*
3. Que tiene defectos, errores o fallas.
—*La costurera hizo un trabajo sucio, ¡mira cómo puso el cierre del vestido!*
4. Que va contra lo honrado, lo moral o lo legalmente apropiado.
—*Su acción fue sucia, de antemano sabía que iba a lastimarte.*
5. Que tiene impurezas o basura.
—*¡No tomes de esa agua, está sucia!*
6. Que trata la vida sexual con grosería y sin respeto.
—*Escribió un cuento sucio y muy mal hecho.*
— calidad de sucio: *suciedad.*
— inmundicia, porquería, cochinada: *suciedad.*
— de manera provisional, sin el cuidado de lo definitivo: *en sucio.*
suculento, -ta Jugoso, sustancioso, muy nutritivo. ☞ **exquisito, sabroso, apetitoso.**
sucumbir 1. Ceder. ☞ **abandonar, someterse, rendirse.** ❖ RESISTIR.

—*En la película, el héroe sucumbe a los encantos de la chica.*
2. Morir. ☞ **perecer, fallecer, expiar.**
—*Pese al violento ataque, la víctima no sucumbió.*
sucursal Establecimiento que depende de otro principal, que está situado en un lugar distinto, y que desempeña las mismas funciones que la casa matriz. ☞ **filial, agencia, dependencia, rama.**
sudar 1. Exhalar sudor. ☞ **transpirar, trasudar, eliminar.**
—*Sudamos después de correr quince minutos.*
— líquido que segregan las glándulas sudoríparas de la piel de los mamíferos: *sudor.*
2. Destilar algunas gotas de su jugo plantas, árboles y frutos. ☞ **gotear, pringar, escurrir.**
—*Las mandarinas sudan de tan jugosas.*
— jugo que sudan plantas, árboles y frutos: *sudor.*
suegro, -gra Padre o madre del marido respecto a la esposa de su hijo, o padre o madre de la esposa respecto al marido de su hija.
suela 1. Parte del calzado que toca el suelo. ☞ **tapa, zapato, calzado.**
—*Debo de comprar unos zapatos nuevos porque la suela de éstos está gastada.*
2. Cuero curtido.
—*Con suela se pueden fabricar diversos artículos de piel.*
3. Zócalo de un edificio.
—*Hay humedad en la suela de la casa.*
sueldo Remuneración por un trabajo. ☞ **paga, salario, honorarios.**
—*Hace milagros con su sueldo para sobrevivir.*
suelo 1. Superficie de la Tierra.
—*El suelo de la Tierra mide varios miles de kilómetros.*
2. Superficie que se pisa o se puede pisar. ☞ **piso.**
—*Hay un sembradío de flores en el suelo de su jardín.*
3. Territorio. ☞ **patria, nación, pueblo.**
—*Tengo añoranza por mi suelo natal.*
suelto, -ta 1. Ligero. ☞ **veloz, expedito, fácil.** ❖ PESADO.
—*Un buen atleta es suelto en sus movimientos.*
2. Poco compacto. ☞ **disgregado, separado, disperso.**
—*La mezcla está aún suelta, bátela más.*
3. Hábil al ejecutar una cosa. ☞ **ágil, desembarazado.**
—*Qué suelto es el mecánico para componer el auto.*
4. Libre. ☞ **atrevido, ligero.**

—*Es suelto de mañas, audaz y poco escrupuloso.*
5. Que tiene diarrea.
—*Le hizo mal la comida y está suelto del estómago.*
6. De lenguaje corriente. ☞ **fácil.**
—*Tiene la lengua muy suelta, ¡dice cada cosa!*
7. Que no viene en conjunto con otra cosa. ☞ **separado, solo.**
—*Compramos varias piezas sueltas para completar la vajilla.*
8. Conjunto de monedas y cada una de ellas. ☞ **cambio.**
—*Como no traía suelto, no pude comprar cigarros.*
suero 1. Parte de ciertas sustancias orgánicas, como la leche o la sangre, que se mantiene clara cuando el resto se coagula.
—*El suero de la leche es digestivo.*
2. Parte de la sangre de animales inoculados con algún virus que se emplea como vacuna para inmunizar contra una enfermedad.
—*El suero que contiene esta vacuna se debe conservar en refrigeración.*
suerte 1. Modo casual de encadenamiento de los sucesos de la vida de alguien. ☞ **azar, sino, destino.**
—*La suerte quiso que se encontraran en ese momento.*
2. Circunstancia de resultar un hecho favorable o adverso. ☞ **azar.**
—*¡Qué buena suerte! Encontré el dinero que se me había perdido.*
3. Azar al que se fía una solución, el desarrollo o el resultado de algo. ☞ **casualidad.**
—*Que la suerte decida quién será el ganador.*
4. Demostración de alguna habilidad.
—*El mago hizo suertes impresionantes.*
— que tiene suerte: *suertudo.*
— toda clase o tipo de : *toda suerte de.*
— de manera que, por lo que: *de suerte que.*
— afortunadamente: *por suerte.*
suéter Prenda de lana o de algodón que se pone encima de la ropa para cubrirse uno del frío. ☞ **tejido.**
suficiencia 1. Capacidad. ☞ **habilidad, facultad.**
—*Su suficiencia le permitió aprobar los exámenes.*
— bastante: *suficiente.*
— apto: *suficiente.*
2. Presunción. ☞ **engreimiento.**
—*Se cree mucho, ¡habla con una suficiencia!*
— pedante: *suficiente.*
sufrir 1. Sentir física o moralmente un dolor; resistir alguna pena o molestia. ☞ **padecer.** ❖ GOZAR.

SUFIJOS

SIGNIFICADO DE LOS SUFIJOS GRIEGOS.

agónico indica lucha, combate: protagónico.
algia indica dolor: neuralgia
arca, arquía indica poder: patriarca, monarquía.
atra, atría indica curación: pediatra, pediatría.
céfalo indica cabeza: acéfalo.
ciclo indica que tiene algo circular: hemiciclo.
cosmo indica mundo: macrocosmos.
crata, cracia indica que tiene poder: ácrata, democracia.
dromo indica carrera: velódromo.
edro indica cara o base: poliedro.
fago indica comer: ictiófago.
fila indica hoja: calofila.
filia, filo indica amistad, amigo de: cinefilia, cinéfilo.
fobia, fobo indica enemistad, enemigo: claustrofobia, acrófobo.
fonía, fono indica voz, sonido: afonía, homófono.
foro indica llevar: necróforo.
frasis indica expresión: paráfrasis.
gamia indica casamiento: poligamia.
geno indica que engendra: exógeno.
geo indica tierra: hipogeo.
gono indica ángulo: epígono.
grafía indica escribir: mecanografía.
grama indica letra: tetragrama.
itis indica hinchazón: otitis.
latría indica adoración: egolatría.
lito indica piedra: fotolito.
logía indica ciencia: filología.
mancia indica adivinación: cartomancia.
manía indica pasión: piromanía.
mano indica afición: dipsómano.
metro indica medida: parámetro.
nauta indica navegante: cosmonauta.
nimia indica nombre: sinonimia.
patía indica afección: simpatía.

pedia indica educación: enciclopedia.
podos indica pies: artrópodos.
polis indica ciudad: megalópolis.
ptero indica ala: coleóptero.
rragia indica brotar: blenorragia
scopio indica visión: telescopio.
sofía indica sabiduría: teosofía.
tafio indica tumba: epitafio.
teca indica archivo, caja: filmoteca.
tecnia indica arte o ciencia: pirotecnia.
teo indica Dios: filisteo.
terapia indica curación: psicoterapia.
termo, térmico indica calor: exotérmico.
tesis indica colocación: hipótesis.
tipo indica impresión, carácter: fenotipo.
tomía indica acción de cortar: lobotomía.
tropo indica que se dirige hacia: zoótropo.

SIGNIFICADO DE LOS SUFIJOS LATINOS.

áceo indica pertenencia: herbáceo.
cida indica que mata: fratricida.
cola indica cultivo: frutícola.
cultura indica arte de cultivar: apicultura.
ducción indica que conduce: abducción.
fero indica que lleva: somnífero.
forme indica que tiene la forma de: pisciforme.
fuga, fugo indica que huye: prófugo.
or indica la formación de nombres: adorador.
paro indica que engendra: vivíparo.
pedo indica que tiene pies: cuadrúpedo.
peto indica que se dirige hacia: centrípeto.
sono indica sonido: altísono.
triz indica el femenino de las palabras terminadas en dor, y tor: emperatriz, actriz.
voro indica comer: omnívoro.

—*La enfermedad de su padre lo hizo sufrir mucho.*

— padecimiento, dolor, pena: *sufrimiento.*

2. Experimentar alguna cosa, en especial si es dañina o molesta, o ser el objeto en el que tiene lugar determinada acción o fenómeno.

—*Sufrió los vaivenes de un viaje lleno de vicisitudes.*

sugerir 1. Dar uno una idea o consejo a otra persona, sin el afán de convencerla.

—*Le sugirió que bajara de peso por su propia conveniencia.*

2. Insinuar.

—*La forma en que te mira sugiere que le gustas.*

— acción y resultado de sugerir: *sugestión.*

suicidio Acción y resultado de suicidarse. ☞ **inmolación, muerte.**

— persona que se quita la vida: *suicida.*

— quitarse voluntariamente la vida: *suicidarse.*

sui géneris Que es excepcional o singular. ☞ **exclusivo, único, original.**

sujetar 1. Coger, amarrar o fijar algo o a alguien con firmeza. ☞ **fijar, enganchar, prender.**

—*Lo sujetó de la mano para que no se cayera.*

2. Obligar a alguien a cumplir determinadas condiciones o a comportarse dentro de ciertos límites.

—*Se sujeta al compromiso de visitarla todos los días.*

— que depende de otra cosa o que está condicionado por ella: *sujeto.*

sujeto 1. Lo que da lugar a la reflexión o discusión, tema principal del que se habla o escribe. ☞ **cuestión, motivo, trama, argumento, asunto, tema.**

—*El sujeto de estudio en ese curso es la economía de los pueblos prehispánicos.*

2. Conjunto de signos lingüísticos que significan personas, animales o cosas que realizan una acción, que tienen alguna característica o propiedad o que se sitúan en alguna circunstancia.

—*En la oración: "El niño corre", el sujeto es niño.*

3. Individuo. ☞ **persona, tipo, fulano, hombre.**

—*Es un sujeto de mal carácter.*

sulfurar Combinar un cuerpo con el azufre.

—*Sulfuraron ese metal con azufre para obtener sulfuro.*

sumamente Intensamente, en sumo grado. ☞ **hondamente.**

suma 1. Operación aritmética que consiste en agregar una cantidad a otra, y resultado de esta operación. ☞ **adición, total, operación, resultado.** ❖ RESTA.

—*La maestra les dejó hacer sumas de tarea.*

2. Reunión de varios elementos, especialmente de dinero.

—*Su fortuna alcanza una suma considerable.*

3. Recopilación de todo lo que se conoce sobre un tema.

—*Está elaborando una suma de la arquitectura mexicana.*

sumario, -ria 1. Reducido a compendio, breve. ☞ **sucinto, conciso, resumido.**

—*Hizo una exposición sumaria de los motivos de su renuncia.*

2. Que es un juicio civil en el que se procede brevemente. ☞ **proceso, causa.**

—*En un juicio sumario sentenciaron al hombre a que pagara la multa.*

3. Compendio. ☞ **suma, índice.**

— *Compré un sumario de literatura española.*

sumergir 1. Meter debajo del agua. ☞ **hundir, sumir, zozobrar.** ❖ ASO-MAR.

— *Se sumergió en la alberca para recuperar el anillo de su novia.*

2. Atraer algo la atención de alguien de manera que no se distraiga en otra cosa.

—*Lo sumergió en la conversación de tal manera que no se dio cuenta de que las horas pasaron.*

3. Dedicarse a algo por completo, sin hacer otra cosa.

—*Se sumergió en el estudio de esos poetas del siglo XVI.*

4. Hacer que alguien o algo quede en una situación desgraciada o desafortunada.

— *Sumergieron a la institución las deudas.*

suministrar Proveer de algo a alguien. ☞ **surtir, aprovisionar, abastecer, dotar.**

— que suministra: *suministrador.*

— provisión de víveres o utensilios: *suministro.*

— abastecimiento de algo que hace falta: *suministro.*

sumir 1. Hundir debajo del agua o de la tierra. ☞ **sumergir.**

—*Sumieron bien el trapo en el agua para lavarlo.*

— conducto por donde se sumen las aguas: *sumidero.*

sumisión Sometimiento absoluto de unas personas a la voluntad de otra u otras. ☞ **docilidad, humildad, mansedumbre.** ❖ ALTIVEZ.

— obediente, rendido: *sumiso.*

súmmum El punto más alto, el máximo grado, el colmo.

suntuoso, -sa Magnífico, lujoso o espléndido. ☞ **ostentoso, lujoso, fastuoso.** ❖ POBRE, SÓRDIDO.

— calidad de suntuoso: *suntuosidad.*

— relativo al lujo: *suntuario.*

supeditar 1. Dominar. ☞ **sojuzgar, someter.** ❖ LIBERAR.

— *Los dictadores supeditaron a ese pueblo.*

2. Condicionar una cosa al cumplimiento de otra.

—*Supeditó la concesión del permiso para hacer la fiesta a que después dejara limpia la casa.*

superar 1. Ser algo o alguien mayor o mejor que otro cuando se les compara. ☞ **exceder, vencer, dominar, rebasar.**

—*Este cuento supera a todos los que has escrito.*

2. Vencer determinado obstáculo.

—*Superó los problemas económicos en pocos meses.*

3. Lograr alguien mejorar su trabajo, conducta, ideas, etc.

—*Se superó en cuanto a su conducta social.*

— acto de superar o superarse: *superación.*

superchería Engaño. ☞ **dolo, fraude, embuste, impostura, treta.** ❖ VER-DAD.

superficie 1. Parte exterior de un cuerpo que lo separa de los demás.

—*La superficie de la botella está mojada.*

2. Extensión de un área. ☞ **área, espacio.**

—*La superficie de la Ciudad de México es de 1,843 km^2.*

3. Apariencia externa de algo. ☞ **frente, fachada.**

— *En la superficie esa familia se ve muy feliz.*

— aparente, sin solidez: *superficial.*

— frívolo: *superficial.*

superfluo No necesario, de más. ☞ **innecesario, inútil.**

superior 1. Que está en la parte más alta de algo o más arriba que otra cosa. ❖ INFERIOR.

—*En la parte superior de la casa está el cuarto de servicio.*

2. Que es mejor o mayor que otro. ☞ **importante, soberano.**

—*Se siente superior a los demás.*

— preeminencia, excelencia o supremacía: *superioridad.*

superlativo Muy grande y excelente. ☞ **superior.**

supermercado Establecimiento comercial en el que el cliente se sirve a sí mismo y paga al salir. ☞ **autoservicio, tienda.**

superponer Poner una cosa encima de otra. ☞ **sobreponer, aplicar, colocar.**

— acción y resultado de superponer: *superposición.*

supersónico 1. Que tiene una velocidad superior a la del sonido.

—*La luz tiene una velocidad supersónica.*

2. Que se mueve más rápido que el sonido, tratándose de aviones.

—*Proyectaron un nuevo avión supersónico.*

superstición Creencia en lo sobrenatural, en lo mágico, en lo ajeno al pensamiento racional. ☞ **fetichismo.**

— que pertenece a la superstición o se relaciona con ella: *supersticioso.*

— individuo que cree en la superstición: *supersticioso.*

supervisor Que supervisa.

— ejercer la inspección de determinados asuntos: *supervisar.*

— acción y resultado de supervisar: *supervisión.*

suplantar 1. Falsificar un escrito. ☞ **sustituir, falsear.**

—*Suplantó el documento y causó muchos problemas.*

2. Sustituir ilegalmente a una persona. ☞ **simular, engañar, suplir.**

—*Durante las apariciones en público, el actor suplantará al ministro.*

— acción y resultado de suplantar: *suplantación.*

suplicar Rogar con humildad. ☞ **implorar, urgir.**

suplir 1. Completar lo que falta de una cosa, o usar una cosa en lugar de otra. ☞ **proveer.**

—*Suplió su desconocimiento del tema con una agradable conversación sobre cualquier otra cosa.*

— acción y resultado de suplir: *suplemento.*

— lo que suple una falta: *supletorio.*

— que suple algo o lo complementa: *suplementario.*

— complemento: *suplemento.*

2. Ocupar una persona el puesto o lugar que tenía otra y desempeñar las funciones correspondientes.

— *Suplió a la antigua secretaria y cumplió con eficiencia sus tareas.*

suplicio 1. Lesión o muerte, como castigo. ☞ **tortura, tormento.**

—*Le infligieron tal suplicio que quedó cojo de por vida.*

2. Lugar donde se da este castigo al reo. ☞ **patíbulo, cadalso, potro.**

—*En el suplicio lo esperaba el verdugo.*

3. Grave dolor físico o moral. ☞ **padecimiento, sufrimiento.**

— *Para ella es un suplicio no poder ver a su hijo.*

suponer 1. Considerar algo como real, cierto o verdadero en apoyo de cierto propósito o argumento. ☞ **presuponer.**

—*Supuso que si dejaba de fumar se le quitaría la tos.*

2. Creer que algo sucede, o que alguien hace determinada cosa, a partir de lo que se sabe o tiene noticia.

—*Supusimos que vendrías para acá, pues hablamos por teléfono a tu casa y nadie contestó.*

— acción de suponer: *suposición.*

supositorio Preparación farmacéutica en pasta, de forma ovoide o cónica, que se introduce por vía rectal o vaginal.

supremacía Grado de supremo en cualquier línea o jerarquía. ☞ **hegemonía, predominio, preponderancia.**

— que no tiene superior en su línea o jerarquía: *supremo, sumo.*

supresión Acción y resultado de suprimir. ☞ **omisión, eliminación, destrucción.**

— hacer desaparecer: *suprimir, anular, abolir, atajar.*

supurar Formar o echar pus. ☞ **segregar.**

— acción y resultado de supurar: *supuración.*

— que hace supurar: *supurativo.*

sur 1. Punto del horizonte opuesto al norte o viento que sopla de esta parte. ☞ **mediodía, astro, antártico.** ❖ NORTE, BOREAL.

—*Ese edificio está orientado hacia el sur.*

2. Región de un país o zona situada en esa dirección con respecto al centro del país; o en esa dirección con respecto al Ecuador, o en relación con Europa o Estados Unidos de América.

—*Hicimos un largo viaje por el sur de Jalisco.*

surcar 1. Hacer surcos o estrías en un terreno con el arado. ☞ **cortar, hender, atravesar, caminar.**

—*Surcaron el ejido hace dos semanas.*

— excavación alargada, angosta y no profunda que se hace en la tierra con el arado: *surco.*

2. Moverse algo por una superficie abriéndola como si hiciera un surco.

—*Los barcos surcan el mar.*

3. Atravesar alguna superficie algo semejante a un surco, como un pliegue o línea.

—*Las lágrimas surcaban su rostro.*

— línea o pliegue marcado, profundo o alargado: *surco.*

surgir 1. Salir algo de una superficie en donde no se percibía anteriormente.

—*Me surgió una espinilla cerca del labio.*

2. Manifestarse una cosa de manera inesperada o repentina.

—*De su sinfonía surgían armonías no escuchadas.*

3. Destacarse una cosa de entre otras y hacerse notar.

—*Entre los demás actores, él surgió en el escenario con una fuerza asombrosa.*

surtir 1. Proveer de una cosa. ☞ **suministrar.**

—*Antes de ir a acampar se surtió bien de provisiones.*

2. Brotar agua hacia arriba. ☞ **fluir, saltar, chorrear.**

—*Un chorro de agua surtía la fuente.*

— chorro de agua que brota hacia arriba: *surtidor.*

— acción y resultado de surtir: *surtido.*

— que surte: *surtidor.*

— que tiene combinación de distintos tipos, tratándose de artículos de comercio: *surtido.*

susceptible 1. Capaz de recibir modificación. ☞ **apto, dispuesto.**

—*Este diseño es susceptible de ser copiado.*

2. Quisquilloso. ☞ **irritable, puntilloso, irascible.**

—*Tu novio es muy susceptible, por todo se enoja.*

— calidad de susceptible: *susceptibilidad.*

suscitar Levantar. ☞ **promover, causar, originar, motivar.**

suscribir o subscribir 1. Abonarse para recibir alguna publicación periódica.

—*Nos suscribimos a esa revista hace un año.*

— acción y resultado de suscribir: *suscripción.*

— que suscribe o se suscribe: *suscriptor.*

2. Convenir con el dictamen de alguien o acceder a él.

—*Se suscribió a la opinión de su viejo amigo.*

3. Firmar al pie de un escrito.

—*Las autoridades suscribieron el acta.*

susodicho, -cha Dicho antes, ya dicho.

suspender 1. Colgar o detener algo en alto o en el aire. ☞ **levantar, tender.** ❖ SOLTAR.

—*Suspendieron una lona sobre el patio donde sería la fiesta.*

2. Detener durante algún tiempo o definitivamente una cosa. ☞ **parar, interrumpir.**

—*El oficial suspendió el curso de la conferencia pues había llegado el gobernador.*

— acto de detener el desarrollo de algo: *suspensión.*

3. Privar temporalmente a alguien de un sueldo, beneficio, empleo, etc., o de cierta actividad.

—*Suspendió a ese alumno por mala conducta.*

suspicacia Idea sugerida por la sospecha. ☞ **recelo, malicia, escrúpulo.** ❖ CONFIANZA, CREDULIDAD, SINCERIDAD.

— propenso a sospechar o a tener desconfianza: *suspicaz.*

suspiro Aspiración profunda que sigue de una espiración con significado de queja, anhelo o deseo.

— dar suspiros: *suspirar.*

— desear una cosa o amar a una persona: *suspirar por.*

— fin y remate de cualquier cosa: *último suspiro.*

sustancia o substancia Parte fundamental y constituyente de las cosas.

sustentar 1. Procurar alimento. ☞ **alimentar, nutrir, sostener.** ❖ DESNUTRIR.

—*Se sustenta a base de verduras y cereales.*

— alimento, mantenimiento: *sustento.*

2. Hacer afirmaciones sobre algo, defenderlo o buscar apoyo para hacerlo. ❖ NEGAR.

—*Copérnico sustentó que la Tierra se mueve.*

— lo que da vigor y permanencia a algo: *sustento.*

— que sustenta: *sustentante.*

sustituir o substituir Poner a una persona o cosa en lugar de otra. ☞ **suplir, reemplazar.**

— acción y resultado de sustituir: *sustitución.*

— que sustituye: *sustituto.*

— que puede sustituir: *sustitutivo.*

susto 1. Impresión repentina de miedo. ☞ **alarma, sorpresa, sobresalto.**

—*¡Qué susto me diste, pensé que eras un fantasma!*

2. Preocupación. ☞ **temor.**

—*Tengo susto de no poder pasar el examen.*

sustraer o substraer 1. Sacar algo o a alguien de donde está. ☞ **extraer.**

—*Sustrajo todo el jugo de las limas.*

2. Robar algo sin violencia. ☞ **hurtar.**

— *Sustrajeron papeles importantes del archivo.*

3. Restar. ❖ SUMAR.

—*Sustrae esas dos cantidades pequeñas de la mayor.*

4. Evitar algo o apartarse de ello.

—*Se sustrajo de todos los chismes de la oficina.*

— acto de sustraer: *sustracción.*

susurrar 1. Hablar quedo. ☞ **murmurar, bisbisear.** ❖ GRITAR.

— *Me susurró algo al oído, pero no entendí.*

2. Moverse con ruido suave algo o ruido muy suave.

—*El agua del surtidor susurra por la mañana.*

— ruido suave y apacible, rumor: *susurro.*

sutil 1. Delgado. ☞ **delicado, tenue, vaporoso, etéreo.**

—*La gasa es una tela sutil.*

2. Agudo. ☞ **ingenioso, perspicaz, delicado, elegante.**

—*La ironía sutil del diplomático lo hace atractivo.*

— calidad de sutil: *sutileza.*

— dicho agudo y falto de profundidad: *sutileza.*

suturar 1. Costura con la que se unen los labios de una herida.

—*El médico realizó una sutura perfecta en la herida.*

— coser una herida: *suturar*

2. Línea sinuosa que forma la unión de ciertos huesos del cráneo.

—*Los estudiantes analizaban las suturas del cráneo..*

T

taba Uno de los huesos del tarso, situado inmediatamente debajo de la tibia y el peroné. ☞ **astrágalo.**

tabaco 1. Planta solanácea, de hasta 2 m de altura, de cuyas largas hojas se obtiene el tabaco para fumar o mascar.

— *Los Estados Unidos y China son los más grandes productores de tabaco.*

2. Hojas de esta planta, ya preparadas y picadas, que se utilizan en la elaboración de puros y cigarrillos.

— *Las hojas de tabaco son curadas por un proceso de fermentación.*

tabalario Parte posterior del cuerpo humano. ☞ **asentaderas, nalgas, tafanario.**

tabardillo 1. Conjunto de síntomas que aparecen como resultado de una exposición excesiva al sol o al calor. ☞ **insolación, tabardete.**

— *Me dio un tabardillo muy fuerte por pasarme todo el día en la playa.*

2. Forma de fiebre aguda y grave que puede confundirse con el tifus.

— *El tabardillo es una enfermedad endémica en ciertas regiones del país.*

3. Que es alocado, bullicioso o aturdidor. ☞ **molesto, chinchoso, travieso.** ❖ SERIO, JUICIOSO.

— *Cuando no está ese tabardillo de niño, realmente reina la paz en esta casa.*

tabasco Salsa muy picante hecha a base de pimienta de Tabasco.

taberna Local público, generalmente modesto, donde se vende y consume vino y otras bebidas alcohólicas y, en ocasiones, también comidas. ☞ **cantina, tasca.**

— *En esta calle se encuentra una de las tabernas más famosas de la ciudad.*

— propio de la taberna o de las personas que la frecuentan: *tabernario, bajo, grosero, vil.*

— persona que vende vino o trabaja en una taberna: *tabernero, tasquero, vinatero.*

— oficio o trato de tabernero: *tabernería.*

tabernáculo 1. Recinto en el que los hebreos tenían colocada el Arca de la Alianza y que durante su emigración era una estructura transportable.

— *El tabernáculo estaba cubierto con pieles de carnero.*

2. Tienda en que habitaban los antiguos hebreos.

— *Los tabernáculos protegían del calor excesivo en el desierto.*

3. Especie de armario colocado sobre el altar mayor, en que se encierra el copón y el viril con las hostias consagradas. ☞ **sagrario.**

— *Al tabernáculo se le llama también sagrario.*

tabique Pared delgada que se utiliza, comúnmente, para separar las distintas habitaciones de una casa.

— división delgada entre dos espacios: *tabique.*

— membrana que separa los orificios nasales: *tabique nasal.*

— cerrar con tabique una puerta o ventana: *tabicar.*

— taparse algo que debería estar abierto: *tabicarse, obstruirse.*

— tabique de menos de un pie de espesor: *tabicón.*

— conjunto o serie de tabiques: *tabiquería.*

— operario que se dedica a hacer tabiques: *tabiquero.*

tabla 1. Pieza de madera, plana, más larga que ancha, de poco grosor con relación a sus otras dimensiones, y cuyas dos caras son paralelas entre sí.

— *El carpintero pidió otras cinco tablas para terminar la fachada de la casa.*

2. Pieza plana y poco gruesa de cualquier otra materia rígida.

— *Tenía en su sala una mesa con tabla de mármol.*

3. Estante horizontal que sirve para sostener cosas en un armario. ☞ **anaquel.**

— *Hay tantos frascos en esta cocina que necesito unas tablas para ponerlos.*

4. Doble pliegue que se forma como adorno en una tela. ☞ **tablón.**

— *Se veía muy hermosa con su blusa vaporosa y su falda a tablas.*

— hacer tablas en una tela: *tablear.*

5. Lista o catálogo de personas o cosas de cualquier clase y para cualquier propósito.

— *El proveedor trajo la tabla de precios de la papelería, para que selecciones los productos que te interesan.*

6. Índice que se pone en los libros, generalmente por orden alfabético.

— *Consulta la tabla de materias antes de comprar ese libro.*

7. Serie ordenada de valores numéricos de cualquier clase.

— *Tabla de logaritmos. Tabla de elementos. Tabla de pesos atómicos.*

8. Serie ordenada, para cada operación aritmética, de las realizadas con los números comprendidos entre el cero y el diez.

— *De tarea le dejaron aprenderse la tabla del nueve.*

tablaje 1. Conjunto de tablas.

— *Los operarios ya terminaron de apilar el tablaje para la construcción.*

2. Casa de juegos de azar. ☞ **garito, timba.**

— *A ese hombre siempre se le ve en los tablajes o en las cantinas.*

— vicio o costumbre de jugar en los tablajes: *tablajería.*

tabú 1. Originalmente, prohibición religiosa entre ciertos pueblos primitivos, de comer o tocar determinado objeto. El término se ha generalizado para referirse a cualquier tipo de prohibición basada en prejuicios, convenciones o actitudes sociales. ☞ **prejuicio.**

— *En esta familia existen tantos tabúes que la comunicación entre sus miembros resulta casi imposible.*

2. Lo que es objeto de dicha prohibición.

— *El tabú de la sexualidad ha originado grandes problemas sociales.*

tabular 1. Disponer valores, magnitudes u otros conceptos en forma de tabla.

— *Tengo que tabular estos datos para elaborar una estadística.*

2. Introducir fichas o tarjetas perforadas en la tabuladora.

— *Para obtener los datos que necesitábamos fue necesario tabular cerca de 500 tarjetas.*

3. Que tiene forma de tabla.

— *Necesito una lámina tabular para reforzar la estructura.*

taburete Asiento sin brazos ni respaldo que se usa para sentarse o apoyar los pies. ☞ **banqueta, escabel.**

tacaño, -ña Que escatima exageradamente en lo que gasta o da. ☞ **agarra-**

do, **avaro, mezquino.** ❖ DADIVOSO, DESPRENDIDO, GENEROSO.

— de forma avara: *tacañamente*.

— actuar con avaricia: *tacañear, escatimar*.

— cualidad de tacaño: *tacañería, avaricia, mezquindad*.

tácito Que no se expresa formalmente, sino que se supone o infiere por lo que se ha dicho antes o por otros motivos. ☞ **implícito, sobrentendido, virtual.** ❖ EXPLÍCITO, EXPRESO.

— *Entre amigos existe un acuerdo tácito de lealtad*.

— de manera tácita: *tácitamente*.

taciturno, -na 1. Que no gusta de hablar. ☞ **callado, silencioso.** ❖ BULLICIOSO, EXPRESIVO, PARLANCHÍN.

— *Es un hombre taciturno con el que resulta difícil comunicarse*.

2. Se dice de alguien que se encuentra melancólico por alguna causa particular o que es así por temperamento. ☞ **apesadumbrado, cabizbajo, sombrío, triste.** ❖ ALEGRE, OPTIMISTA.

— *Desde que murió su esposo, siempre se le ve taciturna y distante*.

— cualidad de taciturno: *taciturnidad, melancolía*.

taco 1. Platillo mexicano que consiste en una tortilla de maíz en la que se puede colocar cualquier tipo de alimento o guiso, enrollándola posteriormente para comerla. Puede constituir tanto una comida ligera e improvisada como un platillo en forma.

— *Uno de sus platillos favoritos son los tacos al carbón*.

2. Pedazo corto y grueso de madera, metal u otra materia, que se encaja en un hueco para sostener o equilibrar algo, o para otros usos. ☞ **tarugo.**

— *Para fijar la pata de esta mesa necesitamos ponerle un taco y clavarla*.

3. Porción de alguna materia, como papel, tela o estopa, que se introduce en un hueco para apretar el contenido de algo.

— *Las antiguas armas de fuego utilizaban un taco entre la carga y el proyectil para que éste saliera con fuerza*.

4. Pieza de madera, pequeña y cilíndrica, que se encaja en la pared para clavar con seguridad alguna cosa.

— *Debes poner unos tacos para que la repisa quede firmemente sujeta*.

5. Palo que se emplea para jugar al billar y que sirve para impulsar las bolas.

— serie de carambolas hechas con golpes seguidos, o golpe dado con la maza del taco: *tacada*.

— golpe dado a la bola de billar con la punta del taco: *tacazo*.

6. Cada uno de los pedazos en que se cortan algunos alimentos, para servirlos como aperitivos o como merienda. ☞ **botana.**

— *Antes de comer nos ofreció unos tacos de jamón y queso*.

tacómetro Nombre genérico de los aparatos destinados a medir la velocidad y, en especial, la velocidad de un motor.

tacón 1. Pieza semicircular, más o menos alta, unida exteriormente a la suela del calzado, debajo de la parte que corresponde al talón del pie, para levantarlo por ese lado.

— *Estos zapatos tienen un tacón tan alto que casi no puedo caminar con ellos*.

2. En imprenta, cuadro formado por unas barras a las cuales se ajusta el pliego al colocarlo en la prensa para imprimirlo.

— *Se rompió el tacón y no saldrá la revista mañana*.

táctica 1. Conjunto de procedimientos y reglas para conducir las operaciones de guerra.

— *A medida que han variado las armas de combate, la táctica y la logística han debido evolucionar*.

— que pertenece a la táctica o se relaciona con ella: *táctico*.

— experto en táctica: *táctico*.

2. Forma calculada de conducirse para lograr un fin determinado. ☞ **método, sistema.**

— *La empresa ha decidido utilizar una nueva táctica de ventas*.

3. Arte que enseña a poner las cosas en orden.

— *Debemos seguir una táctica para organizar los archivos*.

tacto 1. Sentido corporal distribuido en toda la superficie del cuerpo, que permite percibir el contacto de las cosas y cualidades tales como la suavidad, la aspereza y la temperatura.

— *Las personas invidentes tienen, por lo general, muy desarrollado el sentido del tacto*.

2. Acción de tocar.

— *Al tacto reconoció que aquella bolsa no era la suya*.

3. Forma en que los objetos impresionan el sentido del tacto.

— *No me agrada esa blusa porque tiene un tacto muy áspero*.

4. Habilidad para hablar o tratar asuntos delicados, o para dirigirse a personas sensibles u obtener algo de alguien. ☞ **tino, discreción, delicadeza.** ❖ IMPRUDENCIA, INDISCRECIÓN.

— *Le dio la noticia de su despido con mucho tacto, tratando de no lastimarlo*.

5. Método de exploración digital que se practica en la vagina o el recto, con el dedo enguantado. ☞ **palpación, palpadura.**

— *Tuvo que someterse a un examen de tacto vaginal*.

tachar 1. Atribuir a algo o a alguien una falta o defecto. ☞ **acusar, censurar, inculpar, tildar.** ❖ HONRAR.

— *Le han tachado de incumplido y ahora no hay manera de que se quite esa fama*.

— cualidad negativa que se atribuye a alguien o a algo: *tacha, falta, defecto*.

2. Suprimir algo escrito sobreponiéndole rayas o un borrón.

— *Tuve que tachar un párrafo completo de mi composición porque al profesor no le gustó*.

— acción y resultado de tachar: *tachadura*.

— raya con que se tacha lo escrito: *tachón, borrón, rayadura*.

3. Alegar contra un testigo algún motivo legal para que no sea creído en el pleito.

— *El fiscal tachó al testigo de ser parcial en su testimonio*.

— motivo legal para desestimar en un pleito la declaración de un testigo: *tacha*.

tachonar Adornar o clavetear algo con tachones. ☞ **clavetear.**

— *El sillón tenía un forro de piel, tachonado por los bordes*.

— clavo pequeño: *tacha*.

— tachuela grande, de cabeza dorada o plateada: *tachón*.

— en forma figurada, salpicado de aquello que se expresa: *tachonado*.

— clavo corto y de cabeza grande, cuya espiga se adelgaza gradualmente hacia la punta: *tachuela*.

— persona de baja estatura: *tachuela, tapón*.

tafanario Tabalario.

tafetán Tela, generalmente de seda, y actualmente también de rayón.

— no estar una situación apropiada para algo que se propone: *no estar la Magdalena para tafetanes*.

tahalí Correa que cae desde el hombro derecho hasta el lado izquierdo de la cintura, de la que se cuelga la espada, el sable o el tambor. ☞ **bálteo, charpa, tahelí, tiracuello.**

— caja de cuero pequeño en la que los soldados moros llevaban el Corán y los cristianos reliquias y oraciones: *tahalí*.

tahúr Jugador profesional o que hace trampas en el juego. ☞ **jugador, fullero.**

— actividad de los tahúres: *tahurería*.

— casa de juego: *tahurería, garito, timba.*

taimado, -da Astuto, maligno y disimulado. ☞ **ladino, marrullero.** ❖ DECENTE, HONESTO.

— proceder de una persona taimada: *taima, taimería, marrullería.*

taita Nombre con el que, en algunos lugares de América, los niños llaman al padre o a las personas de respeto. ☞ **tata.**

tajar 1. Dividir una cosa en dos o más partes, con un instrumento cortante. ☞ **cortar, rajar.** ❖ UNIR.

— *Fue necesario que diera un fuerte hachazo para tajar el tronco de ese árbol.*

2. Cortar la pluma de ave que se empleaba antiguamente para escribir.

— *Mi ayudante tajó varias plumas muy hermosas.*

tajea Construcción de ladrillo con que se recubren las cañerías para protegerlas. ☞ **atarjea.**

tajo 1. Corte profundo hecho con un instrumento cortante. ☞ **corte, tajadura, tajo.**

— *Estaba distraído y se dio un tajo en el dedo al cortar la carne.*

2. Corte que se da con arma blanca, llevando el brazo de derecha a izquierda.

— *Le dio un tajo en el pecho que casi le cuesta la vida.*

3. Sitio hasta el que llega, en una jornada de trabajo, una cuadrilla de operarios o trabajadores, como por ejemplo, de segadores, mineros, etc.

— *Los mineros estaban satisfechos del tajo de la jornada.*

4. Trabajo en que se ocupa una persona. ☞ **tarea, ocupación.**

— *Mañana ya es lunes y, ¡vuelta al tajo!*

5. Pedazo grueso de madera que sirve para cortar o picar carne, y sobre el cual antiguamente se cortaba la cabeza a los condenados.

— *Aquella violenta mañana el tajo quedó bañado en sangre tras la ejecución de todos los rebeldes.*

6. Corte brusco y profundo en el terreno. ☞ **acantilado, desfiladero.**

— *El cauce profundo del río formaba tajos.*

tal 1. Aplica al nombre una determinación por algo previamente expresado. ☞ **semejante.**

— *No creí que fuera capaz de tal bajeza.*

2. Expresa un matiz despectivo o ponderativo. ☞ **semejante.**

— *No quiero tener tratos con tal individuo.*

3. Se repite en una frase para expresar una correlación.

— *De tal padre, tal hijo.*

4. Se emplea para referirse en forma indeterminada a algo dicho en un discurso que se cita.

— *Me dijo que iba a ver a tales personas y después regresaba.*

talabartería Taller de artesanía donde se fabrican guarniciones para caballerías y diversos artículos de cuero. ☞ **guarnicionería.**

— cinturón de cuero del que pende el sable: *talabarte.*

— hombre que se dedica a hacer artículos de cuero: *talabartero, guarnicionero.*

talacho En México, instrumento de labranza. ☞ **azada.**

taladrar 1. Hacer un agujero a algo con un taladro u otra herramienta. ☞ **agujerear, horadar, perforar.**

— *Tuvieron que taladrar la pared para pasar los cables del teléfono.*

— acción y resultado de taladrar: *taladrado, horadado.*

— que taladra: *taladrador.*

— instrumento de filo cortante y giratorio que sirve para taladrar: *taladro, barrena, taladradora.*

2. Lastimar los oídos con un sonido muy intenso y agudo.

— *Aquella música taladraba los oídos.*

tálamo 1. Lugar preeminente donde los novios celebraban sus bodas y recibían los parabienes.

— *El tálamo estaba cubierto de flores blancas.*

2. Cama de los desposados y lecho conyugal.

— *Mis padres compartieron el tálamo durante quince años.*

talante 1. Estado o disposición de ánimo en que se encuentra una persona para tratar con ella. ☞ **humor, disposición.**

— *Será mejor que esperes para hablar con él, porque ahora no está de buen talante.*

2. Actitud de agrado o desagrado con que se hace algo. ☞ **deseo, disposición, voluntad.**

— *Hizo sus tareas de buen talante y con rapidez.*

talar 1. Cortar por el pie los árboles de un bosque, dejándolo despoblado. ☞ **desmontar, segar.** ❖ REFORESTAR.

— *En unos cuantos años han talado millones de árboles en el sureste del país.*

— acción y resultado de talar: *tala.*

— el que o lo que tala: *talador.*

2. Destruir campos, casas o poblaciones. ☞ **arrasar, devastar.**

— *La guerra taló toda aquella región y los pocos sobrevivientes tuvieron que emigrar.*

3. Vestidura, generalmente eclesiástica, que llega hasta los talones, como por ejemplo, las sotanas.

— *Al terminar la misa, el sacerdote se despojó de sus vestiduras talares.*

talco Mineral (silicato de magnesio) infusible, de textura hojosa, muy suave al tacto y lustroso; reducido a polvo se usa en farmacia y para la higiene personal.

— *El talco de aroma lavanda es el preferido de mi abuelo.*

talega 1. Saco grande y de tela fuerte que se usa para guardar o llevar cosas. ☞ **fardel, morral, costal, talego.**

— *El padre de la novia ofreció como dote dos talegas de trigo y una vaca.*

— golpe que se da a una persona al caer por ejemplo, las sotanas de espaldas o de costado: *talegada, talegazo, costalada.*

2. Dinero o posesiones de una persona. ☞ **caudal.**

— *Ofreció todas sus talegas a quien encontrara a su hijo.*

3. Persona gorda y ancha de cintura.

— *Con todo lo que comes pronto estarás hecho una talega.*

talento 1. Capacidad intelectual de una persona. ☞ **inteligencia, entendimiento.** ❖ CORTEDAD, TONTERÍA.

— *Es un chico con mucho talento que siempre sobresale en los estudios.*

— que tiene talento: *talentoso, brillante, inteligente.*

2. Aptitud para hacer una cosa determinada. ☞ **destreza, facilidad, habilidad.** ❖ TORPEZA.

— *Tiene un gran talento para la danza.*

talión Castigo que consiste en hacer sufrir al condenado un daño igual al que causó.

— máxima de la ley del talión: *"ojo por ojo y diente por diente".*

— imponer la pena del talión: *talionar.*

talismán Objeto o dibujo que puede tener alguna relación con los signos del zodíaco, al que se le atribuyen virtudes mágicas. ☞ **amuleto.**

Talmud Compilación de las tradiciones de los judíos, hecha en el siglo II.

— perteneciente o relativo al Talmud: *talmúdico.*

— que profesa las doctrinas del Talmud, que sigue sus dogmas o se ocupa de estudiarlo y explicarlo: *talmudista.*

talo Cuerpo de las plantas en que no hay diferenciación de tallo, hojas y raíz.

— tipo primordial del reino vegetal que comprende las algas, hongos y líquenes, además de las esquirofilas, en que se incluyen las bacterias: *talofitos.*

talón 1. Parte posterior del pie humano. ☞ **calcañar.**

— echar a correr: *apretar los talones, escapar.*

— estar a punto de alcanzar a una persona, en forma literal o figurada: *pisarle los talones.*

— punto vulnerable de una persona: *talón de Aquiles.*

— andar a pie, con mucha prisa, haciendo gestiones: *talonear, taconear.* 2. Zona del zapato, calcetín o media que corresponde a esta parte del pie.

— *El talón de este zapato me lastima mucho.*

tallar 1. Cortar una piedra, madera, cristal o cualquier otro material duro, para hacer adornos en bisel o darle alguna forma determinada.

— *Para tallar los diamantes se requiere de mucha experiencia y precisión.* 2. Realizar una escultura cortando la piedra, madera o materia que se trabaja. ☞ **cincelar, esculpir, labrar.**

— *El artista talló sobre mármol una hermosa figura femenina.*

— acción de tallar: *talla, tallado.*

— obra escultórica, en especial de madera: *talla.*

— artesano que talla en madera: *tallista.* 3. Dibujar haciendo cortes en material duro. ☞ **grabar.**

— grabador en hueco o de medallas: *tallador.* 4. Medir la estatura de una persona, en forma literal o figurada. ☞ **apreciar, medir, valorar.**

— *Están tallando al nuevo empleado, para ver si se queda con el puesto de supervisor.*

tallarín Cada una de las tiras estrechas de pasta alimenticia que se emplean para preparar sopas.

talle 1. Estrechamiento del cuerpo humano que separa el tórax y las caderas. ☞ **cintura.**

— *Con sus largas piernas y su talle estrecho, aquella chica hacía suspirar a muchos hombres.* 2. Parte de un vestido que corresponde a la cintura.

— *El vestido tiene el talle ajustado y la falda amplia.* 3. Medida tomada desde el cuello hasta la cintura.

— *Su talle era muy largo en proporción a las piernas.* 4. Proporción general del cuerpo, desde el punto de vista estético. ☞ **apariencia, figura.**

— *Aquel torero tenía un talle airoso y elegante.*

taller 1. Sitio donde se realiza un trabajo manual.

— *José trabaja en un taller de carpintería desde hace cinco años.* 2. Subdivisión de una industria, en la que se desarrollan operaciones específicas del proceso de fabricación.

— *La última operación sobre la tela se realiza en el taller de apresto.*

tallo Órgano vegetal que crece en sentido contrario al de la raíz y sirve de sostén a las hojas, flores y frutos.

— echar brotes las simientes, bulbos o tubérculos de las plantas: *tallecer, entallecer.*

— de tallo grande o con muchos tallos: *talludo.*

tamal Especie de panecillo de masa de harina de maíz rellena con carne que se cuece envolviéndolo en hojas de plátano o del mismo maíz.

— preparar tamales: *tamalear.*

— persona que hace o vende tamales: *tamalero.*

tamalayote Especie de calabaza.

tamaño 1. Volumen o dimensión de una cosa. ☞ **magnitud, medida.**

— *Esa cama es demasiado grande para el tamaño de la habitación.*

— magnitud de algo que se reproduce con las mismas dimensiones que éste tiene: *tamaño natural.* 2. Importancia o magnitud de algo. ☞ **semejante, tal.**

— *Se quedó helado al escuchar tamaña noticia.*

tamarindo 1. Planta africana arbórea de tronco grueso, copa extensa, flores amarillas en espiga y frutos en forma de legumbres pulposas.

— *La madera del tamarindo es muy apreciada por ser inatacable por la carcoma y otros insectos.* 2. Fruto de esta planta, de sabor agridulce, con el que se preparan confituras y bebidas.

— *Cada vez que va a Acapulco nos trae dulces de tamarindo.*

tamazul Sapo marino mexicano de gran tamaño.

tambalearse Moverse una persona o una cosa de un lado a otro, por falta de equilibrio o fuerza. ☞ **bambolearse, oscilar, trastabillar.**

— que se tambalea: *tambaleante.*

— movimiento de lo que se tambalea: *tambaleo, vaivén.*

también Se usa para afirmar igualdad, semejanza, conformidad o relación de una cosa con otra ya nombrada. ☞ **además, así, asimismo, de la misma manera, igualmente.**

tambor Instrumento musical de percusión, de madera o metal, en forma de cilindro hueco, cuyas dos bases están cubiertas con piel estirada.

— músico que toca este instrumento: *tambor, tamborilero.*

tameme Cargador indio que acompañaba a los viajeros.

tamizar Pasar algo por el tamiz. ☞ **cerner.**

— cedazo muy tupido: *tamiz.*

tampoco Se emplea para negar algo después de haberse negado otra cosa.

tan Apócope de "tanto" cuando antecede a un adjetivo o a otro adverbio.

— por lo menos: *tan siquiera.*

tanate Mochila de cuero o de palma. ☞ **morral, zurrón.**

tanda 1. Cada grupo en que se distribuye un total de personas, animales o cosas, por lo general en una actividad o trabajo.

— *La primera tanda de obreros empezó la jornada a las 5 de la mañana.*

— distribución del agua de riego alternativamente o por tandas: *tandeo.* 2. Cantidad indeterminada de ciertas cosas de un mismo género, que se dan o se hacen sin interrupción.

— *Le dieron una tanda de azotes por haber lastimado a su hermanito.* 3. Turno para participar en algo. ☞ **alternativa, ronda, turno.**

— *Me toca jugar en la siguiente tanda.*

tándem 1. Bicicleta para dos personas, con doble juego de pedales.

— *Dimos un paseo por el parque en un tándem y resultó muy divertido.* 2. Equipo formado por dos personas.

— *La pareja se convirtió en el tándem más famoso del espectáculo musical.*

tanga Bikini de dimensiones muy reducidas.

tangir 1. Hacer sonar un instrumento musical.

— *Logra tangir el contrabajo de forma angelical.*

— que puede ser percibido por el tacto, que es real o comprobable: *tangible, palpable.* ❖ INTANGIBLE. 2. Tañer las campanas o un instrumento.

— *Las campanas de la misa de doce tangían alegremente.*

tango Baile, música y letra de este baile, cuya variante más popular es la argentina.

— exagerar la gravedad de una situación: *hacer un tango.*

tanino Sustancia astringente que contienen algunos vegetales y se usa en la farmacología y para curtir pieles.

— que contiene tanino: *tánico.*

tanque 1. Vehículo de guerra, blindado y artillado, capaz de andar por terrenos escabrosos.

— *Los tanques alemanes entraron a la ciudad arrasando todo lo que hallaban a su paso.*

2. Vehículo cisterna en que se transporta agua, petróleo o cualquier otro líquido.

— *El tanque de gasolina se volcó produciéndose un incendio enorme.*

3. Barco cisterna que transporta agua para aprovisionar a otros barcos. ☞ **buque tanque.**

— *Esperaremos en este puerto al tanque que ha de proveernos agua.*

4. Depósito de agua. ☞ **aljibe, cuba.**

— *No hay agua; el tanque está seco.*

tantear 1. Calcular en forma aproximada el valor, cantidad, peso, tamaño, etc., de algo, empleando los sentidos u otro medio. ☞ **calcular.**

— *Tanteó el paquete y adivinó lo que había dentro de él.*

2. Ensayar algo antes de ejecutarlo, para asegurar el resultado. ☞ **examinar, probar.**

— *Estuvo tanteando el piso antes de hacer traer la maquinaria.*

3. Explorar el ánimo o actitud de una persona antes de pedirle o proponerle algo. ☞ **averiguar, sondear.**

— *Antes de solicitar el aumento, estuvo tanteando la opinión que tenía el jefe de su trabajo.*

4. Engañar a una persona. ☞ **timar.**

— *Lo tantearon como a un niño.*

tanto, -ta 1. Seguido de "como" se emplea para establecer comparaciones de igualdad de cantidad.

— *Tiene tanto encanto como su madre.*

2. Seguido de "que", explícito o no, denota una gran cantidad de lo que se expresa.

— *Fue tanta comida la que me sirvieron que no pude terminármela.*

3. Por sí solo, expresa ponderación.

— *Tanta felicidad nunca había conocido.*

4. Se utiliza con valor de expresión indeterminada, para designar un número o cantidad que no se puede precisar o no interesa.

— *En mil ochocientos y tantos ocurrió esto que les cuento.*

5. Equivale a "eso", con la idea de calificación o ponderación.

— *No pensé que se atreviera a tanto.*

6. Cada punto que logra un jugador o equipo frente a su adversario.

— *Ganó por cinco tantos a cero.*

7. Seguido de "mejor", "peor", "mayor", "menor", "menos" y "más", refuerza la comparación de desigualdad.

— *Tanto mayor fue su pena al enterarse que también había perdido todos sus bienes.*

tañer 1. Tocar un instrumento musical. ☞ **pulsar, rasguear, tocar.**

— *Todas las noches tañía con tristeza su guitarra.*

2. Tocar las campanas. ☞ **doblar.**

— *Las campanas tañen a las siete de la mañana.*

— sonido del instrumento que se tañe, particularmente de las campanas: *tañido, campaneo, rasgueo.*

3. Tamborilear con los dedos sobre algo. ☞ **tabalear.**

— *Estaba tan impaciente que no dejaba de tañer sobre la mesa.*

tapar 1. Cubrir o cerrar algo que está abierto o descubierto. ☞ **cegar, taponar, obstruir, ocluir.** ❖ ABRIR, DESTAPAR.

— *Espero que pronto tapen ese hoyo de la calle pues ya ha habido varios accidentes.*

2. Estar una cosa delante de otra, ocultándola o protegiéndola. ☞ **cubrir, esconder, ocultar, proteger, interceptar.** ❖ DESCUBRIR.

— *Esos edificios tapan la luz del sol.*

3. Cubrir con ropa. ☞ **abrigar, arropar, cobijar, vestir.** ❖ DESABRIGAR, DESCUBRIR, DESVESTIR.

— *Por las noches aquí hace mucho frío, es mejor que te tapes muy bien.*

4. Hacer que pase inadvertida la falta cometida por una persona, para evitar que sea castigada. ☞ **cubrir, disimular, encubrir.** ❖ DELATAR, DENUNCIAR.

— *Si sigues tapándole todos sus errores le causarás un gran daño a futuro.*

tapayagua Lluvia uniforme y fina. ☞ **llovizna.**

tapesco En México y América Central, especie de zarzo que sirve de cama o que colocado en alto funciona como estante.

tapete Cubierta de paño u otro material que se coloca para resguardar o adornar tanto las mesas como otros muebles o el piso.

— estar un asunto en discusión o pendiente de ser resuelto: *estar sobre el tapete.*

— proponer un tema para que sea discutido: *poner sobre el tapete.*

— mesa de juego de azar: *tapete verde.*

tapiar Cerrar un espacio o abertura con una tapia. ☞ **amurallar, empalizar, vallar.**

— no oír: *estar (ser) más sordo que una tapia.*

— muro o cerca hecho de obra de albañilería: *tapia, empalizada, muro, valla.*

— panel de encofrado que se emplea para la construcción de muro: *tapial, pared, tapia.*

tapioca Fécula blanca y granulada que se obtiene de la raíz de la mandioca o

yuca, y se emplea para sopa. ☞ **mandioca.**

tapiscar Cosechar el maíz, desgranando la mazorca.

— recolección del maíz: *tapisca, chapisca.*

tapizar 1. Cubrir las paredes o el suelo con tela o hule estampados. ☞ **entapizar.**

— *Quiere tapizar su habitación con una tela en colores pastel.*

— tejido ornamental y grueso que se emplea para cubrir las paredes o disimular las puertas: *tapiz.*

— arte y técnica de hacer tapices: *tapicería.*

— conjunto de tapices: *tapicería.*

— persona que teje tapices: *tapicero.*

2. Forrar y mullir con tela sillas, divanes y otros muebles.

— *Las sillas del comedor deberán ser tapizadas con cretona.*

— tela para cortinas, tapizado de muebles y decoración en general: *tapicería.*

— persona que tapiza muebles y hace, coloca o vende cortinajes: *tapicero.*

taquicardia Aumento de la frecuencia del ritmo cardíaco.

taquigrafía Sistema para escritura rápida que se basa en el uso de abreviaturas y signos convencionales, suprimiendo todo lo superfluo y accesorio de la escritura usual. ☞ **estenografía.**

— escribir por medio de taquigrafía: *taquigrafiar.*

— que se dedica a la taquigrafía: *taquígrafo, estenógrafo.*

taquilla 1. Armario con casillas usado para clasificar documentos en las oficinas. ☞ **casillero, papelero.**

— *Debes guardar estos documentos en la taquilla pues podrían traspapelarse.*

2. Casillero para los billetes de teatro, ferrocarril, etc., y por extensión, despacho en que se expenden billetes, entradas, etc. ☞ **boletería, casilla.**

— *La taquilla para la función de cine de esta noche la abren hasta las cinco.*

— persona encargada de un despacho de billetes: *taquillero.*

3. Dinero que se recauda en dicho despacho.

— *La plaza de toros de la capital hará buena taquilla con el cartel del domingo.*

— artista o espectáculo que por su popularidad garantiza grandes beneficios de taquilla: *taquillero.*

taquimecanografía Oficio de escribir a máquina y en taquigrafía.

— que practica la taquimecanografía: *taquimecanógrafo.*

taquímetro Instrumento semejante al

teodolito, que sirve para medir a un tiempo distancias y ángulos horizontales y verticales.

— parte de la topografía que enseña a levantar planos por medio del taquímetro: *taquimetría.*

tara 1. Parte del peso que se rebaja en los géneros o mercancías por razón del envase, saco o vasija en que están contenidos.

— *En la etiqueta de la caja de arroz consta que la tara es de sesenta gramos.*

— determinar en el peso de una mercancía lo que corresponde a la tara: *tarar.*

2. Peso sin carga de un vehículo destinado a transporte.

— *Los camiones suelen llevar una placa que indica la tara, entre otras cosas.*

3. Defecto que disminuye el valor de alguien o algo.

— *A pesar de sus taras, ese hombre llegó a cumplir todos sus objetivos profesionales.*

— que tiene una tara física o psíquica: *tarado, defectuoso, tonto.*

tarabilla 1. Zoquetillo de madera que sirve para cerrar las puertas o ventanas. ☞ **aldabilla.**

— *Se ha atorado la tarabilla de la ventana y no puedo abrirla.*

2. Manera de hablar de prisa y desordenadamente.

— *Era tal su tarabilla al explicar lo sucedido que ni él mismo se entendía.*

3. Que habla demasiado y en forma atropellada. ☞ **cotorra, parlanchín.**

— *Siempre evito encontrarme con esa mujer porque es una tarabilla.*

tarambana Persona alocada, de poco juicio. ☞ **botarate, irresponsable.** ❖ JUICIOSO, RESPONSABLE.

tararear Cantar una canción en voz baja y sin pronunciar las palabras, sustituyéndolas por sílabas como "ta" y "ra". ☞ **canturrear.**

— acción de tararear: *tarareo.*

tarascar Morder o herir con los dientes; se dice hablando de perros.

— herida hecha con los dientes: *tarascada.*

tardar 1. Invertir un tiempo determinado en hacer algo. ☞ **dilatar, tomar.**

— *Tardamos tres días en llegar hasta la frontera.*

2. Dejar pasar más tiempo del conveniente, necesario o previsto antes de hacer algo. ☞ **demorar, dilatar.** ❖ ANTICIPAR, ADELANTAR.

— *Tardaron demasiado y ya no los pudimos esperar.*

tarde 1. A hora avanzada del día o de la noche. ❖ TEMPRANO

— *Mañana domingo pienso levantarme tarde.*

2. Después del momento oportuno, conveniente o necesario. ☞ **extemporáneo, inoportuno.**

— *La ambulancia llegó demasiado tarde y el herido murió.*

3. Tiempo que transcurre desde el mediodía hasta la puesta del sol.

— *Esta tarde iremos al cine.*

tarea 1. Cualquier obra o trabajo. ☞ **faena, labor, ocupación.**

— *Las tareas del hogar no le resultan muy agradables.*

— estar muy ocupado: *atareado.*

2. Trabajo que debe hacerse en un tiempo determinado. ☞ **deber.**

— *Le dejaron mucha tarea de matemáticas.*

tarifa Tabla o escala de precios, derechos o impuestos. ☞ **arancel, cuota.**

— fijar o aplicar una tarifa: *tarifar.*

tarima Plataforma de madera, por lo general movible y de poca altura, destinada a diversos usos, particularmente, a colocar la mesa y silla del profesor, en las escuelas. ☞ **estrado, tablado.**

tarjeta 1. Cartulina pequeña en la que van impresos el nombre, la dirección y la actividad de una persona o empresa. ☞ **tarjeta de visita.**

— *Dejó su tarjeta para que nos comuniquemos con él si se requieren sus servicios.*

— cartera para llevar tarjetas de visita: *tarjetero.*

2. Cualquier cartulina en que va escrita o impresa una cosa cualquiera. ☞ **ficha, invitación, participación.**

— *La tarjeta del paquete indicaba la fecha de caducidad del contenido.*

— la que se emplea como carta sin sobre: *tarjeta postal.*

— tarjeta en la que, además de los datos generales del auto, se acredita su registro oficial y el nombre del propietario: *tarjetón.*

3. Adorno arquitectónico en relieve, en el que va escrito algo o dibujado un emblema, un escudo, etc. ☞ **tarja.**

— *La tarjeta de este edificio es de cerámica de Puebla.*

tarlatana Tejido ralo de algodón semejante a la muselina, propio para mosquiteros, telas de encuadernación y otros usos.

tarot (vea ilustración de la p. 641). Juego de naipes especialmente dedicado a la adivinación o cartomancia.

tarro Vaso de barro cocido y vidriado, elaborado con vidrio u otra materia, de forma cilíndrica y generalmente más alto que ancho.

tarso Conjunto de huesos de la parte pos-

terior del pie, comprendida entre los huesos de la pierna y los metatarsos.

tarta Pastel grande relleno de algo dulce. ☞ **torta.**

tartán Tela de lana con dibujos de cuadros (escocesa).

tártaro 1. Costra que se forma en las paredes de la vasija en la que fermenta el vino.

— *El tártaro puede ser blanquecino o rojizo, según proceda de vino blanco o tinto.*

2. Sarro de los dientes.

— *El dentista me hizo una limpieza bucal quitándome el tártaro.*

3. Carne que se sirve cruda y aderezada con varios condimentos, especias, salsas y zumo de limón.

— *Como segundo plato pidió un bistec tártaro.*

tartufo Persona hipócrita y falsa. ☞ **desleal, pérfido, traidor.** ❖ FRANCO, LEAL, SINCERO.

tarugo 1. Trozo grueso y corto de madera. ☞ **taco, zoquete.**

— *Encajé un tarugo en el marco de la puerta para que no se cerrara.*

2. Persona inculta o torpe. ☞ **tonto, zopenco, zoquete.** ❖ ABUSADO, DESPIERTO, LISTO.

— *No le des el trabajo, es un tarugo.*

— torpeza cometida por alguien: *tarugada, tontería.*

tasar 1. Determinar la autoridad competente el precio o el límite máximo o mínimo para las mercancías.

— *Las autoridades han tasado la nueva lista de productos de importación.*

— acción y resultado de tasar: *tasa, tasación, medida, norma.*

— que tasa: *tasador.*

2. Fijar un límite a algo, ya sea por prudencia o por tacañería. ☞ **limitar.**

— *El médico ha tasado la cantidad de azúcares que puede ingerir.*

3. Asignar a una cosa el valor que le corresponde. ☞ **evaluar, valorar.**

— *Han tasado este cuadro en diez mil dólares.*

tasajear Picar la carne. ☞ **atasajear.**

— pedazo de carne seco y salado: *tasajo, cecina.*

tasca Taberna.

tata 1. Apelativo afectuoso con que se nombra en Hispanoamérica al padre y que en ocasiones se emplea como tratamiento de respeto. ☞ **papá, padre.**

— *El niño explicó a aquel hombre que su tata no estaba porque desde muy temprano se iba al campo.*

2. Nombre infantil con que se designa a la niñera y, por extensión, con sentido un poco despectivo, a las muchachas de servicio. ☞ **chacha, nana.**

tarot

El tarot fue empleado tanto para decir la fortuna como en una serie de juegos de cartas, hasta por el año 1377, cuando se dio a conocer en Alemania. Su historia, no obstante, se remonta al antiguo Egipto.

Un juego completo de tarot consta de 78 cartas, de las que 22 son esotéricas, las llamadas "arcanos principales". Las otras 56, denominadas "arcanos secundarios", pueden ser utilizadas como el juego de naipes común, cuyos cuatro palos vendrían a ser: espadas, mazos (picas), copas (corazones) y pentaclos (diamantes).

Las cartas del tarot incluyen algunos de los antiguos símbolos surgidos de la mente humana, como la Luna, el Sol, los amantes, el diablo, el ahorcado, el emperador, el juicio, la muerte y el árbol de la vida. Cuando las cartas se aplican a la adivinación, cada una influye el significado de la que tiene al lado, y el lector del tarot utiliza mucha intuición.

La ilustración muestra cartas *minchiate*, una forma italiana de tarot del siglo XVIII.

— *El niño dijo querer más a su tata que a su propia madre.*

tatarabuelo, -la El padre o la madre del bisabuelo o bisabuela de una persona.

tatole Acuerdo al que llegan varias personas para cometer un acto indebido o delictivo. ☞ **conspiración, convenio.**

tatuar Grabar dibujos en la piel humana, introduciendo materias colorantes bajo la epidermis.
— acción y resultado de tatuar: *tatuaje.*
— dibujo hecho por este procedimiento: *tatuaje.*

taumaturgo Autor de prodigios o milagros y, por extensión, quien es admirable.
— facultad de realizar prodigios: *taumaturgia.*
— que pertenece a los taumaturgos o a la taumaturgia o se relaciona con ellos: *taumatúrgico.*

tauro Segundo signo del zodíaco, correspondiente a la zona recorrida por el Sol desde el 20 de abril al 20 de mayo.

tauromaquia Arte de lidiar toros. ☞ **fiesta brava, toreo.**
— conjunto de todas aquellas personas que intervienen directa o indirectamente en la organización y curso de las corridas: *taurinería.*
— que pertenece a los toros o a las corridas de toros o se relaciona con ellos: *taurino.*

tautología Figura retórica que consiste en repetir una misma idea con otras palabras o repetición innecesaria e inútil, al menos en sentido lógico, de un mismo pensamiento o idea. ☞ **pleonasmo.**
— relativo a la tautología: *tautológico.*

taxativo, -va Que limita, circunscribe y reduce un caso a determinadas circunstancias. ☞ **expreso, limitativo, preciso.** ❖ IMPRECISO, TÁCITO.
— de manera taxativa: *taxativamente, concretamente.*

taxidermia Arte de disecar animales.
— que practica la taxidermia: *taxidermista, disecador.*

taxímetro Aparato de que van provistos los automóviles de alquiler, el cual marca automáticamente la distancia recorrida y la cantidad devengada, o sólo esta última. ☞ **odómetro.**
— nombre corriente con que se designan los autos de alquiler que llevan taxímetro: *taxi.*
— conductor de taxi: *taxista.*

taxonomía Parte de la historia natural que estudia la clasificación de los seres.
— que pertenece a la taxonomía o se relaciona con ella: *taxonómico.*

taza 1. Vasija pequeña profunda y con asa, por lo común de loza o de metal, que se emplea para tomar líquidos.
— *El niño rompió accidentalmente la taza de porcelana de su abuelita.*
— vasija un poco mayor que la taza y sin asa: *tazón.*

2. El contenido de la misma.

— *Todas las mañanas desayuna una taza de café con pan.*

3. Receptáculo donde cae el agua de las fuentes. ☞ **pilón.**

— *La taza de la fuente era de mármol.*

4. Receptáculo del retrete.

— *La taza debe desinfectarse a diario.*

té 1. Planta arbórea de gran longitud, cuyas hojas se emplean para hacer una infusión.

— *La cosecha de té no fue abundante este año.*

— plantas de la misma familia que el té, de las cuales las más conocidas son la camelia y la gardenia: *teáceas.*

— alcaloide contenido en el té y en el café: *teína, cafeína.*

2. Hojas de esta planta preparadas para hacer una infusión.

— *La preparación del té consiste en secar, arrollar y tostar ligeramente las hojas.*

3. Infusión de estas hojas, que tiene propiedades estimulantes, estomacales y alimenticias. ☞ **cocimiento, infusión, pócima.**

— *En la buena calidad del té influyen la temperatura del agua y la duración de la infusión.*

— recipiente donde se hace y se sirve el té: *tetera*

4. Reunión de personas que se celebra por la tarde, y durante la cual se sirve un refrigerio del que forma parte el té.

—*Acostumbraba ir todas las tardes al té en casa de sus amigos ingleses.*

tea Astilla de madera resinosa que arde con mucha facilidad y llama viva. ☞ **antorcha, cuelmo, hacha.**

— *A la luz de las teas, aquellas figuras se veían aún más siniestras.*

— madera que, por ser abundante en resina, sirve para tea y se rompe limpiamente y sin astillas: *teosa.*

teatro (vea ilustración) 1. Edificio o local destinado a la representación de obras dramáticas o musicales y a espectáculos de variedades. ☞ **sala de espectáculos.**

— *Los primeros teatros romanos constaban de dos partes esenciales: un espacio circular en el que se ejecutaban las danzas y el hemiciclo con gradas para los espectadores.*

2. Público que asiste a una representación.

— *El teatro entero aplaudió la obra con emoción.*

3. Literatura dramática como género literario o como conjunto de obras dramáticas de un autor, una época, un país, etc. ☞ **dramaturgia.**

— *El teatro chino se caracteriza por*

los trajes deslumbrantes y por la música, ruidosa en extremo.

4. Arte de componer obras dramáticas o de representarlas.

— *Es una pena que ese actor haya dejado el teatro para dedicarse a hacer películas baratas.*

5. Lugar en que se desarrollan ciertos sucesos. ☞ **escenario.**

— *El teatro de la contienda fue una amplia llanura a la salida de la ciudad.*

tecali Alabastro de México, de colores muy vivos, que abunda en Tecali, al este de Puebla.

tecla 1. Cada una de las piezas de un instrumento musical o de cualquier mecanismo, situadas en la parte exterior del mismo y que, pulsadas con la presión de los dedos, hacen sonar el instrumento o funcionar el mecanismo.

— *Dice que las teclas de mi máquina de escribir están muy duras y le cansan mucho.*

— conjunto de teclas de un instrumento o mecanismo: *teclado.*

— pulsar o tocar las teclas: *teclear.*

— golpear ligeramente sobre algo: *teclear, tamborilear.*

— acción y resultado de teclear: *tecleo.*

2. Cada cosa o detalle que se debe tomar en cuenta para lograr algo, y que lo dificulta.

— *Para que el negocio resulte bien, hay que tocar todavía muchas teclas.*

— recurrir a alguien para conseguir cierta cosa: *tocar la(s) tecla(s).*

técnico, -ca 1. Relativo a la aplicación de las ciencias para la obtención de resultados prácticos.

— *La técnica agrícola ha permitido elevar significativamente la producción de alimentos.*

2. Se aplica a los términos o expresiones propias del lenguaje de una ciencia, arte u oficio.

— *Debe comprarse un diccionario técnico para hacer la traducción de ese manual de computación.*

3. Persona que posee los conocimientos especiales de una técnica u oficio. ☞ **perito, experto.** ❖ LEGO.

— *Mañana vendrá un técnico para reparar la televisión.*

4. Conjunto de procedimientos y recursos que utiliza una ciencia, arte, oficio o actividad. ☞ **método, oficio.**

— *Su técnica de cirugía es sumamente avanzada.*

5. Cada uno de dichos procedimientos.

— *Debes aprender bien la técnica de las ventas antes de salir a ofrecer tus productos.*

6. Habilidad en el empleo de tales procedimientos y recursos. ☞ **indus-**

tria, maestría, pericia.

— *Ese torero tiene una gran técnica en el manejo de la muleta.*

7. Conjunto de las aplicaciones prácticas de las ciencias.

teatro

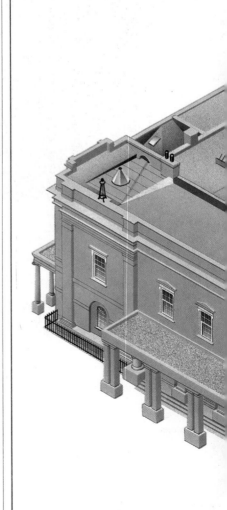

— *La técnica en el campo de la alimentación ha hecho grandes progresos.*

8. Medio para conseguir algo. ☞ **habilidad, destreza, maña.**

— *Toda su técnica de conquista no le sirvió parà enamorar a esa chica.*

tecolines Dinero, cuartos, plata.

tecomate 1. Especie de calabaza de cuello estrecho que se emplea en México como vasija.

— *Se rompió el tecomate y nos quedamos sin agua.*

2. Vasija de barro, a manera de taza honda.

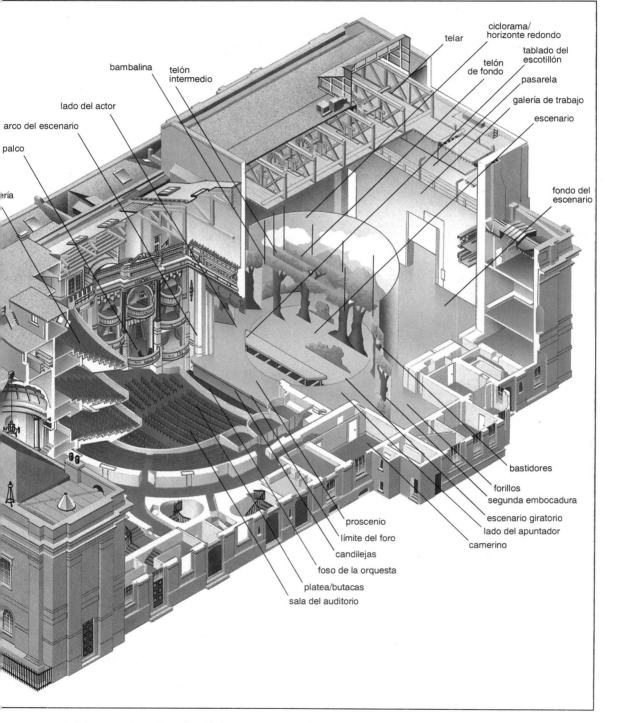

— Yo uso un tecomate bellamente labrado.

tectónica Parte de la geología que estudia las deformaciones de la corteza terrestre por efecto de fuerzas internas.

— que pertenece a la estructura de la corteza terrestre o se relaciona con ella: *tectónico.*

techo 1. Parte interior de una habitación, edificio o recinto, que lo cubre y cierra. ☞ **techado, techumbre.**

— Dado que el techo de las antiguas construcciones era muy alto, éstas se conservaban siempre frescas.

2. Cubierta de una construcción destinada a cobijar cualquier cosa, considerada interior y exteriormente. ☞ **tejado.**

— Cayó una gran rama sobre el techo, causándole graves daños.

— estar dentro de algún edificio, no al aire libre: *bajo techo.*

— poner techo a un edificio: *techar.*

3. Por extensión, lugar donde vivir. ☞ **casa, habitación, morada.**

— Aquí tendrás, al menos, techo y comida.

4. Altura máxima que puede alcanzar un avión.

— El techo de un avión depende de la potencia de su motor y de su sustentación, entre otras cosas.

5. Capacidad máxima de algo. ☞ **cupo, límite, tope.**

— La audiencia rebasó el techo previsto.

tedéum Himno religioso de acción de gracias que comienza con las palabras latinas "Te Deum".

tedio Repugnancia, hastío, fastidio, aburrimiento. ❖ ENTRETENIMIENTO, INTERÉS.

— sentir tedio por cierta cosa: *tediar, fastidiar.*

— que produce tedio: *tedioso, aburrido, enfadoso.*

tegumento 1. Tejido que cubre ciertas partes de las plantas. ☞ **membrana.**

— El tegumento recubre los óvulos de las semillas.

2. Tejido que cubre algunos de los órganos internos de un animal.

— Al infectarse el tegumento la vida del animal está en peligro.

— que pertenece al tegumento o se relaciona con él: *tegumentario.*

teja Pieza de barro cocido, en forma de canal, que se emplea para cubrir los techos de las casas y otras construcciones. ☞ **pizarra.**

tejemaneje 1. Agilidad y destreza con que se realiza algo. ☞ **afán, diligencia.** ❖ LENTITUD, PASIVIDAD.

— Se traía tal tejemaneje que real-

mente a todos nos dejó asombrados.

2. Actividad y manejos poco honestos o poco claros para conseguir algo. ☞ **argucia, enredo, intriga, subterfugio.**

— Finalmente descubrieron sus tejemanejes y lo despidieron.

tejer 1. Formar en el telar la tela con la trama y la urdimbre. ☞ **mallar, tramar, urdir.**

— Cogía la lanzadera de la máquina para tejer tapetes bellísimos.

2. Entrelazar hilos, esparto u otro material para formar trencillas, esteras, etc.

— Los artesanos de esta zona tejen unos cestos de mimbre muy hermosos.

3. Hacer labor, o una labor de punto, ganchillo, etc.

— Está tejiendo una chambra para su sobrino que nace el próximo mes.

4. Formar ciertos animales articulados sus telas, formaciones filamentosas y capullos.

— Aquella vieja casa tenía en cada rincón las telas que las arañas habían tejido durante años de abandono.

5. Preparar o elaborar algo, con orden y lentamente, a través de diversos razonamientos o actos. ☞ **labrar.**

— Ahora es tiempo de que empieces a tejerte un porvenir, estudiando y preparándote.

6. Elaborar una o varias personas una intriga o trampa, para engañar a un tercero. ☞ **armar, maquinar, tramar, urdir.**

— Durante meses estuvieron tejiendo la calumnia.

tejocote Planta rosácea mexicana cuyo fruto, parecido a la ciruela, es ácido.

tejolote Mano de piedra del mortero o molcajete.

tela 1. Tejido fabricado en un telar. ☞ **género, paño.**

— Necesito comprar dos metros de aquella tela para hacerle un vestido a mi hija.

2. Cualquier estructura delgada y flexible, especialmente la que se forma en la superficie de los líquidos. ☞ **flor, nata, película.**

— Hizo a un lado el vaso de leche diciendo que no soportaba tomársela una vez que se le formaba la tela.

3. Cuadro pintado. ☞ **lienzo.**

— Las telas que me mostró ese artista me parecieron poco interesantes.

4. Asunto que se va a tratar, discutir o estudiar. ☞ **materia, tema.**

— Supongo que la reunión terminará tarde porque el asunto de las reformas fiscales da tela para rato.

telamón Estatua masculina que hace de columna. ☞ **atlante.**

telar 1. Máquina para tejer.

— El enjulio y el cruzamiento son dos partes esenciales de un telar.

2. Parte superior del escenario, fuera de la vista del público, desde donde se hacen bajar los telones y bambalinas.

— Debemos preparar los movimientos del telar para que la obra sea un éxito.

3. Aparato en que los encuadernadores colocan los pliegos para coserlos.

— No puedo empastar este libro, pues se ha roto el telar.

telecomunicación Transmisión a distancia de mensajes hablados, sonidos, imágenes o señales convencionales, mediante conductores eléctricos, radioelectricidad, óptica u otros sistemas electromagnéticos.

teledifusión Transmisión de programas radiofónicos por cable.

teledirección Sistema de mando a distancia a base de aparatos emisores y receptores de radio, que permiten poner en marcha, dirigir y detener todo tipo de vehículos. ☞ **telemando.**

teleférico Sistema de transporte en terreno montañoso, formado por uno o varios cables, sobre los que se desplaza un carril del que van suspendidas cabinas de pasajeros o de carga de materiales.

teléfono 1. Sistema eléctrico de telecomunicación, por medio de cables, que hace posible la transmisión a larga distancia de la palabra. ☞ **telefonía.**

— El fundamento del teléfono moderno se basa en el ideado por A. G. Bell.

2. Aparato que permite hacer uso de este sistema.

— Los teléfonos modernos no tienen disco, sino botones.

telegrafía Sistema de telecomunicaciones que asegura la transmisión de mensajes gráficos o de documentos, mediante la utilización de un código de señales, a través de un hilo conductor o mediante ondas electromagnéticas.

telele Equivalente jocoso de "desmayo". ☞ **soponcio.**

teleobjetivo Objetivo fotográfico de mucha distancia focal, capaz de dar una imagen grande de un objeto lejano.

teleología Doctrina filosófica de los finalistas que, por oposición al mecanicismo, sostiene la existencia de una finalidad en la marcha del universo. ☞ **finalismo.**

— exponentes de la teleología: *Anaxágoras, Platón, Aristóteles.*

— que pertenece a la teleología o se relaciona con ella: *teleológico.*

telepatía Percepción a distancia del pensamiento de alguien o de la situación en que éste se encuentra, sin emplear los medios conocidos y habituales de comunicación. ☞ **percepción extrasensorial, telestesia.**

— que pertenece a la telepatía o se relaciona con ella: *telepático.*

telera 1. Nombre de las piezas que hacen de travesaño en algunos instrumentos o utensilios. ☞ **eje, travesaño.**

—*Las teleras están podridas, por eso el arado ya no sirve.*

2. En México, pan hecho a base de harina de trigo, empleado, entre otras cosas, para preparar tortas.

— *Muy temprano preparé teleras con jamón y queso.*

telescopio Instrumento óptico que permite ver a gran distancia, utilizado especialmente en astronomía.

teletipo Aparato telegráfico que permite transmitir directamente un texto, así como su inscripción, en letras de imprenta por medio de un teclado mecanográfico.

televisión Sistema de transmisión y reproducción simultánea a distancia de sonidos e imágenes en movimiento por medio de ondas electromagnéticas o mediante corrientes eléctricas transmitidas por cable.

— que mira la televisión: *telespectador, televidente.*

— obra de teatro transmitida por televisión: *teleteatro.*

— transmitir por televisión: *televisar.*

— que pertenece a la televisión o se relaciona con ella: *televisivo.*

— aparato receptor de televisión: *televisor, tele, TV.*

télex Servicio telegráfico con conexión directa entre los usuarios, por medio de teletipos, y transmisión de las señales mediante las corrientes portadoras de las líneas telefónicas.

telúrico, -ca Que pertenece a la Tierra, como planeta, o se relaciona con ella.

tema 1. Asunto de que se trata en una exposición, escrito o discurso en general. ☞ **asunto, materia.**

—*El tema de su conferencia es sumamente original e interesante.*

2. Idea musical, formada por una melodía o fragmento melódico, que sirve de base a una composición. ☞ **motivo.**

— *El tema de esa melodía se parece muchísimo a otra anteriormente escrita.*

3. Idea en la que una persona se obstina. ☞ **manía, obstinación.**

— *No es posible sacarlo del mismo tema.*

temascal Nombre con que se conocen en América Central y México, desde la época precolombina, los baños de vapor.

temblar 1. Moverse alguien o algo con sacudidas muy rápidas, cortas y repetidas. ☞ **estremecerse, tiritar, trepidar.**

— *La impresión la dejó temblando y no había manera de calmarla.*

2. Tener mucho miedo o estar asustado. ☞ **asustarse, temer.**

— *Me hace temblar el solo imaginar lo que pudo haberle pasado.*

temer 1. Sentir una persona que algo o alguien puede hacerle daño. ☞ **acobardarse, amedrentarse, asustarse, recelar.** ❖ CONFIAR, ENVALENTONARSE.

— *Le teme a la oscuridad desde que era niño.*

2. Pensarse que puede ocurrir algo malo, sin tener la seguridad de ello. ☞ **dudar, recelar, sospechar.**

— *No quiero prestarle el auto porque temo que pueda accidentarse.*

temerario, -ria 1. Valiente con imprudencia. ☞ **arriesgado, atrevido, osado.** ❖ COBARDE, PRECAVIDO, TEMEROSO.

—*Considero que ese hombre, más que valiente, es temerario.*

2. Aquello que se dice, hace o piensa sin fundamento o conocimiento de causa. ☞ **infundado, inmotivado.** ❖ FUNDAMENTADO, REFLEXIVO.

— *Tiende a hacer juicios temerarios.*

— cualidad o actitud de temerario: *temeridad, intrepidez, irreflexión.*

témpano 1. Pedazo o fragmento de forma plana de una cosa, generalmente dura.

—*Los témpanos de hielo, al derretirse, suelen causar grandes inundaciones.*

— quedarse aterido: *quedarse como un témpano.*

2. Tímpano de un frontón.

—*El tempano debe ir pintado de verde.*

3. Instrumento musical de percusión. ☞ **timbal.**

—*Su hermano toca los tímpanos en la orquesta del pueblo.*

temperamento 1. Conjunto de tendencias de una persona que condicionan sus reacciones y su conducta. ☞ **carácter, constitución, naturaleza.**

—*Tiene un temperamento irascible que lo hace una persona difícil de tratar.*

2. Cualidad de ciertas personas que reaccionan con vehemencia y viveza en sus emociones. ☞ **vitalidad, viveza, temple.** ❖ PASIVIDAD.

—*Su temperamento le ha servido para sobreponerse a todas las dificultades.*

temperatura 1. Grado de calor de los cuerpos.

— *Esa enfermedad provoca temperaturas muy altas que es necesario controlar.*

2. Grado de calor o frío en la atmósfera que se manifiesta en un lugar.

— *Se espera una temperatura templada para este fin de semana.*

tempestad 1. Fuerte perturbación de la atmósfera, acompañada de viento, lluvia, granizo o nieve y, sobre todo, de relámpagos y truenos. ☞ **borrasca, temporal, tormenta.**

—*Nos guarecimos en una cueva, pues la tempestad comenzó cuando estábamos en el campo.*

2. Agitación violenta del agua del mar, causada por la fuerza del viento.

— *La tempestad hizo azotar el barco contra los riscos.*

3. Explosión súbita y violenta de una o varias personas, como resultado de la aprobación o desaprobación de algo. ☞ **ráfaga, tronada.**

— *Sus palabras levantaron una tempestad de silbidos y gritos de rechazo.*

— ambiente tenso o a punto de violencia: *tempestuoso, agitado.*

templar 1. Moderar la fuerza de algo. ☞ **atemperar, calmar, sosegar.** ❖ EXACERBAR, IRRITAR.

— *La brisa del mar templaba el quemante calor del mediodía.*

2. Mezclar una cosa con otra para atenuar su fortaleza. ☞ **atenuar, suavizar.** ❖ CONCENTRAR.

— *Puedes agregar más agua a tu bebida para templar el sabor del alcohol.*

3. Moderar el ímpetu o la cólera de alguien. ☞ **aplacar, tranquilizar.** ❖ ENOJAR, IRRITAR.

—*No había palabras que pudieran templar a aquella muchedumbre furiosa.*

4. Quitar el frío a una cosa. ☞ **entibiar, calentar.** ❖ ENFRIAR.

— *Gracias al fuego de la chimenea, la habitación se fue templando poco a poco.*

5. Enfriar un material, como el hierro o el vidrio, en forma brusca y en agua o aceite para mejorar ciertas propiedades del mismo.

— *Al templar el hierro éste adquiere mayor dureza y elasticidad.*

— acción y resultado de templar: *temple.*

6. Colocar las cuerdas o notas de un instrumento en el tono debido. ☞ **afinar.** ❖ DESAFINAR.

—*El violinista templó su instrumento e inició la ejecución.*

7. Apretar o atirantar una cosa hasta el punto debido, como un tornillo, muelle, etc. ☞ **apretar, atirantar, tensar.** ❖ AFLOJAR, SOLTAR.

—*Debes templar esas bisagras que ya están muy flojas.*

8. Adecuar el torero el movimiento del capote o la muleta a la velocidad, violencia, etc., de la embestida del toro.

☞ sinónimos o referencias ❖ antónimos u opuestos afines

— Logró templar al toro en los primeros muletazos.

templo 1. Edificio destinado a un culto religioso.

— Aquel domingo el templo estaba lleno de feligreses.

2. Lugar donde se cultiva con devoción particular un aspecto espiritual, como la sabiduría, la justicia o la libertad.

—El maestro nos decía que debíamos considerar nuestra escuela como un templo del saber.

témpora En la religión católica, tiempo de ayuno en el comienzo de cada una de las estaciones del año.

temporada 1. Espacio de tiempo de varios días o meses, que se consideran aparte, formando un conjunto.

— Voy a estar una temporada como asistente del director.

2. Tiempo durante el cual se realiza habitualmente alguna cosa. ☞ **época.**

— En esta temporada del año suele haber fuertes lluvias y vientos.

— que dura sólo cierto tiempo y no es permanente: *de temporada.*

temporal 1. Lo que dura sólo un cierto tiempo. ☞ **transitorio.** ❖ PERMANENTE.

— Consiguió un trabajo temporal como secretaria.

— de manera temporal: *temporalmente.*

2. Lo que no es eclesiástico o religioso. ☞ **secular.**

— Él opina que la Iglesia no debe intervenir en los intereses temporales.

— calidad de temporal o secular: *temporalidad.*

3. Mal tiempo en tierra o en mar. ☞ **tempestad.**

— Los barcos no van a zarpar pues se espera un temporal.

4. Relativo a las sienes.

—Arterias temporales.

5. Hueso regular y par que forma parte del cráneo.

— Tuvo una fractura del hueso temporal.

temprano, -na 1. Se dice de lo que ocurre, o se da pronto, o es el primero que aparece entre los de su especie o clase. ☞ **adelantado, prematuro, precoz.** ❖ RETRASADO, TARDÍO.

— Ese muchacho mostró un talento temprano para la música.

2. En las primeras horas del día o de la noche. ❖ TARDE.

— Debemos levantarnos temprano para alcanzar el tren de las siete.

3. Antes de lo acostumbrado o esperado. ☞ **pronto, tempranamente.**

— Terminó temprano su trabajo y regresó a casa.

— que suele levantarse temprano:

tempranero, madrugador.

tenaz 1. Fuertemente adherido al sitio donde está o difícil de quitar. ☞ **persistente, rebelde, resistente.**

— No hay detergente que quite estas manchas tenaces de pintura.

2. Que no desiste de lo que se propone hacer o conseguir. ☞ **firme, perseverante, porfiado.** ❖ DÉBIL, INDECISO.

— Es una mujer tenaz que no descansará hasta verse como directora general de la empresa.

tencolote Jaula grande que, por lo común, se utiliza para llevar las aves de corral a los mercados.

tencua Persona que tiene labio leporino.

tendel 1. En albañilería, cuerda que se tiende horizontalmente entre dos renglones verticales, para sentar con igualdad las hiladas de ladrillo o piedra.

2. Capa de mortero o de yeso que se extiende sobre cada hilada de ladrillos al construir un muro, para sentar la siguiente.

tender 1. Desdoblar o desplegar lo que estaba doblado, arrugado, etc., o extender las cosas de manera que puedan apreciarse. ☞ **extender, desplegar.** ❖ DOBLAR, GUARDAR.

— Tiende el mantel porque ya voy a servir la mesa.

2. Colgar la ropa mojada para que seque. ☞ **colgar, solear.**

— Tendí la ropa desde temprano para aprovechar el sol.

3. Colocar a una persona o colocarse alguien horizontalmente. ☞ **recostar, tumbar, yacer.**

—Todas las tardes se tiende en el sofá para tomar una breve siesta.

4. Colocar cuerda, un cable, etc., de un punto a otro.

— El próximo mes empezarán a tender la línea telefónica en la colonia.

5. Aproximar algo a alguien. ☞ **alargar, extender, pasar.**

— Me tendió la mano sin levantarse de la silla.

6. Tener las personas o cosas una inclinación, impulso físico o espiritual que las hace dirigirse hacia una cosa, persona o fin. ☞ **aspirar, inclinarse, orientarse, propender.**

— Las plantas tienden hacia la luz.

7. Tener algo o alguien una cualidad o característica, no bien definida, pero sí aproximada a otra de la misma naturaleza. ☞ **aproximarse.**

— El color de su vestido tiende al ocre.

ténder Carruaje que se engancha a la locomotora y lleva el combustible y agua necesarios para alimentarla durante el viaje.

tenebroso, -sa 1. Lugar oscuro o en

sombras. ☞ **sombrío, tétrico.** ❖ BRILLANTE, ILUMINADO.

— Aquel bosque tenebroso realmente atemorizaba.

2. Con aspecto o probabilidades de ser muy desgraciado. ☞ **negro, sombrío, tétrico.** ❖ AFORTUNADO, FELIZ.

— Su porvenir parecía que iba a ser tenebroso.

tener 1. Poseer una cosa. ☞ **gozar.** ❖ CARECER.

— Estoy feliz porque tengo dinero para los regalos navideños.

2. Mantener asida una cosa. ☞ **coger.** ❖ SALTAR.

— Tener la sartén por el mango quiere decir poseer el dominio de la situación.

3. Comprender en sí. ☞ **contener.**

— Esta canasta tiene manzanas y uvas.

4. Detener, frenar. ☞ **parar.**

— Dile que detenga su furia, pues puede provocar un problema.

5. Albergar, hospedar. ☞ **acoger.**

— Vengan a mi casa, tengo visitas y quiero que las conozcan.

6. Estar obligado a hacer una cosa.

— Tengo que terminar el trabajo para fin de mes.

7. Juzgar, creer algo de una persona. ☞ **reputar.**

— Lo tenían por tonto hasta que sacó diez en el examen.

tenería Taller donde se curte y trabajan las pieles. ☞ **curtiduría.**

tenesmo Espasmo doloroso del esfínter, sea del ano o de la vejiga urinaria, que provoca la impresión de una necesidad de vaciar el intestino o la vejiga, aunque tal necesidad no exista. ☞ **pujo.**

tenguerengue Sin estabilidad. ☞ **inestable.**

tenis Juego de pelota que se practica, con la ayuda de una raqueta, en un terreno de juego rectangular dividido en dos mitades por una red.

— juego similar al tenis, pero practicado sobre una mesa de medidas reglamentarias: *tenis de mesa.*

— zapato de tela acojinada, especial para jugar este deporte: *tenis.*

tenor 1. En música, la más alta de las voces masculinas.

— Educó su voz de tenor en una escuela de canto alemana.

2. Cantante que posee ese tipo de voz.

— Esta obra requiere de un tenor y una soprano.

3. Contenido de un escrito.

—El tenor de las cláusulas especifica que....

— de este modo: *a este tenor.*

tenorio Hombre que galantea a muchas mujeres. ☞ **conquistador, donjuán.**

tensión 1. Acción de las fuerzas que actúan sobre un cuerpo, manteniéndolo firme, al tirar de sus extremos en dirección contraria.

— *Si aplicas un exceso de tensión a la cuerda se reventará.*

2. Estado de un cuerpo sometido a la acción de estas fuerzas.

— *Los músculos de su cara estaban en tensión por efecto de la furia que sentía.*

3. Actitud y estado del que espera o vigila con angustia, temor o en un fuerte estado emocional. ☞ **angustia, intranquilidad.** ❖ RELAJACIÓN, SERENIDAD.

— *Como no llegaba su hijo, toda la noche se la pasó en una tensión espantosa.*

4. Situación o estado conflictivo en las relaciones entre personas, comunidades, etc., que amenaza con una ruptura violenta. ☞ **tirantez.** ❖ CORDIALIDAD.

— *La tensión existente entre las dos naciones podría desencadenar una guerra.*

5. Presión ejercida por la sangre sobre las paredes de las arterias, que depende del volumen de la sangre, de la intensidad de las contracciones cardiacas y de la resistencia opuesta a la circulación por los vasos periféricos. ☞ **presión arterial.**

— *Tiene que someterse a un examen médico porque tiene la tensión muy alta.*

6. Diferencia de potencial eléctrico entre dos puntos. ☞ **voltaje.**

— *Ten cuidado con ese cable de alta tensión.*

tentar 1. Seducir, atraer o excitar a alguien para que haga algo, en ocasiones no conveniente o debido, mostrándoselo necesario, interesante o atractivo. ☞ **incitar, provocar, seducir.**

— *La publicidad de ese artículo realmente tienta a la gente a adquirirlo aunque no lo necesite.*

2. Tocar algo para reconocerlo, percibirlo o examinarlo, por medio del tacto o de algún instrumento. ☞ **adivinar, palpar, reconocer, tocar.**

— *Como estaba a oscuras, se fue tentando la pared hasta llegar a la cocina.*

3. Efectuar la tienta.

— *Los vaqueros hacen la tienta, o sea, comprueban la bravura de los becerros con una garrocha.*

— corral o cercado en que se hace la tienta: *tentadero.*

tentempié Comida ligera que se toma generalmente entre las principales, para reparar fuerzas. ☞ **piscolabis, refrigerio.**

tenue 1. De poco grosor. ☞ **delgado, ligero.** ❖ GRUESO.

— *Esa manta es demasiado tenue para protegerte del frío.*

2. Poco espeso. ☞ **exiguo, sutil.** ❖ ESPESO.

— *La niebla era tenue y nos permitía ver con bastante claridad.*

3. Poco intenso. ☞ **débil, suave.** ❖ INTENSO, FUERTE.

— *La tenue luz de la vela hacía el ambiente aún más misterioso.*

— ligeramente: *tenuemente, suavemente.*

— cualidad de tenue: *tenuidad, sutileza, delicadeza.*

teñir 1. Cambiar el color de algo dándole uno distinto del que tenía. ☞ **colorar, entintar, tintar, tinturar.**

— *La ropa blanca se tiñó de color por lavarla junto con la otra.*

2. Comunicar a algo un aspecto, tono o carácter determinado. ☞ **colorar, matizar.**

— *Sus palabras estaban teñidas de rencor.*

teobromina Alcaloide que se encuentra en la semilla del cacao. ☞ **chocolate, cacao.**

teocali Templo de los antiguos mexicanos.

teocinte Planta graminácea, especie de maíz, que se utiliza para forraje. ☞ **teosinte, maíz.**

teocracia Sistema político y social en el que se considera que la autoridad de los gobernantes es de origen divino y en el que las funciones de gobierno son ejercidas por la casta sacerdotal.

teodicea Parte de la teología que trata de las pruebas de la existencia de Dios, de su sabiduría y justicia, de sus relaciones con el alma humana, etc. ☞ **teología natural.**

teodolito Instrumento óptico empleado para medir ángulos horizontales y verticales.

teogonía Generación y descendencia de los dioses en las religiones politeístas.

teología Estudio de Dios y de las cosas divinas.

teoría 1. Conocimiento especulativo ideal, considerado con independencia de toda aplicación práctica. ☞ **hipótesis, suposición teórica.** ❖ PRÁCTICA.

— *Su teoría parece acertada pero aún falta demostrarla.*

2. Conjunto de leyes y reglas ordenadas sistemáticamente, que conforman la base de una ciencia y sirven para relacionar y explicar un determinado orden de fenómenos.

— *Newton formuló la teoría corpus-*

cular de la luz, considerándola formada por partículas materiales.

— proposición científica que puede ser demostrada: *teorema, proposición.*

teosofía Doctrina de ciertas sectas que, despreciando la razón y la fe, afirman estar iluminadas por la divinidad e íntimamente unidas con ella.

— que profesa la teosofía: *teósofo.*

tepache Bebida de México que se elabora con pulque, clavo y agua.

tepalcate Pedazo de vasija o traste de barro.

— alfarero: *tepalcatero.*

tepetate Capa de tierra muy sólida que se corta como la cantería.

tepocate En forma despectiva, persona muy morena y rechoncha.

teponaztle Instrumento de percusión de las antiguas civilizaciones de América Central, en particular las de México, consistente en una especie de tambor, con forma de animal como el cocodrilo o el puma, que se percutía con dos mazos de caucho. ☞ **teponastle.**

tequezquite Carbonato de sosa natural. ☞ **salitre, tequesquite.**

tequila (vea recuadro de bebidas). Aguardiente obtenido del mezcal, que se cultiva especialmente en el altiplano de México.

tequio 1. Trabajo personal que, en el México precolombino, se imponía a los indios como tributo.

— *El tequio consistía en trabajos muy pesados e ingratos.*

2. Porción de mineral que saca a destajo un minero.

— *Perdieron el tequio con el alud.*

terapéutica Rama de la medicina que se ocupa del estudio de los medios de curar y aliviar las enfermedades, a través de procedimientos quirúrgicos, físicos, químicos, biológicos, etc. ☞ **terapia.**

— que pertenece a la terapéutica o se relaciona con ella: *terapéutico.*

— médico especializado en terapéutica: *terapeuta.*

teratología Rama de la biología que estudia las anomalías y deformaciones del desarrollo de animales y vegetales.

tercer Apócope de tercero.

terciopelo Tela velluda y tupida de seda, formada por dos urdimbres y una trama, usada principalmente para prendas de vestir y tapicería.

— especie de tejido semejante al terciopelo: *terciopelado, aterciopelado.*

terco, -ca Persona que se mantiene en sus actitudes o ideas aunque se le presenten objeciones convincentes en contra de las mismas. ☞ **cabezudo, obstinado, testarudo.** ❖ RAZONABLE.

— con terquedad: *tercamente, tozudamente.*

— cualidad de terco: *terquedad, porfía, terqueza.*

tergal Hilo o fibra sintética de poliéster.

tergiversar Alterar o desfigurar, voluntariamente o no, dando una interpretación errónea a palabras o acontecimientos. ☞ **desvirtuar, falsear, retorcer.**

— acción y resultado de tergiversar: *tergiversación, enredo, falsificación.*

— que tergiversa: *tergiversador, corruptor.*

térmico, -ca Perteneciente o relativo al calor y a la temperatura.

terminar 1. Llevar a fin una cosa, después de haber hecho todo lo demás. ☞ **acabar, concluir, finalizar, ultimar.** ❖ EMPEZAR, INICIAR.

— *Sólo le falta dar unas últimas pinceladas para terminar el cuadro.*

2. Tener fin o llegar a su fin una cosa. ☞ **concluir, expirar.**

— *Las clases terminan la próxima semana.*

término 1. Último punto hasta donde llega algo. ☞ **final, confín.** ❖ PRINCIPIO.

— *Al término del camino hay un hotel muy hermoso.*

2. Momento final de un período de la existencia o duración de algo.

— *Sabía que pronto llegaría el término de aquellas divertidas vacaciones.*

— concluir algo: *dar término, llevar a término.*

— hacer que algo concluya, generalmente desagradable o negativo: *poner término.*

3. Límite de tiempo, plazo fijo.

— *Debo pagar el saldo restante en el término de tres meses.*

4. Señal para fijar los límites de una propiedad, región, etc. ☞ **mojón.**

— *Su propiedad llega hasta donde están aquellos términos.*

5. Porción de un territorio sometido a la autoridad de un ayuntamiento. ☞ **circunscripción.**

— *Uno de los barrios extremos de la ciudad queda fuera del término municipal de la misma.*

6. Punto extremo de una línea de transportes. ☞ **terminal.**

— *Dijo que nos encontraríamos en el término a las cinco de la tarde.*

7. Estado o situación en que se halla una persona o cosa. ☞ **condición.**

— *Mis relaciones con ella están en muy malos términos.*

8. Cada uno de los componentes que constituyen un todo.

— *Se debe analizar cada término de este asunto antes de poder concluir algo.*

9. En una enumeración de cosas, y con los adjetivos "primer", "segundo", etc., lugar que se atribuye a cada parte expuesta. ☞ **lugar.**

— *En primer término, considero que es necesario...*

10. Condiciones, en general, o las establecidas en un contrato, trato, etc.

— *Los términos del contrato no me parecen nada satisfactorios.*

— modificar el planteamiento de una cuestión: *invertir los términos.*

11. Palabra, considerada más por su contenido o función que por su forma.

— *Esta obra está plagada de términos alusivos a la muerte.*

12. En matemáticas, cada uno de los elementos de una expresión, separado de otro por los signos + o -. También, cada uno de los elementos de una fracción (denominador y numerador).

— *Los términos de esta ecuación están invertidos, por eso no puedes resolverla.*

— cantidad que resulta intermedia entre otras dos: *término medio, promedio.*

13. Cada una de las palabras fundamentales en la estructura de un silogismo.

— *En una proposición los términos han de ser claros, para poder sacar de ellos una conclusión.*

ternura 1. Cualidad de las cosas que emocionan dulcemente. ☞ **delicadeza, terneza.**

— *La ternura de aquel niño desarmó al maestro que iba dispuesto a castigarlo.*

2. Actitud o expresión cariñosa y protectora hacia alguien. ☞ **afecto, cariño, terneza.** ❖ DUREZA, RIGIDEZ.

— *Llegó a quererla como a una madre por la ternura con que lo cuidaba.*

3. Cualidad de tierno.

— *Ese cachorro es una ternura.*

terracota Escultura de barro cocido. ☞ **tierra.**

terramicina Nombre comercial de la oxitetraciclina, que es un antibiótico del grupo de las tetraciclinas, utilizado en infecciones estomacales y pulmonares.

terraza 1. Galería de una casa que se utiliza para descansar, tender ropa, etc. ☞ **azotea, solana, terrado.**

— *Su casa tiene una gran terraza que ella ha acondicionado como asoleadero, con tumbonas y mesas.*

2. Espacio descubierto o parcialmente cubierto en los pisos de los edificios y casas. ☞ **balcón, galería.**

— *Desde la terraza se veía toda la ciudad.*

3. Parte de la vía pública ocupada por las mesas de un café, un restaurant, etc.

— *Tomamos una cerveza en la terraza*

de un prestigiado café parisino.

4. Ordenación de las pendientes muy inclinadas para crear parcelas horizontales de cultivo. ☞ **bancal, rellano.**

— *En América Latina, el cultivo en terrazas se remonta a la época precolombina.*

terreno 1. Terrestre.

— *Los animales terrenos descienden de los acuáticos.*

2. Terrenal, en oposición al cielo.

— *Los placeres terrenos a menudo pierden al hombre piadoso.*

3. Suelo terrestre.

— *Lo accidentado del terreno hacía aún más difícil el viaje.*

4. Espacio más o menos extenso de tierra que se destina a un uso específico.

— *Tiene un terreno fuera de la ciudad en donde piensa construir su casa.*

5. Tierra cultivable. ☞ **agro, campo, suelo.**

— *Van a sembrar esos terrenos con maíz y frijol.*

6. Esfera de acción en que se ejerce el poder o influencia de algo o alguien. ☞ **campo.**

— *A pesar de su aspecto, ese hombre se vuelve muy tímido cuando se siente fuera de sus terrenos.*

7. Conjunto de ideas, conocimientos o actividades de cierta clase. ☞ **ámbito.**

— *Se desenvuelve como un maestro en el terreno de la política.*

8. En algunos deportes, campo de juego.

— *El terreno de futbol estaba lodoso por las fuertes lluvias, lo que dificultaba a los jugadores correr con la pelota.*

territorio 1. Porción de la superficie terrestre perteneciente a una nación, región, provincia, etc.

— *Las fuerzas armadas recuperaron el territorio invadido.*

2. Término o circuito que comprende una jurisdicción.

— *El obispo dio orden de que la homilía se leyera en todo el territorio de la diócesis.*

3. En México y Argentina, región que por su escasa población y débil economía depende del poder central.

— *El territorio de Quintana Roo, en el sureste mexicano, limita con los estados de Campeche y Yucatán.*

terror 1. Miedo muy grande e intenso. ☞ **espanto, horror, pánico, pavor.**

— *Sintió terror al escuchar, en la noche, que alguien entraba a su casa.*

2. Persona o cosa que provoca ese sentimiento.

— *Aquel hombre era el terror del barrio*

terso 1. Sin nada que empañe el brillo o

transparencia de aquello de que se trata. ☞ **bruñido, claro, limpio.**

— *Las aguas del río eran tan tersas que se veía el fondo con toda claridad.*

2. Lenguaje o estilo muy puro. ☞ **limado, pulido.** ❖ GROSERO, REBUSCADO.

— *Su estilo terso hace que la lectura de sus obras resulte sumamente agradable.*

3. Sin arrugas. ☞ **liso, tenso.** ❖ ÁSPERO.

— *Su piel tersa le daba un aspecto juvenil.*

tertulia Reunión de personas que se juntan frecuentemente para conversar.

— el que concurre a una tertulia: *tertuliano, contertulio.*

— hacer tertulia: *tertuliar.*

tesar 1. Poner tirantes los cabos, cadenas, toldos y cosas semejantes. ☞ **aridar.**

— *El barco viró bruscamente tesando sus amarras.*

2. Andar hacia atrás los bueyes uncidos. ☞ **retroceder.**

— *Al ver a la serpiente la yunta tesó bruscamente.*

tescal Terreno cubierto del basalto de antiguas erupciones volcánicas.

— pedregal: *tescalera.*

tesela Cada una de las piezas cúbicas de mármol, piedra, vidrio, etc., con que se forma un mosaico.

tesis 1. Proposición que se mantiene con argumentos.

— *Su tesis y la mía son diametralmente opuestas.*

2. Trabajo de investigación inédito y original que se presenta en la universidad para obtener el título.

— *Presentó una tesis sumamente interesante que le valió muchos elogios.*

— tesis de menor importancia: *tesina.*

tesitura 1. Altura propia de cada voz o instrumento musical. ☞ **voz.**

— *Su tesitura de soprano no es nada común.*

2. Actitud o disposición de ánimo. ☞ **humor.**

— *Después de tantos problemas no estaba en tesitura para soportar sus impertinencias.*

tesón Perseverancia y decisión que se aplican en la ejecución de algo. ☞ **constancia, empeño, tenacidad.** ❖ INCONSTANCIA.

tesoro 1. Cantidad de dinero, valores, joyas u otros objetos preciosos que se tiene guardada y reunida.

— *Según se dice, en esta zona hay un tesoro escondido por un célebre pirata inglés.*

— reunir y guardar dinero o cosas de valor: *tesorizar, atesorar, acumular.*

2. Fortuna de una nación. ☞ **erario, tesoro público.**

— *Los bienes incautados pasaron a formar parte del tesoro de la nación.*

3. Que es de mucho valor o digno de estimación. ☞ **joya.**

— *"Juventud, divino tesoro..."*

4. Apelativo cariñoso.

— *¡Eres mi tesoro!*

5. Nombre que se da a algunos diccionarios, catálogos o antologías. ☞ **tesauro.**

— *El* Tesoro de la lengua española *es una obra literaria que todos debieran poseer.*

test Prueba, ensayo, examen.

testa 1. Parte superior del hombre y de los animales. ☞ **cabeza.**

— *Aquella testa lucía una espléndida cabellera dorada.*

2. Inteligencia o sensatez.

— *Tiene suficiente testa para estudiar cualquier carrera.*

testaferro Ver bajo "testificar".

testamento 1. Acto jurídico que consiste en la declaración hecha por una persona respecto a lo que desea se haga con sus posesiones o intereses después de su fallecimiento.

— *Pienso hacer mi testamento en estos días porque nunca se sabe cuándo puede ocurrir una desgracia.*

2. Serie de resoluciones que dicta una autoridad cuando va a cesar en sus funciones, por su interés personal o para favorecer a alguien.

— *El gobernador dio a conocer el testamento el día primero del mes.*

3. Cada una de las dos partes en que se divide la Biblia: Antiguo (Viejo) Testamento y Nuevo Testamento.

— *El Nuevo Testamento contiene los cuatro evangelios.*

testículo Cada una de las dos gónadas masculinas, productoras de los espermatozoides y, en los vertebrados, también de las hormonas sexuales. ☞ **genitales.**

— perteneciente o relativo a los testículos: *testicular.*

testificar Afirmar o probar de oficio una cosa, con referencia a testigos o documentos auténticos. ☞ **atestiguar, declarar, hacer fe, testimoniar.**

— referente a los testigos: *testifical, testimonial.*

— que declara y explica con certeza y testimonio verdadero una cosa: *testificativo.*

— persona que presta su nombre en un contrato, pretensión o negocio, cuya propiedad es, en realidad, de otra persona: *testaferro.*

testo, -ta Lleno hasta el borde. ☞ **colmado, lleno.** ❖ VACÍO.

testosterona Principal hormona sexual

masculina cuya obtención puede ser natural o sintética.

teta 1. Ubre o mama de las hembras de los mamíferos.

— *La leche que tomamos se obtiene apretando la teta de vaca.*

2. Pezón de la mama.

— *El pequeño apretaba con fuerza la teta de su nodriza.*

tetepón, -na Persona obesa. ☞ **gordinflón, rechoncho.** ❖ FLACO.

tetraciclinas Antibióticos producidos por gérmenes del suelo; comprenden la aureomicina, la terramicina y la tetraciclina, siendo esta última la más ampliamente utilizada.

tetracordio En música, serie de cuatro sonidos que forman un intervalo de cuarta.

tétrada Grupo de cuatro seres o cosas vinculadas entre sí.

tetraedro Poliedro de cuatro caras triangulares; se le llama "regular" cuando sus caras son triángulos equiláteros.

tetrágono Polígono con cuatro lados y cuatro ángulos. ☞ **cuadrilátero.**

— cuadrangular: *tetragonal.*

tetragrama Nombre compuesto de cuatro letras. Se emplea, por excelencia, con referencia al nombre de Dios, que tiene cuatro letras en hebreo y otras lenguas.

tetralogía 1. Conjunto de cuatro obras trágicas de un mismo autor, que se presentaban a concurso en los juegos solemnes de la Grecia antigua.

— *Los autores creaban sus tetralogías y se las aprendían de memoria, nunca las escribían.*

2. Conjunto de cuatro obras literarias o líricas que tienen entre sí enlace histórico o unidad de pensamiento.

— *La ópera "El anillo del Nibelungo", de Wagner, es una espléndida tetralogía.*

tetrasílabo Palabra que tiene cuatro sílabas. ☞ **cuatrisílabo.**

tetrástico Cuarteta o combinación métrica de cuatro versos.

tétrico, -ca Que predispone el ánimo a la tristeza o lo sobrecoge relacionándolo con la muerte. ☞ **fúnebre, lóbrego, sombrío.** ❖ ALEGRE.

textil 1. Materia capaz de reducirse a hilos y ser tejida.

— *En su mayoría, las materias textiles proceden del reino vegetal, aunque también las hay de origen animal e incluso sintéticas.*

2. Que pertenece a los tejidos o se relaciona con ellos.

— *La industria textil es siempre un factor determinante en los procesos de desarrollo de las naciones.*

texto 1. Conjunto de palabras que com-

tierra

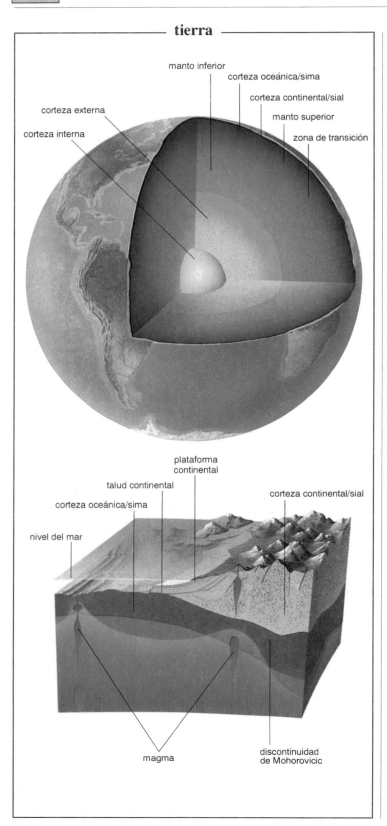

manto inferior
corteza oceánica/sima
corteza continental/sial
manto superior
corteza externa
zona de transición
corteza interna

plataforma
continental
talud continental
corteza oceánica/sima
corteza continental/sial
nivel del mar

magma
discontinuidad
de Mohorovicic

ponen un escrito, en general. ☞ **documento, escrito.**

— *Estos textos datan del siglo X y por ello resultan poco legibles.*

2. Todo lo que se dice en el cuerpo de la obra manuscrita o impresa, en oposición al espacio de portadas, índices, gráficas, etc. ☞ **cuerpo.**

— *Este libro debe llevar poco texto y muchas ilustraciones, porque es para niños.*

3. Conjunto de palabras que componen la parte original de una obra, en oposición a las notas, comentarios, traducción, etc.

— *Sólo el texto de esta obra ocupa trescientas páginas, si añadimos los comentarios y notas, son cuatrocientas.*

4. Obra escrita. ☞ **libro.**

— *A través de los textos se pueden vivir experiencias inimaginables.*

5. Pasaje citado de una obra literaria.

— *El autor hace referencia de varios textos de un autor contemporáneo a él.*

— libro que utilizan los alumnos para estudiar en un centro de enseñanza: *libro de texto.*

teyolote Fragmentos de ladrillo o piedra que usan los albañiles para rellenar huecos. ☞ **ripio.**

tez Superficie de la piel del rostro humano. ☞ **cutis.**

tezontle Piedra volcánica de México, de color rojo, que se emplea en la construcción.

tiamina Nombre de la vitamina B1, soluble en agua y contenida principalmente en el salvado de los cereales. ☞ **aneurina.**

tianguis Mercado mexicano.

tibia Hueso situado en la parte anterior e interna de la pierna, que se articula con el fémur por arriba, con el astrágalo por abajo y con el peroné por fuera.

tibio, -bia 1. De temperatura media, entre caliente y frío. ☞ **templado.**

— *Esta leche está tibia y así el niño no se la toma.*

2. Poco vehemente y afectuoso. ☞ **indiferente, flojo.** ❖ VEHEMENTE.

— *Su carácter es tan tibio que me desespera.*

— calentar ligeramente algo: *tibiar, entibiar, templar.*

— calidad de tibio: *tibieza, templanza.*

tic 1. Gesto o movimiento espasmódico que se repite con frecuencia, en forma involuntaria. ☞ **tic nervioso.**

— *Tiene el tic de estar moviendo incesantemente el pie cuando está sentado.*

2. Onomatopeya con que se imita o describe un sonido instantáneo, seco y poco intenso.

— Estaba trabajando y oí un tic tic en la puerta.

— el que imita la marcha del reloj: *tic tac.*

ticket Vale, billete o cupón. ☞ **tique, tiquet.**

tichela Vasija en que se recoge el caucho a medida que mana del árbol.

tiempo 1. Duración de las cosas sujetas a mudanza.

— El tiempo transcurría lentamente.

2. Parte de esta duración.

— Vivió un tiempo en Europa.

3. Época durante la cual vive una persona o sucede alguna cosa.

— En aquel tiempo no existía aún el ferrocarril.

— en épocas pasadas: *en otros tiempos.*

4. Parte del año. ☞ **estación.**

— Las enfermedades pulmonares son frecuentes en el tiempo de lluvias.

— fuera de su estación o tiempo propio: *fuera de tiempo.*

5. Edad de una persona o período de la vida humana.

— Este templo data del tiempo de Augusto.

6. Oportunidad, ocasión o momento de hacer algo.

— El bebé nació antes de tiempo.

7. Lugar, espacio libre para hacer algo.

— Con tanto trabajo, apenas si tiene tiempo para distraerse.

8. Largo espacio de tiempo.

— Es un trabajo que requiere de mucho tiempo.

9. Cada una de las partes en que se divide la ejecución de una cosa, como ciertos ejercicios militares, composiciones musicales, competencias deportivas, etc.

— Es un vals a tres tiempos.

10. Estado atmosférico. ☞ **clima.**

— Ayer hizo un tiempo espléndido, por lo que decidimos salir al campo.

11. En gramática, cada una de las formas verbales que permiten expresar el momento a que se refiere la acción.

tierra (vea ilustración de la p. 650). 1. Planeta que habitamos. ☞ **globo terráqueo, mundo.**

— La forma de la Tierra es aproximadamente la de un elipsoide achatado por los polos y engrosado por el ecuador.

2. Parte sólida del planeta, no ocupada por el mar.

— Buscaron a los expedicionarios perdidos por tierra y mar.

3. Materia inorgánica desmenuzable, de la que principalmente se compone el suelo natural.

— El niño hizo un enorme castillo de tierra.

4. Suelo o piso, sea o no de tierra.

— Cayó por tierra.

— a nivel del suelo: *a ras de tierra.*

5. Lugar natal de una persona. ☞ **patria, tierra natal.**

— Dice que extraña su tierra.

— comarca o tierra, especialmente el país natal: *terruño.*

— región costera, de clima caluroso y húmedo: *tierra caliente.*

6. Terreno cultivado o cultivable. ☞ **agro, campo.**

— Tiene unas tierras cerca de Morelia.

— propietario de tierras o fincas rurales: *terrateniente.*

7. La vida en este mundo, en oposición a la vida espiritual.

— Se dice que la tierra es un valle de lágrimas.

8. El suelo, considerado como conductor eléctrico de potencial nulo.

— La antena de la televisión debe hacer tierra para que la imagen se vea más clara.

tiesto 1. Recipiente, por lo común de barro, más estrecho por el fondo que por el borde, donde se cultivan plantas. ☞ **maceta, pote.**

— Su balcón está adornado con tiestos sembrados de margaritones.

2. Pedazo de una vasija de barro o cerámica rota.

— El gato dejó sólo tiestos al jugar en la ventana con las macetas.

tifo Tifus.

tifón 1. Tipo de ciclón propio del mar de China.

— Un tifón ha arrasado las costas filipinas.

2. Columna de agua que se eleva sobre el mar, con movimiento giratorio. ☞ **manga, tromba.**

— Los tifones suelen ir acompañados de tormentas y granizadas y causan grandes destrozos.

tifus Fiebre infecciosa, transmitida por una especie de piojo, que va acompañada de desórdenes cerebrales y erupción de manchas rojas en algunas partes del cuerpo. ☞ **tifo.**

tijera 1. Instrumento para cortar, compuesto de dos hojas o cuchillas de acero, de un solo filo, cruzadas y articuladas en un eje (suele usarse en plural).

— El peluquero manejaba las tijeras con destreza y rapidez.

2. Aspa que sirve para apoyar un madero que se ha de aserrar o labrar.

— No podemos cortar estas tablas pues la tijera se ha mellado.

tildar 1. Aplicar a alguien la falta o defecto que expresa. ☞ **acusar, tachar.**

— Todos le tildan de presuntuoso pero

yo creo que es porque lo envidian.

— defecto, falta: *tilde, estigma.*

2. Poner tilde a las letras que lo necesitan.

— Como no pusiste tilde en la palabra no sé si dice papa o papá.

— signo ortográfico que se coloca sobre algunas letras: *tilde, virgulilla.*

tílico, -ca demasiado delgado. ☞ **flaco.**

tiliche Objeto de poco valor o viejo. ☞ **chuchería, trasto.**

tilingo Que tiene corto entendimiento. ☞ **lelo, bobo.**

tilma Manta de algodón que usan los hombres del pueblo, a modo de capote, anudada sobre el hombro.

timar Robar con engaño. ☞ **estafar, engañar.**

timba 1. Establecimiento en que se practican juegos de azar. ☞ **casino, garito.**

— Esa tienda en realidad es una timba de baja ralea.

2. Vientre. ☞ **barriga, panza.**

— Tiene una tremenda timba por beber tanta cerveza.

— gordo: *timbón, barrigón.*

timbal 1. Instrumento de percusión, formado por una caja semiesférica de bronce en la que se tensa una piel.

— El timbal es el primer instrumento de percusión que pasó a formar parte de la orquesta sinfónica, en el siglo XVIII.

2. Tamboril.

— Al frente de la tropa iban dos timbaleros aporreando sus timbales.

— que toca el timbal: *timbalero.*

3. Empanada hecha con masa de harina de trigo y rellena con carne u otros alimentos.

timbiriche Ananás bravo, árbol rubiáceo de fruto comestible.

timbre 1. Cualidad que permite distinguir un sonido de otro, aunque ambos tengan la misma intensidad.

— Tiene un timbre de voz muy dulce.

2. Aparato para llamar o avisar, consistente en una semiesfera metálica que es golpeada a gran velocidad por una pequeña maza movida por un resorte mecánico o eléctrico. ☞ **chicharra, zumbador.**

— El enfermo tocó el timbre que estaba junto a su cama para llamar al médico.

3. Sello que se pega en determinados documentos y mercancías, con el que se justifica haber pagado el impuesto correspondiente.

— Me indicó que debemos pegar en el contrato ciertos timbres fiscales.

4. Renta del tesoro, constituida por el importe de los sellos, papel timbrado y otras imposiciones que gravan la

emisión, uso o circulación de ciertos documentos.

— *El impuesto del timbre está regido por la ley general tributaria.*

tímido, -da Que se muestra inseguro ante los demás, por creerse inferior o por falta de confianza en sí mismo. ☞ **apocado, introvertido, timorato.** ❖ EXTROVERTIDO, CONFIADO.

— cualidad de tímido: *timidez, pusilanimidad.*

timón 1. Pieza con la que se gobiernan y dirigen las embarcaciones y aeronaves.

— *El capitán cedió el mando del timón a su subalterno.*

2. Palo derecho del arado al que se fija el tiro.

— *El timón de este arado es de hierro para que resista.*

timorato, -ta 1. Tímido.

— *Mi tía era tan timorata que nunca encontró novio.*

2. De moral o recato exagerados. ☞ **mojigato.**

— *El pobre timorato se escandalizó con la película.*

tímpano 1. Membrana que separa el oído medio del conducto auditivo externo.

— *Esa música estridente me va a reventar los tímpanos.*

2. Espacio triangular que queda entre las dos cornisas inclinadas de un frontón y la horizontal de su base.

— *El tímpano de esta iglesia tiene unos bajorrelieves alusivos al juicio final.*

3. Instrumento musical de la familia de las cítaras, de cuerdas percutidas.

— *Su padre era un maestro tocando el tímpano.*

— timbal, tamboril: *tímpano.*

tina 1. Vasija de madera de forma de media cuba.

— *Me trajo una tina llena de vino.*

2. Recipiente de gran tamaño, en forma de caldera, empleado para diversos usos industriales.

— *En estas tinas se procesa la leche para pasteurizarla.*

3. Recipiente de gran tamaño empleado para bañarse. ☞ **bañera.**

— *Me voy a dar un baño de tina para relajarme.*

tinga Platillo mexicano preparado con lomo de cerdo deshebrado, salsa de tomate y otros condimentos.

tinglado 1. Armazón rudimentaria para resguardar algo o resguardarse del sol, la lluvia, etc. ☞ **cobertizo.**

— *Tuvimos que esperar varias horas bajo un tinglado hasta que la lluvia amainó.*

2. Armazón formada por un suelo de tablas construido a gran altura. ☞ **tablado.**

— *Se terminó de montar el tinglado para los espectadores.*

3. Enredo que maquina una persona. ☞ **intriga, maquinación.**

— *Armaron todo un tinglado para hacer caer la sospecha del fraude sobre un inocente.*

tingle Pequeño utensilio que consiste en una pieza plana de hueso que usan los vidrieros.

tiniebla 1. Ausencia o insuficiencia de luz. ☞ **oscuridad, sombra.** ❖ ILUMINACIÓN, LUZ.

— *Esa noche no había luna, por lo que la pasamos en tinieblas y tiritando.*

2. Ignorancia y confusión por falta de conocimiento. ☞ **oscurantismo.**

— *Se dice que la baja Edad Media fue una época de tinieblas para la humanidad.*

tino 1. Habilidad y acierto para dar en el blanco al disparar. ☞ **ojo, puntería.**

— *Tiene tan buen tino que puede matar un pájaro a más de 200 metros de distancia.*

2. Habilidad para calcular a ojo.

— *Calculó el peso con tan buen tino que apenas se pasó unos gramos.*

3. Acierto para tratar asuntos delicados. ☞ **tacto.**

— *Es mejor que él se lo pida porque tiene mucho tino para convencer a la gente.*

4. Moderación en cualquier acción. ☞ **mesura.** ❖ ABUSO.

— *Deberías de aconsejarle que tenga más tino en su forma de beber.*

5. Juicio, cordura.

— *Actúa de tal forma que parece haber perdido el tino.*

— exasperar a una persona: *sacar de tino, sacar de quicio.*

tintinar Producir una campanilla u objeto semejante su sonido característico. ☞ **tintinear.**

— acción y resultado de tintinear: *tintineo.*

tiña 1. Enfermedad contagiosa de la piel, causada por un hongo.

— *La tiña favosa puede producir, a largo plazo, calvicie total.*

— muy viejo: *más viejo que la tiña.*

2. Miseria o tacañería.

— *La tiña de ese avaro no conoce límites.*

— miserable o tacaño: *tiñoso, mezquino.*

tío, -a 1. Respecto de una persona, hermano(a) o primo(a) de su padre o madre.

— hermano de uno de los abuelos: *tío(a) abuelo(a).*

2. En ciertos lugares, tratamiento de

respeto que se da a la persona de edad madura.

— *La tía Josefa es famosa en este pueblo por sus conocimientos de herbolaria.*

tiovivo Juego de feria que consiste en una plataforma giratoria sobre la que hay caballitos de madera, cochecitos u otras figuras, sobre los que se montan los niños. ☞ **caballitos, carrusel.**

tiple 1. La más aguda de las voces humanas, propia especialmente de mujeres y niños.

— *Esta zarzuela fue escrita para tiple.*

2. Que tiene dicha voz. ☞ **soprano.**

— *La tiple entonaba viejas melodías.*

tipo 1. Ejemplar ideal que reúne en el más alto grado las características esenciales de un género, una especie, etc. ☞ **arquetipo, espécimen, prototipo.**

— *Esa mujer es el tipo mismo de la belleza.*

2. Modelo que sirve para valorar o graduar las cosas de su misma especie. ☞ **patrón.**

— *Se usarán las medidas de esta pieza como tipo para su fabricación a gran escala.*

3. Clase, categoría, modalidad.

— *Esta firma ha decidido lanzar a la venta un nuevo tipo de producto de limpieza.*

4. Conjunto de los caracteres distintivos de una raza.

— *Ese joven tiene tipo oriental a pesar de que sus padres son europeos.*

5. Configuración del cuerpo de una persona. ☞ **figura, silueta, aire.**

— *Su tipo alto y esbelto le daba el aspecto de una modelo de alta costura.*

6. Personaje de una obra de ficción.

— *El tipo del Tartufo es común encontrarlo en todos los tiempos.*

7. Persona, individuo, con connotaciones admirativas o despectivas. ☞ **sujeto.**

— *¡Es un gran tipo! ¡Qué tipo más despreciable!*

8. Letra de imprenta y cada una de las clases de esta letra.

— *El texto se va a formatear con tipo helvético de doce puntos.*

tiquismiquis 1. Escrúpulos o reparos insignificantes. ☞ **nimiedades.**

— *¿Cómo puedes preocuparte por esos tiquismiquis frente al grave problema que se nos viene encima?*

2. Discusiones frecuentes y sin motivo.

— *¿Qué no pueden dejarse de tiquismiquis y trabajar en paz?*

3. Expresiones ridículas y afectadas. ☞ **afectaciones, melindres.**

— *Los tiquismiquis de esa mujer que*

se cree duquesa, verdaderamente me exasperan.

tira 1. Pedazo largo, delgado y estrecho de papel, tela u otra materia. ☞ **correa, lista, listón.**

— *El gato dejó hecho tiras su precioso mantel de encaje.*

2. Serie de dibujos que aparece en los periódicos, en la cual se cuenta una historia o parte de ella.

— *Sus tiras cómicas son las más gustadas del país.*

tirabuzón 1. Rizo del cabello largo y en forma de espiral. ☞ **bucle.**

— *Para su disfraz de dama de la corte francesa se hizo un complicado peinado lleno de tirabuzones.*

2. Instrumento para descorchar botellas, consistente en una barrena provista generalmente de un tornillo o de un juego de palancas para tirar del tapón. ☞ **descorchador, sacacorchos.**

— *Fui a buscar el tirabuzón, pues con el cuchillo sólo iba a hundir el corcho en la botella.*

tiranía 1. Gobierno despótico, injusto y cruel. ☞ **autocracia, despotismo.** ❖ JUSTICIA, LIBERALISMO.

— *El pueblo se levantó en armas contra la tiranía.*

2. Abuso de autoridad o fuerza. ☞ **dominación, imposición, opresión.**

— *La tiranía de su padre hizo de él un hombre apocado y débil.*

tirar 1. Arrojar con la mano una cosa. ☞ **despedir, echar, lanzar.**

— *Esos niños malcriados se divierten tirando piedras a la gente que pasa.*

2. Echar por tierra una cosa. ☞ **derribar, derramar, verter.** ❖ LEVANTAR, RECOGER.

— *Tiró el vaso de leche sobre el mantel.*

3. Estirar, extender. ❖ AFLOJAR, DOBLAR.

— *Tira más el cable que aún está flojo.*

4. Desechar una cosa.

— *Voy a tirar a la basura toda esta ropa vieja.*

5. Hacer mal uso de algo. ☞ **derrochar, malgastar.** ❖ AHORRAR, APROVECHAR.

— *Con esa vida que llevas lo único que estás haciendo es tirar tu juventud y belleza.*

6. Dibujar líneas. ☞ **rayar, trazar.**

— *Tiraron las señales del terreno de juego con ayuda de una cuerda, estacas y cal.*

7. Imprimir, publicar, editar.

— *Mañana se empezará a tirar el último libro de este autor.*

8. Disparar un arma de fuego. ☞ **disparar, hacer fuego.**

— *Estoy aprendiendo a tirar con revólver.*

9. Atraer, gustar. ❖ DESAGRADAR, DETESTAR.

— *Le tira mucho vivir en el campo.*

10. Hacer fuerza para atraer hacia sí o para llevar tras de sí. ☞ **jalar.** ❖ EMPUJAR.

— *Tira más fuerte de la cuerda, ya casi levantamos el poste.*

11. Seguido de la preposición "de", tomar en la mano un instrumento para usarlo. ☞ **tomar.**

— *Tiró de su espada y el duelo comenzó.*

12. Producir una corriente de aire un hogar, u otra cosa que arde.

— *La chimenea no tiraba y la habitación se llenó de humo.*

13. Marchar hacia otra dirección de la que se lleva. ☞ **torcer.**

— *En la esquina debemos tirar a la izquierda.*

14. Tender una cosa o persona hacia algo. ☞ **aproximarse, inclinarse.**

— *El color de sus ojos tira a verde.*

15. Parecerse, asemejarse. ❖ DIFERENCIARSE.

— *El hermano mayor tira al padre y el menor, a la madre.*

16. Seguir viviendo o prestando servicio una cosa, aunque con dificultad. ☞ **malvivir.**

— *Esa pobre mujer apenas va tirando desde la muerte de su hijo.*

— vivir con dificultades económicas o de salud: *ir tirando, irla pasando.*

17. Arrojarse, dejarse caer, derramarse.

— *Llegó tan cansado que se tiró sobre la cama y de inmediato se quedó dormido.*

tiritar Temblar de frío o por efecto de la fiebre. ☞ **castañear, dentellear, titiritar.**

tiroides Glándula endócrina situada en la parte superior y anterior de la tráquea y cuya función consiste en regular el metabolismo.

tirria Antipatía injustificada hacia alguien. ☞ **inquina, ojeriza.** ❖ SIMPATÍA.

tisana Infusión de hierbas medicinales.

tisis Enfermedad que consiste en ulceración de algún órgano, fiebre héctica y consunción gradual y lenta.

— enfermo de tisis: *tísico.*

tisú Tela de seda, entretejida con hilos de plata y oro.

tisuria Debilidad causada por excesiva secreción de orina.

titán Persona excepcional en algún aspecto. ☞ **coloso, gigante.**

— gigantesco: *titánico, grandioso.*

— grúa para mover grandes pesos: *titán.*

títere 1. Muñeco que se mueve por medio de hilos o metiendo las manos en su interior. ☞ **fantoche, polichinela.**

— *Aquella tarde, los títeres animaban la reunión con el cuento de Blanca Nieves.*

2. En plural, espectáculo público con títeres, acróbatas y otros ejercicios de circo, generalmente ejecutado al aire libre.

— *Llevó a los niños a una función de títeres.*

— que maneja los títeres o artista de circo de cualquier clase: *titiritero, titiritista.*

2. Que carece de carácter y es fácilmente influenciable y manejable. ☞ **fantoche, mequetrefe.**

— *Se dice que ese presidente es el títere de otra nación poderosa.*

— trastornar completamente una cosa o criticar a toda la gente: *no dejar títere con cabeza.*

titilar 1. Agitarse con temblor alguna parte del cuerpo. ☞ **temblar.**

— *Un reflejo nervioso hacía titilar sus párpados.*

2. Centellear u oscilar una luz o un cuerpo luminoso. ☞ **refulgir.**

— *Aquella clara noche, las estrellas titilaban en el cielo.*

titirimundi Cajón que contiene un cosmorama portátil o una colección de figuras o muñecos de movimiento y se lleva por las calles para diversión de la gente. ☞ **mundonuevo, totilimundi.**

titubear 1. Hablar articulando las palabras en forma vacilante y confusa. ☞ **balbucear, tartamudear.**

— *Titubeaba al hablar, dando con ello muestra de que mentía.*

2. Estar indeciso sobre la elección de algo. ☞ **vacilar.**

— *Si yo estuviera en su lugar, no titubearía un instante sobre cuál de las dos ofertas de empleo elegir.*

3. Perder algo estabilidad. ☞ **oscilar, tambalearse.** ❖ SOSTENERSE.

— *El vaso estuvo titubeando un instante antes de caer y hacerse añicos.*

— acción de titubear: *titubeo, balbuceo, vacilación, oscilación.*

titular 1. Que ocupa un cargo teniendo el título o nombramiento correspondiente. ☞ **facultativo.**

— *El profesor titular dejó asignado a su ayudante para que éste lo supla durante su ausencia.*

2. Encabezamiento de una información periodística.

— *La noticia apareció con grandes titulares en todos los diarios del país.*

3. Poner título a algo. ☞ **denominar, intitular, nombrar.**

— *Sólo le falta titular la novela y estará terminada.*

— acción y resultado de titular: *titulación.*

4. Obtener un grado académico. ☞ **graduarse, licenciarse.**

— *Se titulará como bióloga y después piensa hacer un posgrado en genética.*

— título académico: *titulación.*

título 1. Nombre, palabra o frase con que se designa una obra artística o intelectual y cada una de las partes que la componen.

— *El título de esa pintura era aún más extraño que la misma obra.*

2. Nombre de profesión, grado o categoría que alguien tiene derecho a usar como resultado de haber concluido los estudios correspondientes.

— *Está muy orgulloso de su título de doctor en letras.*

3. Documento que acredita el derecho a ese apelativo.

— *Ya se recibió y ahora sólo espera que le entreguen su título.*

4. Dignidad adquirida o heredada, que confiere un derecho u honor.

— *Dice tener títulos nobiliarios.*

5. Persona que posee dicho título.

— *Se casó con un título, siendo ella una plebeya.*

6. Documento que acredita o demuestra un derecho y, en especial, la posesión de bienes.

— *Perdieron el título de propiedad de sus tierras durante la revolución.*

7. Cada una de las partes en que se dividen las leyes, reglamentos y otros documentos oficiales.

— *El título cuarto de esta ley señala que...*

8. Cualidad que da derecho a algo. ☞ **mérito, rasgo.**

— *La modestia no es uno de sus principales títulos.*

— con el carácter de, a manera de: *a título de.*

tiza 1. Barra pequeña de arcilla blanca que se emplea para escribir en los pizarrones. ☞ **gis.**

— *El profesor no pudo dar clase, pues no había tiza.*

2. Compuesto de yeso y greda que se usa en el billar para untar los tacos. ☞ **yeso.**

— *Puso tiza al taco y apuntó a la bola roja.*

tiznado Borracho, ebrio.

tiznar Manchar una cosa con hollín o humo y, por extensión, con cualquier sustancia negruzca. ☞ **entiznar, manchar.**

tlacocol Raíz de una planta de la familia de las convovulváceas, cuyo jugo se usa como purgante. ☞ **jalapa.**

tlacote Forúnculo, absceso, divieso.

tlacoyo Tortilla grande ovalada rellena de frijoles.

tlachique Jugo del maguey antes de que fermente y se convierta en pulque. ☞ **aguamiel.**

tlalchichol Tienda fea y de baja calidad.

tlancuino Que tiene huecos en la dentadura por la pérdida de dientes. ☞ **chimuelo, mellado.**

tlapa Planta euforbiácea de cuyas semillas se extrae un aceite empleado, entre otras cosas, como purgante. ☞ **ricino.**

tlapalería Tienda o expendio de aceites, pinturas y artículos de ferretería.

tlazol Punta y hojas secas de la caña de maíz o de azúcar que sirven como forraje o combustible.

TNT Siglas de "trinitrotolueno", explosivo obtenido directamente del tolueno por acción del ácido nítrico. ☞ **trilita.**

toalla 1. Pieza rectangular de tela afelpada que se utiliza para secarse la cara y el cuerpo después del baño.

— *Me quedé mojado, pues olvidé meter una toalla al baño.*

— soporte para poner o colgar las toallas: *toallero.*

2. Tejido de rizo con que suelen elaborarse estos paños.

— *Compró cuatro metros de toalla para hacer trapos de cocina.*

tobillo Parte interior de la pierna, que se caracteriza por la presencia de dos eminencias óseas, una interna y otra externa.

tobogán 1. Pista inclinada, generalmente helicoidal, por la que se dejan resbalar las personas, sentadas o tendidas. ☞ **resbaladilla.**

— *En el parque había columpios, toboganes y caballitos.*

2. Especie de trineo, formado por una armadura de acero montada sobre dos patines largos y cubierta con una tabla o plancha acolchada.

— *El deporte del tobogán se practica mucho durante las estaciones invernales.*

— pista de nieve sobre la que se deslizan estos trineos: *tobogán.*

toca Nombre dado en distintas épocas a prendas de formas diversas usadas por las mujeres para cubrirse la cabeza. En la actualidad sólo se aplica este nombre a la prenda de tela blanca que utilizan las monjas para cubrirse la cabeza.

tocar 1. Entrar en contacto una parte del cuerpo, en particular la mano, con otra cosa, de manera que ésta impresione el sentido del tacto. ☞ **acariciar, tentar.**

— *No se atrevía a tocar al animal, por*

miedo de que éste lo mordiera.

2. Entrar en contacto algo o alguien con otra cosa o persona, por intermedio de un objeto.

— *Como no podía levantarse, el anciano tocó con su bastón al hombre que le daba la espalda, y le pidió que le ayudara a incorporarse.*

3. Hacer a algo una modificación o variación. ☞ **modificar.**

— *Te presto mis notas pero, por favor, no me las toques.*

4. Hacer sonar un instrumento musical con habilidad o interpretar una pieza musical. ☞ **ejecutar, interpretar.**

— *Toca la flauta de una manera exquisita.*

5. Llegar cierta cosa a ser casi otra que se expresa. ☞ **rayar.**

— *Su genialidad toca la locura.*

6. Experimentar las consecuencias de algo. ☞ **padecer, sufrir.**

— *Está tocando ahora las consecuencias de su vida disipada.*

7. Tratar o hablar, en forma superficial, de algún tema. ☞ **aludir.**

— *En su obra toca vagamente el entorno sociopolítico de la época.*

8. Hacer sonar la campana, sirena o cualquier instrumento para llamar la atención. ☞ **sonar, tañer.**

— *La sirena de la fábrica tocó anunciando el fin de la jornada.*

9. En sentido figurado, provocar algo cierto sentimiento o reacción espiritual. ☞ **afectar, conmover.**

— *Aquellas hirientes palabras tocaron profundamente su orgullo.*

10. Llegar el momento oportuno de hacer la cosa que se expresa. ☞ **corresponder.**

— *Ahora te toca a ti darle el apoyo que por tantos años él te brindó.*

11. Tener relación, concernir.

— *Por lo que toca al sueldo, se le pagarán diez mil pesos diarios.*

— referente a: *tocante a; en lo tocante.*

12. Ser algo de interés, conveniencia, provecho para alguien. ☞ **atañer, convenir, importar, interesar.**

— *Supongo que no faltarán, porque el nombramiento del nuevo gerente es asunto que les toca de cerca.*

13. Corresponder algo a alguien en un reparto.

— *A él le toca lavar los platos y a ella limpiar la cocina.*

14. Caer en suerte.

— *Le tocó el premio mayor de la lotería.*

tocayo, -ya Respecto de una persona, otra que tiene el mismo nombre.

tocino Carne grasa del cerdo, especialmente la salada.

tocología Rama de la cirugía que se ocupa de la asistencia a los partos. ☞ **obstetricia.**

— médico cirujano que asiste partos: *tocólogo, obstetra.*

tocón Parte del tronco de un árbol que queda unida a la raíz cuando lo cortan por el pie. ☞ **muñón.**

tocotín Danza popular antigua de México y canto que la acompaña.

todavía 1. Expresa que hasta el momento en el que se habla sigue ocurriendo o no ha ocurrido lo que se dice. ☞ **aún.**

— *Son las tres de la mañana y este muchacho todavía no regresa de la fiesta.*

2. Expresa una cosa que se considera injusta dado el antecedente a que se contrapone. ☞ **aún, encima.**

— *Después de haberle regalado mi mejor vestido todavía me pidió que le diera mi falda favorita.*

3. Expresa que una cosa tiene en mayor grado las características que existen en la otra. ☞ **aún.**

— *El hijo es todavía mejor negociante que su padre.*

todo 1. Integridad o suma y conjunto de las partes que componen aquello que se expresa.

— *Vendió todos sus bienes y se fue a la aventura.*

2. Compuesto exclusivamente de aquello que se dice. ☞ **enteramente.**

— *Este abrigo es todo lana.*

3. En plural, conjunto de las personas consideradas, sin excluir ninguna.

— *Todos estuvimos de acuerdo en firmar la petición.*

toga 1. Manto ancho y largo que constituía la prenda principal del vestido de los ciudadanos romanos.

— *Las togas de los ricos romanos estaban hechas de lana muy fina.*

2. Traje usado por los magistrados y abogados, por encima del ordinario, en ciertas ceremonias.

— *Las togas de los magistrados son de color negro.*

— se dice de los magistrados superiores y, en la jurisdicción militar, de los jueces letrados: *togado.*

toilette (tualet) Galicismo usado frecuentemente con el sentido de arreglo personal.

toisón Insignia de cierta orden de caballería española, fundada por Felipe III el Bueno, en 1429, consistente en la representación de una piel de cordero.

tolano Cada uno de los pelillos que nacen en la nuca.

toldo 1. Cubierta de tela, lona o encerado que se extiende para dar sombra o resguardar de la intemperie. ☞ **cobertizo, techo.**

— *Pusieron un toldo sobre la terraza para protegerse del sol.*

— cubrir con toldo: *toldar.*

2. Tienda de indios, hecha de ramas y cueros.

— *Ese toldo está bellamente decorado.*

tolerar 1. No oponerse a algo, teniendo el poder o la capacidad para hacerlo. ☞ **aguantar, consentir, permitir, soportar, sufrir.** ❖ PROHIBIR.

— *Me parece increíble que toleres su actitud prepotente y despótica.*

2. Resistir a cierta cosa sin sucumbir o sufrir daño. ☞ **aguantar, resistir, soportar.**

— *Esta cerámica tolera muy altas temperaturas.*

tolú Resina empleada como bálsamo pectoral.

tolueno Hidrocarburo incoloro, volátil y líquido, que se obtiene por la destilación del alquitrán de hulla; se emplea en la preparación de trinitrotolueno. ☞ **TNT.**

tolva Recipiente en forma de cono invertido, abierto en la parte de abajo, de modo que lo que se pone en su interior caiga poco a poco.

— tapa de una urna, con ranura para introducir papeles, monedas, etc.: *tolva.*

tolvanera Remolino de polvo que el viento puede producir en regiones desérticas, o en otras partes los días cálidos.

tomar 1. Coger algo con la mano. ☞ **coger, agarrar, asir.**

— *¿De dónde tomó ese libro?*

2. Coger, aunque no sea con la mano.

— *La máquina toma el tornillo con las pinzas.*

3. Recibir o aceptar. ☞ **admitir.**

— *Toma este reloj como regalo por el día de tu cumpleaños.*

4. Ocupar, adquirir por la fuerza. ☞ **apoderarse.** ❖ ADUEÑARSE.

— *Los conquistadores tomaron la plaza del pueblo.*

5. Comer, beber.

— *No ha tomado nada desde que se levantó.*

6. Ingerir bebidas alcohólicas.

— *Le gusta mucho tomar y se pone muy agresivo.*

7. Adoptar.

— *Sería mejor tomar distancia en ese asunto.*

8. Contraer, adquirir.

— *Tomó un resfriado en la escuela y tiene fiebre.*

9. Abordar un vehículo del transporte público.

— *Tomé un taxi a la salida del trabajo.*

10. Entender una cosa en determinado sentido.

— *Siempre toma en serio lo que le digo.*

11. Seguido de la preposición por, adoptar un juicio equivocado.

— *Lo tomaste por el gerente del hotel.*

12. Robar, quitar.

— *¡Regresa lo que tomaste de la tienda!*

13. Imitar, copiar.

— *Tomaron la forma de vida de sus vecinos.*

14. Emprender una cosa, encargarse de un negocio.

— *Tomaste a tu cargo la dirección de la fábrica.*

15. Fotografiar, filmar.

— *Tómame una foto junto al coche.*

16. Recibir o adquirir el significado del sustantivo que le sucede.

— *Tomé fuerza después de las vacaciones.*

17. Seguido del nombre de un instrumento, ejecutar la acción para la cual sirve el instrumento.

— *Volvió a tomar la pluma después de muchos años de silencio.*

18. Calcular a la medida, magnitud o temperatura con instrumentos adecuados.

— *Tómale la temperatura con este termómetro.*

19. Recibir o asignarse un nombre.

— *El salón de belleza tomó el nombre de una diosa griega.*

20. Seguir una dirección.

— *En la esquina tomé hacia la derecha.*

21. Adquirir cierto aspecto.

— *Después de limpiar el mueble, la madera tomó un brillo muy especial.*

tomate Fruto de la tomatera. ☞ **jitomate.**

— planta de origen americano que da el tomate: *tomatera.*

— lugar en donde abundan las tomateras: *tomatal.*

— individuo que vende tomates: *tomatero.*

tomavistas Cámara fotográfica que se emplea especialmente en la cinematografía y la televisión. ☞ **cámara.**

tómbola Caja donde se depositan y mezclan los boletos para una rifa o sorteo para fines benéficos.

tomo Cada una de las partes en que puede dividirse una obra impresa o manuscrita; por lo general, cada tomo está encuadernado por separado, formando físicamente un libro.

tomografía Técnica que mediante barridos de radiaciones sobre un cuerpo puede representar, con ayuda de una computadora, la imagen de una sección o corte interno del organismo.

— aparato que realiza la tomografía: *tomógrafo.*

tompeate o tompiate Testículo. ☞ **huevo.**
— canasta indígena de palma: *tompeate.*

tonel Recipiente grande en forma cilíndrica. ☞ **barril, cuba, pipa.**

tono 1. Cualidad de los sonidos que depende de su frecuencia y que se emplea para ordenarlos de graves a agudos.
— *El tono de su voz es demasiado agudo.*
2. Modo de decir una cosa de acuerdo con la intención y ánimo del hablante.
— *Emplea deliberadamente un tono ofensivo cuando saluda.*
3. Modo de expresión y estilo de una obra literaria.
— *El tono elevado de ese poema fortaleció su ánimo.*
4. Letra y música de una canción. ☞ **tonada.**
— *El tono de esa canción se ajusta a la voz y emoción de esa cantante española.*
5. Aptitud y fuerza que el organismo o cualquiera de sus partes tiene para realizar las funciones que le corresponden.
— *Los pulmones del paciente han perdido tono.*
6. Cualquiera de las piezas de las trompas y otros instrumentos de bronce que se cambian para hacer subir o bajar el tono.
— *Quita ese tono para bajar dos tonos.*
7. Intervalo entre una nota musical y la inmediata, excepto del mi al fa y del si al do.
— *Un tono equivale a dos semitonos.*
— sistema de sonidos que sirve como fundamento a una composición musical: *tonalidad.*
8. Fuerza y relieve de las partes de una pintura y armonía de su conjunto, esencialmente con relación al colorido y claroscuro.
— *El tono de esa pintura está logrado por el empleo del rojo y el negro.*
9. Brillo, intensidad de un color.
— *No te queda muy bien ese tono de rojo.*

tonto 1. Individuo de poco entendimiento.
— *Ese amigo tuyo es un tonto, le dimos cuidadosamente las instrucciones para llegar a tu casa y se perdió.*
2. Individuo ingenuo y sin malicia.
— *Le dije: no seas tonto, y lo perdoné en cuanto vi sus ojitos tristes.*
3. Personaje de una obra de teatro de carácter chistoso, alelado, imprudente.
— dejar pasmado, asombrado a alguien: *dejar tonto.*
— aparentar alguien que no se da

cuenta de algo: *hacerse el tonto.*

topacio Piedra preciosa, amarilla y dura, procedente del fluosilicato de aluminio.

topar 1. Chocar una cosa con otra.
— *Durante el temblor topaban las paredes de ambos edificios.*
— golpe de una cosa con otra: *tope, topetón.*
2. Encontrar casualmente.
— *Me topé con él en el aeropuerto.*
— que se topa con una persona o cosa: *topadizo.*
3. Golpear con la cabeza los toros, carneros, etc.
— *El toro topaba la cerca.*
4. Tropezar en algo a causa de algún obstáculo.
— *Se topó con la voluntad del pueblo.*
— obstáculo, tropiezo, estorbo: *tope.*
— estar una persona harta: *estar hasta el tope.*
— estar algo o alguien lleno: *estar hasta el tope.*

tópico 1. Lugar común, frase o expresión usual.
— *La descripción tenía tópicos muy conocidos.*
2. Tema, asunto.
— *Durante el viaje trataron diversos tópicos.*
3. Medicamento externo.
— *Ese ungüento es, por supuesto, tópico.*
— persona encargada de la aplicación de tópicos: *topiquero.*

topo Partícula latina que significa lugar.
— nombre propio de un lugar: *topónimo.*

topografía 1. Arte de describir y delinear en detalle la superficie de un terreno de mediana extensión.
— *Por medio de la topografía podemos saber cómo es este valle.*
2. Conjunto de particularidades que presenta un terreno en su superficie.
— *La topografía hizo difícil el diseño de la carretera.*
— que pertenece a la topografía o se relaciona con ella: *topográfico.*
— el que tiene conocimientos de topografía: *topógrafo.*

toponimia Estudio del origen y significado de los nombres propios de un lugar.
— que pertenece a la toponimia o se relaciona con ella: *toponímico.*

toque 1. Tañido de campana o de algún instrumento con que se anuncia algo.
— *En el salón de clases los niños esperaban con ansia el toque del recreo.*
2. Descarga eléctrica ligera.
— *Pisé el cable y me dio un toque.*
— medida gubernativa excepcional

que prohíbe el tránsito o permanencia en zonas públicas durante un periodo determinado: *toque de queda.*

Tora 1. Libro de la ley de los judíos. ☞ **Pentateuco**
— *Ese ejemplar de la Tora es muy antiguo.*
2. Armazón en figura de toro con cohetes y artificios pirotécnicos que se usa como diversión en fiestas populares.
— *La tora entretuvo a los niños.*

toral Principal, fundamental, vigoroso.

tórax 1. Pecho del hombre y los animales.
— *En ese momento de la danza debes levantar el tórax.*
2. Cavidad del pecho.
— *En el tórax se encuentran el corazón y los pulmones.*
— relativo al tórax: *torácico.*

torbellino 1. Remolino de viento. ☞ **vórtice.**
— *Anunciaron que se acerca un fuerte torbellino.*
2. Individuo vivo e inquieto.
— *Tu amigo es un torbellino en el trabajo.*

torca Depresión circular con bordes escarpados en un terreno.

torcer 1. Doblar una cosa. ❖ ENDEREZAR.
— *El peso del yunque torció la pata de la mesa.*
2. Desviar algo de su dirección.
— *En cuanto lo vio, torció la mirada.*
3. Doblar en contra de lo natural un miembro del cuerpo.
— *Se torció el tobillo cuando corría.*
4. Interpretar mal el sentido de algo.
— *Torció la intención de lo que le dijeron.*
— acción y resultado de torcer o torcerse: *torcedura, torsión, torcimiento.*
— que no es recto: *torcido.*
— amanerado, afeminado: *torcido.*

tórculo Prensa empleada para estampar grabados en cobre, acero, etc.

tordo Caballo que tiene el pelo mezclado de negro y blanco. ☞ **tordillo.**

tormenta 1. Tempestad atmosférica, borrasca. ❖ CALMA.
— *Esas nubes negras anuncian tormenta.*
2. Adversidad, desgracia. ☞ **infortunio.**
— *Le fue imposible detener la tormenta que vio venir.*

tormentario, -ria Que pertenece a la maquinaria de guerra o se relaciona con ella.

tormento 1. Dolor físico. ☞ **sufrimiento, padecimiento.** ❖ GOZO.
— *El dolor de la muela ha sido un tormento.*

2. Dolores causados a un reo para obligarlo a confesar o declarar. ☞ **suplicio, tortura, martirio.** ❖ GOZO.

— *Sufrió tormentos indecibles mientras estuvo preso.*

3. Congoja, aflicción del ánimo.

— *La ruptura con su familia fue un tormento.*

4. Individuo que causa una aflicción del ánimo.

— *Decía que su esposo era su divino tormento.*

tornaboda Día después de la boda.

tornachile En México, pimiento gordo.

— chile cuaresmeño: *tornachile.*

tornado Viento impetuoso que gira en forma de embudo. ☞ **torbellino, huracán, vórtice.**

tornaguía Recibo de la guía con que se expidió una mercancía. ☞ **recibo, comprobante.**

tornar 1. Cambiar a una persona o cosa su naturaleza o estado.

— *Tornó a la calma en cuanto se dio cuenta de que el accidente no había sido grave.*

2. Regresar al lugar de donde se partió. ☞ **retornar, volver.**

— *Tornaron rápidamente del viaje efectuado.*

3. Seguido de la preposición a, y un verbo en infinitivo, hacer nuevamente lo que el verbo expresa.

— *Tornaba a escribir la carta una y otra vez.*

tornasol Cambiante reflejo de la luz en algunas telas o cosas muy tersas.

— que tiene o hace visos o tornasoles: *tornasolado.*

— hacer o causar tornasoles: *tornasolar.*

tornaviaje Viaje de retorno al lugar de donde se partió.

tornavoz Cualquier elemento empleado para que el sonido repercuta y se oiga mejor, como la concha del apuntador en los teatros o el sombrero del púlpito.

torneo 1. Competición entre varios participantes.

— *Se están preparando para un torneo de tenis.*

2. Combate a caballo que se ejecutaba en una fiesta pública. ☞ **fiesta.**

— *El caballero de blanco venció en el torneo.*

tornillo Cilindro de metal, madera u otro material, con rosca que entra, por lo general, en la tuerca.

— expresión con que se indica que hay que corregir a una persona, un asunto, negocio, etc.: *apretarle los tornillos.*

— actuar de modo alocado: *faltarle un tornillo.*

torniquete 1. Especie de torno en forma de cruz, con brazos iguales, que gira horizontalmente y se coloca en entradas o salidas por donde pasan las personas una a una.

— *Cuando iba saliendo tu tía, se atoró el torniquete.*

2. Instrumento quirúrgico con que se detiene o evita una hemorragia en alguna de las extremidades.

— *Le aplicaron un torniquete en la pierna.*

torno Máquina o aparato que gira alrededor de su eje y que se emplea en distintas tareas, de lo cual también depende su conformación específica en cada caso.

— hecho a torno, torneado: *tornátil.*

— labrar o redondear una cosa al torno: *tornear.*

— dar vueltas alrededor de un torno: *tornear.*

toro 1. Fiesta o corrida de toros.

— *Me invitó a ir a los toros el domingo.*

— mamífero de gran cabeza con cuernos y cuerpo de hasta dos metros y medio: *toro.*

2. Hombre robusto y vigoroso.

— *Tu padre es un toro.*

— afrontar un asunto difícil con valor: *tomar al toro por los cuernos.*

— presenciar algo peligroso, sin exponerse, como lo hacen quienes intervienen directamente: *ver los toros desde la barrera.*

torpe 1. De movimiento lento y pesado.

— *Esa grúa es muy torpe.*

2. Falto de habilidad y destreza. ☞ **inhábil, incapaz.**

— *Es demasiado torpe para manejar la camioneta.*

3. Rudo, tardo en comprender algo.

— *Ha tenido un torpe entendimiento de la cuestión.*

torpedo Proyectil submarino autopropulsado.

— lanzar torpedos: *torpedear.*

— acción y resultado de torpedear: *torpedeo.*

— barco que carga torpedos: *torpedero.*

torrar Tostar al fuego.

— acción y resultado de tostar al fuego: *torrefacción.*

— tostado al fuego: *torrefacto.*

torre Construcción en general más alta que ancha, que sirve como punto de observación o en las iglesias para colocar las campanas, etc.

torreja Rebanada de pan mojada en huevo, leche, vino, etc., que se fríe y endulza. ☞ **torrija.**

torrente Corriente impetuosa de agua.

— curso de la sangre en el aparato circulatorio: *torrente sanguíneo.*

tórrido, -da Muy ardiente o quemado. ☞ **sofocante, abrasador.**

torso 1. Tronco del cuerpo humano. ☞ **tórax.**

— *Delineó con detalle el torso de la figura humana en la pintura.*

2. Estatua sin cabeza, brazos y piernas. ☞ **busto, herma.**

— *La entrada al recinto estaba adornada con un enorme torso.*

torta 1. Cualquier conjunto de ingredientes a los que se da figura redonda y plana y que normalmente se cuecen o fríen.

— *El menú incluye tortas de papa.*

2. Pieza de pan que se abre y se rellena de jamón, queso, carne o cualquier otro ingrediente. ☞ **lonche.**

— *Pidió una torta de pierna y una de atún.*

tortícolis Dolor en el cuello.

tortilla Pieza de masa, generalmente de maíz, sin levadura, plana y redonda, que se cuece sobre un comal.

— lugar en donde se hacen o venden tortillas: *tortillería.*

— que hace o vende tortillas: *tortillero.*

tortuoso, -sa 1. Que tiene vueltas y rodeos. ☞ **sinuoso, quebrado.** ❖ RECTO.

— *Llegamos hasta el castillo por un camino tortuoso.*

2. Cauteloso, solapado. ☞ **taimado.** ❖SINCERO.

— *Habló del asunto de manera tortuosa.*

— calidad de tortuoso: *tortuosidad.*

torturar Atormentar, martirizar.

— que tortura: *torturador.*

— acción de torturar: *tortura.*

— dolor o aflicción grande: *tortura.*

torunda Bola de algodón envuelta en gasa con que se cohíben las hemorragias leves en una operación quirúrgica.

torvo, -va 1. Espantoso, terrible a la vista. ☞ **horrible.** ❖ AGRADABLE.

— *Con un perro torvo nadie se acercará a la casa.*

2. Malintencionado, insincero.

— *Quién sabe qué torvas intenciones tenía.*

torzal Cordón delgado hecho con hebras torcidas.

tos Movimiento convulsivo y ruidoso del aparato respiratorio.

— tener y padecer tos: *toser.*

— complicar algo que es sencillo: *hacerla de tos.*

tosco, -ca Rudo, grosero, inculto. ❖ REFINADO, CULTO.

tósigo Veneno, ponzoña.

tostar Poner una cosa a la lumbre o al calor para que, sin quemarse, tome un color dorado.

— acción y resultado de tostar: *tostación.*

tortuga carey

— aparato o instrumento para tostar: *tostador.*

— tortilla de maíz que se fríe hasta que se vuelve quebradiza: *tostada.*

total 1. General, que lo comprende todo en su especie. ☞ **integral, entero, completo.**

— *Una de las funciones del total de los seres vivos consiste en reproducirse.*

2. Suma, cantidad resultante de la adición de dos o más homogéneas.

— *Poseía una biblioteca pequeña con un total de 506 libros.*

3. En suma, en conclusión.

— *¡Total! A fin de cuentas no te importaba tanto hacer el viaje.*

— calidad de total: *totalidad.*

tótem 1. Animal u objeto de la naturaleza que en la mitología de algunos pueblos se transforma en un emblema protector.

— *El lobo era el tótem en esa tribu.*

2. Representación pictórica, escultórica, etc., del tótem.

— *Actualmente el tótem se encuentra en restauración.*

totolque Juego de los antiguos mexicanos.

totopo o totoposte Pedazo de tortilla muy frita o tostada.

tóxico, -ca Sustancia venenosa. ☞ **venenoso, ponzoñoso.**

tozudo, -da Testarudo, obstinado. ☞ **terco, porfiado.** ❖ DÓCIL, CONDESCENDIENTE.

— calidad de tozudo: *tozudez.*

— necear, terquear: *tozar.*

traba 1. Impedimento, estorbo. ☞ **obstáculo, dificultad.**

— *Le pidió que no pusiera trabas a su trabajo.*

2. Pieza con que se junta y sujeta una cosa a otra.

— *Con una traba logró mantener juntos los vidrios de la ventana.*

trabajar 1. Tener una ocupación, ejercer una profesión, oficio, arte.

— *Trabaja como secretaria en la universidad.*

— que hace sus trabajos con empeño: *trabajador.*

2. Estar en el cumplimiento de una profesión u ocupación.

— *Normalmente trabaja a partir de las ocho de la mañana.*

3. Solicitar algo con esfuerzo.

— *Trabaja por obtener la beca el año entrante.*

4. Sufrir un objeto la acción del esfuerzo para el que fue creado.

— *El motor del automóvil trabaja adecuadamente.*

5. Dedicarse al comercio de determinados artículos.

— *Ella únicamente trabaja papelería de oficina.*

6. Tratar de influir en alguien para conseguir alguna cosa.

— *Se trabajó a la secretaria para que fuera su aliada incondicional.*

trabalenguas Palabra o frase difícil de pronunciar; se usa como juego para que se equivoque quien la dice.

trabilla 1. Tira de tela o piel que pasa debajo del pie y sujeta los bordes inferiores de los pantalones.

— *Se encaprichó en comprar unos pantalones con trabillas.*

2. Tira de tela o piel que sujeta al pie algunos tipos de calzado.

— *Traes desabrochada la trabilla del zapato.*

trácala Trampa, engaño.

— que es tramposo: *tracalero, trácala.*

tracción Acción y resultado de arrastrar alguna cosa.

tracería Decoración arquitectónica formada por combinaciones de figuras geométricas.

tracoma Conjuntivitis que provoca ceguera.

tracto 1. Formación anatómica que media entre dos lugares del organismo y tiene función conductiva.

— *Le detectaron un tumor en el tracto digestivo.*

2. Espacio entre dos lugares.

— *Pusieron señales luminosas en el tracto que va del pueblo hasta tu casa.*

tradición 1. Costumbre, doctrina conservada por transmisión de padres a hijos.

— *La tradición manda que la novia aviente el ramo.*

2. Noticia de un hecho transmitida de generación en generación.

— *La tradición indica que en este sitio se fundó la ciudad.*

traducir 1. Expresar en una lengua lo que está expresado en otra.

— *Tradujo esa novela del polaco al español.*

— que traduce de una lengua a otra: *traductor.*

— acción y resultado de traducir: *traducción.*

— obra del traductor: *traducción.*

2. Explicar, interpretar.

— *El maestro tradujo la fórmula y todos le entendimos.*

— interpretación que se da a un texto: *traducción.*

traer 1. Conducir una cosa a otro lugar.

— *¿Qué quieres que te traiga de California?*

2. Causar.

— *Llévate a ese perro, no traigas problemas.*

3. Tener puesta una cosa sobre el cuerpo.

— *Traía un saco de lino con botones de nácar.*

4. Sentir los efectos de una sensación física o psíquica.

— *Traía mucha sed.*

5. Tramar algo de manera oculta.

— *¿Qué se traen?*

6. Contener.

— *El libro trae un artículo que te interesa.*

— alegar razones o autoridades: *traer a colación.*

— hacer sufrir a otro por amor: *traer por la calle de la amargura.*

— despertar pasión amorosa: *traer cacheteando el pavimento.*

tráfago Conjunto de negocios o asuntos que causan fatiga. ☞ **ajetreo.**

tráfico 1. Acción y resultado de traficar. ☞ **comerciar, negociar.**

— *Se ganó la cárcel por dedicarse al tráfico de drogas.*

— hacer negocios ilícitos: *traficar.*

— negociar con dinero y mercaderías: *traficar.*

2. Comunicación, tránsito y transporte de personas, equipaje o mercancía; en las vías públicas, paso de personas, animales y vehículos.

— *La semana de vacaciones el tráfico de pasajeros fue excesivo.*

tragacanto Goma blanquecina empleada en la industria y la farmacia.

tragaleguas Que camina mucho y de prisa.

tragalumbre Individuo que apaga teas en su boca o que habiendo llevado gasolina a su boca la expele con fuerza y la quema.

tragaluz Ventana pequeña en la parte superior de una pared.

tragar 1. Hacer que una cosa pase de la boca al tracto digestivo.

— *Cuando era pequeño se tragó una moneda.*

— porción de líquido que se bebe o puede beber de una vez: *trago.*

— que come mucho: *tragón.*

— glotonería, gula: *tragazón.*

2. Comer con voracidad.

— *Tú no comes, tragas.*

3. Hundirse en la tierra o el agua lo que estaba en la superficie.

— *Durante la tempestad, el mar se tragó las embarcaciones pequeñas.*

4. Creer cosas inverosímiles.

— *No creas que me tragué eso de que te fuiste solo.*

5. Tolerar algo repulsivo.

— *No traga al jefe de personal.*

6. Disimular, no darse por enterado de algo, sobre todo si es desagradable.

— *Se tuvo que tragar el coraje cuando llegó su cuñado.*

tragedia 1. Obra dramática que por su tema y tratamiento despierta lástima y terror.

— *En su obra no llegó al meollo de la tragedia.*

— actor o autor de tragedias: *trágico.*

2. Suceso que acarrea desgracia.

— *Esa fiesta acabó en tragedia.*

— muy desgraciado: *trágico.*

— dar un sentido trágico a algo que no lo tiene: *hacer una tragedia.*

— tener algo un final desgraciado: *parar en tragedia.*

traición Falta de fidelidad o lealtad debida.

traína Nombre de varias redes para pescar, especialmente la que se emplea para la pesca de sardina.

— embarcación que pesca con traínas: *trainera.*

traje 1. Vestido particular de cierto tipo de personas, de una región o país.

— *El traje típico de Veracruz es casi todo blanco.*

2. Vestido completo de una persona.

— *Para ir a la oficina debes usar traje gris.*

— que está vestido con traje: *trajeado.*

— correctamente vestido: *bien trajeado.*

trajinar Andar de un sitio a otro.

— acción de trajinar, ajetreo: *trajín.*

— que trajina: *trajinante.*

— trasladar mercancías: *trajinar.*

— embarcación muy plana con cupo para un grupo pequeño de personas usada en los canales de Xochimilco: *trajinera.*

tralla Trencilla que se pone en el extremo del látigo para que restalle.

— chasquido de la tralla: *trallazo.*

— regaño: *trallazo.*

trama 1. Conjunto de hilos que, cruzados con los de la urdimbre, forman una tela.

— *En la trama usaron hilos de seda y lana.*

— atravesar los hilos de la trama por los de la urdimbre para tejer: *tramar.*

2. Sucesos de detalle de la acción de una obra de ficción.

— *Le pidieron que hiciera un bosquejo en detalle de la trama.*

— disponer la ejecución de una acción: *tramar.*

trámite Cada una de las acciones que hay que realizar para conseguir algo.

— hacer pasar un negocio por los trámites debidos: *tramitar.*

— serie de trámites para la realización de un asunto: *tramitación.*

— acción y resultado de tramitar: *tramitación.*

tramo 1. Porción de terreno separada de otros por ciertas señales.

— *En ese tramo decidieron plantar lechugas.*

2. Sección de una escalera entre descansos.

— *Todavía tiene que pintar el borde de ese tramo de la escalera.*

3. Cada una de las partes en que puede dividirse un camino.

— *Manejó muy bien en el tramo más pesado de la carretera: el de las curvas.*

tramontar Pasar del otro lado de los montes. Se usa especialmente al hablar del sol cuando se oculta detrás de las montañas en el ocaso.

— que está del otro lado de los montes: *tramontano.*

tramoya Conjunto de máquinas y sistemas empleados para dar movilidad o provocar efectos especiales en el escenario de un teatro.

trampa 1. Infracción premeditada de las reglas de un juego o competición.

— *Hizo trampa para poder ganar pero lo descubrieron.*

2. Artificio para cazar que consiste, normalmente, en hacer un agujero en el suelo y después cubrirlo para que no se note. Se dice también de cualquier medio o instrumento para cazar.

— *El tigre cayó en la trampa y sin embargo se escapó.*

— que hace trampas: *trampero.*

3. Cualquier acción, medio o ardid empleado para engañar a alguien.

— *Caíste en la trampa al aceptar el dinero.*

— que hace trampas: *tramposo.*

— usar trampas para evadir dificultades: *trampero.*

4. Puerta en el suelo.

— *Esa trampa lleva al sótano.*

trampolín 1. Tabla flexible o plataforma desde donde se lanza a la alberca el nadador.

— *Tu cuñado está parado en el trampolín.*

2. Estructura desde la que realiza el salto el esquiador.

— *El esquiador se cayó a la mitad del trampolín.*

3. Artefacto que impulsa al clavadista para dar grandes saltos.

— *Brincó en el trampolín e hizo una elegante pirueta en el aire.*

4. Suceso, persona o elemento empleado para conseguir algo.

— *La actuación en esa película fue para ella el trampolín para hacer una carrera internacional.*

tranca 1. Palo grueso y fuerte.

— *Pasó una carreta llevando unas buenas trancas.*

2. Cualquier elemento improvisado, una piedra o palo, con que se asegura y fija un objeto.

— *Ponle una tranca a la llanta para que el coche no se mueva.*

— golpear con violencia: *tranquear.*

trance 1. Momento difícil y decisivo.

— *Salió triunfante del trance al decir la verdad.*

2. Cualquier estado anímico durante el cual hay una aparente suspensión de los sentidos y que puede estar relacionado con creencias en fenómenos paranormales o religiosos.

— *La médium engañaba a los clientes haciéndolos creer que estaba en trance.*

tranchete Cuchilla empleada por los zapateros.

— frase con que se expresa que alguien imagina algo que puede hacerle daño: *ver moros con tranchete.*

tranquilizar Poner tranquilo, calmar, sosegar.

— quieto, sosegado: *tranquilo.*

— que no se preocupa ni se pone nervioso: *tranquilo.*

— estado tranquilo: *tranquilidad.*

— fármaco de efecto tranquilizador o sedante: *tranquilizante.*

transa Engaño, abuso, especialmente en un convenio económico. ☞ **transar.**

— establecer un convenio: *transar.*

transacción Convenio, trato, negocio.

transbordar Trasladar o trasladarse de un vehículo de transporte a otro.

— acción y resultado de transbordar o transbordarse: *transbordado.*

— embarcación que circula normalmente sólo entre dos lugares: *transbordador.*

transcribir Copiar un escrito o escribir algo en un sistema de caracteres distinto al del original. ☞ **transliterar, copiar, trasladar.**

— arreglar para un instrumento la música compuesta para otro: *transcribir.*

— acción y resultado de transcribir: *transcripción.*

— cosa transcrita: *transcripción.*

transculturación Recepción de formas de cultura ajenas a un pueblo que sustituyen o modifican las propias.

transcurso Paso, carrera, por lo general del tiempo. ☞ **transcurrir, transcurso.**

transeúnte Viandante, caminante, peatón.

transexual 1. Que desea intensamente pertenecer al sexo opuesto.

— *Ella se viste como hombre pero no tiene deseos transexuales.*

2. Individuo que se somete a tratamientos médicos y quirúrgicos para llegar a poseer externamente los caracteres sexuales del sexo opuesto.

— *El periodista entrevistó a varios transexuales.*

— calidad o condición de transexual: *transexualismo.*

transferir 1. Retardar, diferir la realización de algo. ☞ **trasladar.**

— *Transfirió su salida de México para el mes entrante.*

2. Remitir fondos bancarios de una cuenta a otra.

— *Por la mañana transfirió todo su dinero a la cuenta de su mujer.*

— operación bancaria mediante la cual se pasa una cantidad de una cuenta a otra: *transferencia.*

transfigurar Hacer cambiar de figura a una persona o cosa. ☞ **cambiar, mudar.**

tránsfuga Individuo que huye de un lado a otro.

transfusión Acción y resultado de transfundir. ☞ **comunicación.**

— operación consistente en hacer pasar sangre de un individuo a otro: *transfusión sanguínea.*

transgredir Quebrantar, violar una ley, precepto, norma. ☞ **infringir, vulnerar.** ❖ CUMPLIR, RESPETAR.

transición Acción y resultado de pasar de un modo de ser o estar a otro distinto.

— fatigado, acongojado: *transido.*

transigir Consentir en algo que no se cree justo, razonable, verdadero. ☞ **condescender, ceder, renunciar.**

— que transige: *transigente.*

transistor Dispositivo electrónico que rectifica y amplifica los impulsos eléctricos y sustituye a las válvulas electrónicas.

transitar Pasar de un lugar a otro por vías o sitios públicos.

— acción de transitar: *tránsito.*

— nombre común del organismo público que cuida la vialidad: *tránsito.*

transliterar Representar los signos de un sistema de escritura mediante los de otra. ☞ **transcribir.**

transmigrar Pasar a vivir de un país a otro.

transmitir Trasladar, comunicar, contagiar.

— que transmite o puede transmitir: *transmisor.*

— conjunto de mecanismos que comunican el movimiento de un cuerpo a otro: *transmisión.*

transmutar Convertir una cosa en otra, transformar, transfigurar.

transnacional Empresa, negocio o industria de capital extranjero asentada en un país.

transoceánico, -ca Que está al otro lado del océano o que lo atraviesa.

transparente Que se puede ver a través de él. ❖ OPACO.

— calidad de transparente: *transparencia.*

— dejarse ver la luz u otra cosa a través de un cuerpo transparente: *transparentarse.*

transpirar Sudar.

— acción y resultado de transpirar: *transpiración.*

— sudor: *transpiración.*

transportar Llevar algo de un lugar a otro. ☞ **trasladar, conducir.**

— acción y resultado de transportar: *transporte.*

transustanciación Conversión total de una cosa en otra. En la religión cristiana se usa al hablar de la eucaristía.

— convertir una sustancia en otra: *transustanciar.*

transverso, -sa Dirigido al través.

— que está o se extiende atravesado de un lado a otro: *transversal.*

tranvía Vehículo que circula sobre rieles dentro de una ciudad o sus alrededores.

trapacería Engaño, fraude, trapaza.

— emplear trapazas u otros engaños: *trapacear.*

trapajoso, -sa Sucio, roto.

trapear Limpiar el suelo con un trapo.

— instrumento para trapear, que generalmente consta de un palo con un pedazo o pedazos de tela en uno de sus extremos: *trapeador.*

trapecio 1. Barra horizontal suspendida de dos cuerdas en sus extremos y que sirve para realizar ejercicios gimnásticos.

— *Llegamos en el momento en que colocaban los trapecios en el circo.*

— gimnasta o artista de circo que hace ejercicios en el trapecio: *trapecista.*

2. Figura geométrica que tiene paralelos sólo dos de sus lados.

— *Dibujó una casita con el techo en forma de trapecio.*

trapezoide Figura geométrica que no

tiene ningún lado paralelo a otro, ni lados ni ángulos iguales.

trapiche Molino para extraer el jugo de las aceitunas, caña de azúcar y otros frutos.

trapisonda Riña, alboroto, enredo.
— armar trapisondas: *trapisondear.*

trapo 1. Pedazo de tela viejo y roto.
— *El escenario estaba cubierto de trapos.*
2. Pedazo de tela que se usa para limpiar.
—*Compré varios trapos para sacudir.*
— expresión común para referirse a las prendas de vestir: *trapos, garras.*
— reprender a alguien con dureza: *poner como trapo.*
— expresión con que se explica que se hacen públicos los defectos de una cosa o persona: *sacar los trapos al sol.*
— estar o quedar muy cansado: *estar o quedar como trapo.*

traque Guía de pólvora que une las partes de un fuego de artificio.
— hacer ruido: *traquetear.*
— mover mucho una cosa: *traquetear.*
— que está muy cansado, usado: *traqueteado.*
— que ha vivido mucho y con dificultades: *traqueteado.*

tráquea Conducto que va de la faringe a los bronquios; en el ser humano está situado delante del esófago.

trascender 1. Empezar a ser conocido algo que estaba oculto.
— *Trascendió la noticia de que estabas en el hospital.*
2. Comunicarse los efectos de unas cosas a otras, causando consecuencias.
— *Los efectos de su imprudencia y grosería trascendieron más allá de lo que imaginaba.*
— que trasciende: *trascendente.*
— que comunica a otras cosas: *trascendental.*
— que es muy importante: *trascendental.*
— resultado muy importante: *trascendencia.*

trasegar Trastornar, revolver.
— acción y resultado de trasegar: *trasiego.*

trasero, -ra 1. Que está, queda o viene detrás.
— *Dejé las llaves en el asiento trasero de tu coche.*
2. Nalgas, asentaderas.
— *Me senté en el suelo y me ensucié el trasero.*

trasfondo Lo que está o parece estar más allá del fondo visible de una cosa o detrás de la apariencia o intención de una acción.

trashojar Pasar ligeramente las hojas de un libro o cuaderno, en ocasiones leer

superficialmente su contenido.

trashumar 1. Ir de un lado a otro.
— *Si no trashuma no está contento.*
2. Pasar el ganado de un pastizal a otro.
— *Las vacas trashumaron entre dos terrenos.*
— que trashuma: *trashumante.*

trasijado, -da Que está muy flaco.

trasladar 1. Llevar una cosa o persona de un lugar a otro. ☞ **transportar.**
— *Los trasladaron a un hotel de menor categoría.*
2. Cambiar la fecha de celebración de un acto. ☞ **diferir, aplazar.**
— *Trasladó la fiesta para el siguiente sábado.*
3. Traducir de una lengua a otra.
— *Trasladó ese poema al inglés.*
— acción y resultado de trasladar: *traslado, traslación.*

traslapar Cubrir total o parcialmente una cosa con otra.
— acción y resultado de traslapar: *traslape.*

trasluz Luz que pasa a través de un cuerpo traslúcido.
— intentar ver el interior de un objeto colocándolo entre quien mira y la fuente de luz: *ver a trasluz.*

trasmano Segundo en orden en algunos juegos.

trasminar Pasar o penetrar a través de alguna cosa un olor, un líquido, etc.

trasmundo La otra vida o el mundo de ensueño.

trasnochar Pasar la noche o gran parte de ella sin dormir.
— falto de novedad y de oportunidad: *trasnochado.*
— que está desmejorado: *trasnochado.*

trasnombrar Trastocar los nombres de las cosas o las personas.

trasojado, -da Macilento, con ojeras. ☞ **ojeroso.**

trasoñar Comprender erróneamente algo como cosa que pasa en los sueños.

traspalar Mover con la pala algo de un sitio a otro.

traspapelar Confundirse, perderse un papel entre otros muchos.

traspasar 1. Pasar a la otra parte. ☞ **cruzar.**
— *Traspasó la calle con gran rapidez.*
2. Atravesar de lado a lado con un arma o instrumento.
— *Traspasó al pollo con la varilla para rostizarlo.*
3. Pasar un líquido de un lado a otro de un cuerpo.
— *El café que tiré traspasó la colchoneta.*
— traslado de una cosa de un sitio a otro: *traspaso.*
— vender un negocio con la mercan-

cía, deudas, etc.: *traspaso.*

traspatio Segundo patio de una casa. ☞ **patio interior.**

traspié Resbalón, tropezón.
— expresión con que se indica que se cometen errores: *dar traspiés.*

trasplante 1. Acción y resultado de trasplantar.
— *Los jardineros trasplantaron ese árbol hace un año.*
— trasladar las plantas del sitio en donde están plantadas a otro distinto: *trasplantar.*
2. Intervención quirúrgica consistente en implantar a un ser vivo alguna parte orgánica procedente de sí mismo o de otro individuo.
— *Se sometió a un trasplante de riñón.*
— insertar en un cuerpo humano o animal un órgano sano o parte de él proveniente de sí mismo o de otro individuo: *trasplantar.*

traspunte Individuo encargado en el teatro de avisar a los actores la inminencia del comienzo de la representación, y dar las llamadas al público.

trasquilar Cortar desordenadamente el pelo. ☞ **pelar.**
— acción y resultado de trasquilar: *trasquila, trasquiladura.*

trastabillar Dar traspiés, tropezar, tambalear, tartamudear.

trastada Travesura.

trasto Elemento de la escenografía de una obra de teatro.
— mueble u objeto inútil: *trasto*

trastienda Cuarto que está detrás de la tienda.

traste Cualquiera de los objetos de madera, metal, vidrio, etc., que se emplean para cocinar y servir los alimentos.
— mueble para guardar los trastes: *trastero.*

trastocar 1. Trastornar, revolver.
— *Cuando abrí el cajón trastoqué los papeles.*
2. Trastornarse, perturbarse la razón.
— *Su pobre cabeza trastocó todo.*

trastornar 1. Alterar, hacer perder el estado normal de algo o alguien.
— *Su nerviosismo trastornó nuestro trabajo.*
2. Perturbar el sentido, la conducta, la conciencia.
— *El exceso de drogas lo trastornó.*
3. Gustarle a uno demasiado una cosa.
— *Sus manos, sus ojos, su cabello, su piel, su voz, me trastornaron.*
— acción y resultado de trastornar o trastornarse: *trastorno, trastornadura, trastornamiento.*

trastrocar Cambiar el ser, sentido o estado de una cosa dándole uno distinto.
— acción y resultado de trastrocar o

trastrocarse: *trastrocamiento, trastrueco, trastrueque.*

trasunto Copia, traslado. ☞ **imitación, remedo.**

— copiar un escrito: *trasuntar.*

— compendiar o epilogar: *trasuntar.*

tratar 1. Usar una cosa, manejarla.

— *Trata con cuidado el coche pues no es tuyo.*

2. Gestionar un negocio.

— *Trató en cuanto pudo el asunto del despido de varios empleados.*

3. Relacionarse con una persona.

— *Si quieres, nos tratamos unos días para ver si nos entendemos.*

4. Tener relaciones amorosas.

— *Ellos se tratan desde hace años pero no quieren casarse.*

5. Proceder bien o mal con un individuo.

— *Siempre lo ha tratado con gran cariño y respeto.*

6. Discurrir sobre un asunto.

— *La película trata de las aventuras de unos niños en la selva.*

7. Dar un tratamiento.

— *¿Por qué no nos tratamos de tú?*

8. Motejar.

— *Lo trató de incapaz todo el tiempo.*

9. Intentar el logro de un fin.

— *Trata de ahorrar para hacer ese viaje.*

— convenio, conclusión de un negocio: *tratado, trato.*

— escrito sobre una materia determinada: *tratado.*

— título de cortesía: *tratamiento.*

— tráfico de esclavos negros: *trata.*

— tráfico de mujeres para someterlas a la prostitución: *trata de blancas.*

— acción y resultado de tratar: *tratamiento, trato.*

— cualquier método para curar enfermedades: *tratamiento.*

trauma *Impresión o emoción muy fuertes.*

— causar trauma: *traumar, traumatizar.*

— lesión de los tejidos orgánicos por agentes externos: *traumatismo.*

— relativo al traumatismo: *traumático.*

— parte de la medicina referente a los traumatismos y sus efectos: *traumatología.*

— sección de una clínica, hospital o sanatorio en donde se atienden traumatismos: *traumatología.*

— especialista en traumatología: *traumatólogo.*

través Desgracia, fatalidad.

— por entre: *a través, al través.*

— de un lado a otro: *a través de.*

— por medio de alguien o algo: *a través de.*

travesaño Pieza de madera, metal u otro

material que atraviesa de un lado a otro, como la barra horizontal de una portería en un campo de futbol.

travesía 1. Distancia entre dos puntos de tierra o mar. ☞ **trayecto, recorrido.**

— *La travesía entre la choza y el río es larga.*

2. Viaje por mar, tierra, aire.

— *La travesía durará más de dos horas.*

travesti Individuo que se viste con ropas del sexo contrario, normalmente para trabajar en un espectáculo. ☞ **travestido.**

— vestir a una persona con prendas del sexo opuesto: *travestir.*

— costumbre de vestir ropa del sexo opuesto: *travestismo.*

travesura Acción y resultado de travesear.

— andar inquieto y revoltoso: *travesear.*

— hacer cosas con ingenio y viveza, generalmente los niños, para divertirse: *travesear.*

trayecto 1. Espacio que se recorre de un punto a otro.

— *En ese trayecto se localizan varios lagos.*

2. Acción de recorrerlo.

— *Durante el trayecto se localizan varos lagos.*

3. Acción de recorrerlo.

— *Durante el trayecto nos detuvimos a comer en un puesto de quesadillas.*

— línea descrita en el espacio por un punto que se mueve o un fenómeno que se propaga: *trayectoria.*

— curso a lo largo del tiempo, del comportamiento de un individuo, grupo social, etc.: *trayectoria.*

trazo 1. Delineación con que se forma el diseño de algo.

— *Éste es el trazo del traje de novia.*

2. Línea, raya.

— *Si elimino este trazo, el dibujo quedará más limpio.*

— planta o diseño para la construcción de uno o varios edificios o sitios: *traza.*

— apariencias de una persona o cosa: *traza.*

— plan, medio para un fin: *traza.*

— hacer trazos: *trazar.*

— diseñar la traza de un edificio o sitio: *trazar.*

— discurrir los medios necesarios para el logro de algo: *trazar.*

— describir o dibujar los rasgos de una persona o cosa: *trazar.*

trazumar Pasar un líquido a través de los poros de un cuerpo.

trébede Triángulo de hierro con tres pies sobre el cual se ponen al fuego sartenes, ollas, etc.

trebejo 1. Cualquier objeto, general-

mente algo viejo e inútil.

— *Podríamos poner esa silla en el cuarto de los trebejos.*

2. Cada una de las piezas del ajedrez.

— *Moví la mesa y se cayeron los trebejos del tablero de ajedrez.*

trébol Planta de hojas casi redondas en grupos de tres.

— una de las cuatro figuras o palos de la baraja francesa: *trébol*

trece Diez y tres.

trecho Distancia, tramo, espacio.

— transportar una carga de trecho en trecho: *trechear.*

— acción de trechear: *trecheo.*

— de distancia a distancia, de tiempo en tiempo: *de trecho en trecho.*

tregua 1. Suspensión de hostilidades entre quienes luchan entre sí.

— *Durante la tregua el batallón fue atacado por sorpresa.*

2. Descanso que interrumpe una actividad. ☞ **suspensión, interrupción.**

— *Pidió tregua para tomar agua.*

— suspender algo durante un periodo: *dar tregua.*

tremendo 1. Terrible, que da miedo. ☞ **espantoso, horrible, horrendo.**

— *Me acerqué al toro y me dio un susto tremendo.*

2. Muy grande. ☞ **enorme, colosal.**

— *Nos agarró un aguacero tremendo durante el partido de futbol.*

trementina Resina de los pinos, abetos, etc.

tremó Marco de los espejos que están fijos sobre una pared. ❖ TRÉMOL.

tremolar Levantar en alto una bandera, estandarte o pendón y moverlo en el aire.

— movimiento ruidoso del aire: *tremolina.*

trémolo En música, sucesión rápida de muchas notas iguales de la misma duración.

tremor Inicio de un temblor.

trémulo 1. Que tiembla. ☞ **tembloroso, tremulante, tremulento.**

— *De pronto, el danzante inició una serie de movimientos trémulos.*

2. De movimiento semejante al temblor.

— *Una trémula llama iluminaba débilmente la cocina.*

tren 1. Serie de vagones articulados unos tras otros y jalados por una locomotora. ☞ **ferrocarril.**

— *Siempre se va en tren a Guadalajara.*

— tren de pasajeros que sólo se detiene en las estaciones principales: *expreso, pullman.*

— tren de mayor velocidad que el expreso: *tren rápido.*

2. Conjunto de instrumentos o útiles

que se emplean para la realización de una actividad, servicio, etc.
— *Se alistaron con todo el tren de artillería.*
3. Forma de realización de algo, modo.
— *Ese tren de actividades le encanta.*
— modo de vida: *tren de vida.*
— conjunto de estructuras en donde están las ruedas de un avión y que facilitan el aterrizaje y el despegue: *tren de aterrizaje.*
— estructura en donde están colocadas las ruedas de un patín: *tren de rodamiento.*

trenza 1. Entrecruzamiento de tres o más hilos, cordones, listones, etc.
— *La correa de tu bolsa es una trenza de cuero.*
2. Porción de cabello largo entretejido.
— *Llevaba dos trenzas, una a cada lado de la cabeza.*
— hacer trenza: *trenzar, entrenzar.*

trepanar Horadar el cráneo o cualquier hueso con un fin curativo o diagnóstico.
— acción y resultado de trepanar: *trepanación.*
— instrumento para trepanar: *trépano.*

trepar 1. Subir a un lugar dificultoso. ☞ **encaramarse, escalar.**
— *El gato trepó al árbol por huir del perro.*
2. Crecer las plantas asiéndose a los árboles, paredes, rejas, etc.
— *La hiedra trepó hasta el balcón.*
— planta o animal que trepa: *trepador.*
3. Ascender socialmente, laboralmente, etc., mediante artimañas.
— *Trepó fácilmente pero no pudo sostenerse en esa clase social.*
— que trepa: *trepador.*

trepidar Temblar con fuerza. ☞ **vibrar.**
— acción y resultado de trepidar: *trepidación.*

tres Dos y uno.
— de tres meses: *tresmesino.*
— conjunto de tres cosas muy vinculadas: *tríada, tríade.*
— grupo de tres: *trío.*
— composición musical para tres voces o instrumentos: *trío.*
— conjunto musical que la interpreta: *trío.*
— armazón de tres pies para sostener aparatos: *trípode.*
— figura geométrica formada por tres rectas: *triángulo.*
— expresión con la que se afirma que se puede vencer con facilidad: *dar tres y las malas.*
— expresión con la que se indica la verdad de algo: *como tres y dos son cinco.*
— en la religión cristiana, los tres seres: el padre, el hijo y el espíritu santo,

que forman una unidad: *santísima trinidad.*

treta Engaño, artimaña, ardid, añagaza, astucia.

triaca Mezcla farmacéutica de muchos ingredientes
— que pertenece a la triaca o se relaciona con ella: *trical.*

tribu Conjunto de individuos que comparten creencias, modos de vida, etc., y que obedecen a un patriarca o jefe.
— que pertenece a la tribu o se relaciona con ella: *tribal, tribual.*

tribulación 1. Desgracia, infortunio, aflicción.
— *Realizó un viaje colmado de tribulaciones.*
2. Congoja, pena.
— *Lo que sé de ti sólo me ha traído tribulaciones.*

tribuna 1. Sitio en alto desde donde una persona dirige la palabra a los demás, durante un discurso, sermón, informe, etc.
— *No colocaron bien la tribuna y por poco se cae el orador.*
— orador público: *tribuno.*
2. Gradería en un estadio deportivo.
— *La gente alzaba banderas en la tribuna.*
3. Gradería para observar un espectáculo público en la calle. ☞ **gradas.**
— *Desmontaron la tribuna esta mañana para permitir la libre circulación de automóviles.*
— sitio desde donde los jueces administran justicia o dictan sentencias: *tribunal.*

tributo Lo que se entrega al Estado, normalmente dinero, para la obtención de bienes y servicios públicos. ☞ **impuesto, contribución, carga, gravamen.**
— dar cierta cantidad de dinero al Estado para la obtención de bienes o servicios públicos: *tributar.*
— manifestar respeto, amor, veneración: *tributar.*
— que pertenece al tributo o se relaciona con él: *tributario.*

trifulca Desorden, disputa, alboroto, riña.

trigo Grano de la planta de este mismo nombre con el cual se hace pan.

trillar Separar el grano de la paja, normalmente con el trillo o la trilladora.

trinar (vea recuadro de voces animales). 1. Hacer trinos, gorjear.
— *Los canarios trinaron toda la mañana.*
— gorjeo de los pájaros: *trino.*
2. Rabiar, impacientarse.
— *Está que trina desde que te negaste a hacer el trabajo.*
— sucesión rápida y alternada de no-

tas de igual duración, entre las cuales media la distancia de un tono o semitono: *trino.*

trincar 1. Atar con fuerza.
— *Trincamos muy bien todos los paquetes.*
2. Apretar, oprimir.
— *Trincó los libros sobre su pecho y corrió.*
3. Beber o comer.
— *Trincaron lo que encontraron en la cocina.*

trinchar Sujetar algo, generalmente comida, con un trinche.
— tenedor: *trinche.*

trinchera Sitio desde donde se defiende un soldado o un grupo de soldados. ☞ **parapeto, foso.**

trineo Vehículo sin ruedas para avanzar sobre la nieve o el hielo.

trinquete Engaño, estafa, timo.

tripa 1. Intestino, entraña, víscera.
— *Le sacó las tripas al pollo para cocerlo.*
2. Vientre, panza.
— *No le cerraba la camisa porque tenía mucha tripa.*
3. Tubo flexible.
— *Con una tripa sacó gasolina del tanque.*
— luchar por disimular el miedo: *hacer de tripas corazón.*
— causar algo, disgusto y repugnancia: *revolver las tripas.*

tripsina Enzima digestiva, la más importante de la secreción pancreática.

tripular 1. Abordar un avión, barco o vehículo espacial para conducirlo.
— *Después de visitar el puerto tripularon el transbordador.*
— conjunto de personas que van en un avión, barco, vehículo espacial, en especial aquellas que tienen a su cargo la conducción y cuidado del vehículo: *tripulación.*
2. Dotar de tripulación.
— *Tripuló la flotilla con los mejores pilotos militares.*
— individuo que forma parte de la tripulación: *tripulante.*

trique Cualquier objeto, especialmente algo pequeño. ☞ **cháchara, cosa.**

triquina Gusano de aproximadamente tres milímetros de largo cuya larva se enquista en los músculos del ser humano y del cerdo.
— enfermedad producida por la triquina: *triquinosis.*

triquiñuela Treta.

triquitraque Ruido de golpes desordenados y repetidos.

tris Sonido leve que se produce cuando algo delicado se quiebra.
— estar a punto de: *estar en un tris.*

trincar 1. Enredar, mezclar.
— Los changos triscaron todas las frutas.
— 2. Torcer, alternativamente, a uno y otro lado, los dientes de la sierra para que corra sin dificultad sobre la superficie por cortar.
— *Este muchacho triscó las sierras.*

triste 1. Apenado, apesadumbrado, abatido. ❖ ALEGRE. FELIZ.
— *El niño llegó triste porque cambiaron a la maestra.*
— calidad de triste: *tristeza, tristura.*
— un poco triste: *tristón.*
2. Insignificante, insuficiente. ☞ **mísero, ineficaz.**
— *El ladrón se llevó todo; no dejó ni un triste peso.*

tritón (vea ilustración). Anfibio pequeño más ágil que la salamandra; habita en el agua mientras persisten sus branquias y luego se hace terrestre. ☞ **lagartija, salamandra.**

triturar Moler, desmenuzar, pulverizar. ☞ **deshacer.**
— que tritura: *triturador.*
— máquina que tritura: *trituradora.*
— acción y resultado de triturar: *trituración.*

triunfo 1. Éxito de algo dificultoso.
— *Obtuvo el triunfo después de haber trabajado con empeño.*
— ganar, vencer, obtener victoria: *triunfar.*
2. Lo que es el trofeo del éxito.
— *Su arte es el triunfo de su belleza, talento y trabajo.*
— que triunfa: *triunfador, triunfante.*
— que pertenece al triunfo o se relaciona con él: *triunfal.*

trivial Vulgar, común, sin importancia o novedad. ☞ **manido, insignificante.** ❖ EXTRAORDINARIO, IMPORTANTE.
— calidad de trivial: *trivialidad.*
— hacer trivial: *trivializar.*

triza Pedazo pequeño, partícula de un cuerpo.
— hacer pedazos pequeños una cosa: *hacer trizas.*
— hacer trizas: *trizar.*
— agraviar, insultar, lastimar gravemente: *hacer trizas.*

trocar 1. Cambiar, mudar.
— *Trocó su vida en cuanto se casó.*
2. Equivocar, confundir.
— *Tu inseguridad trocó el sentido de lo que comentaste.*
— acción y resultado de trocar: *trocamiento.*

trofeo 1. Objeto señal de victoria.
— *Ese trofeo lo obtuvo en el campeonato de boliche.*
2. Victoria, triunfo conseguido.
— *El reconocimiento a su trabajo y*

tritón

tritón oriental

tritón rugoso

honestidad fue el mejor trofeo que le pudieron dar.

troglodita 1. Hombre bárbaro y cruel.
— *¡Mira nada más cómo te golpeó! ¡Es un troglodita!*
— que habita en cavernas: *troglodita.*
2. Muy comedor.
— *En un instante devoró lo que le diste. ¡Es un troglodita!*

troj o troje Construcción en donde se guardan especialmente cereales. ☞ **granero, hórreo.**

trole Vara de hierro que comunica a un receptor móvil la corriente eléctrica que toma de un cable conductor.
— vehículo eléctrico sin carriles que toma corriente por medio de troles: *trolebús.*

tromba 1. Columna de agua que se forma sobre el mar a causa de un torbellino.
—*La tromba hizo naufragar el barco.*
2. Lluvia muy fuerte y breve.
—*La semana pasada una tromba tiró varios árboles.*

trombina Enzima de la sangre que produce la coagulación.
— coágulo de sangre en un vaso sanguíneo: *trombo.*
— proceso de formación de un trombo: *trombosis.*

trompa 1. Boca grande de un individuo.
— *Enchuecó la trompa cuando le pediste que limpiara las ventanas.*
2. Prolongación muscular hueca y elástica de la nariz de algunos animales.
— *En el circo, la niña se sentó en la*

trompa del elefante.
— conducto de muchos vertebrados que comunica el oído medio con la faringe: *trompa de Eustaquio.*
— oviducto de los mamíferos: *trompa de Falopio.*

trompada Puñetazo, golpe en la cara.
— dar trompadas: *trompear.*

trompicón 1. Tropezón.
— *Se dio tal trompicón, que fue a caer de cabeza en el charco.*
2. Golpe fuerte, porrazo.
— *Le dio un trompicón a la salida de la escuela.*

trompo Juguete de figura cónica que se enreda en una cuerda para lanzarlo y hacerlo girar.
— emborracharse: *ponerse como trompo.*

tronar 1. Sonar truenos.
— *Tronó con fuerza antes de llover.*
— trueno, estruendo: *tronido.*
2. Hacer ruido.
— *El comal tronó cuando lo puse al fuego.*
3. Perder algo hasta arruinarse.
— *Tronó el negocio de tortas de la esquina.*
4. Rendirse hasta agotarse, no poder más.
— *Si sigues con ese ritmo de vida, vas a tronar.*
5. Terminar una relación amistosa, un noviazgo, etc.
— *Tronó con su novio porque la dejó plantada.*
— preocuparse: *tronarse los dedos.*

tronco 1. Tallo fuerte y grueso de árboles y arbustos.

— Con ese tronco van a hacer un puente que cruce el arroyo.

2. Cuerpo humano o animal sin tomar en cuenta la cabeza y las extremidades. ☞ **tórax, torso.**

— En el tronco se localiza el corazón y los pulmones.

3. Ascendiente común de dos o más familias.

— En el tronco familiar había muchos artesanos.

4. Cuerpo principal del que salen o al que conducen otros menores.

— Así quedó diseñado el tronco común de estas carreras profesionales.

tronchar Partir violentamente un tronco o cosa de esta forma.

— tallo de las hortalizas: troncho.

— que tiene tallo grueso y largo: tronchudo.

tronera Abertura en la pared de un buque, en una muralla, etc., por donde sale el tiro de un cañón.

trono 1. Asiento de los reyes, emperadores, papas, etc., empleado especialmente en ciertas ceremonias.

— El trono real tenía un dosel azul.

2. Tercer coro de ángeles, según la religión cristiana.

— En la jerarquía de los tronos también están los serafines y los querubines.

3. Excusado, retrete.

— Hace horas que está en el trono.

trozar Romper, hacer trozos. ☞ **partir**.

tropa 1. Grupo de gente reunida con un fin determinado.

— Lo visitó una tropa de obreros que representan al sindicato.

2. Ejército o cualquier grupo de soldados que forman parte de un ejército.

— A la tropa se le permitió descansar después del entrenamiento.

tropel 1. Movimiento desordenado y rápido de personas o cosas.

— Las naranjas avanzaban en tropel sobre la banda que las llevaba a la exprimidora.

— aceleración confusa y desordenada: tropelía.

2. Conjunto de cosas desordenadas.

— Sobre la mesa había un tropel de libros viejos.

— hecho violento e ilegal: tropelía.

tropezar 1. Dar los pies con un estorbo. ☞ **topar.**

— Se tropezó al cruzar la calle y por poco lo atropellan.

— estorbo o impedimento: tropiezo.

2. Encontrar algún obstáculo para seguir adelante una cosa.

— La pelota tropezó con la silla.

3. Advertir el defecto o falta de una

cosa o la dificultad de su ejecución.

— Tu estudio sobre el baile de salón en México tropieza con la falta de información.

4. Hallar casualmente a una persona. ☞ **topar, encontrar.**

— A la salida me tropecé con el chico que me gusta.

— que tropieza frecuentemente: tropezón.

— acción y resultado de tropezar: tropezón, tropiezo.

— falta o culpa: tropiezo.

trópico, -ca 1. Sitio con mucha vegetación, normalmente cálido y algunas veces cercano al mar.

— Se fueron de vacaciones al trópico.

— que pertenece al trópico o se relaciona con él: tropical.

— veraniego: tropical.

— muy alegre y voluptuoso: tropicoso.

2. Relativo al tropo, figurado.

— La metáfora es una construcción trópica.

3. Cada uno de los dos círculos menores, imaginarios, que se consideran en la esfera celeste, en correspondencia con los también imaginarios, de la esfera terrestre.

— El trópico del hemisferio boreal se denomina trópico de Cáncer y el del austral trópico de Capricornio.

tropismo Movimiento total o parcial de los organismos bajo el estímulo de agentes físicos.

tropo Empleo de las palabras en sentido distinto al que comúnmente se refieren.

— lenguaje figurado, sentido alegórico: tropología.

— figurado: tropológico.

— mezcla de moralidad y doctrina en un discurso: tropología.

— doctrinal, moral: tropológico.

troposfera Región interior de la atmósfera, en la que ocurren la mayoría de los fenómenos que afectan al clima.

troquel Molde empleado para la acuñación de monedas o para el estampado de cualquier pieza metálica.

— imprimir y sellar una pieza de metal con un troquel: troquelar.

— acción y resultado de troquelar: troquelado.

trote 1. Modo de caminar acelerado en las caballerías, consistente en avanzar saltando.

— Se alejó a todo trote en un caballo.

— ir el caballo al trote: trotar.

— cabalgar alguien en un caballo que va al trote: trotar.

2. trabajo apresurado y fatigoso.

— Hicimos este diseño al trote.

— andar mucho y aceleradamente una

persona: trotar.

— expresión que señala que es mejor realizar una actividad pacientemente: más vale paso que dure que trote que cante.

— persona callejera: trotacalles.

— alcahueta: trotaconventos.

— persona que viaja mucho por diferentes países: trotamundos.

troupe (trup) Conjunto artístico.

trovar 1. Hacer versos o componer trovas. ☞ **versificar.**

— Trovó la historia desgraciada de esa mujer e hizo un corrido.

2. Imitar una composición poética aplicándola a otro asunto.

— Trovó con gracia la conocida redondilla de Sor Juana.

— conjunto de palabras sujetas a medida, ritmo: trova.

— composición métrica que se forma imitando otra: trova.

— canción compuesta o cantada por un trovador: trova.

— poeta provenzal de la Edad Media que trovaba en lengua de oc: trovador.

— poeta popular: trovador, trovero, trovista.

— poeta de la Edad Media que componía en lengua de oíl: trovero.

— poema popular de asunto amoroso: trovo.

trozo Pedazo de algo, parte, fragmento, porción.

— romper, hacer pedazos: trozar.

truco 1. Maña o habilidad adquirida en el ejercicio de una profesión, arte, oficio, etc.

— No quiere revelar el truco para lograr que las violetas florezcan todo el año.

2. Artificio para producir ciertos efectos en fotografía, cinematografía, ilusionismo, etc.

— La imagen de ese actor se ve tres veces gracias a un truco en la edición de la cinta.

3. Habilidad de apariencia engañosa.

— La abundancia de palabras infladas es un truco para ocultar un texto que no dice nada significativo.

— preparar algo con ardides y mañas para que produzca el efecto deseado: trucar, truquear.

— acción y resultado de trucar: trucaje.

truculento Atroz, cruel, tremendo.

— calidad de truculento: truculencia.

trucho, -cha Que es astuto, listo. ☞ **truchimán.** ❖ TONTO.

trueno 1. Estruendo que se produce en las nubes por descargas eléctricas.

— El trueno sobresaltó a los caballos.

2. Ruido que causa el disparo de un arma de fuego o un fuego artificial.

tucán

— *Cuando oigan el trueno de la pistola inicien la carrera.*

trueque Acción y resultado de trocar. ☞ **trocar.**

trufa Pastel o dulce pequeño y esponjoso de chocolate.
— tipo de pastel de chocolate: *pastel trufado.*

truhán, -na 1. Que vive de engaños y estafas. ☞ **astuto, pillo, pícaro.**
— *Ese tipo es un truhán, no le compres nada.*
2. Que hace reír con bufonadas y chistes.
— *Me encanta, es un truhán simpatiquísimo.*
— propio de truhanes: *truhanesco.*
— acción truhanesca: *truhanada.*
— decir chistes, burlas de truhán: *truhanear.*
— conjunto de truhanes: *truhanada, truhanería.*

truncar 1. Cortar parte de alguna cosa.

— *Por poco se trunca los dedos con la sierra.*
2. Interrumpir algo dejándolo incompleto.
— *Truncó su viaje porque se enfermó.*
— acción y resultado de truncar: *truncamiento.*
— incompleto: *trunco.*

trusa Prenda de vestir interior masculina que cubre desde la cintura hasta el nacimiento de las piernas. ☞ **calzones, calzoncillos.**

trust (trost) Grupo de empresas bajo la misma dirección cuyo objetivo es controlar el mercado de un producto o un sector comercial.

tuba Bebida hecha con agua de coco destilada.

tuba Cada uno de los instrumentos metálicos de viento de gran tamaño, o que tienen tono profundo.

tubérculo 1. Parte abultada de un tallo o raíz, que contiene sustancias nutritivas

y del que pueden brotar nuevas plantas.
— *La papa es un tubérculo.*
— relativo al tubérculo o con su figura: *tuberculoso.*
2. Bulto pequeño natural o causado por una enfermedad, que se forma en los huesos u órganos del cuerpo.
— *Le detectaron un tubérculo en el fémur.*
— enfermedad contagiosa del ser humano y algunos animales provocada por el bacilo de Koch; puede aparecer en cualquier tejido del cuerpo, especialmente en el aparato respiratorio: *tuberculosis.*
— que padece tuberculosis: *tuberculoso.*
— preparación hecha con gérmenes tuberculosos usada para diagnosticar la tuberculosis: *tuberculina.*

tubo 1. Objeto normalmente cilíndrico y hueco, abierto por ambos extremos, o cerrado por uno de ellos; se emplea para contener líquidos o sustancias o para dejarlas correr.
— *El tubo de la pasta de dientes se rompió.*
— conjunto de tubos que conducen líquidos o gases: *tubería.*
— relativo al tubo o con su figura: *tubular.*
2. Parte de un organismo con esta forma que sirve de conducto.
— *Su tubo digestivo funciona perfectamente.*

tucán (vea ilustración). Ave americana en peligro de extinción, de plumaje muy colorido y pico curvo y grueso, muy domesticable.

tuerca Pieza generalmente de metal con un hueco en espiral en su centro, en la que entra el tornillo.
— organizar lo que estaba en desorden: *apretar las tuercas.*

tuerto, -ta Falto de un ojo o de la vista de un ojo.
— dolores después del parto: *entuertos.*

tuétano Sustancia blanca dentro de los huesos de los vertebrados. ☞ **médula.**
— hasta lo más íntimo o profundo de la parte física o moral del ser humano: *hasta los tuétanos.*

tufo 1. Olor desagradable y molesto. ☞ **hedor.**
— *Cuando entramos al cuarto había un tufo insoportable.*
— olor fuerte y vivo que se percibe de pronto: *tufarada.*
2. Soberbia, vanidad.
— *No sé por qué llegaste con ese tufo tan pedante.*

tugurio Habitación pobre o zona miserable de una población.

tuición Acción y resultado de proteger y guardar.

— persona que cuida a un menor de edad o a un incapacitado, administra sus bienes o lo representa jurídicamente: *tutor*.

— maestro particular que se encargaba de la educación de los hijos de una familia: *tutor*.

tul Tejido que forma malla. Normalmente se usa para hacer el velo que lleva la novia en la ceremonia nupcial cristiana.

tulio Metal denso de sales color verde grisáceo.

tulipa Pantalla de vidrio y con forma parecida a la del tulipán.

— tulipán pequeño: *tulipa*.

tullir 1. Perder el uso y movimiento de un miembro del cuerpo o de todo el cuerpo.

— *Después del accidente el brazo se le tulló*.

— inválido, paralítico, impedido: *tullido*.

2. Hacer que alguien quede tullido.

— *¡Le diste una paliza tal que lo tulliste!*

— acción y resultado de tullir: *tullimiento*.

tumba Sitio en donde se deposita un cadáver. ☞ **sepulcro, sepultura.**

tumbar 1. Hacer caer, derribar a una persona o cosa. ☞ **tirar.**

— *¡Maestro, esa chiquilla me tumbó al charco!*

— caída violenta: *tumbo*.

2. Turbar el sentido la ingestión de licor, la percepción de un olor fuerte, una viva impresión, etc. ☞ **atontar, aturdir.**

— *No hay bebida que lo tumbe*.

3. Echarse, acostar, tender.

— *Me tumbé en la cama a ver la televisión*.

tumefacción Hinchazón de una parte del cuerpo. ☞ **inflamación.**

— hinchado: *tumefacto*.

tumor Hinchazón, bulto que se forma anormalmente en una parte del cuerpo.

— tumor en que la proliferación de células no se extiende a otras partes del cuerpo: *tumor benigno*.

— tumor en que la proliferación de células se extiende a otras partes del cuerpo: *tumor maligno*.

túmulo Cualquier tipo de construcción, grande o pequeña, que se hace sobre una sepultura para honrar o recordar a un difunto.

tuna Fruto de las plantas de la familia de las cactáceas, especialmente el nopal. Mide entre tres y ocho centímetros, su forma es ovoide y su pulpa acuosa y de abundantes semillas. Puede ser verde, amarillenta, blanquecina, roja oscura, rosada. Su cáscara tiene espinas finas y pequeñas llamadas ahuates.

tunante, -ta Pícaro, bribón.

— calidad de tunante: *tunantería*.

tunco, -ca Que carece de alguna extremidad en su cuerpo.

tunda 1. Acción y resultado de tundir o golpear. ☞ **paliza, golpiza.**

— *¡Te voy a dar una tunda si andas en la calle a estas horas!*

— dar una tunda, azotar, pegar: *tundear, tundir*.

2. Acción y resultado de tundir los paños.

— *Antes de la tunda esta tela me gustaba más*.

— cortar o igualar con las tijeras el pelo de los paños: *tundir*.

— máquina con que se tunden los paños: *tundidora*.

tundra Planicie de las zonas árticas con clima frío y subsuelo helado, sin árboles, con suelo cubierto de musgo y líquenes.

túnel Paso abierto artificialmente en la tierra, la piedra o cualquier material sólido.

tungsteno Elemento metálico muy duro y denso de color grisáceo.

túnica 1. Prenda de vestir amplia, larga y sin mangas.

— *Todas las bailarinas llevaban túnicas de seda*.

2. Membrana muy delgada que cubre algunas partes del cuerpo.

— *La túnica de los ojos es muy delicada*.

tuntún (al) Sin reflexión, sin previsión, como salga.

tupé Porción de cabello que cae sobre la frente. ☞ **fleco.**

— descaro, desfachatez: *tupé*.

tupir Llenar mucho algo. ☞ **atiborrar.**

turba Muchedumbre en desorden. ☞ **multitud, turbamulta.**

turbante Tocado que consiste en una faja larga de tela que se enreda sobre la cabeza.

turbar Alterar el curso o estado normal de una persona, cosa, acción, situación, etc. ☞ **perturbar, trastornar, desordenar, confundir.** ❖ SERENAR, SOSEGAR.

— que turba, que inquieta: *turbante, turbativo*.

— acción y resultado de turbar: *turbación*.

— desorden, desconcierto, confusión: *turbación*.

turbina Máquina que transforma en movimiento giratorio de una rueda con aspas la fuerza de un fluido que se le inyecta por el centro.

turbio, -bia 1. Que ha perdido claridad o transparencia. ❖ TRANSPARENTE, DIÁFANO, CLARO.

— *No quiso usar el aceite pues estaba turbio*.

2. Confuso, falto de claridad u orden.

— *Ofreció explicaciones turbias sobre los motivos de su renuncia*.

3. Con apariencia de ilegal, de honradez dudosa.

— *¡Quién sabe en qué turbios asuntos anda metida!*

— poner turbia una cosa: *enturbiar*.

turbión 1. Aguacero breve y repentino con viento fuerte.

— *Salimos a dar un paseo a la cañada y nos agarró un turbión*.

2. Gran cantidad de cosas que caen repentinamente y se llevan lo que encuentran a su paso. ☞ **alud.**

— *Cuando abrió el clóset le cayó un turbión de ropa, cajas, zapatos, ganchos, qué sé yo*.

turbulento, -ta 1. Que incita disturbios, discusiones.

— *Es un hombre turbulento cuando lo contradices*.

2. Se dice de una corriente fluida que cambia de velocidad rápidamente según el punto en que se encuentre y que forma remolinos.

— *Es un río turbulento. No se puede navegar en él*.

— sitio en donde un fluido tiene un movimiento turbulento: *turbulencia*.

turgencia Condición o cualidad de un órgano, material o tejido cuando contiene todo el líquido que puede o debe contener.

— abultado, elevado: *turgente*.

turión Yema que nace de un tallo subterráneo, como en los espárragos.

turismo 1. Afición a viajar por distintas zonas o países para conocerlos y pasear.

— *Quisiera sacarse la lotería para dedicarse al turismo*.

2. Actividades, servicios, organizaciones, relacionadas con esta clase de viajes.

— *Tu cuñado acaba de abrir una agencia de turismo*.

3. Conjunto de personas que viajan de esta manera.

— *Se preparan para recibir al turismo en la temporada alta*.

— persona que viaja por placer: *turista*.

— relativo al turismo: *turístico*.

turma Testículo del hombre y los animales. ☞ **huevo.**

turmalina Mineral normalmente de color negro, pardo, verde o encarnado; las piedras de estos dos últimos colores se emplean en joyería.

turno 1. Momento en que a alguien le corresponde hacer o recibir algo según un orden secuencial de varios individuos.

— *Desde las seis de la mañana espera el turno de ser atendido por el médico.*
2. Periodo en el que se desarrolla una actividad, se desempeña un cargo, etc.
— *El mesero que lo atendió trabaja en el turno vespertino.*
— Realizar algo en un tiempo determinado según cierto orden: *estar de turno.*
— en uso jurídico y administrativo, remitir una comunicación, expediente, etc. a la persona o instancia adecuada: *turnar.*

turquesa Mineral de color azul o azul verdoso empleado en joyería.

turrón Dulce de almendras, piñones, avellanas o nueces, tostadas y molidas y mezcladas con miel.

turulato, -ta Alelado, atontado, aturdido.

tururú En juegos de naipes, conjunto de tres cartas con el mismo valor que reúne un jugador.

tusar Trasquilar, cortar desordenadamente el pelo.

tutear Dirigirse a una persona empleando el pronombre de segunda persona: tú, en lugar de usted. Normalmente se usa para hablar con quien se tiene gran confianza.
— acción y resultado de tutear: *tuteo.*

tutela Autoridad que suple a la paterna para cuidar a un menor de edad o a alguien con incapacidad civil.
— individuo encargado de ejercer tutela: *tutor.*
— individuo que instruye y educa a un menor: *tutor.*
— ejercer la tutela: *tutelar.*
— que guía, que defiende: *tutelar.*

tutti frutti (tutifruti) Que tiene mezclado el sabor de varias frutas.

tuza Mamífero roedor americano, que daña los cultivos pues hace túneles en la tierra y se alimenta de raíces.

tweed (tuid) Paño de lana virgen fuerte y resistente que rechaza el agua de lluvia por la pelusa de su superficie.

tzompantli Construcción prehispánica en donde se colocaban, atravesados por varas y formando hileras, los cráneos de los sacrificados.

U

ubicar Situar a alguien o algo en un lugar determinado o en un momento preciso. ☞ **localizar, encontrar.**
— estar situado algo en un lugar preciso: *ubicarse.*
— sitio o lugar donde se encuentra alguien o algo: *ubicación.*

ubicuidad Lo que se encuentra o puede encontrarse en todos lados al mismo tiempo. ☞ **omnipresencia.**
— que se halla o puede hallarse en todas partes: *ubicuo.*
— que es muy activo, que quiere ver y saber todo, tratándose de personas: *ubicuo.*

ubre Órgano mamario colgante de las hembras de los mamíferos, particularmente del ganado lechero. ☞ **mamar, tetillas.**

uchepo Tamal de maíz tierno de Michoacán. ☞ **tamal.**

udómetro Instrumento que mide la cantidad de agua caída durante la lluvia. ☞ **pluviómetro, lluvia.**

ufanarse Vanagloriarse de algo. ☞ **orgullo, alardear, jactar.**
— engreído, que obra con mucha seguridad, orgulloso: *ufano.*

ulama Juego de pelota prehispánico.

úlcera Herida en la piel o en la mucosa que segrega un líquido espeso, causa dolor y no cicatriza fácilmente. ☞ **llaga.**
— proceso de aparición de una úlcera: *ulceración.*
— llagado: *ulcerado.*
— perteneciente o relativo a la úlcera; que padece de úlcera: *ulceroso.*

ultimar 1. Concluir o dar fin a una cosa. ☞ **terminar.** ❖ PRINCIPIAR, COMENZAR.
— *Antes de salir de viaje, ultimó su tesis.*
2. ☞ **matar, asesinar.**
— *Le dieron órdenes de ultimar al jefe de la policía.*

ultimátum 1. Conjunto de exigencias de una nación a otra, cuyo incumplimiento provoca represalias bélicas.
— *El país vecino envió un ultimátum al nuestro.*
2. Resolución o advertencia decisiva.
— *Su novio le puso un ultimátum, o se casaban ese año o terminaban sus relaciones.*

último 1. Que se encuentra al final de una serie, en el lugar más alejado en relación con algo o con alguien, o lo más reciente en el orden temporal. ❖ PRIMERO, PRÓXIMO, CERCANO.
— *Por su apellido, siempre es el último de la lista.*
— al final, después de todos: *al último.*
— estar terminando algo: *estar a lo último de, estar en lo último de.*
— finalmente: *por último.*
— estar muriéndose o estar muy necesitado de dinero: *estar en las últimas.*
— estar a la moda: *estar a la última.*
— recientemente: *últimamente.*
2. Que es definitivo o decisivo algo. ☞ **decisivo, terminante.**
— *Es mi último recurso.*

ultrajar Insultar verbalmente a alguien u ofenderlo con alguna acción, despreciar a alguien. ☞ **ofender, agraviar.** ❖ RESPETAR, HONRAR, LOAR.
— ofensa: *ultraje.*
— ofensivo: *ultrajante, ultrajoso.*

umbral 1. Parte inferior o escalón en una puerta o entrada. ☞ **dintel.**
— *Atravesó el umbral de la puerta.*
2. Principio de algo. ❖ TÉRMINO, FIN.
— *El suicidio cruza el umbral de lo prohibido.*

un, -na 1. Artículo indefinido singular masculino.
— *Un señor me preguntó la hora.*
— artículo indefinido singular femenino: *una.*
— artículo indefinido plural femenino: *unas.*
— artículo indefinido plural masculino: *unos.*
2. Pronombre indefinido.
— *Los niños le hacen a uno cada pregunta...*
3. Adjetivo o pronombre que expresa unidad; es apócope de uno.
— *Son dos aretes, un anillo, una pulsera y tres cadenas.*

unanimidad Conformidad o acuerdo de opiniones, sentimientos, ideas, etc., de todos los que integran un grupo. ☞ **conformidad, votación.** ❖ INCONFORMIDAD, DISCORDIA.
— que tiene el mismo sentimiento, la misma opinión, etc., o que manifiesta concordancia de pensamiento: *unánime.*

ungir 1. Frotar o colocar sobre algo alguna sustancia aceitosa. ☞ **frotar, investir.** ❖ DEGRADAR.
— *En la lucha grecorromana, los gladiadores ungían sus cuerpos.*
2. Signar, con óleo sagrado, a un dignatario.
— *Fue ungido obispo recientemente.*

ungüento Sustancia que se unta. ☞ **pomada, crema.**

único, -ca 1. Que es uno sólo en su clase o especie; que sólo es uno. ❖ AGREGADO, ACOMPAÑADO.
— *Lo consienten porque es hijo único.*
2. Que es singular, notable, extraordinario o raro. ❖ COMÚN, CORRIENTE.
— *La pluma de Juan Ruiz de Alarcón es única.*

unicornio Animal fantástico de la mitología griega con cuerpo de caballo y un cuerno en la frente.

unidad 1. Conjunto de varias partes unidas que forman un todo indivisible o cualidad de ser una cosa indivisible.
— *La unidad de cuerpo y espíritu perdura durante la vida.*
2. Estado de armonía o de unión entre varias personas por coincidencia de propósitos, pensamientos o sentimientos. ☞ **concordia.** ❖ DESUNIÓN, DESAVENENCIA.
— *En su campaña política se propone buscar la unidad de los trabajadores.*
3. Cada uno de los elementos de un conjunto.
— *Mandaron dos unidades militares para sofocar la rebelión.*
4. Base de una medida a partir de la cual se cuenta o mide algo.
— *Hay unidades geométricas, unidades de masa, unidades eléctricas, etc.*

uniforme 1. Vestimenta característica que usan los miembros de determinada agrupación o institución.
— *Las enfermeras llevan uniformes blancos.*
— hacer que se ponga un uniforme alguien: *uniformar.*
2. De la misma forma, con características similares, sin desproporción o sin cambios.
— *Se trata de un movimiento uniforme y rectilíneo.*

— hacer uniforme dos o más cosas: *uniformar.*

unir 1. Juntar dos o más cosas o personas para que formen un conjunto o unidad. ☞ **juntar, reunir, acercar.** ❖ DESUNIR, SEPARAR, PARTIR, DISGREGAR, DIVERSIFICAR.

— *Para preparar el pastel unió las claras con el azúcar.*

— agruparse, agregarse alguien a la compañía de otro u otros: *unirse.*

— casarse: *unirse en matrimonio.*

— relación entre los componentes de una unidad: *unión.*

— hacer que varias cosas o personas diferentes se junten para lograr algo: *unificar.*

2. Hacer que dos cosas más o menos alejadas entre sí tengan relación o comunicación. ❖ DESARTICULAR, DESUNIR, ALEJAR.

— *La nueva carretera unió la ciudad de México con mi pueblo.*

— pieza que une dos objetos o dos partes de algo: *unión, junta.*

— hacer que varias cosas diferentes o desiguales se ajusten o igualen: *unificar.*

universal 1. Que se refiere al universo o espacio celeste, que pertenece a él.

— *La fuerza de la gravitación universal va a ir disminuyendo.*

2. Que se relaciona con un conjunto de cosas o personas, que es general a todos los hombres o todas las cosas. ❖ NACIONAL, REGIONAL, PARTICULAR.

— *El respeto a la soberanía de cada país debería de ser una ley universal.*

— totalidad: *universalidad.*

— tendencia favorable a la unificación y comunicación de todas las naciones: *universalismo.*

— que es partidario del universalismo: *universalista.*

— generalizar algo: *universalizar.*

— mundial: *hay que estudiar historia universal.*

universidad Establecimiento de enseñanza superior, donde se estudian carreras profesionales, se practica la investigación y publicación de resultados y se confieren los grados profesionales.

— relativo o perteneciente a la universidad: *universitario.*

— que es alumno, graduado, investigador o catedrático de una universidad: *universitario.*

— autoridades universitarias: *rector, director de facultad o escuela, director de instituto de investigación, director de división, coordinador académico, junta de gobierno, investigador, tutor, profesor emérito, decano, profesor o investigador de tiempo completo, de medio tiempo, profesor por horas, de asignatura, adjunto y ayudante.*

— sistemas universitarios: *escolarizado, abierto.*

universo 1. Conjunto de lo existente, materialmente o en forma de energía. ☞ **cosmos.**

— *todavía el hombre no ha recorrido todo el universo.*

— inicio del universo: *origen.*

— creador posible del universo: *Dios, demiurgo, fuerza, energía.*

— estudio del universo que rodea a la tierra: *astronomía.*

— descripción del universo: *cosmografía.*

— estudio de las leyes que rigen el universo: *cosmología.*

— ciencia que estudia el origen y evolución del universo: *cosmogonía.*

— aparatos para observar el universo: *telescopio, microscopio solar, espectroscopio, radiotelescopio.*

— adjetivos relacionados con universo: *sideral, cósmico, celeste, espacial, estelar, galáctico, astral, planetario, terrestre, extraterrestre, astrofísico, macrocósmico, microcósmico.*

— disciplina que predice el futuro estudiando los astros: *astrología.*

— teorías sobre el origen del universo: *del big bang: (expansión continua del universo después de una gran explosión estelar), de creación continua (de la nada se está constantemente creando la materia), del universo evolutivo (al principio existía la energía, que se transformó en materia, misma que se ha expandido en diversas concentraciones).*

2. Conjunto de los elementos que integran una actividad o una materia cultural.

— *El universo literario es muy complejo.*

unívoco, -ca Que tiene sólo un significado, un único aspecto o un solo valor. ❖ AMBIGUO, EQUÍVOCO.

uno, -a 1. Número con el que principia la serie natural de los números, que indica un solo elemento de un conjunto o el primero de una serie.

— *Abran el libro en la página uno. Vean que uno más uno es igual a dos y se representa así: 1+1=2*

— uno después de otro en una serie: *uno por uno, una a una, de uno en uno.*

2. Único, solo; que está completo o íntegro.

— *Sólo hay una respuesta a tu problema y no la quieres saber.*

— pocos, ciertos: *unos.*

— ya sea una cosa, ya sea la otra: *una de dos.*

3. Pronombre impersonal que señala a cualquier persona.

— *A uno siempre lo culpan de algo.*

— cada persona separada de los demás: *cada uno.*

— aproximadamente esta cantidad: *unos cinco (o cualquier otro número cardinal).*

untar Cubrir con algo grasoso o pastoso algo. ☞ **embadurnar, frotar, engrasar.**

— pegado al cuerpo: *untado.*

— acción y resultado de untar: *untamiento, untadura, untada, untura.*

— pegajoso, grasiento: *untuoso, untoso.*

— aquello que se unta: *ungüento, pomada, crema, aceite, vaselina, linimento, cataplasma, bálsamo.*

— verbos que expresan modos de untar: *friccionar, frotar, aceitar, ungir, lubricar, masajear, encerar.*

uña 1. Laminilla o película dura y transparente que cubre la extremidad superior de cada dedo.

— arañazo o rasguño hecho con la uña: *uñada, uñarada, uñetazo, uñadura.*

— lastimar con las uñas: *arañar, rasguñar.*

— que tiene uñas largas: *uñoso, uñilargo.*

— relativo o perteneciente a la uña: *ungueal, ungular, unguinal.*

— pequeña protuberancia que produce la uña al introducirse en la carne y herirla: *padrastro, uñero.*

— capa epidérmica que forma la uña: *queratina.*

— membrana que cubre el borde de la uña: *cutícula.*

— parte blanca de la base de la uña: *lúnula.*

uranismo Homosexualidad pasiva o inclinación sexual de un hombre por otro. ☞ **homosexualidad, pederastia.** ❖ HETEROSEXUALIDAD.

— que padece uranismo: *uranista.*

urbanidad Adecuado comportamiento en las relaciones con los demás. ❖ DESATENCIÓN.

— que se comporta con cortesía o que tiene educación y buenos modales: *urbano.*

— reglas de cortesía y de trato social: *reglas de urbanidad.*

urbanismo Estudio de la distribución y construcción de las ciudades.

— técnico especializado en planificación territorial o en construir y ordenar ciudades o aglomeraciones humanas: *urbanista.*

— perteneciente o relativo al urbanismo: *urbanista, urbanístico.*

— zona residencial urbanizada o terreno delimitado para ser zona residencial: *urbanización.*

— construir y dotar de servicios a una ciudad: *urbanizar.*

— perteneciente o relativo a la ciudad: *urbano.*

— ciudad importante y grande o metrópoli: *urbe.*

urdir Maquinar algo contra alguien cautelosamente. ☞ **tramar, conspirar, maquinar.**

— maquinación, intriga: *urdimbre.*

urgir Apresurar, apremiar o solicitar algo para ejecutarse o remediarse rápidamente. ☞ **apremiar.** ❖ DEMORAR, POSTERGAR.

— inminente, apremiante, necesario: *urgente.*

— apresuradamente: *urgentemente.*

— apresuramiento, premura, prisa o necesidad: *urgencia.*

urna Caja de cristal, plástico o madera donde se depositan generalmente votos o boletos de rifa.

urticaria Erupción de la piel que produce comezón. ☞ **picor, sarpullido, salpullido.**

usar 1. Emplear alguna cosa en la ejecución de algo. ☞ **utilizar, emplear.** ❖ OMITIR, DESUSAR.

— *Cuando dibujo, uso la goma para borrar.*

— servicio, empleo o manejo de algo: *uso.*

— que se utiliza indiscriminadamente: *de uso común.*

— que lo utiliza un sector determinado: *de uso reservado.*

— desgastado por el uso, que no es nuevo: *usado.*

2. Estilar determinado comportamiento o acostumbrar algo. ☞ **acostumbrar.** ❖ DESACOSTUMBRAR, DESUSAR.

— *En el español de México se usan mucho los diminutivos.*

— forma tradicional de comportarse una persona, un grupo o una comunidad: *uso, usanza.*

— de acuerdo con la costumbre: *al uso.*

— frecuente, habitual, acostumbrado: *usual.*

3. Llevar un adorno o prenda de vestir alguien, tener el hábito de llevar cierta ropa y adornos. ☞ **vestir.**

— *Para el trabajo tiene que usar traje y corbata.*

— persona que utiliza algo: *usuario.*

— hacer uso: *usar.*

— comprensión del mundo y de las cosas, discernimiento natural: *uso de razón.*

usufructo 1. Provecho o uso de los bienes de otro por derecho.

— *La casa donde vivo la tengo en usufructo.*

— disfrutar del usufructo de algo: *usufructuar.*

2. Utilidad o ganancia de algo. ☞ **provecho.** ❖ PÉRDIDA.

— *Recibió un alto usufructo de la última cosecha.*

— dar utilidades alguna cosa: *usufructuar.*

— persona que posee y disfruta de algo: *usufructuario.*

usura Rédito excesivo que proporciona el prestar dinero. ☞ **interés.**

— persona que presta dinero con usura: *usurero.*

— que pertenece a la usura o se relaciona con ella: *usurero, usurario.*

— prestar o recibir un préstamo con usura: *usurear.*

usurpar Apoderarse de una propiedad, cargo o derecho de otro, ilegal o injustamente. ☞ **despojar.** ❖ RESTITUIR.

— arrebatamiento de una propiedad, derecho o cargo: *usurpación.*

— persona que se apropia de algo ajeno ilegalmente: *usurpador.*

utensilio Objeto, instrumento o herramienta que puede usarse para trabajos manuales o mecánicos de diversos oficios. ☞ **objeto, cosa, herramienta, instrumento.**

útero Matriz u órgano en el cual se desarrolla el feto. ☞ **matriz, órgano.**

— que se relaciona con el útero o pertenece a él: *uterino.*

— nacidos de la misma madre pero de distintos padres: *hermanos uterinos.*

— órganos y conductos relacionados con el útero: *conducto cervical.*

— gestación de un nuevo ser: *embarazo.*

— supresión del útero: *histerectomía.*

— flujo mensual femenino: *menstruación*

— menstruación excesiva: *menorragia.*

— supresión anormal de la menstruación: *amenorrea.*

— cesación natural de la menstruación: *menopausia.*

— trastorno doloroso de la menstruación: *cólico.*

— capas del útero: *mucosa o endometrio; muscular o miometrio; serosa o perimetrio.*

— algunas enfermedades del útero: *fibroma, tumor benigno: mioma, pólipo; cáncer, tumor maligno: epitelioma, sarcoma; quiste, metritis, caída de la matriz, prolapso, uteralgia, uteroplastia.*

— ninfomanía: *furor uterino, uteromanía.*

— ausencia de placer o deseo sexual: *frigidez.*

útil Que sirve para algo. ☞ **provechoso.** ❖ INÚTIL, INSERVIBLE, INEFICAZ, INUTILIZABLE.

— utensilios: *útiles.*

— provecho, ventaja que puede dar algo o alguien; ganancia: *utilidad.*

— que privilegia la utilidad de algo ante otras cosas: *utilitario.*

— que sirve: *utilizable.*

— usar, emplear o servirse de algo: *utilizar.*

— sistema moral fundamentado en el interés o utilidad como fuente de felicidad: *utilitarismo.*

— que mantiene a la utilidad como principio de la moral: *utilitarista.*

utopía Sistema o proyecto ideal perfecto o muy bueno, pero de imposible realización. ☞ **quimera, ilusión.**

— ilusorio, supuesto o fantástico: *utópico.*

— personas que idean utopías o son aficionadas a ellas: *utopistas.*

— algunos utopistas ilustres: *Tomás Moro, Campanella, Thoreau, Fourier, Skinner, Huxley, Orwell, Bradbury.*

uva Fruto de la vid comestible.

— jugo de la uva antes de fermentar: *mosto, jugo de uva.*

— abundancia de uvas: *uvada.*

— parecido a la uva: *uval.*

— uva utilizada para preparar vinos: *uva de cuba, uva de vino.*

— uva utilizada para consumo como alimento o fruta: *uva de mesa.*

— uva de mesa seca: *pasa, pasita.*

— recolección y cosecha de la uva: *vendimia.*

— mujer de baja estatura y cadera amplia: *chaparrita cuerpo de uva.*

V

vaca Mamífero rumiante doméstico, hembra del toro, cuya leche y carne son de consumo humano y se aprovecha también su piel.
— conjunto de vacas: *vacada*.
— macho adulto del ganado vacuno: *toro*.
— cría de la vaca: *ternero*.

vacaciones Días durante los cuales se suspende el trabajo o el estudio para descansar. ☞ **asueto, descanso.**

vacante Que está sin ocupar o vacío algo, como un empleo, un cuarto de hotel, un asiento, etc. ☞ **disponible.** ❖ OCUPADO.
— quedar un empleo o lugar sin ocupante: *vacar*.
— tiempo que está desocupado un empleo o algo: *vacatura*.

vaciado, -da Que es chistoso, simpático o muy peculiar. ❖ SOSO.

vaciar 1. Desocupar totalmente algo diseñado para contener cosas o pasar el contenido de un recipiente a otro. ☞ **descargar, desocupar.** ❖ LLENAR.
— *Los ladrones vaciaron los cajones del tocador.*
— sitio en que se vacía una cosa o conducto por donde se vacía: *vaciadero*.
2. Formar un objeto echando en un molde cualquier materia blanda que al enfriarse, cocerse o secarse adquiera la forma del molde.
— *Vació el bronce para hacer la escultura.*
— figura que se ha formado en el molde: *vaciado*.
3. Hacer un hueco en un cuerpo sólido. ❖ RELLENAR.
— *Vació el interior del melón para poner bolas de helado.*
4. Trasladar información de un sitio a otro.
— *Sólo falta vaciar los datos que me proporcionaste.*
5. Desaguar, cuando se habla de ríos o corrientes.
— *Vaciaron el agua del río en la presa.*
— que desciende, tratándose de la marea: *vaciante*.
6. Sacar filo en las piedras empleadas como instrumentos cortantes.
— *Al vaciar piedras se puede saber a qué periodo corresponden éstas.*

— acción y resultado de vaciar: *vaciamiento*.
— que vacía: *vaciante*.
— persona que vacía: *vaciador*.

vacilar 1. Moverse algo debido a la falta de estabilidad. ☞ **oscilar, tambalear.** ❖ AFIRMAR, EQUILIBRAR.
— *Durante el temblor la lámpara de mesa vacilaba.*
2. Titubear, estar alguien sin tomar una decisión. ☞ **dudar.**
— *El niño vaciló entre quedarse en casa de su tío o irse con su papá.*
— perplejidad, duda: *vacilación*.
3. Bromear, jugar, hacer relajo.
— *Nos reímos mucho pues vacilamos durante el viaje.*
— bromista: *vacilador*.
— relajo, fiesta, diversión: *vacilón*.
— broma: *vacilada*.

vacío, -cía 1. Que está sin contenido. ☞ **vacuo, hueco.** ❖ LLENO.
— *El sobre que me diste estaba vacío.*
2. Que está sin que nadie lo ocupe o que está ocupado por muy pocas personas. ☞ **desierto.** ❖ OCUPADO.
— *Se alegraron cuando vieron que el vagón del metro venía vacío.*
3. Sin fruto, malogrado. ☞ **inútil.**
— *Todo tu esfuerzo ha sido vacío.*
4. Vacuo, falto de solidez, de interés, de sustancia. ☞ **hueco.**
— *Tuvimos que escuchar un discurso vacío.*
5. Falta de algo o alguien que se extraña.
— *Dejó un vacío cuando se fue a vivir a su tierra.*
6. Espacio que no contiene aire ni otra materia perceptible.
— *Esta carne está empacada al vacío.*
— quedar sin respuesta en lo que se dice o propone: *caer en el vacío*.
7. En ganadería, hembra que no tiene cría. ☞ **estéril, infecunda.**
— *Saca del corral a las cabras vacías.*

vacuidad Lo que está vacío, sin contenido; carencia u oquedad. ☞ **carencia, futilidad.**
— falto de contenido o vacío: *vacuo*.

vacuna Virus de cierta enfermedad o microorganismo muerto que se inocula en una persona o animal para protegerlo de esa misma enfermedad o la que produce, haciendo que se desa-

rrollen anticuerpos y defensas contra ella.
— acción y resultado de vacunar: *vacunación*.
— que vacuna: *vacunador*.
— inocular el virus o vacuna en una persona o animal para protegerlo de determinada enfermedad: *vacunar*.
— tratamiento de enfermedades contagiosas mediante vacunas: *vacunoterapia*.

vacuno, -na 1. Que pertenece al ganado bovino o se relaciona con él.
— *El toro y el bisonte son vacunos.*
— manada de ganado vacuno: *vacada*.
2. De cuero de vaca.
— *En la elaboración de zapatos se suele emplear piel vacuna.*
— que está revestida con cuero de vaca algo: *vacarí*.

vacuola Parte de la célula vegetal o animal, vacía o con jugo celular, donde se acumulan sustancias producidas por el protoplasma.

vadear 1. Cruzar un río o navegar en una corriente por la parte en donde no sea tan profunda que no se pueda cruzar a pie, a caballo o en un vehículo. ☞ **orillar.**
— *Caminaron unos kilómetros más para poder vadear el río.*
— que se puede vadear, tratándose de una corriente o río: *vadeable*.
— zona poco profunda y firme de un río o corriente por donde se puede pasar andando, cabalgando, etc.: *vado*.
— individuo que conoce los vados y guía en ellos: *vadeador*.
— vado ancho: *vadera*.
2. Superar un problema grave. ☞ **resolver, solucionar.**
— *Vadearon el asunto de la herencia de su abuela.*

vagabundo, -da 1. Que va de un lado a otro. ☞ **trotamundos, errabundo.** ❖ SEDENTARIO.
— *Anduvo de vagabundo toda la tarde.*
— andar de un lado a otro: *vagabundear, vagar*.
— acción y resultado de vagabundear: *vagabundeo, vagabundería*.
2. Individuo que anda de un sitio a otro sin tener un lugar fijo o un empleo estable. ☞ **vago, pordiosero, haragán.**

— *Un vagabundo estaba tirado junto a la puerta de la zapatería.*

— holgazanería, pereza, ociosidad: *vagabundería, vagabundeo, vagabundaje.*

vagar 1. Estar sin hacer nada, estar ocioso o vaguear. ❖ TRABAJAR, ESTAR ACTIVO.

— *¡Se ha dedicado a vagar las últimas semanas!*

— individuo que no tiene trabajo, ni lo busca: *vago, vagabundo.*

— andar de vago, estar sin hacer nada: *vaguear.*

— acción de vagar o de no tener ocupación: *vagancia, vaguería.*

2. Ir de un lugar a otro sin detenerse en ninguno.

— *Vagamos durante la mañana por el centro de la ciudad.*

— que continuamente va de un lado a otro, que no tiene estabilidad: *vagabundo, vagaroso.*

— calidad de vagaroso: *vagarosidad.*

— que anda suelto y libre, que vaga: *vagante.*

— andar errante: *vagabundear.*

3. Ir por un lugar sin encontrar el camino o lo que se busca. ☞ **deambular.**

— *Vagó por las calles de ese barrio y no dio con la casa de sus tíos.*

4. Andar suelta una cosa sin el orden que debería tener o sin precisión.

— *Una serie de ideas vagaban por su cabeza acerca de cómo componer la fórmula del alimento para el ganado.*

— imprecisión, confusión: *vaguedad.*

— que no tiene un fin determinado, que es impreciso o confuso: *vago.*

— de manera vaga: *vagamente.*

vagido Gemido, llanto de un recién nacido. ☞ **llanto, quejido.**

vagina Conducto membranoso y fibroso en las hembras de los mamíferos u órgano de la copulación que va de la vulva a la matriz.

— que pertenece a la vagina o se relaciona con ella: *vaginal.*

— inflamación de la vagina: *vaginitis.*

vagón Carro de tren que transporta viajeros, mercancías o equipaje. ☞ **coche.**

— camioneta: *vagoneta.*

vaguada Línea que constituye la parte más honda de un valle y que suele ser el camino de las corrientes naturales de agua. ☞ **cañada, cauce, rambla.**

vaguido, -da Que padece desvanecimientos o vahídos.

vahído Desvanecimiento, indisposición. ☞ **vértigo, desmayo.**

vaho 1. Vapor que despide algo caliente y húmedo. ☞ **emanación.**

— *Te das un regaderazo tan caliente que dejas el baño lleno de vaho.*

— echar vapor: *vahar, vahear.*

2. Aliento o aire expirado por la boca de una persona o de ciertos animales.

— *En estas mañanas tan frías, se percibe hasta el vaho de la gente que va por la calle.*

— expeler el aire respirado por la boca: *vahear, vahar.*

— acción y resultado de arrojar vaho: *vaharada.*

— golpe de vaho: *vaharada.*

vaina 1. Funda alargada de cuero u otro material en donde se guarda la hoja de ciertas armas o instrumentos cortantes o punzantes. ☞ **funda.**

— *La vaina de esa espada está ricamente adornada.*

— individuo que hace vainas o las vende: *vainero.*

2. Fruto de las leguminosas de cáscara alargada y tierna que cubre las semillas.

— *Los chícharos y los frijoles vienen en vainas.*

vainilla Planta americana de las orquidáceas y fruto de esta planta del que se extrae una esencia aromática que se emplea en la elaboración de postres.

vaivén 1. Movimiento de un cuerpo de un lado a otro y, por extensión, movimiento brusco. ☞ **oscilación, traqueteo, bamboleo.**

— *El vaivén de la pelota dentro del coche llamaba la atención del perro.*

2. Inestabilidad, inconstancia de las cosas en su duración o logro. ☞ **mudanza, veleidad, capricho.** ❖ CONSTANCIA.

— *Su vida ha sido un constante vaivén, pero está contento así.*

vajilla Conjunto de platos, tazas, vasos, jarras, soperas, etc. que se emplean para servir los alimentos en la mesa. ☞ **loza.**

vale 1. Documento con el cual alguien se compromete a pagar cierta cantidad de dinero. ☞ **pagaré.**

— *Me entregó un vale para cobrárselo el mes entrante.*

2. Documento que puede ser empleado para adquirir productos o servicios en algunos establecimientos.

— *Una parte de su sueldo se lo pagan con vales.*

3. Documento mediante el cual se comprueba la entrega de mercancía.

— *Lleva la factura y el vale para que te paguen la entrega de abrigos de la semana pasada.*

4. Cuate, compañero, amigo o valedor.

— *¡Ese vale ya ni la amuela!*

valencia Número que indica el poder de un cuerpo para combinarse con los antígenos.

valenciana Doblez visible y hacia afuera de la parte inferior de la pierna del pantalón.

valer 1. Tener eficacia o importancia algo, servir o contar una cosa para algo.

— *Su puntualidad en el trabajo le valió un reconocimiento económico.*

— importancia o mérito que se le atribuye a algo o grado de utilidad de algo para satisfacer un requerimiento o necesidad: *valor, valía.*

— que tiene importancia o cualidades algo: *valioso.*

— acción de valer una cosa o valarse de ella: *valimiento.*

— reconocer el valor y las cualidades de algo o determinarlas: *valorar, valorizar.*

— acción y resultado de valorar la importancia o calidad de algo: *valoración.*

— servirse de: *valerse de.*

— ser de muy mala calidad algo o dejar de servir o funcionar: *valer gorro, valer sorbete.*

— ser de poca importancia algo o resultarle a alguien insignificante: *valerle, valerle gorro, valerle sorbete, valerle madre.*

2. Tener capacidad, significación o mérito alguien o atribuirle importancia por sus cualidades.

— *Ese muchacho vale mucho; ya ha publicado dos libros de cuentos magníficos.*

3. Tener algo un precio para su compra o venta. ☞ **costar.**

— *¿Cuánto vale esta pluma?*

— precio de una cosa o servicio: *valor.*

— señalar el precio de algo: *valorar, valuar.*

4. Tener una cosa significación, aprecio o precio equiparable a otra por la cual puede sustituirse. ☞ **equivaler.**

— *Este toro vale lo que toda la ganadería.*

— cantidad, duración o número que tiene algo o al que equivale en cierto sistema: *valor.*

— documento que se puede cambiar o canjear por algo: *vale.*

— que es canjeable por una cosa: *valedero.*

5. Estar autorizado o permitido algo, tener vigencia una norma, regla o documento.

— *No vale salirse de la raya.*

valija 1. Artículo de piel, tela u otro material que se emplea para guardar ropa y accesorios cuando se hace un viaje. ☞ **maleta, equipaje.**

— *Los empleados aventaron las valijas al piso.*

2. Especie de costal o saco de cuero u otro material parecido que usan los carteros para llevar la correspondencia.

— *Ese paquete no cabe en la valija.*

— saco en donde se guardan y envían documentos oficiales de un país a otro: *valija diplomática.*

vals 1. Baile de origen alemán, se acompaña con música de ritmo ternario.

— *El vals se puso de moda en Europa a principios del s. XIX.*

2. Música de este baile, agilizado con un ritmo vivo y rápido.

— *Johann Strauss compuso gran cantidad de valses.*

— bailar vals: *valsear, valsar.*

válvula 1. Dispositivo colocado en la abertura de ciertas máquinas o instrumentos que sirve para regular la presión o interrumpir el paso de un líquido, vapor, gas, aire, etc. ☞ **llave, grifo.**

— *No cierra bien la válvula de esa olla exprés.*

— que pertenece a las válvulas o se relaciona con ella: *valvular.*

— válvula de las calderas de vapor que deja escapar la vaporización cuando es excesiva: *válvula de seguridad.*

— acción que permite relajarse y descargar la tensión de una persona: *válvula de escape.*

2. Pequeño pliegue que se forma en ciertos conductos del organismo.

— *Parece que tiene una válvula en un vaso sanguíneo.*

— válvula que existe entre la aurícula y el ventrículo izquierdos del corazón de los mamíferos: *válvula mitral.*

— válvula que se encuentra entre la aurícula y el ventrículo derechos del corazón de los mamíferos: *válvula tricúspide.*

valla 1. Barrera empleada para defensa. ☞ **vallado, valladar.**

— *Construyeron una valla para detener el avance del enemigo.*

2. Cerca que delimita un sitio, lo cierra o señala. ☞ **cerca, barda, cercado, valladar, vallado.**

— *Los niños observaban a los caballos desde la valla.*

— que pertenece a la valla o se relaciona con ella: *vallar, valar.*

— cercar: *vallar, valladear.*

3. Obstáculo material o moral, dificultad o contrariedad.

— *A pesar de las vallas que ha sufrido, se ve muy bien.*

valle 1. Extensión llana de tierra entre

montes. ☞ **collado, hondonada.** ❖ MONTAÑA.

— *Se establecieron en un valle fértil.*

2. Conjunto de casas, aldeas o lugares en una extensión plana de tierra entre montañas.

— *Llegaron al valle al atardecer cuando la gente empezaba a iluminar sus casas.*

— el mundo, cuando se considera triste y doloroso: *valle de lágrimas.*

3. Superficie de tierra plana situada a los lados de un río y mojada por éste.

— *En el valle del río abundaban las piedras.*

vampiro 1. Murciélago americano que se alimenta de insectos y suele chupar la sangre de animales y personas dormidos.

— *La vaca fue mordida por un vampiro.*

2. Ser imaginario, espectro o cadáver que chupa la sangre de los vivos para poder existir.

— *El vampiro más famoso es el de la novela de Bran Stoker llamado Drácula.*

3. Individuo que se enriquece abusando de los demás.

— *El vampiro tenía la casa más grande y lujosa del pueblo.*

— mujer que seduce y somete a los hombres a sus caprichos, mujer fatal, especialmente si es actriz de cine: *vampiresa.*

vanagloriarse Jactarse de cierta cualidad propia o de lo que uno ha hecho o se le atribuye. ☞ **engreírse, preciarse, alabarse.** ❖ ANULARSE.

— arrogancia del propio valer y obrar: *vanagloria.*

— petulante, fatuo, altanero: *vanaglorioso.*

vandalismo Afán destructivo que no respeta cosa alguna ni a los demás. ☞ **bandidaje.**

— que pertenece a los vándalos o al vandalismo, que se relaciona con ellos: *vandálico.*

— bárbaro, destructivo: *vándalo.*

— vandalismo: *vandalaje.*

— que pertenece al pueblo de la Germania antigua que invadió la España romana junto con los suevos, alanos y silingos y que se distinguió por destruir monumentos: *vándalo.*

vanguardia 1. Fuerza armada que va al frente del cuerpo principal. ❖ RETAGUARDIA.

— *La vanguardia fue la primera que entró al recinto.*

2. Grupo, movimiento ideológico, político, artístico de avanzada que

contrasta con las ideas, sentimientos y modas tradicionales. ❖ TRADICIÓN.

— *Esos jóvenes artistas integran la vanguardia musical en nuestro país.*

— nombre genérico de tendencias artísticas y sociales renovadoras, nacidas en las primeras décadas del s. XX: *vanguardismo.*

— que pertenece al vanguardismo o se relaciona con él, que es partidario del vanguardismo: *vanguardista.*

— al frente, por delante de los demás: *a la vanguardia.*

— movimiento, grupo o persona que intenta la renovación, el avance, la experimentación en distintos campos de la cultura: *movimiento, grupo o persona de vanguardia.*

vanilocuo, -cua Hablador insustancial. ☞ **vanilocuente.**

— discurso inútil: *vaniloquio.*

— verbosidad insustancial: *vanilocuencia.*

vano, -na 1. Que es arrogante, presuntuoso o frívolo. ☞ **vanidoso.** ❖ MODESTO.

— *No lo vas a aguantar, ¡un hombre tan vano!*

— arrogancia o presunción: *vanidad.*

— que tiene vanidad, que es engreído: *vanidoso.*

— vanidad ridícula: *vanistorio.*

2. Sin fundamento, que carece de consistencia o sentido.

— *Todos sus argumentos fueron vanos, no pudo demostrar nada.*

— insustancialidad o carencia de esencia: *vanidad.*

3. Que es inútil o que no tiene efecto.

— *Todos sus intentos por conseguir la beca han resultado vanos.*

— condición de algo que no tiene utilidad o que no es satisfactorio: *vanidad.*

— inútilmente: *en vano.*

4. Que está seco, hueco o podrido, tratándose de frutos de cáscara dura.

— *Hay varios cacahuates vanos en esa bolsa.*

5. Parte hueca o abierta de un muro, como la de puertas y ventanas.

— *Llamó al gato desde el vano de la puerta.*

vapor 1. Fluido volátil, parecido al aire, en que se transforman los líquidos y ciertos sólidos por la acción del calor.

— convertir un líquido o cierto sólido en vapor: *vaporizar, evaporar, vaporar, vaporear.*

— que puede arrojar vapores o evaporarse: *vaporable.*

— acción y resultado de vaporizar o evaporarse: *vaporización, evaporación, vaporación.*

2. Embarcación que navega movida por una máquina de vapor.

— *Aún tenemos la foto de mi abuelo tomada en un vapor con toda la tripulación.*

vapulear o vapular Golpear, azotar, pegar repetidamente. ☞ **fustigar.**

— acción y resultado de vapulear: *vapuleo, vapulamiento, vapulación, vápulo.*

vaquero, -ra 1. Individuo que se dedica a la cría y al cuidado del ganado bovino.

— *Los vaqueros montaban sus caballos para perseguir al ganado.*

— que pertenece al ganado bovino o se relaciona con él: *vaquerizo.*

— lugar donde se guarda el ganado bovino: *establo, corral, vaqueriza.*

— lugar donde hay vacas o donde se vende su leche: *vaquería.*

2. Que pertenece a la persona que cuida al ganado vacuno o se relaciona con ella.

— *En el baúl hay botas vaqueras.*

— pantalón de mezclilla: *pantalón vaquero.*

vaqueta Cuero de ternera curtido y adobado.

vara 1. Rama o palo de un árbol delgado, sin hojas y más o menos recto.

— *El palio estaba detenido con unas varas.*

— barra pequeña y delgada que llevan las hadas o los magos, en los cuentos: *varita mágica.*

2. Tallo con flores. ☞ **bohordo.**

— *Puso un gran florero con varas de nardo.*

— tener autoridad: *tener vara alta.*

3. Cada una de las dos piezas de madera de un carro en donde se engancha la caballería. ☞ **varal.**

— *Las varas del carro se rompieron al cruzar el río.*

— caballería que va entre las varas: *caballería de varas.*

4. Palo largo y delgado con una punta de fierro que se usa para picar al toro en las corridas taurinas.

— *Al poner la primera vara, el picador casi tira al torito.*

5. Medida de longitud equivalente a 835 milímetros 9 décimas y trozo de cinta de tela, de barra de metal o madera con esa longitud, utilizado para medir.

— *El empleado sacó la vara para medir la tela.*

— medir algo con una vara: *varear.*

— acción y resultado de medir con vara: *vareo.*

varar 1. Estar detenida una embarcación en un banco de arena en la playa o entre piedras o rocas que no le permiten el movimiento.

— *Con tan poca profundidad creímos que se iba a varar la lancha.*

— sitio apropiado para mantener detenida una embarcación y en seco, donde darle el servicio de reparación, mantenimiento y limpieza: *varadero.*

— plancha de hierro que protege el costado de la embarcación en donde descansa el ancla: *varadero del ancla.*

— armazón de palos que en una embarcación protege los costados cuando suben o bajan botes u otros objetos pesados: *varadera.*

— acción y resultado de varar un barco: *varada, varadura, varamiento.*

2. Quedar detenido un negocio.

— *La inflación y las deudas vararon su tlapalería.*

varga Lugar con mayor inclinación en una cuesta.

variar 1. Introducir en alguna cosa uno o más cambios de modo que sea diferente de lo que era. ☞ **alterar.** ❖ FIJAR, PERMANECER.

— *Varió la decoración de su casa y ahora parece más grande.*

— modificación, alteración o cambio: *variación.*

2. Presentar una persona, cosa o animal ciertas diferencias durante su desarrollo, funcionamiento o actividad. ❖ COINCIDIR.

— *De ayer a hoy varió el clima, fíjate como llueve.*

— conjunto de diferencias que presenta el desarrollo de un suceso o de una actividad: *variación.*

— forma un poco diferente de otras de una misma cosa o de un conjunto: *variante.*

— espectáculo ligero con números musicales, bailes, canciones, etc.: *variedad.*

— expresión que indica irónicamente lo rutinario o habitual de un comportamiento, actividad, modo de pensar, etc.: *para variar y no perder la costumbre.*

várice Dilatación permanente de una vena a causa de la acumulación de sangre.

varicela Enfermedad de los niños, causada por un virus, contagiosa, acompañada de fiebres y erupción de granos semejantes a los de la viruela benigna.

varón 1. Ser humano de sexo masculino. ☞ **hombre.** ❖ MUJER.

— *Tiene dos hijas y ningún varón.*

— descendencia de varones exclusivamente: *varonía.*

— que pertenece al varón o se relaciona con él: *varonil.*

2. Hombre de autoridad y respeto por sus cualidades físicas y morales.

— *Sólo varones esforzados participaban en los torneos medievales.*

— valiente, fuerte y cortés: *varonil.*

— mujer varona: *varonesa.*

3. Hombre en la edad adulta. ❖ NIÑO.

— *Hace dos años que lo vi y era un niño, ahora es todo un varón.*

varraquear 1. Mostrar enfado y enojo gruñendo. ☞ **verraquear.**

— *Varraqueó cuando le dijiste que no vendrías mañana.*

2. Llorar los niños con rabia e ininterrumpidamente.

— *Si le pides que se bañe va a varraquear.*

— lloro continuado y rabioso de los niños: *varraquera, verraquera.*

vasallo, -lla 1. Persona que reconoce a otro como su superior o que depende de él. ❖ JEFE, AMO.

— *Obedecieron a su patrón como vasallos que eran.*

— dependencia o sumisión servil: *vasallaje.*

2. Persona que servía y obedecía a un soberano o señor. ❖ MONARCA, SEÑOR.

— *Los vasallos debían fidelidad a quien señoreaba las tierras en donde vivían.*

— condición de vasallo: *vasallaje.*

— vínculo de fidelidad y dependencia que un individuo tenía respecto de otro: *vasallaje.*

— tributo pagado por el vasallo a su señor: *vasallaje.*

— que pertenece a los vasallos o se relaciona con ellos: *vasallático.*

vasar Especie de repisa construida con ladrillo y yeso en donde se pueden poner objetos diversos. ☞ **estante.**

vaselina Sustancia pastosa, semisólida y blanquecina que se obtiene de la parafina y aceites densos del petróleo, que se usa como lubricante y en la preparación de ungüentos medicinales y cremas de belleza. ☞ **unto, lubricante, pomada.**

vasija Recipiente generalmente cóncavo que sirve para contener líquidos o alimentos. ☞ **cántaro, olla, jarro.**

— especie de alacena donde se guardan vasijas: *vasijero.*

vaso 1. Cualquier vasija o recipiente cóncavo.

— *Recogió la goma del árbol en un vaso.*

2. Recipiente, por lo general de forma cilíndrica, que se usa para beber o contener líquidos.

— *Compró vasos de plástico de distintos colores.*

3. Cantidad de líquido que cabe en un vaso usado para beber.

— *Se tomó dos vasos de agua.*

— preocuparse por algo intrascendente: *ahogarse en un vaso de agua.*

4. Conducto por donde circulan la savia o el látex, en las plantas; o la sangre o linfa, en los animales. ☞ **vena, arteria.**

— *La ruptura de un vaso produjo una hemorragia interna.*

— que pertenece a los vasos de plantas o animales, que se relaciona con ellos: *vascular, vasculoso.*

5. Embarcación, particularmente el casco.

— *Al encallar, el vaso del buque se dañó.*

6. Casco de las caballerías. ☞ **pezuña.**

— *Clavó la herradura en el vaso del caballo.*

vástago 1. Brote en un árbol o planta, que separado y en condiciones propicias dará origen a otra planta. ☞ **retoño, vástiga.**

— *En esta semana el rosal se llenó de vástagos.*

2. Persona con respecto a su padre, madre o a ambos. ☞ **hijo, sucesor.**

— *El vástago lleva el mismo nombre de su padre.*

3. Pieza en forma de varilla que puede articular o sostener otras piezas.

— *Esta barra de metal es el vástago del mecanismo.*

vasto, -ta Que es grande, dilatada o extensa una cosa. ☞ **inmenso.** ❖ PEQUEÑO, ENCOGIDO.

— grandeza, espaciosidad o inmensidad de algo: *vastedad.*

vate 1. Individuo que predice lo futuro o adivina lo oculto o ignorado mediante conjeturas o sortilegios. ☞ **adivino, profeta, agorero.**

— *Escucharon en la voz del vate lo que dijo el oráculo.*

2. Individuo que compone obras poéticas. ☞ **bardo, poeta, rapsodia.**

— *Algún vate del siglo pasado escribió estos versos.*

vaticinar Adivinar, profetizar, predecir. ☞ **augurar, pronosticar.**

— que profetiza: *vaticinador, vaticinante, vatídico.*

— predicción, augurio, adivinación: *vaticinio.*

vatio Unidad de potencia eléctrica, que equivale a un julio por segundo.

— aparato que mide los vatios de una corriente eléctrica: *vatímetro.*

— cantidad de vatios que actúan en un sistema eléctrico o aparato: *vataje.*

vecino, -na 1. Persona que, con respecto a otra, vive cerca de ella, en el mismo edificio, en la misma colonia o zona, en la misma población o país. ☞ **habitante, morador.**

— *Todos los vecinos de la colonia iban a la misma panadería.*

— calidad o condición de vecino: *vecindad.*

— conjunto de los vecinos que viven en el mismo edificio, colonia, zona o población: *vecindario, vecindad.*

— conjunto de viviendas pobres que comparten un pequeño patio o pasillo y otros servicios: *vecindad.*

— que pertenece a los vecinos, que se relaciona con ellos: *vecinal.*

2. Que está junto, cerca o a poca distancia de una cosa o persona. ❖ LEJANO.

— *En el pueblo vecino puedes encontrar una pequeña iglesia colonial.*

— cercanía, proximidad o contorno e inmediaciones: *vecindad.*

3. Que es semejante o parecido a otra cosa. ❖ DIFERENTE.

— *El estilo de tu peinado es vecino al de los africanos.*

vector Magnitud matemática y física que posee dirección y sentido, simbolizada con una flecha de tamaño y orientación proporcional al valor simbolizado. ☞ **recta, raya, línea.**

— que pertenece a los vectores o se relaciona con ellos: *vectorial.*

vedar 1. Prohibir algo por mandato o ley. ☞ **prohibir.**

— *Vedan la pesca de peces en vías de extinción durante las épocas de apareamiento y cría.*

— acción y resultado de vedar algo: *veda, vedamiento.*

— tiempo en que está prohibido cazar o pescar ciertos animales: *veda.*

— permitir de nuevo la caza y pesca que estaba prohibida: *levantar la veda.*

— que está cerrado, que no se permite pasar a él por mandato legal, tratándose de un terreno o lugar: *vedado.*

2. Impedir o dificultar que se lleve a cabo algo.

— *Las cataratas en los ojos y la edad le vedaban su labor como pintor.*

vedeja 1. Cabellera larga.

— *Esa tribu se distinguía por el arreglo de sus vedejas.*

2. Melena de león. ☞ **vellón, vellocino.**

— *El león sacudió su vedeja cuando se levantó.*

vedette (vedet) Artista principal de una variedad, generalmente en un centro nocturno.

— actitud o acción de engreírse, querer llamar la atención o pretender ser más de lo que se es: *vedetismo.*

vedija 1. Mechón de lana.

— *Guardaron las vedijas en unos costales.*

— individuo que recoge la lana del ganado esquilado: *vellonero, vedijero.*

— lana que se esquila: *vellón, vellocino.*

2. Cabellera enredada del cuerpo o cabeza de un animal.

— *Tuvimos que estar recortándole a la gata las vedijas que se le hacían cuando se quedó paralítica de medio cuerpo.*

— que tiene una gran cantidad de vedijas: *vedijudo, vedijoso.*

vega Terreno llano y fértil. ☞ **huerta, regadío, sembrado.**

— que pertenece a la vega o se relaciona con ella: *veguero.*

vegetación 1. Conjunto de plantas o vegetales.

— *La vegetación está constituida por árboles, arbustos, hierbas y demás seres orgánicos que viven sin poder cambiar de lugar.*

— planta o ser orgánico que no puede cambiar de lugar: *vegetal.*

— que pertenece a las plantas o se relaciona con ellas: *vegetal.*

— germinar, crecer, desarrollarse y reproducirse los vegetales: *vegetar.*

— sistema o régimen de alimentación que consiste en ingerir vegetales y ciertos productos de animales, como la leche, miel, huevos y derivados: *vegetarianismo.*

— que pertenece al vegetarianismo o se relaciona con él, o persona que practica el vegetarianismo: *vegetariano.*

— que realiza funciones orgánicas o vitales, excepto la reproductora, tratándose de seres vivos u organismos: *vegetativo.*

— vivir alguien una vida exclusivamente orgánica, igual a la de un vegetal: *vegetar.*

— vivir tranquilamente, disfrutando voluntariamente de una vida sin trabajo ni dificultades: *vegetar.*

2. Conjunto de plantas que crecen en cierta zona.

— *La vegetación de la zona tropical es totalmente diferente a la vegetación de la zona desértica.*

vehemente 1. Que tiene fuerza, ímpetu y es fogoso y eficaz. ☞ **impetuoso, fogoso, exaltado.** ❖ INDIFERENTE.

— *Fue un discurso emotivo y vehemente.*

— con viveza e ímpetu: *vehementemente.*

— pasión, brío, ardor o fuerza: *vehemencia.*

2. Que es impulsivo, irreflexivo y apasionado, tratándose de personas.

— *Su vehemencia nos desconcierta.*

vehículo 1. Cualquier cosa que sirve de conductor o transmisor de algo, lo que facilita la acción o comunicación de alguna persona o cosa.

— *La miel fue el vehículo empleado para hacerlo tomar la medicina.*

2. Máquina, aparato o algo similar que transporte carga o personas de un lugar a otro por tierra, agua o aire.

— *Les faltaba un vehículo para transportar a 30 pasajeros.*

vejación Acción y resultado de molestar, maltratar u ofender a alguien. ☞ **escarnio, humillación, agravio, vejamen.**

— maltratar, mortificar, ofender u oprimir: *vejar.*

— que humilla, que ofende: *vejador.*

— ofensivo, enojoso, irritante o insultante: *vejatorio.*

— vejación: *vejamen.*

— composición poética burlesca: *vejamen.*

vejez 1. Edad senil o época de la vida de una persona o animal, que sigue a la madurez y precede a la muerte, y que se caracteriza por la pérdida de ciertas capacidades y facultades. ☞ **senectud, ancianidad.** ❖ JUVENTUD.

— *Se negó a llevar una vida más activa y pronto llegó a la vejez.*

— que tiene muchos años o está en la última época de su vida: *viejo, vejete, vejezuelo.*

2. Conjunto de personas ancianas. ❖ JUVENTUD.

— *Actualmente todos los países se preocupan por la vejez mundial.*

3. Estado de una cosa que ha sido muy usada o que está dañada por el uso, y que lleva mucho tiempo.

— *A pesar de la vejez del refrigerador, aún enfría.*

— que está muy usado o acabado: *viejo, vejestorio.*

— que se tiene, existe o se conoce desde hace mucho tiempo: *viejo, vejestorio.*

— individuo o cosa muy vieja: *vejestorio.*

— viejito: *vejete.*

4. Calidad de viejo de una cosa o persona. ❖ JUVENTUD.

— *Es increíble la vejez de pensamiento de ese jovencito.*

vejiga 1. Saco o bolsa en donde se acumula la orina producida por los riñones, en el hombre y ciertos animales.

— *Durante años tuvo problemas en la vejiga.*

— que pertenece a la vejiga o se relaciona con ella: *vesical.*

— órgano que poseen muchos peces, que se llena de gas o se vacía, cambiando el peso del pez, lo que le permite ascender o descender en el agua o mantenerse en equilibrio: *vejiga natatoria.*

2. Ampolla que se forma en la piel, llena de líquido, causada por quemaduras o heridas.

— *Cuando se quemó con agua hirviente le salieron vejigas.*

3. Burbuja llena de gas o líquido que se puede formar en una superficie.

— *La calcomanía estaba llena de vejigas.*

— lleno de vejigas: *vejigoso.*

vela 1. Cilindro, prisma o cualquier figura de cera, sebo, estearina, etc. con un pabilo que pueda encenderse y dar luz. ☞ **candela, cirio, bujía.**

— *En el altar había cuatro velas encendidas.*

— vela gruesa y corta que se usa para alumbrar tenuemente las imágenes religiosas: *veladora.*

— persona que hace o vende velas: *velero.*

— no ser de la propia incumbencia un asunto: *no tener vela en el entierro.*

2. Conjunto de lienzos fuertes que se cuelgan de los palos de una embarcación para que al recibir el viento se mueva con la fuerza de éste.

— *La vela estaba hecha de una lona muy resistente.*

— conjunto de velas de una embarcación: *velamen, velaje.*

— el que hace velas para los barcos: *velero, velívolo.*

— embarcación ligera o que navega mucho: *velero.*

— disponerse a navegar: *alzar las velas, hacerse a la vela.*

— navegar con gran viento: *navegar a toda vela.*

— aprovechar el viento favorable para la navegación: *tender las velas.*

— tipos de velas: *vela bastarda, vela cangreja, vela de abanico, vela de cruz, vela de cuchillo, vela latina, vela mayor, vela redonda, vela tarquina.*

— por completo, con diligencia y prontitud: *a toda vela.*

— aprovecharse del momento oportuno para lograr algo: *tender velas, tender las velas.*

— salirse de repente de un lugar: *alzar velas, levantar velas.*

velar 1. No dormir durante el tiempo dedicado al sueño. ☞ **trasnochar, desvelarse.**

— *Veló para poder entregar su reporte a tiempo.*

— acción y resultado de velar o no dormir: *vela, velación, velada.*

— tiempo que se destina a hacer algo y no dormir o tiempo en que se vela: *vela.*

— reunión nocturna para divertirse o festejar algo o a alguien: *velada.*

2. Cuidar de noche a un enfermo o permanecer junto a un difunto antes de ser enterrado.

— acción y resultado de cuidar de noche a un enfermo o permanecer junto a un difunto: *velorio, velación, velada.*

— sitio en donde se vela a un difunto: *velatorio.*

3. Vigilar y cuidar algún lugar en las noches.

— *Se decidió que un jubilado velara la fábrica para que no volvieran los amantes de lo ajeno.*

— persona encargada de vigilar y cuidar algún lugar en las noches: *velador.*

4. Cuidar con esmero algo para que se logre determinado resultado o desenvolvimiento. ☞ **vigilar, asistir, proteger.**

— *Velaron para que todo saliera bien.*

5. Cubrir con uno o varios velos algo o alguien para hacerlo menos visible u ocultarlo. ☞ **tapar, envolver.** ❖ DESCUBRIR.

— *Veló la imagen de la Virgen.*

— tela con la que se cubre algo para hacerlo menos visible u ocultarlo: *velo.*

— ceremonia católica nupcial que consiste en cubrir con un velo a los cónyuges: *velación.*

— banda blanca con que se cubre a los cónyuges durante la ceremonia de las velaciones: *velo.*

6. Asistir los católicos, por un tiempo determinado, delante de la eucaristía.

— *Mientras velaba el coro cantaba una misa.*

— asistencia de los católicos por un tiempo determinado al Santísimo Sacramento: *vela.*

7. Cubrir, ocultar. ☞ **disimular.** ❖ DEVELAR.

— *Se cuidaron mucho de velar el origen de su fortuna.*

— pretexto con el que se oculta la verdad o se pretende ocultarla: *velo.*

— ocultar algo: *echar un velo.*

8. Borrar alguien o algo total o parcialmente la imagen fotografiada del papel o placa por la acción física de la luz.

— *Como no sabía usar la cámara, veló el rollo.*

— borrarse la imagen de una placa fotográfica: *velarse.*

9. Que pertenece al velo del paladar o se relaciona con él.

— *Tiene un absceso velar.*

— pared membranosa que separa el paladar y la boca de la cavidad de la nariz: *velo del paladar.*

10. Que se pronuncia entre el velo del paladar y el dorso de lengua.

— *La k, g, j y la q tienen sonido velar.*

veleidoso, -sa Inconstante, mudable. ☞ **inestable, versátil, voluble.** ❖ CONSTANTE.

— capricho, antojo: *veleidad.*

— volubilidad, inconstancia, ligereza, mutabilidad: *veleidad.*

veleta Pieza de metal, a veces con la forma de una flecha, que se suele colocar en lo alto de un edificio y que gira indicando la dirección del viento. ☞ **giralda.**

— ser mudable en el comportamiento o en la actitud alguien: *ser una veleta.*

velicar Punzar alguna parte del cuerpo para dejar escapar los humores.

— acción y resultado de punzar: *velicación.*

velmez Vestidura que se llevaba abajo de la armadura.

velocidad 1. Rapidez en el movimiento. ☞ **prontitud, celeridad, presteza.** ❖ LENTITUD, CALMA.

— *El prestidigitador movió las cartas a gran velocidad.*

— rápido en el movimiento: *veloz.*

— de modo veloz: *velozmente.*

2. Relación entre el espacio recorrido y el tiempo utilizado en recorrerlo.

— *El automóvil corrió a una velocidad de cien kilómetros por hora.*

— aparato que mide la velocidad que se le imprime a un vehículo: *velocímetro.*

— que transcurre en poco tiempo, que dura poco: *veloz.*

3. Cada una de las imposiciones motrices en el dispositivo de un vehículo que determina la rapidez con que deben girar las ruedas.

— *Estás obligando al motor a un esfuerzo inútil, cambia de velocidad.*

— mecanismo que transmite la fuerza producida por el motor de un vehículo a sus ruedas y conjunto de los engranes que lo constituyen: *caja de velocidades.*

velón Lámpara de aceite con mechero y un eje en que gira, sube o baja.

— estante en donde se ponía un velón o cualquier luz: *velonera.*

— individuo que hace o vende velones: *velonero.*

vello 1. Pelo suave y corto que suele cubrir algunas partes del cuerpo humano. ☞ **bozo, pelusa, pelo.**

— *El vello de su brazo era negro y abundante.*

— conjunto de pelos suaves y cortos que cubren ciertas partes del cuerpo humano: *vellosidad.*

— que está cubierto de vello: *velloso.*

— que tiene mucho vello, tratándose de personas: *velludo, velloso.*

2. Pelusilla que cubre algunas plantas y frutos. ☞ **lanosidad.**

— *El vello del durazno le causaba cosquillas en los labios.*

— conjunto de pelusilla de hojas, tallos o frutos: *vellosidad.*

— que posee pelusilla: *velloso.*

— terciopelo: *velludo.*

— terciopelo de algodón de pelo corto: *velludillo.*

vellón 1. Conjunto de la lana esquilada de una oveja o carnero. ☞ **vellocino.**

— *En unos minutos cortó todo el vellón.*

— toda la lana esquilada de un carnero u oveja: *vellocino.*

— individuo que recoge vellones: *vellonero, vedijero.*

2. Cuero curtido de carnero u oveja con la lana.

— *Se dedica a trabajar con el vellón.*

3. Vedija o mechón de lana. ☞ **vedeja.**

— *El vellón cubría el piso del esquiladero.*

— mechón de lana: *vedija.*

vena 1. Conducto por el cual la sangre, que ha corrido por las arterias, regresa al corazón. ☞ **vaso.**

— *Se llama vena yugular cada una de las dos venas que hay a uno y otro lado del cuello.*

— que pertenece a las venas o se relaciona con ellas: *venoso, venal.*

— que tiene venas: *venoso.*

— pequeña vena superficial, visible bajo la piel: *venosidad.*

— algunos tipos de venas del cuerpo humano: *vena basílica, vena cardiaca, vena cava, vena cefálica, vena coronaria, vena emulgente, vena ranina, vena safena, vena subclavia.*

2. Conducto delgado de la piel de las hojas de las plantas, de las vainas de las legumbres, de los vegetales como el chile, de las alas de ciertos insectos, etc.

— *De la hoja seca sólo quedaban sus venas.*

3. Conducto natural por donde circula el agua en el interior de la tierra.

— *Perforarán la tierra hasta que encuentren la vena de agua.*

— conjunto de venas de agua y manantiales que forman un río: *venaje.*

4. Raya en la superficie de una piedra o de la madera.

— *Estas piedras presentan venas rojizas.*

5. Inspiración, simpatía o ánimo para hacer algo. ☞ **estro, numen.**

— *Emplea con habilidad tu vena humorística.*

— encontrar el medio para lograr algo: *dar en la vena.*

— estar inspirado para hacer algo: *estar de vena.*

— que tiene ideas extravagantes: *venático.*

venablo Dardo, lanza corta. ☞ **flecha.**

venadero Lugar al que los venados tienen la costumbre de acudir o refugio de venados.

— mamífero cérvido que se alimenta de hierbas y se caracteriza por su agilidad y ligereza: *venado.*

— huir, irse rápidamente alguien: *pintar venado.*

vencejo Lazo con que se amarra una cosa, especialmente los haces de mieses.

vencer 1. Derrotar al enemigo o rendir y aventajar al contrincante o competidor. ❖ PERDER.

— *Los egipcios vencieron a una armada de marinos mediterráneos.*

— que gana o vence al enemigo o contrincante: *vencedor.*

— derrotado: *vencido.*

2. Aventajar o ser superior a alguien en cierta cosa, inducir a alguien o convencerlo de algo.

— *Lo vence en inteligencia y a veces, en el manejo de los negocios.*

— persuadido, convencido, dominado: *vencido.*

3. Rendir o dominar una necesidad a quien la tiene.

— *Lo venció el sueño hacia las tres de la mañana.*

— rendido, dominado: *vencido.*

4. Lograr refrenar o reprimir los ímpetus o ciertos sentimientos y prejuicios que limitan. ❖ LIBERAR.

— *Luchó por vencer la antipatía que le tenía.*

— refrenado, dominado: *vencido.*

5. Superar las dificultades u obstáculos que se presentan para lograr algo.

— *Venció el cansancio y logró entregar el proyecto que había prometido.*

6. Subir, superar la altura o aspereza de un camino o lugar.

— *Venció las dificultades de la vereda elegida para escalar la montaña.*

7. Ladear, inclinar una cosa o hundirse por el peso de algo. ❖ ENDEREZAR.

— *Las maletas vencieron esa mesa por el lado izquierdo.*

— inclinación, torcimiento de una cosa: *vencimiento.*

8. Cumplirse un plazo o término previamente fijado. ❖ DEMORAR.

— *Hoy se vence el plazo para pagar el teléfono.*

— que está sujeto a vencimiento en un momento determinado: *vencedero.*

— cumplimiento del plazo de una deuda: *vencimiento.*

vendar 1. Cubrir con una o varias vendas una parte del cuerpo que está lesionada o lastimada.

— *Le vendaron el tobillo pues estaba muy hinchado.*

— tira de tela con la que se envuelve o cubre una parte lastimada del cuerpo: *venda.*

— acción de cubrir con vendas cierta parte del cuerpo: *vendaje.*

— técnica terapéutica basada en la utilización de vendas: *vendaje.*

2. Tapar los ojos de alguien con una banda de tela para que no pueda ver.

— *Hay que echar un volado para saber a quién le toca que le venden los ojos para pegarle a la piñata.*

— ignorar: *tener una venda en los ojos.*

— desengañarse alguien: *caérsele la venda de los ojos.*

3. Impedir, estorbar el conocimiento o la razón.

— *Vendaron el conocimiento de la historia del país.*

vendaval Cualquier viento que sopla con fuerza. ☞ **ventarrón, huracán, galerna.**

vender 1. Cambiar un bien por dinero o dar algo a una persona a cambio de cierta cantidad de dinero.

— *Me vendió su coche en un precio razonable.*

— persona que vende algo: *vendedor.*

— que se puede vender: *vendible, venal.*

2. Ejercer la actividad comercial de cambiar ciertos bienes por dinero o de ofrecer mercaderías al público.

— *Vende al mayoreo productos de perfumería y cosméticos.*

— acción y resultado de vender: *venta.*

— conjunto de cosas que se venden: *venta.*

— persona que se dedica a la venta o que tiene por oficio vender: *vendedor.*

— que está expuesto para venderse: *vendible, venal.*

— vender por unidades o en pequeña cantidad: *vender al menudeo.*

— vender en grandes cantidades: *vender al mayoreo.*

3. Poner a disposición o al servicio de otros ciertos dotes a cambio de dinero.

— *Vendió su honra al primero que pasó.*

— hacer alguien algo en contra de la moral o de sus convicciones a cambio de dinero o de un soborno: *venderse.*

— que se deja sobornar: *venable, venal, sobornable.*

— calidad de venal: *venalidad.*

4. Traicionar, delatar.

— *Lo vendió para ganarse el aprecio del general.*

— persona que traiciona una causa común o claudica de ella por obtener dinero o algún beneficio de esa manera: *vendido.*

— prestarse con dificultad a la ejecución de algo: *venderse caro.*

vendetta Enemistad y venganza a causa de una ofensa grave o de una provocación o ejecución de muerte, que se transmite a toda la familia de la víctima.

vendimia 1. Cosecha y recolección de la uva.

— *Los hombres regresaban de la vendimia.*

2. Tiempo en que se realiza la cosecha y recolección de la uva.

— *Llegaron al pueblo después de la vendimia.*

— individuo que trabaja cosechando uvas: *vendimiador.*

— recolectar el fruto de la viña: *vendimiar.*

— aprovecharse de algo violenta o injustamente: *vendimiar.*

— matar: *vendimiar.*

— primer mes del calendario republicano francés que corría del 22 de septiembre al 21 de octubre del calendario gregoriano: *vendimiario.*

veneno 1. Cualquier sustancia que introducida al organismo puede causar gran daño o la muerte de un ser vivo. ☞ **tósigo, tóxico.** ❖ ANTIVENENO, ANTITOXINA.

— *El veneno de la serpiente de cascabel es letal.*

— dar veneno a alguien o ponerlo en algo con objeto de dañar o matar: *envenenar.*

— que tiene veneno o que es capaz de envenenar: *venenoso.*

— condición de venenoso: *venenosidad.*

2. Cualquier cosa que causa daño físico o moral.

— *Estaba tan delicado de salud que los camarones fueron un veneno para él.*

— que tiene mala intención: *venenoso.*

venera 1. Concha semicircular de dos valvas perteneciente a un molusco común en los mares de Galicia.

— *Los peregrinos que volvían de Santiago traían veneras cosidas a las esclavinas.*

2. Insignia de cada orden militar.

— *La venera llevaba los colores blanco y rojo.*

3. Manantial de agua. ☞ **venero.**

— *Le gustaba descansar cerca de la venera.*

venerar 1. Honrar en alto grado a algo o alguien. ☞ **adorar, reverenciar, respetar.** ❖ DESPRECIAR.

— *El pueblo entero parecía venerar a un árbol milenario.*

— consideración, admiración, respeto, honra: *veneración.*

— que es virtuoso, admirado o respetable por su edad: *venerable.*

— que venera: *venerador.*

2. Rendir culto a lo sagrado. ❖ DESPRECIAR.

— *En este lugar se venera a un Cristo hecho con pasta de maíz.*

— que merece veneración, que es santo y honorable: *venerable, venerado.*

— acción y resultado de venerar: *veneración.*

— primer título que concede la Iglesia católica a un individuo en proceso de canonización: *venerable.*

— título que se daba al presidente de una logia masónica: *venerable, maestro.*

venéreo, -a 1. Que pertenece a la sensualidad o a la sexualidad, que se relaciona con ellas. ☞ **carnal, sensual.**

— *No todo mundo compartió sus ideas sobre los placeres venéreos.*

2. Que se adquiere o contagia en las relaciones sexuales, tratándose de enfermedades.

— *La sífilis es una enfermedad venérea.*

— parte de la medicina que trata las enfermedades venéreas: *venereología.*

— que pertenece a la venereología o se relaciona con esta rama de la medicina: *venereológico.*

— individuo especialista en enfermedades venéreas: *venereólogo.*

venero 1. Manantial de agua. ☞ **venera, fuente, pozo.**

— *Tomaron agua del venero.*

2. Línea horaria en los relojes de sol.

— *El venero marcó las cinco de la tarde.*

3. Lo que da origen o contiene gran abundancia de una cosa. ☞ **principio, inicio.**

— *Buscó en el venero de la tradición ciertas normas de conducta.*

4. Yacimiento de minerales útiles. ☞ **filón.**

— *Encontraron un rico venero de plata.*

vengar Desquitarse de una ofensa o agravio perjudicando a quien los cometió. ☞ **vindicar.** ❖ PERDONAR.

— mal o daño que se causa a alguien como satisfacción del daño o agravio recibidos: *venganza.*

— que se puede o debe vengar: *vengable.*

— quien venga algo o se venga de alguien: *vengador.*

— que se inclina por la venganza o que está predispuesto a vengarse, tratándose de personas: *vengativo.*

venia 1. Perdón de una ofensa o culpa. ☞ **indulgencia, gracia.** ❖ CASTIGO.

— *Le dio su venia esperando que eso lo ayudara a vivir menos angustiado.*

— que es contrario ligeramente a la ley o a la norma y, por lo tanto, perdonable: *venial.*

2. Permiso para hacer algo. ❖ NEGACIÓN, DENEGACIÓN.

— *Pidió la venia de la reina para retirarse.*

3. Inclinación de la cabeza que se hace para saludar.

— *Se despidió gentilmente con una venia.*

venir 1. Moverse una persona o cosa de allá hacia acá. ❖ IR.

— *¡Ahí viene el camión!*

— llegada, arribada: *venida.*

— moverse continuamente una cosa o persona de un lugar a otro: *ir y venir.*

2. Moverse hacia acá de determinada forma o haciendo alguna cosa que se expresa.

— *Venía comiendo durante todo el viaje.*

3. Llegar o asistir alguien al sitio en donde está quien habla.

— *Vino frecuentemente la semana pasada.*

— asistir alguien para cumplir con una función o disfrazado de algo: *venir de.*

— asistir alguien con el propósito de hacer algo: *venir de.*

— llegar a contar chismes, historias, cuentos, etc.: *venir con chismes, venir con historias, venir con cuentos, venir con...*

4. Llegar una carretera, una calle, un camino, etc. al lugar en donde está quien habla o muy cerca de él.

— *El periférico viene desde Cuemanco.*

— creciente, avenida de un río o arroyo: *venida.*

5. Estar cerca o llegar el tiempo en que ocurrirá una cosa.

— *La semana que viene iremos al aeropuerto.*

— que está por suceder: *por venir, venidero.*

— terminarse el plazo o hacérsele a uno tarde: *venírsele el tiempo encima.*

— suceder algo repentinamente, con intensidad o de manera rápida: *venirse.*

6. Proceder, tener origen en algo o alguien.

— *Esa costumbre le viene de familia.*

— nacer: *venir al mundo.*

— sucesores o herederos: *venideros.*

7. Aparecer en un libro, periódico, revista, etc.

— *En la revista viene una foto tuya.*

8. Acomodarse, ajustarse una cosa a otra, quedarle bien a alguien o a algo. ❖ DESAJUSTARSE.

— *Esos pantalones no me vienen.*

— encontrar correspondencia casual entre lo que alguien dice en general y lo que uno es o con su comportamiento: *venirle el saco.*

— ser algo excesivo para la capacidad de alguien: *venirle grande.*

— ser algo insuficiente para la capacidad de alguien: *venirle chico.*

— ser indiferente a algo, no importarle: *no irle ni venirle, venirle guango.*

9. Expresa la conclusión o el resultado de algo, cuando va seguido de *a* y un verbo en infinitivo.

— *Vino a salir en cincuenta mil por cabeza.*

10. Expresa que una acción ya iniciada aún continúa, cuando va seguido de un gerundio.

— *La oportunidad que te vienen ofreciendo no debes desaprovecharla.*

— ocurrírsele algo a alguien o recordar algo súbitamente: *venirle a la memoria, venirle a la mente, venirle a la cabeza.*

— tener una cosa relación con lo que ocurre o con lo que se está diciendo: *venir al caso, venir a cuento, venir a colación.*

— hacer algo cuando uno lo desea: *venir en gana.*

— empobrecerse, disminuir la calidad, fuerza o valor: *venir a menos.*

— fracasar o decaer: *venirse abajo, venirse a tierra.*

— derrumbarse, caerse: *venirse abajo.*

— caerse algo o alguien sobre una cosa o persona: *venírsele encima.*

— eyacular el semen: *venirse.*

ventaja 1. Superioridad de una persona o cosa respecto de otra. ☞ **preeminencia, excelencia.** ❖ DESVENTAJA.

— *Su experiencia lo pone en ventaja respecto de los otros concursantes.*

— superar a otro en algo: *aventajar, llevar ventaja.*

— que es superior o más diestro y hábil que otro: *ventajista.*

2. Diferencia favorable que una persona tiene o le lleva a otra.

— *La ventaja de dos puntos de mi equipo asegura su triunfo.*

3. Condición favorable de ciertas cosas.

— *Tiene enormes ventajas viajar como estudiante.*

— que ofrece o tiene beneficios: *ventajoso.*

— sacar provecho: *sacar ventaja.*

— tener algo beneficios al mismo tiempo que inconvenientes: *tener sus ventajas y sus desventajas.*

4. Ganancia anticipada que un jugador otorga a otro menos hábil o diestro para compensarlo.

— *Cuando perdió se arrepintió de haber dado tanta ventaja.*

— que obtiene cierta ventaja: *ventajista.*

— que obtiene ventaja en sus negocios o asuntos por medios reprobables o inaceptables: *ventajista.*

ventana 1. Abertura en una pared, a cierta altura del suelo, que permite la ventilación y la entrada de luz a un cuarto, y marco de metal o madera y hoja u hojas de vidrio que cubren esta abertura. ☞ **ventanal.**

— *La habitación tiene una gran ventana desde donde puedes ver el jardín.*

— conjunto de ventanas de una construcción: *ventanaje.*

— ventana grande: *ventanal.*

— individuo que hace ventanas: *ventanero.*

— asomarse mucho a una ventana o pasarse mucho tiempo asomado a ella: *ventanear.*

— acción de ventanear: *ventaneo.*

— individuo al que le gusta ventanear: *ventanero.*

— abertura en un cristal o pared que

comunica al empleado de un banco, de alguna oficina o de sitios en donde se adquieren boletos para transportes o espectáculos, con el público o clientela: *ventanilla.*

— ventana pequeña en las puertas exteriores de las casas que sirve para ver a quien llama, o hablar con la persona sin abrir la puerta: *ventanillo.*

— golpe fuerte que se puede dar al cerrarse o cerrar una ventana: *ventanazo.*

— desperdiciar algo: *echar por la ventana.*

— festejar con derroche: *echar la casa por la ventana.*

— hablar de algo con disimulo pero de manera que se sepa de qué se habla: *ventanear, balconear.*

2. Cada uno de los tejidos cartilaginosos que cubren por fuera las fosas nasales. ☞ **ventanilla.**

— *Lo último que esculpió fueron las ventanas de la nariz.*

ventear 1. Soplar el viento, hacer aire fuerte.

— *Hizo frío y venteó toda la mañana.*

— viento que sopla con fuerza: *ventarrón.*

— descomponerse algo por la acción del aire: *ventearse.*

2. Olfatear el aire ciertos animales.

— *El perro venteó un olor extraño.*

— que olfatea el aire: *ventero.*

— expeler gases intestinales: *ventearse.*

ventilar 1. Hacer correr el aire o dejarlo entrar a algún sitio.

— *Aquí huele a encerrado, hay que ventilar la habitación.*

— acción de hacer correr el aire o dejarlo pasar: *ventilación, aireación.*

— corriente de aire que permite ventilar una habitación o vehículo de transporte: *ventilación.*

— abertura por donde penetra el aire: *ventilación.*

— conjunto de aparatos y sistema que ventila una casa, un edificio, etc.: *ventilación artificial, clima.*

— aparato que impulsa o remueve el aire de una habitación: *ventilador.*

2. Exponer algo al aire o al viento. ☞ **orear, airear.**

— *Puso a ventilar las alfombras.*

3. Exponer un asunto abiertamente para resolverlo. ☞ **aclarar, dilucidar.**

— *Por fin se decidieron a ventilar sus diferencias.*

4. Mover una cosa en el aire.

— *Ventilaba su pañuelo mientras se despedía.*

ventisca 1. Borrasca de viento o de vien-

to y nieve. ☞ **ventisco, vendaval, ventarrón, ráfaga.**

— nevar con viento fuerte: *ventiscar, ventisquear.*

— levantarse la nieve por la fuerza del viento: *ventiscar, ventisquear.*

— parte más alta de los montes, expuesta a las ventiscas: *ventisquero.*

— sitio más alto en los montes, donde hay nieve, hielo conjunto de éstos: *ventisquero.*

ventorrillo Tienda pobre, pequeña, sucia e incómoda.

ventosidad Gas intestinal, cuando se expele. ☞ **pedo, flatulencia, gas.**

— que contiene acumulación de gases en el intestino: *ventoso.*

ventrículo 1. Cada una de las dos cavidades inferiores del corazón que reciben la sangre de la aurícula correspondiente.

— *La contracción de los ventrículos envía la sangre a las arterias.*

2. Cada una de las cuatro cavidades del encéfalo de los vertebrados.

— *Los ventrículos contienen líquido cefalorraquídeo.*

— que pertenece a cualquier ventrículo o se relaciona con él: *ventricular.*

ventrílocuo, -cua Persona que habla sin mover los labios y de este modo su voz parece venir de lejos y puede aparentar que habla otra persona, un muñeco o un objeto inanimado.

— arte del ventrílocuo: *ventriloquía.*

ventura 1. Felicidad o buena suerte. ☞ **dicha, fortuna, suerte.** ❖ DESGRACIA.

— *Tener buena salud es una ventura.*

— que tiene buena suerte, que es afortunado o dichoso: *venturoso, venturado.*

— de manera venturosa: *venturosamente.*

— a la suerte, sin proyecto o plan preestablecido: *a la ventura, a la buenaventura.*

2. Casualidad. ☞ **acaso, azar.**

— *Si por ventura lo ves, me lo saludas.*

ver 1. Percibir los objetos por los ojos gracias a la acción de la luz. ☞ **mirar.**

— *Vimos elefantes y jirafas en el zoológico.*

2. Observar una cosa, considerarla o examinarla, cuidar o poner atención en alguien o algo.

— *Por la tarde veré esos papeles para saber qué posibilidades hay para el negocio.*

— expresión con que se manifiesta que sólo mirando algo se puede creer en ello: *ver para creer.*

— revisemos: *veamos.*

— notarse claramente algo: *echarse de ver.*

— expresión con que se manifiesta algo notorio: *¡hay que ver!*

— expresión que reprocha un mal proceder: *¡habráse visto!*

— expresión con que se pide a alguien que enseñe algo o con la que se interviene en algo: *a ver.*

— dejar algo sin solución o quedar pendiente: *dejarlo en veremos, quedar en veremos, estar en veremos.*

3. Darse cuenta de un hecho, situación o suceso.

— *Estoy viendo que no traje la tarjeta de crédito.*

— encontrarse en cierta situación o estado: *verse.*

— haber pasado por un asunto muy difícil: *vérselas negras.*

— expresión con que se intuye que algo sucederá: *lo veo venir.*

— expresión que indica la posibilidad de que ocurra algo que se espera o desea: *a ver, a ver si, ya veremos.*

— expresión con que se introduce algo que se va a decir de uno mismo o de otra persona: *ahí donde me (la, lo, ...) ven (ves, ve).*

4. Visitar a una persona, estar con ella.

— *Voy a ver al contador por la mañana.*

5. Sentido con el que se perciben los objetos con los ojos. ☞ **vista.**

— *Me gusta mucho ver el cielo estrellado.*

6. Apariencia o aspecto de algo material e inmaterial o de alguien.

— *No tiene mal ver esa casita.*

— de buena apariencia: *de buen ver.*

— aparentemente: *por lo visto.*

— tenerse antipatía dos o más personas: *no poderse ver.*

— molestar algo a alguien: *no poder verlo.*

vera Orilla del mar, río, arroyo, lago, etc. ☞ **borde, proximidad.**

— a la orilla: *a la vera.*

veranda Mirador o terraza cubierto de cristales.

verano Estación del año que astronómicamente principia en el solsticio de verano y termina en el equinoccio de otoño. ☞ **estío.**

— que pertenece al verano o se relaciona con él, estival: *veraniego.*

— pasar el verano en algún lugar distinto de aquél en donde se vive: *veranear.*

— que veranea, turista: *veraneante.*

verbal 1. Que pertenece a la palabra o se relaciona con ella.

— *Es magnífica en su expresión verbal.*

— representación de un concepto o idea con palabras: *verbo.*

— inclinación a sostener el razonamiento más en las palabras que en los conceptos: *verbalismo.*

— que pertenece al verbalismo o se relaciona con esta inclinación: *verbalista.*

2. Que sólo se dice de palabra y no por escrito. ☞ **oral, hablado.** ❖ ESCRITO.

—- *El contrato fue verbal.*

— instrucción en que se cultiva preferentemente la memoria verbal: *verbalismo.*

— que pertenece al verbalismo o se relaciona con esta forma de enseñanza: *verbalista.*

3. Que pertenece al verbo o se relaciona con él. ☞ **verbo.** ❖ NOMINAL.

— *Le dejaron aprenderse de memoria la conjugación verbal de amar.*

verbena Fiesta popular que se realiza en sitios públicos al aire libre. ☞ **festejo, feria.**

— que pertenece a las verbenas o se relaciona con ellas: *verbenero.*

verberar 1. Azotar, fustigar.

— *Verberó al animal con ese látigo.*

2. Golpear o azotar el viento o el agua en alguna parte.

— *Las olas han verberado esas piedras durante miles de años.*

— acción y resultado de verberar: *verberación.*

verbo 1. Palabra que expresa una idea. ☞ **palabra.**

— *El verbo permite la comunicación de las ideas.*

— propensión o inclinación a usar más palabras de las precisas para expresarse: *verbosidad.*

— verbosidad excesiva: *verborrea, verborragia.*

— que utiliza más palabras de las necesarias para expresarse: *verboso.*

2. Clase de palabras que varían en número, persona, tiempo y modo y que designan procesos o acciones.

— *"Escribes" es una forma del verbo escribir descrita como la segunda persona del singular, del presente del indicativo.*

— verbo que se conjuga siguiendo el modelo sistemático que se emplea en una lengua: *verbo regular.*

— verbo que se conjuga alterando la raíz, tema o desinencia de la conjugación regular: *verbo irregular.*

— verbo que se emplea en la formación de la voz pasiva (ser) y verbo que forma los tiempos compuestos

(haber): *verbo auxiliar.*

— verbo que no se usa en todos los modos, tiempos o personas, como el verbo abolir: *verbo defectivo.*

— verbo que sólo se emplea en la tercera persona, generalmente del singular: *verbo impersonal.*

— verbo que se construye con complemento directo: *verbo transitivo.*

— verbo que se construye sin complemento directo, como nacer, morir, correr: *verbo intransitivo.*

— verbo que se construye en todas sus formas con pronombres reflexivos: *verbo pronominal.*

— verbo que en la oración relaciona al sujeto con su atributo, como ser, estar, resultar, parecer: *verbo copulativo.*

— modos del verbo: *indicativo, subjuntivo, imperativo.*

— tiempos simples del verbo: *presente, pretérito, futuro, copretérito y pospretérito del indicativo; presente, pretérito y futuro del subjuntivo.*

— tiempos compuestos del verbo: *antepresente, antepretérito, antefuturo, antecopretérito y antepospretérito del indicativo; antepresente, antepretérito, antefuturo del subjuntivo.*

— formas no personales del verbo: *infinitivo, gerundio, participio.*

verdad 1. Conformidad de juicio o concepto que elabora o tiene alguien acerca de una cosa, de un suceso o de una acción, con la realidad o naturaleza del mismo. ❖ MENTIRA.

— *Todo lo que te dijo es verdad, yo presencié el incidente.*

— que existe realmente, que es verdad: *verdadero.*

— de manera cierta, realmente: *de verdad, de veras.*

2. Conformidad de lo que piensa, afirma o siente alguien con sus propias acciones. ❖ FALSEDAD.

— *Habla con la verdad y vivirás más tranquilo.*

— que dice o usa siempre la verdad, que es sincero: *verdadero, veraz.*

— calidad de verdadero o veraz: *veracidad.*

3. Principio o principios fundamentales.

— *Ese hombre buscaba la verdad.*

— que tiene todas las características de lo que es, que es auténtico: *verdadero.*

4. Juicio o principio aceptado o dado como cierto.

— *De sus experiencias infirieron las verdades que regirían la vida de la comunidad.*

— que se considera o se acepta como cierto: *verdadero.*

5. Palabra o frase que expresa crudamente un juicio desfavorable sobre una persona.

— *Se tuvo que aguantar las verdades que le dijeron.*

— mentir, ocultar algo: *faltar a la verdad.*

— expresión que indica el momento en que algo debe encontrar su verificación o en el que se deben poner en práctica ciertas afirmaciones: *el momento de la verdad.*

— la verdad fuera de dudas: *la pura verdad.*

— expresión con la que se sostiene la certeza y realidad de algo: *a decir verdad.*

— expresión que se usa para introducir una contradicción: *si bien es verdad.*

— expresión con la cual se busca reafirmar lo que se dice: *¿verdad?*

verde 1. Que es del color de la hierba fresca o de la esmeralda, que es el cuarto color del espectro solar.

— *Pintaron las paredes de verde.*

— color verde: *verdor.*

— que tiene un color semejante al verde: *verdoso.*

— mostrar una cosa su color verde: *verdear.*

— ir tomando una cosa un color verde o tender hacia el verde un color: *verdear.*

2. Que es fresca, que aún conserva el color verde a diferencia de lo que está seco, tratándose de una legumbre. ❖ SECO.

— *Hace una semana que cortaron esas lechugas y aún están verdes.*

— mostrarse el campo verde para el nacimiento de plantas: *verdear.*

— cubrirse de hojas una planta o árbol: *verdear.*

— color verde de las plantas: *verdor, verdura.*

— primer verdor de las plantas o hierbas: *verdina.*

— legumbre fresca o verde: *verdura.*

— sitio en el campo que está verde: *verdegal.*

— parte de un terreno que se conserva verde por la humedad: *verdinal.*

— capa verde que se forma en los lugares húmedos o en la corteza de algunos frutos cuando se pudren: *verdún.*

3. Que aún no está maduro, que le falta un poco para alcanzar su completo desarrollo. ❖ MADURO.

— *Trajeron un costal de mangos verdes.*

— primeros años de vida y juventud: *años verdes.*

— juventud: *verdor.*

— recoger la aceituna o la uva para consumirla como fruta: *verdear.*

— recolección de aceitunas antes de que maduren para aderezarlas o encurtirlas: *verdeo.*

— chiste o cuento obsceno: *chiste verde, cuento verde.*

— insultar o hablar muy mal de alguien: *ponerlo verde.*

— hombre de edad que tiene inclinaciones amorosas con las jóvenes: *viejo verde.*

verdugo 1. Brote, vástago de un árbol. ☞ **retoño.**

— *Junto al tronco salieron dos verdugos.*

— monte bajo que una vez quemado o cortado se cubre de brotes: *verdugal.*

— especie de roncha en las hojas de algunas plantas: *verduguillo.*

2. Espada muy delgada.

— *El herrero afiló muy bien los verdugos.*

3. Instrumento de suplicio hecho de cuero, mimbre o alguna materia flexible.

— *Estos verdugos se emplearon hace siglos.*

— golpe dado con el verdugo: *verdugazo.*

— roncha que produce un verdugo: *verdugón.*

4. Individuo que ejecuta penas de muerte.

— *El verdugo subió al estrado con la cabeza cubierta de modo que no pudiera ser reconocido.*

verdura 1. Cualquier hortaliza, especialmente las de hojas verdes.

— *Van a comprar verdura al tianguis.*

— tienda o puesto de verduras: *verdulería.*

— persona que se dedica a la venta de verduras: *verdulero.*

2. Verdor, color verde.

— *Llegaron a un paraje de exquisita verdura.*

3. Obscenidad.

— *Fueron a ver un espectáculo cómico plagado de verduras.*

— mujer vulgar, mal hablada, descarada: *verdulera.*

vereda Camino angosto que se forma con el paso de peatones, ganado, carretas, etc. ☞ **senda, sendero, atajo.**

veredicto 1. Dictamen emitido por un jurado después de deliberar sobre un caso legal sometido a juicio. ☞ **decisión, resolución, juicio, sentencia, fallo.**

— *Los jueces concluyeron que el ve-*

redicto de culpable podría ser erróneo.

2. Juicio que una persona, especialmente una autoridad en la materia de que se trate, emite después de considerar cuidadosamente algo.

— *Sólo esperaban angustiados el veredicto del director de la escuela, después de la broma que le hicieron al maestro de inglés.*

verga 1. Miembro genital de los mamíferos. ☞ **pene, falo.**

— *El vergajo es un látigo hecho con la verga del toro seca y retorcida.*

— golpe dado con un vergajo: *vergajazo.*

2. Palo de un velero del cual se sujeta la vela. ☞ **mástil.**

— *La verga de ese velero se vino abajo.*

vergel Jardín o huerto con flores y árboles frutales. ☞ **parque.**

vergüenza 1. Sentimiento de humillación o pérdida del honor que causa el haber cometido una falta o alguna mala acción. ❖ HONRA.

— *Cuando te sorprendan robando, te vas a poner rojo de vergüenza.*

— humillar a alguien: *avergonzar.*

— sentir vergüenza: *avergonzarse.*

— deshonroso, humillante: *vergonzoso.*

2. Acción o conducta indecorosa. ☞ **descaro, insolencia.**

— *Es una vergüenza robarle el dinero al niño.*

— que causa vergüenza: *vergonzoso.*

— que tiene vergüenza: *vergonzante.*

— desestimar el amor propio: *perder la vergüenza.*

3. Estimación del honor y la responsabilidad de uno mismo. ☞ **amor propio.** ❖ DESVERGÜENZA.

— *Como no tiene vergüenza, acepta mordidas y sobornos.*

— tener vergüenza: *avergonzarse.*

— inmoral, indecente: *vergonzoso.*

4. Cortedad para realizar algo o sentimiento de humildad o modestia excesiva para tratar con los demás o expresarles sus ideas o sentimientos. ☞ **pena.** ❖ OSADÍA, ATREVIMIENTO, DESVERGÜENZA.

— *Le dio vergüenza preguntar lo que no entendió.*

— que se avergüenza fácilmente: *vergonzoso.*

5. Partes externas de los órganos sexuales.

— *Para el juego de pelota los nahuas cubrían sus vergüenzas con un máxtlatl.*

vericueto Sitio por el cual se anda con

dificultad. ☞ **paraje, andurrial, sendero.**

verídico, -ca 1. Que expresa la verdad. ☞ **sincero, veraz.**

— *Lo que te dijo es verídico, aunque difícilmente lo creas.*

2. Que parece verdadero o real. ☞ **verdadero, cierto.**

— *Gran parte de esa película se basa en hechos verídicos.*

verificar 1. Probar que algo dudoso es verdadero. ☞ **evidenciar, demostrar.**

— *Verificaron que el edificio no estuviera dañado.*

— acción y resultado de probar la verdad de algo dudoso: *verificación.*

— que sirve para verificar algo: *verificativo.*

— que verifica: *verificador.*

2. Comprobar la exactitud de un resultado o la verdad de algo que ya se sabía. ☞ **realizar, efectuar.**

— *Hay que verificar las cuentas antes de pagar los impuestos.*

— acción de comprobar la exactitud de algo: *verificación.*

— que verifica: *verificador.*

— resultar verdadero o cierto lo que se pronosticó: *verificarse.*

— tener lugar algo: *verificarse.*

verija Región externa de los órganos genitales de los animales.

vermiforme Que tiene forma de gusano.

— gusano, especialmente la lombriz intestinal: *verme.*

— que sirve para matar lombrices intestinales: *vermífugo, vermicida.*

— que tiene ciertas características de los gusanos: *vermicular.*

— que produce gusanos, tratándose de una lesión o enfermedad: *verminoso.*

vermut (vea recuadro de bebidas). Aperitivo que se elabora con vino blanco, ajenjo y otras sustancias amargas y tónicas.

vernáculo, -la Que es nativo de su propio país o lugar de origen, tratándose especialmente del idioma o lengua.

vernal Que pertenece a la primavera o se relaciona con ella.

verónica Lance en donde el lidiador espera la acometida del toro con la capa extendida o abierta con ambas manos frente al animal, durante una corrida de toros.

verosímil Que parece verdadero, que es creíble. ☞ **posible, probable, plausible.** ❖ INCREÍBLE, INVEROSÍMIL.

— calidad de verosímil: *verosimilitud.*

verriondo, -da 1. Que está en celo, tratándose del puerco y otros animales.

— *¡Saca al puerco verriondo del chiquero!*

2. Que están mal cocidas, duras o marchitas, tratándose de verduras o hierbas.

— *El apio de la sopa está verriondo.*

verruga Excrecencia cutánea, generalmente redonda.

— que tiene muchas verrugas: *verrugoso.*

— individuo tacaño, usurero: *verrugo.*

— prestamista, usurero: *verrugo.*

versal Que es mayúscula, tratándose de las letras.

— que es mayúscula, de igual tamaño que la minúscula, tratándose de las letras: *versalita.*

versallesco, -ca 1. Que pertenece a Versalles o se relaciona con el sitio y palacio real al noroeste de París. Se usa especialmente al hablar de las costumbres de la corte francesa durante el s. XVIII.

— *La aristocracia francesa del s. XVIII estableció un modo versallesco de vida.*

2. Que tiene modales muy corteses y afectados.

— *Se sintió muy divertida cuando un hombre joven de modales versallescos se dirigió a ella en la calle.*

versar Tratar de cierto tema, materia o asunto una plática, un libro, un discurso.

— que sabe bastante de alguna ciencia, materia o arte: *versado.*

— instruirse, informarse o documentarse sobre algo: *versarse.*

versátil Que cambia frecuentemente de sentimientos, gustos o modo de ser, que es mudable o adaptable. ❖ CONSTANTE, FIEL.

— calidad de versátil: *versatilidad.*

versículo Cada una de las divisiones de los capítulos en ciertos libros, especialmente los de las Sagradas Escrituras. ☞ **párrafo, división, apartado.**

— individuo que canta los versículos o quien tiene a su cuidado el libro del coro: *versiculario.*

— sitio, en la iglesia, donde se colocan los libros del coro: *versícula.*

versión 1. Traducción de una lengua a otra.

— *En la versión inglesa de este drama español se ha perdido el sentido del original.*

2. Manera en que cada individuo refiere un suceso. ☞ **relato, interpretación.**

— *De acuerdo con la versión de la portera, la bomba del agua ya no funcionaba esta mañana.*

3. Cada una de las formas que toma una cosa o aspecto diverso de ella,

en especial un tema musical, el texto de una obra, etc.

— *Esta versión del romance de la dama y el pastor es la que más me gusta.*

verso 1. Palabra o grupo de palabras sujetas a una unidad rítmica entre dos pausas o en una línea de un poema.

— *Jugaba con el poema de Diego Mendoza cuyos versos iniciales dicen: "A aquel árbol que mueve la hoja/ algo se le antoja".*

— hacer versos: *versificar.*

— que tiene facilidad para hacer versos: *versista.*

— que hace versos: *versificador, versista.*

— verso que no sigue ningún modelo métrico o que no tiene metro ni rima ya establecidos: *verso libre.*

— verso de ocho sílabas: *redondilla.*

— verso que no tiene más de ocho sílabas: *verso de arte menor.*

— verso que tiene más de diez sílabas: *verso de arte mayor.*

— verso que termina en palabra aguda: *verso agudo.*

— verso que termina en palabra grave: *verso llano.*

— verso que termina en palabra esdrújula: *verso esdrújulo.*

— verso que no rima con ningún otro: *verso blanco, verso suelto.*

— verso que no está sujeto a una medida fija de sílabas: *verso amétrico.*

— algunos tipos de verso en la poesía griega o latina: *acataléctico, adónico, amebeo, anapéstico, asclepiadeo, cataléctico, coriámbico, dactílico, falenio, gliconio, pentámetro, sáfico, trímetro, trocaico, yámbico.*

2. Poema o género literario que no está escrito en prosa.

— *Estos son versos de Octavio Paz.*

3. Composición en verso o poesía.

— *El conocimiento del verso de García Lorca es esencial para la comprensión de la literatura en lengua española.*

4. Versículo de las Sagradas Escrituras.

— *Entonó maravillosamente el primer verso del salmo.*

vertebrado Animal que tiene columna vertebral, cráneo y sistema nervioso central constituido por médula espinal y encéfalo.

— subdivisión de la rama animal de los cordados que incluye a los mamíferos, reptiles, aves, batracios y peces: *vertebrados.*

— cada uno de los huesos que forman el espinazo o columna vertebral de los vertebrados: *vértebra.*

— que pertenece a las vértebras o se relaciona con ellas: *vertebral.*

— que es muy importante: *vertebral.*

verter 1. Derramar líquidos o cosas menudas como la sal o la harina fuera del recipiente que los contienen. ☞ **volcar.**

— *Vertió harina sobre la mesa para amasar.*

— derramarse un líquido o caerse la sal, azúcar o polvos: *verterse.*

— acción y resultado de verter o verterse algo: *vertimiento.*

— que se puede verter: *vertible.*

— condición de vertible: *vertibilidad.*

2. Voltear una vasija para vaciar su contenido.

— *Vierte el agua de ese garrafón porque huele mal.*

— acción y resultado de voltear una vasija para vaciarla: *vertimiento.*

— sitio por donde se vierte algo: *vertedero.*

— sitio por donde puede correr el agua: *vertiente.*

— utensilio que sirve para voltear y extender la tierra levantada por el arado: *vertedera.*

— que vierte: *vertidor, vertiente.*

3. Traducir de una lengua a otra.

— *Vierte este texto al francés.*

— que puede cambiarse: *vertible.*

— calidad de vertible: *vertibilidad.*

vertical Que es perpendicular al horizonte o que sus partes forman una línea ascendente perpendicular al plano del horizonte. ❖ HORIZONTAL.

— calidad de vertical: *verticalidad.*

— de modo vertical: *verticalmente.*

— línea perpendicular al horizonte o a su plano: *línea vertical.*

vértice 1. Punto en donde concurren los dos lados de un ángulo o donde se intersectan dos o más líneas o planos.

— *Los vértices de este cubo están señalados con color amarillo.*

2. Cúspide de un monte, especialmente el de forma piramidal.

— *En el vértice de la montaña se veía a los excursionistas.*

vertiginoso, -sa 1. Que es muy rápido, precipitado o veloz, tratándose de un movimiento. ❖ LENTO, TARDADO.

— *Ese camión lleva una velocidad vertiginosa en esa bajada, ¿le fallarán los frenos?*

— aceleración anormal· o apresuramiento de alguien o de algo: *vértigo.*

2. Que causa vértigo o que lo padece.

— *La rueda de la fortuna le parecía vertiginosa.*

— mareo o trastorno del sentido del equilibrio que produce una sensación de movimiento rotatorio del cuerpo o de los objetos alrededor de él: *vérti-go*.

— temor a precipitarse de una altura al acercarse a un borde alto o cuando se acerca otra persona: *vértigo de la altura*.

vesania Demencia, furia muy violenta.

— que pertenece a la vesania o se relaciona con ella, que es demente, furioso, cruel o loco: *vesánico*.

vesícula Cada uno de los órganos del hombre y ciertos animales, hueco y con forma de saco o bolsa pequeña.

— en forma de vesícula: *vesicular*.

— que produce ampollas o vesículas en la piel, tratándose de sustancias: *vesicante*.

— cada uno de los dos órganos que contienen el semen: *vesícula seminal*.

— cada órgano en el que terminan las ramificaciones de los bronquios: *vesícula aérea*.

— órgano en donde el hígado deposita la bilis o hiel: *vesícula biliar*.

vespertino, -na Que pertenece a la tarde o se relaciona con ella. ☞ **crepuscular.** ❖ MATUTINO.

vestíbulo 1. Zaguán o pieza que da acceso a la entrada de un edificio. ☞ **zaguán, lonja.**

— *Nos citamos en el vestíbulo del Palacio de Bellas Artes.*

2. Pieza, generalmente grande, en donde se encuentra la recepción de un hotel.

— *Por el temblor se cayó la enorme lámpara del vestíbulo del hotel.*

vestigio Señal, huella u objeto que queda de algo que se ha destruido o de alguien que ha desaparecido. ☞ **huella.**

vestir 1. Cubrir el cuerpo con ropa. ❖ DESVESTIR.

— *Vistió al niño rápidamente, después de bañarlo.*

— ropa o prenda con la que se cubre el cuerpo: *vestido, vestidura*.

— prenda de vestir de una sola pieza que usan las mujeres: *vestido*.

— prendas de vestir que sobre el normal utilizan los sacerdotes católicos para el culto divino: *vestiduras*.

— conjunto de prendas de vestir de una persona o las que se usarán en una representación escénica: *vestuario*.

— lugar apropiado para cambiarse de ropa o vestirse: *vestidor*.

— cubrirse el cuerpo con ropa, cambiarse de ropa o ser cliente de determinado sastre o de cierta modista: *vestirse*.

— que es adecuado para la ocasión, tratándose de ropa: *de vestir*.

— vestir con elegancia o buen gusto: *vestir bien, saber vestir*.

— vestir inadecuadamente o con mal gusto: *vestir mal, no saber vestir*.

2. Dar lo necesario a alguien para que pueda comprarse ropa y usarla.

— *Mi tía nos vistió desde pequeños.*

3. Hacer la ropa para otros.

— *Este conjunto me lo cosió mi mamá; ella viste a toda la familia.*

4. Cubrir cierta cosa a otra, como la hierba al campo, las plumas al ave, etc. para darle cierta apariencia.

— *El jardín se vistió de flores en el verano.*

— permanecer soltera: *quedarse para vestir santos*.

veta 1. Lista, franja, raya que por su color, materia, forma o colocación se distingue en ciertos materiales, como en minerales y maderas. ☞ **vena, estría.**

— *Bajo ese cerro se encuentra una enorme veta de plata.*

— que tiene vetas: *veteado*.

— que tiene vetas sesgadas: *vetisesgado*.

— pintar vetas imitando las de la madera o el mármol: *vetear*.

— Mancharse una prenda de ropa con el color de otra por haber estado juntas cuando estaban mojadas: *vetearse*.

2. Habilidad para el ejercicio de una ciencia o arte. ☞ **vena.**

— *Entre mis alumnos encontré a algunos con buena veta para la música.*

veterano, -na Que ha realizado durante muchos años una actividad en su profesión u oficio o que ha cumplido un largo servicio militar. ☞ **ducho.** ❖ NOVEL, NOVICIO.

— calidad de veterano: *veteranía*.

veterinario, -ria 1. Persona que por su profesión se dedica a curar las enfermedades de los animales.

— *Mi padre es veterinario.*

— ciencia que estudia las enfermedades de los animales: *veterinaria*.

2. Que pertenece a la veterinaria o se relaciona con esta ciencia.

— *Es un local de medicina veterinaria.*

veto Facultad que tiene una persona o una corporación para oponerse a un mandato o impedir que un estatuto o ley entre en vigor. ❖ ANUENCIA.

— prohibir una cosa o una acción por ley: *vedar*.

— oponerse a una persona o a un mandato, ley o estatuto: *vetar*.

vetusto, -ta Que tiene mucha edad, que es muy antiguo. ☞ **anciano, arcaico, caduco.** ❖ NUEVO, RECIENTE.

— antigüedad o calidad de vetusto: *vetustez*.

vez Cada realización de un acontecimiento o acción en un tiempo y circunstancia específicos.

— al mismo tiempo: *a la vez*.

— en ocasiones: *a veces*.

— en cada momento: *cada vez*.

— en este momento: *de una vez*.

— en raras ocasiones: *de vez en cuando, rara vez, una que otra vez*.

— en definitiva o terminantemente: *de una vez para siempre, de una vez por todas, de una buena vez, de una sola vez*.

— en sustitución de: *en vez de*.

— de nuevo: *otra vez*.

— por su parte: *a su vez*.

— quizá: *tal vez*.

— siendo así: *una vez que, toda vez que*.

— representar o suplir a alguien en sus funciones o actividades: *hacer las veces de*.

vía 1. Camino, ruta.

— *Nos indicaron una vía equivocada para llegar a tu casa.*

— que es transitable: *viable*.

— cada uno de los lugares de una población por los que pasa gente: *vía pública*.

— que pertenece a las rutas o a la vía pública, que se relaciona con ellas: *vial*.

— conjunto de servicios relacionados con las vías públicas: *vialidad*.

— calle no interrumpida por el cruce de otras y que permite el tránsito veloz de vehículos: *viaducto*.

— en camino de: *en vías de*.

2. Conjunto de las dos barras paralelas por donde circula un tren o un tranvía.

— *El ferrocarril salió de la vía.*

3. Medio para lograr algo.

— *¿Mediante qué vía podré conseguir ese certificado?*

4. Conducto del cuerpo.

— *Se le congestionaron las vías respiratorias con el catarro.*

vía crucis 1. Camino señalado por creyentes católicos con estaciones de cruces o altares que suele recorrerse rezando en cada uno de ellos.

— *El vía crucis inicia cerca del pueblo.*

2. Serie de catorce cruces o imágenes que representan los pasos del Calvario y se colocan en las paredes de las iglesias católicas.

— *Las imágenes del vía crucis son obra de una artista local.*

3. Ejercicio católico piadoso en donde se rezan los pasos del Calvario.

— *Se arrodillaron para rezar el vía crucis.*

4. Sufrimiento, dificultad y pesar continuo que padece alguien.

— *Su vía crucis empezó desde que se quedó huérfano.*

viajar Trasladarse de un lugar a otro más distante, en especial de una población a otra o de un país a otro en algún vehículo.

— recorrido que hace alguien de un lugar a otro: *viaje.*

— persona que viaja: *viajero, viajador.*

— persona que viaja representando una empresa comercial para hacer negocios de compra o venta: *viajante, agente viajero.*

— cada uno de los trayectos que hace alguien llevando pasajeros o carga: *viaje.*

— viaje de ida y vuelta entre dos lugares: *viaje redondo.*

vianda Comida, especialmente aquella que se prepara con esmero.

viático 1. Dinero que una empresa o institución da a un trabajador para los gastos de un viaje de negocios o trabajo.

— *Los viáticos no le alcanzaron ni para pagar el hotel.*

2. Sacramento que se administra al enfermo que está en peligro de muerte.

— *El sacerdote llegó tarde para suministrar el viático.*

vibrar 1. Mover o moverse periódica y rápidamente una cosa. ☞ **ondular, oscilar, cimbrear.**

— *El elevador vibra mucho, di al mecánico que lo revise.*

— que puede vibrar: *vibrátil, vibratorio.*

— acción y resultado de vibrar: *vibración.*

— cada movimiento vibratorio: *vibración.*

— que vibra o reproduce vibraciones: *vibrador.*

— aparato que transmite vibraciones: *vibrador.*

2. Temblar o titubear la voz o un sonido por emitirse intermitentemente.

— *Durante el discurso, me vibraba la voz de la emoción.*

— sonido cuya pronunciación se produce por el rápido abrir y cerrar el paso al aire que hace que vibren las cuerdas sonoras, como cuando se pronuncia la *r* o la *rr*: *vibrante.*

vicario, -ria Eclesiástico o sacerdote de la Iglesia católica que se encarga de ayudar al obispo en la administración de su diócesis.

— segunda superiora en algunos conventos de monjas: *vicaria.*

— cargo o dignidad del vicario: *vicaría, vicariato.*

— oficina en donde atiende el vicario: *vicaría, vicariato.*

— zona bajo la jurisdicción del vicario: *vicaría.*

— que pertenece al vicario o a la vicaría o se relaciona con ellos: *vicarial.*

— tiempo que dura el oficio de vicario: *vicariato.*

— uno de los títulos del papa: *Vicario de Jesucristo.*

— clérigo o vicario que rige en nombre del papa: *vicario apostólico.*

— sacerdote que sirve en una parroquia bajo la autoridad del párroco, a quien puede sustituir en caso de ausencia o enfermedad: *vicario coadjutor.*

viceversa Al contrario, por lo contrario, al revés o de manera recíproca. ☞ **inversamente, contrariamente.**

vicio 1. Costumbre o hábito que causa daño físico o moral a quien lo tiene o que es contrario al buen comportamiento. ❖ VIRTUD.

— *Tiene el vicio de fumar y de rascarse la cabeza.*

— hacer que alguien adquiera un hábito que lo daña: *viciar.*

— que está dominado por un vicio: *vicioso.*

2. Afición excesiva que alguien tiene por una cosa.

— *Su vicio es leer y el de su hermano es ver la televisión.*

— aficionarse a algo: *viciarse.*

— que siente gran afición por algo: *vicioso.*

3. Disposición o tendencia a obrar mal o ir en contra de la virtud; inclinación por una forma particular de mal. ❖ VIRTUD.

— *Cayó en el vicio de la corrupción.*

— que se comporta mal, que es perverso: *vicioso.*

— hacer que alguien adquiera malos hábitos: *viciar.*

4. Imperfección de algo, defecto o mala calidad de una cosa. ❖ INALTERABILIDAD.

— *Tiene muchos vicios de pronunciación al hablar en francés.*

— que es defectuoso o irregular: *vicioso.*

— adulterar ciertos productos o géneros o mezclarlos con otros de poca calidad: *viciar.*

— falsear un escrito al interpretarlo erróneamente o al cambiar su texto: *viciar.*

— falsedad en lo que se propone o escribe: *vicio.*

vicisitud Alternancia de sucesos prósperos y adversos.

— que ocurre por orden sucesivo o alternativo: *vicisitudinario.*

— sucesos repentinos que suelen cambiar el curso normal de algo: *vicisitudes.*

víctima 1. Individuo que sufre un daño en un desastre o accidente.

— *Las víctimas de la inundación fueron llevadas a un sitio seguro.*

2. Individuo que sufre las consecuencias de una acción propia o de otros.

— *En el asalto al banco hubo cinco víctimas: el gerente general, dos policías bancarios y dos asaltantes.*

— persona que por sus acciones daña a otra: *victimario.*

— asesinar o herir: *victimar.*

— asesino o persona que mata: *victimario.*

3. Persona o animal que antiguamente se destinaban a ser sacrificados a los dioses. ❖ SACRIFICADOR.

— *La víctima dedicada al dios debía llevar el cuerpo totalmente pintado de azul.*

— individuo que ayudaba a preparar a la víctima para el sacrificio y lo ejecutaba: *victimario.*

victoria 1. Triunfo que se logra venciendo al contrario en una batalla, competencia, juego o discusión. ☞ **triunfo.** ❖ DERROTA.

— *La victoria fue para el equipo visitante.*

— que ha conseguido una victoria o éxito en algo: *victorioso.*

2. Vencimiento particular de alguien sobre sus vicios y pasiones.

— *Su victoria fue dejar de fumar.*

vicuña Mamífero americano de la familia de los camélidos, parecido al macho cabrío aunque sin cuernos; sus piernas son largas y su pelo es largo y delgado y muy apreciado en la fabricación de fibras textiles.

vida 1. Existencia de los seres orgánicos o estado de actividad por el que crecen, se desarrollan y se reproducen. ☞ **vivir.** ❖ MUERTE.

— *Antiguamente se desconocía la vida de los microorganismos.*

— existir, tener vida: *vivir.*

— que está dotado del impulso necesario para existir: *vital.*

— que pertenece a la vida o se relaciona con ella: *vital, vivo.*

— que tiene vida o existencia: *vivo, viviente.*

2. Espacio de tiempo que va del nacimiento de un ser hasta su muerte.

— *Su vida fue cortísima; vivió sólo cuatro días, pues nació con una afección cardiaca.*

— en tanto alguien tiene vida: *en vida.*

— siempre, por todo el tiempo: *de por vida.*

— jamás, nunca: *en la vida.*

— morir: *pasar a mejor vida.*

— sacrificarse: *dar la vida.*

— causar algo la muerte de alguien: *costarle la vida.*

— estar en peligro de muerte: *tener la vida en un hilo, estar entre la vida y la muerte.*

— retirarse de la relación con el mundo: *enterrarse en vida.*

3. Modo de vivir que tiene una persona según su actividad, su forma de comportarse y de ser, sus deseos, ideales y satisfacciones, etc.

— *Lleva una vida ociosa.*

— tener un tipo determinado de vida una persona: *vivir.*

— vida de vicio, prostitución o inactividad: *mala vida.*

— vida llena de desgracias y sinsabores: *vida de perro.*

— tener la habilidad de aprovechar adecuadamente la vida: *saber vivir.*

— gozar de la vida dándose gustos y placeres: *darse buena vida.*

— modo de vivir: *tren de vida.*

— tratar mal a una persona: *darle mala vida.*

— cambiar de costumbres: *cambiar de vida.*

4. Manifestación de entusiasmo, alegría, vigor, actividad de alguien. ❖ APATÍA.

— *Es un hombre con mucha vida.*

— carácter de alguien o de algo que tiene o manifiesta vigor, entusiasmo, energía y rapidez en su forma de ser: *vivacidad, viveza.*

— que es vigoroso o eficaz: *vivaz.*

— que es intenso o vigoroso: *vivo.*

— que es ingenioso, listo o entusiasta: *vivo.*

5. Duración de la utilidad o funcionamiento de una cosa, estado de actividad de un objeto.

— *Ese centro de estudios tiene diez años de vida.*

— que está en actividad o funcionamiento, que dura aún: *vivo.*

6. Conjunto de las cosas necesarias para existir o vivir las personas, en especial el alimento.

— *¡Cuánto ha subido la vida en este año!*

— trabajar: *ganarse la vida.*

7. Cualquier cosa o persona que gusta, deleita o causa placer.

— *La música era su vida.*

vidente 1. Que es agudo y sagaz, que percibe las cosas aunque no sean claras, que ve. ❖ INVIDENTE.

— *Fueron videntes del incendio.*

2. Profeta, adivino, mago.

— *Todos pensaron que él era vidente.*

video Aparato que puede reproducir o grabar videocintas. ☞ **magnetoscopio, videograbadora.**

videocinta Cinta magnética en que se registran imágenes visuales y sonidos. ☞ **videocassette (videocaset), videotape (videoteip).**

videodisco Disco en que se registran imágenes visuales y sonidos. ☞ **laserdisc.**

— aparato que reproduce lo registrado en el videodisco: *videoláser.*

vidrio Material duro, frágil, transparente y fácil de romperse, fabricado con sílice y potasa o sosa, combinado con otras bases, que se usa para hacer ventanas, lentes, vasos, etc.

— que está hecho con vidrio o se parece al vidrio: *vítreo.*

— que es delicado y fácil de romperse como el vidrio: *vidrioso, vidriado.*

— convertir en vidrio una sustancia o materia: *vitrificar.*

— acción de vitrificar: *vitrificación.*

— que puede ser convertido en vidrio: *vitrificable.*

— proporcionar a la cerámica o barro un barniz que fundido al horno adquiere transparencia o brillo como de vidrio: *vidriar.*

— ponerse vidriosa una cosa: *vidriarse.*

— hacer que algo adquiera la apariencia de vidrio: *vitrificar.*

— barro o cerámica con barniz vítreo: *barro vidriado, cerámica vidriada.*

— barniz empleado para vidriar: *vidriado.*

— taller en donde se elabora el vidrio o tienda donde se vende: *vidriería.*

— persona que trabaja o vende vidrio: *vidriero.*

— bastidor con vidrios empleado para cerrar puertas y ventanas: *vidriera.*

— aparador: *vitrina, vidriera.*

— que es muy susceptible o se enoja fácilmente: *vidrioso.*

— mirada u ojos que están como cubiertos de una sustancia transparente y líquida: *mirada vidriosa, ojos vidriosos.*

viejo, -ja 1. Que ya no es joven, que tiene mucha edad o está en la última etapa de su vida. ☞ **vejez, anciano, ruco.** ❖ JOVEN.

— *Era un actor viejo cuando lo vi en el escenario.*

— hacerse vieja una persona o cosa: *envejecer.*

— edad senil: *vejez.*

— envejecer en muy poco tiempo o repentinamente: *dar el viejazo.*

— individuo viejo: *veterano, vejete, vetarrón.*

2. Que es más antiguo que otro, que tiene más edad. ❖ MENOR.

— *Él es más viejo que yo, me lleva siete años.*

3. Hombre, esposo.

— *Mi viejo quiere que vayamos a Puebla para visitar a sus papás.*

— mujer, esposa: *vieja.*

4. Que no es reciente, que se conoce o se tiene desde hace mucho tiempo. ❖ ACTUAL, RECIENTE.

— *¿Andas estrenando? No, esta camisa ya es vieja.*

5. Que está maltratado por el uso o muy acabado algo. ☞ **usado.** ❖ NUEVO.

— *Nos cambiamos a una casa vieja.*

viento 1. Corriente de aire que se produce en la atmósfera por causas naturales.

— *Ahora el viento corre de sur a norte.*

2. Aire atmosférico.

— *El viento arrancó las últimas hojas del árbol.*

— fuerza que hace el viento contra una cosa: *ventola.*

— golpe de viento: *ventolera.*

— viento leve y variable: *ventolina.*

— que hace viento, tratándose de un lugar o tiempo determinado: *ventoso.*

— con buena suerte o con dicha: *viento en popa.*

— en todas direcciones: *a los cuatro vientos.*

— contra un obstáculo o dificultad: *contra viento y marea.*

— desear algo con vehemencia y hacer lo posible por conseguirlo: *beberse los vientos.*

— círculo que tiene señalados los 32 rumbos en que se divide la vuelta del horizonte: *rosa de los vientos.*

— expresión que indica que las malas acciones atraen consecuencias nefastas: *quien siembra vientos cosecha tempestades.*

vientre 1. Cavidad del cuerpo de los vertebrados donde se hallan los órganos principales del aparato digestivo y genitourinario.

— *El estómago forma parte del vientre.*

2. Región exterior del cuerpo que

---

corresponde al abdomen; es anterior en el hombre e inferior en los demás vertebrados. ☞ **abdomen, panza, barriga.**

— *Apareció un payaso con el vientre abultado.*

— que pertenece al vientre o se relaciona con él: *ventral.*

— parte inferior del vientre: *bajo vientre, hipogastrio.*

3. Panza o parte esférica y hueca de ciertos objetos.

— *Pinta unos girasoles en el vientre del jarrón.*

viga Pieza gruesa y larga de madera, metal, etc. que se utiliza para sostener techos o alguna otra parte de una obra en su construcción. ☞ **puntal, poste, travesaño.**

— viga que sirve para sostener otras vigas o los cuerpos superiores de un edificio: *viga maestra, viga madre.*

— reclamar o regañar con dureza: *echar la viga.*

vigente Que tiene validez o vigor, que es efectivo algo como las costumbres, leyes, etc., con respecto al presente o al tiempo de que se habla. ☞ **actual.** ❖ CADUCO.

— calidad de lo que tiene vigor, validez o lo que es vigente: *vigencia.*

vigía 1. Torre en lo alto desde donde se observa y se da aviso de lo que se descubre. ☞ **atalaya, faro.**

— *En la cima de esa colina construyen la vigía.*

2. Individuo que vigila desde una torre o lugar alto. ☞ **centinela.**

— *Hoy se quedó dormido el vigía.*

— vigilar el paraje encomendado: *vigiar.*

vigilar Cuidar a una persona o cosa, u observarla para conocer su actividad y funcionamiento o para evitar que cause o reciba algún daño. ☞ **atender, cuidar, guardar, custodiar.** ❖ DESATENDER, DESCUIDAR.

— cuidado de las cosas o personas que están a cargo de uno: *vigilancia.*

— conjunto de personas encargadas de vigilar y sistemas utilizados para esto: *vigilancia.*

— que vigila: *vigilante.*

— agente de policía: *vigilante.*

vigilia 1. Acción de estar despierto o en vela. ❖ SUEÑO.

— *La vigilia le produce un gran cansancio.*

2. Día que antecede a una fiesta religiosa.

— *La vigilia del viernes santo salimos de vacaciones.*

3. Abstención de comer carne en la víspera de una festividad religiosa.

— *Mañana es día de vigilia y comeremos romeritos.*

vigor 1. Fuerza, energía o vitalidad de una persona o animal. ☞ **energía, poder.** ❖ DEBILIDAD.

— *Su vigor en el deporte lo ha llevado al triunfo.*

2. Viveza, eficacia o energía de algo. ❖ INEFICACIA.

— *Ha trabajado con vigor durante toda su vida.*

— dar vigor: *vigorizar, vigorar.*

— que da vigor: *vigorizador.*

— que tiene vigor, que es animoso o fuerte: *vigoroso.*

— calidad de vigoroso: *vigorosidad.*

— de manera vigorosa: *vigorosamente.*

vihuelista Individuo que toca la vihuela o que compone música para ese tipo de instrumento musical.

— cada uno de los instrumentos musicales de cuerda que pueden tocarse con arco, con un plectro o con los dedos: *vihuela.*

vil Que es despreciable o bajo, que no tiene nada valioso, tratándose de personas, cosas, acciones o animales. ☞ **abyecto, miserable, ruin.** ❖ NOBLE, LEAL, DIGNO.

— *Es un hombre vil; lo traicionó a la primera oportunidad.*

— carácter de ser algo o alguien vil: *vileza.*

— acción vil: *vileza.*

— de manera vil: *vilmente.*

vilipendiar Despreciar o insultar a alguien, tratarlo con desdén. ☞ **infamar, desacreditar, envilecer.** ❖ ELOGIAR, ALABAR.

— desprecio, humillación o desdén: *vilipendio.*

— que causa o implica vilipendio: *vilipendioso.*

— que vilipendia: *vilipendiador.*

vilo (en) 1. Suspendido, sin apoyo. ❖ ASENTADO.

— *Levantó en vilo al bebé y se lo llevó a su cuarto.*

2. Con indecisión, inquietud, zozobra.

— *Estuve en vilo durante meses ante la falta de respuesta.*

viltrotear Callejear, en especial una mujer.

— mujer que callejea: *viltrotera.*

villancico Canción popular de asunto religioso que se canta especialmente en Navidad.

villano, -na Persona que comete bajezas y acciones perversas contra los demás o que es un malvado. ❖ NOBLE.

— *En las comedias de la televisión siempre hay un villano.*

— acción perversa: *villanía.*

— condición o calidad de villano: *villanía.*

2. Persona que antiguamente habitaba en poblaciones rurales y no tenía ningún prestigio social pues era considerada vasallo o siervo.

— población rural: *villa.*

vinagre 1. Líquido agrio que se produce principalmente por la fermentación ácida del vino.

— vasija diseñada para contener vinagre: *vinagrera.*

— persona que hace o vende vinagre: *vinagrero.*

— salsa con vinagre empleada como aderezo: *vinagreta.*

— de sabor agrio parecido al del vinagre: *vinagroso.*

— poner agria una cosa o el carácter de una persona: *avinagrar.*

— echar vinagre a una cosa: *envinagrar.*

— bebida elaborada con vinagre, agua y azúcar: *vinagrada.*

— vinagre de poca fuerza: *vinagrillo.*

— vinagre aromático con que se adereza el tabaco en polvo: *vinagrillo.*

— vinagre del centro de la tinaja, comúnmente el de mejor calidad: *vinagre de yema.*

vincular Unir una cosa a otra de la que dependerá o hacer que dependa una cosa de otra. ☞ **enlazar, ligar.** ❖ DESVINCULAR.

— que se puede vincular: *vinculable.*

— acción y resultado de vincular: *vinculación.*

— atadura o unión de una cosa con otra: *vínculo.*

— relación o unión de una persona con otra: *vínculo.*

vindicar 1. Vengar. ☞ **redimir, restablecer, reivindicar.**

— *Vindicó su honor apelando al consejo académico.*

— rencoroso, vengativo: *vindicativo.*

— venganza: *vindicta.*

2. Defender, por escrito, al que ha sido injuriado.

— *Este texto vindica al general vilipendiado.*

— acción y resultado de vindicar o vindicarse: *vindicación.*

— que vindica: *vindicador.*

— que defiende el buen nombre o la fama de alguien: *vindicativo.*

vinílico, -ca Que es un derivado o compuesto de un alcohol etilénico o del acetileno.

— sustancia química existente en los compuestos vinílicos: *vinilo.*

— plástico compuesto por resinas de

vinilo y otras sustancias, que se emplea en la fabricación de películas, discos, juguetes, cubiertas para pisos y muebles, etc.: *vinil.*

vino (vea recuadro de bebidas). 1. Bebida que se elabora con el jugo de uvas fermentado o con el jugo de otras frutas también fermentado.

— *Me gusta tomar vino blanco con los mariscos.*

— que pertenece al vino o se relaciona con esta bebida: *vinatero, vínico, vinático, vinario, vinar.*

— persona que se dedica al comercio del vino: *vinatero.*

— tienda de vinos o comercio del vino: *vinatería.*

— conjunto de operaciones para convertir la uva en vino: *vinificación.*

— elaboración de los vinos: *vinicultura.*

— que pertenece a la vinicultura o se relaciona con la elaboración de vinos: *vinícola.*

— persona que se dedica a la vinicultura: *vinicultor.*

— arte de cultivar las plantas de la uva y elaborar vino: *vitivinicultura.*

— que pertenece a la vitivinicultura o se relaciona con ella: *vitivinícola.*

— persona que se dedica a la vitivinicultura: *vitivinicultor.*

— vino de color oscuro: *vino tinto.*

— vino de color claro, tirando a amarillento: *vino blanco.*

— vino de color rosado: *vino rosado.*

— vino tinto claro: *vino clarete.*

— vino fino con color adquirido en el envejecimiento: *vino amontillado.*

— vino de uva dulce o aderezado con arrope: *vino dulce.*

— vino no dulce: *vino seco.*

— vino que sin ser dulce produce dulzor: *vino abocado.*

— vino más fuerte y añejo que el común: *vino generoso.*

— vino añejo y generoso: *vino de solera.*

— vino raspante o picante: *vino de agujas.*

— vino que se elabora con uva moscatel: *vino moscatel.*

2. Cualquier bebida alcohólica.

— *No toma vino, es abstemio.*

viñeta Dibujo o figura que adorna el principio o final de algunas publicaciones, libros o de sus capítulos.

violáceo, -cea Que es de color violeta o morado claro. ☞ **violado.**

violar 1. Romper o actuar en contra de una ley, precepto, norma o regla. ❖ ACATAR.

— *Violaba las normas de cortesía a cada momento.*

— acción y resultado de actuar en contra de leyes o normas: *violación.*

2. Entrar por la fuerza a un lugar y dañar o robar lo que está en su interior, obtener información sin estar autorizado para eso.

— *¡Violaste la correspondencia dirigida al juez!*

3. Abusar sexualmente de una persona con violencia y sin su consentimiento.

— *Este individuo intentó violar a esa joven.*

— abuso sexual de una persona: *violación.*

— que abusa sexualmente y con violencia de alguien: *violador.*

4. Profanar un lugar sagrado.

— *Violó el templo al destruir la imagen del dios.*

— acción y resultado de violar: *violación.*

violento, -ta 1. Que obra con agresividad, fuerza e ímpetu. ❖ PACÍFICO, SOSEGADO.

— *Me entregó el libro de modo violento.*

— brusquedad o agresividad: *violencia.*

— aplicar medios violentos: *violentar.*

— de manera violenta: *violentamente.*

2. Que está forzada, torcida o alterada la condición normal de algo o que no es normal ni natural.

— *Es violento estar trabajando en las nuevas oficinas sin el equipo necesario.*

— hacer algo en contra de la propia voluntad: *violentar.*

— manera de actuar que va en contra de la forma natural de hacerlo: *violencia.*

3. Que es irritable o iracundo. ❖ CALMADO.

— *Su carácter violento le ganó antipatías.*

— enojarse o perder la calma alguien: *violentarse.*

— acción y resultado de violentarse: *violencia.*

violín (vea ilustración de la p. 690). Instrumento musical de cuerdas, el más pequeño y agudo de éstos, que se toca con un arco.

— que toca el violín: *violinista.*

violoncelista Individuo que toca el violoncelo. ☞ **violonchelista.**

— instrumento musical de cuerda más grande y grave que el violín: *violoncelo.*

viperino, -na Que pertenece a la víbora o se relaciona con ella, o que tiene características que se consideran propias de las víboras. ❖ **pérfido, mordaz, maldiciente.**

— persona que inventa chismes, habla mal de los demás o es venenosa: *lengua viperina.*

virar Cambiar de dirección un vehículo o dar vuelta en cierta dirección. ❖ PROSEGUIR.

— acción y resultado de cambiar de dirección un vehículo: *viraje.*

virgen 1. Que no ha tenido relaciones sexuales.

— *A los cuarenta años aún es virgen.*

— que pertenece a la persona que es virgen o se relaciona con ella: *virginal.*

— estado de la persona virgen: *virginidad, virgo.*

— himen: *virgo.*

2. Que es puro y natural algo, que no ha sufrido alteraciones, que es genuino.

— *Compré un traje de lana virgen que me luce muy bien.*

— puro, intacto: *virginal.*

— integridad: *virginidad.*

3. Que está intacto, que no ha cumplido con el servicio o función que tiene determinado, tratándose de objetos.

— *Cómprame un cassette [caset] virgen.*

4. Que no se ha cultivado o que aún no se cultiva, tratándose de tierras.

— *Algunas tierras del norte son vírgenes.*

5. La madre de Jesús, según los creyentes católicos, y su imagen o representación.

— *Llevan en andas la imagen de la Virgen.*

— que pertenece a la Virgen o se relaciona con ella: *virginal, virgíneo.*

vírgula o virgulilla Trazo o línea pequeña empleada en la escritura como la cedilla, el apóstrofo y la tilde de la ñ. ☞ **rayita.**

viril 1. Que es propio del hombre o varonil. ☞ **varonil.** ❖ FEMENINO.

— *Su voz tiene un timbre viril.*

— masculinidad: *virilidad.*

— edad o época en que el hombre alcanza la plenitud de su desarrollo físico y psicológico: *virilidad, edad viril.*

— potencia sexual o madurez sexual del hombre: *virilidad.*

— desarrollo de caracteres masculinos secundarios en la mujer: *virilismo.*

— producir o adquirir virilismo: *virilizar.*

— acción y efecto de virilizarse: *virilización.*

— que está en edad de casarse, tratándose de una mujer: *viripotente.*

2. Que es fuerte, valiente, vigoroso o potente. ❖ DELICADO.

— *Escribe con una prosa viril y clara.*

— que es potente, vigoroso o viril: *viripotente.*

3. Vidrio claro y muy transparente que se pone sobre algunas cosas o delante de ellas para protegerlas.

— *Vimos los timbres más antiguos a través del viril.*

virote 1. Pan de trigo común o bolillo.

— *Sobre la mesa dejó varios virotes.*

2. Que es tonto o lento para comprender. ☞ **zoquete.** ❖ LISTO.

— *Tiene un amigo medio virote que me cae mal.*

virrey Persona que gobernaba una colonia en nombre y con autoridad del rey.

— mujer del virrey: *virreina.*

— sistema de gobierno de una colonia, encabezado por un virrey: *virreinato.*

— tiempo que dura en funciones un virrey y conjunto de acciones que realiza: *virreinato.*

— región gobernada por el virrey: *virreinato.*

— que pertenece al virrey, la virreina o al virreinato, que se relaciona con ellos: *virreinal.*

virtual 1. Que puede existir, que potencialmente existe pero no de hecho, que tiene existencia aparente pero no real.

— *Tiene capacidad virtual para ejercer ese cargo.*

— posibilidad, potencia: *virtualidad.*

— de modo virtual, en potencia: *virtualmente.*

2. Que está sobreentendido o implícito. ☞ **sobreentendido.** ❖ EXPRESO.

— *El sujeto es virtual en esa oración.*

virtud 1. Fuerza de algo o de alguien para producir un efecto benéfico.

— *Esa hierba tiene la virtud de curar esa llaga.*

— que tiene virtud: *virtuoso.*

2. Integridad de una persona que la hace comportarse de acuerdo con el bien, la justicia y el respeto hacia los demás. ☞ **probidad.** ❖ VICIO.

— *Su virtud era incuestionable.*

— prudencia, justicia, fortaleza, templanza: *virtudes cardinales.*

— fe, esperanza, caridad: *virtudes teologales.*

— que actúa rectamente de acuerdo con el bien, la justicia, etc.: *virtuoso.*

— persona de gran talento en cierta cosa: *virtuoso.*

— intérprete musical que domina su instrumento: *virtuoso.*

— dominio de una técnica artística: *virtuosismo.*

viruela 1. Enfermedad infecciosa caracterizada por la erupción de pústulas en la piel y en las mucosas.

— *Hubo una epidemia de viruela el año pasado.*

— varicela: *viruela loca.*

2. Cada pústula producida por la enfermedad.

— *¡No te rasques las viruelas!*

3. Grano en la superficie de ciertas cosas, como las plantas, el papel, etc.

— *Limpió de viruelas la cubierta de vidrio.*

violín

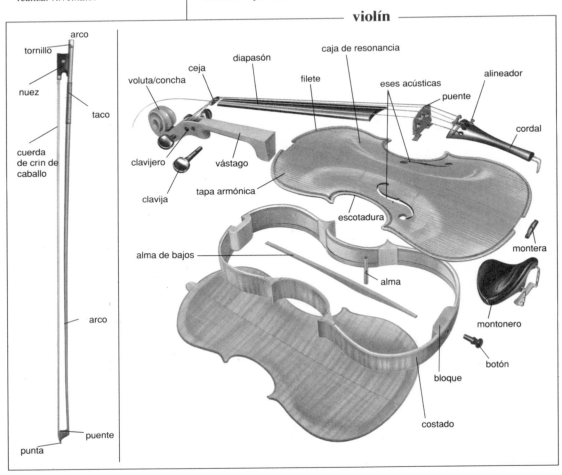

virulento, -ta 1. Que es causado por un virus. ☞ **maligno, venenoso.**
— *Tiene una enfermedad virulenta.*
— calidad de virulento: *virulencia.*
2. Que es mordaz, violento o atacante, tratándose de un discurso o escrito. ☞ **acre.** ❖ BENEVOLENTE.
— *Procedió en su discurso de modo virulento.*
— mordacidad, saña o malignidad: *virulencia.*

virus Ser microscópico, parásito de las células y capaz de infectar a cualquier ser viviente; es causante de enfermedades como la gripe, la rabia, la poliomielitis, etc. ☞ **germen, microbio.**
— que pertenece al virus o se relaciona con él: *viral, vírico.*

viruta Tira delgada de madera o metal que se desprende por la acción de alguna herramienta. ☞ **astilla, laminilla.**

visar Examinar la autoridad competente un pasaporte, documento, etc. para darle validez para determinado uso.
— acción y efecto de visar: *visado.*
— permiso que otorgan las autoridades migratorias de un país a un extranjero para entrar o permanecer en él: *visa.*

víscera Cada uno de los órganos del cuerpo del hombre y los animales. ☞ **entraña.**
— relativo a las vísceras: *visceral.*
— sentimiento profundo y arraigado: *visceral.*

viscosidad 1. Materia grasosa, glutinosa o gelatinosa y pegajosa.
— *Limpió la herida de viscosidades.*
— sustancia que se obtiene mediante procedimientos industriales de la celulosa: *viscosa.*
2. Calidad de viscoso.
— *Este ingrediente le dará viscosidad al fluido.*
— pegajoso, gelatinoso, glutinoso: *viscoso.*

visera 1. Ala o parte delantera de las cachuchas que protege los ojos de los rayos del sol o la pieza independiente que tiene esta función y que se sujeta con una cinta a la cabeza.
— *Llévate una visera o una cachucha al estadio.*
2. Parte movible del yelmo que cubría el rostro.
— *El yelmo tiene una visera dorada.*

visible 1. Que se puede ver. ☞ **perceptible, distinguible.** ❖ INVISIBLE, ESCONDIDO.
— *Tiene unas manchas muy visibles en las piernas.*
— calidad de visible, ostensibilidad: *visibilidad.*

— distancia mayor o menor a la que pueden verse los objetos: *visibilidad.*
— hacer visible de modo artificial lo que no puede verse a simple vista: *visibilizar.*
2. Que es cierto o evidente, que no se puede poner en duda. ❖ DUDOSO.
— *Es visible su falta de respeto y responsabilidad.*
— evidencia, certeza: *visibilidad.*

visillo Cortina delgada y transparente que se sujeta en la parte inferior de una ventana.

visión 1. Facultad de ver y lo que se percibe por los ojos.
— *Perdió la visión de lo que le rodeaba cuando se mareó.*
— ver imágenes televisivas o cinematográficas desde una perspectiva crítica: *visionar.*
2. Alucinación o fantasía, cosa o persona que la imaginación hace ver. ❖ REALIDAD.
— *Creyó estar viendo una visión y se asustó.*
— creer que son reales cosas imaginadas: *ver visiones, visionar.*
— dejarse llevar por la imaginación: *ver visiones.*
— quedarse pasmado: *quedarse viendo visiones.*
— que ve o cree en cosas imaginarias o sobrenaturales, alucinado: *visionario.*

visir Ministro de un soberano musulmán.
— primer ministro del sultán de Turquía: *gran visir.*
— cargo de visir: *visirato.*
— tiempo que dura en su cargo un visir: *visirato.*

visitar 1. Ir a ver a alguien en su casa o a su oficina por amistad, cortesía, invitación, etc., para salularlo.
— *¡Te venimos a visitar!*
— acción de visitar a alguien: *visita.*
— persona que hace una visita: *visita, visitante.*
— visita corta: *visita de médico.*
— persona que visita frecuentemente a otros: *visitador, visitero.*
— acción de hacer o recibir muchas visitas: *visiteo.*
2. Ir el médico a casa del enfermo o a un centro médico donde esté internado para examinarlo.
— *El doctor visitó a tres pacientes esta tarde.*
3. Ir una autoridad al domicilio registrado de una persona, empresa, etc. para hacer una inspección, para dar una notificación o para presentar algo.
— *Nos visitaron unos inspectores de Hacienda.*

— visita que hace el obispo para inspeccionar las iglesias de su diócesis: *visita pastoral.*
— empleado que hace visitas para dar a conocer un producto: *visitador.*
4. Recorrer un lugar para conocerlo.
— *Visitaremos Zacatecas dentro de un mes.*
— acción de visitar: *visita.*

vislumbrar 1. Ver algo con dificultad por la distancia o la falta de luz. ☞ **divisar, percibir, atisbar.**
— *Apenas se vislumbra la isla desde el barco.*
— reflejo de luz o resplandor muy débiles: *vislumbre.*
2. Hacer conjeturas por ciertos indicios o ver la posibilidad de algo. ☞ **sospechar, presentir.**
— *Vislumbro que éste será un buen trabajo.*
— indicio, conjetura o noticia muy breve: *vislumbre.*

viso 1. Resplandor de algunas cosas que reflejan la luz.
— *El viso de la charola de plata brillaba en la oscuridad.*
2. Apariencia o aspecto de algo.
— *No hay visos de que se postule de nuevo como candidato.*
— aparentar tener las cualidades, intenciones, etc., para hacer algo: *dar visos.*
3. Forro que puesto bajo otra tela se puede ver.
— *El vestido tiene un viso azul bajo el encaje negro.*
— cuadro de tela que cubre las puertas del sagrario: *viso del altar.*

visor 1. Sistema óptico o lente para examinar una imagen o película.
— *El visor necesita un ajuste.*
2. Dispositivo en algunas armas de fuego para alcanzar mayor precisión en el disparo.
— *Si miras por el visor darás en el blanco.*
3. Objeto de plástico con un cristal que se adecua a la cabeza de una persona para que pueda ver bajo el agua sin que ésta le moleste en los ojos.
— *Si traes aletas y visor podemos bucear por un rato.*

víspera 1. Día anterior a otro determinado. ☞ **ayer, vigilia.**
— *Tu mamá apenas llegó la víspera de tu cumpleaños.*
— en tiempo anterior a algo: *en víspera de.*
2. Entre los católicos, hora del oficio divino que se reza al atardecer.
— *Salieron cuando empezaron a rezar las vísperas.*

vista 1. Sentido que permite percibir vi-

sualmente la luz, el color y la forma de lo que nos rodea.
— *El sentido de la vista necesita de la luz.*
— que pertenece a la vista o se relaciona con ella: *visual.*
— dejar de ver: *perder la vista.*
— poco perspicaz, miope: *corto de vista.*
— vista de quien sufre presbicia: *vista cansada.*
— vista que abarca mucho: *vista de águila.*
— vista aguda y penetrante: *vista de lince.*
2. Acción de ver, de observar o de examinar. ❖ CEGUERA.
— *No te pierdas de vista.*
— mirada superficial: *vistazo.*
— en su presencia: *a la vista.*
— sin examen previo, de primera impresión: *a primera vista, a simple vista.*
— de manera general: *a vista de pájaro.*
— con el propósito de: *con vistas a.*
— a causa de: *en vista de.*
— tratar de lograr o de obtener algo, buscar la manera de relacionarse con alguien: *tener la vista puesta en.*
— ser evidente: *saltar a la vista.*
— fingir que no se ha visto algo o no se ha caído en la cuenta de algo: *hacerse de la vista gorda.*
— recordar: *volver la vista.*
— expresión utilizada para despedirse: *¡hasta la vista!*
3. Área que se puede ver desde un punto determinado.
— *El camión nos tapó la vista del paisaje.*
4. Lugar donde se controlan y se revisan las mercancías que se introducen a un país y persona que se encarga de hacerlo.
— *El vista no se fijó en este aparato de sonido.*
vistoso, -sa Que atrae la atención por su apariencia. ☞ **atractivo, hermoso, lucido.** ❖ REPULSIVO.
— calidad de vistoso: *vistosidad.*
— de manera vistosa: *vistosamente.*
vitalicio, -cia Que dura desde que se obtiene hasta el fin de la vida. ☞ **permanente, perpetuo, indefinido.**
— que pertenece a la vida o se relaciona con ella: *vital.*
— que es muy importante o indispensable para la vida: *vital.*
vitalismo Doctrina que explica la vida por las fuerzas físico-químicas y por un principio vital distinto y superior a estas fuerzas.
— que pertenece al vitalismo o se re-

laciona con él, que es partidario de esta doctrina: *vitalista.*
vitamina Compuesto de sustancias orgánicas necesarias para la vida, que se encuentra en pequeñas cantidades en los alimentos naturales.
— que pertenece a las vitaminas o se relaciona con ellas: *vitamínico.*
— que tiene ciertas vitaminas: *vitaminado, vitamínico.*
— adición de vitaminas: *vitaminación.*
vitorear Aclamar con vítores. ☞ **glorificar, proclamar.** ❖ ABUCHEAR.
— aplauso, expresión de alegría: *vítor.*
vitrina Escaparate con puertas con vidrios para poder ver hacia adentro. ☞ **aparador.**
vitualla Comida, víveres, provisiones.
— abastecer, aprovisionar: *avituallar, vituallar.*
vituperio Injuria que hace o dice una persona, afrenta, oprobio. ☞ **calumnia, denigración.** ❖ ELOGIO, ENCOMIO, LOA.
— lo que merece vituperio, censurable: *vituperable.*
— acción y resultado de vituperar: *vituperación.*
— que vitupera: *vituperador.*
— hablar mal de algo o de alguien: *vituperar.*
— que incluye vituperio: *vituperioso, vituperoso.*
viudo, -da Individuo a quien se le ha muerto su cónyuge y no se ha casado de nuevo.
— que pertenece al viudo o a la viuda o se relaciona con ellos: *viudal, vidual.*
— estado de viudo o viuda: *viudez, viudedad.*
— pensión que puede recibir un viudo y que puede mantener mientras permanezca en tal estado: *viudedad.*
vivace Movimiento musical más rápido que el alegro pero menos que el presto.
vivacidad Esplendor o calidad de algo o alguien que expresa o tiene energía, vigor, alegría, ingenio y agilidad de movimientos. ☞ **energía, animación, actividad.** ❖ INDOLENCIA.
— *Su vivacidad le permitió ascender rápidamente en su trabajo.*
— *¡Qué vivacidad de colores presentaba el mar!*
— que es eficaz, vigoroso, ingenioso o de pronta comprensión: *vivaz.*
— vivacidad: *viveza.*
vivero 1. Terreno donde se trasplantan árboles y plantas en crecimiento para llevarlos después a un lugar perma-

nente. ☞ **criadero, invernadero, semillero.**
— *Mañana visitaremos el vivero al sur de la ciudad.*
2. Sitio en donde se crían peces, moluscos y otros animales.
— *Estas langostas vienen de un vivero.*
vivir 1. Tener vida. ☞ **existir.** ❖ MORIR.
— *Se alegró mucho cuando supo que vivía a pesar del terrible accidente.*
— existencia de los seres orgánicos: *vida.*
— estado de actividad de algo: *vida.*
— que tiene existencia: *vivo, viviente.*
— que pertenece a la vida o se relaciona con ella: *vital, vivo.*
— que vive: *vividor.*
— dar nueva vida o hacer vital: *vivificar.*
— que vivifica o da nueva vida: *vivificador.*
— acción y resultado de vivificar: *vivificación.*
2. Tener los medios para satisfacer sus necesidades o mantenerse.
— *Vive de lo que produce su negocio.*
— alimentos necesarios para la supervivencia: *víveres.*
— vivir con lo que se gana y sin tener nada ahorrado ni poder ahorrar: *vivir al día.*
3. Llevar cierto modo de vida alguien según su actividad, forma de comportarse y de satisfacer sus gustos y necesidades.
— *Vive como rey a pesar de que no tiene mucho dinero.*
— que es ingenioso, ágil, rápido, listo o hábil: *vivo, vivaz.*
— que es intenso o fuerte algo: *vivo.*
— esplendor, energía, vigor o ingeniosidad: *viveza, vivacidad.*
— persona que vive a expensas de los demás logrando lo que quiere por medios poco escrupulosos: *vividor, vivales.*
— expresión de alegría o entusiasmo con que se aprueba a alguien o algo: *¡viva!*
— que es de carácter alegre y vivo: *vivaracho.*
— tener buena posición económica: *vivir bien.*
— tener muchas comodidades y lujos: *vivir en grande.*
— saber obtener el mejor provecho de la vida: *saber vivir.*
4. Habitar en un cierto lugar. ☞ **residir, morar.**
— *Ema vive del otro lado de la calle.*
— lugar donde vive alguien o construcción destinada para ser habitada: *vivienda.*

5. Estar presente en la memoria de alguien ciertos acontecimientos o personas.

— *Vive en el recuerdo de todos los que lo quisieron.*

6. Experimentar algo.

— *Vivieron momentos de gran alegría con tu llegada.*

— experiencias o acontecimientos que vive alguien: *vivencias.*

— en el momento en que sucede, transmitido simultáneamente: *en vivo.*

— expresión que manifiesta la extrañeza causada por algo inesperado: *vivir para ver.*

— *¿quién llega?*: *¿quién vive?*

vizcacha Cada una de las variedades de roedores americanos parecidos a la liebre, de la familia de los chinchíllidos.

— madriguera de la vizcacha: *vizcachera.*

vocablo Palabra o unidad del vocabulario de una lengua a la que le corresponde un significado.

vocabulario 1. Conjunto de palabras o de vocablos de una lengua.

— *La voz research no forma parte del vocabulario del español.*

— persona que se dedica al estudio de los vocablos: *vocabulista.*

2. Libro que contiene gran parte de las palabras de una lengua, las que se utilizan en una región o las que usa un grupo social particular. ☞ **diccionario.**

— *Préstame el vocabulario que está sobre la mesa.*

— autor de un vocabulario: *vocabulista.*

3. Conjunto de palabras de un grupo humano en particular, de una actividad, campo semántico, etc.

— *Esta palabra forma parte del vocabulario teatral del s. XVII.*

4. Lista de palabras ordenadas que generalmente aparece al final de un texto o libro.

— *Consulté el vocabulario al final del texto de física.*

vocación Inclinación de una persona hacia una determinada profesión, carrera, oficio o actividad, o hacia una particular forma de vida. ☞ **disposición, propensión.** ❖ AVERSIÓN.

— que pertenece a la vocación o se relaciona con ella: *vocacional.*

— periodo de estudios posterior a la secundaria y anterior a los estudios profesionales de una carrera técnica o de ciencias aplicadas: *vocacional.*

vocal 1. Que pertenece a la voz o se relaciona con ella.

— *Su técnica vocal es perfecta.*

— cantante que acompaña a una orquesta: *vocalista.*

— hacer ejercicios musicales de vocalización: *vocalizar.*

— acción y resultado de vocalizar: *vocalización.*

— ejercicio de canto en donde se ejecutan arpegios, escalas, trinos, valiéndose de cualquier vocal: *vocalización.*

— que vocaliza: *vocalizador.*

— con la voz: *vocalmente.*

2. Cada uno de los sonidos del lenguaje, producido por aspiración del aire, con vibración laríngea y que varía según la distinta posición de los órganos de la boca; en español existen cinco vocales: a, e, i, o, u.

— *La palabra cuaderno tiene cuatro vocales.*

— vocales abiertas, fuertes: a, e, o.

— vocales cerradas, débiles: i, u.

— que pertenece a la vocal o se relaciona con ella: *vocálico.*

— conjunto de vocales de una lengua determinada: *vocalismo.*

— articular claramente las vocales, consonantes y sílabas de las palabras: *vocalizar.*

— transformar una consonante en vocal: *vocalizar.*

3. Cada una de las personas que tiene voz en una asociación o corporación.

— *Lo nombraron vocal de la asociación de vecinos.*

vocear 1. Gritar o dar voces. ☞ **gritar, vociferar.**

— *Cuando cometía un error se dedicaba a vocear.*

— sonido que sale de la boca de los seres humanos: *voz.*

— griterío, confusión de voces altas: *vocerío, vociferación.*

2. Publicar con la voz una cosa o anunciarla en voz alta y por la calle. ☞ **manifestar, pregonar.**

— *Vocearon la noticia de la llegada del circo.*

— persona que vende periódicos por la calle, voceándolos: *voceador.*

— persona que habla en nombre o representación de otra o de un grupo u organización: *vocero.*

— pregonero: *voceador.*

3. Aplaudir con voces, aclamar.

— *Vocearon a la actriz principal.*

4. Llamar a alguien en voz alta o mediante un micrófono o algo similar.

— *Te vocearon mientras saliste a la calle.*

— que vocea: *voceador.*

vociferar 1. Hablar gritando.

— *Vociferó en contra de la empresa cuando lo corrieron.*

— gritería, escándalo, alboroto: *vociferación, vocerío.*

— que vocifera: *vociferador, vociferante.*

2. Publicar algo con presunción.

— *Yo le conseguí el trabajo a María y nunca me lo agradeció, vociferaba su hermano cuando debía callarlo pues nunca reconoce nada de lo que por él hacen los demás.*

— acción y resultado de vociferar: *vociferación.*

vodevil Comedia teatral ligera con situaciones que provocan la hilaridad del espectador.

— que pertenece al vodevil o se relaciona con él: *vodevilesco.*

vodka (vea recuadro de bebidas). Bebida alcohólica o aguardiente de cereales que se consume mundialmente, pero principalmente en la URSS y el oriente europeo. ☞ **licor.**

volante 1. Pieza en forma de aro de un vehículo de transporte con la que se establece la dirección. ☞ **manubrio.**

— *Ese volante está viejo y muy sucio de tanto uso.*

— conducir un automóvil: *ir al volante, ponerse al volante, venir al volante.*

— juego en las ferias que se compone de varios asientos en una plataforma circular giratoria: *volantín.*

2. Hoja de papel que lleva impresa o escrita alguna información. ☞ **aviso.**

— *Todos los días el buzón está lleno de volantes.*

3. Adorno rizado de una prenda de vestir, generalmente femenina. ☞ **olán.**

— *Se puso una blusa llena de volantes.*

volar 1. Moverse y mantenerse en el aire mediante alas.

— *El colibrí voló hacia ese árbol.*

— que vuela: *volador, volátil, volante.*

— que es capaz de volar o puede volar: *voladero, volátil.*

— calidad de volátil: *volatilidad.*

— acto de volar: *vuelo.*

— vuelo hecho de una vez: *volada.*

— conjunto de distintas aves: *volatería.*

2. Viajar de un sitio a otro en un vehículo que vuela, como en un avión, helicóptero, globo, etc.

— *Voló hacia Canadá hoy en la tarde.*

— trayecto que realiza un transporte aéreo: *vuelo.*

3. Elevar algo en el aire.

— *Como sopla tanto el viento, los niños salieron a volar sus papalotes.*

— levantado del suelo, por el aire: *en volandas, en volandillas.*

— apuesta que se resuelve tirando una

moneda al aire para ver si cae águila (cara) o sol (cruz): *volado*.

4. Ir por el aire algo que se arroja con fuerza.

— *La pelota voló hasta la portería*.

— impulsar algo o a alguien o darle fuerza: *darle vuelo*.

— impulsarse: *agarrar el vuelo, tomar vuelo*.

5. Ir de un sitio a otro alguien con gran prisa o moverse algo con rapidez. ☞ **apresurarse, acelerar.**

— *¡Vuélale, están pagando!*

— que corre o va rápido: *volador*.

— vete, váyase, fuera: *a volar*.

6. Hacer algo muy pronto o suceder una cosa con mucha rapidez.

— *Comió volando y se fue sin despedirse*.

— rápidamente: *de volada*.

— inmediatamente: *al vuelo*.

— hacer algo sin limitaciones: *darse vuelo*.

7. Difundirse con rapidez, divulgarse.

— *La noticia voló por todos los medios*.

8. Hacer saltar algo mediante una explosión.

— *Voló el auto en donde viajaba el ministro*.

— explosión, estallido: *voladura*.

9. Acabarse o desaparecer rápidamente algo.

— *¡Qué bárbaros! ¿Ya voló la fruta que compré esta mañana?*

— desaparecer rápidamente una cosa: *volatizarse*.

— evaporarse una sustancia: *volarse*.

— estar o quedar inestable: *estar volando, quedar volando*.

10. Robar o sustraer.

— *Se descuidó y le volaron la bolsa*.

— acción de robar: *voladera, voladero*.

— robo: *voladero*.

— que aprovecha rápidamente una oportunidad para obtener beneficio: *volando pica*.

11. Sobresalir alguna parte de un edificio del lineamiento vertical del mismo.

— *Volaron los balcones de esos apartamentos*.

— salidizo o que sobresale de un plano vertical: *voladizo*.

— parte de un edificio, construcción o estructura que no tiene apoyo: *voladizo*.

— precipicio, despeñadero: *voladero*.

— suspendido en el aire, colgando: *volandero*.

— techo que parece no tener asidero: *techo voladizo*.

12. Enamorar o entusiasmar a alguien.

— *Si le dices que es guapa, la vuelas*.

— que se enamora o entusiasma con facilidad: *volado*.

— tener una aventura amorosa: *echarse un volado*.

volatizar Transformar en vapor o en gas un líquido o un cuerpo sólido. ❖ LICUAR, SOLIDIFICAR.

— volatizar: *volatilizar*.

— que tiene la propiedad de volatizarse, tratándose de una sustancia: *volátil*.

— que es capaz de volatizarse: *volatilizable*.

— acción y resultado de volatizar o volatizarse: *volatilización*.

— desaparecer una cosa: *volatilizarse*.

volcán (vea ilustración). 1. Abertura o conducto de una montaña por donde pueden salir lava, gas, humo, llamas, etc.

— *El volcán entró en actividad hace un mes*.

— que pertenece al volcán o se relaciona con él: *volcánico*.

— conjunto de fenómenos volcánicos: *vulcanismo, volcanismo*.

— parte de la geología que estudia los fenómenos volcánicos: *vulcanología, volcanología*.

— persona que se especializa en vulcanología: *vulcanólogo, volcanólogo*.

volcán

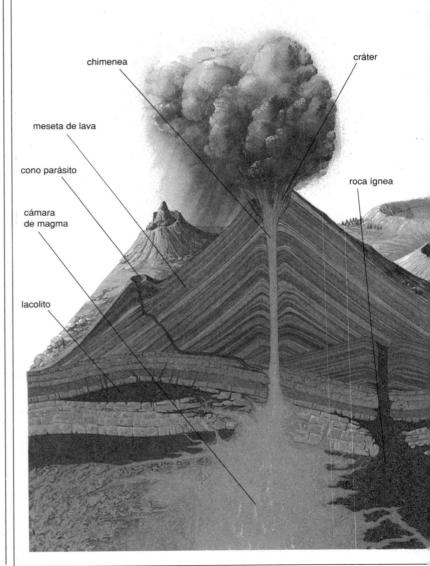

chimenea

cráter

meseta de lava

cono parásito

roca ígnea

cámara de magma

lacolito

— que pertenece a la vulcanología: *vulcanológico, volcanológico.*

2. Violencia, ardor o pasión de una persona.

— *Cuando se enoja suele ser un volcán.*

volcar 1. Mover un recipiente de manera que pierda su posición normal, se caiga o tire todo lo que contiene. ❖ ENDEREZAR.

— *¡Cuidado! ¡No vayas a volcar ese tintero!*

2. Moverse de tal modo un vehículo de transporte que se pierda la posición inicial y se voltee. ❖ ENDEREZAR.

— *Mi coche se volcó.*

3. Dedicarse alguien por completo a una cosa, poner gran interés en eso.

— *Se volcó hacia los estudios de modo sorprendente.*

voleo Golpe dado a una cosa en el aire y hacia arriba.

— golpear un objeto en el aire para impulsarlo: *volear.*

volibol Juego entre varias personas que consiste en golpear una pelota haciéndola pasar arriba de una red que divide en dos la cancha de juego.

volición Acto de la voluntad, que se refleja o expresa en la acción. ☞ **voluntad.**

volquete Vehículo automóvil de carga que puede mover el cajón que la contiene. ☞ **troca.**

voltear 1. Volver una cosa hasta dejarla al revés de como estaba en un principio.

— *Voltea el pantalón para plancharlo.*

— movimiento de algo hasta invertir su posición: *vuelta.*

2. Hacer que alguien se dé la vuelta.

— *Voltéate para arreglarte el cuello de la camisa.*

— cambiar alguien sus ideas y opiniones por las opuestas: *voltearse.*

— movimiento de alguien hasta invertir su posición: *vuelta.*

— alguien que aparentemente no lo experimentaba y de pronto se siente atraído por individuos de su mismo sexo: *voltearse.*

3. Volver la cabeza.

— *¡No voltees ahora! ¡Ahí está la mujer de quien te hablé!*

— que voltea: *volteador.*

— acción y resultado de voltear o voltearse: *volteo.*

— vuelta que se da en el aire: *voltereta.*

volterianismo 1. Actitud de incredulidad manifestada con burla o cinismo.

— *Su volterianismo ha dejado perplejo a más de uno.*

— que manifiesta incredulidad: *volteriano.*

2. Doctrina de Voltaire y sus seguidores.

— *Estudiaban el volterianismo pues debían exponer el tema en clase.*

— que pertenece a Voltaire o al volterianismo o se relaciona con ellos, que es partidario de Voltaire o de su doctrina: *volteriano.*

voltio Unidad de potencial eléctrico y de fuerza electromotriz en el sistema basado en el metro, el kilogramo, el segundo y el amperio.

— aparato que mide potenciales eléctricos: *voltímetro.*

— medida de la cantidad de voltios que actúan en un aparato o sistema eléctrico: *voltaje.*

voluble Inconstante o mudable en la actitud o forma de pensar. ☞ **variable, caprichoso.** ❖ CONSTANTE, FIEL.

— variabilidad o inconstancia: *volubilidad.*

volumen 1. Cuerpo de una cosa, espacio ocupado por esa cosa y medida de ese espacio. ☞ **mole, masa.**

— *Hay que darle mayor volumen a esta curva en la escultura.*

— que pertenece a un volumen o se relaciona con él: *volúmico.*

— medida de volúmenes: *volumetría.*

— que pertenece a la volumetría o se relaciona con ella: *volumétrico.*

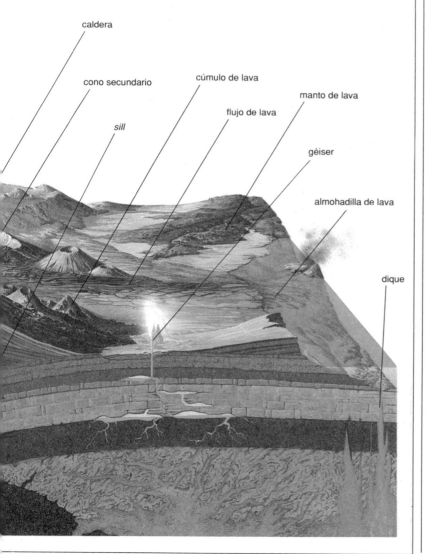

caldera

cono secundario

cúmulo de lava

manto de lava

flujo de lava

sill

géiser

almohadilla de lava

dique

2. Cantidad o tamaño de una cosa.

— *Este año disminuyó el volumen de ventas de los coches.*

— que tiene mucho volumen o tamaño: *voluminoso.*

3. Cada uno de los libros, físicamente hablando, de que se compone o puede componerse una obra.

— *Proyectan una historia de México en diez volúmenes.*

4. Intensidad de la voz o de cualquier sonido.

— *Habla con un volumen muy bajo.*

voluntad 1. Facultad del ser humano para actuar o decidir algo.

— *Hablaba de las tres potencias del alma: entendimiento, voluntad y memoria.*

2. Disposición de una persona para hacer algo o considerar a alguien.

— *Vinieron por su propia voluntad.*

— que se hace por deseo o voluntad y no por necesidad, obligación o fuerza, que cumple con cierta actividad gratuitamente: *voluntario.*

— calidad de voluntario: *voluntariedad.*

— enlistamiento voluntario para colaborar en una organización de beneficencia: *voluntariado.*

— voluntad o deseo expresado en el testamento o antes de morir: *última voluntad.*

— según se desee o se quiera: *a voluntad.*

— ser dócil, seguir las indicaciones de los demás: *no tener voluntad propia.*

3. Ganas, deseo o intenciones de hacer una cosa.

— *No tengo voluntad de enojarme con usted.*

4. Amor, cariño. ☞ **afición, afecto.** ❖ ANTIPATÍA.

— *¡Yo a usted le tengo voluntad!*

— malquerencia: *mala voluntad.*

5. Capacidad para hacer algo a base de esfuerzo y tenacidad por no tener interés en lo que se hace.

— *Tiene mucha voluntad para trabajar los fines de semana y con lo que gana pagarse sus clases de teatro.*

— que pone voluntad y constancia en el logro de algo: *voluntariosamente.*

— de modo voluntario: *voluntariosamente.*

— voluntad enérgica, inflexible: *voluntad de hierro.*

voluptuoso, -sa Que lleva a la complacencia de la sensualidad, la inspira o la hace sentir. ☞ **concupiscente, lascivo, erótico.** ❖ CASTO.

— complacencia en los deleites sensuales: *voluptuosidad.*

— de manera voluptuosa: *voluptuosamente.*

voluta Adorno en forma de espiral o caracol que se hace en algunos capiteles.

volver 1. Hacer que algo dirija su frente en dirección opuesta a la que antes tenía.

— *¡Vuelve la página a donde estaba!*

2. Regresar alguien al punto de partida o llegar nuevamente al lugar de donde salió. ☞ **retornar.** ❖ IR.

— *Volvimos a la casa por un abrigo pues hacía mucho frío.*

3. Regresar al hilo del discurso después de una digresión o aclaración.

— *Pero volvamos a nuestro tema.*

4. Cambiar una cosa o persona de un estado a otro.

— *Se volvió un tonto en cuanto vio a esa muchacha.*

— reflexionar sobre las propias actitudes para el reconocimiento o la enmienda: *volver sobre sí.*

5. Devolver, restituir. ☞ **recibir.**

— *Le volvió el color al rostro después del susto.*

6. Vomitar, arrojar lo que se tiene en el estómago.

— *Con tanto vino volvió toda la cena.*

7. Repetir o reiterar lo que se ha hecho. Se usa con la preposición a. ☞ **reanudar.**

— *Volvió a reírse a pesar de la advertencia de su amiga.*

— excederse en compromisos y carga de trabajo: *volverse loco.*

vomitar 1. Arrojar por la boca lo que se tiene en el estómago. ☞ **devolver, volver, guacarear.**

— *Bebió una sustancia tóxica y el médico lo hizo vomitar.*

— que causa vómito: *vomitivo, vómico, vomitorio.*

— lo vomitado: *vomitada, vómito.*

— vómito grande: *vomitona.*

— acción de vomitar: *vómito.*

— que vomita mucho: *vomitón.*

2. Arrojar de sí una cosa algo que tiene dentro.

— *El volcán vomitaba lava.*

— puerta en los circos o estadios para entrar o salir de las gradas: *vomitorio.*

3. Decir injurias y maldiciones.

— *Vomitó una serie de groserías.*

vorágine 1. Remolino con gran fuerza que hacen en algunos sitios las aguas del mar, de los ríos o lagos. ☞ **vórtice.**

— *No pasemos por aquella parte del río pues hay una vorágine.*

— agitado, turbulento: *voraginoso.*

2. Pasión desenfrenada.

— *Sucumbió en la vorágine de su amor.*

voraz 1. Que come con ansia y avidez. ☞ **tragón, comelón, glotón, ávido.** ❖ DESGANADO.

— *Ese perro es muy voraz.*

— gula, hambre, avidez: *voracidad.*

2. Que destruye violentamente o consume con gran rapidez. ☞ **violento, destructor.** ❖ DÉBIL, LENTO.

— *Un voraz incendio acabó con la prosperidad del pueblo.*

— calidad de voraz: *voracidad.*

vórtice Remolino de agua o de aire, vorágine o centro de un ciclón.

— que tiene forma de espiral, tratándose del movimiento del agua o del aire: *vortiginoso.*

votar 1. Dar uno su voto para la consecución de algo en una elección o tribunal.

— *No votamos pues no estábamos incluidos en la lista.*

— acción y resultado de votar: *votación, votada.*

— parecer, dictamen en orden a la decisión de un punto o elección de un sujeto: *voto.*

— conjunto de votos emitidos: *votación.*

— que vota: *votante, votador.*

2. Hacer un voto o juramento. ☞ **jurar.**

— *Votó ante la imagen de la Virgen que cuidaría de sus hermanos.*

— promesa hecha a Dios, la Virgen o un santo: *voto.*

— ofrecido por voto o que se relaciona con él: *votivo.*

— juramento en demostración de ira: *voto.*

— votos de pobreza, castidad y obediencia: *votos religiosos.*

voz 1. Sonido que sale de la boca de los seres humanos al ser expelido el aire de los pulmones y hacer que vibren las cuerdas vocales cuando se habla, se grita, se canta, etc.

— *Con el susto se le fue la voz.*

— expresión oral y no escrita: *viva voz.*

— en forma hablada y no escrita: *de viva voz.*

— hablar con la voz entrecortada: *temblar la voz.*

— con la voz: *vocalmente.*

— hacer que la voz sea más clara: *aclarar la voz.*

— de común acuerdo: *a una voz.*

— leer emitiendo la voz: *leer en voz alta.*

— hablar con autoridad o con grosería: *alzar la voz, levantar la voz.*

— voz que emite a sus subordinados el que los manda: *voz de mando.*

2. Calidad, timbre o intensidad de este sonido o del producido por un instrumento musical o un aparato electrónico.

— *Posee la voz más maravillosa que jamás he escuchado.*

— a gritos: *a voces.*

— gritar: *dar voces, vociferar, vocear.*

— griterío: *vocerío, vocería, vinglería.*

— con la voz muy intensa: *a voz en cuello.*

— con menor intensidad en la voz: *a media voz.*

— elevando la intensidad de la voz: *a toda voz, en voz alta.*

— voz áspera o bronca: *vozarrón, voz potente, voz de trueno.*

— con voz muy tenue, casi sin voz: *en voz baja.*

— voz que casi no tiene sonoridad: *voz ronca.*

— voz con sonoridad aguda: *voz aguda.*

— voz clara y sonora: *voz argentina.*

— voz más aguda que la natural: *falsete.*

3. Cada una de las líneas melódicas que forman una composición polifónica.

— *Compuso una fuga a cuatro voces.*

— parte principal de una composición que por lo regular contiene y expresa la melodía: *voz cantante.*

4. Persona que canta. ☞ **cantante, vocalista.**

— *En esta parte de la zarzuela entran las voces del coro.*

— voz que acompaña una melodía entonándola: *segunda voz.*

5. Vocablo, palabra.

— *Empleaba con frecuencia voces extranjeras.*

6. Facultad de hablar que tiene una persona pero no de votar en una asamblea o reunión formal.

— *El suplente tiene voz pero no voto.*

7. Accidente gramatical que expresa si el sujeto del verbo es agente o paciente.

— *Me pidió cambiar la oración a voz pasiva.*

— forma de conjugación con que se significa que el sujeto del verbo es paciente: *voz pasiva.*

— forma de conjugación con que se significa que el sujeto del verbo es agente: *voz activa.*

vudú Culto secreto de origen haitiano muy difundido en las Antillas y al sur de Estados Unidos. ☞ **rito, hechicería.**

vuelco 1. Acción y resultado de volcar o volcarse, voltereta o volteo.

— *Estuvo a punto de volcar el piano.*

— mover una cosa de manera que pierda su posición normal, se caiga o tire lo que contiene: *volcar.*

2. Alteración o movimiento con que una cosa se transforma enteramente.

— *Dio un vuelco a su vida después de largas reflexiones.*

— sentir de pronto alegría o cualquier movimiento del ánimo: *dar un vuelco el corazón.*

vuelo 1. Acción de volar.

— *El ave replegó sus alas en pleno vuelo.*

— moverse y mantenerse en el aire mediante las alas: *volar.*

— prontamente: *al vuelo.*

— tomar una cosa su propio movimiento: *tomar vuelo.*

— de un vistazo o mirada rápida: *a vuelo de pájaro.*

2. Trayecto recorrido por un avión entre el punto de origen y el destino.

— *Quizá el vuelo siga la ruta México, Montreal, Londres.*

— viajar de un lugar a otro en un vehículo que vuela: *volar.*

3. Amplitud de una tela, vestidura o parte de ella, que desde la sección más estrecha o fruncida se va ensanchando.

— *El vuelo de la falda tenía aplicaciones de encaje.*

vuelta 1. Movimiento de una cosa o una persona que gira alrededor de un punto sobre sí misma hasta cambiar su posición inicial o regresar a ella. ☞ **rotación, giro.**

— *Dale otra vuelta a la llave del agua.*

— hacer que algo o alguien dirija su frente en posición contraria a la que antes tenía: *volver.*

— en la parte opuesta del lugar en que está ubicado algo: *a la vuelta.*

— acción de moverse de modo que el frente del cuerpo quede hacia la parte hacia la cual estaba antes la espalda: *media vuelta.*

2. Curvatura de una línea, desviación de un camino o curso recto. ☞ **desvío, curva.**

— *A la primera cuadra dar vuelta a la izquierda.*

— que está muy cerca: *a la vuelta de la esquina.*

3. Cada una de las circunvoluciones de una cosa alrededor de otra o cada una de las veces que se hace algo.

— *En la mañana le dieron tres vueltas a la manzana.*

— pensar mucho una cosa: *darle vueltas.*

— dar un paseo: *dar una vuelta.*

4. Regreso al punto inicial. ☞ **retorno, venida.**

— *Ya está de vuelta. Estuvo una semana en Guadalajara.*

— al regresar de un lugar: *a la vuelta.*

— después de cierto tiempo: *a la vuelta de.*

— dinero que sobra de un pago y se regresa, cambio: *vuelto.*

— evitar algo o a alguien: *sacarle la vuelta.*

— ser definitivo algo o sin lugar a dudas: *no tener vuelta de hoja.*

vulcanismo Sistema que opina que la formación del globo terrestre se debe a la acción del fuego interior, que produjo los volcanes.

— partidario del vulcanismo: *vulcanista.*

vulcanizadora Taller en donde se recubren con goma las llantas desgastadas por el uso.

— combinar azufre con goma elástica para que esta última conserve su flexibilidad en frío o en caliente: *vulcanizar.*

vulgar 1. Que es general o conocido por todas las personas o la mayoría. ☞ **popular.** ❖ RARO.

— *El nombre vulgar de esa planta es crisantemo.*

— exponer un asunto científico de manera asequible a todas las personas o a su mayoría: *vulgarizar.*

— acción y resultado de vulgarizar: *vulgarización.*

— que generaliza o pone en conocimiento de la mayoría: *vulgarizador.*

— conjunto de personas que, de ciertas materias o actividades, tienen un conocimiento muy superficial: *vulgo.*

2. Que es común, ordinario o corriente. ☞ **banal, trivial.** ❖ SELECTO, ESPECIAL.

— *Una vulgar guitarra sirvió para que cantáramos toda la noche.*

— conjunto de personas del estrato sociocultural y económico más bajo: *vulgo.*

— hacer corriente o común una cosa o generalizarla: *vulgarizar.*

— banalidad, trivialidad o insignificancia: *vulgaridad.*

3. Que es de mal gusto, que no tiene cortesía ni educación. ☞ FINO, DISTINGUIDO.

— *Un tipo vulgar y grosero atendía el restaurant.*

— idiotez, grosería: *vulgaridad.*

— tener un trato grosero, comportarse sin educación o andar en manos de todos: *vulgarizarse.*

— de manera vulgar: *vulgarmente.*

vulnerar 1. Romper una ley o precepto. ☞ **violar, infringir.** ❖ ACATAR.

— *No deseaba vulnerar las normas de la congregación.*

voces animales

ANIMAL	MACHO	HEMBRA	CRÍA	ADJETIVO	VOZ
Abeja	zángano	abeja	abejita	himenóptero	zumbar
Águila	macho	hembra	aguilucho	falconado	trompetear
Ave		cigüeña	cría	zancuda	castañetear
					crotorar
					gruir
	cuervo	cuerva	cría	carnívoro	grajear
	gallo	gallina	polluelo	gallináceo	cloquear
		pita	pollo		cacarear
			pollito		piar
					piular
					piolar
					pipiar
					cantar
	guajolote	pípila	pípilo	faisánido	graznar
		xola			gluglutear
					cloquear
	tecolote	tecolota	tecolotito	estrígida	ulular
					gritar
Ballena	macho	hembra	ballenato	cetáceo	bramar
Burro	burro	burra	borrico	solípedo	rebuznar
			borriquillo		resoplar
			rozno		roznar
			buche		ornear
Caballo	caballo	yegua	potrillo	equino	relinchar
	corcel		potranca		piafar
			potro		bufar
			tusón		resoplar
Cabra	cabrón	cabra	cabrito	caprino	balar
	macho cabrío		primal	hircino	
			chivo		
			chivato		
			cegajo		
Carnero	carnero	carnera	borrego	rumiante	balar
Cerdo	cerdo	cerda	lechón	porcino	gruñir
	cochino	cochina	cochinillo		
	marrano	marrana	marranillo		
	chancho	chancha	gorrinillo		
		cebona			
		cocha			
Cocodrilo	cocodrilo	cocodrila	cocodrilito	saurio	llorar
					lamentarse
Conejo	conejo	coneja	conejito	orictolágino	chillar
Elefante	elefante	elefanta	elefantito	elefantino	barritar
					bramar
Felino	jaguar	hembra	cría	felino	himplar
	macho	pantera	cría	felino	rugir
	macho	puma	cría	felino	
	tigre	tigra	cría	felino	
Ganado	toro	vaca	becerro	vacuno	mugir
	buey		vaquilla	taurino	bufar
			recental		bramar
			majueto		berrear
			utrero		
			novillo		
			ternero		
			eral		
			cuatrero		
			majueto		
Gato	gato	gata	gatito	digitígrado	maullar
	minino				ronronear
					gruñir
					bufar

voces animales (continuación)

ANIMAL	MACHO	HEMBRA	CRÍA	ADJETIVO	VOZ
Jabalí	jabalí	jabalina	jabato	ungulado	rebudiar
					roncar
					gruñir
					arruar
Langosta	macho	hembra	cría	ortóptera	estridular
Liebre	macho	hembra	lebroncillo	leporino	chillar
			lebrato		
Lobo	lobo	loba	lobezno	vulpino	aullar
			lobato	lupino	
Mono	mono	mona	monito	simiesco	chillar
	chango				aùllar
	simio				gritar
Murciélago	macho	hembra	cría	quiróptero	chirriar
	morceguillo				
	morceguillo				
Oso	oso	osa	osezno	ursino	gruñir
Pájaro	pájaro	pájara	pajarito	ornitológico	trinar
					gorjear
					cantar
					cuchichiar
					gritar
					reclamar
					silbar
					chillar
	cotorro				garritar
	loro	lora	lorito	trepadora	hablar
	perico				charlar
	cuervo	cuerva	cuervito	córvido	croscitar
					grajear
					grajo
	palomo	paloma	palomito	colómbido	arrullar
			palomino		zurear
					gemir
		urraca	cría	córvido	chirriar
Pato	pato	pata	patito	palmípedo	parpar
	ánade				graznar
Perro	perro	perra	perrito	canino	ladrar
	can		cachorro		aullar
			perrezno		gañir
			perrillo		arrufar
					gritar
					gruñir
					latir
					llamar
					regañar
Rana	macho	hembra	renacuajo	batracio	croar
			ranita	anuro	groar
Zorro	zorro	zorra	zorrito	zorruno	gañir
					aullar

2. Dañar o perjudicar a alguien. ☞ **menoscabar.** ❖ FAVORECER.
— *Vulneró la honra de la familia.*
— que puede recibir un daño o perjuicio, que es sensible o se conmueve por algo: *vulnerable.*
— calidad de vulnerable, debilidad: *vulnerabilidad.*
— acción y resultado de vulnerar: *vulneración.*

vulpino, -na Relativo a la zorra o que tiene sus propiedades.

vulva Parte externa de los genitales femeninos, donde se halla la abertura de la vagina.

W, X, Y, Z

waffle Alimento en forma cuadriculada hecho con una masa de harina, leche y huevo, que se fríe en una plancha especial.

walkie-talkie (guokitóki) Radio emisor-receptor de ondas eléctricas que transmite y retransmite a corta distancia. ☞ **radiorreceptor, intercomunicador.**

water Excusado, retrete o taza de baño. ☞ **baño, excusado.**
— excusado, baño: *water-closet.*
— abreviatura que señala el baño o lugar donde hay excusados: *wc.*

water-polo Deporte acuático jugado entre dos equipos de siete nadadores que consiste en introducir la pelota con la mano en la portería contraria.

watt o wat Unidad de potencia eléctrica según nomenclatura internacional. ☞ **vatio.**
— instrumento que mide el consumo de potencia eléctrica de un circuito: *watímetro o vatímetro.*

western Película de vaqueros.

whisky (vea recuadro de bebidas). Bebida alcohólica escocesa.

winch, -e Máquina móvil portátil que llevan las embarcaciones de vela y que permite tensar las cuerdas que sujetan las velas.

xalcanautli Cada una de las diversas variedades de ánades silvestres americanas que viven en los lagos, principalmente en Chiapas. ☞ **pato, chalcuán, xalcuani.**

xenofobia Odio a los extranjeros o a las cosas extranjeras. ☞ **chauvinista.**
❖ XENOFILIA.
— que siente xenofobia: *xenófobo.*
— afición por lo extranjero o los extranjeros: *xenofilia.*
— que siente xenofilia: *xenófilo.*

xihuitl Año azteca de 18 meses de 20 días y 5 días de celebración. ☞ **calendarios.**

xilango, -ga Gentilicio de los habitantes del Distrito Federal. ☞ **chilango.**

xilófono Instrumento musical de percusión formado por láminas de madera o metal de distinto tamaño de longitud, similar a la marimba aunque más pequeño; se golpean las láminas con dos baquetas. ☞ **marimba.**

xilografía Arte de grabar la madera con punzón, buril, gubia y cincel, y la impresión de estas planchas de madera grabadas ya sea en blanco y negro, ya sea con varias tintas de colores.
— persona que graba en madera: *xilógrafo.*

xoconoxtle Cactácea agridulce de origen americano. ☞ **joconostle, tuna agria.**

xocoyote, -ta Hijo menor o benjamín de una familia.

xochitencuate Variedad de ave trepadora americana. ☞ **tucán.**

xóchitl Último o vigésimo de los 20 días del calendario azteca. ☞ **calendario.**

xochistle Bebida regional tabasqueña a base de cacao molido, azúcar, agua y achiote.

xola Hembra del guajolote. ☞ **guajolote, pava.**

xoloizcuincle Variedad de perro sin pelo.

xtabentún (vea recuadro de bebidas). Bebida alcohólica yucateca.

ya 1. Expresa la realización de una acción en tiempo pasado o en tiempo presente, pero con relación al pasado.
— *Ya vino el correo, abre ya la carta.*
2. Refuerza la seguridad de que una acción va a lograrse.
— *Ya verás que pronto encontrarás empleo.*
— dado que: *ya que.*
— ciertamente: *pues ya.*
— de acuerdo, órale: *ya vas.*
— sino por: *ya no por, no ya por.*

yac Variedad de bovino tibetano grande, de pelo largo. ☞ **yak.**

yacer 1. Estar echado un animal o estar acostado alguien.
— *Con el calor, yacían adormilados los animales.*
— que está echado o tendido: *yaciente, yacente.*
2. Estar enterrada una persona en determinado lugar.
— *En ese cementerio yacen algunos familiares míos.*
— efigie funeraria de una persona acostada: *yacente.*
3. Cohabitar con alguien, acostarse.
— *Yacían los dos desde que se casaron.*

yacaré Variedad de saurio de origen americano. ☞ **caimán.**

yacimiento Lugar donde se encuentran acumulados de manera natural minerales, rocas o fósiles, ya sea en el subsuelo o en la superficie. ☞ **filón, mina, cantera.**

yagua Nombre de la palmera cultivada. ☞ **palmera.**

yagual o yagualero Rosca de tela o fibras tejidas que se pone en la cabeza para cargar objetos. ☞ **rodete.**

yate Embarcación de recreo o deportiva, con vela o motor. ☞ **velero, barco.**

yegua (vea recuadro de voces animales). Hembra del caballo.
— arriero, caballerango de yeguas: *yegüero, yegüerizo.*
— relativo o perteneciente a las yeguas: *yeguar.*
— conjunto de yeguas: *yeguada, recua de yeguas, yegüería.*
— yegua de cinco años: *potra, potranca.*
— yegua de poca alzada: *jaca.*
— yegua que dirige una manada: *caponera, madrina.*

yelmo Sección de las armaduras medievales que protegía la cabeza y el rostro de los caballeros. ☞ **casco, armadura.**
— partes del yelmo: *morrión, visera y babera.*

yema 1. Parte amarilla del huevo. ☞ **vitelo.**
— *Le gusta batir mucho las yemas cuando hace pasteles.*
— dulce o turrón que se hace principalmente con yemas: *turrón de yema.*
2. Brote del tallo de las plantas.
— *Las yemas de esa planta son verde claro.*
— parte de la punta del dedo opuesta a la uña: *yema del dedo.*
— reproducción vegetal por medio de yemas: *gemación.*

yen Unidad monetaria del Japón.

yerba 1. Planta pequeña de tallo tierno que generalmente brota sola y muere rápidamente y conjunto de estas plantas. ☞ **hierba.**
— *Con las lluvias crecen muchas yerbas.*
— terreno cubierto de yerba: *yerbazal, yerbajal, yerbal.*
— llenarse de yerbas un terreno: *enyerbarse.*
— dar un brebaje de yerbas o toloa-

che una mujer al hombre para que no deje de quererla: *enyerbar*.

— vendedor de yerbas: *yerbero*.

— curandero que usa tratamientos a base de yerbas: *yerbero, yerbatero*.

2. Mariguana.

— *Lo detuvieron por andar con yerba*.

— fumar mariguana: *entrarle a la yerba*.

yermo, -ma 1. Que está despoblado, inhabitado, solitario o inexplorado. ☞ **desierto, árido**. ❖ CIVILIZADO.

— *Cerca de los pantanos hay terrenos yermos*.

2. Que es estéril o infértil. ❖ FÉRTIL.

— *Tiene una vida yerma*.

yerro Equivocación o error causado por descuido, ignorancia o distracción. ☞ **error, equivocación, desacierto**. ❖ ACIERTO.

yerto, -ta Que está tieso, inerte, rígido o frío, gélido o entumecido el cuerpo o una parte de él. ☞ **exánime, rígido, inmóvil**. ❖ FLEXIBLE, BLANDO.

yesca Materia combustible o muy seca, que arde o se prende fácilmente. ☞ **pedernal, fuego**.

yin-yang Categorías principales del pensamiento filosófico oriental.

yodo Elemento halógeno que se halla en el agua del mar; se usa en medicina por sus propiedades antisépticas, en fotografía y en la fabricación de colorantes.

— esterilización del agua mediante yodo: *yodación*.

— que contiene yodo: *yodado*.

— tratamiento a base de yodo: *yodoterapia*.

— yodo más un radical simple o compuesto: *yoduro*.

yogurt o yogur Leche fermentada mediante el bacilo búlgaro.

— aparato para hacer yogures: *yogurtera*.

yoyo Juguete formado por un disco de plástico, metal, madera u otros materiales, con una ranura en el borde y un eje central, al que se enrolla un hilo o cordón, cuyo extremo se sujeta a un dedo de la mano y de esta forma se impulsa hacia abajo y hacia arriba.

yuan Unidad monetaria de China.

yuca Variedad de liliácea americana. ☞ **tubérculo**.

yugo 1. Instrumento de madera al que se uncen los bueyes, mulas u otros animales.

— *Observa el yugo de esa yunta de bueyes*.

2. Dominación despótica sobre alguien. ❖ LIBERTAD.

— *Estamos bajo el yugo de la tiranía*.

— liberarse de un peso, carga o de

una opresión despótica: *sacudirse el yugo*.

3. Objeto arqueológico de piedra en forma de herradura, procedente de culturas prehispánicas.

— *Entre otros hay yugos totonacas, mayas y olmecas*.

yunque 1. Bloque de hierro usado por herreros y artesanos para forjar metales a martillo. ☞ **forja**.

— *El yunque que tiene punta en los dos lados se llama bigornia*.

2. Uno de los tres huesecillos del oído medio de los mamíferos.

— *El oído medio está compuesto por: martillo, yunque y estribo*.

yute Fibra textil obtenida del tallo de ciertas plantas tiliáceas denominadas yutes. ☞ **cáñamo, abaca**.

yuxtaponer Colocar una cosa junto a otra o dos cosas juntas. ☞ **aproximar, arrimar**. ☞ DESUNIR, SEPARAR.

— acción y resultado de yuxtaponer: *yuxtaposición*.

— relación o unión de palabras, frases u oraciones sin utilizar conjunciones ni preposiciones sino signos de puntuación, principalmente la coma: *yuxtaposición*.

— que están unidas por yuxtaposición, tratándose de palabras, frases u oraciones: *yuxtapuesto*.

zábila Variedad de planta liliácea oriental y africana semejante al agave. ☞ **sábila, áloe**.

zaca Bebida prehispánica compuesta de maíz y cacao.

zacahuil Variedad de tamal de enorme tamaño de La Huasteca veracruzana, hidalguense y tamaulipeca.

zacate 1. Planta gramínea de distintas especies rastreras que cubren los campos y sirve de alimento para el ganado y cualquier hierba seca o paja que es usada como forraje para alimentar al ganado.

— *Su terreno está lleno de zacate*.

— pastizal: *zacatal*.

— sembrar o cortar el zacate, dárselo al ganado y pacerlo los animales: *zacatear*.

2. Estropajo o fibra vegetal seca que sirve para tallar cosas al lavarlas o para tallarse las personas al bañarse.

— *Usa el zacate para bañarse diariamente*.

— no atreverse a acometer algo: *zacatearle, escurrir el bulto*.

zafar Soltar o quitar estorbos, excluir, soltar, desprender. ❖ ATAR, UNIR.

— librarse de una molestia o evadir a algo o a alguien: *zafarse de*.

— acción y resultado de zafar o zafarse: *zafada, zafón, zafonazo*.

— dislocarse, desarticularse los huesos: *zafarse*.

— loco, chiflado o alocado: *zafado*.

— ¡no!, ¡no estoy de acuerdo!, ¡no quiero!: *¡zafo!*

zafarrancho Alboroto, destrozo, reyerta. ☞ **desorden, riña**. ❖ ORDEN, PAZ.

zafio, -a Que es grosero, rudo o tosco alguien en su comportamiento. ☞ **tosco**. ❖ EDUCADO, CORTÉS.

zafiro Piedra preciosa de color azul.

zafra Cosecha de la caña de azúcar y fabricación de azúcar.

zaga Parte posterior de algo o parte de atrás.

— ir en último término: *ir a la zaga*.

zagal 1. ☞ **pastor**.

— *Los zagales cuidaban los rebaños*.

2. ☞ **chico, muchacho, mozo**.

— *La escuela está llena de zagales*.

zaguán Cuarto cubierto en la entrada de una casa o edificio.

zaherir Regañar a alguien echándole en la cara su mala acción, molestar u ofender a alguien con palabras o acciones. ❖ COMPLACER, SATISFACER.

— acción y resultado de reprender o molestar a alguien: *zaherimiento*.

zahorí Persona que practica la adivinación o a quien se le atribuye la facultad de adivinar el pensamiento y sentir de los demás, o de descubrir manantiales subterráneos.

zaino, -na 1. Que es de color castaño o café, tratándose de yeguas y caballos; que es de color negro totalmente, tratándose del ganado vacuno.

— *Entre las reses que tengo, las hay zainas, salinas, ratinas o chorreadas*.

2. Que es hipócrita, falso, traidor o desleal, tratándose de animales o personas. ❖ FIEL, LEAL.

— *No te fíes de esa yegua, es tan zaina como su dueño*.

zalamería Lisonja acaramelada o cualquier otra demostración de cariño muy afectada. ☞ **adulación**.

— halagüeño, barbero o sobón: *zalamero*.

zamarrear Maltratar golpeando o con movimientos bruscos una persona o animal a otra u otro. ☞ **zarandear, sacudir**.

— zarandeo, sacudida: *zamarreo, zamarreada, zamarrón*.

zambullir Meter, de manera impetuosa o brusca, a alguien o a una cosa debajo del agua. ☞ **bucear, sumergir**.

— meterse debajo del agua impetuosa o bruscamente: *zambullirse*.

— chapuzón: *zambullida, zambullido, zambullón, zambullidura, zambullimiento*.

zampar Comer de manera apresurada o con ansia. ☞ **tragar, devorar, engullir.**

zanate Variedad de pájaro negro azulado mexicano. ☞ **acazanate.**

zancada Paso muy largo.

— con rapidez: *de dos zancadas, en dos zancadas.*

— extremidad inferior larga y delgada de un animal o persona: *zanca.*

— traspié: *zancadilla.*

— soporte de madera alto o palo largo acondicionado para apoyar el pie; sobre el que se camina: *zanco.*

— que tiene las piernas muy largas: *zancona.*

— que la ropa es extremadamente corta: *zancón.*

— ir una persona vestida con alguna prenda muy corta: *andar zancón.*

— mosquito de patas largas: *zancudo.*

zángano (vea recuadro de voces animales). 1. Macho de la abeja. ☞ **abejón.**

— *Los zánganos cortejan a la abeja reina.*

2. Hombre flojo y holgazán que no hace nada de provecho. ❖ ACTIVO, DILIGENTE.

— *Cuando hay que trabajar, nunca falta un zángano.*

— holgazanería: *zanganería.*

— holgazanear: *zanganear.*

zangolotear Mover y agitar algo continuamente y con violencia o moverse alguien o algo de un lado a otro sin provecho. ☞ **sacudirse.**

zanja Surco por donde corre el agua o excavación larga y angosta. ☞ **excavación, surco.**

— abrir excavaciones alargadas: *zanjar.*

— solucionar dificultades o inconvenientes: *zanjar.*

zapato (vea ilustración). Prenda de vestir que cubre los pies. ☞ **calzado.**

— persona que compone, fabrica o vende zapatos: *zapatero.*

— persona que tiene por oficio arreglar zapatos: *zapatero remendón.*

— relativo o perteneciente a los zapatos: *zapatero.*

— actividad de hacer zapatos: *zapatería.*

— taller o fábrica donde se hacen zapatos: *zapatería, fábrica de calzado.*

— tienda donde venden zapatos: *zapatería, alpargatería, tienda de calzado.*

zapote 1. Cada una de las plantas sapotáceas que dan frutos comestibles; árbol de la familia de las ebenáceas que crece en zonas tropicales .

— *Le gusta cultivar zapotes.*

2. Fruto del árbol ebenáceo, con cáscara verde y pulpa negra.

— *El dulce de zapote es un postre mexicano.*

— golpe dado con un zapote o el que se da alguien al caer en el suelo con estruendo: *zapotazo.*

zarahuato Variedad de mono americano. ☞ **chango, sarahuato.**

zarandear Sacudir violentamente a una persona o cosa. ☞ **mover, agitar.**

— contonearse: *zarandearse.*

— acción y resultado de zarandear o zarandearse: *zarandeo, zarandeada.*

zarcillo Tipo de arete en forma de aro. ☞ **arracada, arete, aro.**

zarco, -ca Que es de tez blanca, ojos azul claro y rasgados, tratándose de una persona.

zarigüeya Variedad de marsupial americano, parecido a la rata.

zarpa Mano o pata con uñas afiladas de algunos animales, y por extensión, la mano del hombre.

— golpe con la zarpa o arañazo de zarpa: *zarpazo.*

— tomar algo con violencia: *dar el zarpazo.*

zarrapastroso, -sa Que tiene aspecto descuidado, sucio y con ropas rotas, que da un andrajoso desaseado. ☞ **desaliñado, desastrado.** ❖ PULCRO, ELEGANTE.

zarzaparrilla 1. Variedad de arbusto de origen mexicano, del género Smilax.

— *Tiene plantados zarzaparrillas y zapotes.*

2. Bebida medicinal y refrescante preparada con esta planta.

— *Cuando está enfermo, toma zarzaparrilla.*

zenzontle Variedad de ave canora mexicana. ☞ **cenzontle.**

zigzag Línea quebrada que serpentea rectamente y no en forma ondulada. ❖ RECTA.

— avanzar en zigzag: *zigzaguear.*

zloty Unidad monetaria de Polonia.

zodiaco (vea ilustración de la p. 703). Espacio astronómico o zona de la esfera celeste en la cual se mueve el Sol durante un año (movimiento aparente) y los demás astros. ☞ **astrología.**

— cada una de las doce partes en que se divide el zodiaco: *signo del zodiaco, casa celeste, casa o constelaciones.*

— perteneciente o relativo al zodiaco: *zodiacal.*

zona 1. Espacio delimitado más o menos extenso, porción de terreno, sector de una ciudad con determinadas características, región o parte diferenciada del resto.

— *Me gustan las zonas residenciales de esta ciudad.*

— zona de una ciudad llena de centros de diversión y prostíbulos: *zona roja.*

2. Ámbito o espacio ideal con ciertas configuraciones.

— *Algunos psicólogos afirman que toda persona tiene sus propias zonas erógenas.*

zoología Ciencia que estudia los animales.

— persona que tiene por profesión la zoología: *zoólogo.*

— perteneciente o relativo a la zoología: *zoológico.*

— lugar donde se exhiben animales vivos, algunos muy poco comunes: *zoológico, parque zoológico.*

zopilote Variedad de ave de rapiña americana. ☞ **buitre, gallinazo.**

zoquete Persona bruta, tonta o lenta para entender. ☞ **zopenco.**

zorra 1. Variedad de mamífero carnicero de origen europeo.

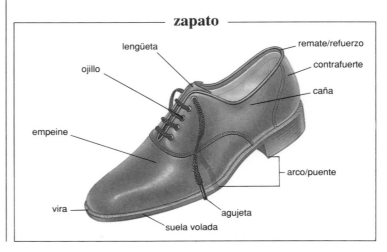

zapato

lengüeta
ojillo
empeine
vira
suela volada
agujeta
arco/puente
caña
contrafuerte
remate/refuerzo

zodiaco

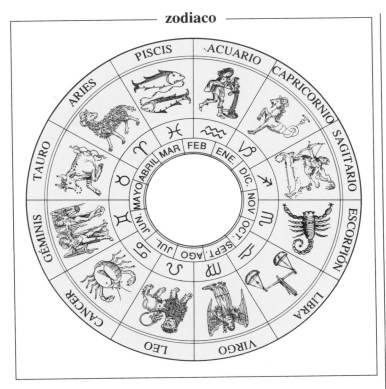

— *En Inglaterra, el deporte de los nobles es la caza de la zorra.*

— macho de la zorra o piel de las zorras: *zorro.*

2. Persona astuta, ladina, disimulada o taimada. ❖ INGENUO, SIMPLE.

— *Su mujer es una zorra y le causa muchos problemas.*

— hombre astuto y ladino: *zorro.*

— astucia: *zorrería.*

3. Prostituta, ramera.

— *Le gustaban las zorras de los prostíbulos.*

zozobrar 1. Sentir inquietud o angustia ante algo indefinido o sentir incertidumbre ante una situación peligrosa o en la que hay que tomar decisiones. ☞ **incertidumbre, inquietud.**

— *Zozobraba ante el abogado y no se atrevía a contarle toda la verdad.*

— desasosiego, sobresalto, inquietud o aflicción: *zozobra.*

2. Fracasar o frustrarse el logro de algo.

— *Hace un mes zozobraron dos de sus empresas.*

3. Naufragar o hundirse una embarcación o estar en peligro de que esto suceda. ☞ **naufragar, hundirse.**

— *Con el huracán zozobraron dos barcos pesqueros.*

— acción y resultado de zozobrar: *zozobra.*

— oposición y resistencia de los vientos hacia una embarcación, poniéndola en peligro de zozobrar: *zozobra.*

zueco Zapato de madera o calzado con suela de madera y piel, que deja al descubierto la parte de atrás del pie.

zumbar 1. Producir algo un sonido continuo, similar al que producen los insectos al volar.

— *El mosquito zumbó toda la noche junto a mi oreja.*

— sentir un sonido continuado en los oídos, sienes o cabeza alguien: *zumbarle los oídos, zumbarle las sienes, zumbarle la cabeza.*

— sonido que produce algo que zumba: *zumbido.*

— que zumba: *zumbador.*

— expresión usada cuando se habla de alguien, generalmente mal, durante su ausencia: *zumbarle los oídos.*

2. Dar una paliza o tunda a una persona o animal.

— *Te lo advierto, te voy a zumbar.*

— paliza, golpiza: *zumba.*

zumo Líquido o jugo que se extrae de vegetales, flores o frutas. ☞ **jugo, néctar.**

zurcir Coser la rotura de una tela tratando de que no se note mucho. ☞ **remendar.**

— cosido hecho en una rotura de tela: *zurcido, zurcidura.*

— que zurce: *zurcidor.*

zurrear Arrullar de las palomas.

zuro Olote o mazorca del maíz desgranada.

zurrar 1. Curtir y quitar pelos a las pieles.

— *Aprendió a zurrar en esa talabartería.*

2. Golpear a alguien o a un animal, azotarle o pegarle. ☞ **golpear, azotar.**

— *Lo zurraron por mentiroso.*

— paliza, golpiza: *zurra.*

— resultar algo molesto o desagradable para una persona: *zurrarle.*

— defecar alguien involuntariamente, generalmente por miedo: *zurrarse.*

zutano, -a Manera de designar genéricamente a alguien sin determinar el nombre. ☞ **perengano, fulano.**

AGRADECIMIENTOS

Las ilustraciones empleadas en este libro fueron tomadas o adaptadas de los siguientes libros publicados por Reader's Digest o Drive Publications:

Los porqués del cuerpo humano; Book of the British Countryside; Car Maintenance Course; Complete Guide To Needlework; Cookery Year; Family Health Guide; Family Medical Adviser; Gran diccionario enciclopédico ilustrado; Diccionario ilustrado de nuestro mundo; Un mago en casa; Los inventos que cambiaron al mundo; The Living World of Animals; Nature Lover's Library; Casa, ideas y técnicas; The Past All Around Us; Traditional Crafts In Britain; America's Fascinating Indian Heritage; Back to Basics; Book of British Birds; Book of the British Countryside; Eat Better, Live Better; Guide des chiens; Informatodo del hogar; The Reader's Digest Illustrated Book of Dogs; Joy of Nature.

Ilustraciones:

Abadía: Brian Delf. **Arácnidos**: John D: Dawson. **Árboles**: S. R. Badmin y Vanna Haggerty. **Arco Iris**: John Dicks. **Arco**: Malcolm McGregor. **Armadura**: Malcolm McGregor. **Atmósfera**: Malcolm McGregor. **Átomo**: *The World Book Encyclopedia*. **Automóvil**: *Spectron Artists*. **Ballena**: *The Macmillan Illustrated Animal Enciclopedia*. **Barcos**: *Webster's New World Dictionary*. **Biblia**: *The Lion Encyclopedia of the Bible*. **Bicicleta**: *Precision Illustration*. **Boca, nariz y garganta**: Pavel Kostal. **Caballo**: David Nickels. **Camaleón**: *The Macmillan Illustrated Animal Encyclopedia*. **Camello**: Michael Woods. **Canguro**: *The Macmillan Illustrated Animal Encyclopedia*. **Castillo**: Brian Delf. **Cerdo**: Harriet Pertchik. **Cerebro**: Pavel Kostal. **Conchas**: *Webster's New World Dictionary*. **Corazón**: Malcolm McGregor. **Depredadores**: Lee Ames and Zak Ltd. **Diente**: Malcolm McGregor. **Dinosaurio**: Charles Pickard. **Encuadernación**: *Precision Illustration*. **Escalera**: Hayward and Martin. **Esqueleto**: Charles Raymond. **Flores**: Pavel Kostal. **Fracturas**: Malcolm McGregor. **Gatos**: *The World Book Encyclopedia*. **Gemas**: Pavel Kostal. **Glaciar**: Gary Hincks. **Grama**: Ian Gerrard. **Gusanos**: *Webster's New World Dictionary*. **Herbolaria**: Kathleen Smith, Pat Cox, Donald Myall, Colin Emberson y Shirley Ellis. **Hongo**: Pavel Kostal. **Huevo**: Pavel Kostal. **Iglesia**: Brian Delf. **Iglú**: Vick Kalin. **Insecto**: Pavel Kostal. **Luna**: Patricia Ryan y fotografías del Lick Observatory. **Madera**: *Webster's New World Dictionary*. **Mano**: Ray Skibinski. **Mapas**: Reader's Digest Studio. **Mariscos**: Norman Weaver y Charles Pickard. **Metamorfosis**: Richard Bonson y Erick Robson. **Murciélago**: *The Macmillan Illustrated Animal Encyclopedia*. **Nubes**: Professor Scorer. **Nudos**: Pavel Kostal. **Obispo**: Malcolm Mc Gregor. **Océanos**: *The World Book Encyclopedia*. **Oído**: Pavel Kostal. **Ojo**: Pavel Kostal. **Órgano**: Brian Delf. **Orquesta**: Mitchel Beazley Publishers. **Pan**: John Cook/Whitecross Studios. **Papalotes**: Enid Kotschnig. **Pasta**: John Cook/Whitecross Studios. **Perros**: Jean Coladon, Francoise Bonvust, Guy Michel, Gregoire Sobieski, Joel Blanc, Line Mailhe, Jean Marie Le Faou y Michel Janvier. **Petróleo**: Launcelot Jones. **Pez**: Mick Loates. **Piel**: Judy Skorpil. **Piano**: Pavel Kostal. **Plagas**: Ed Lipinski. **Planetas**: Gary Hinks. **Pluma**: Sidney Woods. **Primates**: *The Macmillan Illustrated Animal Encyclopedia*. **Queso**: Mitchel Beazley Publishers. **Raíces**: John Murphy. **Ranas**: John D. Dawson. **Relámpago**: Enid Kotschnig. **Res**: Brian Delf. **Río**: George Buctel. **Roedores**: *The Macmillan Illustrated Animal Encyclopedia*. **Semillas**: Ann Savage. **Serpientes**: John D. Dawson. **Sistema nervioso**: Richard Bonson. **Submarino**: *The World Book Encyclopedia*. **Tarot**: Robert Harding Picture Library. **Teatro**: *Precision Illustration*. **Tierra**: Gary Hincks. **Tritón**: *The Macmillan Illustraterd Animal Encyclopedia*. **Violín**: Launcelot Jones. **Volcán**: Gary Hincks. **Zapato**: *Precision Illustration*.

Las ilustraciones **Berrendo, Borrego cimarrón, Cocodrilo Moreletii, Halcón Peregrino, Jaguar, Manatí, Mariposa coluda, Pavón, Quetzal, Tortuga carey** y **Tucán** corresponden a animales americanos en vías de extinción, y fueron realizadas para Reader's Digest México por Alfonso Barbosa García y Arturo Delgado Fuentes.

Entrada

libertad 1. Capacidad de alguien de decidir y actuar en la vida. ☞ **permisión.** ❖ DEPENDENCIA.
— *La libertad reside en comprender el mundo y situarse en él con inteligencia.*
— conjunto de ideas y prácticas que apoyan y desarrollan la libertad de acción y pensamiento del individuo, la no injerencia del Estado en la vida social y económica, y el origen parlamentario de las leyes: *liberalismo.*
— que es partidario del liberalismo: *liberal.*
— practicar el liberalismo: *liberalizar.*
— desenfreno o falta de respeto hacia los demás: *libertinaje.*
— desenfrenado o inmoral: *libertino.*
2. Situación de no sufrir ningún impedimento o sujeción. ❖ ESCLAVITUD. SUJECIÓN.
— *Dejaron en libertad a los sospechosos del crimen.*
— poner en libertad algo o a alguien que estaba bajo el dominio de una persona o institución: *liberar, libertar, librar.*
3. Soltura o naturalidad para desenvolverse en una situación; facilidad para hacer algo o para tratar a las personas.
— *Se reían con toda libertad del jefe.*
—permitirse un trato de mucha confianza o familiaridad con alguien: *tomarse la libertad de, tener libertad de.*
— tomarse familiaridades inadecuadas con alguien o propasarse: *tomarse libertades.*

Sinónimos o referencias

Antónimos u opuestos afines

Voces derivadas

Ejemplos de uso

Otras acepciones